DICIONÁRIOS ESCOLARES

7/94
TO TOM
In promotion
of your heritage —
B
Céu

DICIONÁRIO DE INGLÊS-PORTUGUÊS

ISBN 972-0-05320-8

PORTO EDITORA, LDA. Telex 27205 P

Adm./Escrit./Arm. Rua da Restauração, 365 – 4099 PORTO CODEX – PORTUGAL ☎ (02) 2005813 Telefax (02) 313072

Livrarias Rua da Fábrica, 90 / Pr. D. Filipa de Lencastre, 42 – 4000 PORTO ☎ (02) 2007669 ☎ (02) 2007681

D I S T R I B U I D O R E S

ZONA CENTRO **LIVRARIA ARNADO, LDA.**

Escrit./Arm./Liv. Rua de João Machado, 9 - 11, Apartado 375–3007 COIMBRA CODEX ☎ (039) 27573 Telefax (039) 22598

ZONA SUL **EMPRESA LITERÁRIA FLUMINENSE, LDA.**

Escrit./Arm. Rua de S. João Nepomuceno, 8 - A – 1200 LISBOA ☎ (01) 601138 Telefax (01) 3963371

Livraria Rua da Madalena, 145 – 1100 LISBOA ☎ (01) 872166 Telefax (01) 3963371

OBSERVAÇÕES E INSTRUÇÕES

1. O número de palavras, expressões, frases e abreviaturas inglesas contidas neste dicionário, com a respectiva tradução portuguesa, é muitíssimo superior ao de um dicionário elementar ou básico. Deste modo, não só os alunos dos vários graus de ensino (a quem ele fundamentalmente se destina) mas também quantos precisem de resolver problemas de tradução de Inglês para Português, ou de obter sinónimos e antónimos de vocábulos ingleses, poderão encontrar neste volume, de formato agradável, um bom auxiliar.

2. Este dicionário compõe-se de um corpo principal, impresso em papel branco, e de um apêndice final, impresso em papel de cor, o qual consta de uma lista apreciável de abreviaturas usadas na língua inglesa. Assim, os nomes próprios (de pessoas, países, rios, cidades, etc.), que em muitas obras deste género se incluem em apêndice, encontram-se no corpo principal do dicionário, dentro da respectiva ordem alfabética, e, como é óbvio, com letra inicial maiúscula, o que, desde logo, permite distingui-los dos restantes vocábulos. Julga-se que, deste modo, se facilitará o trabalho de consulta.

3. A pronúncia de cada vocábulo impresso a negro é representada pela transcrição fonética que imediatamente se lhe segue, entre parênteses rectos, e para a qual foram utilizados os símbolos do Alfabeto de Fonética Internacional e se tomou como obra de referência básica o «English Pronouncing Dictionary», de Daniel Jones, autoridade amplamente reconhecida.

4. Muitos vocábulos ingleses podem ter variantes de pronúncia. De modo geral, regista-se apenas a mais frequente; mas, em certos casos, apresentam-se duas ou mais variantes para o mesmo vocábulo, atendendo a que qualquer delas é frequentemente ouvida na linguagem falada. (Assim acontece, por exemplo, com as palavras **always** ['ɔ:lwəz, 'ɔ:lweiz]; **am** [æm, əm, m], etc.).

Sucede, entretanto, que uma palavra inglesa pode pertencer a mais do que uma categoria morfológica ou possuir mais que um significado, circunstâncias que envolvem, por vezes, alteração de pronúncia. Em tais casos, registam-se **sempre** as respectivas variantes, separando-as devidamente. Exemplo:

record 1 — ['rekɔ:d] *s.* registo; inscrição; ... etc..
2 — [ri'kɔ:d] *vt.* registar; arquivar; ... etc..

5. Depois de se apresentarem os vários significados de um vocábulo, incluem-se, muitíssimas vezes, listas de exemplos da sua utilização em diversas acepções, através de expressões de uso corrente, frases idiomáticas, etc.. O texto inglês vai impresso em itálico e encontra-se devidamente alinhado, o que parece permitir maior facilidade de consulta e de compreensão. Veja-se, por exemplo, a palavra **back.**

6. Em relação a certos vocábulos não se apresenta a transcrição fonética completa, mas apenas a da parte final da palavra. Exemplos:

absurdity [-iti]; **absurdly** [-li]. A pronúncia integral destes vocábulos obter-se-á juntando aos elementos apresentados (neste caso [-iti] e [-li]) os da palavra que, anteriormente, se encontre completamente transcrita (neste caso, **absurd** [əb'sə:d]). E, assim, facilmente se concluirá que a pronúncia integral de **absurdity** será [əb'sə:diti], e de **absurdly** [əb'sə:dli].

7. Dos verbos ingleses cujo pretérito e particípio passado terminam em *-ed* apresenta-se apenas o infinito. De todos os outros se incluem, antes da tradução portuguesa, as formas do pretérito e do particípio passado, entre parênteses curvos, também com a respectiva transcrição fonética. Exemplo: **begin** [bi'gin] *vt.* e *vi.* (pret. **began** [bi'gæn], pp. **begun** [bi'gʌn]). No entanto, as formas **began** e **begun** também são incluídas, independentemente, no corpo principal do dicionário, e dentro da respectiva ordem alfabética, o mesmo acontecendo com os restantes verbos cujos pretéritos e particípios passados não terminem em *-ed*.

8. Em relação a muitos vocábulos apresentam-se, depois dos vários significados em Português, sinónimos e antónimos ingleses, sempre entre parênteses curvos. Ver, por exemplo, **ancient.**

Chama-se, entretanto, a especial atenção dos utentes deste dicionário, e muito particularmente a daqueles que não possuam ainda um bom domínio da língua inglesa, para a circunstância de, em certos casos, ser necessária uma escolha muito cuidadosa dos sinónimos ou dos antónimos. Na verdade, o seu uso não é, muitas vezes, indiferente; depende da acepção em que se pretende usar determinada palavra. O mesmo, aliás, acontece nas outras línguas. Assim, por exemplo, em Português, o adjectivo **velho** pode ter, como sinónimos, *antigo, usado, gasto,* etc., e, como antónimos, *novo, recente, jovem, moderno,* etc.. Mas não é indiferente usar qualquer destes vocábulos; não se dirá, por exemplo, que o antónimo de «um homem velho» é «um homem recente», ou que o oposto de «um carro velho» é «um carro jovem»!...

Em face destes exemplos, parece justificar-se a recomendação especial que se faz sobre este assunto. O material apresentado revestir-se-á, indubitavelmente, de grande utilidade, mas só quando manuseado com segurança e preparação.

9. Numa obra deste género serão inevitáveis lapsos e imperfeições, apesar do cuidado posto na sua execução. Agradecem-se todas as sugestões e correcções que nos sejam enviadas.

Abreviaturas usadas neste Dicionário:

abrev.	abreviatura
acad.	académico
adj.	adjectivo
adv.	advérbio
aeron.	aeronáutica
Afr.	África; africano
agric.	agricultura
anat.	anatomia
Ant.	antónimo(s)
arc.	arcaico
arit.	aritmética
arq.	arquitectura
arqueol.	arqueologia
art.	artigo
astr.	astronomia
aut.	automóvel
aux.	auxiliar
av.	aviação
bíbl.	bíblico
biol.	biologia
bot.	botânica
bras.	brasileiro
cal.	calão
cam. fer.	caminho-de-ferro
card.	cardinal
cf.	confrontar
cin.	cinema
cir.	cirurgia
col.	coloquial
colect.	colectivo
com.	comércio; comercial
comp.	comparativo
compl.	complemento
cond.	condicional
conj.	conjunção
conjunt.	conjuntivo
contr.	contracção
cor.	correios
culin.	culinária
def.	definido
defect.	defectivo
dem.	demonstrativo
dep.	depreciativo
desp.	desporto; desportivo
didáct.	didáctica
dim.	diminutivo
dir.	directo
ecl.	eclesiástico
econ.	economia
educ.	educação
elect.	electricidade
enf.	enfático
eng.	engenharia
Esc.	Escócia; escocês
esc.	escolar
esgr.	esgrima
esp.	especialmente
est.	estilo
E. U.	Estados Unidos da América do Norte
Eur.	Europa
exp.	expressão
fam.	familiar
farm.	farmácia
fem.	feminino
fig.	figurado
fil.	filosofia
filol.	filologia
fin.	finanças
fís.	física
fisiol.	fisiologia
fon.	fonética
for.	forense
fot.	fotografia
fr.	francês
fut.	futebol
G. B.	Grã-Bretanha
geog.	geografia
geol.	geologia
geom.	geometria
geralm.	geralmente
gin.	ginástica
gír.	gíria
gr.	grego
gram.	gramática; gramatical
her.	heráldica
hidr.	hidráulica
hist.	história; histórico
idiom.	idiomático
i. e.	isto é
imp.	impessoal (verbo); imprensa

imper.	imperativo
imperf.	imperfeito
ind.	indicativo
indef.	indefinido
indir.	indirecto
inf.	infinito, infinitivo; infantil
Ing.	Inglaterra; inglês
int.	interrogativo
interj.	interjeição
Irl.	Irlanda; irlandês
irreg.	irregular
joc.	jocoso
jorn.	jornalismo
jur.	jurídico; jurisprudência
kg.	quilo (grama)
km.	quilómetro
lat.	latim; latino
ling.	linguagem; linguística
lit.	literatura; literário
lóg.	lógica
marít.	marítimo
masc.	masculino
mat.	matemática
mec.	mecânica
med.	medicina
mil.	militar
min.	mineralogia; minas
mit.	mitologia; mitológico
mult.	multiplicativo
mús.	música
náut.	náutico
nav.	naval
n. p.	nome próprio; nome de pessoa
num.	numeral
numism.	numismática
obsol.	obsoleto
ópt.	óptica
ord.	ordinal
pat.	patologia; patológico
ped.	pedagogia
pej.	pejorativo
pess.	pessoal
pint.	pintura
pl.	plural
poét.	poético
pol.	política
poss.	possessivo
pp.	particípio passado
p. pr.	particípio presente
pred.	predicativo
pref.	prefixo
prep.	preposição
pres.	presente
pret.	pretérito
pron.	pronome
prov.	provérbio
psic.	psicologia
quím.	química
rád.	rádio
rar.	raro
refl.	reflexo
reg.	regular
rel.	relativo
relig.	religião
s.	substantivo
sin.	sinónimo (s)
sing.	singular
suf.	sufixo
superl.	superlativo
teat.	teatro
téc.	técnica, técnico
tel.	telégrafo, telegrafia
telef.	telefone, telefonia
telev.	televisão
teol.	teologia
tip.	tipografia
top.	topónimo
topog.	topografia
v.	verbo
vd.	«vide», ver
veter.	veterinária
vi.	verbo intransitivo
v. imp.	verbo impessoal
vocab.	vocábulo; vocabulário
vr.	verbo reflexo
vt.	verbo transitivo
zool.	zoologia

DICIONÁRIO
DE
INGLÊS-PORTUGUÊS

GARANTIA DE QUALIDADE

Este dicionário foi elaborado, produzido e acabado segundo as normas mais exigentes de controlo de qualidade.

Contudo, é possível que um reduzidíssimo número de exemplares apresente algum defeito de fabrico.

Neste caso, agradecemos a sua devolução à livraria onde o comprou, para que de imediato seja reparado gratuitamente ou substituído por um novo.

O título **DICIONÁRIOS ESCOLARES**
está devidamente registado

© Porto Editora, Lda.
R. da Restauração, 365
4099 PORTO CODEX — PORTUGAL

A

A, a [ei] (*pl.* **A's, a's** [eiz]),**1** — A, a (a primeira letra do alfabeto).
A 1 — de primeira categoria; superior; excelente.
2 — (mús.) lá.
(in) a flat — (em) lá bemol.
(in) a major — (em) lá maior.
(in) a minor — (em) lá menor.
(in) a sharp — (em) lá sustenido.

a [ei, ə], **an** [æn, ən, n] (**a** usa-se antes de som consonântico e **an** antes de som vocálico).
1 — *art. ind.* um, uma.
a few — alguns, uns, uns poucos (de).
a good many, a great many — muitíssimos; uma grande quantidade (de).
a Mr. Brown — um tal Sr. Brown.
how fine a day! — que lindo dia!
of a size — do mesmo tamanho.
many a man (lit.) — muitos homens.
many a time (lit.) — muitas vezes.
what a beautiful woman! — que linda mulher!
2 — *prep.* cada; em; por.
once (twice...) a day — uma vez (duas vezes...) por dia.
ten shillings a dozen — dez xelins a (cada) dúzia.
three times a week — três vezes por semana.
twenty miles an hour — vinte milhas por hora.
twice a month (a year) — duas vezes por mês (por ano).

Aaron ['ɛərən], *n. p.* Aarão.

Aaron's beard ['ɛərənz'biəd], *s.* (bot.) raios-de-sol.

Aaron's rod ['ɛərənz'rɔd], *s.* (bot.) verbasco branco.

abaci ['æbəsai], *s. pl.* de **abacus.**

aback [ə'bæk], *adv.* atrás, detrás, para trás.
taken aback — embaraçado; surpreendido.
to be aback (náut.) — dar por davante; com vento pela frente.

abacus ['æbəkəs], *s.* (pl. **abaci** ou **abacuses**) ábaco (quadro para fazer contas); (arq.) — parte superior do capitel de uma coluna; espécie de aparador ou guarda-loiça, dividido em compartimentos.

abacuses ['æbəkəsiz], *s. pl.* de **abacus.**

abaft [ə'bɑ:ft], *adv.* e *prep.* (náut.) à ré, à popa; atrás de.
abaft the bridge — atrás da ponte de comando.

abandon [ə'bændən], **1** — *s.* abandono, êxtase.
2 — *vt.* abandonar, deixar; desistir de. (*Sin.* to desert, to give up, to leave. *Ant.* to keep, to hold.)
to abandon oneself to — entregar-se a; abandonar-se a.

abandoned [-d], *adj.* depravado, dissoluto, imoral.
an abandoned wretch — um miserável.

abandonment [-mənt], *s.* abandono, desamparo; renúncia.
abandonment of a right (jur.) — renúncia a um direito.

abase [ə'beis], *vt.* rebaixar, humilhar, apoucar. (*Sin.* to degrade, to lower, to humiliate. *Ant.* to exalt.)

abasement [-mənt], *s.* humilhação, aviltamento; degradação; desonra; abatimento.

abash [ə'bæʃ], *vt.* atrapalhar, desconcertar, confundir.

abashed [-t], *adj.* envergonhado, atrapalhado.
to stand abashed — estar (ficar) atrapalhado ou embaraçado.

abashment [-mənt], *s.* atrapalhação, embaraço.

abask [ə'bɑ:sk], *adv.* ao calor do sol, duma luz ou duma lareira.

abate [ə'beit], *vt.* e *vi.* abater, fazer uma redução, diminuir, baixar, reduzir; amainar, acalmar; (jur.) caducar; anular, abolir, suprimir.

abatement [-mənt], *s.* abatimento, diminuição, redução; (jur.) supressão, abolição, anulação.

abater [-ə], *s.* (o) que diminui, reduz ou faz abatimento; calmante.

abatis, abattis ['æbətis], *s.* (*pl.* **abatis** ou **abatises**) (mil.) abatis, trincheira formada com troncos de árvores.

abattoir ['æbətwɑ:], *s.* matadouro público.

abb [æb], *s.* trama, fio tecido.

abbacies ['æbəsiz], *s. pl.* de **abbacy.**

abbacy ['æbəsi], *s.* dignidade ou direitos de abade; jurisdição abacial.

abbatial [ə'beiʃəl], *adj.* abacial.

abbé ['æbei], *s.* abade, padre, sacerdote.

abbess ['æbis], *s.* abadessa; superiora de um convento.

abbey ['æbi], *s.* abadia, mosteiro.

abbot ['æbət], *s.* abade; superior de convento.

abbotship [-ʃip], *s.* cargo ou dignidade de abade.

abbreviate **1** — [ə'bri:viit], *adj.* abreviado.
2 — [ə'bri:vieit], *vt.* abreviar, resumir, encurtar.

abbreviation [əbri:vi'eiʃən], *s.* abreviatura, abreviação, abreviamento.

ABC, abc ['ei'bi:'si:], *s.* alfabeto, abecedário; rudimentos.

abdicant ['æbdikənt], *s.* e *adj.* abdicante, renunciante.

abdicate ['æbdikeit], *vt.* e *vi.* abdicar, renunciar.

abdication [æbdi'keiʃən], *s.* abdicação, renúncia.

abdomen ['æbdəmen, æb'doumen, æb'doumin], *s.* (anat.) abdómen.

abdominal [æb'dɔminl], *adj.* abdominal, relativo ao abdómen.

abducent [æb'djusənt], *adj.* (anat.) abducente.

abduct [æb'dʌkt], *vt.* raptar; arrebatar; (anat.) abduzir. (*Sin.* to kidnap, to carry off, to take away, to remove. *Ant.* to restore.)
abduction [æb'dʌkʃən], *s.* rapto; (anat.) abdução; silogismo.
abductor [æb'dʌktə], *s.* raptor; (anat.) abdutor.
abductor muscle(s) — músculo(s) abdutor(es).
abeam [ə'bi:m], *adv.* (náut.) de través, pelo través.
abecedarian [eibi:si:'dɛəriən], *adj.* disposto alfabeticamente.
abed [ə'bed], *adv.* na cama.
Abel ['eibəl], *n. p.* Abel.
Aberdeen [æbə'di:n], *top.* condado e cidade da Escócia.
aberdevine [æbədə'vain], *s.* (zool.) verdelhão.
aberrance [æ'berəns], *s.* desvio, descaminho; deficiência.
aberrancy [-i], *s.* ver **aberrance.**
aberrant [ə'berənt], *adj.* aberrante, anormal.
aberration [æbə'reiʃən], *s.* aberração; desvio, afastamento; erro.
abet [ə'bet], *vt.* incitar, instigar; ser cúmplice.
abetment [-mənt], *s.* incitamento, instigação; cumplicidade.
abetter [-ə], *s.* instigador; cúmplice.
abetting [-iŋ], *s.* cumplicidade.
abettor [-ə], *s.* ver **abetter.**
abeyance [ə'beiəns], *s.* suspensão, interrupção; expectativa.
abhor [əb'hɔ:], *vt.* detestar, abominar, odiar, aborrecer. (*Sin.* to hate, to abominate, to detest, to loathe. *Ant.* to love.)
abhorrence [əb'hɔrəns], *s.* aversão, ódio, repulsa, aborrecimento.
flattery is my abhorrence — detesto a lisonja.
abhorrent [əb'hɔrənt], *adj.* odioso, detestável, repugnante, repulsivo.
abhorrer [əb'hɔrə], *s.* abominador, pessoa que detesta; pessoa que tem aversão.
abide [ə'baid], *vt.* e *vi.* permanecer; residir, habitar, viver; sofrer, suportar, tolerar; defender; durar. (*Sin.* to dwell, to live; to bear; to remain, to persist, to continue.)
to abide by — ficar (manter-se) fiel a.
to abide the consequences — sofrer as consequências.
abiding [-iŋ], *adj.* permanente, duradoiro.
abidingly [-iŋgli], *adv.* permanentemente, continuamente.
abies ['æbii:z], *s.* abeto.
abigail ['æbigeil], *s.* dama de companhia.
abilities [ə'bilitiz], *s. pl.* de **ability** — dons (dotes) intelectuais.
ability [ə'biliti], *s.* capacidade, aptidão, talento; esperteza; habilidade.
to the best of one's ability — o melhor que se puder.
abiogenesis [eibaiou'dʒenisis], *s.* abiogénese, geração espontânea.
abiogenetic [eibaioudʒə'netik] *adj.* abiogenético, relativo à teoria da geração espontânea.
abiogenetically [eibaioudʒə'netikəli], *adv.* por geração espontânea.
abiogenist [eibai'oudʒənist], *s.* abiogenista, partidário da doutrina da geração espontânea.
abject ['æbdʒekt], *adj.* abjecto, desprezível, vil, baixo.
abjection [æb'dʒekʃən], *s.* abjecção, baixeza, vileza, aviltamento.
abjectly ['æbdʒektli], *adv.* abjectamente, vilmente.
abjectness ['æbdʒektnis], *s.* ver **abjection.**
abjudicate [æb'dʒu:dikeit], *vt.* abjudicar.
abjuration [æbdʒuə'reiʃən], *s.* abjuração.
abjure [əb'dʒuə], *vt.* abjurar, renegar; repudiar; apostatar.
abjurer [-rə], *s.* apóstata.
ablation [æb'leiʃən], *s.* (cir. e geol.) ablação.
ablative ['æblətiv], *s.* e *adj.* ablativo.
ablaut ['æblaut], *s.* apofonia, mudança da vogal no radical de uma palavra (ex. — r*i*de, r*o*de, r*i*dden).
ablaze [ə'bleiz], *adj.* e *adv.* em chamas, a arder; excitado; ardente.
ablaze with light (jewels) — resplandecente de luz (jóias).
able [eibl], *adj.* apto, capaz; competente; hábil, habilidoso; perito; qualificado.
able-bodied — robusto, vigoroso.
able-minded — inteligente.
to be able (to) — ser capaz (de); poder, conseguir; estar em estado de.
abloom [ə'blu:m], *adj.* e *adv.* em flor.
ablution [ə'blu:ʃən], *s.* ablução, lavagem.
ably ['eibli], *adv.* habilmente, com talento.
abnegate ['æbnigeit], *vt.* abnegar, renunciar a, coibir-se de.
abnegation [æbni'geiʃən], *s.* abnegação, renúncia, apostasia.
abnormal [æb'nɔ:məl], *adj.* anormal, excepcional; irregular; invulgar.
abnormality [æbnɔ:'mæliti], *s.* anormalidade.
abnormally [æb'nɔ:məli], *adv.* anormalmente, excepcionalmente; irregularmente; invulgarmente.
abnormity [æb'nɔ:miti], *s.* anomalia, monstruosidade; irregularidade.
aboard [ə'bɔ:d], *adv.* e *prep.* a bordo; para bordo.
all aboard! — todos para bordo! (aviso de partida).
close aboard — borda com borda.
to fall aboard a ship — abalroar, embater com um navio.
to go aboard (a ship) — embarcar (num navio); ir num navio.
to take aboard — embarcar, meter a bordo.
abode [ə'boud], **1** — *pret.* e *pp.* de **abide. 2** — *s.* residência, domicílio; estada, demora, permanência.
to make one's abode — instalar-se; fixar residência.
abolish [ə'bɔliʃ], *vt.* abolir; anular; revogar.
abolishable [-əbl], *adj.* abolível; revogável.
abolisher [-ə], *s.* abolidor; anulador.
abolishment [-mənt], *s.* abolição; anulação.
abolition [æbə'liʃən], *s.* ver **abolishment.**
abolitionism [-izm], *s.* abolicionismo.
abolitionist [-ist], *s.* abolicionista.
abomasum [æbou'meisəm], *s.* abomaso; coalheira.
abominable [ə'bɔminəbl], *adj.* abominável, detestável.
abominableness [-nis], *s.* o abominável, o detestável (como qualidade ou característica).
abominably [-i], *adv.* abominavelmente, detestavelmente.
abominate [ə'bɔmineit], *vt.* abominar, detestar. (*Sin.* to abhor, to hate, to detest. *Ant.* to love.)
abomination [əbɔmi'neiʃən], *s.* abominação, ódio, aversão.
coffee is an abomination to me — detesto café.
to have (to hold) in abomination — abominar, detestar.
aboriginal [æbə'ridʒənl], *adj.* primitivo, dos aborígenes; indígena.
aboriginally [æbə'ridʒənəli], *adv.* primitivamente, de modo primitivo, originariamente.
aborigines [æbə'ridʒini:z], *s. pl.* aborígenes, primitivos habitantes de um país; a fauna ou flora primitiva.
abort [ə'bɔ:t], *vi.* abortar; falhar.

abortifacient [ə'bɔti'fæsiənt], *s.* e *adj.* abortivo.
abortion [ə'bɔ:ʃən], *s.* aborto; malogro, insucesso; monstro, monstruosidade.
abortive [ə'bɔ:tiv], *adj.* abortivo, prematuro; inútil; malogrado.
abortively [-li], *adv.* abortivamente, prematuramente; sem êxito.
abortiveness [-nis], *s.* aborto, estado abortivo; insucesso; malogro.
aboulia [ə'bu:liə], *s.* abulia.
aboulic [ə'bu:lik], *adj.* abúlico.
abound [ə'baund], *vi.* abundar, existir em abundância.
to abound in (with) — abundar, ser rico em, ter em abundância; estar infestado de.
abounding [-iŋ], *adj.* abundante.
about [ə'baut], *adv.* e *prep.* em volta (de), à roda (de); em toda a volta, em redor; aqui e ali; de (por) todos os lados, de (por) todas as partes; na vizinhança, perto (de); cerca de, aproximadamente, por volta de; quase; um tanto; de, acerca de, sobre, a respeito de, com respeito a, quanto a; com.
about as much as — quase tanto como.
about here — não longe daqui.
about ten o'clock — por volta das dez horas.
about tired — um tanto cansado.
about turn! (mil.) — meia volta, volver!
about twenty — cerca de vinte.
all about — por toda a parte.
Don't beat about the bush! — Deixa-te de rodeios!
he is still about it — ele ainda não acabou.
I have no money about me — não trago dinheiro comigo.
it's going about that... (the news is going about that...) — consta que..., diz-se por aí que...
out and about — restabelecido (depois de uma doença).
Say no more about it! — Não falemos mais disso!
Send him about his business! — (col.) Manda-o passear!
she knows what she is about — ela sabe o que faz.
somewhere about — algures aqui perto.
Tell me all about it! — Conta-me tudo!
there are many papers lying about the room — há muitos papéis espalhados pela sala.
there is something nice about her — há nela qualquer coisa que me agrada.
to be about a thing — estar ocupado com uma coisa.
to be about right — ter uma certa razão.
to be about to — estar para; estar prestes a.
to be up and about — andar a pé (não estar de cama).
to beat about the bush — fazer rodeios; não falar directamente num assunto.
to bring about — causar; efectuar; pôr em execução.
to come about — ter lugar, acontecer; produzir-se.
to come about something — vir por causa de (para tratar de) qualquer coisa.
to move (walk, look...) about — mover-se (andar, olhar...) em todas as direcções; de um lado para o outro (em redor; em volta).
to put about (náut.) — virar por davante; meter a virar.
to run about — correr de um lado para o outro.
to take turns about — revezar-se.
turn and turn about — alternadamente.
What about going for a walk? — E se fôssemos passear?
What about it? — Então? Afinal?
What are you about? — Que estás a fazer?
What are you talking about? — De que é que estás a falar?
What is it about? — De que (se) trata?
What is this book about? — De que trata este livro?
What's wrong about it? — Que mal há nisso?
above [ə'bʌv], *prep.* e *adv.* sobre, acima de, por cima de; mais alto que; mais de (que); na parte superior, em cima, acima; de cima; antes; anterior; anteriormente, previamente.
above all — acima de tudo, especialmente, antes de mais, primeiro que tudo.
above-board — às claras; abertamente; francamente.
above-ground — vivo; na terra, à superfície da terra.
above-mentioned — supracitado; antes (acima) referido (mencionado).
above one's understanding — fora da compreensão de alguém, mais do que se consegue compreender.
above-said, **acima mencionado; atrás referido.**
above sea level — acima do nível do mar.
above suspicion — fora de (acima de) toda a suspeita.
above 200 people — mais de 200 pessoas.
above zero — acima de zero.
all men above 60 — todos os homens com mais de 60 anos.
over and above — além de, em adição a.
the above text (passage, paragraph) — o texto (trecho, parágrafo) acima, anteriormente apresentado.
the above remarks (statements) — as observações (afirmações) anteriores.
this is above me — isto é de mais (demasiado difícil) para mim.
to be above oneself — ser demasiado vaidoso; dar-se ares de superior.
to be above the others — ser superior aos outros (em qualidade).
to fly above the clouds — voar por cima das nuvens.
to keep one's head above water — (fig.) manter a (andar de) cabeça erguida, não se meter em sarilhos (esp. dívidas).
abracadabra ['æbrəkə'dæbrə], *s.* abracadabra (palavra à qual se atribui poder mágico).
abrade [ə'breid], *vt.* raspar, desgastar, esfregar; esfolar, ferir (esp. a pele).
Abraham ['eibrəhæm], *n. p.* Abraão.
abranchial [ə'bræŋkiəl], *adj.* desprovido de brânquias.
abranchiate [ə'bræŋkiit], *adj.* ver **abranchial.**
abrasion [ə'breiʒən], *s.* escoriação, arranhadela; desgaste; atrito.
abrasive [ə'breiziv], *s.* e *adj.* abrasivo.
abreast [ə'brest], *adv.* ombro a ombro, lado a lado; de frente; a par; (náut.) pelo través de.
abreast of the times — a par dos tempos (da época); actualizado; em dia.
abridge [ə'bridʒ], *vt.* abreviar, resumir, condensar, encurtar. (*Sin.* to abbreviate, to epitomize, to condense, to shorten. *Ant.* to amplify.)
abridg(e)ment [-mənt], *s.* resumo, sumário, epítome; diminuição, redução, simplificação. (*Sin.* abbreviation, epitome, summary, synopsis. *Ant.* amplification.)
abroach [ə'broutʃ], *adj.* e *adv.* furado, aberto (pipa, etc.).
abroad [ə'brɔ:d], *adv.* fora; no (para o) estrangeiro; por toda a parte; em todas as direcções.
all abroad — enganado, errado; confuso.
at home and abroad — dentro e fora do país.
from abroad — do estrangeiro.

there is a rumour abroad that... — consta que..., diz-se por aí que...
to be abroad early — sair cedo de casa.
to get abroad — divulgar-se; espalhar-se.
to live abroad — viver no estrangeiro.
abrogate ['æbrougeit], *vt.* ab-rogar, anular, abolir, revogar. (*Sin.* to annul, to cancel, to abolish. *Ant.* to enact.)
abrogation [æbrou'geiʃən], *s.* ab-rogação, anulação, revogação.
abrupt [ə'brʌpt], *adj.* abrupto, brusco; precipitado, repentino; desconexo; alcantilado, escarpado; (bot.) truncado.
abruption [ə'brʌpʃən], *s.* rotura; separação brusca.
abruptly [ə'brʌptli], *adv.* abruptamente, bruscamente, subitamente; rudemente; desconexamente; precipitadamente.
abruptness [ə'brʌptnis], *s.* brusquidão; rudeza; desconexão; precipitação; declive.
Absalom ['æbsələm], *n. p.* Absalão.
abscess ['æbsis], *s.* abcesso.
to develop into an abscess — formar abcesso.
abscissa [æb'sisə], *s.* (mat.) abcissa (uma das coordenadas que servem para fixar um ponto no plano).
abscissae [æb'sisi:], *s. pl.* de **abscissa.**
absciss(e) [æb'sis], *s.* ver **abscissa.**
abscission [æb'siʒən], *s.* (cir.) abcisão, corte, amputação.
abscond [əb'skɔnd], *vi.* esconder-se, escapar-se, fugir à acção da justiça.
abscondence [-əns], *s.* fuga, escondimento.
absconder [-ə], *s.* foragido, fugido à justiça.
absconding [-iŋ], *s.* ver **abscondence.**
absence ['æbsəns], *s.* ausência, falta; distracção; abstracção; descuido.
absence from school — falta à escola.
absence of mind — distracção.
to explain one's absences — justificar as faltas.
absent 1 — ['æbsənt], *adj.* ausente; distraído; abstracto; descuidado.
absent-minded — distraído.
absent-mindedly — distraidamente.
absent-mindedness — distracção.
Who is absent? — Quem falta?
2 — [əb'sent], *v. r.* ausentar-se, retirar-se.
absentee ['æbsən'ti:], *s.* pessoa ausente; proprietário que não reside nas suas terras.
absinth ['æbsinθ], *s.* absinto (planta e bebida).
absolute ['æbsəl(j)u:t], **1** — *adj.* absoluto; completo; categórico; arbitrário, autoritário.
absolute alcohol — álcool puro.
absolute fool! (col.) — doido varrido!
absolute king — rei absoluto.
2 — *s.* o absoluto.
absolutely [-li], **1** — *adv.* absolutamente; completamente; categoricamente; arbitrariamente.
2 — *interj.* com certeza!, sem dúvida!
absoluteness [-nis], *s.* poder absoluto ou ilimitado; arbitrariedade; independência.
absolution ['æbsə'l(j)u:ʃən], *s.* absolvição, perdão.
absolutism ['æbsəl(j)u:tizm], *s.* absolutismo, poder absoluto, despotismo.
absolutist ['æbsəl(j)u:tist], *s.* absolutista, déspota, partidário do absolutismo.
absolutory [əb'sɔljutəri], *adj.* absolutório.
absolve [əb'zɔlv], *vt.* absolver, perdoar; isentar; desligar (dum compromisso); dispensar. (*Sin.* to forgive, to pardon, to discharge. *Ant.* to condemn.)
absolver [-ə], *s.* o que absolve; perdoador.
absonant ['æbsonənt], *adj.* discordante, em desacordo, oposto a, contrário a; dissonante.
absorb [əb'sɔ:b], *vt.* absorver; embeber; chupar; empapar.
absorbability [-ə'biliti], *s.* absorvência; capacidade de absorção.
absorbable [-əbl], *adj.* absorvível.
absorbed [-d], *adj.* absorvido; absorto; preocupado.
absorbefacient [-i'feiʃənt], *s.* e *adj.* absorvente; reabsorvente.
absorbent [-bənt], *s.* e *adj.* absorvente.
absorbing [-iŋ], *adj.* absorvente; que entusiasma ou prende a atenção.
absorption [əb'sɔ:pʃən], *s.* absorção; concentração.
absorptive [əb'sɔ:ptiv], *adj.* absorvente.
abstain [əb'stein], *vi.* abster-se (de), privar-se (de); refrear-se. (*Sin.* to forbear, to refrain, to avoid. *Ant.* to indulge.)
to abstain from spirits — abster-se de bebidas alcoólicas.
abstainer [-ə], *s.* abstémio.
abstemious [æb'sti:mjəz], *adj.* abstémio, moderado, sóbrio, frugal.
abstemiously [-li], *adv.* sobriamente, moderadamente.
abstemiousness [-nis], *s.* sobriedade, temperança, frugalidade.
abstention [æb'stenʃən], *s.* abstenção, privação, abstinência.
abstentionism [-izm], *s.* abstencionismo.
abstentionist [-ist], *s.* abstencionista.
abstergent [əb'stə:dʒənt], *s.* e *adj.* abstergente; purificador; detergente.
abstersion [əb'stə:ʃən], *s.* abstersão; purificação.
abstersive [əb'stə:siv], *s.* e *adj.* abstersivo; purificante.
abstinence ['æbstinəns], *s.* abstinência, temperança, sobriedade; continência.
total abstinence — abstinência completa (de bebidas alcoólicas).
abstinency [-i], *s.* temperança, sobriedade, frugalidade.
abstinent ['æbstinənt], *adj.* abstinente, sóbrio, moderado, frugal.
abstract, 1 — ['æbstrækt], *adj.* abstracto; ideal; separado ou afastado da realidade.
abstract noun — substantivo abstracto.
2 — *s.* epítome, resumo, sumário; extracto; o abstracto; ideia abstracta.
3 — [æb'strækt], *vt.* separar, considerar separadamente; abstrair; desviar (a atenção), distrair; subtrair, extrair; surripiar, roubar; resumir, sumariar. (*Sin.* to separate, to remove, to detach, to disengage; to steal; to summarize. *Ant.* to unite.)
abstracted [-id], *pp.* e *adj.* abstraído, abstracto, distraído, absorto.
abstractedly [-idli], *adv.* abstractamente, distraidamente; em abstracto; em separado.
abstractedness [-idnis], *s.* distracção; abstracção.
abstraction [æb'strækʃən], *s.* abstracção, ideia abstracta; distracção; desvio; subtracção, roubo; separação.
abstractly ['æbstræktli], *adv.* abstractamente.
abstractness ['æbstræktnis], *s.* abstracção; separação.
abstruse [æb'stru:s], *adj.* abstruso; confuso, obscuro, difícil de compreender; escondido.
abstrusely [-li], *adv.* abstrusamente; obscuramente, confusamente.
abstruseness [-nis], *s.* obscuridade, falta de clareza.
absurd [əb'sə:d], *adj.* absurdo, disparatado, incongruente.
absurdity [-iti], *s.* disparate, incongruência, coisa absurda.
absurdly [-li], *adv.* absurdamente, disparatadamente.

abundance [ə'bʌndəns], *s.* abundância, fartura, cópia, plenitude; riqueza.
to live in abundance — viver na opulência.
abundant [ə'bʌndənt], *adj.* abundante, farto; fértil, rico.
abundantly [-li], *adv.* com abundância, copiosamente.
abuse 1 — [ə'bju:s], *s.* abuso; injúria, insulto, afronta, difamação, calúnia; violação. (*Sin.* injure, invective.)
2 — [ə'bju:z], *vt.* abusar, fazer mau uso de; injuriar, insultar, ultrajar, afrontar; denegrir, caluniar; violar. (*Sin.* to misuse, to injure, to revile).
he abuses his authority (power) — ele abusa da sua autoridade (do seu poder).
you are abusing your health — andas a abusar da saúde (a trabalhar de mais ou a repousar de menos).
abuser [-ə], *s.* abusador; difamador, caluniador; sedutor, violador.
abusive [ə'bju:siv], *adj.* abusivo; ofensivo, injurioso.
abusive language — palavras injuriosas.
abusively [-li], *adv.* abusivamente, de maneira ofensiva ou injuriosa, grosseiramente, insolentemente.
abusiveness [-nis], *s.* abuso, ofensa, grosseria, insolência.
abut [ə'bʌt], *vt.* e *vi.* confinar com, ser contíguo a; acabar em, terminar em; entestar com, tocar em. (*Sin.* to border on.)
to abut against (on) — apoiar-se sobre.
abutment [-mənt], *s.* (arq.) suporte lateral, contraforte; junta; confim, limite.
abutter [-ə], *s.* (jur.) proprietário vizinho.
abysm [ə'bizm], *s.* (poét.) ver **abyss.**
abysmal [-məl], *adj.* abismal, abissal, insondável.
abysmal ignorance — ignorância crassa.
abyss [ə'bis], *s.* abismo; precipício; caos.
abyssal [-əl], *adj.* abissal, insondável; das profundidades do mar; como o abismo.
Abyssinia [æbi'sinjə], *top.* Abissínia (Etiópia).
Abyssinian [-n], *s.* abexim (abessim, abissínio), etíope; a língua etíope.
acacia [ə'keiʃə], *s.* acácia.
academic ['ækə'demik], *adj.* e *s.* académico; universitário; (fig.) pretensioso; teórico; formal.
academical [-əl], *adj.* académico, universitário.
academicals [-əls], *s. pl.* trajos académicos.
academician [ə'kædə'miʃən], *s.* académico, membro de uma academia ou sociedade cultural, esp. da English Royal Academy (Academia Real Inglesa) ou da French Academy (Academia Francesa).
academy [ə'kædəmi], *s.* academia; sociedade de sábios, artistas ou literatos; escola de ensino superior; a «Academia», de Platão; os discípulos de Platão; a escola ou sistema filosófico de Platão; a exposição anual da Royal Academy of Arts (Academia Real de Belas-Artes).
acajou ['ækəʒu:], *s.* (bot.) acaju (árvore e fruto). O mesmo que **cashew.**
acanthus [ə'kænθəs], *s.* (bot.) acanto, branca--ursina; (arq.) acanto, ornato semelhante ao acanto.
acarpous [ə'kɑ:pəs], *adj.* (bot.) acarpo, sem fruto.
acatalectic [əkætə'lektik], *adj.* acataléctico (referido ao verso).
acatalepsy [æ'kætəlepsi], *s.* acatalepsia, impossibilidade de compreender.
acataleptic [æ'kætəleptik], *adj.* acataléptico.
acaulescent [əkɔ:'lesnt], *adj.* (bot.) acaule, acaulescente.
acaulous [ə'kɔ:ləs], *adj.* (bot.) ver **acaulescent.**
accede [æ'ksi:d], *vi.* vir ocupar um lugar, suceder (num cargo); concordar com; aceder a; aderir a, filiar-se em. (*Sin.* to agree, to consent, to acquiesce, to accept. *Ant.* to dissent.)
to accede to a proposal — concordar com uma proposta.
to accede to the throne — subir ao trono.
accelerate [æk'seləreit], *vt.* e *vi.* acelerar, apressar; precipitar; apressar-se.
acceleration [ækselə'reiʃən], *s.* aceleração; pressa.
accelerative [æk'selərətiv], *adj.* acelerante.
accelerator [æk'seləreitə], *s.* acelerador.
accent 1 — ['æksənt], *s.* acento; inflexão de voz; sotaque, tom; expressão. (*Sin.* stress; tone; cadence; modulation.)
acute accent — acento agudo.
circumflex accent — acento circunflexo.
grave accent — acento grave.
you speak English with a French accent — você fala inglês com sotaque francês.
2 — [æk'sent], *vt.* acentuar, empregar acentos; pronunciar com clareza ou ênfase; salientar, dar relevo a; marcar fortemente. (*Sin.* to accentuate, to emphasize, to lay stress on; to make conspicuous.)
accentual [-juəl], *adj.* cadenciado, rítmico; relativo à acentuação.
accentually [-juəli], *adv.* cadenciadamente.
accentuate [-jueit], *vt.* acentuar; salientar.
accentuation [-ju'eiʃən], *s.* acentuação.
accept [ək'sept], *vt.* aceitar, receber, tomar; consentir em; acolher favoravelmente; admitir, reconhecer como verdadeiro; tomar a responsabilidade por. (*Sin.* to receive, to take; to agree to. *Ant.* to refuse.)
to accept a gift — aceitar um presente.
to accept service of writ — dar-se por notificado.
to accept the correctness of a statement — admitir a exactidão de uma afirmação.
acceptability [-ə'biliti], *s.* aceitabilidade.
acceptable [-əbl], *adj.* aceitável; agradável; bem-vindo. (*Sin.* pleasing, welcome. *Ant.* unwelcome.)
acceptableness [-əblnis], *s.* aceitabilidade.
acceptably [-əbli], *adv.* gostosamente, agradavelmente.
acceptance [-əns], *s.* aceite (de uma letra comercial); aceitação, bom acolhimento, recepção favorável.
acceptance of persons — favoritismo; parcialidade; aceitação de pessoas.
for non-acceptance (com.) — por falta de aceite.
qualified acceptance — aceite condicional.
this bill was presented for acceptance — esta letra foi apresentada ao aceite.
acceptation [-'eiʃən], *s.* acepção, sentido, significado (de uma palavra ou expressão); interpretação.
accepter [-ə], *s.* aceitante (de uma letra).
acceptor, *s.* ver **accepter.**
access ['ækses], *s.* acesso; aproximação; ingresso, entrada, passagem; ataque, assomo, acesso.
access and recess — fluxo e refluxo.
easy of access — de fácil acesso.
this is the only access to the house — esta é a única entrada para a casa.
accessary [æk'sesəri], *adj.* e *s.* cúmplice; ajudante.
accessibility [æksesi'biliti], *s.* acessibilidade.

accessible [æk'sesibl], *adj.* acessível; aberto a.
accessibleness [-nis], *s.* ver **accessibility.**
accessibly [-i], *adv.* acessivelmente.
accession [æk'seʃən], *s.* acesso, aproximação; acessão, elevação ou promoção a uma dignidade; aumento; adesão; aprovação, assentimento.
accession to a party (society) — adesão a uma sociedade.
accession to the throne — subida ao trono.
list of accessions — lista de entradas ou aquisições.
accessories [æk'sesəriz], *s. (pl.* de **accessory)** acessórios.
accessory [æk'sesəri], *s.* e *adj.* acessório; cúmplice; fautor; adicional; concomitante; secundário.
accidence ['æksidəns], *s.* morfologia; rudimentos de qualquer assunto.
accident ['æksidənt], *s.* acidente, desastre, sinistro; desgraça; casualidade, incidente, caso; acaso.
by accident — por acaso.
personal accident — acidente pessoal.
to meet with an accident — sofrer um desastre.
traffic accident — desastre de viação.
unforeseen accident — acidente imprevisto.
accidental [æksi'dentl], *adj.* e *s.* acidental, casual, ocorrente; (mús.) acidente, sinal indicativo de alteração do tom das notas; (pint.) acidente, variada distribuição de luz. (*Sin.* casual, unexpected, fortuitous, undesigned. *Ant.* designed.)
accidentally [æksi'dentəli], *adv.* acidentalmente, casualmente.
accipitral [æk'sipitrəl], *adj.* rapace; de vista penetrante, com olhar de lince.
acclaim [ə'kleim], **1** — *vt.* aclamar, aplaudir; proclamar.
2 — *s.* aclamação, aplauso; proclamação.
acclamation ['æklə'meiʃən], *s.* aclamação.
acclamatory [ə'klæmətəri], *adj.* laudatório, aclamatório.
acclimatation [əklaimə'teiʃən], *s.* aclimatação.
acclimation [æklai'meiʃən], *s.* aclimatação; aclimação.
acclimatization [əklaimətai'zeiʃən], *s.* aclimatação; aclimatização.
acclimatize [ə'klaimətaiz], *vt.* e *vi.* aclimatar; aclimatar-se.
acclivity [ə'kliviti], *s.* encosta, ladeira, rampa, declive.
accolade ['ækəleid], *s.* abraço; cerimónia de conferir o grau de uma Ordem Militar, tocando com uma espada no ombro.
accomodate [ə'kɔmədeit], *vt.* acomodar; adaptar; conciliar, harmonizar; conformar-se; alojar, hospedar; obsequiar; favorecer; sortir, prover de; emprestar (dinheiro). (*Sin.* to oblige; to adapt; to harmonize; to supply; to find lodging for. *Ant.* to disoblige.)
accomodating [-iŋ], *adj.* obsequioso; serviçal; conciliador; acomodatício; adiantamento (de dinheiro). (*Sin.* obliging, considerate, kind. *Ant.* selfish.)
accomodatingly [-iŋgli], *adv.* obsequiosamente; conciliadoramente.
accomodation [əkɔmə'deiʃən], *s.* acomodação; adaptação; conciliação; comodidade; serviço, favor; alojamento, hospedagem; empréstimo (de dinheiro).
accomodation bill — letra de favor.
accomodation ladder — escada de portaló (num navio).
accomodation-paper — capital fictício.
accomodative [ə'kɔmədeitiv], *adj.* acomodatício; obsequioso, amável.

accompaniment [ə'kʌmpənimənt], *s.* acompanhamento.
accompanist [ə'kʌmpənist], *s.* acompanhador (mús.).
accompany [ə'kʌmpəni], *vt.* acompanhar; seguir, escoltar; associar-se com, juntar-se a; (mús.) acompanhar, tocar o acompanhamento.
to accompany somebody at the piano — acompanhar alguém ao piano.
accomplice [ə'kɔmplis], *s.* cúmplice.
accomplish [ə'kɔmpliʃ], *vt.* efectuar, realizar, levar a cabo, executar; cumprir; completar, aperfeiçoar; prendar, dotar.
accomplishable [-əbl], *adj.* realizável.
accomplished [-t], *adj.* acabado, completo, perfeito; consumado; prendado; treinado.
an accomplished fact — um facto consumado.
accomplishment [ə'kɔmpliʃmənt], *s.* realização, efectuação, execução; consumação; acabamento; perfeição; prendas, dotes, talento. (*Sin.* qualification; attainment).
accord [ə'kɔ:d], **1** — *s.* acordo, consentimento, assentimento, aprovação; pacto; harmonia, coerência, conformidade.
all with one accord refused — todos à uma recusaram.
he did it of his own accord — fê-lo por sua própria iniciativa.
with one accord — por unanimidade.
2 — *vt.* e *vi.* estar de acordo, concordar, convir, estar de harmonia com; acordar, fazer acordo; conceder, dar. (*Sin.* to grant, to concede, to allow. *Ant.* to deny.)
accordance [-əns], *s.* acordo, concordância, conformidade.
in accordance with — em conformidade com, de acordo com.
accordant [-ənt], *adj.* conforme, concorde, correspondente, de harmonia com, de acordo com.
accordantly [-əntli], *adv.* conformemente, em harmonia com.
according [-iŋ], *adv.* conforme, segundo.
according as — na medida em que; como; conforme.
according to — segundo, de acordo com.
according to the best of my abilities — o melhor que me for possível.
accordingly [-iŋli], *adv.* em conformidade com; portanto, por conseguinte, consequentemente; com efeito.
accordion [ə'kɔ:djən], *s.* acordeão.
accordionist [-ist], *s.* acordeonista, tocador de acordeão.
accordion-pleat [-pli:t], *s.* plissado, prega (esp. em vestuário de mulher).
accost [ə'kɔst], *vt.* abeirar-se de, acercar-se de; dirigir a palavra a, abordar; meter conversa com.
accosted [-id], *adj.* (her.) colocado lado a lado.
accouchement [ə'ku:ʃmɑ̃:ŋ], *s.* parto.
accoucheur [æku:'ʃə:], *s.* obstetra, médico parteiro.
accoucheuse [-z], *s.* parteira.
account [ə'kaunt], **1** — *s.* conta, cálculo; nota, factura; relato, descrição, narração; lucro, proveito; estima, consideração, respeito; importância, valor; justificação; motivo. (*Sin.* reckoning, bill; detail, narrative, description.)
account current — conta-corrente.
book of account current — livro de contas--correntes.
by account (náut.) — pela estima.
by all accounts — por todos os motivos.
cash account — conta de caixa.
for account and risk — por conta e risco.
for own account — de conta própria.

he did it on your account — ele fê-lo por tua causa.
in current account with — em conta corrente com.
joint account — conta em participação.
of no account — de nenhuma importância.
on account of — por causa de, devido a.
on many accounts — por muitos motivos.
on no account — de modo nenhum.
on one's own account — por conta própria.
profit and loss account — conta de lucros e perdas.
pro-form account — conta pro-forma.
return expenses account — conta de retorno.
sale for the account — venda a prazo.
sales account — conta de vendas.
settled account — conta saldada.
statement of account — extracto de conta.
to balance accounts — saldar contas.
to call one to account — chamar alguém a contas, pedir contas a alguém.
to carry to account — levar à conta; lançar em conta.
to charge in account — lançar em conta.
to check an account — verificar uma conta.
to close an account — fechar uma conta.
to demand an account — pedir uma conta.
to give an account of — fazer um relato (descrição) de.
to keep accounts — escriturar livros, fazer escritas comerciais.
to keep an account — ter conta aberta.
to make up an account — fazer uma conta.
to open a running account — abrir uma conta-corrente.
to open an account — abrir uma conta.
to pass to account — lançar em conta.
to pay on account — pagar por conta.
to render accounts — prestar contas.
to send in an account — mandar uma conta.
to settle an account — saldar (liquidar) uma conta.
to square accounts with — liquidar contas com.
to take account of — fazer caso de, estimar.
to take into account — tomar em consideração.
unsettled account — conta aberta.
2 — *vt.* e *vi.* calcular; considerar, computar; julgar, avaliar; explicar, dar a razão de, dar contas de. (*Sin.* to estimate, to consider, to hold, to esteem, to regard.)
they account him a fool — têm-no por (consideram-no) doido.
to account for — explicar, dar a razão de; responder por.
accountability [-ə'biliti], *s.* responsabilidade.
accountable [-əbl], *adj.* responsável.
accountableness [-əblnis], *s.* responsabilidade.
accountancy [-ənsi], *s.* profissão de contabilista.
accountant [-ənt], *s.* contabilista.
accountant-general — chefe dos serviços de contabilidade.
accountant officer — oficial da administração.
accountantship [-əntʃip], *s.* cargo de contabilista.
accounts [-s], *s. pl.* de **account** — despesas.
including accounts — despesas incluídas.
less accounts — deduzidas as despesas.
accoutre [ə'ku:tə], *vt.* equipar, dotar de.
accoutrement [-mənt], *s.* equipamento; aprestos.
accredit [ə'kredit], *vt.* acreditar, dar crédito; dar credenciais; autorizar; atribuir.
accredited [-id], *adj.* acreditado, abonado; aceite, autorizado.
accredited minister (ambassador, agent...) — ministro (embaixador, agente...) acreditado.
accrete [ə'kri:t], *vt.* e *vi.* amontoar (por concreção) em volta de um núcleo; crescer simultaneamente; aumentar, crescer (por concreção) em volta de um núcleo; agregar.
accretion [ə'kri:ʃən], *s.* acreção, crescimento por concreção, agregação; crescimento orgânico; (jur.) aumento de legado.
accrue [ə'kru:] *vi.* resultar, provir.
accrued interest — juro vencido.
accrument [ə'krumənt], *s.* **acréscimo**; aumento.
accumulate [ə'kju:mjuleit], *vt.* e *vi.* acumular, amontoar, crescer; tomar, simultaneamente, vários graus universitários. (*Sin.* to heap, to pile up, to amass, to lay up. *Ant.* to dissipate.)
accumulation [əkju:mju'leiʃən], *s.* acumulação, amontoamento, montão; aumento de capital colocado a juros compostos; acção de tomar, simultaneamente, vários graus universitários.
accumulative [ə'kju:mjulətiv], *adj.* acumulativo; ganancioso.
accumulatively [ə'kju:mju'leitivli], *adv.* por acumulação.
accumulator [ə'kju:mjuleitə], *s.* acumulador, pessoa que acumula; (fís.) acumulador, máquina que armazena força ou electricidade.
accuracy ['ækjurəsi], *s.* exactidão, precisão, correcção, perfeição; cuidado; minúcia.
accurate ['ækjurit], *adj.* exacto, correcto, preciso, perfeito; minucioso. (*Sin.* correct, exact, precise, nice. *Ant.* careless.)
quick and accurate — rápido e eficiente.
accurately [-li], *adv.* exactamente, com perfeição, de modo preciso; cuidadosamente; minuciosamente.
accursed [ə'kə:sid], *adj.* maldito; detestável, abominável, execrável; excomungado.
accurst [ə'kə:st], *adj.* ver **accursed.**
accusable [ə'kju:zəbl], *adj.* acusável, culpável.
accusation [ækju:'zeiʃən], *s.* acusação, delação, denúncia.
to be under an accusation — estar sob acusação.
accusatival [əkjuzə'taivəl], *adj.* relativo ao caso acusativo.
accusative [ə'kju:zətiv], *adj.* e *s.* acusativo.
accusatorial [əkjuzə'tɔ:riəl], *adj.* acusatório, de acusação.
accusatory [ə'kju:zətəri], *adj.* acusatório, que envolve acusação.
accuse [ə'kju:z], *vt.* acusar, culpar, incriminar, imputar culpa a, denunciar; atraiçoar. (*Sin.* to charge, to blame, to indict, to inform against. *Ant.* to discharge; to defend.)
accused [-d], *s.* réu.
accuser [-ə], *s.* acusador, delator, denunciante.
accusing [-iŋ], *s.* e *adj.* acusação, acção de acusar; que acusa.
accusingly [-iŋgli], *adv.* acusatoriamente.
accustom [ə'kʌstəm], *vt.* acostumar, habituar.
to be accustomed to — estar habituado a.
to get accustomed — habituar-se, adquirir o hábito.
accustomed [-d], *adj.* habitual, usual, do costume; característico, peculiar.
at the accustomed hour — à hora do costume.
they fought with their accustomed bravery — combateram com a sua característica bravura.
ace [eis], *s.* ás (nas cartas, nos dados, no desporto, na aviação); um (no dominó); o melhor, o maior.
ace of (hearts, clubs, diamonds, spades) — ás de (copas, paus, oiros, espadas).
within an ace of — por um fio, por um triz.
Aceldama [ə'keldəmə], *s. p.* (bíbl.) Hacéldama; campo de sangue ou morticínio.
acephalous [ə'sefələs], *adj.* acéfalo.
acerbity [ə'sə:biti], *s.* amargor, sabor acre; amargura; aspereza, severidade, azedume.

acerose [ˈæsərous], *adj.* (bot.) aceroso, com folhas filiformes.
acervate [əˈsə:veit], *adj.* (bot.) acervado, que cresce em cachos.
acescence [əˈsesəns], *s.* acescência, tendência para azedar.
acescent [əˈsesənt], *adj.* acescente, que começa a azedar-se.
Acestes [əˈsesti:z], *n. p.* Acestes.
acetabulum [ˈæsiˈtæbjuləm], *s.* acetábulo, cavidade articular do osso ilíaco, onde se encaixa o fémur.
acetarious [ˈæsiˈtɛəriəs], *adj.* próprio para saladas.
acetate [ˈæsitit], *s.* acetato.
acetated [-id], *adj.* azedado, tratado pelo ácido acético.
acetic [əˈsi:tik] *adj.* acético.
acetification [əsetifiˈkeiʃən], *s.* acetificação.
acetify [əˈsetifai], *vt.* e *vi.* acetificar, converter em vinagre, azedar.
acetone [ˈæsitoun], *s.* acetona.
acetose [ˈæsitous], *adj.* acetoso, avinagrado.
acetous [ˈæsitəs], *adj.* ver **acetose.**
acetyl [ˈæsitil], *s.* acetilo.
acetylene [əˈsetili:n], *s.* acetileno.
ache [eik], **1** — *s.* dor, sofrimento, mal.
headache — dor de cabeça.
stomach-ache — dor de estômago.
tooth ache — dor de dentes.
2 — *vi.* doer; sofrer dores. (*Sin.* to suffer, to be in pain.)
I am aching all over — dói-me o corpo todo.
my head aches — dói-me a cabeça.
they were aching to see the film (fig.) — eles estavam mortos por ver o filme.
3 — [eitʃ], a letra *h.*
Acheron [ˈækərɔn], *n. p.* Aqueronte.
achievable [əˈtʃi:vəbl], *adj.* realizável, que se pode executar.
achieve [əˈtʃi:v], *vt.* executar, realizar, levar a cabo, efectuar, efectivar; conseguir; aperfeiçoar, acabar; obter, alcançar, atingir. (*Sin.* to execute, to accomplish, to carry out, to finish, to reach. *Ant.* to fail.)
he always achieves his purpose — ele alcança sempre o seu objectivo, consegue sempre o que quer.
achievement [-mənt], *s.* execução, realização, efectivação, consecução; acabamento; empreendimento, façanha, proeza, feito; melhoramento; (her.) emblema heráldico, brasão, escudo de armas.
Achilles [əˈkili:z], *n. p.* Aquiles.
Achilles tendon — (anat.) tendão de Aquiles.
heel of Achilles — calcanhar de Aquiles, ponto fraco.
aching [ˈeikiŋ], **1** — *s.* dor, sofrimento.
2 — *adj.* dorido, doloroso.
achromatic [ækrouˈmætik], *adj.* acromático.
achromatically [-əli], *adv.* acromaticamente.
achromatism [əˈkroumətizm], *s.* acromatismo.
achromatize [əˈkroumətaiz], *vt.* acromatizar.
acid [ˈæsid], **1** — *s.* ácido, substância ácida.
2 — *adj.* ácido, amargo, azedo, acre.
acid drops — rebuçados acidulados.
acid test — prova real, experiência crucial.
acidifiable [əsidiˈfaiəbl], *adj.* acidificável; susceptível de se converter em ácido.
acidification [əsidifiˈkeiʃən], *s.* acidificação.
acidify [əˈsidifai], *vt.* e *vi.* acidificar; transformar em ácido; acidificar-se.
acidimeter [æsiˈdimitə], *s.* acidímetro, aparelho para avaliar a acidez de um líquido.
acidity [əˈsiditi], *s.* acidez.
acidly [ˈæsidli], *adv.* acremente.
acidness [ˈæsidnis], *s.* acidez.
acidulate [əˈsidjuleit], *vt.* acidular, tornar levemente ácido.
acidulated [-id], *adj.* acidulado.
acidulous [əˈsidjuləs], *adj.* acídulo, pouco ácido.
aciform [ˈæsifɔ:m], *adj.* aciforme, em forma de agulha.
aciniform [æˈsinifɔ:m], *adj.* aciniforme, em forma de ácino ou baga.
acinus [ˈæsinəs], *s.* ácino.
ack-ack [ˈækˈæk], *adj.* (mil.) antiaéreo.
ack-ack battery — bateria antiaérea.
ack-emma [ˈækˈemə], *adv.* (col.) o mesmo que **a. m.** (*ante meridiem* = antes do meio--dia), da manhã, de manhã.
acknowledge [əkˈnɔlidʒ], *vt.* reconhecer, confessar; admitir; agradecer, estar grato a.
to acknowledge a debt — confessar uma dívida.
to acknowledge receipt — acusar a recepção.
acknowledgeable [-əbl], *adj.* reconhecível; confessável.
acknowledger [-ə], *s.* aquele que reconhece; aquele que confirma.
acknowledg(e)ment [-mənt], *s.* reconhecimento, confissão; certificado de recepção; testemunho de reconhecimento, agradecimento; confirmação; aviso.
acknowledg(e)ment of receipt — aviso de recepção.
aclinic [əˈklinik], *adj.* aclínico.
acme [ˈækmi], *s.* cume, auge, apogeu, ponto culminante.
the acme of perfection — o cume da perfeição.
acne [ˈækni], *s.* acne (doença da pele).
acock [əˈkɔk], *adv.* atirado para trás ou inclinado sobre a orelha (chapéu); arrogantemente.
acockbill [-bil], *adv.* (*náut.*) com as vergas oblíquas; de âncora prestes a ser lançada.
acolyte [ˈækəlait], *s.* acólito, ajudante (esp. à missa); assistente.
aconite [ˈækənait], *s.* (bot.) acónito.
acorn [ˈeikɔ:n], *s.* bolota.
acotyledon [ækɔtiˈli:dən], *s.* (bot.) acotiledónea.
acotyledonous [-əs], *adj.* sem cotilédones.
acoustic [əˈku:stik], *adj.* acústico.
acoustical [-əl], *adj.* acústico.
acoustically [-əli], *adv.* acusticamente.
acoustics [əˈku:stiks], *s.* acústica; teoria do som.
acquaint [əˈkweint], *vt.* informar, avisar, comunicar, advertir; tornar conhecido, dar a conhecer, familiarizar. (*Sin.* to inform, to make known, to familiarize.)
to acquaint oneself — pôr-se ao corrente, informar-se.
we acquainted him with his duties — demos-lhe a conhecer as suas obrigações.
acquaintance [-əns], *s.* **1** — conhecimento, familiaridade; pessoa conhecida.
2—*pl.* conhecimentos, relações (superficiais).
to make an acquaintance with — travar conhecimento com.
to scrape acquaintance with — querer travar conhecimento à força.
acquaintanceship [-ənʃip], *s.* conhecimento, relação; trato.
acquainted [-id], *adj.* conhecido, informado, familiarizado; versado.
to be acquainted with — conhecer pessoalmente; estar informado a respeito de.
acquest [æˈkwest], *s.* aquisição.
acquiesce [ækwiˈes], *vi.* aquiescer, anuir, assentir em, dar consentimento a. (*Sin.* to assent, to agree, to consent. *Ant.* to dissent.)
this arrangement must be acquiesced in — há que dar consentimento a este acordo.
acquiescence [-ns], *s.* aquiescência, consentimento, assentimento, condescendência.
acquiescent [-nt], *adj.* aquiescente, condescendente.
acquirable [əˈkwairəbl], *adj.* adquirível.

acquire [ə'kwaiə], *vt.* adquirir, obter, alcançar; contrair (um hábito); entrar em posse de.
acquirement [-mənt], *s.* aquisição; conhecimento adquirido, saber, prenda.
a man of great acquirements — um homem de grandes conhecimentos.
acquisition [ækwi'ziʃən], *s.* aquisição.
acquisitive [ə'kwizitiv], *adj.* desejoso de adquirir, ávido de; ganancioso.
acquisitiveness [-nis], *s.* tendência (propensão) para adquirir; desejo de adquirir.
acquit [ə'kwit], *vt.* pagar uma dívida; cumprir uma obrigação; absolver, pôr em liberdade; ilibar, considerar isento, desobrigar, exonerar, libertar. (*Sin.* to discharge, to absolve, to set free, to exonerate. *Ant.* to condemn.)
he was tried and acquitted — foi julgado e absolvido.
they acquit themselves well (ill) — conduzem-se bem (mal).
acquittal [-l], *s.* absolvição; pagamento, quitação; cumprimento (desempenho) de um dever.
acquittance [-əns], *s.* pagamento de dívida, quitação; recibo.
acre ['eikə], *s.* acre (medida agrária = cerca de 40,5 a.); terreno de cultura.
God's Acre — cemitério.
the broad acres — os latifúndios.
acreage [-ridʒ], *s.* área de um campo contada em acres; medição em acres.
acred [-d], *adj.* que possui terras.
acrid ['ækrid], *adj.* acre, amargo; picante; mordaz, irritante, desabrido.
acridity [æ'kriditi], *s.* acridez, acrimónia; aspereza, desabrimento.
acridly ['ækridli], *adv.* acremente; irritantemente, de modo desabrido.
acridness ['ækridnis], *s.* azedume, amargor; sarcasmo.
acrimonious [ækri'mounjəs], *adj.* acrimonioso, áspero, sarcástico, azedo, desabrido. (*Sin.* acrid, harsh, sarcastic, bitter. *Ant.* mild, sweet.)
acrimoniously [-li], *adv.* acrimoniosamente, àsperamente, desabridamente, sarcàsticamente.
acrimoniousness [-nis], *s.* acrimónia.
acrimony ['ækriməni], *s.* acrimónia, azedume; rudeza, desabrimento. (*Sin.* acridity, harshness, severity, bitterness. *Ant.* mildness.)
acrisia [ə'krisiə], *s.* (med.) acrisia.
acritical [ə'kritikəl], *adj.* (med). acrítico.
acritude ['ækritju:d], *s.* acritude, acrimónia.
acrobat ['ækrəbæt], *s.* acrobata; dançarino de corda.
acrobatic [ækrə'bætik], *adj.* acrobático.
acrobatics [-s], *s.* acrobacia, arte acrobática.
acrocarpous [ækrə'kɑ:pəs], *adj.* (bot.) acrocárpico.
acrocephalic [ækrousi'fælik], *adj.* (anat.) acrocéfalo.
acrocephalous [ækrou'sefələs], *adj.* (anat.) acrocéfalo.
acrogen ['ækrədʒen], *s.* (bot.) acrogénia.
acrogenous [ə'krɔdʒənəs], *adj.* (bot.) pertencente à classe das acrogénias.
acrolith ['ækrəliθ], *s.* acrólito, estátua antiga em que o tronco era de madeira, e a cabeça e os membros de pedra.
acropolis [ə'krɔpəlis], *s.* acrópole, a parte mais alta das cidades gregas.
across [ə'krɔs], *adv.* e *prep.* através de; de través; do (no) outro lado; de um lado para o outro; por; sobre; em cruz, cruzado.
fifty miles across country — cinquenta milhas a direito (em linha recta, i. e., sem ser por estradas).
half a mile across — meia milha de largura.
let's go (walk) across the street — atravessemos a rua.
to come across a person (a thing) — topar com (encontrar por acaso) uma pessoa (uma coisa).
to get across a person — discutir com uma pessoa.
to sleep across the bed — dormir atravessado na cama.
we shall soon be across — em breve estaremos do outro lado.
with arms across — de braços cruzados.
acrostic [ə'krɔstik], *s.* acróstico.
act [ækt], **1** — *s.* acto, feito, acção; acto (de peça teatral); tese, acto (na Universidade); lei, decreto; operação.
act of God — força maior; caso fortuito; causa natural.
act of grace — perdão, amnistia.
act of Parliament — lei, decreto.
in the (very) act — em flagrante delito.
to be caught in the (very) act — ser apanhado em flagrante delito.
to pass an act — votar uma lei.
2 — *vt.* e *vi.* representar, fazer de, desempenhar o papel de; agir, actuar, proceder; servir de; executar, pôr em execução; operar; actuar sobre; fingir, simular; funcionar. (*Sin.* to do, to perform, to operate, to play, to behave, to execute.)
he acted on my advice — ele agiu de acordo com o meu conselho.
the brake did not act — o travão não funcionou.
to act a part — desempenhar (representar) um papel.
to act as — servir de.
to act in the capacity of — agir na qualidade de.
to act one's part well — desempenhar bem o seu papel, sair-se bem de.
to act the fool — fazer papel de parvo.
to act unfairly — proceder mal, de má-fé.
to act with precision — agir com precisão.
we act on our own responsibility — nós agimos por nossa conta e risco.
acting [-iŋ], **1** — *s.* acção; desempenho; maneira de proceder; arte de representar, jogo cénico.
direct acting — acção directa.
good (bad) acting — bom (mau) desempenho (de um actor).
2 — *adj.* que desempenha temporariamente as funções de, substituto, interino, que faz de; que deseja tomar parte em; activo.
acting consul — agente consular.
acting manager — gerente; director interino.
double-acting — (téc.) de efeito duplo.
single-acting — (téc.) de efeito simples.
actinia [æk'tiniə], *s.* actínia, anémona, ortiga-do-mar.
actinic [æk'tinik], *adj.* actínico.
actinism ['æktinizm], *s.* actinismo.
actinium [æk'tiniəm], *s.* actínio, elemento radioactivo.
actinometer [ækti'nɔmitə], *s.* actinómetro.
actinomyces ['æktinou'maisiz], *s.* actinomicete.
actinomycosis ['æktinoumai'kousis], *s.* actinomicose.
actinotherapy ['æktinou'θerəpi], *s.* actinoterapia.
action ['ækʃən], **1** — *s.* acção, feito; actividade; movimento ou mecanismo (de uma máquina); combate, operação, batalha; (jur.) processo, acção, demanda; gesto, porte, atitude; (teat.) assunto, acção, intriga. (*Sin.* act, deed; performance; battle.)
a man of action — um homem de acção.

backward and forward action — movimento de vaivém.
double action engine — máquina de efeito duplo.
it is not the time for action — não é a altura de agir.
single action engine — máquina de efeito simples.
to bring an action against — intentar uma acção contra.
to put someone out of action — (fam.) pôr alguém fora de combate.
2 — *vt.* accionar, pôr em acção; pôr uma acção em tribunal.
actionable [ˈækʃnəbl], *adj.* (jur.) accionável.
actionless [ˈækʃənlis], *adj.* inerte, inactivo.
active [ˈæktiv], *adj.* activo, enérgico, diligente, ágil, mexido; eficaz; em exercício. (*Sin.* energetic, industrious; lively, effective. *Ant.* indolent.)
active voice — voz activa.
on the active list — no activo, ao serviço.
actively [-li], *adv.* activamente, energicamente.
activism [-izm], *s.* activismo.
activity [ækˈtiviti], *s.* 1 — actividade, energia, diligência.
2 — *pl.* actividades, esfera de acção.
recreational activities — actividades recreativas.
acton [ˈæktən], *s.* casaco almofadado usado por baixo da cota de malha, na Idade Média.
actor [ˈæktə], *s.* actor.
actress [ˈæktris], *s.* actriz.
actual [ˈæktjuəl], *adj.* real, verdadeiro, existente; presente, corrente, actual. (*Sin.* real, certain, positive, existing in fact; present, current. *Ant.* fictitious.)
actuality [æktjuˈæliti], *s.* realidade; actualidade; estado presente das coisas.
actualization [ˈæktjuəlaizeiʃən], *s.* acção de tornar real ou actual.
actualize [ˈæktjuəlaiz], *vt.* tornar real, realizar, efectivar; descrever ao vivo.
actually [ˈæktjuəli], *adv.* realmente, de facto, na verdade; presentemente, agora.
now I am actually going to see... — agora vou realmente ver...
what actually happened was... — o que realmente aconteceu foi...
actuarial [æktjuˈɛəriəl], *adj.* relativo ao actuário.
actuary [ˈæktjuəri], *s.* actuário.
actuate [ˈæktjueit], *vt.* accionar, pôr em movimento, mover; actuar; influir.
actuation [æktjuˈeiʃən], *s.* comunicação de movimento, impulso; movimento; actuação.
acuity [əˈkju:iti], *s.* acuidade, agudeza, perspicácia; gravidade.
aculeate [æˈkjulieit], *adj.* 1 — (bot.) aculeado, provido de acúleos.
2 — (zool.) munido de ferrão ou aguilhão (insectos).
acumen [əˈkju:men], *s.* acúmen, agudeza, perspicácia; penetração.
acuminate [ækjuˈminit], *adj.* (bot.) acuminado, pontiagudo.
acupressure [ækjuˈpreʃə], *s.* (med.) acupressura, acupressão.
acupuncture [ækjuˈpʌŋktʃə], *s.* (med.) acupunctura.
acutangular [əkjuˈtæŋgjulə], *adj.* acutângulo.
acute [əˈkju:t], *adj.* agudo; perspicaz, penetrante, vivo, fino.
acute accent — acento agudo.
acute angle — ângulo agudo.
acute pain — dor aguda, dor fina.
acute pleasure — vivo prazer.
acutely [-li], *adv.* com perspicácia, penetrantemente.
acuteness [-nis], *s.* agudeza, perspicácia, penetração; subtileza; vivacidade, acuidade; profundeza (de sentimento, etc.), intensidade.
adage [ˈædidʒ], *s.* adágio, provérbio, máxima, rifão.
adagio [əˈdɑ:dʒou], *s.* e *adv.* (mús.) adágio.
Adam [ˈædəm], *n. p.* Adão.
Adam's ale — água (ver *Adam's wine*).
Adam's apple (anat.) — pomo-de-adão.
Adam's wine — água (ver *Adam's ale*).
I didn't know him from Adam — era-me completamente desconhecido.
adamic [æˈdæmik], *adj.* adâmico.
adamant [ˈædəmənt], *s.* substância de extrema dureza, como o diamante.
adamant to entreaties — inacessível a pedidos.
an adamant will — uma vontade de ferro.
as hard as adamant — duro, firme que nem uma rocha.
to be adamant to — fazer finca-pé, não ceder.
adamantine [ædəˈmæntain], *adj.* adamantino, diamantino, duro como o diamante.
Adamite [ˈædəmait], *s.* adamita, membro de uma seita; filho de Adão; ser humano; homem nu.
adapt [əˈdæpt], *vt.* adaptar, ajustar, apropriar. (*Sin.* to adjust, to suit, to accommodate, to fit).
to adapt oneself to — adaptar-se a.
adaptability [-əˈbiliti], *s.* adaptabilidade, capacidade de adaptação.
adaptable [-əbl], *adj.* adaptável, ajustável.
adaptation [ædæpˈteiʃn], *s.* adaptação, ajuste.
adapted [əˈdæptid], *adj.* adaptado, conveniente, próprio.
clothes adapted for winter wear — roupa própria para usar no Inverno.
adapter [əˈdæptə], *s.* adaptador, ajustador.
add [æd], *vt.* e *vi.* acrescentar, aumentar, juntar, unir, adicionar, somar; incluir.
he added that... — ele acrescentou que...
it adds to my pleasure — o meu prazer é ainda maior.
she adds milk to her tea — ela junta leite ao chá.
this adds to our difficulties — isto aumenta as nossas dificuldades.
to add insult to injury — fazer o mal e a caramunha.
to add up (ou *together*) — adicionar.
you must add more water — tens de juntar mais água.
addax [ˈædæks], *s.* (zool.) antílope do Norte de África e da Arábia com chifres em espiral.
addendum [əˈdendəm], *s.* (pl. **addenda**) aditamento; apêndice, suplemento.
adder [ˈædə], *s.* serpente venenosa, víbora.
adder's tongue — (bot.) língua de serpente.
adder-wort — (bot.) bistorta.
flying adder — (zool.) libelinha, insecto ortóptero.
adderwort [-wə:t], *s.* (bot.) bistorta.
addict 1 — [ˈædikt], *s.* pessoa dada a qualquer vício.
drug addict — viciado nos estupefacientes.
morphia addict — morfinómano.
opium addict — opiómano.
2 — [əˈdikt], *vt.* e *vr.* dedicar, acostumar; dedicar-se, consagrar-se, entregar-se; aplicar-se. (*Sin.* to devote (oneself), to accustom).
to be addicted to — entregar-se a; ter o vício de.
addicted [-id], *adj.* devotado, aplicado; afecto, partidário.
addiction [əˈdikʃən], *s.* inclinação, tendência, propensão; paixão.

adding ['ædiŋ], *s.* adição, soma.
adding-machine — máquina de somar.
Addis Ababa ['ædis'æbəbə], *top.* Adis Abeba.
Addison's disease ['ædisənzdi'zi:z], *s.* doença de Addison.
addition [ə'diʃ(ə)n], *s.* adição, soma; aumento, suplemento; aquisição.
a useful addition — uma aquisição útil.
I am not very clever at addition — não sou muito forte em contas.
in addition to — além de; em suplemento a.
additional [-l], *adj.* adicional, suplementar.
additionally [-li], *adv.* adicionalmente, a mais, em suplemento; além de.
addle [ædl], **1** — *vt.* e *vi.* estragar, gorar; inutilizar-se, estragar-se; estar confuso; aturdir, confundir, pôr a cabeça em água.
to addle one's head (ou *brain*) — baralhar as ideias, desnortear.
2 — *adj.* podre, choco; oco, vazio; parvo; inútil.
addle-brained (addle-head, addle-pated) — pateta, cabeça-de-alho-chocho.
addle egg — ovo choco ou podre.
address [ə'dres], **1** — *s.* destreza, habilidade, jeito; endereço, direcção; discurso, alocução, prática, palestra; trato, maneiras; galanteio, namoro, corte; (com.) expedição de uma carga ou de um navio a um destinatário ou consignatário; requerimento, súplica. (*Sin.* skill, dexterity; speech, discourse; bearing, manner; courtship.)
address-book — livro de direcções.
address-card — cartão-de-visita.
a man of pleasing address — um homem de trato agradável.
cable (ou *telegraphic*) *address* — endereço telegráfico.
he has all the address of a gentleman — tem todos os modos de um cavalheiro.
it was sent to a wrong address — foi remetido com endereço errado.
the Address — a resposta ao discurso do rei no início de uma sessão do Parlamento britânico.
to give an address — fazer um discurso.
to pay addresses to a lady — fazer a corte a uma senhora.
to show great address — mostrar grande habilidade.
2 — *vt.* dirigir-se a; falar, dirigir a palavra a; abordar alguém; endereçar, sobrescritar; fazer uma alocução ou comunicação (verbal ou escrita); dirigir a bola (no «golf»); (com.) consignar.
to address a letter — endereçar uma carta.
to address an audience — fazer uma alocução (dirigir-se) a um auditório.
to address oneself to a task — dedicar-se a uma tarefa.
to address oneself to somebody — dirigir a palavra a alguém.
addressee [ədre'si:], *s.* destinatário.
addresser [ə'dresə], *s.* remetente, expedidor; peticionário.
adduce [ə'dju:s], *vt.* aduzir, alegar.
adducent [-ənt], *adj.* (anat.) adutor (músculo).
adducible [-ibl], *adj.* aduzível, que pode ser apresentado ou alegado (argumento).
adduct [ə'dʌkt], *vt.* (fís.) pôr em adução, provocar adução.
adduction [ə'dʌkʃən], *s.* adução; alegação, citação.
adductor [ə'dʌktə], *s.* (anat.) adutor (músculo).
Aden ['eidn], *top.* Adem.
adenitis [ædi'naitis], *s.* adenite.
adenoid ['ædinɔid], *s.* e *adj.* adenóide.
adenoids [-z], *s. pl.* adenóides.

adept ['ædept], *s.* e *adj.* perito, conhecedor, versado, consumado. (*Sin.* proficient, versed, skilled. *Ant.* clumsy.)
adequacy ['ædikwəsi], *s.* adequação, justeza, justa proporção; suficiência.
adequate ['ædikwit], *adj.* adequado, justo, proporcionado; suficiente. (*Sin.* proportionate, sufficient, qualified. *Ant.* inadequate.)
adequately [-li], *adv.* adequadamente, proporcionadamente.
adequateness [-nis], *s.* adequação, justeza, justa proporção; suficiência.
adhere [əd'hiə], *vi.* aderir, unir, pegar-se, agarrar-se; aderir a; ligar-se, dar a sua adesão; concordar; manter-se firme, ficar fiel; cumprir (promessa).
adherence [-rəns], *s.* aderência; adesão, ligação, acordo; fidelidade.
adherent [-rənt], *s.* e *adj.* aderente; pegado, colado, ligado; partidário.
adhesion [əd'hi:ʒən], *s.* aderência; adesão, aquiescência, aprovação.
adhesive [əd'hi:siv], *adj.* adesivo, que adere, pegajoso, aderente, que se cola.
adhesive plaster (ou *tape*) — adesivo, fita adesiva.
adhesively [-li], *adv.* de maneira adesiva; tenazmente.
adhesiveness [-nis], *s.* aderência; propensão para se ligar ou colar.
adhibit [əd'hibit], aplicar, pôr; administrar (medicamentos).
adiantum [ædi'æntəm], *s.* (bot.) adianto, espécie de avenca.
adieu [ə'dju:], *int.* e *s.* adeus; despedida.
to make one's adieu — apresentar as despedidas, dizer adeus.
adipose ['ædipous], *adj.* e *s.* adiposo, gordo; adiposidade, gordura.
adipose tissue — tecido adiposo.
adiposity [ædi'pɔsiti], *s.* adiposidade, obesidade, gordura.
adit ['ædit], *s.* aproximação, entrada, acesso; galeria de acesso a minas.
adjacency [ə'dʒeisənsi], *s.* adjacência, proximidade, vizinhança, contiguidade.
adjacent [ə'dʒeisənt], *adj.* adjacente, contíguo, vizinho.
to be adjacent to — confinar com.
adjacently [-li], *adv.* de modo adjacente, contiguamente.
adjectival [ædʒek'taivəl], *adj.* adjectival, adjectivo.
adjectivally [-li], *adv.* adjectivamente.
adjective ['ædʒiktiv], *s.* e *adj.* adjectivo; que se junta.
adjective colours — cores adjectivas ou falsas.
adjectively [-li], *adv.* adjectivamente.
adjoin [ə'dʒɔin], *vt.* e *vi.* juntar, unir, reunir; ser ou estar contíguo, ficar junto de.
adjoining [-iŋ], *adj.* contíguo, imediato.
adjourn [ə'dʒə:n], *vt.* e *vi.* adiar, transferir (para data posterior); suspender; (col.) ir. (*Sin.* to postpone, to put off, to defer, to suspend).
we adjourned to the sitting-room — fomos para a sala de estar.
adjournment [-mənt], *s.* adiamento, prorrogação, dilação; suspensão; (col.) ida.
a week's adjournment — um adiamento de uma semana.
adjudge [ə'dʒʌdʒ], *vt.* julgar, considerar; declarar (judicialmente), sentenciar; conceder; adjudicar.
adjudgement [-mənt], *s.* sentença; julgamento; declaração judicial; adjudicação.

adjudicate [ə'dʒu:dikeit], *vt.* e *vi.* julgar; sentenciar, decidir judicialmente; condenar; arbitrar; atribuir; impor; declarar; adjudicar.
to adjudicate a claim — arbitrar (julgar) uma questão ou pretensão.
adjudication [ədʒu:di'keiʃən], *s.* sentença, decisão, julgamento; adjudicação.
adjudicator [ədʒu:di'keitə], *s.* adjudicador.
adjunct ['ædʒʌŋkt], *s.* adjunto; acessório, complemento, acompanhamento; (gram.) complemento, aposto, atributo, epíteto.
adjunction [ə'dʒʌnkʃən], *s.* adjunção, junção.
adjunctive [ə'dʒʌŋktiv], *adj.* adjunto, acessório, auxiliar; junto, unido; que tende a unir-se; acrescentado.
adjunctively [-li], *adv.* por adjunção.
adjuration [ædʒuə'reiʃən], *s.* adjuração, imprecação.
adjure [ə'dʒuə], *vt.* adjurar, esconjurar, imprecar, rogar com insistência, invocar.
adjust [ə'dʒʌst], *vt.* ajustar, adaptar, ordenar, pôr por ordem; harmonizar, conciliar; regularizar, regular; rectificar. (*Sin.* to arrange, to adapt, to put in order, to harmonize; to accommodate. *Ant.* to dislocate.)
to adjust the compass (náut.) — rectificar a bússola.
adjustable [-əbl], *adj.* adaptável, ajustável, regulável
adjuster [-ə], *s.* adaptador, ajustador, regulador; (náut.) árbitro (em seguros marítimos).
adjustment [-mənt], *s.* ajustamento, harmonização; rectificação, afinação (de máquinas ou aparelhos); arbitragem (de seguros marítimos); (náut.) correcção (do sextante ou da bússola).
adjutancy ['ædʒutənsi], *s.* cargo de ajudante militar.
adjutant ['ædʒutənt], *s.* ajudante militar, oficial-às-ordens.
adjutant-bird — marabu.
Adjutant-General — chefe do estado-maior.
adjuvancy ['ædʒuvənsi], *s.* auxílio, ajuda.
adjuvant ['ædʒuvənt], *s.* e *adj.* auxiliar, ajudante, pessoa que ajuda, que presta auxílio.
ad lib. [æd'lib], *abrev.* de **ad libitum.**
ad libitum [æd'libitəm], (exp. latina) à vontade; sem restrição.
admeasure [æd'meʒə], *vt.* repartir, ratear, fazer partilhas; medir, calcular.
admeasurement [-mənt], *s.* rateio; divisão equitativa; partilha; medição.
administer [əd'ministə], *vt.* e *vi.* administrar, gerir, dirigir; conferir, dispensar, dar; aplicar, ministrar (remédios, justiça, sacramentos); desempenhar o cargo de administrador; prover; ajuramentar; (jur.) apresentar provas. (*Sin.* to superintend, to direct, to manage, to furnish, to give, to apply.)
administrable [əd'ministrəbl], *adj.* administrável.
administrant [əd'ministrənt], *s.* e *adj.* administrador; pessoa que administra.
administrate [əd'ministreit], *vt.* (E. U.) administrar, gerir, dirigir; aplicar, ministrar (remédios, justiça, sacramentos).
administration [ədminis'treiʃən], *s.* administração, direcção (de negócios particulares ou públicos), gerência; ministério, governo, conselho administrativo; distribuição; aplicação; curadoria, curatela.
administration of justice — aplicação da justiça.
administration of oath — prestação de juramento em tribunal.
Letters of Administration — nomeação de curador.
administrative [əd'ministrətiv], *adj.* administrativo.
administratively [-li], *adv.* administrativamente.
administrator [əd'ministreitə], *s.* administrador, gerente; curador.
administratorship [-ʃip], *s.* função administrativa; cargo de administrador; gerência; curadoria.
administratrix [əd'ministreitriks], *s. fem.* (pl. **— xes, — ces**) administradora.
admirable ['ædmərəbl], *adj.* admirável, excelente. (*Sin.* excellent, superb, wonderful, fine. *Ant.* despicable.)
admirably [-i], *adv.* admiravelmente.
admiral ['ædmərəl], *s.* e *adj.* almirante.
Admiral of the Fleet — comandante-chefe da esquadra.
admiral-ship — navio almirante.
Admiral Superintendent — comandante naval.
High Admiral — grande almirante.
Rear Admiral — contra-almirante.
red admiral — vanessa (borboleta).
Vice-Admiral — vice-almirante.
white admiral — (zool.) vanessa branca.
admiralship [-ʃip], *s.* almirantado, cargo (ou dignidade) de almirante.
admiralty [-ti], *s.* almirantado; Ministério da Marinha.
Board of Admiralty — conselho do almirantado.
Court of Admiralty — tribunal de marinha.
First Lord of the Admiralty — ministro da Marinha.
Lord Comissioner of the Admiralty — membro do Conselho Superior de Marinha.
admiration [ædmə'reiʃən], *s.* admiração.
note of admiration — ponto de admiração.
admire [əd'maiə], *vt.* e *vi.* admirar, contemplar, olhar com admiração; estar (ou ficar) admirado, admirar-se, maravilhar-se.
I admire him for his courage — admiro-o pela sua coragem.
admirer [-rə], *s.* admirador; pretendente.
admiring [-riŋ], *adj.* admirador; admirável; cheio de admiração.
admiringly [-riŋgli], *adv.* com admiração.
admissibility [ədmisə'biliti], *s.* admissibilidade; aceitabilidade.
admissible [əd'misəbl], *adj.* admissível, aceitável; apto; idóneo, que pode ser admitido (a um cargo ou emprego).
admission [əd'miʃən], *s.* admissão, aceitação; reconhecimento; recebimento; concessão; entrada; confissão.
admission of guilt — aceitação (ou confissão) de culpa.
admission of steam — admissão de vapor.
admission ticket — bilhete de entrada.
all admission — admissão plena.
Is admission free? — A entrada é livre?
the admission valve — a válvula de admissão.
admit [əd'mit], *vt.* e *vi.* admitir, aceitar; receber; permitir; reconhecer, aceitar como verdadeiro; consentir; deixar entrar; confessar; conter; comportar. (*Sin.* to accept; to allow; to let in; to confess. *Ant.* to deny.)
he admitted his guilt — admitiu (confessou) a sua culpa.
I admit I was wrong — reconheço que estava enganado.
this theatre admits 1,000 persons — este teatro tem lotação de 1000 lugares.
to admit of (doubt, delay...) — dar lugar a (dúvida, demora...).
admittable [-əbl], *adj.* admissível.

admittance [-əns], *s.* acesso, entrada, admissão.
no admittance — entrada proibida.
no admittance, except on business — é proibida a entrada a pessoas estranhas ao serviço.
you have to pay for the admittances — tens de pagar a entrada.
admitted [-id], *adj.* e *pp.* admitido, aceite; reconhecido; confessado.
admittedly [-idli], *adv.* reconhecidamente; por consenso, por comum assentimento, de comum acordo.
admix [əd'miks], *vt.* e *vi.* misturar; juntar; misturar-se.
admixture [-tʃə], mistura.
admonish [əd'mɔniʃ], *vt.* admoestar, repreender, advertir; aconselhar; lembrar, recordar, trazer à memória; exortar a. (*Sin.* to rebuke; to warn; to exhort; to remind; to advise.)
he was admonished to be more careful — aconselharam-no a ser mais cuidadoso.
admonishing [-iŋ], *s.* e *adj.* advertência; aviso; conselho; de admoestação, de advertência; admonitório.
admonishment [-mənt], *s.* admoestação, advertência; aviso; conselho; reprimenda, repreensão.
admonition [ædmə'niʃən], *s.* admoestação, advertência, aviso; conselho; reprimenda, repreensão.
admonitory [əd'mɔnitəri], *adj.* admonitório, de aviso; de admoestação, de advertência.
ado [ə'du:], *s.* bulício, alarido, barulho, ruído, espalhafato; trabalho, dificuldade; esforço. (*Sin.* fuss, tumult, noise; trouble, difficulty.)
much ado about nothing — muito barulho para nada.
the boys were making too much ado — os rapazes estavam a fazer demasiado barulho.
without more ado — sem mais cerimónias.
adobe [ə'doubi], *s.* adobe, adobo.
adolescence [ædou'lesns], *s.* adolescência.
adolescent [ædou'lesnt], *s.* e *adj.* adolescente.
Adolf ['ædɔlf], *n. p.* Adolfo.
Adolphus [ə'dɔlfəs], *n. p.* Adolfo.
Adonais [ædou'neiis], *n. p.* (bíbl.) Adonai.
Adonis [ə'dounis], *n. p.* e *com.* (mit.) Adónis; adónis, mancebo gentil; (zool. e bot.) adónis.
adonize ['ædənaiz], *vt.* e *vi.* adonisar(-se).
to adonize oneself — aperaltar-se, embelezar-se.
adopt [ə'dɔpt], *vt.* adoptar; perfilhar; decidir-se por, escolher; seguir, abraçar (uma carreira).
adoptable [-əbl], *adj.* adoptável.
adoptee [ədɔp'ti:], *s.* adoptado; perfilhado.
adopter [ə'dɔptə], *s.* o que adopta ou perfilha; partidário.
adoption [ə'dɔpʃən], *s.* adopção; escolha; tomada de medidas; aceitação (de uma teoria).
adoptive [ə'dɔptiv], *adj.* adoptivo; inclinado a adoptar.
adoptive son (daughter, father...) — filho (filha, pai...) adoptivo.
adorable [ə'dɔ:rəbl], *adj.* adorável, encantador.
adorably [-i], *adv.* adoravelmente, encantadoramente.
adoration [ædɔ:'reiʃən], *s.* adoração; culto; idolatria.
adore [ə'dɔ:], *vt.* adorar; idolatrar; prestar culto a; venerar. (*Sin.* to worship, to venerate, to idolize, to admire. *Ant.* to despise).
adorer [-rə], *s.* adorador; admirador; idólatra, apaixonado.
adoring [-riŋ], *adj.* de adoração; apaixonado.
adoring glances — olhares apaixonados.
adoringly [-riŋli], *adv.* com adoração; apaixonadamente, devotadamente.
adorn [ə'dɔ:n], *vt.* adornar, enfeitar, ornar, ornamentar.
adornment [-mənt], *s.* adorno, enfeite, ornato, ornamento.
adown [ə'daun], *adv.* e *prep.* (arc. e poét.) ver **down.**
adrenalin [ə'drenəlin], *s.* adrenalina (substância química segregada pelas glândulas supra-renais).
adrenals [æd'ri:nəlz], *s. pl.* (glândulas) supra-renais.
Adria ['eidriə], *top.* Ádria.
Adrian [-n], *n. p.* Adriano.
Adrianople [eidriə'noupl], *top.* Adrianópolis.
Adriatic [eidri'ætik], *top.* e *adj.* Adriático.
adrift [ə'drift], *adv.* à mercê (das ondas ou dos ventos), à deriva, ao sabor (da corrente ou do vento); (náut.) à garra, por água abaixo; ao abandono, à mercê das circunstâncias.
to turn somebody adrift — despedir alguém; (col.) pôr alguém na rua.
adroit [ə'drɔit], *adj.* destro, hábil. (*Sin.* dexterous, skilful, clever. *Ant.* clumsy.)
adroitly [-li], *adv.* habilmente, destramente.
adroitness [-nis], *s.* habilidade, destreza.
adscititious [ædsi'tiʃəs], *adj.* suplementar.
adsorb [æd'sɔ:b], *vt.* adsorver.
adsorption [æd'sɔ:pʃən], *s.* adsorção.
adsum ['ædsəm], (lat.) presente (resposta a uma chamada).
adulate ['ædjuleit], *vt.* adular, bajular.
adulation ['ædju'leiʃən], *s.* adulação, bajulação.
adulator ['ædjuleitə], *s.* adulador, bajulador.
adulatory [-ri], *adj.* adulador, bajulador.
adult ['ædʌlt], *s.* e *adj.* adulto.
adulterant [ə'dʌltərənt], *s.* e *adj.* adulterador, que adultera, altera ou falsifica.
adulterate 1 — [ə'dʌltəreit], *vt.* adulterar, falsificar.
2 — [ə'dʌltərit], *adj.* adulterado, falsificado, corrompido; culpado de adultério, adúltero.
adulteration [ədʌltə'reiʃən], *s.* adulteração, falsificação, alteração; corrupção.
adulterator [ə'dʌltəreitə], *s.* falsificador; adulterador.
adulterer [ə'dʌltərə], *s.* adúltero.
adulteress [ə'dʌltəris], *s. fem.* adúltera.
adulterine [ə'dʌltərain], *adj.* adulterino, espúrio; ilegal, ilícito.
adulterous [ə'dʌltərəs], *adj.* adúltero.
adulterously [-li], *adv.* adulteramente.
adultery [ə'dʌltəri], *s.* adultério.
adumbrate ['ædʌmbreit], *vt.* adumbrar, sombrear; delinear, esboçar.
adumbration [ædʌm'breiʃən], *s.* adumbração; esboço, bosquejo, plano, projecto; antevisão, previsão; pressentimento.
adust [ə'dʌst], *adj.* adusto; queimado; atrabiliário; melancólico; rabugento.
advance [əd'vɑ:ns], **1** — *s.* avanço, marcha, progresso; adiantamento, melhoramento, aumento, subida (de preço); tentativas de aproximação, primeiros passos; pagamento adiantado; adiantamento de dinheiro; aproximação (de alguém).
advance copy — exemplar posto à disposição, antes de uma obra ser publicada.
advance guard — guarda avançada.
advance note — vale.
advance payment — pagamento adiantado.
in advance — previamente, de antemão, antecipadamente.
in advance of — com avanço de.
they gave him an advance on account — fizeram-lhe um adiantamento por conta.

2 — *vt.* e *vi.* avançar, adiantar; melhorar; acelerar, fazer progredir; promover; favorecer; propor; formular; emitir; apresentar; adiantar dinheiro; pagar adiantado; subir (preço), aumentar. (*Sin.* to put forward, to push; to promote; to accelerate; to improve, to make progress; to rise. *Ant.* to retard.)
he was advanced to the rank of captain — ele foi promovido ao posto de capitão.
advanced [-t], *adj.* e *pp.* avançado, adiantado.
advanced ideas — ideias avançadas.
advanced studies — estudos adiantados.
to be advanced in years — ter uma idade avançada.
advancement [-mənt], *s.* adiantamento, avanço, progresso; acesso, promoção; impulso, fomento; melhoramento; subida (de preço); antecipação.
advancer [-ə], *s.* promotor.
advantage [əd'vɑ:ntidʒ], **1** — *s.* vantagem, superioridade, preponderância; partido, proveito, benefício; vantagem (no ténis), o ponto a contar quando ambos os lados têm 40.
to gain an advantage over (a person) — levar vantagem sobre (uma pessoa); levar a melhor.
to take advantage of an opportunity — aproveitar (tirar partido de) uma oportunidade.
to take advantage of somebody — enganar (defraudar) alguém.
to the best advantage — com o maior proveito.
2 — *vt.* promover, favorecer, beneficiar; ser vantajoso ou benéfico.
advantageous [ædvən'teidʒəs], *adj.* vantajoso, útil, lucrativo, proveitoso.
advantageously [-li], *adv.* vantajosamente, com proveito.
advantageousness [-nis], *s.* proveito, vantagem, utilidade, lucro.
advent ['ædvənt], *s.* advento, chegada, vinda.
Advent *s.* (o) Advento (a vinda de Cristo).
Adventism [-ism], *s.* Adventismo (doutrina religiosa).
Adventist [-ist], *s.* adventista (pessoa que segue o Adventismo).
adventitious [ædven'tiʃəs], *adj.* adventício; casual, acidental.
adventitiously [-li], *adv.* adventiciamente; casualmente, acidentalmente.
adventure [əd'ventʃə], **1** — *s.* aventura; risco, empresa arriscada; especulação comercial; acontecimento inesperado.
2 — *vt.* e *vi.* aventurar(-se), arriscar(-se); empreender; correr o risco de; ousar.
adventurer [-rə], *s.* aventureiro; especulador; vigarista.
adventuresome [-səm], *adj.* aventureiro, arrojado, ousado, arriscado.
adventuress [-ris], *s. fem.* aventureira.
adventurous [əd'ventʃərəs], *adj.* aventuroso, arriscado, ousado, arrojado, temerário; perigoso.
adventurously [-li], *adv.* aventurosamente, de modo ousado ou arriscado; temerariamente.
adventurousness [-nis], *s.* ousadia; coragem; espírito de aventura.
adverb ['ædvə:b], *s.* advérbio.
adverbial [əd'və:bjəl], *adj.* adverbial.
adverbial clause — oração adverbial (subordinada).
adverbially [-i], *adv.* adverbialmente.
adversary ['ædvəsəri], *s.* adversário; inimigo; contrário, opositor.
adversative [əd'və:sətiv], *adj.* adversativo.
adversative clause — oração adversativa.
adversative conjunction — conjunção adversativa.
adverse ['ædvə:s], *adj.* adverso, contrário; hostil, inimigo; prejudicial, desfavorável. (*Sin.* contrary, opposed, hostile, unfavourable. *Ant.* favourable.)
adversely [-li], *adv.* adversamente; contràriamente, desfavoràvelmente; prejudicialmente.
adversity [əd'və:siti], *s.* adversidade, infortúnio, infelicidade, má sorte, desventura, desgraça. (*Sin.* misfortune, ill luck, distress. *Ant.* prosperity.)
advert [əd'və:t], *vi.* aludir a, referir-se a.
advertence [əd'və:təns], *s.* atenção; advertência.
advertency [-i], ver **advertence.**
advertise ['ædvətaiz], *vt.* e *vi.* anunciar, publicar; informar, advertir, avisar; pôr um anúncio (no jornal ou num lugar público); chamar as atenções.
it's a pity she advertises so much — é uma pena que ela se gabe tanto.
to advertise for — pedir por anúncio.
advertisement [əd'və:tismənt], *s.* anúncio, publicação; informação; aviso, notificação.
puffing advertisement — anúncio pomposo.
advertiser ['ædvətaizə], *s.* anunciante; secção ou jornal de anúncios.
advertising ['ædvətaiziŋ], *s.* publicidade.
advertising agent — agente de publicidade.
advertising canvasser — angariador de anúncios.
advice [əd'vais], *s.* conselho; opinião, parecer; informe; aviso; comunicação.
a letter of advice — carta de aviso.
a piece of (good) advice—um (bom) conselho.
as per advice of — conforme aviso de.
to act on advice — seguir o conselho.
to take advice — tomar conselho.
advisability [ədvaizə'biliti], *s.* conveniência; oportunidade; prudência, ponderação.
advisable [əd'vaizəbl], *adj.* aconselhável, prudente, recomendável, conveniente, oportuno; ponderado; a propósito; digno de consideração.
advisableness [-nis], *s.* conveniência, oportunidade; prudência.
advisably [-i], *adv.* prudentemente; oportunamente; de modo aconselhável.
advise [əd'vaiz], *vt.* e *vi.* aconselhar, dar conselho a; avisar, informar, inteirar; consultar, tomar conselho com, aconselhar-se com. (*Sin.* to counsel, to recommend, to inform, to notify.)
the doctor advises a change of air — o médico aconselha uma mudança de ares.
What do you advise me to do? — Que me aconselhas a fazer?
we will advise you when we hear — avisar-vos-emos quando tivermos conhecimento.
advised [-d], *adj.* deliberado, reflectido; aconselhado, avisado, prudente.
ill-advised — mal-avisado, imprudente.
well-advised — bem-avisado, prudente.
advisedly [-idli], *adv.* deliberadamente; prudentemente, judiciosamente, sensatamente, cautelosamente.
advisedness [-idnis], *s.* prudência, sensatez.
adviser [-ə], *s.* conselheiro; informador; consultor.
legal adviser — consultor jurídico.
advisory [-əri], *adj.* consultivo, que dá parecer ou conselho.
advisory board — junta consultiva.
advocacy ['ædvəkəsi], *s.* advocacia; defesa, apoio.
advocate **1** — ['ædvəkit], *s.* advogado; defensor; partidário.
Judge Advocate — juiz auditor (num conselho de guerra).

Lord Advocate — procurador-geral (na Escócia).
2 — ['ædvəkeit], *vt.* advogar; defender; interceder; apoiar. (*Sin.* to plead for, to defend, to support. *Ant.* to oppose.)
advocateship ['ædvəkitʃip], *s.* advocacia, cargo de advogado.
advocatory [ædvə'keitəri], *adj.* advocatório.
advowson [əd'vauzən], *s.* colação, direito de conferir benefício eclesiástico.
adynamia [ædai'neimiə], *s.* adinamia, falta de forças.
adynamic [ædai'næmik], *adj.* adinâmico.
adytum ['æditəm], *s.* (pl. **adyta**) ádito, santuário.
adze [ædz], **1** — *s.* enxó; machadinha.
cooper's adze — machadinha recurvada (de tanoeiro).
2 — *vt.* cortar com enxó.
aedile ['i:dail], *s.* edil, magistrado da antiga Roma.
aedileship [-ʃip], *s.* edilidade; cargo de edil; vereação.
Aegean [i'dʒi:ən], *adj.* Egeu.
Aegeus ['i:dʒj:us], *n. p.* Egeu.
aegis ['i:dʒis], *s.* égide, protecção; escudo.
aegrotat [i'groutæt], *s.* atestado de doença (nas universidades inglesas).
Aemilius [i'miliəs], *n. p.* Emílio.
Aeneas [i'ni:əs], *n. p.* Eneias.
Aeneid ['i:niid], *s.* Eneida, nome de uma obra de Virgílio.
Aeolic [i'ɔlik], *adj.* eólico.
Aeolus ['ioulǝs], *n. p.* Éolo.
aeon ['i:ən], *s.* evo, eternidade.
aerate ['eiəreit], *vt.* arejar, expor à acção do ar; gaseificar; (med.) arterializar (o sangue).
aerated waters — águas gasosas.
aeration [eiə'reiʃən], *s.* aeração, arejamento; gaseificação; (med.) arterializar (o sangue).
aerator ['eiəreitə], *s.* gaseificador.
aerial ['ɛəriəl], *s.* e *adj.* antena; aéreo, atmosférico; gasoso; (fig.) imaterial, irreal, imaginário.
aerially [-i], *adv.* aereamente.
aerie ['ɛəri], *s.* ninho (de águia ou outra ave de rapina); ninhada (de ave de rapina); edifício alcandorado, situado a grande altura.
aeriform [-fɔ:m], *adj.* aeriforme, gasoso, semelhante ao ar; (fig.) imaginário, imaterial, irreal.
aerify [-fai], *vt.* aerificar, gaseificar.
aero ['ɛərou], *s.* (col.) avião, aeroplano; aviação.
aerobatics [-'bætiks], *s.* acrobacia aérea.
aerobe [-b], *s.* aeróbio.
aerobian [ɛə'roubiən], *adj.* aeróbio.
aerobus ['ɛəroubʌs], *s.* (col.) aeroplano, avião.
aerodrome ['ɛərədroum], *s.* aeródromo, aeroporto.
aerodynamic [ɛəroudai'næmik], *adj.* aerodinâmico.
aerodynamics [-s], *s.* aerodinâmica.
aerogram ['ɛərougræm], *s.* aerograma.
aerolite ['ɛərəlait], *s.* aerólito, meteoro.
aerolith ['ɛərəliθ], *s.* aerólito, meteoro.
aerological [ɛərə'lɔdʒikəl], *adj.* aerológico.
aerologist [ɛə'rɔlədʒist], *s.* aerólogo.
aerology [ɛə'rɔlədʒi], *s.* aerologia.
aero-motor ['ɛərou'moutə], *s.* motor de aviação.
aeronaut ['ɛərənɔ:t], *s.* aeronauta.
aeronautic [ɛərə'nɔ:tik], *adj.* aeronáutico.
aeronautical [-əl], *adj.* aeronáutico.
aeronautics [-s], *s.* aeronáutica.
aerophagia [ɛərou'feidʒə], *s.* aerofagia, deglutição exagerada de ar.
aerophobia [ɛərou'foubiə], *s.* aerofobia, horror ao ar.
aerophone ['ɛərəfoun], *s.* aerofone.
aeroplane ['ɛərəplein], *s.* aeroplano, avião.
aeroscopy [ɛə'rɔskəpi], *s.* aeroscopia, observação do ar.
aerosol ['ɛərousɔl], *s.* aerossol.
aerostat ['ɛəroustæt], *s.* aeróstato; balão.
aerostatics [ɛərou'stætiks], *s.* aerostática.
aeruginous [iə'ru:dʒinəs], *adj.* coberto de verdete.
aery ['ɛəri], *s.* (pl. **aeries**) ver **aerie.**
Aeschylus ['i:skiləs], *n. p.* Ésquilo.
Aesculapius [i:skju'leipjəs], *n. p.* Esculápio.
Aesop ['i:sɔp], *n. p.* Esopo.
aesthete ['i:sθi:t], *s.* esteta.
aesthetic [i:s'θetik], *adj.* estético.
aesthetical [-əl], *adj.* estético.
aesthetically [-əli], *adv.* esteticamente.
aestheticism [i:s'θetisizm], *s.* esteticismo.
aesthetics [i:s'θetiks], *s.* estética.
aestival, estival [i:s'taivəl], *adj.* estival, de Estio, relativo ao Estio ou Verão.
aestivate ['i:stiveit], *vi.* passar o Verão; passar o Verão em estado de torpor; estivar, estiar.
aestivation [i:sti'veiʃən], *s.* estivação, torpor estival.
aether ['i:θə], *s.* éter.
Aethiopia [i:θi'oupjə], *top.* Etiópia.
aetiological [i:tiə'lɔdʒikəl], *adj.* etiológico.
aetiologically [-i], *adv.* etiologicamente.
aetiology [i:ti'ɔlədʒi], *s.* etiologia, ciência das causas; (med.) parte da patologia que trata das causas das doenças.
Aetna ['etnə], *top.* Etna.
afar [ə'fɑ:] *adv.* longe, distante, à distância.
afar off — ao longe.
from afar — de longe.
to stand afar off — conservar-se afastado.
affability [æfə'biliti], *s.* afabilidade, amabilidade, cortesia.
affable ['æfəbl], *adj.* afável, cortês.
affableness [-nis], *s.* afabilidade.
affably [-i], *adv.* afavelmente.
affair [ə'fɛə], *s.* negócio; questão, assunto; ocupação; (com.) transacção, operação comercial; *(pl.)* — afazeres, ocupações, negócios; interesses. (*Sin.* business, matter, concern; pursuits, transactions.)
a love affair — uma aventura amorosa.
a stupid affair — um negócio inepto.
an affair of the heart — uma questão do coração, intriga amorosa.
at the head of affairs — à frente dos negócios.
private affairs — assuntos, questões ou negócios particulares.
public affairs — negócios públicos.
that's my (own) affair — isso é (cá) comigo.
that's no affair of yours — não tens nada com isso.
the Department of Foreign Affairs — o Ministério dos Negócios Estrangeiros.
affect [ə'fekt], *vt.* afectar, actuar sobre; atacar; comover, enternecer; afligir, impressionar; fingir, aparentar, dissimular; usar; praticar; imitar; prejudicar; preferir, mostrar parcialidade. (*Sin.* to assume, to adopt; to move; to pretend, to feign; to practise, to use, to make use of.)
he was deeply affected — ele ficou profundamente comovido.
she affected indifference — ela fingiu-se indiferente.
affectation [æfek'teiʃən], *s.* afectação, simulação, fingimento, artifício; falta de naturalidade; aparência; artificialismo.
affected [ə'fektid], *adj.* afectado, artificial, rebuscado, cheio de afectação; comovido, emocionado; disposto, inclinado; influen-

ciado; presumido, fingido, simulado; atacado, atingido.
affectedly [-li], *adv.* afectadamente, com afectação, simuladamente; presumidamente.
affectedness [-nis], *s.* afectação.
affecting [ə'fektiŋ], *adj.* comovedor, tocante, enternecedor.
affectingly [-li], *adv.* de modo comovente, enternecedoramente.
affection [ə'fekʃən], *s.* afeição, afecto; sentimento; emoção; impulso; desejo; paixão; boa vontade; carinho; (med.) doença, afecção. (*Sin.* love, fondness, devotion, tenderness; feeling; goodwill; emotion; impulse; desire; (med.) disease, complaint.)
to show affection for (ou *towards*) — testemunhar afeição ou afecto por.
affectionate [-it], *adj.* afectuoso, terno, carinhoso, afeiçoado.
affectionately [-itli], *adv.* afectuosamente; carinhosamente, ternamente.
yours affectionately — o seu afeiçoado, o seu muito amigo (geralmente no fim duma carta).
affectionateness [-itnis], *s.* afecto, afectuosidade, carinho.
affective [ə'fektiv], *adj.* afectivo.
afferent ['æfərənt], *adj.* aferente (que conduz ou leva em direcção a).
affiance [ə'faiəns], **1** — *s.* fé, confiança; promessa solene de casamento.
2 — *vt.* prometer solenemente em casamento.
affianced [-t], *adj.* fiado em, confiado em; prometido em casamento.
affidavit [æfi'deivit], *s.* declaração sob juramento; compromisso escrito; depoimento.
to swear an affidavit — declarar sob juramento.
to take an affidavit — aceitar uma declaração escrita sob juramento.
affiliate [ə'filieit], *vt.* filiar, afiliar, incorporar; agregar; perfilhar; adoptar; associar.
affiliation [əfili'eiʃən], *s.* afiliação, filiação; perfilhação, perfilhamento; adopção; atribuição de paternidade; incorporação, associação.
affined [ə'faind], *adj.* ligado (por afinidade), aparentado; afim.
affinity [ə'finiti], *s.* (pl. **affinities**) afinidade, parentesco, ligação; semelhança, analogia; conexão, relação, atracção, inclinação; (quím.) afinidade. (*Sin.* relationship; resemblance, similarity; liking, connexion; attraction.)
affirm [ə'fə:m], *vt.* e *vi.* afirmar, declarar, confirmar; assegurar, garantir; declarar perante o tribunal; (jur.) ratificar, homologar.
affirmable [-əbl], *adj.* afirmável; confirmável.
affirmation [æfə:'meiʃən], *s.* afirmação, asseveração; confirmação; declaração solene; (jur.) ratificação, homologação.
affirmative [ə'fə:mətiv], **1** — *s.* afirmativa.
2 — *adj.* afirmativo, positivo.
to answer in the affirmative — dar uma resposta afirmativa.
affirmatively [-li], *adv.* afirmativamente.
affirmatory [ə'fə:mətəri], *adj.* afirmativo; assertório.
affix **1** — ['æfiks], *s.* afixo, acrescentamento; adição; acessório.
2 — [ə'fiks], *vt.* afixar, acrescentar, unir, juntar, fixar; imprimir; colar; apor (a assinatura).
affixture [-tʃə], *s.* afixação, adjunção, acrescentamento, aposição, fixação.
afflatus [ə'fleitəs], *s.* sopro; inspiração.
afflict [ə'flikt], *vt.* afligir, atormentar.
affliction [ə'flikʃən], *s.* aflição, sofrimento, dor, pesar; infelicidade; ânsia; tormento; calamidade; aperto, angústia, necessidade; miséria.
afflictive [ə'fliktiv], *adj.* aflitivo.
affluence ['æfluəns], *s.* afluência, abundância, profusão; riqueza, abastança, opulência. (*Sin.* abundance, wealth, riches, opulence. *Ant.* poverty.)
affluent ['æfluənt], **1** — *s.* afluente.
2 — *adj.* abundante, copioso, rico, opulento.
affluently [-li], *adv.* abundantemente; opulentamente.
afflux ['æflʌks], *s.* (pl. **affluxes**) afluência, afluxo, fluxo, confluência; concorrência (de gente); acessão.
afford [ə'fɔ:d], *vt.* proporcionar, prover de; dar; produzir; ter meios ou recursos para; suportar ou custear despesas; poder, ter a possibilidade de.
I can't afford it — não tenho meios para isso.
they can afford to keep two cars — têm possibilidades de ter dois automóveis.
those trees afford a pleasant shade — aquelas árvores dão uma sombra agradável.
afforest [æ'fɔrist], *vt.* converter em floresta ou coutada; arborizar; plantar uma floresta.
afforestation [æfɔris'teiʃən], *s.* conversão em floresta ou coutada; arborização; plantação de uma floresta.
affranchise [ə'fræntʃaiz], *vt.* libertar, isentar de obrigações; dispensar, exonerar.
affranchisement [ə'fræntʃizmənt], *s.* libertação; dispensa; exoneração.
affray [ə'frei], *s.* alvoroço, tumulto; motim, briga; escaramuça, refrega; rixa.
affricate ['æfrikit], *adj.* africado, africativo.
affright [ə'frait], **1** — *s.* susto, medo.
2 — *vt.* assustar, amedrontar.
affront [ə'frʌnt], **1** — *s.* afronta, insulto; injúria, ultraje.
to offer an affront to — ofender, fazer uma afronta a, dirigir insultos a.
to put up with an affront — sofrer uma afronta.
to swallow an affront — engolir uma afronta.
2 — *vt.* insultar; afrontar, ofender; enfrentar.
affronter [-ə], *s.* ofensor, o que afronta ou ofende.
affronting [-iŋ], *adj.* afrontoso, insultuoso, ultrajante.
affrontingly [-iŋgli], *adv.* afrontosamente.
affusion [ə'fju:ʒən], *s.* afusão, aspersão.
Afghan ['æfgæn], *s.* afegane, afegão, natural do Afeganistão.
Afghanistan [æf'gænistæn], *top.* Afeganistão.
afield [ə'fi:ld], *adv.* no campo, para o campo; longe, a distância; fora de casa.
far afield — muito longe; ao longe.
to go far afield — afastar-se para muito longe.
afire [ə'faiə], *adv.* em fogo, incendiado, em chamas, a arder, em brasa.
to set afire — incendiar.
aflame [ə'fleim], *adv.* em chamas, a arder.
afloat [ə'flout], *adv.* à tona de água, a boiar; a flutuar; à superfície, à tona; a nado; desendividado; divulgado, em circulação, em voga, a correr.
there is a rumour afloat — corre o boato.
to keep afloat — conservar-se à superfície; manter-se sem dívidas.
to set afloat — pôr a flutuar, lançar à água (barco).
afoot [ə'fut], *adv.* a pé; em movimento.
to set afoot — pôr em movimento, a andar.
afore [ə'fɔ:], *adv.* e *prep.* (náut.) à prova, à frente, à vante; anteriormente, antes.
afore cited — supracitado, supramencionado.

afore-going — precedente.
afore-mentioned — supramencionado.
afore-named — supramencionado.
afore-said — já dito.
look out afore there! — (náut.) atenção à vante!
afraid [ə'freid], *adj.* medroso, receoso, com medo, assustado. (*Sin.* timid; alarmed; anxious, apprehensive. *Ant.* bold, daring.)
I'm afraid I can't — receio não poder, não ter possibilidades de.
I'm afraid I have made a mistake — receio bem ter cometido um erro.
I'm afraid it will rain — receio que chova.
to be afraid of — ter medo de.
she is afraid of getting old — ela tem medo de envelhecer.
afresh [ə'freʃ], *adv.* outra vez, novamente.
Africa ['æfrikə], *top.* África.
African [-n], *s.* e *adj.* africano.
Africander [æfri'kændə], *s.* africânder, natural da África do Sul.
aft [ɑ:ft], *adv.* (náut.) à popa, à ré, atrás.
after ['ɑ:ftə], **1** — *prep.* depois de, após; atrás de; segundo, de acordo com; apesar de.
after all — apesar de tudo.
after all our trouble they haven't learnt anything — apesar de todo o nosso trabalho eles não aprenderam nada.
after the French fashion — à francesa.
day after day — dia após dia.
he came into the room after me — ele entrou na sala atrás de mim.
he takes after his father — ele parece-se com o pai.
I know they are after me — eu sei que eles andam atrás de mim.
one after another — um após outro, consecutivamente.
the day after tomorrow — depois de amanhã.
to run after somebody — correr atrás de alguém.
what are you after? — que é que pretendes?
2 — *adv.* depois, posteriormente, mais tarde.
soon after — pouco depois.
the day after — o dia seguinte.
two weeks after — duas semanas depois.
what comes after? — que se segue?
3 — *conj.* depois que, depois de.
after he had gone — depois de ele ter saído.
4 — *adj.* seguinte, posterior, ulterior.
after-ages — futuro, tempos vindouros.
after-crop — segunda colheita.
after-days — dias futuros.
after-effects — efeitos posteriores, consequências.
after-game — jogo de desforra.
after-glow — brilho crepuscular.
after perpendicular — (náut.) perpendicular à ré.
after-sight — (com.) de vista (letra).
the after-war period — o após-guerra.
aftercrop [-krɔp], *s.* segunda colheita.
afterglow [-glou], *s.* brilho crepuscular.
after-guard [a:ftə'gɑ:d], *s.* marinheiros e oficiais estacionados na tolda; quarto de popa.
after-life [-laif], *s.* última fase da vida; vida após da morte.
aftermath [-mæθ], *s.* segundo feno; (fig.) consequências, resultados.
the aftermath of war — as consequências da guerra.
aftermost [-moust], *adj.* (*náut.*) o mais à ré possível; posterior; o último.
afternoon [-'nu:n], *s.* tarde, a parte da tarde.
good afternoon! — boa(s) tarde(s).
in the afternoon — à tarde, de tarde.
this afternoon — esta tarde, hoje à tarde.
tomorrow afternoon — amanhã à tarde.
yesterday afternoon — ontem à tarde.
afterpiece [-pi:s], *s.* entremez; interlúdio.
afterthought [-θɔ:t], *s.* reflexão posterior a um acto; reflexão tardia; resposta tardia.
afterwards [-wədz], *adv.* depois, mais tarde.
long afterwards — muito (tempo) depois.
aga, agha ['ɑ:gə], *s.* agá (dignidade militar turca).
again [ə'gein;ə'gen], *adv.* outra vez, de novo; além disso.
again and again — repetidas vezes.
never again — nunca mais.
now and again — de vez em quando.
once again — uma vez mais.
over again — ainda uma vez.
you are yourself again! — estás completamente restabelecido!
against [-st], *prep.* contra, em oposição a; de encontro a, encostado a; em, sobre; em contraste com; perto de; em frente de.
against a dark background — sobre um fundo escuro.
against the grain — a contrapelo, contra a vontade, de mau grado.
against the stream — contra a corrente.
against the wall — encostado à parede.
his name is against him — basta-lhe o nome para o prejudicar.
over against — em frente de.
to run against somebody — (col.) encontrar alguém por acaso.
agama ['ægəmə], *s.* espécie de lagarto.
Agamemnon [ægə'memnən], *n. p.* Agamémnon.
agami ['ægəmi], *s.* (zool.) trombeteiro.
agape **1** — ['ægəpi], *s.* ágape, refeição que os primitivos cristãos faziam em comum.
2 — [ə'geip], *adj.* e *adv.* de boca aberta, boquiaberto, espantado, com espanto.
to stand agape — ficar de boca aberta.
agar-agar ['eigɑ: 'eigɑ:], *s.* ágar-ágar, substância gelatinosa usada em preparações bacteriológicas.
agaric ['ægərik], *s.* (bot.) agárico, cogumelo que se dá no tronco de algumas árvores.
agate ['ægət], *s.* ágata, quartzo translúcido.
Agatha ['ægəθə], *n. p.* Ágata.
agave [ə'geivi], *s.* (bot.) agave, planta americana.
agaze [ə'geiz], *adv.* com o olhar fixo; em contemplação; com pasmo, com admiração.
age [eidʒ], **1** — *s.* idade; velhice, caducidade; época, período, tempo; século.
ages ago — há muito tempo.
Elizabethan age — época isabelina (da rainha Isabel I da Inglaterra).
full age — maioridade.
golden ages — tempos áureos, século de oiro.
he is under age — ele é menor.
I am 20 years of age — tenho 20 anos de idade.
I haven't seen you for ages! — (col.) há que tempos não te via!
in past ages — em tempos idos.
of middle age — de meia idade.
old age — velhice.
over age — fora da idade.
the age of discretion — a idade da razão.
the bronze age — a idade do bronze.
the Dark Ages — a idade (o século) das trevas, a Alta Idade Média.
the iron age — a idade do ferro.
the stone age — a idade da pedra.
to last for ages — durar séculos.
what is your age? — que idade tem?
2 — *vt.* e *vi.* tornar velho; envelhecer.
aged [-id], *adj.* idoso, velho.
aged twenty — de vinte anos de idade.
the aged — os velhos, as pessoas de idade.

agedness ['eidʒidnis], *s.* idade avançada, velhice.
ageless ['eidʒlis], *adj.* sempre jovem; eterno.
agency ['eidʒənsi], *s.* (pl. **agencies**) agência; acção, diligência; influência; intervenção; meio, intermédio; actividade, actuação; esforço; poder, força.
a mysterious agency — uma força misteriosa.
commission agency — agência de comissões.
free agency — livre arbítrio.
news agency — agência noticiosa.
through the agency of somebody — por intermédio de alguém, com a intervenção ou influência de alguém.
travel agency — agência de viagens.
agenda [ə'dʒendə], *s.* agenda; ordem do dia.
Agenor [ə'dʒi:nɔ:], *n. p.* Agenor.
agent ['eidʒənt], *s.* agente; representante; solicitador; causa.
buying agent — agente de compras.
commission agent — agente comissário, comissionista.
customs clearing agent — despachante da alfândega.
forwarding agent — agente expedidor.
house and land agent — agente de vendas e arrendamentos de imóveis.
shipping agent — agente marítimo.
sole agent — representante ou agente exclusivo.
Agesilaus [ədʒesi'leiəs], *n. p.* Agesilau.
agglomerate 1 — [ə'glɔmərit], *s.* e *adj.* aglomerado; aglomeração; (geol.) aglomerado.
2 — [ə'glɔməreit], *vt.* e *vi.* aglomerar, juntar, reunir; aglomerar-se.
agglomeration [əglɔmə'reiʃən], *s.* aglomeração.
agglomerative [ə'glɔməreitiv], *adj.* aglomerativo.
agglutinant [ə'glu:tinənt], *s.* e *adj.* aglutinante.
agglutinate 1 — [ə'glu:tineit], *vt.* e *vi.* aglutinar, unir, pegar; colar, grudar.
2 — [ə'glu:tinit], *adj.* aglutinado.
agglutination [əglu:ti'neiʃən], *s.* aglutinação.
agglutinative [ə'glu:tinətiv], *adj.* aglutinativo, aglutinante.
aggrandize [ə'grændaiz], *vt.* engrandecer, elevar, exaltar; ampliar, aumentar; exagerar; embelezar. (*Sin.* to elevate; to exalt; to dignify; to exaggerate; to embellish. *Ant.* to debase.)
aggrandizement [ə'grændizmənt], *s.* engrandecimento, enaltecimento, elevação, aumento, ampliação.
aggravate ['ægrəveit], *vt.* agravar, piorar; exagerar; (col.) irritar, exasperar.
aggravating [-iŋ], *adj.* agravante; irritante, exasperador.
aggravatingly [-iŋli], *adv.* de maneira irritante; de modo a agravar ou piorar.
aggravation [ægrə'veiʃən], *s.* agravamento; circunstância agravante; irritação.
aggregate 1 — ['ægrigit], *s.* e *adj.* agregado, unido; total; colectivo; conjunto, massa, amontoado; totalidade.
in the aggregate — no conjunto, no todo.
2 — ['ægrigeit], *vt.* e *vi.* agregar, unir, reunir num todo, incorporar, associar; admitir, receber; orçar; perfazer; ascender a; agregar-se, unir-se, associar-se.
aggregation [ægri'geiʃən], *s.* agregação, agregado, aglomeração, aglomerado, conjunto, massa; associação.
aggregative ['ægrigeitiv], *adj.* agregativo; gregário.
aggress [ə'gres], *vt.* e *vi.* atacar; agredir; começar uma questão, levantar barulho.
aggression [ə'greʃən], *s.* agressão.
aggressive [ə'gresiv], 1 — *s.* ofensiva.
to assume (ou *to take*) *the aggressive* — tomar a ofensiva.
2 — *adj.* agressivo, ofensivo; disposto a agredir.
aggressively [-li], *adv.* agressivamente.
aggressiveness [-nis], *s.* agressividade.
aggressor [ə'gresə], *s.* agressor.
aggrieve [ə'gri:v], *vt.* ofender; afligir, incomodar, oprimir, angustiar, desgostar, magoar.
aghast [ə'gɑ:st], *adj.* horrorizado, aterrado, aterrorizado; espantado.
to stand aghast at — ficar horrorizado com.
agile ['ædʒail], *adj.* ágil, expedito, desembaraçado, activo; lesto, pronto, vivo. (*Sin.* nimble; active; quick-moving, prompt. *Ant.* clumsy.)
agilely [-li], *adv.* agilmente, com agilidade; prontamente, com ligeireza, desembaraçadamente.
agility [ə'dʒiliti], *s.* agilidade, desembaraço, prontidão, presteza, ligeireza.
Agincourt ['ædʒinkɔ:t], *top.* Azincourt (localidade francesa, onde se travou uma célebre batalha entre Ingleses e Franceses, em 1415).
agio ['ædʒiou], *s.* ágio, usura.
agiotage ['ædʒətidʒ], *s.* agiotagem, comércio usurário.
agistment [ə'dʒistmənt], *s.* preço do direito de pastagem de gado.
agitable [ædʒitəbl], *adj.* agitável; que pode ser agitado.
agitate ['ædʒiteit], *vt.* agitar, excitar, perturbar, sacudir, remexer; comover, emocionar; debater, discutir. (Sin. to excite, to rouse; to trouble, to disturb. *Ant.* to calm.)
agitation [ædʒi'teiʃən], *s.* agitação, perturbação, movimento; comoção; debate; campanha.
agitator ['ædʒiteitə], *s.* agitador.
aglet, aiglet ['eiglit], *s.* agulheta.
aglow [ə'glou], *adj.* e *adv.* incandescente, ardente; rubro, vermelho, corado, afogueado; inflamado, excitado.
agnail ['ægneil], *s.* espigão de unha.
agnate ['ægneit], *s.* e *adj.* agnado; parente por varonia; agnato; (fig.) da mesma espécie, da mesma natureza.
agnatic [-ik], *adj.* agnático.
agnation [æg'neiʃən], *s.* agnação, laço de consanguinidade por varonia.
Agnes ['ægnis], *n. p.* Inês.
agnostic [æg'nɔstik], *s.* e *adj.* agnóstico.
agnosticism [æg'nɔstisizm], *s.* agnosticismo (doutrina que declara o espírito humano incompetente para conhecer o Absoluto).
ago [ə'gou], *adv.* passado, no passado, decorrido; há (numa expressão de tempo).
a long time ago — há muito tempo.
half an hour ago — há meia hora.
long ago — há muito tempo.
ten years ago — há dez anos.
agog [ə'gɔg], *adj.* e *adv.* curioso, ansioso, na expectativa, com curiosidade, impacientemente; ardentemente; em movimento.
agoing [ə'gouiŋ], *adv.* em movimento, em marcha.
agonic [ə'gɔnik], *adj.* ágono, sem ângulos.
agonistic [ægə'nistik], *adj.* agonístico, combativo, belicoso.
agonize ['ægənaiz], *vt.* e *vi.* agonizar, estar na agonia; sofrer dor intensa; torturar; lutar; torturar-se; empregar esforços desesperados por; martirizar-se.
agonizing [-iŋ], *adj.* agonizante; angustiante, doloroso, torturante, desesperante.

agonizingly [-iŋli], *adv.* em agonia; dolorosamente; de modo angustiante, de modo desesperante.
agony [ˈægəni], *s.* (pl. **agonies**) agonia; angústia, tortura, desespero; paroxismo.
agony column — coluna dos desaparecidos (nos jornais).
the last agony — a agonia que precede a morte.
Agora [ˈægərə], *s.* ágora (praça pública da Grécia).
agoraphobia [ægərəˈfoubiə], *s.* agorafobia (horror mórbido que certas pessoas têm de atravessar praças públicas, ruas, etc.).
agrarian [əˈgrɛəriən], *s.* e *adj.* agrário.
agrarianism [-izm], *s.* agrarianismo, agrarismo.
agree [əˈgri:], *vt.* e *vi.* concordar com, acordar, fazer um acordo, estar de acordo, ser do mesmo parecer; consentir, ceder; convir; harmonizar-se, reconciliar-se; arranjar; dar-se bem; (gram.) concordar. (*Sin.* to accord; to consent, to acquiesce; to suit, to assent; to comply. *Ant.* to differ; to disagree.)
he and I don't agree at all — ele e eu não nos damos nada bem.
I can't agree to this proposal — não posso aceitar esta proposta.
I don't agree with you — não concordo contigo.
it agrees with the facts — corresponde às realidades.
this food doesn't agree with me — esta comida faz-me mal, não me cai bem.
agreeable [əˈgriəbl], *adj.* agradável, aprazível, deleitoso, encantador; bem-disposto; conforme (a), de acordo; favorável. (*Sin.* pleasant, pleasing; charming; well-disposed; conformable. *Ant.* disagreeable.)
agreeableness [-nis], *s.* agrado, aprazimento, deleite; amenidade; encanto; satisfação; conformidade, concordância.
agreeably [-i], *adv.* agradavelmente, aprazivelmente; de acordo com, em conformidade com; de bom grado, com satisfação.
agreed [əˈgrid], *adj.* ajustado, combinado, convencionado; admitido; aceite.
agreed upon — estipulado.
as agreed — conforme o combinado.
agreement [əˈgri:mənt], *s.* acordo, ajuste, entendimento, pacto, combinação, convenção, contrato; concordância, harmonia, aceitação, unanimidade de pareceres; (gram.) concordância.
as per agreement — conforme ficou estabelecido, segundo o contrato.
by mutual agreement — de comum acordo.
legal agreement — contrato legal.
to come to an agreement — chegar a um acordo.
agrestic [əˈgrestik], *adj.* agreste, rude; rural, rústico.
agricultural [ægriˈkʌltʃərəl], *adj.* agrícola.
agricultural expert — engenheiro-agrónomo.
agricultural show — exposição agrícola.
agriculturalist [-ist], *s.* agricultor.
agriculture [ˈægrikʌltʃə], *s.* agricultura. (*Sin.* farming, tillage, cultivation.)
agriculturist [ægriˈkʌltʃərist], *s.* agricultor.
agrimony [ˈægriməni], *s.* agrimónia, planta herbácea.
agrimotor [ægriˈmoutə], *s.* máquina agrícola para puxar os arados, espécie de tractor.
agronomic [ægrəˈnɔmik], *adj.* agronómico.
agronomical [-əl], *adj.* agronómico.
agronomics [-s], *s.* agronomia.
agronomist [əˈgrɔnəmist], *s.* agrónomo.
agronomy [əˈgrɔnəmi], *s.* agronomia.
aground [əˈgraund], *adj.* e *adv.* encalhado, em seco.
to get (ou *to run*) *aground* — encalhar, dar em seco.
ague [ˈeigju:] *s.* febre palustre; sezão, malária; febre intermitente.
Aguilar [əˈgwilə], *n. p.* Aguiar.
aguish [ˈeigjuiʃ], *adj.* febril; palustre; intermitente; tiritante; sujeito a febres palustres.
ah! [ɑ:] *interj.* ah!
ah me! — ai de mim!
aha! [ɑ:ˈhɑ:], *interj.* ah-ah!, eia!, ena!
ahead [əˈhed], *adj.* e *adv.* à frente, avante, adiante; em frente; para a frente.
ahead in one's studies — adiantado nos estudos.
breakers ahead! — (náut.) arrebentação pela proa!
go ahead! — vamos!, continua!, adiante!
he got ahead of all the others — ele passou à frente de todos os outros.
line ahead — (náut.) linha de fila.
straight ahead — mesmo em frente.
to be (ou *to get*) *ahead of* — ultrapassar, passar à frente de.
to look ahead — olhar para o (pensar no) futuro.
aheap [əˈhi:p], *adv.* em monte, a granel.
ahem [hm], *interj.* hum!, hem!
ahoy! [əˈhɔi], *interj.* (náut.) olá!, oh!
ship ahoy! — ó do barco!
aid [eid], **1** — *s.* ajuda, auxílio, socorro, apoio; ajudante, auxiliar; contribuição; achega; impulso.
first aid — pronto-socorro.
with the aid of — com a ajuda de.
2 — *vt.* ajudar, auxiliar, socorrer, apoiar; contribuir para; impulsionar. (*Sin.* to help, to assist, to support. *Ant.* to oppose.)
to aid a person to do something — ajudar alguém a fazer alguma coisa.
aide-de-camp [ˈeiddəkɑ̃:], *s.* (pl. **aides-de--camp**) ajudante-de-campo.
aider [ˈeidə], *s.* ajudante, auxiliar.
aiding and abetting [ˈeidiŋ ən əˈbetiŋ], *s.* instigação a um crime; cumplicidade num crime.
aiglet [ˈeiglet], *s.* agulheta.
aigrette [ˈeigret], *s.* garça; penacho; tufo de penas ou cabelos.
aiguille [ˈeigwi:l], *s.* pico dum monte, agulha.
aguillette [eigwiˈlet], *s.* ver **aglet** ou **aiglet.**
ail [eil], *vt.* e *vi.* incomodar, afligir, atormentar; doer.
nothing ails me — não me dói nada.
what ails you? — o que é que lhe dói?
ailing [-iŋ], *adj.* doente; incomodado, indisposto.
ailment [-mənt], *s.* doença; dor; incómodo, indisposição.
aim [eim], **1** — *s.* alvo, mira; fim, finalidade, desígnio, objectivo; aspiração, ideal; intenção, intento.
to miss one's aim — falhar os seus intentos; errar o alvo.
to take aim at — fazer pontaria a.
2 — *vt.* e *vi.* apontar, visar, alvejar, fazer pontaria; dirigir; aspirar a, pretender; esforçar-se por; projectar.
to aim a gun at — apontar uma arma para.
to aim at impossibilities — sonhar com coisas impossíveis de alcançar, querer chegar a Roma num dia.
to aim one's efforts at — envidar os seus esforços para.
aiming tripod [ˈeimiŋtraipɔd], *s.* cavalete de mira.
aimless [ˈeimlis], *adj.* sem destino, sem desígnio, incerto, vago, sem objectivo.

aimlessly [-li], *adv.* sem destino; vagamente, incertamente, à ventura.
ain't [eint] contr. de **am not, is not, are not.**
air [ɛə], **1** — *s.* ar, atmosfera; modo, maneira; aspecto, semblante, aparência; afectação; altivez; (mús.) tom, ária; ideia aproximada, semelhança, parecença.
air-baloon — aeróstato, balão.
air-base — base aérea.
air-bed — colchão pneumático.
air-bladder — bexiga natatória (dos peixes).
air-bottle — garrafa de ar comprimido.
air-brakes — travões de pressão; freios pneumáticos.
air-bubble — bolha de ar.
air-built — quimérico, aéreo, no ar.
air-bump — poço de ar.
air-chamber — câmara-de-ar.
Air Commodore — comodoro do ar.
air-cooled — arrefecido pelo ar.
air-cushion — almofada pneumática.
air defences — defesas aéreas.
air-display — exibição (festa) aeronáutica.
air-engine — aeromotor; máquina de ar quente.
air-filter — (mec.) filtro de ar.
air-force — força aérea, aeronáutica, aviação.
air-gun — espingarda de pressão.
air-hole — poço de ar; respiradouro.
air-law — direito aéreo.
air-line — linha de navegação aérea.
air-liner — avião de passageiros, de grande lotação.
air-mail — correio aéreo.
air-minded — compenetrado dos assuntos da aviação.
Air Marshal — marechal do ar.
air pilot — piloto aviador.
air pocket — poço de ar.
air post — correio aéreo.
air pressure — pressão atmosférica.
air-pump — máquina pneumática.
air-raid — ataque aéreo; incursão aérea.
air-raid shelter — abrigo antiaéreo.
air-raid siren — sereia de alarme durante ataques aéreos.
air route — via aérea, linha aérea.
air-screw — hélice.
air-shaft — respiradouro de uma mina.
air sickness — enjoo causado pelo voo.
air-strainer — filtro de ar.
air tank — caixa de ar.
air-tight — hermeticamente fechado.
air-tube — câmara-de-ar.
Air Vice-Marshal — vice-marechal do ar.
allow fresh air to enter — deixem entrar ar fresco.
Army Air Service — aviação militar.
bracing air — ar tonificante.
by air — de avião, por via aérea.
by air mail — por via aérea; de avião.
foul air — ar viciado.
hot air — (col.) conversa tola, palavreado chocho.
in the open air — ao ar livre.
Naval Air Service — aviação naval.
on the air — (rádio) no ar.
open air — ar livre.
polluted air — ar viciado.
projects still in the air — projectos ainda não definidos.
Royal Air Force — Real Força Aérea (força aérea britânica).
there are rumours in the air that... — consta que..., corre o boato de que...
to be in the air — ser do domínio público, constar.
to beat the air — esgrimir contra moinhos de vento.
to build castles in the air — fazer castelos no ar.
to clear the air — desanuviar a atmosfera.
to give oneself airs — dar-se ares, (cal.) armar, tomar ares de pessoa importante.
to live on air — viver do ar (col.).
to put on airs — dar-se ares de pessoa importante, (cal.) armar.
to take the fresh air — tomar o fresco.
to take the air — tomar ar, sair.
what's on the air this evening? — qual é o programa (radiofónico) desta noite?
with a triumphant air — com ar triunfante.
2 — *vt.* arejar, expor ao ar, ventilar; secar; purificar; desanuviar.
aircraft [-krɑ:ft], *s.* aeronave, avião, aeroplano (de qualquer tipo).
aircraft-carrier — porta-aviões.
airily [-rili], *adv.* aereamente; alegremente, com leveza.
airiness [-rinis], *s.* leveza, alegria, boa disposição; permeabilidade ao ar; ventilação; actividade, desembaraço.
airing [-riŋ], *s.* ventilação; exposição ao ar; passeio ao ar livre.
to take an airing — tomar ar, dar um passeio ao ar livre.
airless [-lis], *adj.* abafado, sem ventilação; sem vento, calmo, sereno.
airman [-mən], *s.* (pl. **airmen**) aviador.
airmanship [-mənʃip], *s.* arte da aviação.
airplane [-plein], *s.* aeroplano.
airplane carrier — porta-aviões.
airship [-ʃip], *s.* dirigível (balão).
airway [-wei], *s.* galeria de ventilação de uma mina; rota aérea.
airwoman [-wumən], *s.* (pl. **airwomen**) aviadora.
airy [-i], *adj.* arejado; leve, alegre; airoso, grácil, gracioso; aéreo; imaterial; quimérico, vão; orgulhoso; petulante; superficial.
aisle [ail], *s.* nave lateral de igreja; ala; passagem entre filas de bancos (de igrejas, etc.); coxia.
aisled [-d], *adj.* com naves laterais; com passagem entre filas de bancos.
ait [eit], *s.* ver **eyot.**
aitch-bone ['eitʃboun], *s.* osso da rabadilha.
Aix-la-Chapelle ['eikslɑ:ʃæ'pel], *top.* Aachen (nome alemão), Aix-la-Chapelle (nome francês), Aquisgrano.
Ajaccio [ə'jætʃiou], *top.* Ajácio (capital da Córsega).
ajar [ə'dʒɑ:], *adj.* e *adv.* meio aberto, entreaberto; nervoso, perturbado.
to leave the door ajar — deixar a porta entreaberta.
ajingle [ə'dʒiŋgl], *adv.* a tocar, a retinir.
akimbo [ə'kimbou], *adv.* de mãos na cinta, de mãos nas ilhargas.
akin [ə'kim], *adj.* e *adv.* consanguíneo, aparentado; semelhante.
Alabama ['ælə'bæmə], *top.* Alabama (estado da América do Norte).
alabaster ['æləbɑ:stə], **1** — *s.* alabastro.
2 — *adj.* feito de alabastro; semelhante ao alabastro; macio e branco.
alack [ə'læk], *interj.* oh!, ai! (exprimindo tristeza ou desânimo).
alack-a-day! — oh triste dia!
alacrity [ə'lækriti], *s.* alacridade, alegria, entusiasmo; vivacidade; exuberância.
Aladdin [ə'lædin], *n. p.* Aladino.
alar ['eilə], *adj.* alar; de asas, com asas.
Alaric ['ælərik], *n. p.* Alarico.
alarm [ə'lɑ:m], **1** — *s.* alarme; sobressalto; alerta; rebate; tumulto.
alarm-bell — campainha de alarme.
alarm-clock — despertador (relógio).
alarm-cord — sinal de alarme (nos comboios).

alarm-valve — (náut.) válvula de sentinela.
false alarm — rebate falso.
to give the alarm — dar sinal de alarme, tocar a rebate.
to ring the alarm — tocar a rebate.
to sound the alarm — tocar a rebate.
2 — *vt.* e *vi.* alarmar, assustar; pôr em alvoroço; tocar a rebate, dar sinal de alarme; sobressaltar. (*Sin.* to frighten, to scare, to startle, to disturb, to agitate, to terrify. *Ant.* to compose.)
don't be alarmed! — **não te assustes!, não se assuste(m)!**
alarming [-iŋ], *adj.* alarmante, assustador, sobressaltante.
alarmingly [-iŋgli], *adv.* de modo alarmante; assustadoramente; em sobressalto.
alarmist [-ist], *s.* alarmista; pessimista.
alarum [ə'lɛərəm], *s.* alarme, rebate.
alas! [ə'lɑːs], *interj.* ai!, ah!, ai de mim!
Alaska [ə'læskə], *top.* Alasca (estado da América do Norte).
Alastor [ə'læstɔː], *n. p.* Némesis (deusa da vingança); espírito vingativo.
alate ['eileit], *adj.* alado, com asas.
alb [ælb], *s.* alva (veste sacerdotal).
Alban ['ɔːlbən], *n. p.* Albano.
Albania [æl'beinjə], *top.* Albânia (estado europeu).
albacore ['ælbəkɔː], *s.* (zool.) albacor ou albacora (peixe de mar semelhante ao atum).
albata [æl'beitə], *s.* liga de metais semelhante à prata.
albatross ['ælbətrɔs], *s.* (zool.) albatroz (grande ave palmípede).
albeit [ɔːl'biːit], *conj.* embora, não obstante.
Albert ['ælbət], *n. p.* Alberto.
albescent [æl'besənt], *adj.* alvacento, esbranquiçado.
Albin ['ælbin], *n. p.* Albino.
albinism [-izm], *s.* albinismo.
albino [æl'biːnou], *s.* albino.
Albion ['ælbjən], *top.* Álbion, Albião.
albite ['ælbait], *s.* feldspato branco.
album ['ælbəm], *s.* álbum.
albumen ['ælbjumin], *s.* albúmen, clara do ovo.
albumenize [æl'bjuːminaiz], *vt.* (fot.) cobrir com uma solução albuminosa.
albumin ['ælbjumin], *s.* albumina.
albuminoid [-ɔid], *adj.* albuminóide.
albuminous [-əs], *adj.* albuminoso.
albuminuria [ælbjuːmi'njuəriə], *s.* albuminúria.
alburnum [æl'bəːnəm], *s.* alburno, entrecasco da árvore.
Alcaeus [æl'siːəs], *n. p.* Alceu.
Alcestis [æl'sestis], *n. p.* Alceste.
alchemic [æl'kemik], *adj.* alquímico.
alchemical [-əl], *adj.* alquímico.
alchemist ['ælkimist], *s.* alquimista.
alchemy ['ælkimi], *s.* alquimia, química da Idade Média.
Alcibiades [ælsi'baiədiːz], *n. p.* Alcibíades.
Alcides [æl'saidiːz], *n. p.* Alcides.
Alcmene [ælk'miːni], *n. p.* Alcmena.
alcohol ['ælkəhɔl], *s.* álcool; bebida alcoólica.
denatured alcohol — álcool desnaturado.
ethyl alcohol — álcool etílico.
he never touches alcohol — ele nunca bebe (bebidas alcoólicas).
alcoholic [ælkə'hɔlik], *adj.* alcoólico.
alcoholism ['ælkəhɔlizm], *s.* alcoolismo.
alcoholization [ælkəhɔlai'zeiʃən], *s.* alcoolização.
alcoholize ['ælkəhɔlaiz], *vt.* alcoolizar.
alcoholometer ['ælkəhɔ'lɔmitə], *s.* alcoómetro.
alcoholometry ['ælkəhɔ'lɔmitri], *s.* alcoometria.
Alcoran [ælkɔ'rɑːn], *s.* Alcorão (livro sagrado do islamismo).
alcove ['ælkouv], *s.* alcova; recanto na parede.
Alcuin ['ælkwin], *n. p.* Alcuíno.
aldehyde ['ældihaid], *s.* aldeído (fluido obtido pela oxidação do álcool).
alder ['ɔːldə], *s.* amieiro.
alderman ['ɔːldəmən], *s.* (pl. **aldermen**) vereador, membro do conselho municipal.
aldermanship [-ʃip], *s.* cargo ou dignidade de vereador.
ale [eil], *s.* cerveja.
aleatory ['eiliətɔri], *adj.* aleatório, dependente de acontecimentos futuros.
alee [ə'liː], *adj.* e *adv.* (náut.) a sotavento.
alegar ['eilgɑː], *s.* cerveja amarga; vinagre feito de cerveja.
alehouse ['eilhaus], *s.* cervejaria.
Alemannic [æli'mænik], *adj.* alemânico.
alembic [ə'lembik], *s.* alambique.
alert [ə'ləːt], **1** — *s.* alerta, alarme; grito de alerta, sinal para estar vigilante.
to be on the alert — estar alerta.
2 — *adj.* vigilante, atento; vivo, activo; perspicaz. (*Sin.* vigilant, watchful, prompt, active. *Ant.* sleepy.)
alertly [-li], *adv.* alerta, atentamente; com vivacidade; activamente; perspicazmente.
alertness [-nis], *s.* vigilância, cuidado, atenção; vivacidade; actividade; perspicácia.
alewife ['eilwaif], *s.* peixe americano semelhante ao arenque; proprietária de cervejaria.
Alexander [ælig'zɑːndə], *n. p.* Alexandre.
Alexandra [ælig'zɑːndrə], *n. p.* Alexandra.
Alexandria [ælig'zɑːndriə], *top.* Alexandria.
Alexandrina [æligzɑːn'driːnə], *n. p.* Alexandrina.
alexandrine [ælig'zændrain], *s.* e *adj.* alexandrino.
alexia [ə'leksiə], *s.* alexia, impossibilidade patológica de ler.
alexipharmic [əleksi'fɑːmik], *adj.* alexifármaco, antídoto.
Alfred ['ælfrid], *n. p.* Alfredo.
alfresco [æl'freskou], *adj.* e *adv.* ao ar livre, ao fresco.
alfresco lunch — almoço ao ar livre.
alga ['ælgə], *s.* (pl. **algae** ['ældʒiː]) alga.
algebra ['ældʒibrə], *s.* álgebra.
algebraic [ældʒi'breiik], *adj.* algébrico.
algebraical [-əl], *adj.* algébrico.
algebraically [-əli], *adv.* algebricamente.
algebraist [ældʒi'breiist], *s.* algebrista.
Algeria [æl'dʒiəriə], *top.* Argélia.
algid ['ældʒid], *adj.* álgido.
algidity [æl'dʒiditi], *s.* algidez.
algologist [æl'gɔlədʒist], *s.* algólogo.
algology [æl'gɔlədʒi], *s.* algologia.
algorithm ['ælgəriðm], *s.* algoritmo.
alias ['eiliæs], **1** — *s.* pseudónimo, nome falso ou suposto.
2 — *adv.* aliás, ou antes.
Ali Baba ['æli'bɑːbə], *n. p.* Ali Babá.
alibi ['ælibai], *s.* (jur.) alibi.
Alice ['ælis], *n. p.* Alice.
alidad(e) ['ælidæd, 'ælideid], *s.* alidade ou alidada (régua móvel de topógrafo), indicador móvel de astrolábio.
alien ['eiljən], *s.* e *adj.* forasteiro, estrangeiro; alheio, pertencente a outrem; estranho; contrário, adverso; discorde; fora de; diferente de.
alien-enemy — estrangeiro súbdito de país inimigo.
alien-friend — estrangeiro súbdito de país amigo.
alienability [eiliənə'biliti], *s.* alienabilidade.
alienable ['eiljənəbl], *adj.* alienável.

alienate ['eiljəneit], *vt.* alienar; ceder; transferir; alhear; afastar, separar.
alienation [eiljə'neiʃən], *s.* alienação, transferência; cedência; separação, afastamento; alheamento; loucura, doença mental.
alienator ['eiljəneitə], *s.* alienador.
alienee [eiljə'ni], *s.* (jur.) alienatário; adjudicatário.
alienism ['eiljənizm], *s.* estudo e tratamento de doenças mentais.
alienist ['eiljənist], *s.* alienista.
aliform ['eilifɔ:m], *adj.* aliforme, em forma de asa.
alight [ə'lait], **1** — *adj.* aceso, iluminado, alumiado, a arder.
2 — *vt.* desmontar, descer, apear-se; aterrar (aeroplano), pousar; cair sobre.
align [ə'lain], *vt.* e *vi.* alinhar, pôr em linha; traçar um alinhamento.
alignment [-mənt], *s.* alinhamento.
alike [ə'laik], *adj.* e *adv.* semelhante, idêntico, parecido; igual; conforme; igualmente, da mesma maneira; semelhantemente; como. (*Sin.* similar, like, resembling, analogous. *Ant.* unlike.)
it's all alike to me — é-me inteiramente indiferente.
they are both very much alike — são ambos muito parecidos.
to be alike — ser parecido.
aliment ['ælimənt], **1** — *s.* alimento, sustento, subsistência.
2 — *vt.* alimentar, manter, sustentar.
alimental [æli'mentəl], *adj.* alimentício, nutritivo, alimentar.
alimentary [æli'mentəri], *adj.* nutritivo, alimentar, alimentício.
alimentary canal — tubo digestivo.
alimentation [ælimen'teiʃən], *s.* alimentação.
alimony ['æliməni], *s.* (pl. **alimonies**) pensão alimentar; sustento, manutenção.
aline [ə'lain], *vt.* e *vi.* ver **align.**
aliquot ['ælikwɔt], *s.* e *adj.* alíquota; parte alíquota.
alive [ə'laiv], *adj.* e *adv.* vivo, com vida, que vive; activo, vivo, mexido; sensível a; que compreende; consciente; a fervilhar, cheio de, apinhado. (*Sin.* living; active; brisk; alert. *Ant.* dead.)
alive to dangers — consciente dos perigos.
he is still alive — ele ainda está vivo.
look alive! — avia-te!, despacha-te!, mexe-te!
more dead than alive — mais morto que vivo.
the river was alive with boats — o rio estava coalhado de barcos.
alizarin [ə'lizərin], *s.* alizarina (matéria corante).
alkalescence [ælkə'lesns], *s.* alcalescência, passagem ao estado alcalino.
alkalescency [-i], *s.* ver **alcalescence.**
alkalescent [ælkə'lesnt], *adj.* alcalescente.
alkali ['ælkəlai], *s.* (pl. **alkalis** ou **alkalies**) álcali ou alcali.
alkalifiable [ælkəli'faiəbl], *adj.* transformável em alcali, que pode tornar-se alcalino.
alkalify ['ælkəlifai], *vt.* e *vi.* alcalificar; tornar-se alcalino.
alkalimetry [ælkə'limitri], *s.* alcalimetria, processo de determinar a quantidade de alcali contido na soda ou na potassa.
alkaline ['ælkəlain], *adj.* alcalino.
alkalinity [ælkə'liniti], *s.* alcalinidade.
alkaloid ['ælkəlɔid], *s.* e *adj.* alcalóide.
alkanet ['ælkənit], *s.* (bot.) alcana, buglossa, língua-de-vaca.
Alkoran [ælkɔ'rɑ:n], *s.* Alcorão.
all [ɔ:l], *s., adj., pron.* e *adv.* tudo; todo; todos; a totalidade, o todo; inteiro; inteiramente, completamente, toda a parte; o conjunto.
a dozen in all — uma dúzia ao todo (no total).
all alone — completamente só, sozinho.
all along — continuamente, sempre; desde o começo.
all along of — (col.) devido a, por causa de.
all at once — de repente, subitamente; todos ao mesmo tempo, à uma.
all but — quase; todos excepto...
«all covet, all lose» — «quem tudo quer tudo perde».
all daring — ousado, atrevido.
all day — todo o dia, o dia inteiro.
All-Fools' Day — dia das petas (o 1.º de Abril).
all fours — as quatro patas.
all gone — foi-se, desapareceu tudo.
All-Hallows — dia de Todos os Santos (o 1.º de Novembro).
all his life — toda a sua vida.
all in all — tudo bem considerado, bem vistas as coisas.
all in white — todo de branco.
all is lost — está tudo perdido.
all kind of — toda a espécie de.
all night — toda a noite, a noite inteira.
all nonsense — tudo asneira.
all of a sudden — de repente, de súbito.
all of us (you, them, etc.) — todos nós (vós, eles, etc.).
all one — os mesmos sob todos os aspectos.
all over — por toda a parte, completamente.
all ready — (está) tudo pronto.
all right — está bem; concordo; óptimo.
all-round — completo.
All Saints' Day — dia de Todos os Santos (o 1.º de Novembro).
all set — pronto, preparado; tudo a postos.
All Souls — os Finados.
All Souls' Day — dia de Finados (2 de Novembro).
all the better — tanto melhor.
all the more so — tanto mais.
all the same — apesar de tudo; indiferente, igual, o mesmo, a toda a hora.
all the time — sempre.
all the worse — tanto pior.
all the year round — durante todo o ano; o ano inteiro.
all together — ao mesmo tempo, à uma.
all told — ao todo; tudo contado.
all too soon — demasiado cedo.
all wrong — confusamente; tudo errado.
after all — afinal (de contas), apesar de tudo; depois de tudo.
— *Are you all there?* — (col.) Estás no teu juízo perfeito?, Tu estarás bom da cabeça?
at all — de qualquer modo; absolutamente.
at all events — de qualquer modo, em qualquer caso.
by all means — certamente, sem dúvida, pois claro.
for all that — apesar de tudo isso.
for good and all — de vez, para sempre.
he is not all there — (col.) ele não está no seu juízo perfeito, não está bom da cabeça.
he went away for good and all — ele foi-se embora de uma vez para sempre.
I know them all — conheço-os a todos.
I'm all right — estou bem, estou bom.
in all — no total.
in all directions — em todas as direcções.
in all haste — a toda a pressa.
is that all? — é tudo?; disse tudo?; nada mais?

it's all over — está acabado, é o fim, acabou-se.
it's all over (ou *up*) *with him* — ele está arruinado.
it's all the same — é a mesma coisa, é indiferente, é o mesmo.
it's all the same to me — tanto me faz, é-me indiferente.
maid-of-all-work — criada para todo o serviço.
my all-in-all — o meu (a minha) mais-que-tudo; o meu objecto favorito.
«*not all that glitters is gold*» — «nem tudo o que luz é oiro».
not at all! — ora essa, não tem de quê; de modo nenhum!
nothing at all — absolutamente nada.
on all fours — de gatas.
on all fours with — idêntico, semelhante; correspondendo exactamente a.
once for all — de uma vez para sempre.
one and all — todos, sem excepção.
take it all! — levem-no todo!
that's all — nada mais, é tudo.
that's all one to me — é-me completamente indiferente.
that's Peter all over — essa é mesmo do Pedro; o que é que se esperava do Pedro?
they came all together — vieram todos juntos.
to be all ears — ser todo ouvidos.
to go on all fours — andar de gatas.
to lose one's all — perder tudo o que se tem, (cal.) ficar teso, ficar liso.
twenty (thirty, etc.*) in all* — vinte (trinta, etc.) ao todo.
two (three, etc.*) all* — dois (três, etc.) igual (em jogos).
with all respect — com todo o respeito.
with all speed — com toda a velocidade.

Allah ['ælə], *n. p.* Alá (deus dos muçulmanos).
allay [ə'lei], *vt.* aliviar, acalmar, suavizar; diminuir; reprimir.
allaying [-iŋ], *s.* alívio.
allegation [æle'geiʃən], *s.* alegação.
allege [ə'ledʒ], *vt.* alegar, declarar, afirmar.
Alleghany ['æligeini], *top.* Alegânis (montes na América do Norte).
allegiance [ə'li:dʒəns], *s.* lealdade, fidelidade; obediência, submissão; obediência do súbdito ao rei.
oath of allegiance — juramento de fidelidade.
allegoric [ælə'gɔrik], *adj.* alegórico.
allegorical [-əl], *adj.* alegórico.
allegorically [-əli], *adv.* alegoricamente.
allegorist ['æligərist], *s.* alegorista.
allegorize ['æligəraiz], *vt.* e *vi.* fazer alegorias; considerar como alegoria.
allegory ['æligəri], *s.* (pl. **allegories**) alegoria.
allegreto [æli'gretou], *s.* e *adv.* (mús.) alegreto.
allegro [ə'leigrou], *s.* e *adv.* (mús.) alegro.
alleluia [æli'lu:jə], *s.* aleluia.
allergic [ə'lə:dʒik], *adj.* alérgico.
alleviate [ə'li:vieit], *vt.* aliviar, mitigar, minorar, suavizar. (*Sin.* to soothe, to relieve, to mitigate. *Ant.* to aggravate.)
alleviation [əli:vi'eiʃən], *s.* alívio.
alleviator [ə'li:vieitə], *s.* aliviador, pessoa ou coisa que alivia.
alleviatory [-ri], *adj.* aliviante, alivioso, que dá ou causa alívio.
alley ['æli], *s.* passagem; rua estreita, beco; rua de parque ou jardim.
blind alley — beco sem saída.
All-Fools' Day ['ɔ:l'fu:lzdei], *s.* dia das petas (o 1.º de Abril).
All Hallows ['ɔ:l'hælouz], *s.* dia de Todos os Santos (o 1.º de Novembro).
alliance [ə'laiəns], *s.* aliança; afinidade, parentesco.
allied [ə'laid], *adj.* e *pp.* do verbo **to ally** — aliado, ligado; relacionado; afim.
a book about history and allied subjects — um livro sobre história e assuntos afins.
alligator ['æligeitə], *s.* (zool.) aligátor, jacaré, tipo de crocodilo americano.
alliterate [ə'litəreit], *vi.* aliterar.
alliteration [əlitə'reiʃən], *s.* aliteração.
alliterative [ə'litərətiv], *adj.* aliterativo, relativo à aliteração.
allocate ['æləkeit], *vt.* designar, fixar, atribuir; distribuir, repartir; localizar, colocar.
allocation [ælə'keiʃən], *s.* fixação, atribuição, designação; distribuição; localização, colocação.
allocution [ælou'kju:ʃən], *s.* alocução.
allodial [ə'loudjəl], *adj.* alodial, livre de encargos.
allodium [ə'loudjəm], *s.* alódio, propriedade sem encargos.
allomorphism [ælo'mɔ:fizm], *s.* alomorfismo.
allopathic [ælou'pæθik], *adj.* alopático.
allopathically [-əli], *adv.* de modo alopático.
allopath [ə'lɔpəθ], *s.* alopata.
allopathy [ə'lɔpəθi], *s.* alopatia.
allot [ə'lɔt], *vt.* (pret. e pp. **allotted**) distribuir, repartir; atribuir; adjudicar. (*Sin.* to assign, to distribute.)
allotment [-mənt], *s.* lote, parte, quinhão; porção de terra arrendada ou cedida para cultura.
allotropic [ælə'trɔpik], *adj.* alotrópico.
allotropical [-əl], *adj.* alotrópico.
allotropy [ə'lɔtrəpi], *s.* alotropia.
allottee [ælɔ'ti:], *s.* cessionário; beneficiário.
allow [ə'lau], *vt.* admitir, permitir, conceder, autorizar; dar; confessar; descontar. (*Sin.* to admit, to permit; to grant; to acknowledge; to accept. *Ant.* to deny, to refuse.)
allow me to... — permita-me que...
I allow that I was wrong — reconheço que estava enganado.
I can't allow you to do that — não posso permitir que faças isso.
smoking is not allowed here — não se pode fumar aqui.
that door allows access to the garden — aquela porta dá para o jardim.
to allow a shilling in the pound — descontar um xelim por libra.
to allow for — tomar em consideração, levar em conta.
to allow of — admitir, aceitar (uma desculpa, etc.).
allowable [-əbl], *adj.* admissível, aceitável, tolerável; lícito.
allowably [-əbli], *adv.* de modo aceitável; legitimamente, licitamente.
allowance [-əns], *s.* concessão, permissão, licença; mesada, pensão; subsídio; ração; desconto.
family allowance — abono de família.
lodging allowance — subsídio de residência.
mess allowance — subsídio de refeição.
short allowance — ração reduzida; meia ração.
subsistence allowance — subsídio de alimentação, ajudas de custo para alimentação.
to make allowance for — ter em conta, tomar em consideração (as atenuantes).
alloy [ə'lɔi], **1** — *s.* liga (metálica); mistura; fusão.
2 — *vt.* ligar (metais); misturar; fundir.
All Saints' Day [ɔ:l'seintsdei], *s.* dia de Todos os Santos (1 de Novembro).
All Souls [ɔ:l'souls], *s.* os Finados.
All Souls' Day [-dei], *s.* dia de Finados (2 de Novembro).
allspice ['ɔ:lspais], *s.* pimenta da Jamaica.

allude [ə'lu:d], *vi.* aludir, fazer alusão a; insinuar. (*Sin.* to hint, to refer, to indicate, to insinuate.)
allure [ə'ljə], *vt.* atrair, seduzir, fascinar; tentar; encantar. (*Sin.* to entice, to attract, to seduce, to attempt. *Ant.* to scare, to frighten.)
allurement [-mənt], *s.* atracção, sedução; encanto; tentação. (*Sin.* enticement, temptation, fascination, charm.)
alluring [-riŋ], *adj.* sedutor, atraente, tentador, fascinante, encantador.
alluringly [-riŋli], *adv.* de modo sedutor ou atraente; encantadoramente.
allusion [ə'lu:ʒən], *s.* alusão, referência; insinuação. (*Sin.* hint, reference, insinuation.)
allusive [ə'lu:siv], *adj.* alusivo, referente.
allusively [-li], *adv.* alusivamente.
allusiveness [-nis], *s.* alusividade.
alluvia [ə'lu:vjə], *s. pl.* de **alluvium.**
alluvial [-l], *adj.* aluvial, de aluvião.
alluvion [-n], *s.* aluvião, inundação, enxurrada; terreno alagado.
alluvium [-m], *s.* (pl. **alluviums** ou **alluvia**) aluvião; terreno de aluvião.
ally 1 — ['ælai], *s.* aliado; confederado; partidário.
2 — ['æli], *s.* mármore de boa qualidade, mármore-alabastro; bola de mármore para certos jogos, berlinde.
3 — [ə'lai], *vt.* e *vi.* aliar, combinar, unir, ligar; aliar-se, unir-se, ligar-se; confederar-se.
Alma Mater ['ælmə'meitə], *s.* (exp. lat.) «alma-máter», a Universidade ou Colégio Universitário onde se recebe ou recebeu instrução.
almanac ['ɔ:lmənæk], *s.* almanaque.
almightily [ɔ:l'maitili], *adv.* omnipotentemente, com omnipotência, com todo o poder.
almightiness [ɔ:l'maitinis], *s.* omnipotência.
almighty [ɔ:l'maiti], *adj.* omnipotente, todo-poderoso.
Almighty God — Deus Todo-Poderoso.
The Almighty — o Todo-Poderoso, Deus.
almond ['ɑ:mənd], *s.* amêndoa.
almond-eyed — com olhos em (forma de) amêndoa.
almond-eyes — olhos amendoados, em forma de amêndoa.
almond-shaped — em forma de amêndoa.
almond-tree — amendoeira.
bitter almond — amêndoa amarga.
sweet-almond oil — óleo de amêndoas doces.
almoner ['ɑ:mənə], *s.* funcionário encarregado de distribuir esmolas.
Lord High Almoner — oficial da Casa Real encarregado da distribuição de esmolas e da assistência.
almost ['ɔ:lmoust], *adv.* quase.
alms [ɑ:mz], *s.* esmola, esmolas.
alms-box — caixa das esmolas.
alms folk — pobres, os que vivem de esmolas.
alms-man — pobre.
almsgiver ['ɑ:mz'givə], *s.* pessoa que dá esmolas.
almshouse ['ɑ:mzhaus], *s.* asilo para pobres ou velhos; hospício.
almsman ['ɑ:mzmən], *s.* pobre.
aloe ['ælou], *s.* (bot.) aloés (planta liliácea, muito amarga); (pl., med.) purgante das folhas de aloés.
aloft [ə'lɔft], *adj.* e *adv.* em cima, no alto, para cima.
to set aloft — elevar, içar, levantar.
alone [ə'loun], *adj.* e *adv.* sòzinho, só; solitário; sòmente, ùnicamente. (*Sin.* solitary, isolated, unaccompanied, separate; only, exclusively. *Ant.* accompanied.)
all alone — completamente só.
better alone than in bad company — mais vale só do que mal acompanhado.
he has no time for the journey let alone the money for it — ele não tem tempo para fazer a viagem, não falando já do dinheiro necessário para ela.
leave me alone! — deixa-me em paz!
we alone know the story — só nós é que conhecemos a história.
along [ə'lɔŋ], *adv.* e *prep.* ao longo de; adiante; para diante; ao comprido; com, em companhia.
along the river — ao longo do rio, rio abaixo.
along with — juntamente com.
all along — durante todo o tempo, do princípio ao fim.
come along! — vem daí!
— *How are you getting along?* — Como vai?, — Como tem passado?
get along! — põe-te a mexer (daqui)!
I knew it all along — eu sabia isso desde o princípio.
they don't get along very well — não se dão lá muito bem.
to lie along — estar estendido ao longo de.
alongshore [-'ʃɔ:], *adv.* ao longo da costa ou da praia.
alongside [-'said], *adv.* ao lado, à borda; (náut.) atracado; encostado a; acostado.
alongside of — a par com, ao lado de.
boat alongside! — (náut.) atraca!
to bring (ou *to come*) *alongside* — (náut.) atracar, acostar.
aloof [ə'lu:f], *adv.* e *prep.* longe; distante; de longe; à parte; separado; (náut.) ao largo. (*Sin.* away, apart, far-off. *Ant.* near.)
to keep aloof from — manter-se afastado de.
to stand aloof — conservar-se à parte.
aloofness [-nis], *s.* separação, distância.
aloud [ə'laud], *adv.* em voz alta, alto.
alpaca [æl'pækə], *s.* alpaca (tecido fino); alpaca (animal semelhante ao lhama); lã de alpaca.
alpenstock ['ælpinstɔk], *s.* pau ou vara de alpinista, com ponta de ferro, para subir aos montes.
alpha ['ælfə], *s.* alfa (primeira letra do alfabeto grego); o princípio; (astr.) a primeira estrela de uma constelação.
Alpha and Omega — princípio e fim.
alpha rays — raios alfa.
alphabet ['ælfəbit], *s.* alfabeto.
alphabetic [ælfə'betik], *adj.* alfabético.
alphabetical [-əl], *adj.* alfabético.
alphabetically [-əli], *adv.* alfabèticamente.
alpine ['ælpain], *adj.* alpino, dos Alpes, alpestre; muito alto.
alpine climbing — alpinismo, montanhismo.
alpinist ['ælpinist], *s.* alpinista.
Alps [ælps], *top.* Alpes.
already [ɔ:l'redi], *adv.* já; presentemente.
alright ['ɔ:l'rait], *adv.* muito bem, perfeitamente.
Alsace ['ælsæs], *top.* Alsácia (província francesa).
Alsatia [æl'seiʃjə], *top.* Alsácia (província francesa); antigo bairro de Londres em que os ladrões e criminosos não podiam ser presos (abolido em 1697).
Alsatian [-n], *s.* alsaciano, natural da Alsácia.
Alsation dog — lobo-d'alsácia (raça de cão).
also ['ɔ:lsou], *adv.* também, do mesmo modo, igualmente; além disso; além de.
not only... but also — não só... mas também.
alt [ælt], *s.* (mús.) alto, agudo, na oitava de cima.

altar [ˈɔ:ltə], *s.* altar.
altar-cloth — toalha de altar.
altar-piece — retábulo.
altar-rail — grade de altar.
altar-stone — ara, pedra de altar.
high-altar — altar-mor.
to lead to the altar — levar ao altar, casar.
altazimuth [ælt'æzimәθ], *s.* altazímute (instrumento para determinar a altitude dos corpos celestes).
alter [ˈɔ:ltə], *vt.* e *vi.* alterar, modificar, transformar, mudar; modificar-se, transformar-se, alterar-se. (*Sin.* to change, to vary, to modify. *Ant.* to conserve, to keep, to maintain.)
alterability [ɔ:ltərəˈbiliti], *s.* alterabilidade, capacidade de se alterar ou modificar.
alterable [ˈɔ:ltərəbl], *adj.* alterável, modificável, transformável.
alteration [ɔ:ltəˈreiʃən], *s.* alteração, modificação, mudança.
alterative [ˈɔ:ltəreitiv], *s.* e *adj.* alterativo, alterante; remédio que altera o processo de nutrição.
altercate [ˈɔltə:keit], *vi.* altercar, discutir, disputar.
altercation [ɔ:ltə:ˈkeiʃən], *s.* altercação, discussão, disputa.
alternant [ɔ:lˈtə:nənt], *s.* e *adj.* alternante, alternável; quantidade alternante.
alternate 1 — [ˈɔ:ltə:neit], *vt.* e *vi.* alternar, revezar; dispor alternadamente; alternar-se, revezar-se.
2 — [ɔ:lˈtə:nit], *adj.* alternado; alternativo; cruzada (rima).
alternately [ɔ:lˈtə:nitli], *adv.* alternadamente, ora um ora outro.
alternating [ˈɔ:ltə:neiting], *adj.* alterno.
alternating current — (elect.) corrente alterna.
alternation [ɔ:ltə:ˈneiʃən], *s.* alternação; alternância; turno.
alternative [ɔ:lˈtə:nətiv], *s.* e *adj.* alternativa; alternativo.
alternatively [-li], *adv.* alternativamente.
although [ɔ:lˈðou], *conj.* embora, se bem que, ainda que, posto que.
altimeter [ˈæltimi:tə], *s.* altímetro.
altimetry [ælˈtimitri], *s.* altimetria.
altitude [ˈæltitju:d], *s.* altitude; cume.
alto [ˈæltou], *s.* (mús.) contralto.
altogether [ɔ:ltəˈgeðə], *adv.* juntamente; totalmente; no conjunto, ao todo.
alto-relievo [ˈæltouriˈli:vou], *s.* alto-relevo.
altruism [ˈæltruizm], *s.* altruísmo.
altruist [ˈæltruist], *s.* altruísta.
altruistic [æltruˈistik], *adj.* altruísta, altruístico.
altruistically [-əli], *adv.* altruìsticamente, de modo altruísta.
alum [ˈæləm], *s.* alúmen, sulfato duplo de potassa e alumina.
alumina [əˈlju:minə], *s.* alumina, óxido que forma a base das argilas.
aluminium [æljuˈminjəm], *s.* alumínio.
aluminous [əˈlju:minəs], *adj.* aluminoso.
alveolar [ælˈviələ], *adj.* alveolar.
alveolate [ˈælviouleit], *adj.* alveolado.
alveolus [ælˈviələs], *s.* (pl. **alveoli** [ælˈviəlai]), alvéolo.
alway [ˈɔ:lwei], *adv.* (arc. e poét.) ver **always.**
always [ˈɔ:lwəz, ˈɔ:lweiz], *adv.* sempre.
am [æm, əm, m], 1.ª pess. do sing. do pres. do ind. do v. **to be.**
amain [əˈmein], *adv.* (arc. e poét.) vigorosamente; violentamente; a toda a pressa, com toda a velocidade.
amalgam [əˈmælgəm], *s.* amálgama, mistura.
amalgamate [-eit], *vt.* e *vi.* amalgamar, misturar; fundir-se, unir-se.
amalgamation [əmælgəˈmeiʃən], *s.* amalgamação; ligação, união; fusão.
amanuensis [əmænjuˈensis], *s.* (pl. **amanuenses**) amanuense.
amaranth [ˈæmərænθ], *s.* (bot.) amaranto, crista-de-galo; cor encarnada como a da flor do amaranto.
amaranthine [æməˈrænθain], *adj.* amarantino; encarnado, cor de amaranto.
amaryllis [æməˈrilis], *s.* (bot.) amarílis, planta ornamental.
amass [əˈmæs], *vt.* acumular, amontoar, juntar.
amateur [ˈæmətə:], *s.* amador, não profissional.
a mere amateur — um simples amador.
amateurish [æməˈtə:riʃ], *adj.* de amador; diletante; superficial.
amateurishly [-li], *adv.* diletantemente; superficialmente.
amateurishness [-nis], *s.* amadorismo; diletantismo.
amateurism [ˈæmətərizm], *s.* amadorismo; diletantismo.
amative [ˈæmətiv], *adj.* inclinado para o amor, amatório; erótico.
amativeness [-nis], *s.* amatividade, propensão para o amor.
amatory [ˈæmətəri], *adj.* amatório; erótico.
amaurosis [æmɔ:ˈrousis], *s.* amaurose, cegueira total.
amaze [əˈmeiz], **1** — *s.* espanto, assombro.
2 — *vt.* espantar, assombrar, causar espanto; deixar atónito, confundir.
amazed [-d], *adj.* espantado, assombrado; atónito, confundido, estupefacto.
amazedly [-dli], *adv.* com espanto; de modo a causar espanto.
amazement [-mənt], *s.* espanto, assombro, estupefacção.
amazing [-iŋ], *adj.* espantoso, assombroso, extraordinário.
amazingly [-iŋgli], *adv.* assombrosamente, espantosamente.
Amazon [ˈæməzən], *s.* amazona; Amazonas (rio).
Amazonian [æməˈzounjən], *adj.* amazónico.
ambages [æmˈbeidʒi:z], *s.* ambagens; equívoco; linguagem obscura.
ambassador [æmˈbæsədə], *s.* embaixador.
ambassadorial [æmbæsəˈdɔ:riəl], *adj.* relativo a embaixador.
ambassadress [æmˈbæsədris], *s.* embaixatriz.
amber [ˈæmbə], *s.* âmbar.
ambergris [-gris], *s.* âmbar virgem; âmbar-cinzento.
ambidexter [ˈæmbiˈdekstə], *s.* ambidextro, pessoa que tanto se serve da mão esquerda como da direita para fazer as coisas; hipócrita, pessoa falsa.
ambidexterity [æmbideksˈteriti], *s.* ambidextria.
ambidextrous [æmbiˈdekstrəs], *adj.* ambidextro; hipócrita, falso, enganador.
ambidextrousness [-nis], *s.* ambidextria; hipocrisia, falsidade.
ambient [ˈæmbiənt], *adj.* ambiente, que circunda.
ambiguity [ˈæmbigju:iti], *s.* ambiguidade; incerteza.
ambiguous [æmˈbigjuəs], *adj.* ambíguo, que tem dois sentidos; equívoco; incerto. (*Sin.* obscure, equivocal, vague, dubious.)
ambiguously [-li], *adv.* ambiguamente.
ambiguousness [-nis], *s.* ambiguidade.
ambit [ˈæmbit], *s.* âmbito; limites; contorno.
ambition [æmˈbiʃən], *s.* ambição, aspiração.

ambitious [æm'biʃəs], *adj.* ambicioso.
an ambitious attempt — uma tentativa ambiciosa.
to be ambitious of — ambicionar; cobiçar.
ambitiously [-li], *adv.* ambiciosamente.
ambitiousness [-nis], *s.* ambição, o ser ambicioso.
amble [æmbl], **1** — *s.* furta-passo (do cavalo); andar vagaroso.
2 — *vi.* andar a furta-passo (o cavalo); andar sem pressas.
ambler [-ə], *s.* cavalo que anda a furta-passo.
Ambrose ['æmbrouz], *n. p.* Ambrósio.
ambrosia [æm'brouzjə], *s.* ambrósia; manjar delicioso; comida dos deuses.
ambrosial [-l], *adj.* ambrosíaco; delicioso; divino, celestial.
ambrosially [-li], *adv.* deliciosamente; divinamente.
ambulance ['æmbjuləns], *s.* ambulância; hospital ambulante; hospital de sangue.
ambulant ['æmbjulənt], *adj.* ambulante.
ambulate ['æmbjuleit], *vi.* deambular, vaguear.
ambulation [æmbju'leiʃən], *s.* **deambulação.**
ambulatory ['æmbjulətəri], *s.* e *adj.* ambulatório, que se move de um lado para o outro; ambulativo; lugar para passeio; arcada; claustro.
ambuscade [æmbəs'keid], **1** — *s.* emboscada.
2 — *vt.* e *vi.* pôr-se de emboscada, estar de emboscada, atacar de emboscada.
ambush ['æmbuʃ], **1** — *s.* emboscada.
to make (ou *to lay*) *an ambush* — fazer uma emboscada.
2 — *vt.* e *vi.* pôr-se de emboscada, estar de emboscada, atacar de emboscada.
ameer [ə'miə], *s.* emir (título de rei maometano, usado especialmente no Afeganistão).
Amelia [ə'mi:ljə], *n. p.* Amélia.
ameliorate [ə'mi:ljəreit], *vt.* e *vi.* melhorar, aperfeiçoar; melhorar-se, aperfeiçoar-se. (*Sin.* to better, to improve, to raise.)
amelioration [əmi:ljə'reiʃən], *s.* aperfeiçoamento, melhoramento.
ameliorative [ə'mi:ljərətiv], *adj.* melhorador, aperfeiçoador.
amen ['ɑ:'men], *interj.* ámen, amém, assim seja.
amenability [əmi:nə'biliti], *s.* responsabilidade; submissão; docilidade.
amenable [ə'mi:nəbl], *adj.* responsável; submisso; dócil, tratável.
amenableness [-nis], *s.* responsabilidade; submissão; docilidade.
amenably [-i], *adv.* docilmente; com submissão; de modo tratável.
amend [ə'mend], *vt.* e *vi.* emendar, corrigir, reformar; emendar-se, corrigir-se. (*Sin.* to make better, to ameliorate, to correct, to reform. *Ant.* to spoil.)
to amend one's conduct (ou *life*) — mudar de conduta (ou de vida).
amendable [-əbl], *adj.* corrigível, susceptível de se emendar.
amendment [-mənt], *s.* emenda, correcção, modificação, reforma.
amends [-z], *s.* reparação, indemnização, compensação.
to make amends — indemnizar, compensar.
amenity [ə'mi:niti], *s.* amenidade, suavidade; *pl.* maneiras agradáveis; cortesias; encanto.
amerce [ə'mə:s], *vt.* multar; punir, castigar.
amercement [-mənt], *s.* multa; punição, castigo.
America [ə'merikə], *top.* América.
American [-n], *s.* e *adj.* americano.
americanism [-nizm], *s.* americanismo.
americanization [əmerikənai'zeiʃən], *s.* americanização.
americanize [ə'merikənaiz], *vt.* e *vi.* americanizar; americanizar-se.
amethyst ['æmiθist], *s.* ametista (pedra preciosa de cor roxa).
amiability [eimjə'biliti], *s.* amabilidade.
amiable ['eimjəbl], *adj.* amável.
amiableness [-nis], *s.* amabilidade.
amiably [-i], *adv.* amàvelmente, com amabilidade.
amianthus [æmi'ænθəs], *s.* amianto.
amicability [æmikə'biliti], *s.* amizade, afabilidade, afeição, afecto.
amicable ['æmikəbl], *adj.* amigável, afável, afectuoso; pacífico.
amicableness [-nis], *s.* amizade, cordialidade.
amicably [-i], *adv.* amigàvelmente, cordialmente.
amid [ə'mid], *prep.* entre, no meio de, pelo meio de; rodeado de, cercado de; misturado com.
amide ['æmaid], *s.* amido.
amidships [ə'midʃips], *adv.* (náut.) a meia nave; de través; a meio comprimento (do navio).
amidst [ə'midst], *prep.* ver **amid.**
amino-acid [æ'mainou-'æsid], *s.* aminoácido.
amir [ə'miə], *s.* emir (título de rei maometano, usado especialmente no Afeganistão).
amiss [ə'mis], *adj.* e *adv.* impróprio, errado; inoportuno, importuno; fora do lugar; mal, erradamente; impropriamente, despropositadamente.
nothing came amiss with him — ele estava preparado para o que desse e viesse.
there was something amiss with him — havia qualquer coisa que o perturbava, ele não estava perfeitamente bem.
to take amiss — levar a mal.
amity ['æmiti], *s.* amizade, afeição.
ammeter ['æmitə], *s.* amperímetro.
ammonia [ə'mounjə], *s.* amónia; amoníaco.
ammoniac [ə'mounjæk], *s.* e *adj.* amoníaco.
ammoniacal ['æmou'naiəkəl], *adj.* amoniacal.
ammoniated [ə'mounieitid], *adj.* amoniacado.
ammonite ['æmənait], *s.* amonite; espécie de concha fóssil.
ammonium [ə'mounjəm], *s.* amónio.
ammonium chloride — sal amoníaco.
ammunition [æmju'niʃən], *s.* munições; explosivos.
ammunition-bread — pão de munição.
ammunition-pouch — cartucheira.
ammunitioned [-d], *adj.* municiado.
amnesia [æm'ni:zjə], *s.* amnésia, perda de memória.
amnesty ['æmnesti], *s.* amnistia.
amoeba [ə'mi:bə], *s.* amiba, ameba (protozoário rudimentar, microscópico).
among [ə'mʌŋ], *prep.* entre (vários), no meio de, misturado com.
amongst [-st], *prep.* ver **among.**
amoral [æ'mɔrəl], *adj.* amoral, sem moral.
amoralism [-izm], *s.* amoralismo, amoralidade.
amorous ['æmərəs], *adj.* amoroso, carinhoso terno; enamorado.
amorously [-li], *adv.* amorosamente, carinhosamente, com ternura.
amorousness [-nis], *s.* amor, carinho, ternura; qualidade de ser amoroso, amorosidade.
amorphism [ə'mɔ:fizm], *s.* amorfismo, amorfia; deformidade.
amorphous [ə'mɔ:fəs], *adj.* amorfo; informe; anómalo.
amorphousness [-nis], *s.* amorfia; deformidade.
amortization [əmɔ:ti'zeiʃən], *s.* amortização.
amortize [ə'mɔ:taiz], *vt.* amortizar.
amount [ə'maunt], **1** — *s.* soma, total; quantia, importância, montante; quantidade; conjunto; massa; significado.

a greater amount — uma maior quantidade.
a large amount — uma grande quantidade.
amount to be made good — indemnização.
to the amount of — até à importância de.
2 — *vi.* somar, montar a, importar em, subir a; equivaler a.
it amounts to very little — é uma coisa insignificante.
amour [ə'muə], *s.* namorico; intriga ou aventura amorosa.
amperage ['æmpəridʒ], *s.* amperagem.
ampere ['æmpεə], *s.* ampere (unidade prática da intensidade da corrente eléctrica).
amphibia [æm'fibiə], *s. pl.* anfíbios.
amphibian [-n], *s.* e *adj.* anfíbio; avião anfíbio.
amphibious [-s], *adj.* anfíbio.
amphibology [æmfi'bɔlədʒi], *s.* anfibologia.
amphictyonic [æmfikti'ɔnik], *adj.* anfictiónico.
Amphictyons [æm'fiktiənz], *s. pl.* anfictiões.
amphigory ['æmfigəri], *s.* anfiguri (obra literária de sentido confuso).
amphigouri [æmfi'gu:ri], *s.* ver **amphigory.**
amphitheatre [æmfi'θiətə], *s.* anfiteatro; (fig.) circo.
Amphitrite ['æmfitraiti], *n. p.* Anfitrite.
amphora ['æmfərə], *s.* ânfora, vaso de duas asas.
amphoric [æm'fɔrik], *adj.* anfórico; (med.) som que se ouve dentro do peito de pessoa auscultada e que parece produzido dentro de uma ânfora.
ample [æmpl], *adj.* amplo, extenso, espaçoso; abundante, copioso; grande.
ampleness [-nis], *s.* amplitude, amplidão, espaço, vastidão; largueza; abundância, cópia.
ampliation [æmpli'eiʃən], *s.* ampliação; prorrogação, adiamento.
amplification [æmplifi'keiʃən], *s.* amplificação; desenvolvimento.
amplifier ['æmplifaiə], *s.* amplificador.
amplify ['æmplifai], *vt.* amplificar; ampliar, aumentar, alargar, desenvolver. (*Sin.* to enlarge, to augment, to expand, to magnify. *Ant.* to abbreviate.)
amplitude ['æmplitju:d], *s.* amplitude, extensão, vastidão, amplidão.
amply ['æmpli], *adv.* amplamente.
ampulla [æm'pulə], *s.* âmbula; ampola (biol.).
amputate ['æmpjuteit], *vt.* amputar.
amputation [æmpju'teiʃən], *s.* amputação.
Amsterdam [æmstə'dæm], *top.* Amesterdão (cidade holandesa).
amuck [ə'mʌk], *adv.* furiosamente, freneticamente.
to run amuck — enlouquecer com fúrias; ferir a torto e a direito.
amulet ['æmjulit], *s.* amuleto, talismã.
amuse [ə'mju:z], *vt.* divertir, recrear. (*Sin.* to cheer, to divert. *Ant.* to bore.)
to amuse oneself with (ou *by*) — divertir-se com.
amusement [-mənt], *s.* divertimento, distracção, passatempo.
amusing [-iŋ], *adj.* divertido, engraçado, agradável.
amusingly [-iŋli], *adv.* divertidamente.
amygdaline [ə'migdəlain], *adj.* amigdalino.
amyl ['æmil], *s.* amilo, amido.
an [æn, ən, n], *art. indef.* um, uma. Ver **a.**
anabaptism [ænə'bæptizm], *s.* anabaptismo, doutrina que preconiza a celebração do baptismo depois do uso da razão.
anabaptist [ænə'bæptist], *s.* anabaptista, partidário do anabaptismo.
anachronic [ænə'krɔnik], *adj.* anacrónico; antiquado.
anachronism [ə'nækrənizm], *s.* anacronismo, erro de data ou facto.
anachronistic [ə'nækrənistik], *adj.* anacrónico.
anachronous [ə'nækrənəs], *adj.* anacrónico.
anacoluthon [ænəkə'lu:θɔn], *s.* anacoluto, anacolutia.
anaconda [ænə'kɔndə], *s.* anaconda, serpente do Sul da América, que esmaga as presas.
Anacreon [ə'nækriən], *n. p.* Anacreonte.
anacreontic [ənækri'ɔntik], *adj.* anacreôntico.
anacrusis [ænə'kru:sis], *s.* anacruse.
anaemia [ə'ni:mjə], *s.* anemia.
anaemic [ə'ni:mik], *adj.* anémico.
anaesthesia [ænis'θi:zjə], *s.* anestesia, ausência de sensibilidade.
anaesthetic [ænis'θetik], *s.* e *adj.* anestésico, que anestesia; medicamento que tira a sensibilidade.
anaesthetist [æ'ni:sθitist], *s.* anestesista, anestesiador.
anaesthetization [æni:sθətai'zeiʃən], *s.* anestesia, acção de anestesiar, insensibilização.
anaesthetize [æ'ni:sθitaiz], *vt.* anestesiar, insensibilizar, tirar a sensibilidade a.
anagnorisis [ænəg'nɔərisis], *s.* anagnórise, desenlace de um drama.
anagoge ['ænəgɔdʒi], *s.* anagogia, interpretação espiritual ou alegórica.
anagogic(al) [ænə'gɔdʒik(əl)], *adj.* anagógico.
anagram ['ænəgræm], *s.* anagrama, palavra ou frase construída com as letras de outra.
anagrammatic(al) [ænəgrə'mætik(əl)], *adj.* anagramático.
anagrammatism [ænə'græmətism], *s.* anagramatismo.
anagrammatist [ænə'græmətist], *s.* anagramatista.
anagrammatize [ænə'græmətaiz], *vt.* anagramatizar, fazer anagramas.
anal ['einəl], *adj.* anal, do ânus, relativo ao ânus.
analecta, analects [ænə'lektə, 'ænəlekts], *s. pl.* analectos, analecta; antologia.
analeptic [ænə'leptik], *adj.* analéptico, que restaura as forças.
analgesia [ænæl'dʒi:zjə], *s.* analgesia, ausência de dor.
analgesic [ænæl'dʒesik], *adj.* analgésico, análgico.
analgetic [ænæl'dʒetik], *adj.* analgésico, análgico.
analogic(al) [ænə'lɔdʒik(əl)],*adj.* analógico, que tem analogia.
analogically [-əli], *adv.* analògicamente.
analogist [ə'nælədʒist], *s.* analogista.
analogize [ə'nælədʒaiz], *vt.* e *vi.* apresentar analogias; empregar analogias; mostrar a analogia.
analogous [ə'næləgəs] *adj.* análogo.
analogously [-li], *adv.* analogamente, por analogia.
analogousness [-nis], *s.* analogia.
analogue ['ænəlɔg], *s.* termo análogo.
analogy [ə'nælədʒi], *s.* analogia, semelhança. (*Sin.* similarity, resemblance, affinity, likeness.)
analysable ['ænəlaizəbl], *adj.* analisável.
analyse ['ænəlaiz], *vt.* analisar, fazer a análise de, examinar; dividir, separar; fazer a análise sintáctica (gram.).
analyser [-ə], *s.* analisador; analista.
analysis [ə'næləsis], *s.* análise, exame; divisão, separação; análise sintáctica (gram.).
analyst ['ænəlist], *s.* analista, químico analista.
analytic(al) [ænə'litik(əl)], *adj.* analítico.
analytically [-əli', *adv.* analiticamente.
analytics [ænə'l.tiks], *s.* analítica, ciência da análise.

ananas [ə'nɑ:nəs], *s.* ananás.
anapaest ['ænəpi:st], *s.* anapesto, pé de verso grego ou latino, composto de duas sílabas breves e uma longa.
anapaestic [ænə'pi:stik], *adj.* anapéstico, relativo ao anapesto.
anaphora [ə'næfərə], *s.* anáfora, repetição de uma palavra no princípio de diferentes frases ou de membros da mesma frase.
anaphylaxis [ænəfi'læksis], *s.* anafilaxia, hipersensibilidade de um organismo à introdução de substâncias estranhas.
anarchic(al) [æ'nɑ:kik(əl)], *adj.* anárquico.
anarchically [-əli], *adv.* anarquicamente.
anarchism ['ænəkizm], *s.* anarquismo.
anarchist ['ænəkist], *s.* anarquista.
anarchy ['ænəki], *s.* anarquia. (*Sin.* disorder, chaos, confusion, tumult. *Ant.* order, peace.)
anasarca ['ænəsɑ:kə], *s.* anasarca, infiltração de serosidade no tecido celular.
anastomosis [ænəstə'mousis], *s.* anastomose.
anastrophe [ə'næstrəfi], *s.* anástrofe.
anathema [ə'næθimə], *s.* anátema, excomunhão, maldição.
anathematization [ənæθimətai'zeiʃən], *s.* anatematização, excomunhão.
anathematize [ə'næθimətaiz], *vt.* anatematizar, excomungar, amaldiçoar.
anatomic(al) [ænə'tɔmik(ə)], *adj.* anatómico.
anatomically [-əli], *adv.* anatomicamente.
anatomist [ə'nætəmist], *s.* anatomista.
anatomize [ə'nætəmaiz], *vt.* anatomizar, dissecar.
anatomy [ə'nætəmi], *s.* anatomia.
ancestor ['ænsistə], *s.* antepassado, avoengo.
ancestral [æn'sestrəl], *adj.* ancestral.
ancestress ['ænsistris], *s. fem.* de **ancestor.**
ancestry ['ænsistri], *s.* linhagem; descendência; raça. (*Sin.* lineage, descent, race, family.)
Anchises [æŋ'kaisi:z], *n. p.* Anquises.
anchor ['æŋkə], **1** — *s.* âncora; (fig.) refúgio, recurso, abrigo.
anchor arms — braços da âncora.
anchor bill — ponta da âncora.
anchor buoy — bóia de arinque.
anchor cross — cruz da âncora.
anchor ground — ancoradouro.
anchor light — luz de porto, luz de âncora.
anchor shank — cabo ou haste da âncora.
anchor-watch — quarto de vigia no ancoradouro.
at anchor — ancorado, fundeado.
crown of the anchor — cruz da âncora.
eye of the anchor — olho da âncora.
flooks of the anchor — unhas da âncora.
nuts of the anchor — orelhas da âncora.
sheet anchor — âncora de salvação.
to cast the anchor — lançar ferro.
to come to anchor — ancorar.
to lie at anchor — estar ancorado.
to weigh the anchor — levantar ferro.
2 — *vt.* e *vi.* ancorar, lançar a âncora, fundear; (fig.) fixar.
anchorable [-rəbl], *adj.* ancorável, próprio para ancorar.
anchorage [-ridʒ], *s.* ancoradouro; retiro.
anchoress ['æŋkəris], *s. fem.* anacoreta.
anchoret ['æŋkəret], *s.* anacoreta, ermitão.
anchoretic [æŋkə'retik], *adj.* próprio de ou relativo a anacoreta.
anchorhold ['æŋkəhould], *s.* fundo onde a âncora pega; o agarrar da âncora.
anchoring-place ['æŋkəriŋ-pleis], *s.* fundeadouro, ancoradouro.
anchorite ['æŋkərait], *s.* anacoreta.
anchovy ['æntʃəvi], *s.* anchova; biqueirão.
anchylose ['æŋkilouz], *vt.* e *vi.* anquilosar, anquilosar-se, endurecer uma articulação.
anchylosis [æŋkai'lousis], *s.* anquilose, ancilose, endurecimento das articulações.
ancient ['einʃənt], *adj.* e *s.* antigo, velho; antiquado; (arc.) insígnia, bandeira; porta-bandeira. (*Sin.* old, aged, primitive, antiquated, antique. *Ant.* modern, new.)
anciently [-li], *adv.* antigamente.
ancientness [-nis], *s.* antiguidade.
ancillary [æn'siləri], *adj.* subordinado, servo; subserviente; criado auxiliar de outro.
ancress ['æŋkris], *s.* ver **anchoress.**
and [ænd, ənd, ən, nd, n], *conj.* e; com; (arc.) se.
and so forth — etc., e assim por diante.
and so on — etc.
better and better — cada vez melhor.
both... and — tanto... como.
bread and butter — pão com manteiga.
by and by — logo.
coffee and milk — café com leite.
come and see! — vem cá ver!
go and fetch it! — vai lá buscá-lo!
now and then — de vez em quando.
two and two — dois a dois.
without ifs and ands — não há *mas* nem meio *mas.*
worse and worse — cada vez pior.
Andalusia [ændə'lu:zjə], *top.* Andaluzia (província espanhola).
andante [æn'dænti], *s.* e *adv.* (mús.) andante.
andantino [ændæn'ti:nou], *s.* e *adv.* (mús.) andantino.
Andean [æn'di:ən], *adj.* **dos Andes; relativo aos Andes.**
andiron ['ændaiən], *s.* cão da chaminé; trempe do lar; tripeça de ferro.
Andreas ['ændriæs], *n. p.* Andreia; André.
Andrew ['ændru:], *n. p.* André.
androgynous [æn'drɔdʒinəs], *adj.* andrógino.
androgyny [æn'drɔdʒini], *s.* androginia, reunião do androceu e gineceu na mesma flor.
anecdotal [ænek'doutl], *adj.* anedótico.
anecdote ['ænikdout], *s.* anedota.
anecdotic(al) [ænek'dɔtik(əl)], *adj.* anedótico.
anecdotically [-əli], *adv.* anedoticamente, em forma de anedota.
anecdotist [ænek'dɔtist], *s.* anedotista, pessoa que conta ou colecciona anedotas.
anemia [ə'ni:miə], *s.* anemia.
anemograph [æ'nemogræf], *s.* anemógrafo, aparelho que regista a direcção e velocidade dos ventos.
anemometer [æni'mɔmitə], *s.* anemómetro, instrumento com que se mede a força e velocidade dos ventos.
anemometric ['ænimou'metrik], *adj.* anemométrico, relativo à anemometria.
anemometry [æni'mɔmitri], *s.* anemometria, medida da força e velocidade dos ventos.
anemone [ə'neməni], *s.* (bot.) anémona.
anent [ə'nent], *prep. (arc.)* **em relação a; relativamente a.**
aneroid ['ænərɔid], *s.* e *adj.* aneróide.
aneurism, aneurysm ['ænjuərizm], *s.* aneurisma.
aneurismal, aneurysmal [ænjuə'rizməl], *adj.* aneurismal.
anew [ə'nju:], *adv.* de novo, outra vez.
anfractuosity [ænfræktju'ɔsiti], *s.* anfractuosidade.
angel ['eindʒəl], *s.* anjo; antiga moeda inglesa com a efígie de São Miguel e que valia, aproximadamente, 10 xelins.
angel-fish — anjo-do-mar, espécie de raia.
angel-like — angélico, como um anjo.
angel-shark — anjo-do-mar, espécie de raia.
guardian angel — anjo-da-guarda.

angelic(al) [æn'dʒelik(əl)], *adj.* angélico, celestial, divino.
angelica [æn'dʒelikə], *s.* (bot.) angélica.
angelically [æn'dʒelikəli], *adv.* angelicamente.
angelus ['ændʒiləs], *s.* ave-marias.
angelus-bell — toque de ave-marias.
anger ['æŋgə], **1** — *s.* cólera, ira, raiva, irritação, zanga; inflamação. (*Sin.* rage, fury, passion, resentment. *Ant.* mildness.)
2 — *vt.* encolerizar, enfurecer, irritar; inflamar.
angina [æn'dʒainə], *s.* angina.
angle [æŋgl], **1** — *s.* ângulo; esquina; canto; anzol; cana de pesca.
acute angle — ângulo agudo.
angle of departure — ângulo de tiro.
angle of descent — ângulo de declive.
plain angle — ângulo diedro.
obtuse angle — ângulo obtuso.
right angle — ângulo recto.
spherical angle — ângulo esférico.
2 — *vi.* pescar à linha; obliquar.
acute-angled triangle — triângulo acutângulo.
obtuse-angled triangle — triângulo obtusângulo.
right-angled triangle — triângulo rectângulo.
to be angling for — (fig.) andar à pesca de.
angler ['æŋglə], *s.* pescador à linha; (zool.) diabo-marinho.
Angles [æŋglz], *s. pl.* Anglos.
Anglia ['æŋgliə], *top.* antigo reino anglo-saxão.
East Anglia — província inglesa.
Anglican ['æŋglikən], *s.* e *adj.* anglicano.
Anglicanism [-izm], *s.* anglicanismo.
anglicism ['æŋglisizm], *s.* anglicismo.
anglicize ['æŋglisaiz], *vt.* inglesar.
angling ['æŋgliŋ], *s.* pesca à linha.
Anglo-American ['æŋglou ə'merikən], *s.* e *adj.* anglo-americano.
Anglo-French ['æŋglou'frentʃ], *s.* e *adj.* anglo-francês.
anglomania ['æŋglou'meinjə], *s.* anglomania.
Anglo-Norman ['æŋglou'nɔ:mən], *s.* e *adj.* anglo-normando.
anglophil, anglophile ['æŋgloufil, 'æŋgloufail], *s.* anglófilo.
anglophilia ['æŋglou'filiə], *s.* anglofilia.
anglophilism [æŋ'glɔfilizm], *s.* anglofilia.
anglophobe ['æŋgloufoub], *s.* anglófobo, que tem aversão aos Ingleses.
anglophobia ['æŋglou'foubjə], *s.* anglofobia, aversão aos Ingleses.
Anglo-Roman ['æŋglou-'roumən], *s.* e *adj.* anglo-romano; anglo-católico.
Anglo-Saxon ['æŋglou'sæksən], *s.* e *adj.* anglo-saxão, anglo-saxónico.
angola, angora [æŋ'goulə, æŋ'gɔ:rə], *s.* tecido angora.
angora cat — gato angora.
angrily ['æŋgrili], *adv.* colericamente, irritadamente, iradamente.
angry ['æŋgri], *adj.* zangado, irritado, colérico, irado, aborrecido, enfadado. (*Sin.* enraged, wrathful, resentful. *Ant.* pleased.)
to be angry about (ou *at*) *a thing* — estar aborrecido ou irritado com uma coisa.
to be angry with a person — estar zangado ou irritado com uma pessoa.
to get angry — irritar-se.
to grow angry — zangar-se, irritar-se.
anguine ['æŋgwin], *adj.* anguino, anguiforme, semelhante a cobra.
anguish ['æŋgwiʃ], **1** — *s.* ânsia, angústia, aflição, dor.
2 — *vt.* angustiar, causar angústia, ânsia ou aflição a, afligir.
anguished [-t], *adj.* angustiado, atormentado, aflito.
angular ['æŋgjulə], *adj.* angular; anguloso.
angularity [æŋgju'læriti], *s.* angularidade.
angularly ['æŋgjuləli], *adv.* de modo anguloso.
angulate **1** — ['æŋgjulit], *adj.* angulado.
2 — ['æŋgjuleit], *vt.* angular, formar ângulos.
angulated [-id], *adj.* angulado, com ângulos.
anharmonic [ænhɑ:'mɔnik], *adj.* anarmónico.
anhelation [ænhi'leiʃən], *s.* anelação.
anhydride [æn'haidraid], *s.* anidrido.
anhydrite [æn'haidrait], *s.* anidrite.
anhydrous [æn'haidrəs], *adj.* anidro, privado de água, anídrico.
anigh [ə'nai], *adv.* e *prep.* perto, próximo.
anil ['ænil], *s.* anil, substância que tinge de azul.
anile ['einail], *adj.* relativo a mulher velha; imbecil.
aniline ['ænili:n], *s.* anilina.
anility [æ'niliti], *s.* velhice feminina.
animadversion [ænimæd'və:ʃən], *s.* animadversão, crítica, censura.
animadvert [ænimæd'və:t], *vi.* animadvertir, criticar, censurar.
to animadvert on (ou *upon*) *a person's conduct* — censurar alguém pela sua conduta.
animal ['æniməl], *s.* e *adj.* animal.
animal kingdom — reino animal.
animal magnetism — mesmerismo, magnetismo animal.
animalcula, animalculae [æni'mælkju:lə, æni'mælkju:li:], *s. pl.* de **animalcule.**
animalcular [æni'mælkjulə], *adj.* animalcular, relativo a animálculos.
animalcule [æni'mælkju:l], *s.* animálculo, animal microscópico.
animalism ['æniməlizm], *s.* animalismo; animalidade.
animalist ['æniməlist], *s.* animalista.
animality [æni'mæliti], *s.* animalidade.
animalize ['æniməlaiz], *vt.* animalizar, converter em substância animal; tornar animal.
animate **1** — ['ænimit], *adj.* animado, vivo; corajoso.
2 — ['ænimeit], *vt.* animar, dar vida; estimular, encorajar. (*Sin.* to enliven, to encourage, to waken, to revive. *Ant.* to depress, to discourage.)
animated [-id], *adj.* animado, cheio de vida, alegre, vivo.
an animated discussion — uma discussão animada.
animated pictures — desenhos animados.
animatedly [-idli], *adv.* animadamente, vivamente.
animation [æni'meiʃən], *s.* animação, vivacidade, entusiasmo; estímulo.
animatograph [æni'mætɔgrɑ:f], *s.* animatógrafo.
animator ['ænimeitə], *s.* animador.
animism ['ænimizm], *s.* animismo, doutrina que considera a alma como causa de todos os fenómenos vitais e intelectuais.
animist ['ænimist], *s.* animista, partidário do animismo.
animosity [æni'mɔsiti], *s.* animosidade, malquerença. (*Sin.* aversion, hatred. *Ant.* love.)
animus ['æniməs], *s.* ânimo, animosidade.
anise ['ænis], *s.* anis; erva-doce.
aniseed ['ænisi:d], *s.* grão de anis; semente de anis.
anisette [æni'zet], *s.* licor de anis, aniseta, anis.
anker ['æŋkə], *s.* medida antiga de vinho e licores, equivalente a cerca de 8,5 galões imperiais.
ankle [æŋkl], *s.* tornozelo, artelho.
anklet ['æŋklit], *s.* anel para enfeitar o tornozelo; grilheta; polaina de caçador.

Ann [æn], *n. p.* Ana.
anna ['ænə], *s.* aná, moeda de prata da Índia inglesa, valendo 1/16 de uma rupia.
annalist ['ænəlist], *s.* analista, cronista.
annals [ænlz], *s. pl.* anais, crónicas. (*Sin.* chronicles, historical records, registers, arquives.)
Anne [æn], *n. p.* Ana.
anneal [ə'ni:l], *vt.* tornar maleável pela acção do fogo, temperar (um metal); recozer; fundir.
annex 1 — ['æneks], *s.* anexo, dependência; aditamento.
2 — [ə'neks], *vt.* anexar, juntar, ligar, reunir.
annexable [-əbl], *adj.* que se pode anexar.
annexation [ænek'seiʃən], *s.* anexação.
annexe ['æneks], *s.* ver **annex 1.**
annexed [ə'nekst], *adj.* anexado, anexo.
annihilable [ə'naiələbl], *adj.* aniquilável.
annihilate [ə'naiəleit], *vt.* aniquilar, destruir, extinguir.
annihilating [-iŋ], *adj.* aniquilante, aniquilador.
annihilation [ənaiə'leiʃən], *s.* aniquilação, extinção.
annihilator [ə'naiəleitə], *s.* aniquilador, extintor.
anniversary [æni'və:səri], *s.* aniversário.
annotate ['ænouteit], *vt.* e *vi.* anotar, comentar; tomar notas.
annotating [-iŋ], *s.* anotação, comentário.
annotation ['ænou'teiʃən], *s.* anotação, comentário.
annotator ['ænouteitə], *s.* anotador; comentador.
announce [ə'nauns], *vt.* anunciar, proclamar, publicar, declarar, fazer saber, tornar conhecido, transmitir. (*Sin.* to publish, to proclaim, to advertise, to declare, to make known. *Ant.* to conceal.)
announcement [-mənt], *s.* anúncio, proclamação, aviso, participação, notificação.
announcer [-ə], *s.* anunciador, locutor.
radio announcer — locutor radiofónico.
annoy [ə'nɔi], *vt.* importunar, incomodar, aborrecer, enfadar, molestar. (*Sin.* to tease, to molest, to harass, to trouble, to worry. *Ant.* to soothe.)
annoyance [-əns], *s.* incómodo, aborrecimento, enfado, contrariedade.
in order to avoid further annoyances — para evitar futuros aborrecimentos.
annoying [-iŋ], *adj.* incómodo, importuno, fastidioso, enfadonho.
annoyingly [-li], *adv.* fastidiosamente, importunamente, de modo enfadonho.
annual ['ænjuəl], **1** — *s.* livro que se publica anualmente; anuário.
2 — *adj.* anual.
annually [-i], *adv.* anualmente.
annuary ['ænjuəri], *s.* anuário.
annuitant [ə'nju:itənt], *s.* pensionista, que recebe anuidades ou renda anual.
annuity [ə'nju:iti], *s.* anuidade.
life annuity — pensão vitalícia.
annul [ə'nʌl], *vt.* anular, invalidar, abolir, rescindir, tornar nulo, cancelar.
annular ['ænjulə], *adj.* anelado, em forma de anel.
annulate ['ænjuleit], *adj.* formado de anéis, anelado.
annulated [-id], *adj.* anelado.
annulation [ænju'leiʃən], *s.* anelação, aneladura, disposição em forma de anel.
annulet ['ænjulet], *s.* anelete; anelzinho.
annulment [ə'nʌlmənt], *s.* anulação, cancelamento, abolição, rescisão, invalidação.
annunciate [ə'nʌnʃieit], *vt.* anunciar, proclamar.
annunciation [ənʌnsi'eiʃən], *s.* anunciação, proclamação, anúncio.
Annunciation [—] *s.* a Anunciação.
Annunciation Day — Festa da Anunciação.
annunciator [ə'nʌnʃieitə], *s.* anunciador; indicador de chamadas; botão de campainha (E. U.).
anode ['ænoud], *s.* anódio, eléctrodo positivo.
anodyne ['ænoudain], *s.* e *adj.* anódino, que mitiga as dores, calmante, refrigério.
anoint [ə'nɔint], *vt.* untar, ungir; sagrar, consagrar.
anointed [-id], *adj.* ungido, untado; sagrado.
the Lord's Anointed — o Ungido do Senhor.
anointing [-iŋ], *s.* unção; sagração; acto de ungir ou untar.
anointment [-mənt], *s.* unção; sagração, consagração.
anomalistic [ənɔmə'listik], *adj.* anomalístico.
anomalous [ə'nɔmələs], *adj.* anómalo, irregular, anormal.
anomalously [-li], *adv.* anomalamente, irregularmente, anormalmente.
anomalousness [-nis], *s.* anomalia, anormalidade.
anon [ə'nɔn], *adv.* logo, em seguida, imediatamente.
ever and anon — de vez em quando, de tempos a tempos.
anonaceous [ænə'neiʃəs], *adj.* anonáceo, relativo à anona.
anonym ['ænənim], *s.* anónimo.
anonymity [ænə'nimiti], *s.* anonimato, anonímia.
anonymous [ə'nɔniməs], *adj.* anónimo.
anonymously [-li], *adv.* anonimamente.
anonymousness [-nis], *s.* anonimato.
anopheles [ə'nɔfili:z], *s.* anófele, género de mosquito que transmite as sezões.
another [ə'nʌðə], *adj.* e *pron.* outro, outra, um outro, uma outra; mais um(a).
I don't like this pen; give me another — não gosto desta caneta; dá-me outra.
one another — um ao outro.
such another — outro que tal.
they were talking to one another — estavam a conversar uns com os outros.
they were playing with one another — andavam a brincar uns com os outros.
anourous [ə'nu:ərəs], *adj.* anuro, sem cauda.
Anselm ['ænselm], *n. p.* Anselmo.
answer ['ɑ:nsə], **1** — *s.* resposta; réplica; solução; contestação.
an evasive answer — uma resposta evasiva.
the answer is a lemon — não tem resposta.
to be in expectation of an answer — aguardar uma resposta.
to give a rude answer — dar uma resposta torta.
to return an answer — dar uma resposta.
2 — *vt.* e *vi.* responder, replicar, retorquir; convir; corresponder; comparecer; resolver, solucionar; responsabilizar-se; (náut.) reconhecer sinais. (*Sin.* to reply, to retort; to fulfil; to satisfy; to solve. *Ant.* to ask.)
our plan hasn't answered at all — o nosso plano não deu o mínimo resultado.
to answer a bill — pagar uma letra.
to answer a call — responder a (atender) uma chamada.
to answer a debt — pagar uma dívida.
to answer a description — corresponder a uma descrição.
to answer a letter — responder a uma carta.
to answer a problem — solucionar um problema.

to answer a question — responder a uma pergunta.
to answer back — replicar, respingar.
to answer blows with blows — pagar na mesma moeda.
to answer for a fault — justificar uma falta ou um erro.
to answer for the truth of a statement — responsabilizar-se pela veracidade de uma declaração.
to answer to a name — dar por um nome.
to answer to medical treatment — reagir (bem) a tratamento médico.
to answer to the door — atender à porta.
answerable [-rəbl], *adj.* responsável; refutável; solucionável.
to be answerable for — responsabilizar-se por, ficar por fiador de.
answerer [-rə], *s.* o que responde; responsável, fiador.
ant [ænt], *s.* formiga.
ant-bear — urso formigueiro.
ant-hill — formigueiro.
ant-lion — formiga-leão.
ant-thrush — (zool.) formicário.
white ant — formiga-branca.
an't [eint], o mesmo que **am not** (= **ain't**).
antacid ['ænt'æsid], *s.* e *adj.* antiácido.
antagonism [æn'tægənizm], *s.* antagonismo, oposição; rivalidade; incompatibilidade.
antagonist [æn'tægənist], *s.* antagonista. (*Sin.* opponent, adversary, rival, enemy. *Ant.* ally.)
antagonistic [æntægə'nistik], *adj.* antagónico, oposto, contrário.
antagonistically [-əli], *adv.* antagónicamente, contràriamente, de modo antagónico.
antagonize [æn'tægənaiz], *vt.* e *vi.* opor-se a, ser antagónico; resistir, contrapor-se a; contender, disputar, competir.
Antarctic [ænt'ɑ:ktik], *adj.* antárctico.
antasthmatic [æntæs'mætik], *s.* e *adj.* antiasmático.
ant-eater [ænt'i:tə], *s.* papa-formigas; formigueiro.
antecedence [ænti'si:dəns], *s.* antecedência; prioridade, precedência, anterioridade.
antecedent [ænti'si:dənt] *s.* e *adj.* antecedente, precedente, anterior.
antecedently [-li], *adv.* antecedentemente, anteriormente.
antechamber ['ænti'tʃeimbə], *s.* antecâmara.
antedate ['ænti'deit], **1** — *s.* antedata.
2 — *vt.* antedatar; antecipar.
antediluvian ['æntidi'lu:vjən], *s.* e *adj.* antediluviano; coisa ou pessoa antiquada; pessoa muito idosa.
antelope ['æntiloup], *s.* antílope.
antemeridian ['æntimə'ridiən], *adj.* antemeridiano; da manhã.
ante meridiem ['æntimə'ridiəm], *exp. lat., adj.* antemeridiano; da manhã. (Abrev. **a. m.**).
antenatal ['ænti'neitl], *adj.* pré-natal, anterior ao nascimento.
antenna [æn'tenə], *s.* (pl. **antennae**) antena (de animal ou de aparelho de transmissão), tentáculo.
antennal [-l], *adj.* antenal, relativo às antenas.
antenuptial ['ænti'nʌpʃəl], *adj.* antenupcial.
antepenult ['æntipi'nʌlt], *s.* antepenúltimo; antepenúltima sílaba.
antepenultimate [-imit], *s.* ver **antepenult.**
anterior [æn'tiəriə], *adj.* anterior, precedente. (*Sin.* former, previous, preceding, prior. *Ant.* posterior.)
anteriority [æntiəri'ɔriti], *s.* anterioridade, prioridade.
anteriorly [æn'tiəriəli], *adv.* anteriormente.
anteriorness [æn'tiəriənis], *s.* ver **anteriority.**

anteroom ['æntirum], *s.* ante-sala.
anthem ['ænθəm], *s.* antífona, hino de louvor.
National Anthem — Hino Nacional.
anther ['ænθə], *s.* antera, parte superior do estame, que encerra o pólen.
anthological [ænθə'lɔdʒikəl], *adj.* antológico.
anthologist [æn'θɔlədʒist], *s.* antologista.
anthology [æn'θɔlədʒi], *s.* antologia, crestomatia, colecção de trechos literários.
Anthon ['ænθən], *n. p.* Antão.
Anthony ['æntəni], *n. p.* António.
anthracite ['ænθrəsait], *s.* antracite (tipo de carvão de pedra não betuminoso).
anthracitic [ænθrə'sitik], *adj.* antracitoso.
anthracitous ['ænθrəsaitəs], *adj.* antracitoso.
anthrax ['ænθræks], *s.* antraz.
anthropocentric [ænθrɔpɔ'sentrik], *adj.* antropocêntrico.
anthropogeography [ænθropodʒi'ɔgrəfi], *s.* antropogeografia.
anthropography [ænθro'pɔgrəfi], *s.* antropografia.
anthropoid ['ænθrəpɔid], *s.* e *adj.* antropóide, semelhante ao Homem.
anthropological [ænθrəpə'lɔdʒikəl], *adj.* antropológico.
anthropologically [-i], *adv.* antropologicamente, de forma antropológica.
anthropologist [ænθrə'pɔlədʒist], *s.* antropologista.
anthropology [ænθrə'pɔlədʒi], *s.* antropologia, história natural do Homem.
anthropometric [ænθrəpə'metrik], *adj.* antropométrico.
anthropometry [ænθrə'pɔmitri], *s.* antropometria, medição das diferentes partes do corpo humano.
anthropomorphic [ænθrəpə'mɔ:fik], *adj.* antropomórfico, semelhante ao Homem.
anthropomorphism [ænθrəpə'mɔ:fizm], *s.* antropomorfismo, sistema dos que atribuem a Deus acções humanas.
anthropomorphist [ænθrəpə'mɔ:fist], *s.* antropomorfista, partidário do antropomorfismo.
anthropomorphize [ænθrəpə'mɔ:faiz], *vt.* antropomorfizar.
anthropomorphous [ænθrəpə'mɔ:fəs], *adj.* antropomorfo.
anthropophagi [ænθrə'pɔfəgai], *s. pl.* antropófagos.
anthropophagous [ænθrə'pɔfəgəs], *adj.* **antropófago.**
anthropophagy [ænθrə'pɔfədʒi], *s.* antropofagia.
anthropophobia [ænθrəpə'foubiə], *s.* antropofobia.
anti-aircraft ['ænti-'ɛəkrɑ:ft], *adj.* antiaéreo.
anti-aircraft gun — peça antiaérea, canhão antiaéreo.
antibilious ['ænti'biljəs], *adj.* antibilioso.
antibiotic ['æntibai'ɔtik], *s.* e *adj.* antibiótico.
antibody [ænti'bɔdi], *s.* anticorpo.
antic ['æntik], **1** — *s.* bobo, palhaço; *pl.* palhacices, atitudes ou gestos grotescos.
2 — *adj.* ridículo, grotesco.
anticatarrhal [æntikə'tɑ:rəl], *s.* e *adj.* anticatarral.
anticatholic [ænti'kæθəlik], *s.* e *adj.* anticatólico.
antichrist ['æntikraist], *s.* anticristo.
antichristian ['ænti'kristjən], *adj.* anticristão.
antichristianism [-izm], *s.* anticristianismo.
anticipant [æn'tisipənt], *s.* antecipador, que antecipa.
anticipate [æn'tisipeit], *vt.* prever; antecipar; adiantar, apressar; esperar, contar com; gozar antecipadamente; considerar de antemão. (*Sin.* to forestall; to accelerate; to expect; to foresee; to forecast.)

anticipated [-id], *adj.* antecipado.
anticipation [æntisi'peiʃən], *s.* antecipação; antegozo; antevisão, previsão; expectação; expectativa.
in anticipation — antecipadamente.
anticipative [æn'tisipeitiv], *adj.* antecipado; que antecipa.
anticipator [æn'tisipeitə], *s.* antecipador, pessoa que antecipa.
anticipatorily [-rili], *adv.* antecipadamente, adiantadamente.
anticipatory [-ri], *adj.* antecipador.
anticlerical ['ænti'klerikəl], *adj.* anticlerical.
anticlericalism [-izm], *s.* anticlericalismo.
anticlimax ['ænti'klaimeks], *s.* anticlímax.
anti-clockwise ['ænti'klɔkwaiz], *adj.* e *adv.* no sentido directo (contrário ao do andamento dos ponteiros do relógio.)
anti-constitutional ['æntikɔnsti'tju:ʃənəl], *adj.* anticonstitucional.
anti-constitutionally [-i], *adv.* anticonstitucionalmente.
anticyclone ['æntisai'kloun], *s.* anticiclone.
anticyclonic ['æntisai'klɔnik], *adj.* anticiclónico.
antidotal ['æntidoutl], *adj.* antidotal, que serve de antídoto ou contraveneno.
antidote ['æntidout], *s.* antídoto, contraveneno.
antifascism ['ænti'fæʃizm], *s.* antifascismo.
antifascist ['ænti'fæʃist], *adj.* antifascista.
antifebrile ['ænti'fi:brail], *adj.* antifebril, febrífugo, antipirético.
anti-flu [ænti'flu], *adj.* antigripal.
anti-freeze [ænti'fri:z], *s.* anticongelante.
anti-freezing [-iŋ], *adj.* anticongelante.
Antigone [æn'tigəni], *n. p.* Antígona.
Antilles [æn'tili:z], *top.* Antilhas.
antilogous [æn'tilogəs], *adj.* antílogo, contraditório.
antilogy [æn'tilədʒi], *s.* antilogia, contradição de palavras ou ideias.
antimacassar ['æntimə'kæsə], *s.* capa de cadeira, sofá, etc.
antimagnetic ['æntimæg'netik], *adj.* antimagnético.
antimilitarism ['ænti'militərizm], *s.* antimilitarismo.
antimilitarist ['ænti'militərist], *s.* antimilitarista.
antimonarchical [æntimɔ'nɑ:kikəl], *adj.* antimonárquico.
antimonarchism ['ænti'mɔnəkizm], *s.* antimonarquismo.
antimonarchist ['ænti'mɔnəkist], *s.* antimonárquico.
antimonial ['ænti'mounjəl], *adj.* antimonial.
antimony ['æntiməni], *s.* antimónio.
antinational ['ænti'næʃənl], *adj.* antinacional.
antineuralgic ['æntinju'rældʒik], *s.* e *adj.* antinevrálgico.
antinomian ['ænti'noumjən], *s.* e *adj.* antinomiano; antinómico, oposto, contraditório.
antinomy [æn'tinəmi], *s.* antinomia, contradição entre duas leis ou princípios.
Antioch ['æntiɔk], *top.* Antioquia.
antipathy [æn'tipəθi], *s.* antipatia. (*Sin.* aversion, hatred, hostility.)
antiphon ['æntifən], *s.* antífona, versículo que se entoa antes de um salmo.
antiphonal [æn'tifənl], *s.* e *adj.* que contém antífonas; antifonário; em forma de antífona.
antiphonary [æn'tifənəri], *s.* antifonário, livro de antífonas.
antiphoner [æn'tifənə], *s.* antifoneiro, o chantre que entoa a antífona.
antiphonic ['ænti'fɔnik], *adj.* antifónico.
antiphonical [-əl], *adj.* antifónico.
antiphony [æn'tifəni], *s.* antifonia, canto em oitavas, entre os Gregos.
antiphrasis [æn'tifrəsis], *s.* (pl. **antiphrases**) antífrase.
antipodal [æn'tipədl], *adj.* antípoda, antipodal, antipódico, relativo aos antípodas; contrário; diametralmente oposto.
antipodean [æntipə'di:ən], *adj.* antípoda, antipodal, relativo aos antípodas; diametralmente oposto.
antipodes [æn'tipədi:z], *s. pl.* antípodas, habitantes que, em relação a outros do Globo, se encontram em lugar diametralmente oposto.
antipoison ['æntipɔizn], *s.* contraveneno.
antipope ['æntipoup], *s.* antipapa, falso papa.
antipopery [-əri], *s.* antipapismo.
antipyretic ['æntipai'retik], *s.* e *adj.* antipirético, febrífugo, medicamento destinado a baixar a febre.
antipyrin ['ænti'paiərin], *s.* antipirina.
antiquarian [ænti'kwεəriən], *s.* e *adj.* antiquário; antiquado.
antiquarianism [-izm], *s.* gosto pelas antiguidades.
antiquary ['æntikwəri], *s.* antiquário, investigador ou coleccionador de antiguidades, arqueólogo.
antiquated ['æntikweitid], *adj.* antiquado, arcaico, fora de moda, desusado.
antique [æn'ti:k], *s.* e *adj.* antiguidade, coisa antiga, raridade antiga; antigo, antiquado.
antique dealer — antiquário, negociante de de antiguidades.
the antique world — o mundo antigo.
antiqueness [-nis], *s.* antiguidade; carácter antigo.
antiquity [æn'tikwiti], *s.* antiguidade, tempos antigos; obras dos antigos; *pl.* **antiquities** — antiguidades, obras de arte antigas.
antiscorbutic ['ænti-skɔ:'bju:tik], *s.* e *adj.* antiescorbútico, que serve para combater o escorbuto.
anti-Semite [ænti'si:mait], *s.* anti-semita.
anti-Semitic [æntisi'mitik], *adj.* anti-semítico.
anti-Semitism [ænti'semitizm], *s.* anti-semitismo.
antiseptic ['ænti'septik], *s.* e *adj.* anti-séptico, desinfectante.
antislavery ['ænti'sleivəri], *s.* e *adj.* antiescravismo; contra a escravatura.
antisocial ['ænti'souʃəl], *adj.* anti-social.
antisocialist [-ist], *s.* e *adj.* anti-socialista.
anti-striker [ænti'straikə], *s.* antigrevista.
antistrophe [æn'tistrəfi], *s.* antístrofe, segunda parte de certas poesias líricas oposta à estrofe.
anti-submarine [æntisʌbmə'ri:n], *s.* e *adj.* anti-submarino.
anti-tank [ænti-'tæŋk], *s.* e *adj.* antitanque.
antitetanic ['æntitetænik], *s.* e *adj.* antitetânico, contra o tétano.
antitheses [æn'tiθisi:z], *s. pl.* de **antithesis.**
antithesis [æn'tiθisis], *s.* antítese, oposição entre palavras ou ideias, o contrário, o oposto.
antithetic(al) ['ænti'θetik(əl)], *adj.* antitético, que encerra antítese.
antitoxic ['ænti'tɔksik], *s.* e *adj.* antitóxico.
antitoxin ['ænti'tɔksin], *s.* antitoxina.
antitubercular ['æntitju'bə:kjulə], *adj.* antituberculoso.
antler ['æntlə], *s.* armação ou chifres de veado; haste de veado.
Antoninus ['æntə'nainəs], *n. p.* Antonino.
Antony ['æntəni], *n. p.* António.
antonym ['æntənim], *s.* antónimo.
antonymous [æn'tɔniməs], *adj.* antónimo.
antonymy [æn'tɔnimi], *s.* antonímia.
Antwerp ['æntwə:p], *top.* Antuérpia (cidade belga).

anus ['einəs], *s.* ânus.
anvil ['ænvil], *s.* bigorna.
anxiety [æŋ'zaiəti], *s.* ansiedade, ânsia, inquietação, impaciência. (*Sin.* uneasiness, care, fear, apprehension. *Ant.* ease.)
anxious ['æŋkʃəs], *adj.* ansioso; desejoso; inquieto, impaciente; preocupado, aflito; inquietante, preocupante.
to be anxious about — estar preocupado com.
to be anxious for — estar ansioso por, desejoso de.
to be anxious to do something — estar ansioso por fazer qualquer coisa.
anxiously [-li], *adv.* ansiosamente; impacientemente; com preocupação.
anxiousness [-nis], *s.* ansiedade, ânsia; inquietação, preocupação; impaciência.
any ['eni], *adj.*, *pron.* e *adv.* qualquer, quaisquer; algum, alguma, alguns, algumas; nenhum, nenhuma, nenhuns, nenhumas (em frases negativas); qualquer que; seja qual for; de qualquer forma, de qualquer modo.
any further — mais longe, mais além, mais para diante.
any longer — mais, por mais tempo.
any more — mais.
at any rate — em todo o caso; aconteça o que acontecer.
at any time — a qualquer hora.
I can't see any difference — não consigo ver diferença nenhuma.
in any case — seja como for.
anybody [-bɔdi], *pron.* qualquer pessoa; alguém; ninguém (em frases negativas).
anybody else? — mais alguém?
he will never be anybody — ele nunca há-de ser ninguém.
is there anybody in? — está alguém aí (lá) dentro?
like anybody else — como qualquer outra pessoa.
anyhow [-hau], *adv.* e *conj.* de qualquer modo, seja como for, como quer que seja; sem cuidado, de qualquer maneira, à toa; em todo o caso, no entanto; sempre.
this work was done anyhow — este trabalho foi feito sem cuidado.
we couldn't get in anyhow — não houve maneira de entrarmos.
you have succeeded, anyhow — afinal saíste-te bem, sempre conseguiste.
anyone [-wʌn], *pron.* qualquer um, qualquer pessoa; algum; alguém; nenhum, ninguém (em frases negativas).
anyone but me — todos menos eu.
anything [-θiŋ], *pron.* qualquer coisa; alguma coisa; seja o que for; nada (em frases negativas).
anything but that — tudo (qualquer coisa) menos isso.
anything else? — mais alguma coisa?
anything will do — qualquer coisa serve.
anything wrong? — há algum erro?; alguma novidade?
anything you wish — (tudo) o que desejares.
anyway [-wei], *adv.* de qualquer modo; em todo o caso, no entanto; à toa.
anywhere [-wɛə], *adv.* em qualquer parte; algures; nenhures (em frases negativas).
anywhere else — em qualquer outra parte.
anywise [-waiz], *adv.* de qualquer modo.
aorist ['ɛərist], *s.* e *adj.* (gram.) aoristo, tempo de verbo da conjugação grega.
aoristic [-ik], *adj.* aorístico, relativo ao aoristo.
aorta [ei'ɔ:tə], *s.* aorta.
aortic [ei'ɔ:tik], *adj.* aórtico.
aortitis [eiɔ:'titis], *s.* aortite.

apace [ə'peis], *adv.* depressa, apressadamente. (*Sin.* swiftly, quickly, fast, speedily. *Ant.* slowly.)
to come on apace — chegar depressa.
Apache [ə'pætʃi], *s.* Apache, tipo de índio americano.
apache [ə'pɑ:ʃ], *s.* ladrão, assassino, malfeitor, rufia.
apagoge [æpə'goudʒi], *s.* apagogia, demonstração por absurdo.
apanage ['æpənidʒ], *s.* apanágio.
apart [ə'pɑ:t], *adv.* à parte, em separado, separadamente; de parte, fora de.
apart from — abstraindo de.
it is too far apart — está muito afastado.
joking apart — fora de brincadeira, a sério.
to set something apart — reservar uma coisa, destinar uma coisa a um fim especial.
apartment [ə'pɑ:tmənt], *s.* «apartamento», aposento; quarto; *pl.* aposentos, quartos; parte de casa subalugada.
apathetic(al) [æpə'θetik(əl)], *adj.* apático; indiferente, insensível.
apathetically [-əli], *adv.* apaticamente; indiferentemente.
apathy ['æpəθi], *s.* apatia; indiferença, insensibilidade. (*Sin.* insensibility, unfeelingness, coldness, indifference.)
ape [eip], **1** — *s.* macaco; imitador.
2 — *vt.* imitar, arremedar; macaquear; disfarçar.
apeak [ə'pi:k], *adj.* e *adv.* vertical; verticalmente; (náut.) a pique.
apepsia [ə'pepsiə] *s.* apepsia.
apepsy [ə'pepsi], *s.* apepsia.
aperient [ə'piəriənt], *s.* e *adj.* laxativo, laxante.
aperitive [ə'peritiv], *s.* e *adj.* laxativo, laxante.
aperture ['æpətjuə], *s.* abertura, orifício, fenda; (fot.) abertura.
apery ['eipəri], *s.* macaquice, momice.
apetalous [ə'petələs], *adj.* apétalo, que não tem pétalas.
apex ['eipeks], *s.* (pl. **apexes** ou **apices**) ápice, cume, topo, cimo; vértice.
aphasia [æ'feizjə], *s.* afasia, perda da voz.
aphasic [ə'feizik], *adj.* afásico.
aphelia [æ'fi:liə], *s. pl.* de **aphelion.**
aphelion [-n], *s.* afélio, ponto em que um planeta se encontra mais afastado do Sol.
apheresis [æ'fiərisis], *s.* aférese.
aphides ['eifidi:z], *s. pl.* de **aphis.**
aphis ['eifis], *s.* (pl. **aphides** ou **aphises**) afídio, pulgão das plantas.
aphonia [æ'founjə], *s.* afonia, perda da voz.
aphonic [æ'fɔnik], *adj.* afónico, sem voz.
aphony ['æfəni], *s.* afonia, perda da voz.
aphorism ['æfərizm], *s.* aforismo, sentença moral.
aphoristic [æfə'ristik], *adj.* aforístico.
aphrodisiac [æfrou'diziæk], *adj.* e *s.* afrodisíaco.
Aphrodite ['æfrədaiti], *n. p.* Afrodite.
aphtha ['æfθə], *s.* (pl. **aphthae**) afta.
aphthae ['æfθi:], *s. pl.* de **aphtha.**
aphthous ['æfθəs], *adj.* aftoso.
apiarian [eipi'ɛəriən], *adj.* apiário, relativo às abelhas.
apiarist ['eipjərist], *s.* apicultor, criador de abelhas.
apiary ['eipjəri], *s.* apiário, colmeal.
apical ['æpikəl], *adj.* apical, cimeiro.
apices ['eipisi:z], *s. pl.* de **apex.**
apiculture ['eipikʌltʃə], *s.* apicultura, criação de abelhas.
apiculturist [eipi'kʌltʃərist], *s.* apicultor, criador de abelhas.
apiece [ə'pi:s], *adv.* por peça, por cabeça.
apish ['eipiʃ], *adj.* imitador; macaqueador.
apishly [-li], *adv.* com macaquices.

apishness [-nis], *s.* macaquice, macaqueação; arremedo.
aplomb ['æplɔ̃:ŋ], *s.* aprumo; perpendicularidade; altivez.
apocalypse [ə'pɔkəlips], *s.* apocalipse, revelação divina.
apocalyptic [əpɔkə'liptik], *adj.* apocalíptico.
apocalyptical [-əl], *adj.* apocalíptico.
apocopate 1 — [ə'pɔkəpit], *adj.* apocopado. 2 — [ə'pɔkəpeit], *vt.* apocopar, suprimir letras ou sílabas no fim das palavras.
apocopated [-id], *adj.* apocopado.
apocopation [əpɔkə'peiʃən], *s.* apócope, supressão de letras ou sílabas no fim das palavras.
apocope [ə'pɔkəpi], *s.* ver **apocopation.**
apocrypha [ə'pɔkrifə], *s.* livros apócrifos.
apocryphal [-l], *adj.* apócrifo.
apod ['æpɔd], *s.* (pl. **apoda, apodes, apods**) ápode, ápodo animal sem pés.
apoda ['æpɔdə], *s. pl.* de **apod.**
apodal ['æpoudəl], *adj.* ápode, ápodo, sem pés.
apodosis [ə'pɔdəsis], *s.* apodose.
apogee ['æpoudʒi:], *s.* apogeu, auge.
Apollinaris [əpɔli'nεəris], *n. p.* Apolinário.
Apollo [ə'pɔlou], *n. p.* Apolo.
Apollyon [ə'pɔljən], *s.* Satanás.
apologetic [əpɔlə'dʒetik], *adj.* apologético.
apologetical [-əl], *adj.* apologético.
apologetically [-əli], *adv.* apologeticamente.
apologetics [-s], *s.* apologética.
apologia [əpɔ'loudʒiə], *s.* apologia.
apologist [ə'pɔlədʒist], *s.* apologista, defensor.
apologize [ə'pɔlədʒaiz], *vi.* pedir desculpa, desculpar-se.
to apologize for something — pedir desculpa por alguma coisa.
apologizer [-ə], *s.* aquele que pede desculpa.
apologue ['æpəlɔg], *s.* apólogo, fábula.
apology [ə'pɔlədʒi], *s.* desculpa, satisfação; defesa; explicação; apologia. (*Sin.* excuse, explanation, justification, defence.)
to demand an apology — exigir satisfações.
to make an apology — pedir desculpa.
to offer an apology — apresentar desculpas; pedir desculpa.
apophony [ə'pɔfoni], *s.* apofonia.
apophthegm ['æpouθem], *s.* apotegma, dito sentencioso de pessoa célebre.
apoplectic [æpə'plektik], *adj.* apopléctico.
apoplectic stroke — ataque apopléctico.
apoplectical [-əl], *adj.* apopléctico.
apoplectically [-əli], *adv.* apoplecticamente.
apoplexy ['æpəpleksi], *s.* apoplexia.
aposiopesis [æpousaiou'pi:sis], *s.* aposiopese, interrupção intencional de uma frase; reticência.
apostasy [ə'pɔstəsi], *s.* apostasia.
apostate [ə'pɔstit], *s.* apóstata.
apostatic [æpous'tætik], *adj.* apostático.
apostatical [-əl], *adj.* apostático.
apostatize [ə'pɔstətaiz], *vi.* apostatar.
a posteriori ['eipɔsteri'ɔ:rai], *adv.* à posteriori, fundamentado em razões posteriores.
apostil [ə'pɔstil], *s.* apostila.
apostle [ə'pɔsl], *s.* apóstolo.
apostleship [-ʃip], *s.* apostolado.
apostolate [ə'pɔstəlit], *s.* apostolado.
apostolic [æpəs'tɔlik], *adj.* apostólico.
apostolical [-əl], *adj.* apostólico.
apostolically [-əli], *adv.* apostolicamente.
apostrophe [ə'pɔstrəfi], *s.* apóstrofe; invectiva; apóstrofo (sinal de omissão de letra).
apostrophize [ə'pɔstrəfaiz], *vt.* e *vi.* apostrofar; interpelar; invectivar; pôr apóstrofo(s).
apothecary [ə'pɔθikəri], *s.* boticário, farmacêutico.
apotheosis [əpɔθi'ousis], *s.* apoteose.
apotheosize [ə'pɔθiousaiz], *vt.* fazer a apoteose de, deificar, divinizar, exaltar.
appal [ə'pɔ:l], *vt.* espantar, aterrar, aterrorizar, amedrontar. (*Sin.* to alarm, to scare, to frighten, to dismay.)
appalling [-iŋ], *adj.* espantoso, aterrador, medonho, terrível.
appallingly [-iŋli], *adv.* espantosamente, de modo aterrador.
apparatus [æpə'reitəs], *s.* aparelho, maquinismo, instrumento.
apparatuses [-is], *s. pl.* de **apparatus.**
apparel [ə'pærəl], 1 — *s.* vestes, vestuário; paramentos; bordados nas vestes eclesiásticas; (náut.) aprestos. 2 — *vt.* vestir; ornamentar, ornar, adornar; (náut.) aparelhar.
apparent [ə'pærənt], *adj.* claro, evidente, manifesto; aparente. (*Sin.* manifest, clear, palpable, visible.)
apparent cause — causa aparente.
heir apparent — herdeiro forçado.
apparently [-li], *adv.* evidentemente, manifestamente; aparentemente.
apparition [æpə'riʃən], *s.* aparição, fantasma, visão.
apparitor [ə'pæritɔ:], *s.* meirinho; bedel.
appeal [ə'pi:l], 1 — *s.* apelo; apelação, recurso; súplica, petição; atracção.
Court of Appeal — Tribunal da Relação.
notice of appeal — intimação.
sex appeal — atracção sexual.
2 — *vt.* e *vi.* apelar, recorrer; suplicar; clamar; pedir auxílio; tomar por testemunha; chamar a atenção, atrair, encantar, seduzir. (*Sin.* to entreat, to implore, to invoke, to address.)
that doesn't appeal to me — isso não me atrai, não me seduz.
to appeal against a decision — recorrer de uma decisão ou sentença.
to appeal to the country — consultar o país (polít.).
appealer [-ə], *s.* apelante.
appealing [-iŋ], *adj.* atraente, sedutor; apelante, suplicante.
appealingly [-iŋli], *adv.* de modo suplicante.
appear [ə'piə], *vi.* aparecer; comparecer; parecer; aparentar, semelhar.
appearance [-rəns], *s.* aparência, aspecto; aparecimento; comparência; semelhança; aparição, fantasma.
appearances are deceptive — as aparências iludem.
to all appearance(s) — ao que parece, segundo todas as aparências.
to keep up appearances — salvar as aparências.
to put in an appearance — comparecer, aparecer.
to save appearances — salvar as aparências.
appearer [-rə], *s.* aquele que aparece ou comparece.
appeasable [ə'pi:zəbl], *adj.* aplacável; reconciliável.
appease [ə'pi:z], *vt.* aplacar, pacificar, apaziguar, acalmar; satisfazer (um desejo).
appeasement [-mənt], *s.* apaziguamento, pacificação; satisfação.
appeasing [-iŋ], *adj.* apaziguador, pacificador, calmante.
appellant [ə'pelənt], *s.* e *adj.* apelante; do apelante.
appellate [ə'pelit], *adj.* apelatório, de apelação.
appellation [æpe'leiʃən], *s.* nome, designação. denominação; alcunha; apelido; apelação.
appellative [ə'pelətiv], *s.* e *adj.* apelativo, comum; nome apelativo, substantivo comum.
appellatively [-li], *adv.* apelativamente.

append [ə'pend], *vt.* juntar, anexar; aumentar, acrescentar; apensar; pendurar. (*Sin.* to add, to attach, to join.)
appendage [-idʒ], *s.* acessório, apêndice, apenso; acrescentamento; anexo. (*Sin.* appendix, addendum, addition, attachment, accessory.)
appendant [-ənt], *s.* e *adj.* acessório, anexo; ligado, junto.
appendicitis [əpendi'saitis], *s.* apendicite.
appendicular [æpen'dikjulə], *adj.* apendicular.
appendiculate [æpen'dikjulit], *adj.* apendiculado.
appendix [ə'pendiks], *s.* (pl. **appendixes** ou **appendices**) apêndice, suplemento; acessório; anexo; adição.
apperception [æpə:'sepʃən], *s.* apercepção.
appertain [æpə'tein], *vi.* pertencer; tocar a, referir-se a.
appertinent [ə'pə:tinənt], *adj.* apertinente, referente, concernente, respeitante.
appetence ['æpitəns], *s.* apetência.
appetent ['æpitənt], *adj.* apetente.
appetite ['æpitait], *s.* apetite (vontade de comer), desejo.
to whet the appetite — abrir (aguçar) o apetite.
appetitive [ə'petitiv], *adj.* apetitoso.
appetize ['æpitaiz], *vt.* causar (despertar) apetite.
appetizer [-ə], *s.* aperitivo.
appetizing [-iŋ], *adj.* apetitoso, tentador.
appetizingly [-iŋli], *adv.* apetitosamente, de modo apetitoso, tentadoramente.
Appian ['æpiən], *adj.* Ápio.
the Appian Way — a Via Ápia.
applaud [ə'plɔ:d], *vt.* e *vi.* aplaudir, dar aplauso a; dar palmas. (*Sin.* to praise, to clap, to approve.)
applaudingly [-iŋli], *adv.* com aplauso, com aprovação.
applause [ə'plɔ:z], *s.* aplauso; aclamação; aprovação. (*Sin.* acclamation, approval.)
loud applause — estrondosos aplausos.
apple [æpl], *s.* maçã, pomo.
apple-tree — macieira.
apple-pie — torta de maçã.
apple-tart — torta de maçã.
apple of the eye — pupila, menina-do-olho; *fig.* menino(a) querido(a), «ai-jesus».
apple of discord — pomo de discórdia.
apple-brandy — aguardente de maçã.
apple-cart — carroça de vendedor ambulante.
to upset someone's apple-cart — transtornar os planos de alguém.
in apple-pie order — em perfeita ordem.
Adam's apple — (anat.) maçã-de-adão, pomo-de-adão.
an apple a day keeps the doctor away — (prov.) comendo uma maçã por dia, evita-se o médico.
apple-pie bed — cama à espanhola (feita com os lençóis dobrados, de forma a não se poderem estender as pernas).
apple-orchard [-'ɔ:tʃəd], *s.* **pomar; pomar de** macieiras.
appliable [ə'plaiəbl], *adj.* aplicável.
appliableness [-nis], *s.* aplicabilidade.
appliance [ə'plaiəns], *s.* ferramenta, utensílios, instrumentos; acessórios; aplicação. (*Sin.* tool, utensil, instrument; contrivance.)
applicability [æplikə'biliti], *s.* aplicabilidade.
applicable ['æplikəbl], *adj.* apropriado, próprio para; aplicável.
applicableness [-nis], *s.* aplicabilidade.
applicant ['æplikənt], *s.* pretendente, concorrente, requerente, candidato; suplicante.
application [æpli'keiʃən], *s.* requerimento, pedido, petição, súplica, solicitação; aplicação, diligência; emprego; medicamento aplicado.
to make an application for — fazer um requerimento para.
written application — memorial.
on application — a pedido de, a requisição de.
applied [ə'plaid], *adj.* aplicado, usado, adoptado, empregado.
apply [ə'plai], *vt.* e *vi.* aplicar, administrar (medicamentos, etc.); pedir; inquirir; consultar, pedir informações; requerer; aplicar-se, dedicar-se; referir-se.
to apply oneself to — dirigir-se a; aplicar-se a, dedicar-se a.
to apply for a job (a position) — pedir um emprego.
to apply for — requerer.
It doesn't apply to me — não se refere a mim, não me diz respeito.
you had better apply to the manager — é melhor você pedir informações ao gerente.
to apply oneself to study — dedicar-se ao estudo.
she applied to her teacher — ela dirigiu-se ao professor.
applying [-iŋ], *s.* aplicação, emprego.
appoint [ə'pɔint], *vt.* e *vi.* nomear, designar, eleger, escolher; determinar, ordenar; decretar, fixar. (*Sin.* to fix, to name, to nominate, to decree.)
at the appointeel time — à hora marcada.
he was appointed minister — foi nomeado ministro.
badly-appointed — mal provido.
well-appointed — bem provido.
appointee [əpɔin'ti:], *s.* pessoa nomeada; eleito.
appointer [ə'pɔintə], *s.* o que nomeia, determina ou decreta.
appointment [ə'pɔintmənt], *s.* nomeação; decreto; determinação; compromisso; entrevista; combinação, aprazamento, acordo; ordem; emprego; *pl.* equipagem; mobília; honorários; emolumentos.
by appointment — por decreto.
to break an appointment — faltar a uma entrevista ou encontro.
to keep an appointment — chegar à hora marcada e ao local designado para um encontro.
to make an appointment — marcar uma entrevista.
the appointments of a room — o mobiliário de um quarto.
apportion [ə'pɔ:ʃən], *vt.* ratear, dividir, fazer partilhas.
apportionment [-mənt], *s.* rateio, divisão, distribuição, partilha.
appose [æ'pouz], *vt.* apor (assinatura, etc.).
apposite ['æpəzit], *adj.* adaptado, apropriado, próprio; conforme; bem aplicado.
appositely [-li], *adv.* adaptadamente, apropriadamente, convenientemente.
appositeness [-nis], *s.* adaptação; propriedade.
apposition [æpə'ziʃən], *s.* aposição; adição; justaposição.
appositional [-l], *adj.* aposto; apositivo.
appositive [ə'pɔzitiv], *adj.* apositivo.
appraisable [ə'preizəbl], *adj.* apreciável.
appraisal [ə'preizəl], *s.* avaliação, cálculo; apreciação; estimativa.
appraise [ə'preiz], *vt.* avaliar, calcular; apreciar; estimar.
appraisement [-mənt], *s.* avaliação, cálculo; apreciação; estimativa.
appraiser [-ə], *s.* avaliador; apreciador.

appreciable [ə'pri:ʃəbl], *adj.* apreciável; perceptível.
appreciably [-i], *adv.* apreciavelmente; de maneira perceptível.
appreciate [ə'pri:ʃieit], *vt.* apreciar, gostar; avaliar, estimar; encarecer. (*Sin.* to esteem, to value, to estimate, to acknowledge. *Ant.* to depreciate.)
appreciatingly [-iŋli], *adv.* com apreciação; com cálculo.
appreciation [əpri:ʃi'eiʃən], *s.* apreciação, avaliação; apreço; estimativa; aumento de preço, encarecimento.
appreciative [ə'pri:ʃjətiv], *adj.* apreciativo.
appreciatively [-li], *adv.* de modo apreciativo.
appreciator [ə'pri:ʃjeitə], *s.* apreciador, avaliador.
appreciatory [ə'pri:ʃjətəri], *adj.* apreciativo.
apprehend [æpri'hend], *vt.* e *vi.* apreender; prender, agarrar; compreender, perceber; tomar; recear, temer; preocupar-se; suspeitar, supor. (*Sin.* to seize, to arrest; to perceive; to fear; to suppose.)
apprehensibility ['æprihensi'biliti], *s.* apreensibilidade; faculdade de apreender.
apprehensible [æpri'hensəbl], *adj.* apreensível; concebível; compreensível.
apprehension [æpri'henʃən], *s.* apreensão; receio, cuidado, cisma; captura; compreensão, percepção. (*Sin.* grasping; fear, dread; understanding; conception.)
apprehensive [æpri'hensiv], *adj.* apreensivo, tímido, cismático, receoso, medroso; inteligente, perspicaz, sagaz.
apprehensively [-li], *adv.* apreensivamente, receosamente; com perspicácia; inteligentemente.
apprehensiveness [-nis], *s.* apreensão, receio.
apprentice [ə'prentis], **1** — *s.* aprendiz; principiante.
2 — *vt.* pôr como aprendiz.
apprenticeship [ə'prentiʃip], *s.* aprendizagem.
to work out one's apprenticeship — fazer tirocínio; praticar.
apprise [ə'praiz], *vt.* informar, avisar. (*Sin.* to inform, to notify, to warn.)
approach [ə'proutʃ], **1** — *s.* aproximação; entrada, acesso; introdução; achega, contribuição.
2 — *vt.* e *vi.* aproximar; aproximar-se; chegar-se a, acercar-se, abeirar-se; ser parecido com, assemelhar-se a; (náut.) demandar, aterrar.
approachability [-ə'biliti], *s.* aproximação; acessibilidade.
approachable [-əbl], *adj.* acessível.
approaching [-iŋ], *adj.* próximo; aproximado; que se aproxima.
approbate ['æproubeit], *vt.* aprovar; sancionar; concordar; permitir, aceder.
approbation [æprə'beiʃən], *s.* aprovação; sanção; aceitação, concordância.
approbatory ['æproubeitəri], *adj.* aprobatório; que aprova.
appropriate **1** — [ə'prouprieit], *vt.* apropriar-se de, tomar posse de, apossar-se de, usurpar. (*Sin.* to take possession of; to adopt; to apply.)
2 — [ə'proupriit], *adj.* apropriado, próprio, adaptado, adequado; apto, capaz. (*Sin.* proper, suitable, fit; apt; adapted. *Ant.* improper, unfit.)
appropriately [-li], *adv.* apropriadamente, adequadamente; com capacidade.
appropriateness [-nis], *s.* propriedade; capacidade, aptidão.
appropriation [əproupri'eiʃən], *s.* apropriação; posse; usurpação.
appropriator [ə'prouprieitə], *s.* que se apropria, usurpador.
approvable [ə'pru:vəbl], *adj.* aprovável, digno de aprovação; louvável.
approval [ə'pru:vəl], *s.* aprovação; concordância; sanção; adesão; homologação.
approve [ə'pru:v], *vt.* e *vi.* aprovar; sancionar; concordar; consentir; confirmar; provar, demonstrar; mostrar satisfação por; expressar aprovação.
to approve of something — aprovar alguma coisa.
approved [-d], *adj.* aprovado; sancionado, confirmado.
approver [-ə], *s.* aprovador; denunciante.
approving [-iŋ], *adj.* aprovativo.
approvingly [-iŋli], *adv.* com aprovação, de modo aprovativo.
approximate **1** — [ə'prɔksimeit], *vt.* e *vi.* aproximar; aproximar-se.
2 — [ə'prɔksimit], *adj.* aproximado, próximo; semelhante, parecido.
approximately [-li], *adv.* aproximadamente.
approximation [əprɔksi'meiʃən], *s.* aproximação.
approximative [ə'prɔksimətiv], *adj.* aproximativo; que aproxima; aproximado.
approximatively [-li], *adv.* aproximadamente.
appui [æ'pwi:], *s.* (mil.) apoio, defesa, base, sustentáculo.
point of appui — ponto de apoio.
appurtenance [ə'pə:tinəns], *s.* pertença; acessório, apresto; *pl.* equipagem, equipamento.
appurtenant [ə'pə:tinənt], *adj.* pertencente.
apricot ['eiprikɔt], *s.* damasco, alperche, albricoque.
apricot-tree — damasqueiro, alpercheiro, albricoqueiro.
April [eiprl], *s. p.* Abril.
April-fool — tolo; pessoa enganada no 1.º de Abril.
April-fool-day — «dia das petas», o 1.º de Abril.
April showers bring forth May flowers — (prov.) Abril chuvoso, Maio florido.
apron ['eiprən], *s.* avental.
tied to mother's apron-strings — agarrado às saias da mãe.
apropos ['æprəpou], **1** — *adv.* a propósito.
2 — *s.* oportunidade, ensejo.
apse [æps], *s.* absíde (de uma igreja ou coro.)
apsidal ['æpsidl], *adj.* absidal, apsidal.
apsides [æp'saidi:z], *s. pl.* de **apsis.**
apsis ['æpsis], *s.* (astr.) apside, ápside.
apterous ['æptərəs], *adj.* áptero, sem asas.
aptitude ['æptitju:d], *s.* aptidão, capacidade; habilidade; disposição, tendência. (*Sin.* fitness, aptness, cleverness.)
aptly ['æptli], *adv.* com aptidão; habilidosamente.
aptness ['æptnis], *s.* aptidão; destreza; disposição, inclinação, tendência.
apyretic [æpai'retik], *adj.* apirético, sem febre.
apyrexia [æpai'reksiə], *s.* apirexia, ausência de febre.
aqua-fortis ['ækwə'fɔ:tis], *s.* água-forte.
aquamarine ['ækwəmə'ri:n], **1** — *s.* água-marinha (pedra preciosa); berilo.
2 — *adj.* verde-azulado.
aqua-regia ['ækwə'ri:dʒjə], *s.* água-régia, ácido nitromuriático.
aquarelle ['ækwə'rel], *s.* aguarela.
aquarellist [-ist], *s.* aguarelista.
aquaria, aquariums [æ'kwɛəriə], [æ'kwɛəriəmz], *s. pl.* de **aquarium.**
aquarium [ə'kwɛəriəm], *s.* aquário.
Aquarius [ə'kwɛəriəs], *s.* Aquário, um dos signos do Zodíaco.

aquatic [ə'kwætik], *adj.* aquático; planta aquática.
aquatic sports — desportos aquáticos.
aquatint ['ækwətint], *s.* água-tinta, aquatinta.
aqua-vitae ['ækwə'vaiti:], *s.* aguardente.
aqueduct ['ækwidʌkt], *s.* aqueduto.
aqueous ['eikwiəs], *adj.* aquoso.
aqueousness [-nis], *s.* aquosidade.
aquiline ['ækwilain], *adj.* aquilino, adunco, recurvo como o bico da águia.
aquiline nose — nariz aquilino.
Aquinas [ə'kwainæs], *n. p.* Aquino.
Aquitaine [ækwi'tein], *top.* Aquitânia.
aquosity [ə'kwɔsiti], *s.* aquosidade.
Arab ['ærəb], *s.* e *adj.* árabe.
street arab — criança da rua, sem lar.
arabesque [ærə'besk], *s.* e *adj.* arabesco.
Arabia [ə'reibjə], *top.* Arábia.
Saudi Arabia — Arábia Saudita.
Arabian [-n], *s.* e *adj.* árabe.
Arabian bird — ave fabulosa; fénix.
The Arabian nights — As Mil e Uma Noites.
Arabic ['ærəbik], *s.* e *adj.* arábico; língua árabe.
gum arabic — goma-arábica.
arabist ['ærəbist], *s.* arabista.
arable ['ærəbl], *adj.* arável, cultivável.
arachnid [ə'ræknid], *s.* (zool.) aracnídeo.
arachnoid [ə'æknɔid], *s.* (anat.) aracnóide, meninge média.
araucaria ['ærɔ:'kεəriə], *s.* (bot.) araucária.
arbiter ['ɑ:bitə], *s.* árbitro.
arbitrage **1** — ['ɑ:bitridʒ], *s.* arbitragem.
2 — ['ɑ:bi'trɑ:dʒ], *s.* arbitragem, negócio com letras de câmbio ou mercadorias, para obter preços mais vantajosos.
arbitral ['ɑ:bitrəl], *adj.* arbitral.
arbitrarily ['ɑ:bitrərili], *adv.* arbitrariamente.
arbitrariness ['ɑ:bitrərinis], *s.* arbitrariedade, despotismo.
arbitrary ['ɑ:bitrəri], *adj.* arbitrário; despótico; caprichoso; absoluto. (*Sin.* dictatorial, despotic; capricious; unrestrained; autocratic. *Ant.* just.)
arbitrate ['ɑ:bitreit], *vt.* arbitrar, julgar; determinar, dar por sentença.
arbitration ['ɑ:bi'treiʃən], *s.* arbitragem.
arbitrationist [-ist], *s.* partidário do sistema de arbitragem.
arbitrator ['ɑ:bitreitə], *s.* arbitrador, árbitro; medianeiro.
arbitress ['ɑ:bitris], *s.* arbitradora; medianeira; senhora absoluta.
arbor **1** — ['ɑ:bɔ:], *s.* árvore.
Arbor Day — festa da árvore.
2 — ['ɑ:bə], *s.* eixo de máquina; árvore (peça principal de uma roda); veio.
arboraceous [ɑ:bə'reiʃəs], *adj.* arbóreo.
arboreal [ɑ:'bɔ:riəl], *adj.* arbóreo.
arboreous [ɑ:'bɔ:riəs], *adj.* arbóreo.
arborescence [ɑ:bə'resns], *s.* arborescência.
arborescent ['ɑ:bə'resnt], *adj.* arborescente.
arborescently [-li], *adv.* de modo arborescente.
arboretum [ɑ:bə'ri:təm], *s.* viveiro de árvores.
arboricultural [ɑ:bəri'kʌltʃərəl], *adj.* relativo à arboricultura.
arboriculture ['ɑ:bərikʌltʃə], *s.* arboricultura.
arboriculturist ['ɑ:bəri'kʌltʃərist], *s.* arboricultor.
arborization [ɑ:borai'zeiʃən], *s.* arborização; ramificação dos veios de certos minerais.
arbor-vitae ['ɑ:bə'vaiti], *s.* nome de várias plantas vivazes.
arbour ['ɑ:bə], *s.* caramanchão, caramanchel.
arbute ['ɑ:bjut], *s.* medronheiro.
arbutes [ɑ:'bju:tiz], *s. pl.* de **arbutus.**
arbutus [ɑ:'bju:təs], *s.* arbuto, género de plantas a que pertence o medronheiro; flor-de-maio.

arc [ɑ:k], *s.* arco; arco de círculo, segmento de círculo.
voltaic arc — arco voltaico.
arcade [ɑ:'keid], *s.* arcada.
Arcadia [ɑ:'keidjə], *top.* Arcádia.
arch [ɑ:tʃ], **1** — *s.* arco, abóbada.
arch-stone — chave da abóbada.
crown of arch — fecho de arco.
pointed arch — arco ogival, ogiva.
springing of arch — nascença de arco.
depressed arch — arco abatido.
2 — *adj.* astuto, malicioso; inquieto; travesso.
3 — *vt.* e *vi.* arquear, abobadar, dar a forma de arco; arquear-se.
4 — *pref.* (seguido de hífen) — grande; superior.
arch-enemy — o grande inimigo, Satanás.
archaeologic(al) [ɑ:kiə'lɔdʒik(əl)], *adj.* arqueológico.
archaeologically [-əli], *adv.* arqueologicamente.
archaeologist [ɑ:ki'ɔlədʒist], *s.* arqueólogo.
archaeology [ɑ:ki'ɔlədʒi], *s.* arqueologia.
archaic [ɑ:'keiik], *adj.* arcaico, antiquado.
archaism ['ɑ:keiizm], *s.* arcaísmo.
archaist ['ɑ:keist], *s.* arcaísta.
archaize ['ɑ:keiaiz], *vt.* e *vi.* arcaizar, usar arcaísmos.
archangel ['ɑ:k'eindʒəl], *s.* arcanjo.
archangelic ['ɑ:kein'dʒelik], *adj.* arcangélico.
archbishop ['ɑ:tʃbiʃəp], *s.* arcebispo.
archbishopric [-rik], *s.* arcebispado.
archdeacon [ɑ:tʃ'di:kən], *s.* arcediago.
archdeaconry [-ri], *s.* arcediagado; residência de arcediago.
archdiocese ['ɑ:tʃdaiəsis], *s.* arquidiocese.
archducal ['ɑ:tʃ'dju:kəl], *adj.* arquiducal.
archduchess ['ɑ:tʃ'dʌtʃis], *s.* arquiduquesa.
archduchy ['ɑ:tʃ'dʌtʃi], *s.* arquiducado.
archduke [ɑ:tʃ'dju:k], *s.* arquiduque.
archdukedom [ɑ:tʃ'dju:kdəm], *s.* arquiducado.
arch-enemy ['ɑ:tʃ'enimi], *s.* o grande inimigo, Satanás, o Demónio.
archer ['ɑ:tʃə], *s.* besteiro, frecheiro, archeiro, arqueiro, sagitário; (astr.) Sagitário.
archery ['ɑ:tʃəri], *s.* arte de atirar setas, tiro ao arco.
archetype ['ɑ:kitaip], *s.* arquétipo; protótipo.
archfiend ['ɑ:tʃ'fi:nd], *s.* o Demónio.
archidiaconal ['ɑ:kidai'ækənl], *adj.* pertencente ou relativo a arcediago.
archiepiscopacy ['ɑ:kii'piskəpəsi], *s.* arcebispado.
archiepiscopal ['ɑ:kii'piskepəl], *adj.* arquiepiscopal.
archiepiscopate ['ɑ:kii'piskəpeit], *s.* arcebispado.
Archimedean [ɑ:ki'mi:djən], *adj.* de Arquimedes.
Archimedes [ɑ:ki'mi:di:z], *n. p.* Arquimedes.
arching ['ɑ:tʃiŋ], **1** — *s.* curvatura.
2 — *adj.* em arco, arqueado; curvo.
archipelago [ɑ:ki'peligou], *s.* arquipélago.
architect ['ɑ:kitekt], *s.* arquitecto.
architectonic [ɑ:kitek'tɔnik], *adj.* arquitectónico.
architectonics [-s], *s.* arquitectónica, ciência da arquitectura.
architectural [ɑ:ki'tektʃərəl], *adj.* arquitectural.
architecture ['ɑ:kitektʃə], *s.* arquitectura.
architrave ['ɑ:kitreiv], *s.* arquitrave, parte do entablamento que assenta sobre os capitéis das colunas.
archive(s) ['ɑ:kaiv(z)] *s.* arquivo.
archivist ['ɑ:kivist], *s.* arquivista.
archly ['ɑ:tʃli], *adv.* maliciosamente; jocosamente.

archness ['ɑ:tʃnis], *s.* travessura; malícia.
arch-priest ['ɑ:tʃ'pri:st], *s.* arcipreste.
archsee [ɑ:tʃ'si:], *s.* arquidiocese.
archway ['ɑ:tʃwei], *s.* passagem abobadada.
archwise ['ɑ:tʃwaiz], *adj.* em forma de arco.
arctic ['ɑ:ktik], *adj.* árctico.
arcuate(d) ['ɑ:kjuit(id)], *adj.* arqueado.
ardency ['ɑ:dənsi], *s.* ardência, ardor, fogosidade; ânsia; veemência, vivacidade; paixão.
ardent ['ɑ:dənt], *adj.* ardente, fogoso; veemente, vivo, fervoroso, apaixonado.
ardently [-li], *adv.* ardentemente; vivamente; apaixonadamente.
ardour ['ɑ:də], *s.* ardor, calor; fervor; paixão; veemência; zelo.
arduous ['ɑ:djuəs], *adj.* árduo, difícil, custoso; laborioso; penoso; escarpado. (*Sin.* hard, difficult, laborious; steep. *Ant.* easy.)
an arduous task — uma tarefa difícil.
arduously [-li], *adv.* arduamente, dificilmente, penosamente, a custo.
arduousness [-nis], *s.* dificuldade, arduosidade.
are 1 — [ɑ:], *s.* are (medida = 100 m2).
2 — [ɑ:, ɑ, ə, r], forma do pres. do ind. do v. **to be**, correspondente aos pronomes *we, you, they.*
area ['εəriə], *s.* área; superfície; extensão; região; zona.
areca ['ærikə], *s.* (bot.) areca, palmeira da Índia.
arena [ə'ri:nə], *s.* arena.
arenaceous [æri'neiʃəs], *adj.* arenáceo.
aren't [ɑ:nt], forma contraída de **are not.**
areola [æ'rioulə], *s.* aréola.
areometer [æri'ɔmitə], *s.* areómetro.
areometry [æri'ɔmitri], *s.* areometria.
Areopagite [æri'ɔpəgait], *s.* areopagita, membro do Areópago (antigo tribunal ateniense).
areopagitic [æriɔpə'dʒitik], *adj.* areopagítico.
Areopagus [æri'ɔpəgəs], *s. p.* Areópago (antigo tribunal ateniense); assembleia de sábios, magistrados, etc.
Arethusa [æri'θju:zə], *n. p.* Aretusa.
argand ['ɑ:gænd], *s.* lâmpada ou candeeiro com torcida cilíndrica; bico de gás cilíndrico.
argent ['ɑ:dʒənt], **1** — *s.* argento, prata usada em escudos.
2 — *adj.* argênteo, prateado.
argentiferous [ɑ:dʒən'tifərəs], *adj.* argentífero, que contém prata.
Argentina [ɑ:dʒən'ti:nə], *top.* Argentina, país da América do Sul.
Argentine ['ɑ:dʒəntain], *s.* e *adj.* argentino.
argentine ['ɑ:dʒəntain], *adj.* argentino, argênteo, prateado.
argil ['ɑ:dʒil], *s.* argila.
argillaceous ['ɑ:dʒi'leiʃəs], *adj.* argiloso.
argol ['ɑ:gɔl], *s.* tártaro (de vinho).
Argolis ['ɑ:gəlis], *top.* Argólida.
argon ['ɑ:gɔn], *s.* árgon, corpo gasoso que faz parte da atmosfera.
Argonaut ['ɑ:gənɔ:t], *s.* argonauta; navegador ousado; (zool.) náutilo, molusco cefalópode.
argosy ['ɑ:gəsi], *s.* carraca, embarcação antiga.
argot ['ɑ:gou], *s.* calão, gíria.
arguable ['ɑ:gjuəbl], *adj.* disputável; discutível; impugnável.
argue ['ɑ:gju:], *vt.* e *vi.* argumentar; discutir, disputar, debater; discorrer; provar, indicar. (*Sin.* to discuss, to debate, to dispute, to reason.)
arguer ['ɑ:gjuə], *s.* argumentador, pessoa que discute.
argument ['ɑ:gjumənt], *s.* argumento; debate, discussão; raciocínio; tese; resumo, sumário de uma obra.
argumentation ['ɑ:gjumen'teiʃən], *s.* argumentação; raciocínio; discussão, debate.
argumentative [ɑ:gju'mentətiv], *adj.* argumentativo; disposto a argumentar; lógico.
argumentatively [-li], *adv.* com argumentos.
argumentativeness [-nis], *s.* raciocínio, demonstração lógica.
Argus ['ɑ:gəs], *s. p.* Argos; guarda vigilante; personagem fabulosa, com cem olhos.
Argus-eyed — vigilante, guardião atento.
argyrol [ɑ:'dʒairəl], *s.* argirol, peptonato de prata.
aria ['ɑ:riə], *s.* (mús.) ária.
Arian ['εəriən], *s.* e *adj.* ariano.
Arianism [-izm], *s.* arianismo.
arianize [-aiz], *vt.* arianizar, criar adeptos do arianismo.
arid ['ærid], *adj.* árido, seco, estéril; fastidioso.
aridity [æ'riditi], *s.* aridez, secura.
aridly ['æridli], *adv.* aridamente, com aridez.
aridness ['æridnis], *s.* aridez, secura.
ariel ['εəriəl], *s.* (zool.) espécie de gazela da África e da Ásia.
Ariel ['εəriəl], *n. p.* Ariel.
Aries ['εəri:z], *s.* Áries, uma das constelações do Zodíaco.
aright [ə'rait], *adv.* bem, acertadamente.
to set aright — emendar, rectificar, corrigir.
Arimathea [ærimə'θiə], *top.* Arimateia.
Arion [ə'raiən], *n. p.* Arião.
arise [ə'raiz], *vi.* (pret. **arose**; *pp.* **arisen**) surgir, aparecer; originar-se; levantar-se; notar-se; apresentar-se; resultar, provir de. (*Sin.* to result, to issue, to be born.)
arista ['æristə], *s.* pragana (das espigas.)
Aristarch(us) ['ærist'ɑ:k(əs)], *n. p.* Aristarco.
Aristides [æris'taidi:z], *n. p.* Aristides.
aristocracy [æris'tɔkrəsi], *s.* aristocracia.
aristocrat ['æristəkræt], *s.* aristocrata.
aristocratic [æristə'krætik], *adj.* aristocrático.
aristocratically [-əli], *adv.* aristocraticamente.
Aristophanes [æris'tɔfəni:z], *n. p.* Aristófanes.
Aristotelian [æristɔ'ti:ljən], *adj.* aristotélico, de Aristóteles; discípulo de Aristóteles.
Aristotle ['æristɔtl], *n. p.* Aristóteles.
arithmetic [ə'riθmətik], *s.* aritmética.
arithmetical [æriθ'metikal], *adj.* aritmético.
arithmetically [-əli], *adv.* aritmèticamente.
arithmetician [əriθmə'tiʃən], *s.* aritmético, perito em aritmética.
arithmograph ['æriθmɔgræf], *s.* aritmógrafo.
arithmometer [æriθ'mɔmitə], *s.* aritmómetro.
ark [ɑ:k], *s.* arca.
Noah's Ark — Arca de Noé.
Ark of Testimony — Arca das tábuas da Lei dos Judeus; Arca da Aliança.
Ark of the Covenant — Arca da Aliança.
arm [ɑ:m], **1** — *s.* braço; ramo de árvore; braço de mar; braço de âncora; poder, força, autoridade; arma; braço de balança; braço de alavanca; *pl.* armas; brasão, escudo; serviço militar; hostilidade.
with folded arms — de braços cruzados.
arm-in-arm — de braço dado.
with open arms — de braços abertos, cordialmente.
to welcome with open arms — receber de braços abertos.
to keep at arm's length — conservar-se a distância; evitar familiaridades com alguém.
infant in arms — criança de colo.
arm-chair — cadeira de braços.
arm-pit — axila, sovaco.
arm-hole — cava da manga.
to lay down arms — cessar hostilidades; depor as armas.
in arms — armado.
under arms — equipado para o combate.
fire-arms — armas de fogo.

up in arms — pronto para a luta; zangado.
Pile arms! — ensarilhar armas!
Present arms! — apresentar armas!
to arms! — às armas!
by force of arms — à mão armada.
small arms — armas portáteis.
to call to arms — chamar às fileiras.
to bear arms — prestar serviço militar.
2 — *vt.* e *vi.* armar, equipar; armar-se, equipar-se.
armed to the teeth — armado até aos dentes.

armada [ɑ:'mɑ:də], *s.* armada.
armadillo [ɑ:mə'dilou], *s.* armadilho, género de mamíferos da ordem dos tatus; género de crustáceos.
Armageddon [ɑ:mə'gedn], *s.* luta ou conflito importante entre nações.
armament [ɑ:məmənt], *s.* armamento.
armature ['ɑ:mətjuə], *s.* armadura; peça que une os pólos de um magnete.
arm-band [ɑ:m-bænd], *s.* braçadeira.
arm-chair ['ɑ:mtʃɛə], *s.* cadeira de braços, poltrona.
armed ['ɑ:md], *adj.* armado; com braços.
long-armed — de braços compridos.
Armenia [ɑ:'mi:njə], *top.* Arménia.
Armenian [ɑ:'mi:njən], *s.* e *adj.* arménio; arménico.
Armenian bole — bolo-arménio.
Armenian stone — carbonato azul de cobre.
armful ['ɑ:mful], *adj.* braçada.
arm-hole ['ɑ:mhoul], *s.* cava (da manga).
armiger ['ɑ:midʒə], *s.* pajem, escudeiro; armígero, armífero.
armillary ['ɑ:miləri], *adj.* armilar.
armillary sphere — esfera armilar.
armistice ['ɑ:mistis], *s.* armistício.
armless ['ɑ:mlis], *adj.* sem braços; desarmado.
armlet ['ɑ:mlit], *s.* braçal, braçadeira; pequeno braço de mar; angra ou enseada pequena.
armorial [ɑ:'mɔ:riəl], *s.* e *adj.* armorial; heráldico.
armorial bearings — brasão de armas.
armory ['ɑ:məri], *s.* heráldica; depósito de armas; arsenal.
armour ['ɑ:mə], **1** — *s.* armadura, couraça; cobertura de animais ou plantas; insígnia heráldica.
armour-plated — blindado.
armour-bearer — escudeiro.
suit of armour — armadura completa.
2 — *vt.* couraçar; munir de armadura.
armoured [-d], *adj.* blindado.
armoured cruiser — cruzador blindado.
armoured motor-car — automóvel blindado.
armoured cable — cabo armado (eléctrico).
armourer [-rə], *s.* armeiro; espingardeiro.
armouring [-riŋ], *s.* blindagem.
armour-plate [-pleit], *s.* chapa de blindagem.
armoury [-ri], *s.* armeiro; arsenal; armaria.
armozeen [ɑ:mo'zi:n], *s.* tafetá.
armpit ['ɑ:mpit], *s.* axila, sovaco.
army ['ɑ:mi], *s.* exército; hoste, multidão.
army-list — ordem do exército.
army contractor — fornecedor do exército.
army service corps — administração militar.
standing army — exército activo ou permanente.
army-corps — principal divisão de um exército; corpo de exército.
arnica ['ɑ:nikə], *s.* arnica.
aroma [ə'roumə], *s.* aroma.
aromatic [ærou'mætik], *s.* e *adj.* aromático, odorífero, fragrante.
aromatize [ə'roumətaiz], *vt.* aromatizar.
arose [ə'rouz], *pret.* do *v.* **to arise.**
around [ə'raund], *adv.* e *prep.* em volta de, em redor de, em torno de; cerca de, aproximadamente.
arousal [ə'rauzəl], *s.* despertar.
arouse [ə'rauz], *vt.* e *vi.* despertar; excitar, estimular; sacudir; animar, activar. (*Sin.* to stir; to awaken; to excite; to stimulate.)
to arouse envy — despertar ou causar inveja.
arpeggio [ɑ:'pedʒiou], **1** — *s.* arpejo.
2 — *vt.* e *vi.* arpejar.
arquebus ['ɑ:kwibəs], *s.* arcabuz, espingarda antiga.
arquebusier [-'iə], *s.* arcabuzeiro, armado de arcabuz; fabricante de arcabuzes.
arrack ['ærək], *s.* araca, aguardente de palma.
arraign [ə'rein], *vt.* processar; acusar; levar para juízo.
arraigner [-ə], *s.* acusador (num processo criminal).
arraignment [-mənt], *s.* processo criminal; acusação.
arrange [ə'reindʒ], *vt.* e *vi.* arranjar, dispor; ordenar, pôr em ordem; aprontar, preparar, fazer preparativos; planear; orientar; harmonizar; combinar; arranjar-se, quebrar-se; compor-se.
to arrange for — providenciar.
I was arranging to leave — dispunha-me a partir.
arrangement [-mənt], *s.* arranjo; disposição; preparativo; adaptação; concordância; ajuste, acordo; combinação; classificação; harmonização; (mús.) arranjo. (*Sin.* disposition; plan; preparation; management.)
to make a reciprocal arrangement — tomar disposições recíprocas.
arrangement with the creditors — acordo com os credores.
arrangement for the piano — arranjo para piano.
to come to an arrangement — entrar num acordo.
arrant ['ærənt], *adj.* consumado, completo; chapado; vergonhoso; notório; descarado.
an arrant knave — um velhaco consumado.
an arrant fool — um tolo chapado.
an arrant liar — um mentiroso descarado.
arrantly [-li], *adv.* notoriamente; descaradamente; vergonhosamente.
arras ['ærəs], *s.* pano de arrás.
array [ə'rei], **1** — *s.* ordem, disposição (de batalha); exibição, exposição; aparato; fila, fileira; vestido; adorno, ornamento; atavio; classificação de jurados. (*Sin.* arrangement, order, disposition; show, display; dress.)
2 — *vt.* pôr em ordem de batalha; dispor; guarnecer, ataviar, ornar, ornamentar; classificar os jurados.
arrayment [-mənt], *s.* ordem de batalha; adorno; atavio; preparativo, disposição.
arrear [ə'riə], *s.* traseira, a parte de trás; *pl.* atrasos (dinheiro).
to be in arrears — andar em atraso (com pagamentos).
arrearage [-ridʒ], *s.* atrasos (em pagamentos), débitos atrasados; atraso.
arrest [ə'rest], **1** — *s.* prisão; arresto; embargo; penhora; interrupção. (*Sin.* seizure, catch, stoppage, capture, imprisonment; apprehension).
under arrest — sob, debaixo de prisão.
2 — *vt.* prender; arrestar; embargar; interromper, suspender.
arrester [-ə], *s.* o que prende ou arresta; embargante.
arrestment [-mənt], *s.* prisão, arresto.
arrhythmia [ə'riθmiə], *s.* arritmia.

arrival [ə'raivəl], *s.* chegada, vinda; arribada.
arrival at a place — chegada a um lugar.
arrival in a country — chegada a um país.
a new arrival — um recém-chegado.
arrive [ə'raiv], *vi.* chegar; vir; arribar; surgir; suceder, acontecer; conseguir. (*Sin.* to come, to reach, to attain.)
he arrived in Paris — ele chegou a Paris.
to arrive at a conclusion — chegar a uma conclusão.
arrogance ['ærəgəns], *s.* arrogância, altivez.
arrogancy [-i], *s.* ver **arrogance.**
arrogant ['ærəgənt], *adj.* arrogante, altivo, soberbo.
arrogantly [-li], *adv.* de modo arrogante, com altivez, arrogantemente, altivamente.
arrogate ['ærougeit], *vi.* arrogar-se, apropriar-se de; atribuir-se o direito ou a faculdade de; reclamar em vez de outrem; vangloriar-se.
arrogation [ærougeiʃən], *s.* arrogação.
arrow ['ærou], *s.* flecha, seta.
arrow-head — ponta de seta.
arrowroot ['ærəru:t], *s.* araruta.
arrowy ['ærouі], *adj.* sagitado, em forma de seta.
arse [ɑ:s], *s.* (coloq.) traseiro, rabo.
arsenal ['ɑ:sinl], *s.* arsenal.
arsenate ['ɑ:sinit], *s.* arseniato.
arseniate [ɑ:'senieit], *s.* arseniato.
arsenic 1 — ['ɑ:snik], *s.* arsénico.
2 — [ɑ:'senik], *adj.* arseniado.
arsenical [-əl], *adj.* arseniado.
arsenious [ɑ:'si:njəs], *adj.* arsenioso.
arsenite ['ɑ:sinait], *s.* arsenito.
arses ['ɑ:si:z], *s. pl.* de **arsis.**
arsis ['ɑ:sis], *s.* ársis, arse, sílaba acentuada; (mús.) tempo forte.
arson ['ɑ:sn], *s.* fogo posto.
art [ɑ:t], **1** — *s.* arte; habilidade; astúcia; capacidade.
fine arts — belas-artes.
Academy of Arts — Academia ou Escola de Belas-Artes.
graphic arts — artes gráficas.
black art — magia negra.
arts and crafts — artes e ofícios.
art for art's sake — arte pela arte.
art exhibition — exposição de arte.
Bachelor of Arts; Master of Arts — títulos universitários ingleses. Abrev. **B. A.**; **M. A.**
2 — forma do v. **to be** (2.ª pess. do sing. do pres. do ind.), usada só em poesia, no estilo bíblico ou entre os «Quakers» (seita religiosa).
Artemisia [ɑ:tim'iziə], *n. p.* Artemísia.
arterial [ɑ:'tiəriəl], *adj.* arterial.
arterialization [-ai'zeiʃən], *s.* arterialização.
arterialize [-aiz], *vt.* arterializar.
arteries ['ɑ:təriz], *s. pl.* de **artery.**
arteriole [ɑ:'terioul], *s.* arteríola.
arteriosclerosis [ɑ:'tiəriouskliə'rousis], *s.* arteriosclerose.
arteritis [ɑ:tə'raitis], *s.* arterite.
artery ['ɑ:təri], *s.* artéria; grande via de comunicação.
artesian [ɑ:'ti:zjən], *adj.* artesiano.
artesian well — poço artesiano.
artful ['ɑ:tful], *adj.* artificioso; engenhoso, astuto, manhoso; destro; finório. (*Sin.* cunning, crafty, deceitful, tricky.)
artfully [-i], *adv.* artificiosamente, astutamente; habilidosamente.
artfulness [-nis], *s.* artifício; astúcia; habilidade; esperteza.
arthritic [ɑ:'θritik], *s.* e *adj.* artrítico.
arthritis [ɑ:'θraitis], *s.* artrite.
arthritism ['ɑ:θritizm], *s.* artritismo.
arthropod ['ɑ:θropɔd], *s.* artrópode.
Arthur ['ɑ:θə], *n. p.* Artur.
Arthurian [ɑ:'θjuəriən], *adj.* arturiano; relativo ao rei Artur.
artichoke ['ɑ:titʃouk], *s.* alcachofra.
Jerusalem artichoke — (bot.) topinambo bata-teiro.
article ['ɑ:tikl], **1** — *s.* artigo; objecto, coisa; cláusula; assunto; composição literária; ponto de doutrina; *pl.* mercadorias; rol de equipagem (náut.).
leading article — artigo de fundo (num jornal, revista, etc.).
articles for consumption — géneros de consumo.
small articles — miudezas.
definite article — artigo definido.
indefinite article — artigo indefinido.
articles of compartnership — contrato de sociedade.
article writer — articulista.
prime article — artigo (produto) de primeira; (col.) mulher atraente.
2 — *vt.* articular; expor em artigos; contratar; acusar.
to article an apprentice — pôr como aprendiz.
articular [ɑ:'tikjulə], *adj.* articular.
articulate 1 — [ɑ:'tikjuleit], *vt.* e *vi.* articular, unir pelas articulações; pronunciar claramente, falar claramente; deduzir.
2 — [ɑ:'tikjulit], *adj.* articulado.
articulately [-li], *adv.* claramente, distintamente; articuladamente; por (meio de) artigos; artigo por artigo.
articulateness [-nis], *s.* clareza, nitidez; pronúncia clara; qualidade de ser articulado.
articulation [ɑ:tikju'leiʃən], *s.* articulação.
articulator [ɑ:'tikjuleitə], *s.* articulante.
articulatory [-ri], *s.* articulatório.
artifact ['ɑ:tifækt], *s.* artefacto.
artifice ['ɑ:tifis], *s.* artifício, engenho, engenhoca, estratagema, habilidade; engano, fraude, dolo. (*Sin.* device, contrivance, skill, trickery, deceit, stratagem.)
artificer [ɑ:'tifisə], *s.* artífice; inventor.
artificial [ɑ:ti'fiʃəl], *adj.* artificial; produzido por arte; simulado; falso.
artificial flowers — flores artificiais.
artificial ice — gelo artificial.
artificial manure — adubo(s) químico(s).
artificiality [ɑ:tifiʃi'æliti], *s.* artificialidade, artificialismo; artifício; arte; artimanha; aparência.
artificialize [ɑ:ti'fiʃəlaiz], *vt.* artificializar, tornar artificial; estilizar.
artificially [ɑ:ti'fiʃəli], *adv.* artificialmente.
artificialness [ɑ:ti'fiʃəlnis], *s.* artificialidade.
artillerist [ɑ:'tilərist], *s.* artilheiro.
artillery [ɑ:'tiləri], *s.* artilharia.
artillery-man — artilheiro.
light artillery — artilharia ligeira.
artillery fire — fogo de artilharia.
field artillery — artilharia de campanha.
artillery-park — parque de artilharia.
mountain artillery — artilharia de montanha.
artisan [ɑ:ti'zæn], *s.* artífice, artesão, operário.
artist ['ɑ:tist], *s.* artista, pessoa que cultiva as «belas-artes».
artiste [ɑ:'ti:st], *s.* artista, cantor ou dançarino profissional.
artistic [ɑ:'tistik], *adj.* artístico; belo; feito com arte.
artistical [-əl], *adj.* ver **artistic.**
artistically [-əli], *adv.* artisticamente, com arte.
artistry ['ɑ:tistri], *s.* carreira artística; capacidade artística; habilidade, arte particular.

artless ['ɑ:tlis], *s.* e *adj.* natural, simples; cândido, ingénuo; tosco, rude; inábil, sem arte. (*Sin.* natural, simple, unaffected, unskilful. *Ant.* artful.)
artlessly [-li], *adv.* com naturalidade, com simplicidade; ingenuamente; simplesmente.
artlessness [-nis], *s.* naturalidade, simplicidade; ingenuidade, candura.
arum ['ɛərəm], *s.* (bot.) arão, aro, jarro.
arum lily — jarro branco.
Aryan ['ɛəriən], *s.* e *adj.* ariano.
as [æs], *s.* asse (moeda de cobre romana).
as [æz, əz, z], *conj.*, *adv.*, *pron. rel.* como; tão; assim como; porque, pois, visto que; conforme; quando, enquanto, à medida que; que.
as... as — tão (tanto)... como.
as much... as — tanto... como.
as many... as — tantos... como.
as far as — até (no espaço).
as far as I know — pelo que eu sei.
as far as I am concerned — pelo que me diz respeito; quanto a mim.
as soon as — logo que, assim que.
as well — também, igualmente, do mesmo modo.
as yet — ainda; até ao presente.
as regards — no que respeita.
as follows — como segue.
as I live! — por minha vida!
as long as — enquanto; desde que, se.
as if — como se.
as though — como se.
as usual — como de costume.
as you please — como quiser.
as you like it — ao vosso (seu) gosto; como quiser.
as often — outras tantas vezes.
as it were — por assim dizer.
as a friend — como amigo.
as I am informed — segundo me informaram.
as for — pelo que respeita a.
as to — pelo que respeita a.
as I was reading — enquanto eu lia.
as well as — bem como, assim como, tanto como; e.
as early as — já.
as early as 1920 — já em 1920.
as long ago as — vd. *as early as.*
as far back as — vd. *as early as.*
you are as good as he — és tão bom como ele.
as white as a sheet — branco como a cal da parede.
as he spoke — enquanto (à medida que) ele falava.
as for me — quanto a mim.
I thought as much — assim julguei, foi o que eu pensei.
not so... as — não tão... como.
it is not so easy as you think — não é tão fácil como pensas.
rich as a Jew — podre de rico.
to serve as a guide — servir de guia.
will you be so kind as to come? — **quer ter a bondade de vir?**
the same... as — **o mesmo... que.**
that is the same man as I saw yesterday — **aquele é o mesmo homem que eu vi ontem.**
such as — tal (tais) como.
asafoetida [æsə'fetidə], *s.* (bot.) assa-fétida (planta umbelífera).
asbestos [æz'bestɔs], *s.* asbesto; amianto.
ascarides [æs'kæridi:z], *s. pl.* de **ascaris.**
ascaris ['æskəris], *s.* (zool.) ascáride, ascárida.
ascend [ə'send], *vt.* e *vi.* ascender, subir, elevar-se, trepar.
to ascend a river — subir um rio.
to ascend the throne — subir ao trono.
ascendance [ə'sendəns], *s.* ascendência, predomínio, ascendente, influência.
ascendancy [-i], *s.* ver **ascendance.**
ascendence [ə'sendəns], *s.* ver **ascendance.**
ascendency [-i], *s.* ver **ascendance.**
ascendant [ə'sendənt], *adj.* e *s.* ascendente, que sobe; predomínio, ascendência; poder, influência; antepassado.
ascendent [ə'sendənt], *s.* ver **ascendant.**
ascension [ə'senʃən], *s.* ascensão, subida.
Ascension [ə'senʃən], *s.* Ascensão (do Senhor).
Ascension-Day — dia da Ascensão.
ascensional [-l], *adj.* ascensional.
ascent [ə'sent], *s.* subida, elevação; rampa.
ascertain [æsə'tein], *vt.* indagar, averiguar; confirmar, verificar; descobrir.
ascertainable [-əbl], *adj.* averiguável; verificável.
ascertainment [-mənt], *s.* averiguação; confirmação, verificação.
ascetic [ə'setik], *adj.* ascético, contemplativo, místico, asceta.
ascetical [-əl], *adj.* ver **ascetic.**
ascetically [-əli], *adv.* asceticamente, misticamente.
asceticism [ə'setisizm], *s.* ascetismo.
ascorbic [əs'kɔ:bik], *adj.* ascórbico.
ascribable [əs'kraibəbl], *adj.* atribuível, imputável.
ascribe [əs'kraib], *vt.* imputar, atribuir; aplicar. (*Sin.* to attribute, to impute, to assign.)
ascription [əs'kripʃən], *s.* imputação, atribuição.
asepsis [æ'sepsis], *s.* assepsia.
aseptic [æ'septik], *s.* e *adj.* asséptico, que não causa infecção.
asepticize [ei'septisaiz], *vt.* assepsiar.
asexual [æ'seksjuəl], *adj.* assexuado, assexual.
asexuality [eiseksju'æliti], *s.* assexualidade.
ash [æʃ], **1** — *s.* cinza; (bot.) freixo; *pl.* restos mortais, cinzas.
as pale as ashes — pálido como um cadáver.
ash-tray — cinzeiro.
Ash-Wednesday — Quarta-Feira de Cinzas.
ash-coloured — cor de cinza.
to burn to ashes — reduzir a cinzas.
2 — *vt.* cobrir de cinza.
ashamed [ə'ʃeimd], *adj.* envergonhado.
to be ashamed of — ter vergonha de.
ashamedly [-li], *adv.* vergonhosamente.
ashamedness [-nis], *s.* vergonha.
ashen [æʃn], *adj.* de cinza; de freixo.
ashlar ['æʃlə], *s.* silhar, pedra para travação de paredes.
ashore [ə'ʃɔ:], *adv.* em terra; para terra.
to go (to get) ashore — desembarcar.
ash-pan [æʃ-pæn], *s.* caixote ou caldeira onde se junta a cinza da lareira ou da fornalha.
ashy ['æʃi], *adj.* de cinza; coberto de cinza; cinzento; pálido.
Asia ['eiʃə], *top.* Ásia.
Asia Minor [-'mainə] — Ásia Menor.
Asiatic [eiʃi'ætik], *s.* e *adj.* asiático.
aside [ə'said], **1** — *s.* aparte; interrupção.
2 — *adv.* de parte, à parte, de lado; ao lado; a um lado; em particular; separadamente.
to set aside — pôr de lado, pôr de parte; anular uma sentença.
to lay aside — pôr de parte, deixar de fazer.
to speak aside — falar à parte, em particular.
asinine ['æsinain], *adj.* asinino.
ask **1** — [æsk], *s.* (zool.) tritão.
2 — [ɑ:sk], *vt.* perguntar, interrogar; pedir; convidar; exigir. (*Sin.* to question, to inquire, to demand, to request.)
to ask for — pedir (qualquer coisa); perguntar por.

to ask a person to — convidar uma pessoa para.
to ask after — perguntar por; indagar, informar-se.
to ask somebody in — mandar entrar alguém, convidar alguém a entrar.
to ask a question — fazer uma pergunta.
to ask a favour — pedir um favor.
«ask and you will know» — «quem tem boca vai a Roma».
to be asked in church — correrem os banhos de alguém para casamento.
to ask about — pedir informações sobre.
askance [əs'kæns], *adv.* de soslaio, de esguelha; com desdém; desconfiadamente.
askant [əs'kænt], *adv.* ver **askance.**
askew [əs'kju:], *adv.* de lado, de esguelha, obliquamente.
to look askew — olhar de lado, de esguelha.
asking ['ɑ:skiŋ], *s.* interrogação, pergunta; pedido; petição.
aslant [ə'slɑ:nt], *adv.* e *prep.* de través, obliquamente.
asleep [ə'sli:p], *adj.* adormecido; dormente; a dormir.
to fall asleep — adormecer.
to be asleep — estar a dormir.
fast asleep — a sono solto, a dormir profundamente.
my foot is asleep — tenho um pé dormente.
aslope [ə'sloup], *adv.* em declive, a descer; de lado, de través.
asp [æsp, ɑ:sp], *s.* áspide (pequena serpente venenosa); (bot.) faia preta.
asparagus [əs'pærəgəs], *s.* espargo.
asparagus-bed — espargueira.
aspect ['æspekt], *s.* aspecto; vista, olhar; expressão; perspectiva; ar, semblante; aparência; disposição; orientação. (*Sin.* look, outlook, air, appearance, expression.)
to have a southern aspect — estar exposto (virado) ao sul.
aspen ['æspən], *s.* e *adj.* faia preta; de faia preta.
asperge [əs'pə:dʒ], *vt.* aspergir.
asperges [æs'pə:dʒiz], *s.* asperges.
aspergill(um) [æspə:'dʒil(əm)], *s.* hissope; (bot.) aspergilo.
asperities [æs'peritiz], *s. pl.* de **asperity.**
asperity [æs'periti], *s.* aspereza, severidade, rudeza; rigor, rigidez; desabrimento, acrimónia.
asperse [əs'pə:s], *vt.* aspergir; caluniar, difamar. (*Sin.* to besprinkle; to calumniate, to slur, to slander, to blemish.)
aspersion [əs'pə:ʃən], *s.* aspersão; calúnia, difamação.
aspersorium [æspə'sɔ:rjəm], *s.* caldeirinha de água benta.
asphalt ['æsfælt], **1** — *s.* asfalto.
2 — *vt.* asfaltar.
asphaltic [æs'fæltik], *adj.* asfáltico, de asfalto.
asphodel ['æsfədel], *s.* (bot.) asfódelo (planta liliácea).
asphyxia [æs'fiksiə], *s.* asfixia.
asphyxiate [æs'fiksieit], *vt.* asfixiar.
asphyxies, *s. pl.* de **asphyxy.**
asphyxy [æs'fiksi], *s.* asfixia.
aspic ['æspik], *s.* áspide; (bot.) aspídia; geleia de carnes, ovos, etc.
aspidistra [æspi'distrə], *s.* (bot.) aspidistra (planta ornamental de folha larga).
aspirant [əs'paiərənt, 'æspirənt], *s.* aspirante; pretendente.
aspirate **1** — ['æspərit], *s.* e *adj.* aspirado; consoante aspirada; o *h* aspirado.
the aspirates — os «hh» aspirados.
2 — ['æspəreit], *vt.* aspirar.
aspiration [æspə'reiʃən], *s.* aspiração, desejo veemente; acção de aspirar.
aspirator ['æspəreitə], *s.* aspirador.
aspire [əs'paiə], *vi.* aspirar, ambicionar, pretender; elevar-se, subir. (*Sin.* to long, to yearn, to desire; to mount up.)
to aspire after a thing — ambicionar uma coisa.
to aspire to have something — aspirar a ter alguma coisa.
aspirin ['æspərin], *s.* aspirina; comprimido de aspirina.
aspiring [əs'paiəriŋ], *s.* e *adj.* aspiração, ambição, desejo; ambicioso; que se eleva.
aspiringly [-li], *adv.* ambiciosamente.
asquint [ə'skwint], *adj.* e *adv.* vesgo; de esguelha, como um vesgo.
ass [ɑ:s, æs], **1** — *s.* burro, jumento; estúpido, pessoa estúpida.
she-ass — burra, jumenta.
an ass's legs — as pernas de um burro.
to make an ass of oneself — fazer figura de urso.
2 — *vi.* (seguido de *about*) (col.) fazer burrices, disparates.
assagai ['æsəgai], *s.* azagaia.
assail [ə'seil], *vt.* assaltar, atacar; saltear; investir, arremeter.
assailable [-əbl], *adj.* atacável; vulnerável.
assailant [-ənt], *s.* e *adj.* assaltante, atacante.
assailer [-ə], *s.* assaltante, atacante.
assassin [ə'sæsin], *s.* assassino.
assassinate [-eit], *vt.* assassinar.
assassination [əsæsi'neiʃən], *s.* assassínio, assassinato.
assassinator [ə'sæsineitə], *s.* assassino.
assault [ə'sɔ:lt], **1** — *vt.* assaltar, atacar, acometer; agredir.
2 — *s.* assalto, ataque, agressão; estupro.
to take by assault — tomar de assalto.
assaultable [-əbl], *adj.* assaltável, atacável.
assaulter [-ə], *s.* assaltante, agressor; salteador.
assay [ə'sei], **1** — *s.* análise; ensaio (de metais).
2 — *vt.* analisar; ensaiar (metais). (*Sin.* to test, to examine, to analyse, to try.)
assayer [-ə], *s.* ensaiador (de metais.)
assaying [-iŋ], *s.* processo de ensaiar metais; copelação.
assegai ['æsigai], *s.* azagaia.
assemblage [ə'semblidʒ], *s.* assembleia, reunião, multidão, grupo; colecção; (mec.) montagem.
assemble [ə'sembl], *vt.* e *vi.* reunir, convocar; reunir-se; (mec.) montar. (*Sin.* to gather, to collect, to convoke, to congregate.)
assemblies [-iz], *s. pl.* de **assembly.**
assembly [-i], *s.* assembleia, junta, concílio; reunião; conselho, câmara; (mec.) montagem; (mil.) toque de corneta a reunir tropas.
assembly-room — sala de reuniões; salão de festas; (mec.) secção de montagem.
assembly of councillors — junta administrativa.
National Assembly — Assembleia Nacional.
assenter [ə'sentə], *s.* aquele que consente; aquele que concorda.
assent [ə'sent], **1** — *s.* assentimento, consentimento; concordância; aquiescência; sanção; aprovação.
2 — *vi.* assentir, consentir, anuir; aprovar; concordar; sancionar. (*Sin.* to consent, to agree, to acquiesce, to approve. *Ant.* to dissent.)
assentient [ə'senʃjənt], *s.* que consente, que concorda ou aprova.
assert [ə'sə:t], *vt.* afirmar; manter, sustentar; declarar; reclamar, reivindicar.
to assert one's rights — defender os seus direitos.

assertable [-əbl], *adj.* sustentável; afirmável; declarável; reclamável.
assertion [ə'sə:ʃən], *s.* asserção, afirmação; defesa; reclamação, reivindicação.
assertive [ə'sə:tiv], *adj.* assertivo, afirmativo, peremptório.
assertively [-li], *adv.* assertivamente, afirmativamente, peremptoriamente.
assertiveness [-nis], *s.* asserção, afirmação; defesa; firmeza.
assertor [ə'sə:tə], *s.* afirmador; defensor, advogado.
assess [ə'ses], *vt.* taxar, lançar contribuições ou impostos, tributar, colectar; avaliar.
to assess damages — avaliar prejuízos.
assessed taxes — impostos directos.
assessable [-əbl], *adj.* sujeito a impostos, tributável, colectável; avaliável.
assessably [-əbli], *adv.* com imposto.
assessment [-mənt], *s.* taxa, contribuição, imposto, colecta; avaliação; valorização; comprovação.
assessor [-ə], *s.* assessor; avaliador; funcionário das Finanças que calcula os impostos e avalia.
asset ['æset], *s.* vantagem.
assets ['æsets], *s. pl.* activo de uma casa comercial; o «haver»; fundos; disponibilidades.
assets and liability — activo e passivo (com.).
real assets — bens de raiz.
personal assets — bens móveis.
to give over one's assets to the creditors — pôr os bens à disposição dos credores.
good health is a great assets — a saúde é um bem precioso.
liquid assets — disponibilidades líquidas.
asseverate [ə'sevəreit], *vt.* asseverar, afirmar.
asseveration [əsevə'reiʃən], *s.* asseveração, afirmação.
assibilate [ə'sibileit], *vt.* assibilar, tornar sibilante.
assibilation [əsibi'leiʃən], *s.* assibilação, acto de assibilar.
assiduity [æsi'dju:iti], *s.* assiduidade; zelo, aplicação; *pl.* **assiduities,** atenções, deferências.
assiduous [ə'sidjuəs], *adj.* assíduo; aplicado, diligente.
assiduously [-li], *adv.* assiduamente; diligentemente.
assiduousness [-nis], *s.* assiduidade.
assign [ə'sain], **1** — *vt.* designar, fixar; nomear; indicar; expor; atribuir; transferir; ceder; dividir, repartir. (*Sin.* to fix; to allot; to ascribe; to specify; to appoint.)
2 — *s.* delegado, mandatário.
assignable [-əbl], *adj.* transferível; nomeável.
assignat [æsin'jɑ:], *s.* assinado, papel-moeda no tempo da Revolução Francesa.
assignation [æsig'neiʃən], *s.* cessão; transferência; trespasse; cedência; citação; repartição; entrevista, encontro secreto e amoroso.
assignee [æsi'ni:], *s.* cessionário; síndico; administrador de falência.
assigner [ə'sainə], *s.* cessionista, comitente.
assignment [ə'sainmənt], *s.* cessão, transferência; atribuição; nomeação.
assignor [ə'sainə], *s.* cessionário, comitente.
assimilable [ə'similəbl], *adj.* assimilável.
assimilability [əsimilə'biliti], *s.* assimilabilidade.
assimilate [ə'simileit], *vt.* e *vi.* assimilar; assemelhar; assimilar-se; assemelhar-se.
assimilation [əsimi'leiʃən], *s.* assimilação; semelhança.
assimilative [ə'similətiv], *s.* assimilativo.
assimilator [ə'simileitə], *s.* assimilador.
assist [ə'sist], *vt.* e *vi.* ajudar, auxiliar, assistir; estar presente; patrocinar. (*Sin.* to aid, to help; to support; to attend.)
assistance [-əns], *s.* ajuda, auxílio, socorro, assistência.
assistant [-ənt], *s.* e *adj.* auxiliar, ajudante; assistente; praticante.
assistant-master — professor auxiliar.
assistant-professor — professor auxiliar.
shop assistant — empregado, caixeiro.
assize [ə'saiz], *s.* tabela, lei que determina o preço (do pão, da cerveja, etc.); *pl.* tribunal que se reune periodicamente nos diversos condados da Inglaterra.
great assize (last assize) — juízo final.
associability [əsouʃiə'biliti], *s.* associabilidade.
associable [ə'souʃjəbl], *adj.* associável.
associate 1 — [ə'souʃiit], *adj.* associado, sócio; ligado; companheiro, camarada.
2 — [ə'souʃieit], *vt.* e *vi.* associar, juntar, ligar; associar-se (a), ligar-se (a). (*Sin.* to join, to unite, to connect, to link.)
associateship [ə'souʃiitʃip], *s.* associação, ligação; situação de associado.
association [əsousi'eiʃən], *s.* associação; sociedade; ligação, conexão. (*Sin.* union, society; connection.)
association of ideas — associação de ideias.
deed of association — escritura de sociedade de responsabilidade limitada.
association football — futebol.
associationism [-izm], *s.* associacionismo.
associationist [-ist], *s.* associacionista.
associative [ə'souʃjətiv], *adj.* associativo.
assoil [ə'sɔil], *vt.* perdoar; absolver (de pecado).
assonance ['æsənəns], *s.* assonância.
assonant ['æsənənt], *adj.* assonante.
assonate ['æsouneit], *vt.* formar assonância(s).
assort [ə'sɔ:t], *vt.* e *vi.* ordenar, classificar, dispor; sortir, abastecer; harmonizar, quadrar; associar-se, ligar-se; andar com. (*Sin.* to classify; to sort; to arrange; to furnish; to associate with; to suit.)
assorted goods — mercadorias sortidas.
assortment [-mənt], *s.* classificação, ordenação, disposição; sortido; colecção.
Assouan [æsu'æn], *top.* Assuão.
assuage [ə'sweidʒ], *vt.* mitigar, acalmar, aliviar, suavizar, aplacar; satisfazer (apetite ou desejo).
assuagement [-mənt], *s.* alívio, mitigação, lenitivo, consolo; satisfação.
assumable [ə'sju:məbl], *adj.* assumptível.
assume [ə'sju:m], *vt.* e *vi.* assumir; presumir, supor; pretender; arrogar; atribuir-se, arrogar-se; simular. (*Sin.* to claim; to arrogate; to presume; to suppose; to pretend.)
assumed [-d], *adj.* suposto, fingido, falso; afectado.
assumed name — nome suposto; pseudónimo.
assumedly [-dli], *adv.* supostamente, fingidamente; afectadamente.
assuming [-iŋ], **1** — *s.* suposição.
2 — *adj.* pretensioso, afectado, presumido.
assumingly [-iŋli], *adv.* pretensiosamente, arrogantemente, presumidamente, de modo afectado.
assumption [ə'sʌmpʃən], *s.* suposição; afectação; acto de assumir; arrogância.
Assumption, *s. p.* Assunção de Nossa Senhora.
assumptive [ə'sʌmptiv], *adj.* assumptivo, hipotético; arrogante, pretensioso.
assurance [ə'ʃuərəns], *s.* segurança; certeza; confiança; firmeza; seguro (contra riscos); presunção; imprudência, descaro.
life-assurance — seguro de vida.
to make assurance double sure — ir pelo seguro.

assure [ə'ʃuə], *vt.* assegurar; afirmar; certificar; segurar (contra riscos); animar, encorajar.
to assure life — segurar a vida.
to rest assured — estar (ficar) certo, persuadido.
assured [-d], **1** — *s.* segurado.
2 — *adj.* certo, seguro.
assuredly [-dli], *adv.* sem dúvida, certamente, indubitavelmente.
assuredness [-dnis], *s.* certeza; confiança; segurança.
assurer [-rə], *s.* segurador; assegurador.
assuring [-riŋ], *adj.* seguro, que inspira confiança.
assuringly [-riŋli], *adv.* seguramente, com confiança.
Assyria [ə'siriə], *top.* Assíria.
Assyrian [-n], *s.* e *adj.* assírio, da Assíria.
Assyriologist [əsiri'ɔlədʒist], *s.* assiriólogo.
Assyriology [əsiri'ɔlədʒi], *s.* assiriologia, estudo da língua, história e antiguidades da Assíria.
aster ['æstə], *s.* áster.
asterisk ['æstərisk], *s.* asterisco.
astern [əs'tə:n], *adv.* (náut.) à ré, à popa; para a popa; para trás.
to go astern — ir à ré; andar à ré.
astern of the reckoning — com corrente contrária.
asternal [-əl], *adj.* asternal.
asternal ribs — costelas falsas e flutuantes.
asteroid ['æstərɔid], *s.* e *adj.* asteróide.
asthenia [æs'θi:njə], *s.* astenia.
asthenic [æs'θenik], *adj.* asténico.
asthenical [-əl], *adj.* asténico.
asthma ['æsmə], *s.* asma.
asthmatic [æs'mætik], *s.* e *adj.* asmático, que tem asma; eficaz contra a asma.
asthmatical [-əl], *adj.* asmático.
astigmatic [æstig'mætik], *adj.* astigmático.
astigmatism [æs'tigmətizm], *s.* astigmatismo, perturbação visual pela qual os raios luminosos partidos de um centro não se reúnem num ponto.
astir [ə'stə:], *adj.* e *adv.* em movimento, levantado da cama; agitadamente; activo; a pé.
astonish [əs'tɔniʃ], *vt.* surpreender, admirar, causar admiração, espantar, pasmar. (*Sin.* to surprise, to amaze, to stupefy.)
astonished [-t] *adj.* surpreendido, admirado, espantado, pasmado.
to be astonished at — estar admirado com.
astonishing [-iŋ], *adj.* espantoso, assombroso, admirável, surpreendente.
astonishingly [-iŋli], *adv.* espantosamente, assombrosamente, surpreendentemente.
astonishment [-mənt], *s.* espanto, admiração, assombro, pasmo.
astound [əs'taund], *vt.* espantar, aturdir, aterrar, assombrar; confundir.
astounding [-iŋ], *adj.* assombroso, espantoso, aterrador.
astraddle [ə'strædl], *adj.* escarranchado.
astragal ['æstrəgəl], *s.* astrágalo, moldura da parte superior de uma coluna; (mil.) astrágalo, filete em volta do canhão, junto à boca; cordão.
astragalus [æs'trægələs], *s.* (bot. e anat.) astrágalo.
astrakhan [æstrə'kæn], *s.* astracã (pele ou tecido).
astral ['æstrəl], *adj.* astral.
astray [əs'trei], *adj.* e *adv.* desviado; errado; perdido, extraviado.
to lead astray — desencaminhar.
to go astray — perder-se, extraviar-se; desorientar-se; tresmalhar-se.
astrictive [ə'striktiv], *adj.* adstringente.
astride [ə'straid], *adj.* e *adv.* escarranchado.
astringe [əs'trindʒ], *vt.* adstringir, apertar, comprimir; ligar; prender.
astringency [-ənsi], *s.* adstringência.
astringent [-ənt], *s.* e *adj.* adstringente; severo.
astringently [-əntli], *adv.* adstringentemente.
astrolabe ['æstrouleib], *s.* astrolábio.
astrologer [əs'trɔlədʒə], *s.* astrólogo.
astrologic [æstrə'lɔdʒik], *adj.* astrológico.
astrological [-əl], *adj.* astrológico.
astrologically [-əli], *adv.* astrologicamente.
astrology [əs'trɔlədʒi], *s.* astrologia.
astrometry [æs'trɔmitri], *s.* astrometria.
astronomer [əs'trɔnəmə], *s.* astrónomo.
astronomic [æstrə'nɔmik], *adj.* astronómico.
astronomical [-əl], *adj.* astronómico.
astronomically [-əli], *adv.* astronomicamente.
astronomy [əs'trɔnəmi], *s.* astronomia.
astrophysics [æstrou'fiziks], *s.* astrofísica.
astute [əs'tju:t], *adj.* astuto, astucioso; sagaz. (*Sin.* cunning, shrewd, sagacious, crafty.)
astutely [-li], *adv.* astutamente, com astúcia; sagazmente.
astuteness [-nis], *s.* astúcia; sagacidade.
asunder [ə'sʌndə], *adv.* separadamente; à parte; em pedaços.
to tear asunder — despedaçar.
asylum [ə'sailəm], *s.* asilo; albergue; refúgio; hospício.
asymmetric [æsi'metrik], *adj.* assimétrico.
asymmetrical [-əl], *adj.* assimétrico.
asymmetrically [-əli], *adv.* assimetricamente.
asymmetry [æ'simitri], *s.* assimetria.
asymptote ['æsimptout], *s.* assimptota (linha recta que se aproxima de uma curva, sem poder tocá-la).
asymptotic [æsimp'tɔtik], *adj.* assimptótico.
asymptotical [-əl], *adj.* assimptótico.
asyndeta [æ'sinditə], *s. pl.* de **asyndeton.**
asyndeton [æ'sinditən], *s.* assíndeto, supressão de conjunções.
at [æt, ət], *prep.* a; à; junto de; em; no; na; contra; por; de.
at home — em casa.
to feel at ease and at home — sentir-se completamente à vontade, como na própria casa.
at ease — à vontade, descansadamente.
at least — pelo menos; ao menos.
at best — quando muito, na melhor das hipóteses.
at most — quando muito.
at once — imediatamente, já; de repente; em seguida; ao mesmo tempo.
at the top — no cimo.
at length — finalmente.
at first — primeiro, primeiramente; ao princípio.
at last — por fim, por último.
at school — na escola.
at the door — à porta.
at a loss — perplexo; atrapalhado.
at the most — quando muito.
at the end — no fim.
at liberty — em liberdade.
at odds — em discussão.
at present — presentemente.
at work — a trabalhar; ocupado, atarefado; empregado.
at first sight — à primeira vista.
at hand — à mão, perto.
at war — em guerra.
at sea — no mar.
at any time — em qualquer ocasião.
at sight — à vista.
at dinner (lunch, breakfast) — ao jantar (almoço, pequeno-almoço).

at all events — suceda o que suceder; em todo o caso.
at the latest — o mais tardar.
at a distance — à distância.
at the window — à janela.
at that moment — naquele momento.
at that time — naquela ocasião, naquela época.
at all — absolutamente.
at night — à noite.
at one (two, three...) o'clock — à(s) uma (duas, três...) hora(s).
at times — às vezes, de vez em quando.
at one — em uníssono, juntamente.
what is he at? — que está ele a fazer?
to be at large — andar fugido, a monte, à solta.
at daggers drawn — pronto para a luta.
to arrive at a place — chegar a um lugar.
atavic [ə'tævik], *adj.* atávico.
atavism ['ætəvizm], *s.* atavismo.
ataxic [ə'tæksik], *adj.* atáxico.
ataxy [ə'tæksi], *s.* ataxia.
ate [et], *pret.* do verbo **to eat.**
atelier ['ætəliei], *s.* oficina.
Athanasius [æθə'neiʃəs], *n. p.* Atanásio.
atheism ['eiθiizm], *s.* ateísmo.
atheist ['eiθiist], *s.* ateu.
atheistic [eiθi'istik], *adj.* ateístico.
atheistical [-əl], *adj.* ateístico.
atheling ['æθiliŋ], *s.* nobre anglo-saxão.
athenaeum [æθi'ni:əm], *s.* ateneu.
Athens ['æθinz], *top.* Atenas.
athirst [ə'θə:st], *adj.* sequioso, sedento.
athlete ['æθli:t], *s.* atleta.
athletic [æθ'letik], *adj.* atlético.
athletical [-əl], *adj.* atlético.
athletically [-əli], *adv.* atleticamente.
athleticism [æθ'letisizm], *s.* atletismo.
athletics [æθ'letiks], *s.* atletismo.
at-home [ət 'houm], *s.* recepção (de visitas).
to give an at-home — dar uma recepção.
which is her at-home day? — a que dia é que ela recebe (visitas)?
athwart [ə'θwɔ:t], *prep.* e *adv.* através; de través; de um lado ao outro; transversalmente; contrariamente.
a-tilt [ə'tilt], *adv.* em riste.
to ride a-tilt — atacar de lança em riste.
a-tiptoe [ə'tiptou], *adv.* na ponta dos pés.
Atlantic [ət'læntik], *s.* e *adj.* atlântico; Atlântico.
Atlantic Ocean — oceano Atlântico.
atlas ['ætləs], *s.* atlas.
atmosphere ['ætməsfiə], *s.* atmosfera.
atmospheric [ætməs'ferik], *adj.* atmosférico.
atmospherical [-əl], *adj.* atmosférico.
atmospherically [-əli], *adv.* atmosfericamente.
atmospherics [-s], *s. pl.* ruídos atmosféricos (na rádio, etc.); perturbações atmosféricas; interferências.
atoll ['ætɔl], *s.* atol, ilhota de coral.
atom ['ætəm], *s.* átomo.
atom bomb — bomba atómica.
atom heat — calor atómico.
atomic weight — peso atómico.
atomic [ə'tɔmik], *adj.* atómico.
atomic bomb — bomba atómica.
atomic heat — calor atómico.
atomic weight — peso atómico.
atomical [ə'tɔmikəl], *adj.* atómico.
atomically [-i], *adv.* atomicamente.
atomicity [ætə'misiti], *s.* atomicidade.
atomism ['ætəmizm], *s.* atomismo.
atomist ['ætəmist], *s.* atomista.
atomization [ætəmai'zeiʃən], *s.* atomização.
atomize ['ætəmaiz], *vt.* atomizar, reduzir a átomos; pulverizar.
atomizer [-ə], *s.* pulverizador.
atone [ə'toun], *vt.* e *vi.* expiar; reparar.
to atone for a fault — expiar uma falta.
to atone with — reconciliar-se com.
atonement [-mənt], *s.* expiação; reparação.
atoner [-ə], *s.* expiador.
atonic [æ'tɔnik], *adj.* átono; atónico.
atoning [ə'touniŋ], *adj.* expiatório.
atoningly [-li], *adv.* como expiação, expiatoriamente.
atony ['ætəni], *s.* atonia.
atop [ə'tɔp], *adv.* no cimo, no cume.
atrabilious [ætrə'biljəs], *adj.* atrabiliário.
atrabiliousness [-nis], *s.* atrabílis, atrabile.
atria ['ɑ:triə, 'eitriə], *s. pl.* de **atrium.**
atrip [ə'trip], *adj.* (náut.) garrada (âncora); guindada (vela); arrancado (ferro).
atrium ['ɑ:triəm, 'eitriəm], *s.* átrio.
atrocious [ə'trouʃəs], *adj.* atroz.
atrociously [-li], *adv.* atrozmente.
atrociousness [-nis], *s.* atrocidade, barbaridade.
atrocity [ə'trɔsiti], *s.* atrocidade, barbaridade.
atrophic [æ'trɔfik], *adj.* atrófico.
atrophous ['ætrəfəs], *adj.* atrófico.
atrophy ['ætrəfi], **1** — *s.* atrofia, definhamento. **2** — *vt.* e *vi.* atrofiar, definhar; atrofiar-se.
atropine ['ætrəpin], *s.* atropina (alcalóide que se extrai da beladona).
attach [ə'tætʃ], *vt.* e *vi.* juntar, atar, ligar; prender, agarrar; afeiçoar; atrair; atribuir; embargar; dedicar-se. (*Sin.* to add, to join, to fasten, to seize, to attract.)
attachable [-əbl], *adj.* que se pode ligar.
attaché [ə'tæʃei], *s.* adido (de embaixada, etc.).
attaché-case — pasta, pequena mala para documentos.
naval attaché — adido naval.
military attaché — adido militar.
press attaché — adido de imprensa.
attached [ə'tætʃt], *adj.* dedicado, devotado; ligado; adjunto.
to be attached to somebody — ter muita estima por alguém.
attachment [ə'tætʃmənt], *s.* ligação, união; afecto, amizade, estima; penhora, embargo; acessório, apêndice; *pl.* laços, vínculos, amizades.
writ of attachment — mandado de penhora.
attack [ə'tæk], **1** — *s.* ataque, assalto; agressão; crise.
counter-attack — contra-ataque.
false attack — ataque simulado.
attack formation — formação de ataque; ordem de ataque.
2 — *vt.* atacar, assaltar; agredir. (*Sin.* to assault, to assail, to invade, to charge. *Ant.* to defend.)
attackable [-əbl], *adj.* atacável; vulnerável.
attacker [-ə], *s.* atacante; agressor; assaltante.
attain [ə'tein], *vt.* atingir, alcançar, conseguir; chegar a; obter; realizar. (*Sin.* to reach, to arrive at, to achieve, to accomplish, to obtain.)
attainability [-ə'biliti], *s.* possibilidade de atingir, conseguir ou alcançar.
attainable [-əbl], *adj.* alcançável; possível.
attainableness [-əblnis], *s.* ver **attainability.**
attainder [ə'teində], *s.* proscrição; morte civil; suspensão dos direitos civis.
attainment [-mənt], *s.* consecução, obtenção; *pl.* capacidades pessoais, conhecimentos, talento; mérito.
attaint [ə'teint], **1** — *vt.* manchar, desonrar, corromper; proscrever; atacar; acusar; condenar.
2 — *adj.* acusado (de).
attar ['ætə], *s.* essência de rosas; perfume.

attemper [ə'tempə], *vt.* temperar; modificar a temperatura de; modificar; afinar; moderar; adaptar; temperar metal.
attempt [ə'tempt], **1** — *s.* tentativa; esforço; ensaio; atentado; ataque.
attempt at escape — tentativa de fuga.
to drown in the attempt — afogar-se ao tentar.
attempt on life — atentado contra a vida.
2 — *vt.* tentar, intentar; ensaiar; atentar; procurar, esforçar-se (por). (*Sin.* to try, to essay, to strive, to endeavour.)
to attempt the life of — atentar contra a vida de.
attemptable [-əbl], *adj.* que se pode tentar.
attend [ə'tend], *vt.* e *vi.* atender (a); servir; tratar (de), assistir, cuidar; acompanhar; estar presente; aplicar-se a; prestar atenção,
to attend a course — frequentar um curso. atender; frequentar.
to attend a school — frequentar uma escola.
to attend a meeting — assistir a uma reunião.
to attend on a person — servir uma pessoa; acompanhar uma pessoa.
to attend to a business — tratar de um negócio.
I'll attend to you directly — já o atendo.
I can't attend to it — não posso atender.
have you been attended to? — já foi atendido?
attendance [-əns], *s.* assistência, presença; auditório; frequência; comparência; comitiva; serviço.
in attendance — de serviço, ao serviço.
to dance attendance on someone — estar às ordens de alguém.
is attendance included? — o serviço está incluído?
attendant [-ənt], *s.* e *adj.* criado, servidor; subordinado; auxiliar; acompanhador; contínuo; concomitante; presente.
mental attendant — enfermeiro de doente mental.
medical attendant — médico assistente.
attention [ə'tenʃən], *s.* atenção, cuidado; aplicação.
to pay attention to — prestar atenção a; cortejar.
attention! — (mil.) sentido!
to stand at attention — (mil.) estar em sentido.
to pay great attention to a person — tratar uma pessoa com muito respeito.
to call attention — chamar a atenção.
strict attention — rigorosa atenção.
allow me to call your attention to the fact that — permita-me que lhe chame a atenção para o facto de...
to pay attentions to a lady — galantear, cortejar uma senhora.
attentive [ə'tentiv], *adj.* atento; aplicado, cuidadoso; delicado, atencioso, amável.
attentively [-li], *adv.* atentamente, com atenção.
attentiveness [-nis], *s.* atenção, cuidado; delicadeza.
attenuant [ə'tenjuənt], *s.* e *adj.* atenuante.
attenuate **1** — [ə'tenjuit], *adj.* atenuado; enfraquecido; adelgaçado, esguio.
2 — [ə'tenjueit], *vt.* e *vi.* atenuar, diminuir; adelgaçar; tornar ténue.
attenuation [ətenju'eiʃən], *s.* atenuação; enfraquecimento; diminuição.
attest [ə'test], *vt.* e *vi.* atestar, afirmar como testemunha; certificar; confirmar; declarar.
attestant [-ənt], *s.* e *adj.* testemunha; declarante.
attestation [ætes'teiʃən], *s.* atestação; confirmação; testemunho; declaração.
attestor [ə'testə], *s.* aquele que certifiica ou testemunha.
attic ['ætik], **1** — *s.* sótão; água-furtada.
2 — *adj.* ático, elegante; da Ática.
attic salt — sal ático, graça delicada e fina.
atticism ['ætisizm], *s.* aticismo, elegância e sobriedade de linguagem.
atticize ['ætisaiz], *vi.* usar linguagem elegante, semelhante à dos escritores da Ática.
Attila ['ætilə], *n. p.* Átila.
attire [ə'taiə], **1** — *s.* adorno(s), atavio(s); vestuário; armação de veado.
2 — *vt.* vestir; ataviar, adornar, ornamentar. (*Sin.* to dress, to adorn, to array.)
attirement [-mənt], *s.* adorno, ornamento.
attitude ['ætitju:d], *s.* atitude, postura (do corpo), posição; norma de procedimento. (*Sin.* pose, posture, position, behaviour.)
to strike an attitude — assumir (tomar) uma atitude teatral ou afectada.
attitudinize [æti'tju:dinaiz], *vi.* tomar atitudes afectadas; falar, escrever ou comportar-se afectadamente.
attorn [ə'tə:n], *vt.* transferir; reconhecer um novo senhorio (for.).
attorney [ə'tə:ni], *s.* delegado, procurador,
Attorney General — procurador-geral da Coroa ou da República.
letter of attorney — procuração.
power of attorney — procuração.
attorneyship [-ʃip], *s.* procuradoria.
attract [ə'trækt], *vt.* atrair, captar, seduzir; chamar. (*Sin.* to allure, to entice, to charm, to draw.)
attractability [-ə'biliti], *s.* atractividade.
attractable [-əbl], *adj.* atraível, susceptível de ser atraído.
attracting [-iŋ], *adj.* atraente, atractivo.
attractingly [-iŋli], *adv.* atraentemente, de modo atraente.
attraction [ə'trækʃən], *s.* atracção; simpatia; *pl.* encantos, belezas; atractivos.
magnetic attraction — atracção magnética.
attractive [ə'træktiv], *adj.* atractivo, atraente.
attractively [-li], *adv.* atractivamente, atraentemente.
attractiveness [-nis], *s.* atracção, graça; força atractiva; encanto.
attractor [ə'træktə], *s.* aliciador; o que atrai.
attrahent [ə'treiənt], *adj.* atraente.
attributable [ə'tribjutəbl], *adj.* atribuível, imputável.
attribute **1** — ['ætribju:t], *s.* atributo, qualidade, característica; símbolo.
2 — [ə'tribju:t], *vt.* atribuir, imputar.
attribution [ætri'bju:ʃən], *s.* atribuição, atributo; prerrogativa; imputação.
attributive [ə'tribjutiv], *s.* e *adj.* atributivo; qualificativo.
attributively [-li], *adv.* atributivamente.
attrition [ə'triʃən], *s.* atrito; desgaste.
attune [ə'tju:n], *vt.* afinar, harmonizar.
atypical [ə'tipikəl], *adj.* atípico; sem tipo.
auberge [ou'bεəʒ], *s.* hospedaria.
aubergine ['oubəʒi:n], *s.* beringela.
auburn ['ɔ:bən], *adj.* castanho-avermelhado, castanho-alourado, arruivado (cabelo).
auction ['ɔ:kʃən], **1** — *s.* leilão, almoeda, hasta pública.
to sell by auction — vender em leilão.
2 — *vt.* leiloar, pôr em praça.
auctionary [-əri], *adj.* relativo a leilão.
auctioneer [ɔ:kʃə'niə], **1** — *s.* leiloeiro; pregoeiro.
2 — *vt.* leiloar, pôr em praça; dirigir leilões.
audacious [ɔ:'deiʃəs], *adj.* audacioso, atrevido, audaz, corajoso; descarado.
audaciously [-li], *adv.* audaciosamente; descaradamente.
audaciousness [-nis], *s.* audácia, atrevimento, descaramento; coragem.
audacities, *s. pl.* de **audacity.**

audacity [ɔ:'dæsiti], *s.* audácia, ousadia, intrepidez, coragem; atrevimento; descaro.
audibility [ɔ:di'biliti], *s.* audibilidade.
audible ['ɔ:dəbl], *adj.* audível, perceptível, distinto.
audibleness [-nis], *s.* audibilidade, perceptibilidade.
audibly [-i], *adv.* audìvelmente, perceptìvelmente, distintamente.
audience ['ɔ:djəns], *s.* audiência, auditório, assistência.
to give audience — dar audiência.
audiograph ['ɔ:diougræf], *s.* audiógrafo.
audiometer [ɔ:di'ɔmitə], *s.* audiómetro.
audiophone ['ɔ:dioufoun], *s.* audiofone.
audit ['ɔ:dit], **1** — *s.* exame oficial de contas ou reclamações; ajuste de contas; Juízo Final; peritagem contabilística.
Audit Office — Tribunal de Contas.
audit-house — (ecl.) casa do capítulo.
audit-room — (ecl.) sala do capítulo.
2 — *vt.* examinar oficialmente contas ou reclamações; ajustar contas.
auditing [-iŋ], *s.* exame de contas.
audition [ɔ:'diʃən], *s.* audição.
auditive ['ɔ:ditiv], *adj.* auditivo.
auditor ['ɔ:ditə], *s.* revisor de contas; ouvinte, auditor.
auditories [-riz], *s. pl.* de **auditory.**
auditorium [ɔ:di'tɔ:riəm], *s.* auditório, salão (de conferências, aulas, etc.).
auditorship ['ɔ:ditəʃip], *s.* auditoria, cargo de revisor de contas; peritagem de contabilidade.
auditory ['ɔ:ditəri], *s.* e *adj.* auditório, assistência, ouvintes; auditivo.
auger ['ɔ:gə], *s.* trado; broca; pua; sonda.
aught [ɔ:t], *s.* e *adv.* alguma coisa; qualquer coisa; de qualquer modo.
augite ['ɔ:dʒait], *s.* augite.
augment 1 — ['ɔ:gmənt], *s.* aumento, prefixo.
2 — [ɔ:g'ment], *vt.* e *vi.* aumentar, ampliar, alargar, acrescentar; crescer. (*Sin.* to increase, to grow, to enlarge, to swell, to expand.)
augmentable [-əbl], *adj.* aumentável, que pode aumentar.
augmentation [ɔ:gmen'teiʃən], *s.* aumento, acréscimo, ampliação.
augmentative [ɔ:g'mentətiv], *s.* e *adj.* aumentativo, palavra formada com sufixo que designa aumento.
augur ['ɔ:gə], **1** — *s.* áugure, adivinho, vidente.
2 — *vt.* e *vi.* augurar, predizer, pressagiar, agoirar. (*Sin.* to forebode, to foretell, to presage, to prophesy.)
to augur well — augurar bem.
to augur ill — augurar mal.
augural ['ɔ:gjurəl], *adj.* augural.
auguries, *s. pl.* de **augury.**
augury ['ɔ:gjuri], *s.* augúrio, presságio, agoiro.
August ['ɔ:gəst], *s.* Agosto.
august [ɔ:'gʌst], *adj.* augusto, majestoso, solene; respeitável; grande; nobre.
Augusta [ɔ:'gʌstə], *n. p.* Augusta.
Augustan [ɔ:'gʌstən], *s.* e *adj.* augustano; relativo a Augusto.
Augustine [ɔ:'gʌstin], *n. p.* Agostinho.
Saint Augustine — Santo Agostinho.
Augustinian [ɔ:gəs'tiniən], *adj.* agostiniano; relativo a Santo Agostinho.
augustly [ɔ:'gʌstli], *adv.* augustamente, majestosamente, solenemente.
augustness [ɔ:'gʌstnis], *s.* grandeza, majestade.
auk [ɔ:k], *s.* corvo-marinho; espécie de pinguim.
aulic ['ɔ:lik], *adj.* áulico, cortesão.
aunt [ɑ:nt], *s.* tia.
Aunt Sally — jogo do pimpampum.
auntie ['ɑ:nti], *dim.* de **aunt** — titi, tiazinha.
aura ['ɔ:rə], *s.* aura; aroma; emanação; magnetismo animal; fenómenos que precedem um ataque epiléptico.
aural ['ɔ:rəl], *adj.* auricular; relativo a aura.
aurally [-li], *adv.* auricularmente.
aureate ['ɔ:riit], *adj.* áureo; dourado.
aurelia [ɔ:'ri:ljə], *s.* (zool.) aurélia, género de zoófitos.
Aurelia [ɔ:'ri:ljə], *n. p.* Aurélia.
aureola [ɔ:'riələ], *s.* auréola; coroa luminosa que circunda a cabeça dos santos, halo.
aureole ['ɔ:rioul], *s.* ver **aureola.**
auric ['ɔ:rik], *adj.* áurico.
auricle ['ɔ:rikl], *s.* aurícula (do coração); pavilhão (da orelha).
auricula [ə'rikjulə], *s.* (bot.) orelha-de-urso; (zool.) género de moluscos; aurícula.
auricular [ɔ:'rikjulə], *s.* e *adj.* auricular; dito ao ouvido, confidencial; em segredo; auricular ou dedo mínimo.
auricular witness — testemunha de ouvido, testemunha auricular.
auricular confession — confissão auricular.
auricularly [-li], *adv.* auricularmente; secretamente.
auriculate [ɔ:'rikjulit], *adj.* auriculado; em forma de orelha.
auriculated [ɔ:rikju'leitid], *adj.* auriculado.
auriferous [ɔ:'rifərəs], *adj.* aurífero.
aurification [ɔ:rifi'keiʃən], *s.* aurificação (de dente).
auriform ['ɔ:rifɔ:m], *adj.* auriforme, em forma de orelha.
Auriga [ɔ:'raigə], *s.* Auriga, Cocheiro (constelação boreal).
aurist ['ɔ:rist], *s.* auriculista, especialista de doenças dos ouvidos.
aurochs ['ɔ:rɔks], *s.* auroque, boi selvagem, bisonte da Europa.
aurora [ɔ:'rɔ:rə], *s.* aurora, alva.
auroral [-l], *adj.* auroral, relativo à aurora.
auscult [ɔ'skʌlt], *vt.* auscultar.
auscultate ['ɔ:skəlteit], *vt.* auscultar.
auscultation [ɔ:skəl'teiʃən], *s.* auscultação.
auscultator ['ɔ:skəlteitə], *s.* auscultador.
auspicate ['ɔ:spikeit], *vt.* inaugurar, iniciar; augurar.
auspice ['ɔ:spis], *s.* auspício, augúrio; protecção, patrocínio.
under the auspices of — sob os auspícios de.
auspicious [ɔ:s'piʃəs], *adj.* auspicioso, de bom agoiro, favorável; próspero; feliz; prometedor.
auspiciously [-li], *adv.* auspiciosamente; prosperamente; felizmente.
auspiciousness [-nis], *s.* auspício, feliz augúrio; prosperidade.
Aussi ['ɔsi], *s.* (coloq.) australiano.
austere [ɔs'tiə], *adj.* austero, rigoroso, severo; áspero; rude. (*Sin.* harsh, stern, severe, rigid, rigorous.)
austerely [-li], *aav.* austeramente, severamente, rudemente.
austereness [-nis], *s.* austeridade, severidade.
austerity [ɔs'teriti], *s.* austeridade, severidade.
austral ['ɔ:strəl], *adj.* austral; australiano.
Australasia [ɔstrə'leiʒjə], *top.* Australásia.
Australasian [-n], *s.* e *adj.* australásio.
Australia [ɔs'treiljə], *top.* Austrália.
Australian [-n], *s.* e *adj.* australiano.
Austria ['ɔstriə], *top.* Áustria.
Austrian [-n], *s.* e *adj.* austríaco.
Austro-Hungarian ['ɔstrou-hʌŋg'ɛəriən], *s.* e *adj.* austro-húngaro.
authentic [ɔ:'θentik], *adj.* autêntico, verdadeiro. (*Sin.* true, real, genuine, reliable. *Ant.* false.)

authentical [-əl], *adj.* ver **authentic.**
authentically [-əli], *adv.* autenticamente, com autenticidade.
authenticate [ɔ:'θentikeit], *vt.* autenticar.
authentication [ɔ:θenti'keiʃən], *s.* autenticação.
authenticities, *s. pl.* de **authenticity.**
authenticity [ɔ:θen'tisiti], *s.* autenticidade.
author ['ɔ:θə], *s.* autor; escritor.
authoress [-ris], *s.* autora.
authorial [ɔ:'θɔriəl], *adj.* de autor.
authoritarian [ɔ:θɔri'tεəriən], *adj.* autoritário.
authoritative [ɔ:'θɔritətiv], *adj.* autoritário; peremptório; positivo sentencioso.
authoritative opinion — opinião autorizada.
authoritatively [-li], *adv.* com autoridade; peremptoriamente.
authoritativeness [-nis], *s.* arrogância; tom autoritário; carácter autoritário.
authorities, *s. pl.* de **authority.**
authority [ɔ:'θɔriti], *s.* autoridade; poder, domínio; influência; competência; pessoa competente; autorização; prova; declaração; citação (de texto); magistrado.
authorizable ['ɔ:θəraizəbl], *adj.* autorizável, que se pode autorizar.
authorization [ɔ:θərai'zeiʃən], *s.* autorização, sanção; legalidade; ordem.
authorize ['ɔ:θəraiz], *vt.* autorizar, aprovar; facultar; legalizar. (*Sin.* to sanction, to empower, to warrant, to legalize. *Ant.* to forbid.)
authorized [-d], *adj.* autorizado, permitido; legalizado, legal.
authorship ['ɔ:θəʃip], *s.* autoria; profissão ou actividade de autor.
auto ['ɔ:tou], *s.* abrev. de **automobile.**
autobiographer [ɔ:toubai'ɔgrəfə], *s.* autobiógrafo.
autobiographic ['ɔ:toubaiou'græfik], *adj.* autobiográfico.
autobiographical [-əl], *adj.* autobiográfico.
autobiographically [-əli], *adv.* autobiograficamente.
autobiography [ɔ:toubai'ɔgrəfi], *s.* autobiografia.
autobus ['ɔ:toubʌs], *s.* autocarro.
autocar ['ɔ:touka:], *s.* autocarro.
autochthon [ɔ:'tɔkθən], *s.* autóctone.
autochthonous [-əs], *adj.* autóctone.
autoclave ['ɔ:toukleiv], *s.* autoclave.
autocracy [ɔ:'tɔkrəsi], *s.* autocracia.
autocrat ['ɔ:təkræt], *s.* autocrata, soberano absoluto.
autocratic [ɔ:tə'krætik], *adj.* autocrático.
autocratical [-əl], *adj.* autocrático.
autocratically [-əli], *adv.* autocraticamente.
auto-da-fé ['ɔ:touda:'fei], *s.* auto-de-fé.
autodidact ['ɔ:toudidækt], *s.* autodidacta.
autogenous [ɔ:'tɔdʒinəs], *adj.* autogéneo.
autogenous welding — soldadura a autogéneo
autogiro ['ɔ:tou'dʒaiərou], *s.* autogiro.
autograph ['ɔ:təgra:f], **1** — *s.* autógrafo.
2 — *vt.* autografar, dar autógrafo(s).
autographic [ɔ:tə'græfik], *adj.* autográfico.
autographical [-əl], *adj.* autográfico.
autographically [-əli], *adv.* autograficamente.
autography [ɔ:'tɔgrəfi], *s.* autografia, reprodução fiel de um escrito.
autogyro ['ɔ:tou'dʒaiərou], *s.* autogiro.
auto-intoxication ['ɔ:tou-intɔksi'keiʃən], *s.* auto-intoxicação.
autolysis [ɔ:'tɔlisis], *s.* autólise.
automat ['ɔ:tomæt], *s.* automático.
automatic [ɔ:tə'mætik], **1** — *s.* pistola automática.
2 — *adj.* automático; espontâneo; involuntário; por força da lei.
automatic oiling — lubrificação automática.
automatical [-əl], *adj.* automático; involuntário; que opera por meios mecânicos; inconsciente.
automatically [-əli], *adv.* automaticamente.
automatism [ɔ:'tɔmətizm], *s.* automatismo.
automatist [ɔ:'tɔmətist], *s.* partidário do automatismo.
automaton [ɔ:'tɔmətən], *s.* autómato; figura que imita os movimentos humanos; maquinismo que se põe em movimento por meios mecânicos; pessoa incapaz de acção própria.
automobile ['ɔ:təməbi:l], *s.* automóvel.
automobilist [ɔ:tə'mɔbilist], *s.* automobilista.
autonomic [ɔ:tou'nɔmik], *adj.* autónomo, independente, livre.
autonomist [ɔ:'tɔnəmist], *s.* autonomista.
autonomous [ɔ:'tɔnəməs], *adj.* autónomo, independente, livre.
autonomy [ɔ:'tɔnəmi], *s.* autonomia, independência.
autonym ['ɔ:tənim], *s.* autónomo.
autopsy ['ɔ:təpsi], *s.* autópsia.
auto-suggestion ['ɔ:tousə'dʒestʃən], *s.* auto-sugestão.
autotruck ['ɔ:toutrʌk], *s.* camião.
autotype ['ɔ:tətaip], **1** — *s.* autotipia; cópia exacta, fac-símile.
2 — *vt.* tirar fac-símiles.
autotypography [ɔ:toutai'pɔgrəfi], *s.* zincogravura; autotipografia.
autumn ['ɔ:təm], *s.* Outono.
autumnal [ɔ:'tʌmnəl], *adj.* outonal, do Outono.
auxiliary [ɔ:g'ziljəri], *s.* e *adj.* auxiliar.
auxiliary verb — verbo auxiliar.
auxiliary troops — tropas auxiliares.
avail [ə'veil], **1** — *s.* proveito, vantagem, utilidade; *pl.* rendas, receitas.
of no avail — sem préstimo, inútil.
without avail — sem utilidade.
2 — *vt.* e *vi.* aproveitar, servir, utilizar; ser útil; servir-se de.
to avail oneself of the opportunity — aproveitar-se da ocasião.
availability [-ə'biliti], *s.* utilidade; eficácia; validade; possibilidade de utilização.
available [-əbl], *adj.* útil, proveitoso, vantajoso; eficaz; disponível; válido; utilizável.
this ticket is available for two sessions — este bilhete é válido para duas sessões.
availableness [-əblnis], *s.* utilidade; vantagem; eficácia; validade.
availably [-əbli], *adv.* utilmente; eficazmente; validamente.
avalanche ['ævəla:nʃ], *s.* avalanche.
avant-courier ['ævɑ̃:ŋ'kuriə], *s.* guarda-avançada; escuteiro.
avarice ['ævəris], *s.* avareza; mesquinhez.
avaricious [ævə'riʃəs], *adj.* avarento, avaro; mesquinho.
avariciously [-li], *adv.* avaramente.
avariciousness [-nis], *s.* avareza; mesquinhez.
avast [ə'va:st], *interj.* pare!, basta!
avatar [ævə'ta:], *s.* avatar, descendente de uma divindade mitológica; encarnação divina segundo a crença bramânica; fase, metamorfose; manifestação.
avaunt [ə'vɔ:nt], *interj.* fora daqui!, rua!
ave ['a:vi], *interj.* bem-vindo!, salve!, adeus!
ave-bell — toque das trindades.
Ave Maria ['a:vimə'riə], *s.* ave-maria (oração).
avenge [ə'vendʒ], *vt.* vingar; punir; defrontar. (*Sin.* to revenge, to retaliate, to vindicate; to punish.)
avenger [-ə], *s.* vingador.

avengeress [-əris], *s.* vingadora.
avenging [-iŋ], *s.* e *adj.* vingador; vingança.
avenue ['ævinju:], *s.* avenida; alameda.
aver [ə'və:], *vt.* assegurar, afirmar; certificar; provar; declarar. (*Sin.* to assert, to affirm, to declare.)
average ['ævəridʒ], **1** — *s.* e *adj.* média; médio; preço médio; termo médio; parte proporcional; mediano; típico; normal, costumado, vulgar; avaria (náut.).
on an average — em média.
to make good an average — indemnizar de uma avaria.
gross average — avaria grossa.
general average — avaria grossa.
particular average — avaria particular.
average statement — protesto marítimo.
to take an average — tirar a média.
above the average — acima da média.
average adjustment — conserto de avaria.
2 — *vt.* e *vi.* ratear, fixar um preço ou termo médio; calcular a média; ter ou dar como média.
averment [ə'və:mənt], *s.* alegação, afirmação, declaração.
averruncator [ævə'rʌŋkeitə], *s.* tesoura de podar árvores.
averse [ə'və:s], *adj.* adverso, contrário, oposto.
aversely [-li], *adv.* com repugnância, relutantemente.
averseness [-nis], *s.* repugnância, aversão; má vontade; relutância.
aversion [ə'və:ʃən], *s.* aversão, antipatia; ódio.
pet aversion — forte embirração.
avert [ə'və:t], *vt.* desviar, afastar; evitar; impedir; separar.
avertible [-ibl], *adj.* evitável; desviável; que se pode afastar.
avian ['eivjən], *adj.* respeitante a aves.
aviarist ['eivjərist], *s.* avicultor.
aviary ['eivjəri], *s.* aviário.
aviate ['eivieit], *vi.* voar (em aeroplano, balão, dirigível, etc.).
aviation [eivi'eiʃən], *s.* aviação.
aviator ['eivieitə], *s.* aviador.
avicula [ə'vikjulə], *s.* (zool.) avícula.
aviculture ['eivikʌltʃə], *s.* avicultura.
avid ['ævid], *adj.* ávido; ansioso; sôfrego; desejoso.
avidity [ə'viditi], *s.* avidez; ânsia; sofreguidão; cupidez.
avidly ['ævidli], *adv.* avidamente.
aviette [eivi'et], *s.* aeroplano sem motor, planador.
avion ['eivjɔn], *s.* avião.
aviso [ə'vaizou], *s.* aviso (navio pequeno para transmissão de ordens oficiais).
avocate [ævou'keit], *vt.* avocar.
avocation [ævou'keiʃən], *s.* distracção, passatempo; ocupação; vocação, inclinação.
avocatory [ə'vɔkətəri], *adj.* avocatório.
avocet ['ævouset], *s.* (zool.) avoceta, ave pernalta semelhante à narceja.
avoid [ə'vɔid], *vt.* e *vi.* evitar; escapar, esquivar; iludir; anular; escapar-se; revogar; vagar.
avoidable [-əbl], *adj.* evitável, iludível; revogável; anulável; enganável.
avoidance [-əns], *s.* evitação; revogação; afastamento; vacatura; anulação.
avoiding [-iŋ], *s.* evitação.
avoirdupois [ævədə'pɔiz], *s.* sistema de pesos usado na Inglaterra e nos Estados Unidos.
avoset ['ævouset], *s.* ver **avocet.**
avouch [ə'vautʃ], *vt.* afirmar categoricamente, garantir; atestar, declarar; responder por; reconhecer. (*Sin.* to affirm, to declare, to aver, to guarantee. *Ant.* to deny.)
avouchment [-mənt], *s.* declaração, afirmação, garantia; atestado; testemunho; reconhecimento.
avow [ə'vau], *vt.* confessar; declarar francamente; admitir, reconhecer. (*Sin.* to confess, to admit, to avouch.)
to avow oneself — confessar-se.
avowable [-əbl], *adj.* confessável; reconhecível; admissível.
avowal [-əl], *s.* confissão, reconhecimento; declaração.
avowed [-d], *adj.* manifesto, declarado; confesso.
avowedly [-dli], *adv.* manifestamente, declaradamente.
avulsion [ə'vʌlʃən], *s.* avulsão; arranco; extracção violenta.
avuncular [ə'vʌŋkjulə], *adj.* avuncular; que diz respeito aos tios.
await [ə'weit], *vt.* esperar, aguardar.
to await for — esperar por.
to await with anxiety — esperar ansiosamente.
to await acknowledgement of receipt — esperar aviso de recepção.
awake [ə'weik], **1** — *adj.* acordado, desperto.
wide awake — bem acordado.
awake to danger — preparado para o perigo.
2 — *vt.* e *vi.* acordar, despertar; mover.
awaken [-n], *vt.* e *vi.* acordar, despertar.
awakening [-niŋ], *s.* e *adj.* o despertar, o acordar; que desperta, despertador.
award [ə'wɔ:d], **1** — *s.* arbitragem; sentença; decisão de peritos; prémio; recompensa; adjudicação.
2 — *vt.* decidir; julgar; adjudicar; premiar, recompensar; conferir, conceder. (*Sin.* to grant, to adjudge, to assign, to bestow.)
awarder [-ə], *s.* o que confere ou concede; adjudicador.
aware [ə'wɛə], *adj.* sabedor, inteirado, ciente, conhecedor; prevenido; vigilante; cauto.
to be aware of — estar ao facto de, saber.
awareness [-nis], *s.* conhecimento; cautela, cuidado; prevenção; vigilância; consciência de.
awash [ə'wɔʃ], *adj.* e *adv.* à tona de água; inundado.
away [ə'wei], **1** — *adv.* fora; longe; para longe.
to go away — ir-se embora.
to get away — ir-se embora.
to run away — fugir.
to send away — mandar embora, despedir.
to explain away — explicar claramente.
to throw away — deitar fora; desperdiçar, esbanjar.
to give away — transferir; vender ao desbarato; divulgar um segredo; presentear, dar.
to work away — continuar a trabalhar.
far away — muito longe.
fire away! — adiante!, avante!
far and away — sem comparação, incomparavelmente, de longe.
to make away with — desfazer-se de; dissipar, esbanjar; matar; aniquilar.
away from home — longe do lar.
to pass away — falecer.
right away — já, de seguida, imediatamente.
2 — *interj.* fora!, rua!
away with you — fora daqui!, ponha-se lá fora!
awe [ɔ:], **1** — *s.* temor, respeito; medo, pavor; terror; (mec.) pá. (*Sin.* fear, dread, terror.)
to stand in awe — ter temor respeitoso.
2 — *vt.* infundir temor respeitoso; intimidar; aterrar, apavorar, amedrontar.
aweless [-lis], *adj.* sem medo; irreverente.
awesome [-səm], *adj.* medonho, pavoroso, terrível.

awe-stricken [-strikən], *adj.* apavorado, amedrontado; espantado.
awe-struck [-strʌk], *adj.* ver **awe-stricken.**
awful ['ɔ:ful], *adj.* medonho, terrível; espantoso, formidável; enorme.
awfully [-li], *adv.* medonhamente, terrivelmente; espantosamente, muitíssimo; demasiado.
I am awfully tired — estou morto de cansaço.
awfulness ['ɔ:fulnis], *s.* horror; pavor.
awhile [ə'wail], *adv.* por um momento, por um instante.
awkward ['ɔ:kwəd], *adj.* desastrado, desajeitado, inábil; sem graça; grosseiro; estúpido; difícil, intrincado, complicado; embaraçoso; incómodo. (*Sin.* clumsy, uncouth, rude, bungling; difficult, embarrassing.)
an awkward situation — uma situação embaraçosa.
to be in an awkward corner — estar em maus lençóis.
an awkward question — uma pergunta embaraçosa.
awkwardish [-iʃ], *adj.* desastrado, inábil, desajeitado; difícil; embaraçado.
awkwardly [-li], *adv.* desastradamente, sem graça, desajeitadamente; acanhadamente.
awkwardness [-nis], *s.* inépcia; falta de graça; acanhamento; grosseria; estupidez; embaraço.
awl [ɔ:l], *s.* sovela.
awn [ɔ:n], *s.* pragana (das espigas).
awning ['ɔ:niŋ], *s.* toldo, cobertura de pano ou de lona.
awning-deck — convés superior.
awning-boom — pau-de-fileira.
awning stanchion — ferro do toldo.
awoke [ə'wouk], *pret.* e *p. p.* do verbo **to awake.**
awry [ə'rai], *adj.* e *adv.* oblíquo; torcido, torto; perverso; obliquamente; de través; de lado; perversamente. (*Sin.* crooked, oblique, aslant, distorted. *Ant.* straight.)
axe [æks], **1** — *s.* machado, machada.
axe-head — ferro de machado.
axe-handle — cabo do machado.
to have an axe to grind — não dar ponto sem nó; servir os fins em vista.
to get the axe — ser despedido (de um emprego).
2 — *vt.* cortar, reduzir (os gastos).
axial ['æksiəl], *adj.* axial, formando eixo; como um eixo.
axially [-li], *adv.* na linha do eixo, axialmente.
axil ['æksil], *s.* axila, ângulo que a folha faz com o ramo, ou o ramo com o caule.
axilla [æk'silə], *s.* axila, sovaco.
axillae [æk'sili], *s. pl.* de **axilla.**
axillar [æk'silə], *adj.* axilar.
axillary [-ri], *adj.* ver **axillar.**
axiom ['æksiəm], *s.* axioma.
axiomatic [æksiə'mætik], *adj.* axiomático, evidente.
axiomatical [-əl], *adj.* axiomático.
axiomatically [-əli], *adv.* axiomaticamente.
axes ['æksi:z], *s. pl.* de **axis.**
axis ['æksis], *s.* eixo, linha imaginária que passa pelo centro de um objecto; órgão central dos vegetais; áxis.
axle [æksl], *s.* eixo (de roda).
axle-box — chumaceira, cavidade onde gira o eixo.
axle-shaft — semieixo (de automóvel).
axled [-d], *adj.* com eixo.
axolotl [æksə'lɔtl], *s.* salamandra (do México).
ay 1 — [ei], *adv.* sempre.
2 — [ai] *adv.* e *s.* sim; resposta afirmativa; o que vota a favor; voto, a favor.
aye 1 — [ei], *adv.* sempre.
2 — [ai], *adv.* e *s.* sim; resposta afirmativa; o que vota a favor; voto a favor.
ayah ['aiə], *s.* aia.
aye-aye [ai-ai], *s.* (zool.) aí, animal semelhante ao lemure; preguiça (animal).
azalea [ə'zeiliə], *s.* azálea, género de planta ericínea.
azimuth ['æziməθ], *s.* azímute, ângulo que faz um plano vertical fixo com um plano vertical que passa por um corpo celeste.
azimuth compass — agulha azimutal, bússola azimutal.
azimuthal [-əl], *adj.* azimutal.
azimuthal compass — agulha azimutal, bússola azimutal.
Azores [ə'zɔ:z], *top.* Açores.
azote [ə'zout], *s.* azoto.
azotic [ə'zɔtik], *adj.* azótico.
azotize [ə'zoutaiz], *vt.* azotar.
Aztec ['æztek], *adj.* e *s.* asteca.
azure ['æʒə, 'eiʒə], **1** — *s.* e *adj.* azulado; azul-celeste.
azure-spar — lápis-lazúli.
azure-stone — lápis-lazúli.
2 — *vt.* azular.
azurine ['æʒurain], *s.* (zool.) azurina.
azurite ['æʒurait], *s.* azurite, malaquite.
azyme ['æzim], *s.* pão ázimo.
azymous [-əs], *adj.* ázimo.

B

B, b [bi:], (*pl.* **B's, b's** [bi:z]), **1** — B, b (a segunda letra do alfabeto).
2 — (mús.) si.
(in) b flat — (em) si bemol.
(in) b major — (em) si maior.
(in) b minor — (em) si menor.
baa [bɑ:], **1** — *s.* balido.
2 — *vi.* balir, balar.
Baal ['beiəl], *n. p.* Baal (deus dos Assírios e Fenícios).
baa-lamb ['bɑ:læm], *s.* cordeiro, carneiro (linguagem infantil).
babble [bæbl], **1** — *s.* balbúcio; tagarelice, indiscrição; murmúrio, sussurro (das águas).
2 — *vt.* e *vi.* balbuciar; tagarelar, ser indiscreto; murmurar, sussurrar (as águas). (*Sin.* to chatter, to prattle, to prate, to murmur.)
babblement [-mənt], *s.* ver **babble 1 .**
babbler [-ə], *s.* tagarela, palrador; indivíduo indiscreto.
babbling [-iŋ], **1** — *s.* ver **babble 1**
2 — *adj.* tagarela, palrador; murmurante (água).
babe [beib], *s.* ver **baby.**
babel ['beibəl], *s.* babel, algazarra, desordem, confusão.
the Tower of Babel — a torre de Babel.

babiroussa ['bæbi'ru:sə], *s.* babirussa (quadrúpede parecido com o porco).
baboo ['bɑ:bu:], *s.* título de Senhor entre os Hindus; cavalheiro hindu; hindu com poucos conhecimentos de inglês.
baboon [bə'bu:n], *s.* babuíno, macaco; mono.
babirussa ['bæbi'ru:sə], *s.* ver **babiroussa.**
babouche [bɑ:'bu:ʃ], *s.* babucha, chinela oriental.
baby ['beibi], **1** — *s.* bebé, criança de peito, menino (a).
2 — *adj.* de pequeno tamanho.
baby-farm — dispensário para crianças.
baby-farmer — mulher que cria crianças a troco de dinheiro.
baby-grand — piano de meia cauda.
baby-pin — alfinete de segurança.
baby-sitter — pessoa que, a troco de dinheiro, vai, por umas horas, tomar conta de crianças a casa delas.
babyhood [-hud], *s.* infância, meninice.
babyish [-iʃ], *adj.* infantil, pueril.
babyishly [-iʃli], *adv.* infantilmente, puerilmente.
babyishness [-iʃnis], *s.* infantilidade, puerilidade.
Babylon ['bæbilən], *top.* Babilónia (cidade).
Babylonia ['bæbi'lounjə], *top.* Babilónia (império).
baccalaureate [bækə'lɔ:riit], *s.* bacharelato.
bacchanal ['bækənl], **1** — *s.* bacanal, orgia.
2 — *adj.* orgíaco; embriagado.
Bacchanalia [bækə'neiljə], *s. pl.* Bacanais (festas em honra de Baco).
bacchanalian [-n], *adj.* de Baco, bacanal.
bacchant ['bækənt], **1** — *s.* sacerdote ou sacerdotisa de Baco, bacante.
2 — *adj.* bacante.
bacchante [bə'kænti], *s.* sacerdotisa de Baco, bacante.
bacchic ['bækik], *adj.* báquico.
Bacchus ['bækəs], *n. p.* Baco.
bachelor ['bætʃələ], *s.* **1** — bacharel.
2 — celibatário, solteiro.
bachelor girl — mulher solteira que vive independente.
Bachelor of Arts — título universitário inglês. (Abrev. «B. A.».)
bachelorhood [-hud], *s.* **1** — bacharelato.
2 — celibato.
bachelorship [-ʃip], *s.* ver **bachelorhood.**
bacillary [bə'siləri], *adj.* **1** — bacilar (relativo a ou causado por bacilos).
2 — baciliforme.
bacilli [bə'silai], *s. pl.* de **bacillus.**
bacilliform [bə'silifɔ:m], *adj.* baciliforme.
bacillus [bə'siləs], *s.* bacilo.
back [bæk], **1** — *s.* costas, dorso, costado, parte posterior; defesa (no futebol); lombada (de livro).
at the back of beyond — em Cascos de Rolha.
at the back of the house — nas traseiras da casa.
excuse my back — desculpe estar de costas.
full-back — **guarda-redes (no rágbi).**
half-back — médio (no futebol).
the back of a chair — as costas de uma cadeira.
the back of a horse — a garupa de um cavalo.
the back of the hand — as costas da mão.
the Backs — parques, junto ao rio Cam, para onde dão as traseiras de alguns «Colleges» em Cambrígia.
to be on one's back — estar de cama (doente).
to break a person's back — dar demasiado trabalho a alguém.
to get (to put, to set) somebody's back up — irritar alguém.
to put one's back into something — trabalhar muito.
to turn one's back (up) on someone — virar as costas a alguém (malcriadamente).
with one's back to the wall — entre a espada e a parede.
2 — *adj.* posterior, traseiro, de trás; remoto, atrasado.
back-door — porta das traseiras.
back-number — número atrasado (de jornal, revista, etc.); (fig.) pessoa antiquada.
back-room — quarto das traseiras.
back vowel — vogal velar.
back-yard — pátio interior.
3 — *vt.* e *vi.* fazer recuar, recuar; sustentar, apoiar, patrocinar, ajudar, favorecer; fazer marcha atrás; pôr costas. (*Sin.* to assist, to aid, to support, to endorse, to cause to move back. *Ant.* to advance, to hinder.)
to back a cause — sustentar uma causa.
to back a chair — pôr costas numa cadeira.
to back a cheque — endossar um cheque.
to back down — desistir.
to back a horse — fazer recuar um cavalo; apostar num cavalo.
to back out (of) — **faltar ao prometido; desistir; «roer a corda».**
to back someone up — apoiar alguém.
to back up — ajudar, secundar, patrocinar.
to back water (to back oars) — ciar (náut.).
4 — *adv.* atrás; para trás.
a ticket to London and back — um bilhete de ida e volta para Londres.
back and forth — para cá e para lá; para baixo e para cima; para diante e para trás.
back-answer — resposta impertinente.
back at last! — até que enfim de regresso!
back laid rope — cabo cochado para a esquerda.
back-steam — contravapor.
it's twenty miles there and back — são vinte milhas ida e volta.
some years back — há alguns anos.
the house stands back from the road — a casa fica a uma certa distância da estrada.
to answer back — replicar, retorquir.
to be back — regressar.
to call back — mandar voltar; tornar a chamar.
to come back — regressar.
to draw back — retirar.
to give back — restituir.
to go back on a friend — trair um amigo, ser falso para com um amigo.
to go back on one's word — faltar ao prometido.
backache [-eik], *s.* dor nas costas.
backbite [-bait], *vt.* murmurar, dizer mal de alguém pelas costas, «cortar na casaca».
backbiter [-baitə], *s.* detractor, pessoa que fala mal de outra na sua ausência.
backbiting [-baitiŋ], *s.* maledicência.
backboard [-bɔ:d], *s.* espaldar; (náut.) guarda-patrão.
backbone [-boun], *s.* **1** — espinha dorsal.
2 — a parte mais importante.
to the backbone — até à medula dos ossos; completamente, todo.
back-chat [-tʃæt], *s.* (fam.) réplica, resposta pronta.
back-door [-'dɔ:], **1** — *s.* porta traseira; porta falsa.
2 — *adj.* clandestino, secreto.
back-fire [-'faiə], 1 — *s.* contra-explosão (de um motor).
2 — *vi.* produzir contra-explosão.

backgammon [-'gæmən], *s.* gamão (jogo).
background [-graund], *s.* fundo; último plano (de um quadro); fundo musical.
professional background — preparação profissional.
to keep in the background — ficar em segundo plano, ficar na sombra.
back-hand [-hænd], **1** — *s.* escrita inclinada para a esquerda.
2 — *adj.* dado com as costas da mão; feito da direita para a esquerda; indirecto; ambíguo.
back-handed [-hændid], *adj.* ver **back-hand 2.**
back-hander [-hændə], *s.* bofetada dada com as costas da mão; ataque indirecto; ataque desleal; peita; suborno.
backing [-iŋ], *s.* apoio, protecção, reforço; espaldar; retrocesso.
back-lash [-lɑ:ʃ], *s.* afrouxamento de força numa máquina; escapamento (téc.).
back-pedalling [-'pedliŋ], *s.* contrapedalagem.
back-set [-set], *s.* reverso.
backsheesh [-ʃi:ʃ], *s.* espórtula; gorjeta (nos países do Oriente).
backshish [-ʃi:ʃ], *s.* ver **backsheesh.**
backside [-said], *s.* a parte traseira; o «assento».
back-sight [-sait], *s.* alça (de arma de fogo).
backslide [-'slaid], *vi.* apostatar, reincidir.
backslider [-'slaidə], *s.* apóstata; reincidente.
backsliding [-'slaidiŋ], *s.* apostasia; reincidência.
backstairs [-'stɛəz], *s.* escada de serviço
backstays [-steiz], *s.* (náut.) brandais.
backstich [-stitʃ], *s.* pesponto.
backward [-wəd], **1** — *adj.* atrasado, retrógrado; tardio; negligente, vagaroso; contrário. (*Sin.* dull, reluctant, reversed, shy, slow, tardy. *Ant.* forward.)
a backward pupil — um aluno atrasado (em conhecimentos).
not to be backward in coming forward — ser desenvolto, não ser acanhado.
2 — *adv.* para trás; de costas.
to fall backward — cair de costas.
to go backward and forward — ir e vir.
backwardation [-wə'deiʃən], *s.* percentagem paga por quem vendeu fundos de bolsa, mas não os apresentou no dia designado.
backwardly [-wədli], *adv.* para trás; em pior estado; negligentemente; de má vontade.
backwardness [-wədnis], *s.* atraso, negligência; má vontade, relutância.
backwards [-wədz], *adv.* ver **backward 2.**
backwash [-wɔʃ], *s.* água lançada para trás à passagem dum barco.
backwater [-'wɔ:tə], *s.* água represada; ressaca.
backwoods [-wudz], *s.* região não cultivada; região distante duma cidade, mato.
backwoodsman [-wudzmən], *s.* homem que vive no mato.
bacon ['beikən], *s.* toucinho salgado ou defumado.
a flitch of bacon — uma manta de toucinho.
to save one's bacon (col.) — salvar a pele.
bacteria [bæk'tiəriə], *s. pl.* de **bacterium.**
bacterial [bæk'tiəriəl], *adj.* bacteriano.
bacteriological [bæk'tiəriə'lɔdʒikəl], *adj.* bacteriológico.
bacteriologist [bæktiəri'ɔlədʒist], *s.* bacteriologista.
bacteriology [bæk'tiəri'ɔlədʒi], *s.* bacteriologia.
bacterium [bæk'tiəriəm], *s.* bactéria.
bad [bæd, bæ:d], **1** — *adj.* mau, ruim, perverso, nocivo; infeliz; incomodado, indisposto. (*Sin.* evil, noxious, pernicious, wicked. *Ant.* good.)
a bad penny — um dinheiro falso.
bad air — ar impuro.
bad debt — dívida malparada.
bad egg (bad hat) (col.) — pessoa de mau carácter.
bad food — comida má (não nutritiva ou estragada).
bad form — maus modos, má disposição.
bad language — palavrões.
bad-tempered — mal-humorado, de mau génio.
from bad to worse — de mal a pior.
not too bad — não é mau de todo.
she is bad at History — é má aluna a História.
that's too bad — é de mais, é custoso.
to act in bad faith — proceder desonestamente, de má-fé.
to be bad — estar doente.
to be in a bad way — estar muito doente ou infeliz.
to go bad — estragar-se (comida).
with bad grace — **de má vontade.**
2 — *s.* ruína, desgraça, adversidade; aquilo que é mau.
£ 2 to the bad — perda de duas libras.
the bad — os maus.
to go to the bad — caminhar para a ruína.
to take the bad with the good — aceitar a sorte e a desgraça.
baddish [-iʃ], *adj.* um tanto mau, inferior.
bade [beid], *pret.* de **to bid.**
badge [bædʒ], *s.* emblema, insígnia, divisa, distintivo; medalha. (*Sin.* emblem, mark, sign, token.)
badger [-ə], **1** — *s.* (zool.) texugo.
2 — *vt.* importunar, atormentar, enfastiar.
badigeon ['bædidʒen], *s.* **1** — *s.* **argamassa,**
2 — *vt.* caiar.
badinage ['bædinɑ:ʒ], *s.* brincadeira, chacota.
badly ['bædli], *adv.* mal; muito; gravemente, perigosamente; cruelmente; infelizmente.
badly off — com poucos meios.
to be badly off — estar em más circunstâncias.
to be badly off for something — ter grande necessidade de alguma coisa.
to want a thing badly — precisar muito de uma coisa.
badminton ['bædmintən], *s.* **1** — refresco (soda, clarete e açúcar).
2 — jogo de campo com rede, raquetas e «volante», semelhante ao ténis.
badness ['bædnis], *s.* maldade, ruindade; mau estado.
Baedeker ['beidikə], *n. p.* de pessoa.
baffle [bæfl], **1** — *s.* confusão; trapaça,
2 — *vt.* frustrar, malograr; iludir, enganar, confundir alguém. (*Sin.* to balk, to confound, to foil, to frustrate. *Ant.* to abet.)
baffling winds — ventos variáveis.
baffler [-ə], *s.* enganador; divisória.
bag [bæg], **1** — *s.* saco, saca; mochila (das praças da Armada); (náut.) bolso numa vela.
a bag-of-bones (col.) — uma carga de ossos (uma pessoa muito magra).
a pair of bags (col.) — um par de calças.
bag and baggage (col.) — armas e bagagens (todos os haveres).
dressing-bag — maleta com estojo.
hand-bag — saco de mão; mala de mão.
in the bottom of the bag — como último recurso.
mail-bag — mala do correio.
to let the cat out of the bag (col.) — revelar segredos.
travelling-bag — saco de viagem.
2 — *vt.* e *vi.* ensacar, emalar; agarrar, caçar, apossar-se de; cortar com uma foicinha; (náut.) enfunar, mudar de rumo.
bagasse [bə'gæs], *s.* **bagaço da cana-de-açúcar.**

bagatelle [bægə'tel], *s.* bagatela, insignificância; bilhar chinês; peça de música ligeira.
baggage ['bægidʒ], *s.* bagagem; mulher imoral; rapariga despreocupada.
baggage car — furgão.
bagginess ['bæginis], *s.* flacidez.
bagging ['bægiŋ], **1** — *s.* espécie de linhagem (para sacos).
2 — *adj.* caindo como um saco, largo.
baggy ['bægi], *adj.* largo, mal ajustado, como um saco; deformado; flácido; pendente; entumecido; (náut.) enfunado.
bagman ['bægmən], *s.* (col.) caixeiro-viajante.
bagnio ['bɑ:njou], *s.* casa de banhos (italiana ou oriental); cadeia (no Oriente); bordel.
bagpipe ['bægpaip], *s.* gaita-de-foles.
bagpiper [-ə], *s.* homem que toca gaita-de--foles.
bah [bɑ:], *interj.* ora! (indicando desprezo).
Bahadur [bə'hɑ:də], *s.* título usado na Índia.
baignoire ['beinwɑ:], *s.* camarote.
bail [beil], **1** — *s.* fiança, caução; fiador; divisões de um estábulo; asa de balde ou de caldeira; pauzinho que encima o «wicket» no jogo do críquete.
out on bail — livre sob caução.
to be bail for one — ser fiador de alguém.
to give leg bail (col.) — dar às de vila-diogo, fugir.
to give (to put) on bail — dar fiador.
2 — *vt.* e *vi.* afiançar, caucionar; esvaziar, tirar a água de um bote.
to bail out — saltar de pára-quedas.
to bail water out (to bail out a boat) — tirar água de um barco.
to be bailed out of prison — sair da prisão sob fiança.
bailable [-əbl], *adj.* afiançável.
bail-bond [-bɔnd], *s.* termo de fiança.
bailee [bei'li], *s.* depositário de mercadorias.
bailer ['beilə], *s.* fiador; bola que acerta nos *bails* no jogo do críquete; (náut.) batedouro.
bailey ['beili], *s.* pátio de castelo, muralha exterior de castelo.
Old Bailey — principal tribunal criminal de Londres.
bailie [bei'li], *s.* funcionário municipal (na Escócia).
bailiff ['beilif], *s.* bailio, beleguim; feitor.
bailiwick ['beiliwik], *s.* distrito administrado por um bailio.
bailment ['beilmənt], *s.* depósito; entrega de coisas depositadas; fiança.
bailor ['beilə], *s.* depositante.
bailsman ['beilzmən], *s.* fiador.
bairn [bɛən], *s.* criança (termo escocês).
bait [beit], **1** — *s.* isca, engodo; chamariz; paragem numa viagem para comer ou descansar.
bait worm — minhoca (usada como isca).
to take the bait (col.) — cair no laço, morder a isca.
2 — *vt.* e *vi.* engodar, iscar; atormentar; parar numa viagem para tomar uma refeição leve; dar de comer a cavalos em viagem.
to bait a bull — açular um touro.
baize [beiz], *s.* baeta, tecido felpudo de lã.
bake [beik], *vt.* e *vi.* assar, assar-se; queimar, bronzear (a pele pela acção do sol).
half-baked — imaturo; imbecil.
bakehouse [-haus], *s.* casa do forno.
bakelite ['beikəlait], *s.* baquelite.
baker [-ə], *s.* padeiro.
baker-legged — cambaio, torto das pernas.
baker's dozen — treze, dúzia de frade.
bakery [-əri], *s.* padaria.
baking [-iŋ], **1** — *s.* cozedura, fornada.
baking-tin — assador.
2 — *adj.* muito quente.
the weather is baking — está um calor tremendo.
baking-powder [-iŋ 'paudə], *s.* fermento em pó.
baksheesh ['bækʃi:ʃ], *s.* ver **backsheesh** e **backshish.**
balance ['bæləns], **1** — *s.* balança; balanço, saldo duma conta; pêndulo de relógio; equilíbrio; sétimo signo do Zodíaco.
balance against — balanço de saída.
balance-beam — braço de balança.
balance brought down — saldo para conta nova.
balance carried forward (balance in hand) — saldo para conta nova.
balance in favour — balanço de entrada.
balance of power — equilíbrio dos Estados.
balance of trade — balança do comércio, diferença entre as exportações e importações.
balance rudder — (náut.) leme compensado.
balance-sheet — balanço geral.
balance-weight — contrapeso.
balance-wheel — volante de relógio.
on balance — tomando os vários factores em consideração.
rough balance — balanço aproximado.
the balance of a meal (col.) — os restos de uma refeição.
to keep one's balance — manter-se em equilíbrio; (fig.) manter-se calmo.
to lose one's balance — perder o equilíbrio; (fig.) perder o controlo, a calma.
to show a balance — mostrar um saldo.
to strike a just balance — estabelecer um justo equilíbrio.
trial balance — balancete.
2 — *vt.* e *vi.* pesar; contrabalançar; equilibrar; examinar; dar balanço; saldar; hesitar; oscilar; balancear. (*Sin.* **to counterbalance, to estimate, to oscillate, to poise, to waver, to weigh.**)
to balance an account — fechar uma conta.
balconied ['bælkənid], *adj.* que tem varanda.
balcony ['bælkəni], *s.* varanda, sacada; (teat.) segundo-balcão.
bald [bɔ:ld], *adj.* calvo; pelado; com manchas brancas (cavalo); despido, nu; manifesto; (lit.) sem interesse, monótono.
bald as an egg (a coot, a billiard ball) — muito calvo.
bald-coot (baldicoot) — ave da família das fulicárias; pessoa calva.
baldachin ['bɔ:ldəkin], *s.* baldaquim ou baldaquino, espécie de dossel, pálio; pavilhão assente em colunas.
balderdash ['bɔ:ldədæʃ], *s.* disparate, patetice; conversa tola.
bald-head ['bɔ:ldhed], *s.* calvo.
bald-headed [-id], *adj.* calvo.
baldicoot ['bɔ:ldikut], *s.* ave da família das fulicárias; pessoa calva.
baldly ['bɔ:ldli], *a v.* grosseiramente.
baldness ['bɔ:ldnis], *s.* **1** — calvície.
2 — nudez.
baldric ['bɔ:ldrik], *s.* cinturão com arma.
Baldwin ['bɔ:ldwin], *n. p.* Balduíno.
bale [beil], **1** — *s.* fardo; desgraça, calamidade, dor.
bale-breaker — abridor de fardos.
bale-fire — fogueira, pira funerária.
bale-hook — gancho para levantar fardos.
the Day of Bale — o juízo final.
2 — *vt.* enfardar, empacotar.
baleful [-ful], *adj.* fatal, terrível.
balefully [-fuli], *adv.* fatalmente, de maneira terrível.
balefulness [-fulnis], *s.* fatalidade.
baler [-ə], *s.* empacotador, enfardador.

balk [bɔ:k], **1** — *s.* obstáculo, impedimento; trave; toro de madeira; terreno não lavrado.
2 — *vt.* e *vi.* frustrar, malograr: impedir, contrariar; recusar-se a saltar (cavalo).
Balkans ['bɔ:lkənz], *top.* Balcãs.
ball [bɔ:l], **1** — *s.* bola, esfera; bala (de canhão); novelo; baile. (*Sin.* sphere; projectile; dance).
ball-bearing — rolamento de esferas.
ball of the eye — globo ocular.
ball-proof — à prova de bala.
ball-tap — válvula de esfera flutuante.
fancy-dress ball — baile de fantasia.
masquerade-ball — baile de máscaras.
meat-ball — almôndega.
this terrestrial ball (poét.) — a Terra.
three balls — sinal da loja de um penhorista.
to give a ball — dar um baile.
to have the ball at one's feet — ter o triunfo assegurado, ter os trunfos na mão.
to keep the ball rolling — sustentar uma conversa; manter um negócio.
to open the ball — abrir o baile.
2 — *vt.* e *vi.* fazer uma bola; fazer novelos.
balling-machine — máquina de fazer novelos.
ballad ['bæləd], *s.* balada (poesia ou canção).
ballade [bæ'lɑ:d], *s.* balada com estribilho.
ballad-monger ['bæləd-'mʌŋgə], *s.* vendedor itinerante de baladas e canções populares.
ballast ['bæləst], **1** — *s.* lastro (de navio ou balão); balastro do caminho-de-ferro.
2 — *vt.* carregar com lastro, lastrar.
ballasting [-iŋ], *s.* material usado como lastro.
ballerina [bælə'ri:nə], *s.* bailarina.
ballet ['bælei], *s.* bailado, dança artística.
ballista [bə'listə], *s.* balista, antigo engenho de guerra para lançar pedras e frechas.
ballistic [bə'listik], *adj.* balístico.
ballistics [-s], *s.* balística, ciência que estuda a trajectória e alcance dos projécteis.
ballistite ['bælistait], *s.* balistite, pólvora sem fumo.
balloon [bə'lu:n], **1** — *s.* balão, aeróstato; balão usado na química.
captive balloon — balão cativo.
dirigible balloon — balão dirigível.
2 — *vt.* e *vi.* viajar de balão; inchar.
balloonist [-ist], *s.* aeronauta.
ballot ['bælət], **1** — *s.* esfera ou papel de votos, voto, votação secreta, total dos votos; fardo.
ballot-box — urna de votos.
to take a ballot — decidir por votação.
2 — *vi.* votar secretamente.
to ballot for — escolher por voto secreto.
ball-room ['bɔ:lrum], *s.* salão de baile.
ballyrag ['bæliræg], *vt.* e *vi.* (col.) maltratar, empurrando ou zombando.
balmy ['bɑ:mi], *adj.* balsâmico; reparador.
balneary ['bælniəri], *adj.* balnear.
balsam ['bɔ:lsəm], *s.* bálsamo.
balsamic [bɔ:l'sæmik], *adj.* balsâmico.
baluster ['bæləstə], *s.* balaústre.
balustrade [bæləs'treid], *s.* balaustrada.
bamboo [bæm'bu:], *s.* bambu.
ban [bæn], **1** — *s.* proibição; excomunhão, proscrição; governador de distrito na Hungria e Croácia.
under the ban — excomungado.
2 — *vt.* e *vi.* proibir, proscrever, excomungar.
banal [bə'nɑ:l], *adj.* banal, trivial, vulgar.
banality [bə'næliti], *s.* banalidade, trivialidade, vulgaridade.
banana [bə'nɑ:nə], *s.* banana, bananeira.
a hand of bananas — um cacho de bananas.
band [bænd], **1** — *s.* faixa; ligadura; banda de música; fora de vela (náut.); bando, multidão.
band-making machine — máquina de fazer cordões.
band of robbers — quadrilha de ladrões.
band-saw — serra de fita.
brass band — fanfarra.
regimental band — banda regimental.
swaddling-band — faixa para cingir crianças.
2 — *vt.* e *vi.* ligar, associar, associar-se.
to band together — juntar-se em grupo.
bandage ['bændidʒ], **1** — *s.* ligadura; venda.
2 — *vt.* ligar; enfaixar; vendar.
bandana [bæn'dɑ:nə], *s.* lenço estampado.
bandanna [bæn'dænə], *s.* ver **bandana.**
bandbox ['bændbɔks], *s.* caixa de papelão (para chapéus, bonés, etc.).
to look as if one had just come out of a bandbox — estar muito bem vestido, muito bem arranjado.
banderole ['bændəroul], *s.* bandeirola.
bandicoot ['bændiku:t], *s.* rato grande da Índia; peramele-narigudo, marsupial da Austrália.
bandit ['bændit], *s.* bandido; salteador.
banditti [bæn'diti], *s. pl.* de **bandit.**
a banditti — bando de salteadores.
bandmaster ['bændmɑ:stə], *s.* mestre de banda.
bandoleer [bændə'liə], *s.* bandoleira.
bandolier [bændə'liə], *s.* ver **bandoleer.**
bandoline ['bændəli:n], *s.* bandolina, água viscosa e aromatizada para fixar o cabelo.
bandsman ['bændzmən], *s.* músico de banda.
bandstand ['bændstænd], *s.* coreto para banda de música.
bandwagon ['bændwægən], *s.* (*col.*) o grupo que ganha o favor geral em manifestações políticas.
bandy ['bændi], **1** — *s.* espécie de hóquei; pau usado nesse jogo; carro indiano.
2 — *adj.* arqueado.
bandy-legged — de pernas arqueadas.
3 — *vt.* trocar, mudar, passar, passar de boca em boca; disputar, contestar. (*Sin.* to exchange, to toss; to contend, to dispute. *Ant.* to drop.)
to bandy words with someone — trocar palavras, discutir com alguém.
bane [bein], *s.* ruína, desgraça.
rat's bane — veneno para os ratos.
baneful [-ful], *adj.* pernicioso, funesto; venenoso.
banefully [-fuli], *adv.* perniciosamente; de um modo funesto.
banefulness [-fulnis], *s.* perniciosidade, nocividade.
banewort ['beinwə:t], *s.* (bot.) erva-moura.
bang [bæŋ], **1** — *s.* pancada, murro; ruído forte, detonação; cabelo com franja na testa.
2 — *vt.* e *vi.* dar pancadas; bater (porta, etc.); fazer ruído; cortar o cabelo com franja na testa.
to bang a door (a window) — bater com uma porta (uma janela).
3 — *adv.* ruidosamente, com barulho; precisamente, exactamente.
to go bang — explodir, rebentar.
to hit somebody bang in the eye — bater a alguém exactamente num olho.
4 — *interj.* imitativa de ruído forte — pum!
bangle [bængl], *s.* bracelete.
banian ['bæniən], *s.* **1** — comerciante da Índia, baniano.
2 — cabaia.
banian-day (náut.) — dia de abstinência de carne.
banian-tree — figueira-da-índia.
banish ['bæniʃ], *vt.* desterrar, exilar, expulsar. (*Sin.* to exile, to expel, to exclude, to dismiss.)

to banish a person from one's presence — mandar uma pessoa embora.
to banish fear (care, shyness) — libertar-se do medo (dos cuidados, da timidez).
banishment [-mənt], *s.* desterro, exílio, deportação, expulsão.
banister ['bænistə], *s.* balaústre; *pl.* balaustrada, corrimão.
banjo ['bændʒou], *s.* banjo.
bank [bænk], **1** — *s.* margem (de um rio ou outro curso de água); borda; rampa; baixio; banco, casa bancária; teclado de órgão.
bank agency — agência bancária.
bank-agent — agente bancário.
bank-bill — letra de câmbio.
bank-book — caderneta bancária.
bank-discount — desconto feito pelo banco.
bank-holiday — feriado nacional.
bank-note — nota de banco.
bank of clouds — aglomeração de nuvens.
bank of issue — banco emissor.
bank-rate — taxa de desconto de um banco.
bank-stock — acções de banco.
joint-stock bank — banco por acções.
land-bank — banco hipotecário.
safe as the Bank — muito seguro.
savings-bank — caixa económica.
steep bank — ribanceira.
2 — *vt.* e *vi.* empilhar, acumular, formar um banco de areia; inclinar para o lado (um aeroplano); depositar dinheiro num banco, ter conta num banco.
to bank the fires — abafar o fogo.
banker [-ə], *s.* **1** — banqueiro.
2 — jogo de cartas.
banking [-iŋ], **1** — *s.* negócio bancário; inclinação da asa de um aeroplano (numa volta rápida).
2 — *adj.* bancário.
banking-house — casa bancária, banco.
bankrupt [-rəpt], **1** — *s.* falido, comerciante falido.
2 — *adj.* falido; sem alguma coisa que devia ter.
to be morally bankrupt — não ter moral absolutamente nenhuma.
to go bankrupt — abrir falência.
3 — *vt.* e *vi.* abrir falência; causar a falência, fazer falir.
bankruptcy [-rəptsi], *s.* falência, bancarrota; pobreza moral ou intelectual. (*Sin.* failure, suspension of payment, insolvency. *Ant.* credit.)
the assets in a bankruptcy — o activo duma falência.
to file a petition in bankruptcy — dar-se por falido.
banner ['bænə], *s.* bandeira, insígnia.
bannered [-d], *adj.* embandeirado.
bannerol [-rɔl], *s.* bandeira de funeral.
bannock ['bænək], *s.* bolo feito de farinha de aveia ou de cevada (Escócia).
banns [bænz], *s. pl.* banhos (pregões de casamento).
to have one's banns called — mandar publicar os banhos.
banquet ['bæŋkwit], **1** — *s.* banquete.
2 — *vt.* e *vi.* banquetear, banquetear-se.
banqueter [-ə], *s.* banqueteador.
banqueting-hall [-iŋhɔ:l], *s.* salão de banquetes.
banquette [bæŋ'ket], *s.* **1** — banqueta.
2 — degrau interior de muralha atrás do parapeito.
banshee [bæn'ʃi:], *s.* criatura sobrenatural que anuncia a morte (crença irlandesa).
bantam ['bæntəm], *s.* **1** — galo ou galinha de Bantam (Java), garnisé.
2 — nome que, durante a Grande Guerra, davam aos soldados muito baixos que formavam batalhões especiais.
bantam weight — levíssimo (boxe).
banter ['bæntə], **1** — *s.* gracejo, zombaria, chacota, troça.
2 — *vt.* e *vi.* zombar, escarnecer, meter a ridículo. (*Sin.* to rally, to chaff, to muke fun, to joke, to jest.)
banting ['bæntiŋ], *s.* regime de emagrecimento (abstinência de açúcar, gorduras e farináceos).
bantling ['bæntliŋ], *s.* miúdo, fedelho (às vezes depreciativo).
baptism ['bæptizm], *s.* baptismo.
baptism of blood (fig.) — martírio.
baptism of fire (fig.) — baptismo de fogo (1.ª batalha de um soldado).
baptismal [bæp'tizməl], *adj.* baptismal.
baptismally [-i], *adv.* no acto ou por meio do baptismo.
baptist ['bæptist], *s.* baptista.
St. John (the) Baptist — S. João Baptista.
baptistery [-təri], *s.* baptistério (igrejas católicas); pia baptismal (capelas baptistas).
baptistry [-ri], *s.* ver **baptistery.**
baptize [bæp'taiz], *vt.* e *vi.* baptizar.
bar [bɑ:], **1** — *s.* barra (de metal, madeira, sabão, etc.); tranca; tribunal, foro; teia (do tribunal ou do parlamento); advocacia; bar, loja de bebidas; balcão de loja de bebidas; bridão; (mús.) compasso; impedimento, barreira; nome de peixe do mar.
bar-bell — barra ginástica (para desenvolver os músculos).
snack-bar — restaurante que vende comidas, acepipes e bebidas ao balcão.
the Bar — conjunto de advogados.
to be called to the Bar — advogar nos tribunais.
to go to the Bar — seguir a carreira de advogado.
to read for the Bar — estudar Direito.
2 — *vt.* trancar; impedir; excluir; obstruir; (col.) não gostar de; marcar com barras de cor ou material diferente. (*Sin.* to fasten, to obstruct; to exclude, to prevent. *Ant.* to admit.)
3 — *prep.* excepto.
the list is complete bar four names — só faltam quatro nomes na lista.
barb [bɑ:b], **1** — *s.* extremidade de seta; farpa (arame); raça de cavalo e de pombo da Berberia.
2 — *vt.* prover de farpas.
Barbara ['bɑ:bərə], *n. p.* Bárbara.
barbarian [bɑ:'bɛəriən], *s.* e *adj.* bárbaro.
barbaric [bɑ:'bærik], *adj.* bárbaro, rude.
barbarism ['bɑ:bərizəm], *s.* barbarismo, barbárie.
barbarity [bɑ:'bæriti], *s.* barbaridade, crueldade, ferocidade.
barbarize ['bɑ:bəraiz], *vt.* e *vi.* barbarizar; tornar bárbaro; cometer barbaridades.
barbarous ['bɑ:bərəs], *adj.* bárbaro, desumano.
barbarously [-li], *adv.* barbaramente.
barbarousness [-nis], *s.* barbarismo.
Barbary ['bɑ:bəri], *n. p.* Berberia.
barbate ['bɑ:beit], *adj.* (bot., zool.) que tem barba ou tufos.
barbated [bɑ:'beitid], *adj.* ver **barbate.**
barbecue ['bɑ:bikju:], **1** — *s.* grade onde se assam animais inteiros; animal assado inteiro; *(E. U.)* festim em que são servidos animais assados inteiros.
2 — *vt.* assar um animal inteiro.
barbed-wire ['bɑ:bd'waiə], *s.* arame farpado.
barbed-wire entanglement — rede de arame farpado.

barbel ['bɑ:bəl], *s.* barbo; barbilhão.
barber ['bɑ:bə], *s.* barbeiro.
barberry ['bɑ:bəri], *s.* arbusto que produz bagas vermelhas, bérberis. Ver **berberry** e **berberis.**
barbette [bɑ:'bet], *s.* barbeta, reduto de um navio ou de uma fortaleza onde estão as peças de fogo.
barbican ['bɑ:bikən], *s.* barbacã, muro de defesa junto às muralhas.
barbituric [bɑ:bi'tjuərik], *adj.* barbitúrico.
barcarol(le) ['bɑ:kəroul], *s.* barcarola, canção dos gondoleiros.
bard [bɑ:d], *s.* bardo, poeta, trovador.
bardic ['-dik], *adj.* próprio dos bardos.
bare [bɛə], **1** — *adj.* despido, nu, descoberto; pelado; usado, gasto; liso; simples, mero; vazio, pobre, desprovido. (*Sin.* unclothed, naked; unprotected, threadbare; unfurnished, empty, scanty, unadorned.)
a bare floor — um soalho nu, sem carpete, tapete ou passadeira.
a bare room — um quarto quase sem mobília.
bare-headed — em cabelo, sem chapéu.
to be bare of — estar desprovido de.
to believe a thing on somebody's bare word — ser só preciso ter a palavra de alguém para acreditar numa coisa.
to lay bare — pôr a descoberto.
under bare poles (náut.) — em árvore seca.
2 — *vt.* descobrir; revelar.
to bare one's head — tirar o chapéu, descobrir-se.
to bare one's heart — confessar o que se sente.
bareback ['bɛəbæk], *adj.* e *adv.* em pêlo, sem selim.
barebacked [-t], *adj.* ver **bareback.**
barefaced ['bɛəfeist], *adj.* descarado, sem-vergonha, insolente.
barefacedly [-li], *adv.* descaradamente, insolentemente.
barefacedness [-nis], *s.* descaro, descaramento, insolência.
barefoot ['bɛəfut], *adj.* e *adv.* descalço.
to be (go, walk) barefoot — estar (ir, andar) descalço.
barefooted ['bɛə'futid], *adj.* ver **barefoot.**
barely ['bɛəli], *adv.* pobremente; nuamente; simplesmente; apenas.
bareness ['bɛənis], *s.* nudez; pobreza; desabrigo.
bargain ['bɑ:gin], **1** — *s.* ajuste, contrato, negócio; compra ou venda vantajosa, pechincha, bom negócio, ocasião excelente. (*Sin.* agreement, purchase, contract, stipulation.)
at a bargain — baratíssimo.
into the bargain — ainda por cima, além disso.
that's a bargain! — combinado!
to buy a bargain — comprar barato.
to close a bargain — fechar um contrato.
to drive a good bargain — conduzir bem um negócio.
to make the best of a bad bargain — sofrer reveses com cara alegre.
to strike a bargain — realizar um negócio, fazer um ajuste.
2 — *vi.* ajustar, contratar; regatear.
it was more than he bargained for — foi uma surpresa desagradável para ele, foi mais do que ele esperava.
bargainer [-ə], *s.* vendedor, contratador; aquele que regateia.
bargaining [-iŋ], *s.* regateio.
barge [bɑ:dʒ], **1** — *s.* batelão, lancha, barcaça, barca.
barge-board — tábua que cobre o beiral do telhado.
barge-pole — vareiro; vara comprida para impelir uma barcaça.
2 — *vi.* (col.) abrir caminho precipitadamente.
to barge about — andar sem controlo dos movimentos, andar aos ziguezagues.
to barge into — entrar precipitadamente, indo contra as pessoas ou coisas.
bargee [bɑ:'dʒi], *s.* bateleiro, barqueiro.
a lucky bargee (col.) — um felizardo.
to swear like a bargee — praguejar como um carroceiro.
bargeman ['bɑ:dʒmən], *s.* barqueiro.
baritone ['bæritoun], *s.* barítono. Ver **barytone.**
barium ['bɛəriəm], *s.* bário, metal de cor esbranquiçada.
bark [bɑ:k], **1** — *s.* casca de árvore; barco de três ou quatro mastros; (poét.) qualquer espécie de barco; latido.
his bark is worse than his bite (col.) — diz que mata e esfola, mas não faz mal a uma mosca.
2 — *vt.* e *vi.* descascar, raspar; ladrar, latir; tossir.
he is always barking his knees (col.) — está sempre a esfolar os joelhos.
to bark up the wrong tree — acusar uma pessoa inocente; enganar-se no objectivo.
barker ['-ə], *s.* **1** — descascador de árvores.
2 — cão que ladra.
barking ['-iŋ], *s.* latido.
barky ['-i], *adj.* com casca.
barley ['bɑ:li], *s.* cevada.
barley-sugar — rebuçados de cevada.
barley-water — caldo de cevada.
pearl barley — cevadinha.
barleycorn [-kɔ:n], *s.* **1** — grão de cevada.
2 — um terço de polegada (antiga medida).
John Barleycorn — nome dado ao uísque e às outras bebidas feitas com malte.
barm [bɑ:m], *s.* fermento, levedura; espuma.
barmaid ['bɑ:meid], *s.* empregada de bar.
barman ['bɑ:mən], *s.* empregado de bar.
barmy ['bɑ:mi], *adj.* fermentado; espumoso; activo.
barmy (col.) — idiota, imbecil.
barn [bɑ:n], *s.* celeiro.
barn-floor — eira.
barn-yard — pátio de quinta.
Barnabas ['bɑ:nəbəs], *n. p.* Barnabé.
barnacle ['bɑ:nəkl], *s.* **1** — ganso bravo, bernacho, bernaca.
2 — espécie de lapa.
3 — (col.) — indivíduo que não «desarranca» de um lugar.
4 — (pl.) óculos.
Barnardo [bɑ:'nɑ:dou], *n. p.*
barograph ['bærougrɑ:f], *s.* barógrafo.
barology [bæ'rɔlədʒi], *s.* barologia, teoria da gravidade.
barometer [bə'rɔmitə], *s.* barómetro.
barometric(al) [bærə'metrik(əl)], *adj.* barométrico.
barometric pressure — pressão atmosférica.
barometric tide — variação barométrica.
barometry [bə'rɔmitri], *s.* barometria, ciência que estuda a pressão atmosférica.
baron ['bærən], *s.* **1** — barão.
2 — (jur.) homem, marido.
a baron of beef — os dois quartos dianteiros de um boi.
baronage [-idʒ], *s.* baronia.
baroness [-is], *s.* baronesa.
baronet [-it], *s.* baronete.
baronetage [-itidʒ], *s.* **1** — baronetes.
2 — baronato.
baronetcy ['bærənitsi], *s.* ver **baronetage 2** .
baronial [bə'rounjəl], *adj.* baronial, de barão
barony ['bærəni], *s.* baronia, baronato.

baroque [bə'rouk], *s.* e *adj.* barroco.
baroscope ['bæroskoup], *s.* baroscópio.
barouche [bə'ru:ʃ], *s.* caleche.
barque [bɑ:k], *s.* barca.
barrack ['bærək], **1** — *s.* (geralmente no plural) quartel, caserna; barraca.
confined to barracks — detido no quartel.
2 — *vt.* aquartelar; assobiar, gritar.
barrage ['bærɑ:ʒ], *s.* **1** — barragem.
2 — (mil.) fogo de artilharia contínuo sobre uma certa área.
barratry ['bærətri], *s.* baratária, fraude ou negligência propositada do capitão de um navio em prejuízo do dono do mesmo navio.
barrel ['bærəl], **1** — *s.* barril, barrica; cano de espingarda; tronco de cavalo ou vaca; tambor; corpo cilíndrico; (náut.) sarilho.
barrel-bellied — barrigudo.
barrel-organ — realejo.
he has them over a barrel — ele domina-os.
2 — *vt.* embarrilar.
barren ['bærən], *adj.* **1** — estéril (mulher).
2 — infrutífero, baldio, árido (terreno).
3 — desprovido de interesse. (*Sin.* unfertile, sterile, unprofitable, unproductive, unfruitful. *Ant.* fertile.)
barrenly [-li], *adv.* esterilmente, aridamente.
barrenness [-nis], *s.* esterilidade, aridez.
barrenwort [-wə:t], *s.* planta silvestre que produz flores vermelhas e amarelas.
barricade [bæri'keid], **1** — *s.* barricada.
2 — *vt.* defender com barricadas.
barrier ['bæriə], **1** — *s.* barreira, estacada; obstáculo, limite.
2 — *vt.* barreirar, cercar de barreiras.
barring ['bɑ:riŋ], **1** — *s.* limitação, obstáculo.
2 — *prep.* salvo, excepto.
3 — *p. pr.* de **to bar.**
barrister ['bæristə], *s.* advogado.
barrister-at-law — advogado.
to become a barrister — ser (tornar-se) advogado.
to brief a barrister — contratar um advogado.
barrow ['bærou], *s.* carro de mão; elevação, monte; túmulo.
hand-barrow (wheel-barrow) — carro de mão.
barter ['bɑ:tə], **1** — *s.* troca, permuta de géneros.
2 — *vt.* e *vi.* permutar, trocar, dar em troca.
to barter away something — vender alguma coisa ao desbarato.
to barter one thing for (against) another — trocar uma coisa por outra.
bartender [bɑ:'tendə], *s.* empregado de bar.
Bartholomew [bɑ:'θɔləmju:], *n. p.* Bartolomeu.
barton ['bɑ:tn], *s.* **1** — pátio de casa de lavoura, quinta.
2 — usado em algumas regiões em vez de **barn.**
baryta [bə'raitə], *s.* barita, óxido hidratado de bário.
barytone ['bæritoun], *s.* ver **baritone.**
basal ['beisl], *adj.* básico, fundamental.
basalt ['bæsɔ:lt], *s.* basalto.
basaltic [bə'sɔ:ltik], *adj.* basáltico.
bascule ['bæskju:l], *s.* báscula.
bascule-bridge — espécie de ponte levadiça.
base [beis], **1** — *s.* pedestal; alicerce; suporte; base (quím., geom., mil.).
base-ball — «base-ball» (jogo nacional dos E. U.).
base-line — linha de construção (no desenho do navio).
base of operations — base de operações.
base-plate (náut.) — fixo de máquinas.
2 — *adj.* baixo, vil, ordinário, desprezível.
base-born — de baixo nascimento, bastardo, ilegítimo.
base-metals — metais vis, metais opostos aos preciosos.
3 — *vt.* basear, firmar, apoiar, fundamentar; estabelecer. (*Sin.* to found, to rest, to rely upon, to establish.)
to base oneself on something — basear-se em qualquer coisa.
basecourt ['-kɔ:t], *s.* pátio exterior de castelo ou solar; pátio nas traseiras de casa de lavoura.
baseless ['-lis], *adj.* infundado, sem base.
baselessly ['-lisli], *adv.* infundadamente, temerariamente.
baselessness ['-lisnis], *s.* inconsistência, falta de base.
basely ['-li], *adv.* vilmente.
basement ['-mənt], *s.* pavimento inferior de uma casa, cave.
baseness ['-nis], *s.* ruindade, baixeza, vileza, aviltamento.
bases ['-iz], *s. pl.* de **basis.**
bash [bæʃ], *vt.* (col.) amachucar, amolgar; bater com força.
to bash a person on the head — bater com toda a força na cabeça de uma pessoa.
bashful ['-ful], *adj.* envergonhado, tímido, acanhado. (*Sin.* shy, timid, sheepish, shamefaced. *Ant.* bold.)
bashfully ['-fuli], *adv.* acanhadamente, timidamente.
bashfulness ['-fulnis], *s.* acanhamento, timidez, vergonha.
basic ['beisik], *adj.* básico, fundamental.
basic English — inglês básico.
basic slag — fosfato Tomás.
basically [-əli], *adv.* basicamente.
basicity [bei'sisiti], *s.* basicidade.
Basil ['bæzl], *n. p.* Basílio.
basil ['bæzl], *s.* manjericão, basílico.
basilica [bə'zilikə], *s.* basílica.
basilicon [bə'zilikn], *s.* basilicão, unguento de cera, azeite, pez e resina.
basilisk ['bæzilisk], *s.* basilisco, réptil fabuloso cujo olhar era fatal; lagarto americano.
basilisk-glance — mau-olhado.
basin ['beisn], *s.* bacia; vasilha; tigela; prato de balança; reservatório de água; bacia hidrográfica; doca.
basis ['beisis], *s.* **1** — base, fundamento, princípio fundamental.
2 — base militar.
bask [bɑ:sk], *vi.* e *vr.* mergulhar com prazer, deliciar-se.
to bask in the sun — deliciar-se com o calor do sol.
basket ['bɑ:skit], *s.* cesto, cabaz, canastra, cesta.
basket-ball — basquetebol (jogo).
basket-ball player — jogador de basquetebol.
basket-maker — canastreiro.
basket work — obra de verga.
shopping-basket — cesto das compras.
the pick of the basket (col.) — o melhor de todos.
waste-paper basket — cesto dos papéis.
basketful [-ful], *s.* cestada, cesto cheio.
Basle [bɑ:l], *top.* Basileia.
basque [bæsk], *s.* jaleca.
Basque [bæsk], **1** — *s.* o basco, a língua basca.
2 — *adj.* basco.
bas-relief ['bæsri'li:f], *s.* baixo-relevo.
bass 1 — [bæs], *s.* esparto (fibra); perca (peixe); cerveja de marca Bass.
bass-tree — planta que produz o esparto.
bass-wood — tília americana.
2 — [beis], *s.* e *adj.* (mús.) baixo; de baixo.
double-bass — contrabaixo.
bass voice — voz de baixo, voz grave.

basset ['bæsit], *s.* raça de cães de pernas curtas.
basset-horn — clarinete tenor.
bassinet [bæsi'net], *s.* berço de verga, carrinho de verga para criança.
bassoon [bə'su:n], *s.* fagote.
bassoonist [-ist], *s.* tocador de fagote.
bast [bæst], *s.* esparto, fibra, esteira ou corda feita de esparto.
bastard ['bæstəd], **1** — *s.* bastardo, filho ilegítimo; degenerado.
2 — *adj.* bastardo, degenerado.
bastard file — lima bastarda.
bastardization ['bæstədaizeiʃən], *s.* bastardia, ilegitimidade, acto de tornar ilegítimo.
bastardize ['bæstədaiz], *vt.* declarar que é filho bastardo; abastardar.
bastardy ['bæstədi], *s.* estado de ilegitimidade.
baste [beist], *vt.* **1** — alinhavar.
2 — espancar, bater com força.
3 — untar a carne com gordura enquanto se assa.
bastille [bæs'ti:l], *s.* fortaleza, prisão.
bastinado [bæsti'neidou], **1** — *s.* bastonada, pancada dada com bastão.
2 — *vt.* dar bastonadas em.
bastion ['bæstiən], *s.* bastião, baluarte.
bastioned [-d], *adj.* defendido por baluartes.
bat [bæt], **1**—*s.* morcego; pá do críquete; pessoa que usa essa pá no críquete; (col.) passo.
as blind as a bat (col.) — cego como um morcego.
off one's own bat (col.) — por iniciativa própria; sem ajuda, sozinho.
to go full bat (col.) — ir «a todo o vapor», ir a toda a velocidade.
to have bats in the belfry (col.) — ter macaquinhos no sótão.
2 — *vi.* manejar a pá no jogo do críquete.
batch [bætʃ], *s.* **1** — fornada.
2 — porção, quantidade (de coisas da mesma espécie ou pessoas ligadas por família ou ocupações comuns).
a batch of cigarettes (books, etc.) — uma porção de cigarros (livros, etc.).
a batch of workmen — um grupo de trabalhadores.
a batch of loaves — uma fornada de pão.
bate [beit], **1** — *s.* solução alcalina usada para curtir peles; (col.) fúria, raiva, ira.
2 — *vt.* e *vi.* mergulhar as peles numa solução alcalina para as curtir; diminuir, baixar, reprimir.
to bate one's claims — diminuir as reclamações.
bath [bɑ:θ], **1** — *s.* banho; banheira.
bath of blood — carnificina; banho de sangue.
bath-house — balneário.
bath-tub — banheira.
Order of the Bath — Ordem do Banho.
swimming-bath — piscina.
2 — *vt.* dar banho a (especialmente criança).
Bath [bɑ:θ], *top.* nome de cidade inglesa.
bath-chair ['-tʃεə], *s.* cadeira de rodas para inválidos.
bathe [beið], *vt.* e *vi.* banhar-se, tomar banho (especialmente no mar ou rio); banhar.
bather ['-ə], *s.* banhista.
bathing ['-iŋ], *s.* banho.
bathing-beach — praia de banhos.
bathing-costume (bathing-dress, bathing-suit) — fato de banho.
bathing-hut (bathing-tent) — barraca de praia.
bathing-machine — barraca de rodas.
bathometer [bə'θɔmitə], *s.* batímetro, instrumento para medir a profundidade dos mares. Ver **bathymeter.**
bathos ['beiθɔs], *s.* passagem do sublime ao burlesco em estilo.
bathroom ['bɑ:θrum], *s.* quarto de banho.
Bathsheba ['bæθʃibə], *n. p.* Betsabé (nome bíblico).
bathymeter [bə'θimitə], *s.* ver **bathometer.**
bathymetry [bə'θimitri], *s.* batimetria, medida da profundidade dos mares.
batiste [bæ'ti:st], *s.* cambraia.
batman ['bætmən], *s.* (mil.) impedido.
baton ['bætən], *s.* bastão de comando; «casse-tête» de polícia; batuta.
Marshal's baton — bastão de marechal.
batrachia [bə'treikjə], *s. pl.* os batráquios.
batrachian [bə'treikjən], *s.* e *adj.* batráquio; de batráquio.
batsman ['bætsmən], *s.* batedor, o que empunha a pá no jogo do críquete.
battalion [bə'tæljən], *s.* batalhão.
battel(s) ['bætl(z)], *s.* conta das despesas de colégio em Oxford.
batten [bætn], **1** — *s.* sarrafo, tira de madeira; (náut.) tranca de escotilha.
2 — *vt.* e *vi.* construir ou reforçar com sarrafos; engordar; comer vorazmente.
to batten down the hatches (náut.) — acunhar as escotilhas.
batter ['bætə], **1** — *s.* massa de farinha, ovos e leite cozida, assada ou frita; inclinação na superfície exterior da parede numa construção, de maneira que a parede é mais grossa em baixo do que em cima; defeito em tipo de impressão; o mesmo que **batsman.**
2 — *vt.* e *vi.* bater, desancar, despedaçar, inclinar para dentro a superfície exterior da parede; desgastar um tipo de impressão. *(Sin.* to beat, to strike, to bruise, to shatter, to smash.)
battering-ram ['bætəriŋræm], *s.* aríete.
Battersea ['bætəsi], *top.* nome de subúrbio de Londres.
battery ['bætəri], *s.* bateria.
battery-box — caixa de bateria.
field-battery — bateria de campanha.
horse-battery — bateria montada.
mountain-battery — bateria de montanha.
to raise up a battery — assestar uma bateria.
batting ['bætiŋ], *s.* **1** — o acto de manejar a pá no críquete.
2 — algodão ou lã em pasta.
battle [bætl], **1** — *s.* batalha, combate, luta.
battle-axe — acha de armas.
battle bowler (col.) — capacete de soldado.
batte-cruiser — cruzador de batalha.
battle-cry — grito de guerra.
battle-dress — uniforme de campanha.
battle-field — campo de batalha.
battle-line — linha de batalha.
battle-piece — pintura que representa uma batalha.
battle plane — avião de combate.
pitched battle — batalha campal.
2 — *vt.* e *vi.* batalhar, combater, lutar: esforçar-se.
battledore [-dɔ:], *s.* **1** — raqueta.
2 — pau para bater roupa.
3 — (náut.) travessão de abita.
battlement [-mənt], *s.* ameia, seteira.
battlemented [-məntid], *adj.* que tem ameias.
battleship [-ʃip], *s.* couraçado, barco de guerra.
battue [bæ'tu:], *s.* batida, montaria.
bauble [bɔ:bl], *s.* ninharia, frioleira, coisa sem importância, brinquedo.
baulk [bɔ:k], *s.*, *vt.* e *vi.* ver **balk.**
Bavaria [bə:'vεəriə], *top.* Baviera.
Bavarian [-n], *s.* e *adj.* bávaro.
bawbee [bɔ:'bi:], *s.* (col., termo escocês) meio dinheiro.
bawd [bɔ:d], *s.* (lit.) alcoviteira; prostituta.

bawdry ['-ri], *s.* libertinagem.
bawdy ['-i], *adj.* libertino, devasso, obscuro.
bawdy-house — lupanar, bordel.
bawdy-talk — obscenidades.
bawl [bɔ:l], **1** — *s.* grito, berro.
2 — *vt.* e *vi.* gritar, berrar, vociferar. (*Sin.* to shout, to cry, to roar, to vociferate, to yell.)
to bawl out — falar a gritar, vociferar.
bawler ['-ə], *s.* gritador, vozeador.
bay [bei], **1** — *s.* baía, braço de mar; loureiro, louro; latido de cão na caça; cavalo baio; vão de janela ou porta; principal divisão de um edifício, marcada por colunas ou pilares.
bay-window — janela saliente.
to bring to bay — (col.) «levar à parede».
to keep at bay —manter a distância.
2 — *adj.* baio, de cor castanho-avermelhada.
3 — *vt.* e *vi.* ladrar, perseguir ladrando.
to bay the moon (arcaico) — ladrar à Lua.
bayadere [bejə'di:ə], *s.* bailarina.
bayonet ['beiənit], **1** — *s.* baioneta.
to carry at the point of the bayonet — levar à ponta de baioneta.
to fix bayonets — armar baionetas.
2 — *vt.* atravessar com baioneta.
baysalt ['bei'sɔ:lt], *s.* sal marinho.
bazaar [bə'zɑ:], *s.* **1** — bazar oriental.
2 — bazar de caridade.
bdellium ['deliəm], *s.* bdélio, goma-resina do Oriente.
be [bi:], *vi.* (pret. **was** [wɔ:z, wəz], pp. **been** [bi:n]) ser; estar; existir; ocorrer, acontecer; ter de, ser obrigado a; dever (seguido de infinitivo); haver (precedido de *there*); custar (dinheiro); ficar situado; ter lugar; realizar-se; encontrar-se; ter; (o verbo *to be* é auxiliar da voz passiva e da forma progressiva).
as it were — por assim dizer.
be gone! — vá-se embora!, vai-te embora!
be it so — seja assim.
be off! — vá-se embora! vai-te embora!
has anyone been? — veio alguém?
he is to be there — ele deve estar cá.
how much is that car? — quanto custa aquele carro?
how old are you? — quantos anos tens?
I am eleven (years old) — tenho onze anos.
I am for... — sou partidário de...
I am to inform you — devo informá-lo.
if I were you — se eu fosse tu, se eu estivesse no teu lugar.
let it be — deixá-lo.
let me be—deixa-me sossegado, deixa-me em paz.
there to be — haver.
the to-be — o futuro.
to be able to — poder, ser capaz de.
to be about something — estar ocupado em qualquer coisa.
to be about to — estar para.
to be afraid — ter medo.
to be all ears — ser todo ouvidos.
to be all eyes — observar com muita atenção.
to be allowed to — poder, ter licença de; ser autorizado a.
to be apt at — ter habilidade para.
to be apt to — ter tendência para.
to be ashamed — ter vergonha, estar envergonhado.
to be at a loss — estar atrapalhado.
to be at one's wit's end — estar atrapalhadíssimo, não saber o que fazer.
to be at work — estar a trabalhar.
to be away — estar ausente, estar longe.
to be back — regressar.
to be backward — ter pouca inteligência; não estar bem desenvolvido (vegetais).
to be beside oneself — estar fora de si.
to be beside the point — fugir à questão.
to be careful — ter cuidado, ser cuidadoso.
to be cold — estar com frio; ter frio.
to be concerned — estar envolvido; estar preocupado.
to be dead-beat — estar morto de cansaço.
to be early — ser cedo; chegar cedo.
to be forward — ser intrometido; estar bem desenvolvido (plantas).
to be good enough to — ter a bondade de.
to be hard of hearing — ser duro de ouvido.
to be hungry — ter fome.
to be in — estar em casa; estar na época (vegetais, fruta).
to be in a hurry — estar com pressa.
to be in dead low water = *to be short of money.*
to be in hand with one thing — estar a fazer uma coisa, ter uma coisa entre mãos.
to be in the same box (boat) — estar nas mesmas condições.
to be in want of — faltar; ter necessidade ou falta de.
to be in with someone — estar de boas relações com alguém.
to be late — ser tarde; estar ou chegar atrasado.
to be like — parecer-se com.
to be long — demorar-se.
to be mistaken — estar enganado.
to be off — ir-se embora.
to be on — estar em exibição (teatro ou cinema); concordar com o que a outra pessoa sugere.
to be one button short (col.) — «não ter os cinco alqueires bem medidos», ser pateta.
to be out — não estar em casa; estar em flor (árvore).
to be over — acabar.
to be permitted to — poder; ter licença para; ser autorizado a.
to be quite the rage — ser moda, fazer furor.
to be right — ter razão; estar certo.
to be short of money (to be in dead low water) — ter pouco dinheiro; estar «teso».
to be sleepy — ter sono.
to be so kind as to — ter a bondade de.
to be sure — ter a certeza.
to be taken aback — ficar surpreendido, ser apanhado de surpresa.
to be thirsty — ter sede.
to be tired out — estar morto de cansaço.
to be up to — estar à altura de.
to be warm — estar quente (estar calor); ter calor; estar com calor.
to be worth — ter de seu; valer.
to be wrong — não ter razão; não estar certo, estar errado.
beach [bi:tʃ], **1** — *s.* praia, costa, margem. (*Sin.* sands, shore, strand.)
beach-comber — vagalhão; (calão) vagabundo que ganha a vida à beira-mar.
beach-master — oficial que superintende no desembarque de tropas.
sea-beach — praia de mar.
2 — *vt.* arremessar à praia; encalhar, varar.
beached ['-t], *adj.* varado, encalhado, exposto às ondas.
beachy ['-i], *adj.* que tem praia; como uma praia.
beacon ['bi:kən], **1** — *s.* sinal luminoso para avisar ou guiar em terra ou no mar, farol; fogueira nos montes para assinalar um perigo. (*Sin.* signal, mark, lighthouse, guide, warning.)
beacon-buoy — bóia-baliza.
2 — *vt.* guiar por meio de luz, balizar.

beaconage [-idʒ], *s.* balizagem; direitos de balizagem.
bead [bi:d], **1** — *s.* conta (de rosário, terço, etc.); pérola; gota; ponto de mira.
string of beads — terço, rosário; colar.
the great bead — o pai-nosso (no rosário ou no terço).
to draw a bead on — fazer pontaria a, alvejar.
to tell one's beads — rezar o terço.
2 — *vt.* e *vi.* guarnecer de contas; rezar.
beaded [ˈ-id], *adj.* com a forma de conta; enfeitado com contas.
beader [ˈ-ə], *s.* instrumento para fazer contas de prata, máquina para gravar em forma de conta.
beading [ˈ-iŋ], *s.* ornato de contas; formação de gotas como contas.
beadle [bi:dl], *s.* bedel, guarda de igreja.
beadsman [ˈbidsmæn], *s.* pessoa que vive da caridade.
beady [ˈbi:di], *adj.* semelhante a contas, coberto de contas.
beagle [bi:gl], **1** — *s.* bigle, cão usado na caça à lebre e ao coelho.
2 — *vi.* caçar lebres ou coelhos com bigles.
beagling [-iŋ], *s.* caça à lebre com bigles.
beak [bi:k], *s.* bico (de ave); nariz aquilino; (col.) magistrado; (cal. acad.) professor, reitor, director.
beaker [-ə], *s.* taça, copo; copo graduado, proveta; (poét.) taça.
beam [bi:m], **1** — *s.* viga-mestra, trave; (náut.) vau; a maior largura de um navio; braço de balança; cilindro de tear; parte principal de um arado; lança de carro; raio de luz; sorriso, ar sorridente e afável.
beam-bird — papa-moscas.
beam sea — mar de través.
on her beam-ends (náut.) — sobre o costado, quase a virar.
to be one's beam-ends — estar em situação aflitiva.
to kick the beam — ser derrotado.
2 — *vi.* brilhar, emitir raios de luz; sorrir alegremente. (*Sin.* to shine, to glitter, to gleam, to smile happily.)
beamily [-ili], *adv.* luminosamente, radiosamente.
beaming [-iŋ], *adj.* brilhante, luminoso; alegre, radiante. (*Sin.* shining, bright, gleaming, radiant. *Ant.* dull.)
beaming with joy — radiante de alegria.
beamless [-lis], *adj.* sem luz, sem brilho.
beamy [-i], *adj.* luminoso; radiante; largo (navio).
bean [bi:n], *s.* planta leguminosa; semente de planta leguminosa; feijão; fava.
bean brush — palha de feijão ou de fava.
bean coffee — café em grão.
bean dolphin — pulgão do feijão ou da fava.
bean-fly — mosca vermelha da fava.
bean pod — vagem.
bean-shredder — corta-feijão.
bean-stick — estaca de feijão.
bean-trefoil — laburno (planta leguminosa).
broad bean — fava.
coffee bean — grão de café.
French bean — feijão verde.
old bean (fam.) — velhote.
runner bean — feijão de trepar.
they have no beans (fam.) — estão sem vintém.
to be full of beans (fam.) — estar alegre, estar de bom humor.
to give (a person) beans (fam.) — castigar ou ralhar (com alguém).
to know how many beans make five — ser finório, ter experiência do mundo, não se deixar enganar; saber com quantos paus se faz uma canoa.
beanfeast [-fi:st], *s.* banquete na aldeia; festa geralmente com banquete.
bear [bɛə], **1** — *s.* urso; homem grosseiro; jogador na baixa (em papéis de crédito, etc.); especulador.
bear-garden — recinto fechado para expor ursos; ambiente de desordem.
Great Bear — Ursa Maior.
grizzly bear — urso pardo.
Little Bear — Ursa Menor.
polar bear — urso polar.
sea-bear — urso-do-mar.
white bear — urso branco; urso polar.
to be like a bear with a sore head — estar furibundo, estar pior que uma barata.
2 — *vt.* e *vi.* (pret. **bore,** pp. **born, borne.**) sustentar, aguentar, levar, carregar, suportar; sofrer, tolerar; produzir, frutificar, dar à luz; fazer baixar os preços das mercadorias para as obter baratas. (*Sin.* to support, to put up with, to tolerate, to sustain, to endure, to suffer, to produce. *Ant.* to drop.)
bear and forbear — sê paciente e tolerante.
he was born in July — ele nasceu em Julho.
I can't bear that man — não suporto aquele homem.
to bear a hand — prestar auxílio.
to bear a part in — participar de.
to bear down — cair sobre.
to bear in mind — lembrar-se de.
to bear off — fazer-se ao largo, desviar-se.
to bear oneself well — portar-se bem; aguentar-se.
to bear out — confirmar.
to bear somebody a grudge — ter má vontade contra alguém.
to bear the palm — ganhar uma competição.
to bear up — conservar a coragem.
to bear upon — referir-se a.
to bear with — suportar, ser indulgente com.
to bear witness — ser testemunha, prestar testemunho.
to bring to bear — aplicar, usar (influência, etc.).
bearable [-rəbl], *adj.* tolerável, suportável.
bearableness [-rəblnis], *s.* tolerância, tolerabilidade.
bearably [-rəbli], *adv.* de modo suportável, toleravelmente.
beard [biəd], **1** — *s.* barba; barbilhão (aves, peixes); brânquias das ostras; barba (de milho, cevada, etc.); farpa (de seta).
grey beard — barba grisalha; ancião.
2 — *vt.* opor-se abertamente, desafiar, provocar, enfrentar.
to beard a lion in his den — ir enfrentar a cólera de alguém.
bearded [-id], *adj.* barbado.
beardless [-lis], *adj.* sem barba, imberbe.
beardlessness [-lisnis], *s.* falta de barba.
bearer [ˈbɛərə], *s.* **1** — portador.
2 — portador de uma letra de câmbio ou cheque.
3 — o que pega nas borlas de um caixão; «gato-pingado».
ensign bearer — porta-bandeira.
bearing [ˈbɛəriŋ], **1** — *s.* porte, procedimento, atitude; paciência, tolerância; relação; ponto de apoio; frutificação; posição, rumo; mancal; significado.
armorial bearings — armas, brasão.
bearing compass (náut.) — agulha de marear.
bearing for shaft — chumaceira.
bearing of a child — nascimento de uma criança.
bearing-rein — rédea do bridão.

consider it in all its bearings — examina-o em todos os seus aspectos.
she is past bearing — ela é demasiado vêlha para ter filhos; ela é insuportável.
to take the bearing (náut.) — marcar, tomar a marcação.
2 — *adj.* que traz; que produz.
bearish ['bɛəriʃ], *adj.* rude, grosseiro.
bearishly [-li], *adv.* rudemente, grosseiramente.
bearishness [-nis], *s.* grosseria, rudeza.
bearskin ['bɛə-skin], *s.* **1** — pele de urso. **2** — barrete alto de pele usado pelos homens que pertencem aos Regimentos da Guarda Real Britânica.
beast [bi:st], *s.* besta, animal; bruto.
beast of burden — animal de carga; besta de carga.
the Beast — o Anti-Cristo.
wild beast — fera, animal feroz.
beastliness ['-linis], *s.* bestialidade, animalidade, brutalidade.
beastly ['-li], **1** — *adj.* brutal, bestial; (col.) desagradável, indesejável.
this bed is simply beastly — esta cama é simplesmente horrorosa.
2 — *adv.* brutalmente, bestialmente.
beat [bi:t], **1** — *s.* pancada, golpe, som repetido; pulsação; toque de tambor; marcação de compasso; ronda de sentinela ou polícia; ponto de reunião habitual.
2 — *vt.* e *vi.* pret. **beat** [bi:t], pp. **beaten** [bi:tn], bater, espancar, dar pancadas sucessivas; pulsar; derrotar, conquistar. (*Sin.* to hit, to strike, to thump, to hammer, to throb.)
to beat about — procurar por toda a parte.
to beat about the bush — andar com rodeios.
don't beat about the bush! — deixa-te de rodeios!
to beat a person — bater numa pessoa; provar que se é superior a uma pessoa.
to beat a person at his own game — aplicar a pena de talião a uma pessoa.
to beat a retreat — tocar a retirar; bater em retirada.
to beat away (back, off) — expulsar.
to beat black and blue — bater desalmadamente.
to beat down — baixar o preço; derrotar, destruir.
to beat down the price — baixar o preço.
to beat hollow — vencer, derrotar completamente; ultrapassar.
to beat in — bordejar para entrar num porto.
to beat one's brains — procurar ideias, dar voltas à imaginação; dar
to beat the air — lutar em vão.
to beat time (mús.) — bater o compasso.
to beat up — sovar; acordar alguém.
to beat up eggs — bater os ovos.
dead beat — morto de fadiga.
beaten [-n], *pp.* de **to beat**, *adj.* derrotado, batido; gasto, usado; conquistado, vencido
beaten track — caminho muito conhecido; rota batida.
beater ['-ə], *s.* **1** — batedor, misturador; malho, pilão.
2 — homem que levanta a caça.
beatific(al) [bi:ə'tifik(əl)], *adj.* beatífico.
beatifically [-əli], *adv.* beatificamente.
beatification [bi:'ætifi'keiʃən], *s.* beatificação.
beatify [bi:'ætifai], *vt.* beatificar.
beating ['bi:tiŋ], *s.* espancamento, pancada; derrota; pulsação, agitação; compasso de música.
the beating of the heart — o pulsar do coração.
beatitude [bi:'ætitju:d], *s.* beatitude.
Beatrice ['biətris], *n. p.* Beatriz.
beau [bou], *s.* galanteador; peralta, janota.
beau-ideal — ideal.
beauteous ['bju:tjəs], *adj.* belo.
beauteously [-li], *adv.* belamente.
beauteousness [-nis], *s.* beleza.
beautician [bju:'tiʃən], *s.* especialista em produtos de beleza e maquilhagem.
beautiful ['bju:təful], *adj.* belo, formoso, lindo, bonito, primoroso. (*Sin.* pretty, handsome, charming, lovely, graceful. *Ant.* ugly.)
the beautiful — o belo.
beautifully ['bju:təfli], *adv.* belamente, lindamente, primorosamente.
beautify ['bju:tifai], *vt.* embelezar, alindar.
beauty ['bju:ti], *s.* beleza, formosura, encanto, perfeição; pessoa ou coisa bela. (*Sin.* charm, grace, comeliness, loveliness. *Ant.* ugliness.)
a beauty — uma beleza.
beauty is but skin-deep — não podemos julgar pelas aparências.
beauty parlour — instituto de beleza.
beauty sleep — o primeiro sono antes da meia-noite.
beauty-spot — sinal postiço no rosto.
beauty-wash — cosmético.
beaver ['bi:və], *s.* **1** — castor; pele de castor. **2** — viseira.
becalm [bi'kɑ:m], *vt.* **1** — serenar, acalmar. **2** — abrigar (um navio do vento), tornar (um navio) imóvel.
became [bi'keim], *pret.* de **to become.**
because [bi'kɔz], *conj.* porque.
because of — por causa de.
beccafico [bekə'fikou], *s.* papa-figo (ave).
bechamel ['beʃəmel], *s.* bechamel, molho branco feito de creme.
beck [bek], *s.* **1** — sinal, aceno, gesto.
2 — regato, riacho.
to be at one's beck and call — estar às ordens de alguém.
becket ['bekit], *s.* (náut.) aselha na corda em volta do barco salva-vidas para os náufragos se agarrarem.
beckon ['bekən], **1** — *s.* aceno, sinal.
2 — *vt.* e *vi.* acenar, chamar por acenos.
becloud [bi'klaud], *vt.* anuviar; enevoar; encobrir.
become [bi'kʌm], *vt.* e *vi.* (pret. **became** [bi'keim], pp. **become** [bi'kʌm]), **1** — tornar-se, fazer-se, chegar a ser, pôr-se.
2 — convir, parecer bem, assentar bem, ser próprio. (*Sin.* to come to be, to suit, to befit.
it becomes a king — é próprio de rei.
to become dark — escurecer.
to become warm — aquecer.
that which becomes one, does not become another — o que convém a umas pessoas não convém a outras.
what has become of him? — que é feito dele?
becoming [-iŋ], *adj.* próprio, apropriado, conveniente. (*Sin.* suitable, befitting, comely, graceful. *Ant.* unsuitable.)
becomingly [-iŋli], *adv.* a propósito, convenientemente, com elegância.
becomingness [-iŋnis], *s.* propriedade, conveniência, compostura.
bed [bed], **1** — *s.* cama, colchão; leito (de rio); fundo (do mar); canteiro (de jardim); camada.
as you make your bed, so you must lie on it — quem bem fizer a cama nela se deitará.
bed-clothes — roupa de cama.
bed-linen — lençóis e fronhas.
bed of roses — mar de rosas.
bed-pan — aparadeira (para doentes).
bed-plate — chapa de ferro onde assenta uma máquina ou um motor.
bed-rock — leito de rocha.
double bed — cama de casal.

dying-bed — leito mortuário.
feather-bed — colchão de penas.
narrow bed — sepultura.
single bed — cama de solteiro.
to be confined to (to keep, to be keeping to) one's bed — estar de cama.
to die in one's bed — morrer de morte natural.
to get out of bed on the wrong side — acordar de mau humor.
to go to bed — ir para a cama, ir deitar-se.
to stay in bed — estar de cama.
2 — *vt.* assentar; plantar num canteiro.
to bed out plants — plantar.
bedabble [bi'dæbl], *vt.* salpicar, molhar, borrifar; sujar.
bedaub [bi'dɔ:b], *vt.* sujar, besuntar, emporcalhar.
bedazzle [bi'dæzl], *vt.* deslumbrar, ofuscar, confundir.
bedchamber ['bedtʃeimbə], *s.* (arc.) quarto de dormir, alcova.
bedclothes ['bedklouðz], *s. pl.* roupa de cama.
bedding ['bediŋ], *s.* **1** — colchões e roupa de cama.
2 — aquilo de que é feita a cama de um animal doméstico.
bedeck [bi'dek], *vt.* enfeitar, adornar, ataviar.
bedeguar ['bedigɑ:], *s.* bedegar.
bedel(l) [be'del], *s.* bedel (Universidades de Oxford e Cambridge).
bedevil [bi'devl], *vt.* fazer diabruras, atormentar, arreliar; enfeitiçar.
bedew [bi'dju:], *vt.* orvalhar; borrifar.
bedfellow [bed'felou], *s.* companheiro de cama.
bedim [bi'dim], *vt.* obscurecer, ofuscar.
bedizen [bi'daizn], *vt.* ataviar.
bedlam ['bedləm], *s.* **1** — hospital de alienados, manicómio.
2 — confusão, tumulto.
bedlamite [-ait], *s.* e *adj.* alienado, doido.
bedouin ['beduin], *s.* e *adj.* beduíno.
bedraggle [bi'drægl], *vt.* sujar com lama.
bedridden ['bedridn], *adj.* prostrado na cama; forçado a estar de cama.
bedrock ['bed'rɔk], *s.* leito de rocha.
bedroom ['bedrum], *s.* quarto de dormir.
double bedroom — quarto de casal.
bedside ['bedsaid], *s.* lado da cama.
bedside table — mesinha-de-cabeceira.
to have a good bedside manner (médicos) — ter maneiras afáveis para os doentes.
bedspread ['bedspred], *s.* colcha.
bedstead ['bedsted], *s.* armação da cama.
bedtime ['bedtaim], *s.* hora de deitar.
bee [bi:], *s.* abelha; (E. U.) reunião de pessoas para divertimento ou trabalho em comum.
as busy as a bee — muito ocupado.
bee-hive — cortiço, colmeia.
bee-keeper (bee-master) — apicultor.
bee-keeping — apicultura.
bee-line — linha recta.
bee-skep — colmeia (cortiço) de palha.
bee-sting — ferrão de abelha.
queen-bee — abelha-mestra.
worker-bee — obreira (abelha).
to have a bee in one's bonnet (col.) — ter macaquinhos no sótão.
beech [bi:tʃ], *s.* faia.
beech-grove — bosque de faias.
beech-mast — fruta da faia.
beechen ['-ən], *adj.* de faia.
beef [bi:f], *s.* **1** — carne de vaca; carne.
2 — vigor, força.
beef-steak — bife.
beef-tea — caldo de carne para doentes.
corned beef — carne de vaca de conserva.
roast beef — rosbife, carne assada.
stewed beef — carne estufada.
to have got plenty of beef — ter muita força.
beefeater ['-i:tə], *s.* guarda da Torre de Londres.
beefiness ['-inis], *s.* musculatura, corpulência.
beefy ['-i], *adj.* carnudo, musculoso, corpulento.
beeline ['bi:lain], *s.* o caminho mais curto.
to make a beeline for — seguir o caminho mais curto para.
Beelzebub [bi:'elzibʌb], *n. p.* Belzebu.
been [bi:n], *pp.* do verbo **to be.**
beer [biə], *s.* cerveja.
beer-barrel — pipo de cerveja.
beer-house (beer-shop) — cervejaria.
bitter beer — cerveja amarga.
small beer — cerveja branda; assuntos de pouca importância.
to think no small beer of oneself — ter-se em grande conta.
beery ['biəri], *adj.* de cerveja, como cerveja; embriagado.
beestings ['bi:stiŋz], *s.* colostro.
bees-wax ['bi:zwæks], *s.* cera de abelha.
beeswing ['bi:zwiŋ], *s.* película à superfície do vinho velho (asa de mosca); vinho velho.
beet [bi:t], *s.* beterraba.
beet sugar — açúcar de beterraba.
beetle [bi:tl], **1** — *s.* malho de madeira, maço, pisão; escaravelho, barata.
beetle-brain — estúpido, néscio.
beetle-eyed (blind as a beetle) — muito míope.
2 — *adj.* saliente; cabeludo, hirsuto.
3 — *vt.* e *vi.* bater com malho ou maço; pisoar; pender sobre; sobressair.
beetling [-iŋ], **1** — *s.* acção de bater com malho ou maço.
2 — *adj.* saliente, pendente.
beetroot ['bi:tru:t], *s.* raiz de beterraba.
befall [bi'fɔ:l], *vt.* e *vi.* (pret. **befell** [bi'fel], pp. **befallen** [bi'fɔ:lən]), acontecer, suceder.
befallen [bi'fɔ:lən], *pp.* de **to befall.**
befell. [bi'fel], *pret.* de **to befall.**
befit [bi'fit], *vt.* convir, quadrar, ser proprio de. (*Sin.* to fit, to suit, to become.)
befitting [-iŋ], *adj.* próprio, conveniente.
befittingly [-iŋli], *adv.* de modo próprio, convenientemente.
befog [bi'fɔg], *vt.* envolver em nevoeiro, obscurecer; confundir (o espírito de uma pessoa).
befool [bi'fu:l], *vt.* enganar.
before [bi'fɔ:], **1** — *prep.* antes de; anterior a; diante de, em frente de.
before Christ (b. C.) — antes de Cristo (a. C.).
before long — dentro de pouco tempo.
before ten o'clock — antes das dez horas.
shortly before — pouco tempo antes.
2 — *adv.* anteriormente, antes; avante, adiante, em frente.
the day before — no dia anterior.
we've read that book before — já lemos esse livro.
3 — *conj.* antes que.
before he comes — antes que ele venha.
beforehand [-hænd], *adv.* de antemão, antecipadamente.
befoul [bi'faul], *vt.* sujar, emporcalhar.
befriend [bi'frend], *vt.* auxiliar, favorecer, proteger.
beg [beg], *vt.* e *vi.* **1** — pedir (com insistência), rogar, suplicar; mendigar, pedir esmola; tomar a liberdade de; ter a bondade de.
I beg to announce — permito-me anunciar.
I beg to inform you — cumpre-me informá-lo.
I beg your pardon — desculpe; como?; que diz?
to beg for permission — pedir licença.

to beg leave — tomar a liberdade de.
to beg the question — iludir a pergunta.
begad [bi'gæd], *interj.* por Deus!
began [bi'gæn], *pret.* de **to begin.**
begat [bi'gæt], *pret.* de **to beget** (obsoleto.)
beget [bi'get], *vt.* (pret. **begot** [bi'gɔt], **begat** [bi'gæt] (arc.), pp. **begot** [bi'gɔt], **begotten** [-n]), gerar, engendrar, procriar, produzir, criar.
beggar ['begə], **1** — *s.* pedinte, mendigo, pobre; garoto (depreciativo e por brincadeira).
beggars cannot be choosers — quem pede não escolhe; a cavalo dado não se olha o dente.
2 — *vt.* reduzir à miséria, empobrecer; eclipsar, exceder.
to beggar description — estar acima de toda a descrição.
beggarliness ['-linis], *s.* mendicidade, indigência, miséria.
beggarly ['-li], *adj.* pobre, indigente; miserável, desprezível.
beggary ['-ri], *s.* penúria, miséria extrema, indigência.
begging ['begiŋ], *s.* e *adj.* mendicidade; mendicante.
begin [bi'gin], *vt.* e *vi.* (pret. **began** [bi'gæn], pp. **begun** [bi'gʌn]), começar, principiar, iniciar, encetar. (*Sin.* to commence, to start. *Ant.* to end, to finish.)
to begin with — começar por; para começar, em primeiro lugar.
beginner [-ə], *s.* principiante, novato.
beginning [-iŋ], *s.* princípio, começo, origem, causa. (*Sin.* commencement, start, origin, initiation. *Ant.* end.)
begird [bi'gə:d], *vt.* (pp. **begirt** [bi'gə:t]), rodear, cercar de, cingir de.
begone [bi'gɔn], *interj.* fora!, rua!
begonia [bi'gounjə], *s.* begónia.
begot [bi'gɔt], *pret.* e *pp.* de **to beget.**
begotten [-n], *pp.* de **to beget.**
begrime [bi'graim], *vt.* enfarruscar, sujar.
begrudge [bi'grʌdʒ], *vt.* **1** — invejar.
2 — dar de má vontade.
Peter begrudged his wife money to buy clothes — o Pedro chorava o dinheiro que dava à mulher para se vestir.
beguile [bi'gail], *vt.* **1** — enganar.
2 — distrair, passar o tempo de maneira agradável.
3 — seduzir.
beguilement [-mənt], *s.* **1** — engano.
2 — distracção.
3 — sedução.
beguiler [-ə], *s.* **1** — enganador.
2 — sedutor.
begun [bi'gʌn], *pp.* de **to begin.**
behalf [bi'hɑ:f], *s.* proveito, utilidade, vantagem, favor (usado precedido de *in* ou *on*).
on (in) my behalf — no meu interesse, a meu favor.
on (in) behalf of — no interesse de; para ajudar; a favor de.
behave [bi'heiv], *vi.* e *vr.* **1** — proceder, funcionar.
2 — portar-se, comportar-se, conduzir-se. (*Sin.* to act, to conduct oneself, to bear.)
behave yourself! — porta-te bem!
ill-behaved — mal-comportado.
well-behaved — bem-comportado.
behaviour [-jə], *s.* procedimento, conduta, comportamento, modos. (*Sin.* deportment, manners, conduct, bearing.)
to be on one's best behaviour — portar-se o melhor possível.
behaviourism [-jərizm], *s.* psicologia do comportamento.
behead [bi'hed], *vt.* degolar, decapitar.
beheading [-iŋ], *s.* decapitação.
beheld [bi'held], *pret.* e *pp.* de **to behold.**
behemoth [bi'hi:mɔθ], *s.* monstro bíblico (talvez o hipopótamo).
behest [bi'hest], *s.* (poét.) ordem.
behind [bi'haind], **1** — *s.* (col.) traseiro.
you've been on your behind all morning — tens estado toda a manhã sentado, sem fazer nada.
2 — *prep.* e *adv.* atrás; atrás de; detrás; detrás de; por detrás; depois.
behind one's back — nas costas de uma pessoa, na ausência de uma pessoa.
behind the scenes (col.) — nos bastidores.
behind the times — fora de moda.
one behind the other — um atrás do outro.
there's something behind — há qualquer coisa por detrás disso.
the train is behind — o comboio vem atrasado.
to be behind time — estar atrasado.
to fall behind — ficar para trás.
to follow behind — seguir atrás.
behindhand [-hænd], *adj.* e *adv.* com atraso, atrasado; atrás; vagaroso, tardio; fora de moda.
to be behindhand with something — estar atrasado em alguma coisa.
behold [bi'hould], *vt.* (pret. e pp. **beheld** [bi'held]), ver, observar, contemplar. (*Sin.* to see, to look, to observe, to notice.)
beholden [-ən], *adj.* reconhecido, grato, obrigado, agradecido.
I am greatly beholden to you for your kindness — fico-lhe (estou-lhe) muito grato pela bondade que teve.
beholder [-ə], *s.* contemplador, espectador.
behoof [bi'hu:f], *s.* proveito, vantagem.
in (for, to) somebody's behoof — em proveito de alguém.
behove [bi'houv], *v. imp.* convir, competir, dizer respeito.
it behoves you to work very hard — deves trabalhar muito.
Behring ['beriŋ], *top.*
Behring Sea — o mar de Bering.
beige [beiʒ], *s.* **1** — bege (cor).
2 — tecido de lã crua.
being ['bi:iŋ], **1** — *s.* ente, existência, entidade, pessoa.
the Supreme Being — o Ente Supremo, Deus.
2 — *p. pr.* do verbo **to be.**
Beirut [bei'ru:t], *top.* Beirute.
bejewel [bi'dʒu:əl], *vt.* cobrir de jóias.
belabour [bi'leibə], *vt.* **1** — desancar, zurzir, espancar.
2 — cansar-se com trabalho.
belated [bi'leitid], *adj.* tardio, atrasado, retardado, surpreendido pela noite.
belatedly [-li], *adv.* tardiamente.
belatedness [-nis], *s.* atraso; lentidão.
belaud [bi'lɔ:d], *vt.* elogiar, louvar.
belay [bi'lei], *vt.* (náut.) amarrar, dar voltas nas malaguetas aos cabos de laborar.
belay! (cal.) — pára aí!
belaying-cleat (belaying-pin) — malagueta.
belch [beltʃ], **1** — *s.* arroto, vómito.
2 — *vt.* e *vi.* arrotar, vomitar, expelir.
beldam(e) ['beldəm], *s.* velha feia, velha má.
beleaguer [bi'li:gə], *vt.* sitiar, cercar, bloquear.
beleaguerer [-rə], *s.* sitiador, sitiante.
belemnite ['beləmnait], *s.* (zool.) belemnite.
Belfast [bel'fɑ:st], *top.* capital da Irlanda do Norte.
belfry ['belfri], *s.* campanário, torre com sinos, torre de igreja com sino.
Belgian ['beldʒən], *s.* e *adj.* belga.
belgian block — paralelepípedo para calcetar.
belgian rammer — maço de calceteiro.

Belgic ['beldʒik], *adj.* neerlandês.
Belgium ['beldʒəm], *top.* Bélgica.
Belgrade [bel'greid], *top.* Belgrado.
Belgrave ['belgreiv], *top.* nome de uma praça em Londres.
Belgravia [bel'greivjə], *top.* bairro aristocrático em Londres.
Belial ['bi:ljəl], *s. p.* Belial, Demónio, espírito do mal.
sons of Belial — pessoas más, perversas.
belie [bi'lai], *vt.* enganar, faltar ao prometido, desmentir, contradizer.
belief [bi'li:f], *s.* crença, fé, confiança, crédito.
past all belief — incrível.
to the best of my belief — na minha opinião sincera.
believable [bi'li:vəbl], *adj.* crível, verosímil.
believableness [-nis], *s.* credibilidade.
believe [bi'li:v], *vt.* e *vi.* crer, acreditar; confiar; julgar, supor. (*Sin.* to trust, to confide in, to think, to rely upon. *Ant.* to doubt.)
I believe in you — tenho confiança em ti.
to make somebody believe — fazer alguém crer.
believer [-ə], *s.* crente.
believing [-iŋ], *adj.* crente, confiante.
believingly [-iŋli], *adv.* com fé, com confiança, confiadamente.
belike [bi'laik], *adv.* (arc.) provavelmente, talvez.
Belinda [bi'lində], *n. p.* Belinda.
belittle [bi'litl], *vt.* depreciar, amesquinhar.
bell [bel], **1** — *s.* campainha, sino, guizo; corola de feitio de campânula; grito de veado ou gamo na época do cio.
bell-buoy — bóia com sinos que as ondas fazem tocar.
bell-founder — fundidor de sinos.
bell-foundry — fundição de sinos.
bell-jar — balão de vidro.
bell-metal — liga de metal para sinos.
bell-push — botão de campainha.
bell-ringer — sineiro.
bell-ringing — toque de sinos.
bell-rope — corda de sino.
bell-shaped — em forma de sino.
bell-tower — torre de sinos.
chime of bells — carrilhão.
diving-bell — sino de mergulhador.
sleigh-bell — guizo.
to bear away (to carry away) the bell — ser vencedor, levar a palma.
to lose the bell — ser derrotado.
2 — *vt.* e *vi.* prover de sinos, fazer instalações de campainhas; gritar (veado ou gamo na época do cio).
to bell the cat — empreender algo de perigoso.
belladona [belə'dɔnə], *s.* (bot.) beladona.
belle [bel], *s.* mulher bela, beleza.
the belle of the ball — a bela do baile.
belles-lettres ['bel'letr], *s.* belas-letras, literatura.
bellicose ['belikous], *adj.* belicoso, aguerrido.
bellicosely [-li], *adv.* belicosamente, aguerridamente.
bellicosity [beli'kɔsiti], *s.* belicosidade.
belligerency [bi'lidʒərənsi], *s.* beligerância.
belligerent [bi'lidʒərənt], *s.* e *adj.* beligerante.
bellow ['belou], **1** — *s.* mugido, ronco, berro.
2 — *vi.* rugir, mugir, roncar, berrar, atroar.
bellowing [-iŋ], *s.* bramido, rugido, mugido, ronco, berro.
bellows [-z], *s. pl.* fole; (col.) pulmões, bofes.
belly ['beli], **1** — *s.* barriga, ventre, abdómen; apetite; superfície bojuda.
belly-ache — dor de barriga, cólica intestinal.
belly-pinched — esfaimado.
belly-timber — comida.
pot-belly (fam.) — pançudo.
2 — *vt.* e *vi.* inchar, entumecer, bojar, enfunar-se.
bellyful [-ful], barrigada.
to give somebody his bellyful (fam.) — dar uma carga de pancada em alguém.
belong [bi'lɔŋ], *vi.* pertencer; dizer respeito, ser próprio de.
to belong to somebody — pertencer a alguém.
belongings [-iŋz], *s.* haveres, pertences, bens.
beloved [bi'lʌvd], **1** — *s.* pessoa amada.
2 — *adj.* querido, amado.
below [bi'lou], *prep.* e *adv.* abaixo de, por baixo de, debaixo de, abaixo, por baixo, debaixo, inferior a, inferior, indigno de.
below the average — abaixo da média.
below the mark — de má qualidade; abaixo das marcas; com pouca saúde.
Belshazzar [bel'ʃæzə], *n. p.* Baltasar.
belt [belt], **1** — *s.* cinto, cinturão, faixa; série de chapas de aço para couraçar um navio; zona geográfica; estreito (de mar).
belt awl — sovela.
belt-saw — serra de fita.
conveyer belt (técn.) — correia transmissora.
the rain belt — a zona das chuvas.
2 — *vt.* cingir, apertar com cinto; blindar; bater com um cinto em.
beluga [be'lu:gə], *s.* espécie corpulenta de esturjão; caviar que se obtém desta espécie marinha; baleia branca.
belvedere ['belvidiə], *s.* miradouro, mirante.
Belvoir, *top.* **1** — ['bi:və], nome de castelo.
2 — ['belvwɔ:], nome de ruas.
bema ['bi:mə], *s.* bema, tribuna.
bemire [bi'maiə], *vt.* sujar de lama, enterrar-se na lama.
bemoan [bi'moun], *vt.* lamentar, deplorar, chorar.
bemoaning [-iŋ], *s.* lamento.
bemuse [bi'mju:z], *vt.* estupeficar.
bemused [-d], *adj.* estupidificado, especialmente com bebidas ou drogas.
Benares [bi'nɑ:riz], *top.* Benares.
bench [bentʃ], **1** — *s.* banco, assento, bancada de oficina; Juízes; magistrados.
bench-mark — indicação de altitude.
bench-saw — serra redonda mecânica.
bench-show — exposição canina.
King's (Queen's) Bench — Tribunal Superior de Justiça.
to be raised to the bench — ser nomeado juiz ou bispo.
2 — *vt.* exibir cães numa exposição canina.
bencher ['-ə], *s.* membro do corpo governativo de um dos quatro colégios de advogados.
bend [bend], **1** — *s.* curva, volta, curvatura; vergueiro, nó (náut.); banda (her.).
bend wale (náut.) — cinta.
2 — *vt.* e *vi.* (pret. e pp. **bent** [bent]), curvar, dobrar, encurvar; arquear; inclinar; dirigir; curvar-se, dobrar-se, inclinar-se; talingar (náut.). (*Sin.* to curve, to bow, to incline, to crook. *Ant.* to straighten.)
he can't bend his mind to his studies — ele não consegue resolver-se a estudar.
to be bent on — estar resolvido a.
bending ['-iŋ], *s.* volta, curva; dobragem.
bending of light — refracção.
beneath [bi'ni:θ], *prep.* e *adv.* debaixo de, por baixo de, abaixo de; debaixo, por baixo, a baixo.
to marry beneath one — casar com uma pessoa de categoria social inferior.
Benedicite [beni'daisiti], *s.* acção de graças à mesa; cântico da Bíblia.
benedick ['benidik], *s.* homem que se casou há pouco tempo, especialmente aquele que era considerado um solteiro inveterado.

Benedict ['benidikt], *n. p.* Benedito.
Benedictine [beni'diktin], *s.* (monge) beneditino.
benedictine [beni'dikti:n], *s.* beneditina, licor feito pelos monges beneditinos.
benediction ['beni'dikʃən], *s.* **1** — bênção. **2** — bênção do Santíssimo.
benedictory [beni'diktəri], *adj.* de bênção, exprimindo uma bênção.
benefaction [[beni'fækʃən], *s.* benefício, favor; obra de beneficência.
benefactor ['benifæktə], *s.* benfeitor.
benefactress ['benifæktris], *s.* benfeitora.
benefice ['benifis], *s.* benefício eclesiástico.
beneficed [-t], *adj.* com benefício eclesiástico.
beneficence [bi'nefisəns], *s.* beneficência, caridade.
beneficent [bi'nefisənt], *adj.* beneficente, caritativo.
beneficently [-li], *adv.* beneficentemente, caritativamente.
beneficial [beni'fiʃəl], *adj.* benéfico, proveitoso, útil. (*Sin.* advantageous, useful, profitable, efficient. *Ant.* useless.)
beneficially [-li], *adv.* beneficamente, proveitosamente.
beneficiary [beni'fiʃəri], *s.* (pl. **beneficiaries** [-z]) beneficiário.
benefit ['benifit], **1** — *s.* benefício, vantagem, favor; espectáculo de caridade.
benefit performance — espectáculo de caridade.
benefit society — associação de socorros mútuos.
for the benefit of — em benefício de.
to give somebody the benefit of the doubt — presumir a inocência de alguém.
2 — *vt.* e *vi.* beneficiar, obter vantagem; ser beneficiado, ser ajudado.
benevolence [bi'nevələns], *s.* benevolência, bondade. (*Sin.* kindness, generosity, charity, tenderness, benignity. *Ant.* hardness.)
benevolent [bi'nevələnt], *adv.* benevolente, benigno, benévolo, indulgente. (*Sin.* gentle, mild, kind, generous, benign. *Ant.* malevolent.)
benevolently [-li], *adv.* benevolamente, benignamente.
Bengal [beŋ'gɔ:l], *top.* Bengala.
Bengal-light (náut.) — facho de sinais.
Bengali [beŋ'gɔ:li], *s.* e *adj.* bengali.
benighted [bi'naitid], *adj.* **1** — surpreendido pela noite.
2 — ignorante.
benign [bi'nain], *adj.* benigno, indulgente, afável.
benignancy [bi'nignənsi], *s.* benignidade, gentileza, bondade.
benignant [bi'nignənt], *adj.* benevolente, benigno, benéfico, bondoso, afável. (*Sin.* kind, gracious, salutar. *Ant.* harsh.)
benignantly [-li], *adv.* benignamente, bondosamente.
benignity [bi'nigniti], *s.* benignidade, gentileza, bondade.
benignly [bi'nainli], *adv.* benignamente, favoravelmente.
benison ['benizn], *s.* bênção.
Benjamin ['bendʒəmin], *n. p.* Benjamim.
bent [bent], **1** — *s.* curva, arqueamento, volta; tendência, propensão; agrostídea (bot.). (*Sin.* curve, twist, bias, tendency.)
to follow one's bent — seguir as suas inclinações.
to the top of one's bent — a seu bel-prazer.
2 — *adj.* inclinado, torcido; decidido a.
she is homeward bent — ela dirige-se a casa.
3 — prep. e pp. de **to bend.**

benumb [bi'nʌm], *vt.* entorpecer, causar torpor a. (*Sin.* to stupefy, to paralyse, to deaden. *Ant.* to quicken.)
benzene ['benzi:n], *s.* benzol.
benzine ['benzi:n], *s.* benzina.
benzoic [ben'zouik], *s.* benzóico.
benzoin ['benzouin], *s.* (bot.) benjoim.
benzol ['benzɔl], *s.* ver **benzene.**
benzoline ['benzəli:n], *s.* (quím.) benzolina.
Beowulf ['beiəwulf], *n. p.* poema anglo-saxão.
bequeath [bi'kwi:ð], *vt.* legar, deixar em testamento, transmitir à posteridade.
bequest [bi'kwest], *s.* legado, doação.
Berber ['bə:bə], *s.* e *adj.* berbere.
berberis ['bə:bəris], *s.* ver **barberry** e **barberry.**
berberry ['bə:bəri], *s.* ver **barberry** e **berberis.**
bereave [bi'ri:v], *vt.* (pret. e pp. **bereaved** [-d] ou **bereft** [bi'reft]) despojar de, privar, arrebatar, desolar.
bereaved [-d], *adj.* dorido, a quem morreu um parente próximo.
the bereaved — a família do morto.
the bereaved husband — homem a quem acaba de morrer a esposa.
bereavement [-mənt], *s.* privação, perda, falecimento, desolação.
bereft [bi'reft], pret. e pp. de **to bereave.**
Berenice, *n. p.* **1** — [beri'naisi] Berenice.
2 — [beri'ni:tʃi] ópera de Haendel.
Beresford ['berizfəd], *n. p.*
beret ['berei], *s.* boina.
berg [bə:g], *s.* montanha de gelo flutuante.
bergamot ['bə:gəmɔt], *s.* (bot.) bergamota.
beriberi ['beri'beri], *s.* beribéri.
Berlin [bə:'lin, 'bə:lin], *top.* Berlim.
berm [bə:m], *s.* **1** — berma.
2 — (mil.) espaço entre a muralha e o fosso.
Bermuda [bə:'mju:də], *top.* Bermuda.
Bernard ['bə:nəd], *n. p.* Bernardo.
Berne [bə:n], *top.* Berna.
berry ['beri], **1** — *s.* baga, grão; ova (de peixe).
2 — *vi.* produzir bagas.
berserker ['bə:sə:kə], *s.* antigo guerreiro escandinavo que combatia com fúria; campião que luta furiosamente.
berth [bə:θ], **1** — *s.* beliche, camarote de navio; (náut.) fundeadouro, ancoradouro; berço (para encalhar); nomeação, colocação, emprego.
to get a berth — obter um emprego seguro.
to give a wide berth to — evitar.
2 — *vt.* ancorar; acomodar em beliches.
bertha ['bə:θə], *s.* gola de renda.
Big Bertha — canhões grandes dos alemães durante a primeira Grande Guerra.
Bertie, *n. p.* **1** — ['bə:ti], diminutivo de Albert, Bertha, Bertrande, etc.
2 — ['bɑ:ti], sobrenome.
Bertram ['bə:trəm], *n. p.* Beltrão.
beryl ['beril], *s.* espécie de esmeralda; (min.) berilo.
beseech [bi'si:tʃ], *vt.* (pret. e pp. **besought** [bi'sɔ:t]), suplicar, rogar.
beseeching [-iŋ], *adj.* suplicante.
beseechingly [-iŋli], *adv.* de modo suplicante.
beseem [bi'si:m], *v. imp.* convir, quadrar, ficar (bem ou mal).
beseeming [-iŋ], *adj.* conveniente.
beseemingly [-iŋli], *adv.* convenientemente.
beset [bi'set], *vt.* (pret. e pp. **beset**) cercar, assediar, bloquear, sitiar.
the besetting sin — o principal defeito.
to beset with questions — assediar de perguntas.
beside [bi'said], *prep.* perto de, junto a; fora de.
beside oneself — fora de si.
beside the mark (point, question) — fora de questão, fora de propósito.

besides [-z], *prep.* e *adv.* além de, além disso, além de que; de resto; também.
besiege [bi'si:dʒ], *vt.* sitiar, cercar.
besieger [-ə], *s.* sitiante.
beslaver [bi'slævə], *vt.* sujar de baba; lisonjear servilmente.
beslobber [bi'slɔbə], *vt.* sujar de baba, lisonjear servilmente, lamber com beijos.
beslubber [bi'slʌbə], *vt.* manchar, sujar.
besmear [bi'smiə], *vt.* sujar, emporcalhar.
besmirch [bi'smə:tʃ], *vt.* manchar, enodoar (esp. fig.).
besom ['bi:zəm], **1** — *s.* vassoura de giesta. **2** — *vt.* espanar.
besot [bi'sɔt], *vt.* embrutecer, embotar.
besotted [-id], *adj.* embrutecido, estonteado (por causa de bebidas).
besottedly [-idli], *adv.* com aspecto embrutecido.
besottedness [-idnis], *s.* embrutecimento, estonteamento.
besought [bi'sɔ:t], pret. e pp. de **to beseech.**
bespangle [bi'spæŋgl], *vt.* enfeitar com lentejoulas.
bespatter [bi'spætə], *vt.* salpicar, enlamear, manchar.
bespeak [bi'spi:k], *vt.* (pret. **bespoke** [bi'spouk] pp. **bespoken** [bi'spoukən]), encomendar, pedir antecipadamente, apalavrar; indicar, sugerir.
bespoke [bi'spouk], *pret.* de **to bespeak.**
bespoke boots — botas feitas de encomenda.
bespoken [bis'poukən], *pp.* de **to bespeak.**
besprent [bi'sprent], *adj.* (poét.) salpicado de, coberto de.
besprinkle [bi'spriŋkl], *vt.* borrifar, aspergir, humedecer.
Bess [bes], *dim.* de **Elizabeth.**
Bessemer ['besimə], **1** — *n. p.*
2 — *top.* nome de cidade norte-americana.
Bessemer steel — aço Bessemer.
best [best], **1** — *adj.* (superl. de **good**), *adv.* (superl. de **well**) e *s.* o melhor, superior, supremo, óptimo, optimamente.
at one's best — nas melhores condições.
best man — padrinho de casamento.
best-seller (fam.) — êxito de livraria.
in one's Sunday best — de fato domingueiro.
the best of everything — tudo o que há de melhor.
the very best — o melhor de todos.
to do one's best — fazer os possíveis, fazer o melhor possível.
to do something for the best — fazer qualquer coisa com boa intenção.
to have the best of it — levar a melhor.
to make the best of one's time — aproveitar o tempo ao máximo, fazer o mais possível.
to make the best of one's way — ir o mais rapidamente possível.
to the best of my belief (knowledge) — tanto quanto sei.
you know best — tu é que sabes.
2 — *vt.* (col.) levar a melhor, enganar.
bestial ['bestjəl], *adj.* bestial, brutal, bárbaro; obsceno.
bestiality [besti'æliti], *s.* bestialidade, brutalidade.
bestialize ['bestiəlaiz], *vt.* bestializar, embrutecer.
bestially ['bestjəli], *adv.* bestialmente, brutalmente.
bestiary ['bestiəri], *s.* bestiário.
bestir [bi'stə:], *vr.* agitar-se, prover-se, pôr-se em actividade.
bestow [bi'stou], *vt.* dar, conceder, conferir.
bestowal [-əl], *s.* presente, graça, dádiva, concessão, outorga.
bestrew [bi'stru:], *vt.* espalhar, encher.
bestrid [bi'strid], pret. e pp. de **to bestrid.**
bestridden [-n], pp. de **to bestride.**
bestride [bi'straid], *vt.* (pret. **bestrode, bestrid** [bi'stroud, bi'strid], pp. **bestrid, bestridden** [bi'strid, bi'stridn]), montar escarranchado, escarranchar.
bestrode [bi'stroud], pret. de **to bestride.**
bet [bet], **1** — *s.* aposta, aquilo que se aposta.
to make a bet — apostar.
2 — *vt.* e *vi.* (pret. e pp. **bet**) apostar.
I bet you ten to one — aposto contigo dez contra um.
to bet against — apostar contra.
to bet on — apostar em.
you bet — podes crer, podes ter a certeza.
betake [bi'teik], *vi.* e *vr.* (pret. **betook** [bi'tuk], pp. **betaken** [bi'teikən]), recorrer a, entregar-se a.
to betake oneself to one's heels — dar às de vila-diogo.
betel ['bi:təl], *s.* bétele, planta aromática da Índia
Bethany ['beθəni], *top.* Betânia.
bethink [bi'θiŋk], *vt.* e *vr.* (pret. e pp. **bethought** [bi'θɔ:t]) reflectir, meditar, considerar, lembrar-se de.
Bethlehem ['beθlihem], *top.* Belém.
bethought [bi'θɔ:t], *pret.* e *pp.* de **to bethink.**
betide [bi'taid], *vi.* acontecer.
betimes [bi'taimz], *adv.* a tempo, cedo, em ocasião oportuna.
betoken [bi'toukən], *vt.* indicar, denotar, anunciar; significar, representar; augurar. (*Sin.* to indicate, to suggest, to denote, to represent; to augur.)
beton ['betən], *s.* betão.
betook [bi'tuk], pret. de **to betake**.
betray [bi'trei], *vt.* atraiçoar, trair, denunciar; seduzir (uma mulher). (*Sin.* to mislead, to entrap, to seduce. *Ant.* to befriend.)
to betray oneself — trair-se, denunciar-se, dar-se a conhecer.
betrayal [-əl], *s.* traição, denúncia, perfídia.
betrayer [-ə], *s.* traidor, denunciante; sedutor.
betroth [bi'trouð], *vt.* e *vr.* prometer em casamento.
the betrothed pair — os noivos.
to be betrothed to (to betroth oneself to) — ficar noivo de.
betrothal [-əl], *s.* esponsais.
betrothed [-d], *s.* noivo (a).
my betrothed — o meu noivo (a minha noiva).
the betrothed — os noivos.
better ['betə], **1** — *s.* aquele que aposta.
2 — *adj.* (comp. de **good**), *adv.* (comp. de **well**) melhor, superior, preferível.
better alone than in bad company — mais vale só do que mal acompanhado.
better and better — cada vez melhor.
better half — cara-metade.
better hand — mão direita.
for better or worse — para o bem e para o mal.
our betters — os nossos superiores.
so much the better — tanto melhor.
to be better — estar melhor (de saúde, de disposição).
to be better of — estar em melhores condições financeiras.
to be better than one's word — fazer mais do que o que se promete.
to get better — melhorar (de saúde, de disposição).
to get the better of — levar a melhor, vencer.
to have better — ser melhor, ser preferível.
3 — *vt.* e *vi.* melhorar, aperfeiçoar.
to better oneself — melhorar de situação.

betterment [-mənt], *s.* melhoramento, melhoria, aperfeiçoamento.
betting ['betiŋ], *s.* aposta.
bettor ['betə], *s.* apostador.
between [bi'twi:n], *prep.* e *adv.* entre, no meio de (dois), no meio.
between the devil and the deep sea (between two fires) — entre dois fogos, entre a espada e a parede.
between whiles — nos intervalos.
between wind and water — num ponto vulnerável.
between you and me (between ourselves) — confidencialmente, aqui entre nós.
far between — com grandes intervalos.
there's many a slip between the cup and the lip — da mão à boca se perde a sopa.
betwixt [bi'twikst], *prep.* e *adv.* (arc. ou lit.), ver **between.**
bevel ['bevəl], **1** — *s.* chanfradura, bisel, suta.
bevel end — extremidade chanfrada.
bevel pinion — carreto cónico.
bevel scale — duplo-decímetro.
bevel wheel — roda de coroa, de meia esquadria.
2 — *vt.* chanfrar, enviesar.
beverage ['bevəridʒ], *s.* bebida.
bevy ['bevi], *s.* grupo (especialmente de mulheres ou raparigas); bando de aves.
bewail [bi'weil], *vt.* e *vi.* lamentar, deplorar, chorar.
beware [bi'wɛə], *vt.* e *vi.* (usado especialmente no infinito, imperativo, ou depois de outro verbo; não é usado nos tempos simples).
beware of the dog! — cautela com o cão!
beware of pickpockets! — cuidado com os carteiristas!
bewilder [bi'wildə], *vt.* confundir, desorientar, desnortear, tornar perplexo, entontecer.
bewildering [-riŋ], *adj.* desorientador, desconcertante.
bewilderingly [-riŋli], *adv.* de maneira desconcertante, perplexamente.
bewilderment [-mənt], *s.* confusão, desnorteamento, desorientação.
bewitch [bi'witʃ], *vt.* enfeitiçar, embruxar, encantar, fascinar.
bewitchingly [-iŋli], *adv.* de maneira encantadora.
bewitchment [-mənt], *s.* bruxedo, feitiço, encanto, fascinação.
bewray [bi'rei], *vt.* trair, revelar.
beyond [bi'jɔnd], **1** — *prep.* e *adv.* além, do outro lado, ao longe; além de, mais longe do que; do outro lado de; mais do que, acima de, melhor do que.
beyond doubt — sem dúvida; fora de dúvida.
beyond measure — em excesso.
beyond one's depth (fig.) — demasiado difícil.
beyond one's reach — fora do alcance.
beyond reason — não razoável.
beyond seas — para além dos mares.
to go beyond — ultrapassar.
2 — *s.* (o) além, (o) outro mundo.
at the back of beyond (col.) — em Cascos de Rolha.
Beyrout(h) [bei'ru:t], *top.* Beirute.
bezel [bezl], *s.* **1** — chanfradura.
2 — faceta de pedra preciosa.
3 — engaste.
bezique [bi'zi:k], *s.* besigue, jogo de cartas; jogada especial desse mesmo jogo.
bhang [bæn], *s.* bangue, espécie de cânhamo indiano usado como narcótico.
bias ['baiəs], **1** — *s.* viés, direcção oblíqua; tendência, inclinação; parcialidade.
he has a bias towards the plan — ele inclina-se para o plano.
to cut on the bias — cortar em viés.
2 — *vt.* inclinar, influenciar; induzir.
biaxial [bai'æksəl], *adj.* biaxial (min.).
bib [bib], **1** — *s.* babeiro; peitilho de avental; peixe semelhante ao bacalhau.
the best bib and tucker — os fatos melhores.
2 — *vi.* beber muito ou muitas vezes.
bibber ['-ə], *s.* bebedor, beberrão.
bibbing ['-iŋ], *s.* e *adj.* bebedor; hábito de beber demasiado.
Bible [baibl], *s.* Bíblia.
biblical ['biblikəl], *adj.* bíblico.
bibliographer [bibli'ɔgrəfə], *s.* bibliógrafo.
bibliographical [biblio'græfikəl], *adj.* bibliográfico.
bibliography [bibli'ɔgrəfi], *s.* bibliografia.
bibliolater [bibli'ɔlətə], *s.* bibliólatra.
bibliolatrous [bibli'ɔlətrəs], *adj.* bibliólatra.
bibliolatry [bibli'ɔlətri], *s.* bibliolatria.
bibliomania [bibliou'meinjə], *s.* bibliomania.
bibliomaniac [bibliou'meiniæk], *s.* bibliomaníaco.
bibliophile ['biblioufail], *s.* bibliófilo.
bibulous ['bibjuləs], *adj.* bêbedo, «tocado» (pela bebida).
bicarbonate [bai'kɑ:bənit], *s.* bicarbonato.
bice [bais], *s.* azul-cobalto.
bicentenary [baisen'ti:nəri], *s.* e *adj.* bicentenário.
bicentennial [baisen'tenjəl], *adj.* de dois em dois séculos.
biceps ['baiseps], *s.* bicípite.
bichromate ['bai'kroumit], *s.* bicromato.
bicker ['bikə], *vi.* **1** — altercar, disputar, tagarelar.
2 — tremeluzir.
3 — correr (murmurando como um arroio).
bickerer [-rə], *s.* altercador.
bickering [-iŋ], **1** — *s.* altercação, questão.
2 — *adj.* conflituoso, altercador, tremeluzente, murmurante.
biconcave [bai'kɔnkeiv], *adj.* bicôncavo.
biconvex [bai'kɔnveks], *adj.* biconvexo.
bicuspid [bai'kʌspid], *s.* e *adj.* bicúspide, bicúspido (dente).
bicycle ['baisikl], **1** — *s.* bicicleta.
2 — *vt.* andar de bicicleta.
bicycling [-iŋ], *s.* ciclismo.
bicyclist [-ist], *s.* ciclista.
bid [bid], **1** — *s.* lanço em leilão, licitação, oferta; chamada, voz (jogo do «bridge»).
2 — *vt.* e *vi.* (pret. **bade** [beid], **bad** [bæd], **bid**, pp. **bidden** [bidn]), mandar, ordenar; oferecer, licitar, lançar em leilão; saudar; convidar, vozear (no jogo do «bridge»). (*Sin.* to order, to request, to invite, to offer, to salute.)
to bid fair — prometer.
to bid farewell — despedir-se.
to bid up (over) — cobrir o lanço (nos leilões).
bidden [-n], *pp.* de **to bid.**
bidder [-ə], *s.* licitador (em leilão).
bidding ['-iŋ], *s.* ordem, convite, oferta, lanço.
bidding-prayer — oração dos pregadores, antes de começar o sermão.
bide [baid], *vt.* e *vi.* esperar, aguardar.
to bide one's time — aguardar melhor ocasião.
bidet ['bidei], *s.* bidé.
biennial [bai'eniəl], *s.* e *adj.* bienal, planta bienal.
biennially [-i], *adj.* de dois em dois anos.
bier [biə], *s.* carreta fúnebre, ataúde.
biff [bif], **1** — *s.* (fam.) murro.
2 — *vt.* (fam.) dar murros, esmurrar.
biffin ['-in], *s.* maçã vermelha.
bifid ['baifid], *adj.* bífido.

bifocal ['bai'foukəl], *adj.* bifocal.
bifoliate [bai'fouliit], *adj.* bifoliado, que tem duas folhas.
bifurcate ['baifə:keit], *vt.* e *vi.* bifurcar.
bifurcation [baifə:'keiʃən], *s.* bifurcação.
big [big], *adj.* e *adv.* grande, volumoso, grosso. (*Sin.* large, grown up, enormous, great, bulky, vast. *Ant.* small.)
a big heart — um grande coração, um coração generoso.
a big man — um homem importante.
a big shot (col.) — uma pessoa importante.
a big wig (fam.) — uma pessoa importante.
big game — caça grossa.
big with child (lit.) — grávida.
big words — palavras arrogantes.
the big toe — o dedo grande do pé.
to grow big — crescer.
to grow too big for one's boots (fam.) — tornar-se vaidoso, presumido.
bigamist ['bigəmist], *s.* bígamo.
bigamous ['bigəməs], *adj.* bígamo.
bigamously [-li], *adv.* em bigamia.
bigamy ['bigəmi], *s.* bigamia.
bigaroon [bigə'ru:n], *s.* ginja.
bight [bait], *s.* **1** — **angra, enseada, baía.**
2 — laçada numa corda.
3 — (náut.) seio de cabo, retorno de cabo.
bigness ['bignis], *s.* **volume, grandeza.**
bigot ['bigət], *s.* pessoa intolerante, fanática.
bigoted [-id], *adj.* intolerante, fanático.
bigotry [-ri], *s.* intolerância, fanatismo.
bijou ['bi:ʒu:], *s.* jóia, coisa pequena mas bonita.
a bijou flat — um andar pequeno que é um amor.
bike [baik], **1** — *s.* (col.) bicicleta.
2 — *vi.* andar de bicicleta.
bilabial [bai'leibjəl], *s.* e *adj.* bilabial.
bilateral [bai'lætərəl], *adj.* bilateral.
bilaterally [-i], *adv.* de um modo bilateral.
Bilbao [bil'bɑ:ou], *top.* Bilbau.
bilberry ['bilbəri], *s.* arando.
bilbo ['bilbou], *s.* (arc.) espada especial.
bilboes ['bilbouz], *s. pl.* grilhetas.
bile [bail], *s.* **1** — bílis.
2 — **mau humor, ira.**
bile-stones — cálculos biliares.
bilge [bildʒ], **1** — *s.* fundo de porão; água suja que se junta no fundo do porão; bojo de um barril; (col.) palavras tolas.
bilge-pipe — tubo de porão.
bilge-pump — bomba do porão.
bilge-water — água que se junta no porão.
to talk bilge — dizer parvoíces.
2 — *vt.* e *vi.* arrombar a parte mais baixa do casco de um navio; meter água pelo porão; fazer barriga.
bilge-keel [bildʒ-ki:l], *s. (náut.)* quilha lateral.
bilgy ['-i], *adj.* com cheiro semelhante ao da água do porão de um navio.
bilharzia [bil'hɑ:ziə], *s.* bilharziose.
biliary ['biljəri], *adj.* biliar, relativo à bílis.
bilingual [bai'liŋgwəl], *adj.* bilingue.
bilious ['biljəs], *adj.* bilioso.
biliously [-li], *adv.* com bílis, de modo bilioso.
biliousness [-nis], *s.* temperamento bilioso.
biliteral [bai'litərəl], *adj.* biliteral, que tem duas letras.
bilk [bilk], *vt.* fugir ao pagamento (de letra, dívida, etc.); enganar, lograr.
bilker ['-ə], *s.* aldrabão, vigarista.
bill [bil], **1** — *s.* conta, nota, factura; lista, relação; cartaz, edital; projecto de lei; aviso; letra de câmbio; título; vale; saque; tesoura de podar; bico de ave.
accommodation bill — letra de favor.
a ten dollar bill (E. U.) — uma nota de dez dólares.
bill at sight — letra paga à vista.
bill-book — livro de contas ou de letras.
bill-broker (bill-discounter) — corretor de câmbios.
bill of credit — carta de crédito.
bill of entry — declaração à Alfândega.
bill of exchange — letra de câmbio.
bill-of-fare — ementa, lista (restaurante).
bill of health (náut.) — carta de saúde; boletim sanitário.
bill of lading (bill of shipment) (náut.) — conhecimento de carga.
bill of parcels — factura, nota dos artigos comprados.
Bill of Rights — lei dos direitos dos cidadãos.
bill of sale — documento de transferência de direitos para garantir uma dívida.
bill of sight — lista minuciosa das mercadorias importadas.
bills in hand — letras em carteira.
bills payable — letras a pagar.
bills receivable — letras a receber.
bill-sticker (bill-poster) — afixador de cartazes.
long-dated bill — letra a longo prazo.
running bill — letra a vencer.
stick no bills — é proibido afixar cartazes.
to get a bill discounted — descontar uma letra.
to make out a bill — passar uma letra.
to meet a bill — pagar uma letra.
to note a bill — apontar uma letra.
to pass a bill — aprovar um projecto de lei.
to reject a bill — rejeitar um projecto de lei.
to take up a bill — pagar uma letra.
Treasury bill (Exchequer bill) — bilhete do Tesouro.
2 — *vt.* e *vi.* anunciar; afixar cartazes; fazer festas com o bico; (fig.) acariciar.
billet ['bilit], **1** — *s.* (mil.) aboletamento, ordem para aboletar soldados; bilhete; cavaca; destino, emprego.
2 — *vt.* aboletar, designar quartéis para aboletar.
billet-doux ['bilei'du:], *s.* **1** — carta de amor.
2 — (irón.) carta desagradável.
billeting ['bilitiŋ], *s.* aboletamento, aquartelamento de tropas.
billiards ['biljədz], *s. pl.* bilhar.
billiard-ball — bola de bilhar.
billiard-cloth — pano verde do bilhar.
billiard-cue — taco de bilhar.
billiard-marker — marcador (de bilhar).
billiard-room — sala de bilhar.
billiard-table — (mesa do) bilhar.
to play at billiards — jogar o bilhar.
Billingsgate ['biliŋzgit], *n. p.* mercado de peixe em Londres.
billingsgate ['biliŋzgit], *s.* palavrões, linguagem de regateira.
billion ['biljən], *s.* bilião.
billow ['bilou], **1** — *s.* vaga, onda grande; (poét.) mar, oceano.
2 — *vi.* encapelar-se, erguer-se em vagas.
billowy [-i], *adj.* encapelado.
billygoat ['biligout], *s.* bode.
biltong ['biltɔŋ], *s.* tiras de carne seca ao sol.
bimanal ['baimənəl], *adj.* (zool. obs.) bímano.
bimanous ['baimənəs], *adj.* ver **bimanal.**
bimetallism [bai'metəlizm], *s.* bimetalismo, sistema monetário baseado num duplo padrão (ouro e prata).
bimetallist [bai'metəlist], *s.* bimetalista.
bin [bin], *s.* **1** — caixa (para cereais, carne, carvão, etc.), gamela.
2 — lote numa adega para colocar as garrafas.
dust-bin — caixote do lixo.

binary ['bainəri], *adj.* binário.
binary measure (mús.) — compasso binário.
binary system (astr.) — sistema binário.
bind [baind], **1** — *s.* barro endurecido entre duas camadas de carvão.
2 — *vt., vi.* e *vr.* (pret. e pp. **bound** [baund]), atar, ligar, unir, cingir, prender; encadernar; obrigar moralmente, contratar; pôr uma ligadura. (*Sin.* to tie, to fasten; to **oblige,** to compel; to apprentice. *Ant.* to loose.)
bound in boards — cartonado.
bound in cloth — encadernado em percalina ou pano.
bound in paper (paper-bound) — brochado.
full-bound — com encadernação inteira.
half-bound — com meia encadernação.
I'll be bound — eu podia jurar.
to bind hand and foot (idiom.) — ligar de pés e mãos.
to bind oneself to — comprometer-se a.
to bind out — obrigar a serviços.
to bind over — sujeitar a obrigação legal.
to bind up — encadernar num só volume.
binder ['-ə], *s.* **1** — encadernador.
2 — cinta de papel (para jornais).
3 — máquina para amarrar, atador de molhos de trigo, centeio, etc..
4 — faixa para crianças.
bindery ['-əri], *s.* oficina de encadernação.
binding ['-iŋ], **1** — *s.* cinta; ligadura; faixa; cercadura; acto de unir; encadernação.
binding tape (elect.) — fita isoladora.
half-binding — meia encadernação.
2 — *adj.* obrigatório, que obriga; que une.
bindweed ['baindwi:d], *s.* planta trepadeira, que se enrola noutras; convólvulo.
bine [bain], *s.* planta trepadeira; haste de planta trepadeira.
binnacle ['binəkl], *s.* bitácula, caixa da bússola.
binnacle cover — capa da bitácula.
binocular **1** — *s.* [bi'nɔkjulə], binocular, *pl.* binóculo.
2 — *adj.* [bai'nɔkjulə], binocular.
binocular-glass — binóculo.
binocular microscope — microscópio binocular.
binocular vision — visão binocular.
binoculars [bai'nɔkjuləz], *s. pl.* binóculo.
binomial [bai'noumjəl], **1** — *s.* binómio.
2 — *adj.* binómico.
binominal [bai'nɔminəl], *adj.* com dois nomes.
biochemic(al) [baiou'kemik(əl)], *adj.* bioquímico.
biochemist ['baiou'kemist], *s.* bioquímico.
biochemistry [-ri], *s.* bioquímica.
biogenesis ['baiou'dʒenisis], *s.* biogénese, doutrina sobre a origem da vida.
biogenetic [baioudʒi'netik], *adj.* biogenético.
biograph ['baiougrɑ:f], *s.* cinematógrafo.
biographer [bai'ɔgrəfə], *s.* biógrafo.
biographic(al) [baiou'græfik(əl)], *adj.* biográfico.
biographically [baiou'græfikəli], *adv.* biograficamente.
biography [bai'ɔgrəfi], *s.* biografia.
biologic(al) [baiə'lɔdʒik(əl)], *adj.* biológico.
biologically [baiə'lɔdʒikəli], *adv.* biologicamente.
biologist [bai'ɔlədʒist], *s.* biólogo.
biology [bai'ɔlədʒi], *s.* biologia.
biometry [bai'ɔmitri], *s.* biometria.
bioplasm ['baiouplæzm], *s.* protoplasma.
bioscope ['baiəskoup], *s.* bioscópio.
bipartite [bai'pɑ:tait], *adj.* bipartido.
bipartition [baipɑ:'tiʃən], *s.* bipartição.
biped ['baiped], *s.* e *adj.* bípede.
bipedal ['baipedl], *adj.* bípede.
biplane ['baiplein], *s.* biplano.
biquadratic [baikwɔ'drætik], **1** — *s.* quarta potência de um número.
2 — *adj.* biquadrado.
birch [bə:tʃ], **1** — *s.* vidoeiro; vara de vidoeiro.
birch-rod — vara de vidoeiro.
2 — *vt.* vergastar, açoitar com uma vara.
birchen ['-ən], *adj.* de vidoeiro.
birching ['-iŋ], *s.* vergastada, açoite.
bird [bə:d], *s.* **1** — ave, pássaro.
2 — criancinha; (cal.) rapariga, miúda.
a bird in the hand is worth two in the bush (prov.) — mais vale um pássaro na mão que dois a voar.
a little bird told me so — disseram-me; adivinhei.
a singing bird — uma ave canora.
bird-cage — gaiola.
bird-call — chamariz.
bird-catcher — passarinheiro.
bird-fancier — avicultor.
bird-lime — visco.
bird of Jove — águia.
bird of Juno — pavão.
bird of ill-omen — ave agoirenta.
bird of night — ave nocturna.
bird of paradise — ave-do-paraíso.
bird of passage — ave de arribação.
bird of peace — pomba.
bird of prey — ave de rapina.
bird-seed — alpista.
bird's eye (bot.) — verónica; tabaco com as folhas cortadas em partes redondas.
bird's eye view — vista do alto; visão geral, aspecto geral.
bird's nest — ninho de ave.
birds of a feather flock together — (prov.) diz-me com quem andas dir-te-ei as manhas que tens.
early-bird — madrugador.
fine feathers make (do not make) fine birds — o hábito faz (não faz) o monge.
he is an old bird — ele é uma raposa velha.
to get the bird (cal.) — receber pateada.
to give somebody the bird (cal.) — zombar de alguém, arreliar alguém.
to kill two birds with one stone — matar dois coelhos de uma cajadada.
birdsmouth ['-zmauθ], *s.* (bot.) boca-de-lobo.
biretta [bi'retə], *s.* barrete de clérigo, mitra.
Birmingham ['bə:miŋəm], *top.* nome de cidade inglesa e norte-americana.
birth [bə:θ], *s.* nascimento, origem, princípio; linhagem, descendência, estirpe.
birth-certificate — certidão de nascimento.
birth-mark — sinal congénito no corpo.
birth-rate — natalidade.
birth-right — primogenitura; direito por nascimento.
by birth — de nascimento.
to give birth to — originar; dar à luz.
untimely birth — aborto; parto prematuro.
birthday ['-dei], *s.* dia de anos; aniversário.
birthplace ['-pleis], *s.* terra natal.
bis [bis], *adv.* sinal de repetição, outra vez; (mús.) bis.
Biscay ['biskei], *top.* Biscaia.
biscuit ['biskit], *s.* **1** — biscoito, bolacha.
2 — porcelana cozida, mas não vidrada.
bisect [bai'sekt], *vt.* bissectar, dividir em duas partes iguais.
bisection [bai'sekʃən], *s.* bissecção, divisão em duas partes iguais.
bisector [bai'sektə], *s.* bissector.
bisectrix [bai'sektriks], *s.* bissectriz.
bisexual ['bai'seksjuəl], *adj.* bissexual.

bishop ['biʃəp], *s.* **1** — (ecl.) bispo.
2 — bispo (xadrez).
3 — bebida quente (feita de vinho, açúcar, laranjas, etc.).
bishopric [-rik], *s.* bispado, diocese.
Bishopsgate [-sgeit], *top.* bairro londrino.
Bismarck ['bizmɑ:k], *n. p.* Bismarque.
bismuth ['bizməθ], *s.* bismuto.
bison ['baisn], *s.* bisão, bisonte.
bisque [bisk], *s.* **1** — porcelana cozida, mas não vidrada.
2 — termo usado no ténis, no golfe, etc..
3 — sopa forte feita de mariscos, etc..
bissextile [bi'sekstail], *s.* e *adj.* bissexto, ano bissexto.
bistort ['bistɔ:t], *s.* bistorta, planta adstringente.
bistoury ['bisturi], *s.* bisturi, escalpelo.
bistre ['bistə], *s.* bistre.
bit [bit], **1** — *s.* bocado, pedaço; pouco; freio de cavalo; pua, broca; moeda pequena (obs.).
a tiny bit — um bocadinho.
bit brace — arco de pua.
bit by bit — a pouco e pouco, gradualmente.
I don't care a bit — não me importo nada.
not a bit — absolutamente nada.
to do one's bit — contribuir com esforço ou dinheiro (na medida das suas possibilidades).
to give a bit of one's mind — falar com franqueza.
to have a bit of dinner — jantar qualquer coisa.
to take the bit by the teeth — tomar o freio nos dentes; (fig.) descontrolar-se.
to take the bit into one's mouth — fazer-se valer; (idiom.) bater o pé.
wait a bit — espera um bocadinho.
2 — *pret.* e *pp.* de **to bite.**
bitch [bitʃ], *s.* **1** — cadela; fêmea do lobo ou do raposo.
2 — prostituta.
bite [bait], **1** — *s.* mordedura, dentada, picada; bocado de comida; dor aguda.
2 — *vt.* e *vi.* (pret. **bit** [bit], pp. **bit, bitten** [bitn]), morder, ferrar, picar; cortar com os dentes, corroer; agarrar qualquer coisa com os dentes.
to be bitten with something — estar entusiasmado com qualquer coisa.
to bite in — corroer com ácidos.
to bite off (out) — cortar com os dentes.
to bite off more than one can chew (idiom.) — meter-se em altas cavalarias.
to bite one's lips — morder os lábios, reprimir-se.
to bite the dust — morder o pó; tombar morto.
biter ['-ə], *s.* mordedor; vigarista.
biting ['-iŋ], *adj.* **1** — cortante, afiado, penetrante, picante.
2 — sarcástico, mordaz.
bitingly ['-iŋli], *adv.* **1** — de modo cortante, de modo penetrante.
2 — sarcasticamente, mordazmente.
bitten ['bitn], pp. **de to bite.**
bitter ['bitə], **1** — *s.* cerveja amarga; bebida amarga; aperitivo.
2 — *adj.* amargo, áspero, penetrante; severo, mordaz. (*Sin.* acrid, sour; sharp, severe, painful. *Ant.* sweet.)
bitter cold — muitíssimo frio, frio de rachar.
bitter-sweet — agridoce; doce-amarga.
to the bitter end — até ao extremo.
bitterly [-li], *adv.* amargamente, severamente.
it is bitterly cold — está um frio de rachar.
bittern ['bitə:n], *s.* (zool.) alcaravão.
bitterness ['bitənis], *s.* amargo, amargor, amargura; severidade; azedume, mordacidade.
bitters ['bitəz], *s. pl.* licor de ingredientes amargos, cerveja amarga; aperitivo.
bitts [bits], *s. pl.* (náut.) abitas, peças na proa do navio para fixar as amarras.
bitumen ['bitjumin], *s.* betume.
bituminous [bi'tju:minəs], *adj.* betuminoso.
bituminize [bi'tjuminaiz], *vt.* betumar.
bivalent ['bai'veilənt], *adj.* bivalente.
bivalve ['baivælv], *s.* e *adj.* bivalve; molusco com concha de duas valvas.
bivouac ['bivuæk], **1** — *s.* bivaque.
2 — *vi.* bivacar.
bi-weekly ['bai'wi:kli], **1** — *s.* período quinzenal.
2 — *adj.* quinzenal.
bizarre [bi'zɑ:], *adj.* bizarro, excêntrico; fantástico; grotesco.
blab [blæb], *vi.* revelar um segredo, ser indiscreto, tagarelar, dar com a língua nos dentes.
blabber ['-ə], *s.* indiscreto, linguareiro.
blabbing [-iŋ], *s.* tagarelice, indiscrição.
black [blæk], **1** — *s.* cor preta; (um) preto, (um) negro; luto.
in black and white — por escrito.
to go into black for somebody — pôr luto por alguém.
to swear black is white — jurar que o preto é branco e o branco é preto.
to wear black — andar de preto.
2 — *adj.* preto, negro, escuro; sinistro, tétrico; sujo; ameaçador, zangado. (*Sin.* dark; dismal; wicked, heinous. *Ant.* white, bright.)
a black eye — um olho pisado.
a black outlook — um futuro incerto.
as black as pitch (as black as thunder) — negro como o breu.
black art — arte negra, magia negra.
black-beetle — escaravelho.
black cattle — gado vacum; (fig.) pessoas dignas de desprezo.
black coal — hulha.
black-draught — laxante.
black flag — bandeira dos piratas.
black friar — dominicano.
black ingratitude — negra ingratidão.
black letter — letra gótica.
black-list — lista negra.
black look — olhar furioso.
black powder — pólvora preta.
black pudding — chouriço de sangue.
black sheep (fig.) — ovelha ronhosa.
black soul — alma negra, perversa.
black-water fever — febre biliosa.
he is not so black as he is painted — ele não é tão mau como o pintam.
the black Maria — o carro celular.
to beat somebody black and blue — bater desalmadamente em alguém.
3 — *vt.* tingir ou pintar de preto; engraxar.
to black an eye — dar um murro nos olhos.
to black out — apagar as luzes.
blackamoor ['-əmuə], *s.* (col.) negro, preto.
Black and Tans [blæk and tæns], *s. (hist.)* polícia militar especial em serviço na Irlanda (1921) para combater o movimento da independência.
blackball ['-bɔ:l], *vt.* votar contra.
blackberry ['-bəri], *s.* amora silvestre.
blackberrying ['blækberiiŋ], *s.* apanha de amoras.
blackbird ['-bə:d], *s.* melro.
blackbirding ['-bə:diŋ], *s.* tráfico de escravos.
blackboard ['-bɔ:d], *s.* quadro preto, lousa (das escolas).
blackbook ['-buk], *s.* livro negro, livro com o nome dos delinquentes.
to be in someone's blackbook — não estar nas boas graças de alguém.

Blackburn ['-bə:n], *top.* cidade inglesa no Lancashire.
blackcap ['-kæp], *s.* toutinegra; gorro usado pelo juiz quando pronuncia uma sentença de morte.
blackcock ['-kɔk], *s.* galo silvestre.
blacken ['-ən], *vt.* e *vi.* tingir de preto, enegrecer, enegrecer-se; difamar. (*Sin.* to darken, to soil, to defame. *Ant.* to whiten.)
blackguard ['-gɑ:d], **1** — *s.* patife, canalha. **2** — *vt.* e *vi.* insultar, falar grosseiramente.
blackguardism ['-gɑ:dizəm], *s.* devassidão, canalhice.
blackguardly ['-gɑ:dli], *adj.* devasso, canalha.
blacking ['-iŋ], *s.* graxa.
blackish ['-iʃ], *adj.* escuro.
blacklead ['-'led], **1** — *s.* grafite. **2** — *vt.* cobrir com grafite.
blackleg ['-leg], *s.* gatuno, burlão; amarelo (cal.), operário que trabalha quando os outros estão em greve.
blackly ['-li], *adv.* de modo escuro.
blackmail ['-meil], **1** — *s.* chantagem. **2** — *vt.* fazer chantagem.
blackmailer ['-meilə], *s.* chantagista, aquele que faz chantagem.
blackness ['-nis], *s.* negrura, escuridão, cor escura.
blackout ['-aut], *s.* extinção de luzes em tempo de guerra.
Blackpool ['-pu:l], *top.* cidade inglesa no Lancashire.
blacksmith ['-smiθ], *s.* ferreiro, serralheiro.
blackthorn ['-θɔ:n], *s.* espinheiro negro.
blacky ['-i], *s.* negro, moreno.
bladder ['blædə], *s.* bexiga; ampola.
bladderwort [-wə:t], *s.* (bot.) utriculária.
blade [bleid], *s.* lâmina; folha de cereal ou erva; pá de remo; (fig.) pessoa alegre e fanfarrona.
an old blade — uma pessoa manhosa.
blade-bone — omoplata.
bladed ['-id], *adj.* laminado.
blain [blein], *s.* chaga, pústula.
Blair [blɛə], *n. p.*
Blake [bleik], *n. p.*
blamable ['bleiməbl], *adj.* culpável, censurável.
blamableness [-nis], *s.* culpabilidade.
blamably [-i], *adv.* culpavelmente.
blame [bleim], **1** — *s.* culpa, censura.
let me bear the blame — eu é que sou o culpado.
to lay the blame on someone — lançar a culpa a alguém.
2 — *vt.* culpar, censurar. (*Sin.* to censure, to condemn, to disapprove, to reproach. *Ant.* to praise.)
I am not to blame for that — a culpa não é minha.
who is to blame? — de quem é a culpa?
blameless ['-lis], *adj.* inocente, inculpável.
blamelessly ['-lisli], *adv.* inculpavelmente, inocentemente.
blamelessness ['-lisnis], *s.* inculpabilidade, inocência.
blameworthiness ['-'wə:ðinis], *s.* culpabilidade.
blameworthy ['-'wə:ði], *adj.* culpável, censurável, digno de censura.
blanch [blɑ:ntʃ], *vt.* e *vi.* branquear, embranquecer, empalidecer. (*Sin.* to whiten, to bleach, to fade, to grow pale. *Ant.* to darken.)
blanching ['-iŋ], *s.* embranquecimento dos vegetais pela exclusão da luz.
blancmange [blə'mɔnʒ], *s.* manjar-branco.
bland [blænd], *adj.* brando, suave, terno, doce.
blandish ['-iʃ], *vt.* acariciar, lisonjear.
blandishment ['-iʃmənt], *s.* carícia, lisonja.
blandly ['-li], *adv.* suavemente, brandamente.
blandness ['-nis], *s.* brandura, suavidade.
blank [blæŋk], **1** — *s.* espaço em branco; bilhete de lotaria não premiado; papel em branco; alvo; disco de metal antes de a moeda ser cunhada; vazio.
my mind became a complete blank — esqueci-me completamente de tudo.
2 — *adj.* em branco, não escrito; vazio, sem interesse; confuso, perturbado, desorientado; solto (verso). (*Sin.* empty, void, amazed.)
blank cartridge — cartucho sem bala.
blank cheque — cheque em branco.
blank map — mapa mudo.
blank shot — tiro de pólvora seca.
to look blanks — ter um aspecto confuso, de quem não sabe o que há-de fazer.
blanket ['blæŋkit], **1** — *s.* cobertor; manta (de cavalos).
born on the wrong side of the blanket — ilegítimo.
to be a wet blanket — ser um desmancha-prazeres.
2 — *vt.* cobrir com cobertor ou manta; tirar o vento das velas de outro navio; abafar (um escândalo, uma questão, etc.).
blankly ['blæŋkli], *adv.* em branco; sem expressão; terminantemente.
blankness ['blæŋknis], *s.* perturbação, confusão; vazio.
blare [blɛə], **1** — *s.* som como o da trombeta. **2** — *vt.* soar como a trombeta; tocar trombeta, fazer estrondo.
blarney ['blɑ:ni], **1** — *s.* lisonja, adulação.
to kiss the Blarney stone — ser lisonjeiro, adular.
2 — *vt.* adular, lisonjear.
blaspheme [blæs'fi:m], *vt.* e *vi.* blasfemar, dizer blasfémias.
blasphemer [-ə], *s.* blasfemo.
blaspheming [-iŋ], *s.* blasfémia.
blasphemous ['blæsfiməs], *adj.* blasfemo, ultrajante.
blasphemously [-li], *adv.* com blasfémias, impiamente.
blasphemy ['blæsfimi], *s.* blasfémia.
blast [blɑ:st], **1** — *s.* rajada de vento, vento; som (de instrumento de sopro); sopro dum fole; explosão, carga de explosivo; pressão de ar; má influência.
a blast of wind — uma rabanada de vento.
blast engine — ventoinha de compressão.
blast-furnace — fornalha de fundição, alto-forno.
blast-pipe — tubo de escape.
to be in full blast — estar em plena actividade.
2 — *vt.* fazer explodir; destruir, arrasar; crestar, secar, queimar.
blasted ['-id], **1** — *adj.* maldito. **2** — *adv.* muitíssimo, terrivelmente.
blasting ['-iŋ], *s.* acção de fazer explodir, explosão.
blastoderm ['blæstoudə:m], *s.* blastoderma.
blatancy ['bleitənsi], *s.* ruído, clamor, barulho.
blatant ['bleitənt], *adj.* ruidoso, barulhento.
blatantly [-li], *adv.* ruidosamente, de modo barulhento.
blather ['blæðə], *s. vd.* **blether.**
blatherskite ['blæðəskait], *s.* parlapatão, pantomineiro.
blaze [bleiz], **1** — *s.* chama, labareda, fogo, fogueira; luz brilhante; marca feita na testa de certos animais; sinal nas árvores para indicar o caminho.
blaze of anger — acesso de raiva.
go to blazes! — vai para o diabo!
in a blaze — em chamas.

in the blaze of day — em pleno dia.
like blazes — furiosamente, impetuosamente.
2 — *vt.* e *vi.* arder, estar em chama; brilhar, resplandecer; marcar as árvores para indicar o caminho; proclamar.
to blaze abroad — espalhar notícias.
to blaze away — trabalhar com entusiasmo; disparar continuamente.
to blaze out — irritar-se de súbito, ter um acesso de cólera.
to blaze up — começar a arder; aparecer de súbito.
blazer ['-ə], *s.* casaco especial usado no jogo do golfe, críquete, regatas, etc.; (col.) grande mentira.
blazing ['-iŋ], *adj.* em chamas, ardente.
a blazing day — um dia abrasador.
blazon ['bleizn], **1** — *s.* brasão, descrição de um brasão; alarde.
2 — *vt.* pintar um brasão; alardear, proclamar.
blazonry ['bleizənri], *s.* heráldica, arte de descrever ou ornamentar brasões; decoração luzida de heráldica.
bleach [bli:t∫], 1 — *s.* branqueamento.
2 — *vt.* e *vi.* corar, branquear (ao sol ou por processos químicos).
bleacher ['-ə], *s.* o que lava ou branqueia; (E. U.) geral para os espectadores do jogo do beisebol.
bleaching ['-iŋ], *s.* branqueamento.
bleaching powder — cloreto usado no branqueamento da roupa.
bleak [bli:k], **1** — *s.* (zool.) mugem.
2 — *adj.* frio, gelado, desabrigado; ermo, deserto; triste. (*Sin.* cold, bare, exposed, chilly, dreary, unsheltered. *Ant.* cheerful.
bleakly ['-li], *adv.* friamente, tristemente.
bleakness ['-nis], *s.* frio, frialdade; tristeza.
blear [bliə], **1** — *adj.* remeloso; turvo, confuso.
blear-eyed — remeloso.
2 — *vt.* turvar, ofuscar, tornar indistinto.
bleat [bli:t], **1** — *s.* balido.
2 — *vi.* balir; (fig.) dizer disparates.
bleb [bleb], *s.* empola, bolha, borbulha.
bled [bled], *pret.* e *pp.* de **to bleed.**
bleed [bli:d], *vt.* e *vi.* (pret. e pp. **bled** [bled]), sangrar, deitar sangue; morrer de morte violenta; extrair seiva (por um corte); extorquir dinheiro.
bleeder ['bli:də], *s.* pessoa hemofílica; pessoa que sangra excessivamente de uma ferida pequena.
bleeding ['-iŋ], *s.* hemorragia, sangria.
blemish ['blemi∫], **1** — *s.* defeito, deformidade, cicatriz; desonra.
2 — *vt.* desfigurar, danificar, estragar; manchar; difamar, desonrar. (*Sin.* to mar, to sully, to soil, to injure. *Ant.* to honour.)
blench [blent∫], *vt.* e *vi.* desviar-se para o lado; desistir; pestanejar; fechar os olhos a.
blend [blend], **1** — *s.* mistura, combinação.
2 — *vt.* e *vi.* (pret. e pp. **blended** ['-id] ou **blent** [blent]), misturar, combinar, fundir, fundir-se, unir-se, combinar-se; lotar.
blende [blend], *s.* (min.) blenda.
blending ['-iŋ], *s.* mistura, combinação.
blent [blent], *pret.* e *pp.* de **to blend.**
bless [bles], *vt.* (pret. e pp. **blessed** [-t] ou **blest [-t]**), abençoar, invocar a Deus; santificar, consagrar, glorificar, exaltar, invocar a graça divina. (*Sin.* to consecrate, to invoke, to make happy, to exalt, to glorify. *Ant.* to curse.)
bless me! — valha-me Deus!
not to have a penny to bless with — não ter vintém.
to bless oneself — benzer-se.
blessed [-id], *adj.* abençoado, santo, bem-aventurado.
blessed ignorance — santa ignorância.
the blessed — os bem-aventurados.
the blessed Virgin — a Virgem Maria.
blessedly ['-idli], *adv.* abençoadamente, ditosamente.
blessedness ['-idnis], *s.* bem-aventurança.
blessing ['-iŋ], *s.* bênção, graça divina; invocação; benefício, prosperidade. (*Sin.* glory, praise, thanksgiving, boon. *Ant.* curse.)
a blessing in disguise — coisa que se torna boa de repente.
blest [-t], **1** — *adj.* bem-aventurado.
2 — *pret.* e *pp.* de **to bless.**
blether ['bleðə], **1** — *s.* disparate.
2 — *vi.* dizer coisas disparatadas.
blew [blu:], *pret.* de **to blow.**
blight [blait], **1** — *s.* doença das plantas (como míldio, mangra, etc.); queima, cresta (das plantas); geada; influência maligna oculta.
2 — *vt.* atacar (uma planta) de doença (míldio, mangra, etc.); crestar, queimar (com geada, etc.); exercer influência maligna. (*Sin.* to kill, to mar, to wither, to mildew. *Ant.* to revive.)
blighter ['-ə], *s.* pessoa maçadora, aborrecida.
blighting ['-iŋ], **1** — *s.* desonra.
2 — *adj.* desonroso.
Blighty ['blaiti], *s.* (cal. mil.) terra pátria, Inglaterra; ferimento em batalha, que obriga o soldado a regressar à pátria.
blimp [blimp], *s.* balão observador; balão de reconhecimento.
blind [blaind], **1** — *s.* estore; máscara; (mil.) esconderijo.
venetian blind — persiana.
2 — *adj.* cego; insensato, ignorante; obscuro, escondido, tenebroso.
as blind as a bat (as blind as a beetle) — cego que nem uma toupeira.
blind alley — beco sem saída.
blind coal — antracite.
blind letter — carta que não é entregue à pessoa a quem se destina por deficiências de endereço.
blind-man's-buff — cabra-cega.
the blind — os cegos.
to look blind at someone — fingir que não se vê alguém.
3 — *vt.* e *vi.* cegar, vendar os olhos; enganar; deslumbrar, ofuscar a vista pela acção de muita luz.
blindage ['-idʒ], *s.* blindagem; defesa.
blindfold ['-fould], **1** — *adj.* de olhos vendados.
3 — *vt.* vendar os olhos.
3 — *adv.* cegamente, às cegas.
blindly ['-li], *adv.* às cegas, cegamente.
blindness ['-nis], *s.* cegueira.
colour blindness — daltonismo.
blindworm ['-wə:m], *s.* (zool.) licranço.
blink [blink], **1** — *s.* clarão passageiro; vislumbre.
2 — *vt.* e *vi.* pestanejar, piscar os olhos; bruxulear; ignorar, esquivar-se. (*Sin.* to wink, to flicker, to ignore, to evade. *Ant.* to notice.)
blinker ['-ə], *s.* o que pestaneja, que pisca os olhos; venda, viseira; (pl.) antolhos.
blinkered ['-əd], *adj.* com antolhos (cavalo); de vistas curtas.
bliss [blis], *s.* felicidade, ventura, glória, bem-aventurança.
blissful ['-ful], *adj.* feliz, bem-aventurado.
blissfully ['-fuli], *adv.* felizmente, ditosamente.
blissfulness ['-fulnis], *s.* suprema felicidade, bem-aventurança, ventura.

blister ['blistə], **1** — *s.* empola, borbulha, bolha; falha, defeito.
2 — *vt.* e *vi.* empolar, levantar borbulha; perder tempo.
blistered [-d], *adj.* empolado, bexigoso.
blithe [blaið], *adj.* (poét.) alegre, jovial.
blithely ['-li], *adv.* alegremente, jovialmente.
blitheness ['-nis], *s.* alegria, júbilo.
blithesome ['-səm], *adj.* alegre, jovial, jubiloso.
blithesomeness ['-səmnis], *s.* alegria, jovialidade.
blizzard ['blizəd], *s.* tempestade de neve.
bloat [blout], *vt.* e *vi.* entumecer, inchar; enfatuar-se; salgar e defumar levemente.
bloated ['-id], *adj.* entumecido, inchado; enfatuado; defumado.
bloatedness ['-idnis], *s.* inchaço.
bloater ['-ə], *s.* arenque defumado.
blob [blɔb], **1**—*s.* gota de líquido, mancha; bolha.
2 — *vi.* (pret. e pp. **blobbed**) deixar cair tinta, esborratar.
blobber-lipped ['-ə-lipt], *adj.* beiçudo, de lábios grossos.
block [blɔk], **1** — *s.* bloco, cepo, tronco (de árvore); forma de chapéu; obstáculo, obstrução; quarteirão de edifícios; pedaço de rocha; peça de madeira para montagem duma zincogravura; pessoa estúpida; (náut.) cadernal; *pl.* (náut.) poleame.
block and tackle — moitões para grandes pesos.
block letters — letras maiúsculas manuscritas em tipo de imprensa.
he is a chip of the old block — ele sai ao pai.
to cut blocks with a razor — gastar a inteligência em coisas sem interesse.
2 — *vt.* bloquear, obstruir, impedir; formar em blocos; reforçar; enformar (chapéus); delinear; parar a bola no críquete sem quase levantar o «bat»; opor-se a um projecto de lei. (*Sin.* to stop, to obstruct, to arrest, to shape. *Ant.* to clear.)
to block in (a picture, a drawing) — esboçar um plano.
blockade [blɔ'keid], **1** — *s.* bloqueio, obstrução.
blockade-runner—navio que rompe o bloqueio.
to run the blockade — romper o bloqueio.
2 — *vt.* bloquear, obstruir.
blockader ['-ə], *s.* bloqueador.
blockhead ['blɔkhed], *s.* estúpido, néscio.
blockhouse ['blɔkhaus], *s.* pequeno forte, fortim.
blockish ['blɔkiʃ], *adj.* lento, estúpido.
blockship ['blɔkʃip], *s.* navio carregado de material para obstruções.
blocktin ['blɔktin], *s.* lata, estanho de qualidade inferior.
bloke [blouk], *s.* (col.) sujeito, tipo; camarada; parolo, rústico.
the bloke (cal. nav.)—o comandante do navio.
Blomefield ['blu:mfi:ld], *n. p.*
Blomfield ['blɔmfi:ld], *n. p.*
blond(e) [blɔnd], **1** — *s.* pessoa loira, mulher loira.
blonde lace — renda de seda.
2 — *adj.* loiro.
blood [blʌd], **1** — *s.* sangue; seiva, suco; parentesco, linhagem, descendência; temperamento; indignação, cólera, ira; paixão; assassinato.
baptism of blood — baptismo de sangue.
blood-guilty — culpado de morte.
blood-orange — laranja sanguínea.
blood-heat — temperatura do sangue.
blood-poisoning — septicemia.
blood-red — vermelho como sangue.
blood-relation — parente consanguíneo.
blood-royal — família real.
blood-sucker — vampiro; sanguessuga.
blood-vessel — vaso sanguíneo.
blood-wort (bot.) — sanguinária.
blue blood — sangue azul.
cold-blooded — de sangue frio, cruel.
flesh and blood — a natureza animal.
hot-blooded — exaltado, irritado.
in cold blood — a sangue-frio.
to breed bad blood — lançar discórdia.
to freeze (to curdle) one's blood — gelar o sangue nas veias.
to let blood — sangrar, tirar sangue.
to make one's blood boil — (fig.) fazer ferver o sangue de alguém.
to thirst for blood — ser sanguinário.
2 — *vt.* sangrar; dar baptismo de sangue.
bloodcurdling ['-'kə:dliŋ], *adj.* que faz gelar o sangue; arrepiante.
bloodhorse ['-hɔ:s], *s.* puro-sangue (cavalo).
bloodhound ['-haund], *s.* sabujo; cão de caça; espião.
bloodily ['-ili], *adv.* barbaramente, cruelmente.
bloodiness ['-inis], *s.* crueldade, malvadez.
bloodless ['-lis], *adj.* sem sangue, esvaído, exangue.
bloodlessly ['-lisli], *adv.* sem efusão de sangue.
bloodshed ['-ʃed], *s.* efusão de sangue.
bloodshot ['-ʃɔt], *adj.* injectado de sangue (olhos).
bloodstain ['-stein], *s.* mancha de sangue.
bloodstained ['-steind], *adj.* manchado de sangue.
bloody ['-i], **1** — *adj.* e *adv.* sangrento, sanguinolento; sanguinário; ensanguentado; cruel, bárbaro; (col.) raio; muito, extremamente.
bloody-faced — com cara de assassino.
bloody-minded — cruel, de maus instintos, sanguinário.
it's bloody cold (col.) — está um frio dos diabos, está um raio dum frio.
the bloody door (col.) — o raio (o diabo) da porta.
2 — *vt.* ensanguentar, manchar de sangue.
bloom [blu:m], **1** — *s.* flor; florescência; frescura; beleza; brilho; odor (do vinho); barra de ferro maleável.
in bloom — em botão.
2 — *vt.* e *vi.* florir, florescer, deitar flor; desabrochar; ostentar frescura; transformar ferro maleável em barra. (*Sin.* to blossom, to flourish, to blow. *Ant.* to decay.)
bloomer ['-ə], *s.* (fam.) erro, disparate.
bloomers ['-əz], *s. pl.* calções de mulher apertados na cinta e nos joelhos.
blooming ['-iŋ], *adj.* florescente.
Bloomsbury ['-zbəri], *top.* bairro de Londres, onde está situado o Museu Britânico.
bloomy ['-i], *adj.* coberto de flores, muito florido.
blossom ['blɔsəm], **1** — *s.* flor (de árvores de fruto); conjunto de flores de uma árvore.
in blossom — em flor.
2 — *vi.* deitar flor (árvore de fruto), florir, florescer.
to blossom into something — vir a transformar-se em qualquer coisa.
blossoming [-iŋ], *s.* floração.
blossomy [-i], *adj.* cheio de botões, em flor.
blot [blɔt], **1** — *s.* mancha, borrão de tinta; defeito, falta; pedra do gamão que não está defendida.
2 — *vt.* e *vi.* (*pret.* e *pp.* **blotted**) deitar borrões, manchar com tinta; riscar; chupar (a tinta); difamar, caluniar. (*Sin.* to spot with ink, to smudge, to sully, to stain, to erase. *Ant.* to cleanse.)
to blot out — apagar, riscar.

blotch [blɔtʃ], **1** — *s.* mancha na pele, pústula; borrão de tinta; (cal.) mata-borrão.
2 — *vi.* manchar; cobrir de pústulas.
blotchiness [ˈ-inis], *s.* acne rosada.
blotchy [ˈ-i], *adj.* manchado; coberto de pústulas.
blotter [ˈblɔtə], *s.* mata-borrão; borrão (livro).
blotting-pad [ˈblɔtiŋˈpæd], *s.* tanque (mata--borrão).
blotting-paper [ˈblɔtiŋˈpeipə], *s.* papel mata--borrão.
blouse [blauz], *s.* blusa.
blow [blou], **1** — *s.* vendaval, golpe de vento; pancada, golpe, murro, bofetada; revés, desgraça.
at one blow — de um só golpe.
blow out (col.) — refeição abundante.
blow torch — maciço.
to come to blows — chegar a vias de facto.
to strike a blow for — ajudar.
2 — *vt.* e *vi.* (*pret.* **blew** [blu:], *pp.* **blown** [bloun]), soprar, ventar; fazer soar um instrumento de sopro; soar; respirar com força; fazer explodir; produzir corrente de ar; florescer. (*Sin.* to sound, to puff, to pant, to breathe, to bloom.)
a high wind is blowing — está muito vento.
blow-fly — mosca varejeira.
blow-lamp — maçarico.
I'll be blowed if... (fam.) — macacos me mordam se...
the fuse blew out — fundiu-se o fusível.
the wind blew off my hat — o vento levou-me o chapéu.
to blow away (náut.) — rasgar (uma vela).
to blow bubbles — fazer bolas de sabão.
to blow great guns (col.) — ventar muito.
to blow hot and cold — ser inconstante.
to blow in — introduzir soprando; (fam.) fazer uma visita de médico.
to blow one's nose—assoar-se (fazendo barulho).
to blow one's top (cal.) — zangar-se muito.
to blow one's own trumpet — elogiar-se muito, não deixar o crédito por mãos alheias.
to blow out — apagar (soprando).
to blow out the brains — fazer saltar os miolos.
to blow over — passar, dissipar-se, passar à história.
to blow the lid off (fam.) — descobrir um escândalo.
to blow up — saltar; explodir, fazer saltar por explosão; ralhar, repreender.
blower [-ə], soprador; ventilador, ventoinha; fole; escape de gás (numa mina); pulverizador (para insecticidas).
blowing [-iŋ], **1** — *s.* e *adj.* sopro, que sopra.
blowing-engine — máquina para introduzir ar nas fornalhas.
the blowing of the trumpets in the march past — o toque dos clarins na marcha em continência.
blown [-n], *pp.* de **to blow.**
blowpipe [-paip], *s.* tubo de soprar; maçarico.
blowy [i], *adj.* ventoso.
blowzed [ˈblauzid], *adj.* rubicundo, de face vermelha; desalinhada, suja (mulher). Ver **blowzy.**
blowziness [ˈblauzinis], *s.* ar desleixado, aspecto desalinhado (mulher).
blowzy [ˈblauzi], *adj.* ver **blowzed.**
blub [blʌb], *vi.* (*pret.* e *pp.* **blubbed**) (cal. esc.) chorar, especialmente fazendo barulho.
blubber [-ə], **1** — *s.* choro; óleo de baleia.
2 — *adj.* inchado.
3 — *vi.* ver **blub.**
blubbering [-əriŋ], *adj.* chorão, choroso.
bluchers [ˈblu:tʃəz], *s. pl.* botas baixas antigas.
bludgeon [ˈblʌdʒən], **1** — *s.* moca.
2 — *vt.* bater com uma moca.
blue [blu:], **1** — *s.* o azul, a cor azul; pó usado para lavar roupa; dança; representante de uma Universidade em desportos; música de ritmo lento, típica do «jazz».
Cambridge blue — azul-claro.
Oxford blue — azul-escuro.
to win a blue — ganhar um prémio na Universidade (na Inglaterra).
2 — *adj.* azul.
blue-book — livro de informes oficiais.
blue-devils — depressão nervosa.
blue-jacket — marinheiro da Armada.
blue light — foguetão (para sinal de navios).
Blue Peter — bandeira de saída, bandeira azul, içada antes de o navio levantar ferro.
blue ribbon — primeiro prémio.
blue-spar — lápis-lazúli.
blue-stone — sulfato de cobre.
blue water — mar alto.
navy blue (blue-black) — azul-marinho.
once in a blue moon — uma vez na vida, muito raramente.
she is true blue — ela é honesta, leal.
sky-blue — azul-celeste.
the Blues — os estudantes desportistas das Universidades de Cambrígia e Oxónia.
to drink till all's blue — beber até ficar embriagado.
to feel blue (to have the blues) — estar com neura.
to tell blue stories — contar histórias indecentes, picantes.
to beat black and blue — bater desalmadamente.
3 — *vt.* azular; lavar roupa com detergente; (cal.) desbaratar (dinheiro, etc.).
Bluebeard [-biəd], *s.* barba-azul.
bluebell [-bel], *s.* (bot.) campainha.
bluebottle [-ˈbɔtl], *s.* mosca varejeira.
blueness [-nis], *s.* cor azul.
blues [-z], *s. pl.* depressão moral, abatimento.
the Blues — a Guarda Real a cavalo.
to be in the blues — estar triste, desanimado.
bluestocking [-ˈstɔkiŋ], *s.* mulher intelectual.
bluey [-i], *adj.* azulado.
bluff [blʌf], **1** — *s.* fanfarronice, bazófia; monte escarpado; nome de um jogo de cartas.
2 — *adj.* franco; rude; bojudo; escarpado, abrupto.
bluff-headed ship — navio bojudo.
3 — *vt.* e *vi.* enganar com fanfarronadas; jogar o «bluff».
bluffly [-li], *adv.* com fanfarronices; rudemente.
bluffness [-nis], *s.* fanfarronice; rudeza, aspereza.
bluish [ˈblu:iʃ], *adj.* azulado.
blunder [ˈblʌndə], **1** — *s.* erro crasso, disparate, despropósito.
2 — *vt.* e *vi.* cometer erro crasso; tropeçar; andar às cegas.
to blunder along — andar desatinadamente.
to blunder away — desperdiçar totalmente.
to blunder out — falar inconsideradamente.
to blunder upon — encontrar por acaso.
blunderbuss [-bʌs], *s.* bacamarte.
blunderer [-rə], *s.* trapalhão; desajeitado.
blunderhead [-hed], *s.* estúpido, parvo.
blundering [-riŋ], *adj.* disparatado, estouvado.
blunderingly [-riŋli], *adv.* disparatadamente, estouvadamente.
blunt [blʌnt], **1** — *s.* agulha curta e grossa.
2 — *adj.* rombo; embotado; brusco, áspero; franco, claro.
blunt words — palavras claras; verdades amargas.

3 — *vt.* embotar; adormecer ou mitigar uma dor.
bluntish [-iʃ], *adj.* rombo na ponta; embotado; áspero, grosseiro.
bluntly [-li], *adv.* sem artifício, rudemente, sem cerimónias; claramente.
bluntness [-nis], *s.* aspereza, grosseria; franqueza rude.
blur [blə:], **1** — *s.* mancha, borrão; obscuridade, aspecto indistinto.
2 — *vt.* e *vi.* (*pret.* e *pp.* **blurred**) manchar, esborratar, fazer borrões; riscar; ofuscar; desacreditar, infamar.
blurt [-t], *vt.* proferir abruptamente.
blush [blʌʃ], **1** — *s.* rubor, vermelhidão; relance.
at the first blush — à primeira vista.
to put one to the blush — envergonhar uma pessoa, fazendo-a corar.
2 — *vi.* corar, ruborizar-se, envergonhar-se.
blushing [-iŋ], **1** — *s.* rubor, vermelhidão.
2 — *adj.* corado, envergonhado, acanhado.
blushingly [-iŋli], *adv.* corando, envergonhadamente, timidamente.
bluster [ˈblʌstə], **1** — *s.* ruído, tumulto, estrondo; fanfarronada, gabarolice, jactância.
2 — *vt.* e *vi.* roncar, soprar com estrondo; fanfarronar. (*Sin.* to roar, to storm, to bully, to boast.)
blusterer [-rə], *s.* fanfarrão, gabarola.
blustering [-riŋ], **1** — *s.* fanfarrão; estrondo.
2 — *adj.* fanfarrão; estrondoso.
a blustering wind — uma grande ventania.
blusteringly [-riŋli], *adv.* com jactância; com estrondo, ruidosamente.
blusterous [-rəs], *adj.* jactancioso; ruidoso, tumultuoso.
blustery [-ri], *s.* fanfarronada.
Blyth [blai], *top.* nome de cidade inglesa de Northumberland.
bo! [bou], *interj.* (para assustar). Ver **boh**!
he can't say bo! to a goose (col.) — ele é um anjinho; ele não mata uma mosca.
boa [ˈbouə], *s.* boa, jibóia; agasalho de pele que as senhoras usam em volta do pescoço.
Boadicea [ˈbouədiˈsiə], *n. p.* Boadiceia.
Boanerges [ˈbouəˈnə:dʒi:z], *s.* Boanerges, orador entusiasta de voz forte.
boar [bɔ:], *s.* varrão.
wild-boar — javali.
board [bɔ:d], **1** — *s.* tábua; mesa; comida de pensão; cartão; quadro de afixar notícias; comissão; bordo, borda (de navio), pranchão; *pl.* palco, as tábuas do palco.
a board of directors — direcção de uma sociedade.
a board of examiners — um júri de examinadores.
a book bound in boards — um livro cartonado.
above-board — às claras, abertamente.
board and lodging — cama e mesa.
board-money (*board-wages*) — subsídio de alimentação.
Board of Education — Ministério da Educação.
Board of Health — Ministério da Saúde.
Board of Trade — Ministério do Comércio.
Board of Works — Ministério das Obras Públicas.
board-school — escola comunal.
groaning board — mesa lauta.
ironing-board — tábua de passar a ferro.
on board — a bordo.
to go by the board — ir pela borda fora.
to sweep the board — ganhar.
2 — *vt.* e *vi.* assoalhar; servir comida (pensão, etc.); hospedar-se; abordar (navio); embarcar.
boarder [-ə], *s.* hóspede, pensionista (só para refeições); aluno interno (de um colégio).
day-boarder — aluno semi-interno.
boarding [-iŋ], *s.* hospedagem; abordagem; tábuas, cobertura de tábuas.
boarding terms — preços de alojamento em pensão.
boarding-house [-iŋhaus], *s.* pensão, casa de hóspedes.
high-class boarding-house — pensão de 1.ª classe.
boarding-school [-iŋ-sku:l], *s.* colégio ou escola com internato.
boards [-z], *s. pl.* palco.
to tread the boards — ser actor; pisar o palco.
boarish [ˈbɔ:riʃ], *adj.* brutal.
boast [boust], **1** — *s.* alarde, jactância, ostentação, vanglória.
to make boast of — vangloriar-se de, gabar-se de.
2 — *vt.* e *vi.* exaltar, engrandecer, ostentar, alardear; jactar-se, vangloriar-se, gabar-se.
boaster [-ə], *s.* fanfarrão, gabarola.
boastful [-ful], *adj.* jactancioso, vaidoso.
boastfully [-fuli], *adv.* vaidosamente, jactanciosamente.
boastfulness [-fulnis], *s.* jactância, gabarolice, vaidade, ostentação.
boasting [-iŋ], *s.* vanglória, alarde, ostentação,
boat [bout], **1** — *s.* barco, bote, pequeno navio; vapor.
boat-hook — bicheiro, aparelho de pesca.
boat-house — alpendre para guardar barcos.
boat-race — corrida de barcos.
boat-staff — vara do barco.
boat-wright — carpinteiro naval.
ferry-boat — vapor de passagem nos rios ou canais.
fishing-boat — barco de pesca.
in the same boat (col.) — nas mesmas circunstâncias.
life-boat — (barco) salva-vidas.
pleasure-boat — barco de recreio.
steam-boat — barco a vapor.
2 — *vt.* e *vi.* transportar em barco, ir de barco.
boater [-ə], *s.* chapéu de palha dura.
boating [-iŋ], *s.* passeio de barco; manejo de um barco.
boatman [-mən], *s.* (*pl.* **boatmen**) barqueiro.
boatswain [ˈbousn], *s.* mestre de navio.
boatswain's mate — contramestre (na marinha de guerra).
bob [bɔb], **1** — *s.* fio-de-prumo; pêndulo; isca (para a pesca de enguias), bóia de anzol; cortesia; rabo (de estrela, papagaio); puxo (de cabelo); cauda curta de cavalo; cabelo curto; salto; (fam.) xelim, xelins.
2 — *vt.* e *vi.* (*pret.* e *pp.* **bobbed**) oscilar; balançar-se; pescar enguias (com biscalongos); bater ao de leve; fazer cortesias; usar o cabelo curto (mulheres); dançar; saltar; apanhar com a boca.
to bob up — aparecer de repente.
bobbery [-əri], *s.* tumulto, motim, distúrbio, barulho, rebuliço.
bobbin [-in], *s.* bobina, carrinho para fio; fuso, bilro; cilindro.
bobbinet [bɔbiˈnet], *s.* bobinete, filó.
bobbish [ˈbɔbiʃ], *adj.* (fam.) vivo, activo; óptimo.
bobby [ˈbɔbi], *s.* (pl. **bobbies**) (cal.) polícia.
bobolink [ˈbɔbəliŋk], *s.* ave canora da América.
bobsled [ˈbɔbsled], *s.* espécie de trenó para transportar pessoas ou madeiras e também usado em desportos de Inverno. Ver **bobsleigh.**
bobsleigh [ˈbɔbslei], *s.* Ver **bobsled.**

bobstay ['bɔbstei], *s.* (náut.) cabresto do gurupés.
bobstay piece — talhamar.
bobtail ['bɔbteil], **1** — *s.* cão ou cavalo de cauda cortada; cauda cortada.
2 — *vt.* cortar a cauda (a cão ou cavalo).
bobwig ['bɔb'wig], *s.* cabeleira curta e redonda.
Boccaccio [bɔ'kɑ:tʃiou], *n. p.* escritor italiano do século XIV.
Boche [bɔʃ], *s.* e *adj.* (fam.) alemão (termo de desprezo usado na 1.ª Grande Guerra).
bode [boud], *vt.* e *vi.* pressagiar, prognosticar, predizer, prometer.
bodeful [-ful], *adj.* ominoso, agoirento.
bodega [bou'di:gə], *s.* adega, taberna.
bodement ['boudmənt], *s.* augúrio, presságio.
bodice ['bɔdis], *s.* corpete, corpo de vestido.
bodiless ['bɔdilis], *adj.* incorpóreo.
bodily ['bɔdili], **1** — *adj.* corpóreo; real, verdadeiro.
2 — *adv.* em corpo, em pessoa, em conjunto.
bodkin ['bɔdkin], *s.* furador (de bordados); gancho comprido (para o cabelo); pequeno punhal; pessoa apertada entre outras duas.
Bodleian [bɔd'li:ən], *adj.* bodliano.
Bodleian Library — a biblioteca bodliana da Universidade de Oxford.
Bodley ['bɔdli], *n. p.* homem que restaurou a Biblioteca da Universidade de Oxford.
body ['bɔdi], **1** — *s.* (pl. **bodies**) corpo; cadáver; pessoa; tronco, parte principal; corpo (de vestido); corporação, agregado; força militar.
a body of men — um grupo de homens.
a good sort of body — uma boa pessoa.
a very decent old body — uma senhora de idade respeitável.
body-colour — cor opaca.
body-servant — criado particular.
heavenly body — corpo celeste.
to keep body and soul together—manter-se vivo.
to keep body and soul together — manter-se vivo.
2 — *vt.* dar corpo a; representar, simbolizar.
bodyguard [-gɑ:d], *s.* escolta.
Beotia [bi'ouʃjə], *top.* Beócia.
Beotian [-n], *s.* e *adj.* beócio; estúpido.
Boer ['bouə], *s.* e *adj.* bur (bóer), sul-africano de origem holandesa.
bog [bɔg], **1** — *s.* pântano, paul; atoleiro, lodaçal; turfa; (cal.) retrete.
bog-bean — trevo das lagoas.
bog-bush — junco das lagoas.
bog land — terreno pantanoso.
bog-oak — carvalho do pântano.
bog-trotter — irlandês.
2 — *vt.* e *vi.* (pret. e pp. **bogged**) atolar, submergir; atolar-se, submergir-se.
bogey ['bougi], *s.* espantalho.
bogged [bɔgd], *adj.* atolado.
bogginess ['bɔginis], *s.* estado pantanoso.
boggle [bɔgl], *vi.* hesitar, vacilar; confundir, atrapalhar-se.
boggler [-ə], *s.* pessoa irresoluta.
boggy ['bɔgi], *adj.* pantanoso.
bogie ['bougi], *s.* carreta giratória para transportar carruagens compridas. Ver **bogy.**
bogie-engine [-'endʒin], *s.* locomotiva com carreta giratória.
bogle [bɔgl], *s.* fantasma, espectro; duende.
bogus ['bougəs], *adj.* fictício, falso.
bogy ['bougi], *s.* ver **bogie.**
boh! [bou], *interj.* ver **bo**!
bohea [bou'hi], *s.* chá preto de má qualidade.
Bohemia [bou'hi:mjə], *top.* Boémia.
Bohemian [-n], *s.* e *adj.* boémio, habitante da Boémia; boémio, valdevinos; cigano.
boil [bɔil], **1** — *s.* fervura, ebulição; furúnculo.
to bring to the boil — fazer ferver.
to go off the boil — deixar de ferver.
2 — *vt.* e *vi.* ferver, cozer; estar agitado; meter em água a ferver. (*Sin.* to seethe, to bubble up, to undulate, to be agitated.)
it all boils down to this — resume-se nisto.
to boil away — consumir à força de ferver.
to boil down — diminuir à força de ferver.
on the boil — em ebulição, a ferver.
to boil with rage — ferver de raiva.
to keep the pot boiling (col.) — ganhar a vida; não esmorecer.
boiler [-ə], **1**—*s.* pessoa que faz ferver; vasilha para ferver líquidos; caldeira a vapor; termo-acumulador; esquentador; caldeira.
boiler-maker — caldeireiro.
boiler-room space — casa das caldeiras.
boiler with medium water space — caldeira de volume médio.
2 — *vt.* instalar caldeiras.
boiling [-iŋ], **1** — *s.* fervura, ebulição.
the whole boiling (col.) — toda a gente, a malta toda.
2 — *adj.* fervente, escaldante, ardente.
boiling hot (col.) — a ferver, a escaldar.
boiling point — ponto de ebulição.
boiling temperature — temperatura de ebulição.
boiling water — água a ferver.
boisterous ['bɔistərəs], *adj.* violento, impetuoso, turbulento, ruidoso, tempestuoso. (*Sin.* violent, turbulent, noisy, stormy, furious. *Ant.* sedate.)
boisterous weather — temporal.
boisterously [-li], *adv.* tumultuosamente, violentamente, ruidosamente.
boisterousness [-nis], *s.* turbulência, impetuosidade, tumulto, violência.
boko ['boukou], *s.* (col.) nariz.
bolas ['bouləs], *s. pl.* corda com bolas para laçar gado (América do Sul).
bold [bould], *adj.* arrojado, ousado, intrépido, corajoso; descarado, atrevido; íngreme, escarpado. (*Sin.* brave, daring, courageous, impudent, forward, steep, abrupt. *Ant.* timid.)
as bold as a lion — valente como um leão.
as bold as brass — descarado.
to make so bold as to — tomar a liberdade de, ousar, atrever-se a.
boldly [-li], *adv.* ousadamente, arrojadamente, intrepidamente.
boldness [-nis], *s.* arrojo, intrepidez, ousadia; descaramento, atrevimento.
bole [boul], *s.* haste, tronco de árvore.
bolero [bə'lɛərou], *s.* bolero (dança e peça de vestuário feminino).
Boleyn ['bulin], *n. p.* Bolena.
bolide ['boulaid], *s.* bólide.
Bolivia [bə'liviə], *top.* Bolívia.
Bolivian [-n], *s.* e *adj.* boliviano.
boll [boul], *s.* cápsula, casulo.
bolled [-d], *adj.* em cápsulas, em casulos.
bolo ['boulou], *s.* cutelo oriental.
bolometer [bou'lɔmitə], *s.* bolómetro, instrumento para avaliar o calor (do sol, etc.).
Bolshevik ['bɔlʃivik], *s.* bolchevique.
bolshevism ['bɔlʃəvizm], *s.* bolchevismo.
Bolshevist ['bɔlʃivist], *s.* e *adj.* bolchevista.
Bolsover ['bɔlsəvə], *n. p.* e *top.* rua em Londres; cidade em Derbyshire.
bolster ['boulstə], **1** — *s.* travesseiro, almofadão; suporte, cavalete de máquinas; (náut.) chumaço; viga-mestra.
2 — *vt.* e *vi.* auxiliar, apoiar, pôr uma almofada como apoio.
bolt [boult], **1** — *s.* ferrolho (de porta), lingueta (de fechadura); cavilha ou parafuso de ferro; dardo, frecha; raio; salto rápido; rolo de pano grosso.

a bolt from the blue — uma grande surpresa.
a sliding bolt — um fecho de correr.
bolt and nut — cavilha com porca.
bolt ropes (náut.) — relingas.
2 — *vt.* e *vi.* fechar com ferrolho; encavilhar; saltar de repente, partir como um raio; engolir sem mastigar; fugir; investigar; peneirar.
to bolt and bar a door — trancar bem uma porta, fechar uma porta a sete chaves.
to bolt in — fechar.
to bolt out — excluir.
3 — *adv.* completamente.
bolt upright — direito que nem um fuso.

bolter [-ə], *s.* peneira, crivo; cavalo irrequieto, fogoso.

bolt-hole [boult-houl], *s.* refúgio.

bolting [-iŋ], *s.* aferrolhamento; cavilhação; acção de peneirar; fuga.
bolting-cloth — pano para peneira.
bolting-mill — máquina de peneirar.

Bolton ['boultən], *n. p.* e *top.* cidade inglesa em Lancashire.

bolus ['bouləs], *s.* (pl. **boluses**), pílula grande, especialmente para animal.

bomb [bɔm], **1** — *s.* bomba, granada.
atomic bomb — bomba atómica.
bomb-crater — escavação (cratera) causada pela explosão duma bomba.
bomb-proof — à prova de bomba.
bomb-shell — granada.
hand bomb — granada de mão.
2 — *vt.* e *vi.* bombardear, lançar bombas.

bombard [-bɑ:d], **1** — *s.* bombarda.
2 — *vt.* bombardear.
to bombard with questions — assediar com perguntas.

bombardier [bɔmbə'diə], *s.* bombardeiro, artilheiro.

bombardment [bɔm'bɑ:dmənt], *s.* bombardeamento, bombardeio.

bombardon [bɔm'bɑ:dn], *s.* (mús.) contrabaixo, baixo.

bombasine ['bɔmbəsi:n], *s.* bombazina.

bombast ['bɔmbæst], *s.* linguagem bombástica, estilo bombástico.

bombastic [bɔm'bæstik], *adj.* bombástico, empolado.

bombastically [-əli], *adv.* bombasticamente, de maneira empolada.

Bombay [bɔm'bei], *top.* Bombaim.

bomber ['bɔmə], *s.* bombardeiro, soldado ou aeroplano que lança bombas.

bombing ['bɔmiŋ], *s.* bombardeamento.
bombing plane — bombardeiro (avião).

bona fide ['bounə'faidi], *adj.* e *adv.* sincero, genuíno; de boa-fé, sinceramente.

bonanza [bou'nænzə], **1** — *s.* filão valioso; riqueza, prosperidade.
2 — *adj.* próspero, rico.

Bonaparte ['bounəpɑ:t], *n. p.* Bonaparte.

bon-bon ['bɔnbɔn], *s.* bombom.

bond [bɔnd], **1** — *s.* laço, união, vínculo, liga; obrigação moral, contrato; título de dívida, promessa de pagamento; retenção de mercadorias na alfândega por falta de pagamento de direitos; caução, depósito; maneira de dispor e ligar os tijolos na construção duma parede; *pl.* cadeias, cativeiro. (*Sin.* binding, link, tie, contract.)
active bond — título ao portador.
in bond — em armazém na alfândega.
registered bond — título nominativo.
to cancel a bond — anular uma obrigação.
2 — *adj.* escravo.
3 — *vt.* atar, prender; pôr mercadorias em armazém na alfândega.

bondage [-idʒ], *s.* escravidão, cativeiro, sujeição.

bonded [-id], *adj.* ligado; depositado na alfândega; (dívida) convertida em obrigações; hipotecado.

bond-holder [-'houldə], *s.* obrigacionista.

bondmaid ['-meid], *s.* escrava jovem.

bondman ['-mən], *s.* (pl. **bondmen**) escravo.

bondsman ['bɔndzmən], *s.* (pl. **bondsmen**). Ver **bondman.**

Bond Street [bɔnd-stri:t], *top.* rua em Londres.

bondswoman ['bɔndzwumən], *s.* (pl. **bondswomen**) escrava.

bondwoman ['bɔndwumən], *s.* (pl. **bondwomen**). Ver **bondswoman.**

bone [boun], **1** — *s.* osso; espinha de peixe; barba-de-baleia; objecto feito de osso; *pl.* esqueleto.
bone-ash (bone-earth) — fosfato de cal; cinza de ossos.
chilled to the bones — gelado até aos ossos.
he will never make old bones — ele não há-de morrer velho.
nothing but skin and bones — só pele e ossos.
skin and bone — pessoa muito magra, carga de ossos, «pele e osso».
to be bred in the bone — estar na massa do sangue.
to feel in one's bones — pressentir, ter quase a certeza.
to have a bone to pick with someone — ter de ajustar contas com alguém, ter uma questão a resolver com alguém.
to make no bones — não hesitar, não ter papas na língua.
to the bone — profundo.
what is bred in the bone will come out in the flesh — o que o berço dá, a tumba o leva.
2 — *vt.* desossar; tirar as espinhas (a peixe); roubar.

boneless [-lis], *adj.* sem ossos; sem energia.

boner [-ə], *s.* erro.
to pull a boner — cometer um grande erro.

bone-setter [-'setə], *s.* curandeiro, endireita.

Bo'ness [bou'nes], *top.* porto de mar na Escócia.

bonfire ['bɔnfaiə], *s.* fogueira (de festa).
to make a bonfire of — destruir, queimar.

Boniface ['bɔnifeis], **1** — *n. p.* Bonifácio.
2 — *s.* hoteleiro, estalajadeiro (especialmente quando alegre); bonacheirão.

boning ['bouniŋ], *s.* desossamento.

bonne-bouche ['bɔn'bu:ʃ], *s.* acepipe.

bonnet ['bɔnit], **1** — *s.* chapéu de senhora; boné, gorro, barrete; solidéu; cobertura de motor; (E. U.) capota de automóvel; capacete de máquina; (náut.) guarda de chaminé.
bonnet rouge — barrete frígio.
to have a bee in the bonnet (col.) — ter macaquinhos no sótão.
2 — *vt.* enterrar o chapéu até aos olhos; cobrir.

bonnily ['bɔnili], *adv.* alegremente; donairosamente.

bonniness ['bɔninis], *s.* alegria; donaire, formosura.

bonny ['bɔni], **1** — *s.* camada de minério; amada, namorada (na Escócia).
2 — *adj.* alegre; bonito, formoso, donairoso, de aspecto sadio (Escócia e Norte da Inglaterra).

bonus ['bounəs], *s.* bónus, prémio, gratificação.

bony ['bouni], *adj.* ossudo.

bonze [bɔnz], *s.* bonzo, sacerdote budista do Japão e da China.

boo [bu:], **1** — *s.* apupo.
2 — *vt.* e *vi.* apupar.
3 — *interj.* de apupo.

booby ['bu:bi], *s.* (pl. **boobies**), tanso, palerma, pacóvio, estúpido; nome dado pelos marinheiros a várias espécies de aves.
booby-hatch (náut.) — gaiuta de escotilha.
booby-trap — armadilha; coisas colocadas no cimo duma porta para caírem sobre o primeiro que entrar.
boobyish [-iʃ], *adj.* estúpido, tanso, pacóvio.
boodle [bu:dl], *s.* multidão, bando; dinheiro para suborno de actos políticos; nome de um jogo de cartas.
booer ['bu:ə], *s.* aquele que apupa.
book [buk], **1** — *s.* livro, tomo, volume, tratado; divisão dum poema ou tratado; libreto (ópera); registo de apostas, principalmente nas corridas de cavalos.
a bound book — um livro encadernado.
a stitched book — um livro brochado.
bill-book — livro de letras.
book-cover — capa de livro.
book-hunter — bibliófilo; alfarrabista.
book-keeper — guarda-livros.
book-keeping — contabilidade.
book-mark — marca entre as páginas dum livro.
Book of Common Prayer — livro oficial de orações da Igreja Anglicana.
book of reference — livro de consulta.
book-post — impresso.
books and friends should be few and good — livros e amigos devem ser poucos e bons.
book-shelf — prateleira para livros.
book-stand — estante; prateleira para livros.
book-token — vale para ser trocado por um livro.
book-worm — traça de livros; «rato de biblioteca».
cash-book — livro de caixa.
cheque-book — livro de cheques.
copy-book — caderno diário.
day-book — diário.
exercise-book — caderno de exercícios, caderno diário.
invoice-book — livro de facturas.
order-book — livro de pedidos, livro de registos de encomendas.
pocket-book — carteira; livro de bolso.
prayer-book — livro de orações.
sales-book — livro de vendas.
savings-bank book — caderneta da Caixa Económica.
soldier's small book — caderneta militar.
spelling-books — cartilha.
stock-book — livro de inventários.
to be in someone's black books — estar no desagrado de alguém, estar na «lista negra» de alguém.
to be in someone's good books — estar nas boas graças de alguém.
to bring to book — pedir explicações.
to speak like a book — falar como um livro aberto.
to take a leaf out of another's book — seguir o exemplo de alguém.
2 — *vt.* lançar num livro, registar, assentar; comprar bilhete antecipadamente, marcar lugar; reservar.
to book seats — marcar lugares.
bookbinder ['-baində], *s.* encadernador.
bookbinding ['-baindiŋ], *s.* encadernação.
bookcase ['-keis], *s.* estante para livros.
bookie ['buki], *s.* (col.) corretor ou recebedor de apostas (nas corridas de cavalos).
booking ['bukiŋ], *s.* registo de bagagens; marcação de lugares.
booking-clerk — empregado de bilheteira.
booking-office — bilheteira.
bookish ['bukiʃ], *adj.* versado em livros, estudioso; teórico, pedante, livresco.
bookishly [-li], *adv.* estudiosamente; de modo livresco, teoricamente.
bookishness [-nis], *s.* aplicação aos livros; falta de senso prático.
booklet ['buklit], *s.* folheto, opúsculo, livreto, fascículo; caderneta.
bookmaker ['bukmeikə], *s.* o que faz ou compila livros; apostador profissional nas corridas de cavalos.
bookmaking ['bukmeikiŋ], *s.* confecção ou compilação de livros; aposta nas corridas de cavalos.
bookman ['bukmən], (pl. **bookmen**) *s.* literato, erudito, pessoa interessada em livros.
bookplate ['bukpleit], *s.* ex-líbris.
bookseller ['bukselə], *s.* livreiro.
bookseller's [-z], *s.* livraria.
bookselling ['bukseliŋ], *s.* venda de livros.
bookshop ['bukʃɔp], *s.* livraria.
bookstall ['bukstɔ:l], *s.* quiosque.
boom [bu:m], **1** — *s.* (náut.) botaló; vergalhão; barragem, cadeia para fechar um porto; estampido, estrondo; alta (de preços); procura repentina de um artigo.
boom boat — lancha (de marinha de guerra).
boom main sail (náut.) — vela grande (com retranca).
boom periods—períodos de grande movimento.
the boom of the sea — o rugido do mar.
to go up with a boom — subir de repente.
2 — *vt.* e *vi.* fazer grande barulho; sair com ímpeto; desenvolver grande actividade; altear (preços); tornar-se popular; tornar-se próspero de repente; gritar como o alcaravão.
boomerang ['bu:məræng], *s.* bumerangue, pau curvo usado como arma de arremesso pelos indígenas australianos e que volta ao lugar de partida; (fig.) argumento que se volta contra o argumentador.
boon [bu:n], **1** — *s.* dádiva, presente; mercê, favor; bênção.
2 — *adj.* alegre, jovial, dado, comunicativo, afável; benigno.
boor [buə], *s.* rústico, camponês, saloio. (*Sin.* rustic, peasant, bumpkin, clodhopper.)
a perfect boor — um verdadeiro alarve.
boorish [-riʃ], *adj.* rústico, rude, grosseiro.
boorishly [-riʃli], *adv.* de modo rústico, rudemente, grosseiramente.
boorishness [-riʃnis], *s.* rusticidade, grosseria.
boost [bu:st], **1** — *s.* dínamo de reforço; o que se faz para aumentar a venda de um artigo.
2 — *vt.* (col.) levantar; aumentar a reputação de uma pessoa ou a venda de mercadorias por meio de reclame ou outros métodos.
booster [-ə], *s.* aquele que aumenta a reputação de um artigo ou de uma pessoa; (elect.) intensificador.
boosting [-iŋ], *s.* reforço, aumento, intensificação.
boot [bu:t], **1** — *s.* bota; (poét.) vantagem; mala de automóvel; antigo instrumento de tortura.
boot-hook — calçadeira.
boot-polish — pomada para calçado.
his heart sank into his boots (col.) — caiu-lhe o coração aos pés.
jack-boot — bota de montar.
the boot is on the other leg — a verdade é exactamente o contrário.
to die in one's boots — morrer de morte violenta, não morrer na cama.
to get the boot — ser despedido.
to give the boot — despedir.
to lick someone's boots (col.) — lamber as botas a alguém.

2 — *vt.* dar pontapés; ser útil; (col.) despedir (do emprego).
to boot someone out — correr alguém a pontapés.
bootblack [-blæk], *s.* engraixador.
bootee [-i:], *s.* botina, bota de lã de bebé.
Boötes [bou'outi:z], *s.* (astr.) Boieiro (constelação boreal).
booth [bu:ð], *s.* barraca, tenda de feira.
bootjack ['bu:tdʒæk], *s.* calçadeira.
bootlace ['bu:t-leis], *s.* atacador.
bootleg ['bu:tleg], *vi.* (especialmente E. U.) fazer contrabando de bebidas alcoólicas.
bootlegger [-ə], *s.* (especialmente E. U.) contrabandista de bebidas alcoólicas.
bootlegging [-iŋ], *s.* (especialmente E. U.) contrabando de bebidas alcoólicas.
bootless ['bu:tlis], *adj.* descalço; inútil.
bootlessly [-li], *adv.* inutilmente.
bootlessness [-nis], *s.* inutilidade.
boot-licker [-likə], *s.* adulador servil.
bootmaker ['bu:tmeikə], *s.* sapateiro.
boots [bu:ts], *s.* criado de hotel que engraxa calçado e faz recados.
booty ['bu:ti], *s.* pilhagem, saque, presa. (*Sin.* plunder, pillage, prey, spoil.)
booze [bu:z], **1** — *s.* bebida alcoólica; bebedeira, piela.
he is on the booze — está grosso (cal.).
2 — *vt.* e *vi.* embriagar-se.
boozer [-ə], *s.* embriagado; grosso (cal.).
boozy ['bu:zi], *adj.* dado à bebida.
bo-peep [bou'pi:p], *s.* jogo das escondidas.
boracic [bə'ræsik], *adj.* bórico.
boracic acid — ácido bórico.
borage ['bɔridʒ], *s.* borragem, planta medicinal.
borate ['bɔ:reit], *s.* borato.
borax ['bɔ:ræks], *s.* bórax.
Bordeaux [bɔ:'dou], *top.* e *s.* Bordéus, vinho de Bordéus.
border ['bɔ:də], **1** — *s.* borda, extremidade; imagem; fronteira, limite; debrum; canteiro em volta de um jardim.
border-land — país limítrofe.
the Border — a fronteira da Inglaterra com a Escócia.
2 — *vt.* e *vi.* debruar; confinar, limitar.
to border on (to border upon) — confinar com.
borderer [-rə], *s.* raiano, o que mora na raia; habitante da região da Inglaterra que confina com a Escócia.
bordering [-riŋ], *adj.* limítrofe, que confina.
bore [bɔ:], **1** — *s.* furo, buraco; calibre (de arma de fogo); maçador, importuno; macaréu, vaga impetuosa.
bore bit — broca.
bore-hole — furo de sondagem.
2 — *vt.* e *vi.* furar, brocar; maçar, importunar, incomodar; calibrar. (*Sin.* to drill, to pierce, to annoy, to weary.)
to be bored to death — estar horrivelmente maçado.
to get bored stiff — aborrecer-se muito.
3 — *pret.* de **to bear.**
borealis ['bɔ:ri'eilis], *adj.* boreal, setentrional.
Boreas ['bɔriæs], *n. p. mit.* Bóreas, o vento norte.
bored [bɔ:d], *adj.* furado, oco.
boredom [-əm], *s.* maçadoria, grande maçada.
borer ['bɔ:rə], *s.* broca, furador.
boresome ['bɔəsəm], *adj.* maçador.
boresomeness [-nis], *s.* maçadoria, aborrecimento.
Borgia ['bɔ:dʒjə], *n. p.* Bórgia.
boric ['bɔ:rik], *adj.* bórico.
boring ['bɔ:riŋ], **1** — *s.* furo, perfuração.
boring-bit — mandril.
boring-machine — máquina de mandrilar.
2 — *adj.* maçador.
it's very boring — é muito maçador.
Boris ['bɔris], *n. p.* Bóris.
born [bɔ:n], **1** — *pp.* de **to bear.**
2 — *adj.* nascido.
base-born — bastardo.
born on the wrong side of the blanket — ilegítimo.
first-born — primogénito.
high-born — de alta linhagem.
in one's born days — na vida de uma pessoa.
low-born — de baixo nascimento.
newly-born — recém-nascido.
to be born — nascer.
to be born under a lucky star — nascer com boa estrela.
to be born with a silver spoon in one's mouth — nascer num fole (col.); nascer para ser feliz.
borne [bɔ:n], *pp.* de **to bear** (suportar, aguentar).
Borneo ['bɔ:niou], *top.* Bornéu.
borough ['bʌrə], *s.* burgo, cidade pequena, vila; círculo eleitoral; bairro.
Municipal borough — cidade com corporação municipal e privilégios outorgados por carta régia.
Parliamentary borough — cidade que manda representantes ao Parlamento.
the Borough—bairro de Londres (Southwark).
borrow ['bɔrou], *vt.* pedir emprestado; copiar, imitar. (*Sin.* to obtain on loan, to imitate, to adopt. *Ant.* to lend.)
borrowed [-d], *adj.* obtido por empréstimo; falso, não genuíno.
borrower [-ə], *s.* o que pede emprestado.
borrowing [-iŋ], *s.* empréstimo.
Borstal ['bɔ:stl], *top.* e *s.*
Borstal system — sistema de recuperação de delinquentes juvenis.
bosh [bɔʃ], **1** — *s.* (cal.) disparate, tolice.
2 — *vt.* (cal.) ridicularizar, meter a ridículo.
bosk [bɔsk], *s.* bosque pequeno.
bosket ['bɔskit], *s.* ver **bosk.**
bosky ['bɔski], *adj.* de bosques; coberto de arvoredo, cheio de bosques.
Bosnia ['bɔzniə], *top.* Bósnia.
bosom ['buzəm], **1** — *s.* seio, peito; coração, carinho, amor.
bosom friend — amigo íntimo.
the bosom of a shirt — a abertura de uma camisa.
the bosom of one's family — o seio da família.
2 — *vt.* guardar, esconder no seio.
Bosphorus ['bɔsfərəs], *top.* Bósforo.
Bosporus ['bɔspərəs], *top.* ver **Bosphorus.**
bosquet ['bɔskit], *s.* ver **bosk** e **bosket.**
boss [bɔs], **1** — *s.* (pl. **bosses**) bossa, protuberância, saliência, relevo; cravo, tachão; (fam.) patrão, chefe, cabecilha.
boss of a book — lombada de um livro.
2 — *vt.* e *vi.* trabalhar em relevo; mandar, dirigir, ser patrão, fazer de patrão.
to boss the show — assumir a direcção.
bossed [-t], *adj.* ornado com relevo.
bossily [-ili], *adv.* de modo saliente, com relevos.
bossiness [-inis], *s.* relevo, saliência.
bossy [-i], *adj.* em relevo, saliente, proeminente, com tachões; autoritário.
Boston ['bɔstən], *top.* cidade inglesa em Lincolnshire; capital de Massachusetts (E. U.).
Bostonian [bɔs'tounjən], *s.* e *adj.* habitante de Boston; relativo a Boston.
botanic(al) [bə'tænik(əl)], *adj.* botânico.
botanist ['bɔtənist], *s.* botânico, estudante de Botânica.
botanize ['bɔtənaiz], *vi.* estudar as plantas, herborizar.
botanizing [-iŋ], *s.* herborização.

botany ['bɔtəni], *s.* botânica.
botch [bɔtʃ], **1** — *s.* remendo, obra mal feita.
2 — *vt.* remendar, deitar remendos; atamancar, fazer obra mal feita.
botcher [-ə], *s.* remendão.
botchy [-i], *adj.* cheio de remendos.
both [bouθ], *adj.*, *pron.* e *conj.* ambos; tanto como, assim como.
both... and — não só... mas também; tanto... como...
both-handed — ambidextro.
both of them (they both) — ambos eles (elas).
both of the men (both men) — ambos os homens.
she can't have it both ways — ela tem de optar por uma das coisas.
bother ['bɔðə], **1** — *s.* aborrecimento, enfado, incómodo, ralação.
o bother! — que maçada!
2 — *vt.* e *vi.* aborrecer, enfadar, importunar, incomodar, ralar. (*Sin.* to pester, to worry, to trouble, to annoy, to vex, to tease. *Ant.* to calm.)
bother you! — vai para o diabo!
don't bother me! — não me maces!
botheration [-'reiʃən], *s.* aborrecimento, enfado, incómodo, apoquentação, ralação.
bothersome [-səm], *adj.* aborrecido, fastidioso, enfadonho.
bothy ['bɔθi], *s.* (pl. **bothies**) cabana humilde (Escócia).
Bothwell ['bɔθwəl], *n. p.* e *top.* cidade na Escócia.
bottine [bɔ'ti:n], *s.* botina.
bottle [bɔtl], **1** — *s.* garrafa, frasco, cantil; quantidade de líquido contido numa garrafa; molho de feno ou palha.
baby's bottle (feeding bottle) — biberão.
bottle-flower — centáurea.
bottle-green — verde-garrafa.
bottle-label — rótulo de garrafa.
bottle-nose — nariz grande.
bottle-washer — factótum.
hot water bottle — botija, saco de água quente.
to bring up on the bottle — criar (uma criança) a biberão.
to crack a bottle — beber, esvaziar uma garrafa.
to look for a needle in a bottle (or bundle) of hay — procurar agulha em palheiro.
bottleneck [-nek], *s.* gargalo de garrafa; engarrafamento de trânsito.
bottler [-ə], *s.* engarrafador.
bottling [-iŋ], *s.* engarrafamento.
bottom ['bɔtəm], **1** — *s.* fundo, fundilho, parte inferior; assento de cadeira; nádegas; leito de rio; quilha de navio; fundamento, base, motivo, origem; vale.
from top to bottom — de alto a baixo.
no bottom! (náut.) — não acho o fundo.
the bottom of a business — o ponto principal de um negócio.
to be at the bottom of anything — ser o principal instigador (a causa) de qualquer coisa.
to get to the bottom of a thing — aprofundar uma coisa.
to send to the bottom — afundar.
to stand on one's own bottom — ser independente.
2 — *adj.* ínfimo, inferior; fundamental.
one's bottom dollar — os últimos vinténs.
3 — *vt.* e *vi.* ir ao fundo de; pôr o fundo a; fundamentar-se.
bottomless [-lis], *adj.* sem fundo, insondável.
bottomry ['bɔtəmri], *s.* bodemeria, empréstimo a risco marítimo.
bottomry bond — contrato de empréstimo a risco.
bottomry loan — câmbio marítimo.
botuline ['bɔtjulain], *s.* botulina, veneno encontrado nos alimentos deteriorados.
botulism ['bɔtjulizm], *s.* botulismo, intoxicação produzida pela ingestão de alimentos em decomposição.
boudoir ['bu:dwɑ:], *s.* compartimento privativo de senhora.
bougainvillea [bu:gən'viliə], *s.* (bot.) buganvília.
bough [bau], *s.* ramo de árvore. (*Sin.* branch, shoot, limb.)
bought [bɔ:t], *pret.* e *pp.* de **to buy.**
bougie ['bu:ʒi:], *s.* vela de cera; (med.) algália, sonda.
bouillon [bu:jɔ̃:ŋ], *s.* caldo de carne.
boulder ['bouldə], *s.* seixo, rocha arredondada.
boulevard ['bu:lvɑ:], *s.* avenida.
Boulogne [bu'lɔin], *top.* Bolonha.
boulter ['boultə], *s.* linha de pesca com muitos anzóis.
bounce [bauns], **1** — *s.* salto; estalo; fanfarronada, exagero.
2 — *vt.* e *vi.* saltar; arremeter; estalar, cair com grande estrondo; jactar-se. (*Sin.* to rebound, to spring, to leap, to swagger, to boast.)
3 — *adv.* de repente; com muito barulho, ruidosamente.
bouncer [-ə], *s.* fanfarrão; coisa exagerada.
bouncing [-iŋ], **1** — *s.* salto.
2 — *adj.* forte, vigoroso; vivo, mexido; exagerado.
a bouncing girl — uma rapariga robusta e viva.
bouncingly [-iŋli], *adv.* jactanciosamente; com exagero.
bound [baund], **1** — *s.* limite, confim; salto, repercussão.
at a bound — dum pulo.
by leaps and bounds — com velocidade espantosa; progredindo a olhos vistos.
to go beyond the bounds — sair fora dos eixos.
to put bounds to — restringir, limitar, fazer restrições.
2 — *adj.* pronto a partir, com destino a; encadernado.
bound for — pronto a partir para; com destino a.
to be bound to — ser obrigado a.
3 — *pret.* e *pp.* de **to bind.**
to be bound up in someone — andar perdidamente apaixonado por alguém.
boundary ['baundəri], *s.* (pl. **boundaries**) limite, confim, fronteira, raia.
bounder ['baundə], *s.* pessoa espalhafatosa e malcriada.
boundless ['baundlis], *adj.* ilimitado, que não tem limites.
boundlessly [-li], *adv.* ilimitadamente, sem limites.
boundlessness [-nis], *s.* imensidade, extensão infinita.
bounteous ['bauntiəs], *adj.* magnânimo, liberal, generoso, munificente.
bounteously [-li], *adv.* generosamente, liberalmente, magnanimamente.
bounteousness [-nis], *s.* generosidade, liberalidade, munificência.
bountiful ['bauntiful], *adj.* generoso, liberal; abundante.
bountifully [-i], *adv.* generosamente, liberalmente; abundantemente.
bountifulness [-nis], *s.* generosidade, liberalidade; abundância.
bounty ['baunti], *s.* (pl. **bounties**) generosidade, liberalidade, munificência, concessão, presente, acção generosa. (*Sin.* donation, munificence, liberality, gift, bonus.)

bouquet ['bukei], *s.* ramo (de flores), ramalhete; aroma do vinho.
bourdon ['buədn], *s.* bordão, registo de órgão.
bourgeois 1 — ['buəʒwɑ:], *s.* e *adj.* burguês. 2—[bə:'dʒəis], *s.* (imp.) corpo oito.
bourn ['buən], *s.* arroio, regato, riacho.
bourne ['buən], *s.* limite, meta.
Bourne ['buən], *n. p.* e *top.* cidade inglesa no Lincolnshire.
Bournemouth ['bɔ:nməθ], *top.* cidade inglesa.
bourse ['buəs], *s.* (fin.) bolsa.
bout [baut], *s.* turno; ataque (de doença); experiência de forças; assalto (na esgrima).
at one bout — duma só vez.
bovine ['bouvain], *adj.* bovino; inerte, estúpido.
bovril ['bɔvril], *s.* extracto de carne.
bow [bau], 1—*s.* proa de navio; inclinação de cabeça, saudação, cumprimento, reverência.
to make a bow — saudar.
2 — *vt.* e *vi.* inclinar, curvar, arquear; saudar; oprimir, submeter-se, dobrar-se, curvar-se, inclinar-se. (*Sin.* to bend, to curve, to incline, to assent, to crush, to subdue, to submit.)
to bow down — esmagar, oprimir, calcar.
to bow low — curvar-se muito.
to bow somebody out — despedir alguém cumprimentando.
to bow the neck — submeter-se.
to bow the knee — ajoelhar (em adoração).
bow [bou], 1 — *s.* arco (de instrumento de corda ou de flecha); arco-íris; curva; laço da gravata.
bow-legged — com as pernas arqueadas, tortas.
bow-string — corda do arco.
bow-window — janela saliente.
to draw the long bow — exagerar.
to have two strings to one's bow — estar seguro a duas amarras.
2 — *vt.* usar o arco (de instrumento de corda); curvar.
Bow bells [-'belz], *s. p.* os sinos de Bow Church ou St. Mary-le-Bow.
within the sound of Bow bells — na «City» de Londres.
bow-chaser [bau-'tʃeisə], *s.* (*náut.*) canhão de proa.
bowdlerization [baudlərai'zeiʃən], *s.* expurgação (de obra literária).
bowdlerize ['baudləraiz], *vt.* expurgar (uma obra literária).
bowel ['bauəl], *s.* intestino, tripa; interior; compaixão.
the bowels — as entranhas.
bower ['bauə], *s.* camaranchão; aposentos de senhora; casa rústica dentro de jardim; valete de trunfo ou da mesma cor (em jogos de cartas).
bower-anchor — âncora de proa.
bowery [-ri], 1 — *s.* viveiro de plantas; (E. U.) hangar.
2 — *adj.* copado, cheio de folhas, sombrio.
bowie-knife ['bouinaif], *s.* faca-de-mato.
bow-knot ['bounɔt], *s.* láço de nó corredio.
bowl [boul], 1 — *s.* tigela, taça; a parte côncava (da colher, da balança, etc.); fornilho do cachimbo; bola de madeira; *pl.* jogo com uma bola pesada que se lança à mão.
2 — *vt.* e *vi.* atirar a bola (no «bowling» ou no críquete); jogar bolas de madeira.
I was completely bowled by the bad news — as más notícias puseram-me completamente fora de acção.
bowler ['boulə], *s.* chapéu de coco; jogador do «bowling».
bowline ['boulin], *s.* (náut.) bolina.
bowling ['bouliŋ], *s.* acto ou estilo de lançar a bola no «bowling» ou no críquete.
bowling-green — relvado onde se joga o «bowling».
bowman ['boumən], *s.* (pl. **bowmen**) archeiro, frecheiro.
bowshot ['bou-ʃɔt], *s.* arremesso de flecha; distância que uma seta percorre quando lançada por um arco.
bowsprit ['bou-sprit], *s.* gurupés, mastro na extremidade da proa do navio.
bowsprit-shroud — patarrás do gurupés.
bowstring ['bou-striŋ], *s.* corda de arco.
bow-wow ['bau'wau], *s.* latido.
bowyer ['boujə], *s.* (obs.) homem que faz ou vende arcos.
box [bɔks], 1 — *s.* caixa, mala grande, arca; camarote de teatro; buxo (planta e madeira); boxe (desporto); murro, soco; guarita; lugar de um júri no tribunal; cabana.
box and needle — bússola.
box-cloth — serapilheira.
box of a pump — êmbolo duma bomba.
box-office — bilheteira (nos teatros).
box of watercolours — caixa de tintas.
box-pleat — dobra dupla.
box room — quarto de arrumações.
Christmas box — caixa com presentes de Natal; consoada.
compass-box — bitácula.
delivery box (técn.) — caixa de distribuição.
ground-floor box — frisa (teatro).
hat-box — caixa de chapéus, chapeleira.
in the box — no banco das testemunhas.
in the same box — na mesma situação difícil, nos mesmos apertos.
in the wrong box — numa situação embaraçosa.
letter-box — caixa do correio.
match-box — caixa de fósforos.
money-box — mealheiro.
pillar-box — marco do correio.
P. O. Box — caixa postal; apartado.
sentry-box — guarita.
snuff-box — caixa de rapé.
to put in the box — pôr dinheiro no mealheiro.
2 — *vt.* e *vi* meter em caixa, encaixotar; dar murros, socar, jogar o boxe.
to box the compass — cartear a agulha.
boxer ['bɔksə], *s.* pugilista, jogador de boxe; membro de uma sociedade secreta chinesa.
boxing ['bɔksiŋ], *s.* jogo de boxe; pugilato; pugilismo; encaixotamento; encaixe (de janelas, etc.).
Boxing-Day [-dei], *s.* dia seguinte ao do Natal.
boxing-gloves [-glʌvz], *s.* luvas de boxe.
boxing-match [-mætʃ], *s.* desafio de boxe.
boxwood ['bɔkswud], *s.* madeira de buxo.
boy [bɔi], *s.* rapaz, menino, garoto, lacaio, mandarete.
a bottle of the boy — uma garrafa de champanhe.
boy's-love — (bot.) erva-cidreira.
old boy! — meu velho!
boycott ['bɔikət], 1 — *s.* boicotagem, corte de relações sociais ou comerciais com alguém.
2 — *vt.* boicotar, cortar relações sociais ou comerciais com alguém.
boycotter [-ə], *s.* boicotador.
boycotting [-iŋ], *s.* boicotagem.
boyhood ['bɔihud], *s.* infância, meninice, adolescência.
boyish ['bɔiiʃ], *adj.* pueril, infantil, próprio de rapaz.
boyishly [-li], *adv.* puerilmente, infantilmente.
boyishness [-nis], *s.* puerilidade, infantilidade.

Boyle [bɔil], *n. p.* e *top.* apelido; nome de cidade na Irlanda.
boy-scout ['bɔiskaut], *s.* escuteiro.
brabble [bræbl], **1** — *s.* questão barulhenta sem valor.
2 — *vi.* meter-se em questão barulhenta sem valor.
brace [breis], **1** — *s.* abraçadeira; colchete de impressão; gato de ferro; gancho; parelha, par (de animais); (náut.) braço, cabo por meio do qual se dá a uma verga movimento horizontal em torno do mastro; *pl.* suspensórios; correias de tambor; braços das vergas.
a brace of pheasants — um casal de faisões.
a brace of pistols — um par de pistolas.
2 — *vt.* e *vi.* atar, ligar; fortificar, tonificar; (náut.) entesar, bracear.
to brace full (náut.) — bracear a encher.
to brace oneself up — fortalecer-se, tonificar-se.
to brace one's energies — tonificar as forças.
bracelet ['breislit], *s.* bracelete, pulseira.
bracer ['breisə], *s.* protecção para a mão, na esgrima; (fam.) bebida estimulante (E. U.).
brachial ['breikjəl], *adj.* braquial.
brachycephalic ['brækike'fælik], *adj.* braquicéfalo.
brachycephalism [bræki'kefəlizm], *s.* braquicefalia.
bracing ['breisiŋ], *adj.* fortificante, tonificante, revigorante.
bracing air — ar tonificante.
brack [bræk], *s.* falha.
bracken ['brækən], *s.* (bot.) feto.
bracket ['brækit], **1** — *s.* pontalete; suporte; braço de candeeiro; colchete de impressão; parêntesis; (náut.) curvas; forquilha de uma peça de fogo; descanso; esquadro de consolidação.
bracket-seat — banco com dobradiça.
round bracket — parêntesis curvo.
square bracket — parêntesis recto.
2 — *vt.* meter entre parêntesis; (mil.) enforquilhar.
bracketed [-id], *adj.* colocado entre parêntesis.
brackish ['brækiʃ], *adj.* salobra (água).
brackishness [-nis], *s.* sabor salobre.
bract [brækt], *s.* bráctea.
bracteal [-iəl], *adj.* bracteal.
bracteate [-iit], *adj.* bracteado.
brad [bræd], *s.* prego sem cabeça.
bradwal [-wɔ:l], *s.* furador, punção, buril, bradal.
bradycardia [brædi'kɑ:diə], *s.* bradicardia.
brae [brei], *s.* ladeira de monte, declive (Escócia).
brag [bræg], **1** — *s.* jactância, vaidade, bazófia; jogo de cartas semelhante ao «poker».
2 — *vt.* e *vi.* blasonar, alardear, jactar-se, bazofiar.
braggadocio ['brægə'doutʃiou], *s.* fanfarronice, bazófia, prosápia; fanfarrão.
braggart ['brægət], *s.* e *adj.* bazofiador, fanfarrão, jactancioso, vaidoso, alardeador.
bragging ['brægiŋ], *s.* e *adj.* jactância, vaidade, bazófia, alarde; jactancioso.
brahma ['brɑ:mə], *s.* brama, nome de uma raça de galinhas.
brahman ['brɑ:mən], *s.* brâmane.
brahmanism [-izm], *s.* bramanismo.
brahmapootra [brɑ:mə'pu:trə], *s.* ver **brahma.**
brahmin ['brɑ:min], *s.* ver **brahman.**
brahminee **1** — [brɑ:mi'ni:], *s.* mulher brâmane.
2 — ['brɑ:mini:], *adj.* bramânico.
brahminic(al) [brɑ:'minik(əl)], *adj.* bramânico
brahminism ['brɑ:minizm], *s.* bramanismo.
braid [breid], **1** — *s.* trança (de cabelo); trancelim, galão; alamar; presilha.
2 — *vt.* entrançar, fazer trança, entrelaçar, agaloar.
Braidism [-izm], *s.* hipnotismo.
brail [breil], **1** — *s.* (náut.) carregadeira.
2 — *vt.* (náut.) meter ou apertar nos rizes (vela).
to brail in (up) — carregar velas.
braille [breil], *s.* sistema de escrita para cegos.
brain [brein], **1** — *s.* cérebro, miolos; juízo, miolo, entendimento, talento.
brain-fag — esgotamento cerebral.
brain-pan — crânio, caixa craniana.
brain-power — inteligência.
brain-sauce — inteligência.
brain-storm — confusão mental.
brain-worker — trabalhador intelectual.
to blow out one's brains — fazer saltar os miolos.
to cudgel one's brains — dar tratos ao juízo.
to have a brain-wave — ter uma bela ideia, ter uma inspiração.
to have cracked brains — não ter juízo.
to have good brains — ter bom senso.
to have something on the brain — estar obcecado por uma ideia.
to rack one's brains — dar tratos ao juízo, quebrar a cabeça.
to suck someone's brains — copiar as ideias dos outros.
2 — *vt.* fazer saltar os miolos a alguém; matar à pancada.
brainily [-ili], *adv.* inteligentemente.
braininess [-inis], *s.* inteligência.
brainless [-lis], *adj.* sem miolos, insensato, tolo.
brainlessness [-lisnis], *s.* insensatez.
brainy [-i], *adj.* esperto, inteligente, fino.
braird [brɛəd], **1** — *s.* rebentos (de ervas, de cereais).
2 — *vi.* deitar rebentos.
braise [breiz], *vt.* (cul.) refogar, estufar.
brake [breik], **1** — *s.* travão; freio (de locomotivas, carruagens, etc.); espadela; balça, matagal; picota de bomba.
automatic brake — freio automático.
brake-box — caixa do freio.
brake-crank — manivela do freio.
brake-drum — *(aut.)* cubo da roda.
foot-brake — travão de pé.
hand-brake — travão de mão.
hydraulic brakes: travões hidráulicos.
to put on the brake — travar.
2 — *vt.* e *vi.* espadelar (o linho); travar, apertar o freio.
brakeman [-mən] (pl. — **men**), *s.* guarda-freio.
brakesman [-smən], *s.* ver **brakeman.**
bramble [bræmbl], *s.* sarça, espinheiro, silvas.
bramble-berry — amora silvestre.
bramble-bush — sarçal.
bramble-rose — rosa silvestre.
brambling [-iŋ], *s.* tentilhão.
brambly [-i], *adj.* cheio de espinhos, cheio de abrolhos.
bran [bræn], *s.* farelo; rolão.
brancard ['bræŋkəd], *s.* liteira conduzida por cavalos.
branch [brɑ:ntʃ], **1** — *s.* ramo de árvore; secção, filial, sucursal, dependência; ramal; braço (de rio); ramo, ramificação. (*Sin.* bough, shoot, section, tributary.)
branch-line — derivação, ramal (caminho-de-ferro).
branch office — escritório.
root and branch — completo, radical; completamente, radicalmente.

2 — *vi.* ramificar-se, bifurcar-se.
to branch off — separar-se.
to branch out — ampliar-se, desenvolver-se.
branching [-iŋ], **1** — *s.* ramagem, ramo, ramificação, bifurcação.
2 — *adj.* ramoso, ramificado.
branchia [ˈbræŋkiə], *s.* (pl. **branchiae**) guelra, brânquia.
branchial [ˈbræŋkiəl], *adj.* branquial.
branchiate [ˈbræŋkieit], *adj.* branquiado.
branchiferous [ˈbræŋkifərəs], *adj.* que tem guelras.
branchiopod [ˈbræŋkiɔpɔd], *s.* (zool.) branquiópode.
branchiopoda [bræŋkiˈɔpədə], *s. pl.* branquiópodes.
branchless [ˈbrɑːntʃlis], *adj.* sem ramos.
branchlet [ˈbrɑːntʃlit], *s.* ramo pequeno.
branchy [ˈbrɑːntʃi], *adj.* ramoso, ramificado.
brand [brænd], **1** — *s.* marca a ferro quente; marca de fábrica; (poét.) tição, estigma, ferrete; ferro para marcar reses. (*Sin.* mark, stigma, blot, infamy. *Ant.* honour.)
brand-new — novo em folha.
2 — *vt.* marcar a ferro quente; estigmatizar, infamar.
brander [-ə], **1** — *s.* grelha.
2 — *vt.* grelhar.
brandied [-id], *adj.* aguardentado, alcoolizado.
branding [-iŋ], *s.* marca com ferro quente.
branding-iron — ferro de marcar a quente.
brandish [ˈbrændiʃ], *vt.* brandir, agitar com a mão.
brandling [ˈbrændliŋ], *s.* verme vermelho usado como isca.
Brandon [ˈbrændən], *top.* nome de cidade inglesa.
brandy [ˈbrændi], *s.* aguardente, conhaque.
brandy-snap — bolacha ou pão de gengibre com sabor a aguardente.
brank-ursine [bræŋˈkəːsin], *s.* acanto, erva--gigante, branca-ursina.
brant [brænt], *s.* ganso-bravo.
brash [bræʃ], **1** — *s.* fragmentos de rocha ou gelo; entulho, rebotalho, aparas; erupção de pele.
2 — *adj.* (fam.) imprudente, irreflectido.
brasier [ˈbreizjə], *s.* braseiro, braseira, fogareiro.
brass [brɑːs], *s.* latão, bronze; metais, instrumentos musicais de latão de uma banda; descaramento, descaro.
brass band — charanga.
brass hat (fam.) — general.
brass-plate — chapa de latão.
brass-wire — arame de soldar.
I don't care a brass farthing — (col.) não me importo absolutamente nada, não ligo nenhuma.
old brass — utensílios ou ornamentos antigos de latão.
to part brass raggs (col. náut.) — zangar-se.
brassard [ˈbræsɑːd], *s.* braçal; banda no braço.
brassy [ˈbrɑːsi], **1** — *s.* ferros de golfe com base de metal.
2 — *adj.* de latão ou cobre; como latão ou cobre (em som, cor, etc.); descarado, imprudente.
brat [bræt], *s.* fedelho, criançola.
brattle [brætl], *vi.* produzir um som prolongado de matraca.
bravado [brəˈvɑːdou], *s.* (pl. **bravadoes**) bravata, ameaça arrogante, fanfarronice.
brave [breiv], **1** — *s.* coragem, bravura.
2 — *adj.* bravo, valente, intrépido, corajoso; (obsol.) esplêndido, belo. (*Sin.* daring, courageous, bold, heroic. *Ant.* timid.)
3 — *vt.* desafiar, enfrentar sem medo.
he had braved death a thousand times — tinha desafiado a morte inúmeras vezes.
bravely [-li], *adv.* valentemente, corajosamente.
bravery [ˈbreivəri], *s.* valentia, intrepidez, bravura, coragem; pompa, ostentação, elegância, magnificência.
bravo [ˈbrɑːˈvou], **1** — *s.* assassino assalariado; espadachim.
2 — *interj.* bravo!
bravura [brəˈvuərə], *s.* (mús.) bravura.
brawl [brɔːl], **1** — *s.* burburinho, alvoroço, disputa, rixa, motim; murmúrio, rumor (das águas).
2 — *vi.* fazer burburinho, altercar, alvoroçar, pôr em alvoroço; murmurar (águas). (*Sin.* to wrangle, to quarrel, to squabble, to dispute, to murmur. *Ant.* to agree.)
brawler [-ə], *s.* alvoroçador, amotinador, altercador, desordeiro.
brawling [-iŋ], *s.* barulho, alvoroço; murmúrio (águas).
2 — *adj.* barulhento; murmurante (águas).
brawn [brɔːn], *s.* músculo, força muscular; carne dura; cabeça de porco guisada com mão de vaca.
brawniness [ˈbrɔːninis], *s.* musculatura, força muscular.
brawny [ˈbrɔːni], *adj.* musculoso, robusto, vigoroso.
braxy [ˈbræksi], **1** — *s.* febre carbuncular (dos animais).
2 — *adj.* que tem febre carbuncular.
bray [brei], **1** — *s.* zurro; som de fanfarra; palavreado (barulhento e tolo).
2 — *vt.* e *vi.* zurrar; triturar, moer; gritar.
braze [breiz], **1** — *s.* solda forte.
2 — *vt.* soldar, estanhar, bronzear, caldear (o ferro).
brazen [-n], **1** — *adj.* de bronze, de latão, bronzeado, semelhante ao bronze; descarado, sem vergonha, impudente.
brazen age — idade do bronze.
brazen-faced — descarado.
2 — *vt.* tornar descarado.
to brazen it out — proceder descaradamente.
brazenly [-nli], *adv.* descaradamente, impudentemente.
brazeness [-nnis], *s.* descaro, impudência.
brazier [ˈbreizjə], *s.* ver **brasier.**
braziery [-ri], *s.* latoaria.
brazil [brəˈzil], *s.* brasil, árvore que dá o pau-brasil.
brazil-wood — pau-brasil.
Brazil [brəˈzil], *top.* Brasil.
Brazil-nut — castanha-do-maranhão.
Brazil-root — ipecacuanha.
Brazilian [brəˈziljən], *s.* e *adj.* brasileiro.
brazing [ˈbreiziŋ], *s.* soldadura.
breach [briːtʃ], **1** — *s.* brecha, fenda, rotura; infracção, violação; rompimento de relações; salto de baleia; o quebrar das ondas.
breach of confidence — abuso de confiança.
breach of contract — quebra de contrato.
breach of faith (breach of trust) — abuso de confiança.
breach of promise — quebra de promessa (de casamento).
cleam breach — quebra de contrato, de promessa, de direitos, etc.
to stand in the breach — aguentar o choque do ataque; arcar com o trabalho e responsabilidades.
2 — *vt.* e *vi.* abrir brecha; saltar (baleia).

bread [bred], *s.* pão, sustento quotidiano.
bread and butter — pão com manteiga.
bread and butter miss — rapariga que acaba de sair da escola ou do convento.
bread and cheese — o pão de cada dia.
bread and milk — sopas de leite.
bread and salt — símbolo da hospitalidade.
bread and scrape — pão com pouca manteiga.
bread-basket (col.) — estômago.
bread-crumb — miolo de pão.
bread-soup — açorda.
bread-winner — ganha-pão, pessoa que ganha para sustentar a família.
brown bread — pão escuro; pão centeio.
daily bread — o pão nosso de cada dia.
half a loaf is better than no bread — mais vale pouco do que nada.
her life is bread buttered on both sides (col.) — a vida corre-lhe às mil maravilhas.
home-made bread — pão caseiro.
new bread — pão fresco.
state bread — pão duro.
to earn one's bread by the sweat of one's brow — ganhar o pão com o suor do rosto.
to eat the bread of affliction — (col.) comer o pão que o diabo amassou.
to know on which side one's bread is buttered — cuidar dos seus interesses; saber levar a água ao seu moinho.
to take the bread out of one's mouth — tirar o pão (o sustento) a alguém.
white bread — pão branco; pão trigo.
breadless [-lis], *adj.* sem pão, sem sustento.
breadth [bredθ], *s.* largura; largueza de vistas, liberalidade, tolerância; (náut.) boca do navio.
breadth of a ship — boca dum navio.
to a hair's breath — exactamente.
breadthways ['bredθweiz], *adv.* à largura.
breadthwise ['bredθwaiz], *adv.* à largura.
break [breik], **1** — *s.* rotura, abertura, fenda, rompimento; aberta (nas nuvens); interrupção, pausa, suspensão, intervalo; baixa no mercado; interrupção de electricidade; tacada ou série de tacadas (no bilhar); carro para ensinar cavalos.
break in a wall — nicho.
break in the weather — mudança de tempo.
break of day — aurora, o nascer do dia.
break-up — fim, termo, dispersão, desagregação; entrada em férias.
break-up price — preço de saldo.
to get a good break (to get the breaks) — ter sorte.
without break — sem interrupção.
2 — *vt.* e *vi.* (pret. **broke** [brouk], pp. **broken** ['broukən], ou **broke**) quebrar, partir, romper, romper-se, violar, transgredir; arrombar; interromper; domar, dominar; rebentar (mar, cabo, etc.); abrir falência.
to break a horse — amansar um cavalo.
to break a person — arruinar uma pessoa.
to break a strike — furar uma greve.
to break away — desembaraçar-se à força; desaparecer.
to break a will — anular um testamento.
to break down — destruir; inutilizar(-se), sucumbir, prostrar-se.
to break forth — romper (chama, entusiasmo, etc.).
to break free (loose) — libertar-se, soltar-se.
to break gaol — fugir da prisão.
to break ground — arrotear a terra.
to break in — treinar (cavalo); penetrar; introduzir-se à força.
to break into — entrar à força.
to break into a house — entrar numa casa por meio de arrombamento.
to break in upon — introduzir-se abruptamente.
to break off — romper, cessar, não concluir; separar quebrando; (náut.) descair o rumo.
to break off from — abandonar.
to break one's neck — partir a espinha.
to break one's promise (word) — faltar à palavra; quebrar o juramento.
to break out — rebentar, estalar, desencadear, ter erupção na pele.
to break over — ir além dos limites.
to break the bank — levar a banca à glória.
to break the heart — dilacerar o coração.
to break the ice — abrir caminho; quebrar o gelo; entrar num assunto delicado; encetar uma conversa.
to break the news — preparar para uma má notícia.
to break the silence — romper o silêncio.
to break step — deixar de andar a passo.
to break through — vencer dificuldades.
to break through all difficulties — superar todas as dificuldades.
to break up — aclarar-se (o tempo); dispersar; terminar as aulas.
to break with — romper as relações com.
my car broke down — o meu carro avariou-se.
breakable [-əbl], *adj.* quebradiço, frágil.
breakage [-idʒ], *s.* rotura, fractura; interrupção; indemnização por coisas quebradas; (náut.) carga partida.
breakdown [-daun], *s.* colapso, depressão, diminuição de forças, fadiga, esgotamento; acidente, avaria. (*Sin.* collapse, failure, fall, stoppage.)
a nervous breakdown — esgotamento nervoso.
breakdown car — pronto-socorro.
breaker [-ə], *s.* infractor; domador; quebrador; interruptor (eléctrico); máquina para quebrar pedra; onda de rebentação.
house-breaker — ladrão nocturno.
breakfast ['brekfəst], **1** — *s.* pequeno-almoço.
breakfast set — serviço (louça) de pequeno-almoço.
to have breakfast — tomar o pequeno-almoço.
2 — *vt.* e *vi.* dar o pequeno-almoço; tomar o pequeno-almoço.
breaking [-iŋ], *s.* fractura, rotura, quebra; transgressão; arrombamento; bancarrota.
breaking-up [-iŋ-ʌp], *s.* colapso; dissolução; encerramento, cessação; desintegração.
breaking-up of school — começo das férias nas escolas.
breakneck [-nek], *adj.* precipitado, rápido; declivoso; perigoso.
a breakneck road — uma estrada perigosa.
a breakneck speed—uma velocidade vertiginosa.
breakwater [-'wɔ:tə], *s.* quebra-mar; molhe.
bream [bri:m], **1** — *s.* sargo (peixe).
sea-bream — pargo.
2 — *vt.* limpar o casco de um navio, queimando a tinta do fundo.
breast [brest], **1** — *s.* peito, seio; mama, teta; coração, interior de uma pessoa; peito de casaco, vestido, etc..
breast-pin — alfinete de gravata.
to make a clean breast of — confessar tudo.
breast-high — da altura do peito.
breast-hook — *(náut.)* guirlanda; boçarda.
breast-wall — parede de suporte.
an infant (child) at the breast — uma criança de peito.
breast-rail (náut.) — parapeito.
breast-fed — (criança) criada ao peito.
breast-pocket — bolso do lenço.
2 — *vt.* acometer de frente, enfrentar, lutar contra.
breastbone [-boun], *s.* esterno, osso do peito.

breastplate [-pleit], *s.* couraça, armadura para o peito; escudo; inscrição em caixão.
breastwork [-wə:k], *s.* defesa, parapeito baixo.
breath [breθ], *s.* respiração, fôlego; alento; sopro, hálito; pausa; vida; instante, momento; murmúrio.
a breath of fresh air — uma lufada de ar fresco.
to take a breath of fresh air—respirar ar puro.
to hold breath — suster a respiração.
to take breath — tomar fôlego; fazer uma pausa.
under one's breath — em segredo.
to waste breath — falar em vão.
to take away a person's breath — causar grande espanto a uma pessoa.
the breath of life — necessidade absoluta.
shortness of breath — falta de ar.
breathable ['bri:ðəbl], *adj.* respirável.
breathe [bri:ð], *vt.* e *vi.* respirar, tomar fôlego; descansar; soprar, exalar; viver; comunicar, revelar; segredar; exibir.
to breathe freely — sentir-se aliviado.
to breathe one's last — morrer, exalar o último suspiro.
to breathe wholesome air — respirar ar puro.
to breathe foul air — respirar ar viciado.
to breathe in — inspirar.
to breathe out — expirar.
breathed [breθt], *adj.* aspirada (vogal); surda (consoante).
breather ['bri:ðə], *s.* o que respira; momento de descanso.
breathing ['bri:ðiŋ], *s.* respiração; inspiração; sopro.
breathing-space — pausa, compasso de espera.
breathing-time — tempo de descanso.
breathing-hole — respiradouro.
breathless ['breθlis], *adj.* esbaforido, ofegante, sem fôlego; desalentado; morto.
breathlessly [-li], *adv.* esbaforidamente, ofegantemente, com falta de respiração.
breathlessness [-nis], *s.* falta de respiração; desalento.
breathy ['breθi], *adj.* aspirado (diz-se das notas de música no canto).
bred [bred], (pret. e pp. do verbo **to breed**).
well-bred — bem-educado.
ill-bred — malcriado, grosseiro, descortês.
thoroughbred horse — (cavalo) puro-sangue.
under-bred — de baixa origem, sem cultura.
low-bred — de baixo nascimento.
breech [bri:tʃ], **1** — *s.* culatra de arma; nádegas. *pl.* calções.
breech-loader — arma ou peça de carregar pela culatra.
breeches buoy — bóia-calção.
to wear the breeches (trousers) — (col.) mandar no marido.
2 — *vt.* vestir com calções.
breeching ['bri:tʃiŋ], *s.* retranca; (náut.) corda para segurar as peças de fogo.
breed [bri:d], **1** — *s.* raça, casta, geração; ninhada.
2 — *vt.* e *vi.* (pret. e pp. **bred**) criar, produzir; educar, ensinar; ocasionar, multiplicar-se.
to be bred in the bone — (col.) estar na massa do sangue.
breeder [-ə], *s.* criador; educador; reprodutor.
breeding [-iŋ], *s.* criação; reprodução; geração, casta; educação, civilidade.
breeze [bri:z], *s.* brisa, viração, aragem; moscardo; (fam.) altercação; pó de carvão.
sea-breeze — aragem do mar.
fanning-breeze — aragem branda.
breezeless [-lis], *adj.* sem viração, sem um sopro de vento.
breezily [-li], *adv.* jovialmente, animadamente, vivamente, prazenteiramente.
breeziness [-inis], *s.* jovialidade, vivacidade.
breezy [-i], *adj.* fresco, refrescado pela brisa; jovial, vivo, alegre, prazenteiro.
brekker ['brekə], *s.* (fam.) pequeno-almoço.
brethren ['breðrin], *s. pl.* de **brother**, irmãos de confraria ou de sociedade.
Breton ['bretən], *s.* e *adj.* bretão.
breve [bri:v], *s.* breve (música); acento de sílaba breve.
brevet ['brevit], **1** — *s.* diploma, certificado de diploma de aviador; patente; graduação honorária.
2 — *vt.* (mil.) graduar, conferir posto a.
breviary ['bri:vjəri], *s.* (pl. **breviaries**) breviário.
brevier [brə'viə], *s.* (tip.) corpo 8.
brevity ['breviti], *s.* brevidade, concisão; curta duração. (*Sin.* conciseness, briefness, shortness, closeness. *Ant.* prolixity.)
brew [bru:], **1** — *s.* processo de fazer bebidas fermentadas; infusão; mistura.
2 — *vt.* e *vi.* fabricar (cerveja, licores, etc.); misturar; fermentar; maquinar, tecer (uma conspiração); preparar-se, formar-se, maquinar-se.
a storm is brewing — está a formar-se uma tempestade.
brewage [-idʒ], *s.* bebida feita por fermentação.
brewer [-ə], *s.* cervejeiro.
brewery ['bruəri], *s.* fábrica de cerveja.
brewing ['bru:iŋ], *s.* fabricação de cerveja.
briar ['braiə], *s.* sarça; roseira brava.
bribable ['braibəbl], *adj.* subornável.
bribe [braib], **1** — *s.* suborno, peita.
2 — *vt.* subornar, peitar.
briber [-ə], *s.* subornador.
bribery [-ri], *s.* (pl. **briberies**), suborno.
bribing [-iŋ], *s.* suborno.
bric-à-brac ['brikəbræk], *s.* bricabraque; objectos de arte antigos.
brick [brik], **1** — *s.* tijolo; ladrilho; bloco de madeira para as crianças fazerem construções; pau de sabão; pessoa boa.
he is a regular brick — ele é boa pessoa.
to drop a brick — dizer uma inconveniência.
brick-clay — barro para fabricar tijolo.
brick-plant — olaria.
brick-trowel — colher de trolha.
brick-field — lugar próprio para a fabricação de tijolos ou ladrilhos.
brick-kiln — forno para cozer tijolos ou ladrilhos.
brick-dust — pó de tijolo.
2 — *vt.* cobrir de tijolo.
to brick up — tapar com tijolo.
bricklayer [-leiə], *s.* ladrilhador; assentador de tijolos.
bricklaying [-leiiŋ], *s.* ladrilhagem; assentamento de tijolos.
brickmaker [-meikə], *s.* fabricante de tijolos ou ladrilhos.
brickmaking [-meikiŋ], *s.* fabricação de tijolos ou ladrilhos.
brickwork [-wə:k], *s.* obra de tijolos ou ladrilhos.
bricky [-i], *adj.* atijolado, de tijolos.
bridal ['braidl], **1** — *s.* núpcias, festa nupcial.
2 — *adj.* nupcial.
the bridal pair — os noivos.
bride [braid], *s.* noiva.
bridecake [-keik], *s.* bolo de casamento.
bridegroom [-grum], *s.* noivo.
bridesmaid [-zmeid], *s.* dama de honor.
bridewell [-wəl], *s.* casa de correcção.

bridge [bridʒ], **1** — *s.* ponte; ponte de comando de um navio; osso do nariz; cavalete de instrumento de corda; reste, suporte de tacos do bilhar; brídege, jogo de cartas.
trestle-bridge — ponte de cavaletes.
bridge-head — testa-de-ponte.
flying-bridge — ponte volante.
suspension bridge — ponte pênsil.
bridge-house (náut.) — casa da ponte.
bridge engineering — engenharia de pontes.
2 — *vt.* construir pontes; ligar com pontes.
bridle ['braidl], **1** — *s.* cabeçada de cavalo, incluindo o freio; sujeição; amarra de navio.
bridle-path (bridle-road) — caminho para passeio a cavalo; lado da estrada reservado aos cavaleiros.
2 — *vt.* e *vi.* pôr a cabeçada num cavalo; enfrear; reprimir; empertigar-se, levantar a cabeça vaidosamente.
bridoon [bri'du:n], *s.* bridão.
brief [bri:f], **1** — *s.* resumo, sumário, memorial; breve pontifício; minuta de processo.
brief-bag — pequena saca de coiro.
brief-case — pasta (para papéis, livros, etc.).
2 — *adj.* breve, curto, conciso, lacónico. (*Sin.* short, concise, laconic, condensed. *Ant.* long.)
in brief — em resumo.
3 — *vt.* abreviar, resumir; fazer uma minuta; fazer um resumo.
to brief a barrister — entregar um caso a um advogado.
briefless [-lis], *adj.* sem clientes (advogado).
briefly [-li], *adv.* resumidamente, sumariamente, em resumo; brevemente, com brevidade.
briefness [-nis], *s.* concisão, laconismo; brevidade.
brier ['braiə], *s.* ver **briar.**
to leave somebody in the briers — abandonar alguém numa dificuldade.
brig [brig], *s.* brigue, navio de dois mastros.
brig schooner — brigue-escuna.
brigade [bri'geid], **1** — *s.* brigada.
a brigade of firemen — uma brigada de bombeiros.
2 — *vt.* formar uma brigada ou brigadas.
brigadier [brigə'diə], *s.* brigadeiro.
brigadier-general — general de brigada.
brigand ['brigənd], *s.* bandido, salteador, malfeitor.
brigandage [-idʒ], *s.* roubo, assalto à mão armada.
brigandism [-izm], *s.* ver **brigandage.**
brigantine ['brigəntain], *s.* bergantim.
bright [brait], **1** — *adj.* brilhante, reluzente, resplandecente; claro; perspicaz, vivo; animado; esperto; ilustre. (*Sin.* shining, brilliant, beaming, glowing, clear, illustrious, quick-witted. *Ant.* dull.)
2 — *adv.* brilhantemente, de modo vivo, de modo brilhante.
brighten [-n], *vt.* e *vi.* polir; avivar; animar.
brightish [-iʃ], *adj.* brilhante; esperto.
brightly [-li], *adv.* brilhantemente.
brightness [-nis], *s.* brilho, esplendor, claridade; vivacidade, animação; agudeza.
Brighton ['braitn], *top.* estância balnear perto de Londres.
Bright's disease [braits di'zi:z], *s.* mal de Bright, esclerose renal.
brill [bril], *s.* rodovalho.
brilliance ['briljəns], *s.* brilho, esplendor; brilhantismo; (náut.) intensidade de um farol.
brilliancy [-i], *s.* ver **brilliance.**
brilliant ['briljənt], **1** — *s.* brilhante; (tip.) corpo 3 ½.
2 — *adj.* brilhante, refulgente; ilustre, talentoso.
brilliantly [-li], *adv.* brilhantemente, luzidamente.
brilliantness [-nis], *s.* brilhantismo.
brilliantine [briljən'ti:n], *s.* brilhantina.
brim [brim], **1** — *s.* borda; aba; orla, extremidade.
brim of a hat — aba de um chapéu.
to be full to the brim — estar cheio a transbordar.
2 — *vt.* e *vi.* encher até à borda; estar completamente cheio.
brimful [-ful], *adj.* cheio até à borda, completamente cheio.
brimless [-lis], *adj.* sem aba.
brimmed [-d], *adj.* com abas.
brimmer [-ə], *s.* chávena ou copo cheio até à borda.
brimming [-iŋ], *adj.* completamente cheio, a transbordar,
brimstone ['brimstən], *s.* enxofre.
brimstony [-i], *adj.* de enxofre.
brindle ['brindl], *s.* malha, mancha; animal malhado.
brindled [-d], *adj.* malhado, com manchas.
brine [brain], **1** — *s.* salmoura; água salgada; (poét.) lágrimas; mar.
brine-pit — salina.
2 — *vt.* meter em salmoura.
bring [briŋ], *vt.* e *vi.* (pret. e pp. **brought**) trazer; levar; conduzir; causar, produzir; induzir, persuadir.
to bring about — efectuar, pôr em execução, executar, alcançar, causar.
to bring back — lembrar; devolver, restituir.
to bring down — deprimir, humilhar, diminuir, reduzir; deitar abaixo; baixar (preço); matar (caça); passar a nova conta.
to bring forth — produzir; dar à luz.
to bring forward — empurrar; transportar (conta); submeter a discussão; antecipar a data.
to bring in — introduzir (um costume); reclamar; dar lucro; introduzir.
to bring off — sair-se bem, ter êxito; desembaraçar; levar; (náut.) desencalhar.
to bring under — sujeitar, dominar, subjugar.
to bring over — persuadir; importar.
to bring on — transportar; induzir; ocasionar (discussão); fazer progredir.
to bring out — exibir; publicar; pôr em cena; entrar na sociedade; fazer crescer.
to bring to — resolver; fazer voltar a si.
to bring up — educar, criar; levar para cima; apresentar uma questão; chamar a atenção para; (náut.) largar ferro.
to bring down the house — causar entusiasmo; aplaudir calorosamente.
to bring round — persuadir; recuperar os sentidos.
to bring alongside — (náut.) atracar.
to bring up the rear — fechar a retaguarda, ser o último.
to bring into play — fazer actuar.
to bring through — salvar (um doente).
to bring home — convencer, obrigar (alguém) a reconhecer-se culpado; levar para casa.
to bring to an end — acabar; concluir.
to bring to mind — recordar.
bringer [-ə], *s.* portador.
brinjal ['brindʒɔ:l], *s.* beringela.
brink [briŋk], *s.* borda, beira, margem, extremidade.
on the brink of — à beira de.
on the very brink of — mesmo à beirinha de.
on the brink of the grave — à beira da sepultura.

briny ['braini], *adj.* salgado; salobre.
brioche ['bri:ouʃ], *s.* brioche (espécie de bolo).
briquet (briquette) [bri'ket], *s.* briquete.
brisk [brisk], **1** — *adj.* vivo, activo, expedito, desembaraçado, rápido; animado, jovial; espumoso (vinho). (*Sin.* quick, active, swift, lively, nimble, keen, sparkling. *Ant.* slow.)
a brisk gale of wind — uma forte rajada de vento.
brisk fire — fogo vivo.
2 — *vt.* e *vi.* animar, avivar.
to brisk up — animar, alegrar.
brisken [-n], *vt.* e *vi.* animar, activar, activar-se.
brisket ['briskit], *s.* peito (de um animal).
brisket-bone — esterno, osso do peito.
briskly ['briskli], *adv.* vivamente, animadamente; rapidamente.
briskness ['brisknis], *s.* viveza, vivacidade, actividade, desembaraço.
bristle ['brisl], **1** — *s.* cerdas, pêlo.
2 — *vt.* e *vi.* eriçar (cabelo, cerdas, pêlo); eriçar-se, entesar-se; irritar.
bristled [-d], *adj.* eriçado, hirsuto.
bristled with difficulties — eivado de dificuldades.
bristliness [-inis], *s.* qualidade de ser hirsuto, aspecto eriçado.
bristly [-i], *adj.* cerdoso; hirsuto.
Bristol [bristl], *top.* Bristol (cidade).
The Bristol Channel — o canal de Bristol.
Bristol board — cartão para desenho.
Britain [britn], *top.* Bretanha; Grã-Bretanha.
Great Britain — Grã-Bretanha.
Britannia [bri'tænjə], *top.* nome dado pelos Romanos à Grã-Bretanha.
Britannia metal — liga de estanho e antimónio metálico parecida com prata.
Britannic [bri'tænik], *adj.* britânico.
britannicize [bri'tænisaiz], *vt.* britanizar.
Briticism ['britisizm], *s.* anglicismo.
British ['britiʃ], *adj.* britânico.
the British — os Britânicos.
Britisher [-ə], *s.* súbdito inglês.
Britishism [-izm], *s.* ver **Briticism.**
Briton [britn], *s.* bretão; nativo da Grã-Bretanha, inglês.
Brittany ['britəni], *top.* Bretanha.
brittle [britl], *adj.* frágil, quebradiço.
(*Sin.* fragile, frail, crumbling, breakable. *Ant.* solid.)
brittleness [-nis], *s.* fragilidade.
broach [broutʃ], **1** — *s.* espeto (para assar); agulha de torre de igreja; mandril.
2 — *vt.* e *vi.* abrir uma pipa ou tonel; encetar, começar (uma discussão); espetar; assar no espeto; divulgar; aguçar-se; (náut.) dar por d'avante.
broad [brɔ:d], **1** — *s.* largura das costas; extensão grande de água doce formada pelo alargamento de um rio.
2 — *adj.* largo; extenso; claro, categórico; amplo; liberal; tolerante; grosseiro, atrevido. (*Sin.* large, wide, spacious, extensive. *Ant.* narrow).
broad daylight — dia claro.
it is as broad as it is long — é indiferente.
broad Scotch — dialecto escocês.
broad lands — terras extensas.
broad facts — factos categóricos.
broad-glass — vidro de janela.
broad sheet — folha de papel impressa só de um lado.
broad silk — seda em peça.
3 — *adv.* completamente.
broadbrimmed [-brimd], *adj.* de abas largas.
broadcast [-kɑ:st], **1** — *s.* radiodifusão, transmissão pela rádio; sementeira à mão.
broadcast receiver — aparelho receptor (rádio).
broadcast transmitter — aparelho transmissor.
2 — *adj.* espalhado ou semeado à mão; muito espalhado; à toa; radiodifundido.
3 — *vt.* e *vi.* (pret. e pp. **broadcast** ou **broadcasted**) transmitir pela rádio, radiodifundir; semear à mão.
4 — *adv.* à mão; à toa.
broadcaster [-kɑ:stə], *s.* aparelho emissor; pessoa que fala pela rádio.
broadcasting [-kɑ:stiŋ], *s.* radiodifusão; sementeira feita à mão.
broadcloth [-klɔθ], *s.* pano fino de duas larguras.
broaden [-n], *vt.* e *vi.* alargar; alargar-se.
broad-gauge [-geidʒ], *s.* via larga (de caminho-de-ferro).
broadly [-li], *adv.* largamente; francamente; grosseiramente.
broadness [-nis], *s.* largura; grosseria.
broadside [-said], *s.* costado de um navio; bordada; descarga dos canhões de um dos bordos (num navio de guerra); banda (de artilharia).
to be on the broadside — estar adornado.
to lay on the broadside — adormecer.
broadsword [-sɔ:d], *s.* sabre.
Broadway ['brɔ:dwei], *top.* rua comercial muito importante de Nova Iorque.
brocade [brə'keid], *s.* brocado.
brocaded [-id], *adj.* tecido como brocado.
broccoli ['brɔkəli], *s.* brócolos.
brochure ['brouʃjuə], *s.* brochura; panfleto, folheto.
brock [brɔk], *s.* texugo.
brocket [-it], *s.* veado com dois anos.
brocoli ['brɔkəli], *s.* ver **broccoli.**
brogue [broug], *s.* sapato de passeio; sotaque irlandês.
broil [brɔil], **1** — *s.* tumulto, motim, disputa; carne grelhada.
2 — *vt.* e *vi.* assar na grelha; aquecer demasiado, tostar; queimar-se.
broiler [-ə], *s.* perturbador, agitador; grelha; frango próprio para assar; (fam.) dia escaldante.
broiling [-iŋ], **1** — *s.* assado na grelha.
2 — *adj.* escaldante, ardente.
a broiling day — um dia escaldante.
broke [brouk], *pret.* do verbo **to break.**
broken [-ŋ], *adj.* e *pp.* de **to break**; quebrado, partido; interrompido; falido; domado; mal pronunciado.
broken sleep — sono intermitente.
broken meat — bocados de carne; sobejos de mesa.
broken English — inglês incorrecto.
broken-ground — terreno acidentado.
broken-hearted — oprimido, angustiado.
broken weather — tempo incerto.
broken water — rebentação.
broken-stowage (náut.) — vãos da carga.
broken-wind — pulmoeira.
broken money — dinheiro miúdo.
broken-down — arruinado, falido; desfeito.
brokenly [-nli], *adv.* com intervalos, intermitentemente.
broker [-ə], *s.* corretor de fundos; agente, comissário.
stock-broker — corretor de fundos públicos.
broker's note — contrato do corretor.
brokerage [-əridʒ], *s.* corretagem; comissão pela corretagem.
broking [-iŋ], *s.* corretagem; negócio de corretor.
brolly ['brɔli], *s.* (fam.) guarda-chuva.

bromate ['broumeit], *s.* bromato.
bromic ['broumik], *adj.* brómico.
bromide ['broumaid], *s.* brometo.
bromine ['broumi:n], *s.* bromina.
Brompton ['brɔmptən], *top.* parte de Londres.
bronchi ['brɔŋkai], *s. pl.* de **bronchus.**
bronchia ['brɔŋkiə], *s. pl.* brônquios.
bronchial ['brɔŋkjəl], *adj.* bronquial.
bronchio-pneumonia ['brɔŋkiou-nju'mouniə], *s.* broncopneumonia.
bronchitic [brɔŋ'kitik], *adj.* bronquítico.
bronchitis [brɔŋ'kaitis], *s.* bronquite.
bronchus ['brɔŋkəs], *s.* brônquio.
bronze [brɔnz], **1** — *s.* bronze; cor de bronze; objecto de bronze.
the bronze age — a idade do bronze.
2 — *vt.* e *vi.* bronzear; bronzear-se, ficar tostado do sol.
bronzing [-iŋ], *s.* bronzeamento.
bronzy [-i], *adj.* bronzeado, da cor do bronze; coberto de bronze.
brooch [broutʃ], *s.* broche.
brood [bru:d], **1** — *s.* ninhada; enxame; raça, geração, prole.
a brood of chickens — uma ninhada de pintos.
2 — *vt.* e *vi.* chocar; meditar, considerar.
broody [-i], *adj.* choca (galinha); pensativo.
brook [bruk], **1** — *s.* arroio, ribeiro, riacho.
2 — *vt.* tolerar, suportar.
brooklet [-lit], *s.* regato, ribeiro pequeno.
broom 1 — [bru:m], *s.* giesta.
2 — [brum], *s.* vassoura, escova.
***broom-stik* — cabo de vassoura.**
***hair-broom* — vassoura de crina.**
***a new broom sweeps clean* — vassoura nova varre bem (a princípio todos trabalham bem).**
3 — [brum], *vt.* varrer.
broomy ['bru:mi], *adj.* coberto de giestas.
broth [brɔθ], *s.* caldo; caldo de carne.
brothel [brɔθl], *s.* bordel, lupanar.
brother ['brʌðə], *s.* **1** — (pl. **brothers**) irmão; companheiro.
brother-in-law — cunhado.
half-brother — irmão por parte da mãe ou do pai.
foster-brother — irmão colaço.
twin brothers — irmãos gémeos.
2 — (pl. **brethren**) irmão de confraria ou congregação.
brotherhood [-hud], *s.* fraternidade; irmandade, confraria, congregação; sociedade; relações ou parentesco entre irmãos.
brotherlike [-laik], *adj.* e *adv.* fraternal; fraternalmente.
brotherliness [-linis], *s.* ver **brotherhood.**
brotherly [-li], *adj.* e *adv.* fraternal, fraternalmente.
brougham ['bru:əm], *s.* carro fechado (eléctrico ou de um só cavalo).
brought [brɔ:t], *pret.* e *pp.* do verbo **to bring.**
brow [brau], *s.* sobrancelha; testa; cume; pranchão (de navio).
high-brow — pessoa intelectual.
to knit one's brows — franzir as sobrancelhas.
browbeat [-bi:t], *vt.* (pret. **browbeat,** pp. **browbeaten**) tratar com arrogância; intimidar; franzir as sobrancelhas.
brown [braun], **1** — *s.* castanho, cor castanha.
2 — *adj.* castanho; trigueiro, moreno.
brown study — meditação.
to be done brown — ser intrujado, ser burlado.
brown bread — pão integral.
brown paper — papel grosso de embrulho.
brown coal — lenhite.
to be in a brown study — (col.) estar a pensar na morte da bezerra, estar muito pensativo.
to be brown — estar queimado do sol.
as brown as a berry — preto como o carvão.
3 — *vt.* acastanhar, dar a cor castanha; crestar.
to be browned off (fam.) — estar farto; estar aborrecido.
brownie ['brauni], *s.* duende benévolo que se supõe fazer os serviços da casa secretamente durante a noite; membro, entre os oito e os onze anos, das *Girl Guides*; espécie de máquina fotográfica.
Browning ['brauniŋ], *s.* pistola automática.
brownish ['brauniʃ], *adj.* acastanhado.
brownness ['braunnis], *s.* cor castanha ou trigueira.
browny ['brauni], *adj.* castanho, trigueiro, moreno; pardo.
browse [brauz], *vt.* e *vi.* comer folhas, rebentos ou raminhos, pastar; ler saltando as páginas (para distracção).
Bruin ['bru:in], *s.* nome popular do urso nos contos de fadas.
bruise [bru:z], **1** — *s.* contusão, ferida, escoriação, amolgadela.
2 — *vt.* contundir, ferir, amolgar; triturar; lutar, jogar o boxe. (*Sin.* to contuse, to crush, to pound, to batter.)
bruiser [-ə], *s.* pugilista; máquina de triturar.
brume [bru:m], *s.* bruma.
brumous [-əs], *adj.* brumoso, nublado, nevoento.
brunette [bru:'net], *s.* mulher morena e de cabelos escuros.
brunt [brʌnt], *s.* choque, embate.
to bear the brunt of — aguentar o choque ou o peso de.
brush [brʌʃ], **1** — *s.* escova, escovadela; broxa, pincel; matagal, silvado; feixe de lenha miúda; cauda de raposa; escaramuça.
brush-holder — suporte de escova.
nail-brush — escova das unhas.
tooth-brush — escova dos dentes.
hat-brush — escova dos chapéus.
clothes-brush — escova de fato.
the brush — a arte de pintar.
brush-maker — escoveiro.
2 — *vt.* e *vi.* escovar; pintar com broxa ou pincel; esfregar; tocar ao de leve, roçar; passar rapidamente.
to brush up — retocar, renovar; relembrar.
to brush aside obstacles — remover obstáculos.
to brush aside (away) — não fazer caso, passar por alto, não ligar importância.
to brush up one's knowledge — renovar os conhecimentos.
brushing [-iŋ], *s.* escovadela.
brushy [-i], *adj.* áspero, duro (como uma escova).
brushwood [-wud], *s.* matagal, sarça.
brusque [brusk], *adj.* brusco, rude, áspero, abrupto. (*Sin.* blunt, rude, gruff, abrupt. *Ant.* polite).
brusquely [-li], *adv.* bruscamente.
brusqueness [-nis], *s.* brusquidão, aspereza, rudeza.
Brussels [brʌslz], *top.* Bruxelas.
Brussels-sprouts — couve de Bruxelas.
brutal [bru:tl], *adj.* brutal, cruel, selvagem. (*Sin.* cruel, ferocious, coarse, savage, barbarous. *Ant.* humane.)
brutally [-i], *adv.* brutalmente.
brutality [bru:'tæliti], *s.* brutalidade, barbaridade, crueldade.
brutalization [bru:təlai'zeiʃən], *s.* embrutecimento, brutalidade.
brutalize ['bru:təlaiz], *vt.* embrutecer, embrutecer-se, tornar-se brutal.
brute [bru:t], *s.* e *adj.* bruto, brutal, cruel; estúpido; inconsciente.
brute force — força bruta.

brutish [-iʃ], *adj.* brutal, feroz, selvagem.
brutishly [-ʃli], *adv.* brutalmente, de maneira brutal.
brutishness [-iʃnis], *s.* brutalidade.
bryologist [brai'ɔlədʒist], *s.* briologista.
bryology [brai'ɔlədʒi], *s.* briologia.
bryony ['braiəni], *s.* (bot.) briónia.
bubble [bʌbl], **1** — *s.* bolha, empola; murmúrio (do rio); ilusão, engano.
to prick the bubble — descobrir o logro, desmascarar a fraude.
to rise in bubbles — borbulhar.
soap-bubble — bola de sabão.
bubble-and-squeak — carne frita fria com vegetais picados.
to blow bubbles — fazer bolas de sabão.
2 — *vt.* e *vi.* borbulhar, formar bolhas; empolar; formar cachão; murmurar (rio).
to bubble over — transbordar.
bubbly [-i], **1** — *s.* vinho espumoso, vinho espumante.
2 — *adj.* espumoso.
bubo ['bju:bou], *s.* bubão.
bubonic [bju'bɔnik], *adj.* bubónico.
buccal ['bʌkəl], *adj.* bucal.
buccaneer ['bʌkə'niə], **1** — *s.* pirata, aventureiro.
2 — *vt.* e *vi.* piratear, praticar actos de pirata.
buck [bʌk], **1** — *s.* gamo; bode; macho de outros animais (lebre, coelho, antílope, etc.); (fam.) dólar; peralta (E. U.); cesto para apanhar enguias.
buck-tooth — dente saliente.
buck-shot — chumbo para caça grossa.
old buck! — meu velho!
2 — *vt.* e *vi.* levantar as patas para deitar ao chão o cavaleiro (diz-se do cavalo); apressar-se; alegrar-se.
to buck up (fam.) — apressar-se, aviar-se; animar-se, alegrar-se.
bucket ['bʌkit], **1** — *s.* balde; alcatruz; êmbolo de bomba.
bucket-shop — escritório de corretor de fundos, para jogo de bolsa.
to kick the bucket — morrer.
bucket-ring — aro de êmbolo.
2 — *vt.* e *vi.* remar à pressa; cansar (cavalo).
bucketful [-ful], *s.* balde cheio.
buckhound ['bʌkhaund], *s.* nome de raça canina.
Buckingham Palace ['bʌkiŋəm 'pælis], *s.* residência do rei de Inglaterra em Londres.
buckish ['bʌkiʃ], *adj.* vaidoso, enfatuado, pedante.
buckishly [-li], *adv.* vaidosamente, enfatuadamente.
buckle [bʌkl], **1** — *s.* fivela; deformação.
2 — *vt.* e *vi.* afivelar, prender com fivela; segurar; deformar-se.
to buckle to — pôr-se a trabalhar com afinco.
buckler [-ə], *s.* escudo, broquel; (náut.) bucha de escovém.
buckram ['bʌkrəm], *s.* entretela, tarlatana; bocaxim; rigidez.
bucksaw ['bʌksɔ:], *s.* serra de mão.
buckwheat ['bʌkwi:t], *s.* trigo mourisco.
bucolic(al) [bju:'kɔlik(əl)], *adj.* bucólico, pastoril.
bucolically [bju:'kɔlikəli], *adv.* bucolicamente, de modo pastoril.
bud [bʌd], **1** — *s.* botão, rebento; olho (de flor).
rose-bud — botão de rosa.
in bud — em botão.
to nip in the bud — cortar em botão; cortar o mal pela raiz; sufocar.

2 — *vt.* e *vi.* brotar, germinar, desabrochar, florescer; enxertar de borbulha. (*Sin.* to shoot, to sprout, to flower, to graft.)
Budapest ['bju:də'pest], *top.* Budapeste.
Buddha ['budə], *s. p.* Buda.
buddhic ['budik], *adj.* búdico.
buddhism ['budizm], *s.* budismo.
Buddhist ['budist], *s.* e *adj.* budista.
budding ['bʌdiŋ], **1** — *s.* botão, rebento, enxerto de borbulha.
2 — *adj.* em botão, em rebento.
a budding lawyer — um advogado novato, prometedor.
budge [bʌdʒ], *vt.* e *vi.* mover, agitar; mover-se, mexer-se.
budgerigar ['bʌdʒərigɑ:], *s.* periquito australiano.
budget ['bʌdʒit], **1** — *s.* saco cheio; orçamento de receita e despesa.
2 — *vi.* fazer o orçamento.
budgetary ['bʌdʒitəri], *adj.* orçamental.
budless ['bʌdlis], *adj.* sem rebentos, sem botões.
budlet ['bʌdlit], *s.* rebentozinho.
buff [bʌf], **1**—*s.* pele de búfalo ou de anta; cor amarelo-clara, cor de camurça; pele humana.
all in buff — nu.
the Buffs — nome de um regimento inglês de infantaria.
2 — *adj.* cor de camurça, amarelado; de camurça.
3 — *vt.* polir (metal) com pele; amaciar peles.
buffalo ['bʌfəlou], *s.* (pl. **buffaloes**) búfalo; (náut.) raposa de ferro.
buffer ['bʌfə], *s.* mola para amortecer um choque, pára-choques; (náut.) freio recuperador.
old buffer (fam.) — «bota-de-elástico», pessoa antiquada.
buff-stop — pára-choques.
buffet ['bʌfit], **1**—*s.* bofetada; aparador (móvel).
2 — *vt.* e *vi.* dar bofetadas, bater, lutar.
buffet ['bufei], *s.* bufete, bar.
buffoon [bʌ'fu:n], **1** — *s.* bobo, truão.
to play the buffoon — fazer de bobo.
2 — *vi.* fazer de bobo.
buffoonery [-əri], *s.* (pl. **buffooneries**) truanice, chocarrice, zombaria.
bug [bʌg], *s.* percevejo.
big bug (fam.) — pessoa importante.
May-bug — besoiro.
bugaboo ['bʌgəbu:], *s.* papão, fantasia; pesadelo.
bugbear ['bʌgbɛə], *s.* ver **bugaboo.**
bugger ['bʌgə], *s.* pederasta.
buggy ['bʌgi], *s.* (pl. **buggies**) carro leve para uma ou duas pessoas (Índia, E. U.).
bugle [bju:gl], **1** — *s.* corneta, trombeta, clarim; trompa (de caça); conta de vidro.
2 — *vt.* e *vi.* tocar corneta ou trombeta.
bugler [-ə], *s.* corneteiro, trombeteiro.
buglet [-it], *s.* buzina (de bicicleta).
bugloss ['bju:glɔs], *s.* buglossa (planta).
buhl [bu:l], *s.* e *adj.* embutido (especialmente de tartaruga e madrepérola).
build [bild], **1** — *s.* construção; estrutura, forma.
2 — *vt.* e *vi* (pret. e pp. **built**) construir, edificar, erigir, fundar, basear. (*Sin.* to construct, to erect, to raise, to base. *Ant.* to raze.)
to build up — reconstruir.
to build on — fiar-se em, contar com.
Rome was not built in a day — Roma e Pavia não se fizeram num dia.
builder [-ə], *s.* construtor civil, mestre-de--obras, empreiteiro.

building [-iŋ], *s.* edifício, construção, casa.
building agreement — caderno de encargos.
building-yard — estaleiro.
building-society — sociedade de construções.
building-device — minuta do traçado.
building-stock — picadeiro (de carreira).
built [bilt], *pret.* e *pp.* do verbo **to build.**
squarely-built — robusto.
well-built — bem-formado, robusto.
Bukarest [ˈbju:kərest], *top.* Bucareste.
bulb [bʌlb], **1** — *s.* bolbo; lâmpada eléctrica; nervura de chapa; reservatório de termómetro.
the bulb of the eye — a menina do olho.
2 — *vi.* tornar-se em bolbo; inchar.
bulbaceous [bʌlˈbeiʃəs], *adj.* bolboso.
bulbous [ˈbʌlbəs], *adj.* bolboso.
bulbul [ˈbulbul], *s.* ave canora da Pérsia, espécie de rouxinol; poeta; cantor.
Bulgaria [bʌlˈgɛəriə], *top.* Bulgária.
bulge [bʌldʒ], **1** — *s.* bojo, fole, saliência; desaprumo.
2 — *vt.* e *vi.* fazer bojo, fazer saliência, enfolar.
bulged [-d], *adj.* bojudo, com saliência.
bulginess [-inis], *s.* bojo, fole, saliência; capacidade.
bulgy [-i], *adj.* bojudo; desaprumado.
bulimia, bulimy [bju:ˈli:miə,ˈbju:limi], *s.* (med.) bulimia.
bulk [bʌlk], **1** — *s.* volume, tamanho, grandeza, massa, corpulência; carga; a maior parte ou número.
bulk cargo — carga a granel.
in bulk — a granel.
to sell in bulk — vender por atacado.
2 — *vt.* e *vi.* parecer volumoso ou importante; amontoar, empilhar, avolumar.
to bulk up — fazer uma soma considerável.
bulkhead [-hed], *s.* tabique, divisão; (náut.) antepara.
bulkhead stiffer (náut.) — montante de antepara.
bulkiness [-inis], *s.* volume, tamanho, grandeza. (*Sin.* size, volume, mass, majority.)
bulky [-i], *adj.* volumoso, avultado, corpulento.
bull [bul], **1** — *s.* touro; macho do elefante, da baleia, da girafa, etc.; Touro (constelação); especulador de fundos, altista, jogador na alta; bula pontifícia; contradição, disparate.
bull-calf — novilho; simplório, pateta.
bull-ring — arena; praça de touros.
to take the bull by the horns — afrontar o perigo.
like a bull in a china shop—desastradamente.
an Irish bull — uma calinada, uma frase com sentido contraditório.
bull-frog — rã da América.
2 — *vt.* e *vi.* especular fundos na Bolsa (na alta).
bullace [ˈbulis], *s.* abrunho bravo.
bulldog [ˈbuldɔg], **1** — *s.* cão de fila; pessoa tenaz e corajosa; nome dado aos funcionários das universidades inglesas, que ajudam o «Proctor» a apanhar os estudantes que prevaricam e fogem para não serem multados.
2 — *vt.* ameaçar, assustar, intimidar.
bullet [ˈbulit], *s.* bala.
bullet-proof — à prova de bala.
bulletin [-in], *s.* boletim.
bullfight [ˈbul-fait], *s.* tourada.
bullfighter [-ə], *s.* toureiro.
bullfinch [ˈbul-fintʃ], *s.* (zool.) pisco.
bullion [ˈbuljən], *s.* ouro ou prata em barra.
bullock [ˈbulək], *s.* novilho; boi castrado.
bull's eye [ˈbulzai], *s.* clarabóia; centro do alvo; (náut.) vidro de vigia.
bull's eye lamp — lanterna de furta-fogo.
bully [ˈbuli], **1** — *s.* (pl. **bullies**) fanfarrão, bravateador; tirano; insolente, ameaçador; carne enlatada.
2 — *adj.* óptimo, esplêndido.
3 — *vt.* fanfarronar, blasonar, bravatear, intimidar, ameaçar. (*Sin.* to swagger, to browbeat, to intimidate, to tease.)
to bully off — cruzar os «sticks» no princípio duma partida de hóquei.
bullyrag [-ræg], *vt.* tratar com insolência; arreliar.
bulrush [ˈbulrʌʃ], *s.* junco (planta).
bulwark [ˈbulwək], *s.* baluarte; (náut.) borda falsa.
bulwark stanchion — montante da borda.
bulwark stay — escora da borda.
bulwark netting — rede da balaustrada.
bum [bʌm], **1** — *s.* traseiro, rabo (col.); aguazil.
bum-bailiff — beleguim; aguazil; galfarro.
bum-boat — barco com mantimentos.
2 — *adj.* mau, que não presta.
3 — *vi.* mandriar, preguiçar.
bumble [ˈbʌmbl], **1** — *s.* bedel; funcionário presumido e impertinente.
2 — *vi.* zumbir (abelha).
bumble-bee — abelhão; moscardo.
bumble-puppy — uíste, ténis, etc. jogado sem regras.
bumbledom [-dəm], *s.* presunção, afectação, pedantismo.
bummer [ˈbʌmə], *s.* *(E.U.)* vadio.
bump [bʌmp], **1** — *s.* pancada; bossa, inchaço, (pop.) galo.
2 — *vt.* e *vi.* bater com força; bater de encontro.
mind you don't bump your head! — cuidado, não batas com a cabeça!
3 — *interj.* pum!
bumper [-ə], *s.* copo cheio; (fam.) teatro à cunha; pára-choques (de automóvel).
bumpiness [-inis], *s.* irregularidade de piso.
bumping [-iŋ], *s.* pancada; amortecimento.
bumpkin [-kin], *s.* rústico, labrego, homem inculto.
bumptious [ˈbʌmpʃəs], *adj.* presunçoso, vaidoso.
bumptiously [-li], *adv.* vaidosamente, presunçosamente.
bumptiousness [-nis], *s.* presunção, vaidade, pedantismo.
bumpy [ˈbʌmpi], *adj.* irregular, com covas, aos altos e baixos.
bun [bʌn], *s.* bolo seco; cabelo penteado em rolo.
Hot cross bun — bolo que se come na Sexta-Feira Santa.
bunch [bʌntʃ], **1** — *s.* molho, ramo (de flores), punhado, feixe, cacho; rebanho.
a bunch of grapes — um cacho de uvas.
a bunch of keys — um molho de chaves.
a bunch of flowers — um ramo de flores.
a bunch of sticks — um feixe de lenha.
the best of the bunch — a flor do rancho.
2 — *vt.* e *vi.* agrupar, agrupar-se; fazer molhos ou feixes.
bunched [-t], *adj.* corcunda.
bunchy [-i], *adj.* feito em molhos, tufado; corcunda.
buncombe [ˈbʌŋkəm], *s.* charlatanice, discurso sofístico.
bundle [bʌndl], **1** — *s.* pacote, trouxa, feixe, maço.
2 — *vt.* e *vi.* empacotar, fazer molhos, fazer uma trouxa.
to bundle out (off) — despedir sem consideração.
bung [bʌŋ], **1** — *s.* batoque (de barril); tapulho, rolha; (col.) mentira.
full to the bung — cheio até ao batoque.
2 — *vt.* rolhar, pôr batoque.

bungalow ['bʌŋgəlou], *s.* bangaló, «chalet», vivenda.
bungle [bʌŋgl], **1** — *s.* erro, obra mal feita, tolice.
2 — *vt.* e *vi.* errar, estropiar, estragar, atabalhoar, executar sem gosto. (*Sin.* to miss, to fail, to botch. *Ant.* to succeed.)
bungler [-ə], *s.* trapalhão, o que trabalha sem gosto e sem cuidado.
bungling [-iŋ], *adj.* imperfeito, incorrecto.
bunglingly [-iŋli], *adv.* imperfeitamente, atabalhoadamente.
bunion ['bʌnjən], *s.* calo no joanete.
bunk [bʌŋk], **1** — *s.* tarimba; beliche de proa.
to do a bunk (col.) — pôr-se a andar, pôr-se a mexer (col.).
2 — *vi.* dormir em tarimba; (col.) pôr-se a andar, pôr-se a mexer.
bunker [-ə], *s.* caixa; (náut.) carvoeira, paiol de carvão; *(golfe)* obstáculo.
bunker pipe — conduta de carvão.
bunkum [-əm], *s.* importunice, discurso sofístico.
bunny ['bʌni], *s.* coelhinho.
Bunsen-burner ['bʌnsn'bə:nə], *s.* bico de Bunsen.
bunt [bʌnt], **1** — *s.* cavidade, gorgulho (do trigo); (náut.) camisa de vela.
2 — *vi.* (náut.) fazer a camisa do pano.
bunting [-iŋ], *s.* filele, pano de lã próprio para bandeiras, galhardetes e flâmulas; verdelhão; camarão cinzento.
buntline [-lain],*s.* briol, cabo para ferrar as velas.
buntline cloth — forra dos brióis.
buoy [bɔi], **1** — *s.* bóia, baliza.
life-buoy — bóia de salvação.
buoys and beacons dues — direitos de balizagem.
to stream the buoy — lançar a bóia ao mar.
2 — *vt.* fazer boiar, pôr a nado; pôr bóias, proteger.
to buoy up — boiar.
buoyage [-idʒ], *s.* balizagem com bóias.
buoyancy [-ənsi], *s.* flutuação, flutuabilidade; elasticidade; vivacidade, animação. (*Sin.* lightness, levity, elasticity, vivacity, cheerfulness. *Ant.* despondency.)
buoyant [-ənt], *adj.* flutuante; elástico; vivo, alegre, vivaz.
buoyantly [-əntli], *adv.* alegremente, com vivacidade.
bur [bə:], *s.* ouriço de castanha ou fruto semelhante; broca de dentista.
Burberry ['bə:bəri], *s.* casaco impermeável e pano impermeável feitos por uma companhia desse nome.
burble [bə:bl], *vi.* ferver de raiva; gaguejar de alegria.
burden [bə:dn], **1** — *s.* carga, peso, fardo, tonelagem, capacidade; cuidados, aflições; estribilho; tema de livro, poema, etc.
to be a burden to anyone — ser pesado a alguém.
2 — *vt.* carregar; sobrecarregar, oprimir; ser pesado a.
burdensome [-səm], *adj.* pesado, incómodo, opressivo.
burdensomeness [-səmnis], *s.* peso, incómodo, opressão.
burdock ['bə:dɔk], *s.* bardana (planta medicinal de folhas largas).
bureau [bjuə'rou], *s.* secretária; escritório, agência.
bureaucracy [bjuə'rɔkrəsi], *s.* burocracia.
bureaucrat ['bjuəroukræt], *s.* burocrata.
bureaucratic ['bjuərou'krætik], *adj.* burocrático.
bureaucratically [-əli], *adv.* burocraticamente.
burette [bjuə'ret], *s.* bureta.
burgeon ['bə:dʒən], **1** — *s.* botão, rebento de árvore.
2 — *vi.* deitar rebentos.
burgess ['bə:dʒis], *s.* cidadão livre, deputado municipal.
burglar [bə:glə], *s.* ladrão que assalta casas de noite.
burglarious [bə'glɛəriəs], *adj.* relativo ao roubo de casas à noite.
burglariously [-li], *adv.* com arrombamento (roubo ou assalto).
burglary ['bə:gləri], *s.* roubo de noite com arrombamento.
burgle [bə:gl], *vt.* e *vi.* assaltar uma casa de noite.
burgomaster ['bə:gə'mɑ:stə], *s.* burgomestre.
Burgundy ['bə:gəndi], *top.* Borgonha.
burgundy ['bəgəndi], *s.* vinho de Borgonha.
burial ['beriəl], *s.* enterro, funeral.
burial-ground — cemitério.
burial-service — serviço fúnebre religioso.
burial-solemnities — exéquias.
burial-mound — túmulo.
burin ['bjuərin], *s.* buril, cinzel.
burke [bə:k], *vt.* encobrir; fazer calar.
burl [bə:l], **1** — *s.* nó em lã.
2 — *vt.* tirar os nós.
burlap [-æp], *s.* serapilheira, linhagem.
burlesque [bə:'lesk], **1** — *s.* imitação burlesca duma composição literária; farsa.
2 — *adj.* burlesco, ridículo, caricato.
burliness ['bə:linis], *s.* volume, grossura, corpulência, robustez.
burly ['bə:li], *adj.* volumoso, grosso, corpulento, robusto.
Burma(h) ['bə:mə], *top.* Birmânia.
Burman [-n], *s.* bírmano, birmanês.
Burmese [bə:'mi:z], *adj.* birmanês.
burn [bə:n], **1** — *s.* queimadura.
2 — *vt.* e *vi.* (pret. e pp. **burnt** [bə:nt] ou **burned** [bə:nd]) queimar, incendiar, calcinar; brilhar.
to burn away — consumir, destruir pela acção do fogo.
to burn up — consumir, destruir pela acção do fogo.
to burn the midnight oil (col.) — queimar as pestanas, trabalhar até altas horas.
to burn to ashes — reduzir a cinzas.
to burn the candle at both ends — consumir a energia.
to burn daylight — usar luz artificial durante o dia.
to have money burn a hole in one's pocket — ser perdulário.
to burn one's boats — dar um passo irrevogável.
burner [-ə], *s.* queimador; bico de gás ou de candeeiro.
burnet ['bə:nit], *s.* pimpinela.
burning ['bə:niŋ], **1** — *s.* queimadura; fogo, chama; ardor, inflamação.
2 — *adj.* aceso, abrasador, ardente; inflamado; escaldante.
a burning question — um assunto que provoca acalorada discussão.
burning enthusiasm — entusiasmo louco.
burning-glass — lente convexa para concentrar os raios do Sol.
burnish ['bə:niʃ], *vt.* e *vi.* polir, brunir, dar lustro a; tomar lustro.
burnisher [-ə], *s.* polidor; aparelho para polir ou dar lustro.
burnous [bə:'nu:s], *s.* albornoz.
burnt [bə:nt], *pret.* e *pp.* de **to burn.**
burnt claret — vinho quente.
a burnt child dreads the fire — gato escaldado de água fria tem medo.

burr [bə:], **1** — *s.* o mesmo que **bur**; rebarba de metal; disco em volta do Sol ou da Lua; ouriço de castanha; pronúncia gutural do **r**. **2** — *vt.* e *vi.* fazer barulho (mecanismo, roda); pronunciar o **r** gutural.
burrow ['bʌrou], **1** — *s.* toca de coelho, lura. **2** — *vt.* e *vi.* fazer luras, viver em luras.
burrower [-ə], *s.* animal que faz luras.
bursar ['bə:sə], *s.* tesoureiro de colégio.
bursary [-ri], *s.* tesouraria de um colégio.
burst [bə:st], **1** — *s.* explosão; estoiro, estalo; quebra; estampido; arrebatamento.
a burst of tears — uma torrente de lágrimas.
a burst of passion — um ataque de fúria.
2 — *vt.* e *vi.* (pret. e pp. **burst**) rebentar, estalar, estoirar; brotar; explodir, fazer voar uma mina; aparecer subitamente; quebrar, fazer em pedaços; soltar com violência. (*Sin.* to crack, to smash, to explode, to break, to split.)
to burst out — rebentar; exclamar; brotar, desatar a.
to burst open — forçar.
to burst into tears — desfazer-se em lágrimas.
to burst out laughing — rebentar de riso.
to burst into flames — irromper em chamas.
to burst in — entrar com ímpeto; interromper.
to burst into — brotar, aparecer subitamente.
bursting [-iŋ], **1** — *s.* explosão, rotura; rebentamento.
2 — *adj.* quase a rebentar.
bursting of impatience — a arder de impaciência.
bury ['beri], *vt.* enterrar, sepultar; esconder, ocultar; soterrar.
to bury in oblivion — esquecer, pôr uma pedra sobre o assunto.
he lives quietly buried in his books — vive sossegado, absorvido nos seus livros.
to bury the hatchet — pôr termo às hostilidades, reconciliar-se.
burying [-iŋ], *s.* enterro, enterramento.
burying-ground (burying-place) — cemitério.
bus [bʌs], *s.* abreviatura de **omnibus**, autocarro.
bus-stop — paragem de autocarro.
to miss the bus (col.)—perder a oportunidade.
double-decker bus—autocarro de dois andares.
busby ['bʌzbi], *s.* capacete dos hussardos e dos artilheiros (a cavalo).
bush [buʃ], **1** — *s.* arbusto; mouta, matagal; ramo de louro (nas tabernas); cauda espessa (da raposa, etc.); penacho; (náut.) bronze (de chumaceira, de roda).
bush-harrow — grade ou sebe feita de arbustos.
to beat about the bush — falar com rodeios, usar de circunlóquios.
good wine needs no bush — o bom vinho escusa pregão.
bush-bean — feijão branco.
a bird in the hand is worth two in the bush — mais vale um pássaro na mão que dois a voar.
2 — *vt.* e *vi.* copar, tornar espesso; igualar o terreno com arbustos; encasquilhar.
bushed [-t], *adj.* perdido no mato.
bushel [buʃl], *s.* medida de capacidade correspondente a 8 galões ou cerca 36,5 litros.
he doesn't hide his light under a bushel — ele não deixa o crédito por mãos alheias.
bushiness ['buʃinis], *s.* espessura formada por arbustos.
bushranger ['buʃ'reindʒə], *s.* foragido que anda a monte.
bushy ['buʃi], *adj.* cheio de arbustos, cerrado.
busily ['bizili], *adv.* activamente, diligentemente.
business ['bizinis], *s.* emprego, ocupação. profissão, ofício, negócio, trabalho; assunto; obrigação; objecto, fim, interesse. (*Sin.* trade, commerce, employment, occupation, concern, affair.)
on business — em negócio; com fim determinado.
business man — homem de negócio, negociante.
man of business — agente.
business-hours — horas de trabalho.
mind your own business! (go about your business!) — meta-se na sua vida.
this is my business — isso é comigo.
that is not my business — isso não é da minha conta.
this is no business of yours — isso não é contigo.
slight business — negócio de pouca importância.
to carry on business — continuar com o negócio.
to retire from business — retirar-se dos negócios.
a money-making business — um negócio lucrativo.
to do business — fazer negócio.
branch of business — ramo de negócio.
ugly business — mau negócio.
pressing business — negócio urgente.
capital business — negócio excelente.
to go into business — meter-se no negócio.
to begin business — estabelecer-se.
to do business with — entrar em relações comerciais com.
business capacities — aptidões mercantis.
business is business, friendship is friendship — amigos, amigos, negócios à parte.
I mean business — estou a falar a sério.
business-like — prático, regular, metódico, sistemático.
busk [bʌsk], **1** — *s.* vareta de espartilho.
2 — *vt.* pôr varetas (em espartilhos).
buskin ['bʌskin], *s.* borzeguim, coturno.
busman ['bʌsmən], *s.* (pl. **busmen**) condutor de autocarros.
bust [bʌst], *s.* busto, peito.
bustard ['bʌstəd], *s.* (zool.) abetarda.
bustle [bʌsl], **1** — *s.* azáfama, alvoroto; alarido, ruído; animação, lufa-lufa.
2 — *vt.* e *vi.* estar ocupado, ocupar-se; mexer-se; atarefar-se.
busy ['bizi], *adj.* ocupado, atarefado, azafamado; apressado; afadigado, movimentado, activo.
to be far too busy — estar muitíssimo atarefado.
a busy street — uma rua com muito movimento.
busybody [-bɔdi], *s.* pessoa intrometida, coscuvilheiro.
busyness [-nis], *s.* actividade, diligência; azáfama.
but [bʌt, bət], **1** — *s.* objecção.
2 — *vt.* objectar.
but me no buts! — qual mas nem meio mas!
3 — *conj.*, *prep.* e *adv.* — mas, porém, todavia, não obstante; pelo contrário; sem, excepto; apenas, somente, não, senão.
all but you — todos menos tu.
but for the wind they would have gone to the seaside — se não fosse o vento, tinham ido à praia.
the last but one — o penúltimo.
the last but two — o antepenúltimo.
I cannot but go — não posso deixar de ir.
I should have gone but for him — se não fosse ele, eu tinha ido.

they are all wrong but he (him) — ninguém tem razão senão ele.
I never meet him but I remember what he did — nunca o encontro que não me lembre do que ele fez.
had I but known! — se eu (ao menos) tivesse sabido!
but yet — todavia, contudo.

butcher ['butʃə], **1** — *s.* carniceiro, cortador (de talho), magarefe; homem sanguinário, verdugo.
butcher-bird — (zool.) esmerilhão.
2 — *vt.* matar reses; matar cruelmente, degolar.

butchery [-ri], *s.* açougue; carnificina; ofício de carniceiro.

butler ['bʌtlə], *s.* despenseiro, mordomo.

butt [bʌt], **1** — *s.* coronha; a parte mais grossa de um objecto (como de um taco de bilhar, etc.); topo de tábua, de chapa, etc.; marrada; pipa, tonel; alvo, mira; fim, intento; objecto de escárnio; linguado, solha.
butt-end of a gun — coronha de uma arma.
the butt of a cigar — a ponta de um charuto.
butt-joint — junta a topo, junta lisa.
butt-plate — cobre-junta.
butt-seam (náut.) — costura ou junta a topo.
2 — *vt.* e *vi.* marrar; (náut.) unir a topo.
to come butt (full butt) against — dar em cheio contra.

butter ['bʌtə], **1** — *s.* manteiga; adulação, bajulação.
butter-dish — manteigueira.
a slice of bread and butter — uma fatia de pão com manteiga.
butter-scotch — espécie de caramelo.
buttermilk — soro de leite.
butter-knife — faca para manteiga.
butter-boat — molheira.
butter-fingers — mãos de aranha, pessoa que é incapaz de segurar as coisas nas mãos.
butter-scotch — caramelo de manteiga.
2 — *vt.* amanteigar, deitar ou pôr manteiga em; cozinhar ou temperar com manteiga.
to butter up — bajular.

buttercup [-kʌp], *s.* (bot.) botão-de-ouro, rainúnculo amarelo.

buttered [-d] *pp.* do verbo **to butter** e *adj.*, amanteigado; com manteiga.
buttered toast — torradas com manteiga.

butterfly [-flai], *s.* borboleta.
butterfly-valve — válvula de borboletas.
butterfly-nut — porca de orelhas.

buttery [-ri], **1**—*s.* cantina (de colégio); despensa.
2 — *adj.* de manteiga, manteigoso, amanteigado.
buttery-hatch — meia-porta de uma despensa.

buttock ['bʌtək], *s.* nádega; anca.

button [bʌtn], **1**—*s.* botão, botão de campainha.
he has a button loose (col.) — falta-lhe um parafuso.
a button came off — caiu um botão.
to take by the button — deter.
boy in buttons — paquete (de hotel, etc.).
2 — *vt.* e *vi.* abotoar, pregar botões; desabrochar.
to button up — abotoar.

buttonhole [-houl], **1** — *s.* botoeira; flor usada na lapela.
2 — *vt.* casear; (col.) interromper, fazer parar.

buttonhook [-huk], *s.* abotoador.

buttons [-z], *s.* paquete (de hotel, etc.).

buttress ['bʌtris], **1** — *s.* contraforte; escora, suporte, esteio.
2 — *vt.* escorar, defender com contraforte; apoiar, suster.

buttressing [-iŋ], *s.* apoio.

buxom ['bʌksəm], *adj.* rechonchudo; donairoso; alegre, jovial.

buxomness [-nis], *s.* robustez; donaire; jovialidade.

buy [bai], **1** — *s.* compra.
2 — *vt.* (pret. e pp. **bought** [bɔ:t]) comprar.
to buy up — açambarcar.
to buy dear — comprar caro.
to buy retail — comprar a retalho.
to buy wholesale — comprar por atacado.
to buy for account — comprar a prazo.
to buy on credit — comprar a crédito.
to buy for cash — comprar a dinheiro, comprar a pronto.
to buy a bargain (to buy cheap) — comprar barato.
to buy in a lump — comprar por junto.
to buy off — livrar-se de alguém por dinheiro.
to buy out — comprar a parte de um sócio.
to buy at a fair price — comprar a preço razoável.
to buy second-hand—comprar em segunda mão.
to buy over — subornar.

buyable [-əbl], *adj.* comprável.

buyer [-ə], *s.* comprador.

buzz [bʌz], **1** — *s.* zumbido, murmúrio; boato; moscardo.
buzz-saw — serra circular.
2 — *vt.* e *vi.* zumbir, cochichar; circular (boato); divulgar; (fam.) esvaziar uma garrafa. (*Sin.* to hum, to murmur, to whisper, to circulate.)
buzz-offf! — vai à tua vida!
to buzz about — divulgar; palrar (com enfado para os outros).

buzzer [-ə], *s.* buzina; aparelho eléctrico para dar sinais; cigarra.

buzzing [-iŋ], *s.* zumbido.

by [bai], **1** — *prep.*, *adv.* por, com, a, em; perto de, ao lado de, fora, à parte; perto.
by chance — por acaso.
by degrees — gradualmente.
by-election — *(pol.)* eleição para substituir um deputado.
by oneself — só, a sós.
by night — de noite.
by day — de dia.
by the by — a propósito.
by the way — a propósito.
close by — muito perto daqui.
by all means — certamente, sem dúvida.
by no means — de modo nenhum.
by means of — por meio de.
by force — à força.
by reason of — por causa de.
I have no money by me — não trago dinheiro comigo.
little by little — pouco a pouco.
to sell by retail — vender a retalho.
by hundreds — às centenas.
not by a long chalk — de modo nenhum.
by-lane — caminho secundário.
one by one — um a um.
by far — de longe.
by train — de comboio.
by then — nessa altura.
2 — *adj.* subordinado, secundário; arredado, afastado; secreto.

bye [bai], **1** — *s.* assunto secundário.
good-bye (bye-bye) — adeus, até à vista.
2 — *adj.* subordinado, secundário; arredado, afastado; secreto.
bye-law — estatuto, regulamento.

bygone ['baigɔn], *s.* passado.
let bygones be bygones — o que lá vai, lá vai.

bypass ['bai-pɑ:s], **1** — *s.* vereda, caminho secundário.
2 — *vt.* iludir, não cumprir.

bypath ['bai-pɑ:θ], *s.* vereda, atalho, caminho secundário.
byplay ['bai-plei], *s.* passatempo; mímica.
byssus ['bisəs], *s.* tecido antigo.
bystander ['bai'stændə], *s.* espectador, circunstante, observador, presente. (*Sin.* spectator, looker-on, watcher.)
bystreet ['bai-stri:t], *s.* travessa, viela, rua lateral.
byword ['baiwə:d], *s.* provérbio, rifão.
Byzantian [bi'zæntiən], *adj.* bizantino.
Byzantine [bi'zæntain], *s.* e *adj.* bizantino.
Byzantinism [bi'zæntinism], *s.* bizantinice.
Byzantium [bi'zæntiəm], *top.* Bizâncio.

C

C, c [si:] (*pl.* **C's, c's** [si:z]), C, c (terceira letra do alfabeto); (mús.) dó.
(in) c major — (em) dó maior.
(in) c minor — (em) dó menor.
(in) c sharp — (em) dó sustenido.
cab [kæb], **1** — *s.* cupé, cabriolé; táxi; (gíria esc.) cábula, burro; cabine do maquinista de locomotiva ou do condutor de camião.
cab-driver — cocheiro condutor; motorista de praça.
cab-rank — fila de táxis na praça.
cab-runner, cab-tout — homem que vive de descarregar bagagem de táxis, carregador.
cab-stand — local de estacionamento de táxis, praça de táxis.
2 — *vi.* andar de carro; usar o «burro» ou cábula para fazer uma tradução.
cabal [kə'bæl], **1** — *s.* cabala, conluio, trama, conspiração; intriga.
2 — *vi.* cabalar, conspirar; intrigar.
cabala [kə'bɑ:lə], *s.* cabala, interpretação alegórica da Bíblia entre os antigos judeus; espécie de ocultismo.
cabalist [kæbə'list], *s.* cabalista, pessoa que sabe muito de cabala ou que se dedica a ciências ocultas.
cabalistic [-ik], *adj.* cabalístico.
cabalistically [-ikəli], *adv.* cabalisticamente.
caballer [kə'bælə], *s.* conspirador; intriguista.
cabaret ['kæbərei], *s.* cabaré; espectáculo em restaurante ou cabaré, durante as refeições.
cabbage ['kæbidʒ], *s.* repolho, couve; (col.) retalhos de pano.
cabbage-beetle — insecto que ataca as couves.
cabbage-butterfly — borboleta das couves.
cabbage-lettuce — alface repolhuda.
cabbage-moth — insecto que ataca as couves.
cabbage-rose — rosa de cem folhas.
cabbage-tree — espécie de palmeira.
cabbage-worm — lagarta da couve.
sea-cabbage — couve galega.
tailor's cabbage — retalhos de alfaiate.
cabbala [kə'bɑ:lə], *s.* ver **cabala.**
cabbalist [kæbə'list], *s.* ver **cabalist.**
cabbalistic [-ik], *adj.* ver **cabalistic.**
cabbalistically [-ikəli], *adv.* ver **cabalistically.**
cabby ['kæbi], *s.* (col.) cocheiro.
cabin ['kæbin], *s.* camarote (de navio); câmara; cabana; cubículo.
cabin-boy — criado de camarote de navio.
cabin de luxe — alojamento de luxo.
cabinet ['kæbinit], *s.* gabinete; gabinete ministerial; aposento pequeno; papeleira; armário.
Cabinet — Ministério; Governo.
Cabinet-council — conselho de ministros.
cabinet-crisis — crise ministerial.
cabinet-maker — marceneiro.
cabinet-making — marcenaria.
cabinet-photograph — fotografia maior que um cartão-de-visita.
cabinet-size (fot.) — formato 10 × 14 cm de fotografia.
cabinet-work — trabalho de marcenaria.
music-cabinet — estante de músicas.
cable [keibl], **1** — *s.* cabo (de corda ou arame), amarra, espia; cabo submarino (telegráfico); cabograma, telegrama.
cable-box — caixa de junção ou distribuição de cabos.
cable-clamp — braçadeira do cabo.
cable-drum — tambor em que se enrolam cabos.
cable-laid (náut.) — torcido em cabo.
cable-line — linha de cabos.
cable's-length — medida marítima (100 braças).
cable-vessel — navio do cabo submarino.
cable-railway — funicular.
2 — *vt.* e *vi.* amarrar com cabo; telegrafar (pelo cabo submarino).
cablegram ['keiblgræm], *s.* cabograma, telegrama pelo cabo submarino.
cabler ['keiblə], *s.* expedidor de cabogramas.
cablet ['keiblit], *s.* (náut.) amarra pequena.
cabman ['kæbmən], *s.* cocheiro.
caboodle [kə'bu:dl], *s.* (fam.) conjunto, cambada.
the whole caboodle — toda a malta.
caboose [kə'bu:s], *s.* cozinha de navio (marinha mercante).
cabotage ['kæbətɑ:ʒ], *s.* cabotagem, navegação costeira.
cabriolet [kæbriə'lei], *s.* cabriolé.
cacao [kə'kɑ:ou], *s.* cacau; amêndoa do cacaueiro de que se faz chocolate.
cacao-tree — cacaueiro.
cachalot ['kæʃəlɔt], *s.* cachalote, cetáceo parecido com a baleia, mas sem barbas e provido de dentes.
cache [kæʃ], **1** — *s.* esconderijo (para alimentos); alimentos escondidos.
2 — *vt.* esconder.
cachectic [kə'kektik], *adj.* caquéctico.
cachet ['kæʃei], *s.* (med.) comprimido, hóstia; marca; selo, sinete.
cachexy [kə'keksi], *s.* caquexia.
cachinnate ['kækineit], *vi.* rir alto, rir às gargalhadas, casquinar.
cachinnation [kæki'neiʃən], *s.* gargalhada estrondosa, casquinada.
cachou [kə'ʃu:], *s.* pílula para perfumar o hálito.

cachucha [kə'tʃu:tʃə], *s.* cachucha (dança).
cacique [kæ'si:k], *s.* cacique, chefe entre os indígenas das Antilhas, Peru, México, Filipinas, etc.
cackle [kækl], **1** — *s.* cacarejo; tagarelice; conversa tola.
2 — *vi.* cacarejar; tagarelar; rir às gargalhadas.
cackler ['kæklə], *s.* ave que cacareja; tagarela, falador.
cackling ['kækliŋ], *s.* cacarejo; tagarelice.
cacodyl ['kækoudail], *s.* (quím.) cacodilo ou dimetilarsénio.
cacoepy ['kækouepi], *s.* cacoépia, pronúncia viciosa.
cacoethes [kækou'i:θiz], *s.* cacoete.
cacographic [kækou'græfik], *adj.* cacográfico.
cacographical [kækou'græfikəl], *adj.* ver **cacographic.**
cacography [kæ'kɔgrəfi], *s.* cacografia, ortografia viciosa.
cacology [kæ'kɔlədʒi], *s.* cacologia, locução viciosa.
cacophonic [kækə'fɔnik], *adj.* cacofónico, em que há cacofonia.
cacophonical [-əl], *adj.* ver **cacophonic.**
cacophonous [kæ'kɔfənəs], *adj.* cacofónico.
cacophony [kæ'kɔfəni], *s.* cacofonia, reunião de duas palavras ou duas sílabas de palavras diferentes que causam um som desagradável.
cacti ['kæktai], *s. pl.* de **cactus.** Ver **cactuses.**
cactus ['kæktəs], *s.* cacto.
cactuses ['kæktəsiz], *s. pl.* de **cactus.** Ver **cacti.**
cacuminal [kæ'kju:minl], *adj.* cacuminal.
cad [kæd], **1** — *s.* pessoa grosseira, ordinária, patife; condutor de ónibus; empregado em escolas e colégios.
2 — *vi.* ter um comportamento ordinário.
cadastral [kə'dæstrəl], *adj.* cadastral.
cadastre [kə'dæstə], *s.* cadastro.
cadaveric [kə'dæverik], *adj.* cadavérico.
cadaverous [kə'dævərəs], *adj.* cadavérico; próprio de cadáver, lívido.
cadaverousness [kə'dævərəsnis], *s.* estado cadavérico.
caddice ['kædis], *s.* larva usada para isca de anzol.
caddie ['kædi], *s.* rapaz que leva as maças e bolas no golfe; rapaz que apanha as bolas no ténis.
caddis ['kædis], *s.* ver **caddice** = **caddis-bait** = **caddis-fly** = **caddis-worm.**
caddish ['kædiʃ], *adj.* ordinário, grosseiro.
caddishly [-li], *adv.* de uma maneira grosseira.
caddishness ['kædiʃnis], *s.* grosseria, acção grosseira.
caddy ['kædi], *s.* caixa ou lata para o chá.
caddy-spoon — colher de chá.
cadence ['keidəns], *s.* cadência.
cadenced [-t], *adj.* cadenciado, harmonioso, rítmico.
cadency ['keidənsi], *s.* descendência do ramo mais novo.
cadet [kə'det], *s.* cadete ou estudante naval ou militar; irmão mais novo.
cadet-corps — corpo de cadetes.
cadetship [kə'detʃip], *s.* estado ou condição de cadete.
cadge [kædʒ], *vt.* e *vi.* pedinchar; vender coisas miúdas pelas ruas; (cal.) cravar.
cadger ['kædʒə], *s.* pedinchão, mendigo; vendedor ambulante; (cal.) pessoa que crava os outros, «crava».
cadmium ['kædmiəm], *s.* cádmio, metal pardacento, muito dúctil e maleável, semelhante ao estanho.
cadre [kɑ:də], *s.* caixilho; quadro; quadro militar permanente, pessoal do quadro.
caducei [kə'dju:sjai], *s. pl.* de **caduceus.**
caduceus [kə'dju:sjəs], *s.* caduceu (mit.).
caducity [kə'djusiti], *s.* caducidade.
caducous [kə'dju:kəs], *adj.* caduco.
caecum ['sikəm], *s.* ceco, a parte mais larga do intestino grosso.
Caesar ['si:zə], *n. p.* César, imperador romano.
Caesarea [si:zə'riə], *top.* Cesareia.
Caesarean [si:zə'riən], *adj.* de Cesareia.
Caesarean [si(:)'zɛəriən], *adj.* cesariano, de César; imperial.
caesarean operation — (operação) cesariana.
Caesarism ['si:zərism], *s.* cesarismo, governo despótico.
Caesarist ['si:zərist], *s.* cesarista.
caesious ['si:ziəs], *adj.* de um verde azulado ou acinzentado.
caesura [si(:)'zjuərə], *s.* cesura; pausa no meio de um verso.
café ['kæfei], *s.* café, café-restaurante.
cafeteria [kæfi'tiəriə], *s.* café ou restaurante em que as pessoas vão buscar o que pretendem comer.
caffeine ['kæfii:n], *s.* cafeína.
cage [keidʒ], **1** — *s.* gaiola, jaula, prisão; plataforma à entrada duma mina para levantar e baixar carros; armação exterior (de um edifício) em madeira.
2 — *vt.* engaiolar, prender.
cageling [-liŋ], *s.* pássaro engaiolado.
cagey ['keidʒi], *adj.* (cal.) cauteloso, sabido, esperto.
caiman ['keimən], *s.* caimão, espécie de crocodilo da América.
Cain [kein], *n. p.* Caim.
caique [kai'i:k], *s.* caíque.
cairn [kɛən], *s.* pirâmide, montão de pedras tumulares, dólmen.
cairngorm ['kɛən'gɔ:m], *s.* pedra preciosa amarela ou acastanhada que se encontra na Escócia.
Cairo ['kaiərou], *top.* Cairo.
caisson [kə'su:n], *s.* (mil.) caixa de munições de guerra; (eng.) caixa para construções debaixo de água.
caisson of dock — porta-batel de doca.
caitiff ['keitif], **1** — *s.* patife; covarde.
2 — *adj.* vil, desprezível.
cajole [kə'dʒoul], *vt.* lisonjear, adular; engodar; seduzir; intrujar.
cajolement [-mənt], *s.* lisonja, adulação; engodo, sedução; intrujice.
cajoler [kə'dʒoulə], *s.* lisonjeador, adulador; sedutor; intrujão.
cajolery [-i], *s.* ver **cajolement.**
cajoling [kə'dʒouliŋ], **1** — *s.* adulação, lisonja.
2 — *adj.* adulador, lisonjeador.
cajolingly [-li], *adv.* lisonjeiramente.
cake [keik], **1** — *s.* queque, bolo.
a piece of cake (col.) — qualquer coisa fácil ou agradável.
bride-cake — bolo de noiva.
cake of soap — sabonete.
cake-tin — forma (para bolos).
land of cakes — (fig.) Escócia.
one cannot have one's cake and eat it too — honra e proveito não cabem no mesmo saco.
cake-walk — dança de origem negra, com um bolo por prémio.
to sell like hot cakes — vender-se rapidamente (que nem canela).
to take the cake — ganhar o prémio; ter as honras.
2 — *vt.* formar ou transformar qualquer coisa numa massa espessa e dura.

he was caked with mud — ele estava coberto de lama (dura e seca).
caky [-i], *adj.* como um bolo ou queque.
calabar ['kæləbə], *s.* pele de esquilo cinzento.
calabash ['kæləbæʃ], *s.* cabaça (vaso), cabaça (fruto); cabaceiro.
calabash-tree — cabaceiro.
calaber ['kæləbə], *s.* ver **calabar.**
calaboose [kælə'bu:z], *s.* (E. U.) prisão, calabouço, cárcere.
Calabria [kə'læbriə], *top.* Calábria.
Calais ['kælei], *top.* Calais (cidade da França).
calamander [kælə'mændə], *s.* madeira de Ceilão e Índia, própria para mobílias.
calamary ['kæləməri], *s.* lula.
calamine ['kæləmain], *s.* calamina, carbonato de zinco.
calamite ['kæləmait], *s.* calamita, planta fóssil dos terrenos carboníferos.
calamitous [kə'læmitəs], *adj.* calamitoso, funesto.
calamitously [-li], *adv.* calamitosamente.
calamitousness [kə'læmitəsnis], *s.* calamidade, miséria, desgraça; sofrimento.
calamity [kə'læmiti], *s.* calamidade, grande desgraça.
calamus ['kæləməs], *s.* cálamo.
calash [kə'læʃ], *s.* caleche, caleça; toucado, capuz armado (de mulher).
calcareous [kæl'kεəriəs], *adj.* calcário.
calcareousness [-nis], *s.* qualidade calcária.
calceolaria [kælsiə'lεəriə], *s.* calceolária (planta).
calces ['kælsi:z], *s. pl.* de **calx.**
calcic ['kəlsik], *adj.* cálcico.
calciferous [kæl'sifərəs], *adj.* calcífero, calcário.
calcification [kælsifi'keiʃ(ə)n], *s.* calcificação.
calcified ['kælsifaid], *pret.* e *pp.* de **to calcify.**
calcify ['kælsifai], *vt.* e *vi.* converter ou converter-se em cal; calcificar, calcificar-se; petrificar.
calcimine ['kælsimain], *s.* calcimina, tinta a água para paredes interiores.
calcinable [kæl'sainəbl], *adj.* calcinável.
calcination [kælsi'neiʃ(ə)n], *s.* calcinação.
calcine ['kælsain], *vt.* e *vi.* calcinar, calcinar-se.
calciner [-ə], *s.* forno de calcinação.
calcining ['kælsainiŋ], *s.* calcinação.
calcite ['kælsait], *s.* calcite, carbonato de cálcio cristalizado.
calcium ['kælsiəm], *s.* cálcio.
calcium acid carbonate = *calcium bicarbonate* — bicarbonato de cálcio.
calcspar ['kælkspɑ:], *s.* calcite.
calculable ['kælkjuləbl], *adj.* calculável.
calculate ['kælkjuleit], *vt.* e *vi.* calcular, fazer cálculos; avaliar; prever; projectar. (*Sin.* to compute, to account, to reckon.)
to calculate upon something — contar com alguma coisa.
to calculate the charge (the mixture) — (téc.) dosar.
calculating [-iŋ], **1** — *s.* cálculo.
2 — *adj.* calculador.
calculating-machine — máquina de calcular.
calculating-scale — régua de cálculo.
calculation [kælkju'leiʃ(ə)n], *s.* cálculo, cômputo.
rough calculation — cálculo aproximado.
accurate calculation — cálculo exacto.
to be out in one's calculation — enganar-se nos cálculos.
calculative ['kælkjulətiv], *adj.* relativo a cálculo, calculador.
calculator ['kælkjuleitə], *s.* calculista; calculador; máquina de calcular.
calculi ['kælkjulai], *s. pl.* de **calculus.**
calculous ['kælkjuləs], *adj.* que tem cálculos.
calculus ['kælkjuləs], *s.* (med.) cálculo (da bexiga, rins, etc.); (mat.) cálculo.
renal calculus — cálculo renal.
differential calculus — cálculo diferencial.
calculuses ['kælkjuləsiz], *s. pl.* de **calculus.**
caldron ['kɔ:ldr(ə)n], *s.* caldeirão.
Caledonia [kæli'dounjə], *top.* Caledónia.
Caledonian [-n], *s.* e *adj.* caledoniano, habitante ou natural da Caledónia.
calefacient [kæli'feiʃənt], *s.* e *adj.* calefaciente, que produz calor.
calefaction [kæli'fækʃ(ə)n], *s.* calefacção, aquecimento.
calefactory [kæli'fæktəri], *s.* e *adj.* calefactor, que produz calor.
calendar ['kælində], **1** — *s.* calendário, almanaque, lista.
2 — *vt.* registar; pôr na lista.
calendar month — mês civil.
calendar year — ano civil.
calender ['kælində], **1** — *s.* calandra, máquina para acetinar ou lustrar tecidos.
calender roller — rolo compressor (téc.).
2 — *vt.* calandrar, acetinar ou lustrar com a calandra.
calenderer [-rə], *s.* calandreiro.
calendering [-riŋ], *s.* calandragem.
calends ['kælindz], *s. pl.* calendas.
on the Greek calends — para as calendas gregas; nunca.
calenture ['kæləntjuə], *s.* calentura; acesso febril com delírio que se nota nos navegantes nas regiões tropicais; espécie de insolação.
calf [kɑ:f], *s.* (*pl.* **calves**) vitela, bezerro; pele de bezerro; barriga da perna; (col.) idiota; (náut.) bloco de gelo flutuante.
calf bound — encadernado em pele de vitela.
calf dozer — tractor para remover a terra.
calf-knee — pernas cujos joelhos batem um no outro.
calf-love — namorico infantil.
calf-skin — bezerro; pele curtida de vitela.
calf's teeth — dentes de leite.
calves foot jelly — geleia de mão de vaca.
golden calf — bezerro de oiro; estúpido.
in calf — cheio, prenhe (animais).
sea-calf — lobo-do-mar; boi-marinho; foca.
with calf = *in calf.*
calfish ['kɑ:fiʃ], *adj.* como um bezerro, ingénuo.
caliber ['kælibə], *s.* calibre, diâmetro interior de um tubo; marca; valor; aptidão.
calibrate ['kælibreit], *vt.* calibrar, medir o calibre de; graduar, verificar a escala de qualquer instrumento de medição.
calibration [kæli'breiʃən], *s.* calibragem.
calibrator [kæli'breitə], *s.* calibrador.
calibre ['kælibə], *s.* ver **caliber.**
calibred [-d], *adj.* calibrado.
calices ['keilisiz], *s. pl.* de **calix.**
calico ['kælikou], *s.* pano de algodão, chita.
punted calico — chita.
calico-printing — estampagem de algodão.
calico-ball — baile a que se levam só vestidos de algodão.
calif ['kælif], *s.* califa.
calipash ['kælipæʃ], *s.* substância gelatinosa da tartaruga junto à concha superior.
calipee ['kælipi:], *s.* ver **calipash.**
caliper ['kælipə], *s.* compasso de calibre (também **calipers**).
caliper rule — paquímetro.
caliph ['kælif], *s.* ver **calif.**
caliphate ['kælifeit], *s.* califado.
calix ['keiliks], *s.* (anat.) cálice, cavidade em forma de cálice.
calk [kɔ:k], *s.* ponta de ferradura; protector de ferro para o calçado.

calkin ['kælkin], *s.* rompão; ponta de ferradura: protector de ferro.
calking ['kɔ:kiŋ], *s.* calafetagem, encalque.
call [kɔ:l], **1** — *s.* chamada; chamamento, apelo, atracção; convite, pequena visita; obrigação, direito; grito; pedido (de dinheiro); reclamação; toque ou apelo para chamada; escala (porto); voz; necessidade, ocasião (fam.); vocação.
at call — à primeira chamada.
call-boy — a pessoa que no teatro chama os actores.
call-button — botão de chamada.
the call of sea — a atracção do mar.
there is no call for you to worry — não tens necessidade de te preocupares.
to answer the call of duty — cumprir o dever.
to be at someone's call — estar às ordens ou à disposição de alguém.
to feel a call to — sentir vocação para.
to have a close call — escapar (de qualquer perigo) por pouco.
to pay a call — fazer uma pequena visita.
trunk-call = *long-distance call* — chamada interurbana.
within call — ao alcance da voz.
2 — *vt.* e *vi.* chamar, nomear; convocar, citar, intimar; convidar; invocar, evocar; acordar; anunciar; gritar; implorar, pedir (dinheiro); tocar num porto, fazer escala; ler; fazer a chamada; considerar; visitar. (*Sin.* to cry, to shout, to name, to entitle, to convoke, to summon, to invite, to appoint.)
don't forget to call me at 8 o'clock — não te esqueças de me acordar às 8 horas.
I don't know what to call it — não sei como isso se chama.
letters to be called for — (cor.) posta-restante.
to be called on to say one's lesson — ser chamado à lição.
to call a consultation — fazer uma conferência.
to call a meeting — convocar uma assembleia.
to call aside — chamar à parte.
to call a spade a spade — falar sem rodeios.
to call a strike — dar ordens aos trabalhadores para entrarem em greve.
to call at — visitar; (náut.) tocar, fazer escala em.
to call away — chamar para outro sítio.
to call away from — ir chamar a.
to call a halt — acabar; mandar parar.
to call back — falar ou telefonar novamente; passar de novo; fazer regressar.
to call back one's words — retractar-se; negar o que se disse anteriormente.
to call down — chamar para baixo; (col. E. U.) repreender.
to call for — necessitar, exigir; perguntar por; mandar chamar.
to call forth — provocar; pôr em acção, intimar (para uma acção).
to call in — mandar entrar; reclamar; passar por casa de alguém, fazer uma curta visita; mandar recolher, mandar chamar.
to call in question — pôr em dúvida; disputar.
to call into being — criar; fazer nascer.
to call it a day — pôr fim a; findar por esse dia.
to call off — considerar sem efeito, anular; dissuadir, desviar.
to call on — fazer uma curta visita; invocar; implorar.
to call one's bluff — desafiar.
to call out — gritar; mobilizar; desafiar para duelo; dar ordens.
to call out for — gritar por.
to call over — ler em voz alta; repetir; fazer a chamada.
to call over the coals — repreender; exigir explicações.
to call someone names — chamar nomes a alguém.
to call the roll — fazer a chamada.
to call the lead — medir as braças (profundidade da água).
to call the soundings = *to call the lead.*
to call to account — chamar a contas, pedir explicações a.
to call together — reunir, convocar.
to call to mind — fazer lembrar; fazer notar.
to call to order — chamar à ordem.
to call to the Bar — admitir a trabalhar no tribunal como advogado.
to call up — imaginar, recordar; chamar ao telefone; apresentar à discussão; chamar às fileiras, convocar (para o serviço militar), mobilizar; acordar.
to call upon = *to call on.*
to have nothing to call one's own — não ter nada de seu; não ter um vintém.
what do you call this in English? — como se diz (se chama) isto em inglês?
caller ['kɔ:lə], *s.* chamador; visita.
calligraph [kə'ligrəf], *vt.* caligrafar, escrever em boa letra, fazer caligrafia.
calligrapher [kə'ligrəfə], *s.* calígrafo.
calligraphic [kəli'græfik], *adj.* caligráfico.
calligraphical [kəli'græfikəl], ver **calligraphic.**
calligraphically [kəli'græfikəli], *adv.* caligraficamente.
calligraphist [kə'ligrəfist], *s.* calígrafo.
calligraphy [kə'ligrəfi], *s.* caligrafia.
calling ['kɔ:liŋ], *s.* chamada, convocação; profissão, ofício; classe. (*Sin.* vocation, profession, pursuit, occupation, craft, trade.)
callipers ['kællipəz], **1** — *s. pl.* compasso de pontas curvas, calibrador.
inside callipers — compasso de furos.
outside callipers — compasso de volta.
2 — *vt.* medir com o calibrador.
callisthenic [kælis'θenik], *adj.* calisténico.
callisthenics [kælis'θeniks], *s.* calistenia, ginástica para produzir elegância e força, principalmente nas raparigas.
callosity [kæ'lɔsiti], *s.* calosidade.
callous ['kæləs], *adj.* caloso, calejado, endurecido; insensível, indiferente.
callously ['kæləsli], *adj.* de modo caloso, de modo duro ou insensível.
callousness ['kæləsnis], *s.* calosidade; indiferença; insensibilidade.
callow ['kælou], *adj.* implume; inexperiente. (*Sin.* unfledged, raw, inexperienced, green, simple.)
callus ['kæləs], *s.* (fisiol.) calo; (méd.) calo ósseo, osso novo (na cura duma fractura).
calm [kɑ:m], **1** — *s.* calma, sossego; serenidade, tranquilidade; (náut.) calmaria. (*Sin.* stillness, serenity, tranquillity, peace, calmness.)
calms — região de calmas.
2 — *adj.* calmo, sereno, tranquilo, sossegado. (*Sin.* serene, quiet, undisturbed, peaceful, still, composed. *Ant.* stormy, disturbed.)
calm belt — zona de calmas.
calm sea — mar calmo.
calm weather — tempo bonançoso.
to become calm — acalmar, serenar.
to get calm = *to become calm.*
3 — *vt.* e *vi.* acalmar(-se), serenar (também *to calm down*).
calmative ['kælmətiv], **1** — *s.* calmante.
2 — *adj.* calmante.
calming ['kɑ:miŋ], *adj.* suavizante, calmante.
calming section — zona de repouso.
calmly ['kɑ:mli], *adv.* calmamente.

calmness ['kɑ:mnis], *s.* calma, serenidade, tranquilidade.
calomel ['kæləmel], *s.* calomelanos.
caloric [kə'lɔrik], *s.* calórico; calor.
calorie ['kæləri], *s.* caloria.
lesser calorie — pequena caloria.
calorific [kælə'rifik], *adj.* calorífico.
calorification [kə'lɔrifi'keiʃ(ə)n], *s.* calorificação.
calorimeter ['kælə'rimitə], *s.* calorímetro.
calorimetric ['kælə'rimitrik], *adj.* calorimétrico.
calorimetric determination of the heating value — determinação (por meio do calorímetro) do poder calorífico.
calorimetric measurement — calorimetria.
calorimetry ['kælə'rimitri], *s.* calorimetria.
calory ['kæləri], *s.* ver **calorie.**
calorimotor ['kæləri'moutə], *s.* bateria de grandes chapas produzindo efeitos de calor.
calotte [kə'lɔt], *s.* solidéu; barrete pequeno.
calp [kælp], *s.* pedra pardacenta da Irlanda.
caloyer ['kælɔiə], *s.* monge grego da ordem de S. Basílio.
caltrop ['kæltrəp], *s.* abrolho; estrepe.
calumet ['kæljumet], *s.* cachimbo; símbolo da paz (E. U.).
to smoke the calumet together — fazer as pazes.
calumniate [kə'lʌmnieit], *vt.* caluniar, difamar. (*Sin.* to slander, to blemish, to backbite, to detract. *Ant.* to eulogize.)
calumniation [kə'lʌmni'eiʃ(ə)n], *s.* calúnia.
calumniator [kə'lʌmnieitə], *s.* caluniador.
calumniatory [kə'lʌmnieit(ə)ri], *adj.* calunioso.
calumnious [kə'lʌmniəs], *adj.* calunioso.
calumniously [-li], *adj.* caluniosamente.
calumny ['kæləmni], *s.* calúnia.
calvary ['kælvəri], *s.* calvário.
calve [kɑ:v], *vt.* e *vi.* parir (vaca); separar (parte de uma geleira polar).
calves [kɑ:vz], *s. pl.* de **calf.**
Calvin ['kælvin], *n. p.* Calvino.
calvinism ['kælvinism], *s.* calvinismo.
calvinist ['kælvinist], *adj.* calvinista.
calvinistic [-ik], *adj.* calvinista.
calvinistical [-ikəl], *adj.* ver **calvinistic.**
calx [kælks], *s.* resíduos de minerais depois da calcinação.
calyces ['keilisi:z], *s. pl.* de **calyx.** Ver **calyxes.**
calycle ['kælikl], *s.* calículo; cálice pequeno que envolve certas flores.
calyx ['keiliks], *s.* (bot.) cálice (flor).
calyxes ['keiliksiz], *s. pl.* de **calyx.** Ver **calyces.**
cam [kæm], *s.* ressalto (de roda ou eixo); excêntrico.
cam rod — haste da alavanca do excêntrico.
cam shaft — veio do motor; veio do excêntrico.
camarilla [kæmə'rilə], *s.* camarilha.
camber ['kæmbə], **1** — *s.* arqueamento, abaulamento; peça curva de madeira.
camber of the road surface — abaulamento da superfície da estrada.
2 — *vt.* e *vi.* arquear, abaular; tornar convexo.
cambered ['kæmbəd], *adj.* abaulado.
cambist ['kæmbist], *s.* cambista.
cambium ['kæmbiəm], *s.* câmbio, câmbium (bot.).
cambric ['keimbrik], **1** — *s.* cambraia.
2 — *adj.* de cambraia.
cambric paper — papel de seda, papel acetinado.
cambric tea — (E. U.) água quente com leite e açúcar.
Cambridge ['keimbridʒ], *top.* Cantabrígia.
came [keim], **1** — *s.* tira de chumbo usada nas janelas.
2 — *pret.* do verbo **to come.**
camel ['kæm(ə)l], *s.* camelo, dromedário; tipo de avião de caça.
camel's hair — lã de camelo; tecido feito de lã de camelo.
cameleer ['kæmi'liə], *s.* cameleiro, condutor de camelos.
camellia [kə'mi:ljə], *s.* camélia.
camelopard ['kæmiləpɑ:d], *s.* girafa.
camelry ['kæmelri], *s.* (mil.) tropas montadas em camelos.
cameo ['kæmiou], *s.* camafeu.
camera ['kæm(ə)rə], *s.* câmara; câmara escura; máquina fotográfica ou cinematográfica; gabinete particular do juiz.
camera eye — agente de polícia com grande facilidade em reter pela imagem.
camera-man — fotógrafo, operador cinematográfico.
camera-stand — tripé.
camera-shutter — obturador de máquina fotográfica.
hand-camera — máquina fotográfica (de mão).
in camera — em particular; em segredo; secreto.
camerist ['kæmərist], *s.* operador cinematográfico.
camerlingo [kæmə'lingou], *s.* camerlengo.
cami-knickers [kæmi'nikəz], *s.* camisa-calça.
camion ['kæmiən], *s.* camião.
camisole ['kæmisoul], *s.* camisola (de senhora).
camlet ['kæmlit], *s.* chamalote, espécie de tecido antigo de lã e seda.
camomile ['kæməmail], *s.* camomila.
camouflage ['kæmuflɑ:ʒ], 1 — *s.* camuflagem, disfarce, estratagema militar.
2 — *vt.* camuflar.
camp [kæmp], **1** — *s.* acampamento, campo militar; pessoas acampadas; partido; campo.
camp-bed — cama de campanha.
camp-chair — cadeira de armar.
camp-colours — bandeira de acampamento.
camp-fever — tifo.
camp-follower — civil ou prostituta que segue um acampamento.
camp-meeting — reunião ao ar livre para assuntos religiosos (E. U.).
camp-stool — banco de lona de dobrar.
holiday-camp — colónia de férias.
to break the camp — levantar arraial.
2 — *vt.* e *vi.* acampar; alojar-se provisoriamente.
to camp out — acampar.
campaign [kæm'pein], **1** — *s.* campanha.
2 — *vi.* servir em campanha.
campaigner [-ə], *s.* soldado em campanha.
old campaigner — veterano; pessoa habituada a tudo.
campanile [kæmpə'ni:li], *s.* campanário.
campanologist ['kæmpə'nɔlədʒist], *s.* campanólogo.
campanology ['kæmpə'nɔlədʒi], *s.* campanologia, arte de tocar sinos.
campanula [kəm'pænjulə], *s.* campânula, flor da família das Campanuláceas.
campanulate [kəm'pænjulit], *adj.* campanulado.
camper ['kæmpə], *s.* soldado de acampamento; campista.
camphor ['kæmfə], *s.* cânfora.
camphorate **1** — ['kæmfərit], *s.* canforato.
2 — ['kæmfəreit], *vt.* canforar, impregnar de cânfora.
camphorated ['kæmfəreitid], *adj.* canforado.
camphorated spirit — álcool canforado.
camphoric [kæm'fɔrik], *adj.* canfórico.

camping ['kæmpiŋ], *s.* acampamento; campismo.
camping ground — local onde é permitido acampar.
camping out — campismo.
to go camping — praticar campismo.
campion ['kæmpjən], *s.* erva-traqueira.
campshed ['kæmpʃed], *vt.* rodear de estacas.
campshedding ['kæmpʃediŋ], *s.* revestimento de estacas para resguardar qualquer coisa da acção das águas.
campsheeting ['kæmpʃi:tiŋ], *s.* ver **campshedding.**
campshot ['kæmpʃɔt], *s.* ver **campshedding.**
campus ['kæmpəs], *s.* terrenos ou campos de jogos de escolas ou universidades americanas.
campuses [-iz], *s. pl.* de **campus.**
camwood ['kæmwud], *s.* madeira dura e vermelha da África Ocidental de que se extrai uma tinta.
can [kæn], **1** — *s.* caneca, vasilha, almotolia; lata (para conservas); cântaro.
can-buoy — bóia cónica.
canful — o conteúdo de um cântaro.
milkcan — cântaro do leite.
oilcan — oleadeira.
water(ing)-can — regador.
2 — *vt.* (pret. e pp. **canned**) enlatar, meter em latas (esp. conservas).
canned food, canned goods — conservas.
3 — *v. defect.* (pres. ind. **can**; pret. **could**; não tem infinito nem particípio passado; é substituído pela expressão *to be able to*, e na formação dos tempos compostos *(perfect tenses)* usa-se o verbo *to have* seguido de *been able to)* posso, sou capaz de, tenho possibilidade(s) de; sei; consigo; é possível, é provável.
can you speak English (French, German...)? — sabe(s) falar inglês (francês, alemão...)?
can you write and read?—sabe escrever e ler?
what can I do for you? — em que posso ser-lhe útil?
how can that be? — como pode ser isso (tal coisa)?
as soon as I can — logo que eu possa (me seja possível).
I can't help telling the truth — não posso deixar de dizer a verdade.
she could not but buy that dress — ela não pôde deixar de (não teve outra solução senão) comprar aquele vestido.
Canada ['kænədə], *top.* Canadá.
Canadian [kə'neidjən], *s.* e *adj.* canadiano.
canal [kə'næl], **1** — *s.* canal.
2 — *vt.* irrigar, prover de canais.
canalization [kænəlai'zeiʃ(ə)n], *s.* canalização.
canalize ['kænəlaiz], *vt.* canalizar.
canapé ['kænəpi], *s.* bocado de pão frito com anchovas, etc.
canard [kæ'nɑ:d], *s.* notícia falsa.
canary [kə'nɛəri], **1** — *s.* canário (também *canary-bird.*)
2 — *adj.* canário; das ilhas Canárias.
canary-coloured — cor de canário.
canary-seed — alpista.
Canary-wine — vinho das Canárias.
canaster [kə'næstə], *s.* tabaco de qualidade inferior.
cancel ['kæns(ə)l], **1** — *s.* (tip.) folha reimpressa; anulação.
2 — *vt.* cancelar, anular, rescindir; riscar; (mat.) eliminar os factores comuns.
to cancel out — neutralizar-se mutuamente.
until cancelled — até nova ordem.
cancellate(d) [kænse'leit], *adj.* reticulado.
cancellation [kænse'leiʃ(ə)n], *s.* cancelamento, anulação.
cancelled ['kæns(ə)ld], *adj.* anulado.
cancelling ['kæns(ə)liŋ], *s.* anulação.
Cancer ['kænsə], *s.* Câncer, uma das constelações do Zodíaco.
Tropic of Cancer — trópico de Câncer.
cancer ['kænsə], *s.* cancro, câncer.
cancered ['kænsəd], *adj.* cancerado.
cancerous ['kæns(ə)rəs], *adj.* canceroso.
candelabra ['kændi'lɑ:brə], *s.* candelabro, lustre; serpentina.
candelabra ['kændi'lɑ:brə], *s. pl.* de **candelabrum.**
candelabrum ['kændi'lɑ:brəm], *s.* candelabro.
candescence [kæn'des(ə)ns], *s.* candência.
candescent [kæn'des(ə)nt], *adj.* candente.
candid ['kændid], *adj.* cândido, simples, sincero, franco, imparcial, de boa-fé. (*Sin.* frank, sincere, fair, guileless, straight forward. *Ant.* cunning.)
candid camera photograph — fotografia tirada sem que a pessoa saiba.
candid friend — pseudo-amigo que tem prazer em dizer verdades amargas; (bras.) amigo-da-onça.
candidate ['kændidit], *s.* candidato.
candidature ['kændiditʃə], *s.* candidatura.
candidly ['kændidli], *adv.* sinceramente, francamente, de boa-fé, com ingenuidade.
candidness ['kændidnis], *s.* candura, simplicidade, ingenuidade, boa-fé; sinceridade, franqueza.
candied ['kændid], *adj.* conservado em açúcar; coberto de açúcar; doce, agradável; lisonjeiro.
candle [kændl], *s.* vela, candeia.
candle-coal — mulher gorda.
candle-end — toco de vela.
candle-extinguisher — apagador de vela.
candle-grease — sebo.
candle-guard — arandela.
candle-holder — castiçal.
candle-light — luz de vela.
candle-lit — iluminado com velas.
candle-mould — molde para fazer velas.
candle-power — poder iluminante.
candle-shade — quebra-luz.
candle-snuffers — espevitador.
candle-stick — castiçal.
candle-tree — cerieira (bot.).
candle-wick — pavio, torcida de candeeiro.
not fit to hold a candle to — muito inferior a; que não se pode comparar com.
tallow candle — vela de sebo.
the game is not worth the candle — não vale a pena; não vale o trabalho que dá.
to burn the candle at both ends — esbanjar; gastar demasiado.
wax candle — vela de cera.
when the candles are away all cats are grey — de noite todos os gatos são pardos.
Candlemas ['kændlməs], *s.* Candelária; festa da Purificação de Nossa Senhora.
candour ['kændə], *s.* candura, simplicidade, ingenuidade, sinceridade, franqueza, imparcialidade.
candy ['kændi], **1** — *s.* açúcar cristalizado; bombons, caramelos, rebuçados.
candy-shop — confeitaria.
2 — *vt.* preservar em açúcar, cobrir de açúcar; cristalizar (açúcar).
cane [kein], **1** — *s.* cana, bengala, junco, cana-de-açúcar.
cane-apple — medronho.
cane-chair — cadeira de junco ou de palhinha.
cane-field — canavial.
cane-mill — engenho de açúcar.
cane-trash — refugo das canas-de-açúcar.

cane-work — trabalho em palhinha.
sugar cane — cana-de-açúcar.
2 — *vt.* dar bengaladas.
cang [kæŋ], *s.* golilha, canga (instrumento de tortura, usado na China).
cangue [kæŋ], *s.* ver. **cang.**
canicide ['kænisaid], *s.* canicida.
canicular [kə'nikjulə], *adj.* canicular.
canine ['keinain], *adj.* canino.
canine tooth — dente canino.
canister ['kænistə], *s.* caixa para o chá; caixa das hóstias; caixa de lata com metralha.
canister-shot — granada com metralha.
canker ['kæŋkə], **1** — *s.* gangrena; doença de certas árvores de fruto e de alguns animais.
canker-rash — escarlatina com ulceração na garganta.
2 — *vt.* gangrenar, ulcerar; corromper.
cankerous [-rəs], *adj.* gangrenoso, corrosivo.
cankerworm ['kæŋkəwə:m], *s.* lagarta que destrói folhas e botões.
canna ['kænə], *s.* cana-da-índia; planta ornamental.
canned [kænd], **1** — *adj.* enlatado, metido em latas; de conserva.
2 — *pret.* e *pp.* de **to can.**
cannel [kænl], *s.* ver **cannelcoal.**
cannelcoal ['kænlkoul], *s.* hulha para produzir gás.
canner ['kænə], *s.* conserveiro, industrial de conservas.
cannery ['kænəri], *s.* fábrica de conservas.
cannibal ['kænib(ə)l], *s.* canibal.
cannibalism ['kænibəlizm], *s.* canibalismo.
cannibalistic [kænibə'listik], *adj.* canibalesco.
cannikin ['kænikin], *s.* copo de metal; latinha; caneca pequena.
cannily ['kænili], *adv.* sagazmente; com esperteza; astuciosamente, cautelosamente; perspicazmente.
canniness ['kæniniss], *s.* sagacidade; prudência; perspicácia; circunspecção.
canning ['kæniŋ], *s.* processo de preparar conservas em latas; enlatamento.
cannon ['kænən], **1** — *s.* canhão; carambola (bilhar).
cannon-ball — bala de canhão.
cannon-bullet — bala de canhão.
cannon-fodder — carne de canhão.
cannon-metal — metal para canhões.
cannon-proof — à prova de canhão.
to fire a cannon — disparar um canhão.
2 — *vi.* fazer uma carambola, carambolar (no bilhar).
cannonade ['kænəneid], **1** — *s.* canhoneio.
2 — *vt.* e *vi.* bombardear.
cannoneer [kænə'niə], *s.* artilheiro.
cannonry ['kænənri], *s.* canhoneio.
cannot ['kænɔt], forma negativa de **can.**
cannula ['kænjulə], *s.* cânula.
canny ['kæni], *adj.* sagaz, prudente; circunspecto; acautelado; prudente; poupado; equilibrado. (*Sin.* shrewd, worldly-wise, cautious, clever, thrifty.)
canoe [kə'nu:], **1** — *s.* canoa, piroga.
to paddle one's own canoe — ser independente.
2 — *vi.* andar de canoa.
canon ['kænən], *s.* cónego; cânone; catálogo dos livros da Bíblia aceites pela Igreja; tipo grande de imprensa.
canoness ['kænənis], *s.* cónega.
canonic [kə'nɔnik], *adj.* canónico.
canonical [-(ə)l], *adj.* canónico.
canonically [-əli], *adv.* canonicamente.
canonicals [kə'nɔnik(ə)lz], *s.* vestes canónicas.
canonicity [kænɔ'nisiti], *s.* canonicidade.
canonics [kə'nɔniks], *s.* direito canónico.
canonist ['kænənist], *s.* canonista.
canonization ['kænənai'zeiʃ(ə)n], *s.* canonização.
canonize ['kænənaiz], *vt.* canonizar.
canonry ['kænənri], *s.* canonicato.
canoodle [kə'nu:dl], *vt.* e *vi.* amimar, acariciar (col. E. U.).
canopied ['kænəpid], *adj.* coberto com dossel.
canopy ['kænəpi], **1** — *s.* dossel, sobrecéu, pálio; capota.
the canopy of heaven — a abóbada celeste.
2 — *vt.* cobrir com dossel.
canorous [kə'nɔ:rəs], *s.* canoro.
cant [kænt], **1** — *s.* chanfradura; aresta, saliência; inclinação; calão; hipocrisia.
cant file — lima achatada triangular.
cant frame — (náut.) baliza revirada = *cant timber.*
I hate cant — odeio a linguagem hipócrita.
the old cant (col.) — a mesma cantiga.
2 — *vt.* e *vi.* chanfrar, inclinar, perder o equilíbrio (aeroplano); não ajustar (uma peça de máquina); andar à roda (náut.); falar em calão; falar hipocritamente.
Cantab ['kæntæb], *s.* e *adj.* da Universidade de Cantabrígia.
cantabile [kæn'tɑ:bili], *adj.* cantável (mús.).
Cantabrian [kæn'teibriən], *s.* e *adj.* Cântabros.
Cantabrigian [kæntə'bridʒiən], *s.* e *adj.* ver **Cantab.**
cantaloup ['kæntəlu:p], *s.* variedade de melão de Cantalupo (Itália).
cantankerous [kən'tæŋk(ə)rəs], *adj.* rabugento, mau, ruim; bulhento; embirrento; contraditório, desagradável, intratável.
cantankerously [-li], *adv.* com rabugice, impertinentemente; contraditoriamente.
cantankerousness [kən'tæŋk(ə)rəsnis], *s.* rabugice, mau humor, impertinência, contradição.
cantata [kæn'tɑ:tə], *s.* cantata.
canteen [kæn'ti:n], *s.* cantina; cantil.
canter ['kæntə], **1** — *s.* meio galope do cavalo.
to strike a canter — sair a galopar.
to win in a canter — ganhar facilmente.
2 — *vt.* e *vi.* galopar, ir a meio galope.
Canterbury ['kæntəb(ə)ri], *s.* Cantuária.
canterbury ['kæntəb(ə)ri], *s.* estante de músicas.
cantharides [kæn'θæridi:z], *s. pl.* cantáridas.
canticle ['kæntikl], *s.* cântico.
the Canticles — o Cântico dos Cânticos.
cantilever ['kæntili:və], *s.* (arq.) modilhão, cachorro (para sustentar uma varanda).
cantilever bridge — arco de ponte (pela parte superior).
cantilever crane — guindaste de braços horizontais.
canting ['kæntiŋ], **1** — *s.* hipocrisia; calão.
2 — *adj.* hipócrita.
canting humbug — tartufo, fariseu.
cantle [kæntl], *s.* fragmento; pedaço; patilha do selim.
canto ['kæntou], *s.* canto, divisão de poema.
canton [kən'tu:n], *vt.* acantonar, aquartelar (tropas).
canton 1 — ['kæntɔn], *s.* cantão (geog. e her.).
2 — [kæn'tɔn], *vt.* dividir em cantões.
Canton ['kæntən], *top.* Cantão.
cantonal ['kæntənl], *adj.* cantonal.
cantonment [kæn'tu:nmənt], *s.* acantonamento.
cantor ['kæntɔ:], *s.* chantre.
cantorial [kæn'tɔ:riəl], *adj.* (lado) do chantre.
canvas ['kænvəs], *s.* lona, lona para velas; tela; toldo; brim; pano de estopa.
canvas-back (E. U.) — espécie de pato marinho.
canvas-belt — correia de lona.
canvas-berth — camarote de vento.

canvas-chair — cadeira de lona (de dobrar).
canvas-cutter — cortador de lona.
canvas-hose — mangueira de lona.
canvas-town — centro de campismo.
under canvas — debaixo das tendas (tropas); acampado; (náut.) sob vela.

canvass ['kænvəs], **1** — *s.* solicitação de votos, assinaturas ou opinião; escrutínio; averiguação.
canvass book — livro dos votantes.
2 — *vt.* e *vi.* solicitar votos; examinar; discutir, debater; averiguar; (com.) fazer a praça. (*Sin.* to examine, to discuss, to scrutinize, to solicit votes.)

canvasser ['kænvəsə], *s.* angariador de votos, agente eleitoral, pessoa que acompanha o candidato numa viagem eleitoral; (com.) pracista.

canyon ['kænjən], *s.* desfiladeiro, ravina, vale profundo com rio.

canzone [kæn'tsouni], *s.* canção.

canzonet [kænzə'net], *s.* cançoneta.

caoutchouc ['kautʃuk], *s.* cauchu.
caoutchouc-ware — artigos de cauchu.

cap [kæp], **1** — *s.* boné, gorro, barrete; capitel; coberta; cápsula (de armas de percussão); (náut.) pega; capa; abrev. de **capacity, capital letter, chapter.**
a feather in one's cap — algo de que se sentir orgulhoso.
cap and bells = *fool's cap* — barrete de bobo.
cap bolt — cavilha de cobertura.
cap in hand — humildemente.
cap of bearing — tampa de chumaceira ou de mancal.
cap-paper — papel de embrulho; papel de escrever de certas dimensões.
cap screw — parafuso com cabeça.
fool's cap — ver *cap and bells.*
football cap — boné usado pelos elementos da selecção nacional.
if the cap fits you, wear it — se a carapuça te serve, enterra-a.
I must put on my thinking cap — tenho de concentrar as minhas ideias.
in cap, gown and hood — com as vestes de doutor.
knee-cap — rótula do joelho.
liberty-cap — barrete frígio.
night-cap — barrete de dormir.
toe-cap — parte do sapato que cobre os dedos; biqueira.

capability [keipə'biliti], *s.* capacidade, aptidão; idoneidade. (*Sin.* ability, capacity, skill, power.)

capable ['keipəbl], *adj.* capaz, apto, competente, idóneo; susceptível; prendado.
capable of being measured — mensurável.

capableness [-nis], *s.* capacidade, aptidão; competência.

capably ['keipəbli], *adv.* capazmente.

capacious [kə'peiʃəs], *adj.* espaçoso, vasto, amplo.

capaciously [-li], *adv.* espaçosamente; com capacidade.

capaciousness [kə'peiʃəsnis], *s.* espaço; capacidade.

capacitate [kə'pæsiteit], *vt.* capacitar, tornar capaz; habilitar.

capacitator [-ə], *s.* condensador (eléct.).

capacity [kə'pæsiti], *s.* capacidade, volume, espaço; potência; faculdade, poder mental. (*Sin.* volume, size, amplitude, capability.)
filled to capacity — com a lotação esgotada.
seating capacity — lotação.

cap-à-pie ['kæpə'pi], *adv.* dos pés à cabeça.

caparison [kə'pærisn], **1** — *s.* caparação, jaezes; pano ricamente tecido. (*Sin.* harness, equipment, outfit, trappings.)
2 — *vt.* ajaezar.

cape [keip], **1** — *s.* cabo, promontório.
2 — capa curta.
Cape doctor — vento forte de sudeste peculiar da África do Sul.
the Cape = *Cape of Good Hope* — cabo da Boa Esperança.

caper [-ə], **1** — *s.* salto, cabriola; alcaparra.
caper-sauce — molho de alcaparras.
to cut a caper = *to cut capers* — cabriolar; fazer travessuras; fazer das suas.
2 — *vi.* saltar, cabriolar. (*Sin.* to skip, to leap, to romp, to frisk.)
to caper about — cabriolar.

capercailye ['kæpə'keilji], *s.* galo silvestre.

capercailzie ['kæpə'keilji], *s.* ver **capercailye.**

caperer ['keipərə], *s.* saltador; o que dá saltos ou faz cabriolas.

capful ['kæpful], *s.* quantidade suficiente para encher um boné.
a capful of wind — uma lufada de vento.

capias ['keipiæs], *s.* mandato de prisão.

capillaire [kæpi'lɛə], *s.* capilé.

capillairimeter [kæpilə'rimitə], *s.* capilarímetro.

capillarity [kæpi'læriti], *s.* capilaridade.
capillarity action — acção capilar.

capillary [kə'piləri], **1** — *s.* tubo capilar.
2 — *adj.* capilar.
capillary number — número de capilaridade.

capital ['kæpitl], **1** — *s.* capital (cidade); capital (dinheiro), recursos financeiros, letra maiúscula; capitel.
authorized capital — capital autorizado.
called-up capital — capital realizado.
capital at hand — fundos disponíveis.
capital dormant — capital morto.
capital engaged — capital empatado.
capital-stock — capital social.
circulating capital — numerário, capital circulante.
floating capital — ver *circulating capital.*
invested capital — cabedal, fundo, capital investido.
issued capital — capital emitido.
moneyed capital — capital em numerário.
nominal capital — capital nominal.
subscribed capital — capital subscrito.
to make capital out of — tirar proveito de.
working-capital — fundo de maneio.
2 — *adj.* capital; excelente, óptimo; principal; punível com pena de morte; maiúsculo.
a capital speech — um discurso admirável.
capital letter — letra maiúscula.
capital punishment — pena de morte.

capitalism ['kæpitəliz(ə)m], *s.* capitalismo.

capitalist ['kæpitəlist], *s.* capitalista.
the great capitalists — a alta finança.

capitalization [kə'pitəlai'zeiʃ(ə)n], *s.* capitalização.

capitalize [kə'pitəlaiz], *vt.* capitalizar.

capitally ['kæpit(ə)li], *adv.* capitalmente, excelentemente.

capitation ['kæpiteiʃ(ə)n], *s.* capitação, imposto por cabeça.

Capitol ['kæpitl], *s.* Capitólio, edifício do Congresso dos Estados Unidos.

capitolian ['kæpi'touljən], *adj.* relativo a Capitólio.

capitoline [kə'pitəlain], *adj.* capitolino.

capitular [kə'pitjulə], *adj.* capitular (do cabido).

capitulary [-ri], **1** — *s.* capitular (jur.), colecção de leis de Carlos Magno.
2 — *adj.* capitular.

capitulate [kə'pitjuleit], *vi.* render-se; capitular.
capitulation [kə'pitju'leiʃ(ə)n], *s.* capitulação, rendição.
capon ['keipən], *s.* capão.
caponier [kæpɔ'ni:ə], *s.* capoeira.
caponize ['keipənaiz], *vt.* castrar; capar (galo).
capot [kə'pɔt], **1** — *s.* capote (jogo de cartas).
2 — *vt.* dar um capote (jogo de cartas).
capote [kə'pout], *s.* capote (mil.); capota (automóvel).
caprice [kə'pri:s], *s.* capricho, fantasia, extravagância. (*Sin.* whim, fancy, oddity, freak.)
capricious [kə'priʃəs], *adj.* caprichoso; extravagante; inconstante.
capriciously [-li], *adv.* caprichosamente.
capriciousness [kə'priʃəsnis], *s.* capricho; inconstância.
Capricorn ['kæprikɔ:n], *s.* Capricórnio; constelação zodiacal.
tropic of Capricorn — trópico de Capricórnio.
caprification [kæprifi'keiʃ(ə)n], *s.* caprificação; processo para favorecer a frutificação das figueiras, pondo-lhes perto frutos de figueira-brava.
caprine ['kæprain], *adj.* caprino.
capriole ['kæprioul], **1** — *s.* cabriola; pulo, salto.
2 — *vi.* fazer cabriolas.
capsicum ['kæpsikəm], *s.* pimenta da Guiné; semente de pimenta.
capsizable [kæp'saizəbl], *adj.* susceptível de se virar, de ir ao fundo.
capsize [kæp'saiz], *vt.* e *vi.* virar-se (barco, automóvel), soçobrar, afundar-se; voltar-se de cima para baixo. (*Sin.* to upset, to overturn.)
capstan ['kæpstən], *s.* cabrestante.
capstan-bar — barra do cabrestante.
capstan headed screw — parafuso com pega.
capstan handwheel — volante de manípulos.
capstan lathe — torno-revólver.
capsular ['kæpsjulə], *adj.* capsular.
capsule ['kæpsju:l], *s.* cápsula; cápsula de garrafa.
capsuliform [kæp'sju:lifɔ:m], *adj.* em forma de cápsula.
captain ['kæptin], **1** — *s.* capitão, comandante, capitão-de-mar-e-guerra; chefe; chefe de turma (esc.); capataz (de minas).
captain of a top — gajeiro (náut.).
captain of a gun — chefe de peça.
captain of foot — capitão de infantaria.
captain of horse — capitão de cavalaria.
captain's house — casinha do comandante.
captain superintendent — capitão.
flag-captain — capitão de bandeira.
merchant captain — capitão da marinha mercante.
2 — *vt.* e *vi.* capitanear; comandar; chefiar.
captaincy ['kæptinsi], *s.* capitania, comando; posto de capitão.
captainship ['kæptinʃip], *s.* dignidade de capitão, posto de capitão; comando.
caption ['kæpʃən], *s.* captura; (E. U.) título (de um capítulo, artigo, etc.); legenda (cinema); certificado (for.).
captious ['kæpʃəs], *adj.* capcioso, ardiloso.
captiously [-li], *adv.* capciosamente, ardilosamente.
captiousness [-nis], *s.* ardil, engano, embuste.
captivate ['kæptiveit], *vt.* cativar, encantar, fascinar, seduzir. (*Sin.* to fascinate, to charm, to bewitch, to win. *Ant.* to repulse.)
captivation [kæpti'veiʃ(ə)n], *s.* cativação, sedução, atracção, fascinação.
captive ['kæptiv], **1** — *s.* cativo, preso.
2 — *adj.* cativo, prisioneiro.
captivity [kæp'tiviti], *s.* cativeiro, prisão.
captor ['kæptə], *s.* captor.
captress ['kæptris], *s.* captora.
capture ['kæptʃə], **1** — *s.* captura, apresamento, apreensão; pessoa ou coisa capturada. (*Sin.* arrest, seizure, catching, apprehension. *Ant.* release.)
2 — *vt.* capturar, prender.
Capuchin ['kæpjuʃin], *s.* frade capuchinho.
capybara [kæpi'bɑ:rə], *s.* capibara, o maior dos mamíferos roedores que habita toda a América do Sul.
car [kɑ:], *s.* carro (de duas ou quatro rodas); automóvel; carruagem (de comboio); cesta ou barquinha (de balão).
car body — carroçaria.
dining-car — carruagem-restaurante.
freight-car — (E. U.) vagão de mercadorias.
jaunting-car — carro irlandês de duas rodas com os assentos dispostos ao comprido.
motor-car — automóvel.
postal-car — carruagem-correio.
side-car — carro preso ao lado de uma motocicleta para um passageiro.
sleeping-car — carruagem-cama.
tram-car — carro eléctrico.
tramway-car — ver *tram-car*.
carabineer ['kærəbi'niə], *s.* carabineiro.
caracal ['kærəkæl], *s.* caracal, lince avermelhado do Sudoeste da Ásia.
caracole ['kærəkoul], **1** — *s.* curveta; movimento do cavalo, quando levanta as patas dianteiras e as dobra, baixando a garupa.
2 — *vi.* caracolar, curvetear (o cavalo).
carafe [kə'rɑ:f], *s.* garrafa (para água).
caramel ['kærəməl], *s.* caramelo.
carapace ['kærəpeis], *s.* carapaça, concha de tartaruga.
carat ['kærət], *s.* quilate.
caravan ['kærə'væn], *s.* caravana; carro de circo; carro grande em que os ciganos habitam, deslocando-se de terra para terra; atrelado.
caravanserai ['kærə'vænsərai], *s.* caravançarai, abrigo reservado às caravanas.
caravansery ['kærə'vænsəri], *s.* caravançarai.
caravel ['kærəvel], *s.* caravela.
caraway ['kærəwei], *s.* alcaravia; cariz, planta cuja semente é usada como condimento.
carbarn ['kɑ:bɑ:n], *s.* (E. U.) recolha (de carros eléctricos).
carbide ['kɑ:baid], *s.* carboneto.
carbine ['kɑ:bain], *s.* carabina.
carbineer ['kɑ:bi'niə], *s.* carabineiro.
carbohydrate ['kɑ:bou'haidreit], *s.* hidrato de carbono.
carbolic [kɑ:'bɔlik], *adj.* carbólico.
carbolic acid — ácido carbólico, ácido fénico.
carbon ['kɑ:bən], *s.* carbono; filamento; carvão (de arco voltaico); papel químico.
carbon brush — escova de carvão.
carbon dioxide — gás carbónico, dióxido de carbono.
carbon paper — papel químico.
carbon zinc battery — bateria de carvão e zinco.
carbonaceous ['kɑ:bə'neiʃəs], *adj.* que contém carbono.
carbonate ['kɑ:bənit], **1** — *s.* carbonato.
carbonate of lime — carbonato de cálcio.
2 — *vt.* carbonatar.
carbonated ['kɑ:bəneitid], *adj.* carbonatado.
carbonic [kɑ:'bɔnik], *adj.* carbónico.
carboniferous ['kɑ:bə'nif(ə)rəs], *adj.* carbonífero.
carbonization ['kɑ:bənai'zeiʃ(ə)n], *s.* carbonização.
carbonize ['kɑ:bənaiz], *vt.* carbonizar.
carboy ['kɑ:bɔi], *s.* garrafão.

carbuncle ['kɑːbʌŋkl], *s.* carbúnculo; antraz; carbúnculo, rubim muito brilhante.
carbuncled [-d], *adj.* que tem carbúnculos ou antrazes, engastado com rubins muito brilhantes.
carbuncular ['kɑːbʌŋkjulə], *adj.* ver **carbuncled.**
carburant ['kɑːbjurənt], *s.* carburante.
carburate ['kɑːbjureit], *vt.* carburar.
carburation [kɑːbju'reiʃ(ə)n], *s.* carburação.
carburet ['kɑːbjuret], **1** — *s.* carburador. **2** — *vt.* carburar.
carburettant [kɑːbjuː'retənt], *s.* carburante.
carburetted [kɑːbjuretid], *adj.* carregado ou saturado de carbureto.
carburetted hydrogen — hidrocarboneto.
carburetter ['kɑːbjuretə], *s.* carburador.
carburetter air cleaner — filtro de ar do carburador.
carburetter discharge tube — tubo de descarga do carburador.
carburetter air filter — ver *carburetter air cleaner.*
carburetter float — bóia do carburador.
carburetter jet — pulverizador do carburador.
carburetter pump — bomba do carburador.
carburetter throttle — estrangulador do carburador.
carcase ['kɑːkəs], *s.* carcassa, esqueleto, ossada; armação, esqueleto (de casa); casco de um navio; projéctil para incendiar.
carcass ['kɑːkəs], *s.* ver **carcase.**
carcinoma [kɑːsi'noumə], *s.* carcinoma, variedade de cancro.
card [kɑːd], **1** — *s.* carta de jogar; pedra (dominó); bilhete, cartão-de-visita; bilhete de convite ou de admissão; carda; pente de cardar; programa (jogos, diversões, etc.); (col.) folgazão, «bom ponto» (calão).
calling-card — cartão-de-visita.
card basket — cesta para cartões.
card catalogue — ficheiro.
card dealer — o que dá cartas.
card index — ficheiro.
card indexing — ordenação por fichas.
card-party — reunião para jogar as cartas.
card-rack — prateleira para cartões.
card-room — sala de jogo.
card-sharper — batoteiro, trapaceiro (no jogo).
doubtful card — pessoa ou coisa duvidosa.
***drawing card* — artista conhecido que atrai o público.**
game of cards — jogo de cartas.
house of cards — castelo de cartas.
it is on the cards that... — é dos livros que; está escrito que; é provável que.
mariner's card — rosa-dos-ventos.
pack of cards — baralho de cartas.
postcard — bilhete-postal.
the best card — o melhor trunfo.
to be a knowing card — (col.) ser um espertalhão.
to deal cards — dar cartas (ao jogo).
to have a card up one's sleeve — ter um plano secreto preparado.
to leave cards on — deixar cartões.
to lay one's cards on the table — pôr as cartas na mesa; falar claro.
to play at cards — jogar cartas.
to play one's cards well — vender bem o seu peixe.
to shuffle the cards — baralhar as cartas.
to speak by the card — falar com precisão.
to throw up one's cards — desistir do jogo.
***trump card* — trunfo.**
visiting card* — ver *calling-card.
2 — *vt.* cardar; ordenar por fichas.

cardamom ['kɑːdəməm], *s.* (bot.) cardamono.
cardboard ['kɑːdbɔːd], *s.* cartolina, cartão.
cardboard machine — máquina de cartonagem.
carder ['kɑːdə], *s.* cardador.
cardiac ['kɑːdiək], *adj.* cardíaco.
cardiacal [kɑː'daiəkl], *adj.* ver **cardiac.**
cardigan ['kɑːdigən], *s.* casaco curto de lã; colete de lã com mangas.
cardinal ['kɑːdinl], **1** — *s.* cardeal (prelado e ave); cor cardinal; capa curta (usada pelas mulheres); *(gram.)* numeral cardinal.
2 — *adj.* cardeal, cardinal, principal.
cardinal number — numeral cardinal.
cardinal numeral — ver *cardinal number.*
cardinal point — ponto essencial; ponto cardeal.
cardinal points — pontos cardeais.
cardinal red — cor cardinal.
cardinal virtues — virtudes cardeais.
cardinalate ['kɑːdinəleit], *s.* cardinalato.
cardinalship ['kɑːdinlʃip], *s.* ver **cardinalate.**
carding ['kɑːdiŋ], *s.* cardação.
carding machine — carda, máquina de cardar.
cardiogram ['kɑːdiougræm], *s.* cardiograma.
cardiograph ['kɑːdiougræf], *s.* cardiógrafo (aparelho que regista os movimentos do coração).
cardiographer [kɑːdi'ɔgrəfə], *s.* cardiógrafo, o que se dedica à cardiologia.
cardiologist ['kɑːdi'ɔlədʒist], *s.* cardiologista.
cardiology [kɑːdi'ɔlədʒi], *s.* cardiologia.
cardiometer [kɑːdi'ɔmitə], *s.* cardiómetro.
carditis [kɑː'daitis], *s.* cardite, inflamação do coração.
cardoon [kɑː'duːn], *s.* planta hortense, semelhante à alcachofra.
care [kɛə], **1** — *s.* cuidado, cautela, atenção; inquietação, desassossego de espírito; cargo, encargo. (*Sin.* concern, trouble, attention, caution. *Ant.* indifference.)
care committee — comissão de beneficência.
***care killed the cat* — quem se cansa morre cedo.**
care of Mr... = (c/o) — ao cuidado do Sr....
the orphans were left to the care of their grandfather — os órfãos ficaram entregues ao cuidado do avô.
take care! — tome cuidado!; tenha cuidado!
to cast cares away — esquecer penas.
to take care not to — acautelar-se de.
I shall take care not to do it — dessa me livrarei eu.
to take care of — vigiar, olhar por.
to take care to — tratar de; fazer as diligências por; tomar as medidas para.
2 — *vi.* ter ou mostrar cuidado ou interesse; importar-se; apreciar; fazer caso de; gostar; tratar.
to care about — fazer caso de; interessar-se por.
to care for — encarregar-se de; interessar-se por; gostar.
I don't care for games — não me interessam jogos.
I don't care for mustard with mutton — não aprecio carne de carneiro com mostarda.
I don't care for that colour — não gosto dessa cor.
I don't care a fig (a rap, a bit, a straw, a brass farthing) — não me importo; bem se me dá.
I don't care what other people say — não me importo com o que os outros dizem.
what do I care? — que me importa?
careen [kə'riːn], *vt.* e *vi.* (náut.) querenar, dar de querena, virar de querena.
careenage [-idʒ], *s.* (náut.) querenagem; local para os navios querenarem; despesas de querenagem.

career ['kə'riə], **1** — *s.* carreira; corrida, curso; profissão, emprego, ocupação. (*Sin.* course, race, calling, occupation.)
career consul — cônsul de carreira.
career girl — rapariga que exerce uma profissão.
in full career — a toda a velocidade.
to pursue a career — seguir uma carreira.
to take up a career — abraçar uma profissão.
2 — *vi.* mover-se apressadamente; correr velozmente.
to career about — mover-se depressa.
careful ['kɛəful], *adj.* cuidadoso, diligente, cauteloso, atento; solícito.
carefully [-ly], *adv.* com cuidado, cuidadosamente.
carefulness [-nis], *s.* cuidado, diligência, solicitude.
careless ['kɛəlis], *adj.* descuidado, negligente, desleixado. (*Sin.* inattentive, thoughtless, negligent, forgetful. *Ant.* careful.)
carelessly [-li], *adv.* descuidadamente, negligentemente, desleixadamente.
carelessness [-nis], *s.* descuido, negligência, incúria, desleixo.
caress [kə'res], **1** — *s.* carícia, afago, carinho; *pl.* festas.
2 — *vt.* acariciar, afagar, fazer carícias ou festas; acarinhar. (*Sin.* to fondle, to pamper, to embrace, to pet. *Ant.* to tease.)
caressing [-iŋ], *adj.* carinhoso, afável, meigo.
caressingly [-li], *adv.* carinhosamente, com meiguice.
caret ['kærət], *s.* (tip.) sinal de entrelinha; sinal de intercalação.
caretaker ['kɛə'teikə], *s.* guarda de uma casa na ausência do dono.
careworn ['kɛəwɔ:n], *adj.* fatigado, cansado, ralado; consumido de cuidados.
cargo ['kɑ:gou], *s.* carga, carregamento (navio).
afloat cargo — carga em viagem.
cargo-boat — cargueiro, navio de carga.
cargo-book — livro de carga.
cargo-chain — corrente do guincho.
cargo-hatch — escotilha da carga.
cargo in bulk — carga a granel.
cargo-plane — avião de carga.
cargo-steamer — vapor de carga, cargueiro.
cargo-vessel — cargueiro.
full cargo — carga completa.
loose cargo — carga a granel.
Caribbean ['kæri'bi(:)ən], *adj.* relativo às Antilhas ou às Caraíbas.
Caribbean Sea — mar das Antilhas.
caribou ['kæribu:], *s.* caribu, rena da América.
caricaturable ['kærikə'tjurəbl], *adj.* caricaturável, que pode ser caricaturado.
caricature ['kærikə'tjuə], **1** — *s.* caricatura.
2 — *vt.* caricaturar, fazer a caricatura de.
caricaturist ['kærikə'tjuərist], *s.* caricaturista.
caries ['kɛəri:z], *s.* cárie.
carillon [kə'riljən], *s.* carrilhão.
carina [kə'rainə], *s.* (bot.) carena, naveta, quilha.
carious ['kɛəriəs], *adj.* cariado, podre.
cark [kɑ:k], **1** — *s.* cuidado, aflição.
2 — *vt.* afligir, preocupar.
carking ['kɑ:kiŋ], *adj.* aflitivo, atormentador, penoso. (*Sin.* grievous, worrying, vexing, distressing.)
carl(e) [kɑ:l], *s.* (Esc.) indivíduo, homem.
carline ['kɑ:lain], *s.* (Esc.) mulher velha; carlina (bot. e const.).
Carlist ['kɑ:list], *s.* carlista.
Carlovingian ['kɑ:lou'vindʒiən], *s.* e *adj.* carlovíngio.
carman ['kɑ:mən], *s.* carreteiro, carroceiro; motorista de camioneta.
Carmel ['kɑ:mel], *top.*
Mount Carmel — Monte Carmelo.
carmelite ['kɑ:milait], *s.* e *adj.* carmelita.
carminative ['kɑ:minətiv], *adj.* carminativo; medicamento antiflatulento.
carmine ['kɑ:main], **1** — *s.* carmin.
2 — *adj.* de cor carmim.
carnage ['kɑ:nidʒ], *s.* carnificina, mortandade extermínio.
carnal [kɑ:nl], *adj.* carnal; sensual, sexual.
carnal minded — sensual.
carnality [kɑ:'næliti], *s.* carnalidade, luxúria, sensualidade.
carnalize ['kɑ:nəlaiz], *vt.* sensualizar.
carnally ['kɑ:nəli], *adv.* carnalmente.
carnation [kɑ:'neiʃ(ə)n], *s.* carnação; cravo (flor); cor de carne.
carnelian [kə'ni:ljən], *s.* cornalina.
carney ['kɑ:ni], *vt.* adular, lisonjear.
carnification ['kɑ:nifikeiʃ(ə)n], *s.* carnificação; carnização (pat.).
carnify ['kɑ:nifai], *vt.* e *vi.* carnificar, transformar ou transformar-se em carne.
carnival ['kɑ:nivəl], *s.* Carnaval; época em que o Carnaval se realiza; qualquer festividade ruidosa.
carnivora [kɑ:'nivərə], *s. pl.* carnívoros.
carnivore ['kɑ:nivɔ:], *s.* planta ou animal carnívoro.
carnivorous [kɑ:'nivərəs], *adj.* carnívoro.
carny ['kɑ:ni], *vt.* ver **carney.**
carob ['kærəb], *s.* alfarroba.
carob bean — alfarroba.
carob tree — alfarrobeira.
carob tree plantation — plantação de alfarrobeiras; alfarrobal.
carol ['kærəl], *s.* loa, canto da noite de Natal; canto alegre; (poét.) gorjeio (de ave).
caroller [-ə], *s.* o que canta cantos do Natal.
Caroline ['kærəlain], **1** — *n. p.* Carolina.
2 — *adj.* carolino, carolíngio; relativo a Carlos I e/ou Carlos II.
Carolingian [kærɔ'lindʒiən], *s.* e *adj.* carolíngio.
carolus ['kærələs], *s.* moeda de ouro (antiga).
carom ['kærəm], *s.* (E. U.) carambola (de bilhar).
carotid [kə'rɔtid], *s.* carótida.
carousal [kə'rausel], **1** — *s.* bacanal, pândega, festa jovial que termina com a embriaguez.
2 — *vi.* beber em excesso, no meio de grande alegria e barulho; andar na pândega.
carouse [kə'rauz], *s.* e *vi.* ver **carousal.**
carp [kɑ:p], **1** — *s.* carpa, peixe de água doce.
2 — *vt.* censurar, exprobrar.
carpal ['kɑ:pəl], *adj.* cárpico.
carpel ['kɑ:pel], *s.* carpelo.
carpenter ['kɑ:pintə], **1** — *s.* carpinteiro (de armação, soalhos e trabalhos pesados).
carpenter's bench — banco de carpinteiro.
carpenter's level — nível de madeira.
ship carpenter — carpinteiro naval.
2 — *vt.* e *vi.* carpinteirar.
carpentry ['kɑ:pintri], *s.* carpintaria; arte ou trabalho de carpinteiro; madeiramento.
carper ['kɑ:pə], *s.* crítico, maldizente.
carpet ['kɑ:pit], **1** — *s.* tapete, alcatifa, carpete.
bedside carpet — tapete de cama.
carpet bed — maciço de plantas ou flores.
carpet bedding — arte de desenhar e traçar canteiros de jardim.
carpet-bag — saco de viagem.
carpet-bagger — candidato a deputado estranho ao círculo; aventureiro.
carpet broom — vassoura de junco.
carpet-knight — herói, cavaleiro de salão.
carpet of flowers — tapete de flores.

carpet-rod — varão de passadeira (de escada).
carpet-slippers — pantufas (de quarto).
carpet-sweeper — vassoura mecânica para tapetes.
carpet tack — preguinho, tacha pequena.
to call on the carpet — chamar a contas, censurar.
2 — *vt.* atapetar, alcatifar.
to carpet the stairs — atapetar a escada.

carpeting [-iŋ], *s.* tecido para carpetes.

carping ['kɑ:piŋ], *adj.* acerbo, maldizente.
carping criticism — crítica acerba.
carping tongue — língua de prata.

carraway ['kærəwei], *s.* ver **caraway.**

carriage ['kæridʒ], *s.* carruagem; carro; carreta; coche; transporte, despesas de transporte; porte, modo, maneiras; armação; carro de máquina de escrever.
carriage and four — carruagem a quatro cavalos.
carriage and pair — carruagem a dois cavalos.
carriage and two — ver *carriage and pair.*
carriage assembly — conjunto do carro.
carriage-box — boleia (parte da carruagem).
carriage dog — cão dinamarquês.
carriage forward — frete a pagar pelo destinatário.
carriage free — livre porte.
carriage paid — porte pago.
carriage planing machine — plaina de mesa.
carriage spring — mola de carruagem.
railway carriage — carruagem de comboio.
to keep one's carriage — ter carruagem sua.

carriageable [-əbl], *adj.* próprio para carruagens.

carriageful [-ful], *s.* carrada.

carrick bend ['kærik bend], *s.* (náut.) nó de marinheiro.

carried ['kærid], *pret.* e *pp.* do verbo **to carry.**
carried away — perdido, levado, partido.
carried forward — a transportar.

carrier ['kæriə], *s.* portador; carregador, carreteiro, recoveiro; mensageiro; portador de doença; suporte (de bicicleta).
aircraft carrier — porta-aviões (navio).
carrier of electricity — condutor de electricidade.
carrier-pigeon — pombo-correio.
carrier-wave — onda portadora (elect.).
common carrier — transporte público.
mail-carrier — (E. U.) carteiro.

carriole ['kærioul], *s.* carriola.

carrion ['kæriən], **1** — *s.* carne podre; coisa imunda; pessoas de maus costumes.
carrion crow — corvo que se alimenta de cadáveres.
2 — *adj.* repugnante, putrefacto, nauseabundo; vil.

carrot ['kærət], *s.* cenoura; cor de cenoura; (pl.) cabelos ruivos, pessoa de cabelos ruivos.

carroty [-i], *adj.* ruivo, de cor de cenoura.

carry ['kæri], **1** — *s.* porte, portagem entre dois rios; alcance de tiro; distância atingida pela bola (no golfe); passagem (entre rios navegáveis).
2 — *vt.* e *vi.* levar, transportar, carregar; conduzir, trazer consigo; suster, suportar; transferir; conter; envolver; aprovar uma moção; ouvir-se a distância; ganhar; produzir; atingir, alcançar (arma); (náut.) aguentar, vencer.
to carry about — levar de um lado para o outro.
to carry away — arrebatar, levar à força; tirar uma coisa do seu lugar.
to carry back — restituir, pôr no mesmo lugar.
to carry off — arrebatar, levar à força; ganhar; matar.
to carry on — continuar, ir por diante; recomeçar; comportar-se.
to carry out — executar, desempenhar, levar a cabo.
to carry over — transportar (conta); transferir.
to carry up — fazer subir, levar para cima.
to carry through — levar a efeito.
to carry to and fro — levar de um lado para o outro.
to carry the day — vencer, alcançar uma vitória.
to carry on business — fazer negócio.
to carry weight — ter influência.
to carry a thing too far — passar os limites, exagerar, ir longe de mais.
to carry it off well — fazer boa figura.
to carry forward — transportar (conta).
to carry an undertaking through — levar a cabo um empreendimento.
to carry all before one — triunfar, sair-se bem.

carrying [-iŋ], **1** — *s.* transporte, acção de transportar.
2 — *adj.* que transporta.

cart [kɑ:t], **1** — *s.* carroça, carro pesado, carreta.
to put the cart before the horse — pôr o carro à frente dos bois; alterar a ordem natural das coisas.
cart-load — carregamento.
cart-house = *cart-shed* — cocheira.
2 — *vt.* e *vi.* transportar em carroça, servir-se de uma carroça; (fam.) derrotar (num jogo).

cartage [-idʒ], *s.* carretagem, preço de um carreto.

carte blanche ['kɑ:t'blɑ̃:nʃ], *s.* carta-branca, plenos poderes.

carte-de-visite ['kɑ:tdəvi'zi:t], *s.* fotografia tipo passe.

cartel [kɑ:'tel], *s.* cartel; acordo para troca de prisioneiros de guerra.

carter ['kɑ:tə], *s.* carreteiro.

Cartesian [kɑ:'ti:sjən], *s.* e *adj.* cartesiano.

cartful ['kɑ:tful], *s.* carrada, carroça cheia.

Carthusian [kɑ:'θju:ziən], *s.* frade cartuxo.

cartilage ['kɑ:tilidʒ], *s.* cartilagem.

cartilaginous [kɑ:ti'lædʒinəs], *adj.* cartilaginoso.

cartographer [kɑ:'tɔgrəfə], *s.* cartógrafo.

cartographical [kɑ:tou'græfikəl], *adj.* cartográfico.

cartography [kɑ:'tɔgrəfi], *s.* cartografia.

cartomancy ['kɑ:toumænsi], *s.* cartomancia.

carton ['kɑ:tən], *s.* cartão; caixa de cartão; centro de alvo.

cartoon [kɑ:'tu:n], **1** — *s.* desenho, esboço (para tapeçarias, mosaicos, etc.); caricatura relativa a assuntos políticos ou sociais; desenho animado (cinema).
2 — *vt.* e *vi.* caricaturar alguém sobre assuntos políticos ou sociais.

cartoonist [-ist], *s.* desenhador de esboços (para tapeçarias, mosaicos, etc.); caricaturista.

cartouche [kɑ:'tu:ʃ], *s.* (arc.) voluta, placa de inscrição egípcia.

cartridge ['kɑ:tridʒ], *s.* cartucho; carga (de película fotográfica).
blank cartridge — cartucho sem bala.
cartridge-belt — cartucheira.
cartridge-paper — papel grosso.

cartwright ['kɑ:trait], *s.* carpinteiro de carros.

caruncle ['kærəŋkl], *s.* carúncula, excrescência carnosa e avermelhada.

carve [kɑ:v], *vt.* esculpir, cinzelar, gravar,

entalhar; trinchar (carne, etc.). (*Sin.* to engrave, to cut, to chisel, to shape.)
carved work — obra de talha.
carvel [-el], *s.* caravela.
carver [-ə], *s.* entalhador, cinzelador, gravador; *pl.* trinchante (faca e garfo).
carving [-iŋ], *s.* arte de gravar, acção de gravar ou esculpir.
carving-knife — faca de trinchar.
caryatid [kæri'ætid], *s.* cariátide.
caryopsis [kæri'ɔpsis], *s.* cariopse.
cascabel ['kæskəbel], *s.* cascavel.
cascade [kæs'keid], **1** — *s.* cascata; folho largo de renda.
2 — *vt.* cair em cascata.
cascara sagrada [kæs'kɑ:rə sə'grɑ:də], *s.* cáscara-sagrada (laxativo).
case [keis], **1** — *s.* caso, conjuntura, circunstância; caixa, invólucro, estojo; causa judicial; (gram.) forma que os nomes e pronomes tomam, segundo a sua função, em algumas línguas; manifestação individual de doença. (*Sin.* event; state; box, chest.)
in any case — de qualquer forma.
this being the case,... — sendo assim, ...
show-case — vitrina.
in such a case — em tal caso.
in case of — no caso de.
to make out one's case — provar o que se afirmou.
a case for conscience — um caso de consciência.
possessive case — caso possessivo.
there is an equal case for — o mesmo procedimento é aplicável a.
pillow-case — fronha.
needle-case — agulheiro.
brief-case — pasta (de livros, papéis, etc.).
writing-case — pasta de estudante.
in case of need — em caso de necessidade.
dressing-case — estojo de toucador (de «toilette»).
upper case — (tip.) caixa alta.
pencil-case — lapiseira.
the case in point — o caso em questão.
to state the case — expor o caso.
that is not the case — não é esse o caso.
cigarette-case — cigarreira.
case-hardened — cementado.
case-hardened steel — aço cementado.
case-hardening — cementação.
2 — *vt.* meter em caixas, empacotar.
casein ['keisiin], *s.* caseína.
casemate ['keismeit], *s.* casamata.
casement ['keismənt], *s.* armação de janela, caixilho de vidraça.
caseous ['keisiəs], *adj.* caseoso, da natureza do queijo.
casern [kə'zə:n], *s.* caserna, quartel.
cash [kæʃ], **1** — *s.* dinheiro de contado; pronto pagamento; numerário.
to pay cash — pagar à vista.
to be in cash — ter fundos.
cash on delivery — pagamento contra documentos; envio à cobrança.
cash sale — venda a dinheiro de contado.
cash register — máquina registadora.
cash-book — livro-caixa.
hard-cash — metal sonante; dinheiro na mão.
cash-account — conta de caixa.
to be short of cash — não ter dinheiro.
cash payment — pronto pagamento.
cash in hand — dinheiro em caixa.
to be out of cash — estar sem dinheiro.
2 — *vt.* descontar (letra ou cheque).
to cash in — fazer depósito em banco.
cashew [kæ'ʃu:], *s.* caju, fava-de-malaca.
cashier [kæ'ʃiə], **1** — *s.* o (a) caixa.
2 — *vt.* demitir de um emprego, despedir.
cashierer [-rə], *s.* o que demite.
cashmere [kæʃ'miə], *s.* casimira, caxemira.
casing ['keisiŋ], *s.* cobertura, coberta, invólucro; camisa; encaixotamento; guarnição de madeira de portas ou janelas.
casing paper — papel de embrulho.
casino [kə'sinou], *s.* casino.
cask [kɑ:sk], **1** — *s.* barril, pipa, casco, vasilha; *pl.* vasilhame.
cask staves — aduelas.
2 — *vt.* envasilhar, meter em pipas.
casket [-it], *s.* cofre para jóias.
Caspar ['kæspə], *n. p.* Gaspar.
casque [kɑ:sk], *s.* (hist., poét.) capacete, elmo.
cassation [kæ'seiʃən], *s.* anulação, revogação.
cassava [kə'sɑ:və], *s.* mandioca, farinha de mandioca.
casserole ['kæsəroul], *s.* caçarola.
cassia ['kæsiə], *s.* arbusto e erva da família das leguminosas, cássia.
Cassiopeia [kæsiə'pi:ə], *s.* Cassiopeia.
cassock ['kæsək], *s.* sotaina, batina (de padre).
cassowary ['kæsəwɛəri], *s.* casuar (ave corredora.
cast [kɑ:st], **1** — *s.* lanço, arremesso; molde de fundição; olhadela; elenco, distribuição de papéis (em teatro); tom, matiz; expressão; cálculo, adição; casta, espécie. (*Sin.* throw, fling, mould, tone, air, shade, tint, look.)
to have a cast in one's eye — ser estrábico.
a slight cast of blue — um leve tom azulado.
his features have a melancholy cast — o rosto dele tem uma expressão triste.
a cast of the eye — uma olhadela.
a yellowish cast — um tom amarelado.
the last cast — o último lanço.
2 — *vt.* e *vi.* arremessar, lançar, arrojar, espalhar, atirar, lançar fora; espalhar; fundir, moldar; distribuir papéis (teatro); examinar; traçar; moldar-se; computar, calcular.
to cast aside — rejeitar.
to cast about — considerar; procurar meio de.
to cast down — abater, desanimar.
to cast away — desperdiçar, rejeitar, abandonar; naufragar.
to cast off — rejeitar, abandonar; largar (cabo, bóia, embarcação).
to cast oneself on (upon) — submeter-se a; confiar.
to cast forth — disseminar.
to cast out — expelir.
to cast (throw) anything in one's teeth — lançar alguma coisa em rosto.
to cast dice — lançar os dados.
to cast the blame on a person — lançar a culpa a alguém.
to cast in one's lot with — compartilhar da sorte de.
to cast a glance (a look) — lançar um olhar.
to cast light — lançar luz.
to cast a stone — atirar uma pedra com força.
to cast an eye — lançar uma olhadela.
to cast a statue — fundir uma estátua.
to cast anchor — lançar ferro.
to cast the lead — lançar o prumo, dar uma prumada.
to cast ashore — arrojar à praia.
to cast accounts — lançar contas.
to cast parts to actors — distribuir papéis aos actores.
to cast seed over a field — lançar semente à terra.
to cast a patient's water — examinar a urina de um doente.

castanet [kæstə'net], *s.* castanhola.
castaway ['kɑːstəwei], *s.* e *adj.* réprobo, proscrito; náufrago; abandonado, perdido.
caste [kɑːst], *s.* casta, raça, classe social.
castellan ['kæstelən], *s.* castelão.
castellated ['kæsteleitid], *adj.* acastelado, com ameias.
caster ['kɑːstə], *s.* aquele que atira; galheteiro; pimenteiro; rodízio (de pé de mesa, cadeira, etc.).
castigate ['kæstigeit], *vt.* castigar, punir.
castigation [kæsti'geiʃən], *s.* castigo, punição.
Castille [kæs'tiːl], *top.* Castela.
Castillian [kæs'tiliən], *s.* e *adj.* castelhano.
casting ['kɑːstiŋ], *s.* acto de arremessar; fundição, peça de fundição; cálculo, soma; plano; distribuição.
casting-vote — voto de desempate.
casting-net — rede de atirar, tarrafa.
cast-iron ['kɑːst'aiən], *s.* ferro fundido.
castle [kɑːsl], *s.* castelo, fortaleza; torre (xadrez).
to build castles in the air—fazer castelos no ar.
castle builder — visionário.
a man's house is his castle — cada qual em sua casa é rei.
a castle in Spain — castelos no ar, projecto visionário.
castor ['kɑːstə], *s.* pimenteiro; *pl.* galheteiro; rodízio (de pé de mesa, cadeira).
castor-oil — óleo de rícino.
castor sugar — açúcar refinado.
castor-bean — mamona, semente de carrapateiro.
castrametation ['kæstrəme'teiʃən], *s.* (arqueol.) castrametação, arte de escolher, dispor e assentar acampamentos.
castrate [kæs'treit], *vt.* castrar.
castration [kæs'treiʃən], *s.* castração.
casual ['kæʒjuəl], *adj.* casual, fortuito, acidental, eventual, imprevisto, inesperado. (*Sin.* occasional, accidental. *Ant.* regular, usual, common.)
casual labour — trabalho intermitente.
casualism [-izəm], *s.* casualismo.
casually [-i], *adv.* casualmente, acidentalmente, eventualmente.
casualness [-nis], *s.* casualidade, acaso, contingência; descuido, negligência.
casualty [-ti], *s.* desastre, sinistro; baixa de militares. (*Sin.* accident, disaster, mishap. *Ant.* blessing.)
casuist ['kæzjuist], *s.* casuísta.
casuistic(al) ['kæzju'istik(əl)], *adj.* casuístico.
casuistry ['kæzjuistri], *s.* casuística.
cat [kæt], **1** — *s.* gato, gata; mulher malévola.
cat-and-dog life — contínua discórdia.
care killed the cat! — nada de esmorecer!, coração ao largo!
to fight like kilkenny cats — lutar até à destruição mútua.
cat-eyed — que pode ver na escuridão.
cat's eye—pedra preciosa de Ceilão e Malabar.
cat burglar — ladrão que assalta casas por escalamento.
to grin like a Cheshire cat — rir totalmente, arreganhando os dentes.
not room to swing a cat—espaço muito limitado.
cat's paw (náut.) — aragem; boca-de-lobo (nó).
cat-tail — *(náut.)* pé do turco de ferro.
cat-crane — cegonha de ferro.
when the cat is away, the mice will play — patrão fora, dia santo na loja.
cat-nap (cat-sleep)—sesta de pequena duração.
in the dark all cats are grey — de noite todos os gatos são pardos.
2 — *vt.* e *vi.* vomitar (col.); (náut.) suspender o ferro no turco.
to cat and fish — espartilhar.

catachresis [kætə'kriːsis], *s.* catacrese.
cataclysm ['kætəklizəm], *s.* cataclismo.
catacomb ['kætəkoum], *s.* catacumba.
catafalque ['kætəfælk], *s.* catafalco.
catalectic ['kætə'lektik], *adj.* cataléctico.
catalepsy ['kætəlepsi], *s.* catalepsia.
cataleptic ['kætə'leptik], *adj.* cataléptico.
catalogue ['kætəlɔg], **1** — *s.* catálogo, anuário.
2 — *vt.* catalogar.
catalpa [kə'tælpə], *s.* (bot.) catalpa.
catalyse ['kætəlaiz], *vt.* catalisar.
catalyser [-ə], *s.* catalisador.
catalysis [kə'tælisis], *s.* catálise.
catalytic ['kætə'litik], *adj.* catalítico.
catamarran ['kætəməræn], *s.* catamarã; mulher turbulenta.
catamite ['kætəmait], *s.* catamito; indivíduo efeminado.
catamountain [kætə'mauntin], *s.* leopardo; gato-bravo; pessoa feroz.
cataplasm ['kætəplæzm], *s.* cataplasma.
catapult ['kætəpʌlt], **1** — *s.* catapulta.
2 — *vt.* catapultar, fazer uso da catapulta.
cataract ['kætərækt], *s.* catarata, queda de água; catarata, opacidade do cristalino.
catarrh [kə'tɑː], *s.* catarro.
catarrhal [-rəl], *adj.* catarral.
cata(r)rhine ['kætərain], *s.* catarríneo, macaco de ventas muito aproximadas.
catastrophe [kə'tæstrəfi], *s.* catástrofe.
catastrophic ['kætə'strɔfik], *adj.* catastrófico.
Catawba [kə'tɔːbə], *s.* qualidade de uva americana ou vinho da mesma.
catcall ['kætkɔːl], **1** — *s.* assobio de desagrado no teatro.
2 — *vt.* e *vi.* assobiar (um actor).
catch [kætʃ], **1** — *s.* presa, captura; apanha (de peixe); trinco de porta; pergunta astuciosa; (fam.) casca de laranja; surpresa; estribilho; impedimento; vantagem; (náut.) batente, esfera.
catch-all — receptáculo para coisas várias.
he is a great catch — ele é um bom partido.
catch-as-catch-can — luta livre americana.
2 — *vt.* e *vi.* (pret. e pp. **caught** [kɔːt]) apanhar, agarrar; alcançar; arrebatar; surpreender; compreender, apreender; aproveitar, ganhar; interromper; contagiar-se, apanhar uma doença.
to catch at — agarrar-se a.
to catch on — ter êxito, agradar; compreender.
to catch up — apanhar; levantar; alcançar; interromper (orador); empunhar.
to catch fire — pegar o fogo.
to catch hold of — agarrar-se a.
to catch a cold — constipar-se; apanhar uma constipação.
to catch sight of — avistar.
to catch a glimpse of — ver num relance.
to catch napping — apanhar de súbito, desprevenido.
to catch a person in the act — apanhar uma pessoa em flagrante.
to catch it — apanhar uma sova.
to catch up with one's work — pôr o trabalho em dia.
to catch the speaker's eye — pedir a palavra (na Câmara dos Comuns).
catch me! — espere por isso!
to catch the sense — compreender o sentido.
to catch the train — apanhar o comboio.
catcher [-ə], *s.* aquele que prende, que agarra; aspirador.
catching [-iŋ], **1** — *s.* acção de agarrar.
2 — *adj.* contagioso; atractivo.
catch-penny ['kætʃ'peni], *adj.* vistoso, sem valor, mas de venda rápida.

catchpole, catchpoll ['kætʃpoul], *s.* meirinho.
catchword ['kætʃwɔ:d], *s.* palavra ou frase impressa em tipo diferente para chamar a atenção; deixa (teatro); frase feita.
catchy ['kætʃi], *adj.* (col.) atractivo; ardiloso.
catchy bargain — negócio ruinoso.
catchy tune — melodia atraente.
catechetic(al) ['kæti'ketik(əl)], *adj.* catequético.
catechetically [-i], *adv.* de um modo catequético.
catechism ['kætikizəm], *s.* catecismo.
catechist ['kætikist], *s.* catequista.
catechize ['kætikaiz], *vt.* catequizar.
catechizer [-ə], *s.* catequista.
catechu ['kætitʃu:], *s.* substância medicinal, cauchu.
catechumen [kæti'kju:men], *s.* catecúmeno.
categorical ['kæti'gɔrikəl], *adj.* categórico, positivo, explícito.
categorically [-i], *adv.* categoricamente, positivamente, explicitamente.
categorize ['kætigəraiz], *vt.* dispor em categorias.
category ['kætigəri], *s.* categoria, classe.
catenary [kə'ti:nəri], *s.* catenária, curva formada por cadeia ou corda flexível com as extremidades fixas.
catenate ['kætineit], *vt.* concatenar, encadear.
catenation ['kæti'neiʃən], *s.* concatenação, encadeamento.
catenize ['kætinaiz], *vt.* concatenar, encadear.
cater ['keitə], **1**—*s.* quadra (nas cartas ou dados).
2 — *vt.* abastecer, fornecer (víveres).
cater-cousin ['keitə'kʌzn], *s.* parente afastado; amigo íntimo.
caterer ['keitərə], *s.* fornecedor.
Caterina ['kætə'ri:nə], *n. p.* Catarina.
caterpillar ['kætəpilə], *s.* lagarta; tractor de lagarta.
caterwaul ['kætəwɔ:l], **1** — *s.* mio, o miar (de muitos gatos).
2 — *vi.* miar, brigar como os gatos.
catgut ['kætgʌt], *s.* corda de tripa para instrumentos; (med.) fio para suturas e pontos.
Catharine ['kæθərin], *n. p.* Catarina.
catharsis [kə'θɑ:sis], *s.* catarse; purga.
cathartic [kə'θɑ:tik], *s.* e *adj.* catártico; purgativo.
cathedra [kə'θi:drə], *s.* cátedra.
cathedral [kə'θi:drəl], *s.* catedral.
Catherine ['kæθərin], *n. p.* Catarina.
Catherine wheel — rosácea; fogo-de-artifício; roda catarina (relógio).
catheter ['kæθitə], *s.* algália, cateter.
cathode ['kæθoud], *s.* cátodo, catódio.
cathodic [kə'θɔdik], *adj.* catódico.
catholic ['kæθəlik], *s.* e *adj.* católico.
catholically [-əli], *adv.* catolicamente.
catholicism [kə'θɔlisizm], *s.* catolicismo.
catholicity ['kæθə'lisiti], *s.* catolicidade; universalidade.
catholicize [kə'θɔlisaiz], *vt.* converter ao catolicismo.
catkin ['kætkin], *s.* gatinho (flor de salgueiro); candeias (flor do castanheiro); flor de certas árvores.
catlike ['kætlaik], *adj.* felino, semelhante ao gato.
catling ['kætliŋ], *s.* gatinho; bisturi.
catmint ['kætmint], *s. (bot.)* nêveda.
cat-o'-nine-tails ['kætə'nainteilz], *s.* açoite de nove cordas cada uma com três nós.
catsup ['kætsəp], *s.* molho picante de cogumelos e tomates.
cattle [kætl], *s.* gado vacum (bois, vacas, vitelos); (col.) carneiros ou cavalos.
cattle show — feira de gado.
catty ['kæti], *adj.* malicioso; malévolo.
cattle-piece — pintura representando gado.
black cattle — gado vacum de raça escocesa e galesa; pessoas desprezíveis.
cattle-lifter — ladrão de gado.
cattle-lifting — roubo de gado.
cattle-plague — morrinha, gafeira.
catwalk ['kætwɔ:k], *s.* passagem, corredor.
Caucasia [kɔ:'keizjə], *top.* Caucásia.
Caucasian [kɔ:'keizjən], *s.* e *adj.* caucasiano, caucásico.
Caucasus ['kɔ:kəsəs], *top.* Cáucaso.
caucus [kɔ:kəs], *s.* reunião política secreta.
caudal [kɔ:dl], *adj.* caudal.
caudle ['kɔ:dl], *s.* bebida quente para doentes.
caught [kɔ:t], *pret.* e *pp.* do verbo **to catch.**
caul [kɔ:l], *s.* coifa, rede para o cabelo.
cauldron ['kɔ:ldrən], *s.* caldeirão.
caulescent [kɔ:'lesənt], *adj.* caulescente, com caule.
cauliflower ['kɔliflauə], *s.* couve-flor.
cauline ['kɔ:lain], *s.* (bot.) caulino.
caulk [kɔ:k], *vt.* calafetar, encalcar.
caulker [-ə], *s.* calafate, encalcador.
caulker-box — escaravia (náut.).
caulking [-iŋ], *s.* calafetação, calafeto, encalque.
caulking-box — escaravia.
caulking-iron — ferro de calafate.
caulking-mallet — maço de calafate.
causal ['kɔ:zəl], *adj.* causal.
causality [kɔ:'zæliti], *s.* causalidade.
causally [-i], *adv.* causalmente.
causation [kɔ:'zeiʃən], *s.* causação.
causative ['kɔ:zətiv], *adj.* causativo.
causatively [-li], *adv.* causativamente.
cause [kɔ:z], **1** — *s.* causa, origem, motivo, razão; causa judicial. (*Sin.* source, motive, season, case, suit.)
infection is a cause of many diseases — o contágio é a causa de muitas doenças.
to make common cause with — seguir o partido de; fazer causa comum com.
no one should be a judge in his own cause — não se deve ser juiz em causa própria.
2 — *vt.* causar, originar, motivar, produzir; mandar, ordenar, obrigar. (*Sin.* to originate, to create, to effect, to produce. *Ant.* to suppress.)
causeless [-lis], *adj.* infundado, sem razão.
causelessly [-lisli], *adv.* infundadamente.
causer [-ə], *s.* causador.
causeway [-wei], **1** — *s.* calçada construída em terreno húmido; passeio da rua.
2 — *vt.* construir uma calçada.
caustic ['kɔ:stik], *s.* e *adj.* cáustico, corrosivo; sarcástico, mordaz.
caustic soda — soda cáustica.
causticity [kɔ:s'tisiti], *s.* causticidade.
cauterization ['kɔ:tərai'zeiʃən], *s.* cauterização.
cauterize ['kɔ:təraiz], *vt.* cauterizar.
cauterizing [-iŋ], *s.* cauterização.
cautery ['kɔ:təri], *s.* cautério.
caution ['kɔ:ʃən], **1** — *s.* cautela; prevenção, aviso; garantia; precaução; caução.
caution money — caução em dinheiro.
caution! — cuidado!
2 — *vt.* acautelar, prevenir, avisar, precaver.
cautionary ['kɔ:ʃnəri], *s.* que avisa, admonitório.
cautious ['kɔ:ʃəs], *adj.* cauto, acautelado, prudente. (*Sin.* careful, wary, circumspect, watchful. *Ant.* careless).
cautiously [-li], *adv.* cautelosamente.
cautiousness [-nis], *s.* cautela.
cavalcade ['kævəl'keid], *s.* cavalgada.
cavalier ['kævə'liə], *s.* cavaleiro; (séc. XVII) monárquico, partidário do rei.

cavalry ['kævəlri], *s.* cavalaria.
cave [keiv], **1** — *s.* caverna, antro, subterrâneo.
cave dweller — homem das cavernas.
2 — *vt.* e *vi.* escavar.
to cave in — aluir, abater, dar de si; submeter-se.
3 — *interj.* cautela! (calão de estudante quando avista o professor).
caveat ['keiviæt], *s.* notificação judicial para não prosseguir uma acção sem ouvir o notificante.
cavendish ['kævəndiʃ], *s.* tabaco amolecido, adocicado e comprimido até formar uma pasta.
cavern ['kævən], *s.* caverna, furna.
caverned [-d], *adj.* com cavernas.
cavernous [-əs], *adj.* cavernoso; poroso.
caviar(e) ['kæviɑ:], *s.* caviar.
cavil ['kævil], **1** — *s.* cavilação, sofisma, ardil; (náut.) cunho.
2 — *vi.* cavilar, empregar cavilações.
to cavil at — usar sofismas.
cavilation ['kævi'leiʃən], *s.* cavilação.
caviller [-ə], *s.* cavilador, sofista.
cavilling ['kæviliŋ], *s.* e *adj.* sofista, cavilador.
cavity ['kæviti], *s.* cavidade.
cavy ['keivi], *s.* cobaia, porquinho-da-índia.
caw [kɔ:], **1** — *s.* grasnido.
2 — *vi.* grasnar, crocitar.
cayenne [kei'en], *s.* pimenta.
cayenne pepper — pimenta vermelha de vagem pequena e estreita, pimenta de Caiena.
cayman ['keimən], *s.* caimão, espécie de crocodilo da América.
cease [si:s], **1** — *s.* cessação.
without cease, sem cessar.
2 — *vt.* e *vi.* cessar, parar; desistir; acabar; deixar de. (*Sin.* to stop, to end; to give up.)
to cease fire — cessar fogo.
ceaseless [-lis], *adj.* incessante, contínuo.
ceaselessly [-lisli], *adv.* incessantemente.
ceaselessness [-lisnis], *s.* continuidade, persistência.
ceasing [-iŋ], *s.* cessação.
Cecil [sesl], *n. p.* Cecílio.
Cecile ['sesil], *n. p.*
Cecilia [si'siljə], *n. p.* Cecília.
cecity ['si:siti], *s.* cegueira.
cedar ['si:də], *s.* cedro.
cede [si:d], *vt.* ceder; conceder, renunciar. (*Sin.* to give up, to grant, to admit, to surrender. *Ant.* to retain.)
to cede territory — ceder território.
cedilla [si'dilə], *s.* cedilha.
ceil [si:l], *vt.* estucar um tecto.
ceiling ['si:liŋ], *s.* tecto; (náut.) escoa, escoamento, forro interior.
ceiling hatch — (náut.) escotilhão do cobro do porão.
celadon ['selədɔn], *s.* cor esverdeada.
celandine ['seləndain], *s.* celidónia, erva-andorinha.
celebrant ['selibrənt], *s.* celebrante.
celebrate ['selibreit], *vt.* e *vi.* celebrar, comemorar, exaltar; realizar solenemente. (*Sin.* to honour, to officiate. *Ant.* to ignore.)
to celebrate Mass — dizer missa.
to celebrate a victory — comemorar uma vitória.
celebrated [-id], *adj.* célebre, famoso, ilustre, notável. (*Sin.* distinguished, eminent, famous, illustrious. *Ant.* unknown.)
celebration ['seli'breiʃən], *s.* celebração, comemoração.
celebrator ['selibreitə], *s.* celebrador.
celebrity [si'lebriti], *s.* celebridade; personagem célebre.
celeriac [si'leriæk], *s.* aipo vermelho.
celerity [si'leriti], *s.* celeridade, rapidez, velocidade. (*Sin.* velocity, speed, swiftness. *Ant.* slowness.)
celery ['seləri], *s.* aipo.
celeste [si'lest], *s.* e *adj.* cor do céu; registo de órgão.
celestial [si'lestjəl], *s.* e *adj.* celestial, divino, celeste; habitante do céu.
celestial sphere — esfera celeste.
celestial blue — azul-celeste.
celestially [-i], *adv.* celestialmente.
Celia ['si:ljə], *n. p.* Célia.
celibacy ['selibəsi], *s.* celibato.
celibatarian ['selibə'tɛəriən], *s.* e *adj.* celibatário.
celibate ['selibit], *s.* e *adj.* celibatário.
cell [sel], *s.* cela (de prisão ou convento), célula, cavidade; elemento de uma pilha eléctrica.
condemned cell — cela de um condenado à morte.
dry cell — pilha seca.
cellar ['selə], **1** — *s.* cave, adega, loja subterrânea.
salt-cellar — saleiro.
to keep a good cellar — ter uma boa garrafeira.
wine-cellar — adega, garrafeira.
coal-cellar — cave para carvão.
2 — *vt.* meter o vinho na adega.
cellarage [-ridʒ], *s.* armazenagem (numa adega ou loja).
cellarer [-rə], *s.* despenseiro de um convento; encarregado de uma adega.
cellaret ['selə'ret], *s.* frasqueira.
cellarman ['seləmən], *s.* despenseiro, copeiro.
cellist ['tʃelist], *s.* violoncelista.
cello ['tʃelou], *s.* violoncelo.
celloist [-ist], *s.* ver **cellist.**
cellophane ['seləfein], *s.* celofane.
cellular ['seljulə], *adj.* celular.
cellular tissue — tecido celular.
cellular double bottom — duplo fundo celular (náut.).
cellulate, cellulated ['seljulit, 'seljuleitid], *adj.* composto de células.
cellule ['selju:l], *s.* célula.
celluloid ['seljulɔid], *s.* celulóide.
cellulose ['seljulous], **1** — *s.* celulose.
2 — *adj.* celuloso.
celt [selt], *s.* instrumento pré-histórico de bronze ou pedra.
Celt [kelt], *s.* Celta. Ver **Kelt.**
Celtic [-ik], *s.* e *adj.* celta, céltico, língua dos Celtas.
cement [si'ment], **1** — *s.* cimento, argamassa.
hidraulic cement — cal hidráulica.
2 — *vt.* e *vi.* cimentar, ligar com cimento; consolidar, unir, tornar firme.
to cement a friendship — cimentar uma amizade.
cementation ['si:men'teiʃən], *s.* cimentação, modificação das propriedades de um metal pela acção do calor.
cementing [si'mentiŋ], **1** — *s.* cementação; cimentação; obturação de dente.
2 — *adj.* relativo a cimento ou cemento.
cemetery ['semitri], *s.* cemitério.
cenacle ['senəkl], *s.* cenáculo.
cenobite ['si:noubait], *s.* cenobita.
cenotaph ['senətɑ:f], *s.* cenotáfio.
cense [sens], *vt.* incensar, perfumar com incenso.
censer [-ə], *s.* turíbulo, vaso em que se queima incenso.

censor [-ə], **1** — *s.* censor; censura.
2 — *vt.* aplicar a censura (a livros, cartas, jornais, etc.).
censorial [sen'sɔ:riəl], *adj.* censório, relativo a censor ou à censura.
censorious [sen'sɔ:riəs], *adj.* severo, que censura, que critica.
censoriously [-li], *adv.* severamente.
censoriousness [-nis], *s.* tendência para censurar.
censorship ['sensəʃip], *s.* cargo de censor.
censurable ['senʃərəbl], *adj.* censurável, digno de censura.
censure ['senʃə], **1** — *s.* censura, repreensão; censura eclesiástica.
2 — *vt.* censurar, criticar, repreender.
census ['sensəs], *s.* censo, recenseamento geral da população.
cent [sent], *s.* cêntimo, centésima parte de um dólar ou de outra moeda.
per cent — por cento.
cent per cent — cem por cento.
centage ['sentidʒ], *s.* percentagem.
cental [sentl], *s.* peso de cem libras (para cereais).
centaur ['sentɔ:], *s.* centauro.
centaury [-ri], *s.* centáurea, planta medicinal.
centenarian [senti'nɛəriən], *s.* e *adj.* centenário.
centenary [sen'ti:nəri], *s.* e *adj.* centenário.
centennial [sen'tenjəl], *s.* e *adj.* centenário, secular.
center ['sentə], **1** — *s.* ver **centre 1.**
2 — *vt.* ver **centre 2**.
centesimal [sen'tesiməl], *adj.* centesimal.
centesimally [-i], *adv.* de modo centesimal.
centiare ['sentiɑ:], *s.* centiare.
centigrade ['sentigreid], *adj.* centígrado.
centigrade thermometer — termómetro centígrado.
centigramme ['sentigræm], *s.* centigrama.
centilitre ['sentili:tə], *s.* centilitro.
centime ['sɑ̃:nti:m], *s.* cêntimo.
centimetre ['senti'mi:tə], *s.* centímetro.
centipede ['sentipi:d], *s.* centopeia.
cento ['sentou], *s.* centão, composição poética formada por diferentes versos de diversos poetas.
centra ['sentra] *s. pl.* de **centrum.**
central ['sentrəl], *adj.* central.
central heating — aquecimento central.
central stringer — (náut.) dormente central.
central exchange — central telefónica.
central station — central eléctrica.
centralism [-izm], *s.* centralismo.
centralist [-ist], *s.* partidário da centralização.
centrality [sen'træliti], *s.* centralidade.
centralize ['sentrəlaiz], *vt.* e *vi.* centralizar.
centrally ['sentrəli], *adv.* centralmente, no meio.
centre, center ['sentə], **1** — *s.* centro.
centre of gravity — centro de gravidade.
centre-piece — centro de mesa.
the Centre — *(pol.)* partido do centro (formado por políticos moderados).
centre-bit — broca, pua.
centre-board — *(náut.)* **patilhão.**
centre of pressure (náut.) — centro de impulsão.
centre-line — mediana.
centre of effort of sails — centro vélico.
centre punch — punção de bico.
centre keelson — sobrequilha.
centre of attraction — centro de atracção.
centre forward — avançado-centro.
centre half — médio-centro.
2 — *vt.* e *vi.* centrar, colocar, fixar no centro; determinar o centro; concentrar-se.
centrifugal [sen'trifjugəl], *adj.* centrífugo.
centrifugal pump — bomba centrífuga.
centripetal [sen'tripitl], *adj.* centrípeto.
centripetal force — força centrípeta.
centrum ['sentrəm], *s.* (pl. **centra**) centro, foco.
centumvir [sen'tʌmvə:], *s.* centúnviro.
centumvirate [sen'tʌmvirit], *s.* centunvirato.
centuple ['sentjupl], **1** — *s.* cêntuplo.
2 — *vt.* centuplicar.
centuplicate [sen'tjuplikit], **1** — *adj.* centuplicado.
2 — *vt.* centuplicar.
centurial [sen'tjuəriəl], *adj.* centurial.
centurion [sen'tjuəriən], *s.* centurião.
century ['sentʃuri], *s.* século; centúria, companhia de cem soldados.
cephalic [ke'fælik], *adj.* cefálico.
cephalopod ['sefəloupɔd], *s.* cefalópode.
cephalopoda ['sefəlɔpədə], *s. pl.* cefalópodes.
cephalothorax ['sefəlou'θɔ:ræks], *s.* cefalotórax.
ceramic [si'ræmik], *adj.* cerâmico.
ceramic kiln — forno de cerâmica.
ceramics [-s], *s.* cerâmica.
ceramist ['serəmist], *s.* ceramista.
cerastes [si'ræsti:z], *s.* cerasta, víbora com saliências córneas na cabeça.
cere [siə], **1** — *s.* membrana cor de cera que cobre a base do bico de algumas aves.
2 — *vt.* encerar, misturar com cera.
cereal ['siəriəl], *s.* e *adj.* cereal; de cereal.
cerebellum ['seri'beləm], *s.* (pl. **cerebella**) cerebelo.
cerebral ['seribrəl], *adj.* cerebral.
cerebration ['seri'breiʃən], *s.* função cerebral.
cerebrum ['seribrəm], *s.* (pl. **cerebra**) cérebro.
cerecloth ['siəklɔθ], *s.* encerado.
cerement ['siəmənt], *s.* mortalha.
ceremonial [seri'mounjəl], *s.* e *adj.* cerimonial.
ceremonialism [-izm], *s.* cerimonialismo.
ceremonially [-i], *adv.* ritualmente, com todo o cerimonial.
ceremonious ['seri'mounjəs], *adj.* cerimonioso, formal.
ceremoniously ['seri'mounjəsli], *adv.* cerimoniosamente.
ceremoniousness ['seri'mounjəsnis], *s.* cerimónia; carácter cerimonioso, formalidade.
ceremony ['seriməni], *s.* cerimónia, ritual, etiqueta; formalidades rituais; cerimónia religiosa.
to stand on cerimony — fazer cerimónia.
Master of the Cerimonies — mestre-de-cerimónias.
cerise [sə'ri:z], *s.* e *adj.* cor de cereja.
cerium ['si:əriəm], *s.* (quím.) cério.
cert [sə:t], *s.* (col.) certeza.
certain [sə:tn], *adj.* certo, exacto, infalível; fixo; incerto.
for certain — com toda a certeza, seguramente.
it is certain that — é certo que.
a certain person — uma certa pessoa.
to a certain extent — até certo ponto.
to feel certain — estar certo.
a lady of certain age — uma senhora de certa idade.
to hold for certain — ter como certo.
to make certain of — verificar se é verdade.
certainly [-li], *adv.* certamente.
certainty [-ti], *s.* certeza.
to be a dead certainty — (col.) serem favas contadas.
to know for a certainty — ter por certo.
never quit certainty for hope — não deixes o certo pelo duvidoso.
certifiable ['sə:tifaiəbl], *adj.* que se pode certificar.

certificate 1 — [sə'tifikit], *s.* certificado, certidão, carta, diploma.
birth certificate — certidão de nascimento.
death certificate — certidão de óbito.
doctor's certificate — atestado médico.
2 — [sə'tifikeit], *vt.* passar um diploma ou certidão; certificar; atestar.
certificated [-id], *adj.* diplomado.
certificated teacher — professor diplomado.
certification ['sətifi'keiʃən], *s.* certificado, atestado, afirmação.
certificatory [sə'tifikətəri], *adj.* comprovativo, certificativo.
certifier ['sə:tifaiə], *s.* certificador.
certify ['sə:tifai], *vt.* certificar, passar certificado, declarar.
she was certified as insane — foi dada como louca.
certitude ['sə:titju:d], *s.* certeza.
cerulean [si'ru:ljən], *adj.* cerúleo.
cerumen [si'ru:mən], *s.* cerume, cera do ouvido.
ceruminous [si'ru:minəs], *adj.* ceruminoso.
ceruse ['siəru:s], *s.* cerusa, alvaiade.
cervical ['sə:vikəl], *adj.* cervical.
cervine ['sə:vain], *adj.* cervino, relativo ao veado.
cess [ses], 1 — *s.* taxa, contribuição (termo usado na Irlanda, Escócia e Índia).
2 — *vt.* tributar.
cessation [se'seiʃən], *s.* cessação, interrupção.
cesser ['sesə], *s.* cessação, pausa, termo.
cession ['seʃən], *s.* cessão, cedência.
cessionary ['seʃənəri], *s.* cessionário.
cesspit ['sespit], *s.* pilha de estrume, fossa.
cesspool ['sespu:l], *s.* fossa.
cestoid ['sestɔid], *s.* e *adj.* (zool.) cestóide, em forma de fita; verme intestinal a que serve de tipo a ténia.
cetacea [si'teiʃiə], *s. pl.* cetáceos.
cetacean [-n], *s.* e *adj.* cetáceo.
cetaceous [-s], *adj.* cetáceo.
cevadilla [sivə'dilə], *s.* cevadilha.
Ceylon [si'lɔn], *s.* *(top.)* Ceilão; Sri Lanka.
Ceylonese [silɔ'ni:z], *adj.* e *s.* cingalês.
chafe [tʃeif], 1 — *s.* irritação; calor; enfado.
to be in a chafe — estar irritado.
2 — *vt.* e *vi.* aquecer pela fricção; gastar-se (com o atrito); irritar; irritar-se; incomodar. (*Sin.* to rub, to vex, to tease. *Ant.* to soothe.)
chafer [-ə], *s.* escaravelho, espécie de besouro; irritador.
chaff [tʃɑ:f], 1 — *s.* palha ou alimpaduras de cereais; troça, caçoada, zombaria; coisa sem valor.
chaff-cutter — máquina de cortar palha.
too old a bird to be caught with chaff — pessoa espertalhona, difícil de enganar, finório.
to catch with a chaff — enganar facilmente.
2—*vt.* cortar (palha ou feno); arreliar, troçar.
don't chaff me! — não faças troça de mim!
chaffer ['tʃæfə], 1 — *s.* regateio.
2 — *vt.* e *vi.* regatear, baratear.
chafferer [-rə], *s.* regateador.
chaffinch ['tʃæfintʃ], *s.* (zool.) tentilhão.
chaffy ['tʃɑ:fi], *adj.* cheio ou coberto de alimpaduras de cereais; leve, pouco importante; (fam.) trocista, leviano.
chafing [tʃeifiŋ], *s.* irritação, escoriação.
chagrin ['ʃægrin], 1 — *s.* mortificação, desgosto, pesar.
2 — *vt.* mortificar, arreliar.
chain [tʃein], 1 — *s.* cadeia, grilheta; série; fios dum tecido; medida linear (cerca de 20 metros); corrente de relógio.
chain of mountains — cadeia de montanhas, cordilheira.
chain of events — série de acontecimentos.
chain-stitch — ponto de cadeia.
chain-cable (náut.) — amarra de corrente.
chain-hole — gateira.
chain bridge — ponte pênsil.
chain-gear — cadeia sem fim.
chain coupling — cadeia suplementar das carruagens de comboio.
chain-locker (náut.) — paiol de amarra.
chain-armour — cota de malha.
chain rule — regra de três composta.
chain-saw — serra articulada.
in chains — preso, a ferros.
2 — *vt.* prender com cadeia, encadear.
to chain up a dog — prender um cão com corrente.
chaining [-iŋ], *s.* encadeamento; medição (com a cadeia métrica).
chainless [-lis], *adj.* sem cadeias, em liberdade.
chainlet [-let], *s.* corrente pequena.
chair [tʃεə], 1 — *s.* cadeira; presidência (numa assembleia); disciplina professada; cadeira de professor; coxim (caminho-de-ferro).
easy-chair — poltrona.
armchair — cadeira de braços.
revolving-chair — cadeira giratória.
to take the chair — presidir.
to take a chair — sentar-se.
the chair is taken — está aberta a sessão.
chair! chair!—ordem! ordem! (numa reunião).
Chair of History — cadeira de História.
rocking-chair — cadeira de baloiço.
chair-bed — cadeira que se arma em cama.
grand-father-chair — preguiceira.
to address the chair — dirigir-se ao presidente.
2 — *vt.* tomar a presidência (numa assembleia); conduzir em cadeira; levar em triunfo (numa cadeira).
chairman [-mən], *s.* presidente de uma assembleia; presidente do Conselho de Administração; pessoa que aluga cadeiras.
chairmanship [-mənʃip], *s.* presidência (de uma assembleia).
chaise [ʃeiz], *s.* carruagem descoberta.
a chaise and pair — carruagem puxada por dois cavalos.
a chaise and four — carruagem puxada por quatro cavalos.
chalcedony [kæl'sedəni], *s.* calcedónia.
chalcographer [kæl'kɔgrəfə], *s.* calcógrafo.
chalcography [kæl'kɔgrəfi], *s.* calcografia, gravura em metal.
chalcopyrite [kælkou'pairait], *s.* calcopirite.
Chaldaic [kæl'deiik], *adj.* caldaico.
Chaldea [kæl'di:ə], *top.* Caldeia.
Chaldean, Chaldee [kæl'di:ən, kæl'di], *s.* e *adj.* caldeu; astrólogo.
chaldron ['tʃɔ:ldrən], *s.* medida de carvão de cerca de 2500 arráteis.
chalet ['ʃælei], *s.* chalé.
chalice ['tʃælis], *s.* taça, cálice de igreja.
chalk [tʃɔ:k], 1 — *s.* giz, pau de giz, greda.
French chalk — giz dos alfaiates.
as like as chalk and cheese — diferentes como a água do vinho.
not by a long chalk — de maneira nenhuma.
to beat a person by a long chalk — derrotar uma pessoa completamente.
chalk-pit — pedreira de greda.
chalk-stone — cálculo artrítico.
to give chalk for cheese — dar gato por lebre.
2 — *vt.* marcar com giz, escrever ou desenhar com giz.
to chalk it up — tornar conhecido; marcar com giz.
to chalk out — fazer um esboço.
chalkiness ['tʃɔ:kinis], *s.* aspecto calcário; palidez.

chalking [ˈtʃɔ:kin], *s.* transformação em pó branco.
chalky [ˈtʃɔ:ki], *adj.* que contém giz, que se assemelha a giz, gredoso; que contém cálculos artríticos; pálido.
chalky water — água calcária.
challenge [ˈtʃælindʒ], **1** — *s.* desafio, repto, provocação; brado de alerta da sentinela; recusa (de jurado, etc.).
to issue a challenge — lançar um repto.
2 — *vt.* desafiar, provocar; bradar alerta; recusar; perguntar por santo-e-senha; pôr em dúvida.
challengeable [-əbl], *adj.* susceptível de crítica ou provocação.
challenger [-ə], *s.* o que lança um desafio; pretendente a um título (no boxe).
challenging [-iŋ], *adj.* que provoca, que desafia.
challis [ˈʃælis], *s.* tecido de lã fina.
chalybeate [kəˈlibiit], *adj.* ferruginoso.
chamade [ʃəˈmɑ:d], *s.* sinal de retirada em clarim ou tambor.
chamber [ˈtʃeimbə], *s.* câmara, sala; *pl.* escritório de advogado; aposentos de juiz para ouvir casos de menos importância; apartamento.
Chamber of Commerce — Câmara de Comércio.
chamber music — música de câmara.
chamber concert — concerto de câmara.
chamber-maid — criada de quarto.
chamber-pot — bacio.
Lower Chamber — Câmara dos Comuns.
Upper Chamber — Câmara dos Lordes.
chamberlain [-lin], *s.* camarista da corte.
Lord Chamberlain of the Household — camarista-mor.
chamberlainship [-linʃip], *s.* cargo de camarista.
chameleon [kəˈmi:ljən], *s.* camaleão.
chamfer [ˈtʃæmfə], **1** — *s.* chanfradura, estria, meia-cana.
2 — *vt.* chanfrar, estriar, abrir meia-cana. (*Sin.* to groove, to flute, to channel.)
chamfering [-riŋ], *s.* chanfradura.
chamois [ˈʃæmwɑ:], *s.* camurça.
chamois leather — pele de camurça.
chamomile [ˈkæmoumail], *s.* camomila.
champ [tʃæmp], **1** — *s.* mastigação.
2 — *vt.* mordiscar, morder, mascar, mastigar.
champagne [ʃæmˈpein], **1** — *s.* champanhe.
2 — *adj.* cor bege.
champaign [ˈtʃæmpein], *s.* planície, campina.
champerty [ˈtʃæmpə:ti], *s.* delito de financiar uma demanda com direito a parte nos lucros se a acção for julgada procedente.
champignon [tʃæmˈpinjən], *s.* cogumelo.
champion [ˈtʃæmpjən], **1** — *s.* campeão, vencedor de campeonato; herói; defensor. (*Sin.* hero, defender, victor. *Ant.* coward.)
2 — *vt.* defender, advogar, patrocinar.
championship [-ʃip], *s.* posição ou honra de campeão; campeonato.
chance [tʃɑ:ns], **1** — *s.* sorte, fortuna, acaso, azar, contingência, possibilidade, probabilidade, oportunidade, esperança. (*Sin.* luck, risk, opportunity, possibility, fate, fortune.)
by chance — por acaso.
to take one's chance — arriscar-se, confiar na sorte.
to stand a good chance — ter uma boa perspectiva.
to leave things to chance — deixar correr ao acaso.
the main chance — a grande oportunidade.
on the chance — na possibilidade.
to have an eye to the main chance — cuidar dos seus interesses.
there is an off chance that — há uma pequena possibilidade de.
to take a sporting chance — ir à sorte.
not to have the ghost of a chance — não ter possibilidade nenhuma.
a fair chance — uma sorte.
chance-medley — homicídio em legítima defesa.
2 — *adj.* fortuito, casual.
a chance meeting — um encontro casual.
3 — *vt.* e *vi.* acontecer casualmente; encontrar-se por acaso; (col.) arriscar, aventurar.
to chance upon — encontrar-se por acaso.
let's chance it! — arrisquemo-nos!
if I chance to be in London — se por acaso eu estiver em Londres.
it chanced that — sucedeu que.
chancel [ˈtʃɑ:nsəl], *s.* coro de igreja destinado ao clero.
chancellery [ˈtʃɑ:nsələri], *s.* chancelaria (cargo e edifício).
chancellor [ˈtʃɑ:nsələ], *s.* chanceler.
Lord Chancellor — ministro da Justiça.
Chancellor of the Exchequer — ministro das Finanças.
chancellorship [-ʃip], *s.* chancelaria (cargo).
in chancellorship — a ser tratado pelo Supremo Tribunal; (boxe) à mercê do adversário.
chancery [ˈtʃɑ:nsəri], *s.* uma das divisões do Supremo Tribunal da Justiça.
chancre [ˈʃæŋkə], *s.* cancro venéreo.
chancy [ˈtʃɑ:nsi], *adj.* sujeito a risco, incerto, arriscado.
chandelier [ˈʃændiˈliə], *s.* candelabro, lustre, serpentina.
chandler [ˈtʃɑ:ndlə], *s.* fabricante ou negociante de velas; merceeiro; droguista.
corn-chandler — negociante de cereais.
ship-chandler — fornecedor de navios.
tallow-chandler — fabricante ou negociante de velas de sebo.
change [tʃeindʒ], **1** — *s.* mudança, alteração, modificação; variedade; câmbio; troco; moeda miúda; Bolsa; distracção; divertimento.
change of air — mudança de ares.
change of scene — mudança de ambiente.
a little change — uma pequena distracção.
small change — trocos.
for a change — para variar.
change of clothes — mudança de fato.
you need a change — precisas de mudar de ares.
change of voice — mudança de voz (de rapazes na puberdade).
change of venue (com.) — comissão pelo pagamento dum saque noutra conta.
to ring the changes — pôr ou fazer qualquer coisa de formas variadas.
a change for the better — melhoras.
good reading is a healthy change — a boa leitura é uma distracção.
change-gear — caixa de velocidades (no automóvel).
change-lever — alavanca de velocidades.
change of life — menopausa.
change speed gear — mecanismo de mudança de velocidades.
2 — *vt.* e *vi.* mudar, trocar, alterar, modificar, variar, transformar; converter; cambiar. (*Sin.* to alter, to exchange. *Ant.* to conserve.)
to change one's clothes — mudar de roupa.
to change one's mind — mudar de ideias.
to change one's note (tune) — tornar-se ou mais humilde ou mais insolente.

to change colour — mudar de cor (empalidecer ou corar).
to change one's condition — mudar de estado; casar.
to change the gear — mudar de velocidade.
to change hands — mudar de dono.
to change money — cambiar dinheiro.
to change trains — mudar de comboio.

changeability ['tʃeindʒə'biliti], *s.* mutabilidade, instabilidade, inconstância.

changeable ['tʃeindʒəbl], *adj.* mudável, variável, inconstante.

changeableness [-nis], *s.* mutabilidade, instabilidade, inconstância.

changeably [-i], *adv.* de uma maneira inconstante.

changeful ['tʃeindʒful], *adj.* inconstante, variável.

changefulness [-nis], *s.* inconstância, variabilidade.

changeless ['tʃeindʒlis], *adj.* imutável, constante.

changelessness [-nis], *s.* imutabilidade, constância.

changeling ['tʃeindʒliŋ], *s.* criança ou coisa trocada por outra; criança defeituosa que se supunha trazida pelas fadas em substituição de outra.

changer ['tʃeindʒə], *s.* o que troca ou muda; cambista.

changing ['tʃeindʒiŋ], **1** — *s.* mudança, alteração.
changing over — comutação.
2 — *adj.* mudável, variável.
changing magnetic field — campo magnético variável.

channel [tʃænl], **1** — *s.* canal, estreito; passagem; leito de rio caudaloso; via; estria.
channel iron — ferro em U.
the Channel — o Canal Inglês, o Canal da Mancha.
through any other channel (com.) — por intermédio de qualquer outra pessoa.
2 — *vt.* (pret. e pp. **channelled**) abrir canais; estriar, canelar.

chant [tʃɑːnt], **1** — *s.* cântico, salmo, cantochão.
2 — *vt.* entoar cânticos ou salmos.
to chant horses — procurar vender cavalos escondendo os defeitos.

chanter [-ə], *s.* chantre; flauta de cana.

chanterelle ['tʃæntə'rel], *s.* (bot.) cantarelo.

chanticleer ['tʃænti'kliə], *s.* galo doméstico.

chantry ['tʃɑːntri], *s.* capela, igreja ou altar com legado de missas.

chaos ['keiɔs], *s.* caos, confusão, desordem. (*Sin.* disorder, anarchy. *Ant.* order.)

chaotic [kei'ɔtik], *adj.* caótico, confuso, desordenado.

chaotically [-əli], *adv.* caoticamente.

chap [tʃæp], **1** — *s.* fenda, abertura, cieiro; (col.) companheiro, sujeito, amigalhote; *pl.* fauces.
old chap! — meu velho!
chap-fallen — desanimado.
2 — *vt.* e *vi.* (pret. e pp. **chapped**) fender, abrir fendas, gretar, rachar-se, fender-se.

chap-book ['tʃæpbuk], *s.* livro barato de literatura de cordel.

chape [tʃeip], *s.* ponteira da bainha de sabre; fivela; gancho de fivela.

chapel ['tʃæpəl], *s.* capela, oratório.
Lady-Chapel — capela dedicada a Nossa Senhora.
he goes to chapel not church — ele não é anglicano.

chaperon ['ʃæpəroun], **1** — *s.* dama de companhia de senhora solteira, (col.) pau-de-cabeleira.
2 — *vt.* acompanhar senhora solteira como dama de companhia, (col.) fazer de pau-de-cabeleira.

chapiter ['tʃæpitə], *s.* capitel de coluna.

chaplain ['tʃæplin], *s.* capelão.

chaplaincy ['tʃæplinsi], *s.* capelania, cargo de capelão.

chaplet ['tʃæplit], *s.* grinalda, terço (do rosário), colar de contas; crista, poupa de aves.

chapman ['tʃæpmən], **1** — *s.* homem elegante; bufarinheiro, vendedor ambulante.
2 — *adj.* gretado.

chappy ['tʃæpi], *s.* e *adj.* homem de sociedade; gretado, fendido.

chapter ['tʃæptə], *s.* capítulo, colegiada ou Cabido da Sé.
a chapter of accidents — uma série de desastres.
to the end of the chapter — sempre, até ao fim.
to give chapter and verse — pôr os pontos nos ii.
characters in order of appearance — personagens por ordem de entrada em cena.

char [tʃɑː], **1** — *s.* trabalho a dias, biscate; truta do género *Salvelinus*; carvão animal.
2 — *vt.* queimar a superfície; reduzir a carvão; trabalhar a dias; fazer biscates; tostar.

char-à-banc ['ʃærəbæŋ], *s.* charabã, espécie de carruagem.

character ['kæriktə], *s.* carácter, índole, reputação, boas qualidades, firmeza de vontade; marca, sinal; letra; personagem (de peça teatral, romance, etc.); (náut.) marca ou cota de classificação, referências; *pl.* caracteres tipográficos. (*Sin.* reputation, symbol, sign, quality, nature.)
in character — apropriado, a propósito, bem representado (teatro).
out of character — impróprio, fora de propósito, mal representado (teatro).
a man of no character — um homem sem carácter.
a man of noble character — um homem de carácter.
goodness of character — boa reputação.
chapter-house — sala capitular; sala do capítulo.
to be quite a character — ser original.

characteristic ['kæriktə'ristik], **1** — *s.* característica.
2 — *adj.* característico, típico, distintivo.

characteristically [-əli], *adv.* caracteristicamente.

characterization ['kæriktərai'zeiʃən], *s.* caracterização.

characterize ['kæriktəraiz], *vt.* caracterizar, descrever; distinguir; pintar.

characterless ['kæriktəlis], *adj.* sem carácter, baixo, ordinário.

charade [ʃə'rɑːd], *s.* charada.

charcoal ['tʃɑːkoul], *s.* carvão de lenha; carvão para desenhar.
charcoal burner — carvoeiro.
charcoal drawing — desenho a carvão.
charcoal-pan — braseira.

chard [tʃɑːd], *s.* penca, talo.

chare [tʃɛə], **1** — *s.* trabalho a dias, jornal; biscato.
2 — *vi.* trabalhar a dias.

charge [tʃɑːdʒ], **1** — *s.* carga; cuidado; guarda; preço, taxa, custo, despesa; acusação, im-

putação; ataque, assalto; admoestação da autoridade.
at a small charge — por uma pequena retribuição.
to give in charge — confiar ao cuidado de.
to take charge of — tomar conta de, encarregar-se de.
free of charge — grátis, franco.
to put something under a person's charge — confiar uma coisa à guarda de alguém.
internal charges — impostos internos.
an inclusive charge — preço sem extras.
to take charge (náut.) — mover-se por si, desandar.
to return to the charge — voltar à carga.
no charge — grátis.
in charge — responsável.
a charge of cavalry — uma carga de cavalaria.
loading charges — despesas de descarga.
bishop's charge — exortação de um bispo.
collecting charges — comissão de cobrança.
all charges included — incluídos todos os gastos.
the heads of the charge — os pontos da acusação.
2 — *vt.* e *vi.* carregar; encarregar, confiar; ser solicitado; acusar, imputar, culpar; atacar; pedir preço; exortar; sobrecarregar. (*Sin.* to command, to entrust, to attack, to demand.)
to charge a prisoner with murder — acusar um preso de assassinato.
to charge three shillings a dozen for eggs — pedir três xelins por uma dúzia de ovos.
to be charged with an important mission — ser encarregado de uma missão importante.
he charges too high — pede um preço muito elevado.
to charge one's memory — sobrecarregar a memória.
to charge a person to be careful — exortar alguém a ser cuidadoso.
to charge a gun — carregar uma arma.
to charge bayonets — armar baionetas.

chargeable [-əbl], *adj.* imputável, responsável; sujeito a certos pagamentos.
chargeability [ˈtʃɑːdʒəˈbiliti], *s.* gasto, custo, despesa; imposto, tributo; encargo.
chargeableness [ˈtʃɑːdʒəblnis], *s.* despesa, gasto.
charger [ˈtʃɑːdʒə], *s.* cavalo de batalha; carregador, carregador mecânico.
charily [ˈtʃɛərili], *adv.* cuidadosamente; com parcimónia.
chariness [ˈtʃɛərinis], *s.* cuidado, cautela; economia, parcimónia, frugalidade.
chariot [ˈtʃæriət], *s.* carro triunfal, carro de gala.
charioteer [ˈtʃæriəˈtiə], *s.* cocheiro de carro de gala; Cocheiro (nome de uma constelação.)
charitable [ˈtʃæritəbl], *adj.* caritativo, caridoso, esmoler; benevolente, benigno. (*Sin.* kind, generous, liberal. *Ant.* selfish.)
charitable institution — instituição de caridade.
charitableness [-nis], *s.* caridade, benevolência, benignidade.
charitably [-i], *adv.* caritativamente, caridosamente.
charity [ˈtʃæriti], *s.* caridade, beneficência, esmola; compaixão, benevolência; virtude teologal; instituto de caridade; *pl.* obras de caridade. (*Sin.* kindness, love, beneficence, liberality, goodness. *Ant.* selfishness.)
Sisters of Charity — irmãs de caridade.
charity-child — criança de um instituto de caridade.
charity begins at home — a caridade começa em casa (em nós mesmos).
for charity's sake — por amor de Deus.
out of charity — por caridade.
to leave one's money to charities — deixar o dinheiro a instituições de caridade.
to live on charity — viver da caridade, viver de esmolas.

charivari [ˈʃɑːriˈvɑːri], *s.* charivari, balbúrdia.
charlady [ˈtʃɑːˈleidi], *s.* (col.) mulher a dias.
charlatan [ˈʃɑːlətən], *s.* charlatão, intrujão, impostor.
charlatanism [-izm], *s.* charlatanismo, charlatanice, impostura.
charlatanry [-ri], *s.* charlatanaria, logro, modos ou linguagem de charlatão.
Charles [tʃɑːlz], *n. p.* Carlos.
Charles's Wain [ˈtʃɑːlzizˈwein], *s.* Ursa Maior.
Charlotte [ˈʃɑːlət], *n. p.* Carlota.
charm [tʃɑːm], **1** — *s.* encanto, atractivo, encantamento, sedução; sortilégio; amuleto.
2 — *vt.* encantar, atrair, cativar, fascinar; ter prazer.
I shall be charmed to see you tomorrow — tenho muito prazer em vê-lo amanhã.
charmer [-ə], *s.* encantador.
charming [-iŋ], *adj.* encantador, fascinante.
charmingly [-iŋli], *adv.* encantadoramente, agradàvelmente, admiràvelmente.
charnel [tʃɑːnl], *s.* ossário, sepulcro; mausoléu.
charnel-house — ossuário, ossário, mausoléu.
chart [tʃɑːt], **1** — *s.* carta de roteiro marítimo, mapa, gráfico, tabela.
chart-room — casa de navegação.
2 — *vt.* desenhar um mapa, registar num mapa.
charter [-ə], **1** — *s.* carta patente, carta régia; decreto; título; escritura pública, alvará; contrato de fretamento (de um navio). (*Sin.* prerogative, right, privilege.)
charter-party — carta de fretamento.
2 — *vt.* fretar; estabelecer por lei ou por decreto; dar alvará.
chartered [-əd], *adj.* garantido por lei ou decreto; fretado.
charterer [-rə], *s.* fretador.
Charterhouse [ˈtʃɑːtəhaus], *s.* asilo para aposentados idosos.
Charterhouse school — escola pública no sítio ocupado pelo mosteiro dos frades cartuxos.
chartering [ˈtʃɑːtəriŋ], *s.* fretamento.
chartographer [kɑːˈtɔgrəfə], *s.* cartógrafo.
chartography [kɑːˈtɔgrəfi], *s.* cartografia.
chartreuse [ʃɑːˈtrəːz], *s.* mosteiro cartuxo; licor fabricado pelos monges cartuxos.
charwoman [ˈtʃɑːˈwumən], *s.* mulher a dias.
chary [ˈtʃɛəri], *adj.* cuidadoso, acautelado, prudente; avaro, económico.
chary of praise — avaro de elogios.
chase [tʃeis], **1** — *s.* caça (acto de caçar, peças de caça, lugar onde se caça); perseguição; caixilho onde se prendem as letras tipográficas; parte duma peça de artilharia que vai dos munhões até à boca; tiro.
to give chase — perseguir.
to take chase (náut.) — ser caçado.
wild goose chase — empresa vã.
2 — *vt.* caçar, perseguir, dar caça; gravar (em relevo); (fig.) dissipar. (*Sin.* to pursue, to follow, to track, to hunt.)
to chase away (out) — afugentar, fazer fugir.
chaser [-ə], *s.* navio que dá caça; cinzelador; perseguidor.
chasing [-iŋ], *s.* arte de gravar em metais; perseguição, caça.

chasm [ˈkæzm], *s.* fenda, abertura; abismo; espaço em branco. (*Sin.* hollow, cavity, gap, opening).

chasmy [ˈkæzmi], *adj.* cheio de fendas, de aberturas; abismal, hiante.

chassis [ˈʃæsi], *s.* (pl. **chassis** ou **chassisses**) chassi (de automóvel, peças de artilharia, fotografia, aeroplano).
chassis frame — quadro de chassi.

chaste [tʃeist], *adj.* casto, honesto, puro, inocente.

chastely [-li], *adv.* castamente, pudicamente.

chasten [tʃeisn], *vt.* castigar, corrigir; moderar, restringir; purificar.

chasteness [ˈtʃeistnis], *s.* castidade, honestidade, pureza.

chastise [tʃæsˈtaiz], *vt.* castigar, punir, azorragar.

chastisement [ˈtʃæstizmənt], *s.* castigo, punição, correctivo.

chastiser [tʃæsˈtaizə], *s.* aquele que castiga.

chastity [ˈtʃæstiti], *s.* castidade, continência, pureza, virgindade.

chasuble [ˈtʃæzjubl], *s.* casula (paramento eclesiástico.)

chat [tʃæt], **1** — *s.* conversa familiar, cavaqueira, cavaco; espécie de ave canora.
2 — *vi.* conversar familiarmente, cavaquear, estar ao cavaco.

château [ˈʃɑ:tou], *s.* castelo ou casa de campo de luxo.

chatelaine [ˈʃætəlein], *s.* corrente (para prender o relógio, chaves, etc.); castelã.

chattel [tʃætl], *s.* bem móvel; *pl.* bens móveis.

chatter [ˈtʃætə], **1** — *s.* tagarelice; chilreio; bater de dentes; trepidação.
2 — *vi.* tagarelar, palrar; chilrear; ranger (os dentes).

chatterbox [-bɔks], *s.* tagarela.

chatterer [-rə], *s.* palrador, falador.

chattering [-riŋ], *s.* tagarelice, garrulice; ranger de dentes.

chattiness [ˈtʃætinis], *s.* loquacidade, verbosidade.

chatty [ˈtʃæti], *adj.* falador, loquaz, conversador.

chauffer [ˈtʃɔ:fə], *s.* fornalha portátil usada em química.

chauffeur [ˈʃoufə], *s.* motorista.

chauvinism [ˈʃouvinizm], *s.* chauvinismo, patriotismo exagerado.

chauvinist [ˈʃouvinist], *s.* chauvinista, nacionalista exagerado; (col.) «ultra».

chaw [tʃɔ:], **1** — *s.* bocado de tabaco para mascar.
2 — *vt.* mascar.

chawbacon [-beikən], *s.* grosseiro, labrego.

cheap [tʃi:p], *adj.* e *adv.* barato; ordinário; vulgar.
dog-cheap (dirt-cheap) — muito barato, quase de graça.
cheap excursion — viagem a preço reduzido.
to hold something cheap — dar pouco valor a alguma coisa, menosprezar alguma coisa.
cheap-tripper — o que faz viagens baratas.
at a cheap rate — em conta, barato.
good cheap — abundante, de muita procura.
cheap and nasty — barato, mas de má qualidade.
cheap Jack — negociante de artigos baratos; bufarinheiro.
to feel cheap — sentir-se deprimido.

cheapen [-ən], *vt.* e *vi.* baratear, tornar barato.

cheapish [-iʃ], *adj.* bastante barato.

cheaply [-li], *adv.* barato.

cheapness [-nis], *s.* barateza.

cheat [tʃi:t], **1** — *s.* engano, logro, burla, fraude, embuste. (*Sin.* deceit, fraud, swindle, stratagem, hoax.)
2 — *vt.* e *vi.* enganar, defraudar, lograr, burlar; trapacear (ao jogo). (*Sin.* to swindle, to deceive, to dupe, to impose upon. *Ant.* to be honest, to play fair.)
to cheat a person out of a thing — burlar alguém.
to cheat at cards — trapacear, fazer batota no jogo das cartas.
I am not to be cheated — não me deixo roubar.

check [tʃek], **1** — *s.* cheque (xadrez); revés; obstáculo; embaraço; desaire, contratempo; paragem, pausa; pano em xadrez; cheque bancário; verificação; talão de marcação de lugar ou bagagem.
to keep in check — manter em respeito.
check-nut — contraporca.
check-ring (náut.) — anilha-freio.
check-rope (náut.) — espia da popa.
to sustain a check — sofrer um revés.
check-book (E. U.) — livro de cheques.
check-string — sinal de alarme (no comboio).
to meet with a check — sofrer um revés.
2 — *vt.* e *vi.* reprimir, restringir, refrear, deter; confrontar; conferir, verificar (documento, contas); pôr em cheque (xadrez); pôr um talão ou senha; (mil.) repreender, censurar; (náut.) dar um salto, solecar (um cabo); estacar (um navio).
to check off an account — verificar uma conta.
to check the way — cortar o seguimento.
to check a ship — estacar um navio.
to check a rope — solecar um cabo.
to check out — deixar o hotel.
to check in — entrar num hotel.
to check with — estar em concordância com.
to check with a person — ouvir a opinião de uma pessoa.

checked [-t], *adj.* experimentado, verificado.

checker, [-ə], **1** — *s.* pano de xadrez; tabuleiro de xadrez; verificador.
2 — *vt.* marcar com quadrados de cores alternadas; variar, variegar.

checkered [-ərəd], *adj.* axadrezado, em xadrez.

checkers [ˈtʃekəz], *s.* jogo das damas.

checking [ˈtʃekiŋ], *s.* exame, verificação.
checking-account — conta-corrente.

checkmate [ˈtʃekˈmeit], **1** — *s.* xeque-mate.
2 — *vt.* dar xeque-mate; derrotar; frustrar.

checkroom [ˈtʃekrum], *s.* depósito de bagagens.

cheddar [ˈtʃedə], *s.* queijo Cheddar.

cheek [tʃi:k], **1** — *s.* bochecha, face; descaro, descaramento, atrevimento, desaforo; *pl.* boca de torno; (náut.) face (de moitão), romã (de mastro); couceiro de janela ou porta.
cheek tooth — dente molar.
cheek block (náut.) — face de moitão ou de cadernal.
cheek mast — romã de mastro.
no cheek! — nada de atrevimentos!
to have the cheek to say — ter o descaramento de dizer.
cheek by jowl — ombro a ombro, em grande intimidade.
cheek-bone — malar.
2 — *vi.* falar descaradamente, insultar.

cheekily [-ili], *adv.* descaradamente, atrevidamente.

cheekiness [-inis], *s.* descaramento, falta de vergonha.

cheeky [-i], *adj.* descarado, atrevido, impudente.

cheep [tʃi:p], **1** — *s.* pio, chilreio, chio.
2 — *vi.* piar, chilrear, chiar.

cheeper [-ə], *s.* perdiz muito nova.
cheer [tʃiə], **1** — *s.* disposição; viva, grito de aplauso, aclamação; alegria, regozijo; comida, provisões para um festim.
to give cheers — dar vivas.
good cheer — bom petisco.
words of cheer — palavras animadoras.
what cheer? — como vai isso?
2 — *vt.* e *vi.* aplaudir, dar vivas, aclamar, animar, alegrar; encorajar, incitar, confortar.
to cheer up — tomar ânimo.
cheer up! — coragem!, ânimo!, alegra-te!
cheerful [-ful], *adj.* alegre, animado, prazenteiro, divertido, contente.
cheerfully [-fuli], *adv.* alegremente, animadamente.
cheerfulness [-fulnis], *s.* alegria, contentamento, jovialidade.
cheerily [-li], *adv.* alegremente.
cheeriness [-rinis], *s.* alegria, contentamento.
cheering [-riŋ], *s.* aplausos, aclamações.
cheerio(h)! ['tʃiəri'ou], *interj.* (fam.) até à vista!
cheerless [-lis], *adj.* desanimado, triste, descontente, desalentado, sombrio, infeliz.
cheerlessly [-lisli], *adv.* tristemente, desanimadamente.
cheerlessness [-lisnis], *s.* tristeza, desconforto.
cheerly [-li], *adv.* com vontade, do coração.
cheery ['tʃiəri], *adj.* alegre, jovial, contente, vivo, que causa alegria.
cheese [tʃi:z], **1** — *s.* queijo.
Dutch-cheese — queijo flamengo.
cheese-paring — apara de queijo; avareza; avarento.
cheese-cake — queijada.
cheese-cutter — faca para queijo.
cheese-hopper — bicho do queijo.
cheese-rind — casca do queijo.
green cheese — queijo muito fresco.
hard cheese (col.) — pouca sorte.
that's cheese! — é exactamente isso!
say cheese! — olha o passarinho! (o que diz o fotógrafo ao tirar retratos).
cheese-taster — instrumento para tirar amostras de queijo.
2 — *vt.* (col.) parar.
cheese it — pare lá com isso!
cheesemonger [-'mʌŋgə], *s.* queijeiro, negociante de queijos.
cheesemongery [-mʌŋgəri], *s.* queijaria.
cheesy [-i], *adj.* caseoso, parecido com o queijo, com sabor a queijo; (fam.) elegante, à moda.
cheetah ['tʃi:tə], *s.* leopardo da Ásia.
chef [ʃef], *s.* cozinheiro-chefe.
cheiropteran [kai'rɔptərən], *s.* quiróptero.
cheiropterous [kai'rɔptərəs], *adj.* quiróptero.
chemic ['kemik], *adj.* químico.
chemical [-əl], *adj.* químico.
chemical works — fábrica de produtos químicos.
chemical analysis — análise química.
chemical balance — balança de laboratório.
chemical engineering — engenharia química.
chemical fertilizer — adubo químico.
chemical rubber — borracha sintética.
chemical symbol — símbolo químico.
chemical test — ensaio químico.
chemically [-əli], *adv.* quimicamente.
chemicalize [-əlaiz], *vt.* tratar por processos químicos.
chemicals [-əlz], *s. pl.* produtos químicos, drogas.
chemise [ʃi'mi:z], *s.* camisa de mulher.
chemisette ['ʃemi:'zet], *s.* camiseta.
chemist ['kemist], *s.* químico; farmacêutico; droguista.
chemist's shop — farmácia.
chemistry [-ri], *s.* química.
chemitype ['kemitaip], *s.* quimiotipia.
chenille [ʃə'ni:l], *s.* cordão de veludo, seda ou lã.
cheque [tʃek], *s.* cheque (comercial).
cheque-book — livro de cheques.
cheque to bearer — cheque ao portador.
cheque to order — cheque à ordem.
blank cheque — cheque em branco.
crossed-cheque — cheque cruzado.
chequer [-ə], *s.* ver **checker.**
cherish ['tʃeriʃ], *vt.* acariciar, tratar com carinho, estimar muito; alimentar no espírito; nutrir. (*Sin.* to foster, to nurse, to value, to cling to. *Ant.* to abandon).
to cherish hopes — alimentar esperanças.
cheroot [ʃə'ru:t], *s.* charuto das Filipinas.
cherry ['tʃeri], **1** — *s.* cereja, cor de cereja.
cherry-tree — cerejeira.
cherry-stone — caroço de cereja.
cherry-brandy — ginginha.
2 — *adj.* cor de cereja.
cherub ['tʃerəb], *s.* (pl. **cherubs** e **cherubim**) querubim.
cherubic [tʃe'ru:bik], *adj.* querubínico.
chervil ['tʃə:vil], *s.* cerefolho ou cerefólio, planta hortense.
Cherwell ['tʃɑ:wəl], *s.* nome do afluente do Tamisa que banha Oxford.
Cheshire ['tʃeʃə], *adj.* de Cheshire.
Cheshire cheese — queijo de Cheshire.
chess [tʃes], *s.* xadrez (jogo).
chess-man — peão (do xadrez).
chess-rook — castelo (de xadrez).
chess-board — tabuleiro do xadrez.
chessel [tʃesl], *s.* forma para queijos.
chest [tʃest], *s.* caixa grande de metal ou madeira, arca, cofre; peito, tórax; mochila.
chest of drawers — cómoda.
to get a thing off one's chest (fam.) — desabafar.
sailor's chest — mochila de marinheiro.
chest-foundering — pulmoeira.
chest-note (chest-voice) — o tom mais grave da voz.
to have a weak chest — ser fraco do peito.
chested [-id], *adj.* que tem peito.
broad chested — de peito largo.
chesterfield ['tʃestəfi:ld], *s.* casaco comprido de agasalho; sofá grande e estofado.
chestnut ['tʃesnʌt], **1** — *s.* castanheiro, castanha; cor castanha; anedota cediça, piada conhecida.
chestnut tree — castanheiro.
horse chestnut — castanheiro-da-índia.
chestnut coal — antracite.
chestnut grove — souto.
2 — *adj.* de cor castanha.
chestnut horse — cavalo castanho.
chevalier ['ʃevə'liə], *s.* cavaleiro.
chevalier of industry — cavalheiro de indústria, vigarista.
cheviot ['tʃeviət], *s.* cheviote, tecido inglês de lã.
the Cheviot Hills — os montes Cheviotes.
chevron ['ʃevrən], *s.* divisa militar usada na manga do casaco.
chevy ['tʃevi], **1** — *s.* caça, montaria; jogo do polícia e dos ladrões.
2 — *vt.* caçar, perseguir; importunar, incomodar.
chew [tʃu:], **1** — *s.* mastigação.
2 — *vt.* e *vi.* mascar, mastigar, ruminar; meditar, ponderar, reflectir.
to chew the cud — ruminar, remastigar os alimentos; reflectir.
to chew tobacco — mascar tabaco.

to bite off more than one can chew — meter-se em altas cavalarias.
chewer [-ə], *s.* mascador (de tabaco).
chewing [-iŋ], *s.* mastigação, ruminação; reflexão.
chewing gum — pastilha elástica.
Chianti [ki'ænti], *s.* vinho tinto de Chianti.
chiaroscuro [ki'ɑ:rəs'kuərou], *s.* desenho claro-escuro; distribuição de luz numa pintura.
chic [ʃi:k], **1** — *s.* elegância.
2 — *adj.* elegante.
chicane [ʃi'kein], **1** — *s.* chicana.
2 — *vi.* chicanar.
chicaner [-ə], *s.* chicaneiro.
chicanery [-əri], *s.* chicanice.
chick [tʃik], *s.* pintainho; menino (termo de carinho).
chick-pea — grão-de-bico.
the chicks — as crianças de uma família.
chicken ['tʃikin], *s.* frango; carne de frango ou de galinha; criança; pessoa inexperiente; aves de capoeira.
to count one's chicken before they are hatched — contar com o ovo antes de a galinha o pôr.
chicken-pox — bexigas loucas.
chicken-hearted — cobarde, medroso.
to be no chicken — já não ser novo, não ser nenhuma criança.
chickling ['tʃikliŋ], *s.* (bot.) chícharo.
chicory ['tʃikəri], *s.* chicória.
chide [tʃaid], *vt.* e *vi.* (pret. **chid**, pp. **chidden** ou **chid**) queixar-se; censurar, ralhar. (*Sin.* to scold, to rebuke, to blame, to upbraid. *Ant.* to applaud.)
chiding [-iŋ], *s.* increpação, censura, repreensão.
chief [tʃi:f], **1** — *s.* chefe, comandante; (com.) gerente; dirigente.
commander-in-chief — comandante-chefe.
in chief — principalmente.
Chief justice — presidente de um tribunal superior.
2 — *adj.* e *adv.* principal; principalmente.
chief inspector — inspector-chefe.
chief operator — telefonista-chefe.
chief engineer — engenheiro-chefe.
chief petty officer — sargento-ajudante.
chief pilot — piloto-mor.
chiefly [-li], **1** — *adj.* principal, próprio de chefe.
2 — *adv.* principalmente.
chieftain [-tən], *s.* chefe de tribo; capitão de salteadores.
chieftaincy [-tənsi], *s.* chefia.
chiff-chaff ['tʃif-tʃæf], *s.* nome de uma ave canora.
chiffon ['ʃifɔn], *s.* chifon, gaze; *pl.* adornos de mulher.
chignon ['ʃi:njɔ̃:ŋ], *s.* carrapito, puxo usado por mulheres.
chigoe ['tʃigou], *s.* nígua, pulga penetrante.
chilblain ['tʃilblein], *s.* frieira.
child [tʃaild], (pl. **children**), *s.* criança, filho ou filha.
grandchild — neto ou neta.
great grandchild — bisneto ou bisneta.
child's play — coisa fácil de fazer.
a spoilt child — um mimalho.
child wife — esposa muito nova.
a burnt child dreads the fire — gato escaldado de água fria tem medo.
child-bed (child-birth) — parto.
from a child — desde criança.
with child — grávida.
Childermas ['tʃildəmæs], *s.* Dia dos Santos Inocentes (28 de Dezembro).
childhood ['tʃaildhud], *s.* infância, meninice.
childish ['tʃaildiʃ], *adj.* infantil, pueril.
childishly [-li], *adv.* infantilmente, puerilmente.
childishness [-nis], *s.* infantilidade, puerilidade.
childless ['tʃaildlis], *adj.* sem filhos.
childlike ['tʃaildlaik], *adj.* infantil, próprio de crianças.
children ['tʃildrən] *s. pl.* de **child.**
Chile, Chili ['tʃili], *top.* Chile.
Chilean ['tʃiliən], *s.* e *adj.* chileno.
chiliad ['kiliæd], *s.* mil; período de mil anos; quilíade.
chill [tʃil], **1** — *s.* frio, calafrio, arrepio, resfriamento.
to catch a chill — apanhar um resfriamento.
to cast a chill over — lançar um balde de água fria, desanimar.
2 — *adj.* frio, gelado; desanimado; indiferente.
3 — *vt.* e *vi.* esfriar, arrefecer; desanimar.
chilled meat — carne congelada.
to be chilled to the bone — estar gelado até aos ossos.
chilli, chilly ['tʃili], *s.* pimenta da Guiné.
chilliness [-nis], *s.* frialdade; desânimo, indiferença.
chilly ['tʃili], **1** — *adj.* frio, friorento; indiferente.
a chilly room — um quarto frio.
2 — *adv.* com frieza.
chime [tʃaim], **1** — *s.* carrilhão; harmonia de sons; acordo, harmonia. (*Sin.* harmony, consonance, rhythm.)
2 — *vt.* e *vi.* tocar sinos, dar horas (no sino); concordar; rimar.
to chime in — intrometer-se na conversa.
chimera [kai'miərə], *s.* quimera, ilusão.
chimere [tʃi'miə], *s.* chimarra.
chimerical [kai'merikəl], *adj.* quimérico, imaginário.
chimerically [-i], *adv.* quimericamente.
chimney ['tʃimni], *s.* chaminé; fogão, lar; fenda estreita por onde se pode subir a uma montanha.
chimney-stalk — cano da chaminé; chaminé de fábrica.
chimney-stack — conjunto de chaminés.
chimney-piece — prateleira por cima do fogão de sala.
chimney-sweeper — limpa-chaminés.
chimney-pot hat — chapéu alto.
chimney-corner — canto da chaminé.
chimney-fender — guarda-fogo.
chimney-sweeper — vassoura para limpar chaminés; limpa-chaminés.
chimpanzee ['tʃimpən'zi:], *s.* chimpanzé.
chin [tʃin], *s.* queixo.
up to the chin — até ao queixo; inteiramente absorvido.
keep your chin up! — coragem!
chin-stay — francalete de boné.
china ['tʃainə], *s.* porcelana, louça de porcelana; louça da China.
china-clay — caulino.
china-ware — porcelana.
China ['tʃainə], *top.* China.
China aster — (bot.) sécia.
China-crape — crepe da China.
Chinaman [-mən], *s.* chinês; navio da carreira da China.
chinchilla [tʃin'tʃilə], *s.* chinchila, mamífero roedor; pele de chinchila.
chine [tʃain], *s.* espinha dorsal; ravina estreita na ilha de Wight.

Chinee [tʃai'ni:], *s.* (fam.) chinês.
Chinese ['tʃai'ni:z], *s.* e *adj.* chinês, a língua chinesa.
chink [tʃiŋk], **1** — *s.* fenda, greta, abertura; tinir de dinheiro; (col.) dinheiro. (*Sin.* crevice, opening, crack, fissure.)
2 — *vt.* e *vi.* tinir; fazer tinir dinheiro.
Chink [tʃiŋk], *s.* (col.) chinês.
chintz [tʃints], *s.* pano de chita.
chip [tʃip], **1** — *s.* pedaço; cavaco; lasca, aparas, raspa; batata frita; *pl.* batatas fritas cortadas muito fininhas. (*Sin.* scrap, fragment, piece.)
as dry as a chip — desinteressante.
a chip of the old block (col.) — filho parecido com o pai.
the chips — dinheiro.
to carry a chip on one's shoulders — ser irritável.
2 — *vt.* e *vi.* escavacar, lascar, cortar em pedaços; raspar, picar; fritar batatas.
to chip in — intrometer-se.
chipped potatoes — batatas fritas.
chipping [-iŋ], *s.* cavaco, lasca, estilhaço; cinzelamento.
chipping-hammer — picadeira.
chippy [-i], *adj.* seco, árido, sem interesse; (fam.) indisposto, irritável (na embriaguez).
chips [-s], *s.* (náut.) carpinteiro de navio; batatas fritas.
chirograph ['kaiərəgrɑ:f], *s.* quirógrafo; autógrafo.
chirographer ['kaiə'rɔgrəfə], *s.* escrivão.
chirographic ['kaiərə'græfik], *adj.* quirográfico.
chirographist ['kaiə'rɔgrəfist], *s.* quirografista.
chirography ['kaiə'rɔgrəfi], *s.* quirografia.
chiromancer ['kaiərəmænsə], *s.* quiromante.
chiromancy ['kaiərəmænsi], *s.* quiromancia.
chiropodist [ki'rɔpədist], *s.* calista, pedicuro.
chiropody [ki'rɔpədi], *s.* tratamento dos pés, unhas ou calos.
chirp [tʃə:p], **1** — *s.* chilreio, gorjeio; canto, trinado; palrice (de crianças).
2 — *vt.* e *vi.* chilrear, gorjear; cantar; tagarelar alegremente.
chirpily [-ili], *adv.* alegremente.
chirpiness [-inis], *s.* alegria manifestada pelo canto.
chirpy [-i], *adj.* alegre, vivo, conversador, tagarela.
chirr ['tʃə:], **1** — *s.* canto (da cigarra, grilo, etc.).
2 — *vi.* cantar (cigarra, grilo, etc.).
chirrup ['tʃirəp], **1** — *s.* gorjeio, trino.
2 — *vi.* gorjear, trinar; (col.) fazer claque (teatro).
chirruper [-ə], *s.* aquele que faz claque (esp. no teatro.)
chisel [tʃizl], **1** — *s.* cinzel, escopro, talhadeira, formão, buril.
2 — *vt.* cinzelar, esculpir.
chit [tʃit], *s.* criança, fedelho; rebento, embrião.
a chit of a girl — uma miúda, um fedelho.
chit-chat ['tʃittʃæt], *s.* conversa fútil, cavaqueira, tagarelice.
chitin ['kaitin], *s.* quitina.
chitinous [-əs], *adj.* quitinoso.
chitterlings ['tʃitə:liŋz], *s.* *pl.* fressura de porco; linguiças.
chivalric ['ʃivəlrik], *adj.* cavalheiresco.
chivalrous ['ʃivəlrəs], *adj.* cavalheiresco; bravo, corajoso; cortês.
chivalrously [-li], *adv.* cavalheirescamente.
chivalrousness [-nis], *s.* cavalheirismo; coragem; generosidade.
chivalry ['ʃivəlri], *s.* cavalheirismo; bravura.
chive [tʃaiv], *s.* cebolinho.
chivy ['tʃivi], *s.* caça, montaria; jogo dos polícias e dos ladrões.
chloral ['klɔ:rəl], *s.* hidrato de cloro.
chlorate ['klɔ:rit], *s.* clorato.
chloric ['klɔ:rik], *adj.* clórico.
chloride ['klɔ:raid], *s.* cloreto.
chloride of ammonia — cloreto de amónia.
chloride of potash — cloreto de potassa.
chloride of potassium — cloreto de potássio.
chlorine ['klɔ:ri:n], *s.* cloro.
chlorite ['klɔ:rait], *s.* clorite.
chloridyne ['klɔrədain], *s.* clorodina.
chloroform ['klɔrəfɔ:m], **1** — *s.* clorofórmio.
2 — *vt.* cloroformizar.
chloroformist [-ist], *s.* cloroformizador.
chlorophyll ['klɔrəfil], *s.* clorofila.
chlorosis [klɔ'rousis], *s.* clorose, anemia crónica; definhamento das plantas.
chlorous ['klɔ:rəs], *adj.* cloroso.
chock [tʃɔk], **1** — *s.* calço, cunha; baixete, canteiro; (náut.) descanso, enchimento, picadeiro.
2 — *vt.* segurar com calços; assentar em baixetes; acunhar, atravancar com mobília.
3 — *adv.* apertado.
chock-full — à cunha, atestado.
chocolate ['tʃɔkəlit], *s.* chocolate; cor de chocolate; *pl.* chocolates, bombons.
cake of chocolate (bar of chocolate) — pau de chocolate; «tablette» de chocolate.
chocolate-pot — chocolateira.
chocolate-nut — cacau (fruto).
choice [tʃɔis], **1** — *s.* escolha, preferência, selecção, opção; direito de escolher; coisa ou pessoa escolhida; fina-flor. (*Sin.* option, selection, preference.)
Hobson's choice — sem escolha possível.
by choice — de preferência.
to have no choice but... — não ter outra coisa a fazer senão...
2 — *adj.* escolhido, selecto, excelente, de qualidade especial.
the choicest fruit and flowers — a melhor fruta e as flores mais belas.
choicely [-li], *adv.* com gosto, com escolha, requintadamente.
choiceness [-nis], *s.* delicadeza na escolha, selecção.
choir ['kwaiə], **1** — *s.* coro de igreja; coro (grupo de cantores).
choir-boy — menino de coro.
choir organ — órgão de igreja.
choir-screen — grade que separa o coro do resto da igreja.
2 — *vt.* e *vi.* cantar em coro.
choke [tʃouk], **1** — *s.* sufocação; aperto; parte capilar da alcachofra; obturador de arranque.
choke tube — difusor do carburador.
to pull out the choke — fechar o ar (automóvel).
2 — *vt.* e *vi.* abafar, sufocar, entupir, obstruir; engasgar-se; ficar embuchado; encher até abarrotar. (*Sin.* to throttle, to smother, to suffocate.)
to choke up — tapar, obstruir.
to choke down — engolir; reprimir, conter.
to choke down one's indignation — conter a indignação.
to choke to death — estrangular.
choker [-ə], *s.* colarinho direito ou de eclesiástico; gravata; obturador de arranque (automóvel).
white choker (col.) — gravata branca.
choking [-iŋ], **1** — *s.* sufocação.
2 — *adj.* sufocante, abafante.
cholera ['kɔlərə], *s.* cólera (doença epidémica).
choleraic ['kɔlə'reiik], *adj.* colérico, atacado de cólera (doença).

choleric ['kɔlərik], *adj.* colérico, irado.
choliamb ['kouliæmb], *s.* coliambo, verso jâmbico, trímetro.
choliambic ['kouli'æmbik], *adj.* coliâmbico.
choose [tʃu:z], *vt.* e *vi.* (pret. **chose** [tʃouz], pp. **chosen** ['tʃouzn]), escolher, seleccionar, preferir; ter a faculdade de escolher; querer. (*Sin.* to select, to prefer, to pick.)
there is nothing to choose between them — não há por onde escolher.
I do not choose to do so—prefiro não fazer isso.
I cannot choose but... — não posso deixar de...
chooser [-ə], *s.* o que escolhe.
chop [tʃɔp], **1** — *s.* talhada, posta, fatia; costeleta de carne (especialmente carneiro ou porco); marulho; (arcaico) trocos; *pl.* queixada; maxilas (de animais).
chop-house — restaurante barato.
chops and changers — variações.
chops of the Channel — entrada no canal da Mancha.
chop-sticks — pauzinhos que os chineses usam para comer.
first-chop (col.) — de primeira qualidade.
2 — *vt.* e *vi.* cortar, talhar, partir em postas ou pedaços, picar miúdo; mudar, trocar; interromper repentinamente; escavacar. (*Sin.* to cut, to mince, to change, to veer.)
to chop off — cortar, decepar.
to chop in — intervir repentinamente na conversa.
to chop about — saltar (o vento).
to chop and change — ser volúvel.
to chop logic — discutir com muitas e lindas frases.
chopper [-ə], *s.* cortador de carne; cutelo para cortar carne; machadinha; *(col.)* helicóptero.
chopping [-iŋ], **1** — *s.* corte, acção de cortar em pedaços; movimento irregular do mar.
chopping-knife — cutelo.
chopping-block — cepo de carniceiro.
chopping-board — tábua de bater a carne.
2 — *adj.* picado (mar); que muda rapidamente; variável (vento).
chopping sea — mar picado.
chopstick ['tʃɔpstik], *s.* pauzinho usado pelos chineses como garfo.
choppy [-i], *adj.* picado (mar); cortado, fendido; gretada (pele); variável (vento).
choral ['kɔ:rəl], *adj.* coral, do coro.
choral(e) [kɔ'rɑ:l], *s.* coral, coro.
choralist ['kɔ:rəlist], *s.* orfeonista.
chorally ['kɔ:rəli], *adv.* em coro.
chord [kɔ:d], *s.* corda (de instrumento musical); acorde musical; corda vocal.
to touch the right chord—ferir a corda sensível.
chore [tʃɔ:], **1** — *s.* trabalho miúdo; trabalho de mulher a dias.
2 — *vi.* fazer trabalhos miúdos; trabalhar a dias.
chorea [kɔ'riə], *s.* coreia, dança de S. Vito.
choreic [kɔ'ri:ik], *adj.* coreico.
choreographic ['kɔriə'græfik], *adj.* coreográfico.
choreography ['kɔri'ɔgrəfi], *s.* coreografia.
chores ['tʃɔ:z], *s. pl.* trabalhos duma quinta ou casa.
choriamb ['kɔriæmb], *s.* coriambo, pé de verso de 4 sílabas.
choriambic ['kɔri'æmbik], *adj.* coriâmbico.
choric ['kɔrik], *adj.* relativo ao coro das peças gregas.
chorister ['kɔristə], *s.* corista.
chorographer [kɔ'rɔgrəfə], *s.* corógrafo.
chorographic(al) ['kɔrɔ'græfik(ə)l], *adj.* corográfico.
chorography ['kɔrɔgræfi], *s.* corografia.
chortle [tʃɔ:tl], *vi.* rir às gargalhadas.
chorus ['kɔ:rəs], **1** — *s.* coro; estribilho.
chorus-girl — corista.
2 — *vt.* e *vi.* cantar em coro.
chose [tʃouz], *pret.* do verbo **to choose.**
chosen [-n], **1** — *pp.* do verbo **to choose.**
2 — *adj.* escolhido.
chough [tʃʌf], *s.* espécie de gralha.
chouse [tʃaus], **1** — *s.* engano, burla.
2 — *vt.* e *vi.* enganar, burlar.
chow-chow ['tʃau'tʃau], *s.* conserva chinesa; cão de raça chinesa.
chowder ['tʃaudə], *s.* iguaria feita com peixe fresco ou ostras, toucinho defumado, cebolas, bolachas, etc..
chrestomathy [kres'tɔməθi], *s.* crestomatia, antologia.
chrism ['krizəm], *s.* crisma.
Christ [kraist], *s.* Cristo.
the Christ-Child — o Menino Jesus.
Christ-cross-row ['kriskrɔs'rou], *s.* (arc.) o alfabeto.
christen [krisn], *vt.* baptizar; dar o nome no baptismo.
Christendom [-dəm], *s.* cristandade.
christening [-iŋ], *s.* cerimónia do baptismo.
Christian ['kristjən], *s.* e *adj.* cristão.
Christianism [-izm], *s.* Cristianismo.
Christianity ['kristi'æniti], *s.* cristandade.
christianize ['kristjənaiz], *vt.* e *vi.* cristianizar.
christianlike ['kristjənlaik], *adj.* cristão.
christianly ['kristjənli], *adv.* cristãmente.
Christina [kris'ti:nə], *n. p.* Cristina.
Christmas ['krisməs], *s.* Natal.
Christmas-day — dia de Natal.
Christmas-tree — árvore de Natal.
Christmas-eve — véspera de Natal.
Christmas-box — presente de Natal.
Christmas-carol — cântico de Natal.
Christmas greeting card — cartão de Boas Festas.
Christmas-time (Christmas-tide) — época de Natal.
Christmas holidays — férias de Natal.
Christmas comes but once a year — um dia não são dias.
Christopher ['kristəfə], *n. p.* Cristóvão.
chromate ['kroumit], *s.* cromato, sal resultante do ácido crómico.
chromatic [krə'mætik], *adj.* cromático.
chromatic scale (mús.) — escala cromática.
chromatically [-əli], *adv.* cromaticamente.
chrome [kroum], *s.* crómio; cromo, desenho impresso a cores.
chrome-nickel — cromo-níquel.
chrome-oxide — óxido de cromo.
chrome silver — prata com liga de cromo.
chrome yellow — amarelo de cromo.
chromic ['kroumik], *adj.* crómico.
chromite ['kroumait], *s.* cromite.
chromium ['kroumjəm], *s.* crómio (metal).
chromo ['kroumou], *s.* cromo.
chromolithograph ['kroumou'liθəgrɑ:f], *s.* cromolitógrafo.
chromolithography ['kroumouli'θɔgrəfi], *s.* cromolitografia.
chromosome ['krouməsoum], *s.* cromossoma.
chronic ['krɔnik], *adj.* crónico, prolongado, inveterado.
chronic disease — doença crónica.
chronically [-əli], *adv.* cronicamente, prolongadamente, inveteradamente.
chronicity [krɔ'nisiti], *s.* cronicidade, estado crónico das doenças.
chronicle ['krɔnikl], **1** — *s.* crónica, registo de factos. (*Sin.* register, history, record, annals).
2 — *vt.* escrever crónicas.

chronicler [-ə], *s.* cronista.
chronogram ['krɔnəgræm], *s.* cronograma.
chronograph ['krɔnəgrɑ:f], *s.* cronógrafo.
chronographic [krɔnə'grɑ:fik], *adj.* cronográfico.
chronologic(al) ['krɔnə'lɔdʒik(əl)], *adj.* cronológico.
chronologically [-i], *adv.* cronologicamente.
chronologist [krə'nɔlədʒist], *s.* cronologista.
chronology [krə'nɔlədʒi], *s.* cronologia.
chronometer [krə'nɔmitə], *s.* cronómetro.
chronometric(al) ['krɔnə'metrik(əl)], *adj.* cronométrico.
chronometrically [-i], *adv.* cronometricamente.
chronometry [krə'nɔmitri], *s.* cronometria, medida do tempo.
chronoscope ['krɔnəskoup], *s.* cronoscópio, instrumento de medição da velocidade dos projécteis.
chrysalis ['krisəlis], *s.* (pl. **chrysalides**) crisálida.
chrysanthemum [kri'sænθəməm], *s.* crisântemo.
chrysolite ['krisəlait], *s.* crisolite.
Chrysostom ['krisəstəm], *n. p.* Crisóstomo.
chub [tʃʌb], *s.* caboz.
chubbiness [-inis], *s.* gordura.
chubby [-i], *adj.* gordo, rechonchudo.
chubby face — cara rechonchuda.
chuck [tʃʌk], **1** — *s.* carícias, festas no queixo; cacarejo; termo de carinho; bucha (de torno).
to give a person the chuck (fam.) — pôr na rua, expulsar.
2 — *vt.* e *vi.* acariciar, fazer festas; arremessar, atirar; cacarejar; chamar os pintos.
to chuck up the sponge — desistir da luta.
to chuck away — perder, desperdiçar (tempo, dinheiro, oportunidade).
to chuck out — pôr na rua, mandar embora.
to chuck up one's job — abandonar o emprego (zangado).
chuck it! (col.) — basta!
chucker-out ['tʃʌkər'aut], *s.* guarda encarregado de expulsar as pessoas que perturbam qualquer reunião (teatro, salão de concertos, etc.).
chuckle [tʃʌkl], **1** — *s.* riso disfarçado; cacarejo.
2 — *vi.* rir-se disfarçadamente, alegrar-se muito; cacarejar. (*Sin.* to giggle, to exult, to cackle, to titter.)
chuckle-head [-'hed], *s.* parvo, imbecil, estúpido.
chug [tʃʌg], **1** — *s.* som de corpo que cai na água; som do tubo de escape de automóvel ou lancha a motor.
2 — *vi.* mover-se com barulho semelhante ao de corpo que cai na água ou de tubo de escape.
chum [tʃʌm], **1** — *s.* camarada, companheiro, colega, amigo íntimo.
2 — *vi.* (pret. e pp. **chummed**) viver em camaradagem, acamaradar, ser amigo íntimo de.
to chum around with somebody — andar sempre com alguém.
to chum together — viver em camaradagem.
chummy [-i], *adj.* muito amigo, íntimo, sociável.
chump [tʃʌmp], *s.* cepo, tronco; lombo de carneiro; (col.) cabeça; estúpido.
chump chop — costeleta de carneiro.
to be off one's chump — não andar bem da cabeça.
chunk [tʃʌnk], *s.* tronco, cepo; pedaço grande (de pão, queijo, etc.).
church [tʃə:tʃ], **1** — *s.* igreja, templo; sociedade eclesiástica.
church service — ofícios religiosos na igreja.
church-goer — pessoa que frequenta regularmente a igreja.
church-rate — côngrua.
church-book (church-register) — registo paroquial.
Anglican Church (the Church of England) — Igreja Anglicana.
High Church — Igreja Alta Anglicana.
Low Church — Igreja Baixa Anglicana.
Roman Catholic Church — Igreja Católica Apostólica Romana.
old church hen — beata.
to go to church — ir à igreja.
to go into the church — ordenar-se.
as poor as a church mouse — pobre como Job.
2 — *vt.* ir à igreja (mulher) agradecer o nascimento de um filho; ir à igreja pela primeira vez depois do casamento.
churchiness ['tʃə:tʃinis], *s.* intolerância em assuntos religiosos.
churching ['tʃə:tʃiŋ], *s.* ida (de mulher) à igreja agradecer o nascimento de um filho; primeira ida à igreja depois do casamento.
churchly ['tʃə:tʃli], *adj.* próprio da igreja, eclesiástico.
churchman ['tʃə:tʃmən], *s.* membro da igreja, eclesiástico.
churchwarden ['tʃə:tʃ'wɔ:dn], *s.* fabriqueiro de igreja; cachimbo comprido de argila.
churchy ['tʃə:tʃi], *adj.* extremamente devotado à igreja; beato, fanático.
churchyard ['tʃə:tʃ'jɑ:d], *s.* adro de igreja, cemitério.
churchyard cough — tosse que anuncia a morte.
churl [tʃə:l], *s.* rústico, camponês; homem sem instrução. (*Sin.* boor, lout, bumpkin, countryman. *Ant.* gentleman.)
churlish [-iʃ], *adj.* rude, grosseiro, inculto. (*Sin.* rude, rough, impolite, surly. *Ant.* polite.)
churlishly [-iʃli], *adv.* rudemente, grosseiramente.
churlishness [-iʃnis], *s.* grosseria, rudeza.
churn [tʃə:n], **1** — *s.* desnatadeira.
churn-dasher (churn staff) — batedor de leite.
2 — *vt.* e *vi.* desnatar, bater a nata para fazer manteiga; agitar violentamente; agitar-se (o mar).
to churn milk — fazer manteiga.
churr [tʃə:], **1** — *s.* ruído de bater de asas.
2 — *vi.* fazer vibrar o ar com batimento de asas.
chute [ʃu:t], *s.* plano inclinado; cano inclinado (para condução de águas, carvão, grão, etc.); queda de água; pista inclinada para trenós.
chutnee, chutney ['tʃʌtni], *s.* condimento picante usado na Índia.
chyle [kail], *s.* quilo (digestão).
chyme [kaim], *s.* quimo (digestão).
ciborium [si'bɔ:riəm] (pl. **ciboria**) *s.* cibório, vaso sagrado; espécie de dossel para cobrir os altares.
cicada, cicala [si'kɑ:də, si'kɑ:lə], *s.* cigarra.
cicatrice ['sikətris], *s.* cicatriz.
cicatrices ['sikə'traisi:z], *s. pl.* de **cicatrix.**
cicatricial [sikə'triʃəl], *adj.* cicatricial.
cicatric(u)le [si'kætrik(ju)l], *s.* cicatrícula.
cicatrix ['sikətriks], *s.* ver **cicatrice.**
cicatrization [sikətrai'zeiʃən], *s.* cicatrização.
cicatrize ['sikətraiz], *vt.* e *vi.* cicatrizar.
Cicely ['sisili], *n. p.* Cecília.

Cicero ['sisərou], *n. p.* Cícero.
cicerone [tʃitʃə'rouni], **1** — *s.* cicerone.
2 — *vt.* servir de cicerone.
Ciceronian [sisə'rounjən], *s.* e *adj.* ciceroniano.
Ciceronianism [-izm], *s.* ciceronianismo.
cider ['saidə], *s.* sidra.
cider-brandy — aguardente de sidra.
cider-press — máquina de fazer sidra.
sweet cider — sidra não fermentada.
cigar [si'gɑ:], *s.* charuto.
cigar-case — charuteira.
cigar-holder — boquilha de charuto.
cigar-maker — charuteiro.
cigar-lighter — isqueiro de automóvel.
cigarette [sigə'ret], *s.* cigarro.
cigarette-case — cigarreira.
cigarette-holder — boquilha.
cigarette-paper — mortalha.
cilia ['siliə], *s. pl.* cílios.
ciliary [-ri], *adj.* ciliar.
cilice ['silis], *s.* cilício.
cinch [sintʃ], **1** — *s.* cilha (E. U.); (col.) certeza.
2 — *vi.* apertar a cilha.
chinchona [siŋ'kounə], *s.* (bot.) chinchona, planta que produz a quina.
cincture ['siŋktʃə], **1** — *s.* cinta, cinto, cintura.
2 — *vt.* rodear com cinto, cingir.
cinder ['sində], *s.* cinza, escória.
Cinderella [sində'relə], *s.* gata-borralheira; pessoa cujo merecimento e beleza não são reconhecidos.
cinema ['sinimə], *s.* cinema.
cinema-fan — grande apreciador de cinema.
cinematization [sinimətai'zeiʃən], *s.* cinematização.
cinematize ['sinimətaiz], *vt.* adaptar ao cinema.
cinematograph ['sini'mætəgrɑ:f], **1** — *s.* cinematógrafo.
2 — *vt.* e *vi.* cinematografar, filmar.
cinematographic ['sini'mætə'græfik], *adj.* cinematográfico.
cinematography ['sinimə'tɔgrəfi], *s.* cinematografia.
cineraria ['sinə'rɛəriə], *s.* cinerária, género de plantas ornamentais.
cinerary ['sinərəri], *adj.* cinerário.
cinerary urn — urna cinerária.
cineration ['sinə'reiʃən], *s.* cineração.
cinereous [si'ni:əriəs], *adj.* cendrado, cor de cinza.
Cingalese [siŋgə'li:z], *s.* e *adj.* cingalês.
cinnabar ['sinəbɑ:], *s.* cinábrio, vermelhão, sulfureto vermelho de mercúrio.
cinnamon ['sinəmən], *s.* canela, casca de caneleira; cor de canela.
cinque [siŋk], *s.* quina (em cartas ou dados).
Cinque Ports — os cinco portos do mar: Hastings, Sandwich, Dover, Romney e Hythes.
cinq(ue)foil [-fɔil], *s.* (bot.) cinco-folhas.
cipher, cypher ['saifə], **1** — *s.* cifra; zero; criptografia; chave da escrita em cifra; uma das unidades; pessoa de pouco valor.
cipher-key — chave para decifrar.
to be a mere cipher — ser uma nulidade.
2 — *vt.* e *vi.* escrever em cifra; fazer cálculo aritmético.
circa ['sə:kə], *adv.* à volta de, cerca de, aproximadamente.
circle [sə:kl], **1** — *s.* círculo, circunferência; circuito; reunião de pessoas, grupo; ciclo, período; balcão (teatro).
vicious circle — círculo vicioso.
to move in high circles — andar na alta roda.
to go all round the circle — andar com rodeios.
to square the circle — **tentar o impossível.**
a large circle of friends — **um grande grupo de amigos.**
semi-circle — **semicírculo.**
circle-cutter — **furador.**
upper circle — **segundo-balcão (teatro).**
dress circle — **primeiro-balcão (teatro).**
circles round the eyes — **olheiras.**
2 — *vt.* **e** *vi.* **girar, rodar, mover-se num círculo; (mil.) volver.**
circlet [-it], *s.* pequeno círculo, anel.
circuit ['sə:kit], *s.* circuito; recinto; circunferência; circuito de uma corrente eléctrica; desvio; série de factos.
short circuit — curto-circuito.
circuit-breaker — interruptor (de corrente eléctrica).
circuit load — carga do circuito.
circuit selector — selector do circuito.
circuit tuning — sintonização do circuito.
circuit-closer — interruptor (de circuito).
circuitous [sə:'kjuitəs], *adj.* tortuoso, indirecto, cheio de rodeios.
circuitously [-li], *adv.* tortuosamente, indirectamente.
circuitousness [-nis], *s.* rodeio.
circular ['sə:kjulə], *s.* e *adj.* circular.
circular letter — carta circular.
circular protactor — transferidor de 360°.
circular ring (geom.) — coroa circular.
circularity [səkju'læriti], *s.* circularidade.
circularize ['sə:kjuləraiz], *vt.* enviar circulares, anunciar por meio de circulares.
circularizing [-iŋ], *s.* anúncio por meio de circulares.
circularly ['sə:kjuləli], *adv.* circularmente.
circulate ['sə:kjuleit], *vt.* e *vi.* circular, fazer circular; pôr em circulação; espalhar notícias. (*Sin.* to diffuse, to spread, to publish, to move round. *Ant.* to stagnate.)
circulating [-iŋ], *s.* e *adj.* circulação; circulante.
circulating pump — bomba de circulação.
circulating library — biblioteca itinerante.
circulation [sə:kju'leiʃən], *s.* circulação, giro; curso; propaganda; dinheiro em circulação; tiragem (de jornais, livros, etc.).
to bring into circulation — pôr em circulação.
to withdraw from circulation — retirar da circulação.
to have a good circulation — ter boa circulação (sangue).
circulation engine — máquina da bomba de circulação.
circulative ['sə:kjulətiv], *adj.* estimulante da circulação.
circulator ['sə:kjuleitə], *s.* boateiro, aquele que espalha notícias.
circulatory [-ri], *adj.* circulatório.
circumambient ['sə:kəm'æmbiənt], *adj.* circum-ambiente.
circumambulate ['sə:kəm'æmbjuleit], *vt.* e *vi.* andar em volta; andar com rodeios.
circumambulation [sə:kəmæmbju'leiʃən], *s.* deambulação.
circumbendibus [sə:kəm'bendibəs], *s.* circunlóquio (irónico).
circumcise ['sə:kəmsaiz], *vt.* circuncidar.
circumcision ['sə:kəm'siʒən], *s.* circuncisão.
circumference [sə'kʌmfərəns], *s.* circunferência; periferia; limite; circuito. (*Sin.* periphery, circuit, outline, boundary.)
circumflex ['sə:kəmfleks], **1** — *s.* e *adj.* circunflexo.
circumflex accent — acento circunflexo.
2 — *vt.* pôr um acento circunflexo.

circumfluence [sə:'kəmfluənsi], *s.* circunfluência.
circumfluent [sə:'kəmfluənt], *adj.* circunfluente, que corre em roda.
circumfluous [sə:'kəmfluəs], *adj.* circunfluente.
circumfuse [sə:kəm'fju:z], *vt.* circunfundir; banhar; espalhar em volta.
circumfusion [sə:kəm'fju:zən], *s.* circunfusão.
circumgyrate [sə:kəmdʒaiə'reit], *vi.* circungirar, girar em volta.
circumjacent [sə:kəm'dʒeisənt], *adj.* circunjacente, circunvizinho.
circumlocution [sə:kəmlə'kju:ʃən], *s.* circunlóquio, perífrase.
circumlocutionize [sə:kəmlə'kju:ʃənaiz], *vi.* empregar circunlóquios, falar por perífrases.
circum-meridian [sə:kəmmi'ridiən], *s.* circum-meridiano.
circumnavigate ['sə:kəm'nævigeit], *vt.* circum-navegar.
circumnavigation ['sə:kəmnævi'geiʃən], *s.* circum-navegação.
circumpolar ['sə:kəm'poulə], *adj.* circumpolar.
circumscribe ['sə:kəmskraib], *vt.* circunscrever, limitar, restringir; assinar (petição com assinaturas.)
circumscribed [-d], *adj.* circunscrito.
circumscriber [-ə], *s.* aquele que assina petição.
circumscription ['sə:kəm'skripʃən], *s.* circunscrição, limite, restrição; inscrição à volta de moedas.
circumspect ['sə:kəmspekt], *adj.* circunspecto; prudente, cauto, discreto, acautelado. (*Sin.* cautious, prudent, discreet, judicious, attentive. *Ant.* rash.)
circumspection ['sə:kəm'spekʃən], *s.* circunspecção.
circumspectly ['sə:kəmspektli], *adv.* prudentemente, discretamente.
circumspectness ['sə:kəm'spektnis], *s.* circunspecção.
circumstance ['sə:kəmstəns], *s.* circunstância, particularidade; condição, estado; conjuntura; acontecimento incidental. (*Sin.* incident, event, happening, fact.)
under no circumstances — de modo nenhum, nunca.
to be in reduced circumstances — estar em más circunstâncias.
to depend on circumstances — depender das circunstâncias.
unforeseen circumstances — casos fortuitos.
with pomp and circumstance — com grande aparato.
circumstanced [-t], *adj.* circunstanciado.
circumstantial [sə:kəm'stænʃəl], *adj.* circunstancial.
circumstantial evidence — prova por indução.
circumstantiality [sə:kəm'stænʃi'æliti], *s.* circunstancialidade.
circumstantially [sə:kəm'stænʃəli], *adv.* circunstanciadamente.
circumstantiate [sə:kəm'stænʃieit], *vt.* circunstanciar, pormenorizar.
circumvallate [sə:kəm'væleit], *vt.* circunvaler.
circumvallation [sə:kəmvə'leiʃən], *s.* circunvalação.
circumvent [sə:kəm'vent], *vt.* enganar, exceder em astúcia, frustrar, iludir, rodear. (*Sin.* to deceive, to entrap, to cheat, to outwit. *Ant.* to deal directly.)
circumvention [sə:kəm'venʃən], *s.* engano, frustração; rodeio.
circumvolution [sə:kəmvə'lju:ʃən], *s.* circunvolução.
circus ['sə:kəs], *s.* circo; hipódromo; praça; círculo.
a travelling circus — circo ambulante.
cirrhosis [si'rousis], *s.* cirrose.
cirrous ['sirəs], *adj.* que tem gavinhas ou filamentos; cirroso.
cirrus ['sirəs], *s.* cirro; gavinha, filamento; nuvem branca que parece formada de filamentos cruzados. (*Sin.* tendril, filament, cloud.)
cist [sist], *s.* túmulo pré-histórico; urna; vaso funerário para guardar cinzas.
cistern ['sistən], *s.* cisterna.
cistus ['sistəs], *s.* (bot.) cisto, variedade de esteva.
citadel ['sitədl], *s.* cidadela, fortaleza defensiva de uma cidade.
citation [sai'teiʃən], *s.* citação, menção; citação judicial, intimação.
cite [sait], *vt.* citar, mencionar; citar judicialmente.
cithara ['siθərə], *s.* (pl. **citharae**) cítara.
citizen ['sitizn], *s.* cidadão; munícipe.
fellow-citizen — concidadão.
citizenship [-ʃip], *s.* cidadania, direito de cidadão.
citrate ['sitrit], *s.* citrato.
citric ['sitrik], *adj.* cítrico.
citron ['sitrən], *s.* lima, cidra.
city ['siti], *s.* cidade importante; cidade criada por carta régia, geralmente com catedral e bispo.
the City — a parte financeira e comercial de Londres; a Baixa.
Holy City — Cidade Santa, Jerusalém.
Eternal City — Cidade Eterna, Roma.
Celestial City — Paraíso.
city article — artigo de jornal (sobre finanças).
city-hall — câmara municipal.
city-council — conselho municipal.
civet ['sivit], *s.* almiscareiro, ruminante asiático.
civet-cat — carnívoro que habita na Asia e África; almiscareiro.
civic ['sivik], *adj.* cívico.
civic virtues — virtudes cívicas.
civics [-s], *s.* tratado dos direitos e deveres do cidadão.
civil [sivl], *adj.* civil; cortês, delicado, social.
civil service — funcionalismo público.
civil servant — funcionário público.
civil war — guerra civil.
civil law — direito civil.
civil engineer — engenheiro civil.
civil list — lista civil (da família real).
to keep a civil tongue in one's head — ter tento na língua, falar com maneiras.
civilian [si'viljən], *s.* e *adj.* civil, paisano.
civilian clothes — fato à paisana.
civility [si'viliti], *s.* civilidade, cortesia, delicadeza.
to treat a person with the utmost civility — tratar uma pessoa com a máxima delicadeza.
civilizable ['sivilaizəbl], *adj.* civilizável.
civilization [sivilai'zeiʃən], *s.* civilização. (*Sin.* culture, refinement, humanization. *Ant.* barbarism.)
civilize ['sivilaiz], *vt.* civilizar. (*Sin.* to refine, to educate.)
civilizer [-ə], *s.* civilizador, o que civiliza.
civilly ['sivili], *adv.* civilmente.
civism ['sivizm], *s.* civismo.
clack [klæk], **1** — *s.* estrondo, ruído, som repetido; falatório, tagarelice; taramela.
clack valve — válvula de charneira.
2 — *vt.* e *vi.* fazer barulho contínuo e incómodo; palrar em voz alta; tagarelar.

clad [klæd], *pret.* e *pp.* de **to clothe.**

claim [kleim], **1** — *s.* reclamação, pedido, reivindicação, pretensão; direito; dívidas a receber. (*Sin.* demand, right, requisition, title.)
to lay a claim to — reclamar, ter direito a.
to put in a claim — fazer valer os seus direitos.
to have a claim to — ter direito a.
a claim against someone — uma reclamação contra alguém.
2 — *vt.* reclamar, reivindicar, pedir, exigir. (*Sin.* to demand, to require, to ask, to challenge.)

claimant [-ənt], *s.* reclamante, requerente, pretendente.

clairaudience [klɛər'ɔ:djəns], *s.* finura de ouvido.

clairvoyance [klɛə'vɔiəns], *s.* clarividência, sagacidade.

clairvoyant [klɛə'vɔiənt], *s.* e *adj.* clarividente, sagaz.

clam [klæm], *s.* (zool.) castanhola, espécie de ostra; pé-de-cabra.
as happy as a clam at high water (col.) — contentíssimo.

clamant ['kleimənt], *adj.* clamante, barulhento; urgente.

clamber ['klæmbə], **1** — *s.* subida, escalada.
2 — *vi.* trepar, escalar.
to clamber up a hill — subir um monte.

clammily ['klæmili], *adv.* de modo pegajoso; com frio e humidade.

clamminess ['klæminis], *s.* viscosidade; humidade.

clammy ['klæmi], *adj.* pegajoso, viscoso; que tem suores frios (numa doença).

clamorous ['klæmərəs], *adj.* clamoroso, ruidoso, tumultuoso.

clamorously [-li], *adv.* clamorosamente.

clamorousness [-nis], *s.* clamor.

clamour ['klæmə], **1** — *s.* clamor, gritaria, vozearia, alarido. (*Sin.* shouting, vociferation, uproar, outcry. *Ant.* quiet, quietness.)
2 — *vt.* clamar, gritar, vociferar; pedir em voz alta.
to clamour against — clamar contra.

clamp [klæmp], **1** — *s.* gancho, grampo; torno (para prender); torno de carpinteiro; escava; pilha de tijolos (para cozer); alicate de dentista.
2 — *vt.* prender, segurar com ganchos; amontoar.

clamping [-iŋ], *s.* acção de prender, de apertar.

clan [klæn], *s.* clã, tribo, casta. (*Sin.* tribe, race, net.)

clandestine [klæn'destin], *adj.* clandestino.

clandestinely [-li], *adv.* clandestinamente.

clang [klæŋ], **1** — *s.* som metálico (de trombeta, sinos, etc.); tinido de armas; ruído estridente.
2 — *vt.* e *vi.* retinir, ressoar, fazer ressoar, tanger.

clangorous [-gərəs], *adj.* clangoroso, estridente.

clangorously [-gərəsli], *adv.* clangorosamente, estrondosamente.

clangour ['klæŋgə], *s.* clangor, estrondo, tinido.

clank [klænk], **1** — *s.* ruído estridente mas desordenado; tinido.
2 — *vt.* e *vi.* produzir ruído estridente; fazer tinir.

clannish ['klæniʃ], *adj.* pertencente a uma tribo; unido como uma tribo.

clannishness [-nis], *s.* espírito limitado de clã.

clanship ['klænʃip], *s.* associação por tribos ou famílias.

clansman ['klænzmən], *s.* membro de tribo ou clã.

clap [klæp], **1** — *s.* ruído, pancada seca, aplauso; barulho do trovão; estrondo.
clap-net — rede de apanhar pássaros ou borboletas.
the clap of thunder — o ribombar do trovão.
2 — *vt.* bater uma coisa contra outra; bater palmas, aplaudir; empurrar, impelir; bater ligeiramente, dar palmadas; bater (as asas); (náut.) dar (amarrar); aboçar.
to clap on all sail (náut.) — aumentar o pano.
to clap eyes on (col.) — pôr a vista em cima de.
to clap a person on the back — dar palmadinhas nas costas a alguém.
to clap one's hands — bater palmas.

clapboard [-bɔ:d], **1** — *s.* ripa.
2 — *vt.* revestir de ripas.

clapper [-ə], *s.* badalo de sino; castanhola; taramela; ferrolho (de porta); o que aplaude.

clapperclaw [-əklɔ:], *vt.* agatanhar; descompor, injuriar, censurar com rancor.

clapping [-iŋ], *s.* palmas, aplausos.
the clapping of hands in the audience — as palmas da assistência.

claptrap [-træp], **1** — *s.* artifício para ganhar popularidade, cena de efeito no teatro (para provocar aplausos); verborreia.
2 — *adj.* oco, vazio.

claque [klæk], *s.* claque.

Clara ['klɛərə], *n. p.* Clara.

Clare [klɛə], *n. p.* Clara.

clarendon ['klærəndən], *s.* tipo de imprensa conhecido por «normando».

claret ['klærət], *s.* vinho clarete; (col.) sangue.
claret-cup — ponche feito com vinho clarete.
to tap one's claret — dar um soco de maneira a fazer o nariz sangrar.

clarification ['klærifi'keiʃən], *s.* clarificação.

clarifier ['klærifaiə], *s.* clarificador.

clarify ['klærifai], *vt.* clarificar, purificar.

Clarina [klə'rainə], *n. p.* Clarina.

clarinet ['klæri'net], *s.* clarinete.

clarinettist ['klæri'netist], *s.* tocador de clarinete.

clarion ['klæriən], *s.* e *adj.* clarim; claro; ressonante.

clarionet [klæriə'net], *s.* clarinete.

Clarissa [klə'risə], *n. p.* Clarissa.

clarity ['klæriti], *s.* claridade; clareza, lucidez; transparência.

clary ['klæri], *s.* (bot.) salva.

clash [klæʃ], **1** — *s.* colisão; ressonância; ruído, estrondo; discordância, contradição; embate, choque.
clash of opinions — discordância de opiniões.
clash of arms — entrechocar de armas.
2 — *vt.* e *vi.* chocar, colidir; opor-se, estar em desacordo; destoar (cores); entrechocar-se; ser incompatível. (*Sin.* to collide, to jar, to disagree, to interfere. *Ant.* to agree.)

clasp [klɑ:sp], **1** — *s.* fivela; broche; colchete; garra; abraço; abraçadeira; aperto de mão.
clasp-hoop — colchete; aro de charneira.
clasp-knife — navalha de mola.
2 — *vt.* e *vi.* afivelar; prender com colchete; abraçar.
to clasp one's hands — entrelaçar os dedos.
to clasp somebody's hands — apertar a mão de alguém com afecto.

class [klɑ:s], **1** — *s.* classe; classe social; aula, turma, grupo; tipo (de navio).

to be at the top of the class — ser o melhor aluno da aula ou da turma.
the upper class — o escol da sociedade, a alta sociedade.
the middle class — a classe média, a burguesia.
the lower class — a classe baixa, o povo.
first class — primeira qualidade.
to be in a class by oneself — ser de uma categoria à parte, não ter rival.
to be no class (col.) — ser vulgar, inferior, sem classe.
2 — *vt.* classificar, coordenar, ordenar, distribuir em classes.
classic ['klæsik], *s.* e *adj.* clássico; humanista, autor de obra clássica; pessoa versada em literatura clássica; de primeira classe.
the classics — os escritores gregos, romanos e modernos de primeira classe ou as suas obras.
classical [-əl], *adj.* clássico.
classical scholar — humanista.
classically [-əli], *adv.* classicamente.
classicism ['klæsisizm], *s.* classicismo, literatura clássica.
classicist ['klæsisist], *s.* clássico, conhecedor do classicismo.
classicize ['klæsisaiz], *vt.* e *vi.* imitar o estilo clássico; tornar clássico.
classifiable ['klæsifaiəbl], *adj.* classificável.
classification [klæsifi'keiʃən], *s.* classificação.
classifier ['klæsifaiə], *s.* classificador.
classify ['klæsifai], *vt.* classificar, distribuir em classes.
classman ['klɑ:smæn], *s.* condiscípulo; aluno classificado (em universidade.)
classy ['klɑ:si], *adj.* (col.) superior.
clatter ['klætə], 1 — *s.* ruído, barulho, algazarra; som como de pratos a bater uns nos outros, bater de louça. (*Sin.* rattling, clutter, clang.)
2 — *vi.* fazer algazarra; produzir um som como o de pratos a bater uns nos outros.
to clatter about — fazer barulho a andar.
Claud [klɔ:d], *n. p.* Cláudio.
Claudia ['klɔ:djə], *n. p.* Cláudia.
Claudius ['klɔ:djəs], *n. p.* Cláudio.
clause [klɔ:z], *s.* proposição, oração (gram.); cláusula, condição, disposição.
claustral ['klɔ:strəl], *adj.* claustral.
claustrophobia ['klɔ:strə'foubjə], *s.* claustrofobia.
clavate ['klævit], *adj.* claviforme.
clave [kleiv], *pret.* arcaico de **to cleave.**
clavichord ['klævikɔ:d], *s.* clavicórdio, instrumento musical de teclas e cordas.
clavicle ['klævikl], *s.* clavícula.
clavicular [klə'vikjulə], *adj.* clavicular.
claviform ['klævifɔ:m], *adj.* claviforme.
claw [klɔ:], 1 — *s.* garra, unha de animal; coisa semelhante a uma garra; grampo.
claw-hammer — martelo de orelhas.
claw-stopper (náut.) — boça de gata (da amarra).
claw-bar — pé-de-cabra.
claw-hammer coat — casaca.
2 — *vt.* e *vi.* arranhar, despedaçar com as garras; cravar ou segurar com garras ou unhas.
to claw to windward (náut.) — puxar para barlavento.
to claw off (náut.) — desabarbar-se duma costa.
clawed [-d], *adj.* com unhas ou garras.
clawless [-lis], *adj.* sem unhas ou garras.
clay [klei], *s.* argila, barro; (fig.) corpo humano.
clay-pit — barreira.
clay-cold — frio de morte.
to moisten one's clay (to wet one's clay) (col.) — molhar o bico.
clayey [-i], *adj.* argiloso.
claymore ['kleimɔ:], *s.* antiga espada escocesa.
clean [kli:n], 1 — *adj.* puro, limpo, lavado; casto; perfeito.
clean-fingered — insubornável.
to have clean hands in the matter — estar inocente.
to make a clean breast of — confessar tudo, fazer uma confissão sincera.
to show a clean pair of heels — dar às de vila-diogo.
clean-limbed — bem proporcionado.
to make something clean — limpar alguma coisa.
clean-handed — inocente.
clean mad (col.) — doido varrido.
clean-run (náut.) — boas saídas de água.
clean full (náut.) — de bolina folgada.
clean-cut — bem definido, nítido.
clean-tongue — boca limpa, que não fala de coisas de que não deve falar.
clean-shaven — de barba feita.
2 — *vt.* limpar, purificar; varrer.
to clean out — esvaziar.
3 — *adv.* inteiramente, completamente, absolutamente; precisamente; asseadamente.
cleanable [-əbl], *adj.* que pode limpar-se.
cleaner [-ə], *s.* limpador; pessoa que limpa; produto para limpar.
vacuum-cleaner — aspirador eléctrico.
cleaning [-iŋ], *s.* limpeza, asseio.
cleaning fluid — líquido para limpeza.
cleaning-rod — saca-trapos.
dry cleaning — limpeza a seco.
cleanliness [-linis], *s.* limpeza, asseio.
cleanly 1 — ['klenli], *adj.* limpo.
2 — ['kli:nli], *adv.* asseadamente, com limpeza.
cleanness [-nis], *s.* limpeza.
cleansable ['klenzəbl], *adj.* que pode ser limpo.
cleanse [klenz], *vt.* purificar, limpar.
cleansing [-iŋ], *s.* e *adj.* purificação, purificador.
cleansing cream — creme de limpeza.
clear [kliə], 1 — *adj.* e *adv.* claro; transparente; evidente; livre; desembaraçado; limpo; safo; sem descontos; claramente; completamente.
clear conscience — consciência limpa.
clear sky — céu limpo.
clear style — estilo claro.
clear-headed — lúcido, perspicaz.
clear-sighted — clarividente.
to get clear of — fugir a.
to get clear off — salvar-se, sair do perigo.
to keep clear of — evitar.
to see one's way clear — ver claro.
to make things clear — apresentar as coisas com clareza.
it is quite clear what he is driving at — vê-se bem aonde ele quer chegar.
clear of debts — liberto de dívidas.
clear from suspicion — livre de toda a suspeita.
is it clear to you? — compreende?
2 — *vt.* e *vi.* aclarar; limpar; desembaraçar; justificar; esclarecer; absolver; despachar na alfândega; (náut.) pôr claro, pôr ponto; safar; conseguir lucro de.
to clear away — levantar a mesa (depois de uma refeição).
to clear off — afastar; livrar-se de.
to clear up — decifrar, esclarecer, deslindar.

to clear out — fugir; (fam.) ficar sem vintém.
to clear the air — desanuviar a atmosfera.
to clear lands — desbravar terras.
to clear the way — abrir caminho.
to clear away doubts — tirar dúvidas.
to clear for action — preparar para combate.
to clear the quarantine — fazer a quarentena.
to clear a ship — despachar um navio.
to clear a cape (náut.) — montar um cabo.
clear the decks! (náut.) — safa cabos!
to clear up a mystery — desvendar um mistério.
to clear an examination paper — responder a todas as perguntas dum exame.
to clear the court — fazer evacuar a sala do tribunal.

clearage [-ridʒ], *s.* libertação; limpeza.

clearance [-rəns], *s.* espaço livre; certificado para sair da alfândega; folga.
clearance sale — liquidação (comercial).

clearcole [-koul], **1** — *s.* primeira mão (ou demão) de tinta.
2 — *vt.* dar a primeira mão (ou demão) de tinta.

clearer [-rə], *s.* aquilo que limpa; aquilo que liberta.

clearing [-riŋ], *s.* desbravamento (de terreno); evacuamento de uma sala; despacho (alfândega); liquidação; clareira de bosque; tiragem (de caixa do correio).

clearly [-li], *adv.* claramente, evidentemente, manifestamente, explicitamente.

clearness [-nis], *s.* clareza; transparência; desimpedimento.

cleat [kli:t], *s.* (náut.) cunho; gancho; braçadeira; bucha.
stop-cleat — cunho de laio.
snatch cleat — cunho de uma orelha.
thumb-cleat — cunho de orelhas.

cleavable ['kli:vəbl], *adj.* que se pode fender.

cleavage ['kli:vidʒ], *s.* clivagem; divisão.

cleave [kli:v], **1** — *vt.* e *vi.* (pret. **clove** [klouv] ou **cleft** [kleft], pp. **cloven** [klouvn] ou **cleft**) fender, rachar, partir; abrir caminho.
to cleave a block of wood into two — rachar um madeiro em dois.
2 — *vi.* (pret. **cleaved** [-d], ou **clave** [kleiv], pp. **cleaved**) ligar-se a, aderir a.

cleaver [-ə], *s.* machadinha, cutelo (de carniceiro); *pl.* (bot.) amor-de-hortelão.

cleek [kli:k], *s.* pau de ponta de ferro usado no golfe.

clef [klef], *s.* clave (mús.).
the bass clef — a clave de fá.
the treble clef — a clave de sol.

cleft [kleft], **1** — *s.* fenda, fissura. (*Sin.* fissure, gap.)
in a cleft stick — em situação difícil.
2 — *pret.* e *pp.* de **to cleave.**

cleg [kleg], *s.* mosca do gado, moscardo.

clem [klem], *vt.* e *vi.* morrer ou matar à fome.

clematis ['klemətis], *s.* clematite, clematítide (planta trepadeira).

clemency ['klemənsi], *s.* clemência, indulgência; amenidade (tempo). (*Sin.* mercy, compassion, indulgence. *Ant.* harshness.)

clement ['klemənt], *adj.* clemente, indulgente.

clemently [-li], *adv.* com clemência.

clench [klentʃ], *vt.* agarrar, prender; cerrar os dentes ou o punho; firmar (prego).
to clench an argument — decidir uma questão.

clencher [-ə], *s.* grampo.

Cleopatra [kliə'pɑ:trə], *n. p.* Cleópatra.
Cleopatra's needle — o obelisco de Cleópatra em Londres.

clepsydra ['klepsidrə], *s.* (pl. **clepsydrae**) clépsidra.

clerestory ['kliəstəri], *s.* clerestório, galeria superior ao trifório, nas igrejas.

clergy ['klə:dʒi], *s.* clero.

clergyman [-mən], *s.* clérigo, sacerdote, padre.
clergyman's week — semana de férias com dois domingos.
clergyman's fortnight — quinzena de férias com três domingos.

cleric ['klerik], **1** — *s.* clérigo.
2 — *adj.* clerical.

clerical [-əl], **1** — *s.* membro do partido do clero num parlamento.
2 — *adj.* clerical; relativo a amanuense.
clerical error — erro de pena.
clerical work — trabalho de escritório.

clericalism [-əlizm̩], *s.* clericalismo.

clerically [-əli], *adv.* clericalmente.

clerk [klɑ:k], *s.* empregado de secretaria; amanuense; empregado de escritório; caixeiro; empregado de advogado.
bank clerk — empregado bancário.
head clerk — primeiro-caixeiro.
clerk in holy orders — clérigo.
clerk of the works — fiscal das obras.
town clerk — secretário do município.

clerkship [-ʃip], *s.* cargo de empregado de banco, de escritório, etc.

clever ['klevə], *adj.* esperto, inteligente; hábil, destro. (*Sin.* able, ingenious, talented, skilful, sharp. *Ant.* stupid, dull.)
a clever artist — um artista consumado.
to be too clever by half (col.) — ser um grande espertalhão.

cleverish [-riʃ], *adj.* um tanto esperto, um tanto hábil.

cleverly [-li], *adv.* inteligentemente; habilmente.

cleverness [-nis], *s.* esperteza, inteligência; habilidade.

clew [klu:], **1** — *s.* novelo de fio; pista; chave de um problema; (náut.) punho de escota; aranha (de maca).
clew lines (náut.) — estingue (de gáveas, joanetes e sobres).
clew rope (náut.) — tralha de punho de escota.
2 — *vt.* (com **up**) (náut.) carregar (pano).
to clew up sail — carregar pano.

cliché ['kli:ʃei], *s.* frase feita; chapa; cliché; paradigma.

click [klik], **1** — *s.* som rápido, ruído seco; estalido; (náut.) linguete.
2 — *vi.* soar, produzir ou fazer produzir um som seco; (col.) ter sorte.
to click the heels together — bater os calcanhares.

client ['klaiənt], *s.* cliente, freguês.

clientele [kli:ɑ̃:n'teil], *s.* clientela.

cliff [klif], *s.* rochedo íngreme, penhasco, rocha alcantilada, riba (de costa).

cliffsman [-mən], *s.* alpinista.

cliffy [-i], *adj.* escarpado, escabroso.

climacteric [klai'mætərik], *s.* e *adj.* climactérico; período climactérico.
the grand climacteric — o grande climactérico.

climacterical [-əl], *adj.* climactérico.

climactic [klai'mæktik], *adj.* graduado em série ascendente.

climate ['klaimit], *s.* clima.

climatic [klai'mætik], *adj.* climático, relativo ao clima.

climatological [klaimətə'lɔdʒikəl], *adj.* climatológico.

climatologist [klaimə'tɔlədʒist], *s.* climatologista.

climatology [klaimə'tɔlədʒi], *s.* climatologia
climax ['klaimæks], **1** — *s.* clímax, ponto culminante, ápice, auge, apogeu; escala, graduação.
he is at the climax of his reputation — a sua fama atingiu o auge.
2 — *vt.* e *vi.* chegar ou levar ao ponto mais alto.
climb [klaim], **1** — *s.* subida, acto de subir; escalada.
2 — *vt.* e *vi.* trepar, subir. (*Sin.* to ascend, to scale.)
to climb a hill — subir um monte.
to climb up — escalar.
to climb down — recuar, descer, ceder, dar-se por vencido, (col.) dar a mão à palmatória.
climber [-ə], *s.* escalador, alpinista, trepador; ave ou planta trepadora; pessoa que subiu na escala social.
climbing [-iŋ], **1** — *s.* subida, escalada.
mountain-climbing — alpinismo.
2 — *adj.* trepadeira, trepador.
climbing plant — planta trepadeira.
clime [klaim], *s.* (poét.) região; céu.
clinch [klintʃ], **1** — *s.* (náut.) talingadura; corpo-a-corpo (boxe).
2 — *vt.* e *vi.* agarrar, segurar, firmar (com pregos, etc.); confirmar; (náut.) talingar, rebater (cavilha); encerrar uma discussão; entrar em corpo-a-corpo (boxe).
to cling a bargain — confirmar um negócio.
clincher [-ə], *s.* o que segura; argumento concludente.
cling [kliŋ], *vi.* (pret. e pp. **clung** [klʌŋ]) aderir, pegar-se, agarrar-se, unir-se; aderir a uma ideia. (*Sin.* to stick, to adhere, to clasp, to embrace, to hold. *Ant.* to surrender.)
to cling to one's home — viver agarrado à casa.
to cling to one's hopes — viver agarrado a esperanças.
clinging dress — vestido agarrado ao corpo.
clingstone [-stoun], *s.* alperce.
clingy [-i], *adj.* pegajoso, adesivo.
clinic ['klinik], *s.* clínica.
clinical [-əl], *adj.* clínico.
clinically [-əli], *adv.* clinicamente.
clink [kliŋk], **1** — *s.* tinido (de metais ou vidros); som agudo; (col.) cadeia.
2 — *vt.* e *vi.* tinir, fazer tinir, fazer ressoar (vidro ou metal).
clinker [-ə], *s.* o que faz tinir; cinzas, escória; barro vidrado; lava de vulcão; argumento concludente.
clinker built — sobreposto; trincado, tabuado ou chapeado (barco).
clinometer [klai'nɔmitə], *s.* clinómetro.
clinometric [klainə'metrik], *adj.* clinométrico.
clinquant ['kliŋkənt], *adj.* resplandecente.
clip [klip], **1** — *s.* mola de segurar papéis; lã de tosquia; pinça; carregador de cartuxos para espingarda.
cartridge-clip — carregador de cartuchos.
clip-hook (náut.) — gato de tesoura.
artery-clip — pinça hemostática.
2 — *vt.* (pret. e pp. **clipped**) cortar (com a tesoura), aparar, tosquiar, podar; não articular bem as palavras, omitindo sílabas ou letras; cercar; revisar (bilhete de comboio). (*Sin.* to trim, to cut, to omit. *Ant.* to elongate.)
to clip somebody's wings — cortar as asas a alguém, frustrar-lhe os intentos.
clipper [-ə], *s.* tosquiador; máquina de cortar o cabelo; máquina de aparar a relva; navio veleiro; navio de vela com marcha rápida; (fam.) pessoa ou coisa admirável.
clipping [-iŋ], **1** — *s.* tosquia; pedaço cortado; acção de revisar bilhetes.
2 — *adj.* (fam.) admirável, excelente, de primeira ordem.
clique [kli:k], *s.* conciliábulo, conventículo; facção.
cliquish [-iʃ], *adj.* faccioso, apaixonado por uma facção.
cliquishness [-iʃnis], *s.* facciosismo.
cliquy [-i], *adj.* faccioso.
clitoris ['klitəris], *s.* clítoris.
cloaca [klou'eikə], *s.* cloaca.
cloacal [-l], *adj.* cloacal.
cloak [klouk], **1** — *s.* capa, manto, capote; disfarce, máscara.
cloak-and-dagger story — romance de capa e espada.
cloak-room — vestiário.
2 — *vt.* e *vi.* pôr uma capa, manto ou capote; disfarçar, mascarar.
clock [klɔk], **1** — *s.* relógio (de torre, parede ou mesa).
alarm-clock — despertador.
grandfather's clock — relógio de caixa alta, de pesos.
hanging clock — relógio de parede.
clock face — mostrador do relógio.
like clock-work — com regularidade, como um relógio.
clockwise — como o movimento dos ponteiros do relógio (em volta e da esquerda para a direita).
Dutch clock — relógio de cuco.
to wind up a clock — dar corda a um relógio.
what o'clock is it? — que horas são?
it is six o'clock — são seis horas.
clock-maker — fabricante de relógios.
church-clock — relógio de igreja, de torre.
tower-clock — relógio de torre.
table-clock — relógio de mesa.
wall-clock — relógio de parede.
the clock is not going — o relógio não trabalha.
the clock is slow — o relógio está atrasado.
the clock is fast — o relógio está adiantado.
2 — *vt.* e *vi.* chocar (ovos).
clocking hen — galinha no choco.
clockwise [-waiz], *adj.* e *adv.* movendo-se como os ponteiros do relógio (em volta e da esquerda para a direita).
counter-clockwise — em sentido inverso ao dos ponteiros do relógio (em volta e da direita para a esquerda).
clockwork [-wə:k], **1** — *s.* máquina de relógio; mecanismo de relojoaria.
like clockwork — com regularidade, como um relógio.
Clod = torrão, estúpido.
cloddy [-i], *adj.* cheio de torrões.
clodhopper [-hɔpə], *s.* rústico, labrego; estúpido.
clodhopping [-hɔpiŋ], *s.* e *adj.* trabalhos rústicos; estupidez; labrego, rústico.
clog [klɔg], **1** — *s.* impedimento, estorvo, peia; tamanco, soco; dente (de máquina).
2 — *vt.* e *vi.* obstruir, dificultar, impedir; pear, pôr peias.
cloggy [-i], *adj.* embaraçoso, espinhoso; pegajoso; nodoso.
cloister ['klɔistə], **1** — *s.* claustro; convento.
2 — *vt.* enclausurar; cercar com claustro.
to cloister oneself — enclausurar-se.
cloistral ['klɔistrəl], *adj.* claustral, relativo a claustro; solitário.
cloop [klup], **1** — *s.* som de rolha ao ser tirada de uma garrafa.
2 — *vi.* produzir um som como o de uma rolha ao ser tirada de uma garrafa.

close [klous], **1** — *s.* recinto fechado, cerca, tapada; pátio; cerrado, cercado.
2 — *adj.* e *adv.* preso, encerrado, fechado, tapado; guardado; escondido; secreto; proibido, vedado; limitado, restrito; concentrado; sufocante, abafadiço; compacto; retirado; denso; sem ventilação; aturado; escrupuloso, minucioso; atento; contíguo, próximo, pegado; íntimo, familiar; reservado; avaro, avarento; (náut.) encostado.
close-fisted — avaro, somítico, mesquinho, sovina, «unhas-de-fome».
close study — estudo aturado.
close weather — tempo abafado.
a close man — um homem reservado.
close season — defeso, época em que é proibido caçar ou pescar.
close time — ver *close season.*
a close friend — um amigo íntimo.
close examination — exame escrupuloso, minucioso.
close-up — (cin.) grande-plano.
close-grained — compacto.
close attention — atenção concentrada.
a close room — um quarto abafado, sem ventilação.
a close prisoner — um prisioneiro (bem) guardado.
close-mouthed — calado.
close by — ao pé, próximo.
close to — ver *close by.*
to have a close shave — escapar por um triz.
to keep something close — conservar alguma coisa em segredo.
to come to close quarters — chegar a vias de facto.
close-hauled — (náut.) de bolina cerrada.
close-ceiling — forno interior contínuo.
it's very close in here — está aqui muito abafado.
we are close together here — estamos aqui muito apertados.
close-fitting — justo (apertado) ao corpo.
close translation — tradução fiel.
close upon — muito perto de.

close [klouz], **1** — *s.* fim (de um trabalho ou operação), conclusão; cessação; encerramento, fecho; interrupção, suspensão; luta corpo-a-corpo.
2 — *vt.* e *vi.* fechar, encerrar; terminar, concluir; tapar, obstruir; ajustar; cerrar-se; unir-se, juntar-se; combinar-se; estabelecer (circuito eléctrico). (*Sin.* to shut; to obstruct; to stop, to end. *Ant.* to open.)
to close a bargain — fechar um negócio ou contrato.
to close in — fechar; murar; diminuir, decrescer.
to close up — tapar, cercar completamente, bloquear.
to close with — ajustar; concordar; aproximar-se; lutar com.
to close out (com.) — esgotar, vender toda a mercadoria em depósito.
to close a door — fechar uma porta.
to close a gate — fechar uma cancela.
to close a hole — tapar um buraco.
to close a drawer — fechar uma gaveta.
many flowers close at night — muitas flores fecham à noite.
to close to the wind — (náut.) cochar-se ou cingir-se com o vento.
to have the eyes closed — ter os olhos fechados, não querer ver.
to close the ranks — cerrar as fileiras.
to close with an offer — aceitar uma oferta.

closed [-d], *adj.* fechado, cerrado, encerrado; apertado; obstruído, tapado.

closely [-li], *adv.* estreitamente; hermeticamente; atentamente, cuidadosamente; (de) perto, junto de, próximo.
to watch closely — vigiar de perto, observar atentamente.

closeness [-nis], *s.* proximidade, contiguidade; exactidão; má ventilação; retiro; reserva; segredo; avareza.

closet ['klɔzit], **1** — *s.* gabinete; quarto pequeno; retrete; reservado.
water-closet — retrete.
2 — *vt.* fechar, encerrar (num gabinete); admitir a uma entrevista particular.
to be closeted together — estar em conciliábulo.

closing ['klouziŋ], *s.* acção de fechar ou encerrar; encerramento.

closure ['klouʒə], **1** — *s.* encerramento; suspensão (de um debate).
2 — *vt.* encerrar (um debate).

clot [klɔt], **1** — *s.* coágulo, coalho, grumo.
2 — *vi.* coagular, formar coágulo.
clotted nonsense — completo absurdo.

cloth [klɔθ], *s.* pano, tecido, fazenda; bocado de pano.
kitchen-cloth — pano de cozinha.
cloth weaver — tecelão.
cloth of gold — tecido de seda e ouro.
the cloth — o clero.
to quit the cloth — abandonar a carreira eclesiástica.
bound in cloth — encadernado em percalina (livro).
to lay the cloth — pôr a mesa.
table-cloth — toalha de mesa.
American cloth — encerado.

clothe [klouð], *vt.* e *vi.* vestir; cobrir (com pano); revestir. (*Sin.* to dress, to attire, to array, to cover.)
spring clothes the land with verdure — a Primavera cobre a terra de verdura.
the leaves clothe the trees — as folhas revestem as árvores.

clothes [-z], *s. pl.* roupa, vestuário, roupas.
in plain clothes — à paisana.
clothes-brush — escova de fatos.
suit of clothes — fato completo.
clothes-peg — mola da roupa.
clothes-line — corda para estender a roupa.
clothes-horse — secador, enxugador de roupa.
plain clothes men — agentes à paisana.
clothes-press — roupeiro, armário da roupa.
clothes-hanger — cabide, cruzeta.
bed-clothes — roupa da cama.

clothier ['klouðiə], *s.* algibebe; vendedor de roupas feitas; negociante de fazendas; fabricante de panos e fazendas.

clothing ['klouðiŋ], *s.* vestuário, roupa; revestimento, cobertura; fato.

Clotho ['klouθou], *n. p.* (mit.) Cloto, uma das três Parcas.

cloud [klaud], **1** — *s.* nuvem; mancha; multidão.
cloud-burst — chuva forte, torrencial.
to be under a cloud — estar desacreditado; ser tido como suspeito.
to be in the clouds — estar nas nuvens, abstracto, aéreo.
every cloud has a silver lining — nem tudo é tão negro como se pinta.
a cloud of dust — uma nuvem de poeira ou pó.
a cloud of smoke — uma nuvem de fumo.

a cloud on one's happiness — uma nuvem na felicidade.
cloud-castle — castelo no ar.
cloud-world — país das fadas.
2 — *vt.* e *vi.* escurecer, turvar, obscurecer, obnubilar; nublar(-se), perturbar(-se).
cloudberries [-bəriz], *s. pl.* de **cloudberry.**
cloudberry [-bəri], *s.* espécie de amora silvestre.
cloudily [-ili], *adv.* com nuvens, enevoadamente, obscuramente.
cloudiness [-nis], *s.* escuridão.
cloudless [-lis], *adj.* sem nuvens, claro, limpo, desanuviado; sereno.
cloudlessly [-lisli], *adv.* claramente, desanuviadamente; sem nuvens.
cloudlessness [-lisnis], *s.* claridade, ausência de nuvens.
cloudy [-i], *adj.* nublado, encoberto (o céu), carregado, sombrio; obscuro, vago, confuso.
clough [klʌf], *s.* ravina.
clout [klaut], 1 — *s.* rodilho, rodilha, pano de limpeza, esfregão; protector (para calçado); tachão, prego; sopapo, murro; pancada com os nós dos dedos.
2 — *vt.* remendar; ferrar (calçado); dar um murro; dar uma pancada com os nós dos dedos.
clove [klouv], 1 — *s.* cravo-da-índia.
clove-hitch — *(náut.)* volta redonda.
clove of garlic — dente de alho.
2 — *pret.* do verbo **to cleave.**
cloven [-n], 1 — *adj.* fendido, dividido em dois.
to show the cloven-hoof — revelar mau carácter.
cloven-hoofed — que tem unha fendida; fissípede.
cloven-footed — que tem a pata dividida em duas partes; fissípede.
2 — *pp.* do verbo **to cleave.**
clover [klouvə], *s.* trevo.
to be in clover — viver na opulência.
to live in clover — ver *to be in clover.*
clown [klaun], *s.* palhaço; aldeão; rústico, campónio, labrego.
clownery [-əri], *s.* palhaçada, palhacice.
clownish [-iʃ], *adj.* rude, grosseiro, rústico; apalhaçado; tosco; desajeitado.
clownishly [-iʃli], *adv.* rudemente, grosseiramente, toscamente, desajeitadamente.
clownishness [-iʃnis], *s.* grosseria, rusticidade; palhacice.
cloy [klɔi], *vt.* fartar, saciar; enfastiar.
club [klʌb], 1 — *s.* clava, maça; tranca; pau; moca; clube, associação; edifício de um clube ou associação; naipe de paus (nas cartas de jogar).
club-room — sala de reuniões (de um clube).
club-foot — pé aleijado, pé torto.
to join a club — fazer-se membro de um clube.
2 — *vt.* bater com uma clava ou maça; agredir com pau ou moca; juntar-se ou unir-se para o mesmo fim; estabelecer confusão.
to club together — unir-se para o mesmo fim.
clubbable [-əbl], *adj.* sociável; que se pode associar (a um clube).
clubman [-mən], *s.* sócio ou membro de um clube.
clubmen [-mən], *s. pl.* de **clubman.**
cluck [klʌk], 1 — *s.* cacarejo (de galinha).
2 — *vi.* cacarejar (como as galinhas).
clue [klu:], *s.* guia, indicação; fio, sequência; pista.
the police found a clue — a polícia achou uma pista.
clump [klʌmp], 1 — *s.* grupo de árvores ou arbustos, mata pequena; cepo; sola de revestimento (no calçado).
2 — *vt.* e *vi.* plantar árvores ou arbustos em grupos; andar pesadamente; amontoar.
clumpy [-i], *adv.* com grupos de árvores ou arbustos.
clumsily ['klʌmsili], *adv.* toscamente, desajeitadamente.
clumsiness ['klʌmsinis], *s.* falta de jeito, falta de graça; inépcia; grosseria.
clumsy ['klʌmsi], *adj.* sem graça, tosco, desajeitado, grosseiro; desastrado, falto de tacto ou de tino. (*Sin.* awkward, bungling. *Ant.* dexterous.)
clunch [klʌntʃ], *s.* espécie de argila xistosa.
clung [klʌŋ], *pret.* e *pp.* do verbo **to cling.**
cluster ['klʌstə], 1 — *s.* cacho; grupo (de pessoas ou coisas), aglomerado, ajuntamento, multidão; ramo; feixe; enxame.
clusters of spectators — massas compactas de espectadores.
cluster of stars — aglomerado de estrelas.
2 — *vt.* e *vi.* agrupar; plantar em grupos; aglomerar; amontoar; formar cacho; agrupar-se; reunir-se, unir-se.
clutch [klʌtʃ], 1 — *s.* o acto de agarrar; garra, presa; ninhada de ovos; ninhada de pintainhos; (mec.) garra; embraiagem, união, manga de embraiagem.
clutch coupling — embraiagem de manga.
to get into a person's clutches — cair nas garras de alguém.
to let the clutch in — embraiar.
clutch-plate — disco de embraiagem.
clutch-stop — pedal de embraiagem.
2 — *vt.* e *vi.* agarrar com força, apanhar (com precipitação); empunhar; deitar a mão; embraiar.
clutter ['klʌtə], 1 — *s.* confusão, desordem; algazarra.
2 — *vt.* e *vi.* estabelecer confusão, pôr em desordem; fazer barulho a falar.
clyster ['klistə], 1 — *s.* clister.
2 — *vt.* aplicar um clister.
coach [koutʃ], 1 — *s.* coche; carruagem de caminho-de-ferro; camioneta de passageiros, (camioneta da) carreira; explicador; treinador.
coach-wrench — chave-inglesa.
coach-work — carroçaria.
stage-coach — diligência.
slow-coach — *(fig.)* pessoa molenga, «lesma».
coach and four — carruagem de duas parelhas.
coach-box — boleia.
coach-house — cocheira.
coach-stand — local de estacionamento.
mail-coach — mala-posta.
private coach — camioneta de aluguer.
2 — *vt.* e *vi.* andar de carruagem; ensinar, leccionar, treinar; estudar com um explicador, preparar para exame.
coaching [-iŋ], *s.* vigia de carruagem; explicação, treino, instrução.
coachman [-mən], *s.* cocheiro.
coaction [kou'ækʃən], *s.* coacção.
coactive [kou'æktiv], *adj.* coactivo.
coadjacent [kouə'dʒeis(ə)nt], *adj.* coadjacente, junto de um ponto comum.
coadjutor [kou'ædʒutə], *s.* coadjutor, adjunto.
bishop's coadjutor — coadjutor de um bispo.
coadjutrix [kou'ædʒutriks], *s.* coadjutora.
co-administrator ['kouəd'ministreitə], *s.* co-administrador.
coagulability [kouægjulə'biliti], *s.* coagulabilidade.
coagulable [kou'ægjuləbl], *adj.* coagulável.

coagulant [kou'ægjulənt], *s.* coagulante.
coagulate [kou'ægjuleit], *vt.* e *vi.* coagular.
coagulation [kou'ægju'leiʃn], *s.* coagulação.
coagulator [kou'ægju'leitə], *s.* coagulante.
coal [koul], **1** — *s.* carvão, hulha, brasa.
coal-cellar — carvoeira.
as black as a coal — preto como breu.
to carry coals to Newcastle — fazer uma coisa desnecessária; levar bananas para a Madeira.
to heap coals of fire on one's head — pagar o mal com o bem.
to haul (call over) the coals — repreender, (fam.) dar uma chega.
coal-field — jazigo de carvão.
coal-pit — mina de carvão de pedra.
coal-whipper — descarregador de carvão, máquina descarregadora de carvão.
coal-scuttle — balde do carvão.
coal-shovel — pá do carvão.
coal-fish — bacalhau preto.
smith's coal — carvão de forja.
coal-man — carvoeiro.
coal-master — dono de mina de carvão.
coal-bunker — paiol de carvão (de navio).
coal-dust — terra de carvão.
coal-screen (náut.) — sanefa de carvão.
coal-tar — alcatrão.
coal-heaver — carregador de carvão.
coal gas — gás de carvão, gás de iluminação.
coal merchant's — carvoaria.
coal-mine — mina de carvão.
brown coal — lenhite.
live coals — brasas.
slaty coal — carvão xistoso.
2 — *vt.* e *vi.* fornecer carvão; meter carvão (numa máquina, etc.).
coaler [-ə], *s.* barco carvoeiro.
coalesce [kouə'les], *vi.* coalescer, unir-se, juntar-se, aglutinar-se.
coalescence [-ns], *s.* coalescência, união, aglutinação.
coalescent [-nt], *adj.* coalescente, aderente, aglutinante.
coalition [kouə'liʃən], *s.* coalisão, união, aliança. (*Sin.* union, league, federation, fusion.)
coaly ['kouli], *adj.* rico em carvão, semelhante a carvão.
coaming ['koumiŋ], *s.* (náut.) braçola.
coarse [kɔ:s], *adj.* grosseiro, áspero, grosso, tosco; rude, indelicado, inculto, ordinário, baixo, inferior.
coarse-grained — ordinário, formado de partículas grosseiras.
coarse cloth — pano inferior.
coarse manners — maneiras grosseiras.
coarse metal — metal bruto.
coarsely [-li], *adv.* grosseiramente, rudemente, asperamente.
coarsen [-n], *vt.* e *vi.* tornar-se grosseiro ou rude; tornar-se duro.
coarseness [-nis], *s.* grosseria, indelicadeza; aspereza.
coast [koust], **1** — *s.* costa, litoral, praia, orla; pista inclinada para corridas de trenó. (*Sin.* seaside, strand, shore, beach.)
coast-line — litoral.
coast-guard — guarda da costa.
coast-fishery — pesca costeira.
coast-defence ship — guarda-costas (navio).
the coast is clear (fig.) — o caminho está desimpedido.
2 — *vt.* e *vi.* costear, navegar ao longo da costa; descer uma ladeira sem pedalar (bicicleta); deixar o motor do automóvel em ponto morto.
to coast along — costear; fazer cabotagem.
coastal [-əl], *adj.* da costa, relativo à costa.
coastal-trade — cabotagem.
coaster [-ə], *s.* navio de cabotagem; tripulante de navio de cabotagem.
coasting [-iŋ], *s.* navegação costeira, cabotagem; descida de uma ladeira sem pedalar (bicicleta).
coasting-trade — comércio de cabotagem.
coasting-pilot — piloto da barra.
coasting-ship — navio de cabotagem.
coastward(s) [-wə:d(z)], *adv.* em direcção à costa.
coastwise [-waiz], *adj.* e *adv.* costeiro; ao longo da costa.
coat [kout], **1** — *s.* casaco; cobertura de animais (pêlo, lã, cabelo, etc.); cota de malha; pele, casca (de cebola, etc.); membrana, película; camada; demão; (náut.) saia (de mastro), capa (de vela, toldo, etc.).
fur lined coat — casaco forrado de pele.
dress-coat — casaca.
double-breasted coat — casaco com duas filas de botões; jaquetão; casaco de trespasse.
frock-coat — sobrecasaca.
coat of arms — brasão, escudo de armas.
coat of mail — cota de malha.
morning-coat — fraque.
to turn one's coat (fam.) — virar a casaca.
to wear the king's coat — servir no exército.
to dust one's coat — dar uma sova a alguém.
a coat of paint — uma demão de tinta.
to cut one's coat according to one's cloth — não se gastar mais do que o que se tem.
to trail one's coat — procurar pretextos para fazer desordens.
coat frock — conjunto formado por vestido e casaco iguais.
coat-hanger — cabide para casacos.
2 — *vt.* cobrir, vestir; dar uma demão de tinta.
coated [-id], *adj.* coberto, revestido.
coatee [-i:], *s.* casaco curto.
coating ['koutiŋ], *s.* demão de tinta; cobertura; pano grosso próprio para sobretudos e casacos.
coax [kouks], **1** — *s.* adulação, lisonja; afago.
2 — *vt.* e *vi.* adular, lisonjear; persuadir por meio de lisonja, induzir por palavras meigas. (*Sin.* to cajole, to flatter, to fawn, to wheedle, to persuade. *Ant.* to coerce.)
to coax someone into — induzir alguém a.
to coax someone out of doing something — dissuadir alguém de fazer alguma coisa.
coaxer [-ə], *s.* adulador, lisonjeiro.
coaxial [kou'æksiəl], *adj.* coaxial, que tem o mesmo eixo.
coaxing ['kouksiŋ], *s.* e *adj.* adulação, lisonja; afago; adulador, lisonjeiro.
coaxingly [-li], *adv.* de modo adulador, com lisonja.
cob [kɔb], *s.* cisne; cavalo corpulento de pernas curtas; adobo (de palha e greda); pedaço redondo de carvão; espiga de milho.
cob-nut — variedade de avelã.
cobalt [kə'bɔ:lt], *s.* cobalto.
cobalt blue — azul-cobalto.
cobalt ore — minério de cobalto.
cobalt steel — aço com liga de cobalto.
cobaltic [-ik], *adj.* cobáltico.
cobble [kɔbl], **1** — *s.* pedra arredondada, godo; *pl.* bocados de carvão.
2 — *vt.* remendar calçado; pavimentar com godos.
cobbler [-ə], *s.* sapateiro remendão.
cobbler's wax — cera de sapateiro.
sherry-cobbler — bebida gelada feita com vinho, açúcar e limão.

coble [koubl], *s.* barquinho de pesca de fundo chato usado na Escócia.
cobra ['koubrə], *s.* cobra-capelo.
cobweb ['kɔbweb], *s.* teia de aranha; (fig.) tramóia, intriga.
to blow away the cobwebs (fig.) — refrescar as ideias, tirar as teias de aranha.
cobwebby ['kɔbwebi], *adj.* cheio de teias de aranha; fino, ténue.
cocaine [kə'kein], *s.* cocaína.
cocainism [-izm], *s.* cocainismo.
cocainist [-ist], *s.* cocainómano.
cocainize [-aiz], *vt.* cocainizar.
cocciferous [kɔk'sifərəs], *adj.* coccífero.
coccygeal [kɔk'sidʒiəl], *adj.* coccígeo.
coccyx ['kɔksiks], *s.* cóccix, coccige.
Cochin-China ['kɔtʃin'tʃainə], *top.* Cochinchina.
cochineal ['kɔtʃini:l], *s.* cochonilha.
cochlea ['kɔkliə], *s.* cóclea, caracol, canal auditivo.
cochleate ['kɔkliit], *adj.* coclear, em forma de caracol.
cock [kɔk], **1** — *s.* galo; macho das aves; cão de espingarda; válvula, torneira; fiel de balança; chefe; mandão; olhadela; aba levantada de chapéu; (cal.) pénis.
cock of the wood — galo silvestre.
cock-sparrow — pardal.
cock-horse — cavalo de pau (brinquedo de crianças).
cock-and-bull story — história da carochinha.
cock of the school — chefe dos alunos de uma escola.
cock's crow (crowing) — canto do galo.
cock-sure—absolutamente seguro, senhor de si.
cock-pit — lugar do piloto num avião, carlinga; recinto destinado à luta de galos.
cock-handle — manípulo.
to live like fighting cocks — comer e viver regaladamente.
that cock won't fight — esse plano não dá resultado.
cock-a-hoop — exultante, radiante, ufano.
cock-fighting — luta de galos.
cock-a-doodle-do — cocorocó (cantar do galo).
cock-eye — estrabismo.
cock-eyed — estrábico; (cal.) um pouco ébrio.
cock-loft — águas-furtadas, sótão.
cock-shot — pontaria, alvo.
cock-shy — *vd.* **cock-shot.**
2 — *vt.* e *vi.* levantar, levantar-se; empertigar-se, emproar-se; pôr o chapéu à banda; levantar o cão da espingarda.
to cock the ears — arrebitar as orelhas (cão).
to cock one's eye — piscar o olho.
cocked hat — chapéu tricórnio.
to knock into a cocked hat — dar uma sova mestra, deitar por terra.
to cock one's nose — torcer o nariz em ar de desprezo.
cockade [kɔ'keid], *s.* laço ou tope (usado no chapéu).
cockalorum [kɔkəl'lɔ:rəm], *s.* menino-prodígio; pessoa presumida.
cockatoo [kɔkə'tu:], *s.* cacatua.
cockatrice ['kɔkətrais], *s.* basilisco, lagarto fabuloso.
cockboat ['kɔkbout], *s.* barquinho.
cockchafer ['kɔktʃeifə], *s.* escaravelho.
Cocker ['kɔkə], *n. p.* autor de uma aritmética (séc. XVII).
according to Cocker — exacto, correcto.
cocker ['kɔkə], *s.* cão de caça.
cockerel [-rəl], *s.* galispo, galo pequeno; rapazote brigão.
cockeyed ['kɔkid], *adj.* (cal.) bêbedo.
cockily ['kɔkili], *adv.* afectadamente, pretensiosamente.
cockiness ['kɔkinis], *s.* impudência; afectação; impostura.
cockle [kɔkl], **1** — *s.* amêijoa, berbigão; barco pequeno; ferrugem; fogão de aquecimento.
corn-cockle — joio, cizânia.
cockles of the heart — sentimentos, compaixão.
cockle-shell — concha de amêijoa.
to warm the cockles of one's heart — dar um prazer íntimo, alegrar.
cockle-boat — barquinho, casca-de-noz.
2 — *vt.* e *vi.* enrugar, fazer rugas, enrugar-se, encarquilhar-se, torcer em espiral.
cockling [-iŋ], *s.* pesca de mariscos.
cockney ['kɔkni], *s.* e *adj.* natural de Londres; londrino pouco instruído ou o seu modo característico de falar.
cockneyism [-izm], *s.* modos, costumes ou sotaque de «cockney».
cockpit ['kɔkpit], *s.* lugar onde se travam lutas entre galos; carlinga (de avião); campo de batalha.
cockroach ['kɔkroutʃ], *s.* barata.
cockscomb ['kɔkskoum], *s.* crista de galo; crista-de-galo (planta); peralvilho.
cocktail ['kɔkteil], *s.* cavalo de corrida de cauda curta, mas que não é de pura raça; pessoa que ocupa um lugar superior à educação ou nascimento; bebida aromatizada feita com diversos licores, açúcar, fruta, etc.; aperitivo alcoólico; mosca de gado; pretensioso.
cocktailed [-d], *adj.* com a cauda aparada.
cock-up ['kɔkʌp], *s.* letra inicial, maiôr do que as outras (tipografia).
cocky ['kɔki], *adj.* afectado, pretensioso, vaidoso, petulante.
cocky-leeky [-li:ki], *s.* sopa de galo com alhos.
coco, cocoa ['koukou], *s.* coqueiro.
coco-nut — coco; (col.) cabeça, «pinha».
cocoa ['koukou], *s.* cacau em pó ou em bebida.
cocoa-bean — semente de cacau.
cocoa-butter — manteiga de cacau.
cocoon [kə'ku:n], **1** — *s.* casulo.
2 — *vt.* e *vi.* fazer casulo, fechar-se no casulo.
cod [kɔd], **1** — *s.* bacalhau.
cod-fish — bacalhau.
cod-fisher — pescador de bacalhau.
cod-fishing — pesca do bacalhau.
cod-liver-oil — óleo de fígado de bacalhau.
2 — *vt.* e *vi.* (pret. e pp. **codded**) enganar, burlar.
coda ['koudə], *s.* coda (mús.).
coddle [kɔdl], *vt.* amimar, tratar com mimo ou ternura, apaparicar. (*Sin.* to pamper, to indulge, to pet, to fondle, to caress.)
code [koud], **1** — *s.* código.
code book (náut.) — livro do código de sinais.
code signal — distintivo do código.
2 — *vt.* pôr em cifra, codificar.
codeine [-i:n], *s.* codeína.
codex ['koudeks], *s.* (pl **codices** ['koudisi:z]), códice.
codger ['kɔdʒə], *s.* (col.) pessoa excêntrica, esquisita; (cal.) tipo, gajo.
codicil ['kɔdisil], *s.* codicilo, alteração de testamento por disposição adicional.
codicillary [kɔdi'siləri], *adj.* codicilar.
codification [kɔdifi'keiʃən], *s.* codificação.
codify ['kɔdifai], *vt.* codificar.
codling ['kɔdliŋ], *s.* bacalhau pequeno.
codling, codlin ['kɔdliŋ 'kɔdlin], *s.* variedade de maçã.

co-educate [kou'edjukeit], *vt.* coeducar, educar em comum pessoas dos dois sexos.
co-education ['kouedju:'keiʃən], *s.* coeducação.
co-educational [-əl], *adj.* coeducativo.
coefficient [koui'fiʃənt], *s.* coeficiente.
coeliac ['si:liæk], *adj.* celíaco.
coenobite ['si:nəbait], *s.* cenobita.
coenobitic(al) [si:nə'bitik(əl)], *adj.* cenobítico.
coequal [kou'i:kwəl], *s.* coigual.
coequality [koui:'kwɔliti], *s.* coigualdade.
coequally [kou'i:kwəli], *adv.* coigualmente.
coerce [kou'ə:s], *vt.* constranger, obrigar, forçar.
coercibility [-i'biliti], *s.* coercibilidade.
coercible [-sibl], *adj.* coercível.
coercibly [-sibli], *adv.* coercivamente, de modo coercivo.
coercion [kou'ə:ʃən], *s.* coerção.
coercionist [-ist], *s.* adepto de medidas coercivas.
coercive [kou'ə:siv], *adj.* coercivo.
coercively [-li], *adv.* coercivamente.
coerciveness [-nis], *s.* coercividade.
coessential [koui'senʃəl], *adj.* coessencial.
coetaneous [koui:'teiniəs], *adj.* coetâneo.
coeternal [koui'tə:nəl], *adj.* co-eterno.
coeval [kou'i:vəl], *adj.* coevo.
co-executor ['kouig'zekjutə], *s.* co-executor; testamenteiro nomeado juntamente com outro.
coexist [kouig'zist], *vi.* coexistir.
coexistence [-əns], *s.* coexistência.
coexistent [-ənt], *adj.* coexistente.
co-extension ['kouiks'tenʃən], *s.* coextensão.
coextensive ['kouiks'tensiv], *adj.* coextensivo.
coffee ['kɔfi], *s.* café.
coffee-house — café, botequim.
coffee-mill — moinho de café.
white coffee — café com leite.
black coffee — café sem leite.
coffee-pot — cafeteira.
coffee-bean — semente de café, grão de café.
coffee-grounds — borras de café.
coffee-cup — chávena do café.
coffee-set — serviço de café.
coffer ['kɔfə], *s.* cofre; painel.
coffer-dam (náut.) — caixão estanque.
coffin ['kɔfin], 1 — *s.* caixão, ataúde; navio impróprio para a navegação.
coffin-bone — falangeta (nos dedos dos pés).
to drive a nail into one's coffin — abreviar a morte de alguém.
2 — *vt.* meter num caixão ou ataúde; pôr num lugar inacessível.
coffle [kɔfl], *s.* caravana; comboio de animais ou escravos amarrados uns aos outros.
cog [kɔg], 1 — *s.* dente de roda; dente de engrenagem.
cog-racer — cremalheira circular.
cogence(cogency) ['koudʒəns(-i)], *s.* força moral ou lógica.
cogent ['koudʒənt], *adj.* convincente, forte. (*Sin.* conclusive, potent, powerful.)
cogently [-li], *adv.* convincentemente.
cogitable ['kɔdʒitəbl], *adj.* que pode conceber-se, imaginável, concebível.
cogitate ['kɔdʒiteit], *vi.* cogitar, meditar, pensar profundamente, reflectir. (*Sin.* to think, to meditate, to ponder, to ruminate.)
cogitation [kɔdʒi'teiʃən], *s.* cogitação, reflexão, meditação.
cogitative ['kɔdʒitətiv], *adj.* cogitativo, pensativo.
cogitatively [-li], *adv.* de modo cogitativo, meditabundo.
cognac ['kounjæk], *s.* conhaque.
cognate ['kɔgneit], *s.* e *adj.* cognato, cognado.
cognation [kɔg'neiʃən], *s.* cognação.
cognition [kɔg'niʃən], *s.* cognição, conhecimento, intuição.
cognitive ['kɔgnitiv], *adj.* cognitivo, relativo à cognição.
cognizable ['kɔgnizəbl], *adj.* cognoscível; que é da competência de um tribunal.
cognizance ['kɔgnizəns], *s.* conhecimento, percepção; jurisdição; divisa, distintivo (heráldica).
to have cognizance of — ter conhecimento de, estar ao facto de.
cognizant ['kɔgnizənt], *adj.* informado, sabedor; com jurisdição.
cognize [kɔg'naiz], *vt.* conhecer.
cognomen [kɔg'noumən], *s.* cognome.
cognosce [kɔg'nɔs], *vt.* e *vi.* julgar; tomar conhecimento (jurídico).
cognoscible [-ibl], *adj.* cognoscível.
cognovit [kɔg'nouvit], *s.* confissão de uma acção praticada pelo réu.
cog-wheel ['kɔgwi:l], *s.* roda dentada.
cohabit [kou'hæbit], *vi.* coabitar, viver em comum.
cohabitant [-ənt], *s.* coabitante.
cohabitation [kou'hæbi'teiʃən], *s.* coabitação.
coheir ['kou'ɛə], *s.* co-herdeiro.
coheiress [-ris], *s.* co-herdeira.
cohere [kou'hiə], *vi.* aderir, pegar-se; ser coerente; concordar. (*Sin.* to adhere, to stick, to unite, to coalesce. *Ant.* to part.)
coherence, coherency [-rəns, -rənsi], *s.* coerência.
coherent [-rənt], *adj.* coerente, lógico.
coherently [-rəntli], *adv.* coerentemente.
coherer [-rə], *s.* receptor de ondas na telegrafia sem fios.
coheritor [kou'heritə], *s.* co-herdeiro.
cohesion [kou'hi:ʒən], *s.* coesão.
cohesive [kou'hi:siv], *adj.* coesivo.
cohesively [-li], *adv.* coesivamente.
cohesiveness [-nis], *s.* propriedade coesiva.
cohort ['kouhɔ:t], *s.* coorte, bando.
coif [kɔif], *s.* coifa, touca.
coign [kɔin], *s.* canto saliente.
coign of vantage — posição vantajosa.
coil [kɔil], 1 — *s.* rolo; rosca; corda enrolada; bobina (eléctrica); serpentina (de destilador); (náut.) pandeiro (de cabo); caracol (de cabelo); barulho.
coil antenna — antena de espiral.
coil winding machine — bobinador.
2 — *vt.* e *vi.* enrolar, enroscar; dispor em espiral; serpear.
to coil down ropes (náut.) — colher cabos.
to coil against the sun (náut.) — colher para a esquerda.
to coil with the sun (náut.) — colher para a direita.
coin [kɔin], 1 — *s.* moeda.
coin-slot — ranhura para introduzir moedas.
to pay someone in his own coin — pagar a alguém na mesma moeda.
2 — *vt.* cunhar moeda; inventar, forjar. (*Sin.* to stamp, to mould, to fabricate, to invent.)
to be coining money — ter grandes lucros, enriquecer.
new coined word — palavra nova, neologismo.
to coin a lie — forjar uma mentira.
to coin one's brains — ganhar dinheiro muito rapidamente.
coinage [-idʒ], *s.* cunhagem de moeda; sistema monetário; palavra inventada; invenção.
right of coinage — direito de cunhar moeda.
coincide [kouin'said], *vi.* coincidir, ocorrer ao mesmo tempo; concordar.
coincidence [kou'insidəns], *s.* coincidência.

coincident(al) [kou'insident(l)] *adj.* coincidente.
coincidentally [-əli], *adv.* por coincidência, coincidentemente.
coincidently [-li], *adv.* por coincidência.
coiner ['kɔinə], *s.* cunhador de moedas; fabricante de moedas falsas.
co-inheritor ['kouin'heritə], *s.* co-herdeiro.
coining ['kɔiniŋ], *s.* falsificação de moedas.
coinstantaneous [kouinstæn'teinjəs], *adj.* simultâneo.
coir ['kɔiə], *s.* cairo, fibra de coco de que se fazem cordas.
coition [kou'iʃən], *s.* coito.
coke [kouk], **1** — *s.* coque, carvão de gás.
2 — *vt.* converter carvão de pedra em coque.
colander ['kʌləndə], **1** — *s.* coador, passador (de legumes).
2 — *vt.* coar.
co-latitude [kou'lætitju:d], *s.* co-latitude.
colchicum ['kɔltʃikəm], *s.* cólquico, açafrão.
cold [kould], **1** — *s.* frio; constipação.
cold-drawing — (mec.) tiragem a frio.
to catch a cold — apanhar uma constipação.
to leave out in the cold — não fazer caso, abandonar.
2 — *adj.* frio; insensível, indiferente, sem entusiasmo.
to throw cold water on — desanimar.
to feel cold — ter frio.
to be cold — ter frio.
to have cold feet (col.) — estar assustado.
to make one's blood run cold — fazer gelar o sangue nas veias a alguém.
to give the cold shoulder to someone (col.) — tratar alguém friamente.
in cold blood — a sangue-frio.
cold-livered — imperturbável, fleumático.
cold-hearted — insensível.
a cold snap — uma vaga de frio.
cold-steel — arma branca.
it is getting cold — está a arrefecer.
a cold meal — uma refeição fria.
cold-short — quebradiço.
to be cold with someone — mostrar-se frio para com alguém.
cold-cream — creme para amaciar a pele.
coldly [-li], *adv.* friamente; indiferentemente, insensivelmente.
coldness [-nis], *s.* frialdade; frieza, indiferença.
cole [koul], *s.* couve.
coleoptera [kɔli'ɔptərə], *s. pl.* Coleópteros, ordem de insectos cujas asas superiores, impróprias para o voo, abrigam as inferiores.
coleopteron [kɔli'ɔptərən], *s.* coleóptero.
coleopterous [kɔli'ɔptərəs], *adj.* pertencente à ordem dos Coleópteros.
colic ['kɔlik], *s.* cólica.
Coliseum [kɔli'siəm], *s.* Coliseu.
colitis [kɔ'laitis], *s.* colite.
collaborate [kə'læbəreit], *vi.* colaborar.
collaboration [kə'læbə'reiʃən], *s.* colaboração.
collaborator [kə'læbəreitə], *s.* colaborador.
collapse [kə'læps], **1** — *s.* colapso; desânimo, desfalecimento, prostração; queda; ruína; (náut.) deformação. (*Sin.* breakdown, faint, prostration, failure.)
2 — *vi.* ter um colapso; sucumbir; desmoronar-se; arruinar-se; esvaziar-se (balão).
collapsible [-əbl], *adj.* flexível; desmontável.
collar ['kɔlə], **1** — *s.* colarinho, gola; coleira (de animais); argola de ferro (para condenados); gargantilha; rolo de carne (à inglesa); colar (de mulher); colar de uma ordem ou confraria; (náut.) anel de veio; cantoneira de vedação; *pl.* (mec.) suportes.
collar-stud — botão de punho.
collar-bone — clavícula.
false collar — colarinho postiço.
soft collar — colarinho mole.
stiff collar — colarinho engomado.
out of the collar — sem trabalho.
2 — *vt.* agarrar pela gola ou pescoço; (futebol) agarrar e deter o adversário que esteja de posse da bola, placar; fazer um rolo de carne (à inglesa).
collate [kɔ'leit], *vt.* comparar, cotar (documentos escritos ou factos); examinar e pôr em ordem (as folhas de um livro); colar (num benefício eclesiástico).
collateral [kɔ'lætərəl], **1** — *s.* garantia adicional.
2 — *adj.* colateral (parentesco); subordinado, secundário, paralelo.
collateral relationship — parentesco colateral.
collaterally [-i], *adv.* colateralmente; subsidiariamente.
collation [kɔ'leiʃən], *s.* comparação, exame de verificação; colação, refeição ligeira; colação canónica.
colleague ['kɔli:g], *s.* colega.
collect **1** — ['kɔlekt], *s.* colecta, oração que na missa precede a epístola.
2 — [kə'lekt], *vt.* e *vi.* coligir, juntar, reunir, recolher, coleccionar; cobrar; acalmar-se, serenar; fazer a tiragem (correio).
to collect oneself — recuperar a calma.
to collect for the poor — fazer uma colecta para os pobres.
collectanea [kɔlek'teiniə], *s.* colectânea.
collected [kə'lektid], *adj.* junto, reunido, coligido; sereno.
calm and collected — calmo e composto.
collectedly [-li], *adv.* com calma, com serenidade; juntamente.
collectedness [-nis], *s.* serenidade de ânimo, presença de espírito.
collecting [kə'lektiŋ], *s.* acção de coleccionar ou reunir.
collecting channel — canal colector.
collecting flask — balão colector.
collection [kə'lekʃən], *s.* colecção, compilação, conjunto; subscrição para obras de caridade; cobrança de impostos.
a collection of stamps — uma colecção de selos.
to make a collection — colher donativos.
collection of money — cobrança.
collective [kə'lektiv], *adj.* colectivo, agregado, em conjunto.
collective property — propriedade colectiva.
collectively [-li], *adv.* colectivamente.
collectivism [-izm], *s.* colectivismo.
collectivist [-ist], *s.* colectivista.
collectivity [kə'lektiviti], *s.* colectividade.
collector [kə'lektə], *s.* coleccionador; cobrador, colector.
tax-collector — cobrador de impostos.
ticket-collector — revisor dos bilhetes no caminho-de-ferro.
colleen ['kɔli:n], *s.* rapariga.
college ['kɔlidʒ], *s.* colégio; escola de instrução preparatória para um curso especial; escola pública de instrução secundária; colégio particular; colégio universitário, instituto que faz parte duma universidade.
colleger [-ə], *s.* bolseiro em Eton.
collegian [kə'li:dʒiən], *s.* colegial, estudante.
collegiate [kə'li:dʒiit], *adj.* colegial.
collet ['kɔlit], *s.* engaste de anel; (mec.) torniquete.
collide [kə'laid], *vi.* colidir, chocar; entrar em conflito, entrechocar-se. (*Sin.* to crash, to interfere, to oppose, to foul.)
collie ['kɔli], *s.* cão pastor escocês.

collier ['kɔliə], *s.* mineiro (de mina de carvão); navio carvoeiro; tripulante de um navio carvoeiro.
colliery ['kɔljəri], *s.* mina de carvão.
colligate ['kɔligit], *vt.* coligar, ligar.
colligation [kɔli'geiʃən], *s.* coligação.
collimate ['kɔlimeit], *vi.* colimar, ajustar ou corrigir a linha visual dum telescópio.
collimation [kɔli'meiʃən], *s.* colimação.
collimator ['kɔlimeitə], *s.* colimador, instrumento que se emprega para obter raios luminosos paralelos.
collinear [kɔ'linjə], *adj.* colinear, que está na mesma linha recta.
collision [kə'liʒən], *s.* colisão, choque, encontro, embate; oposição. (*Sin.* crash, conflict, shock, opposition.)
collocate ['kɔləkeit], *vt.* colocar; arranjar.
collocation [kɔlə'keiʃən], *s.* colocação, arranjo, disposição.
collocutor ['kɔləkjutə], *s.* interlocutor.
collodion [kə'loudiən], *s.* colódio.
collogue [kɔ'loug], *vi.* segredar, conversar confidencialmente.
colloid ['kɔlɔid], *s.* e *adj.* colóide.
collop ['kɔləp], *s.* carne picada e refogada (Escócia).
colloquial [kə'loukwiəl], *adj.* coloquial, familiar.
colloquial language — linguagem familiar.
colloquialism [-izm], *s.* expressão familiar.
colloquially [-i], *adv.* coloquialmente.
colloquist ['kɔləkwist], *s.* interlocutor.
colloquium [kə'loukwiəm], *s.* colóquio, debate, discussão.
colloquy ['kɔləkwi], *s.* colóquio.
collotype ['kɔloutaip], *s.* fotografia a colódio, colotipia.
collude [kə'lju:d], *vi.* conluiar-se, conspirar.
colluder [-ə], *s.* o que entra em conluios.
collusion [kə'lu:ʒən], *s.* conluio, cooperação fraudulenta.
collusive [kə'lu:siv], *adj.* secretamente combinado para defraudar alguém.
collusively [-li], *adv.* combinadamente (para defraudar).
collyrium [kə'li:əriəm], *s.* (pl. **collyria**) colírio.
Cologne [kə'loun], *top.* Colónia.
Colombia [kə'lɔmbiə], *top.* Colômbia.
colon ['koulən], *s.* dois pontos (pontuação); cólon.
colonate [kə'lounit], *s.* colonato.
colonel [kə:nl], *s.* coronel.
colonelcy [-si], *s.* posto de coronel.
colonelship [-ʃip], *s.* ver **colonelcy.**
colonial [kəl'lounjəl], *s.* e *adj.* colono, colonial.
Colonial Office — Ministério das Colónias.
colonialism [-izm], *s.* colonialismo.
colonist ['kɔlənist], *s.* colono.
colonization [kɔlənai'zeiʃən], *s.* colonização.
colonize ['kɔlənaiz], *vt.* e *vi.* colonizar.
colonizer [-ə], *s.* colonizador.
colonnade [kɔlə'neid], *s.* colunata.
colony ['kɔləni], *s.* colónia.
colophon ['kɔləfən], *s.* cólofon, impressão dum livro com a data e nome do impressor.
colophony [kɔ'lɔfəni], *s.* colofónia, espécie de resina (para arcos de rabeca).
Colorado [kɔlə'rɑ:dou], *top.* Colorado.
Colorado beetle — escaravelho da batata.
coloration [kʌlə'reiʃən], *s.* coloração, colorido.
colorific [kɔlə'rifik], *adj.* colorífico.
colorimeter [kɔlə'rimitə], *s.* colorímetro.
colossal [kə'lɔsl], *adj.* colossal.
colossally [-i], *adv.* colossalmente, enormemente.
colossus [kə'lɔsəs], *s.* (pl. **collossi** e **collossuses**) colosso.
colostrum [kə'lɔstrəm], *s.* colostro.
colour ['kʌlə], **1** — *s.* cor; colorido; rubor; aparência, pretexto, carácter; partido; *pl.* bandeira, insígnias. (*Sin.* tinge, tint, hue, complexion, disguise, blush.)
colour bar — segregação racial.
colour-box — caixa de tintas.
colour-bearer — porta-bandeira.
colour-printing — impressão a cores.
colour-blind — daltónico.
to be off colour (col.) — estar maldisposto, abatido.
to come off with flying colours — sair vitorioso, sair-se brilhantemente.
to come out in one's true colours — desmascarar-se.
to lose colour — perder a cor, empalidecer.
to join the colours — alistar-se no exército.
to stick to one's colours — aderir a um partido, ser fiel a uma causa.
to show one's colours — dar a conhecer as suas tendências políticas ou religiosas; revelar o seu carácter.
to salute the colours — fazer a continência à bandeira.
to nail one's colours to the mast — tomar uma resolução e mantê-la a todo o custo.
colour-man — vendedor de tintas.
water-colour — aguarela.
2 — *vt.* e *vi.* colorir; tingir; corar, ruborizar-se.
colourable [-rəbl], *adj.* que pode ser colorido; plausível; especioso.
colourably [-rəbli], *adv.* plausivelmente; especiosamente.
coloured [-d], *adj.* de cor; pertencente a uma raça de cor; simulado, fingido.
colouring [-riŋ], **1** — *s.* cor, colorido; arte de pintar a cores; falsa aparência; disfarce.
2 — *adj.* corante.
colourist [-rist], *s.* colorista, artista notável pela beleza das cores dos seus trabalhos.
colourless [-lis], *adj.* incolor; pálido, descorado; neutral, imparcial, indiferente; indeciso.
colporteur ['kɔlpɔ:tə], *s.* alfarrabista ambulante, especialmente de livros religiosos.
colt [koult], **1** — *s.* potro; simplório, jovem inexperiente; corda usada como açoite; revólver ou pistola automática.
2 — *vt.* açoitar com corda.
coltsfoot [-sfut], *s.* (bot.) tussilagem, unha-de-cavalo.
colubrine ['kɔljubrain], *adj.* colubrino.
Columbia [kə'lʌmbiə], *top.* Colúmbia.
columbine ['kɔləmbain], *s.* (bot.) columbina.
Columbus [kə'lʌmbəs], *n. p.* Colombo.
column ['kɔləm], *s.* coluna; suporte, montante.
column of water — coluna de água.
column of march — coluna de marcha.
flying column (mil.) — coluna volante.
spinal column — coluna dorsal.
supply column — coluna de abastecimento.
columnar [kə'lʌmnə], *adj.* colunar.
columned ['kɔləmd], *adj.* guarnecido ou sustentado por colunas; disposto em colunas.
colure [kə'ljuə], *s.* coluro.
colza ['kɔlzə], *s.* colza, variedade de couve (de forragem).
coma (pl. **comas**) ['koumə,-z], *s.* coma, sonolência profunda; *pl.* **comae** [-i], coma, cabelo; cabeleira.
comatose ['koumətous], *adj.* comatoso.
comb [koum], **1** — *s.* pente; crista (de galo ou de monte); carda; (elect.) colector; favo (de mel).

comb-foundation — favo de cera.
to cut the comb of — humilhar.
2 — *vt.* e *vi.* pentear; rastelar, assedar, cardar; rebentar (ondas); (col.) examinar minuciosamente.
combat ['kɔmbət], **1** — *s.* combate, batalha, luta.
2 — *vt.* e *vi.* combater, lutar; contestar, fazer oposição a. (*Sin.* to fight, to battle, to oppose, to resist. *Ant.* to submit.)
to combat a tendency — combater uma tendência.
combatant [-ənt], *s.* combatente.
combative [-iv], *adj.* combativo.
combatively [-ivli], *adv.* combativamente.
combativeness [-ivnis], *s.* combatividade, tendência para combater.
comber **1** — ['koumə], *s.* cardador; onda que rebenta.
2 — ['kɔmbə], *s.* uma variedade de peixe.
combination [kɔmbi'neiʃən], *s.* combinação; união, junção; acordo; associação; *pl.* combinação, vestuário interior.
combinative, combinatory ['kɔmbinətiv, kɔmbi'neitəri], *adj.* combinatório.
combine **1** — ['kɔmbain], *s.* combinação, conspiração; combinação para elevar os preços ou estorvar o negócio; (E. U.) máquina de ceifar e debulhar.
2 — [kəm'bain], *vt.* e *vi.* combinar, juntar, ligar; misturar, associar; cooperar. (*Sin.* to unite, to join, to mix, to cooperate. *Ant.* to separate.)
combined [-d], *adj.* combinado, unido; ligado, misturado; associado.
combing ['koumiŋ], *s.* acto de pentear; cardagem; *pl.* cabelos que aderem ao pente; resíduos de cardação.
combless ['koumlis], *adj.* sem crista.
combust [kəm'bʌst], *vi.* entrar em combustão.
combustibility [kəmbʌstə'biliti], *s.* combustibilidade.
combustible [kəm'bʌstəbl], *s.* e *adj.* combustível.
combustion [kəm'bʌstʃən], *s.* combustão.
come [kʌm], **1** — *s.* vinda; chegada.
come-and-go — vaivém.
2 — *vi.* (pret. **came** [keim], pp. **come**) vir; chegar; caminhar; aproximar-se; resultar; proceder, provir; tornar-se, vir a ser; suceder, acontécer; subir a, igualar; estar presente.
to come about — acontecer; efectuar; rodear.
to come across — encontrar-se com; topar com.
to come after — seguir, vir atrás.
to come along — andar, vir; apressar-se; concordar.
to come at — chegar a, atingir; fazer por.
to come away — partir, retirar.
to come back — voltar.
to come between — intrometer-se; interpor-se.
to come by — passar perto; adquirir, ganhar.
to come down — descer; ser transmitido pela tradição; descer em importância; baixar de preço.
to come down upon — cair sobre alguém; repreender severamente.
to come for — vir buscar.
to come forward — apresentar-se; responder a um apelo; avançar.
to come to grief — sofrer um desastre, falhar; sair-se mal.
to come in — entrar; chegar; herdar.
to come into — entrar; tomar posse de; herdar; adquirir.
to come in one's way — aparecer; acontecer; cair em sorte.
to come into trouble — meter-se em trabalhos ou em sarilhos.
to come into the world — vir ao mundo, nascer.
to come it over — enganar.
to come off — partir, sair, despegar-se; ocorrer, realizar-se; resultar; sair-se bem; descer.
to come of — descender, vir de; resultar de.
to come home — ir (vir) para casa; voltar para a terra (natal), para a pátria.
to come on — avançar; desenvolver-se; prosseguir; começar; exortar.
to come out — resultar; tornar público; aparecer (uma doença).
to come out with — proclamar.
to come over — atravessar; vir até cá.
to come near — aproximar-se; estar quase a.
to come round — ter lugar, ocorrer; recobrar (a saúde); persuadir; visitar.
to come to oneself — voltar a si.
to come to an end — terminar, cessar, acabar.
to come short — ser insuficiente.
to come short of — faltar, não alcançar; estar longe de.
to come to mind — recordar-se.
to come to pass — acontecer; resultar.
to come to light — vir à luz, ser revelado.
to come together — vir juntamente.
to come to hands — chegar às mãos.
to come to terms — chegar a acordo.
to come to no good — não caminhar para bom fim.
to come to nothing — falhar.
to come to a standstill — chegar a um ponto morto.
to come to one's knowledge — chegar ao conhecimento.
to come up to — igualar, rivalizar; vencer; elevar-se a.
to come up — subir; levantar; surgir.
to come under — estar sujeito a.
to come upon — encontrar-se com; avançar; atacar de frente.
to come true — sair certo; realizar-se.
the world to come — a vida futura.
how does it come that...? — como é que...?
comedian [kə'mi:diən], *s.* comediante; comediógrafo.
comedy (pl. **comedies**) ['kɔmidi,-iz], *s.* comédia.
comeliness ['kʌmlinis], *s.* donaire, graça, garbo, elegância.
comely ['kʌmli], *adj.* donairoso, belo, gracioso, alegre, simpático; airoso; comedido. (*Sin.* graceful, handsome, nice-looking. *Ant.* ugly.)
comer ['kʌmə], *s.* o que chega.
comestible [kə'mestibl], *adj.* comestível.
comet ['kɔmit], *s.* cometa.
cometary [-əri], *adj.* cometário, relativo a cometa.
comfit ['kʌmfit], *s.* confeito, rebuçado, bombom.
comfort ['kʌmfət], **1** — *s.* conforto, consolação, alívio; bem-estar, comodidade.
2 — *vt.* confortar, consolar, reanimar, aliviar. (*Sin.* to relieve, to console, to solace, to encourage. *Ant.* to trouble.)
comfortable [-əbl], *adj.* confortável, cómodo, agradável; consolador. (*Sin.* pleasant, welcome, gratifying, agreeable.)
make yourself comfortable — ponha-se à vontade.
to feel comfortable — sentir-se bem.
comfortably [-əbli], *adv.* confortavelmente, comodamente.

comforter [-ə], *s.* animador, o que conforta, confortador; abafo de lã.
Job's comforter — o que agrava a dor daquele que procura consolar.
comfortless [-lis], *adj.* sem conforto; desconsolado, inconfortável; inconsolável; desagradável.
comfrey ['kʌmfri], *s.* (bot.) consolda, planta conhecida pelo nome de «esporas».
comfy ['kʌmfi], *adj.* (col.) confortável.
comic ['kɔmik], *s.* e *adj.* cómico.
comical [-əl], *adj.* cómico, ridículo; que faz rir. (*Sin.* ludicrous, funny, droll, laughable. *Ant.* serious.)
comicality [kɔmi'kæliti], *s.* comicidade.
comically ['kɔmikəli], *adv.* comicamente.
coming ['kʌmiŋ], **1** — *s.* vinda, chegada; advento.
2 — *adj.* esperado; futuro; que está para chegar.
comity ['kɔmiti], *s.* cortesia, urbanidade.
comma ['kɔmə], *s.* vírgula; (mús.) coma, subdivisão do tom.
inverted commas — aspas.
command [kə'mɑ:nd], **1** — *s.* comando; ordem; poder, autoridade; mandato.
to have a great command of language — estar senhor da língua, dominar bem a língua.
under command of — sob o comando de.
2 — *vt.* e *vi.* comandar, mandar, ordenar; governar; dominar; ter à sua disposição. (*Sin.* to rule, to order, to direct).
to command respect — impor respeito.
to command oneself — dominar-se.
to command a sum of money — ter à sua disposição uma quantia de dinheiro.
commandant [kɔmən'dænt], *s.* comandante; governador dum forte.
commandeer [kɔmən'diə], *vt.* recrutar homens (para o serviço militar).
commander [kə'mɑ:ndə], *s.* comandante; chefe; capitão-de-fragata; capitão de navio.
commander-in-chief — comandante-chefe.
commandership [-ʃip], *s.* comando.
commanding [kə'mɑ:ndiŋ], *adj.* dominante; imperioso; imponente; impressivo; imperativo.
commandment [kə'mɑ:ndmənt], *s.* mandamento; preceito.
commemorate [kə'meməreit], *vt.* comemorar, celebrar, solenizar recordando; lembrar.
commemoration [kəmemə'reiʃən], *s.* comemoração.
commemorative [kə'memərətiv], *adj.* comemorativo.
commence [kə'mens], *vt.* e *vi.* começar, principiar; tomar um grau na Universidade; licenciar-se.
commencement [-mənt], *s.* começo, princípio; origem; concessão de graus universitários.
commend [kə'mend], *vt.* recomendar; elogiar, louvar.
to commend one's soul to God — encomendar a alma a Deus.
commendable [-əbl], *adj.* recomendável; digno de elogio.
commendably [-əbli], *adv.* dum modo louvável.
commendam [-æm], *s.* encomendação (dum benefício eclesiástico).
commendation [kɔmen'deiʃən], *s.* recomendação; elogio, louvor.
commendatory [kɔ'mendətəri], *adj.* comendatário.
commensurability [kəmenʃərə'biliti], *s.* comensurabilidade.
commensurable [kə'menʃərəbl], *adj.* comensurável; proporcionado.
commensurableness [-nis], *s.* comensurabilidade.
commensurably [-i], *adv.* comensuravelmente.
commensurate [kə'menʃərit], *adj.* comensurável, proporcionado.
commensurately [-li], *adv.* proporcionadamente.
commensurateness [-nis], *s.* proporção; comensuralidade.
comment ['kɔment], **1** — *s.* comentário; explicação, anotação, observação; crítica.
2 — *vt.* comentar; explicar; anotar. (*Sin.* to remark, to criticize, to explain, to annotate.)
commentary (pl. **commentaries**) ['kɔməntəri, -z], *s.* comentário, crítica. (*Sin.* comment, remark, observation, note.)
commentation [kɔmen'teiʃən], *s.* comentário.
commentator ['kɔmenteitə], *s.* comentador.
commerce ['kɔmə:s], *s.* comércio; relações sexuais. (*Sin.* trade, business, affair, transaction, intercourse.)
commercial [kə'mə:ʃəl], *adj.* comercial.
commercial traveller — caixeiro-viajante.
commercial intercourse — relações comerciais.
commercialism [-izm], *s.* comercialismo.
commercialist [-ist], *s.* comercialista.
commination [kɔmi'neiʃən], *s.* cominação, ameaça.
comminatory ['kɔminətəri], *adj.* cominatório.
commingle [kɔ'miŋgl], *vt.* e *vi.* misturar, ligar.
comminute ['kɔminju:t], *vt.* moer; pulverizar.
comminution [kɔmi'nju:ʃən], *s.* pulverização.
commiserate [kə'mizəreit], *vt.* e *vi.* compadecer-se de; apiedar-se; lamentar.
commiseration [kəmizə'reiʃən], *s.* comiseração.
commiserative [kə'mizərətiv], *adj.* comiserativo.
commissar [kɔmi'sɑ:], *s.* comissário (Rússia).
commissarial [kɔmi'sɛəriəl], *adj.* relativo a comissário.
commissariat [kɔmi'sɛəriət], *s.* comissariado; repartição de manutenção militar.
commissary (pl. **commissaries**) ['kɔmisəri, -iz], *s.* comissário; delegado; vigário-geral (episcopal).
commission [kə'miʃən], **1** — *s.* comissão; delegação de poderes; missão; cargo; corporação; agência; percentagem; patente militar (de oficial); posto.
comission-agent — comissário, expedidor.
on comission — à comissão.
to throw up (to resign) one's comission — demitir-se.
2 — *vt.* comissionar; dar comissão a; encarregar de; delegar; autorizar; entregar o comando dum navio a um oficial; assumir o comando (dum navio).
commissionaire [kəmiʃə'nɛə], *s.* moço de recados; criado de hotel que olha pelas bagagens; agente; comissário.
commissioner [kə'miʃənə], *s.* comissário; pessoa nomeada para uma comissão; membro duma comissão.
commissure ['kɔmisjuə], *s.* comissura, ponto ou linha de junção.
commit [kə'mit], *vt.* (pret. e pp. **committed**) cometer, praticar; confiar; perpetrar; encarregar; encarcerar; comprometer. (*Sin.* to intrust, to confide, to perpetrate, to perform.)
to commit to memory — decorar.
to commit to writing (to paper) — pôr por escrito.

to commit a crime — perpetrar um crime.
to commit oneself — comprometer-se, colocar-se mal.
commitment [-mənt], *s.* ordem de prisão; mandato; perpetração; encarceramento.
committal [-l], *s.* perpetração; prisão; documento autorizando uma comissão; encarceramento.
committee [kə'miti], *s.* comissão; delegação; junta.
commode [kə'moud], *s.* cómoda.
commodious [-iəs], *adj.* espaçoso, amplo; cómodo. (*Sin.* spacious, easy, comfortable, useful. *Ant.* narrow.)
commodiously [-iəsli], *adv.* espaçosamente, amplamente; à vontade.
commodiousness [-iəsnis], *s.* comodidade; qualidade de ser espaçoso.
commodity (pl. **commodities**) [kə'mɔditi,-iz], *s.* coisa útil; mercadoria.
commodore ['kɔmədɔ:], *s.* comodoro.
common ['kɔmən], **1** — *s.* pastos comuns; relvado público.
out of the common — fora do vulgar.
in common — em comum.
2 — *adj.* comum, vulgar, trivial; usual, frequente; pertencente a muitos, geral; inferior. (*Sin.* usual, universal, public, vulgar.)
common sense — senso comum.
common soldier — soldado raso.
the common people — a plebe.
commonage [-idʒ], *s.* direito às pastagens comuns.
commonalty (pl. **commonalties**) [-lti, -iz], *s.* plebe, povo.
commoner [-ə], *s.* plebeu, homem do povo.
commonly [-li], *adv.* geralmente, vulgarmente.
commonness [-nis], *s.* vulgaridade, inferioridade; frequência.
commonplace [-pleis], **1** — *s.* trivialidade; lugar-comum.
2 — *adj.* vulgar, trivial.
3 — *vt.* e *vi.* dizer banalidades.
commons [-z], *s. pl.* o povo, o vulgo; víveres para pessoas que comem juntamente; ração.
to be on short commons — ter uma ração magra.
commonwealth [-welθ], *s.* Estado; governo republicano em Inglaterra, de 1649 a 1660; comunidade das nações britânicas.
commotion [kə'mouʃən], *s.* comoção; excitação; tumulto popular; agitação. (*Sin.* turmoil, bustle, disturbance, tumult. *Ant.* calm.)
commove [kə'mu:v], *vt.* comover; agitar; perturbar.
communal ['kɔmjunl], *adj.* comunal.
commune **1** — ['kɔmju:n], *s.* comuna.
2 — [kə'mju:n], *vi.* conversar intimamente; comungar.
communicable [kə'mju:nikəbl], *adj.* comunicável.
communicableness [-nis], *s.* comunicabilidade.
communicant [kə'mju:nikənt], *s.* comunicante; comungante.
communicate [kə'mju:nikeit], *vt.* e *vi.* comunicar, dar parte de; participar, transmitir; comungar.
communication [kəmju:ni'keiʃən], *s.* comunicação, participação; notificação; carta, mensagem; ligação.
to bring into communication — pôr em comunicação.
communicative [kə'mju:nikətiv], *adj.* comunicativo, expansivo.
communicativeness [-nis], *s.* expansão, franqueza.
communion [kə'mju:njən], *s.* comunhão; participação; confraternidade.
communion cloth — toalha da comunhão.
communism ['kɔmjunizm], *s.* comunismo.
communist ['kɔmjunist], *s.* e *adj.* comunista.
community (pl. **communities**) [kə'mju:niti, -iz], *s.* comunidade, sociedade; agremiação; comunidade religiosa.
commutability [kəmju:tə'biliti], *s.* comutabilidade.
commutable [kə'mju:təbl], *adj.* comutável.
commutation [kɔmju:'(:)teiʃən], *s.* comutação, troca, substituição; alteração.
commutative [kə'mju:tətiv], *adj.* comutativo.
commutator ['kɔmju(:)teitə], *s.* (elect.) comutador.
commute [kə'mju:t], *vt.* e *vi.* comutar, permutar, alterar ou mudar uma corrente eléctrica.
comose ['koumous], *adj.* cabeludo, peludo.
compact ['kɔmpækt], *s.* pacto, convénio, ajuste, estojo de pó-de-arroz.
to enter into a compact with — fazer um pacto com.
compact [kəm'pækt], **1** — *adj.* firme, conciso, cheio.
2 — *vt.* comprimir, apertar; unir, consolidar.
compactly [kəm'pæktli], *adv.* compactamente, solidamente.
compactness [kəm'pæktnis], *s.* solidez, firmeza, compacidade.
companion [kəm'pænjən], **1** — *s.* companheiro; sócio; dama de companhia; cavaleiro duma Ordem. (*Sin.* partner, comrade, associate. *Ant.* foe).
2 — *vt.* e *vi.* fazer companhia; acompanhar.
companionable [-əbl], *adj.* sociável.
companionableness [-əblnis], *s.* sociabilidade.
companionship [-ʃip], *s.* sociedade, companhia.
company (pl. **companies**) ['kʌmpəni, -z], *s.* companhia; sociedade; corporação; companheiro, sócio; visitas, hóspedes; tripulação.
to keep company — fazer companhia.
to part company — separar-se de.
better alone than in bad company — mais vale só do que mal acompanhado.
Joint Stock Company — sociedade anónima.
comparability [kɔmpərə'biliti], *s.* comparabilidade.
comparable ['kɔmpərəbl], *adj.* comparável.
comparative [kəm'pærətiv], *s.* e *adj.* comparativo; relativo.
comparatively [-li], *adv.* comparativamente, relativamente.
compare [kəm'pɛə], **1** — *s.* comparação.
beyond (without, past) compare — sem comparação.
2 — *vt.* e *vi.* comparar, confrontar; ser semelhante; igualar-se; formar os graus de comparação.
to compare notes — trocar impressões.
not to be compared with — nada que possa comparar-se.
comparison [kəm'pærisn], *s.* comparação, confronto; semelhança. (*Sin.* compare, similitude.)
degrees of comparison — graus de significação.
in comparison with — em comparação com.
to make a comparison between — fazer uma comparação entre.
compart [kəm'pɑ:t], *vt.* dividir em compartimentos.
compartment [-mənt], *s.* compartimento, divisão.

compass ['kʌmpəs], **1** — *s.* bússola; círculo, circunferência; limites; compasso (de música); volta; alcance; *pl.* compasso, instrumento de desenho.
compass-card — rosa-dos-ventos.
the points of the compass — os pontos cardeais e colaterais.
2 — *vt.* circundar; alcançar, obter; compreender.
compassion [kəm'pæʃən], *s.* compaixão, dó, piedade. (*Sin.* pity, mercy, commiseration, sympathy. *Ant.* harshness.)
compassionate [-it], *adj.* compassivo; compadecido.
compassionately [-itli], *adv.* compassivamente.
compassionateness [-itnis], *s.* compaixão.
compatibility [kəmpætə'biliti], *s.* compatibilidade.
compatible [kəm'pætəbl], *adj.* compatível.
compatibly [-i], *adv.* compativelmente.
compatriot [kəm'pætriət], *s.* compatriota.
compeer [kɔm'piə], *s.* companheiro, camarada.
compel [kəm'pel], *vt.* (pret. e pp. **compelled**) compelir, obrigar, constranger; sujeitar, forçar. (*Sin.* to force, to coerce, to oblige, to subject. *Ant.* to dissuade.)
compellable [-əbl], *adj.* que pode ser compelido.
compendious [kəm'pendiəs], *adj.* compendioso, resumido, abreviado. (*Sin.* abridged, short, brief, concise. *Ant.* diffuse.)
compendiousness [-nis], *s.* brevidade, concisão, resumo.
compendium (pl. **compendiums, compendia**) [kəm'pendiəm, -əmz, -ə], *s.* compêndio; resumo; extracto.
compensate ['kɔmpenseit], *vt.* e *vi.* compensar; contrabalançar; indemnizar; retribuir; remunerar.
compensating [-iŋ], *adj.* compensador.
compensation [kɔmpen'seiʃən], *s.* compensação; indemnização.
compensative [kəm'pensətiv], *adj.* compensativo.
compensatory [kəm'pensətəri], *adj.* compensatório.
compete [kəm'pi:t], *vi.* competir, rivalizar; fazer concorrência a.
competence, competency ['kɔmpitəns, -i], *s.* competência, aptidão; suficiência (de meios de subsistência).
competent ['kɔmpitənt], *adj.* competente, apto; legal.
competition [kɔmpi'tiʃən], *s.* competição, rivalidade; concorrência, concurso; prova. (*Sin.* contest, contention, rivalry, emulation. *Ant.* combination.)
to come into competition — fazer concorrência.
to put up for competition — pôr a concurso.
unfair competition — concorrência desleal.
competitive [kəm'petitiv], *adj.* competitivo, de competição, de concurso.
competitor [kəm'petitə], *s.* competidor, rival, concorrente.
competitress [kəm'petitris], *s.* competidora.
compilation [kɔmpi'leiʃən], *s.* compilação; colecção.
compile [kəm'pail], *vt.* compilar, coligir.
compiler [-ə], *s.* compilador.
complacence, complacency [kəm'pleisns,-i], *s.* complacência, condescendência.
complacent [kəm'pleisnt], *adj.* complacente, condescendente.
complacently [-li], *adv.* com condescendência, complacentemente.

complain [kəm'plein], *vi.* queixar-se; lamentar-se. (*Sin.* to bewail, to lament, to grumble. *Ant.* to rejoice.)
complainant [-ənt], *s.* queixoso.
complainer [-ə], *s.* queixoso; reclamante.
complaint [-t], *s.* queixa; lamentação; querela; dor, doença.
to lodge a complaint — apresentar queixa.
what is your complaint? — de que se queixa?
complement **1** — ['kɔmplimənt], *s.* complemento; acessório; lotação de navio; pessoal; totalidade.
2 — ['kɔmpliment], *vt.* completar, suprir uma falta.
complementary [kɔmpli'mentəri], *adj.* complementar.
complete [kəm'pli:t], **1** — *adj.* completo, inteiro, concluído.
2 — *vt.* completar, acabar, concluir.
completely [-li], *adv.* completamente.
completeness [-nis], *s.* perfeição.
completion [kəm'pli:ʃən], *s.* acabamento, perfeição; fim. (*Sin.* ending, finishing, perfection, fulfilment.)
complex ['kɔmpleks], *s.* e *adj.* complexo; complicado, intrincado.
complexion [kəm'plekʃən], *s.* compleição; aspecto; cor da pele. (*Sin.* colour, appearance, look, aspect.)
fair complexion — cor clara, branca.
complexity (pl. **complexities**) [kəm'pleksiti, -z], *s.* complexidade.
complexly ['kɔmpleksli], *adv.* complexamente, complicadamente.
compliance [kəm'plaiəns], *s.* condescendência, concordância; submissão; assentimento.
in compliance with — em conformidade com; de acordo com.
compliant [kəm'plaiənt], *adj.* condescendente, complacente; concordante.
compliantly [-li], *adv.* condescendentemente.
complicacy ['kɔmplikəsi], *s.* complexidade.
complicate ['kɔmplikeit], *vt.* complicar, intrincar, dificultar.
complicated [-id], *adj.* complicado.
complication [kɔmpli'keiʃən], *s.* complicação; embaraço.
complicity [kəm'plisiti], *s.* cumplicidade.
compliment **1** — ['kɔmplimənt], *s.* cumprimento; saudação; elogio.
2 — ['kɔmpliment], *vt.* cumprimentar; felicitar; elogiar.
complimentary [kɔmpli'mentəri], *adj.* cortês; obsequioso; lisonjeiro. (*Sin.* flattering, laudatory. *Ant.* insulting.)
complimentary tickets — bilhetes oferecidos pelo empresário.
complin, compline ['kɔmplin], *s.* completas (reza do Breviário).
comply [kəm'plai], *vi.* concordar; consentir; ceder, aceder; obedecer; anuir. (*Sin.* to yield, to agree, to assent. *Ant.* to refuse.)
component [kəm'pounənt], *s.* e *adj.* componente.
comport [kəm'pɔ:t], *vt.* e *vi.* proceder, portar-se; ser compatível com.
compose [kəm'pouz], *vt.* e *vi.* compor; formar; constituir; arranjar; acalmar, tranquilizar, serenar. (*Sin.* to form, to make, to create, to soothe, to calm. *Ant.* to aggravate, to excite.)
composed [-d], *adj.* composto; calmo, sossegado, sereno.
composedly [-idli], *adv.* tranquilamente, com serenidade.
composedness [-idnis], *s.* compostura, calma, serenidade.

composer [-ə], *s.* compositor; autor.
composing [-iŋ], *s.* acto de compor; composição.
composing-machine (tip.) — máquina de compor.
composite [ˈkɔmpəzit], *s.* e *adj.* composto; compósito.
composition [kɔmpəˈziʃən], *s.* composição; acordo; composto. (*Sin.* writing, making, invention, mixture.)
compositor [kəmˈpɔzitə], *s.* compositor, tipógrafo.
compost [ˈkɔmpɔst], **1** — *s.* adubo químico.
2 — *vt.* adubar.
composure [kəmˈpouʒə], *s.* compostura, calma, serenidade.
compote [ˈkɔmpout], *s.* compota.
compound [ˈkɔmpaund], **1** — *s.* composto, substância composta; palavra composta; cerca.
2 — *adj.* composto de, misturado.
compound fracture — fractura exposta.
compound [kəmˈpaund], *vt.* e *vi.* compor; misturar; concordar; transigir, dar-se por satisfeito; chegar a um acordo.
comprehend [kɔmpriˈhend], *vt.* compreender, perceber; conter, abranger, incluir; encerrar. (*Sin.* to understand, to grasp, to perceive, to comprise, to include. *Ant.* to exclude, to mistake.)
comprehensibility [ˈkɔmprihensəˈbiliti], *s.* compreensibilidade.
comprehensible [kɔmpriˈhensəbl], *adj.* compreensível.
comprehensibly [-i], *adv.* compreensivelmente.
comprehension [kɔmpriˈhenʃən], *s.* compreensão; inteligência. (*Sin.* understanding, intellect, mind, scope, inclusion.)
this passes my comprehension — isto vai além da minha compreensão.
comprehensive [kɔmpriˈhensiv], *adj.* compreensivo.
comprehensively [-li], *adv.* compreensivamente.
comprehensiveness [-nis], *s.* compreensão, faculdade de compreender, alcance.
compress **1** — [ˈkɔmpres], *s.* compressa.
2 — [kəmˈpres], *vt.* comprimir, apertar; condensar, abreviar.
compressed [kəmˈprest], *adj.* comprimido.
compressed air — ar comprimido.
compressibility [kəmpresiˈbiliti], *s.* compressibilidade.
compressible [kəmˈpresəbl], *adj.* compressível.
compressing [kəmˈpresiŋ], *adj.* compressor, que comprime.
compressing-air pump — bomba de compressão.
compression [kəmˈpreʃən], *s.* compressão; condensação, concisão; repressão.
compressive [kəmˈpresiv], *adj.* compressivo.
compressor [kəmˈpresə], *s.* compressor.
comprisable [kəmˈpraizəbl], *adj.* compreensível.
comprise [kəmˈpraiz], *vt.* compreender; abranger, incluir; consistir; conter; encerrar. (*Sin.* to include, to comprehend, to contain, to embrace.)
compromise [ˈkɔmprəmaiz], **1** — *s.* compromisso; acordo; convenção.
2 — *vt.* e *vi.* comprometer(-se); arriscar; compor; transigir. (*Sin.* to agree, to endanger, to engage, to settle. *Ant.* to differ.)
to compromise oneself — comprometer-se.
comptroller [kənˈtroulə], *s.* registador e examinador de contas públicas; administrador.
compulsion [kəmˈpʌlʃən], *s.* compulsão; coacção; constrangimento.
compulsive [kəmˈpʌlsiv], *adj.* compulsivo.
compulsorily [kəmˈpʌlsərili], *adv.* à força, coercivamente; obrigatoriamente.
compulsory [kəmˈpʌlsəri], *adj.* compulsório, obrigatório; coercivo. (*Sin.* obligatory, enforced, binding. *Ant.* voluntary.)
compunction [kəmˈpʌŋkʃən], *s.* compunção, pesar; arrependimento; escrúpulo, hesitação.
compunctious [kəmˈpʌŋkʃəs], *adj.* compungido.
compurgation [kɔmpəːˈgeiʃən], *s.* justificação; compurgação.
compurgator [ˈkɔmpəːgeitə], *s.* compurgador.
computable [kəmˈpjuːtəbl], *adj.* computável.
computation [kɔmpjuˈ(ː)teiʃən], *s.* computação.
computator [ˈkɔmpju(ː)teitə], *s.* computador.
compute [kəmˈpjuːt], *vt.* computar, contar, calcular.
computer [-ə], *s.* computador.
comrade [ˈkɔmrid], *s.* camarada, companheiro.
comradeship [-ʃip], *s.* camaradagem.
con [kɔn], **1** — *s.* contra.
the pros and cons — os prós e os contras.
2 — *vt.* (pret. e pp. **conned**) estudar, decorar; dirigir, governar (um navio).
conning-tower — torre de comando.
to con over — decorar.
concatenate [kɔnˈkætineit], *vt.* concatenar, encadear; relacionar.
concatenation [kɔnkætiˈneiʃən], *s.* concatenação; encadeamento.
concave [ˈkɔnˈkeiv], **1** — *s.* concavidade, superfície côncava.
2 — *adj.* côncavo.
concavity (pl. **concavities**) [kɔnˈkæviti,-z], *s.* concavidade.
conceal [kənˈsiːl], *vt.* ocultar, esconder; encobrir, dissimular.
concealed [-d], *adj.* oculto, escondido; encoberto; dissimulado.
concealment [-mənt], *s.* encobrimento; ocultação; esconderijo.
concede [kənˈsiːd], *vt.* conceder; admitir; (col.) perder.
conceit [kənˈsiːt], *s.* presunção, vaidade; amor-próprio; compreensão; modo de ver.
in my own conceit — a meu ver.
out of conceit — aborrecido.
full of conceit — cheio de vaidade.
conceited [-id], *adj.* presumido, vaidoso, afectado, enfatuado.
conceitedly [-idli], *adv.* presumidamente, vaidosamente, afectadamente.
conceitedness [-idnis], *s.* presunção, vaidade; amor-próprio.
conceivable [kənˈsiːvəbl], *adj.* concebível.
conceivableness [-nis], *s.* conceptibilidade.
conceivably [-i], *adv.* dum modo concebível.
conceive [kənˈsiːv], *vt.* e *vi.* conceber, imaginar; supor; formar ideia; formular; compreender; engravidar.
to conceive an idea — conceber uma ideia.
conceiving [-iŋ], *s.* concepção; compreensão.
concentrate [ˈkɔnsentreit], *vt.* e *vi.* concentrar; intensificar; consolidar; concentrar-se; absorver-se.
concentrated [-id], *adj.* concentrado.
concentration [kɔnsenˈtreiʃən], *s.* concentração.
concentrative [ˈkɔnsentreitiv], *adj.* concentrador.
concentre [kɔnˈsentə], *vt.* e *vi.* centralizar; focar.
concentric [kɔnˈsentrik], *adj.* concêntrico.
concentrically [-əli], *adv.* concentricamente.
concentricity [kɔnsenˈtrisiti], *s.* concentricidade.

concept ['kɔnsept], *s.* ideia, noção, conceito.
conception [kən'sepʃən], *s.* concepção; ideia; imagem.
conceptive [kən'septiv], *adj.* conceptivo.
conceptual [kən'septjuəl], *adj.* conceptual.
concern [kən'sə:n], **1** — *s.* assunto, negócio; interesse; incumbência; preocupação, inquietação; firma.
a paying concern — um bom negócio.
mind your own concerns! — trate da sua vida.
that is no concern of mine — isso não me diz respeito.
to have a concern in a business — ter parte num negócio.
2 — *vt.* dizer respeito; interessar; preocupar.
to be concerned in — ter parte em.
concerned [-d], *adj.* interessado; preocupado, inquieto, pesaroso.
as far as I am concerned — quanto a mim; pelo que me diz respeito.
as far as that is concerned — quanto a isso.
the parties concerned — os interessados.
to be much concerned about — estar muito preocupado com.
concernedly [-idli], *adv.* com interesse; com pesar.
concerning [-iŋ], *prep.* acerca de, concernente a, a respeito de.
concernment [-mənt], *s.* interesse, cuidado, solicitude; ansiedade; negócio; importância.
concert 1 — ['kɔnsət], *s.* concerto; convénio, acordo.
concert-grand — piano de concerto.
in concert — de acordo, de harmonia.
2 — [kən'sə:t], *vt.* concertar; acordar; ajustar.
concertina [kɔnsə'ti:nə], *s.* concertina.
concerto (pl. **concertos**) [kən'tʃə:tou,-z], *s.* (mús.) concerto.
concession [kən'seʃən], *s.* concessão, graça, privilégio; objecto concedido. (*Sin.* grant, boon, allowance, privilege.)
concessionaire [kənseʃə'nɛə], *s.* concessionário.
concessionary [ən'seʃnəri],*adj.* concessionário.
concessive [kən'sesiv], *adj.* concessivo.
conch (pl. **conchs**) [kɔŋk,-s], *s.* concha, búzio; caramujo; ouvido externo.
concha [-ə], *s.* ouvido externo.
conchiferous [-ifərəs], *adj.* conchífero.
conchoid [-ɔid], *adj.* concóide.
conchologist [kɔŋ'kɔlədʒist], *s.* pessoa versada em concologia.
conchology [kɔŋ'kɔlədʒi], *s.* concologia, tratado das conchas dos moluscos.
conciliar [kən'siliə], *adj.* conciliar, relativo a concílio.
conciliate [kən'silieit], *vt.* conciliar, congraçar; aplacar.
conciliation [kənsili'eiʃən], *s.* conciliação.
conciliative [kən'siliətiv], *adj.* conciliatório.
conciliator [kən'silieitə], *s.* conciliador.
conciliatory [kən'siliətəri], *adj.* conciliatório.
concise [kən'sais], *adj.* conciso, resumido, lacónico.
concisely [-li], *adv.* concisamente, resumidamente.
conciseness [-nis], *s.* concisão, laconismo.
concision [kən'siʒən], *s.* concisão.
conclave ['kɔnkleiv], *s.* conclave.
conclude [kən'klu:d], *vt.* e *vi.* concluir, terminar, pôr fim; inferir, deduzir.
conclusion [kən'klu:ʒən], *s.* conclusão, termo, resultado final; dedução.
to come to a conclusion — chegar a uma conclusão.
to draw conclusions — tirar conclusões.
conclusive [kən'klu:siv], *adj.* conclusivo; convincente.
conclusively [-li], *adv.* conclusivamente.
concoct [kən'kɔkt], *vt.* cozer (misturando vários ingredientes); inventar, forjar, planear.
to concoct a story — inventar uma história.
concoction [kən'kɔkʃən], *s.* cozimento com diversos ingredientes; mistura; história inventada.
concomitance, concomitancy [kən'kɔmitəns, -i], *s.* concomitância.
concomitant [kən'kɔmitənt], **1** — *s.* companheiro; acompanhamento.
2 — *adj.* concomitante.
concomitantly [-li], *adv.* concomitantemente.
concord 1 — ['kɔŋkɔ:d], *s.* concórdia, união, harmonia; concordância.
2 — [kən'kɔ:d], *vi.* concordar.
concordance [kən'kɔ:dəns], *s.* concordância; harmonia; conformidade.
concordant [kən'kɔ:dənt], *adj.* concordante.
concordat [kɔn'kɔ:dæt], *s.* concordata.
concourse ['kɔŋkɔ:s], *s.* concurso; afluência; confluência, junção; multidão.
concrete ['kɔnkri:t], **1**—*s.* betão; coisa concreta.
reinforced concrete — cimento armado.
2 — *adj.* concreto, determinado.
concrete [kən'kri:t], *vt.* e *vi.* unir numa massa, amalgamar; cobrir com betão; tornar concreto; solidificar.
concretely ['kɔnkri:tli], *adv.* concretamente.
concretion [kən'kri:ʃən], *s.* concreção; solidificação.
concubine ['kɔŋkjubain], *s.* concubina.
concupiscence [kən'kju:pisəns], *s.* concupiscência; apetite carnal.
concupiscent [kən'kju:pisənt], *adj.* concupiscente.
concur [kən'kə:], *vi.* (pret. e pp. **concurred**) concorrer; concordar; convir; coincidir; combinar; contribuir.
concurrence, concurrency [kən'kʌrəns, -i], *s.* consentimento, aprovação; coincidência, casualidade; cooperação, concurso; (jur.) conflito.
concurrent [kən'kʌrənt], **1** — *s.* circunstância concorrente; causa que contribui.
2 — *adj.* concomitante, coexistente; concorrente; oposto.
concurrently [-li], *adv.* concorrentemente, concordantemente.
concuss [kən'kʌs], *vt.* agitar violentamente; intimidar.
concussion [kən'kʌʃən], *s.* concussão, choque, comoção violenta, abalo.
condemn [kən'dem], *vt.* condenar, censurar, desaprovar; sentenciar; reprovar; rejeitar. (*Sin.* to doom, to sentence, to blame, to reprove. *Ant.* to acquit, to praise.)
condemnable [-nəbl], *adj.* condenável, censurável; reprovável; culpável.
condemnation [kɔndem'neiʃən], *s.* condenação; censura; reprovação.
condemnatory [kən'demnətəri], *adj.* condenatório.
condensability [kəndensə'biliti], *s.* condensabilidade.
condensable [kən'densəbl], *adj.* condensável.
condensation [kɔnden'seiʃən], *s.* condensação.
condense [kən'dens], *vt.* e *vi.* condensar, comprimir; reduzir; concentrar; resumir, abreviar; comprimir-se.
condenser [-ə], *s.* condensador.
condensing [-iŋ], *s.* condensação.
condescend [kɔndi'send], *vi.* condescender, anuir; dignar-se.
condescending [-iŋ], *adj.* condescendente.
condescension [kɔndi'senʃən], *s.* condescendência; deferência.

condign [kən'dain], *adj.* condigno.
condignly [-li], *adv.* condignamente.
condiment ['kɔndimənt], *s.* condimento.
condition [kən'diʃən], **1** — *s.* condição; estipulação; cláusula; circunstância; estado; categoria; qualidade.
a man of condition — um homem de categoria.
in condition — em bom estado.
out of condition — em mau estado.
on condition that — com a condição de.
to change one's condition — mudar de estado; casar.
2 — *vt.* estipular; impor condições; determinar; regular.
conditional [kən'diʃənl], *adj.* condicional.
conditionally [-i], *adv.* condicionalmente.
conditioned [kən'diʃənd], *adj.* sujeito a determinadas condições; condicionado.
condolatory [kən'doulətəri], *adj.* que exprime condolências.
condole [kən'doul], *vi.* dar pêsames; deplorar.
condolence [-əns], *s.* condolência, pêsames.
to present one's condolences to — apresentar condolências a.
condonation [kɔndou'neiʃən], *s.* perdão.
condone [kən'doun], *vt.* perdoar, conceder perdão a; reparar uma falta.
condor ['kɔndɔ:], *s.* condor, grande ave de rapina da América do Sul.
conduce [kən'dju:s], *vi.* conduzir, levar; contribuir; concorrer. (*Sin.* to lead, to tend, to contribute, to promote, to help.)
conducive [-iv], *adj.* conducente.
to be conducive to — contribuir para.
conduciveness [-ivnis], *s.* qualidade de ser conducente, condutividade.
conduct 1 — ['kɔndəkt], *s.* condução, guia; governo, direcção, administração; conduta, procedimento, porte.
2 — [kən'dʌkt], *vt.* e *vi.* conduzir, guiar, dirigir; acompanhar; reger; administrar; transmitir (calor); levar ao fim. (*Sin.* to direct, to guide, to lead, to govern, to manage.)
to conduct an orchestra — reger uma orquestra.
to conduct oneself — conduzir-se, proceder.
conductibility [kəndʌkti'biliti], *s.* condutibilidade.
conductible [kən'dʌktəbl], *adj.* condutível.
conduction [kən'dʌkʃən], *s.* condução; transmissão.
conductive [kən'dʌktiv], *adj.* condutivo, condutor.
conductivity [kɔndʌk'tiviti], *s.* condutividade.
conductor [kən'dʌktə], *s.* guia, condutor; regente de orquestra, maestro; condutor (de electricidade).
lightning-conductor — pára-raios.
conductress [kən'dʌktris], *s.* condutora; guia; directora.
conduit ['kɔndit], *s.* conduta, cano.
condyle ['kɔndil], *s.* (anat.) côndilo.
cone [koun], **1** — *s.* cone.
2 — *vt.* e *vi.* dar forma de cone.
coney, cony ['kouni], *s.* mamífero do tamanho do coelho e parecido com a marmota; peles de coelho preparadas.
confabulate [kən'fæbjuleit], *vi.* conversar, cavaquear.
confabulation [kənfæbju'leiʃən], *s.* conversa familiar, cavaco.
confection [kən'fekʃən], **1** — *s.* confeição; conserva de doce; confecção, artigo de vestuário de senhora.
2 — *vt.* confeiçoar, preparar doces; confeccionar.
confectioner [-ə], *s.* confeiteiro, pasteleiro.
confectionery [kən'fekʃnəri], *s.* doces; pastelaria, confeitaria.
confederacy (pl. **confederacies**) [kən'fedərəsi, -iz], *s.* confederação; união, liga, aliança; conspiração. (*Sin.* league, federation, alliance, union).
confederate 1 — [kən'fedərit], *s.* e *adj.* confederado, aliado.
2 — [kən'fedəreit], *vt.* e *vi.* confederar, aliar; confederar-se.
confederation [kənfedə'reiʃən], *s.* confederação; aliança.
confer [kən'fə:], *vt.* e *vi.* (pret. e pp. **conferred**) conferir, conceder, dar; outorgar; consultar, pedir conselho; comparar. (*Sin.* to bestow, to grant, to consult, to deliberate, to discuss.)
to confer with — consultar, pedir conselho.
conference ['kɔnfərəns], *s.* conferência; entrevista; reunião.
conferment [kən'fə:mənt], *s.* concessão, outorga.
conferrable [kən'fə:rəbl], *adj.* que se pode conferir.
confess [kən'fes], *vt.* e *vi* confessar, reconhecer; ouvir de confissão; confessar-se; declarar, admitir. (*Sin.* to acknowledge, to declare, to own, to admit, to hear confession, to recognize. *Ant.* to deny.)
confessant [-ənt], *s.* aquele que se confessa.
confessed [-t], *adj.* confessado, declarado, reconhecido.
confessedly [-idli], *adv.* confessadamente.
confession [kən'feʃən], *s.* confissão; declaração.
auricular confession — confissão auricular.
to make a confession — fazer uma confissão.
confessional [-l], *s.* e *adj.* confessionário; pertencente à confissão.
confessionary [kən'feʃnəri], *adj.* que diz respeito à confissão.
confessor [kən'fesə], *s.* o que confessa; confessor.
confidant [kɔnfi'dænt], *s.* confidente; amigo íntimo.
confide [kən'faid], *vt.* e *vi.* confiar; fiar-se; confiar-se.
confidence ['kɔnfidəns], *s.* confiança; reserva; confidência, segredo; atrevimento. (*Sin.* trust, faith, belief, firmness. *Ant.* doubt.)
in full confidence — com toda a confiança.
confidence-trick — conto-do-vigário.
in confidence — confidencialmente.
to take a person into one's confidence — dizer um segredo a alguém.
confident ['kɔnfidənt], **1** — *s.* confidente.
2 — *adj.* confiante, certo, seguro. (*Sin.* trustful, hopeful, sure, positive. *Ant.* doubtful.)
to be confident of—ter a certeza ;estar confiado.
confidential [kɔnfi'denʃəl], *adj.* confidencial, secreto; particular.
confidentially [-i], *adv.* confidencialmente.
confiding [kən'faidiŋ],*adj.* confiado, fiel, seguro.
confidingly [-li], *adv.* confiadamente.
configuration [kənfigju'reiʃən], *s.* configuração, aspecto.
configure [kən'figə], *vt.* configurar, dar forma a.
confine 1 — ['kɔnfain], *s.* fronteira; limite; confim.
2 — [kən'fain], *vt.* limitar, restringir; fechar (em casa); encarcerar.
to confine oneself — limitar-se.
to be confined to one's bed—estar retido no leito.
confinement [-mənt], *s.* prisão, encarceramento, clausura; restrição; parto.
solitary confinement — prisão celular.
confirm [kən'fə:m], *vt.* confirmar, corroborar; ratificar, sancionar; crismar. (*Sin.* to assure, to ratify, to corroborate, to establish. *Ant.* to annul.)

confirmation [kɔnfə'meiʃən], *s.* confirmação, corroboração; ratificação; sacramento da Confirmação.
confirmative [kən'fə:mətiv], *adj.* confirmativo.
confirmatively [-li], *adv.* confirmativamente.
confirmatory [kən'fə:mətəri], *adj.* confirmatório.
confirmed [kən'fə:md], *adj.* confirmado, estabelecido; crismado; inveterado.
a confirmed drunkard — um ébrio inveterado.
confirmer [kən'fə:mə], *s.* confirmador, corroborador.
confiscate ['kɔnfiskeit], *vt.* confiscar; arrestar.
confiscation [kɔnfis'keiʃən], *s.* confiscação.
confiscator ['kɔnfiskeitə], *s.* confiscador.
confiscatory [kən'fiskətəri], *adj.* confiscatório.
conflagration [kɔnflə'greiʃən], *s.* conflagração; incêndio.
conflict 1 — ['kɔnflikt], *s.* conflito, luta, contenda; antagonismo, oposição; contradição. (*Sin.* struggle, contest, opposition, discord, fight. *Ant.* agreement.)
2 — [kən'flikt], *vi.* lutar; chocar-se; ser incompatível; fazer oposição a, combater.
confluence ['kɔnfluəns], *s.* confluência; afluência.
confluent ['kɔnfluənt], *s.* e *adj.* afluente; confluente.
conflux ['kɔnflʌks], *s.* confluência.
conform [kən'fɔ:m], *vt.* e *vi.* conformar, ajustar; adaptar; conformar-se; ser conforme; obedecer.
conformable [-əbl], *adj.* conforme; semelhante; apropriado; submisso, tratável.
conformably [-əbli], *adv.* conformemente.
conformation [kɔnfɔ:'meiʃən], *s.* conformação; configuração.
conformist [kən'fɔ:mist], *s.* conformista; sectário da religião anglicana.
conformity (pl. **conformities**) [kən'fɔ:miti, -z], *s.* conformidade, concordância, harmonia.
confound [kən'faund], *vt.* confundir, perturbar, desconcertar; tornar perplexo; pôr em desordem, desordenar; desfazer. (*Sin.* to confuse, to perplex, to bewilder, to stupefy. *Ant.* to resolve.)
confound it! — com a breca!
confounded [-id], *adj.* abominável, detestável, maldito.
it is a confounded business — é uma coisa do diabo.
confoundedly [-idli], *adv.* detestavelmente.
confraternity (pl. **confraternities**) ['kɔnfrə'tə:niti, -z], *s.* confraternidade; confraria.
confront [kən'frʌnt], *vt.* confrontar; fazer frente, afrontar; acarear; comparar. (*Sin.* to face, to oppose, to challenge, to compare.)
confrontation [kɔnfrʌn'teiʃən], *s.* confronto; confrontação, acareação.
confuse [kən'fju:z], *vt.* confundir, embaraçar, atrapalhar, perturbar; pôr em desordem.
confused [-d], *adj.* confuso, perplexo.
confusedly [-idli], *adv.* confusamente.
confusedness [-idnis], *s.* confusão, desordem.
confusion [kən'fju:zən], *s.* confusão, desordem; perturbação, perplexidade, atrapalhação; ruína. (*Sin.* disorder, muddle, perplexity, embarrassment, chaos, commotion, agitation. *Ant.* order.)
confutable [kən'fju:təbl], *adj.* refutável, impugnável.
confutation [kɔnfju:'teiʃən], *s.* refutação, impugnação.
confute [kən'fju:t], *vt.* refutar, impugnar. (*Sin.* to refute, to oppugn, to disprove, to overcome. *Ant.* to approve.)
congeal [kən'dʒi:l], *vt.* e *vi.* congelar, gelar; coagular.
congealable [-əbl], *adj.* congelável.
congealment [-mənt], *s.* congelamento.
congelation [kɔndʒi'leiʃən], *s.* congelação.
congener ['kɔndʒinə], *s.* e *adj.* congénere.
congenial [kən'dʒi:njəl], *adj.* congenial, análogo; afim; agradável; próprio, adequado. (*Sin.* natural, suitable, similar, agreeable, kindred, alike. *Ant.* antagonistic.)
congenial to his disposition — apropriado ao seu feitio.
congenial employment — emprego que convém.
congenially [-i], *adv.* analogamente; agradavelmente.
congenital [kən'dʒenitl], *adj.* congénito.
congenitally [kən'dʒenitəli], *adv.* congenitamente.
conger ['kɔŋgə], *s.* congro, peixe do mar.
congeries [kɔn'dʒiəri:z], *s.* colecção ou acumulação de coisas; montão, pilha.
congest [kən'dʒest], *vt.* e *vi.* congestionar; congestionar-se; amontoar, acumular.
congestion [kən dʒestʃən], *s.* congestão.
congestion of the brain — congestão cerebral.
congestion of the lungs — congestão pulmonar.
congestive [kən'dʒestiv], *adj.* congestivo.
conglobate ['kɔngloubeit], 1 — *adj.* conglobado.
2 — *vt.* e *vi.* conglobar; conglobar-se; enovelar-se.
conglobation [kɔnglou'beiʃən], *s.* conglobação.
conglomerate 1 — [kən'glɔmərit], *s.* e *adj.* conglomerado; aglomerado.
2 — [kən'glɔməreit], *vt.* e *vi.* conglomerar; aglomerar-se; unir-se.
conglomeration [kənglɔmə'reiʃən], *s.* conglomeração.
conglutinate 1 — [kən'glu:tinit], *adj.* conglutinado.
2 — [kən'glu:tineit], *vt.* e *vi.* conglutinar.
conglutination [kənglu:ti'neiʃən], *s.* conglutinação.
Congo ['kɔŋgou], *top.* Congo.
congratulate [kən'grætjuleit], *vt.* congratular, felicitar.
I congratulate you with all my heart — felicito-o do coração.
congratulation [kəngrætju'leiʃən], *s.* congratulação, felicitação.
congratulator [kən'grætjuleitə], *s.* congratulador.
congratulatory [kən'grætjulətəri], *adj.* congratulatório.
congregate ['kɔŋgrigeit], *vt.* e *vi.* congregar; juntar; convocar; reunir. (*Sin.* to gather, to collect, to convene, to assemble. *Ant.* to disperse.)
congregation [kɔŋgri'geiʃən], *s.* congregação; reunião; assembleia; conselho; ordem religiosa, confraria; pessoas que assistem a um serviço religioso.
congregational [-l], *adj.* relativo a uma congregação.
congregationalism [kɔŋgri'geiʃnəlizm], *s.* congregacionalismo.
congregationalist [kɔŋgri'geiʃnəlist], *s.* congregacionalista.
congress ['kɔŋgres], *s.* congresso; assembleia legislativa; relações sexuais.
congressional [kɔŋ'greʃənl], *adj.* congressional, relativo a congresso.
congruence, congruency ['kɔŋgruəns, -i], *s.* congruência.
congruent ['kɔŋgruənt], *adj.* congruente.
congruently [-li], *adv.* congruentemente.

congruity (pl. **congruities**) [kɔŋ'gru:iti, -z], *s.* congruidade.
congruous ['kɔŋgruəs], *adj.* côngruo; apto, adequado, próprio; proporcionado.
congruously [-li], *adv.* adequadamente.
conic ['kɔnik], *s.* e *adj.* secção cónica; cónico.
conical [-əl], *adj.* cónico.
conics [-s], *s.* parte da geometria relativa às secções cónicas.
conifer ['kounifə], *s.* (bot.) conífera, planta que produz frutos de forma cónica.
coniferous [kou'nifərəs], *adj.* conífero.
coniform ['kounifɔ:m], *adj.* coniforme.
conjecturable [kən'dʒektʃərəbl], *adj.* conjecturável.
conjectural [kən'dʒektʃərəl], *adj.* conjectural.
conjecture [kən'dʒektʃə], **1** — *s.* conjectura, suposição.
2 — *vt.* conjecturar; supor; presumir. (*Sin.* to guess, to imagine, to suppose.)
conjoin [kən'dʒɔin], *vt.* e *vi.* juntar, unir; associar, ligar.
conjoint ['kɔndʒɔint], *adj.* unido, associado, ligado; conjunto.
conjointly [-li], *adv.* unidamente.
conjugal ['kɔndʒugəl], *adj.* conjugal.
conjugality [kɔndʒu'gæliti], *s.* estado matrimonial.
conjugally ['kɔndʒugəli], *adv.* maritalmente.
conjugate **1** — ['kɔndʒugit], *s.* palavra que tem a mesma derivação que outra.
2 — *adj.* unido, conjugado.
conjugate ['kɔndʒugeit], *vt.* e *vi.* conjugar; unir; conjugar-se.
conjugation [kɔndʒugei'ʃən], *s.* conjugação; junção.
conjunct [kən'dʒʌŋkt], *s.* e *adj.* conjunto; unido.
conjunction [kən'dʒʌŋkʃən], *s.* conjunção; união, liga, associação.
in conjunction with — juntamente com.
conjunctive [kən'dʒʌŋktiv], *s.* e *adj.* conjuntivo; subjuntivo.
conjunctively [-li], *adv.* conjuntivamente.
conjuctivitis [-aitis], *s.* conjuntivite.
conjunctly [kən'dʒʌŋktli], *adv.* conjuntamente.
conjuncture [kən'dʒʌŋktʃə], *s.* conjuntura, concurso de circunstâncias; lance; crise.
conjuration [kɔndʒuə'reiʃən], *s.* conjura; invocação mágica, encanto, magia.
conjure ['kʌndʒə], *vt.* e *vi.* adjurar; rogar; evocar; praticar magia; exercer a prestidigitação.
conjurer [-rə], *s.* prestidigitador, escamoteador.
conjuring [-riŋ], *s.* arte mágica; prestidigitação.
conk [kɔŋk], *s.* (col.) nariz.
connate ['kɔneit], *adj.* conato, inato; ingénito.
connatural [kə'nætʃrəl], *adj.* conatural; congénito.
connect [kə'nekt], *vt.* e *vi.* ligar, juntar, unir, encadear; engrenar, embraiar; fazer contacto; pôr em comunicação, associar; associar-se. (*Sin.* to join, to unite, to conjoin, to link, to associate. *Ant.* to sever.)
to connect oneself with — entrar em relações com.
connected [-id], *adj.* ligado; conjugado; coerente.
well-connected — bem relacionado; de boa família.
connectedly [-idli], *adv.* juntamente.
connectible [-əbl], *adj.* capaz de se ligar.
connecting [-iŋ], *adj.* que liga; de união.
connecting link — traço de união.
connection, connexion [kə'nekʃən], *s.* conexão, ligação, união; associação, combinação; relação; engrenagem, embraiagem; articulação; contacto eléctrico; clientela; seita religiosa; relações sexuais. (*Sin.* junction, union, association, communication, commerce, relation, intercourse.)
in connection with — em ligação com.
in this connection — em relação com isto.
connective [kə'nektiv], *adj.* conectivo, que liga.
connivance [kə'naivəns], *s.* conivência; cumplicidade.
connive [kə'naiv], *vi.* ser conivente; ter cumplicidade.
connoisseur [kɔni'sə:], *s.* entendedor, conhecedor, perito, crítico.
connotation [kɔnou'teiʃən], *s.* conotação, relação de dependência que se nota entre coisas que se comparam.
connote [kɔ'nout], *vt.* indicar indirectamente; implicar.
connubial [kə'nju:bjəl], *adj.* conjugal, matrimonial.
connubiality [kənju:bi'æliti], *s.* direitos conjugais.
connubially [kə'nju:bjəli], *adv.* matrimonialmente.
conoid ['kounɔid], *s.* e *adj.* conóide.
conoidal [kou'nɔidl], *adj.* conoidal.
conquer ['kɔŋkə], *vt.* e *vi.* conquistar, vencer; subjugar; alcançar. (*Sin.* to overcome, to acquire, to subjugate, to defeat, to vanquish, to win.)
conquerable [-rəbl], *adj.* conquistável.
conquering [-riŋ], *adj.* vitorioso, triunfante.
conqueror [-rə], *s.* conquistador, vencedor.
conquest ['kɔŋkwest], *s.* conquista. (*Sin.* subjugation, triumph, mastery.)
to make a conquest of — fazer uma conquista.
consanguine, consanguineous [kɔn'sæŋgwin, kɔnsæŋ'gwiniəs], *adj.* consanguíneo.
consanguinity [kɔnsæn'gwiniti], *s.* consanguinidade.
conscience ['kɔnʃəns], *s.* consciência, conhecimento, noção.
a matter of conscience — um caso de consciência.
clear conscience — consciência limpa.
conscience-stricken — ralado de remorsos.
for conscience sake — por dever de consciência.
in all conscience — por certo, na verdade.
conscienceless [-lis], *adj.* sem escrúpulos.
conscientious [kɔnʃi'ənʃəs], *adj.* consciencioso, escrupuloso. (*Sin.* honest, just, fair, straight, honourable. *Ant.* careless, dishonest.)
conscientiously [-li], *adv.* conscienciosamente.
conscientiousness [-nis], *s.* carácter consciencioso; rectidão de consciência; escrupulosidade.
conscious ['kɔnʃəs], *adj.* cônscio, ciente; convicto, sabedor. (*Sin.* aware, sensible, apprized, cognizant. *Ant.* unconscious.)
consciously [-li], *adv.* conscientemente.
consciousness [-nis], *s.* conhecimento íntimo; percepção interna; sentimento.
conscribe [kən'skraib], *vt.* recrutar para o serviço militar; alistar.
conscript ['kɔnskript], *s.* recruta.
conscription [kən'skripʃən], *s.* recrutamento militar.
consecrate ['kɔnsikreit], **1** — *adj.* consagrado.
2 — *vt.* consagrar, devotar, dedicar; canonizar.
consecration [kɔnsi'kreiʃən], *s.* consagração; dedicação; canonização.
consecrator ['kɔnsikreitə], *s.* consagrante.
consecutive [kən'sekjutiv], *adj.* consecutivo; sucessivo.
consecutively [-li], *adv.* consecutivamente.

consecutiveness [-nis], *s.* sequência; sucessão.
consensus [kən'sensəs], *s.* consenso.
consent [kən'sent], **1** — *s.* consentimento; permissão; anuência.
by mutual consent — de comum acordo.
by common consent — por unanimidade.
silence gives consent — quem (se) cala consente.
2 — *vi.* consentir, aquiescer, permitir, concordar, anuir, ceder, conceder. (*Sin.* to agree, to acquiesce, to comply, to yield. *Ant.* to refuse.)
consentaneous [-einjəs], *adj.* consentâneo.
consentient [kən'senʃənt], *adj.* do mesmo pensar; unânime; concordante.
consequence ['kɔnsikwəns], *s.* consequência, efeito, resultado; ilação; importância. (*Sin.* result, issue, conclusión, effect, event. *Ant.* cause.)
in consequence of — em consequência de.
it is of no consequence — não tem importância.
it is a matter of consequence — é um assunto importante.
persons of consequence — pessoas de importância.
to take the consequences — sofrer as consequências.
consequent ['kɔnsikwənt], *s.* e *adj.* consequente.
consequential [kɔnsi'kwenʃəl], *adj.* consecutivo, resultante; importante; altivo. (*Sin.* resulting, following, important, proud. *Ant.* modest.)
consequentially [-i], *adv.* consecutivamente.
consequently ['kɔnsikwəntli], *adv.* consequentemente.
conservancy (pl. **conservancies**) [kən'sə:vənsi,-z], *s.* direcção dos serviços florestais.
conservation [kɔnsə(:)'veiʃən], *s.* conservação, preservação; superintendência das florestas e rios.
conservatism [kən'sə:vətizm], *s.* conservantismo; partido político conservador.
conservative [kən'sə:vətiv], **1** — *s.* conservador; preservativo.
2 — *adj.* conservador; moderador.
conservatoire [kən'sə:vətwa:], *s.* (mús.) conservatório.
conservator 1 — [kən'sə:vətə], *s.* director dum museu; administrador.
2 — ['kɔnsəveitə], *s.* conservador; fiscal.
conservatory (pl. **conservatories**) [kən-sə:vətri,-z], *s.* (mús.) conservatório; estufa (para plantas).
conserve [kən'sə:v], **1** — *s.* conserva de fruta.
2 — *vt.* conservar; preservar; guardar; amparar.
consider [kən'sidə], *vt.* e *vi.* considerar; reflectir; examinar; apreciar; estimar; ponderar; tomar em consideração; supor-se. (*Sin.* to reflect, to ponder, to meditate, to examine, to weigh, to regard, to respect, to prize.)
all things considered — considerando todos os pontos de vista.
to consider carefully before coming to a decision — reflectir cautelosamente antes de tomar uma decisão.
considerable [kən'sidərəbl], *adj.* considerável; notável; importante; grande.
a considerable distance — uma distância considerável.
a considerable expense — uma grande despesa.
considerably [-i], *adv.* consideravelmente; bastante.
considerably larger — consideravelmente maior.
considerate [kən'sidərit], *adj.* atencioso; considerado; discreto. (*Sin.* thoughtful, regardful, solicitous, discreet.)
considerately [-li], *adv.* atenciosamente; consideradamente.
considerateness [-nis], *s.* consideração pelos outros, respeito; prudência.
consideration [kənsidə'reiʃən], *s.* consideração, exame atento, reflexão; estima, respeito, apreço; atenção; recompensa, remuneração.
it is a matter for consideration — é um assunto para ser estudado.
on no consideration — em nenhuma circunstância, por motivo nenhum.
money is no consideration — não se faz questão de dinheiro.
to be under consideration — estar a ser examinado.
to show great consideration for one's friends — mostrar muita consideração pelos amigos.
to take into consideration — tomar em consideração.
considering [kən'sidəriŋ], *prep.* em vista de, em atenção a, devido a.
consign [kən'sain], *vt.* consignar, confiar, ceder, entregar; consignar mercadorias; remeter à consignação.
to consign goods — consignar mercadorias.
consignable [-əbl], *adj.* consignável.
consignee [kɔnsai'ni:], *s.* consignatário; depositário.
consigner [kən'sainə], *s.* consignador.
consignment [kən'sainmənt], *s.* consignação; remessa de mercadorias.
consignment note — documento de consignação.
to take on consignment — receber à consignação.
consist [kən'sist], *vi.* consistir; ser formado de; constar de; subsistir; ser compatível, harmonizar-se.
our dinner consisted of two courses — o nosso jantar constava de dois pratos.
consistence, consistency [kən'sistəns, -i], *s.* consistência; conformidade; resistência, solidez; estabilidade; compatibilidade.
consistent [kən'sistənt], *adj.* consistente, sólido, firme; conforme, compatível.
consistently [-li], *adv.* com consistência; de modo compatível.
consistorial [kɔnsis'tɔ:riəl], *adj.* consistorial.
consistory (pl. **consistories**) [kən'sistəri, -z], *s.* consistório, corte eclesiástica.
consolable [kən'souləbl], *adj.* consolável.
consolation [kɔnsə'leiʃən], *s.* consolação, alívio, lenitivo.
consolation prize — prémio de consolação.
consolation race — corrida de consolação, segunda corrida para os que perderam um prémio principal.
consolatory [kən'sɔlətəri], *adj.* consolatório.
consolatorily [-li], *adv.* de modo consolatório.
console 1 — ['kɔnsoul], *s.* consola, peça ornamental que se coloca nas paredes para sustentar estatuetas, vasos, etc.
2 — [kən'soul], *vt.* consolar, confortar.
consoler [kən'soulə], *s.* consolador.
consolidate [kən'sɔlideit], *vt.* e *vi.* consolidar, unir; firmar-se, consolidar-se.
consolidation [kənsɔli'deiʃən], *s.* consolidação; união.
consolidator [kən'sɔlideitə], *s.* o que consolida.
consolidatory [-ri], *adj.* consolidativo.
consols [kən'sɔlz], *s. pl.* fundos consolidados.
consonance ['kɔnsənəns], *s.* consonância; harmonia, acordo.

consonant ['kɔnsənənt], 1 — *s.* consonante.
2 — *adj.* consoante, conforme; consonante, que tem o mesmo som.
consonantal [kɔnsə'næntl], *adj.* consonântico; que diz respeito a uma consoante.
consonantly ['kɔnsənəntli], *adv.* com consonância; conformemente.
consort 1 — ['kɔnsɔ:t], *s.* consorte (esposo ou esposa); navio de conserva.
prince consort — príncipe consorte.
2 — [kən'sɔ:t], *vi.* associar-se; acompanhar; harmonizar-se.
conspectus [kən'spektəs], *s.* conspecto.
conspicuous [kən'spikjuəs], *adj.* conspícuo, distinto, notável, proeminente; visível. (*Sin.* visible, remarkable, distinguished.)
to be conspicuous by one's absence — brilhar pela ausência.
to make oneself conspicuous — dar nas vistas.
conspicuously [-li], *adv.* visivelmente; notavelmente.
conspicuousness [-nis], *s.* conspicuidade.
conspiracy (pl. **conspiracies**) [kən'spirəsi, -z], *s.* conspiração.
conspirator [kən'spirətə], *s.* conspirador.
conspire [kən'spaiə], *vt.* e *vi.* conspirar, tramar, maquinar.
conspirer [-rə], *s.* conspirador.
constable ['kʌnstəbl], *s.* polícia.
chief constable — chefe da polícia.
constabulary (pl. **constabularies**) [kən'stæbjuləri, -z], *s.* corporação de polícia.
Constance ['kɔnstəns], *n. p.* Constança.
constancy ['kɔnstənsi], *s.* constância, perseverança, firmeza, persistência. (*Sin.*firmness, endurance, stability, steadiness. *Ant.* fickleness.)
constant ['kɔnstənt], *s.* e *adj.* constante; firme, perseverante; inalterável. (*Sin.* unchanging, firm, uniform. *Ant.* fickle.)
constant attention — atenção constante.
constante trouble — arrelias constantes.
Constantine ['kɔnstəntain], *n. p.* Constantino.
Constantinople [kɔnstænti'noupl], *top.* Constantinopla.
constantly ['kɔnstəntli], *adv.* constantemente, permanentemente.
constellate ['kɔnstileit], *vt.* e *vi.* constelar; agrupar-se em constelação.
constellation [kɔnstə'leiʃən], *s.* constelação.
consternate ['kɔnstə:neit], *vt.* consternar.
consternation [kɔnstə:'neiʃən], *s.* consternação, tristeza, desolação.
constipate ['kɔnstipeit], *vt.* *(med.)* causar obstipação intestinal.
constipation [kɔnsti'peiʃən], *s.* prisão de ventre.
constituency (pl. **constituencies**) [kən'stitjuənsi, -z], *s.* eleitorado, círculo eleitoral; clientela.
constituent [kən'stitjuənt], 1 — *s.* constituinte, votante, eleitor; cliente.
2 — *adj.* constituinte, constituído.
constitute ['kɔnstitju:t], *vt.* constituir, formar; organizar, compor; estabelecer, fixar; nomear, dar poderes a. (*Sin.* to compose, to make up, to establish, to found, to form.)
constitution [kɔnsti'tju:ʃən], *s.* constituição, compleição física; temperamento; composição; lei fundamental (duma nação).
constitutional [kɔnsti'tju:ʃənl], 1 — *s.* passeio higiénico.
to go for a constitutional — dar um passeio higiénico.
2 — *adj.* constitucional.
constitutionalism [kɔnsti'tju:ʃnəlizm], *s.* constitucionalismo.
constitutionalist [kɔnsti'tju:ʃnəlist], *s.* constitucionalista.
constitutionalize [kɔnsti'tju:ʃnəlaiz], *vt.* e *vi.* constitucionalizar; dar um pequeno passeio.
constitutionally [kɔnsti'tju:ʃənəli], *adv.* constitucionalmente.
constitutive ['kɔnstitju:tiv], *adj.* constitutivo.
constitutor ['kɔnstitjutə], *s.* constituidor.
constrain [kən'strein], *vt.* constranger, forçar, compelir, obrigar; restringir; aprisionar. (*Sin.* to force, to compel, to oblige. *Ant.* to dissuade.)
constrained [-d], *adj.* constrangido, forçado, compelido; embaraçado. (*Sin.* forced, compelled, embarrassed
constrainedly [-idli], *adv.* constrangidamente.
constraint [kən'streint], *s.* constrangimento, coacção, violência; embaraço.
constrict [kən'strikt], *vt.* constringir, apertar em volta.
constriction [kən'strikʃən], *s.* constrição; compressão, aperto; contracção.
constrictive [kən'striktiv], *adj.* constritivo, que produz constrição.
constrictor [kən'striktə], *s.* constritor, músculo constritor.
boa-constrictor — jibóia.
constringe [kən'strindʒ], *vt.* constringir.
constringent [-ənt], *adj.* constringente.
construct [kən'strʌkt], *vt.* construir; edificar; traçar; arquitectar.
to construct a bridge — construir uma ponte.
to construct a sentence — construir uma frase.
construction [kən'strʌkʃən], *s.* construção; interpretação; construção gramatical.
constructional [kən'strʌkʃənl], *adj.* relativo à construção ou à interpretação.
constructive [kən'strʌktiv], *adj.* construtivo; subentendido.
constructively [-li], *adv.* construtivamente.
constructor [kən'strʌktə], *s.* construtor.
construe [kən'stru:], 1—*s.*interpretação, análise.
2 — *vt.* e *vi.* construír gramaticalmente; interpretar; explicar.
your sentence does not construe — a sua frase está mal construída.
consubstantial [kɔnsəb'stænʃəl], *adj.* consubstancial.
consubstantiality [kɔnsəbstænʃi'æliti], *s.* consubstancialidade.
consubstantially [kɔnsəb'stænʃəli], *adv.* consubstancialmente.
consubstantiate [kɔnsəb'stænʃieit], *vt.* e *vi.* consubstanciar.
consubstantiation ['kɔnsəbstænʃi'eiʃən], *s.* consubstanciação.
consuetudinary [kɔnswi'tju:dinəri], *adj.* consuetudinário, costumado; baseado nos costumes.
consul ['kɔnsəl], *s.* cônsul.
consular ['kɔnsjulə], *adj.* consular.
consulate ['kɔnsjulit], *s.* consulado.
consulship ['kɔnsəlʃip], *s.* consulado; dignidade de cônsul.
consult [kən'sʌlt], *vt.* e *vi.* consultar, pedir parecer a, examinar, considerar; aconselhar-se; trocar impressões. (*Sin.* to take counsel, to consider, to confer, to interrogate.)
to consult a doctor — consultar um médico.
to consult one's pillow — (col.) consultar o travesseiro.
to consult interests — proteger interesses.
consultant [kən'sʌltənt], *s.* consultante; consultor.
consultation [kɔnsəl'teiʃən], *s.* consulta; parecer; conferência (para deliberação); junta, reunião de médicos, advogados, jurado
consultative [kən'sʌltətiv], *adj.* consultivo.
consultative committee — junta consultiva.
consultee [kɔnsʌl'ti:], *s.* pessoa consultada.

consume [kən'sju:m], *vt.* e *vi.* consumir, gastar; destruir; definhar; consumir-se.
the flames consumed the whole building — as chamas devoraram todo o edifício.
to consume one's time — gastar o tempo.
consumer [-ə], *s.* consumidor.
consummate 1 — [kən'sʌmit], *adj.* consumado, acabado; perfeito, completo.
a consummate master of his craft — mestre consumado da sua arte.
2 — ['kɔnsʌmeit], *vt.* consumar, acabar, terminar, completar.
consummately [kən'sʌmitli], *adv.* de modo consumado.
consummation [kɔnsʌ'meiʃən], *s.* consumação, acabamento; fim.
consummator ['kɔnsʌmeitə], *s.* consumador.
consumption [kən'sʌmpʃən], *s.* consumpção; destruição; ruína; consumo; tuberculose pulmonar.
the consumption of beer in Great Britain is enormous — o consumo de cerveja na Grã-Bretanha é enorme.
consumptive [kən'sʌmptiv], *s.* e *adj.* tuberculoso; consumptivo.
consumptively [-li], *adv.* com tuberculose.
consumptiveness [-nis], *s.* disposição para a tuberculose.
contact 1 — ['kɔntækt], *s.* contacto; ligação.
to be in contact with — estar em contacto com.
to bring into contact — pôr em contacto.
2 — [kən'tækt], *vi.* contactar.
contagion [kən'teidʒən], *s.* contágio, infecção; corrupção; transmissão de males ou vícios. (*Sin.* infection, contamination, corruption.)
contagious [kən'teidʒəs], *adj.* contagioso; infeccioso.
contagiously [-li], *adv.* por contágio; de modo contagioso.
contagiousness [-nis], *s.* contagiosidade; carácter contagioso.
contain [kən'tein], *vt.* conter, encerrar; incluir; abranger; ser divisível por; moderar; conter-se.
he would not contain himself for joy — não podia conter-se de alegria.
the blood contains several chemical substances — o sangue contém várias substâncias químicas.
to contain oneself — conter-se, reprimir-se.
containable [-ə], *adj.* que pode ser contido.
container [-ə], *s.* vasilha, recipiente.
contaminate [kən'tæmineit], *vt.* contaminar, infeccionar; perverter, corromper; contagiar.
contamination [kəntæmi'neiʃən], *s.* contaminação; contágio.
contango (pl. **contangos**) [kən'tæŋgou, -z], *s.* percentagem pelo adiamento da paga de fundos comprados.
contango-day—dia de pagamento de contango.
contemn [kən'tem], *vt.* desprezar, menosprezar. (*Sin.* to despise, to scorn, to disdain, to deride. *Ant.* to respect.)
contemner [-ə], *s.* desprezador.
contemplate ['kɔntempleit], *vt.* e *vi.* contemplar, examinar com atenção; considerar, meditar em; observar; ter em vista; planear.
contemplation [kɔntem'pleiʃən], *s.* contemplação; meditação, reflexão; visão extática; plano. (*Sin.* reflection, thought, meditation, expectation, cogitation, view.)
contemplative 1 — ['kɔntempleitiv], *adj.* contemplativo, meditativo.
2 — [kən'templətiv], *adj.* contemplativo (ordens religiosas).
contemplatively ['kɔntempleitivli], *adv.* contemplativamente; com atenção.
contemplator ['kɔntempleitə], *s.* contemplador.
contemporaneity [kəntempərə'ni:iti], *s.* contemporaneidade.
contemporaneous [kəntempə'reinjəs], *adj.* contemporâneo.
contemporaneously [-li], *adv.* contemporaneamente.
contemporaneousness [-nis], *s.* contemporaneidade.
contemporary [kən'tempərəri], *s.* e *adj.* contemporaneo.
contemporize [kən'tempəraiz], *vt.* tornar contemporâneo.
contempt [kən'tempt], *s.* desprezo, desdém; contumácia, desprezo pela autoridade. (*Sin.* disdain, despising, scorn, derision, disrespect. *Ant.* respect.)
to hold in contempt — desprezar.
to fall into contempt — dar-se ao desprezo.
contempt of court — desprezo pela autoridade.
to feel contempt for — ter desprezo por.
to live in contempt — viver à margem da sociedade.
contemptibility [kəntemptə'biliti], *s.* baixeza, vileza.
contemptible [kən'temptəbl], *adj.* desprezível, baixo, vil; desprezado. (*Sin.* despicable, paltry, base, disreputable. *Ant* honourable.)
contemptibleness [-nis], *s.* vileza, baixeza.
contemptibly [-i], *adv.* desprezivelmente.
contemptuous [kən'temptjuəs], *adj.* desdenhoso, insolente; arrogante.
contemptuously [-li], *adv.* desdenhosamente.
contemptuousness [-nis], *s.* desprezo, desdém; arrogância.
contend [kən'tend], *vt.* e *vi.* contender, disputar, brigar, lutar; contestar; debater-se; rivalizar, competir; argumentar, manter com argumentos. (*Sin.* to strive, to fight, to struggle, to compete, to contest, to cope, to quarrel, to argue.)
contending armies — exércitos em luta.
contender [-ə], *s.* contendor.
content ['kɔntent], *s.* contentamento, satisfação; *pl.* conteúdo; índice dum livro.
to live in peace and content — viver sossegado e satisfeito.
to one's heart's content — a seu bel-prazer.
table of contents — índice (dos assuntos dum livro.)
content [kən'tent], 1 — *adj.* contente, satisfeito.
content with very little — contente com pouco.
2 — *vt.* contentar, satisfazer.
I cannot be contented with that — não posso contentar-me com isso.
to content oneself with — contentar-se com.
contented [kən'tentid], *adj.* contente, satisfeito.
contentedly [-li], *adv.* com contentamento.
contentedness [-nis], *s.* contentamento, satisfação.
contention [kən'tenʃən], *s.* contenda, disputa, controvérsia.
the bone of contention — o pomo de discórdia.
contentious [kən'tenʃəs], *adj.* contencioso; litigioso; controverso. (*Sin.* disputatious, quarrelsome, pugnacious, controversial.)
contentiously [-li], *adv.* contenciosamente.
contentiousness [-nis], *s.* carácter litigioso; espírito de contradição.
contentment [kən'tentmənt], *s.* contentamento, satisfação. (*Sin.* content, satisfaction, ease. *Ant.* dissatisfaction.)
conterminal, conterminous [kɔn'tə:minl, -inəs], *adj.* limítrofe, confinante.
contest 1 — ['kɔntest], *s.* contestação, disputa, debate; prova, campeonato; (desp.) luta (para

obter supremacia); controvérsia. (*Sin.* debate, dispute, controversy, struggle, contention.)
2— [kən'test], *vt.* e *vi.* contestar, debater; disputar; discutir; competir.
contestable [kən'testəbl], *adj.* contestável.
contestant [kən'testənt], *s.* contestante.
contestation [kɔntes'teiʃən], *s.* contestação, disputa, debate, polémica; afirmação.
context ['kɔntekst], *s.* contexto.
contextual [kɔn'tekstjuəl], *adj.* contextual, relativo ao contexto.
contextually [-i], *adv.* contextualmente.
contexture [kɔn'tekstjə], *s.* contextura.
contiguity [kɔnti'gju:iti], *s.* contiguidade; proximidade; continuidade (tempo, espaço); (psicol.) associação de ideias.
contiguous [kən'tigjuəs], *adj.* contíguo, próximo.
contiguously [-li], *adv.* contiguamente.
continence ['kɔntinəns], *s.* continência, castidade; moderação.
continent ['kɔntinənt], **1** — *s.* continente.
2 — *adj.* continente, casto.
continental [kɔnti'nentl], *adj.* continental.
continentally [-i], *adv.* à maneira dos habitantes do continente europeu.
continently ['kɔntinəntli], *adv.* castamente.
contingency (pl. **contingencies**) [kən'tindʒnsi, -z], *s.* contingência, eventualidade.
contingent [kən'tindʒənt], **1** — *s.* contingência; (mil.) contingente.
2 — *adj.* contingente, eventual, incerto.
contingently [-li], *adv.* eventualmente.
continual [kən'tinjuəl], *adj.* contínuo, sucessivo, incessante, constante. (*Sin.* continued, constant, repeated.)
continual attacks of gout — ataques contínuos de gota.
continually [-i], *adv.* continuamente, sucessivamente.
continuance [kən'tinjuəns], *s.* duração; permanência; continuidade.
continuant [kən'tinjuənt], **1** — *s.* (fon.) consoante contínua.
2 — *adj.* prolongado, contínuo.
continuation [kəntinju'eiʃən], *s.* continuação.
continuative [kən'tinjuətiv], *adj.* continuativo.
continuator [kən'tinjueitə], *s.* continuador.
continue [kən'tinju:], *vt.* e *vi.* continuar; durar; prosseguir; prolongar; persistir; permanecer.
he continued to cause his parents great anxiety — continuou a causar grande inquietação aos pais.
he continued to live at home — continuou a viver no país.
to continue in power — continuar no poder.
continued [-d], *adj.* continuado; incessante.
continuer [-ə], *s.* continuador.
continuity [kɔnti'nju(:)iti], *s.* continuidade.
continuous [kən'tinjuəs], *adj.* contínuo, ininterrupto. (*Sin.* unbroken, uninterrupted, continued. *Ant.* broken.)
continuous coughing — tosse contínua.
continuous laughter — riso contínuo.
continuously [-li], *adv.* continuadamente, ininterruptamente.
continuum (pl. **continua**) [kən'tinjuəm,-ə], *s.* o que tem perfeita continuidade.
contort [kən'tɔ:t], *vt.* torcer, retorcer.
to contort one's features — contorcer as feições.
contorted [-id], *adj.* torcido, contorcido.
contortion [kən'tɔ:ʃən], *s.* contorção.
contortionist [kən'tɔ:ʃnist], *s.* contorcionista, acrobata que faz contorções.
contour ['kɔntuə], **1** — *s.* contorno; curva de nível.
2 — *vt.* traçar o contorno de.
contraband ['kɔntrəbænd], *s.* contrabando.
contraband of war — contrabando de guerra.
contrabandist [-ist], *s.* contrabandista.
contrabass ['kɔntrə'beis], *s.* contrabaixo.
contraceptive [kɔntrə'septiv], *s.* e *adj.* anticoncepcional, que evita a gravidez.
contract **1** — ['kɔntrækt], *s.* contrato, acordo, pacto; empreitada.
to enter into a contract — fazer um contrato.
2 — [kən'trækt], *vt.* e *vi.* contratar, ajustar; fazer um contrato; contratar; encurtar; contrair, estreitar; encolher.
to contract debts — contrair dívidas.
to contract a disease — contrair uma doença.
to contract the brow — franzir a testa.
contractible [kən'træktəbl], *adj.* contractível.
contractile [kən'træktail], *adj.* contráctil.
contractility [kəntræk'tiliti], *s.* contractilidade.
contraction [kən'trækʃən], *s.* contracção.
contractive [kən'træktiv], *adj.* contractivo.
contractor [kən'træktə], *s.* contratante; empreiteiro; mestre de obras; contratador; fornecedor.
army-contractor — fornecedor do exército.
contractual [kən'træktjuəl], *adj.* contratual.
contradict [kɔntrə'dikt], *vt.* contradizer, negar; contrariar; opor-se.
contradictable [-əbl], *adj.* contraditável.
contradiction [kɔntrə'dikʃən], *s.* contradição, oposição; impugnação. (*Sin.* opposition, denial, antagonism, inconsistency.)
contradictor [kɔntrə'diktə], *s.* contraditor.
contradictorily [kɔntrə'diktərili], *adv.* contraditoriamente.
contradictoriness [kɔntrə'diktərinis], *s.* contradição, oposição.
contradictory [kɔntrə'diktəri], *adj.* contraditório.
contradistinction [kɔntrədis'tiŋkʃən], *s.* distinção por contraste.
contradistinguish [kɔntrədis'tiŋgwiʃ], *vt.* contradistinguir, distinguir com referência a pontos de contraste.
contralto (pl. **contraltos**) [kən'træltou,-z], *s.* contralto.
contraposition [kɔntrəpə'ziʃən], *s.* contraposição.
contrapuntal [kɔntrə'pʌntl], *adj.* relativo a contraponto.
contrapuntist ['kɔntrəpʌntist], *s.* contrapontista, pessoa versada em contraponto.
contrariant [kən'trɛəriənt], *adj.* oposto, contrário a.
contrariety [kɔntrə'raiəti], *s.* oposição; contradição; antagonismo; contrariedade.
contrarily ['kɔntrərili], *adv.* contrariamente.
contrariness ['kɔntrərinis], *s.* contrariedade; oposição.
contrariwise ['kɔntrəriwaiz], *adv.* ao contrário, pelo contrário; de outro modo.
contrary ['kɔntrəri], **1** — *s.* contrário, oposto.
have you anything to say to the contrary? — tem alguma coisa a dizer em contrário?
on the contrary — pelo contrário.
quite the contrary — exactamente o contrário.
2 — *adj.* contraditório; contrário; teimoso.
a contrary child — uma criança voluntariosa.
3 — *adv.* contrariamente.
contrast **1** — ['kɔntræst], *s.* contraste.
2 — [kən'træst], *vt.* e *vi.* contrastar, pôr em contraste; estar em oposição.
contravene [kɔntrə'vi:n], *vt.* contravir, transgredir; infringir.
contravention [kɔntrə'venʃən], *s.* contravenção, infracção; transgressão.
contribute [kən'tribju:t], *vt.* e *vi.* contribuir, concorrer, cooperar.

contribution [kɔntri'bju:ʃən], *s.* contribuição; cooperação; quota; subscrição; dádiva. (*Sin.* subscription, donation, help.)
contributive [kən'tribjutiv], *adj.* contributivo.
contributor [kən'tribjutə], *s.* contribuidor; contribuinte; subscritor; cooperador.
contributory [kən'tribjutəri], *adj.* que contribui, cooperador.
contrite ['kɔntrait], *adj.* contrito, arrependido; pesaroso.
contritely [-li], *adv.* contritamente.
contrition [kən'triʃən], *s.* contrição, arrependimento.
contrivance [kən'traivəns], *s.* invenção, ideia; plano, projecto; manha, artifício; engenhoca, aparelho, dispositivo.
contrive [kən'traiv], *vt.* e *vi.* inventar, idear, imaginar; projectar; governar a casa. (*Sin.* to devise, to invent, to plan, to scheme, to plot, to manage.)
control [kən'troul], **1** — *s.* guia, direcção, governo, mando; comando; superintendência; pessoa que faz actuar um médium; controlo, verificação, fiiscalização ou revisão de qualquer serviço; *pl.* (av., aut.) aparelho de controlo.
beyond control — impossível de ser dominado.
keep your temper under control! — domina-te!
to get control over — dominar.
to lose control of — perder o domínio de.
without control — sem governo, à vontade.
2 — *vt.* (pret. e pp. **controlled**) guiar, dirigir, governar; fiscalizar; dominar, ter mão em; restringir, reprimir. (*Sin.* to guide, to direct, to check, to command, to govern, to sway. *Ant.* to free.)
to control oneself — dominar-se, reprimir-se.
controllable [kən'trouləbl], *adj.* manejável; que se pode governar ou dirigir.
controller [kən'troulə], *s.* superintendente, director, inspector.
controlling [kən'trouliŋ], *s.* direcção; verificação.
controversial [kɔntrə'və:ʃəl], *adj.* relativo a controvérsia; controverso.
controversialist [kɔntrə'və:ʃəlist], *s.* controversista.
controversy (pl. **controversies**) ['kɔntrəvə:si, -z], *s.* controvérsia, polémica, debate. (*Sin.* dispute, debate, discussion, quarrel. *Ant.* agreement.)
beyond controversy — fora de dúvida, certamente.
controvert ['kɔntrəvə:t], *vt.* controverter; discutir, contestar, disputar.
controvertible ['kɔntrəvə:təbl], *adj.* controvertível.
contumacious [kɔntju'meiʃəs], *adj.* contumaz, teimoso, obstinado.
contumaciously [-li], *adv.* dum modo contumaz; obstinadamente.
contumaciousness [-nis], *s.* contumácia, obstinação, teimosia.
contumacy ['kɔntjuməsi], *s.* obstinação, contumácia.
contumelious [kɔntju'mi:ljəs], *adj.* contumelioso, insultante, insolente, ofensivo, injurioso.
contumeliously [-li], *adv.* contumeliosamente, insolentemente.
contumely (pl. **contumelies**) ['kɔntju:mli, -z], *s.* contumélia, afronta, injúria.
contuse [kən'tju:z], *vt.* contundir, pisar.
contusion [kən'tju:ʒən], *s.* contusão, pisadura.
a slight contusion — uma leve contusão.
conundrum [kə'nʌndrəm], *s.* enigma; adivinha.
convalesce [kɔnvə'les], *vi.* convalescer, adquirir forças; recuperar a saúde.
convalescence [-ns], *s.* convalescença.
convalescent [-nt], *s.* e *adj.* convalescente.
to become convalescent — entrar em convalescença.
convection [kən'vekʃən], *s.* convecção; correntes de convecção.
convene [kən'vi:n], *vt.* e *vi.* convocar, citar, chamar; emprazar; reunir-se, juntar-se.
convener [-ə], *s.* convocador.
convenience [-jəns], *s.* conveniência, vantagem material; utilidade, proveito; comodidade; oportunidade; retrete. (*Sin.* suitableness, commodiousness, accommodation, ease, comfort, fitness.)
marriage of convenience — casamento de conveniência.
at your earliest convenience — com a possível brevidade.
a house full of conveniences of every sort — uma casa cheia de comodidades.
to make a convenience of a person — abusar da bondade de alguém.
convenient [-jənt], *adj.* conveniente; útil. (*Sin.* suitable, commodious, fit, useful, advantageous.)
if it is convenient to you — se não o incomoda muito.
conveniently [-jəntli], *adv.* convenientemente.
convent ['kɔnvənt], *s.* convento.
conventicle [kən'ventikl], *s.* conventículo, conciliábulo.
convention [kən'venʃən], *s.* convenção; ajuste, pacto, acordo; assembleia.
conventional [kən'venʃənl], *adj.* convencional, estipulado; estabelecido por costume.
conventionalism [kən'venʃnəlizm], *s.* convencionalismo.
conventionalist [kən'venʃnəlist], *s.* convencionalista.
conventionality (pl. **conventionalities**) [kənvenʃə'næliti, -z], *s.* convencionalidade.
conventionalize [kən'venʃnəlaiz], *vt.* tornar convencional; convencionar.
conventionally [kən'venʃnəli], *adv.* convencionalmente.
conventual [kən'ventjuəl], *s.* e *adj.* conventual.
converge [kən'və:dʒ], *vt.* e *vi.* convergir.
convergence, convergency [kən'və:dʒəns, i], *s.* convergência.
convergent [kən'və:dʒənt], *adj.* convergente.
convergent lens — lente convergente.
conversable [kən'və:səbl], *adj.* conversável, sociável; agradável na conversação.
conversableness [-nis], *s.* sociabilidade.
conversant [kən'və:sənt], *adj.* versado, experimentado, familiar.
to be conversant with — estar ao facto de.
conversation [kɔnvə'seiʃən], *s.* conversação, conversa. (*Sin.* talk, chat, confabulation).
conversational [kɔnvə'seiʃənl], *adj.* relativo à conversa.
conversationalist [kɔnvə'seiʃnəlist], *s.* conversador, o que diverte ou anima com a conversa.
conversationally [kɔnvə'seiʃnəli], *adv.* em conversação; familiarmente.
conversazione ['kɔnvəsætsi'ouni], *s.* reunião de homens cultos para discussão de assuntos de interesse literário, científico ou artístico.
converse ['kɔnvə:s], **1** — *s.* conversa; transposição.
2 — *adj.* oposto, contrário, transposto.
converse [kən'və:s], *vi.* conversar.
conversely [-li], *adv.* mutuamente, reciprocamente; dum modo transposto.

conversion [kən'və:ʃən], *s.* conversão; inversão; transformação; apropriação ilegal dos bens de outrem.
convert 1 — ['kɔnvə:t], *s.* converso; neófito, prosélito.
2 — [kən'və:t], *vt.* converter, mudar, transformar; cambiar. (*Sin.* to change, to transmute, to alter
converter [kən'və:tə], *s.* convertedor; transformador (elect.).
convertibility [kənvə:tə'biliti], *s.* convertibilidade.
convertible [kən'və:təbl], *adj.* convertível.
convertible husbandry — alternância de alturas.
convertibly [-i], *adv.* dum modo convertível.
convex ['kɔn'veks], *adj.* convexo.
convexity (pl. **convexities**) [kɔn'veksiti, -z], *s.* convexidade.
convexly ['kɔn'veksli], *adv.* convexamente.
convey [kən'vei], *vt.* transportar, conduzir; levar; transmitir, comunicar; transferir. (*Sin.* to carry, to transport, to transmit, to impart, to communicate, to transfer.)
to convey information — comunicar notícias.
conveyable [-əbl], *adj.* transferível; transportável; transmissível.
conveyance [kən'veiəns], *s.* transporte, condução; transmissão; comunicação (de ideias, etc.); transferência, trespasse; veículo, carruagem.
conveyancer [-ə], *s.* jurista que faz as escrituras de transmissão de propriedade.
conveyancing [-iŋ], *s.* ramo de direito que trata dos títulos da propriedade e sua transferência.
conveyer [kən'veiə], *s.* portador; condutor.
conveying [kən'veiiŋ], *s.* transporte.
convict 1 — ['kɔnvikt], *s.* réu; criminoso; condenado; deportado.
convict ship (convict hulk) — navio-presídio.
2 — [kən'vikt], *vt.* provar a culpabilidade dum réu; condenar; convencer, obrigar (alguém) a reconhecer-se culpado.
conviction [kən'vikʃən], *s.* prova de culpabilidade; condenação; convicção.
his story does not carry much conviction — a história dele não parece ser verdadeira.
summary conviction — julgamento sumário.
convince [kən'vins], *vt.* convencer, persuadir. (*Sin.* to persuade, to prove to, to incite, to induce.)
convincible [-əbl], *adj.* convencível.
convincing [-iŋ], *adj.* convincente.
convincingly [-iŋli], *adv.* convincentemente.
convincingness [-iŋnis], *s.* qualidade de ser convincente.
convivial [kən'viviəl], *adj.* convivial; social; jovial, alegre, festivo. (*Sin.* jovial, festive, sociable, jolly, gay. *Ant.* mournful.)
conviviality [kənvivi'æliti], *s.* festim; jovialidade, sociabilidade, alegria, convívio.
convocation [kɔnvə'keiʃən], *s.* convocação; assembleia; sínodo.
convocational [-əl], *adj.* relativo a convocação.
convoke [kən'vouk], *vt.* convocar. (*Sin.* to assemble, to summon, to call, to collect, to convene, to gather. *Ant.* to disperse.)
convolute ['kɔnvəlu:t], *adj.* enrolado, envolto.
convolution [kɔnvə'lu:ʃən], *s.* enrolamento; circunvolução.
convolve [kən'vɔlv], *vt.* e *vi.* enrolar, envolver; enrolar-se.
convolvulus [kən'vɔlvjuləs], *s.* (bot.) convólvulo, planta conhecida pelo nome de *bons--dias*.
convoy ['kɔnvɔi], **1** — *s.* comboio, escolta, guarda.
under convoy — comboiado.
2 — *vt.* comboiar, escoltar.
convulse [kən'vʌls], *vt.* convulsionar; excitar; abalar. (*Sin.* to disturb, to shake, to agitate, to perturb. *Ant.* to compose.)
convulsion [kən'vʌlʃən], *s.* convulsão; espasmo; contracção violenta; grande agitação.
convulsionary [kən'vʌlʃnəri], *adj.* convulsionário.
convulsive [kən'vʌlsiv], *adj.* convulsivo.
convulsively [-li], *adv.* convulsivamente.
cony, coney ['kouni], *s.* peles de coelho preparadas; hirax, mamífero do tamanho do coelho e parecido com a marmota.
coo [ku:], **1** — *s.* arrulho.
2 — *vt.* e *vi.* arrulhar.
to bill and coo — galantear.
cook [kuk], **1** — *s.* cozinheiro.
cook's mate — ajudante do cozinheiro (náut.).
cook's boiler (cook's copper) — caldeira de cozinha.
head-cook — chefe de cozinha.
too many cooks spoil the broth — muitos pintores borram a pintura.
first-rate cook — cozinheiro hábil.
under-cook — ajudante de cozinheiro.
2 — *vt.* e *vi.* cozinhar; falsificar.
they are cooked — estão exaustos, já não podem mais (desp.).
to cook up — forjar.
to cook accounts — falsificar contas.
to cook someone's goose — estragar os planos de alguém.
cooker [-ə], *s.* fogão, aparelho para cozinhar; fruta destinada a ser cozinhada; falsificador de contas.
electric cooker — fogão eléctrico.
gas-cooker — fogão a gás.
cookery [-əri], *s.* arte de cozinhar, culinária.
cookery-book — livro de receitas de cozinha.
cookie [-i], *s.* bolo, queque achatado.
cooking [-iŋ], *s.* culinária, arte de cozinhar.
plain cooking — cozinha simples.
cooky [-i], *s.* (col.) cozinheira.
cool [ku:l], **1** — *s.* frescura, fresco.
the cool of the evening — a frescura da noite.
2 — *adj.* fresco, frio; insensível, indiferente, calmo; grande (referindo-se a quantias de dinheiro); audacioso, atrevido, desavergonhado.
cool cheek — grande descaramento.
cool-headed — calmo, prudente.
cool reception — acolhimento frio.
the house is nice and cool — a casa é agradável e fresca.
the car cost a cool thousand — o carro custou nada menos que mil libras.
to be cool — fazer tempo fresco; estar frio, estar indiferente.
to get cool — arrefecer.
to keep cool — conservar a serenidade.
3 — *vt.* e *vi.* refrescar; esfriar, arrefecer; acalmar-se, moderar-se.
the rain has cooled the air — a chuva refrescou a atmosfera.
to cool down (of) — acalmar.
to cool one's heels — esperar muito tempo.
cooler [-ə], *s.* frigorífico, refrigerador; vaso refrigerante.
coolie, cooly [-i], *s.* trabalhador chinês ou índio.
cooling [-iŋ], *adj.* refrescante, refrigerante.
coolly [-i], *adv.* frescamente; serenamente; descaradamente.
coolness [-nis], *s.* fresquidão, frescura; frieza,

indiferença, arrefecimento; calma, serenidade.
there is a slight coolness between us — há um leve arrefecimento entre nós.
coon [ku:n], *s.* coati-lavador, mamífero carnívoro que vive nas florestas da América; matreiro; negro.
a gone coon — um homem liquidado.
coon song — canção de negro.
coop [ku:p], **1** — *s.* capoeira; cesto de vime para apanhar peixe.
2 — *vt.* engaiolar; encarcerar.
to coop up — encarcerar.
cooper [-ə], **1** — *s.* tanoeiro; negociante de vinhos; mistura de dois tipos de cerveja (*stout* e *porter*); taberna flutuante para os pescadores do mar do Norte.
2 — *vt.* fazer cascos ou barris; reparar barris.
cooperage [-əriɑʒ], *s.* trabalho de tanoeiro, tanoaria.
co-operant [kou'ɔpərənt], *s.* e *adj.* cooperante que coopera.
co-operate [kou'ɔpəreit], *vi.* cooperar; colaborar, concorrer, contribuir para um determinado fim. (*Sin.* to help, to assist, to concur.)
co-operator [reitə], *s.* colaborador.
co-operation [kouɔpə'reiʃən], *s.* cooperação.
co-operative [kou'ɔpərətiv], *adj.* cooperativo.
coopery ['ku:pəri], *s.* tanoaria, trabalho de tanoeiro.
co-opt [kou'ɔpt], *vt.* cooptar; eleger por votação.
co-optation [kouɔp'teiʃən], *s.* cooptação; escolha mútua.
co-ordinate 1 — [kou'ɔ:dnit], *s.* (mat.) coordenada.
2 — *adj.* coordenado, classificado.
co-ordinate [kou'ɔ:dineit], *vt.* coordenar; classificar.
co-ordinately [kou'ɔ:dnitli], *adv.* coordenadamente.
co-ordination [kouɔ:di'neiʃən], *s.* coordenação.
co-ordinative [kou'ɔ:dinətiv], *adj.* coordenativo.
coot [ku:t], *s.* ave marinha.
cop [kɔp], **1** — *s.* bobina; (cal.) polícia.
2 — *vt.* (pret. e pp. **copped**) prender, mandar para a prisão.
copal ['koupəl], *s.* goma copal.
coparcener ['kou'pɑ:sinə], *s.* comparticipante; co-herdeiro.
copartner ['kou'pɑ:tnə], *s.* sócio, parceiro. (*Sin.* partner, sharer, associate, ally. *Ant.* opponent.)
copartnership [-ʃip], *s.* comparticipação dos empregados nos lucros duma sociedade.
cope [koup], **1** — *s.* cúpula, abóbada; capa de asperges.
cope of heaven — abóbada celeste.
2 — *vt.* e *vi.* pôr uma cúpula; cobrir; contender, lutar; vestir a capa de asperges.
to cope with — lutar com êxito; resistir; lutar contra.
to cope with a difficulty — lutar contra um obstáculo.
copeck ['koupek], *s.* cópeque, moeda russa.
Copenhagen [koupn'heigən], *top.* Copenhaga.
coper ['koupə], *s.* negociante; taberna flutuante para os pescadores do mar do Norte.
horse-coper — negociante de cavalos.
copier ['kɔpiə], *s.* copista.
coping ['koupiŋ], *s.* cumeeira.
copious ['koupjəs], *adj.* copioso, abundante. (*Sin.* plentiful, abundant, profuse, rich, exuberant. *Ant.* scanty.)
copiously [-li], *adv.* copiosamente, abundantemente.
copiousness [-nis], *s.* copiosidade, abundância, profusão.
copper ['kɔpə], **1** — *s.* cobre; utensílio de cobre; moeda de cobre; (col.) polícia.
black copper — cobre em bruto.
copper-bottomed — forrado de cobre (navio).
copper-fastened — cavilhado a cobre.
copper-ore — minério de cobre.
copper captain — capitão fingido.
copper-top — (col.) cabelo ruivo.
copper-smith — caldeireiro.
copper-works — fundição de cobre.
to cool one's coppers — (col.) refrescar a goela.
to have hot coppers — ter a garganta inflamada pelo abuso do álcool.
2 — *vt.* revestir com folhas de cobre; forrar de cobre.
copperas ['kɔpərəs], *s.* caparrosa, vitríolo verde.
copperplate ['kɔpəpleit], *s.* chapa de cobre para gravar.
copperplate writing — letra bem feita e clara.
coppery ['kɔpəri], *adj.* cúprico; que contém cobre; semelhante ao cobre.
coppice ['kɔpis], *s.* mata de árvores baixas que se desbasta de tempos a tempos; souto.
copra ['kɔprə], *s.* copra.
copse [kɔps], **1** — *s.* ver **coppice.**
2 — *vt.* cobrir com árvores baixas.
Copt [kɔpt], *s.* copto, cristão do Egipto e da Abissínia.
Coptic [-ik], **1** — *s.* língua dos Coptos.
2 — *adj.* cóptico.
copulate ['kɔpjuleit], *vi.* copular.
copulation [kɔpju'leiʃən], *s.* cópula, união sexual.
copulative ['kɔpjulətiv], **1** — *s.* (gram.) conjunção copulativa.
2 — *adj.* copulativo.
copy ['kɔpi], **1** — *s.* cópia, imitação, reprodução; número dum jornal; exemplar dum livro; manuscrito. (*Sin.* transcription, imitation, reproduction, model, pattern, duplicate.
copy-cat — imitador.
fair copy — cópia a limpo.
rough copy — borrão, rascunho.
copy-paper — papel de cópia.
copy-book — caderno de exercícios.
copy-ink — tinta de copiar.
certified-copy — pública-forma, certidão dum original.
a faithful copy — uma cópia fiel.
this will make good copy — isto dará um bom artigo de jornal.
2 — *vt.* e *vi.* copiar, imitar, reproduzir; fazer uma imitação ou reprodução.
copyhold [-hould], *s.* espécie de enfiteuse, posse de terras com consentimento do senhorio.
copyholder [-houldə], *s.* enfiteuta.
copying [-iŋ], *s.* acção de copiar, cópia.
copying-press — copiador.
copyist [-ist], *s.* copista; imitador.
copyright [-rait], **1** — *s.* direitos de autor; propriedade literária.
2 — *adj.* protegido pelos direitos de autor.
3 — *vt.* adquirir uma propriedade literária.
coquet, coquette [kou'ket], **1** — *adj.* coquete, mulher namoradeira.
2 — *vi.* galantear; pavonear-se.
coquetry (pl. **coquetries**) ['koukitri, -z], *s.* coquetismo.
coquettish [-iʃ], *adj.* galanteador; atraente.
coquettishly [-iʃli], *adv.* dum modo galanteador; atraentemente.
coracle ['kɔrəkl], *s.* pequeno barco de couro ou oleado.
coral ['kɔrəl], *s.* coral.
coral-reef — banco de coral.
coral-island — ilha de coral.

coralline [ˈkɔrəlain], *s.* coralina, alga marinha revestida duma substância calcária.
corallite [ˈkɔrəlait], *s.* coralite, coralinite.
corbel [ˈkɔ:bəl], **1** — *s.* (arquit.) modilhão.
2 — *vt.* prover de modilhões.
cord [kɔ:d], **1** — *s.* corda delgada, cordel; cordão; tendão; medida de lenha (usualmente de 128 pés cúbicos).
cords — calças de bombazina.
umbilical cord — cordão umbilical.
2 — *vt.* atar com corda ou cordel.
cordage [-idʒ], *s.* cordame; cabo.
corded [-id], *adj.* atado com cordas; feito de cordas; encordado.
cordate [-it], *adj.* cordiforme.
Cordelia [kɔ:ˈdi:ljə], *n. p.* Cordélia.
cordelier [kɔ:diˈliə], *s.* frade franciscano.
cordial [ˈkɔ:djəl], **1** — *s.* cordial, estimulante cardíaco; bebida estimulante.
2 — *adj.* cordial, afectuoso, sincero. (*Sin.* friendly, affectionate, warm, sincere. *Ant.* distant, cold.)
cordiality (pl. **cordialities**) [kɔ:diˈæliti, -z], *s.* cordialidade; sinceridade.
cordially [ˈkɔ:djəli], *adv.* cordialmente, afectuosamente.
cordite [ˈkɔ:dait], *s.* cordite, explosivo.
cordon [kɔ:dn], *s.* cordão (de soldados, polícias, navios, etc.); cordão; distintivo de qualquer ordem honorífica.
a cordon of police — um cordão de polícia.
sanitary cordon — cordão sanitário.
cordovan [ˈkɔ:dəvən], *s.* cordovão, couro de cabra preparado para fazer calçado.
corduroy [ˈkɔ:dərɔi], *s.* bombazina, *pl.* calças.
corduroy trousers — calças de bombazina.
corduroy road — caminho feito de toros de madeira.
core [kɔ:], **1** — *s.* centro; interior; coração, âmago, cerne, a parte íntima duma coisa ou pessoa; núcleo de bobina eléctrica; madre (de cabo eléctrico); parte dum molde de fundição; doença nas ovelhas (tumores); caroço.
he's English to the core — ele é inglês de gema.
in her heart's core—no mais fundo do coração.
rotten at the core — podre no meio.
to get to the core of something — investigar a fundo, aprofundar.
2 — *vt.* tirar a parte interior; extrair a pevide ou o caroço dos frutos.
Corea [kəˈriə], *top.* Coreia.
co-religionist [ˈkouriˈlidʒənist], *s.* correligionário, que tem a mesma religião.
corer [ˈkɔ:rə], *s.* instrumento para extrair a pevide ou o caroço dos frutos; descaroçador.
co-respondent [ˈkourispɔndənt], *s.* cúmplice num crime de adultério.
corf [kɔ:f], *s.* cesto apropriado para conservar os peixes vivos na água.
coriaceous [kɔriˈeiʃəs], *adj.* coriáceo, duro como couro.
coriander [kɔriˈændə], *s.* coentro.
Corinth [ˈkɔrinθ], *top.* Corinto.
Corinthian [kəˈrinθiən], *s.* e *adj.* coríntio.
Corinthian Order — ordem coríntia.
Coriolanus [kɔriəˈleinəs], *n. p.* Coriolano.
cork [kɔ:k], **1** — *s.* cortiça; rolha, batoque de cortiça.
cork-cutter — rolheiro.
cork jacket — colete de salvação.
cork insulation — isolamento de cortiça.
cork-tree — sobreiro.
he is like a cork — ele é insensível.
2 — *vt.* arrolhar; caracterizar com rolha queimada.
to cork one's face — caracterizar-se com rolha queimada.
corkage [-idʒ], *s.* enrolhamento; desarrolhamento; percentagem paga em hotéis por bebidas trazidas de fora; *(col.)* rolha.
corked [kɔ:kt], *adj.* que sabe a rolha (vinho).
corker [-ə], *s.* argumento concludente; mentira monstruosa.
corkscrew [-skru:], **1** — *s.* saca-rolhas.
2 — *vt.* torcer, enroscar em espiral.
corky [-i], *adj.* de cortiça; semelhante à cortiça; (col.) vivo, inquieto, mexido; frívolo, leviano; com gosto a cortiça.
cormorant [ˈkɔ:mərənt], *s.* corvo-marinho; glutão.
corn [kɔ:n], **1** — *s.* grão de cereal; cereais; planta dos cereais; calo, calosidade.
corn-cob — casulo do milho.
corn-cob pipe — gaita feita com palha.
corn-crib — celeiro.
corn-cutter — calista.
corn-dealer — negociante de trigo.
corn-factor—negociante de cereais por atacado.
corn-field — seara, campo de cereais.
corn-floor — eira.
corn-rose — papoila brava.
corn-salad — erva-benta.
corn-crake — codornizão.
corn-stalk (col.) — pessoa alta e magra, (fam.) pau-de-virar-tripas, virote.
corn-blade — folha de cereal.
corn-flower — *(bot.)* centáurea.
corn-whisky — *(E.U.)* uísque de milho.
Indian corn — milho.
to tread on a person's corns — melindrar alguém, tocar-lhe no ponto sensível.
2 — *vt.* salgar; salpicar com sal.
corned beef — carne salgada.
cornea [ˈkɔ:niə], *s.* córnea.
Cornelia [kɔ:ˈni:ljə], *n. p.* Cornélia.
cornelian [kɔ:ˈni:ljən], *s.* cornalina, variedade de calcedónia dum vermelho baço ou dum branco-avermelhado.
corner [ˈkɔ:nə], **1** — *s.* canto, esquina; ângulo; embaraço, dificuldade, apuro; lugar afastado; monopólio. (*Sin.* angle, nook, bend, recess, niche.)
a corner(-kick) (fut.) — um pontapé de canto.
corner-man — vagabundo.
corners of a river — meandros dum rio.
corner-stone — pedra angular, pedra fundamental.
he put the child in the corner — ele pôs a criança de castigo.
hole-and-corner — desonesto.
in a corner — secretamente.
in all the corners of the earth — em todas as partes do mundo.
to be (to get) into a tight corner — estar em maus lençóis, estar numa situação difícil.
to cut off a corner — tomar um atalho.
to drive someone into a corner — entalar alguém; pôr entre a espada e a parede.
to turn the corner — virar a esquina.
2 — *vt.* e *vi.* colocar num canto; embaraçar; fazer um monopólio.
cornet [ˈkɔ:nit], *s.* corneta, trombeta; cartucho cónico; touca branca de certas religiosas; *(mil.)* alferes.
cornice [ˈkɔ:nis], *s.* cornija.
Cornish [ˈkɔ:niʃ], **1** — *s.* dialecto da Cornualha.
2 — *adj.* relativo à Cornualha.
cornopean [kəˈnoupjən], *s.* corneta de pistões.
cornucopia [kɔ:njuˈkoupjə], *s.* cornucópia.
cornuted [kɔ:ˈnju:tid], *adj.* cornuto.
Cornwall [ˈkɔ:nwəl], *top.* Cornualha.

corny [ˈkɔːni], *adj.* de trigo, que abunda em trigo; caloso, que tem calos.
corolla [kəˈrɔlə], *s.* corola.
corollary (pl. **corollaries**) [kəˈrɔləri, -z], *s.* corolário.
corona (pl. **coronae, coronas**) [kəˈrounə, iː, -z], *s.* coroa de cornija; coroa, halo, círculo luminoso em volta dalguns astros.
coronal [ˈkɔrənl], **1** — *s.* coroa, grinalda. **2** — *adj.* coronal, relativo a coroa; em forma de coroa.
coronary [ˈkɔrənəri], *adj.* e *s.* coronário; coronaria; artéria coronária.
coronation [kɔrəˈneiʃən], *s.* coroação.
coroner [ˈkɔrənə], *s.* oficial de justiça que investiga os casos de morte violenta ou por acidente.
coronet [ˈkɔrənit], *s.* coroa de titular; grinalda; coroa do casco do cavalo.
corozo [kəˈrouzou], *s.* (bot.) jara, palmeira silvestre.
corporal [ˈkɔːpərəl], **1**—*s.* (*mil.*) cabo, graduação acima de soldado; corporal (missa.) **2** — *adj.* corporal, corpóreo.
corporal punishment — castigo corporal.
orderly corporal — (mil.) cabo do dia.
corporality [kɔːpəˈræliti], *s.* corporalidade.
corporally [ˈkɔːpərəli], *adv.* corporalmente.
corporate [ˈkɔːpərit], *adj.* associado, incorporado; colectivo.
corporately [-li], *adv.* em corporação; corporativamente.
corporation [kɔːpəˈreiʃən], *s.* corporação, grémio; (col.) abdómen saliente, pança.
corporative [ˈkɔːpərətiv], *adj.* corporativo.
corporator [ˈkɔːpəreitə], *s.* membro duma corporação.
corporeal [kɔːˈpɔːriəl], *adj.* corpóreo.
corporeity [kɔːpəˈriːiti], *s.* corporeidade.
corposant [ˈkɔːpəzænt], *s.* fogo-de-santelmo.
corps (pl. **corps**) [kɔː, kɔːz], *s.* corpo (associação de pessoas); corpo dum exército.
Corps Diplomatique — corpo diplomático.
corps-de-ballet — corpo de baile.
corpse [kɔːps], *s.* cadáver.
corpulence, corpulency [ˈkɔːpjuləns, -i], *s.* corpulência; obesidade. (*Sin.* fatness, obesity, stoutness, plumpness. *Ant.* thinness.)
corpulent [ˈkɔːpjulənt], *adj.* corpulento; obeso; volumoso.
corpus [ˈkɔːpəs], *s.* corpo; elementos duma causa judicial.
corpus delicti — corpo de delito.
corpuscle, corpuscule [ˈkɔːpʌsl, kɔːˈpʌskjuːl], *s.* corpúsculo; átomo.
corpuscular [kɔːˈpʌskjulə], *adj.* corpuscular.
corral [kɔˈrɑːl], **1** — *s.* tapada, curral, cerca; recinto defensivo feito com carros num acampamento. **2** — *vt.* (pret. e pp. **corralled**) cercar, encurralar.
correct [kəˈrekt], **1** — *adj.* correcto, exacto, verdadeiro; preciso. (*Sin.* accurate, right, exact, precise, true, faultless. *Ant.* wrong.) **2** — *vt.* corrigir, rectificar; emendar; castigar, repreender. (*Sin.* to amend, to improve, to rectify, to admonish, to punish. *Ant.* to spoil, to indulge
to correct mistakes — emendar erros.
correction [kəˈrekʃən], *s.* correcção, emenda; rectificação; castigo.
house of correction — casa de correcção.
to speak under correction — falar admitindo a possibilidade de errar.
correctional [kəˈrekʃənl], *adj.* correccional.
correctitude [kəˈrektitjuːd], *s.* correcção, procedimento correcto.
corrective [kəˈrektiv], *s.* e *adj.* correctivo.
correctly [kəˈrektli], *adv.* correctamente.
to speack correctly — falar correctamente.
correctness [kəˈrektnis], *s.* correcção, exactidão, precisão.
corrector [kəˈrektə], *s.* corrector, aquele que corrige.
correlate [ˈkɔrileit], **1** — *s.* correlativo. **2** — *vt.* e *vi.* correlacionar, estabelecer relações entre.
correlation [kɔriˈleiʃən], *s.* correlação.
correlative [kɔˈrelətiv], *s.* e *adj.* correlativo.
correlatively [-li], *adv.* correlativamente.
correspond [kɔrisˈpɔnd], *vi.* corresponder; igualar; adaptar-se; corresponder-se com. (*Sin.* to suit, to agree, to match, to harmonize, to fit, to communicate. *Ant.* to differ.)
the reality does not always correspond with one's expectations — a realidade nem sempre corresponde à nossa expectativa.
we rarely meet though we correspond regularly — raras vezes nos encontramos, apesar de nos correspondermos com regularidade.
correspondence [-əns], *s.* correspondência, relação; comunicação; cartas.
to have a large correspondence — ter muita correspondência.
correspondent [-ənt], *s.* e *adj.* correspondente.
he's a good correspondent — ele escreve regularmente.
war-correspondent — correspondente de guerra.
correspondently [-əntli], *adv.* correspondentemente.
corresponding [-iŋ], *adj.* correspondente; conforme.
a corresponding member — sócio correspondente.
correspondingly [-iŋli], *adv.* correspondentemente.
corridor [ˈkɔridɔː], *s.* corredor.
corridor train — comboio com corredor.
corrigendum (pl. **corrigenda**) [kɔriˈdʒendəm, -ə], *s.* corrigenda; errata.
corrigible [ˈkɔridʒəbl], *adj.* corrigível. (*Sin.* amenable, submissive, docile, tractable. *Ant.* stubborn.)
corroborant [kəˈrɔbərənt], **1** — *s.* tónico. **2** — *adj.* corroborante.
corroborate [kəˈrɔbəreit], *vt.* corroborar, confirmar. (*Sin.* to confirm, to ratify, to sustain, to support. *Ant.* to invalidate.)
corroboration [kərɔbəˈreiʃən], *s.* corroboração, confirmação.
corroborative [kəˈrɔbərətiv], *adj.* corroborativo.
corroboree [kəˈrɔbəri], *s.* dança dos indígenas australianos.
corrode [kəˈroud], *vt.* e *vi.* corroer, roer, desgastar; corroer-se; oxidar.
corrosion [kəˈrouʒən], *s.* corrosão; oxidação.
corrosion-proof — inoxidável.
corrosive [kəˈrousiv], *s.* e *adj.* corrosivo.
corrosive sublimate — sublimado corrosivo.
corrosively [-li], *adv.* corrosivamente.
corrosiveness [-nis], *s.* corrosividade.
corrugate [ˈkɔrugeit], *vt.* e *vi.* enrugar, franzir; enrugar-se.
corrugated [-id], *adj.* enrugado, ondulado.
corrugated cardboard — cartão canelado.
corrugated iron — ferro ondulado.
corrugated plate — chapa ondulada.
corrugation [kɔruˈgeiʃən], *s.* enrugamento; franzimento.
corrupt [kəˈrʌpt], **1** — *adj.* corrupto, corrompido, viciado; putrefacto; impuro; errado (falando-se de linguagem). (*Sin.* wicked, depraved, soiled, infected, rotten. *Ant.* pure, virtuous.)

2 — *vt.* e *vi.* corromper, viciar, estragar; perverter; subornar; corromper-se, perverter-se. (*Sin.* to taint, to infect, to destroy.)
corrupter [-ə], *s.* corruptor.
corruptibility [kərʌptə'biliti], *s.* corruptibilidade.
corruptible [kə'rʌptəbl], *adj.* corruptível.
corruptibly [-i], *adv.* de modo corruptível.
corruption [kə'rʌpʃən], *s.* corrupção, depravação; decomposição, deterioração; suborno.
corruptive [kə'rʌptiv], *adj.* corruptivo.
corruptness [kə'rʌptnis], *s.* corrupção.
corsage [kɔ:'sɑ:ʒ], *s.* corpo de vestido de senhora.
corsair ['kɔ:sεə], *s.* corsário, pirata.
corselet, corslet ['kɔ:slit], *s.* corselete, armadura para o peito; (zool.) parte do tórax dalguns insectos.
corset ['kɔ:sit], *s.* cinta (de senhora).
Corsica ['kɔ:sikə], *top.* Córsega.
cortex (pl. **cortices**) ['kɔ:teks, -tisi:z], *s.* córtice, córtex, casca de árvore; córtex cerebral; córtex renal.
cortical ['kɔ:tikəl], *adj.* cortical.
corundum [kə'rʌndəm], *s.* óxido de alumínio para polir metais.
Corunna [kɔ'rʌnə], *top.* Corunha.
coruscate ['kɔrəskeit], *vi.* coruscar, reluzir, fulgurar, cintilar. (*Sin.* to sparkle, to flash, to scintillate, to glitter, to shine.)
coruscation [kɔrəs'keiʃən], *s.* coruscação, cintilação, brilho, fulgor repentino.
corvette [kɔ:'vet], *s.* corveta.
corymb ['kɔrimb], *s.* (bot.) corimbo, inflorescência indefinida em que os pedúnculos não têm comprimento igual, mas as flores atingem a mesma altura.
coryza [kə'raizə], *s.* coriza, defluxo.
cos [kɔs], *s.* espécie de alface introduzida na ilha de Cós.
Cos lettuce—variedade de alface da ilha de Cós.
cose [kouz], *vi.* instalar-se confortavelmente.
cosecant [kou'si:kənt], *s.* (*geom.*) co-secante.
cosher ['kɔʃə], *vt.* amimar.
cosily ['kouzili], *adv.* comodamente, confortavelmente; agradavelmente, aconchegadamente.
cosine ['kousain], *s.* (geom.) co-seno.
cosiness ['kouzinis], *s.* comodidade, conforto, aconchego.
cosmetic [kɔz'metik], *s.* e *adj.* cosmético.
cosmic(al) ['kɔzmik(əl)], *adj.* cósmico.
cosmic rays — raios cósmicos.
cosmically ['kɔzmikəli], *adv.* de modo cósmico.
cosmism ['kɔzmizm], *s.* cosmogonia, teoria da evolução do universo.
cosmogonic(al) [kɔzmou'gɔnik(əl)], *adj.* cosmogónico.
cosmogonist [kɔz'mɔgənist], *s.* cosmogonista.
cosmogony [kɔz'mɔgəni], *s.* cosmogonia, sistema científico relativo à formação do universo.
cosmographer [kɔz'mɔgrəfə], *s.* cosmógrafo.
cosmographic(al) [kɔzmou'græfik(əl)], *adj.* cosmográfico.
cosmography [kɔz'mɔgrəfi], *s.* cosmografia, descrição astronómica do universo.
cosmological [kɔzmə'lɔdʒikəl], *adj.* cosmológico.
cosmologist [kɔz'mɔlədʒist], *s.* cosmólogo.
cosmology [kɔz'mɔlədʒi], *s.* cosmologia, ciência das leis gerais que regem o universo.
cosmopolitan [kɔzmə'pɔlitən], *s.* e *adj.* cosmopolita.
cosmopolite [kɔz'mɔpəlait], *s.* cosmopolita.
cosmopolitism [kɔzmə'pɔlitizm], *s.* cosmopolitismo.
cosmos ['kɔzmɔs], *s.* cosmos, universo.
Cossack ['kɔsæk], *s.* cossaco.
cosset ['kɔsit], **1** — *s.* cordeirinho.
2 — *vt.* tratar com mimo, amimar, acariciar, afagar.
cost [kɔst], **1** — *s.* custo, preço; gasto, despesas; *pl.* custas judiciais.
at all costs — custe o que custar.
at cost price — ao preço do custo.
at great cost — com grando dispêndio.
at the cost of — à custa de.
cost and freight — preço incluindo o frete.
cost, freight and insurance — custo, frete e seguro.
cost-book — livro de contas.
cost of production — preço de revenda.
first (prime) cost — custo, preço da fábrica.
free of cost — livre de despesas.
to count the cost — ponderar todos os casos.
to one's cost — à sua custa.
whatever it costs — custe o que custar.
2 — *vi.* (pret. e pp. **cost**) custar, importar em.
to cost a lot of money — custar muito dinheiro.
costal [kɔstl], *adj.* costal.
costard ['kʌstəd], *s.* variedade de maçã grande e redonda.
coster(monger) ['kɔstə(mʌŋgə)], *s.* vendedor ambulante de frutas, peixe, etc.
costive ['kɔstiv], *adj.* que tem prisão de ventre; mesquinho.
costiveness [-nis], *s.* prisão de ventre.
costless ['kɔstlis], *adj.* grátis.
costliness ['kɔstlinis], *s.* dispêndio; opulência, grandeza.
costly ['kɔstli], *adj.* custoso, dispendioso, caro; opulento, grandioso.
costmary ['kɔstmεəri], *s.* (bot.) costo, erva amomácea.
costume ['kɔstju:m], **1** — *s.* trajo, vestido; saia e casaco.
costume ball — baile de fantasia.
2 — *vt.* fornecer vestuário; mascarar; vestir de saia e casaco.
cosy, cozy ['kouzi], **1** — *s.* *tea-cosy* — abafador de bule.
2 — *adj.* agasalhado; cómodo, confortável; aconchegado. (*Sin.* comfortable, snug, easy. *Ant.* uncomfortable, cold.)
cosy bed — cama confortável.
this room looks cosy — este quarto parece confortável.
cot [kɔt], **1** — *s.* cabana; caminha de criança; leito de criança (nos hospitais); cama de acampamento; alpendre.
2 — *vt.* (pret. e pp. **cotted**) abrigar em alpendres (carneiros).
cotangent ['kou'tændʒənt], *s.* co-tangente, tangente de complemento dum ângulo.
cote [kout], *s.* curral, aprisco, redil.
dove-cote — pombal.
sheep-cote — aprisco, redil.
coterie ['koutəri], *s.* corrilho, conventículo.
cottage ['kɔtidʒ], *s.* casa pequena; cabana; casa de campo.
cottager [-ə], *s.* camponês, aldeão.
cottar, cotter ['kɔtə], *s.* rendeiro, caseiro (Escócia); chaveta.
cotton [kɔtn], **1** — *s.* algodão (em rama ou em fio); tecido de algodão.
cotton-cake—semente de algodão para o gado.
cotton cloth — tecido de algodão.
cotton manufacture — indústria algodoeira.
cotton-mill — fábrica de fiação.
cotton-plant — algodoeiro.
cotton-tail — coelho da América.
cotton waste — desperdícios de algodão.
cotton-wood — choupo da América.

cotton velvet — veludo de algodão.
figured cotton — tecido de algodão lavrado.
gun-cotton — algodão-pólvora.
cotton-wool — algodão-em-rama.
cotton batting — (E. U.) algodão-em-rama.
cotton yarn — fio de algodão.
sewing-cotton — fio-de-escócia.
printed cotton — chita.
raw cotton — algodão em bruto.
twilled cotton—tecido de algodão entrançado.
2 — *vi.* cobrir de algodão; concordar, harmonizar-se.
to cotton on to — compreender; acompanhar.
to cotton up to — tornar-se amigo de; afeiçoar-se a; simpatizar com.
cottonocracy [kɔtə'nɔkrəsi], *s.* os magnates do comércio de algodão.
cottony ['kɔtni] *adj.* macio como algodão.
cotyledon [kɔti'li:dən], *s.* cotilédone.
cotyledonous [-əs], *adj.* cotiledóneo.
couch [kautʃ], **1** — *s.* cama, divã, sofá; lugar para fazer a cerveja.
couch-grass — *(bot.)* grama.
2 — *vt.* e *vi.* deitar, recostar; deitar-se, encostar-se; ocultar; exprimir, redigir; baixar a lança para o ataque; aninhar-se. (*Sin.* to lie, to recline, to stoop, to express).
couchant ['kautʃənt], *adj.* (her.) deitado; aninhado, agachado (animal).
cougar ['ku:gə], *s.* puma, leão da América.
cough [kɔf], **1** — *s.* tosse.
cough-drop, cough lozenge — rebuçado para a tosse.
to give a (slight) cough — tossir para chamar a atenção.
whooping-cough — tosse convulsa, coqueluche.
2 — *vt.* e *vi.* tossir.
to cough down — mostrar desaprovação, tossindo amiúde.
to cough up — expectorar.
cougher [-ə], *s.* pessoa que tosse.
coughing [-iŋ], *s.* tosse.
a fit of coughing — um ataque de tosse.
could [kud], *pret.* do verbo **can.**
as best as I could — o melhor que pude.
coulisse [ku:'li:s], *s.* bastidor de teatro; peça de madeira encaixada.
coulomb ['ku:lɔm], *s.* coulomb (unidade eléctrica).
coulter ['koultə], *s.* relha do arado.
council [kaunsl], *s.* conselho, junta; concílio eclesiástico; conselho de Estado; reunião de pessoas que deliberam sobre certos assuntos, assembleia.
Cabinet Council — conselho de ministros.
Council of State — conselho de Estado.
Privy Council — conselho privado.
council-chamber — sala de reunião dum concílio ou conselho municipal.
town council — conselho municipal.
council of war — conselho de guerra.
to hold council — estar em conselho.
councillor [kaunsilə], *s.* membro dum conselho de Estado, dum concílio ou duma assembleia; conselheiro.
counsel ['kaunsəl], **1** — *s.* conselho, parecer; consulta, deliberação; advogado. (*Sin.* advice, consultation, deliberation, opinion, barrister.)
King's Counsel — consultor jurídico do rei.
to keep one's own counsel — guardar segredo dos seus planos.
to take (to hold) counsel with — consultar, pedir conselho.
2 — *vt.* (pret. e pp. **counselled**) aconselhar, dar conselho a; avisar; recomendar.
to counsel prudence — aconselhar prudência.
counsellor [-ə], *s.* consultor; conselheiro.
count [kaunt], **1** — *s.* conta, soma, cálculo; contagem; total; consideração; conde.
I advise you to take no count of what he says — aconselho-te a não dares atenção ao que ele diz.
to lose count — perder a conta.
2 — *vt.* e *vi.* contar, calcular, somar, numerar; considerar; planear; confiar; ter importância; ser contado. (*Sin.* to number, to reckon, to compute, to estimate, to consider, to rely, to expect.)
to count for much — ter muita importância.
to count on (upon) — contar com, confiar em.
to count one's luggage on arrival — contar os volumes da bagagem à chegada.
to count up — calcular a soma de.
don't count your chickens before they are hatched — não deites foguetes antes da festa.
countenance ['kauntinəns], **1** — *s.* semblante, rosto; expressão do rosto; aspecto; apoio, protecção.
to give (to lend) countenance to — apoiar; favorecer.
to keep in countenance — proteger; animar.
to keep one's countenance — conservar-se calmo.
to lose countenance — descontrolar-se; não se dominar.
to put out of countenance — desconcertar.
2 — *vt.* apoiar; proteger; favorecer; aprovar.
counter ['kauntə], **1** — *s.* contador; calculador; ficha de jogo; balcão (dum estabelecimento); peito de cavalo; (boxe) golpe para desviar outro golpe; calcanhar de sapato; contador (de rotações, etc.).
to serve behind the counter—atender ao balcão.
2 — *adj.* contrário, oposto.
3 — *adv.* em sentido inverso.
4 — *pref.* contra.
5 — *vt.* e *vi.* opor, contradizer; (boxe) desviar um golpe com outro golpe; enfrentar.
counteract [kauntə'rækt], *vt.* contrariar; frustrar; impedir; neutralizar. (*Sin.* to oppose, to frustrate, to hinder, to defeat, to neutralize. *Ant.* to abet.)
counteraction [kauntə'rækʃən], *s.* oposição, impedimento, neutralização.
counteractive [kauntə'ræktiv], *adj.* contrário, oposto.
counter-attack [-ə'tæk], *s.* contra-ataque.
counter-attraction['kauntərə'trækʃən], *s.* atracção oposta.
counterbalance 1 — ['kauntə'bæləns], *s.* contrapeso, equilíbrio.
2 — [kauntə'bæləns], *vi.* contrabalançar.
counterblast ['kauntəbla:st], *s.* oposição enérgica.
counterchange [kauntə'tʃeindʒ], *vt.* trocar, permutar, alternar.
countercharge ['kauntə-tʃa:dʒ], *s.* recriminação.
counter-clockwise ['kauntə'klɔkwaiz], *adj.* e *adv.* contrário ao movimento dos ponteiros do relógio.
counter-espionage ['kauntə-espiə'na:ʒ], *s.* contra-espionagem.
counterfeit ['kauntəfit], **1** — *s.* falsificação; imitação, cópia.
2 — *adj.* impostor, fingido; falsificado.
3 — *vt.* falsificar; imitar, copiar; enganar, simular.
counterfoil ['kauntəfɔil], *s.* talão (dum cheque, recibo, etc.).
counter-jumper ['kauntə-'dʒʌmpə], *s.* *(depr.)* empregado de balcão.
countermand [kauntə'ma:nd], **1** — *s.* contra-ordem.
2 — *vt.* contra-ordenar; revogar; cancelar.
countermarch ['kauntəma:tʃ], **1** — *s.* contramarcha.

2 — *vt.* e *vi.* contramarchar.
countermark ['kauntəmɑ:k], **1** — *s.* contramarca.
2 — *vt.* contramarcar.
countermine **1** — ['kauntəmain], *s.* contramina, artifício para inutilizar um ardil, plano, etc.
2 — [kauntə'main], *vt.* contraminar; frustrar.
counterpane ['kauntəpein], *s.* colcha, coberta de cama.
counterpart ['kauntəpɑ:t], *s.* contrapartida; contraparte; parte correspondente; talão (de recibo, etc.); reprodução; duplicado, cópia.
counterplot ['kauntəplɔt], **1** — *s.* contraconspiração.
2 — *vt.* e *vi.* frustrar uma conspiração.
counterpoint ['kauntəpɔint], *s.* (mús.) contraponto.
counterpoise ['kauntəpɔiz], **1** — *s.* contrapeso; equilíbrio.
2 — *vt.* contrabalançar, equilibrar, contrapesar.
counterscarp ['kauntə-skɑ:p], *s.* contra-escarpa, talude do fosso fronteiro à escarpa.
countersign ['kauntəsain], **1** — *s.* contra-senha; assinatura adicional.
2 — *vt.* rubricar; ratificar.
countersink ['kauntəsiŋk], *vt.* (pret. **countersank** ['kauntəsæŋk], pp. **countersunk** ['kauntəsʌŋk]) contrapunçoar.
counterstroke ['kauntəstrouk], *s.* contrapancada.
counter-tenor ['kauntə'tenə], *s.* contralto.
counterweigh [kauntə'wei], *vt.* contrapesar, contrabalançar; comparar.
counterweight ['kauntəweit], *s.* contrapeso.
countess ['kauntis], *s.* condessa.
counting ['kauntiŋ], *s.* contagem.
counting-house — escritório (de casa comercial, de fábrica, etc.).
counting-machine — máquina de calcular.
countless ['kauntlis], *adj.* inúmero, sem conta, inumerável.
countrified, countryfied ['kʌntrifaid], *adj.* rústico, rural.
country (pl. **countries**) ['kʌntri,-iz], *s.* país; região; pátria; campo, província, região rural.
country bumpkin — homem simples.
all the country round — por todo o país.
country-folk — gente da aldeia.
country-house — casa de campo, de quinta ou de herdade.
country life — vida do campo.
native country — país natal.
country-seat — solar de fidalgo.
countryside — campo, parte duma região rural.
so many countries, so many customs — cada terra com seu uso, cada roca com seu fuso.
to go (to appeal) to the country — apelar para o país em época de eleições.
to live in the country — viver no campo.
countryman (pl. **countrymen**) [-mən], *s.* compatriota; camponês, provinciano.
countrywoman (pl. **countrywomen**) [-wumən -wimin], *s.* compatriota; provinciana.
county (pl. **counties**) ['kaunti, -z], *s.* condado; comarca; distrito.
county borough — distrito de mais de 50 000 habitantes.
county council — conselho administrativo dum condado.
county-court — tribunal local dum condado (para a cobrança de pequenas dívidas), tribunal de primeira instância.
county town — cidade capital dum condado.
coup [ku:], *s.* golpe.
coup d'état — golpe de Estado.
coup de grace — golpe de misericórdia.
coup de main — ataque repentino.
coup d'œil — golpe de vista.
coupé ['ku:pei], *s.* cupé.
couple [kʌpl], **1** — *s.* par, parelha; casal; trela; uns, umas, uns tantos, alguns, algumas, dois ou três.
a couple of days — dois ou três dias, uns dias.
a couple of pounds — duas libras.
a couple of weeks — uma quinzena.
2 — *vt.* e *vi.* ligar, unir; casar; copular.
coupler [-ə], *s.* aparelho para unir (gancho, mola, etc.).
couplet [-it], *s.* copla.
coupling [-iŋ], *s.* união, ligação; engrenagem; engate; embraiagem; articulação.
coupling-box — manga de embraiagem.
coupon ['ku:pɔn], *s.* cupão.
courage ['kʌridʒ], *s.* coragem, ânimo; valentia, bravura, valor, intrepidez. (*Sin.* bravery, boldness, gallantry, spirit, pluck. *Ant.* cowardice.)
Dutch courage — valentia adquirida com bebidas alcoólicas.
to lose courage — perder a coragem.
to pluck up courage — tomar coragem, encher-se de coragem.
courageous [kə'reidʒəs], *adj.* corajoso, bravo, valente, animoso, ousado, intrépido.
courageously [-li], *adv.* corajosamente, valentemente, intrepidamente.
courageousness [-nis], *s.* coragem, valor, ânimo, valentia.
courier ['kuriə], *s.* encarregado de agência de turismo que acompanha excursionistas; correio, mensageiro especial.
course [kɔ:s], **1** — *s.* carreira, corrida; curso; caminho, rumo, direcção, marcha; pista de corridas; curso de estudos; decurso; conduta, procedimento, porte; prato servido numa refeição; fiada de pedras. (*Sin.* race, career, current, direction, track, sequence, succession, progress, behaviour, conduct.)
a matter of course — uma coisa natural.
course of exchange — cotação do câmbio.
course of business — marcha de negócios.
a course of lectures — uma série de conferências.
in due course — no tempo devido.
in the course of a month — no decurso dum mês.
of course — certamente, naturalmente, evidentemente, é claro (que).
on course — a caminho.
golf course — campo de golfe.
the course of life — o curso da vida.
2 — *vt.* e *vi.* percorrer; fazer correr; caçar; perseguir; correr com velocidade; circular, correr (o sangue).
the blood courses through the veins — o sangue circula nas veias.
courser [-ə], *s.* corcel.
coursing [-iŋ], *s.* caça (à lebre).
court [kɔ:t], **1** — *s.* tribunal; audiência; corte, residência real; comitiva real; recinto para jogos (ténis, etc.); pátio; (Cantabrígia) pátio quadrangular de colégio universitário; galanteio.
Court of Justice — tribunal.
court-martial — conselho de guerra.
court-day — dia de audiência real.
High Court of Justice — Supremo Tribunal de Justiça.

in open court — em plena audiência.
she came before the court — ela compareceu perante o tribunal.
to pay court to — cortejar.
to take a case to court — levar uma questão ao tribunal.
to settle a case out of court — resolver uma questão amigavelmente, sem recorrer ao tribunal.
2 — *vt.* cortejar, fazer a corte a; captar; solicitar; correr o risco de.
courteous ['kə:tjəs], *adj.* cortês, delicado, atencioso, afável.
courteously [-li], *adv.* cortesmente, delicadamente, atenciosamente.
courteousness [-nis], *s.* cortesia, delicadeza, urbanidade, afabilidade.
courtesy (pl. **courtesies**) ['kə:tisi, -z], *s.* cortesia, delicadeza, urbanidade, reverência.
by the courtesy of — por especial deferência de.
courtier ['kɔ:tjə], *s.* cortesão.
courtly ['kɔ:tli], *adj.* cortesão, palaciano, cortês; obsequioso, amável.
courtship ['kɔ:t-ʃip], *s.* galanteio; corte, namoro.
courtyard ['kɔ:t'jɑ:d], *s.* pátio.
cousin [kʌzn], *s.* primo, prima.
first cousin — primo em primeiro grau.
second cousin — primo em segundo grau.
cove [kouv], **1** — *s.* enseada, angra, abrigo; (col.) companheiro, amigo.
2 — *vt.* abobadar, arquear.
covenant ['kʌvinənt], **1** — *s.* contrato, ajuste, pacto; escritura de contrato.
Ark of the Covenant — Arca da Aliança (Bíblia).
2 — *vt.* e *vi.* contratar, fazer um contrato; concordar.
covenanter [-ə], *s.* contratante.
Covent Garden ['kɔvənt-'gɑ:dn], *s.* teatro famoso e mercado de frutas e de hortaliças em Londres.
cover ['kʌvə], **1** — *s.* cobertura, coberta; tampa; capa; abrigo; sobrescrito; reservas (financeiras, etc.); máscara; talher completo (para uma pessoa).
from cover to cover — do princípio ao fim (livro).
to break cover — sair de entre o mato, arbustos, etc. (animais).
to take cover — abrigar-se.
under cover — a coberto, a salvo.
we send the stamps under the same cover — enviamos os selos no mesmo envelope.
2 — *vt.* cobrir, tapar; abrigar; ocultar, encobrir; proteger; percorrer; (mil.) dominar, comandar; abranger; cobrir (despesas pelo seguro).
covered with dust — coberto de pó.
to cover a long distance — percorrer (cobrir) uma grande distância.
to cover one's expenses — cobrir as despesas.
to cover up — tapar completamente; esconder.
trees covered with fruit — árvores carregadas de fruta.
covering ['kʌvəriŋ], *s.* cobertura; tampa; capa.
covering letter — carta que explica documentos juntos.
coverlet ['kʌvəlit], *s.* colcha de cama.
covert 1 — ['kʌvə], *s.* abrigo, esconderijo; guarida (de animais).
covert coat — sobretudo pequeno e leve.
2 — ['kʌvət], *adj.* encoberto, escondido, dissimulado; sob a protecção da lei.
coverture ['kʌvətjuə], *s.* cobertura; abrigo; estado de mulher casada.
covet ['kʌvit], *vt.* cobiçar, ambicionar, aspirar a; desejar ardentemente; apetecer.
all covet, all lose—quem tudo quer tudo perde.
covetous [-əs], *adj.* cobiçoso, ambicioso; avarento, avaro; ávido. (*Sin.*eager, desirous, avaricious, grasping, greedy.*Ant.*unselfish, liberal.)
covetously [-əsli], *adv.* cobiçosamente.
covetousness [-əsnis], *s.* cobiça, ambição; avidez.
covey ['kʌvi], *s.* ninhada, bando de perdizes; grupo de pessoas; família.
coving ['kʌviŋ], *s.* superfície curva duma abóbada; *pl.* os lados curvos dum fogão de sala.
cow [kau], **1** — *s.* vaca; fêmea do elefante, do rinoceronte, do búfalo, da baleia.
cow-boy — vaqueiro.
cow-catcher — limpa-trilhos.
cow-bane — cicuta aquática.
cow-hide — couro; chicote de couro.
cow-puncher — vaqueiro.
milk cow — vaca leiteira.
to wait till the cows come home — ficar eternamente à espera; estar à espera de quem não vem.
2 — *vt.* acobardar; amedrontar, intimidar.
coward ['kauəd], *s.* e *adj.* cobarde, poltrão, pusilânime.
cowardice, cowardliness [-is, -linis], *s.* cobardia.
cowardly [-li], **1** — *adj.* cobarde.
2 — *adv.* cobardemente.
cower ['kauə], *vi.* agachar-se; encolher-se com medo.
cowherd ['kauhə:d], *s.* vaqueiro, guardador de gado.
cowl [kaul], *s.* capuz de frade; hábito de frade com capuz; cata-vento de chaminé.
cowrie, cowry (pl. **cowries**) ['kauri, -z], *s.* caurim, concha de molusco; espécie de molusco gastrópode.
cowslip ['kauslip], *s.* (bot.) primavera.
coxcomb ['kɔkskoum], *s.* janota, peralta; pretensioso.
coxswain ['kɔkswein], **1** — *s.* patrão (de embarcação); timoneiro.
2 — *vt.* guiar (barco), timonar.
coy [kɔi], *adj.* recatado, modesto, acanhado, envergonhado, tímido, reservado. (*Sin.* bashful, modest, shy, retiring, reserved, demure. *Ant.* forward, daring.)
coyly [-li], *adv.* recatadamente, modestamente, acanhadamente; timidamente.
coyness [-nis], *s.* acanhamento, modéstia; vergonha, timidez, reserva. (*Sin.* shyness, modesty, reserve, bashfulness, timidity. *Ant.* forwardness.)
coyote [*'kɔiout*], *s.* lobo da América; coiote.
coze [kouz], **1** — *s.* conversa.
2 — *vi.* conversar.
cozen [kʌzn], *vt.* enganar, lograr, defraudar, intrujar.
cozener [-ə], *s.* enganador; intrujão.
cozy ['kouzi], *adj.* ver **cosy.**
crab [kræb], **1** — *s.* caranguejo; Câncer, Caranguejo (signo); macieira brava; maçã brava; guindaste; pessoa avinagrada.
to catch a crab — ficar com um remo preso na água.
to turn out crabs — ser mal sucedido.
2 — *vt.* e *vi.* (pret. e pp. **crabbed**) arranhar; criticar com severidade, depreciar.
crabbed [-id], *adj.* impertinente, irritável; azedo; intratável; difícil de perceber.

crabbedly [-idli], *adv.* impertinentemente, asperamente.
crabbedness [-idnis], *s.* impertinência, azedume.
crack [kræk], **1** — *s.* fenda, racha, abertura, greta; estampido; estalo; estrondo; pancada; jogador excelente; ladrão.
a crack in the wood — uma fenda na madeira.
a crack on the head — uma pancada na cabeça.
in a crack — num instante.
the crack of the whip — o estalido do chicote.
to have a crack with — dar à língua com.
2 — *adj.* famoso, excelente.
crack-brained — sem pés nem cabeça; insensato.
3 — *vt.* e *vi.* fender, rachar; estalar, rebentar; quebrar; fazer estalar; arruinar.
to crack a joke — dizer uma graça.
to crack up — perder a saúde.
to crack up (a person or thing) — elogiar.
to crack a crib — arrombar uma casa.
to crack a whip — fazer estalar um chicote.
to crack a bottle — beber, esvaziar uma garrafa.
to crack nuts — partir nozes.
to have a hard nut to crack — ver-se em calças pardas; estar seriamente atrapalhado; estar à toa.
to crack the brain — ficar tolinho.
your voice begins to crack — começas a mudar de voz.
cracked [-t], *adj.* estalado, fendido; (col.) amalucado.
cracker [-ə], *s.* petardo; foguete; bolacha ou biscoito duro; (col.) mentira.
nut-cracker(s) — quebra-nozes.
cracking [-iŋ], *s.* estrondo, estalido; acção de rachar.
crackle [krækl], **1** — *s.* crepitação, estalo.
2 — *vi.* crepitar, estalar.
crackling [-iŋ], *s.* crepitação, estalo; pele de porco bem tostada.
cracknel [kræknl], *s.* biscoito, bolacha.
cradle [kreidl], **1** — *s.* berço; instrumento agrícola para ceifar e acamar o trigo; máquina para lavar o ouro quando sai da mina.
cradle-song — canção de embalar.
from the cradle — desde a infância.
to rock a cradle — embalar um berço.
2 — *vt.* pôr no berço; embalar; ceifar.
craft [krɑ:ft], *s.* habilidade, artifício; perícia; destreza; astúcia, manha; arte, ofício; profissão; embarcação; aeroplano. (*Sin.* cunning, dexterity, skill, deceit, art, trade. *Ant.* artlessness.)
craft-brother — o que tem o mesmo ofício.
craft-guild — corporação.
craftily [-ili], *adv.* com astúcia, artificialmente.
craftniness [-inis], *s.* astúcia, manha, ladinice.
craftsman (pl. **craftsmen**) [-smən], *s.* artífice; operário especializado.
craftsmanship [-smənʃip], *s.* habilidade; condição de artífice.
crafty [-i], *adj.* astuto, manhoso, ladino, fino.
crag [kræg], *s.* despenhadeiro, penhasco íngreme; precipício.
cragged [-id], *adj.* escarpado, escabroso, pedregoso, fragoso.
cragginess [-inis], *s.* escabrosidade, fragosidade.
craggy [-i], *adj.* escabroso, escarpado, fragoso, pedregoso.
cragsman (pl. **cragsmen**) [-zmən], *s.* alpinista, homem hábil em escalar montanhas.
crake [kreik], **1** — *s.* codornizão; cacarejo da codorniz.
2 — *vt.* gritar desagradavelmente, imitando o cacarejo da codorniz.
cram [kræm], **1** — *s.* saciedade; abarrotamento; explicação (para exame); (fam.) mentira, peta.
2 — *vt.* e *vi.* (pret. e pp. **crammed**) encher, abarrotar; empanturrar; comer com sofreguidão; fartar; explicar, preparar (para exames).
crambo [ˈkræmbou], *s.* crambo (jogo).
crammer [ˈkræmə], *s.* explicador, preparador para exames; mentira.
cramp [kræmp], **1** — *s.* cãibra; gato de ferro; grampo; prensa para unir duas peças.
writer's cramp — cãibra de quem escreve muito.
2 — *adj.* pouco claro.
3 — *vt.* ter cãibras; apertar numa prensa; estreitar, restringir, limitar.
crampon [ˈkræmpən], *s.* gancho de ferro; chapa de ferros com cravos que se aplica nos sapatos para andar sobre o gelo.
cran [kræn], *s.* medida escocesa para peixe.
cranberry (pl. **cranberries**) [ˈkrænbəri,-z], *s.* (bot.) arando.
crane [krein], **1** — *s.* (zool.) grou; guindaste; sifão; bomba fornecedora de água à locomotiva.
crane-fly — típula, género de insectos dípteros.
crane rope — cabo do guindaste.
2 — *vt.* e *vi.* levantar com guindaste; alongar, estender; estender-se.
he cranes at the difficulty — ele recua perante a dificuldade.
to crane the neck — estender o pescoço.
cranial [-jəl], *adj.* craniano, do crânio.
craniologist [kreiniˈɔlədʒist], *s.* craniologista.
craniology [kreiniˈɔlədʒi], *s.* craniologia, estudo do crânio nas suas relações com as aptidões e instintos.
cranium (pl. **crania**) [ˈkreinjəm,-jə], *s.* crânio.
crank [kræŋk], **1** — *s.* manivela; torniquete; frase bombástica; ideia ou pessoa excêntrica ou maníaca; mania.
crank-arm — braço de manivela.
crank disk — prato de manivela.
crank pin — munhão de manivela.
crank-shaft — veio motor.
he is a crank — é um excêntrico.
2 — *adj.* fraco, abalado; sujeito a voltar-se (navio).
3 — *vt.* e *vi.* apertar com torniquete; fazer andar por meio de manivela.
he cranks up the engine — põe o motor a trabalhar com a manivela.
cranked [-t], *adj.* dobrado, curvo, em cotovelo.
crankily [-ili], *adv.* de modo desequilibrado; com mau humor.
crankiness [-inis], *s.* desequilíbrio; mania; rabugice, mau humor.
cranky [-i], *adj.* débil, fraco; desequilibrado; excêntrico; tortuoso; rabugento.
cranny (pl. **crannies**) [ˈkræni,-z], *s.* fenda, greta, racha.
crape [kreip], **1** — *s.* crepe; fumo (luto).
2 — *vt.* revestir de crepe.
crapulence [ˈkræpjuləns], *s.* crápula, desregramento; embriaguez.
crapulent [ˈkræpjulənt], *adj.* crapuloso; desregrado.
crapulently [-li], *adv.* desregradamente.
crapulous [ˈkræpjuləs], *adj.* crapuloso.
crash [kræʃ], **1** — *s.* estrépito, estampido, estrondo; destruição, ruína, bancarrota;

queda de um aeroplano; pano grosso de linho para toalhas.
the crash of the aeroplane on the ground — o estampido do aeroplano quando se despenha no solo.
2 — *vt.* e *vi.* estalar; fazer estrondo; despedaçar-se, fazer-se em pedaços; cair, despenhar-se (aeroplano); abrir caminho ruidosamente. (*Sin.* to shatter, to smash, to splinter, to fall, to tumble, to collapse.)
crasis ['kreisis], *s.* crase, contracção de duas vogais numa só.
crass [kræs], *adj.* espesso, grosso; crasso; grosseiro; estúpido.
crass ignorance — ignorância crassa.
crass stupidity — estupidez crassa.
crassly [-li], *adv.* crassamente, estupidamente.
crassness [-nis], *s.* crassidão.
cratch (pl. **cratches**) [krætʃ, -iz], *s.* manjedoura.
crate [kreit], **1** — *s.* cesto ou grade (para transporte de objectos frágeis).
2 — *vt.* proteger com grade.
crater [-ə], *s.* cratera (de vulcão).
cravat [krə'væt], *s.* gravata.
cravatted [-id], *adj.* engravatado.
crave [kreiv], *vt.* rogar, suplicar; suspirar por. (*Sin.* to desire, to yearn, to long for, to entreat, to implore.)
to crave for — suspirar por.
to crave one's pardon — pedir perdão.
craven [-ən], *s.* e *adj.* cobarde; abjecto.
craver [-ə], *s.* suplicante.
craving [-iŋ], *s.* súplica; desejo ardente.
craw [krɔ:], *s.* papo das aves.
crawfish [-fiʃ], *s.* caranguejo (do rio).
crawl [krɔ:l], **1** — *s.* viveiro de peixes; rastejo; deslocação muito lenta; braçada (natação).
to go at a crawl — andar muito devagar.
2 — *vi.* arrastar-se; rastejar; mover-se lentamente; sentir formigueiro (na pele).
crawler [-ə], *s.* réptil; o que rasteja; fato-macaco de criança; piolho; táxi que roda vagarosamente à procura de freguês.
crayfish ['krei-fiʃ], *s.* caranguejo; lagosta.
crayon ['kreiən], **1** — *s.* lápis de desenho; desenho a carvão.
2 — *vt.* desenhar a carvão.
craze [kreiz], **1** — *s.* loucura, demência; mania, capricho, paixão; entusiasmo louco; ranhuras feitas na louça.
2 — *vt.* e *vi.* enlouquecer; rachar; fender-se.
crazed [-d], *adj.* demente, louco; entusiasmado; com ranhuras.
crazily [-ili], *adv.* loucamente; entusiasticamente.
craziness [-inis], *s.* demência, loucura, desequilíbrio; entusiasmo louco.
crazy [-i], *adj.* desequilibrado, maluco, fraco de cabeça; desconcertado, desarranjado; entusiasmado; abalado; estalado. (*Sin.* mad, insane, deranged, silly, excited, enthusiastic, shaky, unsound. *Ant.* sane.)
a crazy building — um edifício que ameaça ruína.
to be crazy about something — ser (estar) doido por qualquer coisa, gostar imenso de.
creak [kri:k], **1** — *s.* som áspero, rangido; chiadeira.
2 — *vi.* chiar, ranger; fazer chiar ou ranger.
creaky [-i], *adj.* rangedor, chiador.
cream [kri:m], **1** — *s.* nata; creme; a flor, o melhor; cor de creme.
cream cake — pastel de nata.
cream of tartar — cremor de tártaro.
cream cheese — queijo amanteigado.
cream separator — desnatadeira.
ice-cream — gelado.
the cream of the story — o melhor (a parte mais interessante) da história.
2 — *vt.* e *vi.* desnatar, tirar a nata; criar nata; escolher o melhor (duma coisa).
creamer [-ə], *s.* desnatadeira.
creamery (pl. **creameries**) [-əri, -z], *s.* fábrica de manteiga; leitaria.
creamy [-i], *adj.* que contém nata; cremoso; suave.
crease [kri:s], **1** — *s.* ruga, vinco, prega; (críquete) linha que marca a posição do *bowler* e do *batsman.*
2 — *vt.* e *vi.* fazer pregas ou rugas; enrugar; vincar, fazer vincos; amarrotar.
to crease one's trousers — vincar as calças.
create [kri(:)'eit], *vt.* criar; produzir; ocasionar, dar origem a. (*Sin.* to cause, to produce, to originate, to invent. *Ant.* to destroy.)
creation [kri(:)'eiʃən], *s.* criação.
creationism [kri(:)'eiʃnizm], *s.* criacionismo.
creationist [kri(:)'eiʃnist], *s.* criacionista.
creative [kri(:)'eitiv], *adj.* criador.
creative genius — génio criador.
creatively [-li], *adv.* de modo criador.
creativeness [-nis], *s.* faculdade criadora, poder criador.
creator [kri(:)'eitə], *s.* criador.
The Creator — Deus, o Criador.
creature ['kri:tʃə], *s.* criatura; ser, ente; instrumento, joguete.
creature comforts — conforto material; comer e beber.
the creature — uísque.
crèche [kreiʃ], *s.* creche.
credence ['kri:dəns], *s.* crédito, fé; credência do altar.
letter of credence — credencial.
to give credence to — dar crédito a, acreditar em.
credential [kri'denʃəl], *s.* credencial; *pl.* credenciais diplomáticas.
credibility [kredi'biliti], *s.* credibilidade.
credible ['kredəbl], *adj.* crível. (*Sin.* believable, reliable, likely, probable. *Ant.* incredible).
credibly [-i], *adv.* de modo crível.
credit ['kredit], **1** — *s.* crédito, confiança; boa reputação, honra; consideração; prestígio; crédito comercial; depósito bancário.
a person of high credit — uma pessoa de grande reputação.
on credit — a crédito.
long or short credit — crédito a longo ou a curto prazo.
that does you credit — isso dá-lhe honra.
they are cleverer than I gave them credit for — são mais espertos do que eu julgava.
to add to one's credit — aumentar a sua reputação.
to take credit for — atribuir-se a honra de.
2 — *vt.* acreditar, dar crédito a; confiar; vender a crédito; creditar.
to credit a person with — atribuir qualidades a alguém; ter alguém na conta de.
creditable [-əbl], *adj.* honroso, estimável; acreditável.
creditably [-əbli], *adv.* honrosamente, com estima.
creditor [-ə], *s.* credor; o haver.
credo (pl. **credos**) ['kri:dou,-z], *s.* credo.
credulity [kri'dju:liti], *s.* credulidade.
credulous ['kredjuləs], *adj.* crédulo.
credulousness [-nis], *s.* credulidade.
credulously [-li], *adv.* credulamente.
creed [kri:d], *s.* credo; crença; doutrina. (*Sin.* belief, dogma, doctrine.)

creek [kri:k], *s.* angra, pequena enseada, esteiro, cala; (E. U.) rio pequeno, afluente.
creel [kri:l], *s.* cesto de pescador; cabaz.
creep [kri:p], **1** — *s.* arrepio.
it gives me the creeps — horroriza-me.
2 — *vi.* (pret. e pp. **crept** [krept]) arrastar-se, andar de rastos, rastejar; sentir arrepios; caminhar sorrateiramente.
to make one's flesh creep — horrorizar.
creeper [-ə], *s.* o que anda de rastos; réptil; planta rasteira ou trepadeira; arpão.
creeping [-iŋ], **1** — *s.* formigueiro (na pele); bajulação; acção de rastejar.
2 — *adj.* rastejante; bajulador.
creepy [-i], *adj.* rastejante; arrepiante, que inspira medo.
cremate [kri'meit], *vt.* cremar.
cremation [kri'meiʃən], *s.* cremação.
cremator [kri'meitə], *s.* cremador; forno crematório.
crematorium (pl. **crematoriums, crematoria**) [kremə'tɔ:riəm, -z,-ə], *s.* forno crematório.
crematory (pl. **crematories**) ['kremətəri, -z], *s.* crematório.
crenate ['kri:neit], *adj.* crenado, que tem crenas.
crenel(l)ate ('krenileit),*vt.*fortificar com ameias.
crenellation [kreni'leiʃən], *s.* fortificação com ameias.
creole ['kri:oul], *s.* e *adj.* crioulo.
creosote ['kriəsout], *s.* creosote.
crepe [kreip], *s.* crepe.
crepitant ['krepitənt], *adj.* crepitante.
crepitate ['krepiteit], *vi.* crepitar, produzir crepitação.
crepitation [krepi'teiʃən], *s.* crepitação.
crept [krept], *pret.* e *pp.* do verbo **to creep.**
crepuscular [kri'pʌskjulə], *adj.* crepuscular.
crepuscule ['krepəskju:l], *s.* crepúsculo.
crescent [kresnt], **1** — *s.* quarto crescente; figura em forma de meia-lua; crescente; a bandeira turca; o Islamismo.
2 — *adj.* crescente, que aumenta.
cress (pl. **cresses**) [kres, -iz], *s.* agrião.
crest [krest], **1** — *s.* crista de galo; poupa das aves; crista de monte; crista de vaga, penacho; crina de cavalo; timbre de brasão. (*Sin.* top, tuft, plume, mane, device.)
crest-fallen — vencido, abatido, deprimido.
on the crest of the wave — *(fig.)* nos píncaros da Lua.
2 — *vt.* e *vi.* encrespar; formar crista; subir até ao cimo.
cretaceous [kri'teiʃəs], *adj.* cretáceo; da natureza da greda.
Crete [kri:t], *top.* Creta.
cretin ['kretin], *s.* cretino, idiota, imbecil.
cretinize [-aiz], *vt.* cretinizar, tornar cretino, estupidificar.
cretinism [-izm], *s.* cretinismo, imbecilidade, estupidez.
cretinous [-əs], *adj.* cretino.
cretonne [kre'tɔn], *s.* cretone.
crevasse [kri'væs], *s.* fenda profunda numa geleira.
crevice ['krevis], *s.* fenda, racha, greta, abertura.
crew [kru:], **1** — *s.* tripulação; pessoal de serviço; turba, multidão.
2 — *pret.* do verbo **to crow.**
crewel-work [kruəlwə:k], *s.* tapeçaria (sobre tela).
crib [krib], **1** — *s.* manjedoira; cabana, choça; cama de criança (com grades); «burro», tradução literal de textos para auxílio de estudantes, cábula (para copiar); plagiato.
The Crib — o Presépio.
2 — *vt.* (pret. e pp. **cribbed**) encerrar em pequeno espaço; surripiar; prover de manjedoiras; plagiar; (col.) cabular, copiar por cábulas.
cribbage [-idʒ], *s.* jogo de cartas.
crick [krik], **1** — *s.* torcicolo, dor nos músculos do pescoço.
2 — *vt.* provocar um torcicolo.
cricket ['krikit], **1** — *s.* grilo; críquete.
as lively as a cricket — alegre como um pássaro.
it's not cricket — não é leal.
2 — *vi.* jogar o críquete.
cricketer [-ə], *s.* jogador de críquete.
cricoid ['kraikɔid], *s.* cartilagem da laringe.
crier ['kraiə], *s.* pregoeiro.
crime [kraim], **1** — *s.* crime, delito. (*Sin.* offence, delinquency, misdeed, sin.)
2 — *vt.* condenar; incriminar.
crimeless [-lis], *adj.* sem crime, inocente.
criminal ['kriminl], **1** — *s.* criminoso.
2 — *adj.* criminoso; em que há crime; ilícito.
criminal conversation — relações sexuais ilícitas.
criminality [krimi'næliti], *s.* criminalidade.
criminally ['kriminəli], *adv.* criminosamente, criminalmente.
criminate ['krimineit], *vt.* incriminar, acusar, culpar.
crimination [krimi'neiʃən], *s.* incriminação.
criminologist [krimi'nɔlədʒist], *s.* criminologista.
criminology [krimi'nɔlədʒi], *s.* criminologia.
crimp [krimp], **1** — *s.* angariador, engajador.
2 — *vt.* angariar, engajar; encrespar; frisar; enrugar.
crimpy [-i], *adj.* frisado, ondeado, encrespado.
crimson [krimzn], **1** — *s.* e *adj.* carmesim.
2 — *vt.* e *vi.* tingir de carmesim; enrubescer.
cringe [krindʒ], **1** — *s.* bajulação, servilismo, adulação, lisonja.
2 — *vi.* adular servilmente, bajular, lisonjear. (*Sin.* to sneak, to flatter, to fawn, to cower, to stoop, to bow.)
cringer [-ə], *s.* bajulador, adulador servil, lisonjeador.
cringle [kriŋgl], *s.* (náut.) garruncho.
crinkle [kriŋkl], **1** — *s.* ruga.
2 — *vt.* e *vi.*. enrugar, encrespar; ondear, ondular.
crinkly [-i], *adj.* enrugado, encrespado; ondeado, ondulado.
crinoid ['krainɔid], *s.* crinóide.
crinoline ['krinəli:n], *s.* crinolina.
cripple [kripl], **1** — *s.* aleijado, estropiado; coxo; inválido.
2 — *vt.* e *vi.* aleijar, estropiar; tornar inválido; manquejar.
crippled [-d], *adj.* estropiado, aleijado; inválido.
crisis (pl. **crises**) ['kraisiz,'kraisi:z], *s.* crise.
cabinet crisis — crise ministerial.
financial crisis — crise financeira.
crisp [krisp], **1** — *s.* notas de banco; *pl.* batatas fritas vendidas em saquinhos.
2 — *adj.* crespo, encaracolado, ondeado; torrado; activo, vivo; decisivo; fortificante, tonificante. (*Sin.* wavy, curled, bracing, brisk, decisive. *Ant.* soft.)
crisp air — ar tonificante.
crisp repartee — resposta pronta e espirituosa.
3 — *vt.* e *vi.* encaracolar, ondear; encrespar; torrar, secar.
crisply [-li], *adv.* de modo crespo; secamente.
crispness [-nis], *s.* aspereza; dureza; vivacidade.

criss-cross ['kriskrɔs], **1** — *s.* linhas cruzadas; cruzamento de caminhos, linhas, estradas.
2 — *adj.* de linhas cruzadas, em cruz; rabugento.
3 — *vt.* e *vi.* cruzar; entrecruzar-se.
4 — *adv.* torto; ao invés.
criterion (pl. **criteria**) [krai'tiəriən, krai'tiəriə], *s.* critério.
critic ['kritik], *s.* e *adj.* crítico.
critical [-əl], *adj.* crítico; severo (na crítica); perigoso, grave; decisivo.
in a critical condition (of health) — em estado grave (de saúde).
the critical moment — o momento crítico.
critically [-əli], *adv.* severamente, rigorosamente; numa situação crítica; no momento crítico.
criticaster ['kritikæstə], *s.* criticastro.
criticism ['kritisizm], *s.* crítica, arte de julgar as produções literárias, artísticas ou científicas; trabalho de crítico.
criticizable ['kritisaizəbl], *adj.* criticável.
criticize ['kritisaiz], *vt.* criticar, fazer a crítica de; censurar. (*Sin.* to discuss, to censure, to judge, to examine.)
critique [kri'ti:k], *s.* crítica, arte de julgar as produções literárias, artísticas ou científicas; apreciações destas produções.
croak [krouk], **1** — *s.* o coaxar das rãs; o crocitar do corvo; som semelhante ao grasnar; som desagradável.
2 — *vt.* e *vi.* grasnar, crocitar, coaxar; profetizar coisas más; rosnar, resmungar; (col.) morrer.
croaker [-ə], *s.* rosnador; resmungão; pessimista.
croaky [-i], *adj.* rouco, semelhante ao crocitar ou coaxar; desagradável; gutural.
croceate ['krousiit], *adj.* cor de açafrão.
crochet ['krouʃei], **1** — *s.* croché.
2 — *vi.* fazer croché.
crock [krɔk], **1** — *s.* cavalo cansado; (col.) pessoa incapacitada; louça de barro; caco de louça de barro; (Escócia) ovelha velha.
2 — *vt.* e *vi.* incapacitar; adoecer.
crockery [-əri], *s.* faiança; louça de barro.
crocket ['krɔkit], *s.* ornamento usado em cornijas, remates, etc.
crocodile ['krɔkədail], *s.* crocodilo; (col.) fila de raparigas de colégio caminhando duas a duas.
crocodile tears — lágrimas de crocodilo.
crocus (pl. **crocuses**) ['kroukəs, -iz], *s.* açafrão; pó para polir.
croft [krɔft], *s.* pequena quinta; quintal.
crofter [-ə], *s.* caseiro duma quinta pequena; pequeno agricultor.
cromlech ['krɔmlək], *s.* megálito, pedra monumental dos tempos pré-históricos.
crone [kroun], *s.* mulher idosa de rosto encarquilhado; ovelha ronhosa.
crony (pl. **cronies**) ['krouni], *s.* amigo íntimo; amigo velho; companheiro, camarada.
crook [kruk], **1** — *s.* cajado de pastor; báculo de bispo; gancho; croque; (col.) burlão, trapaceiro, vigarista; curva.
by hook or by crook — por quaisquer meios, lícitos ou ilícitos.
crook-backed — corcunda.
on the crook — por meios desonestos.
2 — *adj.* curvo; inclinado; desonesto.
3 — *vt.* e *vi.* dobrar, curvar.
crooked [-id], *adj.* curvo, arqueado, torcido; torto; perverso; desonesto. (*Sin.* curved, bent, twisted, distorted, dishonest.)
crooked-path — caminho tortuoso.
crookedly [-idli], *adv.* de través; em curva; tortuosamente; de mau modo.
crookedness [-idnis], *s.* tortuosidade; perversidade; desonestidade.
croon [kru:n], **1** — *s.* trauteio.
2 — *vt.* trautear, cantar a meia voz, cantarolar.
crop [krɔp], **1** — *s.* colheita; papo (de ave); pele curtida; corte de cabelo (à escovinha); cabo de chicote; grupo de coisas ou pessoas.
a crop of letters to reply to — um montão de cartas para responder.
he turned him out of the room neck and crop — pô-lo fora da sala sem hesitar.
the crops — as colheitas.
2 — *vt.* e *vi.* (pret. e pp. **cropped**) cortar rente; aparar; tosar; colher; semear; aparecer inesperadamente. (*Sin.* to cut, to reap, to gather, to sow, to turn up, to appear.)
to crop a field with barley — semear um campo de cevada.
to crop out — aflorar, aparecer à superfície.
to crop the hair—cortar o cabelo à escovinha.
to crop up — aparecer inesperadamente.
cropper [-ə], *s.* colhedor de frutos; planta que produz uma boa colheita; pombo papudo; (col.) queda.
to come a cropper — cair desastradamente; falhar.
croquet ['kroukei], **1** — *s.* cróquete (jogo).
2 — *vt.* impelir a bola do adversário no jogo do cróquete.
croquette [krou'ket], *s.* croquete.
crosier ['krouʒə], *s.* báculo de bispo ou de abade.
cross [krɔs], **1** — *s.* cruz; aflição, tortura, tormento; contrariedade, revés; cruzamento de castas; religião cristã; (col.) fraude. (*Sin.* misfortune, affliction, trial, annoyance, decoration, worry, trouble.)
Christ's Cross — cruz de Cristo.
no cross, no crown — não há triunfo sem sofrimento.
Red Cross (Society) — (Sociedade da) Cruz Vermelha.
the bars of the cross — os braços da cruz.
to cut material on the cross — cortar tecido em diagonal.
to make one's cross — assinar com uma cruz em vez do nome; assinar de cruz.
to make the sign of the cross — persignar-se.
Victoria Cross — Cruz de Guerra.
2 — *adj.* atravessado; transversal, em cruz; mal—humorado, rabugento, impertinente, zangado; contrário, oposto.
as cross as two sticks — muito zangado, pior que um urso.
a cross answer — uma resposta torta.
cross-entry — estorno.
cross-sea — mar cruzado.
cross-section — corte transversal; perfil transversal.
cross-shaped — em forma de cruz.
to be cross with a person — estar zangado com alguém.
3 — *vt.* e *vi.* cruzar, atravessar; riscar, pôr um traço; cruzar, encontrar-se no caminho; barrar (um cheque); contrariar; persignar-se; cruzar-se.
to cross a cheque — barrar um cheque.
to cross a street — atravessar uma rua.
to cross one's mind — vir à lembrança, ocorrer ao pensamento.
to cross out a word — riscar uma palavra.
the letters crossed each other — as cartas cruzaram-se.
to cross the legs — cruzar as pernas.
to cross oneself — persignar-se.
to cross one's path — encontrar-se com.

to cross one's t's and dot one's i's — ser muito cuidadoso no que se diz e no que se faz.
he has been crossed in his plans — frustraram-lhe os planos.
cross-action ['krɔs'ækʃən], *s.* acção judicial de contradita.
cross-bar ['krɔsbɑ:], *s.* tranca, travessão, viga.
crossbeam ['krɔsbi:m], *s.* trave mestra.
cross-bench ['krɔsbentʃ], **1** — *s.* lugar no Parlamento inglês, onde se sentam os deputados independentes.
2 — *adj.* imparcial, independente.
crossbill ['krɔsbil], *s.* cruza-bico (ave).
cross-bones ['krɔsbounz], *s.* ossos colocados em cruz como símbolo da morte.
skull and cross-bones — caveira e ossos cruzados, símbolo da morte; emblema da bandeira dos piratas.
cross-bow ['krɔsbou], *s.* besta, arma de arremesso.
cross-bred ['krɔsbred], *adj.* de raça cruzada.
cross-breed ['krɔsbri:d], *s.* raça cruzada.
cross-bun ['krɔs'bʌn], *s.* bolinho marcado com uma cruz.
cross-country ['krɔs'kʌntri], *adj.* de corta-mato; através dos campos.
cross-country running — corrida de corta-mato.
crosse [krɔs], *s.* raqueta comprida usada no jogo *lacrosse.*
cross-examination ['krɔsigzæmi'neiʃən], *s.* instância a uma testemunha.
cross-examine ['krɔsig'zæmin], *vt.* instar.
cross-examiner [-ə], *s.* aquele que insta.
cross-eyed ['krɔsaid], *adj.* estrábico, vesgo.
cross-fire ['krɔsfaiə], *s.* (mil.) fogo cruzado.
cross-grained ['krɔsgreind], *adj.* atravessado (fio da madeira); intratável, ruim, impertinente.
crosshead ['krɔshed], *s.* cruzeta; subtítulo introduzido no meio dum artigo de jornal para realçar o que se segue.
crossing ['krɔsiŋ], *s.* travessia; encruzamento; passadeira (para peão).
level crossing — passagem de nível.
pedestrian crossing — passadeira para peões.
cross-legged ['krɔslegd], *adj.* de pernas cruzadas.
crossly ['krɔsli], *adv.* de mau humor, impertinentemente.
crossness ['krɔsnis], *s.* mau humor; rabugice, impertinência, enfado; má disposição.
crosspatch ['krɔspætʃ], *s.* rabugento, impertinente.
cross-purposes ['krɔs'pə:pəsiz], *s. pl.* disposições contrárias; ideias opostas; mal-entendido.
to be at cross-purposes — ter pontos de vista divergentes; ter um mal-entendido.
cross-question ['krɔs'kwestʃən], **1** — *s.* pergunta feita pelo advogado da parte contrária.
2 — *vt.* instar com uma testemunha, inquirir.
cross-road ['krɔsroud], *s.* encruzilhada; estrada lateral.
to be at the cross-roads — estar no momento em que é preciso tomar uma resolução.
cross-stitch ['krɔsstitʃ], *s.* ponto de cruz.
cross-talk ['krɔstɔ:k], *s.* interferência telefónica.
cross-trees ['krɔstri:z], *s. pl.* (náut.) vaus da gávea.
cross-wise ['krɔswaiz], *adv.* de través; em cruz; através.
cross-word ['krɔswə:d], *s.* palavras cruzadas.
cross-word puzzle — problema de palavras cruzadas.
crotchet ['krɔtʃit], *s.* excentricidade, mania, capricho; (mús.) colcheia.
crotchety [-i], *adj.* excêntrico, maníaco, caprichoso.
croton ['kroutən], *s.* (bot.) cróton.
crouch [krautʃ], **1** — *s.* inclinação, submissão.
2 — *vi.* agachar-se; abaixar-se; bajular.
croup [kru:p], *s.* garupa do cavalo; garrotilho.
croupier ['kru:piə], *s.* banqueiro (no jogo).
crow [krou], **1** — *s.* corvo; canto do galo; palrar alegre de crianças.
a white crow — uma raridade.
as the crow flies — em linha recta.
cock's crow — canto do galo.
crow-bar — pé de cabra.
crow's nest — cesto de vigia.
crow's foot — pé-de-galinha; ruga em volta dos olhos.
to have a crow to pluck with anyone — ter uma questão para resolver; ter contas a ajustar com alguém.
2 — *vi.* (pret. **crew** [kru:], **crowed** [-d], pp. **crowed**) cantar (galo); vangloriar-se; palrar alegremente (criança).
to crow over — cantar vitória.
crowd [kraud], **1** — *s.* multidão, ajuntamento; populaça, plebe, turba; grupo; grande quantidade.
it would pass in a crowd — é sofrível, é escapatório.
to follow (to go with) the crowd — estar animado das mesmas ideias.
to get through the crowd — atravessar por entre a multidão.
2 — *vt.* e *vi.* amontoar, encher completamente; empurrar, comprimir, apertar; juntar, reunir. (*Sin.* to fill, to swarm, to flock, to press).
to crowd (on) sail — fazer força de vela, largar mais velas que o costume.
to crowd into — empurrar para dentro.
to crowd out — empurrar para fora.
crowded [-id], *adj.* apinhado de gente, repleto
crown [kraun], **1** — *s.* coroa; diadema; grinalda; soberania; coroa (moeda de 5 xelins); perfeição, glória; tonsura; copa de árvore, copa de chapéu; prémio, galardão.
crown-saw — serra cilíndrica.
crown-prince — príncipe herdeiro.
martyr's crown — coroa do martírio.
the crown of his labours — o prémio dos seus trabalhos.
from crown to toe — da cabeça aos pés.
2 — *vt.* coroar; premiar; consumar, acabar.
crowned heads — cabeças coroadas.
to crown a tooth—pôr uma coroa num dente.
to crown it all — para cúmulo.
crozier ['krouʒə], *s.* báculo de bispo ou de abade.
crucial ['kru:ʃjəl], *adj.* decisivo; severo; crítico; crucial.
crucian ['kru:ʃjən], *s.* peixe semelhante à carpa.
crucible ['kru:sibl], *s.* cadinho; prova severa.
crucifix (pl. **crucifixes**) ['kru:sifiks, -iz], *s.* crucifixo.
crucifixion [kru:si'fikʃən], *s.* crucificação.
cruciform ['kru:sifɔ:m], *adj.* cruciforme.
crucify ['kru:sifai], *vt.* crucificar; mortificar.
crude [kru:d], *adj.* cru, indigesto; verde, não maduro; imperfeito, tosco; rude, grosseiro, descortês.
crude facts — factos nus e crus.
crude manners — maneiras rudes.
crude oil — petróleo bruto.
crudely [-li], *adv.* cruamente; imperfeitamente; de maneira grosseira.

crudeness [-nis], *s.* crueza; imperfeição.
crudity (pl. **crudities**) [-iti, -z], *s.* crueza; imperfeição; dureza.
cruel [kruəl], *adj.* cruel, desumano; bárbaro; doloroso. (*Sin.* barbarous, ruthless, unmerciful, brutal, painful, distressing. *Ant.* kind.)
cruel fate — destino cruel.
cruel suffering — sofrimento doloroso.
cruelly [-i], *adv.* cruelmente.
cruelty (pl. **cruelties**) [-ti, -z], *s.* crueldade.
cruet ['kru(:)it], *s.* galheta (para azeite ou vinagre).
cruet-stand — galheteiro.
cruise [kru:z], **1** — *s.* cruzeiro; viagem de recreio (por mar).
2 — *vi.* andar em cruzeiro; fazer uma viagem de recreio (por mar).
cruising taxi — táxi que procura freguês.
cruiser [-ə], *s.* cruzador.
cruising [-iŋ], *s.* cruzeiro.
crumb [krʌm], **1** — *s.* migalha; miolo (de pão); pequena porção.
he picks up his crumbs (col.) — ele vai-se restabelecendo pouco a pouco.
2 — *vt.* esmigalhar; esmiolar.
crumble [krʌmbl], *vt.* e *vi.* esmigalhar; fraccionar; desmoronar-se, desfazer-se.
crumbly [-i], *adj.* que se esmigalha; quebradiço.
crumby ['krʌmi], *adj.* mole, que se pode esmigalhar; cheio de migalhas.
crummy ['krʌmi], *adj.* (col.) rechonchuda (mulher); rico.
crump [krʌmp], **1** — *s.* pancada forte; queda violenta; (cal. mil.) explosão de granada.
2 — *vt.* (col.) bater a bola com força (críquete).
crumpet [-it], *s.* bolo leve que se torra e se serve com manteiga; (col.) cabeça.
crumple [krʌmpl], *vt.* e *vi.* amarrotar, amachucar; amarfanhar; enrugar-se.
this cloth crumples very easily — esta fazenda amarrota-se facilmente.
to crumple up — ir-se abaixo, sucumbir, não poder resistir.
crunch [krʌntʃ], **1** — *s.* trituração; mastigação ruidosa.
2 — *vt.* e *vi.* mastigar com ruído; triturar; trincar; esmagar, pisar com o pé.
crupper ['krʌpə], *s.* rabicho (de arreio de cavalo).
crural ['kruərəl], *adj.* crural, relativo à coxa.
crusade [kru:'seid], **1** — *s.* cruzada.
2 — *vi.* partir em cruzada.
crusader [-ə], *s.* cruzado, cavaleiro.
cruse [kru:z], *s.* bilha.
widow's cruse — poço sem fundo; fonte inesgotável.
crush [krʌʃ], **1** — *s.* aperto; multidão compacta; aperto de gente; colisão, choque; reunião (com muita gente).
to have a crush on — gostar muito de.
2 — *vt.* e *vi.* esmagar; amachucar, amarrotar; esborrachar; apertar, comprimir; achatar; vencer, subjugar. (*Sin.* to crumple, to squeeze, to compress, to bruise, to overwhelm, to subdue.)
to crush a cup of wine — esvaziar uma taça de vinho.
to crush out — extinguir.
to crush grapes — pisar uvas.
silk crushes very easily — a seda amarrota-se facilmente.
crusher [-ə], *s.* esmagador.
crushing [-iŋ], **1** — *s.* esmagamento; trituração.
2 — *adj.* esmagador.

crust [krʌst], **1** — *s.* crosta, côdea; côdea de pão; crusta terrestre; depósito em garrafa (de vinho).
2 — *vt.* e *vi.* incrustar, incrustar-se; criar côdea.
crustacea [krʌs'teiʃjə], *s. pl.* crustáceos.
crustaceous [krʌs'teiʃəs], *adj.* crustáceo, relativo aos crustáceos.
crusted ['krʌstid], *adj.* coberto de crosta; antigo, velho, antiquado.
crustily ['krʌstili], *adv.* impertinentemente, com enfado.
crustiness ['krʌstinis], *s.* crosta; impertinência; irritabilidade, enfado, rabugice.
crusty ['krʌsti], *adj.* coberto de crosta; que tem côdea; impertinente, irritável, rabugento.
crutch (pl. **crutches**) [krʌtʃ, -iz], *s.* muleta; descanso; suporte.
to go on crutches — andar de muletas.
crux (pl. **cruxes**) [krʌks, -iz], *s.* dificuldade; enigma.
cry [krai], **1** — *s.* grito, clamor, brado; proclamação; pregão; choro; súplica, petição; latido de galgos (em perseguição da caça). (*Sin.* scream, shriek, clamour, entreaty, weeping, rumour, lament. *Ant.* laughter.)
a far cry — uma grande distância.
a loud cry — um grande grito.
cry-baby — choramingas.
in full cry — matilha de galgos a latir em perseguição da caça.
hue and cry — perseguição.
much cry and little wool — muito barulho para nada; muita parra e pouca uva.
to have a good cry — chorar até passar o nervosismo.
2 — *vt.* e *vi.* gritar, clamar; proclamar; bradar; apregoar; vociferar; chorar; latir.
to cry against — queixar-se de.
to cry down — desacreditar, rebaixar; difamar.
to cry for help — gritar por socorro.
to cry out — gritar, bradar, vociferar.
to cry one's eyes (one's heart) out — chorar amargamente.
to cry over spilled milk — lamentar-se pelo que já não tem remédio.
to cry for the moon — querer o impossível.
to cry quits — dar a contenda por finda.
to cry up — louvar, exaltar.
to cry wolf — dar um alarme falso.
crying [-iŋ], **1** — *s.* gritaria, grito; choro.
2 — *adj.* notório, flagrante; que chora.
a crying need — uma necessidade imperiosa.
crypt [kript], *s.* cripta.
cryptic ['kriptik], *adj.* secreto, oculto, misterioso.
cryptogam ['kriptougæm], *s.* criptógama.
cryptogamic [kriptou'gæmik], *adj.* criptogâmico.
cryptogram ['kriptougræm], *s.* criptograma, comunicação em cifra.
cryptography [krip'tɔgrəfi], *s.* criptografia.
crystal [kristl], **1** — *s.* cristal; vidro de relógio; vidro transparente e branco.
2 — *adj.* de cristal, transparente, cristalino.
crystalline ['kristəlain], *adj.* cristalino.
crystallizable ['kristəlaizəbl], *adj.* cristalizável.
crystallization [kristəlai'zeiʃən], *s.* cristalização.
crystallize ['kristəlaiz], *vt.* e *vi.* cristalizar, converter em cristal; tomar a forma de cristal; permanecer em certo estado.
crystallized fruits — frutas cristalizadas.
crystallographer [kristə'lɔgrəfə], *s.* cristalógrafo.

crystallography [kristə'lɔgrəfi], *s.* cristalografia.
crystalloid ['kristəlɔid], *s.* e *adj.* cristalóide.
cub [kʌb], **1** — *s.* cria (de leoa, ursa, raposa, loba e tigre); rapaz grosseiro; garoto; membro do movimento juvenil de escuteiros.
2 — *vt.* e *vi.* (pret. e pp. **cubbed**) parir (animais).
Cuba ['kju:bə], *top.* Cuba.
cubage ['kju:bidʒ], *s.* cubagem.
cube [kju:b], **1** — *s.* cubo.
cube root — raiz cúbica.
2 — *vt.* cubar, cubicar; pavimentar com cubos.
cubically [-əli], *adv.* cubicamente.
cubicle ['kju:bikl], *s.* cubículo; quarto de dormir (nas escolas com internato).
cubism ['kju:bizm], *s.* cubismo (escola artística que representa os objectos sob formas geométricas).
cubital ['kju:bitl], *adj.* cubital.
cuboid ['kju:bɔid], *s.* e *adj.* cubóide.
cuckold ['kʌkould],*s.*marido de mulher adúltera.
cuckoo ['kuku:], *s.* cuco.
cuckoo clock — relógio de cuco.
cuckoo-flower — cardamina dos prados.
cucumber ['kju:kəmbə], *s.* pepino.
as cool as a cucumber — imperturbável, calmo.
cud [kʌd], *s.* alimento que os ruminantes fazem voltar do primeiro estômago à boca.
to chew the cud — reflectir, ruminar, meditar.
cuddle [kʌdl], **1** — *s.* carícia, afago; abraço.
2—*vt.* e *vi.* acariciar, afagar, abraçar; enroscar-se; aninhar-se; deitar-se confortavelmente.
cuddy (pl. **cuddies**) ['kʌdi, -z], *s.* camarata; alojamento à proa de embarcação; camarote; sala de estar de navio; guarda-louça; parvo, tolo, simplório.
cudgel ['kʌdʒəl], **1** — *s.* pau, cacete; clava, maça, moca.
cudgel play — jogo do pau.
to take up the cudgels for — defender vigorosamente.
2 — *vt.* (pret. e pp. **cudgelled**) desancar, espancar. (*Sin.* to pound, to thrash, to beat, to cane).
to cudgel one's brains — quebrar a cabeça, puxar pelos miolos; tentar pensar em.
cue [kju:], *s.* taco de bilhar; deixa (teatro); (mús.) sinal de entrada; interpretação; estado de espírito; rabicho (de cabelo).
to take one's cue from — orientar-se pelo que se vê fazer a outro.
cuff [kʌf], **1** — *s.* punho (de camisa); canhão (de casaco); bofetada; sopapo.
2 — *vt.* esbofetear; socar.
cuirass [kwi'ræs], *s.* couraça.
cuirassier [kwirə'siə], *s.* couraceiro, soldado com couraça.
cuisine [kwi(:)'zi:n], *s.* cozinha, arte culinária.
cul-de-sac ['kuldə'sæk], *s.* beco sem saída.
culinary ['kʌlinəri], *adj.* culinário.
cull [kʌl], **1** — *s.* animal tirado dum rebanho por ser de inferior qualidade ou por ser demasiado idoso.
2 — *vt.* escolher, seleccionar.
cullender ['kʌlində], *s.* coador; passador (para legumes).
culm [kʌlm], *s.* cana de cereal (milho, trigo, centeio, etc.); pó de carvão (de antracite).
culminant ['kʌlminənt], *adj.* culminante.
culminate ['kʌlmineit], *vi.* culminar, chegar ao ponto mais alto.
culmination [kʌlmi'neiʃən], *s.* culminação, elevação máxima dum astro acima do horizonte; zénite; auge; ponto culminante; culminância.
culpability [kʌlpə'biliti], *s.* culpabilidade.
culpable ['kʌlpəbl], *adj.* culpável.
culpableness [-nis], *s.* culpabilidade.
culpably [-i], *adv.* culpavelmente.
culprit ['kʌlprit], *s.* réu; culpado.
cult [kʌlt], *s.* culto; homenagem, admiração; culto religioso.
cultivable ['kʌltivəbl], *adj.* cultivável.
cultivate ['kʌltiveit], *vt.* cultivar, lavrar; dedicar-se a; estudar; aperfeiçoar.
cultivation [kʌlti'veiʃən], *s.* cultura.
cultivator ['kʌltiveitə], *s.* cultivador; agricultor; gadanha.
cultural ['kʌltʃərəl], *adj.* cultural; agrícola.
culture ['kʌltʃə], **1** — *s.* cultura, acção de cultivar; aperfeiçoamento; desenvolvimento intelectual, ilustração. (*Sin.* cultivation, production, improvement, refinement.)
2 — *vt.* cultivar.
cultured [-d], *adj.* culto, ilustrado, instruído.
culver ['kʌlvə], *s.* pombo bravo.
culvert ['kʌlvət], *s.* passagem subterrânea abobadada para água.
cumber ['kʌmbə], **1** — *s.* obstrução.
2 — *vt.* embaraçar, estorvar, impedir; incomodar.
cumbersome [-səm], *adj.* enfadonho, embaraçoso, incómodo; pesado.
cumbersomeness [-səmnis], *s.* embaraço; incómodo; impedimento; peso.
cumbersomely [-səmli], *adv.* enfadonhamente; embaraçosamente.
cumbrous ['kʌmbrəs], *adj.* embaraçoso; incómodo; pesado.
cumbrously [-li], *adv.* incomodamente, embaraçosamente.
cumbrousness [-nis], *s.* incómodo; embaraço; peso.
cumin, cummin ['kʌmin], *s.* cominho.
cumulate **1** — ['kju:mjulit], *adj.* acumulado.
2 — ['kju:mjuleit], *vt.* acumular, amontoar.
cumulation [kju:mju'leiʃən], *s.* acumulação, amontoamento.
comulative ['kju:mjulətiv], *adj.* cumulativo.
cumulatively [-li], *adv.* cumulativamente.
cumulus (pl. **cumuli**) ['kju:mjuləs, -ai], *s.* cúmulo; nuvens arredondadas e brancas que se encastelam no horizonte.
cuneiform ['kju:niifɔ:m], **1** — *s.* escrita cuneiforme.
2 — *adj.* cuneiforme, que tem forma de cunha.
cunning ['kʌniŋ], **1** — *s.* astúcia, manha, ardil; artifício, esperteza; habilidade.
2 — *adj.* astuto, manhoso, matreiro, fino, esperto, astucioso.
cunning-fox — matreiro, marau.
cunningly [-li], *adv.* astuciosamente; habilidosamente.
cup [kʌp], **1** — *s.* chávena; taça; buraco (no jogo do golfe); ventosa; copo; vinho.
cup-bearer — copeiro.
cup-final — final; último jogo de um campeonato.
the cups that cheer but not inebriate — chá.
there is many a slip between the cup and the lip — da mão à boca se perde a sopa.
this is just my cup of tea — é precisamente disto que eu gosto.
these boys are cup and can — estes rapazes são como unha e carne.
to be in one's cups — estar embriagado, (cal.) estar com os copos.
to be fond of the cup — gostar de vinho, (cal.) gostar da pinga.
2 — *vt.* (pret. e pp. **cupped**) aplicar ventosas; pôr as mãos em concha.

cupboard ['kʌbəd], *s.* guarda-louça; armário (de cozinha).
cupboard love — amor por interesse.
cupidity [kju(:)'piditi], *s.* cupidez; cobiça, avareza.
cupola ['kju:pələ], *s.* cúpula.
cupping ['kʌpiŋ], *s.* abertura em forma de taça; ventosa.
cupreous ['kju:priəs], *adj.* cúprico, de cobre.
cupric ['kju:prik], *adj.* cúprico, que contém cobre.
cupriferous [kju(:)'prifərəs], *adj.* cuprífero.
cur [kə:], *s.* cão rafeiro; pessoa vil; indivíduo cobarde e desprezível.
curability [kjuərə'biliti], *s.* curabilidade.
curable ['kjuərəbl], *adj.* curável.
curaçao [kjuərə'sou], *s.* curaçau.
curacy (pl. **curacies**) ['kjuərəsi, -z], *s.* curato; coadjutoria eclesiástica.
curassow ['kjuərəsou], *s.* aléctore, ave galinácea da América.
curate ['kjuərit], *s.* cura, coadjutor eclesiástico; pároco.
curative ['kjuərətiv], *s.* e *adj.* curativo.
curator [kjuə'reitə], *s.* guarda; superintendente; conservador de museu; curador.
curb [kə:b], **1** — *s.* barbela do freio (do cavalo); inchaço na perna (do cavalo); sujeição, restrição; parapeito dum poço.
2 — *vt.* refrear, restringir, sujeitar; pôr uma beira num passeio.
to curb one's anger — refrear a cólera.
curbstone ['kə:bstoun], *s.* beira de pedra dum passeio da rua.
curd [kə:d], *s.* requeijão; coalhada, leite coalhado.
curdle [kə:dl], *vt.* e *vi.* coagular; coagular-se.
to curdle the blood — gelar o sangue nas veias (de terror).
curdy ['kə:di], *adj.* coagulado.
cure [kjuə], **1** — *s.* cura, tratamento, restabelecimento da saúde; remédio, pessoa excêntrica.
to undergo a cure — seguir um tratamento; fazer uma cura.
2 — *vt.* e *vi.* curar, recuperar a saúde; remediar; curar, secar (ao sol, fumo, etc.), salgar; tratar. (*Sin.* to heal, to restore, to preserve, to remedy, to dry, to salt.)
to cure a patient — curar um doente.
to cure fish — secar peixe.
to cure bacon — defumar toucinho.
what can't be cured, must be endured — o que não tem remédio, remediado está.
cureless [-lis], *adj.* incurável.
curfew ['kə:fju:], *s.* toque de recolher e apagar o lume; sinal.
curia (pl. **curiae**) ['kjuəriə, -i:], *s.* cúria.
curial ['kjuəriəl], *adj.* curial, relativo à cúria.
curio ['kjuəriou], *s.* objecto raro, uma curiosidade.
curiosity (pl. **curiosities**) [kjuəri'ɔsiti, -z], *s.* curiosidade, desejo de ver ou conhecer; indiscrição; objecto raro.
curious ['kjuəriəs], *adj.* curioso; indiscreto; raro; interessante; estranho. (*Sin.* prying, inquisitive, rare, odd, strange, interested. *Ant.* indifferent, common.)
a curious coincidence — uma coincidência curiosa.
curious eyes — olhos indiscretos.
curiously [-li], *adv.* curiosamente.
curiousness [-nis], *s.* curiosidade.
curl [kə:l], **1** — *s.* caracol (de cabelo); ondulação; escaravelho (doença das batatas).
curl of the lips—franzir desdenhoso dos lábios.
curl-paper—rolo de papel para frisar o cabelo.
2 — *vt.* e *vi.* enrolar; encaracolar, frisar; torcer; enroscar-se; encaracolar-se, enrolar-se; mover-se em espiral.
to curl oneself up — enroscar-se.
to curl one's lip — franzir o lábio (exprimindo desprezo).
to curl the hair — frisar o cabelo.
curled [-d], *adj.* encaracolado, ondeado, ondulado; enrolado (em espiral).
curlew ['kə:lju:], *s.* espécie de gaivota (ave aquática).
curling ['kə:liŋ], *s.* acção de frisar o cabelo; jogo escocês sobre o gelo.
curling-tongs ou *curling irons* — ferro de frisar.
curly ['kə:li], *adj.* encaracolado, ondeado.
curmudgeon [kə:'mʌdʒən], *s.* pessoa tacanha; miserável.
currant ['kʌrənt], *s.* groselha; passa de Corinto.
currency (pl. **currencies**) ['kʌrənsi, -z], *s.* moeda corrente; dinheiro em circulação; sistema monetário; valor corrente; aceitação geral; curso, circulação.
English currency — moeda inglesa.
currency paper — papel-moeda.
the rumour gained currency — começou a espalhar-se o boato.
current ['kʌrənt], **1** — *s.* corrente (marítima, aérea, eléctrica, atmosférica, de água, etc.); curso, progressão. (*Sin.* tide, course, stream, progression, tendency).
2 — *adj.* corrente, comum, vulgar; actual; sabido; circulante. (*Sin.* general, accepted, common, popular, present).
it is current — é corrente.
current account — conta-corrente.
it passes for current that — é por todos aceite que.
curriculum (pl. **curricula**) [kə'rikjuləm, -ə], *s.* curso de estudos.
currier ['kʌriə], *s.* curtidor de coiros.
currish ['kə:riʃ], *adj.* brutal, grosseiro, ordinário; intratável.
currishly [-li], *adv.* grosseiramente, brutalmente.
currishness [-nis], *s.* baixeza; grosseirismo, brutalidade.
curry ['kʌri], **1** — *s.* caril; prato de caril.
curry-comb — almofaça.
curry-powder — caril em pó.
2 — *vt.* limpar, escovar (os cavalos); curtir coiros, surrar; bater em alguém; condimentar com caril.
to curry favour with a person — captar as boas graças de alguém; insinuar-se.
curse [kə:s], **1** — *s.* maldição, praga, blasfémia, imprecação; ruína.
curses go home to roost — as pragas caem em cima de quem as roga.
2—*vt.* e *vi.*amaldiçoar; blasfemar; atormentar.
cursed ['kə:sid], *adj.* maldito, detestável, abominável.
cursedly [-li], *adv.* detestavelmente, abominavelmente.
cursedness [-nis], *s.* maldição; abominação; maldade.
cursive ['kə:siv], *adj.* cursivo.
cursorily ['kə:sərili], *adv.* precipitadamente, rapidamente, à pressa.
cursoriness ['kə:sərinis], *s.* precipitação, rapidez; falta de atenção, descuido.
cursory ['kə:səri], *adj.* precipitado, apressado, feito à pressa; rápido, superficial.
a cursory glance — uma rápida vista de olhos.
a cursory inspection — uma inspecção rápida.
curt [kə:t], *adj.* curto, breve, conciso; abrupto, um pouco rude.

curtail [kə:'teil], *vt.* cortar, encurtar; abreviar, resumir; mutilar.
curtailment [-mənt], *s.* corte, redução; resumo; mutilação.
curtain [kə:tn], **1** — *s.* cortina; pano de boca (de teatro); sanefa.
a curtain of smoke — uma cortina de fumo.
behind the curtain — atrás da cortina; às escondidas.
curtain lecture — sermão que a esposa faz ao marido em particular.
the curtain falls — cai o pano, termina a cena.
the curtain rises — o pano sobe; começa a cena.
curtain of fire — barragem de artilharia.
to draw a curtain over something — não falar mais num assunto.
2 — *vt.* cobrir, separar com cortinas.
curtained [-d], *adj.* escondido; adornado com cortinas.
curtainless [-lis], *adj.* descortinado, sem cortinas.
curtly ['kə:tli], *adv.* abreviadamente, dum modo conciso.
curtness ['kə:tnis], *s.* brevidade, concisão.
curtsey, curtsy (pl. **curtsies**) ['kə:tsi, -z], **1** — *s.* cortesia, reverência, vénia, mesura.
to make (drop) a curtsey — fazer uma vénia.
2 — *vi.* fazer vénias, cumprimentar.
curvature ['kə:vətʃə], *s.* curvatura.
curve [kə:v], **1** — *s.* curva; linha curva.
2 — *vt.* e *vi.* curvar, encurvar; dobrar; curvar-se.
curvilinear [kə:vi'liniə], *adj.* curvilíneo.
cushion ['kuʃən], **1** — *s.* almofada; coxim; amortecedor; tabela (de mesa de bilhar).
2 — *vt.* almofadar, cobrir com almofadas; proteger com almofadas; amortecer.
cusp [kʌsp], *s.* ponta, extremidade.
cuspidor ['kʌspidɔ:], *s.* escarrador.
cuss (pl. **cusses**) [kʌs, -iz], *s.* maldição; criatura, pessoa indigna.
cussed [-id], *adj.* amaldiçoado.
cussedness [-idnis], *s.* maldição; perversidade.
custard ['kʌstəd], *s.* leite-creme.
custard-apple — anona.
custodial [kʌs'toudjəl], *adj.* relativo a custódia.
custodian [kʌs'toudjən], *s.* guarda; conservador.
custody ['kʌstədi], *s.* custódia; guarda; prisão.
to take into custody — deter, dar voz de prisão
custom ['kʌstəm], *s.* costume, hábito, uso; freguesia (duma loja, hotel, etc.), clientela; *pl.* direitos alfandegários; alfândega. (*Sin.* habit, manner, fashion, practice, usage, tax, duty).
custom-house — alfândega.
customs duties — direitos alfandegários.
customs regulations — regulamentos aduaneiros.
to have good custom — ter boa clientela.
what do the customs come to? — em quanto importam os direitos?
customarily ['kʌstəmərili], *adv.* segundo o costume, habitualmente.
customariness ['kʌstəmərinis], *s.* hábito, costume.
customary ['kʌstəməri], *adj.* habitual, usual, comum, costumado.
customer ['kʌstəmə], *s.* freguês, cliente; pessoa; indivíduo.
an ugly customer — uma pessoa intratável.
the regular customers of a café — os frequentadores habituais dum café.
cut [kʌt], **1** — *s.* corte, golpe; cortadura; incisão; cutilada; ferida; moda, estilo, forma; redução; atalho, o caminho mais curto; modo de talhar, corte; corte de cartas; fatia; recorte; ofensa; determinada jogada de críquete, ténis, etc.; linha de caminho-de-ferro aberta através de monte.
a short cut — um atalho.
to give someone the cut direct — passar por alguém e não o cumprimentar.
to be a cut above somebody — ser superior a alguém.
to take the shortest cut — ir pelo caminho mais curto.
2 — *adj.* cortado; trinchado; talhado; interceptado.
3 — *vt.* e *vi.* (pret. e pp. **cut** [kʌt]) cortar, fender, ferir; trinchar; partir, dividir; separar; desbastar; interromper; mutilar; lapidar; entalhar, esculpir; cortar rente; desligar (o telefone); interceptar; aparar; reduzir; cortar as cartas do jogo; cortar relações; recortar; faltar (a aulas); ir-se embora; criticar severamente.
to cut asunder — rasgar, despedaçar.
to cut away — cercear, separar.
to cut across — tomar por um atalho; atravessar.
to cut and run — fugir a sete pés.
to cut a meeting — faltar a uma reunião.
to cut a man's head off — degolar alguém.
to cut a figure (a dash) — fazer figura.
to cut a loss — abrir novo caminho, deixando aquele que só lhe tem dado prejuízos.
to cut a caper — cabriolar, saltar.
to cut a man in the street — fingir não conhecer (uma pessoa).
to cut a poor figure — fazer triste figura.
to cut down — encurtar, diminuir; derrubar (cortando); reduzir.
to cut both ways — beneficiar e prejudicar ao mesmo tempo.
to cut into — dividir.
to cut off — cortar; separar; desligar (o telefone); interceptar; extirpar; decepar, matar.
to cut off with a shilling — deserdar.
to cut open — abrir (cortando).
to cut off close — cortar rente.
to cut out — talhar; separar; dar forma; competir, rivalizar; deixar à pressa.
to cut out a dress — talhar um vestido.
to cut up — cortar em bocadinhos; criticar severamente; afligir.
to cut through — separar completamente; ir por um caminho mais curto.
to cut up rough — encolerizar-se.
to cut short — interromper (a palavra); acabar de repente.
to cut to pieces — fazer em pedaços; reduzir a fragmentos.
to cut up a piece of meat — trinchar uma peça de carne.
to cut it fine — reduzir ao mínimo; ser mesmo à justa.
to cut a tooth — ter um dente a nascer.
to cut oneself loose from — tornar-se independente de.
to cut no ice — não fazer coisa que se veja.
to cut one's coat according to one's cloth — não gastar mais do que o que se ganha.
to cut into a conversation — meter-se numa conversa.
to cut up well — morrer, deixando uma fortuna.
to cut the matter short — para resumir.
he is cut out for a doctor — está talhado para médico.
cutaneous [kju(:)'teinjəs], *adj.* cutâneo.

cute [kju:t], *adj.* (col.) agudo, perspicaz, inteligente; engenhoso; (E. U.) bonito, interessante, engraçado; atraente; atractivo.
cutely [-li], *adv.* engenhosamente; perspicazmente.
cuteness [-nis], *s.* perspicácia, agudeza, esperteza; engenho; (E. U.) atracção; beleza.
cuticle ['kju:tikl], *s.* cutícula; película.
cuticular [kju(:)'tikjulə], *adj.* cuticular.
cutis ['kju:tis], *s.* cute, cútis, derme.
cutlass (pl. **cutlasses**) ['kʌtləs, -iz], *s.* sabre (de abordagem).
cutler ['kʌtlə], *s.* cuteleiro.
cutlery [-ri], *s.* cutelaria.
cutlet ['kʌtlit], *s.* costeleta.
cutter ['kʌtə], *s.* cortador, talhador; lenhador; instrumento cortante; pequena chalupa.
paper-cutter — faca de cortar papel.
cutthroat ['kʌtθrout], **1** — *s.* assassino.
2 — *adj.* mortal.
cutting ['kʌtiŋ], **1** — *s.* corte; incisão; talhe; recorte (dum jornal); escavação; perfuração; (bot.) estaca.
cutting-nippers — alicate de cortar; corta-arame.
press-cutting — recorte de jornal.
2 — *adj.* cortante, incisivo; sarcástico, mordaz.
cuttle-fish ['kʌtlfiʃ], *s.* lula.
cutwater ['kʌtwɔ:tə], *s.* (náut.) talha-mar, beque.
cyanic [sai'ænik], *adj.* ciânico.
cyanide ['saiənaid], *s.* cianido.
cyanogen [sai'ænədʒin], *s.* cianogénio.
cyanosis [saiə'nousis], *s.* cianose.
cyclamen ['sikləmən], *s.* (bot.) ciclame.
cycle [saikl], **1** — *s.* ciclo; período; conjunto de poemas relativos a um assunto ou a uma época; bicicleta.
2 — *vi.* mover-se em ciclos; andar de bicicleta.
cyclic(al) ['siklik(əl)], *adj.* cíclico.
cycling ['saikliŋ], *s.* ciclismo.
cyclist ['saiklist], *s.* ciclista.
cycloid ['saiklɔid], *s.* ciclóide.
cycloidal [sai'klɔidl], *adj.* cicloidal.
cyclometer [sai'klɔmitə], *s.* ciclómetro.
cyclone ['saikloun], *s.* ciclone.
cyclonic [sai'klɔnik], *adj.* ciclónico.
cyclop(a)edia [saiklə'pi:djə], *s.* enciclopédia.
cyclopaedic [saiklə'pi:dik], *adj.* enciclopédico.
Cyclopean [sai'kloupjən], *adj.* ciclópico, relativo aos Ciclopes; gigantesco.
Cyclops ['saiklɔps], *s.* (mit.) Ciclope, gigante mitológico.
cygnet ['signit], *s.* cisne novo.
cylinder ['silində], *s.* cilindro; rolo; objecto em forma de cilindro; tambor duma máquina.
cylindrical [si'lindrikəl], *adj.* cilíndrico.
cylindroid ['silindrɔid], *s.* e *adj.* cilindróide.
cyma ['saimə], *s.* cimácio.
cymbal ['simbəl], *s.* címbalo, prato de banda de música.
cymbalo (pl. **cymbalos**) ['simbəlou, -z], *s.* xilofone.
cyme [saim], *s.* cima, uma determinada forma de inflorescência.
Cymric ['kimrik], *adj.* galês.
cynic ['sinik], *s.* e *adj.* cínico.
cynical [-əl], *adj.* cínico.
cynically [-əli], *adv.* cinicamente.
cynicism ['sinisizm], *s.* cinismo.
cynocephalus [sainou'sefələs], *s.* cinocéfalo.
cynosure ['sinəzjuə], *s.* Cinosura, constelação da Ursa Menor.
cypher ['saifə], **1** — *s.* cifra, zero; criptografia; chave da escrita em cifra; uma das unidades; pessoa de pouco valor.
2 — *vt.* e *vi.* escrever em cifra; fazer conta de aritmética.
cypress (pl. **cypresses**) ['saipris, -iz], *s.* cipreste.
Cyprus ['saiprəs], *top.* Chipre.
cyst [sist], *s.* quisto, cisto.
cystic [-ik], *adj.* cístico.
cystitis [sis'taitis], *s.* *(med.)* cistite.
czar [zɑ:], *s.* czar.
czarevitch ['zɑ:rivitʃ], *s.* príncipe herdeiro da Rússia.
czarina [zɑ:'ri:nə], *s.* czarina.
Czech [tʃek], *s.* e *adj.* checo.
Czechoslovak ['tʃekou'slouvæk], *s.* checoslovaco.
Czechoslovakia ['tʃekouslou'vækiə], *top.* Checoslováquia.

D

D, d [di:], (pl. **D's, d's** [di:z]), **1** — D, d (a quarta letra do alfabeto).
2 — (mús.) ré.
(in) d flat — (em) ré bemol.
(in) d major — (em) ré maior.
(in) d minor — (em) ré menor.
dab [dæb], **1** — *s.* pancada leve, pancadinha; (zool.) patruça, solha das pedras; pessoa habilidosa e conhecedora de certos assuntos.
he is a dab at cricket — é um hábil jogador de críquete.
2 — *vt.* (pret. e pp. **dabbed**) bater ou tocar ao de leve.
dabble [dæbl], *vt.* e *vi.* salpicar, chapinhar, humedecer, enlamear; dedicar-se a qualquer estudo ou arte como amador, como passatempo.
birds dabble in the water — as aves chapinham na água.
I dabble in (at) German literature — dedico-me à literatura alemã.
dabbler [-ə], *s.* amador; o que se ocupa de qualquer arte ou desporto por gosto.
dabchick ['dæbtʃik], *s.* mergulhão (ave).
dace [deis], *s.* mugem (peixe).
dachshund ['dækshund], *s.* raça canina de pernas curtas e arqueadas.
Dacia ['deisjə], *top.* Dácia, região ao norte do Danúbio.
dacoit [də'kɔit], *s.* salteador.
dacoitage [-idʒ], *s.* assalto.
dactyl ['dæktil], *s.* dáctilo, pé de verso composto duma sílaba longa seguida de duas breves.
dactylic [dæk'tilik], *s.* e *adj.* dactílico.
dactylography [dækti'lɔgrəfi], *s.* dactilografia.
dad [dæd], *s.* (fam.) papá, paizinho.
daddy ['dædi], *s.* (pl. **daddies**) ver **dad.**

daddy-long-legs ['dædi'lɔŋlegz], *s.* típula (insecto).
dado ['deidou], *s.* dado; rodapé.
daedal ['di:dəl], *adj.* engenhoso; intrincado, complexo.
daemon ['di:mən], *s.* ver **demon.**
daffodil ['dæfədil], *s.* narciso.
daft [dɑ:ft], *adj.* imbecil, idiota, estouvado, maluco.
dagger ['dægə], *s.* punhal, adaga; (tip.) cruz.
to be at daggers drawn — estar pronto a lutar.
to look daggers at somebody — deitar olhares furiosos, olhar para alguém com rancor.
to speak daggers — dizer palavras ofensivas, insultar.
daguerreotype [də'geroutaip], **1** — *s.* daguerreótipo.
2 — *vt.* daguerreotipar.
dahlia ['deiljə], *s.* dália.
Dahomey [də'houmi], *top.* Daomé.
daily ['deili], **1** — *s.* diário, jornal.
the English dailies — os diários ingleses.
2 — *adj.* diário, quotidiano.
the daily bread — o pão de cada dia.
the daily inspection is in the morning (mil.) — a inspecção diária é feita de manhã.
the daily output of a factory — a produção diária duma fábrica.
3 — *adv.* diariamente, todos os dias.
hundreds of people cross that bridge daily — centenas de pessoas atravessam diariamente aquela ponte.
daimio ['daimiou], *s.* dáimio, antigo senhor feudal no Japão.
daintily ['deintli], *adv.* delicadamente; saborosamente; esmeradamente.
daintiness ['deintinis], *s.* delicadeza, elegância.
dainty ['deinti], **1** — *s.* manjar, iguaria, acepipe, guloseima.
there were many dainties in this basket — havia muitas guloseimas neste cesto.
2 — *adj.* de gosto apurado, delicado, saboroso; elegante; esquisito. (*Sin.* savoury, pretty, fine, refined. *Ant.* coarse.)
a dainty lady — uma senhora elegante, de fino gosto no vestir.
dainty food — comida saborosa.
he is dainty as regards food — é esquisito com a comida.
dairy ['dɛəri], *s.* (pl. **dairies**) queijaria; leitaria; vacaria.
dairy-farm — quinta para produção de lacticínios.
dairy-produce — lacticínios.
dairying [-iŋ], *s.* negócio e indústria de leitaria.
dairymaid [-meid], *s.* leiteira, vendedora de leite.
dairyman [-mən], *s.* (pl. **dairymen** [-mən]) leiteiro, vendedor de leite; homem que negoceia em produtos lácteos.
dais [deiis], *s.* (pl. **daises**) estrado; telhado; plataforma.
daisy ['deizi], *s.* (bot.) margarida; (col.) coisa de primeira ordem, maravilha.
daisy-chain — cordão de margaridas.
daisy-cutter — cavalo de passo travado, que pouco levanta as patas; (críquete) bola que roça pelo solo.
this motor-car is an absolute daisy — este automóvel é uma maravilha.
Dakar ['dækə], *top.* Dacar.
dale [deil], *s.* pequeno vale.
over hill and dale — por montes e vales.
dalesman [-zmən], *s.* (pl. **dalesmen** [-mən]) habitante dos vales no Norte da Inglaterra.
dalliance ['dæliəns], *s.* divertimento, conduta infantil, brincadeira; troca de galanteios.
dally ['dæli], *vi.* perder tempo, hesitar, demorar-se; divertir-se; brincar; namoriscar.
Dalmatia [dæl'meiʃjə], *top.* Dalmácia.
Dalmatian [-n], **1** — *s.* habitante da Dalmácia; cão da Dalmácia.
2 — *adj.* dálmata.
daltonism ['dɔ:ltənizm], *s.* daltonismo.
dam [dæm], **1** — *s.* represa, açude, dique, barragem; mãe (dos animais).
2 — *vt.* (pret. e pp. **dammed**) represar, tapar, levantar uma barragem.
to dam up a river — represar um rio.
to dam up one's feelings — controlar-se; dominar-se; reprimir-se.
damage ['dæmidʒ], **1** — *s.* prejuízo, dano, perda, avaria; (col.) custo, preço; *pl.* indemnização por perdas e danos. (*Sin.* harm, injury, loss. *Ant.* repair.)
damage repair — reparação de avaria.
damage report — relatório de avaria.
damages and costs (náut.) — avarias e reparações.
damage survey — vistoria.
to make good the damage — pagar uma indemnização pelos prejuízos causados.
to sue for damages — exigir judicialmente indemnização por perdas e danos.
what is the damage? — qual é o preço?; quanto é?
2 — *vt.* prejudicar, danificar, causar avarias; ferir.
damaged [-d], *adj.* avariado, danificado; ferido.
a damaged hand — uma mão ferida.
damaging [-iŋ], *adj.* prejudicial.
Damascene ['dæməsi:n], **1** — *s.* e *adj.* damasceno; natural de Damasco.
Damascus [də'mɑ:skəs], *top.* Damasco.
damask ['dæməsk], **1** — *s.* damasco (tecido); cor de damasco.
2 — *adj.* adamascado, de damasco.
3 — *vt.* adamascar.
dame [deim], *s.* dama, senhora; dona; título concedido à esposa de um cavaleiro ou a senhora agraciada com uma Comenda; senhora condecorada com a Ordem do Império Britânico.
dame-school — escola elementar orientada por uma senhora de idade.
damn [dæm], **1** — *s.* maldição.
2 — *vt.* condenar, censurar, reprovar, amaldiçoar.
Oh!, damn it! — não me fales nisso!
to damn with faint praise — elogiar com frieza.
damnable ['dæmnəbl], *adj.* condenável, reprovável, detestável. (*Sin.* hateful, confounded, annoying, abominable, detestable. *Ant.* splendid.)
damnably [-i], *adv.* de um modo condenável, detestavelmente.
damnation [dæm'neiʃən], *s.* condenação, maldição, perdição.
damnatory ['dæmnətəri], *adj.* condenatório.
damned [dæmd], **1** — *adj.* condenado, abominável, infernal, maldito.
the damned — os condenados; as almas do Inferno.
I'll be damned if I'll go — macacos me mordam se eu for; diabos me levem se eu for!
2 — *adv.* detestavelmente; extremamente.
damned cold — extremamente frio.

damnify ['dæmnifai], *vt.* (jur.) prejudicar, lesar, danificar.
damning ['dæmniŋ], *adj.* condenável.
damp [dæmp], **1** — *s.* humidade, névoa; desalento, desânimo; tristeza; gás inflamável gerado nas minas de carvão.
his mother's illness cast a damp over the Easter holidays — a doença da mãe ensombrou de tristeza as suas férias da Páscoa.
2 — *adj.* húmido, enevoado; triste. (*Sin.* wet. *Ant.* dry.)
3 — *vt.* humedecer; desanimar, desalentar; amortecer.
to damp down a fire — amortecer uma fogueira; diminuir a combustão.
damp-course [dæmp-kɔ:s], *s.* camada isoladora de humidade.
damped [-t], *adj.* humedecido; amortecido.
dampen [-ən], *vt.* humedecer; amortecer; desencorajar.
damper [-ə], *s.* desmancha-prazeres, desalentador; ocorrência deprimente; abafador (de piano); registo de fogão, chaminé ou fornalha para regular o calor; o que molha ou humedece.
dampish [-iʃ], *adj.* húmido.
damply [-li], *adv.* com humidade.
dampness [-nis], *s.* humidade, névoa.
damp-proof [dæmp-pru:f], *adj.* à prova de vapor; impermeável.
damsel ['dæmzəl],*s.*(arc. e lit.) donzela, rapariga.
damson ['dæmzən], *s.* ameixa pequena e escura; ameixoeira.
dance [dɑ:ns], **1** — *s.* dança, baile.
Dance of Death (Macabre) — dança dos mortos; Dança Macabra.
folk-dance — dança popular.
off to the dance at last! — finalmente, partimos para o baile!
St. Vitus's dance — coreia, dança-de-são-vito, afecção do sistema nervoso, em geral nas crianças, que provoca movimentos convulsivos.
to lead a person a dance — meter uma pessoa em dificuldades; pregar uma estopada desnecessária a alguém.
to sit a dance out—estar sentado a ver dançar.
2 — *vt.* e *vi.* dançar, executar (uma dança).
to dance attendance on someone—ser todo atencioso para com alguém; andar atrás de alguém.
to dance to one's tune (or pipe) — fazer o que alguém manda; conformar-se com a vontade de alguém.
dancer [-ə], *s.* dançarino, bailarino.
merry dancers — aurora boreal.
dancing [-iŋ], **1** — *s.* dança.
dancing-master — mestre de dança; professor de dança.
dancing-mistress — professora de dança.
2 — *adj.* que dança.
dandelion ['dændilaiən], *s.* (bot.) dente-de-leão.
dander ['dændə], *s.* (col.) cólera, ira, indignação.
he gets his dander up — ele encoleriza-se, zanga-se, irrita-se.
dandle [dændl], *vt.* embalar; afagar, amimar, acariciar.
dandruff, dandriff ['dændrəf, -if], *s.* caspa.
dandy ['dændi], **1** — *s.* (pl. **dandies**) dândi, janota, peralta.
2 — *adj.* bem-posto, janota, elegante, chique.
dandyish [-iʃ], *adj.* janota, catita, taful.
dandyism [-izm], *s.* janotismo, dandismo.
Dane [dein], *s.* dinamarquês; raça de cão.
danger ['deindʒə], *s.* perigo, receio. (*Sin.* peril, risk, venture, hazard. *Ant.* safety.)
a danger to navigation — um perigo para a navegação.
his life is in danger — a vida dele corre perigo.
out of danger — livre de perigo.
to be in danger — estar em perigo.
dangerous ['deindʒrəs], *adj.* perigoso, arriscado.
a dangerous illness — uma doença grave.
a dangerous journey — uma viagem perigosa.
dangerously [-li], *adv.* perigosamente.
he is dangerously ill — ele está gravemente doente.
dangle [dæŋgl], *vt.* e *vi.* pendurar; estar suspenso; balouçar; perseguir; importunar.
she has some men dangling round (after, about) her — há alguns homens que andam de volta dela; há alguns homens que a perseguem.
to dangle toys in front of a child — tentar uma criança com brinquedos.
dangler [-ə], *s.* galanteador, cortejador; importuno.
Daniel ['dænjəl], *n. p.* Daniel; juiz íntegro e justo.
Danish ['deiniʃ], **1** — *s.* língua dinamarquesa.
2 — *adj.* dinamarquês.
dank [dæŋk], *adj.* húmido; encharcado, molhado.
Dante ['dænti], *n. p.* Dante.
Dantean [dæn'ti:ən], *adj.* relativo a Dante.
Danube ['dænju:b], *s.* Danúbio.
dap [dæp], **1** — *s.* salto de bola.
2 — *vt.* e *vi.* pescar deixando saltar a isca na água; fazer saltar uma bola no chão.
dapper ['dæpə], *adj.* esbelto, gentil, elegante; vivo, activo, ágil. (*Sin.* smart, neat, spruce, brisk, nimble. *Ant.* slovenly, slow.)
dapple [dæpl], **1** — *s.* mancha de cor, matiz.
2 — *vt.* e *vi.* salpicar de cores, matizar; manchar.
dappled [-d], *adj.* variegado, matizado, listrado; cavalo rodado.
a dappled bay horse — um cavalo baio rodado (cavalo com pequenas manchas arredondadas).
darbies ['dɑ:biz], *s. pl.* (col.) algemas.
Darby and Joan ['dɑ:biəndʒoun], *s.* casal de muita idade e muito amigo.
Dardanelles [dɑ:də'nelz], *top.* Dardanelos.
dare [dɛə], *vt.* (pret. **durst** [də:st] ou **dared** [-d], pp. **dared**) ousar, atrever-se; desafiar, provocar.
he dare not tell a lie — não se atreve a dizer uma mentira.
he dares to insult me — atreve-se a insultar-me.
he'll write it if he is dared to — escrevê-lo-á se o provocarem.
how dare you! — como te atreves!
I dare say — quer-me parecer; estou persuadido; creio; julgo; talvez.
dare-devil [-devl], **1** — *s.* pessoa atrevida.
2 — *adj.* audacioso, atrevido, arrojado.
daring ['dɛəriŋ], **1** — *s.* coragem, bravura, intrepidez, audácia.
2 — *adj.* audaz, ousado, destemido, temerário.
a daring attempt — uma tentativa ousada.
a daring robbery — um roubo audacioso.
daringly [-li], *adv.* audaciosamente, ousadamente, atrevidamente.
dark [dɑ:k], **1** — *s.* trevas, escuridão; o anoitecer; ignorância.
a leap in the dark — um passo arriscado, um salto para o desconhecido.
at dark — ao anoitecer.

before dark — antes do anoitecer.
don't leave the child alone in the dark — não deixes a criança sozinha às escuras.
he is in the dark about it — desconhece o assunto, não compreendeu bem.
to keep somebody in the dark — conservar alguém na ignorância de um facto.
2 — *adj.* escuro, sombrio; moreno; triste, tenebroso, melancólico; enigmático; secreto. (*Sin.* gloomy, sombre, black, dusky, dim, obscure, ignorant. *Ant.* light, bright, clear.)
as dark as pitch — escuro como breu.
dark-brown — castanho-escuro.
dark-lantern — lanterna de furta-fogo.
dark-days — dias maus, dias tristes.
every dark cloud has a silver lining — não há mal que sempre dure; depois da tempestade vem a bonança.
the Dark Ages — a Idade Média.
the Dark Continent — a África; o Continente Negro.
to get dark — escurecer.
to book on the dark side of things — ver as coisas pelo lado pior; ser pessimista.
you must keep this dark — deves guardar segredo sobre isto.

darken [-ən], *vt.* e *vi.* escurecer, obscurecer; denegrir; confundir, perturbar. (*Sin.* to dim, to obscure, to cloud, to perplex. *Ant.* to lighten, to enlighten.)
don't darken his doors again! — não voltes a pôr os pés em casa dele.

darkey, darky [-i], *s.* (pl. **darkies**) (col.) negro.

darkle [-l], *vi.* escurecer.

darkling [-liŋ], 1 — *adj.* escurecido, extinto. 2 — *adv.* na escuridão.

darkly [-li], *adv.* obscuramente, às escuras.

darkness [-nis], *s.* escuridão, obscuridade, trevas; cor escura; ignorância.

darksome [-səm], *adj.* escuro, sombrio.

darky [-i], *s.* ver **darkey.**

darling [ˈdɑːliŋ], 1 — *s.* amor, anjo.
my darling — meu amor.
2 — *adj.* querido, amado. (*Sin.* dear.)

darn [dɑːn], 1 — *s.* cerzidura, passagem.
2 — *vt.* cerzir, passajar; (col.) maldizer.
to darn socks — passajar meias.

darnel [-l], *s.* joio.

darning [-iŋ], *s.* cerzidura, passagem, conserto.
darning-ball — ovo de passajar.
darning-cotton — algodão de passajar.
they found a darning-needle on the floor — encontraram uma agulha de passajar no chão.

dart [dɑːt], 1 — *s.* seta, flecha; dardo; movimento rápido para a frente; ferrão de insecto; *pl.* jogo de crianças composto de setas e alvo.
2 — *vt.* e *vi.* arremessar; atirar setas; lançar-se, partir, arremessar-se; voar como uma seta.
she darted an angry look at us — lançou-nos um olhar colérico.
to dart in and out — entrar e sair como uma flecha (precipitadamente).

darter [-ə], *s.* frecheiro, besteiro; ave palmípede.

dash [dæʃ], 1 — *s.* choque, colisão; pancada; infusão; traço de união, travessão; ostentação; pequena corrida de velocidade.
a dash of cleverness — um rasgo de esperteza.
a glass of water with a dash of whisky in it — um copo de água com umas gotas de uísque.
at a dash — a toda a pressa.
dash-board — guarda-lamas; *(aut.)* painel de instrumentos.
dash-pot — amortecedor.
the 100-metre dash — a corrida dos 100 metros.
they make a dash for the train — correm precipitadamente para o comboio.
to cut a dash — deitar figura, fazer um figurão.
2 — *vt.* e *vi.* despedaçar, quebrar; arrojar, atirar com força; bater de encontro a; amolgar; desanimar, desencorajar; chocar, despedaçar-se. (*Sin.* to smash, to strike, to rush, to run, to fling, to throw, to depress, to shatter).
he dashed the exercise-books on the table — arremessou os cadernos para cima da mesa.
the plane was dashed to pieces — o avião fez-se em pedaços.
the waves dash against the cliff — as ondas desfazem-se de encontro ao rochedo.
to dash a thing off — escrever qualquer coisa à pressa; rabiscar; esboçar, desenhar.
to dash into — entrar precipitadamente.
to dash one's hopes — desvanecer as esperanças de alguém.
to dash out one's brains — dar cabo dos miolos; cansar-se.

dasher [-ə], *s.* batedor de nata; pessoa que se salienta.

dashing [-iŋ], *adj.* precipitado, arrojado, destemido; vivo.
a dashing rider — um cavaleiro arrojado.

dashingly [-iŋli], *adv.* precipitadamente, arrojadamente.

dastard [ˈdæstəd], *s.* cobarde, poltrão, traiçoeiro.

dastardliness [-linis], *s.* cobardia, traição, infâmia.

dastardly [-dli], *adj.* cobarde, traiçoeiro.

data [ˈdeitə], *s. pl.* de **datum.**

datable [-bl], *adj.* datável.

date [deit], 1 — *s.* data; tempo, época, período; (bot.) tâmara; (E. U.) encontro marcado.
date of delivery — data de entrega.
date-palm — tamareira.
heavy date — encontro muito importante.
her dress is out of date — o vestido dela está fora de moda, está antiquado.
I have a date with them next week (col.) — tenho um encontro marcado com eles para a próxima semana.
I saw many ruins of Roman date last year — vi muitas ruínas romanas no ano passado.
to get up to date — estar em dia.
up to date — moderno.
what is the date of the discovery of Brazil? — qual é a data da descoberta do Brasil?
what's the date today?, what's today's date? — quantos são hoje?
2 — *vt.* e *vi.* datar.
dated 7th — datado do dia 7.
it dates back to the Romans — remonta ao ao tempo dos Romanos; foi construído no tempo dos Romanos.

dateless [-lis], *adj.* sem data; imemorial.

dater [-ə], *s.* carimbo para datas.

dative [ˈdeitiv], 1 — *s.* o caso dativo.
2 — *adj.* dativo.

datum [ˈdeitəm], *s.* (pl. **data** [ˈdeitə]) dado, ponto de partida.

daub [dɔːb], 1 — *s.* pintura tosca; primeira camada de uma pintura.
2 — *vt.* e *vi.* pintar toscamente, borrar, cobrir com substância viscosa.

dauber [-ə], *s.* pintor ordinário; (col.) borra-tintas.

dauby [-i], *adj.* mal pintado.
daughter ['dɔ:tə], *s.* filha.
daughter-in-law — nora.
his step-daughter is young — a enteada dele é nova.
they have two grand-daughters — têm duas netas.
we have a nice god-daughter — temos uma afilhada simpática.
daughterly [-li], *adj.* filial; próprio de filha.
daunt [dɔ:nt], *vt.* atemorizar, assustar, intimidar. (*Sin.* to intimidate, to dismay, to scare, to terrify. *Ant.* to encourage.)
dauntless [-lis], *adj.* destemido, intrépido, arrojado.
dauntlessly [-lisli], *adv.* destemidamente, intrepidamente.
dauntlessness [-lisnis], *s.* intrepidez, arrojo.
dauphin ['dɔ:fin], *s.* delfim, filho mais velho dos reis de França.
davenport ['dævnpɔ:t], *s.* escrivaninha; (E. U.) sofá.
David ['deivid], *n. p.* David.
davit ['dævit], *s.* (náut.) turco; aparelho empregado na descarga de navios e para içar a âncora e os barcos salva-vidas.
davit guy — patarrás de turco.
davit socket — bancal de turco.
davy-lamp ['deivi'læmp], *s.* lanterna de mineiro.
daw [dɔ:], *s.* (zool.) gralha.
dawdle [dɔ:dl], **1** — *s.* perda de tempo.
2 — *vt.* e *vi.* perder o tempo com ninharias; mandriar.
to dawdle away the time — desperdiçar o tempo.
dawdler [-ə], *s.* preguiçoso, mandrião. (*Sin.* sluggard, idler, laggard.)
dawn [dɔ:n], **1** — *s.* alva, aurora, o amanhecer, alvorada.
at dawn — ao amanhecer.
2 — *vi.* amanhecer, romper o dia, despontar, surgir, começar a aparecer.
the day was just dawning — o dia estava mesmo a romper.
the truth at last dawned on me — comecei, finalmente, a ver a verdade.
day [dei], *s.* dia; acontecimento.
all the day long — durante todo o dia.
appointed day — dia marcado; dia designado.
at day-break — ao amanhecer; ao romper do dia.
before the day is out — antes de o dia acabar.
by day — de dia.
call it a day! — por hoje basta!
day after day — dias seguidos, dia após dia.
day and night — constantemente.
day-boarders — alunos semi-internos.
day-book — (com.) diário.
day-boys — alunos externos.
day by day — dia a dia.
day-dream — devaneio; castelo no ar.
day-dreamer — sonhador.
day in, day out — dia após dia; dias seguidos.
day-nurse — criada para crianças; enfermeira de dia.
day-nursery — creche.
day-school — externato.
day-shift — turno do dia.
day-spring (lit.) — amanhecer; aurora.
day-ticket — bilhete de ida e volta só para o mesmo dia.
every day — todos os dias.
every dog has day — cada um tem o seu dia de felicidade.
every other day — dia sim, dia não.
every two days — dia sim, dia não.
fallen on evil days — caído na desgraça.
fast day — dia de jejum.
Feudalism has had its day — o feudalismo teve a sua época.
from day to day — de dia para dia.
his day is done — ele teve o seu período áureo.
in the days of old — antigamente.
in the days to come — no futuro.
let us make a day of it! — vamos celebrar o dia!
men of the day — pessoas importantes.
on the following day — no dia seguinte.
pay-day — dia de féria; dia de pagamento.
rent-day — dia de pagar a renda.
she lives as merry as the day is long — ela leva boa vida.
some day — um dia qualquer.
the day after tomorrow — depois de amanhã.
the day before yesterday — anteontem.
the day is ours — temos o dia por nossa conta.
the day of judgment — o dia do Juízo Final.
these days — actualmente.
this day month — de hoje a um mês.
this day year — de hoje a um ano.
this very day — hoje mesmo.
to turn day into night — fazer do dia noite.
up to this day — até hoje.
week-day — dia da semana.
what day is it? — que dia é hoje?
workday — dia de trabalho.
daylight [-lait], *s.* dia; luz do dia; intervalo entre barcos nas corridas; (col.) parte do copo que não fica cheia de uma bebida.
in broad daylight — em pleno dia.
no daylight, please! — por favor, enche o copo!
to begin to see daylight — começar a perceber.
daze [deiz], **1** — *s.* deslumbramento; confusão, desorientação.
in a daze — deslumbrado; confuso.
2 — *vt.* ofuscar, deslumbrar; confundir. (*Sin.* to bewilder, to stupefy, to dazzle, to stun.)
dazedly [-dli], *adv.* desorientadamente.
dazzle [dæzl], **1** — *s.* excesso de luz, encandeamento; deslumbramento.
dazzle lights — máximos (faróis de automóvel).
dazzle-paint — processo de pintar os navios com certos desenhos para iludir o inimigo.
2 — *vt.* e *vi.* deslumbrar, ofuscar, maravilhar; ofuscar-se.
he was dazzled by her beauty — ele ficou deslumbrado com a beleza dela.
dazzlement [-mənt], *s.* deslumbramento, ofuscação; encandeamento.
dazzler [-ə], *s.* pessoa espampanante, que dá nas vistas.
dazzling [-iŋ], *adj.* deslumbrante, ofuscante. (*Sin.* bright, glaring, flashing, shining. *Ant.* dim, gloomy.)
dazzlingly [-iŋli], *adv.* de modo deslumbrante, brilhantemente.
deacon ['di:kən], *s.* diácono.
deaconess ['di:kənis], *s.* diaconisa.
dead [ded], **1** — *s.* morto.
at dead of night — pela calada da noite.
in the dead of Winter — na força do Inverno.
the dead — os mortos.
2 — *adj.* morto; inerte, inanimado; inactivo; imóvel; impossibilitado; inútil; que não transmite corrente eléctrica. (*Sin.* lifeless, departed, deceased, spiritless, inert. *Ant.* alive, stirring.)
as dead as a mutton — morto e bem morto.

dead and alive — semimorto.
dead beat — morto de fadiga.
dead burnt lime — cal apagada.
dead calm — calma podre.
dead clothes — mortalhas.
dead colour — primeira demão de tinta.
dead dogs do not bite — morto o bicho, morre a peçonha.
dead-end — beco; fim de um ramal de caminho-de-ferro.
dead-eye — (náut.) sapata.
dead-fire — fogo-de-santelmo.
dead-head — pessoa que entra de borla no teatro e que viaja nas mesmas condições.
dead heat — contenda em que não houve vencedor; empate.
dead hours — horas mortas.
dead house — necrotério.
dead-letter — letra morta; carta que não foi entregue nem reclamada no correio.
dead-line — (elect.) linha sem corrente; fim de prazo.
dead loans — empréstimos que não são pagos.
dead loss — perda total.
dead man (dead marine) (col.) — garrafa vazia.
dead march — marcha fúnebre.
dead men tell no tales — morto o bicho, morre a peçonha.
dead office — ofício fúnebre.
dead point — ponto morto.
dead-reckoning — cálculo.
Dead Sea — mar Morto.
dead season — estação morta.
dead silence — silêncio profundo.
dead-short (elect.) — curto-circuito.
dead-slow — o mais devagar possível.
dead-stock — bens imóveis.
dead-weight — carga pesada; contrapeso.
dead-well — poço que faz sumir a água.
dead-window — janela fingida.
dead-wire — fio sem corrente eléctrica.
dead-work — trabalho improfícuo.
dead-works — obras mortas.
he pulls the dead horse — liquida uma dívida com o seu trabalho.
Latin and Greek are dead languages — o Latim e o Grego são línguas mortas.
the bus came to a dead stop — o autocarro parou por completo.
to be in dead earnest — falar muito a sério.
to drop down dead — cair morto.
to wait for dead men's shoes — esperar por sapatos de defunto.
3 — *adv.* absolutamente, completamente, profundamente.
dead asleep — profundamente adormecido.
dead tired — completamente exausto.
they were dead drunk — estavam completamente embriagados.
we are dead sure — temos a certeza absoluta.

deaden [-n], *vt.* e *vi.* amortecer; tirar as forças, enfraquecer; paralisar; abafar (sons).

deadliness [-linis], *s.* perigo de morte.

deadlock [-lɔk], *s.* beco sem saída, ponto morto.

deadly [-li], **1** — *adj.* capaz de causar a morte, cadavérico, fatal, mortal; implacável.
a deadly wound — uma ferida mortal.
deadly enemies — inimigos figadais.
deadly sin — pecado mortal.
a deadly poison — um veneno mortífero.
2 — *adv.* muitíssimo; mortalmente.
deadly pale — extremamente pálido.
deadly tired — muitíssimo cansado.

deaf [def], *adj.* surdo; insensível.
a deaf man — um surdo.
a deaf-mute — um surdo-mudo.
as deaf as an adder (as a post) — surdo como uma porta.
deaf and dumb — surdo-mudo.
deaf of an ear (deaf in one ear) — surdo de um ouvido.
she turns a deaf ear to the requests for help — ela recusa-se a ouvir os pedidos de socorro.

deafen [-n], *vt.* ensurdecer; abafar (sons).

deafening [-niŋ], *adj.* ensurdecedor.

deafly [-li], *adv.* surdamente.

deafness [-nis], *s.* surdez.

deal [di:l], **1** — *s.* quantidade, porção; negócio; vez de dar cartas; mão; tábua de pinho; madeira de pinho.
a fair (square) deal — boa-fé, lisura, clareza no negócio.
a good deal — bastante.
a great deal — uma grande quantidade, muito.
it is my deal — é a minha vez de dar cartas.
she made a great deal of my father — ela tinha uma grande consideração pelo meu pai.
2 — *vt.* e *vi.* (pret. e pp. **dealt** [delt]) distribuir, repartir; negociar, tratar; dar (cartas); tratar de, ocupar-se de. (*Sin.* to distribute, to give out, to divide, to treat, to trade.)
he deals out clothes to the poor — ele distribui peças de vestuário pelos pobres.
that man is difficult to deal with — é difícil tratar com aquele homem.
to deal a mortal blow — desferir um golpe mortal.
to deal by — portar-se, conduzir-se.
to deal in — negociar em, ocupar-se de.
what does the lesson deal with? — de que trata a lição?
who deals the cards? — quem dá as cartas?

dealer [-ə], *s.* negociante; jogador que dá cartas.
cattle dealer — negociante de gado.
retail dealer — retalhista.
wholesale dealer — negociante por junto.

dealing [-iŋ], *s.* procedimento, conduta; *pl.* negócios, relações comerciais, transacções.
double dealing — velhacaria, falsidade nos negócios.
he is well known for fair dealing — ele é bem conhecido pela sua honradez nos negócios.
I advise you to have no dealings with that man — aconselho-te a não tratar com aquele homem.

dealt [delt], *pret.* e *pp.* de **to deal.**

deambulation [diæmbju'leiʃən], *s.* deambulação.

deambulatory [di'æmbjulətəri], *adj.* deambulatório.

dean [di:n], *s.* deão; pequeno vale.

deanery [-əri], *s.* (pl. **deaneries**) deado.

dear [diə], **1** — *s.* pessoa que cativa, amor; querido.
she is a dear — ela é um amor.
2 — *adj.* caro, querido, amado; dispendioso; encantador.
my dear friend — (em cartas) meu caro amigo.
this is too dear! — isto é muitíssimo caro!
what a dear little child! — que criancinha encantadora!
3 — *adv.* caro, por alto preço.
he buys cheap and sells dear — ele compra barato e vende caro.
4 — *interj. dear me!* — valha-me Deus!

dearly [-li], *adv.* ternamente, carinhosamente; caro, por alto preço.

dearness [-nis], *s.* carinho, ternura, afecto; carestia; preço elevado.

dearth [də:θ], *s.* escassez, falta; carestia.
dearth of food — escassez de alimentos.
deary ['diəri], *s.* (col.) queridinho, amor.
death [deθ], *s.* morte, falecimento, fim.
as pale as death — pálido como a morte.
as sure as death — tão certo como a morte.
at death's door — às portas da morte.
bored to death — muito aborrecido.
death-adder — serpente venenosa.
death-bed — leito mortuário.
death-bell — toque de finados.
death-blow — golpe mortal.
death-duties — direitos de transmissão.
death-fire — fogo-fátuo.
death's head — caveira.
death-mask — máscara mortuária.
death-rate — taxa de mortalidade.
death-rattle — estertor da morte.
death-roll — obituário.
death sweeps away great and small — a morte arrebata grandes e pequenos.
death-trap — lugar perigoso; ratoeira mortal.
death-warrant — sentença de morte.
faithful unto death — fiel até à morte.
frozen to death — a morrer de frio.
on the death of — por morte de.
speedy-death — morte súbita.
starved to death — morto de fome.
the death of his ambitions — o fim das suas ambições.
tired to death — muitíssimo fatigado.
to be in at the death — assistir ao fim de qualquer coisa.
to be the death of — causar a morte a; mortificar.
to die a dog's death — morrer na miséria.
to die a natural death — morrer de morte natural.
to fight to the death — lutar até à morte.
to put to death — mandar matar.
true till death — fiel até morrer.
united in death — unidos na morte.
worse than death — pior do que a morte.
deathless [-lis], *adj.* imortal.
deathlessly [-li], *adv.* de um modo imortal.
deathlessness [-nis], *s.* imortalidade.
deathlike ['deθlaik], *adj.* e *adv.* cadavérico; mortal.
deathly ['deθli], *adj.* e *adv.* mortal, como a morte.
deathly stillness — silêncio sepulcral.
débâcle [dei'bɑ:kl], *s.* colapso, queda; descongelação; torrente súbita de água que arrasta consigo pedras e outros fragmentos.
debar [di'bɑ:], *vt.* excluir; privar de; vedar.
to debar from the right of voting — privar do direito de votar.
debark [di'bɑ:k], *vt.* e *vi.* desembarcar.
debarkation [di:bɑ:'keiʃən], *s.* desembarque.
debase [di'beis], *vt.* aviltar, humilhar, rebaixar; deprimir; degradar, desonrar; viciar, falsificar. (*Sin.* to degrade, to lower, to dishonour, to abase. *Ant.* to raise.)
to debase the coinage — desvalorizar a moeda.
debasement [-mənt], *s.* aviltamento, humilhação; desonra; depreciação; falsificação.
debaser [-ə], *s.* aviltador; depreciador; falsificador.
debasing [-iŋ], *adj.* aviltante, humilhante, degradante.
debasingly [-iŋli], *adv.* degradantemente, humilhantemente, de modo aviltante.
debatable [di'beitəbl], *adj.* discutível, contestável.
debate [di'beit], **1** — *s.* debate, discussão, controvérsia.
he opens the debate — ele abre o debate.
2 — *vt.* e *vi.* debater, discutir, contestar, disputar; considerar; pensar.
I was debating whether to go for a walk or to stay in — estava a pensar se devia ir passear ou ficar em casa.
debater [-ə], *s.* orador, polemista.
debauch [di'bɔ:tʃ], **1** — *s.* (pl. **debauches**) devassidão, perversão, vida dissoluta.
2 — *vt.* perverter, corromper; seduzir, viciar.
debauchable [-əbl], *adj.* que se pode corromper, que está sujeito a perversão.
debauchee [debɔ:'tʃi:], *s.* pervertido, debochado, libertino.
debauchery [di'bɔ:tʃəri], *s.* (pl. **debaucheries**) devassidão, libertinagem.
debenture [di'bentʃə], *s.* obrigação (título de dívida); vale (documento da alfândega).
mortgage debentures — obrigações hipotecárias.
terminable debenture — obrigação amortizável.
debilitate [di'biliteit], *vt.* debilitar, enfraquecer.
debility [di'biliti], *s.* debilidade, fraqueza.
debit ['debit], **1** — *s.* débito.
2 — *vt.* debitar.
debonair [debə'nɛə], *adj.* alegre, jovial; amável, delicado.
Deborah ['debərə], *n. p.* Débora.
debouch [di'bautʃ], *vi.* desembocar, desaguar.
debouchment [-mənt], *s.* desembocadura.
debris ['debri:], *s.* escombros, ruínas; fragmentos; restos, despojos.
debt [det], *s.* dívida, débito. (*Sin.* debit, due.)
action of debt — acção judicial por dívidas.
debt-collector — cobrador de dívidas.
debt of honour — dívida de honra.
debt of nature — morte.
floating debt — dívida flutuante.
funded debt — dívida consolidada.
he is in debt — ele está endividado.
National Debt — dívida pública.
to acknowledge a debt — confessar uma dívida.
to be head over ears in debt — estar cheio de dívidas.
to be out of debt — não ter dívidas.
to be up to the eyes in debt — estar crivado de dívidas.
to incur debts — contrair dívidas.
to run into debt — endividar-se.
debtor [-ə], *s.* devedor; o «deve» duma conta.
debunk ['di:'bʌŋk], *vt.* (col.) fazer descer alguém do seu pedestal; pôr nos devidos lugares.
debus [di:'bʌs], *vt.* e *vi.* descarregar de veículos motorizados.
début ['deibu:], *s.* estreia (no teatro ou na vida de sociedade).
débutant ['debju(:)tã:ŋ], *s.* estreante.
decade ['dekeid], *s.* década.
decadence ['dekədəns], *s.* decadência.
decadent ['dekədənt], *s.* e *adj.* decadente.
decagon ['dekəgən], *s.* decágono.
decagram(me) ['dekəgræm], *s.* decagrama.
decalcification ['di:kælsifi'keiʃən], *s.* descalcificação.
decalcify [di:'kælsifai], *vt.* descalcificar.
decalitre ['dekəli:tə], *s.* decalitro.
decalogue ['dekəlɔg], *s.* decálogo, os dez mandamentos da lei de Deus.
decametre ['dekəmi:tə], *s.* decâmetro.
decamp [di'kæmp], *vi.* decampar, mudar de campo ou acampamento; fugir, abalar.
decampment [-mənt], *s.* decampamento, retirada precipitada.
decanal [di'keinl], *adj.* relativo ao deão.
decant [di'kænt], *vt.* clarificar, transvasar, decantar (líquidos).

decantation [di:kæn'teiʃən], *s.* decantação, clarificação.
decanter [di'kæntə], *s.* garrafa de mesa.
decanting [di'kæntiŋ], *s.* decantação.
decapitate [di'kæpiteit], *vt.* decapitar.
decapitation [dikæpi'teiʃən], *s.* decapitação.
decapod ['dekəpɔd], *s.* decápode, que tem dez pés (crustáceos).
decarbonization [di:kɑ:bənai'zeiʃən], *s.* descarbonização.
decarbonize [di:'kɑ:bənaiz], *vt.* descarbonizar.
decarbonizer [-ə], *s.* descarbonizador.
decarburization [di:'kɑ:bjuərai'zeiʃən], *s.* ver **decarbonization.**
decarburize [di:'kɑ:bjuəraiz], *vt.* ver **decarbonize.**
decarburizer [-ə], ver **decarbonizer.**
decasualize [di:'kæʒjuəlaiz], *vt.* solucionar as contingências do trabalho.
decasyllabic ['dekəsi'læbik], *s.* e *adj.* decassílabo, decassilábico.
decasyllable ['dekəsiləbl], *s.* e *adj.* decassílabo.
decatholicize [di:kə'θɔlisaiz], *vt.* descatolicizar.
decay [di'kei], **1** — *s.* decadência, ruína; declínio, queda; destruição; deterioração. (*Sin.* decadence, decline, deterioration. *Ant.* rise.)
2 — *vt.* e *vi.* decair, declinar; apodrecer; deitar a perder, arruinar; deteriorar-se, estragar-se.
decease [di'si:s], **1** — *s.* morte, falecimento, queda, óbito.
2 — *vi.* morrer, falecer.
deceased [-t], *s.* e *adj.* morto, falecido.
the deceased — os mortos.
deceit [di'si:t], *s.* engano, fraude, dolo, embuste; estratagema. (*Sin.* fraud, deception, trickery, artifice. *Ant.* honesty.)
deceitful [-ful], *adj.* enganador, falso, ilusório, fraudulento.
deceitfully [-i], *adv.* de modo enganador, falsamente.
deceitfulness [-fulnis], *s.* falsidade, fraude.
deceivable [di'si:vəbl], *adj.* enganadiço.
deceive [di'si:v], *vt.* e *vi.* enganar, iludir; desapontar.
deceiver [-ə], *s.* enganador, embusteiro; impostor.
decelerate [di:'seləreit], *vt.* e *vi.* diminuir a velocidade.
deceleration ['di:selə'reiʃən], *s.* abrandamento de velocidade.
December [di'sembə], *s.* Dezembro.
decemvir [di'semvə], *s.* decênviro.
decemvirate [di'semvirit], *s.* decenvirato.
decency ['di:snsi], *s.* (pl. **decencies**) decência, decoro, compostura; honestidade.
decennary [di'senəri], *s.* e *adj.* decénio; decenal.
decennial [di'senjəl], *adj.* decenal, que dura dez anos.
decennially [-i], *adv.* de dez em dez anos.
decennium [di'senjəm], *s.* decénio.
decent ['di:sənt], *adj.* decente, honesto, respeitável; tolerável; bom, equilibrado; apropriado.
he is not very pleasant, but he is a decent fellow — ele não é muito agradável, mas é uma pessoa digna.
decently [-li], *adv.* decentemente.
decentralization [di:sentrəlai'zeiʃən], *s.* descentralização.
decentralize [di:'sentrəlaiz], *vt.* descentralizar.
decentralizing [-iŋ], *s.* descentralizador.
deception [di'sepʃən], *s.* engano, logro; decepção, desilusão.
deceptive [di'septiv], *adj.* enganador, falso, ilusório. (*Sin.* deceitful, false.)
appearances are often deceptive — as aparências iludem frequentemente.
deceptively [-li], *adv.* enganosamente, falazmente.
deceptiveness [-nis], *s.* falácia, engano.
dechristianize [di:'kristjənaiz], *vt.* descristianizar.
decidable [di'saidəbl], *adj.* que se pode resolver.
decide [di'said], *vt.* e *vi.* decidir, resolver, determinar.
to decide on — resolver-se a; pronunciar-se por.
decided [-id], *adj.* decidido, resolvido, determinado; categórico; nítido.
there is a decided difference between them — há uma diferença notória entre eles.
decidedly [-idli], *adv.* decididamente; incontestavelmente.
decider [-ə], *s.* árbitro, juiz.
deciding [-iŋ], *adj.* decisivo.
deciduous [di'sidjuəs], *adj.* caduco.
deciduousness [-nis], *s.* caducidade.
decigram(me) ['desigræm], *s.* decigrama.
decilitre ['desili:tə], *s.* decilitro.
decillion [di'siljən], *s.* decilião.
decimal ['desiməl], *s.* e *adj.* decimal.
decimal balance — balança decimal.
decimal fraction — fracção decimal.
decimal number — número decimal.
decimal point — vírgula das décimas.
decimal system — sistema decimal.
decimalization [desiməlai'zeiʃən], *s.* redução ao sistema decimal.
decimalize ['desiməlaiz], *vt.* reduzir ao sistema decimal.
decimally ['desiməli], *adv.* por decimais; por dezenas.
decimate ['desimeit], *vt.* dizimar.
decimation [desi'meiʃən], *s.* dizimação.
decimator ['desimeitə], *s.* dizimador.
decimetre ['desimi:tə], *s.* decímetro.
decipher [di'saifə], **1** — *s.* decifração.
2 — *vt.* decifrar; interpretar.
decipherable [di'saifərəbl], *adj.* decifrável.
decipherment [di'saifəmənt], *s.* decifração.
decision [di'siʒən], *s.* decisão, resolução, determinação.
to arrive at a decision ou *to come to a decision* — chegar a uma decisão.
decisive [di'saisiv], *adj.* decisivo, terminante, peremptório; decidido.
decisively [-li], *adv.* decisivamente; decididamente.
decisiveness [-nis], *s.* carácter decisivo; decisão.
Decius ['di:ʃjəs], *n. p.* Décio.
decivilize [di:'sivilaiz], *vt.* descivilizar.
deck [dek], **1** — *s.* convés, coberta; pavimento.
a deck of cards — um baralho de cartas.
deck-boy — moço do convés, grumete.
deck-chair — cadeira de lona.
deck-light — vigia do convés.
deck-load — carga do convés.
deck-passenger — passageiro de convés.
lower-deck — coberta inferior, segunda coberta.
promenade-deck — tombadilho de passeio.
to clear the deck — preparar para o combate (navio).
to sweep the deck — varrer o convés, levar tudo o que está na coberta.
upper-deck — piso superior (nos autocarros); (náut.) coberta superior.
2 — *vt.* enfeitar, adornar.
to deck oneself out — enfeitar-se.
decking [-iŋ], *s.* enfeite, adorno.

deckle [-l], *s.* molde para fabricar o papel.
declaim [di'kleim], *vt.* e *vi.* declamar, recitar.
to declaim against someone — falar com violência contra alguém.
declaimer [-ə], *s.* declamador.
declamation [deklə'meiʃən], *s.* declamação.
declamatory [di'klæmətəri], *adj.* declamatório.
declarable [di'klɛərəbl], *adj.* declarável, que se pode declarar.
declarant [di'klɛərənt], *s.* (jur.) declarante.
declaration [deklə'reiʃən], *s.* declaração; exposição; proclamação. (*Sin.* announcement, assertion, proclamation, statement.)
declaration of war — declaração de guerra.
declarative [di'klærətiv], *adj.* declarativo.
declaratory [di'klærətəri], *adj.* declaratório.
declare [di'klɛə], *vt.* e *vi.* declarar; afirmar; proclamar, anunciar; pronunciar-se.
to declare against — pronunciar-se contra.
to declare for — pronunciar-se a favor de.
to declare oneself — declarar-se; confessar as suas intenções.
to declare off — rescindir um contrato; desistir de; renunciar a.
to declare war — declarar guerra.
well, I declare! — ora essa!
declared [-d], *adj.* declarado, confessado.
declaredly [-dli], *adv.* declaradamente.
declension [di'klenʃən], *s.* decadência; (gram.) declinação.
declinable [di'klainəbl], *adj.* declinável.
declination [dekli'neiʃən], *s.* inclinação, declive; distância de um astro ao equador celeste.
decline [di'klain], **1** — *s.* decadência, declínio; tuberculose pulmonar; baixa de preços.
she fell into a decline and died — ela tuberculizou e morreu.
2 — *vt.* e *vi.* declinar, decair; recusar; baixar, diminuir; inclinar-se; enfraquecer.
to decline an invitation — recusar (declinar) um convite.
to decline with thanks — rejeitar desdenhosamente.
declinometer [dekli'nɔmitə], *s.* declinómetro.
declivitous [di'klivitəs], *adj.* escarpado, inclinado.
declivity [di'kliviti], *s.* (pl. **declivities**) declive, escarpa, ladeira.
declivous [di'klaivəs], *adj.* inclinado.
declutch ['di:klʌtʃ], *vi.* desengatar, desembraiar.
decoct [di'kɔkt], *vt.* fazer cozimento.
decoction [di'kɔkʃən], *s.* cozimento; decocção.
decode ['di:'koud], *vt.* decifrar documentos em cifra.
decoding [-iŋ], *s.* decifração.
decollate [di'kɔleit], *vt.* degolar, decapitar.
decollation [dikɔ'leiʃən], *s.* degolação, decapitação.
décolletage [dei'kɔltɑ:ʒ], *s.* decote.
décolleté [dei'kɔltei], **1** — *s.* decote.
2 — *adj.* decotado.
decolo(u)rization [di:kʌlərai'zeiʃən], *s.* descoloração.
decolo(u)rize [di:'kʌləraiz], *vt.* descolorar.
decomposable [di:kəm'pouzəbl], *adj.* decomponível.
decompose [di:kəm'pouz], *vt.* e *vi.* decompor; estragar; decompor-se; estragar-se.
decomposer [-ə], *s.* o que provoca a decomposição.
decomposing [-iŋ], *adj.* em decomposição.
decomposition [di:kɔmpə'ziʃən], *s.* decomposição; desintegração, putrefacção.
decompound [di:kəm'paund], *s.* e *adj.* formado de elementos compostos; (bot.) substância formada de elementos compostos.
decompress [di:kəm'pres], *vt.* descomprimir.
decompression [di:kəm'preʃən], *s.* descompressão.
decompressor [di:kəm'presə], *s.* descompressor.
deconsecrate [di:'kɔnsikreit], *vt.* secularizar.
deconsecration ['di:kɔnsi'kreiʃən], *s.* secularização.
decontaminate ['di:kən'tæmineit], *vt.* eliminar a contaminação.
decontrol ['di:kən'troul], **1** — *s.* libertação, liberdade.
2 — *vt.* libertar de fiscalização.
décor ['deikɔ:], *s.* decoração.
decorate ['dekəreit], *vt.* decorar, ornamentar, ornar; condecorar.
some sailors were decorated for bravery — alguns marinheiros foram condecorados pela sua coragem.
decorated [-id], *adj.* enfeitado, decorado.
decoration [dekə'reiʃən], *s.* decoração, ornamentação, ornamento; condecoração.
decorative ['dekərətiv], *adj.* decorativo.
decorative drawing — desenho decorativo.
decorator ['dekəreitə], *s.* decorador.
decorous ['dekərəs], *adj.* decoroso, digno, decente.
decorously [-li], *adv.* decorosamente, dignamente.
decorum [di'kɔ:rəm], *s.* decoro, decência, correcção.
decoy [di'kɔi], **1** — *s.* armadilha, laço, cilada; isca; cúmplice de vigarista.
2 — *vt.* engodar, atrair, fazer cair no laço. (*Sin.* to lure, to ensnare, to entice, to entrap, to seduce. *Ant.* to guide.)
decrease 1 — ['di:kri:s], *s.* diminuição, decrescimento, redução.
decrease in output — diminuição de rendimento.
the population is on the decrease — a população está a diminuir.
2 — [di:'kri:s], *vt.* e *vi.* diminuir, decrescer, reduzir.
decreasing [-iŋ], *adj.* decrescente.
decreasingly [-iŋli], *adv.* de modo decrescente.
decree [di'kri:], **1** — *s.* decreto, lei, mandato.
2 — *vt.* decretar; ordenar.
decrement ['dekrimənt], *s.* diminuição, redução.
decrepit [di'krepit], *adj.* decrépito, gasto, fraco; caduco.
decrepitate [di'krepiteit], *vt.* e *vi.* calcinar; decrepitar.
decrepitation [dikrepi'teiʃən], *s.* decrepitação.
decrepitude [di'krepitjud], *s.* decrepitude; caducidade.
decrescent [di'kresənt], *adj.* decrescente.
decretal [di'kri:təl], *s.* decretal; decreto do Papa.
decry [di'krai], *vt.* vituperar, desacreditar, rebaixar.
decrying [-iŋ], *s.* calúnia, vitupério, injúria.
decuman ['dekjumən], *adj.* grande, forte (onda).
decumbent [di'kʌmbənt], *adj.* (bot. e zool.) decumbente, inclinado, deitado.
decuple ['dekjupl], **1** — *s.* e *adj.* décuplo.
2 — *vt.* e *vi.* decuplicar, multiplicar por dez.
decussate [di'kʌsit], *vt.* interceptar; entrecruzar em X.
decussation [di:kʌ'seiʃən], *s.* intercepção, decussação.

dedicate ['dedikeit], *vt.* dedicar, consagrar; destinar; oferecer; dedicar-se.
to dedicate oneself to business — dedicar-se ao negócio.
dedicatee [dedikə'ti:], *s.* pessoa que recebe uma dedicatória.
dedication [dedi'keiʃən], *s.* dedicação, consagração; dedicatória.
dedicator ['dedikeitə], *s.* aquele que dedica.
dedicatory ['dedikətəri], *adj.* dedicatório.
deduce [di'dju:s], *vt.* deduzir, inferir, concluir; descender.
deducible [-əbl], *adj.* deduzível, que se pode deduzir.
deduct [di'dʌkt], *vt.* deduzir, subtrair, abater. (*Sin.* to subtract, to take away, to remove. *Ant.* to add.)
deduction [di'dʌkʃən], *s.* dedução, conclusão; desconto; diminuição.
deductive [di'dʌktiv], *adj.* dedutivo.
deductively [-li], *adv.* por dedução.
Dee [di:], *top.* nome dum rio escocês.
deed [di:d], *s.* feito, façanha, proeza; acto, acção; escritura; documento judicial.
a good deed — uma boa acção.
deed of defeasance — escritura de anulação.
deed of gift — doação entre vivos.
deed of sale — contrato de venda.
foul deeds are punished — as acções vis são castigadas.
man of deeds — homem de acção.
the deeds of a hero — os feitos dum herói.
to be taken in the deed — ser apanhado em flagrante.
to draw up a deed — redigir uma escritura.
deed-poll [di:dpɔl], *s.* (*jur.*) contrato unilateral.
deem [di:m], *vt.* julgar, crer, supor, imaginar, considerar.
to be deemed — ser considerado.
to deem highly of — ter em grande consideração.
to deem it one's duty — considerar um dever.
deemster [-stə], *s.* juiz na ilha de Man.
deep [di:p], **1** — *s.* (poét.) mar, oceano; profundidade.
2 — *adj.* fundo, profundo; intenso; carregado, escuro; difícil.
a deep problem — um problema difícil.
a deep voice — uma voz grossa, uma voz grave.
deep blue — azul escuro.
deep breath — respiração funda.
deep colour — cor carregada.
deep in debt — carregado de dívidas.
deep in thought — absorto em pensamentos.
deep mourning — luto pesado.
deep poverty — pobreza extrema.
deep prayers — orações fervorosas.
deep sea — mar alto.
deep sea lead (náut.) — prumo grande.
deep sigh — suspiro profundo.
deep silence — silêncio profundo.
deep sleep — sono profundo.
deep study — estudo absorvente.
how deep is the well? — que profundidade tem o poço?
it is twenty-five feet deep — tem 25 pés de profundidade.
to go off the deep end — irritar-se.
to take a deep interest in — ter o máximo interesse por.
3 — *adv.* profundamente, fortemente, muito.
deep in love — profundamente enamorado.
deep-laid — bem elaborado.
deep-mouthed — que ladra fortemente.
deep-rooted habits — hábitos enraizados.
to go deep into a subject — entrar a fundo num assunto.
to read deep into the night — ler muito pela noite fora.
deepen [-ən], *vt.* e *vi.* aprofundar, afundar; intensificar; carregar as cores, escurecer.
deepish [-iʃ], *adj.* bastante fundo.
deeply [-li], *adv.* profundamente, extremamente, intensamente.
deeply lamented friend — amigo muito chorado.
he felt his father's death deeply — sentiu profundamente a morte do pai.
to dig deeply — cavar fundo.
deepness [-nis], *s.* profundidade, profundeza; gravidade (sons).
deer [diə], *s.* veado, corça, gamo.
deer-hound — galgo.
deer-park — tapada onde há veados para caça.
roe-deer — cabrito-montês.
deerskin — camurça.
deer-stalker — caçador de veados.
deer-stalking — caçada aos veados.
deface [di'feis], *vt.* desfigurar, mutilar, deformar; apagar; deteriorar. (*Sin.* to disfigure, to mar, to injure, to deform. *Ant.* to decorate.)
defacement [-mənt], *s.* desfiguração, mutilação, deformação, destruição.
defacer [-ə], *s.* desfigurador, destruidor, mutilador.
defacing [-iŋ], *s.* destruição; mutilação.
defalcate ['di:fælkeit], *vi.* desfalcar, praticar desfalque.
defalcation [di:fæl'keiʃən], *s.* desfalque.
defalcator ['di:fælkeitə], *s.* o que pratica um desfalque.
defamation [defə'meiʃən], *s.* difamação, calúnia.
defamatory [di'fæmətəri], *adj.* difamatório.
defame [di'feim], *vt.* difamar, caluniar; desacreditar.
defamer [-ə], *s.* difamador, detractor.
default [di'fɔ:lt], **1** — *s.* falta; ausência; descuido, negligência; revelia.
in default of — na falta de.
judgment by default — julgamento à revelia.
they won the match by default — ganharam o jogo por falta de comparência do adversário.
to sentence by default — condenar à revelia.
2 — *vt.* e *vi.* faltar; faltar ao cumprimento das suas obrigações; condenar à revelia.
defaulter [-ə], *s.* delinquente, rebelde; militar que não cumpriu ordens.
defaulter sheet — folha de mau comportamento.
defaulting [-iŋ], *adj.* faltoso.
defeasance [di'fi:zəns], *s.* anulação, revogação.
defeasibility [difi:zi'biliti], *s.* anulação, revogação.
defeasible [di'fi:zəbl], *adj.* anulável, revogável.
defeat [di'fi:t], **1** — *s.* derrota, revés; (jur.) anulação.
2 — *vt.* derrotar, destroçar, vencer; frustrar; (jur.) anular. (*Sin.* to vanquish, to conquer, to overcome.)
to defeat the enemy in a battle — derrotar o inimigo numa batalha.
defeatism [-izm], *s.* derrotismo.
defeatist [-ist], *s.* derrotista.
defeature [di'fi:tʃə], *vt.* desfigurar.
defecate ['defekeit], *vt.* purificar; clarificar.
defecation [defe'keiʃən], *s.* purificação; refinação.

defecator ['defekeitə], *s.* aparelho de refinação.
defect [di'fekt], *s.* defeito, falta; imperfeição.
a defect in the mechanism — um defeito no mecanismo.
free from defects — isento de defeitos.
defection [di'fekʃən], *s.* defecção; apostasia, deserção.
defective [di'fektiv], *adj.* defeituoso, imperfeito; anormal; (gram.) defectivo.
defectively [-li], *adv.* defeituosamente, com imperfeição.
defectiveness [-nis], *s.* defeito, imperfeição; falta, deficiência.
defence, defense [di'fens], *s.* defesa, apoio, protecção; justificação.
counsel for the defence — advogado de defesa.
in defence of — em defesa de.
they made a very successful defence against the enemy — defenderam-se com êxito do inimigo.
witness for the defense—testemunha de defesa.
defenceless [-lis], *adj.* indefeso, que não tem defesa.
defencelessly [-lisli], *adv.* sem ter defesa, sem poder resistir.
defencelessness [-lisnis], *s.* desamparo, abandono; impossibilidade de se defender.
defend [di'fend], *vt.* e *vi.* defender, proteger, amparar; guardar; defender-se. (*Sin.* to protect, to guard, to resist, to shield. *Ant.* to attack.)
to defend against — defender(-se) de.
to defend oneself — defender-se.
defendant [-ənt], *s.* arguido, réu.
defender [-ə], *s.* defensor, protector; (desp.) campeão que defende o seu título.
defenestration [di:feni'streiʃən], *s.* defenestração.
defense [di'fens], *s.* ver **defence.**
defensibility [difensi'biliti], *s.* defesa, possibilidade de defesa.
defensible [di'fensəbl], *adj.* defensável; justificável.
defensibly [-i], *adv.* de modo defensável.
defensive [di'fensiv], *s.* e *adj.* defensiva; defensivo.
to assume a defensive attitude — assumir uma atitude defensiva.
to be on the defensive — estar na defensiva.
defensiveness [-nis], *s.* defensiva.
defer [di'fə:], *vt.* e *vi.* (pret. e pp. **deferred**) adiar, diferir; demorar, retardar; ceder, condescender; consentir; demorar-se. (*Sin.* to delay, to put off, to postpone, to procrastinate, to adjourn. *Ant.* to hasten.)
to defer a visit — adiar uma visita.
to defer payment — adiar o pagamento.
deference ['defərəns], *s.* deferência, respeito; condescendência.
out of deference — por deferência.
to treat with deference—tratar com deferência.
deferent ['defərənt], *adj.* deferente, atencioso; (anat.) deferente.
deferential [defə'renʃəl], *adj.* deferente, respeitoso, reverente.
deferentially [defə'renʃəli], *adv.* respeitosamente, atenciosamente.
deferment [di'fə:mənt], *s.* adiamento; demora.
defiance [di'faiəns], *s.* desafio, provocação; desobediência.
he jumped into the river in defiance of the icy water — mergulhou no rio a despeito da água gelada.
they bade defiance to the policeman — eles provocaram o polícia.
to set at defiance — desobedecer, não fazer caso de, provocar.
defiant [di'faiənt], *adj.* provocador, desobediente.
defiantly [-li], *adv.* provocadoramente.
deficiency [di'fiʃənsi], *s.* (pl. **deficiencies**) deficiência, falta; defeito.
a deficiency of food — deficiência de alimentação.
deficient [di'fiʃənt], *adj.* deficiente; incompleto, defeituoso.
deficiently [-li], *adv.* deficientemente.
deficit ['defisit], *s.* défice.
defier [di'faiə], *s.* desafiador, provocador.
defilade [defi'leid], **1** — *s.* defesa (contra o fogo enfiado do inimigo).
2 — *vt.* defender (do fogo enfiado do inimigo).
defile 1 — ['di:fail], *s.* desfiladeiro; desfile.
2 — [di:'fail], *vt.* e *vi.* manchar, sujar; profanar; violar; corromper; (mil.) desfilar.
to defile sacred things — profanar coisas sagradas.
defilement [-mənt], *s.* profanação; mancha, mácula.
without defilement — sem mancha.
defiler [-ə], *s.* corruptor; profanador.
definable [di'fainəbl], *adj.* definível.
define [di'fain], *vt.* definir; determinar; demarcar.
to define one's position — definir a sua posição.
definite ['definit], *adj.* definido, preciso, exacto, determinado. (*Sin.* precise, determinate, distinct, clear, specified. *Ant.* vague.)
definite article — artigo definido.
definite opinion — opinião definida.
definitely [-li], *adv.* determinadamente, de uma maneira clara.
definiteness [-nis], *s.* exactidão, precisão.
definition [defi'niʃən], *s.* definição; nitidez (de imagem); determinação; decisão.
definitive [di'finitiv], *adj.* definitivo, decisivo, peremptório.
definitively [-li], *adv.* definitivamente.
deflagrate ['defləgreit], *vt.* e *vi.* deflagrar, incendiar, arder; pôr em combustão.
deflagration [deflə'greiʃən], *s.* deflagração, incêndio; combustão rápida e violenta.
deflagrator ['defləgreitə], *s.* aparelho para produzir deflagrações.
deflate [di'fleit], *vt.* esvaziar-se de ar; (fin.) praticar a deflação.
deflation [di'fleiʃən], *s.* (fin.) deflação; esvaziamento do ar.
deflect [di'flekt], *vt.* e *vi.* desviar, fazer desviar; desviar-se, afastar-se.
deflecting [-iŋ], *adj.* que desvia.
deflection [di'flekʃən], *s.* desvio; declinação magnética.
deflector [di'flektə], *s.* deflector, o que desvia.
deflexion [di'flekʃən], *s.* ver **deflection.**
defloration [di:flɔ:'reiʃən], *s.* desfloração, desfloramento; estupro.
deflower [di:'flauə], *vt.* desflorar, tirar as flores a.
Defoe [də'fou], *n. p.* apelido do escritor inglês *Daniel Defoe* (1659-1731).
defoliate [di'foulieit], *vt.* desfolhar.
deforest [di:'fɔrist], *vt.* desarborizar.
deform [di'fɔ:m], *vt.* deformar, desfigurar.
deformation [di:fɔ:'meiʃən], *s.* deformação, desfiguração.
deformed [di'fɔ:md], *adj.* deformado, desfigurado.
deformer [di'fɔ:mə], *s.* deformador.
deformity [di'fɔ:miti], *s.* (pl. **deformities**) deformidade.
defraud [di'frɔ:d], *vt.* defraudar, enganar.
defrauder [-ə], *s.* defraudador.

defrauding [-iŋ], *s.* defraudamento.
defray [di'frei], *vt.* custear; pagar, satisfazer.
to defray the expenses — custear as despesas.
defrayal, defrayment [-əl, -mənt], *s.* pagamento.
defrayer [-ə], *s.* pagador, pessoa que paga uma despesa.
defreeze [di'fri:z], *vt.* descongelar.
defrock ['di:'frɔk], *vt.* despadrar.
deft [deft], *adj.* destro, hábil; activo. (*Sin.* dexterous, skilful, clever. *Ant.* clumsy.)
deftly [-li], *adv.* destramente, activamente, com habilidade.
deftness [-nis], *s.* destreza, habilidade, jeito.
defunct [di'fʌŋkt], *adj.* defunto, morto.
defy [di'fai], *vt.* desafiar; negar-se a.
I defy you to — desafio-o a.
it defies description — é indescritível.
the problem defied solution — o problema era insolúvel.
degeneracy [di'dʒenərəsi], *s.* degeneração.
degenerate 1 — [di'dʒenərit], *s.* e *adj.* degenerado.
2 — [di'dʒenəreit], *vi.* degenerar.
degeneration [didʒenə'reiʃən], *s.* degeneração.
degenerative [di'dʒenərətiv], *adj.* degenerativo.
deglutition [di:glu:'tiʃən], *s.* deglutição.
degradation [degrə'deiʃən], *s.* degradação, aviltamento.
degrade [di'greid], *vt.* e *vi.* degradar, aviltar; degenerar; depor; desintegrar; envilecer-se.
degrading [-iŋ], *adj.* degradante, aviltante.
degradingly [-iŋli], *adv.* de modo degradante.
degrease [di'gri:z], *vt.* desengordurar.
degree [di'gri:], *s.* grau; qualidade; condição social; graduação; grau universitário; (gram.) grau. (*Sin.* grade, rank, class.)
by degrees — gradualmente, pouco a pouco.
degree centigrade — grau centígrado.
degree Fahrenheit — grau Fahrenheit.
degree of accuracy — grau de precisão.
he has a London degree — é graduado pela Universidade de Londres.
he suffers to such a degree that he can't sleep — sofre tanto que não pode dormir.
in some degree — de certo modo.
people of every degree — gente de todas as classes.
people of high degree — gente da alta sociedade.
people of low degree — gente de baixa condição social.
the degrees of comparison — os graus de comparação; graus de significação.
the highest degree — o mais alto grau.
to some degree — até certo ponto.
to take one's degree — graduar-se; tomar grau universitário, formar-se.
to the last degree — até ao extremo.
to what degree? — até que ponto?
degression [di'greʃən], *s.* degressão.
degressive [di'gresiv], *adj.* degressivo.
dehisce [di'his], *vi.* abrir espontaneamente, fender-se.
dehiscence [-ns], *s.* (bot.) deiscência.
dehiscent [-nt], *adj.* deiscente.
dehortative [di'hɔ:tətiv], **1** — *s.* argumento dissuasivo.
2 — *adj.* dissuasivo.
dehumanize [di:'hju:mənaiz], *vt.* desumanizar.
dehydrate [di:'haidreit], *vt.* desidratar, extrair a água de.
dehidration [di:hai'dreiʃən], *s.* desidratação.
dehypnotize ['di:'hipnətaiz], *vt.* desipnotizar.
deicide ['di:isaid], *s.* deicida, pessoa que mata Deus; deicídio.
deification [di:ifi'keiʃən], *s.* deificação; idolatria; apoteose.
deify ['di:ifai], *vt.* deificar, divinizar, idolatrar, fazer a apoteose de.
deign [dein], *vt.* dignar-se, condescender; permitir, conceder.
he did not deign to reply to me — não se dignou responder-me.
deism ['di:izm], *s.* deísmo.
deist ['di:ist], *s.* deísta.
deistic(al) [di:'istik(əl)], *adj.* deísta.
deity ['di:iti], *s.* (pl. **deities**) deidade, divindade.
deject [di'dʒekt], *vt.* desanimar, desalentar, abater.
dejected [-id], *adj.* desanimado, abatido, deprimido. (*Sin.* dispirited, depressed, distressed, downcast. *Ant.* cheerful.)
dejectedly [-idli], *adv.* desanimadamente, desalentadamente.
dejection [di'dʒekʃən], *s.* desalento, desânimo, abatimento; (med.) dejecção.
déjeuner ['deiʒənei], *s.* pequeno-almoço; almoço de cerimónia.
delaine [də'lein], *s.* musselina de lã.
De la Mare [delə'mɛə], *n. p.* apelido do poeta inglês *Walter De la Mare.*
delate [di'leit], *vt.* delatar, denunciar, acusar.
delation [di'leiʃən], *s.* delação, denúncia.
delator [di'leitə], *s.* delator, denunciante.
delay [di'lei], **1** — *s.* demora, atraso, dilação; impedimento. (*Sin.* retardation, postponement, hindrance. *Ant.* haste.)
without delay — sem demora.
without further delay — sem mais demora.
2 — *vt.* e *vi.* demorar, tardar, atrasar; retardar; impedir. (*Sin.* to defer, to postpone, to linger, to stop. *Ant.* to hasten.)
delayed [-d], *adj.* atrasado, retardado.
dele ['di:li], *s.* deleatur, sinal para suprimir (na revisão de provas tipográficas).
delectable [di'lektəbl], *adj.* deleitável, delicioso.
delectableness [-nis], *s.* deleite, aprazimento.
delectation [di:lek'teiʃən], *s.* delícia, deleite.
delectus [di'lektəs], *s.* colectânea.
delegacy ['deligəsi], *s.* (pl. **deligacies**) delegação, delegacia.
delegate 1 — ['deligit], *s.* delegado.
2 — ['deligeit], *vt.* delegar.
delegation [deli'geiʃən], *s.* delegação.
delete [di'li:t], *vt.* apagar, safar, riscar.
deleterious [deli'tiəriəs], *adj.* deletério, prejudicial, nocivo.
deleteriously [-li], *adv.* prejudicialmente, nocivamente.
deletion [di'li:ʃən], *s.* acção de apagar, rasura.
delf(t) [delf(t)], *s.* louça fina (fabricada na cidade de Delft).
Delhi ['deli], *top.* Delhi.
deliberate 1 — [di'libərit], *adj.* circunspecto, acautelado, prudente; reflectido; deliberado.
a deliberate lie — uma mentira premeditada.
2 — [di'libəreit], *vt.* e *vi.* deliberar, consultar; ponderar; resolver. (*Sin.* to consider, to think, to ponder, to reflect.)
deliberately [di'libəritli], *adv.* deliberadamente.
deliberateness [di'libəritnis], *s.* deliberação, reflexão, circunspecção.
deliberation [dilibə'reiʃən], *s.* deliberação; ponderação.
deliberative [di'libərətiv], *adj.* deliberativo.
deliberatively [-li], *adv.* por reflexão, deliberadamente.
delicacy ['delikəsi], *s.* (pl. **delicacies**) delicadeza; ternura; susceptibilidade; fraqueza, fragilidade; manjar, acepipe, iguaria.

delicate ['delikit], *adj.* delicado; fraco, débil; sensível; esquisito; melindroso; complicado, difícil; atencioso; suave. (*Sin.* nice, refined, considerate, weak, frail, scrupulous. *Ant.* coarse, robust.)
delicate conscience — consciência escrupulosa.
delicate health — saúde débil.
delicate manners — maneiras delicadas.
delicate taste — gosto apurado.
that child has a delicate look — aquela criança tem um aspecto frágil.
to be on delicate ground — meter-se em assuntos delicados.
delicately [-li], *adv.* delicadamente.
delicateness [-nis], *s.* delicadeza; delícia.
delicious [di'liʃəs], *adj.* delicioso, saboroso; agradável.
a delicious coolness — uma frescura deliciosa.
deliciously [-li], *adv.* deliciosamente.
deliciousness [-nis], *s.* deliciosidade, delícia, prazer, deleite.
delict ['di:likt], *s.* delito, violação da lei; crime, culpa.
in flagrant delict — em flagrante delito.
delight [di'lait], **1** — *s.* prazer, encanto, deleite; alegria.
the boy takes a great delight in dancing — o rapaz sente um grande prazer em dançar.
to his great delight, he passed the examination — ele passou no exame com grande alegria.
2 — *vt.* e *vi.* deleitar, deliciar; agradar; encantar; ter grande prazer em; deliciar-se; regozijar-se. (*Sin.* to charm, to please, to rejoice. *Ant.* to disappoint.)
I shall be delighted to see you again — terei muito prazer em tornar a ver-te.
she was delighted with the result — ela ficou encantada com o resultado.
the books delighted in by the many — os livros de que muita gente gosta.
they delight in music — gostam muito de música.
delighted [-id], *adj.* encantado, satisfeito.
delightedly [-idli], *adv.* com alegria, com satisfação.
delightful [-ful], *adj.* encantador, delicioso, ameno, aprazível.
delightfully [-fuli], *adv.* deliciosamente, encantadoramente, admiravelmente.
delightfulness [-fulnis], *s.* delícia, prazer, encanto.
delightsome [-səm], *adj.* delicioso, deleitoso.
Delilah [di'lailə], *n. p.* Dalila.
delimit, delimitate [di:'limit, di'limiteit] *vt.* delimitar, demarcar, fixar limites a.
delimitation [dilimi'teiʃən], *s.* delimitação, demarcação.
delineate [di'linieit], *vt.* delinear; esboçar; descrever.
delineation [dilini'eiʃən], *s.* delineação; esboço.
delineator [di'linieitə], *s.* delineador.
delinquency [di'liŋkwənsi], *s.* (pl. **delinquencies**) delinquência; delito, culpa.
delinquent [di'liŋkwənt], *s.* e *adj.* delinquente.
deliquesce [deli'kwes], *vi.* derreter; deliquescer, liquefazer-se.
deliquescence [-ns], *s.* deliquescência.
deliquescent [-nt], *adj.* deliquescente.
delirious [di'liriəs], *adj.* delirante.
deliriously [-li], *adv.* delirantemente; loucamente.
delirium [di'liriəm], *s.* delírio, excitação tremenda, entusiasmo.
deliver [di'livə], *vt.* libertar, livrar; dar, entregar; mandar, expedir; dar à luz; assistir ao parto; distribuir; fazer uma conferência; pronunciar.
have you delivered my message? — deu o meu recado?
he will deliver some lectures on Shakespeare next month — ele fará algumas conferências sobre Shakespeare no próximo mês.
to be delivered of a child — dar à luz uma criança.
to deliver a letter — entregar uma carta.
to deliver an attack — lançar um ataque.
to deliver a speech — pronunciar um discurso.
to deliver from captivity — livrar do cativeiro.
to deliver oneself — dar a sua opinião.
to deliver up — entregar; abandonar.
deliverable [-rəbl], *adj.* que se pode entregar.
deliverance [di'livərəns], *s.* libertação, salvamento; veredicto.
deliverer [di'livərə], *s.* libertador; distribuidor.
delivery [di'livəri], *s.* (pl. **deliveries**) entrega; distribuição postal; dicção; parto.
cash on delivery — contra reembolso.
delivery chamber — câmara de compressão.
delivery note (com.) — guia de remessa.
delivery-pipe — tubo de descarga.
delivery terms — condições de fornecimento.
delivery truck — camioneta para entrega de mercadorias.
delivery valve — válvula de compressão.
his speech was interesting but his delivery was poor — o seu discurso foi interessante, mas a sua dicção foi pobre.
she has a rapid delivery — ela fala muito depressa.
these goods must be paid for on delivery — estas mercadorias têm de ser entregues contra reembolso, têm de ser pagas no acto da entrega.
dell [del], *s.* vale pequeno.
Delos ['di:lɔs], *top.* Delos.
delouse ['di:'laus], *vt.* tirar os piolhos, despiolhar.
Delphi ['delfai], *top.* Delfo, Delfos.
Delphian, Delphic ['delfiən, 'delfik], *adj.* délfico, do oráculo de Delfos; obscuro, ambíguo.
delphinium [del'finiəm], *s.* (bot.) delfínio.
delta ['deltə], *s.* delta.
deltoid ['deltɔid], *s.* e *adj.* deltóide, triangular.
deltoid muscle — deltóide (músculo).
delude [di'lu:d], *vt.* enganar, iludir.
to delude oneself — enganar-se a si próprio.
deluge ['delju:dʒ], **1** — *s.* dilúvio, inundação, grande chuvada.
a deluge of congratulations — um dilúvio de felicitações.
2 — *vt.* inundar, alargar; encher.
to deluge with invitations — inundar de convites.
delusion [di'lu:ʒən], *s.* engano, fraude, ilusão; alucinação. (*Sin.* deception, illusion, hallucination. *Ant.* reality.)
delusive [di'lu:siv], *adj.* ilusório, falso, enganador.
a delusive hope — uma esperança enganadora.
delusively [-li], *adv.* ilusoriamente.
delusiveness [-nis], *s.* ilusão, engano.
delusory [di'lu:səri], *adj.* enganoso, ilusório.
delve [delv], **1** — *s.* cova, depressão, cavidade.
2 — *vt.* e *vi.* cavar, sondar, fazer covas; examinar, investigar (documentos).
they delve into the origin of a language — aprofundam a origem de uma língua.
demagnetization ['di:mægnitai'zeiʃən], *s.* desmagnetização.

demagnetize [di:ˈmægnitaiz], *vt.* desmagnetizar.
demagogic [deməˈgɔgik], *adj.* demagógico.
demagogism [deməˈgɔgizm], *s.* demagogia.
demagogue [ˈdeməgɔg], *s.* demagogo.
demagogy [ˈdeməgɔgi], *s.* demagogia.
demand [diˈmɑːnd], **1** — *s.* pedido; reclamação, exigência; ordem; pergunta; procura; exigência, necessidade. (*Sin.* claim, request, requisition, requirement, question, inquiry.)
demand draft — letra à vista.
fairly steady demand—procura bastante regular.
it is impossible to satisfy all demands — é impossível satisfazer todas as exigências.
laws of supply and demand — leis da oferta e da procura.
on demand — quando exigido.
payable on demand — pagável à vista.
she has many demands on her time — ela tem muitos afazeres.
there is a great demand for typists — há uma grande procura de dactilógrafos.
to be in great demand — ter muita procura.
2 — *vt.* pedir, reclamar; exigir; precisar; perguntar; requerer.
this work demands great attention — este trabalho requer muita atenção.
to demand an immediate answer — pedir resposta urgente.
demandable [-əbl], *adj.* exigível.
demandant [-ənt], *s.* (jur.) queixoso, o que intenta uma demanda.
demander [-ə], *s.* comprador.
demarcate [di:ˈmɑːkeit], *vt.* demarcar, delimitar.
demarcation [di:mɑːˈkeiʃən], *s.* demarcação, delimitação.
demarcator [ˈdi:mɑːkeitə], *s.* demarcador.
dematerialize [ˈdi:məˈtiəriəlaiz], *vt.* e *vi.* desmaterializar.
demean [diˈmiːn], *vt.* e *vr.* portar-se, comportar-se.
to demean oneself honourably — portar-se como homem de bem.
one demeans himself by telling lies — uma pessoa desacredita-se mentindo.
demeanour [-ə], *s.* procedimento, porte, comportamento.
dement [diˈment], *vt.* enlouquecer.
demented [-id], *adj.* demente, louco, fora de si.
dementedly [-idli], *adv.* loucamente.
dementia [diˈmenʃiə], *s.* demência, loucura.
demerit [di:ˈmerit], *s.* demérito.
the merits and demerits of a person — as boas e as más qualidades de uma pessoa.
demesh [di:ˈmeʃ], *vt.* desenganchar; desenredar.
demesne [diˈmein], *s.* posse, propriedade; domínio; região.
Demetrius [diˈmiːtriəs], *n. p.* Demétrio.
demigod [ˈdemigɔd], *s.* semideus.
demijohn [ˈdemidʒɔn], *s.* garrafão.
demilitarization [ˈdi:militəraiˈzeiʃən], *s.* desmilitarização.
demilitarize [di:ˈmilitəraiz], *vt.* desmilitarizar.
demi-lune [ˈdemiluːn], *s.* *(mil.)* meia-lua; revelim.
demi-rep [ˈdemirep], *s.* mulher de castidade duvidosa.
demisable [diˈmaizəbl], *adj.* transmissível, que se pode transferir.
demise [diˈmaiz], **1** — *s.* transferência de propriedade ou de título; morte, falecimento; arrendamento.
on the demise of — por ocasião da morte de.
2 — *vt.* legar, deixar em testamento; transmitir, transferir, ceder; arrendar.
demisemiquaver [ˈdemisemikweivə], *s.* (mús.) fusa.
demission [diˈmiʃən], *s.* demissão, exoneração.
demit [diˈmit], *vt.* e *vi.* (pret. e pp. **demitted**) demitir, exonerar, demitir-se.
demiurge [ˈdi:miəːdʒ], *s.* *(fil.)* demiurgo.
demobilization [ˈdi:moubilaiˈzeiʃən], *s.* desmobilização.
demobilize [di:ˈmoubilaiz], *vt.* desmobilizar.
democracy [diˈmɔkrəsi], *s.* (pl. **democracies**) democracia.
democrat [ˈdeməkræt], *s.* democrata.
democratic [deməˈkrætik], *adj.* democrático.
democratically [-əli], *adv.* democraticamente.
democratism [deˈmɔkrətizəm], *s.* democratismo.
democratization [dimɔkrətaiˈzeiʃən], *s.* democratização.
democratize [diˈmɔkrətaiz], *vt.* democratizar.
demographer [di:ˈmɔgrəfə], *s.* demógrafo, aquele que se dedica a estudos estatísticos da população.
demographic [di:mɔˈgræfik], *adj.* demográfico.
demography [di:ˈmɔgrəfi], *s.* demografia, estatística da população.
demoiselle [dəmæˈzel], *s.* grou da Numídia.
demolish [diˈmɔliʃ], *vt.* demolir, arrasar, destruir, derrubar.
demolisher [-ə], *s.* demolidor.
demolition [deməˈliʃən], *s.* demolição.
demon [ˈdi:mən], *s.* demónio, diabo; génio.
demonetize [diˈmʌnitaiz], *vt.* desmonetizar.
demoniac [diˈmouniæk], *s.* e *adj.* demoníaco.
demoniacal [di:məˈnaiəkəl], *adj.* demoníaco, diabólico, possesso.
demonism [ˈdi:mənizm], *s.* demonismo.
demonist [ˈdi:mənist], *s.* demonista.
demonology [di:məˈnɔlədʒi], *s.* demonologia.
demonry [ˈdi:mənri], *s.* bruxaria.
demonstrability [demənstrəˈbiliti], *s.* demonstrabilidade.
demonstrable [ˈdemənstrəbl], *adj.* demonstrável.
demonstrably [-i], *adv.* de modo demonstrável, pela demonstração.
demonstrate [ˈdemənstreit], *vt.* e *vi.* demonstrar, provar; manifestar; manifestar-se. (*Sin.* to show, to prove, to establish, to illustrate, to test.)
demonstration [demənsˈtreiʃən], *s.* demonstração, prova; manifestação; (mil.) demonstração de forças.
demonstrative [diˈmɔnstrətiv], *adj.* demonstrativo; efusivo, expansivo.
some girls are more demonstrative than others — algumas raparigas são mais expansivas do que outras.
demonstratively [-li], *adv.* demonstrativamente; efusivamente.
demonstrativeness [-nis], *s.* demonstração; comunicabilidade.
demonstrator [ˈdemənstreitə], *s.* manifestante.
demoralization [dimɔrəlaiˈzeiʃən], *s.* desmoralização.
demoralize [diˈmɔrəlaiz], *vt.* desmoralizar, perverter.
Demos [ˈdi:mɔs], *s.* o povo.
Demosthenes [diˈmɔsθəniːz], *n. p.* Demóstenes.
demote [diˈmout], *vt.* despromover.
demotic [di(:)ˈmɔtik], *adj.* demótico.
demotion [diˈmouʃən], *s.* passagem a uma categoria inferior.
demulcent [diˈmʌlsənt], *s.* e *adj.* demulcente, que abranda.
demur [diˈməː], **1** — *s.* objecção, dúvida, hesitação, vacilação.
without demur — sem hesitação.
2 — *vi.* (pret. e pp. **demurred**) objectar,

pôr dúvidas; vacilar, hesitar; (jur.) demorar o andamento dum processo.
they demur at working on Sundays — levantam dificuldades para trabalhar aos domingos.
demure [di'mjuə], *adj.* grave, sério; reservado; recatado; modesto. (*Sin.* sober, grave, composed, discreet.)
demurely [-li], *adv.* com modéstia fingida, com reserva.
demureness [-nis], *s.* modéstia fingida; gravidade; recato.
demurrage [di'mʌriðʒ], *s.* indemnização pelo excesso de demora na descarga e carga de um navio.
demurred [di'mə:d], *pret.* e *pp.* de **to demur.**
demurrer [di'mə:rə], *s.* pessoa que levanta objecções.
demy [di'mai], *s.* (pl. **demies**) formato de papel com 22 ½ × 17 ½ polegadas (para impressão) ou com 20 × 15 ½ polegadas (para escrever); bolseiro do Colégio Magdalen, de Oxónia.
den [den], *s.* caverna, antro, esconderijo; quarto pequeno, impróprio para se viver; (col.) gabinete particular onde se pode trabalhar sem ser incomodado.
denarius [di'nɛəriəs], *s.* (pl. **denarii** [di'nɛəriai]) denário, moeda romana.
denary ['di:nəri], *adj.* decimal.
denationalization ['di:næʃnəlai'zeiʃən], *s.* desnacionalização.
denationalize [di:'næʃnəlaiz], *vt.* desnacionalizar.
denaturalization ['di:nætʃrəlai'zeiʃən], *s.* desnaturalização.
denaturalize [di:'nætʃrəlaiz], *vt.* desnaturalizar.
denaturant [di:'neitʃərənt], *s.* desnaturante.
denaturate [di:'neitʃəreit], *vt.* desnaturar.
denaturation [di:'neitʃəreiʃən], *s.* desnaturação.
denaturize [di:'neitʃəraiz], *vt.* ver **denaturate.**
dendrite ['dendrait], *s.* (geol.) dendrite.
dendroid ['dendrɔid], *adj.* dendróide.
dendrology [den'drɔlədʒi], *s.* dendrologia, tratado descritivo das árvores.
dene [di:n], *s.* duna; vale.
denegation [di:ni'geiʃən], *s.* denegação, recusa.
dengue ['deŋgi], *s.* (med.) dengue (doença, em geral, epidémica, comum nas regiões quentes, também chamada febre-dos-três-dias).
deniable [di'naiəbl], *adj.* negável.
denial [di'naiəl], *s.* negativa, recusa, negação; desmentido.
a flat denial — uma recusa formal.
self-denial — abnegação.
to meet with a denial — sofrer uma recusa.
to take no denials — não aceitar negativas.
denier [di'naiə], *s.* aquele que nega.
denigrate ['denigreit], *vt.* denegrir, manchar, rebaixar, difamar.
denigration [deni'greiʃən], *s.* difamação, calúnia.
denigrator ['denigreitə], *s.* difamador, caluniador.
denim [di'nim], *s.* tecido de algodão empregado nos fatos-macaco.
Denis ['denis], *n. p.* Dinis.
denitrate [di:'naitreit], *vt.* desnitrificar.
denizen ['denizn], **1** — *s.* cidadão, habitante; estrangeiro naturalizado; animal ou planta introduzidos em localidades onde eram estranhos.
2 — *vt.* conceder direitos de naturalização.
Denmark ['denmɑ:k], *top.* Dinamarca.
denominate [di'nɔmineit], *vt.* denominar, designar.
denomination [dinɔmi'neiʃən], *s.* denominação, designação; comunidade religiosa, seita; unidade de peso, dinheiro, etc.
the English coin of the highest denomination is the pound — a moeda inglesa de maior valor é a libra.
what religious denomination does he belong to? — a que igreja pertence ele?; que religião professa ele?
denominational [dinɔmi'neiʃənl], *adj.* segundo os princípios duma igreja ou seita.
denominative [di'nɔminətiv], *adj.* denominativo.
denominator [di'nɔmineitə], *s.* (mat.) denominador.
denotation [di:nou'teiʃən], *s.* denotação, designação; sinal; (lóg.) extensão.
denotative [di'noutətiv], *adj.* indicativo; (lóg.) extensivo.
denote [di'nout], *vt.* denotar, indicar, designar; significar. (*Sin.* to indicate, to designate, to mark out, to imply.)
dénouement [dei'nu:mɑ̃:ŋ], *s.* desfecho de uma peça, romance, etc.; catástrofe.
denounce [di'nauns], *vt.* denunciar; acusar; profetizar; participar o termo ou a ruptura (dum tratado ou de tréguas).
denouncement [-mənt], *s.* denunciação, denúncia.
denouncer [-ə], *s.* denunciante.
dense [dens], *adj.* denso, espesso, compacto; estúpido. (*Sin.* thick, compact, impenetrable, stupid, crass. *Ant.* sparse, clever, thin.)
a dense crowd — uma multidão compacta.
a dense fog — nevoeiro denso.
to be dense at — ser estúpido em.
densely [-li], *adv.* densamente; estupidamente; espessamente.
denseness [-nis], *s.* densidade, espessura; estupidez.
densimeter [den'simitə], *s.* densímetro.
density ['densiti], *s.* (pl. **densities**) densidade, espessura; estupidez.
density of illumination — intensidade de iluminação.
density test — prova de densidade.
dent [dent], **1** — *s.* amolgadela, mossa.
2 — *vt.* amolgar, fazer mossa.
dental [-l], *s.* e *adj.* (fon.) consoante dental; dental, dentário.
dental plate — dentadura.
dentate ['denteit], *adj.* dentado.
dentation [den'teiʃən], *s.* recorte dentado.
denticle ['dentikl], *s.* dentículo, pequeno dente.
denticular, denticulate, denticulated [den'tikjulə, den'tikjulit, den'tikjuleitid], *adj.* denticulado.
dentiform [denti'fɔ:m], *adj.* dentiforme.
dentifrice ['dentifris], *s.* pasta para dentes, dentifrício.
dentil ['dentil], *s.* dentículo.
dentilingual ['denti'liŋgwəl], *adj.* linguodental.
dentine ['denti:n], *s.* dentina, marfim dos dentes.
dentist ['dentist], *s.* dentista.
dentistry [-ri], *s.* cirurgia dentária; estomatologia; arte de dentista.
dentition [den'tiʃən], *s.* dentição.
denture ['dentʃə], *s.* dentadura (de dentes artificiais).
denudation [di:nju(:)'deiʃən], *s.* desnudação; erosão.

denude [di'nju:d], *vt.* desnudar, despir. (*Sin.* to strip, to divest, to bare, to spoil. *Ant.* to clothe.)
a land denuded of trees — uma terra despida de arvoredo.
denunciation [dinʌnsi'eiʃən], *s.* denúncia, denunciação; previsão; acusação.
denunciative [di'nʌnsieitiv], *adj.* denunciativo.
denunciator [di'nʌnsieitə], *s.* denunciante.
deny [di'nai], *vt.* negar, recusar; desmentir; renegar; desdizer-se; renunciar. (*Sin.* to reject, to refuse, to contradict, to retract, to repulse. *Ant.* to comply, to confirm.)
he had to deny himself the cigarettes — ele teve de deixar de fumar.
I denied him what he asked — recusei-lhe o que pediu.
I was denied this favour — negaram-me este favor.
there's no denying it — é um facto; não se pode negar.
to deny flatly — negar redondamente.
to deny oneself to a visitor — negar-se a receber uma visita.
to deny the faith — renegar a fé.
deodar ['diouda:], *s.* cedro do Himalaia.
deodorant [di:'oudərənt], *s.* desodorizante.
deodorization [di:oudərai'zeiʃən], *s.* desodorização, acção de tirar o mau cheiro.
deodorize [di:'oudəraiz], *vt.* desodorizar, tirar o mau cheiro, desinfectar.
deodorizer [-ə], *s.* ver **deodorant.**
deontology [di:ɔn'tɔlədʒi], *s.* deontologia, estudo dos deveres.
deoxidization [di:ɔksidai'zeiʃən], *s.* desoxidação.
deoxidize [di:'ɔksidaiz], *vt.* desoxidar.
deoxidizer [-ə], *s.* desoxidante, que desoxida.
depart [di'pa:t], *vt.* e *vi.* partir, sair; desviar-se; morrer.
my mother doesn't like to depart from old customs — a minha mãe não gosta de abandonar velhos hábitos.
she departed from her promise (word) — ela faltou à sua promessa (palavra).
to depart this life — morrer, deixar esta vida.
departed [-id], *adj.* desaparecido; defunto, morto.
the faithful departed — os fiéis defuntos.
department [-mənt], *s.* departamento; secção; repartição pública; divisão territorial; divisão administrativa em França.
department store — grande armazém.
head of department — chefe de repartição.
Intelligence Department (mil.) — serviço de informações.
departmental [di:pa:t'mentl], *adj.* departamental.
departure [di'pa:tʃə], *s.* partida, saída; retirada; afastamento; morte; orientação; (náut.) diferença de longitude. (*Sin.* exit, removal, deviation, retirement, death. *Ant.* arrival.)
a new departure — uma nova orientação.
departure from ancient habits — abandono de velhos costumes.
on departure — à partida.
place of departure — ponto de partida.
to take one's departure — deixar, abandonar, partir.
depasture [di:'pa:stʃə], *vt.* e *vi.* pastar, levar o gado a pastar.
depauperate [di:'pɔ:pəreit], *vt.* depauperar, empobrecer; degenerar.
depauperation ['di:'pɔ:pə'reiʃən], *s.* empobrecimento, depauperação.
depauperize ['di:'pɔ:pəraiz], *vt.* libertar da pobreza.

depend [di'pend], *vi.* depender, estar sujeito; confiar; estar pendente.
she is hard-working, depend upon it! — ela é trabalhadora, podes estar certo!
that depends on you — isso depende de ti.
they had little to depend upon — tinham pouco de que viver.
you can depend on him — podes confiar nele.
dependability, dependableness [dipendə'biliti, di'pendəblnis], *s.* confiança, segurança.
dependable [di'pendəbl], *adj.* digno de confiança.
dependant [di'pendənt], *s.* dependente, subordinado; protegido.
dependence [di'pendəns], *s.* dependência, subordinação; apoio; confiança.
dependency [di'pendənsi], *s.* (pl. **dependencies**) dependência; confiança; sucursal; edifício anexo; possessão, país dependente de outro.
overseas dependencies—territórios ultramarinos.
dependent [di'pendənt], **1** — *s.* protegido; dependente.
2—*adj.* dependente, subordinado, subalterno.
to be dependent on — depender de.
dephosphorize [di:'fɔsfəraiz], *vt.* desfosforar.
depict [di'pikt], *vt.* pintar, representar; descrever. (*Sin.* to represent, to portray, to describe).
depicter, depictor [-ə], *s.* pintor; pessoa que faz uma descrição.
depiction [di'pikʃən], *s.* pintura, representação; descrição.
depilate ['depileit], *vt.* depilar.
depilation [depi'leiʃən], *s.* depilação.
depilatory [di'pilətəri], *s.* e *adj.* depilatório.
deplane [di'plein], *vi.* descer do avião.
deplenish [di'pleniʃ], *vt.* esvaziar, despojar, desguarnecer.
deplete [di'pli:t], *vt.* esvaziar, esgotar; descongestionar.
depletion [di'pli:ʃən], *s.* esgotamento; depleção.
depletive, depletory [di'pli:tiv, di'pli:təri], *adj.* depletivo.
deplorable [di'plɔ:rəbl], *adj.* deplorável, lamentável, lastimável.
deplorableness [-nis], *s.* estado deplorável.
deplorably [-i], *adv.* deploravelmente.
deplore [di'plɔ:], *vt.* deplorar, lastimar, lamentar. (*Sin.* to lament, to mourn, to grieve, to bewail. *Ant.* to rejoice.)
deploy [di'plɔi], **1** — *s.* (mil.) desdobramento.
2 — *vt.* e *vi.* (mil.) desdobrar.
deployment [-mənt], *s.* ver **deploy 1.**
deplumation [di'plu'meiʃən], *s.* queda das penas.
deplume [di'plu:m], *vt.* depenar, tirar as penas.
depolarization ['di:poulərai'zeiʃən], *s.* despolarização.
depolarize [di:'pouləraiz], *vt.* despolarizar.
depolarizer [-ə], *s.* despolarizador.
depone [di'poun], *vt.* e *vi.* (jur.) depor.
deponent [di'pounənt], *s.* e *adj.* depoente; declarante.
depopulate [di:'pɔpjuleit], *vt.* e *vi.* despovoar; despovoar-se.
depopulation [di:pɔpju'leiʃən], *s.* despovoamento.
deport [di'pɔ:t], *vt.* comportar(-se); desterrar, deportar.
he deported himself with dignity — ele portou-se com dignidade.
deportation [di:pɔ'teiʃən], *s.* deportação, desterro.
deportee [di:pɔ:'ti:], *s.* deportado.
deportment [di'pɔ:tmənt], *s.* conduta, comportamento, porte.

deposable [di'pouzəbl], *adj.* que pode ser deposto.
depose [di'pouz], *vt.* e *vi.* depor, destituir, destronar; fazer depoimento, prestar declarações.
deposit [di'pɔzit], **1** — *s.* depósito, quantia depositada, sinal; sedimento.
deposit receipt — recibo de depósito.
he let me have the books without a deposit — deixou-me levar os livros sem exigir um sinal.
to have money on deposit — ter dinheiro depositado.
2 — *vt.* depositar, pôr em depósito; (quím.) precipitar.
depositary [-əri], *s.* (pl. **depositaries**) depositário.
deposition [depə'ziʃən], *s.* deposição, destituição; depoimento, testemunho; depósito.
depositor [di'pɔzitə], *s.* depositante.
depository [di'pɔzitəri], *s.* (pl. **depositories**) depósito, armazém; depositário.
depot ['depou], **1** — *s.* depósito, armazém; (mil.) depósito.
2 — ['di:pou], *s.* (E. U.) estação de caminho-de-ferro.
depravation [deprə'veiʃən], *s.* depravação, corrupção, perversão, imoralidade.
deprave [di'preiv], *vt.* depravar, corromper, perverter, viciar.
depraved [-d], *adj.* depravado, corrompido, pervertido.
deprecate ['deprikeit], *vt.* pedir, suplicar; desaprovar.
deprecating [-iŋ], *adj.* suplicante, implorante; que desaprova.
deprecatingly [-iŋli], *adv.* de modo suplicante; com desaprovação.
deprecation [depri'keiʃən], *s.* deprecação; desaprovação.
deprecatory ['deprikətəri], *adj.* deprecatório, suplicante.
depreciate [di'pri:ʃieit], *vt.* e *vi.* depreciar, rebaixar, deprimir, desprezar; desvalorizar, descer o preço; dar menos valor. (*Sin.* to belittle, to disparage, to undervalue, to underestimate. *Ant.* to appreciate.)
depreciating [iŋ], *adj.* depreciador.
depreciatingly [-iŋli], *adv.* depreciativamente.
depreciation [dipri:ʃi'eiʃən], *s.* depreciação, menosprezo; desvalorização.
depreciative, depreciatory [di'pri:ʃiətiv, di'pri:ʃiətəri], *adj.* depreciativo.
depreciator [di'pri:ʃieitə], *s.* depreciador.
depredation [depri'deiʃən], *s.* depredação, pilhagem, saque, roubo.
depredator ['deprideitə], *s.* depredador, saqueador.
depredatory [di'predətəri], *adj.* depredatório.
depress [di'pres], *vt.* deprimir, humilhar; baixar; desanimar, abater; fazer baixar; apertar, comprimir.
trade has depressed — o comércio tem diminuído.
depressant [-ənt], *s.* e *adj.* calmante, sedativo.
depressed [-t], *adj.* deprimido, desanimado, abatido, desalentado.
depressing [-iŋ], *adj.* desanimador; humilhante, deprimente.
depressingly [-iŋli], *adv.* de modo desanimado.
depression [di'preʃən], *s.* depressão, abatimento; abaixamento; desnivelamento.
a business depression — depressão nos negócios.
a depression in the atmosphere — depressão na atmosfera.
a land depression — depressão no terreno.
depressor [di'presə], *s.* depressor.
deprivation [depri'veiʃən], *s.* privação, perda; carência; deposição.
deprive [di'praiv], *vt.* privar, tirar; depor, destituir. (*Sin.* to strip, to divest, to bereave. *Ant.* to endow.)
depth [depθ], *s.* profundidade; fundo; abismo; sagacidade; a parte interior. *Sin.* deepness, profoundness, discernment, sagacity.)
***a voice of great depth*—uma voz muito grave.**
depth-charge — carga de profundidade.
depth-finder — sonda.
depth of hold (náut.) — pontal de porão.
in the depth of despair — no auge do desespero.
in the depth of night — alta noite.
in the depth of the country — no centro do país; no ponto mais afastado das cidades.
in the depth of Winter — no pino do Inverno.
it is out of my depth — não está ao alcance da minha inteligência.
the water is only ten feet in depth — a água tem apenas dez pés de profundidade.
to be out of one's depth — perder o pé; não perceber do que se trata.
what is the depth of the swimming-pool? — que profundidade tem a piscina?
depurate ['depjureit], *vt.* e *vi.* depurar, limpar, tornar puro.
depuration [depju'reiʃən], *s.* depuração.
deputation [depju(:)'teiʃən], *s.* deputação, delegação.
depute [di'pju:t], *vt.* deputar, delegar, incumbir; nomear.
deputize ['depjutaiz], *vi.* substituir.
deputy ['depjuti], *s.* (pl. **deputies**) deputado, delegado, comissionado; adjunto, substituto.
***ambassador's deputy*—encarregado de negócios.**
deputy chairman — vice-presidente.
deputy consul — cônsul substituto.
deputy director — director adjunto.
deputy-judge — juiz substituto.
deracinate [di'ræsineit], *vt.* **arrancar pela raiz.**
derail [di'reil], *vt.* e *vi.* descarrilar.
derailment [-mənt], *s.* descarrilamento.
derange [di'reindʒ], *vt.* desarranjar, desorganizar; transtornar, perturbar (a cabeça).
deranged [-d], *adj.* desarranjado.
to be deranged (mentally) — estar mentalmente transtornado.
derangement [-mənt], *s.* desarranjo, desordem, desorganização; transtorno, perturbação mental.
derate [di'reit], *vt.* **reduzir os impostos sobre (indústria ou actividade).**
derbies ['dɑ:biz], *s. pl.* (cal.) algemas.
derby ['də:bi], *s.* (E. U.) chapéu de coco.
Derby ['dɑ:bi], *s.* corrida anual de cavalos em Epsom.
Derby day — dia da corrida de cavalos em Epsom.
Derby hat — chapéu de coco.
deregister [di:'redʒistə], *vt.* irradiar (de uma sociedade).
derelict ['derilikt], **1** — *s.* navio abandonado; carga abandonada; despojos.
2 — *adj.* abandonado.
dereliction [deri'likʃən], *s.* abandono, desamparo; falta de cumprimento do dever; recuo do mar.
deride [di'raid], *vt.* zombar, escarnecer, ridicularizar.
derider [-ə], *s.* trocista, escarnecedor.
deridingly [-iŋli], *adv.* de modo escarnecedor; por troça.
derision [di'riʒən], *s.* irrisão, zombaria, troça. (*Sin.* mockery, scorn.)

out of derision — por troça.
to hold somebody in derision — zombar de alguém, fazer troça de alguém.
derisive [di'raisiv], *adj.* irrisório, ridículo.
derisively [-li], *adv.* irrisoriamente.
derisory [di'raisəri], *adj.* irrisório.
derivable [di'raivəbl], *adj.* derivável.
derivation [deri'veiʃən], *s.* derivação; etimologia; origem.
derivative [di'rivətiv], *s.* e *adj.* derivativo, derivado.
derivatively [-li], *adv.* por derivação.
derive [di'raiv], *vt.* e *vi.* derivar; deduzir; tirar, colher; provir de; obter; descender; derivar-se. (*Sin.* to get, to obtain, to gather, to deduce, to draw, to receive, to be descended, to trace.)
a word derived from Latin — uma palavra derivada do latim.
to derive much profit and pleasure from — tirar grande proveito e prazer de.
derm [də:m], *s.* derme.
dermal, dermic [-əl, -ik], *adj.* dérmico.
dermatitis [də:mə'taitis], *s.* dermatite, inflamação da pele.
dermatologist [də:mə'tɔlədʒist], *s.* dermatologista.
dermatology [də:mə'tɔlədʒi], *s.* dermatologia.
dermic [də:mik], *adj.* ver **dermal.**
derogate ['derəgeit], *vi.* derrogar, anular, abolir; depreciar.
to derogate from a person's good qualities — depreciar as boas qualidades de uma pessoa.
derogation [derə'geiʃən], *s.* derrogação, anulação; detracção; depreciação.
derogatory [di'rɔgətəri], *adj.* derrogatório; depreciador.
derrick ['derik], *s.* guindaste.
derrick chain — corrente do guindaste.
derring-do ['deriŋ'du:], *s.* bravura.
deeds of derring-do — altos feitos.
derringer ['derindʒə], *s.* pequena pistola de grande calibre.
dervish ['də:viʃ], *s.* dervixe, religioso maometano.
descant ['deskænt], **1** — *s.* melodia, caução. **2** — [dis'kænt], *vi.* falar livremente; comentar.
to descant upon the beauties of — cantar as belezas de.
descend [di'send], *vt.* e *vi.* descer, baixar; descender, provir; rebaixar-se; cair sobre.
according to the Bible, we are all descended from Adam — segundo a Bíblia, todos nós descendemos de Adão.
they descended upon the enemy — caíram sobre o inimigo; atacaram o inimigo de surpresa.
to descend a flight of stairs — descer um lance de escadas.
to descend a hill — descer um monte.
descendance [-əns], *s.* descendência.
descendant [-ənt], *s.* descendente.
descendible [-ibl], *adj.* que se pode herdar.
descent [di'sent], *s.* descida; declive; encosta, rampa; descendência; transmissão de propriedade; invasão. (*Sin.* fall, slope, declivity, origin, genealogy, attack, invasion. *Ant.* rise, ascension.)
collateral descent — descendência em linha colateral.
lineal descent — descendência em linha recta.
describable [dis'kraibəbl], *adj.* descritível.
describe [dis'kraib], *vt.* descrever; delinear, traçar; representar.
to describe a landscape — descrever uma paisagem.
describer [-ə], *s.* o que descreve.
description [dis'kripʃən], *s.* descrição; representação; classe, natureza, espécie, qualidade.
a description of a landscape — descrição duma paisagem.
it answers to the description — corresponde à descrição.
no food of any description — nenhum alimento de espécie alguma.
of such a description — de tal natureza.
people of all descriptions — pessoas de todas as classes.
that landscape is beautiful beyond description — aquela paisagem é de uma beleza indescritível.
descriptive [dis'kriptiv], *adj.* descritivo.
descriptively [-li], *adv.* descritivamente.
descry [dis'krai], *vt.* avistar, descobrir; reconhecer, distinguir.
Desdemona [dezdi'mounə], *n. p.* Desdémona.
desecrate ['desikreit], *vt.* profanar.
desecration [desi'kreiʃən], *s.* profanação.
desecrator ['desikreitə], *s.* profanador.
desert, 1 — [di'zə:t], *s.* mérito, merecimento, virtude, recompensa.
he has got his deserts — tem o que merece.
treat him according to his deserts — tratai-o segundo o seu merecimento.
2 — *vt.* e *vi.* deixar, abandonar; desamparar; desertar. (*Sin.* to leave, to abandon, to renounce, to relinquish. *Ant.* to hold.)
my presence of mind deserted me — perdi a presença de espírito.
she was deserted by her husband — foi abandonada pelo marido.
to desert from the army—desertar do exército.
3 — ['dezət], *s.* e *adj.* deserto, ermo; solitário, despovoado, desabitado; (fig.) assunto árido.
a desert place — um lugar deserto.
deserter [di'zə:tə], *s.* desertor.
desertion [di'zə:ʃən], *s.* deserção; abandono.
deserve [di'zə:v], *vt.* e *vi.* merecer; ter merecimento; tornar-se merecedor.
he deserves no better — tem o que merece.
one good turn deserves another — amor com amor se paga.
they richly deserved it! — foi bem feito!, merecem bem o que lhes aconteceu!
to deserve a reward — merecer uma recompensa.
to deserve well — merecer bem.
deservedly [-idli], *adv.* merecidamente; condignamente.
deserving [-iŋ], *adj.* merecedor, digno, meritório.
deservingly [-iŋli], *adv.* merecidamente, dignamente.
desiccate ['desikeit], *vt.* secar, dessecar.
desiccator [desi'keitə], *s.* secador.
desiccation [desi'keiʃən], *s.* dessecação.
desiderate [di'zidəreit], *vt.* desejar, querer; sentir a falta de.
desiderative [di'zidərətiv], *s.* e *adj.* desiderativo.
desideratum [dizidə'reitəm], *s.* (pl. **desiderata**) desiderato.
Desiderius [desi'di:əriəs], *n. p.* Desidério.
design [di'zain], **1** — *s.* desígnio, intento, plano; intenção; motivo, fim, projecto; desenho, esboço, modelo. (*Sin.* plan, plot, scheme, sketch, outline, drawing.)
by design and not by accident — com intenção e não ao acaso.
he has designs on (against) your life — ele conspira contra a tua vida.

they had designs on her money — ambicionavam o dinheiro dela.
with a design to — com a intenção de.
2 — *vt.* e *vi.* propor; projectar; tencionar, ter intenção de; designar; propor-se; fazer projectos; desenhar, esboçar.
designate 1 — ['dezignit], *adj.* designado, nomeado.
2 — ['dezigneit], *vt.* designar, indicar, apontar, nomear.
designation [dezig'neiʃən], *s.* designação, indicação, nomeação; título, descrição.
designedly [di'zainli], *adv.* intencionalmente, propositadamente.
designer [di'zainə], *s.* desenhador, autor dum projecto; inventor; debuxador.
designing [di'zainiŋ], 1 — *s.* esquema; desenho, esboço; criação.
2 — *adj.* insidioso, astuto, falso.
desilverize [di:'silvəraiz], *vt.* extrair a prata de.
desinence ['desinəns], *s.* desinência.
desirability [dizaiərə'biliti], *s.* ânsia, desejo ardente; qualidade do que é desejável.
desirable [di'zaiərəbl], *adj.* desejável, apetecível; agradável.
desirably [-i], *adv.* dum modo desejável.
desire [di'zaiə], 1 — *s.* desejo; aspiração; ânsia, apetite. (*Sin.* wish, longing, craving, aspiration. *Ant.* aversion.)
by the desire of — a pedido de.
earnest desire — desejo ardente.
to gratify someone's desire — satisfazer o desejo de alguém.
2 — *vt.* desejar, aspirar; apetecer.
your behaviour leaves much to be desired — a tua conduta deixa muito a desejar.
desirous [di'zaiərəs], *adj.* desejoso.
he is desirous of going abroad — ele deseja (ele está desejoso de; ele está morto por) ir ao estrangeiro.
desirously [-li], *adv.* desejosamente.
desist [di'zist], *vi.* desistir; abster-se de, cessar; renunciar.
desistance [-əns], *s.* desistência, renúncia; abstenção.
desk [desk], *s.* carteira, escrivaninha, secretária; cátedra; (com.) caixa.
pay at the desk! — pague na caixa!
desolate 1 — ['desəlit], *adj.* deserto, solitário, despovoado; abandonado; desolado, desconsolado. (*Sin.* deserted, solitary, lonely, bare, uninhabited. *Ant.* frequented, cheerful.)
2 — ['desəleit], *vt.* desolar, desconsolar; devastar, assolar; despovoar.
desolately ['desəlitli], *adv.* desoladamente.
desolateness, desolation ['desəlitnis, desə'leiʃən], *s.* desolação; abandono; devastação, ruína; solidão.
desolator ['desəleitə], *s.* desolador.
despair [dis'pɛə], 1 — *s.* desespero; aflição.
2 — *vi.* desesperar, perder a esperança.
his life is despaired of — perderam a esperança de o salvar.
despairing [-riŋ], *adj.* desesperador, desesperante.
despairingly [-riŋli], *adv.* desesperadamente.
despatch [dis'pætʃ], ver **dispatch.**
desperado [despə'rɑ:dou], *s.* (pl. **desperadoes**) malfeitor, bandido; pessoa perdida.
desperate ['despərit], *adj.* desesperado, perdido; furioso, violento; urgente; grave; sério.
a desperate struggle — uma luta desesperada.
desperate diseases require desperate remedies — para grandes males, grandes remédios.
his condition is desperate — está em estado desesperado.
desperately [-li], *adv.* urgentemente; desesperadamente, seriamente, gravemente; com furor.
desperately in love with — perdidamente enamorado de; loucamente apaixonado por.
desperately sick — gravíssimamente doente.
desperateness [-nis], *s.* desesperação, desespero, furor.
desperation [despə'reiʃən], *s.* desespero, desesperação; exasperação.
to be urged to desperation — ser levado ao desespero.
to drive a person to desperation — fazer desesperar alguém.
despicability [despikə'biliti], *s.* vileza, baixeza.
despicable ['despikəbl], *adj.* desprezível, vil, baixo, ignóbil, abjecto.
despicably [-i], *adv.* desprezivelmente, ignobilmente.
despise [dis'paiz], *vt.* desprezar, tratar com desprezo; menosprezar; desdenhar. (*Sin.* to disdain, to contemn, to ignore, to disregard. *Ant.* to admire.)
despiser [-ə], *s.* desprezador.
despite [dis'pait], 1 — *s.* despeito, desdém, enfado; ultraje.
2 — *prep.* a despeito de, apesar de, não obstante.
despiteful [-ful], *adj.* malicioso, vingativo.
despitefully [-fuli], *adv.* com despeito, maliciosamente.
despoil [dis'pɔil], *vt.* despojar, saquear; roubar.
despoiler [-ə], *s.* saqueador; ladrão.
despoilment, despoliation [-mənt, dispouli'eiʃən], *s.* esbulho, espoliação, despojo.
despond [dis'pɔnd], 1 — *s.* desânimo, abatimento.
2 — *vi.* desanimar; perder a esperança; desalentar-se.
despondency [-ənsi], *s.* desânimo, desalento, abatimento.
despondent [-ənt], *adj.* desanimado, desalentado, abatido. (*Sin.* downcast, disheartened, dejected, despirited. *Ant.* hopeful.)
despondently [-əntli], *adv.* desanimadamente.
despondingly [-iŋli], *adv.* desanimadoramente.
despot ['despɔt], *s.* déspota, tirano.
despotic [des'pɔtik], *adj.* despótico.
despotically [-əli], *adv.* despoticamente.
despotism ['despətizm], *s.* despotismo, tirania.
desquamate ['deskwəmeit], *vt.* descamar.
dessert [di'zə:t], *s.* sobremesa.
destination [desti'neiʃən], *s.* destino, lugar a que alguém se dirige; direcção.
destine ['destin], *vt.* destinar, reservar; dedicar, consagrar.
destiny [-i], *s.* (pl. **destinies**) destino, fado, sina, sorte.
destitute ['destitju:t], *adj.* destituído; desamparado, pobre.
the destitute — os pobres.
destitution [desti'tju:ʃən], *s.* destituição; desamparo, pobreza; privação.
destroy [dis'trɔi], *vt.* destruir, arrasar, demolir; arruinar; aniquilar, exterminar, extinguir; matar. (*Sin.* to demolish, to kill, to devastate. *Ant.* to create.)
she destroyed herself — ela suicidou-se.
to destroy a town — destruir uma cidade.
destroyer [-ə], *s.* destruidor; contratorpedeiro (navio de guerra).
destructibility [distrʌkti'biliti], *s.* destrutibilidade.
destructible [dis'trʌktəbl], *adj.* destrutível.
destruction [dis'trʌkʃən], *s.* destruição, ruína; devastação; perdição; mortandade.

gambling was his destruction — o jogo foi a sua ruína.
destructive [dis'trʌktiv], *adj.* destrutivo.
destructively [-li], *adv.* destrutivamente.
destructiveness [-nis], *s.* destrutibilidade.
destructor [dis'trʌktə], *s.* destruidor; forno para queimar resíduos.
desuetude [di'sju(:)itju:d], *s.* desuso.
desulphurize [di:'sʌlfəraiz], *vt.* dessulfurar.
desultorily ['desəltərili], *adv.* inconstantemente; sem método; sem nexo.
desultoriness ['desəltərinis], *s.* inconstância; desconexão.
desultory ['desəltəri], *adj.* variável; inconstante; irregular; vago; com falta de método, desconexo. (*Sin.* fitful, irregular, rambling, casual, unmethodical, vague. *Ant.* methodical, thorough.)
detach [di'tætʃ], *vt.* separar; desprender; (mil.) destacar.
detachable [-əbl], *adj.* separável.
detachable collar — colarinho postiço.
detached [-t], *adj.* separado, isolado.
a detached house — uma casa isolada.
a detached opinion — uma opinião própria, que não é influenciada pela de outra pessoa.
detachedly [-tli], *adv.* separadamente.
detachment [-mənt], *s.* separação; (mil.) destacamento.
detail ['di:teil], **1** — *s.* pormenor, particularidade, detalhe; (mil.) pequeno destacamento; ordem do dia.
a mere detail — um pequeno pormenor.
don't go (enter) into details — não entres em pormenores.
in detail — minuciosamente.
war of details — guerra de escaramuças.
2 — *vt.* pormenorizar, expor com minúcia, particularizar; especificar; (mil.) destacar para um serviço especial.
he detailed three men to guard the bridge — ele destacou três homens para guardarem a ponte.
detailed [-d], *adj.* pormenorizado, minucioso.
detain [di'tein], *vt.* deter; retardar, reter; fazer esperar; impedir, embargar; ter em prisão.
detainee [di'teini], *s.* pessoa que é detida; detido; preso.
detainer [-ə], *s.* detenção; sequestro; ordem de detenção por nova acusação a pessoa que já se acha presa.
detect [di'tekt], *vt.* descobrir, detectar; averiguar; revelar. (*Sin.* to discover, to find out. *Ant.* to miss.)
detectable [-əbl], *adj.* detectável, que se pode descobrir.
detection [di'tekʃən], *s.* descoberta; averiguação; detecção.
the detection of a crime — a descoberta dum crime.
detective [di'tektiv], **1** — *s.* detective, agente de polícia secreta.
amateur detective — polícia amador.
detective novel — romance policial.
private detective — detective particular.
2 — *adj.* detector.
detector [di'tektə], *s.* detector; o que descobre.
detent [di'tent], *s.* alavanca de máquina; escape de relógio; gatilho.
detention [di'tenʃən], *s.* detenção; retenção; prisão.
detention barracks — prisão militar.
house of detention — casa de reclusão.
deter [di'tə], *vt.* (pret. e pp. **deterred**) desanimar; dissuadir; desviar; impedir.
detergent [di'tə:ðʒənt], *s.* e *adj.* detergente, substância que deterge; que limpa ou clarifica.
deteriorate [di'tiəriəreit], *vt.* e *vi.* deteriorar, estragar, danificar; depreciar; deteriorar-se, estragar-se.
deterioration [ditiəriə'reiʃən], *s.* deterioração, estrago, dano.
deteriorative [di'ti:əriərətiv], *adj.* deteriorável.
determent [di'tə:mənt], *s.* dissuasão; afastamento.
determinant [di'tə:minənt], *s.* e *adj.* determinante.
determinate [di'tə:minit], *adj.* determinado, definido, definitivo; decidido; exacto. (*Sin.* definite, definitive, limited. *Ant.* vague.)
determinately [-li], *adv.* determinadamente; com exactidão.
determination [ditə:mi'neiʃən], *s.* determinação, resolução, decisão; deliberação. (*Sin.* decision, resolution, firmness, persistence. *Ant.* weakness.)
determinative [di'tə:minətiv], *s.* e *adj.* determinativo.
determine [di'tə:min], *vt.* e *vi.* determinar, resolver; fixar, estabelecer; terminar, concluir; resolver-se, decidir-se.
have you determined where you are going to spend this week-end? — já resolveste aonde vais passar este fim-de-semana?
determined [-d], *adj.* determinado; decidido.
she is determined on proving to them — está decidida a provar-lhes.
determiner [-ə], *s.* pessoa que determina.
determinism [-izm], *s.* determinismo.
determinist [-ist], *s.* determinista.
deterred [di'tə:d], *pret.* e *pp.* de **to deter.**
deterrent [di'terənt], **1** — *s.* impedimento; dissuasão.
2 — *adj.* impeditivo; desencorajante.
detersive [di'tə:siv], *adj.* e *s.* detersivo; detergente.
detest [di'test], *vt.* detestar, odiar, abominar; ter aversão a; aborrecer. (*Sin.* to abhor, to dislike, to hate, to abominate. *Ant.* to live, to like.)
detestable [di'testəbl], *adj.* detestável, abominável.
detestableness [-nis], *s.* qualidade do que é detestável.
detestably [-i], *adv.* detestavelmente.
detestation [di:tes'teiʃən], *s.* detestação, aversão, ódio.
to hold (have) in detestation — detestar.
dethrone [di'θroun], *vt.* destronar.
dethronement [-mənt], *s.* destronação; destronização.
detinue ['detinju:], *s.* (jur.) reivindicação.
detonate ['detouneit], *vt.* e *vi.* detonar, produzir detonação.
detonating [-iŋ], *adj.* detonante.
detonation [detou'neiʃən], *s.* detonação.
detonator ['detouneitə], *s.* detonador, explosivo.
detour, détour ['deituə, dei'tuə], *s.* volta, rodeio, desvio.
the road was blocked and they had to make a detour — a estrada estava bloqueada e tiveram de fazer um desvio.
detoxicate [di:'tɔksikeit], *vt.* desentoxicar.
detract [di'trækt], *vt.* e *vi.* detrair, abater o crédito de; depreciar; diminuir; difamar.
to detract from — diminuir, tirar.
detractingly [-iŋli], *adv.* depreciativamente.
detraction [di'trækʃən], *s.* detracção; depreciação; maledicência.
detractive [di'træktiv], *adj.* detractivo, que rebaixa.
detractor [di'træktə], *s.* detractor, difamador.
detrain [di:'trein], *vt.* e *vi.* descarregar (dum comboio); desembarcar tropas (dum comboio).

detraining [-iŋ], *s.* desembarque (dum comboio).
detriment ['detrimənt], *s.* detrimento, dano, prejuízo.
to the detriment of one's health — com prejuízo da saúde.
we know nothing to his detriment — não conhecemos nada que o prejudique, nada sabemos contra ele.
detrimental [detri'mentl], *adj.* prejudicial.
detrimental to health — prejudicial à saúde.
detrited [di'traitid], *adj.* gasto; (geol.) desintegrado, desagregado.
detrition [di'triʃən], *s.* (geol.) detrição, decomposição por atrito.
detritus [di'traitəs], *s.* (geol.) detritos; restos, resíduos.
detruncate [di:'trʌŋkeit], *vt.* destroncar; podar; mutilar.
detruncation [di:trʌŋ'keiʃən], *s.* poda; mutilação.
deuce [dju:s], *s.* dois (nas cartas ou nos dados); quarenta (para ambos os adversários no jogo do ténis); igual; (col.) demónio; praga.
go to the deuce! — vai-te embora!; vai para o Diabo!
the deuce is in it if I cannot — diabos me levem se eu não sou (for) capaz.
the weather played the deuce with my plans — o tempo estragou por completo os meus planos, prejudicou os meus planos.
we had the deuce of a row yesterday — tivemos ontem uma questão dos diabos.
what the deuce? — que diabo aconteceu?
what the deuce is he about? — que diabo faz ele?
where the deuce has he gone? — onde diabo é que ele foi?
deuced [-t], *adj.* e *adv.* enorme, muito grande.
they were in a deuced hurry — estavam com uma pressa extraordinária.
she is a deuced fine girl — é uma rapariga bonita a valer.
Deuteronomy [dju:tə'rɔnəmi], *s.* Deuteronómio, o quinto e último livro do Pentateuco.
deutzia ['dju:tʃjə], *s.* (bot.) dêutzia.
devalorization [di:vælərai'zeiʃən], *s.* desvalorização.
devalorize [di:'væləraiz], *vt.* desvalorizar.
devaluate [di:'væljueit], *vt.* depreciar; desvalorizar.
devaluation [di:vælju'eiʃən], *s.* desvalorização.
devastate ['devəsteit], *vt.* devastar, assolar, destruir.
devastating [-iŋ], *adj.* devastador, assolador, destruidor.
devastatingly [-iŋli], *adv.* devastadoramente.
devastation [devəs'teiʃən], *s.* devastação, assolação, destruição.
devastator ['devəsteitə], *s.* devastador.
develop [di'veləp], *vt.* e *vi.* desenvolver, fomentar; progredir; crescer; (fot.) revelar; desenvolver-se. (*Sin.* to unfold, to reveal, to grow, to increase, to augment, to enlarge.)
developable [-əbl], *adj.* que se pode desenvolver; (fot.) que se pode revelar.
developer [-ə], *s.* aquele que desenvolve; (fot.) revelador.
development [-mənt], *s.* desenvolvimento, crescimento, progresso; evolução; (fot.) revelação; acontecimento.
what are the latest developments? — quais são as últimas notícias?
deviate ['di:vieit], *vi.* desviar-se, afastar-se, apartar-se; divergir; desviar-se do assunto.
to deviate from truth — desviar-se da verdade.
deviation [di:vi'eiʃən], *s.* desvio, afastamento; divergência; variação; erro.
deviation of the magnetic needle — desvio da agulha magnética.
deviator ['di:vieitə], *s.* o que desvia.
device [di'vais], *s.* plano, expediente; invento, engenhoca; esquema; dispositivo; projecto; estratagema, artifício, ardil; divisa, lema; emblema (de brasão). (*Sin.* scheme, invention, contrivance, stratagem, trick, design, expedient, motto.)
to leave a person to his own devices — deixar uma pessoa entregue a si própria.
devil [devl], **1** — *s.* Diabo, Satanás; espírito do mal; pessoa malvada.
a lazy devil — um preguiçoso.
between the devil and the deep sea — entre a espada e a parede.
blue-devils — neurastenia.
devil a one — nem um, sequer; ninguém.
devil dodger (col.) — padre.
devil-fish — raia gigante.
devil-may-care — descuidado, folgazão.
devil's books — cartas de jogar.
devil's luck — sorte do Diabo.
give the devil his due! — dai a César o que é de César!
go to the devil! — vai para o Diabo!
he is the devil incarnate — ele é o Diabo em pessoa; ele é o Diabo encarnado!
like the devil — com grande energia.
printer's devil — moço de recados de tipografia.
talk of the devil and he is sure to appear — falai do mau e preparai o pau.
the devil among the tailors — zaragata.
the devil and all — tudo mau.
the devil may dance in my pocket — não tenho nem cheta.
the devil's advocate — cardeal-diabo.
the devil's bones — dados (jogo).
the devil take it! — diabos levem isto!
the devil to pay — sair cara a brincadeira; pagar caro.
they raise the devil — fazem grande barafunda.
to play the devil with — deitar a perder completamente.
you paint the devil blacker than he is — pintas o Diabo pior do que ele é.
2 — *vt.* e *vi.* (pret. e pp. **devilled**) condimentar fortemente; preparar o trabalho para outro; fazer o trabalho desagradável de outro.
devilish [-iʃ], **1** — *adj.* diabólico, demoníaco, endiabrado.
2 — *adv.* diabolicamente.
devilishly [-iʃli], *adv.* diabolicamente.
devilishness [-iʃnis], *s.* diabrura; carácter diabólico.
devilment [-mənt], *s.* diabrura.
devilry, deviltry [-ri, -tri], *s.* (pl. **devilries, deviltries**) arte diabólica; crueldade, maldade; magia negra.
devious ['di:vjəs], *adj.* desviado, extraviado; perdido; errante; tortuoso; (fig.) desonesto; desleal.
she got rich by devious ways — ela enriqueceu por meios desonestos.
deviously [-li], *adv.* tortuosamente; desviadamente.
deviousness [-nis], *s.* desvio, extravio; tortuosidade.
devisable [di'vaizəbl], *adj.* ideável, imaginável; transmissível.
devise [di'vaiz], *vt.* imaginar, idear, projectar, inventar; legar em testamento. (*Sin.* to contrive, to scheme, to invent, to plan, to project, to bequeath.)
devisee [devi'zi:], *s.* legatário, herdeiro.
deviser [di'vaizə], *s.* inventor, autor.

devisor [devi'zɔ:], *s.* testador.
devitalization [di:vaitəlai'zeiʃən], *s.* desvitalização, acção de tirar a vitalidade.
devitalize [di:'vaitəlaiz], *vt.* desvitalizar, tirar a vitalidade.
devitrify [di:'vitrifai], *vt.* desvitrificar.
devoid [di'vɔid], *adj.* livre, isento; desprovido; destituído. (*Sin.* empty, destitute, void, vacant, lacking. *Ant.* replete.)
he is devoid of sense — ele é pateta; ele é destituído de senso.
devoir ['devwɑ:], *s.*dever;*pl.* atenções, cuidados.
devolution [di:və'lu:ʃən], *s.* devolução, restituição; transferência; delegação de poderes.
devolve [di'vɔlv], *vt.* e *vi.* devolver, restituir; passar a; entregar; transmitir.
that kind of work devolves upon the Vice-Director — aquele trabalho passa para o subdirector.
to devolve from one generation to another — passar duma geração à outra.
Devon [devn], *top.* Devon.
Devonian [de'vounjən], *s.* e *adj.* natural do condado de Devon (na Inglaterra); devoniano.
devote [di'vout], *vt.* dedicar, consagrar; devotar; dedicar-se.
he devotes himself to amusement — ele entrega-se aos divertimentos.
she devotes her time to study — ela dedica o tempo ao estudo.
devoted [-id], *adj.* dedicado, devotado; infeliz.
a devoted friend—um amigo dedicado, leal.
devoted to sport — dedicado ao desporto.
devotedly [-idli], *adv.* dedicadamente, devotadamente.
devotee [devou'ti:], *s.* devoto; entusiasta, apaixonado.
a devotee of music — um apaixonado pela música.
devotion [di'vouʃən], *s.* devoção; dedicação; afeição, afecto; piedade; *pl.* orações.
the devotion of a mother for her child — a dedicação duma mãe pelo filho.
the priest was at his devotions — o padre estava a fazer as suas orações.
devotional [di'vouʃənl], *adj.* devoto, piedoso, religioso.
devotionalist [di'vouʃnəlist], *s.* beato.
devotionally [di'vouʃnəli], *adv.* devotadamente.
devour [di'vauə], *vt.* devorar, tragar; consumir, destruir, arruinar.
the lion devours his prey—o leão devora a presa.
devourer [-rə], *s.* devorador; destruidor.
devouringly [-riŋli], *adv.* vorazmente.
devout [di'vaut], *adj.* devoto, piedoso, religioso, fervoroso.
devoutly [-li], *adv.* devotadamente, piedosamente.
devoutness [-nis], *s.* devoção.
dew [dju:], **1** — *s.* orvalho, relento.
dewberry — espécie de amora brava.
dew-claw — dedo suplementar nos pés de alguns cães.
dew-drop — gota de orvalho.
dew-fall — a noitinha.
morning dew — o orvalho da manhã.
mountain dew — uísque destilado ilegalmente.
night dew — relento.
2 — *vt.* e *vi.* orvalhar, cobrir de orvalho
dewlap [-læp], *s.* papada (dos animais).
dewy [-i], *adj.* orvalhado, cheio de orvalho.
dexter ['dekstə], *adj.* dextro, que fica do lado direito.
dexterity [deks'teriti], *s.* destreza, habilidade, perícia; uso da mão direita. (*Sin.* adroitness, skill, cleverness, readiness, ability. *Ant.* clumsiness.)
dexterous ['dekstərəs], *adj.* habilidoso, esperto; que se serve da mão direita.
dextrin ['dekstrin], *s.* dextrina, substância gomosa extraída do amido.
dextrose ['dekstrous], *s.* dextrose; glicose.
d(h)ow [dau], *s.* pangaio, pequena embarcação asiática.
diabetes [daiə'bi:ti:z], *s.* diabetes.
diabetic [daiə'betik], *s.* e *adj.* diabético.
diabolic [daiə'bɔlik], *adj.* diabólico.
diabolical [-əl], *adj.* diabólico, infernal.
diabolically [-əli], *adv.* diabolicamente.
diabolism [dai'æbəlizm], *s.* feitiçaria, magia; natureza diabólica; culto do Demónio.
diabolize [dai'æbəlaiz], *vt.* representar como Diabo; transformar em Diabo.
diabolo [di'ɑ:bəlou], *s.* diábolo (jogo).
diaconal [dai'ækənl], *adj.* diaconal, relativo ao diácono.
diaconate [dai'ækənit], *s.* diaconato.
diacritic(al) [daiə'kritik(əl)], *adj.* diacrítico.
diadem ['daiədem], *s.* diadema.
diaeresis [dai'iərisis], *s.* (pl. **diaereses**) diérese.
diagnose ['daiəgnouz], *vt.* diagnosticar.
diagnosis [daiəg'nousis], *s.* (pl. **diagnoses**) diagnóstico.
diagnostic [daiəg'nɔstik], *s.* e *adj.* diagnóstico.
diagnostician [daiəgnɔs'tiʃən], *s.* médico perito em diagnósticos.
diagonal [dai'ægənl], *s.* e *adj.* diagonal.
diagonal crossing — cruzamento em diagonal.
diagonally [-i], *adv.* diagonalmente.
diagram ['daiəgræm], *s.* diagrama, gráfico.
diagrammatic [daiəgrə'mætik], *adj.* esquemático.
diagrammatize [daiə'græmətaiz], *vt.* representar por diagrama.
diagraph ['daiəgrɑ:f], *s.* diágrafo.
dial ['daiəl], **1** — *s.* mostrador (de relógio, de contador de água, etc.); disco (telefone); relógio de sol; quadrante solar.
dial card — rosa-dos-ventos.
dial-telephone — telefone automático.
sun-dial — relógio de sol.
2 — *vt.* (pret. e pp. **dialled**) marcar um número num telefone automático; indicar.
to dial a number — marcar um número (no telefone).
we dialled the railway-station — telefonámos para a estação de caminho-de-ferro.
dialect ['daiəlekt], *s.* dialecto.
dialectal [daiə'lektl], *adj.* dialectal.
dialectics [daiə'lektiks], *s.* dialéctica.
dialectician [daiəlek'tiʃən], *s.* pessoa versada em dialéctica.
dialectologist [daiəlek'tɔlədʒist], *s.* dialectólogo.
dialectology [daiəlek'tɔlədʒi], *s.* dialectologia, ciência dos dialectos.
dialogist [dai'ælədʒist], *s.* dialogista, escritor de diálogos.
dialogue ['daiəlɔg], *s.* diálogo.
written in dialogue - escrito em diálogo, dialogado.
dialyse ['daiəlaiz], *vt.* (quím.) dialisar, separar certas substâncias dissolvidas em líquido, pela difusão através dum septo.
dialysis [dai'ælisis], *s.* (pl. **dialyses**) (quím.) diálise, separação de certas substâncias dissolvidas em líquido pela difusão através dum septo.
diamagnetic [daiəmæg'netik], *adj.* diamagnético.
diamagnetism [daiə'mægnitizm], *s.* diamagnetismo.
diamantiferous [daiəmæn'tifərəs], *adj.* diamantífero.

diameter [dai'æmitə], *s.* diâmetro.
diametral [dai'æmitrəl], *adj.* diametral.
diametrally [dai'æmitrəli], *adv.* diametralmente.
diametrical [daiə'metrikəl], *adj.* diametral.
diametrically [daiə'metrikəli], *adv.* diametralmente.
diamond ['daiəmənd], **1** — *s.* diamante; naipe de ouros (cartas); losango; (tip.) tipo de letra número 1.
a rough diamond — um diamante em bruto; pessoa grosseira mas digna.
black diamonds — carvão mineral.
cloudy diamond — diamante impuro.
diamond cut — diamante talhado.
diamond cut diamond — para velhaco, velhaco e meio.
diamond cutter — lapidário.
diamond cutting — lapidação.
diamond frame — quadro (de bicicleta).
diamond panes — vidraças em forma de losango.
diamond-shaped — em forma de losango.
diamond-wedding — bodas de diamante.
set of diamonds — adereço de diamantes.
2 — *adj.* de diamante.
3 — *vt.* enfeitar com diamantes.
Diana [dai'ænə], *n. p.* Diana.
diapason [daiə'peisn], *s.* diapasão; melodia.
diaper ['daiəpə], **1** — *s.* pano de padrão em forma de losango; toalhete; fralda; guardanapo de criança.
2 — *vt.* decorar com tecido de padrão em forma de losango.
diaphanous [dai'æfənəs], *adj.* diáfono.
diaphragm ['daiəfræm], *s.* diafragma.
diaphragmatic [daiəfræg'mætik], *adj.* diafragmático.
diarchy ['daiɑ:ki], *s.* (pl. **diarchies**) diarquia.
diarist ['daiərist], *s.* pessoa que tem um diário.
diarize ['daiəraiz], *vt.* e *vi.* registar em diário; ter um diário.
diarrhoea [daiə'riə], *s.* diarreia.
diary ['daiəri], (pl. **diaries**) diário; jornal; agenda.
diastase ['daiəsteis], *s.* diástase, fermento solúvel que transforma certas substâncias.
diastole [dai'æstəli], *s.* diástole, movimento de dilatação do coração.
diathermanous [daiə'θə:mənəs], *adj.* diatérmico.
diathermic [daiə'θə:mik], *s.* ver **diathermanous.**
diathermy ['daiəθə:mi], *s.* diatermia.
diatom ['daiətəm], *s.* (bot.) diatomácea, grupo de algas microscópicas, especialmente as que se encontram no fundo do mar.
diatomic [daiə'tɔmik], *adj.* (quím.) diatómico.
diatonic [daiə'tɔnik], *adj.* (mús.) diatónico.
diatribe ['daiətraib], *s.* diatribe, crítica áspera e violenta. (*Sin.* criticism, invective, denunciation, disputation.)
dibber ['dibə], *s.* plantador, aparelho para abrir buracos no solo (nas plantações).
dibble [dibl], **1** — *s.* plantador.
2 — *vt.* e *vi.* semear; plantar.
dibs [dibz], *s. pl.* jogo infantil com ossos de carneiro; (col.) dinheiro.
dice [dais], **1** — *s. pl.* de **die.**
dice-box — copo para lançar os dados.
he tried to go in, but it was no dice — tentou entrar, mas de nada lhe valeu.
2 — *vt.* e *vi.* jogar os dados; cortar carne em quadradinhos.
dicer [-ə], *s.* jogador de dados.
dichlamydeous [daiklə'midiəs], *adj.* (bot.) que tem cálice e corola.
dichotomize [dai'kɔtəmaiz], *vt.* e *vi.* dicotomizar, dicotomizar-se.
dichotomy [di'kɔtəmi], *s.* (pl. **dichotomies**) (bot.) dicotomia, divisão de certas hastes em ramos bifurcados.
dichromatic [daikrə'mætik], *adj.* dicromático, que apresenta duas cores.
Dick [dik], *n. p.* diminutivo de **Richard.**
dickens ['dikinz], *s.* (col.) Diabo, Demónio.
he plays the dickens — pinta a manta, faz diabruras.
what the dickens did they want? — que diabo é que eles queriam?
Dickens ['dikinz], *n. p.* apelido do escritor inglês Charles Dickens (1812-1870).
dicker ['dikə], **1** — *s.* (com.) dezena.
2 — *vi.* (E. U.) regatear; negociar.
dickey ['diki], *s.* (col.) burro, jumento; peito postiço; bibe; avental; passarinho.
dicky-bird — passarinho.
dickey-seat — assento traseiro (num automóvel de dois lugares).
dicky ['diki], **1** — *s.* ver **dickey.**
2—*adj.* (col.) trémulo, débil, fraco, cambaleante.
dicotyledon ['daikɔti'li:dən], s. (bot.) dicotiledónea.
dictaphone ['diktəfoun], *s.* dictafone.
dictate 1 — ['dikteit], *s.* ditame, ordem.
2 — [dik'teit], *vt.* e *vi.* ditar; ordenar, mandar.
I refuse to be dictated to — recuso-me a receber ordens.
dictation [dik'teiʃən], *s.* ditado; ordem.
she was tired of her husband's dictation — estava cansada das ordens do marido.
dictator [dik'teitə], *s.* ditador; o que dita.
dictatorial [diktə'tɔ:riəl], *adj.* ditatorial, absoluto; autoritário.
dictatorially [-i], *adv.* ditatorialmente; autoritariamente.
dictatorship [dik'teitəʃip], *s.* ditadura.
diction ['dikʃən], *s.* dicção; expressão; estilo, linguagem.
dictionary ['dikʃnəri], *s.* (pl. **dictionaries**) dicionário.
a new dictionary must be good, if it is to compete with the many already in the market — um novo dicionário deve ser muito bom para poder competir com os muitos existentes no mercado.
pocket dictionary — dicionário de algibeira.
technical dictionary — dicionário técnico.
dictograph ['diktougrɑ:f], *s.* dictógrafo.
dictum ['diktəm], *s.* (pl. **dicta, dictums**) dito; máxima; acórdão de tribunal.
did [did], *pret.* de **to do.**
didactic [di'dæktik], *adj.* didáctico.
didactically [-əli], *adv.* didacticamente.
didacticism [di'dæktisizəm], *s.* didactismo, qualidade ou tendência didáctica.
didactics [di'dæktiks], *s.* didáctica.
didapper ['daidæpə], *s.* mergulhão (ave).
diddle [didl], *vt.* (col.) enganar, burlar, intrujar, vigarizar.
we've been diddled — fomos intrujados.
diddler [-ə], *s.* (col.) intrujão, burlão, vigarista.
didst [didst], (arc. e bíbl.) 2.ª pes. sing. do pret. de **to do.**
die [dai], **1** — *s.* (pl. **dice, dies** [dais, daiz]) dado (para jogar) (pl. **dice**); molde; cunho (de moedas, letras, brasões, etc.); soco, suporte (pl. **dies**).
the die is cast — a decisão está tomada.
your honour is upon the die — está em jogo a tua honra.
2 — *vi* (p. pr. **dying**) morrer; morrer de; morrer por, desejar, ansiar; extinguir-se; murchar, fenecer.

he died for his country — ele morreu pelo país.
he died in the prime of life — ele morreu na flor da vida.
he is dying for a drink — está cheio de sede; está a morrer de sede; está morto por uma bebida.
I'm dying to know what he said — estou ansioso (morto) por saber o que ele disse.
never say die! — não desanimes!, não percas a coragem!
old customs are dying out — os velhos costumes vão desaparecendo.
to die a dog's death — morrer na miséria; ter morte de cão.
to die a fair death — morrer de morte natural.
to die away — extinguir-se, desaparecer.
to die for love — morrer de amores.
to die from cold — morrer de frio.
to die game — morrer a lutar.
to die hard — morrer lutando; lutar até ao fim.
to die in harness — morrer a trabalhar.
to die in one's bed — morrer de velho.
to die in one's shoes — ter morte violenta.
to die in the last ditch — lutar até à última.
to die of hunger — morrer de fome.
to die of laughing — morrer de riso.
to die out — extinguir-se.
to die to the world — morrer para o mundo.
when the applause died down, he disappeared — ele desapareceu quando os aplausos cessaram.

dielectric [daii'lektrik], *s.* e *adj.* dieléctrico, substância ou objecto isolador da electricidade; que conduz mal a electricidade.

diet ['daiət], **1** — *s.* dieta, regime alimentar; dieta, assembleia.
no wine for me, thank you! I'm on a diet — muito obrigado, mas não bebo vinho; estou de dieta.
to put a patient on a special diet — pôr um doente em dieta especial.
to put on strict (low) diet — pôr em dieta rigorosa.
2 — *vt.* pôr em dieta.
should I diet myself? — devo fazer dieta?

dietarian [daiə'tɛəriən], *s.* pessoa que está a dieta.

dietary ['daiətəri], **1** — *s.* (pl. **dietaries**) dieta; alimentação fornecida por hospital ou cantina.
2 — *adj.* dietético.

dietetic [daii'tetik], *adj.* dietético.

dietetics [daii'tetiks], *s.* dietética.

differ ['difə], *vi.* diferir, discordar, estar em desacordo, não ser da mesma opinião; ser diferente; diferençar-se. (*Sin.* to disagree, to be unlike, to diverge, to vary. *Ant.* to agree.)
I beg to differ — eu discordo.
tastes differ — gostos não se discutem.
they agree to differ — cada um fica na sua, desistem de se convencer mutuamente.
to differ from a person — não ser da mesma opinião.

difference ['difrəns], *s.* diferença, desigualdade; divergência, desacordo, controvérsia; diferença, resto proveniente da subtracção dum número de outro. (*Sin.* dissimilarity, divergence, discordance, deviation, contrast. *Ant.* similarity.)
during their married life they had not had difference — durante a sua vida de casados não tiveram uma questão.
it makes great difference — faz grande diferença.
it makes no difference — não faz diferença; não tem importância.
potencial difference — diferença potencial.
they split the difference — chegam a acordo.
to make a difference between — tratar de maneira diferente.
to pay the difference — pagar a diferença.
without difference — sem diferença.

different ['difrənt], *adj.* diferente, desigual; diverso.
different kinds — diversas espécies.

differential [difə'renʃəl], *s.* e *adj.* diferencial.
differential calculus (mat.) — cálculo diferencial.
diferential case — cárter do diferencial.
differential gear — diferencial.

differentially [difə'renʃəli], *adv.* diferencialmente.

differentiate [difə'renʃieit], *vt.* e *vi.* diferenciar, distinguir; discriminar; distinguir-se, diferenciar-se.

differentiation [difərenʃi'eiʃən], *s.* diferenciação.

differently ['difrəntli], *adv.* diferentemente.

difficult ['difikəlt], *adj.* dificultoso, difícil; custoso; trabalhoso; árduo; penoso. (*Sin.* hard, intricate, arduous, laborious, troublesome, perplexing. *Ant.* easy.)
they are difficult persons to get on with — é difícil lidar com eles.

difficulty ['difikəlti], *s.* (pl. **difficulties**) dificuldade; reparo; objecção; obstáculo; apuros, perigo.
to be in a difficulty — estar em situação difícil.
to be in difficulties — estar em má situação financeira, ter dificuldades de dinheiro.
to make (raise) difficulties — levantar dificuldades.
to overcome every difficulty — vencer todas as dificuldades.
with great difficulty — com grande dificuldade.

diffidence ['difidəns], *s.* desconfiança; suspeita; timidez, acanhamento.

diffident ['difidənt], *adj.* desconfiado, receoso, envergonhado; tímido, retraído; hesitante.
she is diffident about buying the book — ela está hesitante em comprar o livro.

diffidently [-li], *adv.* timidamente, acanhadamente.

diffluence ['difluəns], *s.* difluência.

diffluent ['difluənt], *adj.* difluente, que diflui.

diffract [di'frækt], *vt.* difractar.

diffraction [di'frækʃən], *s.* difracção, desvio que sofrem os raios luminosos quando incidem num corpo opaco.

diffractive [di'fræktiv], *adj.* difractivo.

diffuse **1** — [di'fju:s], *adj.* difuso; estendido, espalhado; verboso, prolixo. (*Sin.* diffused, spread, prolix, verbose, wordy.)
2 — [di'fju:z], *vt.* e *vi.* difundir, espalhar, propagar; divulgar; misturar-se. (*Sin.* to spread, to scatter, to disperse, to propagate.)

diffused [di'fju:zd], *adj.* difuso; espalhado, disperso.

diffusedly [-dli], *adv.* difusamente.

diffusely [-li], *adv.* difusamente; prolixamente; copiosamente.

diffuseness [-nis], *s.* difusão; prolixidade; redundância.

diffuser [-ə], *s.* aquele que difunde.

diffusibility [difju:sə'biliti], *s.* difusibilidade.

diffusible [di'fju:zəbl], *adj.* difusível.

diffusion [di'fju:ʒən], *s.* difusão; dispersão; propagação. (*Sin.* spreading, scattering, extension.)

diffusive [di'fju:siv], *adj.* difusivo.

diffusively [-li], *adv.* difusivamente.

diffusiveness [-nis], *s.* difusão; dispersão.
dig [dig], **1** — *s.* encontrão; ironia, piada; escavação; *pl.* quartos, pensão, alojamento.
is he living at home or in digs? — ele vive em casa própria, ou está hospedado?
that was a dig at me — aquilo foi piada para mim.
to give a person a dig in the ribs — dar uma cotovelada numa pessoa, para chamar a atenção.
2 — *vt.* e *vi.* (pret. e pp. **dug** [dʌg]) cavar, escavar; trabalhar cavando; desenterrar; trabalhar, estudar intensamente; (col.) dar um encontrão; viver em quartos alugados.
he digs his toes in — ele firma-se.
that statue was dug up — aquela estátua foi desenterrada.
the officer ordered his men to dig themselves in — o oficial ordenou aos seus homens que se entrincheirassem.
to dig a pit for — armar uma cilada.
to dig one's spurs into a horse — meter esporas a um cavalo.
to dig out — desenterrar.
to dig out the truth — investigar a verdade.
to dig up potatoes — arrancar batatas.
digamy ['digəmi], *s.* segundo casamento.
digest **1** — ['daidʒest], *s.* digesto; sumário, resumo; selecção.
a digest of the day's news — um resumo das notícias do dia.
2 — [di'dʒest], *vt.* e *vi.* digerir; classificar; sumariar, resumir; compilar; pensar, meditar; suportar com paciência, tolerar; assimilar-se.
have you digested everything that is important in the book? — assimilaste tudo o que é importante no livro?
to digest an insult — engolir um insulto.
digestibility [didʒestə'biliti], *s.* digestibilidade.
digestible [di'dʒestəbl], *adj.* digerível.
digestion [di'dʒestʃən], *s.* digestão.
digestive [di'dʒestiv], *s.* e *adj.* digestivo.
he suffers from digestive trouble — tem má digestão.
digestively [-li], *adv.* digestivamente.
digger ['digə], *s.* cavador; pesquisador; (col.) australiano.
gold-digger — pesquisador de oiro.
digging ['digiŋ], *s.* acção de cavar; *pl.* mina de oiro; (col.) quartos mobilados para aluguer.
dight [dait], *vt.* enfeitar, adornar.
digit ['didʒit], *s.* dígito, qualquer número de 0 a 9; dedo.
digital [-l], *adj.* digital.
digitalin [didʒi'teilin], *s.* digitalina.
digitalis [didʒi'teilis], *s.* digital, dedaleira.
digitate ['didʒiti], *adj.* digitado.
digitated ['didʒiteitid], *adj.* ver **digitate.**
digitigrade ['didâitigreid], *s.* e *adj.* (zool.) digitígrado, animal que anda na ponta dos dedos.
dignified ['dignifaid], *adj.* nobre; honrado; sério, digno.
dignify ['dignifai], *vt.* dignificar, honrar; exaltar. (*Sin.* to ennoble, to honour, to exalt. *Ant.* to degrade.)
dignitary ['dignitəri], *s.* (pl. **dignitaries**) dignitário.
dignity ['digniti], *s.* (pl. **dignities**) dignidade; honorabilidade; nobreza de sentimentos; cargo ou título eminente.
to be beneath one's dignity — ser desonroso.
to stand (up) on one's dignity — manter a sua dignidade.
digraph ['daigrɑ:f], *s.* dígrafo.
digress [dai'gres], *vi.* divagar, desviar-se do assunto. (*Sin.* to deviate, to diverge, to wander. *Ant.* to continue.)
digression [dai'greʃən], *s.* digressão, divagação, desvio (de assunto).
digressive [dai'gresiv], *adj.* digressivo.
dihedron [dai'hi:drən], *s.* diedro.
dike [daik], **1** — *s.* dique, represa; fosso; canal; obstáculo, barreira; (min.) filão.
2 — *vt.* proteger com um dique; represar.
dilacerate [di'læsəreit], *vt.* dilacerar.
dilaceration [dilæsə'reiʃən], *s.* dilaceração.
dilapidate [di'læpideit], *vt.* e *vi.* delapidar; dissipar; arruinar; arruinar-se.
dilapidated [-id], *adj.* em ruínas; a cair aos bocados; em mau estado.
a dilapidated house — uma casa a cair aos bocados.
dilapidation [dilæpi'deiʃən], *s.* delapidação; dissipação; destruição, ruína.
dilatability [daileitə'biliti], *s.* dilatabilidade.
dilatable [dai'leitəbl], *adj.* dilatável.
dilatation [dailei'teiʃən], *s.* dilatação.
dilatator [dailə'teitə], *s.* dilatador.
dilate [dai'leit], *vt.* e *vi.* dilatar, dilatar-se.
to dilate (up)on — divagar, espraiar-se.
dilatoriness ['dilətərinis], *s.* lentidão, demora.
dilatory ['dilətəri], *adj.* dilatório; tardio, lento, vagaroso; demorado. (*Sin.* slow, tardy, behindhand, lagging, dawdling. *Ant.* prompt.)
dilemma [di'lemə], *s.* dilema.
a terrible dilemma — uma alternativa cruel.
to be in a dilemma — encontrar-se num dilema; achar-se em situação difícil; estar entre a espada e a parede.
to put a person into a dilemma — colocar uma pessoa entre a espada e a parede.
dilettante [dili'tænti], *s.* e *adj.* diletante, amador de belas-artes.
dilettantism [dili'tæntizm], *s.* diletantismo, gosto por uma arte.
diligence ['dilidʒəns], *s.* diligência, zelo; actividade, aplicação; diligência (carruagem).
diligent ['dilidʒənt], *adj.* trabalhador, diligente, activo; aplicado, cuidadoso.
diligently [-li], *adv.* diligentemente.
dill [dil], *s.* (bot.) endro, planta umbelífera.
dilly-dallier ['dili'dæliə], *s.* vadio.
dilly-dally ['dilidæli], **1** — *s.* ver **dilly-dallier.**
2 — *vi.* desperdiçar o tempo; vacilar, hesitar.
diluent ['diljuənt], *s.* e *adj.* diluente.
dilute [dai'lju:t], **1** — *adj.* diluído; fraco, atenuado, agudo.
2 — *vt.* diluir, dissolver; destemperar, enfraquecer.
dilutee [dailju:'ti:], *s.* operário não especializado.
dilution [dai'lu:ʃən], *s.* diluição.
diluvial [dai'lu:vjə], *adj.* diluvial, diluviano.
diluvian [dai'lu:vjən], *adj.* ver **diluvial.**
diluvium [dai'lu:vjəm], *s.* (pl. **diluvia**) dilúvio.
dim [dim], **1** — *adj.* obscuro; opaco; fusco, baço; confuso, vago; mal definido, ininteligível.
a dim light — uma luz baça.
dim recollection — recordação vaga.
dim sight — vista má.
she takes a dim view of her son's success — ela duvida do êxito do filho.
2 — *vt.* e *vi.* (pret. e pp. **dimmed**) obscurecer, ofuscar; tirar o brilho; embaciar.
her eyes were dimmed with tears — os olhos dela estavam embaciados de lágrimas.
dime [daim], *s.* (E. U.) moeda equivalente à décima parte do dólar.
dimension [di'menʃən], *s.* dimensão; tamanho; extensão; medida.
dimensional [di'menʃənl], *adj.* dimensional.

dimeter ['dimitə], *s.* dímetro, verso de dois pés.
dimidiate [di'midiit], *adj.* partido ao meio dimidiato.
diminish [di'miniʃ], *vt.* e *vi.* diminuir, reduzir; enfraquecer; minguar; tornar-se menor. (*Sin.* to lessen, to decrease, to reduce, to curtail. *Ant.* to increase.)
diminishable [-əbl], *adj.* que se pode diminuir.
diminished [-t], *adj.* diminuído, reduzido; enfraquecido.
diminution [dimi'nju:ʃən], *s.* diminuição.
diminutive [di'minjutiv], *s.* e *adj.* diminutivo.
diminutively [-li], *adv.* diminutivamente.
diminutiveness [-nis], *s.* diminuição.
dimity ['dimiti], *s.* fustão.
dimly ['dimli], *adv.* obscuramente; confusamente, indistintamente.
dimmer ['dimə], *s.* interruptor para regular a intensidade da luz.
dimness ['dimnis], *s.* obscuridade; imprecisão.
dimple [dimpl], **1** — *s.* covinha no queixo ou nas faces.
2 — *vt.* e *vi.* formar covinhas no queixo ou nas faces; formar pequenas ondulações (na água).
the wind dimples the surface of the lake — o vento faz ondulações na superfície do lago.
dimpled [-d], *adj.* que tem covinhas no queixo ou na face; levemente ondulado.
dimply [-i], *adj.* ver **dimpled.**
din [din], **1** — *s.* barulho, estrondo, ruído. (*Sin.* noise, uproar, clash, clamour. *Ant.* quiet.)
the din of battle — o troar da batalha.
the din of the children — a gritaria das crianças.
what a terrible din! — que barulho infernal!
2 — *vt.* e *vi.* fazer barulho; aturdir; ensurdecer; fazer estrondo; repetir inúmeras vezes.
to din into a person's ears — martelar os ouvidos de alguém.
dine [dain], *vt.* e *vi.* jantar; dar de jantar.
he dines out every Wednesday — ele janta fora todas as quartas-feiras.
I dined him on my birthday — dei-lhe de jantar no meu dia de anos.
I dined them handsomely — ofereci-lhes um belo jantar.
she dined with Duke Humphrey yesterday — ela ontem ficou sem jantar.
to dine in — jantar em casa.
diner ['dainə], *s.* o que janta; vagão-restaurante.
diner-out — o que janta muitas vezes fora de casa.
ding-dong ['diŋ'dɔŋ], *s.* e *adv.* tlim-tlão; som de toque de sinos; como um sino.
dingey ['diŋgi], *s.* bote; pequeno barco a remos.
dinghy ['diŋgi], *s.* ver **dingey.**
dinginess ['dindʒinis], *s.* cor escura ou suja; mancha.
dingle [diŋgl], *s.* vale pequeno e fundo, geralmente com árvores.
dingo ['diŋgou], *s.* (pl. **dingos**) cão selvagem da Austrália.
dingy ['dindʒi], *adj.* de cor baça; sujo; manchado; sombrio.
dining ['dainiŋ], *s.* jantar.
dining-car — vagão-restaurante.
dining-room — sala de jantar.
dining-table — mesa de (sala de) jantar.
dinky ['dinki], *adj.* (col.) bonito, elegante, garboso.
dinner ['dinə], *s.* jantar.
farewell dinner — jantar de despedida.
dinner-can — lata utilizada pelos trabalhadores para levar o jantar.
dinner-jacket — «smoking».
dinner-mat — descanso para travessas, pratos, etc.
dinner-party — jantar de festa.
dinner-set — serviço de jantar.
dinner-time — hora de jantar.
dinner-waggon — carrinho para serviço de sala de jantar.
dinner without grace — relações sexuais antes do matrimónio.
public dinner — banquete.
they went home for dinner — foram jantar.
they were at dinner when I arrived — quando cheguei, estavam a jantar.
to invite to dinner — convidar para jantar.
to make a good dinner — jantar bem.
dinnerless [-lis], *adj.* sem jantar.
Dinorah [di'nɔ:rə], *n. p.* Dinora.
dinosaur ['dainəsɔ:], *s.* dinossauro, réptil fóssil.
dint [dint], **1** — *s.* mossa, amolgadela.
he succeeded by dint of hard work — foi bem sucedido à força de trabalho árduo.
2 — *vt.* amolgar.
dintless [-lis], *adj.* sem amolgadelas.
diocesan [dai'ɔsisən], *s.* e *adj.* diocesano.
diocese ['daiəsis], *s.* diocese.
Diocletian [daiə'kli:ʃjən], *n. p.* Diocleciano.
diode ['daiəd], *s.* díodo.
Diogenes [dai'ɔdʒini:z], *n. p.* Diógenes.
Dionysiac [daiə'nisiæk], *adj.* dionisíaco.
diopter [dai'ɔptə], *s.* dioptria.
diorama [daiə'rɑ:mə], *s.* diorama.
dioramic [daiə'ræmik], *adj.* diorâmico.
dioxide [dai'ɔksaid], *s.* bióxido.
dip [dip], **1** — *s.* mergulho, imersão; inclinação, declive; depressão; abaixamento de bandeira em saudação; (av.) voo picado.
dip of the horizon — depressão do horizonte.
dip of the needle — inclinação da agulha.
shall we have a dip before lunch? — vamos dar um mergulho antes do almoço?
the flag is at the dip — a bandeira está a meia adriça.
2 — *vt.* e *vi.* (pret. e pp. **dipped**) mergulhar, imergir; banhar; cumprimentar com a bandeira; baixar e levantar de novo; folhear um livro à pressa. (*Sin.* to plunge, to dive, to immerse, to duck, to incline.)
he dips into that book — ele lê bocados daquele livro, lê aqui e ali.
swallows dip in flight — as andorinhas baixam e sobem em voo.
that girl dipped her blue dress — aquela rapariga tingiu o vestido azul.
the sun dips below the horizon — o sol esconde-se no horizonte.
they dip into their purse — gastam à larga.
to dip candles — fazer velas.
to dip head lights — baixar os faróis (as luzes) do automóvel.
to dip into the future — mergulhar no futuro.
to dip the flag — cumprimentar com a bandeira.
to dip the pen — mergulhar a caneta (no tinteiro).
to dip sheep — lavar carneiros com desinfectante.
diphtheria [dif'θiəriə], *s.* difteria.
diphtherial [dif'θi:əriəl], *adj.* diftérico.
diphtheric [dif'θerik], *adj.* ver **diphtherial.**
diphthong ['difθɔŋ], *s.* ditongo.
diphthongal [-gəl], *adj.* relativo a ditongo.
diphthongization [difθɔŋgai'zeiʃən], *s.* ditongação.
diphthongize ['difθɔŋgaiz], *vt.* e *vi.* ditongar, converter em ditongo; ditongar-se.

diploma [di'ploumə], *s.* (pl. **diplomas**) diploma; carta de curso.
diplomacy [di'ploumәsi], *s.* diplomacia; tacto.
diplomat ['dipləmæt], *s.* diplomata.
diplomatic [diplə'mætik], *adj.* diplomático; grave, discreto.
the diplomatic corps — o corpo diplomático.
the diplomatic service — o serviço diplomático.
diplomatically [-əli], *adv.* diplomaticamente.
diplomatics [-s], diplomática.
diplomatist [di'ploumətist], *s.* diplomata.
diplomatize [di'ploumətaiz], *vi.* proceder como diplomata; servir-se de meios diplomáticos.
dipped [dipt], *pret.* e *pp.* de **to dip.**
dipper ['dipə], *s.* mergulhador; (zool.) torda-mergulheira; concha de tirar a sopa.
the Big Dipper (E. U.) — Ursa Maior.
the Little Dipper — Ursa Menor.
dipping ['dipiŋ], **1** — *s.* inclinação; mergulho.
2 — *adj.* inclinado.
dipping apparatus — escafandro.
dipsomania [dipsou'meinjə], *s.* dipsomania, desejo irresistível de bebidas alcoólicas.
dipsomaniac [dipsou'meiniæk], *adj.* dipsomaníaco, indivíduo que sofre de dipsomania.
diptera ['diptərə], *s. pl.* dípteros.
dipteral ['diptərəl], *adj.* díptero.
dipterous ['diptərəs], *adj.* díptero.
diptych ['diptik], *s.* díptico.
dire ['daiə], *adj.* horrível, horrendo, medonho; extremo. (*Sin.* terrible, dreadful, dismal.)
a dire catastrophe — uma catástrofe terrível.
he was in dire need of help — ele tinha necessidade extrema de ajuda.
to be in dire poverty — estar em extrema miséria.
direct [di'rekt], **1** — *adj.* directo; direito; imediato; claro, patente, sem rodeios; recto; ininterrupto; franco, sincero.
direct circuit (elect.) — circuito directo.
direct current (elect.) — corrente contínua.
direct current breaker — comutador de corrente contínua.
direct current circuit — circuito de corrente contínua.
direct drive (aut.) — quarta velocidade.
direct flame boiler — caldeira de chama directa.
direct hit — tiro certeiro.
direct object (gram.) — complemento directo.
direct speech — discurso directo.
direct tax — imposto directo.
I want a direct answer — quero uma resposta franca.
which is the most direct way to the Post-Office? — qual é o caminho mais curto para o correio?
2 — *vt.* e *vi.* dirigir, indicar, apontar; guiar, conduzir; mandar; governar; dirigir-se a; dirigir uma orquestra; reger, regular; administrar. (*Sin.* to lead, to guide, to order, to address, to rule, to show. *Ant.* to mislead.)
as directed — de acordo com as normas estabelecidas.
shall I direct these letters to his home address? — quer que envie (enderece) estas cartas para a casa dele?
the teacher's remarks were directed to the lazy boys — as observações do professor dirigiam-se aos alunos preguiçosos.
to direct a business — dirigir um negócio.
to direct a letter — endereçar uma carta.
to direct one's attention — dirigir a atenção.
who directed at yesterday's concert? — quem dirigiu a orquestra no concerto de ontem?
will you direct me to the railway-station? — indica-me o caminho para a estação?
3 — *adv.* directamente.
he came direct to Lisbon — veio directamente para Lisboa.
direction [di'rekʃən], *s.* direcção; governo, administração; ordem, instrução; desígnio, fim; *pl.* instruções.
direction-plate — placa indicadora de direcção.
he gave me full direction (how) to reach his house — deu-me as indicações necessárias para encontrar a casa dele.
he worked under my direction — trabalhou sob a minha direcção.
in every direction — em todas as direcções.
they were walking in the direction of the market — caminhavam na direcção do mercado.
to follow one's directions — seguir as instruções de alguém.
to give directions — dar instruções.
you should have a good sense of direction — devias ter um bom sentido de orientação.
directional [di'rekʃənl], *adj.* direccional.
directive [di'rektiv], *adj.* directivo.
directly [di'rektli], **1** — *adv.* directamente, em linha recta; imediatamente.
2 — *conj.* logo que.
directness [di'rektnis], *s.* rectidão; franqueza; direcção rectilínea.
director [di'rektə], *s.* director; gerente; administrador; director espiritual; (cin.) realizador.
directorate [di'rektərit], *s.* directorado; conselho directivo; direcção.
directorship [di'rektəʃip], *s.* direcção, cargo de director; directoria.
directory [di'rektəri], *s.* (pl. **directories**) livro de orações; anuário comercial; lista telefónica; (hist.) directório (em França).
telephone directory — lista telefónica.
directress [di'rektris], *s.* directora; directriz.
directrix [di'rektris], *s.* (pl. **directrices**) directriz.
direful ['daiəful], *adj.* horrível, horrendo, medonho, terrível.
direfully [-i], *adv.* horrivelmente.
direness ['daiənis], *s.* horror, calamidade.
dirge [də:dʒ], *s.* canto fúnebre, endecha.
dirigible ['diridʒəbl], *s.* e *adj.* dirigível; balão que se pode dirigir.
diriment ['dirimənt], *adj.* dirimente, que anula um acto realizado.
dirk [də:k], **1** — *s.* punhal escocês.
2 — *vt.* apunhalar.
dirt [də:t], *s.* porcaria, imundície, sujidade; lama, lodo; baixeza, vileza.
dirt-cheap (col.) — muito barato.
dirt-track — pista para corrida de motociclos.
he treated her like dirt — tratou-a com todo o desprezo.
their dirt will not stick — as suas calúnias não impressionam.
to eat dirt — sofrer; engolir uma afronta.
to fling (to throw) dirt at — insultar, caluniar.
yellow dirt — dinheiro; ouro.
dirtily [-ili], *adv.* porcamente; vilmente.
dirtiness [-nis], *s.* sujidade, porcaria, imundície; (fig.) vileza, baixeza.
dirty ['də:ti], **1** — *adj.* sujo, porco, imundo; vil, desprezível, baixo, sórdido; obsceno.
a dirty face — uma cara suja.
a dirty fellow — um porcalhão.
a dirty trick — uma patifaria.
dirty look — olhar de desprezo.
it is a dirty weather — está um tempo levado dos diabos.
that is a dirty story — é uma história obscena.
2 — *vt.* e *vi.* sujar; sujar-se.

disability [disə'biliti], *s.* (pl. **disabilities**) inabilidade, incapacidade; reforma. (*Sin.* inability, unfitness, incapacity. *Ant.* fitness.)

disable [dis'eibl], *vt.* incapacitar, tornar incapaz; pôr fora de combate; inutilizar; desarvorar, avariar.

disabled [-d], *adj.* incapacitado; desarvorado, avariado.

disablement [-mənt], *s.* incapacidade, inabilidade.
he receives a disablement annuity — ele recebe uma pensão de invalidez.

disabuse [disə'bju:z], *vt.* desenganar, desiludir.

disaccord [disə'kɔ:d], **1** — *s.* desacordo, desentendimento.
2 — *vi.* discordar, estar em desarmonia.

disaccustom ['disə'kʌstəm], *vt.* desacostumar, desabituar.

disadvantage [disəd'vɑ:ntidʒ], *s.* desvantagem, prejuízo; inferioridade; perda, detrimento. (*Sin.* loss, inconvenience, detriment, damage. *Ant.* benefit.)
I took him at a disadvantage — apanhei-o desprevenido.

disadvantageous [disædvɑ:n'teidʒəs], *adj.* desvantajoso, prejudicial; desfavorável; inconveniente.

disadvantageously [-li], *adv.* desvantajosamente.

disaffect [disə'fekt], *vt.* descontentar.

disaffected [-id], *adj.* desafecto; desleal; descontente; não simpatizante.

disaffectedness [-idnis], *s.* desafeição; deslealdade; descontentamento.

disaffection [disə'fekʃsen], *s.* ver **disaffectedness.**

disaffirm [disə'fə:m], *vt.* (jur.) revogar, anular.

disafforest [disə'fɔrist], *vt.* desarborizar.

disagree [disə'gri:], *vi.* discordar, não concordar; estar em desarmonia; altercar; fazer mal (à saúde). (*Sin.* to dissent, to argue, to differ, to upset. *Ant.* to assent.)
butter disagrees with me — a manteiga faz-me mal.
he disagrees with me — ele discorda de mim.
the climate disagrees with him — o clima não é bom para ele.

disagreeable [disə'griəbl], **1** — *s. pl.* coisas desagradáveis, maçadas.
2 — *adj.* desagradável.

disagreeableness [-nis], *s.* desagrado, aborrecimento.

disagreeably [-i], *adv.* desagradavelmente.

disagreement [disə'gri:mənt], *s.* discordância; discórdia; incompatibilidade, diferença de opinião; altercação.
disagreement with a person — discordância de alguém.

disallow ['disə'lau], *vt.* desaprovar; negar a autoridade; proibir.

disallowance [disə'lauəns], *s.* não reconhecimento.

disappear [disə'piə], *vi.* desaparecer; perder-se de vista; ausentar-se; desvanecer, dissipar-se.

disappearance [-rəns], *s.* desaparecimento, sumiço.

disappoint [disə'pɔint], *vt.* desapontar, causar desapontamento; desconcertar; desiludir; faltar à palavra; malograr, frustrar.
the book disappointed me — o livro desiludiu-me.
to disappoint someone's designs — frustrar os intentos de alguém.
we were agreeably disappointed — ficámos satisfeitos por serem infundados os nossos receios.
we were disappointed in him — ele desiludiu-nos.

disappointed [-id], *adj.* desapontado; desconcertado.

disappointing [-iŋ], *adj.* que causa desapontamento.

disappointment [-mənt], *s.* desapontamento; surpresa desagradável; contrariedade; decepção.

disapprobation [disæprou'beiʃən], *s.* desaprovação.

disapproval [disə'pru:vəl], *s.* desaprovação; censura.

disapprove ['disə'pru:v], *vt.* e *vi.* desaprovar, reprovar; censurar; estar em desacordo; não gostar.

disapprovingly [-iŋli], *adv.* com desaprovação.

disarm [dis'ɑ:m], *vt.* e *vi.* desarmar; depor as armas; aplacar; inutilizar; desguarnecer.
her smiles disarmed me — os seus sorrisos desarmaram-me.

disarmament [-əmənt], *s.* desarmamento.

disarrange ['disə'reindʒ], *vt.* desarranjar, desordenar, desorganizar.

disarrangement [-mənt], *s.* desarranjo, desordem, desorganização.

disarray ['disə'rei], **1** — *s.* desordem, desarranjo, confusão.
2 — *vt.* desordenar, pôr em desordem, perturbar; (poét.) despir.

disarticulate ['disɑ:'tikjuleit], *vt.* desarticular, separar pela articulação; desconjuntar.

disarticulation [disɑ:tikju'leiʃən], *s.* desarticulação.

disassemble [disə'sembl], *vt.* desfazer.

disassociate [disə'souʃieit], *vt.* dissociar; desinteressar-se.

disaster [di'zɑ:stə], *s.* desastre, desgraça, fatalidade; calamidade; revés. (*Sin.* misfortune, calamity, mishap, adversity, accident, stroke, blow

disastrous [di'zɑ:strəs], *adj.* desastroso.

disastrously [-li], *adv.* desastrosamente.

disavow ['disə'vau], *vt.* negar, repudiar; reprovar.

disavowal [disə'vauəl], *s.* negação; repudiação, repúdio.

disband [dis'bænd], *vt.* e *vi.* licenciar (tropas); dispersar; dissolver; dispersar-se.
they were disbanded when the war came to an end — foram licenciados, quando a guerra terminou.

disbandment [-mənt], *s.* licenciamento (tropas); dispersão.

disbar [dis'bɑ:], *vt.* (pret. e pp. **disbarred**) retirar o exercício da advocacia (a um advogado).

disbarment [-mənt], *s.* expulsão dum advogado da Ordem.

disbelief ['disbi'li:f], *s.* incredulidade, descrença.

disbelieve ['disbi'li:v], *vt.* descrer, não ter fé, não acreditar.

disbeliever [-ə], *s.* descrente, incrédulo.

disbranch [dis'brɑ:ntʃ], *vt.* podar.

disburden [dis'bə:dn], *vt.* aliviar; descarregar.
to disburden one's mind of something — aliviar o espírito; desabafar.

disburse [dis'bə:s], *vt.* desembolsar, gastar.

disbursement [-mənt], *s.* desembolso, gasto.

disc [disk], *s.* disco; tampão.
disc brake — travão de discos.
disc clutch — embraiagem de discos.

discant ['diskænt, dis'kænt], *s.* e *vi.* ver **descant.**

discard **1** — ['diskɑ:d], *s.* descarte (jogo).
2 — [dis'kɑ:d], *vt.* descartar; renunciar; desfazer-se de; descartar-se; banir do espírito.

discarnate [dis'kɑ:nit], *adj.* descarnado.

discern [di'sə:n], *vt.* e *vi.* discernir, perceber, ver bem; descobrir. (*Sin.* to perceive, to see, to descry, to observe, to discover. *Ant.* to ignore.)
to discern between right and wrong — discernir entre o bem e o mal.
to discern the difference between two things — perceber a diferença entre duas coisas.
discerner [-ə], *s.* o que discerne ou descobre; observador.
discernible [-əbl], *adj.* discernível, perceptível.
discernibly [-əbli], *adv.* dum modo discernível; perceptivelmente.
discerning [-iŋ], **1** — *s.* discernimento, penetração, perspicácia.
2 — *adj.* perspicaz, sagaz.
discernment [-mənt], *s.* discernimento; critério; penetração; sagacidade.
discharge [dis'tʃɑ:dʒ], **1** — *s.* descarga (dum navio, duma peça de artilharia, de electricidade, de vapor, de água, etc.); isenção; exoneração; desempenho, cumprimento; licença militar; despedida; pagamento; recibo; descoloração (tecido).
after his discharge from the army, he went abroad — depois do licenciamento, ele foi para o estrangeiro.
discharge of electricity — descarga eléctrica.
discharge pipe — tubo de descarga.
discharge pump — bomba de extracção.
discharge ticket — bilhete de desembarque.
how long will this discharge take? — quanto tempo demorará esta descarga?
port of discharge — desembarcadouro.
the discharge of a rifle — a descarga de uma espingarda.
the discharge of our duties — o desempenho dos nossos deveres.
2 — *vt.* e *vi.* descarregar (navio, peça de artilharia, electricidade, etc.); atirar, lançar; disparar; desembarcar; pagar, cumprir; dar cumprimento a; exonerar, despedir; licenciar; libertar, soltar; dar alta (hospital); desaguar; absolver; anular uma decisão do tribunal; descolorir (tecido). (*Sin.* to unload, to disembark, to expel, to acquit, to discard, to absolve, to release, to loose, to exonerate. *Ant.* to detain, to absorb.)
he was discharged for being dishonest — foi despedido por ser desonesto.
I discharged him of his oath — desobriguei-o do seu juramento.
she was unable to discharge her debts — ela não foi capaz de pagar as suas dívidas.
the Nile discharges itself into the Mediterranean — o Nilo desagua no Mediterrâneo.
to discharge a gun — descarregar uma peça de artilharia.
to discharge a patient from the hospital — dar alta a um doente do hospital.
to discharge a volley — dar uma salva de artilharia.
to discharge one's conscience — aliviar a consciência.
dischargeable [-əbl], *adj.* que se pode liquidar (dívida); que pode ser licenciado (soldado).
dischargement [dis'tʃɑ:dʒmənt], *s.* descarga de navio.
discharger [dis'tʃɑ:dʒə], *s.* aparelho que produz descarga eléctrica.
discharging [dis'tʃɑ:dʒiŋ], *s.* descarga.
discharging-berth — cais para descarga.
discharging-days — dias úteis de descarga.
discharging-permit — licença de descarga.
disciple [di'saipl], *s.* discípulo; apóstolo.
discipleship [-ʃip], *s.* discipulado; apostolado.
disciplinarian [disipli'nɛəriən], *s.* disciplinador, o que mantém a disciplina.
disciplinarily ['disiplinərili], *adv.* disciplinarmente.
disciplinary ['disiplinəri], *adj.* disciplinar.
discipline ['disiplin], **1** — *s.* disciplina, ordem; castigo, correcção; conduta; disciplina (matéria ensinada).
military discipline — disciplina militar.
to preserve discipline — manter a disciplina.
under strict discipline — com rigorosa disciplina.
2 — *vt.* disciplinar, educar, corrigir; castigar.
disclaim [dis'kleim], *vt.* e *vi.* negar; renunciar a, recusar, rejeitar.
disclaimer [-ə], *s.* renunciante; renúncia, repúdio.
disclose [dis'klouz], *vt.* destapar, descobrir; revelar, publicar, divulgar.
to disclose a hidden treasure — descobrir um tesouro oculto.
to disclose a secret — revelar um segredo.
disclosure [dis'klouʒə], *s.* descoberta, revelação, divulgação.
discobolus [dis'kɔbələs], *s.* (pl. **discoboli** [-ai]) discóbolo, atleta que arremessa o disco.
discoid ['diskɔid], *adj.* discóide, que tem forma de disco.
discolour [dis'kʌlə], *vt.* e *vi.* descolorar, tirar a cor.
discolo(u)ration [diskʌlə'reiʃən], *s.* descoloração.
discomfit [dis'kʌmfit], *vt.* derrotar, vencer; desconcertar. (*Sin.* to defeat, to rout, to subdue, to conquer, to confound.)
discomfiture [dis'kʌmfitʃə], *s.* derrota; confusão.
discomfort [dis'kʌmfət], **1** — *s.* desconforto; incómodo, inquietação; desconsolo.
2 — *vt.* desconsolar; inquietar.
discommode [diskə'moud], *vt.* incomodar, importunar.
discompose [diskəm'pouz], *vt.* transtornar; agitar, perturbar; inquietar; desordenar.
discomposedly [-dli], *adv.* agitadamente, com perturbação.
discomposure [diskəm'pouʒə], *s.* desordem, confusão, agitação, inquietação, perturbação; transtorno.
disconcert [diskən'sə:t], *vt.* desconcertar, confundir, atrapalhar, perturbar; envergonhar; transtornar.
disconcerting [-iŋ], *adj.* desconcertante.
disconcertment [-mənt], *s.* atrapalhação, embaraço, perturbação, confusão.
disconnect ['diskə'nekt], *vt.* desunir, separar; desligar, desfazer; desarticular.
disconnected [-id], *adj.* desunido, separado; desligado; incoerente, desconexo.
disconnectedly [-idli], *adv.* incoerentemente, sem nexo.
to speak disconnectedly — falar sem nexo.
disconnectedness [-idnis], *s.* separação, desunião; desconexão.
disconnection [diskə'nekʃən], *s.* separação; confusão, desconexão.
disconnexion [diskə'nekʃən], *s.* ver **disconnection.**
disconsolate [dis'kɔnsəlit], *adj.* inconsolável; desconsolado, consternado, triste.
disconsolately [-li], *adv.* desconsoladamente.
discontent ['diskən'tent], **1** — *s.* descontentamento; desgosto.
2 — *adj.* descontente, desgostoso.
3 — *vt.* descontentar, desagradar, desgostar, tornar descontente.
discontented [-id], *adj.* descontente, aborrecido.
to be discontented with one's lot — estar descontente com a sua sorte.

discontentedly [-idli], *adv.* de má-vontade, com descontentamento.
discontentedness [-idnis], *s.* descontentamento.
discontinuance [diskən'tinjuəns], *s.* descontinuidade, interrupção; desistência; suspensão.
he read that magazine without discontinuance — leu aquela revista ininterruptamente.
discontinue ['diskən'tinju(:)], *vt.* e *vi.* cessar, interromper; suspender; deixar de.
he must discontinue smoking — ele tem de deixar de fumar.
discontinuity ['diskɔnti'nju(:)iti], *s.* (pl. **discontinuities**) descontinuidade, interrupção.
discontinuous ['diskən'tinjuəs], *adj.* descontínuo, interrompido, intermitente.
discontinuously [-li], *adv.* intermitentemente, interruptamente.
discord 1 — ['diskɔ:d], *s.* discórdia, desavença, discordância; dissonância, desafinação (sons).
2 — [dis'kɔ:d], *vi.* discordar, não concordar, estar em desacordo; desafinar.
discordance [-əns], *s.* discordância, discrepância; desacordo; (mús.) dissonância.
discordant [-ənt], *adj.* discordante, discrepante; desafinado, dissonante.
discordantly [-əntli], *adv.* discordantemente.
discount ['diskaunt], **1** — *s.* desconto, abatimento.
they give 10°/o discount for cash — fazem 10°/o de desconto a pronto pagamento.
2 — *vt.* descontar; diminuir, abater; não levar em conta, fazer pouco caso de.
discountable [-əbl], *adj.* descontável.
discountenance [dis'kauntinəns], *vt.* atrapalhar; desaprovar; tentar impedir.
discourage [dis'kʌridʒ], *vt.* desanimar, desalentar. (*Sin.* to depress, to deject, to deter. *Ant.* to encourage.)
discouragement [-mənt], *s.* desânimo, desalento.
discouraging [-iŋ], *adj.* desanimador.
discouragingly [-iŋli], *adv.* desanimadoramente.
discourse [dis'kɔ:s], **1** — *s.* discurso, dissertação; conversa.
2 — *vt.* e *vi.* discursar, dissertar; conversar.
discourser [-ə], *s.* orador; conversador.
discourteous [dis'kə:tjəs], *adj.* descortês, grosseiro, indelicado.
discourteously [-li], *adv.* descortesmente.
discourtesy [dis'kə:tisi], *s.* (pl. **discourtesies**) descortesia, indelicadeza.
discover [dis'kʌvə], *vt.* descobrir, destapar; patentear; exibir; revelar, dar a conhecer; inventar; achar, encontrar. (*Sin.* to disclose, to reveal, to exhibit, to detect, to find, to make known, to see. *Ant.* to miss, to conceal.)
discoverable [dis'kʌvərəbl], *adj.* que se pode descobrir.
discoverer [dis'kʌvərə], *s.* descobridor.
discovert [dis'kʌvət], *adj.* (jur.) solteira; viúva.
discovery [dis'kʌvəri], *s.* (pl. **discoveries**) descoberta; descobrimento; invento; revelação.
discredit [dis'kredit], **1** — *s.* descrédito; falta de confiança; desonra.
with your behaviour you fall into discredit — cais em descrédito com o teu comportamento.
you bring discredit to your school — desacreditas a tua escola.
2 — *vt.* desacreditar; negar.
discreditable [dis'kreditəbl], *adj.* desonroso, vergonhoso; impróprio. (*Sin.* shameful, dishonourable. *Ant.* honourable.)
discreditably [-i], *adv.* vergonhosamente, ignominiosamente.
discreet [dis'kri:t], *adj.* discreto, prudente, circunspecto.
discreetly [-li], *adv.* discretamente.
discrepancy [dis'krepənsi], *s.* (pl. **discrepancies**) discrepância, divergência; diferença.
discrepant [dis'krepənt], *adj.* discrepante; discordante.
discrete [dis'kri:t], *adj.* separado, desunido, descontínuo.
discretion [dis'kreʃən], *s.* discrição, circunspecção, prudência; sagacidade.
at one's discretion — à discrição.
discretion is the better part of valour — é aconselhável não nos expormos a riscos desnecessários.
I shall use my own discretion — farei como muito bem me parecer.
to surrender at discretion — render-se incondicionalmente.
years (age) of discretion — idade da razão.
discretionary [dis'kreʃnəri], *adj.* discricionário, arbitrário.
discriminate [dis'krimineit], *vt.* e *vi.* discriminar, distinguir, separar; diferençar.
can you discriminate between good and bad books? — és capaz de diferençar os bons dos maus livros?
to discriminate against someone — usar de favoritismo em prejuízo de alguém.
discriminating [-iŋ], *adj.* que discrimina.
he has a discriminating ear — tem um ouvido apurado.
discrimination [diskrimi'neiʃən], *s.* discriminação, distinção; discernimento.
discriminative [dis'kriminətiv], *adj.* discriminativo.
discrown [dis'kraun], *vt.* depor.
discursive [dis'kə:siv], *adj.* discursivo, digressivo; divagante.
discursively [-li], *adv.* digressivamente; divagantemente.
discursiveness [-nis], *s.* argumentação; tendência para divagar.
discus ['diskəs], *s.* (pl. **disci** ['diskai]) (desp.) disco.
the discus throw — o lançamento do disco.
discuss [dis'kʌs], *vt.* discutir, debater, examinar, ventilar.
to discuss a turkey (fam.) — saborear um peru.
discussible [-əbl], *adj.* discutível.
discussion [dis'kʌʃən], *s.* discussão, debate, controvérsia; exame.
disdain [dis'dein], **1** — *s.* desdém, desprezo; altivez.
2 — *vt.* desdenhar, desprezar.
disdainful [-ful], *adj.* desdenhoso, altivo.
disdainfully [-fuli], *adv.* com desprezo, desdenhosamente.
disease [di'zi:z], *s.* doença, enfermidade; mal.
diseased [-d], *adj.* enfermo, doente; mórbido, doentio.
disembark ['disim'bɑ:k], *vt.* e *vi.* desembarcar.
disembarkation [disembɑ:'keiʃən], *s.* desembarque.
disembarrass ['disim'bærəs], *vt.* desembaraçar; livrar de; embaraços; libertar.
disembarrassment [disim'bærəsmənt], *s.* desembaraço, libertação.
disembodied ['disim'bɔdid], *pret.* e *pp.* de **to disembody.**
disembodiment [disim'bɔdimənt], *s.* separação da alma do corpo; licenciamento de tropas.
disembody ['disim'bɔdi], *vt.* separar do corpo; licenciar tropas.

disembogue [disim'boug], *vt.* e *vi.* desembocar; desaguar; descarregar.
disembosom ['disim'bu:zəm], *vt.* e *vi.* revelar; desabafar; expandir-se.
disembowel [disim'bauəl], *vt.* desentranhar, estripar.
disembroil [disim'brɔil], *vt.* desenredar, desembaraçar, desembrulhar.
disenchant ['disin'tʃɑ:nt], *vt.* desencantar, tirar o encanto a; desenganar.
disenchantment [disin'tʃɑ:ntmənt], *s.* desencantamento, desencanto.
disencumber ['disin'kʌmbə], *vt.* desembaraçar, desimpedir.
disendow ['disin'dau], *vt.* suspender uma subvenção; sequestrar (os bens da Igreja).
disendowment [disin'daumənt], *s.* suspensão duma subvenção; sequestração (dos bens da Igreja).
disengage ['disin'geidʒ], **1** — *s.* golpe (em esgrima).
2 — *vt.* e *vi.* desocupar; desembaraçar, livrar; desunir, desligar, desengatar; libertar-se; libertar o florete (esgrima). (*Sin.* to detach, to liberate, to loosen, to free. *Ant.* to engage.)
disengaged [-d], *adj.* desocupado, devoluto, livre, desembaraçado; sem compromisso.
have you a room disengaged? — tem um quarto devoluto?
I shall be disengaged on Saturday afternoon — estarei livre no sábado de tarde.
disengagement [-mənt], *s.* desocupação; libertação; desunião, separação; desarticulação; rotura de noivado.
disenslave [disin'sleiv], *vt.* descravizar, pôr em liberdade.
disentail ['disin'teil], *vt.* libertar do vínculo.
disentangle ['disin'tæŋgl], *vt.* e *vi.* desenredar, desembaraçar; deslindar; desenredar-se.
disentanglement [disin'tæŋglmənt], *s.* acção de desenredar, deslindamento.
disenthral(l) [disin'θrɔ:l], *vt.* (pret. e pp. **disenthralled**) descravizar, libertar.
disentomb [disin'tu:m], *vt.* desenterrar, exumar.
disestablish ['disis'tæbliʃ], *vt.* separar (a Igreja do Estado).
disestablishment [disis'tæbliʃmənt], *s.* separação (da Igreja do Estado).
disfavour [dis'feivə], **1** — *s.* desfavor, desvalimento; desagrado.
to fall into disfavour — cair no desagrado, perder as boas graças.
2 — *vt.* desfavorecer; ver com desagrado.
disfiguration [disfigjuə'reiʃən], *s.* desfiguração, deformação.
disfigure [dis'figə], *vt.* desfigurar, deformar.
disfigurement [-mənt], *s.* desfiguração, deformação.
disfranchise ['dis'fræntʃaiz], *vt.* privar dos direitos civis.
disfranchisement [dis'fræntʃizmənt], *s.* privação dos direitos civis.
disgorge [dis'gɔ:dʒ], *vt.* e *vi.* vomitar; arrojar; expelir; devolver, restituir o roubado; desaguar.
disgrace [dis'greis], **1** — *s.* desonra, ignomínia, desgraça; vergonha. (*Sin.* shame, dishonour, discredit, ignominy. *Ant.* glory, honour.)
he is a disgrace to his family — ele é a vergonha da família.
to be in disgrace — estar desacreditado.
2 — *vt.* desgraçar, desonrar, envergonhar; difamar.
don't disgrace the family name! — não desonres o nome da família!
disgraceful [-ful], *adj.* vergonhoso, desonroso, ignominioso.
disgraceful behaviour — comportamento vergonhoso.
disgracefully [-fuli], *adv.* vergonhosamente.
disgracefulness [-fulnis], *s.* vergonha, desonra, ignomínia; afronta.
disgruntled [dis'grʌntld], *adj.* descontente, aborrecido, enfadado; rabugento.
disguise [dis'gaiz], **1** — *s.* disfarce; dissimulação; máscara; fingimento.
he went home in disguise — foi para casa disfarçado.
she made no disguise of her feelings — ela não escondeu os seus sentimentos.
there's mo disguise in the fact that... — não se pode negar que...
to throw off one's disguise — revelar a sua identidade ou intenções.
2 — *vt.* disfarçar, dissimular; encobrir; mascarar.
disguised in (with) drink — embriagado.
he disguised himself as a woman — disfarçou-se de mulher.
disguisement [-mənt], *s.* disfarce; dissimulação.
disgust [dis'gʌst], **1** — *s.* aversão, tédio, repugnância, enfado; aborrecimento, descontentamento. (*Sin.* aversion, repulsion, repugnance, dislike. *Ant.* relish.)
2 — *vt.* causar aversão, repugnar, enfadar; desgostar.
disgustedly [-idli], *adv.* com repugnância, com enfado.
disgustful [-ful], *adj.* que causa aversão, revoltante, repugnante.
disgusting [-iŋ], *adj.* repugnante, desagradável, nojento.
disgustingly [-iŋli], *adv.* desagradavelmente; com repugnância.
dish [diʃ], **1** — *s.* travessa; taça; terrina; prato grande; a comida que se serve numa travessa.
a dish of meat — um prato de carne.
dish-cloth — pano de limpar a louça.
dish of gossip — conversa.
dish washing machine — máquina de lavar pratos.
dish-water — água de lavar a louça.
standing dish — prato diário; (col.) assunto de todas as conversas.
to serve up a dish — servir um prato.
2 — *vt.* e *vi.* servir a comida em travessas; frustrar, transtornar; derrotar; manquejar (cavalo).
to dish up — servir alimento; (col.) apresentar histórias, argumentos ou factos de modo atraente.
to dish up dinner — servir o jantar.
dishabille [disæ'bi:l], *s.* roupão.
dishabituate [dishæ'bitjueit], *vt.* desabituar, perder o hábito.
disharmonious [dishɑ:'mouniəs], *adj.* desarmonioso.
disharmonize [dis'hɑ:mənaiz], *vt.* desarmonizar.
disharmony ['dis'hɑ:məni], *s.* (pl. **disharmonies**) desarmonia, dissonância.
dishearten [dis'hɑ:tn], *vt.* desanimar, desalentar.
disheartenment [-mənt], *s.* desalento, desânimo.
dished [diʃt], *adj.* abaulado.
disherison [dis'herizn], *s.* deserdação.
dishevel [di'ʃevəl], *vt.* (pret. e pp. **dishevelled**) desgrenhar, despentear; desarrumar.
dishevelled [-d], *adj.* desgrenhado, despenteado; desalinhado, desarranjado.

dishful ['diʃful], *s.* pratada, prato cheio de comida.
dishonest [dis'ɔnist], *adj.* desonesto; desleal. (*Sin.* false, insincere, knavish, tricky. *Ant.* fair.)
dishonestly [-li], *adv.* desonestamente; deslealmente.
dishonesty [-i], *s.* (pl. **dishonesties**) desonestidade; deslealdade.
dishonour [dis'ɔnə], **1** — *s.* desonra, ignomínia; afronta; não aceitação duma letra.
2 — *vt.* desonrar; afrontar; desflorar; negar (o aceite ou pagamento duma letra).
if you have no money in the bank, the bank will dishonour your cheques — se não tiveres dinheiro no banco, não pagarão os teus cheques.
dishonourable [dis'ɔnərəbl], *adj.* desonroso; afrontoso.
dishonourableness [-nis], *s.* desonra, ignomínia, vergonha.
dishonourably [-i], *adv.* ignominiosamente.
dishonoured [dis'ɔnəd], *adj.* desonrado.
a dishonoured bill — uma letra protestada.
dishorn [dis'hɔ:n], *vt.* descornar; partir ou cortar os cornos a.
disillusion [disi'luʒən], **1** — *s.* desilusão, desengano.
2 — *vt.* desiludir, desenganar.
disillusionment [-mənt], *s.* desilusão.
disinclination [disinkli'neiʃən], *s.* desafecto; aversão, repugnância.
some pupils have a strong disinclination for work — alguns alunos têm uma grande aversão pelo trabalho, têm pouca vontade de trabalhar.
disincline ['disin'klain], *vt.* indispor.
disinclined [-d], *adj.* pouco disposto a.
he is disinclined to study — ele não tem inclinação para estudar.
disincorporate [disin'kɔ:pəreit], *vt.* dissolver (sociedade).
disinfect [disin'fekt], *vt.* desinfectar.
disinfectant [-ənt], *s.* e *adj.* desinfectante.
disinfection [disin'fekʃən], *s.* desinfecção.
disingenuous [disin'dʒenjuəs], *adj.* dissimulado, falso; pouco sincero.
disingenuously [-li], *adv.* falsamente.
disingenuousness [-nis], *s.* falsidade, má-fé; falta de sinceridade.
disinherit ['disin'herit], *vt.* deserdar.
disinheritance [disin'heritəns], *s.* deserdação.
disintegrate [dis'intigreit], *vt.* e *vi.* desagregar; desagregar-se, desintegrar-se.
disintegration [disinti'greiʃən], *s.* desintegração, desagregação.
disintegrator [dis'intigreitə], *s.* o que desintegra; máquina de separar ou esmagar.
disinter ['disin'tə:], *vt.* (pret. e pp. **disinterred**) desenterrar.
disinterest [dis'intrest], *vt.* desinteressar, perder o interesse.
disinterested [dis'intristid], *adj.* desinteressado.
disinterestedly [-li], *adv.* desinteressadamente.
disinterestedness [-idnis], *s.* desinteresse.
disinterment [disin'tə:mənt], *s.* exumação.
disjoin [dis'dʒɔin], *vt.* separar, desunir. (*Sin.* to separate, to disunite, to detach, to disconnect. *Ant.* to unite.)
disjoint [dis'dʒɔint], *vt.* deslocar; desconjuntar; desmembrar; desarticular; desunir.
disjointed [-id], *adj.* deslocado, desconjuntado.
disjointedly [-idli], *adv.* desunidamente; desarticuladamente.
disjointedness [-idnis], *s.* deslocação; desarticulação.
disjunction [dis'dʒʌŋkʃən], *s.* disjuncão.
disjunctive [dis'dʒʌŋktiv], *adj.* disjuntivo.
disjunctive conjunction — conjunção disjuntiva.

disk [disk], *s.* ver **disc.**
dislike [dis'laik], **1** — *s.* desagrado; antipatia, aversão; repugnância. (*Sin.* antipathy, aversion, abhorrence, animosity, disaffection.)
he has his likes and dislikes — ele tem as suas preferências e antipatias.
she has taken a dislike to me — ela tomou-me aversão.
they have a dislike of (for) snakes — sentem repugnância pelas serpentes.
2 — *vt.* não gostar de; antipatizar com; ter aversão a. (*Sin.* to hate, to abhor, to detest, to disrelish. *Ant.* to love.)
disliking [-iŋ], *s.* desagrado, antipatia, aversão.
dislocate ['disləkeit], *vt.* deslocar; desconjuntar; sofrer uma luxação; desorganizar.
to dislocate one's shoulder — deslocar o ombro.
dislocation [dislə'keiʃən], *s.* deslocação; luxação; desconjuntamento.
dislodge [dis'lɔdʒ], *vt.* desalojar; expulsar; mudar.
the soldiers dislodged the enemy — os soldados desalojaram o inimigo.
dislodg(e)ment [-mənt], *s.* desalojamento.
disloyal ['dis'lɔiəl], *adj.* desleal; infiel.
disloyally ['dis'lɔiəli], *adv.* deslealmente.
disloyalty ['dis'lɔiəlti], *s.* (pl. **disloyalties**) deslealdade; infidelidade.
dismal ['dizməl], *adj.* triste, funesto, sombrio; escuro.
the dismal science — economia política.
why are you looking so dismal? — porque estás tão triste?
dismally [-li], *adv.* tristemente; sombriamente.
dismalness [-nis], *s.* tristeza, melancolia.
dismals [-z], *s. pl.* depressão, melancolia.
dismantle [dis'mæntl], *vt.* desmantelar; desguarnecer; desmanchar; desarmar.
dismast [dis'mɑ:st], *vt.* desmastrear, desarvorar.
dismay [dis'mei], **1** — *s.* consternação; terror, receio. (*Sin.* terror, fear, horror, consternation, fright. *Ant.* assurance.)
2 — *vt.* desanimar; aterrar.
he was dismayed at the news — ficou aterrado com as notícias.
dismember [dis'membə], *vt.* desmembrar.
dismemberment [-mənt], *s.* desmembramento.
dismiss [dis'mis], **1** — *s.* (mil.) destroçar.
2 — *vt.* despedir; demitir, destituir, exonerar; dissolver (uma reunião); banir do espírito, pôr de parte; (mil.) licenciar; destroçar.
to dismiss a prisoner — mandar embora um prisioneiro.
to dismiss an appeal — rejeitar um recurso.
dismissal [-əl], *s.* demissão, destituição.
dismount ['dis'maunt], **1** — *s.* acção de desmontar.
2 — *vt.* e *vi.* desmontar; apear-se.
to dismount a gun — desmontar uma peça de artilharia.
dismountable [-əbl], *adj.* desmontável.
disobedience [disə'bi:djəns], *s.* desobediência; rebeldia.
disobedient [disə'bi:djənt], *adj.* desobediente.
disobediently [-li], *adv.* desobedientemente.
disobey ['disə'bei], *vt.* e *vi.* desobedecer. (*Sin.* to disregard, to transgress, to break, to infringe. *Ant.* to submit.)
to disobey one's parents — desobedecer aos pais.
disoblige ['disə'blaidʒ], *vt.* desagradar; não fazer a vontade.
I'm sorry to disoblige him — lamento não lhe poder fazer a vontade.
disobliging [-iŋ], *adj.* desatencioso, descortês, desagradável.

disobligingly [-iŋli], *adv.* desatenciosamente, descortesmente.
disobligingness [-iŋnis], *s.* indelicadeza; descortesia.
disorder [dis'ɔ:də], 1 — *s.* desordem, confusão, balbúrdia, barulho; indisposição; irregularidade; doença.
2 — *vt.* desordenar, desarranjar, pôr em desordem; perturbar, transtornar; indispor, alterar a saúde.
disordered [-d], *adj.* desordenado; desarranjado, transtornado; doente.
a disordered mind — cabeça que não regula bem.
disorderly [-li], *adj.* desordenado, desarranjado; desregrado; turbulento.
disorganization [disɔ:gənai'zeiʃən], *s.* desorganização.
disorganize [dis'ɔ:gənaiz], *vt.* desorganizar, desordenar.
disorientate [dis'ɔrienteit], *vt.* desorientar.
disown [dis'oun], *vt.* repudiar, negar.
disparage [dis'pæridʒ], *vt.* rebaixar, depreciar, desacreditar; deprimir, menosprezar. (*Sin.* to depreciate, to belittle, to despise, to defame, to undervalue. *Ant.* ro extol.)
disparagement [-mənt], *s.* rebaixamento, depreciação, menosprezo, aviltamento.
disparager [-ə], *s.* o que avilta; depreciador.
disparagingly [-iŋli], *adv.* com desprezo; depreciativamente.
to speak disparagingly of a person — falar de uma pessoa em termos depreciativos.
disparate ['dispərit], *adj.* diferente, desigual; dissemelhante, discordante.
disparates [-s], *s. pl.* coisas dissemelhantes.
disparity [dis'pæriti], *s.* (pl. **disparities**) disparidade, desigualdade; dissemelhança, diferença. (*Sin.* difference, dissimilitude, unlikeness, inequality. *Ant.* equality.)
disparity of age — diferença de idade.
disparity of rank — diferença de categoria.
dispassionate [dis'pæʃnit], *adj.* desapaixonado; imparcial; moderado; impassível.
dispassionately [-li], *adv.* desapaixonadamente; com imparcialidade.
dispassionateness [-nis], *s.* imparcialidade; calma.
dispatch [dis'pætʃ], 1 — *s.* despacho; expedição; execução rápida; prontidão.
dispatch-box (case) — pasta; mala diplomática.
dispatch-rider — estafeta; correio.
happy dispatch — haraquiri, suicídio de honra entre os japoneses, que consiste em rasgar o ventre com uma faca ou um sabre.
he wrote the letter with dispatch — ele escreveu a carta depressa.
hurry up the dispatch of these telegrams — apresse a expedição destes telegramas.
the soldier was mentioned in dispatches (mil.) — o soldado veio citado na ordem do dia.
2 — *vt.* e *vi.* despachar, expedir; matar; terminar rapidamente.
to dispatch a prisoner — matar um preso.
to dispatch a telegram — expedir um telegrama.
to dispatch one's lunch — almoçar depressa.
dispatcher [-ə], *s.* expedidor.
dispel [dis'pel], *vt.* (pret. e pp. **dispelled**) dissipar, afugentar, fazer desaparecer, dispersar.
how can I dispel your fears? — como posso dissipar os seus receios?
dispensable [dis'pensəbl], *adj.* dispensável.
dispensary [dis'pensəri], *s.* (pl. **dispensaries**) dispensário; farmácia.
dispensation [dispen'seiʃən], *s.* distribuição; dispensa, isenção; dispensa eclesiástica.
the dispensation of charity — distribuição de esmolas.
dispense [dis'pens], *vt.* e *vi.* distribuir, repartir; dispensar; compor e aviar medicamentos; desobrigar; administrar.
I can dispense with the doctor's services — posso prescindir dos serviços do médico.
he can dispense with the overcoat — ele pode passar sem o sobretudo.
to dispense a prescription — aviar uma receita.
to dispense justice — administrar justiça.
dispenser [-ə], *s.* distribuidor; fornecedor; administrador; farmacêutico.
dispensing [-iŋ], *s.* distribuição; aviamento (duma receita).
dispeople ['dis'pi:pl], *vt.* despovoar.
dispersal [dis'pə:səl], *s.* dispersão.
disperse [dis'pə:s], *vt.* e *vi.* dispersar, espalhar; dispersar-se, dissipar-se; fugir.
to disperse a crowd — dispersar uma multidão.
dispersedly [-idli], *adv.* dispersamente.
disperser [-ə], *s.* o que dispersa.
dispersion [dis'pə:ʃən], *s.* dispersão; disseminação; propagação.
dispersive [dis'pə:siv], *adj.* dispersivo.
dispirit [di'spirit], *vt.* desanimar, desalentar.
dispirited [-id], *adj.* desanimado, desalentado.
dispiritedly [-idli], *adv.* desanimadamente.
dispiteous [dis'pitiəs], *adj.* implacável.
displace [dis'pleis], *vt.* deslocar, desalojar, mudar de lugar; despedir; substituir.
displacement [-mənt], *s.* deslocação, remoção; desalojamento; demissão; deslocamento; substituição.
displacement scale — escala de deslocamento.
displacement tonnage — tonelagem de deslocamento.
the displacement of human labour by machinery — a substituição do trabalho humano pela máquina.
display [dis'plei], 1 — *s.* exibição, exposição; manifestação; ostentação, aparato; demonstração; (tip.) emprego dum tipo maior para chamar a atenção.
his display of courage must be admired by all — a sua demonstração de coragem deve ser admirada por todos.
it was a fine display of horses — foi uma bela exposição de cavalos.
2 — *vt.* mostrar, exibir, tornar patente, expor; manifestar; trair, deixar ver. (*Sin.* to show, to exhibit, to reveal, to expose. *Ant.* to hide.)
to display no fear — não mostrar medo.
displease [dis'pli:z], *vt.* desagradar, antipatizar; descontentar; desgostar; ofender.
if you do not work, your father will be displeased with you — se não trabalhar, o seu pai ficará descontente consigo.
displeasing [-iŋ], *adj.* desagradável, antipático; ofensivo.
displeasingly [-iŋli], *adv.* desagradavelmente.
displeasure [dis'pleʒə], 1 — *s.* desagrado, descontentamento; desgosto.
they incurred their parents' displeasure — caíram no desagrado dos pais.
2 — *vt.* aborrecer, contrariar.
disport [dis'pɔ:t], 1 — *s.* diversão, passatempo.
2 — *vi. e vr.* divertir-se, folgar.
to disport oneself — divertir-se.
disposable [dis'pouzəbl], *adj.* disponível.
disposal [dis'pouzəl], *s.* disposição; ordem; colocação; distribuição; arrumação.
I am at your disposal — estou ao seu dispor, às suas ordens.

dispose [dis'pouz], *vt.* e *vi.* dispor, colocar; ordenar, determinar; distribuir; arranjar; vender; matar; despedir. (*Sin.* to set, to place, to arrange.)
he doesn't seem at all disposed to help us — não parece nada disposto a ajudar-nos.
I don't want to dispose of this house — não quero vender esta casa.
man proposes, God disposes — o homem põe e Deus dispõe.
to dispose oneself to sleep — preparar-se para dormir.
disposed [-d], *adj.* disposto, inclinado a.
doesn't he feel disposed to do it? — ele não está disposto a fazê-lo?
ill disposed — indisposto.
to be well disposed — estar bem-disposto.
disposition [dispə'ziʃən], *s.* disposição, ordem, arranjo; inclinação, tendência; aptidão; índole, temperamento, génio, carácter.
a cruel disposition — um temperamento cruel.
dispossess ['dispə'zes], *vt.* desapossar, privar da posse; desalojar; livrar alguém de espírito mau.
dispossession ['dispə'zeʃən], *s.* acto de desapossar; desalojamento.
dispraise [dis'preiz], **1** — *s.* censura; depreciação.
2 — *vt.* censurar; depreciar.
dispraising [-iŋ], *adj.* depreciante.
disproof ['dis'pru:f], *s.* refutação, impugnação.
disproportion ['disprə'pɔ:ʃən], *s.* desproporção, desigualdade.
disproportionate [disprə'pɔ:ʃnit], *adj.* desproporcionado.
disproportionately [-li], *adv.* desproporcionadamente.
disproportionateness [-nis], *s.* desproporção.
disproportioned ['disprə'pɔ:ʃənd], *adj.* desproporcionado, desigual.
disprove ['dis'pru:v], *vt.* refutar.
disputable [dis'pju:təbl], *adj.* disputável; discutível; duvidoso.
disputably [-i], *adv.* de modo disputável; duvidosamente.
disputant [dis'pju:tənt], *s.* disputador; contendor; disputante.
disputation [dispju(:)'teiʃən], *s.* discussão, disputa, controvérsia.
disputatious [dispju(:)'teiʃəs], *adj.* que gosta de discutir.
dispute [dis'pju:t], **1** — *s.* discussão, debate, controvérsia, contenda, disputa, altercação.
that is beyond dispute the best magazine on architecture — essa é incontestavelmente a melhor revista sobre arquitectura.
the matter in dispute is the situation of the house — o assunto em questão é a situação do prédio.
2 — *vt.* e *vi.* discutir, disputar, debater; refutar; lutar por. (*Sin.* to argue, to discuss, to debate, to quarrel. *Ant.* to agree.)
I don't wish to dispute it — não digo o contrário.
disqualification [diskwɔlifi'keiʃən], *s.* desqualificação, desclassificação; incapacidade.
disqualify [dis'kwɔlifai], *vt.* (pret. e pp. **disqualified**) desqualificar, desclassificar; inabilitar; incapacitar.
disqualifying [-iŋ], *adj.* desclassificador.
disquiet [dis'kwaiət], **1** — *s.* inquietação, desassossego.
2 — *adj.* inquieto, desassossegado.
3 — *vt.* inquietar, desassossegar; perturbar.
disquieting [-iŋ], *adj.* inquietante.
that news is very disquieting — essa notícia é muito inquietante.
disquietude [di'kwaiitju:d], *s.* inquietação, desassossego.
disquisition [diskwi'ziʃən], *s.* disquisição, investigação; dissertação.
disrate [dis'reit], *vt.* fazer baixar em hierarquia; passar para uma classe inferior.
disregard ['disri'gɑ:d], **1** — *s.* desconsideração, falta de atenção; desprezo, indiferença; desleixo.
2 — *vt.* desconsiderar; não fazer caso; menosprezar; tratar com indiferença. (*Sin.* to disobey, to ignore, to contemn. *Ant.* to heed.)
she disregarded my advices — ela não fez caso dos meus conselhos.
disregardful [-ful], *adj.* desatento; negligente.
disrelish [dis'reliʃ], **1** — *s.* aversão, repugnância, enjoo.
2 — *vt.* não gostar de; repugnar; enjoar; antipatizar com, ter aversão por.
disremember [disri'membə], *vt.* esquecer.
disrepair ['disri'pɛə], *s.* ruína; mau estado (por falta de conserto).
disreputable [dis'repjutəbl], *adj.* desacreditado, desonroso, vergonhoso; baixo, infame.
disreputableness [-nis], *s.* descrédito, desonra, vergonha.
disreputably [-i], *adv.* vergonhosamente.
disrepute ['disri'pju:t], *s.* descrédito, desonra, mau nome.
disrespect ['disris'pekt], *s.* falta de respeito, desconsideração.
disrespectful [-ful], *adj.* irreverente; desrespeitoso.
disrespectfully [-fuli], *adv.* irreverentemente; desrespeitosamente.
disrobe ['dis'roub], *vt.* e *vi.* despir, despir-se.
disroot [dis'ru:t], *vt.* desarraigar.
disrupt [dis'rʌpt], *vt.* despedaçar, rebentar; quebrar; separar.
disruption [dis'rʌpʃən], *s.* separação; rompimento; rotura. (*Sin.* rupture, disintegration, burst. *Ant.* union.)
disruptive [dis'rʌptiv], *adj.* que causa separação.
dissatisfaction ['dissætis'fækʃən], *s.* descontentamento, desagrado.
dissatisfied ['dis'sætisfaid], *adj.* insatisfeito, descontente.
dissatisfy ['dis'sætisfai], *vt.* descontentar, desagradar.
dissect [di'sekt], *vt.* dissecar; analisar em pormenor.
dissection [di'sekʃən], *s.* dissecação.
dissector [di'sektə], *s.* dissecador.
disseise, disseize ['dis'si:z], *vt.* desapossar ilegalmente, usurpar.
disseisin, disseizin, [dis'si:zin], *s.* usurpação.
dissemble [di'sembl], *vt.* e *vi.* dissimular, disfarçar, fingir; ocultar, encobrir.
dissembler [di'semblə], *s.* dissimulador, hipócrita, fingido.
disseminate [di'semineit], *vt.* disseminar, espalhar, difundir; semear.
dissemination [disemi'neiʃən], *s.* disseminação, difusão.
disseminator [di'semineitə], *s.* disseminador.
dissension [di'senʃən], *s.* dissenção, divergência, desavença, discórdia, contenda. (*Sin.* discord, disagreement, strife, quarrelling. *Ant.* union.)
dissent [di'sent], **1** — *s.* dissenção, divergência.
2 — *vi.* dissentir, discordar, divergir, estar em desacordo.
dissenter [-ə], *s.* dissidente; não conformista.
dissentient [di'senʃiənt], *s.* e *adj.* dissidente.
dissentingly [di'sentiŋli], *adv.* dissidentemente.
dissert, dissertate [di'sə:t, 'disəteit], *vi.* dissertar.

dissertation [disə(:)'teiʃən], *s.* dissertação.
disserve ['dis'sə:v], *vt.* fazer mal, causar dano ou prejuízo.
disservice ['dis'sə:vis], *s.* dano, prejuízo.
disserver [dis'sevə], *vt.* e *vi.* partir, desunir, separar, desmembrar.
dissidence ['disidəns], *s.* dissidência, discordância.
dissident ['disidənt], *s.* e *adj.* dissidente.
dissimilar [di'similə], *adj.* dissemelhante; diferente.
people with dissimilar tastes — pessoas com gostos diferentes.
dissimilarity [disimi'læriti], *s.* (pl. **dissimilarities**) dissemelhança, diferença, disparidade.
dissimilate [di'simileit], *vt.* dissimilar.
dissimilation ['disimi'leiʃən], *s.* dissimilação; fenómeno gramatical que consiste em tornar diferentes sons semelhantes ou iguais.
dissimilitude [disi'militju:d], *s.* dissimilitude, dissemelhança, desigualdade.
dissimulate [di'simjuleit], *vt.* e *vi.* dissimular, fingir, disfarçar.
dissimulation [disimju'leiʃən], *s.* dissimulação, fingimento, hipocrisia.
dissipate ['disipeit], *vt.* e *vi.* dissipar, fazer desaparecer, esbanjar, desperdiçar; dissipar-se; levar uma vida dissoluta.
to dissipate one's fortune — dissipar a fortuna.
dissipated [-id], *adj.* dissoluto, desregrado, libertino; esbanjador.
a dissipated boy — um estroina.
dissipation [disi'peiʃən], *s.* dissipação, desregramento; dispersão; esbanjamento, desperdício; devassidão; diminuição; diversão.
dissociable 1 — [di'souʃjəbl], *adj.* dissociável, separável.
2 — [di'souʃəbl], *adj.* insociável.
dissocialize [di'souʃəlaiz], *vt.* afastar da sociedade.
dissociate [di'souʃieit], *vt.* e *vi.* dissociar, dissociar-se; desagregar; separar, dividir; decompor.
dissociated personality — desdobramento de personalidade.
dissociation [disousi'eiʃən], *s.* dissociação; desagregação; separação; decomposição.
dissolubility [disɔlju'biliti], *s.* dissolubilidade.
dissoluble [di'sɔljubl], *adj.* dissolúvel.
dissolute ['disəlu:t], *adj.* dissoluto, libertino, devasso.
dissolutely [-li], *adv.* dissolutamente.
dissoluteness [-nis], *s.* libertinagem, devassidão.
dissolution [disə'lu:ʃən], *s.* dissolução; separação, desagregação; decomposição.
dissolution of Parliament — dissolução do Parlamento.
dissolvable [di'zɔlvəbl], *adj.* dissolúvel.
dissolve [di'zɔlv], *vt.* e *vi.* dissolver, derreter, dissolver-se; desfazer, anular; dispersar. (*Sin.* to melt, to liquify, to annul, to disconnect, to disorganize. *Ant.* to solidify, to endure.)
dissolved in tears — debulhado em lágrimas.
sugar dissolves in water — o açúcar dissolve-se na água.
to dissolve a marriage — dissolver um casamento.
to dissolve Parliament — dissolver o Parlamento.
dissolvent [-ənt], *s.* e *adj.* dissolvente.
dissonance ['disənəns], *s.* dissonância; desarmonia.
dissonant ['disənənt], *adj.* dissonante; desarmónico.
dissonantly [-li], *adv.* com dissonância, sem harmonia.
dissuade [di'sweid], *vt.* dissuadir, despersuadir; desviar.
he dissuaded me from going to Lisbon — ele dissuadiu-me de ir a Lisboa.
dissuasion [di'sweiʒən], *s.* dissuasão, despersuasão.
dissuasive [di'sweisiv], *adj.* dissuasivo.
dissuasively [-li], *adv.* de modo dissuasivo.
dissyllabic [disi'læbik], *adj.* dissilábico.
dissyllable [di'siləbl], *s.* dissílabo.
dissymmetrical ['disi'metrikəl], *adj.* dissimétrico.
dissymmetry ['disi'mitri], *s.* (pl. **dissymetries**) dissimetria.
distaff ['distɑ:f], *s.* roca.
on the distaff side — do ramo feminino da família.
distance ['distəns], 1 — *s.* distância, afastamento, espaço, intervalo.
a long-distance call — uma chamada interurbana.
at a distance — de longe, ao longe; à distância.
distance freight — frete por distância.
distance gauge — telémetro.
distance lends enchantment to the view — tudo é bonito visto de longe.
far away in the distance one perceives — vê-se muito ao longe.
he intends to hire a car by distance — ele tenciona alugar um carro ao quilómetro.
he was within a short distance — ele estava a pouca distância.
I cannot make it out at such a distance — não consigo distingui-lo a esta distância.
I keep him at a distance — não quero intimidades com ele.
in the distance — longe daqui; à distância.
it's a great distance off — fica a uma grande distância.
keep your distance! — ponha-se a distância!
middle-distance — segundo plano.
seen from a distance — visto de longe.
she lives within easy distance of her work — ela vive perto do lugar onde trabalha.
the shop is no distance at all — a loja fica perto.
to keep one's distance — guardar as distâncias, não se familiarizar.
to live at a distance — viver distante.
what is the distance from here to London? — que distância é daqui a Londres?
2 — *vt.* distanciar; ultrapassar.
distant ['distənt], *adj.* distante, afastado, longínquo, distanciado; reservado.
a distant recollection — uma recordação vaga e indistinta.
distant control — comando à distância.
distant cousin — primo afastado.
distant kinsman — parente afastado.
I found her very distant — achei-a muito reservada.
the distant future — o futuro remoto.
there is a distant resemblance between the cousins — há uma semelhança vaga entre os primos.
distantly [-li], *adv.* a distância; com ar de importante.
distaste ['dis'teist], *s.* aversão, repugnância, antipatia.
he has a distaste for mathematics — ele tem aversão à matemática.
distasteful [dis'teistful], *adj.* desagradável; insípido.
distastefulness [-nis], *s.* aspecto desagradável; aversão, repugnância; insipidez.

distemper [dis'tempə], **1** — *s.* indisposição; doença canina com enfraquecimento geral, febre e perda de apetite; agitação política; pintura a têmpera.
2 — *vt.* alterar, perturbar a saúde.
distend [dis'tend], *vt.* e *vi.* dilatar, alargar; dilatar-se.
distensible [dis'tensəbl], *adj.* dilatável.
distension [dis'tenʃən], *s.* dilatação, distensão.
distich ['distik], *s.* (pl. **distichs**) dístico, grupo de dois versos.
distichous [-əs], *adj.* (bot.) disticado.
distil [dis'til], *vt.* e *vi.* (pret. e pp. **distilled**) destilar; gotejar, cair gota a gota.
distillate ['distilit], *s.* produto da destilação.
distillation [disti'leiʃən], *s.* destilação; destilado.
distillation apparatus — aparelho de destilação.
distillation in steam — destilação ao vapor.
distillation retort — retorta de destilação.
distillatory [dis'tilətəri], *adj.* destilatório, que serve para destilar.
distiller [dis'tilə], *s.* destilador.
distillery [dis'tiləri], *s.* (pl. **distilleries**) destilaria; refinaria.
distinct [dis'tiŋkt], *adj.* distinto, claro, perceptível; diferente, diverso; preciso, definido.
distinction [dis'tiŋkʃən], *s.* distinção, diferença; separação; superioridade; nobreza de porte; prerrogativa, honra, condecoração.
a distinction without a difference — nenhuma diferença.
for distinction — por distinção.
Shakespeare was a dramatist of distinction — Shakespeare foi um dramaturgo superior.
the soldier won many distinctions — o soldado ganhou muitas condecorações.
to make a distinction — fazer distinção.
distinctive [dis'tiŋktiv], *adj.* distintivo, característico.
distinctively [-li], *adv.* distintamente.
distinctiveness [-nis], *s.* distinção, clareza.
distinctly [-li], *adv.* distintamente.
distinguish [dis'tiŋgwiʃ], *vt.* e *vi.* distinguir, diferenciar; discernir; classificar; honrar, enaltecer; distinguir-se, salientar-se.
I can hardly distinguish one from the other, they are so much alike — mal distingo um do outro, de parecidos que são.
to distinguish oneself in one's profession — distinguir-se na sua profissão.
distinguishable [-əbl], *adj.* distinguível.
distinguished [-t], *adj.* distinto, eminente, notável. (*Sin.* remarkable, eminent, famous, celebrated, marked. *Ant.* ordinary.)
a distinguished writer — um escritor distinto.
distort [dis'tɔ:t], *vt.* torcer, deformar; falsear, interpretar mal, deturpar.
to distort the truth — deturpar a verdade.
distorted [-id], *adj.* deformado; deturpado.
a distorted version of facts — uma versão deturpada dos factos.
distortion [dis'tɔ:ʃən], *s.* contorção, deformação; má interpretação, deturpação.
distortionist [-ist], *s.* contorcionista.
distract [dis'trækt], *vt.* distrair; perturbar; desviar; confundir; enlouquecer.
distracted [-id], *adj.* distraído; perturbado; aturdido, confundido, perplexo; desesperado, fora de si, louco.
to drive a person distracted — fazer enraivecer ou enlouquecer uma pessoa.
distractedly [-idli], *adv.* perplexamente, distraídamente; loucamente.
distraction [dis'trækʃən], *s.* distracção; perturbação; confusão, perplexidade, loucura; diversão, passatempo, divertimento.
in a state of distraction — como doido; perdidamente.
there are many distractions in a big city — há muitos divertimentos numa grande cidade.
to drive a person to distraction — fazer zangar ou enlouquecer uma pessoa.
to love to distraction — amar apaixonadamente.
distrain [dis'trein], *vi.* penhorar; embargar.
to distrain upon a debtor's goods — penhorar os bens a um devedor.
distrainee [distrei'ni:], *s.* penhorado.
distrainer [dis'treinə], *s.* o que penhorou.
distrainment [dis'treinmənt], *s.* penhora.
distraint [dis'treint], *s.* penhora, embargo.
distraught [dis'trɔ:t], *adj.* consternado, agitado; desesperado, enlouquecido.
distress [dis'tres], **1** — *s.* angústia, aflição, ansiedade; desgraça, infortúnio; miséria; perigo; esgotamento; arresto. (*Sin.* trouble, grief, pain, torture.)
a family in distress — uma família desgraçada.
a ship in distress — um navio em perigo.
distress signal — sinal de socorro.
distress-warrant — mandato de arresto.
when our distress is greatest, God's assistance is nearest — no auge da nossa desgraça sentimos mais perto a protecção divina.
2 — *vt.* afligir, angustiar.
the news of my friend's death much distressed me — a notícia da morte do meu amigo afligiu-me muito.
distressed [-t], *adj.* desolado, aflito; na miséria.
distressful [-ful], *adj.* amargurado, desditoso; aflito.
distressingly [-iŋli], *adv.* aflitivamente, amarguradamente.
distributable [dis'tribjutəbl], *adj.* que se pode distribuir; classificável.
distributary [dis'tribjutəri], *s.* regato.
distribute [dis'tribju(:)t], *vt.* distribuir, repartir; dividir; classificar.
distributer, distributor [-ə], *s.* distribuidor.
distribution [distri'bju:ʃən], *s.* distribuição, repartição; (lóg.) emprego dum termo em toda a sua extensão; classificação.
distribution box (elect.) — caixa de distribuição.
distribution of temperature — distribuição de temperatura.
distributive [dis'tribjutiv], *s.* e *adj.* distributivo.
distributively [-li], *adv.* distributivamente.
district ['distrikt], **1** — *s.* distrito; divisão administrativa; jurisdição, comarca; bairro; zona; paróquia; região.
a mountainous district — uma região montanhosa.
district-nurse — enfermeira visitadora.
2 — *vt.* dividir em distritos.
distrust [dis'trʌst], **1** — *s.* desconfiança, suspeita, receio.
the child looked at him with distrust — a criança olhou para ele com desconfiança.
2 — *vt.* desconfiar, suspeitar; não se fiar, recear.
distrustful [-ful], *adj.* desconfiado, receoso.
distrustfully [-fuli], *adv.* desconfiadamente.
disturb [dis'tə:b], *vt.* perturbar, incomodar; interromper; embaraçar.
don't let me disturb you — não se incomode.
I am very sorry to disturb you — sinto muito incomodá-lo.
to disturb one's work — interromper o trabalho.
to disturb the peace — perturbar a paz.
disturbance [-əns], *s.* distúrbio, agitação, tumulto; confusão, desordem; interrupção; perturbação.

why does he make so much disturbance about a little thing? — porque faz ele tanto barulho por nada?
disturber [-ə], *s.* perturbador; agitador.
disturbing [-iŋ], *adj.* que perturba; agitador.
disunion ['dis'ju:njən], *s.* desunião; separação; desavença, discórdia.
disunite ['disju:'nait], *vt.* e *vi.* desunir, separar; desunir-se, separar-se.
disunited [-id], *adj.* desunido, separado; desavindo.
disuse 1 — ['dis'ju:s], *s.* desuso.
to fall into desuse — cair em desuso.
2 — ['dis'ju:z], *vt.* desacostumar; deixar de usar.
disused [-d], *adj.* desusado.
disyllabic ['disi'læbik], *adj.* dissilábico.
disyllable [di'siləbl], *s.* dissílabo.
ditch [ditʃ], **1** — *s.* fosso, vala; corrente de água.
as dull as ditch-water — insípido, monótono.
ditch-water — água estagnada.
he died in a ditch — ele morreu na miséria.
the soldier died in the last ditch — o soldado lutou desesperadamente até à última.
2 — *vt.* e *vi.* abrir valas ou fossos; cercar de fossos; drenar.
ditcher [-ə], *s.* aquele que trata da conservação dos fossos ou valas.
ditheism ['daiθi:izm], *s.* diteísmo.
dither ['diðə], **1** — *s.* tremor.
2 — *vi.* tremer; vacilar.
dithyramb ['diθiræmb], *s.* ditirambo.
dithyrambic [diθi'ræmbik], *s.* e *adj.* ditirâmbico.
ditto ['ditou], *s.* (pl. **dittos**) idem, o mesmo.
ditto suit — um fato todo da mesma cor e da mesma qualidade de pano.
to say ditto to — concordar com.
ditty ['diti], *s.* (pl. **ditties**) caução breve e simples.
ditty-bag — saco dos marinheiros ou pescadores.
diuretic [daijuə'retik], *s.* e *adj.* diurético.
diurnal [dai'ə:nl], *adj.* diurno.
diurnally [-i], *adv.* diariamente; de dia.
divagate ['daivəgeit], *vi.* divagar.
divagation [daivə'geiʃən], *s.* divagação.
divalent ['daiveilənt], *adj.* bivalente.
divan [di'væn], *s.* divã; sala de fumo; casa de tabacos; conselho de estado na Turquia; tribunal.
divan bed ['daivæn bed] — divã-cama.
divaricate [dai'værikeit], *vi.* divergir, bifurcar; bifurcar-se.
divarication [daiværi'keiʃən], *s.* bifurcação.
dive [daiv], **1** — *s.* mergulho; natação debaixo de água; partida súbita; voo picado; (E. U.) antro.
dive bomber — avião bombardeiro.
gambling dive — antro de jogo.
what a beautiful dive! — que belo mergulho!
2 — *vi.* mergulhar, imergir; descer rapidamente (avião); penetrar. (*Sin.* to plunge, to penetrate.)
he dived into the river — ele mergulhou no rio.
diver [-ə], *s.* mergulhador; (zool.) mergulhão.
diverge [dai'və:dʒ], *vt.* e *vi.* divergir, desviar-se; afastar.
divergence, divergency [-əns, -i], *s.* divergência.
divergent [-ənt], *adj.* divergente.
divergently [-əntli], *adv.* divergentemente.
divers ['daivə(:)z] *adj.* (arc.) vários, diversos.
diverse [dai'və:s], *adj.* diverso, diferente, variado.
diversely [-li], *adv.* diversamente.

diverseness [-nis], *s.* diversidade.
diversification [daivə:sifi'keiʃən], *s.* diversificação.
diversify [dai'və:sifai], *vt.* diversificar, variar, mudar; tornar diferente.
hills and woods diversify the landscape — os montes e os bosques tornam a paisagem diferente.
diversion [dai'və:ʃən], *s.* diversão, divertimento, recreio; desvio; afastamento.
billiards is his favourite diversion — o bilhar é o seu divertimento predilecto.
diversity [dai'və:siti], *s.* (pl. **diversities**) diversidade, variedade; diferença.
divert [dai'və:t], *vt.* desviar, afastar; recrear, divertir.
to divert the course of a river — desviar o curso dum rio.
diverting [-iŋ], *adj.* divertido, recreativo.
a diverting book — um livro que diverte.
divertingly [-iŋli], *adv.* divertidamente.
divest [dai'vest], *vt.* despir, despojar, esbulhar; privar de, destituir; desapossar.
I cannot divest myself of the idea — a ideia não me sai da cabeça, não posso banir a ideia do meu espírito.
to divest oneself of — despojar-se de.
divestiture [-itʃə], *s.* acção de despojar ou desapossar.
divestment [-mənt], *s.* despojamento, privação.
dividable [di'vaidəbl], *adj.* divisível.
divide [di'vaid], **1** — *s.* linha divisória de águas.
2 — *vt.* e *vi.* dividir, separar; desunir; distribuir, repartir; atravessar; dividir-se, separar-se. (*Sin.* to separate, to sever, to distribute, to disconnect. *Ant.* to unite.)
to divide one's time between work and play — repartir o tempo pelo trabalho e pela distracção.
to divide with another — dividir com outro.
dividend ['dividənd], *s.* dividendo.
divider [di'vaidə], *s.* repartidor, distribuidor; o que divide.
dividers [-s], *s. pl.* compasso de pontas.
dividing [-iŋ], *s.* divisão.
dividing rule — régua de cálculo.
dividual [di'vidjuəl], *adj.* separável, divisível.
divination [divi'neiʃən], *s.* adivinhação; predição, vaticínio.
divine [di'vain], **1** — *s.* teólogo; sacerdote.
2 — *adj.* divino, sagrado; excelente, sublime, admirável, maravilhoso.
divine right — direito divino.
divine service — serviço religioso.
divine weather — tempo maravilhoso; tempo divinal.
3 — *vt.* e *vi.* adivinhar, conjecturar, prognosticar, predizer.
to divine a person's intentions — adivinhar as intenções de alguém.
divinely [-li], *adv.* divinamente; maravilhosamente.
diviner [-ə], *s.* adivinho.
diving ['daiviŋ], *s.* mergulho; voo picado.
diving apparatus — escafandro.
diving bell — sino de mergulhador.
diving board — prancha de saltos.
diving gear — regulador de imersão.
diving helmet — capacete de mergulhador.
diving shoes — sapatos de mergulhador.
diving suit — fato de mergulhador.
divinity [di'viniti], *s.* divindade; teologia.
he is a doctor of divinity — ele é doutor em teologia.
divinization [divinai'zeiʃən], *s.* divinização.
divinize ['divinaiz], *vt.* divinizar.
divisibility [divizi'biliti], *s.* divisibilidade.

divisible [di'vizəbl], *adj.* divisível.
division [di'viʒən], *s.* divisão, separação, distribuição; secção; classe; compartimento; desunião, discórdia; operação aritmética; votação; região, província; divisória.
a hedge forms the division between my land and his — uma sebe forma a divisória entre a minha terra e a dele.
army division — divisão militar.
the bill was passed without division — a lei foi aprovada sem votação.
they had to come to a division — tiveram de recorrer à votação.
divisional [di'viʒənl], *adj.* divisório.
divisor [di'vaizə], *s.* divisor.
divorce [di'vɔ:s], **1** — *s.* divórcio; separação; desunião.
2 — *vt.* divorciar; separar; divorciar-se; pronunciar sentença de divórcio.
she divorced her husband — divorciou-se do marido.
to be divorced — estar divorciado.
divorcee ['divɔ:'si:], *s.* divorciado.
divorcement [di'vɔ:smənt], *s.* divórcio; separação.
divorcer [di'vɔ:sə], *s.* o que divorcia.
divulgation [daivʌl'geiʃən], *s.* divulgação.
divulge [dai'vʌldʒ], *vt.* divulgar, revelar, propalar.
to divulge a secret — revelar um segredo.
divulgement, divulgence [-mənt, -əns], *s.* ver **divulgation.**
Dixie ('s land) ['diksi, (-z lænd)], *s.* Estados norte-americanos do Sul.
dixy ['diksi], *s.* (pl. **dixies**) marmita.
dizen [daizn], *vt.* enfeitar, adornar.
dizzily ['dizili], *adv.* vertiginosamente; com vertigens.
dizziness ['dizinis], *s.* vertigem, tontura.
dizzy ['dizi], **1** — *adj.* vertiginoso; aturdido, tonto, com vertigens.
dizzy heights — alturas vertiginosas.
my head gets dizzy directly — a minha cabeça anda logo à roda.
to be dizzy — sentir a cabeça andar à roda, ter tonturas.
to feel dizzy — ter vertigens.
2 — *vt.* causar vertigens; ter tonturas; confundir, desorientar.
do 1 — [dou], *s.* (pl. **dos**) (mús.) dó.
2 — [du:], *s.* mentira, impostura; logro, burla; (col.) grande festa.
all talk and no do — muita parra e pouca uva.
we've got a do on tonight — temos uma grande festa esta noite.
3 — *vt., vi.* e *v. aux.* (pret. **did** [did], pp. **done** [dʌn]) (este verbo emprega-se como auxiliar para formar a forma negativa, interrogativa e enfática, e para evitar, numa resposta, a repetição do verbo da pergunta); fazer, executar; visitar, percorrer; cozer, cozinhar; trabalhar; representar; estudar; preparar; arranjar; passar de saúde; traduzir; ser conveniente; enganar, intrujar; arruinar; matar; acabar; proceder; ser suficiente.
do as you are told — faz como te mandam.
do be quiet! — calem-se!
do in Rome as the Romans do — onde viveres farás como vires.
do me the favour — faça-me o favor.
do unto others as you would be done by — faz aos outros como desejarias que te fizessem.
do you like English? Yes, I do! — Gosta de inglês? Gosto.
have you done? — acabou?
have you done with the ink? — acabou com a tinta?
he can't do without tobacco — ele não pode passar sem tabaco.
he does a lot of good — ele faz muito bem.
he prefers underdone beef-steaks — ele prefere bifes mal passados.
he saw her and so did I — ele viu-a e eu também.
he tried to do me — ele tentou enganar-me.
how are you doing today? — como te sentes hoje, vais melhor?
how do you do? — muito prazer em conhecê-lo.
how shall we do for milk? — como vamos arranjar leite?
I am doing very well in business — o negócio corre-me bem, estou a ganhar dinheiro.
I can do without it — posso passar sem isso.
I could do with a cup of tea now — sabia-me bem agora uma chávena de chá.
I did all I could to help him — fiz tudo o que pude para o ajudar.
I don't know what to do with myself — não sei em que hei-de ocupar-me.
I have done him many a good turn — tenho-o ajudado muitas vezes.
I have done many cities in America — percorri muitas cidades na América.
I like a beef-steak well done — gosto dum bife bem passado.
I'm done to the wide — não posso mais.
I must do my best to help him — tenho de fazer tudo para o auxiliar.
it is easier said than done — é mais fácil dizer do que fazer.
it was no sooner said than done — foi dito e feito.
it will do you good — vai fazer-lhe bem.
Mrs. Brown has been doing for him since his wife died — a senhora Brown tem cuidado dele desde que a mulher lhe morreu.
much good may it do him! — que lhe preste!
my shoes are done for — os meus sapatos estão gastos.
nothing doing — nada feito.
nothing is to be done — não há nada a fazer.
patience and hard work will do wonders — a paciência e o trabalho operam maravilhas, dão excelentes resultados.
she did everything in her power to help them — ela fez tudo para os ajudar.
she did her room — ela arrumou o quarto.
she does Ophelia very well — ela faz muito bem o papel de Ofélia.
she does very well by me — ela é muito bem tratada por mim.
she has been hard done by — trataram-na duramente.
she is doing her lessons for tomorrow — ela está a preparar as lições para amanhã.
Take some more wine. – This will do, thank you—Tome mais vinho. – Não, este chega, obrigado.
that does you great credit — isso honra-o muito.
that kind will do — esse género serve.
that'll do now — basta por agora.
that's all over and done with — isso já lá vai.
that will do nicely! — está mesmo bem!
that won't do — isso não serve; isso não convém.
that won't do any good — isso não serve de nada.
the car was doing sixty miles an hour — o carro ia a 60 milhas à hora.
they did the work in two days — completaram o trabalho em dois dias.
they do them very well at the inn — tratam-nos muito bem na estalagem.

this word sometimes does duty as a verb — esta palavra é algumas vezes usada como verbo.
to do a foolish thing — fazer uma tolice.
to do a good action — praticar uma boa acção.
to do a place — percorrer um lugar, visitar um lugar.
to do an exercise — fazer um exercício.
to do an injury — fazer mal.
to do a service — prestar um serviço.
to do as one pleases — fazer como se quer.
to do away with — abolir; livrar-se de.
to be done for — estar perdido (sem esperança de melhoras); estar gasto.
to do by — tratar, haver-se.
to do for — cuidar de alguém; arranjar alguma coisa.
to do harm — fazer mal.
to do homage — prestar homenagem.
to do in — matar.
to do into English — traduzir para inglês.
to do justice — fazer justiça.
to do nothing — não fazer nada.
to do one's best — fazer o melhor que se pode.
to do one's bit — dar também o seu esforço.
to do one's duty — cumprir o dever.
to do one's endeavour — empregar todos os seus esforços.
to do one's hair — arranjar o cabelo, cumprir o dever.
to do one's task — fazer a tarefa, cumprir o dever.
to do one's utmost — fazer tudo o que se pode.
to do one's worst — fazer o pior possível.
to do out of — enganar, ludibriar.
to do over — repetir.
to do the best one can — fazer o melhor que se pode.
to do time — cumprir uma sentença.
to do to death — saturar.
to do up — arranjar, limpar; empacotar; abotoar; estar fatigado.
to do with — convir; fazer arranjo; servir-se de; tolerar, suportar.
to do wrong — fazer mal.
to have nothing to do with — não ter nada a ver com.
to have to do with — interessar-se por.
well begun is half done — bem começado é meio acabado.
well-to-do — rico, próspero.
what can I do for you? — em que posso ser-lhe útil?
what does he do for a living? — qual é a profissão dele?
what is done cannot be undone — o que está feito já não tem remédio.
Who wrote that? — I did — Quem escreveu isso? — Fui eu.
will this do? — isto serve?
you didn't go, nor did I — tu não foste e eu também não.

doat [dout], *vi.* ver **dote.**
dobbin ['dɔbin], *s.* cavalo de serviço.
docile ['dousail], *adj.* dócil, submisso; obediente.
docility [dou'siliti], *s.* docilidade.
dock [dɔk], **1** — *s.* doca; dique; estaleiro; rabicho; parte carnuda da cauda dum animal; teia do tribunal onde o réu é julgado; (bot.) bardana; términus de linha do caminho-de-ferro.
dock-dues — taxa de utilização da doca.
dock-master — director das docas.
dock-pilot — piloto de doca.
dry dock—doca seca (para reparação de navios).
floating dock — doca flutuante.
wet dock — doca com comportas para conservar a água quando a maré baixa.
2 — *vt.* e *vi.* conduzir para uma doca; entrar em doca; cortar a cauda; cortar o cabelo; encurtar, diminuir, reduzir.
to dock a horse's tail — encurtar a cauda a um cavalo.
to dock a man's wages — baixar a féria a um trabalhador.
dockage [-idʒ], *s.* docagem; redução; corte.
docker [-ə], *s.* trabalhador de doca, estivador.
docket [-it], **1** — *s.* sumário, extracto; lista das causas pendentes; certificado da alfândega.
2 — *vt.* fazer um extracto; registar.
docking [-iŋ], *s.* entrada numa doca.
docking-survey — inspecção em doca.
dockize ['dɔkaiz], *vt.* utilizar um rio para construção de docas.
dockyard ['dɔkjɑːd], *s.* arsenal de marinha; estaleiro.
doctor ['dɔktə], **1** — *s.* doutor; médico.
better send for the doctor — é melhor mandar chamar o médico.
Doctor of Divinity — doutor em Teologia.
Doctor of Medicine — doutor em Medicina.
he is going to see a doctor — ele vai consultar um médico.
shall I go for a doctor? — quer que vá chamar um médico?
the doctor's surgery is far from my house — o consultório médico fica longe de minha casa.
2 — *vt.* e *vi.* doutorar, doutorar-se; receitar, medicar; falsificar, adulterar; reparar.
to doctor a broken chair — consertar uma cadeira partida.
to doctor accounts — falsificar contas.
to doctor a child — medicar uma criança.
to doctor wine — falsificar vinho.
doctoral [-rəl], *adj.* doutoral.
doctorand [-rænd], *s.* doutorando.
doctorate ['dɔktərit], *s.* grau de doutor.
Doctors' Commons ['dɔktəz-'kɔmənz], *s. pl.* colégio dos doutores em Direito Civil (em Londres).
doctress ['dɔktris], *s.* doutora, médica.
doctrinaire, doctrinarian [dɔktri'nɛə, dɔktri'nɛəriən], *s.* e *adj.* visionário; teórico pedante; doutrinário.
doctrinal [dɔk'trainl], *adj.* doutrinal.
doctrinally [-i], *adv.* doutrinalmente.
doctrinarian [dɔktri'nɛəriən], *s.* e *adj.* ver **doctrinaire.**
doctrine ['dɔktrin], *s.* doutrina.
document ['dɔkjumənt], **1** — *s.* documento.
human document — documento humano.
2 — *vt.* documentar; fornecer documentos.
documentary [dɔkju'mentəri], *adj.* documentário; documental.
documentary proof — prova documental.
documentation [dɔkjumen'teiʃən], *s.* documentação.
documented ['dɔkjumentid], *adj.* documentado; comprovado.
dodder ['dɔdə], **1** — *s.* (bot.) cuscuta.
2 — *vi.* tremer, estremecer (de velhice); cambalear, andar com passo incerto.
she is ninety but she still dodders along — ela tem 90 anos mas ainda vai andando.
doddered [-d], *adj.* sem ramos ou copa (carvalho e outras árvores).
doddering [-riŋ], *adj.* trémulo.
doddery [-ri], *adj.* trémulo de velhice ou doença; fraco.
dodecagon [dou'dekəgən], *s.* dodecágono.
dodecahedral ['doudikə'hedrəl], *adj.* dodecaédrico.
dodecahedron ['doudikə'hedrən], *s.* dodecaedro.
dodecasyllable [doudekə'siləbl], *s.* dodecassílabo.

dodge [dɔdʒ], **1** — *s.* evasiva, subterfúgio; plano, método. (*Sin.* trick, artifice, evasion). **2** — *vt.* e *vi.* enganar, lograr, trapacear; iludir; esquivar-se, mover-se de um lado para o outro para escapar a alguma coisa.
face your problems instead of trying to dodge them — encare de frente os seus problemas em vez de lhes fugir.
they dodge my question — fogem à minha pergunta.
dodger [-ə], *s.* espertalhão, trapaceiro.
dodo ['doudou], *s.* (pl. **dodos**) espécie de cisne (já extinto).
doe [dou], *s.* corça; fêmea (de cavalo, lebre, cabrito).
doe rabbit — coelha.
doer ['du(:)ə], *s.* agente; aquele que pratica uma acção.
he is a doer — é um homem de acção.
does [dʌz], 3.ª pes. sing. do pres. ind. de **to do.**
doeskin ['dou-skin], *s.* pele de corça; coiro feito desta pele.
doeth ['du(:)iθ], (arc.) 3.ª pes. sing. pres. ind. de **to do.**
doff [dɔf], *vt.* despir; tirar o chapéu; (raro) abandonar.
dog [dɔg], **1**—*s.* cão; macho de alguns animais; pessoa vil, um velhaco; grampo; tranqueta.
a house dog — um cão de guarda.
jolly dog — pessoa divertida.
a lucky dog — um felizardo.
an artful dog — um finório.
a sneaking dog — um velhaco.
barking dogs do not bite — cão que ladra não morde.
dog cart — carruagem de duas ou quatro rodas com os assentos costas com costas, e com uma caixa por baixo para os cães de caça.
dog-cheap — muito barato.
dog-club — associação canina.
dog-days — canícula.
dog-faced — cinocéfalo.
dog-fancier — apreciador de cães.
dog-fish — tubarão pequeno.
dog-fox — raposo.
dog-hearted — cruel.
dog hook — croque.
dog-in-the-manger, cão invejoso; cão que não come nem deixa os outros comer.
dog kennel — canil.
dog-Latin — latim macarrónico.
dog-lead — trela.
dog's ears — dobras nos cantos das folhas dos livros; orelhas de burro.
dog's grass (bot.) — grama.
dog-show — exposição canina.
dog-sleep — sono leve.
dog's letter — a letra r.
dog's nose — cerveja com genebra.
dog-star — Sírius (estrela).
dog-stay — perna, esteio.
dog's trick — brincadeira de mau gosto.
dog-tired — exausto, esgotado.
dog-watch (náut.) — meio quarto, quarto de duas horas.
dog-whip — chicote para cães.
dog-wolf — lobo.
every dog has his day — todos nós temos o nosso dia.
give a dog a bad name and hang him — quando dizem que o cão é mau todos lhe atiram.
Greater Dog (astr.) — Cão Maior.
hunting-dog — cão de caça.
it is raining cats and dogs — chove a cântaros.
Lesser Dog (astr.) — Cão Menor.
let sleeping dogs lie — o que lá vai, lá vai.
not even a dog's chance — sem sorte nenhuma.
to be top dog — ser o mandão.
to be under dog — ocupar uma posição subalterna.
to die like a dog — morrer miseravelmente.
to go to the dogs — arruinar-se.
to help lame dogs over stiles — ajudar uma pessoa numa aflição.
to lead a cat-and-dog life — viver como o cão e o gato.
to lead a dog's life — viver uma vida de arrelias.
to lead someone a dog's life — fazer a vida cara a alguém.
to put on the dog — assumir um ar de superioridade.
to take a hair of the dog that bit — beber mais para curar os efeitos da embriaguês; curar a ferida com o pêlo do mesmo cão.
to throw to the dogs — deitar fora uma coisa inútil.
2 — *vt.* (pret. e pp. **dogged**) seguir de perto como cão; ir no encalce, perseguir.
he dogged my footsteps — ele seguiu os meus passos.
to be dogged by misfortune (fig.) — ser perseguido pelo infortúnio.
to dog a suspected man — perseguir um homem suspeito.
doge [doudʒ], *s.* doge.
dogged ['dɔgid], *adj.* intratável; teimoso, obstinado; persistente.
it's dogged as does it — a tenacidade vence todas as dificuldades.
doggedly [-li], *adv.* obstinadamente; persistentemente.
doggedness [-nis], *s.* teimosia, obstinação; persistência.
dogger ['dɔgə], *s.* barco de pesca holandês.
doggerel ['dɔgərəl], **1** — *s.* verso irregular. **2** — *adj.* mau, inferior (referindo-se a versos).
doggie ['dɔgi], *s.* (col.) cãozinho.
dogginess ['dɔginis], *s.* amizade aos cães.
doggish ['dɔgiʃ], *adj.* próprio de cães; brutal.
doggy ['dɔgi], *s.* e *adj.* cãozinho, tótó; de cão; amigo de cães.
dogma ['dɔgmə], *s.* (pl. **dogmas**) dogma, opinião aceite e apresentada como certa.
dogmatic [dɔg'mætik], *adj.* dogmático.
dogmatically [-əli], *adv.* dogmaticamente.
dogmatics [-s], *s.* dogmática.
dogmatism ['dɔgmətizm], *s.* dogmatismo.
dogmatist ['dɔgmətist], *s.* dogmatista.
dogmatize ['dɔgmətaiz], *vt.* e *vi.* dogmatizar, proclamar como dogma.
doily ['dɔili], *s.* (pl. **doilies**) paninho bordado (de mesa).
doing [du(:)iŋ], *s.* e *p. pr.* de **to do**; acção de fazer; feito, façanha; *pl.* acontecimentos, acções; actividades.
he gave an interesting account of his doings in Africa — ele fez uma descrição interessante dos seus feitos em África.
he was taken in the deed doing — foi apanhado com a boca na botija; foi apanhado em flagrante (delito).
it is your doing — a ti o devo; é obra tua.
that required some doing — isso não foi assim tão fácil.
there is little doing — faz-se pouco negócio.
doit [dɔit], *s.* moeda de valor mínimo; insignificância.
he doesn't care a doit — ele não quer saber; não liga.
not worth a doit — não vale um centavo.
doited [-id], *adj.* caquéctico.
doldrums ['dɔldrəmz], *s. pl.* depressão moral; calmas do Equador.
the doldrums of business — o marasmo do comércio.

to be in the doldrums — estar triste, abatido.
dole [doul], **1** — *s.* destino, sorte; subsídio (a desempregados); donativo; distribuição caritativa; dádiva, esmola; lamentação.
to be on the dole — ser subsidiado pelo Estado quando desempregado.
to go on the dole — receber subsídio de desemprego.
2 — *vt.* repartir, distribuir, dar, dividir. (*Sin.* to distribute, to assign, to share).
to dole out — distribuir em pequenas quantidades.
doleful [-ful], *adj.* doloroso; triste, melancólico; lúgubre.
dolefully [-fuli], *adv.* dolorosamente; tristemente.
dolefulness [-fulnis], *s.* melancolia, dor, pesar, tristeza, mágoa.
dolichocephaly [dɔlikou'sefəli], *s.* dolicocefalia.
doll [dɔl], *s.* boneca, boneco; mulher ou criança abonecada.
dollar ['dɔlə], *s.* dólar.
dollop ['dɔləp], *s.* (col.) pedaço, bocado, naco (de comida).
dolly ['dɔli], *s.* (pl. **dollies**) bonequinha; batedor (aparelho usado na lavagem da roupa); macinho.
dolly-shop — armazém marítimo.
dolman ['dɔlmən], *s.* (pl. **dolmans**) dólman, casaco curto dos oficiais.
dolmen ['dɔlmen], *s.* (pl. **dolmens**) dólmen.
dolomite ['dɔləmait], *s.* dolomite, variedade de carbonato de cálcio.
dolorous ['dɔlərəs], *adj.* (poét.) doloroso.
dolour ['doulə], *s.* (poét.) dor, lamentação.
dolphin ['dɔlfin], *s.* (zool.) golfinho; (náut.) bóia de amarração.
dolt [doult], *s.* basbaque, imbecil, parvo, palerma, estúpido.
doltish [-iʃ], *adj.* estúpido, imbecil, parvo.
doltishness [-iʃnis], *s.* estupidez, imbecilidade, parvoíce.
domain [də'mein], *s.* domínio, soberania; propriedades, terras, bens.
in the domain of literature — no campo da literatura.
it is out of my domain — está fora da minha alçada.
dome [doum], **1** — *s.* cúpula; zimbório; edifício grandioso; cume arredondado dum monte; (náut.) cofre de vapor.
2 — *vt.* cobrir com cúpula; dar forma de cúpula.
Domesday Book ['du:mzdei buk], *s.* cadastro da Inglaterra mandado fazer por Guilherme I, em 1086.
domestic [də'mestik], **1** — *s.* criado.
2 — *adj.* doméstico; familiar; domesticado; nacional.
domestic life — vida doméstica.
he reads the domestic news — lê as notícias do país.
non-domestic water — água imprópria para consumo.
horses are domestic animals — os cavalos são animais domésticos.
domesticable [də'mestikəbl], *adj.* domesticável.
domestically [də'mestikəli], *adv.* domesticamente.
domesticate [də'mestikeit], *vt.* domesticar, domar, amansar; civilizar; acostumar à vida doméstica.
domestication [dəmesti'keiʃən], *s.* domesticação; civilização.
domesticity [doumes'tisiti], *s.* (pl. **domesticities**) domesticidade; ambiente familiar; *pl.* os assuntos da casa.
domicile ['dɔmisail], **1** — *s.* domicílio, casa, habitação, residência.
2 — *vt.* e *vi.* domiciliar, domiciliar-se; fixar residência; pagar uma letra em certo lugar.
domiciliary [dɔmi'siljəri], *adj.* domiciliário.
dominance ['dɔminəns], *s.* domínio, autoridade, influência.
dominant ['dɔminənt], *s.* e *adj.* dominante. (*Sin.* ruling, prevailing, predominant. *Ant.* subsidiary).
dominantly [-li], *adv.* dominantemente.
dominate ['dɔmineit], *vt.* e *vi.* dominar, exercer domínio sobre; reprimir; predominar; elevar-se acima de; dominar (com a vista); governar.
to dominate one's emotions — dominar as emoções.
dominating [-iŋ], *adj.* dominante.
domination [dɔmi'neiʃən], *s.* domínio, império, governo; autoridade, poder.
dominator ['dɔmineitə], *s.* dominador.
domineer [dɔmi'niə], *vi.* dominar, tiranizar. (*Sin.* to bluster, to overbear, to tyrannize. *Ant.* to bow.)
domineering [-riŋ], *adj.* insolente, imperioso, altivo, arrogante.
domineeringly [-riŋli], *adv.* insolentemente, autoritariamente.
dominical [də'minikəl], *adj.* dominical.
Dominican [də'minikən], *s.* e *adj.* dominicano.
dominie ['dɔmini], *s.* mestre-escola (Escócia).
dominion [də'minjən], *s.* domínio, autoridade, soberania, governo; território (sujeito a soberania); posse, propriedade.
the Dominion of Canada — o Domínio do Canadá.
domino ['dɔminou], *s.* (pl. **dominoes**) dominó (jogo, vestuário); pessoa vestida com dominó.
don [dɔn], **1** — *s.* dom (título); senhor, fidalgo; pessoa de importância; professor universitário.
he is a don at painting — ele tem grandes conhecimentos de pintura.
2 — *vt.* (pret. e pp. **donned**) vestir, pôr.
donation [dou'neiʃən], *s.* doação, dádiva, (*Sin.* gift, present, boon, gratuità, contribution.)
donative ['dounətiv], *s.* donativo, oferta.
donator [dou'neitə], *s.* doador.
donatory ['dounətəri], *s.* donatário.
done [dʌn], *pp.* de **to do.**
an underdone steak — um bife mal passado.
as good as done — como se estivesse acabado.
done! — de acordo! está dito!
it is not the done thing — isso não se faz.
it is still to be done — ainda está por fazer.
it must be done — tem de fazer-se.
no sooner said than done — dito e feito.
to be done brown — ser enganado, vigarizado.
to be quite done up — estar muito fatigado.
what is to be done? — que se há-de fazer?
well done! — bravo!
well begun is half done — bem começado é meio caminho andado; bem começado é meio acabado.
donee [dou'ni:], *s.* donatário.
donga ['dɔŋgə], *s.* ravina, pequeno barranco.
donjon ['dɔndʒən], *s.* torre de menagem.
donkey ['dɔŋki], *s.* burro, jumento, asno; pessoa ignorante e estúpida.
donkey-boiler — caldeirinha.
donkey-engine — burro (bomba de alimentar caldeiras).
donkey-man — fogueiro de motor auxiliar; homem que conduz um jumento.
donkey-pump — bomba auxiliar.
donnish ['dɔniʃ], *adj.* pretensioso, pedante; importante.
donor ['dounə], *s.* doador.
don't [dount], **1** — *s.* proibição.

2 — *contr.* de **do + not.**
doom [du:m], **1** — *s.* sorte, destino; ruína, perdição, morte; lei, decreto.
doomsday — o dia do Juízo Final.
from now till doomsday — para sempre.
the crack of doomsday — o ruir do fim do mundo.
2 — *vt.* sentenciar, condenar; destinar, julgar.
door [dɔ:], *s.* porta; entrada, saída.
as dead as a door-nail — morto e bem morto.
as deaf as a door-post — surdo como uma porta.
at death's door — às portas da morte.
back door — porta traseira.
behind closed doors — à porta fechada.
between you and me and the door-post — em sigilo.
door-bar — tranca da porta.
door-bell — campainha da porta.
door bolt — ferrolho.
door-handle — puxador da porta.
door-keeper — porteiro.
door-knocker — batente da porta.
door-lock — fechadura da porta.
door-mat — capacho da entrada.
door-nails — pregos com que se chapeiam as portas.
door-plate — placa de metal, colocada na porta de uma casa com o nome do respectivo habitante.
door-post — umbral (duma porta).
doorway — entrada.
front door — porta da frente; porta principal.
he went from door to door — ele foi de porta em porta.
his sister lives three doors off — a irmã dele vive três portas mais além.
next door — a casa seguinte.
next door to — quase.
out of doors — fora de casa.
swing-door — porta com molas.
the door is ajar — a porta está entreaberta.
to bang a door — bater com uma porta.
to bar a door — trancar uma porta.
to close the door to something — fechar a porta a qualquer coisa, torná-la impossível.
to knock at the door — bater à porta.
to lay something at a person's door — censurar alguma coisa a alguém.
to lock the door — fechar a porta à chave.
to open the door to something — tornar possível qualquer coisa.
to show someone the door — pôr alguém fora.
to push the door — empurrar a porta.
within doors — dentro de casa.
you haven't been out of doors for a week — há uma semana que não sais.
dope [doup], **1** — *s.* matéria lubrificante; líquido espesso com que se pintam as asas dos aviões; anestésico; (col.) narcótico, estupefaciente; (E. U.) informação secreta.
2 — *vt.* aplicar matéria lubrificante; pintar aviões com um líquido espesso; narcotizar.
dor [dɔ:], *s.* zângão; besouro.
dorado [də'rɑ:dou], *s.* (pl. **dorados**) (zool.) dourada.
Doric ['dɔrik], *s.* e *adj.* dórico.
dormancy ['dɔ:mənsi], *s.* descanso; sonolência; dormência.
dormant ['dɔ:mənt], *adj.* sonolento; dormente; inactivo.
a dormant volcano — vulcão em repouso.
dormant partner — sócio comanditário.
dormant warrant — ordem em branco.
dormer, dormer-window ['dɔ:mə,-'windou], *s.* trapeira, janela aberta no telhado.
dormitory ['dɔ:mitri], *s.* (pl. **dormitories**) dormitório.
dormouse ['dɔ:maus], *s.* (pl. **dormice** [-mais]) arganaz, nome vulgar de um roedor.
Dorothea [dɔrə'θiə], *n. p.* Doroteia.
Dorothy ['dɔrəθi], *n. p.* Doroteia.
dorsal ['dɔ:səl], *adj.* dorsal.
dortour, dorter ['dɔ:tə], *s.* dormitório, especialmente em convento.
dory ['dɔ:ri], *s.* (pl. **dories**) (E. U.) pequeno barco de pesca; (zool.) dourada.
dosage ['dousidʒ], *s.* dosagem.
dose [dous], **1** — *s.* dose, porção; ingrediente (para falsificar vinho, etc.).
2 — *vt.* dosear; medicar; falsificar.
doss [dɔs], **1** — *s.* cama em pousada barata ou casa de dormidas.
he slept in a doss-house — ele dormiu numa pensão barata.
2 — *vi.* dormir em pousada barata.
dossal ['dɔsəl], *s.* dossel.
dossier ['dɔsiei], *s.* arquivo; cadastro.
dost [dʌst], (arc.) 2.ª pes. sing. pres. ind. de **to do.**
dot [dɔt], **1** — *s.* ponto (no i ou j); dote; criancinha; coisa insignificante; pequena mancha.
dots and dashes — pontos e traços (.—.—.—).
on the dot — à hora exacta.
the ship was a dot on the horizon — o barco era uma pequena mancha no horizonte.
they arrived on the dot (col.) — chegaram na altura exacta.
three dots — reticências (...).
2 — *vt.* (pret. e pp. **dotted**) marcar com pontos; pôr pontos nos ii; salpicar, semear.
the field was dotted with sheep — o campo estava salpicado de carneiros.
to dot a man one (col.) — bater em alguém.
to dot and go one — coxear.
to dot the i's and cross the t's — pôr os pontos nos ii.
dotage ['doutidʒ], *s.* senilidade; segunda meninice; caquexia; afecto excessivo.
he is in his dotage — está decrépito.
dotard ['doutəd], *s.* velho caquéctico, tonto.
dote, doat [dout], *vi.* estar muito tonto (da idade); estar apaixonado.
he dotes upon (on) that girl — ele ama loucamente aquela rapariga.
doth [dʌθ], (arc.) 3.ª pess. sing. pres. de **to do.**
dotingly ['doutiŋli], *adv.* de modo senil; com excessivo amor ou carinho; estremecidamente.
dotted ['dɔtid], *adj.* ponteado.
a dotted line — uma linha ponteada.
dott(e)rel ['dɔtrəl], *s.* (zool.) tarambola.
dottle ['dɔtl], *s.* restos de tabaco que ficam no cachimbo por fumar.
dotty ['dɔti], *adj.* marcado com pontos; (col.) tonto, idiota.
double [dʌbl], **1** — *s.* dobro; duplo; pessoa muito parecida com outra, sósia; volta rápida de animal perseguido; curva de rio.
a game of doubles (tennis) — um jogo de pares (ténis).
eight is the double of four — oito é o dobro de quatro.
he has never met his double — ele nunca encontrou o sósia.
he needs the double of what I have — ele precisa do dobro do que eu tenho.
mixed doubles (desp.) — pares mistos (quando os jogadores são um cavalheiro e uma senhora, de cada lado).
to advance at the double (mil.) — avançar em marcha acelerada.
to toss double or quits — deitar sortes pelo dobro (da dívida) ou pelo desquite.

2 — *adj.* dobro; duplicado, duplo; ambíguo; enganador, falso.
double game — jogo duplo, procedimento desleal.
a double whisky — uísque duplo.
a man with a double character — homem de carácter dúplice.
double bed — cama de casal.
double bedroom — quarto com duas camas; quarto de casal.
double boiler — banho-maria.
double bottom — fundo duplo.
double breasted suit — jaquetão.
double dealing — fraude, má-fé.
double lever — alavanca interfixa.
she wears a double face — ela joga com um pau de dois bicos.
that man leads a double life — aquele homem mantém duas casas.
that performs a double service — aquilo tem duas utilidades.
there was a double knock at the door — bateram duas vezes à porta.
3 — *adv.* duas vezes mais.
double-acting — de duplo efeito.
double-barrelled gun — espingarda de dois canos.
double-bass — contrabaixo.
double-breasted — com duas ordens de botões, assertoado.
double-breasted coat — casaco com duas filas de botões; jaquetão; casaco de trespasse.
to double-cross — atraiçoar, enganar, ludibriar.
double-dealer — trapaceiro; pessoa de duas caras.
double-decker — autocarro de dois andares.
double-Dutch — algaraviada incompreensível.
double-eagle — moeda de vinte dólares.
double-edged — de dois gumes.
double-ended boiler — caldeira de duas frentes.
double-faced — de duas caras; feijão frade.
double-headed — bicéfalo.
double-meaning — ambíguo.
double-quick — acelerado.
double-riveted — com cravação dupla.
to double-lock — fechar com duas voltas.
4 — *vt.* e *vi.* duplicar, dobrar; representar dois papéis na mesma peça; substituir um actor; (náut.) dobrar.
he doubled up with pain — ele torceu-se com dores.
he's doubling the parts of a soldier and a baker — ele faz os papéis de soldado e padeiro.
the ship doubled the Cape of Good Hope — o navio dobrou o cabo da Boa Esperança.
to double a blanket — dobrar um cobertor.
to double back — fugir, voltar costas.
to double one's fists — fechar as mãos.
to double up — dobrar, enrolar; dobrar-se.

doublet [ˈdʌblit], *s.* gibão, vestuário do séc.XVI; formas divergentes; duas aves mortas (com uma espingarda de dois canos); dois dados (do mesmo número).

doubloon [dʌbˈlu:n], *s.* dobrão (moeda espanhola antiga).

doubly [ˈdʌbli], *adv.* em duplicado.

doubt [daut], **1** — *s.* dúvida, incerteza; hesitação; suspeita, desconfiança.
I have my doubts about his intelligence — tenho as minhas dúvidas quanto à sua inteligência.
in doubt — na dúvida.
she is no doubt a good teacher — ela é sem dúvida uma boa professora.
she will come without doubt — ela virá com certeza.
that admits of no doubt — não oferece dúvida.
that is beyond doubt — isso é fora de dúvida.
there is no doubt about it — não há dúvida alguma.
there is no room for doubt — não há motivo para duvidar.
to give a person the benefit of the doubt — considerar alguém inocente enquanto se não provar o contrário; dar a alguém o benefício da dúvida.
to make no doubt of — aceitar como certo.
you've no doubt read the newspaper — certamente leste o jornal.
2 — *vt.* e *vi.* duvidar, pôr em dúvida, não acreditar; hesitar; desconfiar, suspeitar. (*Sin.* to suspect, to mistrust, to hesitate, to disbelieve. *Ant.* to trust.)
I doubt him and his words — duvido dele e das suas palavras.

doubter [-ə], *s.* o que duvida ou desconfia; céptico.

doubtful [-ful], *adj.* duvidoso, incerto; indeciso, ambíguo. (*Sin.* uncertain, dubious, problematic, ambiguous. *Ant.* certain
doubtful neighbourhood — vizinhança duvidosa, de má reputação.
the weather looks very doubtful — o tempo parece incerto.

doubtfully [-fuli], *adv.* duvidosamente, com hesitação; incertamente.

doubtfulness [-fulnis], *s.* dúvida, incerteza, ambiguidade.

doubtless [-lis], *adv.* sem dúvida, certamente; provavelmente.

doubtlessly [-lisli], *adv.* indubitavelmente; muito provavelmente.
I shall doubtlessly leave this afternoon — parto, muito provavelmente, esta tarde.

douche [du:ʃ], **1** — *s.* duche.
2 — *vt.* e *vi.* tomar duches.

dough [dou], *s.* massa, farinha amassada; (col.) dinheiro, «pasta».
dough-boy (col.) — soldado de infantaria (E. U.).
dough-nut — doce de massa, ovos e açúcar, com a forma de argola ou bola.

doughty [ˈdauti], *adj.* valente, corajoso.
doughty deeds — feitos heróicos.

doughy [ˈdoui], *adj.* pastoso.

dour [ˈduə], *adj.* severo, austero; obstinado (Escócia).

dourly [-li], *adv.* severamente; obstinadamente.

dourness [-nis], *s.* severidade; obstinação.

Douro [ˈduərou], *top.* Douro.

douse, dowse [daus, dauz], *vt.* (náut.) arriar a vela; mergulhar; encharcar; (col.) apagar a luz.

dove [dʌv], *s.* pombo, pomba; o Espírito Santo.
dove-colour — cor de pombo.
dove-cot — pombal.
my dove — meu amor.
to flutter the dove-cots — alarmar pessoas pacíficas.
turtle-dove — rola.

dovelike [-laik], *adj.* e *adv.* semelhante a, ou próprio de pomba.

dovetail [ˈdʌvteil], **1** — *s.* rabo de minhoto, malhete; chapa de malhete.
2 — *vt.* e *vi.* malhetar, encaixar uma peça noutra, ensamblar; adaptar, combinar.

dovetailing [-iŋ], *s.* entalhe em rabo de minhoto ou malhete.

dowager [ˈdauədʒə], *s.* viúva de indivíduo nobre ou importante.
the Queen Dowager — a rainha viúva.

dowdily [ˈdaudili], *adv.* desleixadamente, desalinhadamente.

dowdiness [ˈdaudinis], *s.* desleixo, desalinho.

dowdy ['daudi], **1** — *s.* mulher desleixada.
she is quite a dowdy — é uma mulher mal arranjada.
2 — *adj.* desalinhado, desleixado, mal vestido.
dowel ['dauəl], **1** — *s.* tarugo, prego de madeira.
2 — *vt.* (pret. e pp. **dowelled**) unir com tarugos.
dower ['dauə], *s.* dote; usufruto da parte dos bens do marido a que a viúva tem direito; talento.
dowerless [-lis], *adj.* sem quinhão (viúva); sem dote.
dowlas ['dauləs], *s.* pano de linho grosso.
down [daun], **1** — *s.* duna; penugem; *pl.* reveses da fortuna.
the ups and downs of life — os altos e baixos da vida.
to have a down on someone — ter má vontade contra alguém.
2 — *adj.* descendente.
down-draught — corrente de ar que se faz sentir de cima para baixo (provocada por uma chaminé, por exemplo).
down grade — inclinação; declínio.
down platform — plataforma onde param os comboios descendentes.
down train — comboio descendente.
3 — *vt.* derrubar; vencer, derrotar; fazer greve.
to down a glass of wine — beber um copo de vinho de uma assentada.
to down one's enemy — derrotar o inimigo.
to down tools — fazer greve.
4 — *adv.* em baixo, para baixo, debaixo.
down by the head — metido de proa, afocinhado.
down by the stern — metido de popa.
down-hearted — abatido, deprimido.
down-looking — cabisbaixo.
down-stream — a jusante.
down-trodden — pisado, calcado aos pés; oprimido.
he is down and out — ele está arruinado.
he is down on his luck — ele é infeliz.
he is down with fever — ele está de cama com febre.
I see he is down for a speech — vejo que o nome dele está na lista dos oradores.
Mr. Brown is already down — o senhor Brown já saiu do quarto.
put my name down for five shillings — inscreva-me com a quantia de cinco xelins.
the book goes down — o livro vende-se.
the sun goes down in the West — o sol põe-se a Ocidente.
the wind is down — o vento amainou.
to be down on a person — ser severo para alguém.
to come down in the world — descer em importância, posição, etc..
to come down on a person — censurar, castigar alguém.
to come (get) down to business — trabalhar a sério, discutir os problemas a sério.
to get down — apear-se.
to pay down — pagar à vista.
to put a person down — censurar, repreender uma pessoa.
to put something down — deixar de, abolir.
to run a person (or animal) down — perseguir com êxito uma pessoa (ou um animal).
to shout a person down — gritar de forma a impedir que outra pessoa se faça ouvir.
to sit down — sentar-se.
up and down — dum lado para o outro; para cima e para baixo.
when did he go down from Lisbon? — quando é que ele deixou Lisboa?
wine is down — o vinho está mais barato.
5 — *prep.* em baixo, debaixo, para baixo.
down the river — pelo rio abaixo.
down the slope — pela encosta abaixo.
down the wind — com o vento, na direcção do vento.
to go down the stairs — descer a escada.
to run down the hill — correr pelo monte abaixo.
6 — *interj.* abaixo! fora!
down with the tyrant! — abaixo o tirano!
downcast [-kɑ:st], **1** — *s.* poço de entrada de ar (mina).
2 — *adj.* deprimido, abatido, desanimado.
downfall [-fɔ:l], *s.* queda; ruína, destruição; aguaceiro.
his downfall was caused by gambling — o jogo foi a causa da sua ruína.
downhill ['daun'hil], **1** — *s.* encosta, escarpa, declive.
the downhill of life — a segunda metade da vida.
2 — *adj.* e *adv.* inclinado; em declive, com declive; a descer.
it is all downhill — é tudo a descer.
to go downhill — descer a encosta; (fig.) ir de mal a pior.
Downing Street ['dauniŋ stri:t], *top.* rua onde está situada a residência oficial do primeiro-ministro britânico; (fig.) o governo.
what does Downing Street think about the matter? — o que é que o Governo pensa do assunto?
downpour ['daunpɔ:], *s.* aguaceiro, chuvada.
downright ['daunrait], **1** — *adj.* direito; vertical; franco, sincero; categórico, claro; completo. (*Sin.* clear, definite, unequivocal).
a downright person — uma pessoa franca.
downright lie — perfeita mentira.
downright nonsense — disparate completo.
2 — *adv.* completamente, absolutamente.
downright insolent — grande malcriado.
downrightness [-nis], *s.* sinceridade, franqueza.
downstairs ['daun'stɛəz], *adj.* e *adv.* abaixo da escada; no andar inferior; em baixo, para baixo.
a downstairs room — um quarto no rés-do-chão.
to go downstairs — descer as escadas.
downward ['daunwəd], *adj.* inclinado; descendente.
downward career — carreira em declínio.
downwards [-z], *adv.* para baixo; em direcção a épocas mais recentes.
from the 12th century downwards — a partir do século XII.
downy ['dauni], *adj.* felpudo; coberto de penugem; macio; suave (terreno); (fam.) finório, astuto.
dowry ['dauəri], *s.* (pl. **dowries**) dote de noiva; talento, dote natural.
dowse [dauz], *vi.* ver **douse**; procurar água com a varinha de vedor.
dowser [-ə], *s.* vedor, pesquisador de nascentes de água.
doxology [dɔk'sɔlədʒi], *s.* (pl. **doxologies**) doxologia (forma litúrgica para glorificar Deus).
doyley ['dɔili], *s.* paninho de renda.
doze [douz], **1** — *s.* sono ligeiro, soneca.
2 — *vi.* dormitar.
to doze off — passar pelo sono.
dozen [dʌzn], *s.* dúzia.

a dozen bottles of wine — uma dúzia de garrafas de vinho.
a dozen eggs — uma dúzia de ovos.
baker's dozen (printer's dozen) — dúzia de frade (13).
I told you dozens of times — disse-to muitas vezes, dúzias de vezes.
to buy in dozens — comprar às dúzias.
to sell by the dozen — vender à dúzia.
to talk nineteen to the dozen — falar pelos cotovelos.
we have half a dozen glasses — temos meia dúzia de copos.

dozer ['douzə], *s.* dorminhoco.
dozily ['douzili], *adv.* com sono.
dozing ['douziŋ], *s.* sonolência.
dozy ['douzi], *adj.* sonolento; adormecido.
drab [dræb], **1** — *s.* mulher enxovalhada; prostituta; cor acastanhada; monotonia.
2 — *adj.* de cor acastanhada; monótono.
drab existence — vida triste; vida devassa.
3 — *vi.* (pret. e pp. **drabbed**) entregar-se à devassidão.
drabbet ['dræbit], *s.* tecido grosso de linho.
drabble [dræbl], *vt.* e *vi.* sujar (com lodo, lama); patinhar.
drachm [dræm], *s.* dracma, moeda antiga da Grécia.
drachma ['drækmə], *s.* (pl. **drachmas, drachmae** [-əz, -i:]) dracma.
Draco ['dreikou], *s.* (astr.) Dragão.
Draconian [drə'kounjən], *adj.* draconiano.
draff [dræf], *s.* desperdícios; resíduos (de farinhas, milho, etc.); lavagem para porcos.
draft [drɑ:ft], **1** — *s.* saque de letra; ordem de pagamento, cheque; desenho; plano, projecto, esquema; rascunho; minuta; (mil.) contingente, destacamento; calado de navio.
2 — *vt.* delinear, traçar, desenhar; preparar, fazer minutas (de documentos); (mil.) destacar; aparelhar pedra.
draftsman ['drɑ:ftsmən], *s.* (pl. **draftsmen**) desenhador, delineador.
drag [dræg], **1** — *s.* instrumento para arrastar; grade; rede de arrasto; carro grande de quatro rodas; calço de ferro; impedimento, obstáculo; trenó.
drag-chain — corrente de atrelagem.
drag-net — rede de arrasto.
drag-wire — cabo de reboque.
old ideas are a drag on progress — as velhas ideias são um obstáculo ao progresso.
2 — *vt.* e *vi.* (pret. e pp. **dragged**) arrastar, puxar; dragar; prolongar-se fastidiosamente, arrastar-se; (náut.) rocegar, garrar.
the performance dragged — o espectáculo prolongou-se fastidiosamente.
to drag about — mover-se com dificuldade.
to drag along — arrastar; levar de rastos.
to drag an anchor — levantar uma âncora.
to drag one's feet — arrastar os pés.
to drag up a child (col.) — criar uma criança com maus tratos.
draggle [drægl], *vt.* e *vi.* sujar; arrastar (na lama); sujar-se; ficar para trás.
draggle-tail ['drægltei l], *s.* mulher desalinhada, pouco limpa no vestir.
dragoman ['drægoumən], *s.* (pl. **dragomans, dragomen** [-mənz, -mən]) dragomano, intérprete (na Arábia, Turquia e Pérsia).
dragon ['drægən], *s.* dragão; (astr.) Dragão; (mil.) tractor.
dragon-fly — libelinha (insecto).
dragon-tree — dragoeiro.
the old Dragon — Satanás.
to water the dragon (col.) — urinar.
dragonet ['drægənit], *s.* dragão pequeno.
dragoon [drə'gu:n], **1** — *s.* dragão, antigo soldado de cavalaria, que também combatia a pé; dragão, raça de pombos.
2 — *vt.* disciplinar severamente; obrigar alguém a fazer qualquer coisa.
drain [drein], **1** — *s.* dreno, escoadouro, cano de esgoto, colector de esgoto, tubo; (fig.) causa de enfraquecimento ou perda; (col.) resto, alguma coisa para beber.
don't drink it all; leave me a drain! — não bebas tudo; deixa-me um bocado!
drain-canal — canal de drenagem.
drain-cock — torneira de purga.
drain-pipe — tubo para drenagem.
drain-well — fossa.
to be a great drain on one's purse — ser uma fonte de despesa para os recursos financeiros de alguém.
2 — *vt.* e *vi.* drenar, escoar; enxugar (água); (fig.) esgotar, gastar; (col.) beber, esvaziar, emborcar. (*Sin.* to empty, to dry, to exhaust. *Ant.* to fill).
he drained a bottle of beer — ele esvaziou (emborcou) uma garrafa de cerveja.
military expenditure drained the country's wealth — as despesas militares esgotaram o tesouro do país.
put the dishes on the shelf to drain — ponha a louça a secar na prateleira.
the soil is well drained — o solo está bem drenado.
to drain dry — beber tudo, até à última gota.
to drain the cup of sorrow to the very dregs — beber o cálice da amargura até à última gota.
drainable [-əbl], *adj.* drenável.
drainage [-idʒ], *s.* drenagem, escoamento.
drainage works — obras de esgoto.
drainer [-ə], *s.* drenador; secador.
drake [dreik], *s.* pato (o macho).
dram [dræm], *s.* dracma (peso); trago duma bebida alcoólica.
dram-shop — taberna.
he's fond of a dram — ele gosta de bebidas alcoólicas, (col.) ele gosta da pinga.
to take a dram (col.) — matar o bicho.
drama ['drɑ:mə], *s.* drama.
dramatic [drə'mætik], *adj.* dramático; teatral.
dramatic criticism — crítica dramática.
the dramatic changes of his life — as mudanças dramáticas da sua vida.
dramatically [-əli], *adv.* dramaticamente.
dramatics [-s], *s.* a arte dramática.
dramatist ['dræmətist], *s.* dramaturgo.
dramatization [dræmətai'zeiʃən], *s.* dramatização.
dramatize ['dræmətaiz], *vt.* e *vi.* dramatizar.
dramaturge ['dræmətə:dʒ], *s.* dramaturgo.
dramaturgy ['dræmətə:dʒi], *s.* dramaturgia.
drank [dræŋk], *pret.* de **to drink.**
drape [dreip], *vt.* colgar, adornar com colgaduras; dispor as pregas dos vestidos.
draper ['dreipə], *s.* negociante de panos.
drapery ['dreipəri], *s.* (pl. **draperies**) negócio ou indústria de panos; distribuição das roupas numa escultura; *pl.* colgaduras, roupagens.
drastic ['dræstik], *adj.* drástico, violento, enérgico. (*Sin.* violent, active, strong, efficacious, vigorous.)
he took drastic measures to stop crime — ele tomou medidas drásticas para pôr fim ao crime.
drastically [-əli], *adv.* drasticamente, violentamente.
drat [dræt], *vt.* (col.) (usado na 3.ª pes. sing. pres. conjunt.) arre! diabos te levem!
draught [drɑ:ft], **1** — *s.* corrente de ar; trago, gole; tracção animal; calado de navio; aspiração; emprego de rede de arrasto; (mil.) destacamento, reforço; rascunho; cheque, letra; tiragem (de caldeira, de chaminé,

de fornalha); *pl.* jogo das damas.
draught-horse — cavalo de tracção.
a draught of water — um gole de água.
draught-board — tabuleiro do jogo das damas.
draught-net — draga.
draught-screen — guarda-vento.
to drink at a draught — beber de um trago.
to sit in a draught — estar numa corrente de ar.
wine on draught — vinho da pipa.
2 — *vt.* esboçar; (mil.) destacar um grupo para determinada missão.

draughtiness [-inis], *s.* condições em que há correntes de ar.

draughtsman [-smən], *s.* (pl. **draughtsmen** [-mən]) pedra no jogo das damas; desenhador.

draughtswoman [-swumən], *s.* (pl. **draughtswomen** [-wimin]) desenhadora.

draughty ['drɑ:fti], *adj.* cheio de correntes de ar.

draw [drɔ:], **1** — *s.* acção de puxar, tracção; tiragem, extracção (da lotaria); empate (num jogo, desafio); sucesso; atracção.
draw-table — mesa elástica.
the game ended in a draw — o jogo terminou com um empate.
the play is a great draw — a peça é um grande sucesso.
when did the draw take place? — quando foi a extracção (da lotaria)?
2 — *vt.* e *vi.* (pret. **drew** [dru:], pp. **drawn** [drɔ:n]), arrastar; puxar; arrancar, extrair; atrair; chupar; aspirar; desenhar; conseguir, obter; deduzir, inferir; traçar; deformar; (com.) sacar (uma letra); estender, prolongar; tirar; endireitar-se; redigir (documento); (náut.) demandar; tirar à sorte; empatar; puxar (tiragem da chaminé); tirar as vísceras; correr (cortinas); abrir (o chá quando está a fazer-se).
he drew me aside — ele chamou-me de lado.
his skill drew forth exclamations of wonder — a sua habilidade provocou exclamações de admiração.
I couldn't draw any information — não consegui nenhuma informação.
let the tea draw — deixe abrir o chá.
someone ought to draw his teeth — alguém deve torná-lo inofensivo.
that accident drew many persons — aquele desastre atraiu muitas pessoas.
the chimney draws well — a chaminé tem boa tiragem.
the days are drawing out — os dias estão a crescer.
the game was (left) drawn — o jogo ficou empatado.
they draw on their imagination — servem-se da sua imaginação.
to draw a blank — estar branco (sorteio); não obter resultado.
to draw a cheque — passar um cheque.
to draw a conclusion — tirar uma conclusão.
to draw a distinction between ...and... — estabelecer uma diferença entre ...e....
to draw a line — passar um traço.
to draw a line across a word — riscar uma palavra.
to draw an account — tirar uma conta.
to draw a parallel between ...and... — fazer um confronto entre ...e....
to draw apart — separar.
to draw a prize — tirar um prémio.
to draw a profit — tirar lucro.
to draw a tooth — tirar um dente.
to draw attention to — chamar a atenção para.
to draw away — levar; dissuadir.
to draw back — retirar; hesitar.
to draw blood — fazer correr o sangue.
to draw breath — tomar fôlego.
to draw in — atrair; encolher, diminuir; economizar; introduzir.
to draw in one's expenditure — reduzir as despesas.
to draw it mild (col.) — não exagerar, ser moderado.
to draw lots — tirar sortes.
to draw money from a bank — levantar dinheiro num banco.
to draw near — aproximar-se.
to draw nigh — aproximar-se.
to draw off — dissuadir; distrair; extrair, tirar; desviar, afastar.
to draw on — vestir; calçar; aproximar-se; atrair.
to draw oneself up — endireitar-se, erguer-se.
to draw one's first breath — nascer.
to draw one's last breath — expirar.
to draw out — prolongar, estender; partir; tirar de alguém o que se quer saber.
to draw over — persuadir.
to draw something by lot — tirar qualquer coisa à sorte.
to draw tears — fazer vir as lágrimas aos olhos.
to draw the line — fixar os limites, pôr fim.
to draw the long bow — exagerar.
to draw the sword — puxar da espada.
to draw to a close — aproximar-se do fim; acabar.
to draw to an end — aproximar-se do fim.
to draw together — juntar, reunir.
to draw to oneself — puxar para si.
to draw up — puxar para cima; (mil.) formar; parar; erguer-se; redigir (documento).
to draw up to — aproximar-se de.
to draw water from a well — tirar água dum poço.

drawback [-bæk], *s.* desvantagem, inconveniente; reembolso de direitos de importação; indivíduo deficiente ou atrasado. (*Sin.* detriment, disadvantage, deficiency, inconvenience. *Ant.* advantage.)

drawbridge [-bridʒ], *s.* ponte levadiça.

drawee [drɔ:'i:], *s.* sacado, indivíduo contra quem se passou uma letra de câmbio.

drawer ['drɔ:ə], *s.* sacador; desenhador; gaveta; *pl.* ceroulas, cuecas.
chest of drawers — cómoda.

drawing ['drɔ:iŋ], *s.* desenho, esboço; sorteio; extracção; tiragem; acção de passar (um cheque).
drawing-board — prancheta de desenho.
drawing card — atractivo; cartaz.
drawing desk — mesa de desenho.
drawing-master — professor de desenho.
drawing-office — sala de desenho.
drawing-paper — papel de desenho.
drawing-pen — tira-linhas.
drawing-pin — percevejo, espécie de prego com que se fixa sobre a prancheta o papel de desenho.
drawing-room — sala de visitas; recepção do rei às senhoras.
drawing sheet — folha de papel de desenho.
out of drawing — mal desenhado.

drawl [drɔ:l], **1** — *s.* fala arrastada.
2 — *vt.* e *vi.* falar pausadamente; pronunciar devagar.

drawler [-ə], *s.* o que arrasta a voz.

drawling [-iŋ], *adj.* vagaroso, lento.

drawn [drɔ:n], *pp.* de **to draw.**

dray [drei], *s.* carroça para grandes pesos.
dray-horse — cavalo forte.

drayman [-mən], *s.* (pl. **draymen** [-mən]) carreteiro; carroceiro.
dread [dred], **1** — *s.* receio, medo, terror, temor.
he lives in dread of being arrested — ele vive com receio de ser preso.
2 — *adj.* temido; terrível.
3 — *vt.* recear, ter medo de, temer.
to dread the damp for one's rheumatism — recear a humidade por causa do reumatismo.
dreadful [-ful], *adj.* terrível, tremendo, espantoso, horrendo; desagradável. (*Sin.* fearful, awful, direful, horrible, tremendous. *Ant.* hopeful.)
a dreadful bore — uma maçada tremenda.
a dreadful pain — uma dor terrível.
penny dreadful — livro de histórias horripilantes.
what a dreadful weather! — que tempo desagradável!
dreadfully [-fuli], *adv.* terrivelmente, horrivelmente.
dreadnought [-nɔ:t], *s.* (náut.) couraçado; pano forte e grosso.
dream [dri:m], **1** — *s.* sonho; ilusão; visão; fantasia. (*Sin.* vision, reverie, illusion, fancy, trance. *Ant.* reality.)
day-dream — fantasia, devaneio.
in dreams — em sonhos.
it was a dream — foi um sonho.
she looked a perfect dream — ela parecia uma bela visão, era muito bela.
the land of dreams (fig.) — o sono.
to live in a dream — viver a sonhar.
to realize all one's dreams — realizar todos os sonhos.
2 — *vt.* e *vi.* (pret. e pp. **dreamt** ou **dreamed** [dremt]) sonhar, idealizar, imaginar; fantasiar; ter sonhos.
to dream of — sonhar com.
to dream away the time — passar a vida a sonhar.
to dream dreams — ter sonhos.
you must be dreaming — deves estar a sonhar.
dreamer [-ə], *s.* sonhador; visionário.
dreamily [-ili] *adv.* como em sonhos; sonhadoramente.
dreaminess [-inis], *s.* imaginação; fantasia; visão.
dreamland [-ænd], *s.* a região dos sonhos.
dreamless [-lis], *adj.* sem sonhos.
dreamlike [-laik], *adj.* como um sonho; irreal, imaginário, visionário; semelhante a um sonho.
dreamy [-i], *adj.* cheio de sonhos; sonhador, distraído, aéreo.
dreamy eyes — olhos sonhadores.
drear [driə], *adj.* monótono, triste.
drearily [-rili], *adv.* tristemente, lugubremente.
dreariness [-rinis], *s.* tristeza, melancolia; vulgaridade.
dreary [-ri], *adj.* triste, lúgubre, monótono, melancólico, tenebroso; fastidioso. (*Sin.* gloomy, tedious, dismal, lugubrious.)
a dreary day — um dia triste.
dredge [dredʒ], **1** — *s.* draga; rede de arrasto para ostras, etc.
2 — *vt.* e *vi.* dragar, limpar; polvilhar, salpicar.
to dredge sugar over a cake — polvilhar um bolo com açúcar.
dredger [-ə], *s.* draga; pescador de ostras; barco para pescar ostras; polvilhador.
dredging [-iŋ], *s.* dragagem; polvilhação.
dredging-machine — draga.
dreggy ['dregi], *adj.* com sedimento; turvo.
dregs [dregz], *s. pl.* borra, sedimento; escória; fezes.
not a dreg — absolutamente nada, nem um resto.
the dregs of society — a escória social.
to drink to the dregs — beber até à última gota.
drench [drentʃ], **1** — *s.* remédio para animais; chuvada.
2 — *vt.* forçar os animais a tomar remédios; fazer beber; ensopar, molhar; encharcar-se, molhar-se. (*Sin.* to soak, to wet. *Ant.* to dry.)
they came in drenched to the skin — chegaram encharcados até aos ossos.
drencher [-ə], *s.* chuva torrencial; dispositivo especial para administrar medicamentos aos animais.
dress [dres], **1** — *s.* vestido; vestuário em geral; trajo.
dress-circle (teat.) — primeiro-balcão.
dress-coat — casaca.
dress-guard — rede de protecção para vestidos (nas bicicletas).
dress rehearsal (teat.) — ensaio geral.
dress-stand — manequim.
dress-suit — fato de cerimónia.
evening dress — trajo de noite, vestido de noite.
fancy dress — trajo de fantasia.
full dress — trajo de cerimónia.
full dress uniform — grande uniforme.
high-necked dress — vestido afogado (subido até ao pescoço).
low-necked dress — vestido decotado.
morning dress — trajo de passeio.
to do up a dress — arranjar um vestido.
I wish to have a dress made — desejo mandar fazer um vestido.
2 — *vt.* e *vi.* vestir; adornar, enfeitar; preparar, arranjar; embandeirar; curtir peles; cozinhar, temperar; preparar (para servir à mesa); pensar feridas; vestir-se, preparar-se, arranjar-se; (mil.) formar em linha, alinhar.
a fashionably dressed woman — uma mulher chique.
dressed to kill — muito bem vestido.
get up and dress quickly — levanta-te e veste-te depressa.
nurses dress wounds — as enfermeiras pensam feridas.
they went to the ball dressed as fairies — foram ao baile vestidas de fadas.
to be well dressed — estar bem vestido.
to dress a chicken — preparar um frango.
to dress a salad — temperar uma salada.
to dress a ship with flags — embandeirar um navio.
to dress a shop-window — enfeitar uma montra.
to dress a tree — podar uma árvore.
to dress badly — vestir-se mal.
to dress down — ralhar, censurar; sovar.
to dress for dinner — vestir-se para o jantar.
to dress in black — vestir-se de preto.
to dress leather — curtir peles.
to dress out — enfeitar, ataviar.
to dress the hair — pentear.
to dress up — vestir-se com esmero, vestir-se de cerimónia.
dresser [-ə], *s.* o que veste ou enfeita; armário de cozinha, aparador; ajudante de cirurgião; curtidor de peles; camareira.
window-dresser — decorador de montras.
dressiness [-inis], *s.* elegância (no vestuário).
dressing [-iŋ], *s.* acção de vestir ou de pentear; enfeite, adorno; curativo; condimento;

curtimento; embandeiramento; preparação; repreensão.
dressing-case — estojo com artigos de «toilette»; mala de viagem com os objectos do uso pessoal.
dressing down — descompostura; sova.
dressing-gown — roupão, penteador.
dressing-room — quarto de vestir; (teat.) camarim.
dressing-station—(mil.) posto de socorros.
dressing-table — toucador.
to give someone a good dressing down — repreender ou sovar alguém.
dressmaker [-meikə], *s.* costureira, modista.
dressmaking [-meikiŋ], *s.* costura.
dressy [-i], *adj.* elegante, apurado no vestir, amigo de vestir bem; vistoso; bonito.
drew [dru:], *pret.* de **to draw.**
dribble [dribl], **1** — *s.* queda gota a gota; baba; drible (no futebol).
2 — *vt.* e *vi.* gotejar, pingar; babar-se; driblar (futebol).
dribbler [-ə], *s.* o que se baba; driblador (futebol).
driblet [-it], *s.* porção pequena; pequena quantia.
in driblets — às migalhas, pouco a pouco.
dried [draid], *pret.* e *pp.* de **to dry.**
drier ['draiə], *s.* secante (de tinta); enxugador.
drift [drift], **1** — *s.* impulso; força de corrente; qualquer coisa que é levada pelo vento ou por corrente de água; montão formado pelo vento; desvio da rota dum navio; broca de passar furos; significado; tendência; fim, alvo; alusão; inacção; passagem ou galeria (de mina). (*Sin.* current, sweep, heap, tendency, aim, intent.)
drift-anchor — âncora flutuante.
drift-angle — ângulo de abatimento.
drift-current — corrente de superfície.
drift-fishery — pesca à deriva.
drift-ice — gelo flutuante levado pelo vento.
drift-net — rede-arrastão.
drifts of sand — montes de areia.
drift-wood — madeira levada pela água ou arrojada à praia.
his mind was in a state of drift — o seu espírito estava inactivo.
I caught the drift of what he said — compreendi o sentido geral do que ele disse.
to realize the drift—compreender uma alusão.
2 — *vt.* e *vi.* ser arrastado pelo vento ou pela corrente; impelir, levar; amontoar; flutuar; andar ao sabor das circunstâncias, andar à deriva; ir por água abaixo, ir à matroca; andar passivamente; abrir galerias (numa mina).
he's drifting through life — ele anda à deriva na vida.
she drifted along — ela caminhava sem destino certo.
the boat drifted down the river — o barco foi levado pela corrente do rio.
the wind has drifted a mass of snow in front of the door — o vento amontoou a neve em frente da porta.
to drift about — ir à mercê da corrente.
to let things drift — deixar correr o marfim (col.).
drifter [-ə], *s.* barco de pesca de arrasto.
drill [dril], **1** — *s.* broca; verruma, pua; máquina de semear; rego para lançar a semente; exercícios militares ou de ginástica; exercício; pano forte de linho ou de algodão, brim.
drill-book — livro de exercícios.
drill-brace — arco de pua.
drill-ground — parada.
drill-officer — oficial instrutor.
drill-press — engenho de furar.
he has English conversation drills twice a month — ele tem exercícios de conversação inglesa duas vezes por mês.
phonetic drills — exercícios de fonética.
recruit drills — exercícios para recrutas.
2 — *vt.* e *vi.* brocar, furar; exercitar, exercitar-se; treinar repetindo várias vezes; semear em regos. (*Sin.* to pierce, to train, to exercise, to instruct, to sow.)
the teacher drills his pupils in conversation — o professor treina os seus alunos na conversação, faz muitos exercícios de conversação.
to drill soldiers in the use of the bayonet — treinar os soldados no manejo da baioneta.
driller [-ə], *s.* o que fura, furador.
drilling [-iŋ], *s.* perfuração; brim, tecido forte de linho ou de algodão; exercício militar ou de ginástica; sementeira em sulcos; treino.
drilling-machine — broca.
drily ['draili], *adv.* ver **dryly.**
drink [driŋk], **1** — *s.* bebida alcoólica; trago.
have a drink of wine — beba um copo de vinho.
he's in drink sometimes — algumas vezes está embriagado.
he's too fond of drink—ele gosta muito de beber.
she took to drink — ela entregou-se à bebida, começou a beber.
to have a drink — tomar uma bebida.
2 — *vt.* e *vi.* (pret. **drank** [dræŋk], pp. **drunk** [drʌŋk]) beber; embeber; embriagar-se.
he drank himself to death — ele morreu por beber demais.
he drinks all his earnings — ele gasta todo o dinheiro em bebidas.
the boys drank in every word of the story — os rapazes bebiam as palavras da história, escutavam deleitados a história.
to drink a person's health — beber à saúde de alguém.
to drink a toast — fazer um brinde.
to drink away — beber sem cessar.
to drink deep — beber a grandes tragos.
to drink down — beber para esquecer.
to drink like a fish — beber como uma esponja (col.).
to drink off (up) — beber dum trago.
to drink success to a person or thing — beber pelo êxito de alguém ou de alguma coisa.
to drink the well dry — beber muita água.
you must drink as you have brewed — quem boa cama fizer nela se deitará.
drinkable [-əbl], *adj.* potável; bebível.
drinkables [-əblz], *s. pl.* bebidas.
drinker [-ə], *s.* bebedor.
drinking [-iŋ], *s.* bebida; bebida alcoólica; bebedeira.
drinking-bout — orgia, bacanal.
drinking-fountain — chafariz.
drinking-trough — bebedouro (para animais).
drinking-water — água potável.
given to drinking — dado à bebida.
drip [drip], **1** — *s.* gota, pinga; goteira.
2 — *vt.* e *vi.* (pret. e pp. **dripped**) gotejar, pingar.
the tap is dripping — a torneira está a pingar.
drip-pan [drip-pæn], *s.* tabuleiro colector de óleo.
dripping [-iŋ], **1** — *s.* gotejamento; pingue; gordura de assado.
dripping-pan — pingadeira, utensílio de cozinha.
dripping-tube — conta-gotas.
2 — *adj.* gotejante.
drivable ['draivəbl], *adj.* movível; manejável.

drive [draiv], **1** — *s.* passeio de carro; estrada para carros; caminho, vereda; levantamento de caça; força com que se bate na bola (críquete, golfe, ténis); energia, esforço; capacidade de trabalho; pancada forte; tracção.
drive-wheel — volante.
front wheel drive — tracção à frente.
she has plenty of drive — ela tem muita energia, é uma pessoa muito activa.
to go for a drive — ir dar um passeio de carro.
2 — *vt.* e *vi.* (pret. **drove** [drouv], pp. **driven** [drivn]) impelir, empurrar; levar, conduzir; atirar; compelir, forçar; guiar (automóvel, locomotiva, aeroplano, carro, etc.); cravar, enterrar (um poste, etc.); passear (de automóvel ou de carro); mover ou fazer mover; (desp.) bater com força na bola; abrir túnel; construir, edificar; precipitar-se; (náut.) garrar. (*Sin.* to impel, to compel, to force, to urge, to press, to oblige.)
can you drive? — sabe guiar?
drive me to the railway-station — leve-me à estação.
drive on! — a caminho!
he drove the nail home — ele pregou bem o prego.
he let drive at me with his right — ele deu-me um soco com a direita.
he's driving a roaring trade — ele tem um negócio esplêndido.
he was driven to steal by hunger — foi forçado a roubar por causa da fome.
he was driving away at the dictionary — ele estava a trabalhar intensamente no dicionário.
I drove a good bargain with him — fiz uma boa transacção com ele.
it is driven by steam — é movido a vapor.
let's drive care away — afastemos todas as preocupações.
to drive along — impelir, levar diante de si.
to drive a person home — levar uma pessoa a casa (de carro).
to drive a person into a corner (fig.) — pôr uma pessoa em situação difícil.
to drive at — aspirar a; querer dizer.
to drive back — repelir; voltar.
to drive cattle — conduzir gado.
to drive faster — ir mais depressa.
to drive in — fazer entrar; cravar; enterrar (um poste, etc.).
to drive mad — exasperar-se; enlouquecer.
to drive off — partir, ir-se embora; afugentar, rechaçar.
to drive on — apressar; prosseguir; instar.
to drive out — sair; afugentar; afastar-se.
to drive over — passar por cima de; esmagar.
to drive to despair — fazer desesperar.
to drive up a river with the tide — subir um rio com a corrente.
to drive up to the door — conduzir de carro até à porta.
to learn how to drive — aprender a guiar.
what are you driving at? — aonde quer chegar?
drive-in [-in], *s.* lugar ou restaurante onde servem os clientes nos automóveis.
drivel [drivl], **1** — *s.* baba; conversa tola, disparatada; tolice.
2 — *vt.* e *vi.* (pret. e pp. **drivelled**) babar-se; dizer disparates, baboseiras.
a drivelling idiot — um idiota varrido.
driveller [-ə], *s.* pessoa que se baba; o que diz disparates, néscio.
driven ['drivn], *pp.* de **to drive.**
driver ['draivə], *s.* motorista; maquinista; cocheiro; taco especial para bater a bola (golfe); roda motora.
cab-driver — cocheiro.
cattle-driver — guardador de gado.
driver's seat — assunto de motorista.
engine-driver — maquinista.
screw-driver — chave de parafusos.
driving ['draiviŋ], **1** — *s.* acção de impelir; condução; (mec.) transmissão.
driving-belt — correia de transmissão.
driving engine — máquina propulsora.
driving-gear — engrenagem de roda motriz.
driving-licence (aut.) — carta de condução.
driving mirror — retrovisor.
driving-rain — chuva forte, bátega de água.
driving-test — exame de condução.
driving-wheel — roda motriz.
2 — *adj.* que guia; motriz.
drizzle [drizl], **1** — *s.* chuvisco.
2 — *vi.* chuviscar.
drizzly [-i], *adj.* chuvoso.
drogue [droug], *s.* âncora flutuante.
droit [drɔit], *s.* direito legal.
droll [droul], **1** — *s.* gracejador, bobo.
2 — *adj.* jocoso, engraçado, chistoso; excêntrico, ridículo, estranho, esquisito.
3 — *vi.* gracejar.
drollery [-əri], *s.* (pl. **drolleries**) galhofa, gracejo, brincadeira; comicidade.
drolly ['drouli], *adv.* de maneira jocosa, còmicamente.
dromedary ['drʌmədəri], *s.* (pl. **dromedaries**) dromedário, mamífero camelídeo muito utilizado como animal de carga na Arábia e África.
drone [droun], **1** — *s.* zângão; zumbido; ocioso, parasita; ruído rouco de motores; orador monótono; discurso monótono; nota baixa de gaita de foles.
2 — *vt.* e *vi.* zumbir; falar, cantar ou rezar em voz monótona; mandriar, viver na ociosidade.
droningly [-iŋli], *adv.* monotonamente; ociosamente.
droop [dru:p], **1** — *s.* inclinação; prostração.
2 — *vt.* e *vi.* inclinar, pender; inclinar-se, dobrar-se; curvar; murchar; desfalecer; definhar-se; entristecer-se. (*Sin.* to sink. to drop, to decline, to fade, to wither. *Ant.* to flourish).
his spirits drooped — ele estava desanimado.
the flowers were drooping for want of water — as flores estavam a murchar com sede.
to droop the colour — saudar a bandeira.
drooping [-iŋ], **1** — *s.* languidez, tristeza, prostração.
2 — *adj.* lânguido, triste; inclinado; pendente.
drooping boughs — ramos pendentes.
drooping flowers — flores murchas.
drooping shoulders — ombros descaídos.
droopingly [-iŋli], *adv.* languidamente, tristemente.
drop [drɔp], **1** — *s.* gota, pinga, pingo; queda; descida (de temperatura, preços, etc.); pequena quantidade de líquido.
a drop in the bucket (ocean) — uma gota no oceano, quantidade insignificante.
a drop of rain — um pingo de chuva.
a drop of tea — uma pinga de chá.
at the drop of a hat — imediatamente.
by drops — às gotas.
drop-bottle — conta-gotas.
drop curtain (teat.) — pano de boca.
drop-hammer — bate-estacas.
drop in prices — descida de preços.
drop in temperature — descida de temperatura.
drop of speed — redução de velocidade.
drop-shutter (fot.) — obturador.
not a drop — nem gota.
she gave me the drop — ela fingiu não me conhecer.

to take a drop — sofrer uma baixa de preços; beber uma pinga.
you have taken a drop too much — estás embriagado.
2 — *vt.* e *vi.* (pret. e pp. **dropped**) gotejar, pingar, cair em gota, deixar cair gota a gota; soltar, deixar cair; cair; desistir, renunciar a; diminuir; deitar; derramar; cair desmaiado; parar. (*Sin.* to fall, to sink, to lower, to resign, to cease. *Ant.* to continue, to pick up.)
drop it! — não se fala mais nisso!
drop this letter into the nearest pillar-box — deite esta carta no marco mais próximo.
he dropped dead — ele caiu morto.
let's drop the subject — não falemos mais no assunto.
some people drop their h's — algumas pessoas não pronunciam os hh.
the baby dropped off to sleep immediately — a criança adormeceu logo.
to be ready to drop — estar morto de fadiga.
to drop a brick — dizer uma inconveniência.
to drop across a person (col.) — encontrar uma pessoa por acaso.
to drop a hint — fazer uma alusão indirecta; dar a entender.
to drop a line to — escrever umas linhas.
to drop astern — descair, cair à ré.
to drop a tear — deitar uma lágrima.
to drop away — desaparecer, diminuir.
to drop a word — deixar escapar uma palavra.
to drop behind — ficar para trás.
to drop bombs — bombardear.
to drop by — passar por casa de.
to drop in — fazer uma curta visita; entrar casualmente.
to drop into — acostumar-se, adquirir um hábito.
to drop off — decair; cair; diminuir; adormecer.
to drop one's studies — deixar de estudar.
to drop out — fazer desaparecer; retirar; pôr de parte.
to drop somebody — cortar as relações com alguém.
to drop the anchor — largar o ferro, ancorar.
to drop the curtain (teat.) — descer o pano.
to drop through (fig.) — dar em nada; ficar pelo caminho.
where shall I drop you? — onde queres que te deixe?
you should drop this habit — devias abandonar este hábito.

dropped [-t], *pp.* de **to drop.**
dropped handle-bar — guiador de bicicletas de corrida.
dropper [-ə], *s.* conta-gotas.
droppings [-iŋz], *s. pl.* gotas, pingas; pingos de cera que caem das velas; excremento de animais.
dropsical ['drɔpsikəl], *adj.* hidrópico, que padece de hidropisia.
dropsically [-i], *adv.* com hidropisia.
dropsy ['drɔpsi], *s.* hidropisia, acumulação anormal de líquido nos tecidos.
drosera ['drɔsərə], *s.* (bot.) drósera.
dross [drɔs], *s.* escória; sedimento; impurezas; coisas insignificantes.
drossy [-i], *adj.* com impurezas, cheio de escória; sem valor.
drought [draut], *s.* seca, estiagem.
droughty [-i], *adj.* seco.
drove [drouv], 1 — *s.* manada, rebanho; multidão; cinzel de pedreiro.
2 — *pret.* de **to drive.**
drover [-ə], *s.* condutor ou negociante de gado.
drown [draun], *vt.* e *vi.* afogar, afogar-se; abafar; submergir, inundar.
don't drown my whisky — não deite água demais no meu uísque.
eyes drowned in tears — olhos marejados de lágrimas.
he drowned his sorrows in wine — ele afogou as tristezas em vinho.
the noise drowned her voice — o barulho abafava a voz dela.
to be drowned — morrer afogado.
to drown a kitten — afogar um gato.
drowning [-iŋ], 1 — *s.* afogamento; inundação.
death by drowning — morte por afogamento.
2 — *adj.* afogado.
drowse [drauz], 1—*s.* sono ligeiro, sonolência.
2 — *vt.* e *vi.* dormitar.
he drowses away his time — ele passa o tempo a dormitar.
drowsily [-ili], *adv.* com sonolência.
drowsiness [-inis], *s.* sonolência, modorra.
drowsy [-i], *adj.* sonolento, apático. (*Sin.* dozy, sleepy, somnolent.)
drub [drʌb], *vt.* (pret. e pp. **drubbed**) bater, espancar, desancar, sovar.
drubbing [-iŋ], *s.* tosa, sova, tareia; pancadaria.
drudge [drʌdʒ], 1 — *s.* trabalhador, mouro de trabalho.
2 — *vi.* mourejar, trabalhar como um escravo. (*Sin.* to toil, to slave).
drudgery [-əri], *s.* (pl. **drudgeries**) trabalho penoso, lida; escravidão.
drudgingly [-iŋli], *adv.* penosamente, como escravo.
drug [drʌg], 1 — *s.* droga, medicamento; estupefaciente; coisa que já não tem venda, «mono» (col.)
a drug in (on) the market — mono, mercadoria que não tem venda.
drug-fiend — morfinómano.
drug-store (E. U.) — farmácia; drogaria; supermercado.
the drug habit — o hábito dos narcóticos.
2 — *vt.* e *vi.* (pret. e pp. **drugged**) misturar com drogas; narcotizar; usar estupefacientes.
druggist [-ist], *s.* droguista; (E. U.) farmacêutico.
Druid ['dru(:)id], *s.* druida, antigo sacerdote gaulês.
Druidism ['dru(:)idizm], *s.* druidismo.
drum [drʌm], 1 — *s.* tambor; rufar de tambor; tímpano; qualquer coisa parecida com um tambor.
drum-fire — fogo de barragem.
drum-head — pele de tambor.
drum-major — tambor-mor.
the ear-drum — o tímpano do ouvido.
to beat a drum — tocar um tambor.
2 — *vt.* e *vi.* (pret. e pp. **drummed**) tocar tambor; tamborilar; meter à força na cabeça de alguém.
they drum the lessons into the boy's head — metem as lições à força na cabeça do rapaz.
to drum up — convocar por meio do toque de tambor.
drummer [-ə], *s.* tambor, tamborileiro, o que toca tambor; (E. U.) caixeiro-viajante.
drumstick ['drʌm-stik], *s.* baqueta de tambor.
drunk [drʌŋk], 1 — *s.* bêbado, ébrio.
2 — *adj.* e *pp.* de **to drink,** embriagado, ébrio.
as drunk as a fish — bêbado como um cacho (col.).
as drunk as a lord — muitíssimo embriagado.
drunk with joy (fig.) — ébrio de alegria.
ever drunk ever dry — quanto mais se bebe, mais vontade se tem de beber.
to get drunk — embriagar-se.
drunkard [-əd], *s.* bêbado, ébrio.
drunken [-ən], *adj.* ébrio, embriagado.

drunkenly [-ənli], *adv.* em estado de embriaguez, embriagadamente.
drunkenness [-ənnis], *s.* embriaguez, bebedeira.
drupe [dru:p], *s.* drupa; fruto carnudo, de caroço duro (ameixa, pêssego, cereja, etc.).
dry [drai], **1** — *adj.* seco, enxuto; insípido, árido, maçudo; sequioso; sem autorização para vender bebidas alcoólicas.
a dry book — um livro maçudo.
as dry as a bone — seco com uma palha.
dry bread — pão seco, sem manteiga.
dry cleaning — limpeza a seco.
dry condensation — condensação de superfície.
dry cough — tosse seca.
dry country — país onde existe a lei seca.
dry dock — doca seca.
dry-fallen — murcho.
dry-goods — tecidos.
dry lodging — alojamento sem comida.
dry measure — medida de sólidos.
dry-nurse — ama-seca.
dry pile — pilha eléctrica.
dry provisions — mantimentos secos.
dry-rot — caruncho.
dry-rotten — podre.
dry-shod — sem molhar os pés.
dry wall — parede ou muro construído com pedra sem cal.
dry weather — tempo seco.
dry wine — vinho seco.
she is scarcely dry behind the ears — ela é ainda uma criança.
to feel dry — ter sede.
with dry eyes — sem uma lágrima nos olhos.
2 — *vt.* e *vi.* secar, enxugar; secar-se.
dry up! (fam.) — cale-se!, não fale mais!
the sun dries the grass — o sol seca a erva.
to dry-clean — limpar a seco.
to dry one's tears — enxugar as lágrimas.
to dry up — secar por completo.
dryad ['draiəd], *s.* dríade, ninfa dos bosques.
dryasdust ['draiəzdʌst], **1** — *s.* antiquário ou historiador fastidioso.
2 — *adj.* árido, sem interesse.
dryer, drier ['draiə], *s.* enxugador, secador; secante (de tinta).
an electric hair-dryer — um secador eléctrico.
drying ['draiiŋ], **1** — *s.* secagem.
2 — *adj.* secante.
dryly, drily ['draili], *adv.* secamente.
dryness ['drainis], *s.* secura, aridez; severidade.
drysalter ['draisɔ:ltə], *s.* negociante de tintas e produtos químicos; negociante de conservas em latas.
drysaltery [-ri], *s.* (pl. **drysalteries**) negócio de produtos químicos e de conservas em latas.
dual ['dju(:)əl], *s.* e *adj.* dual; duplo, relativo a dois.
dual personality — personalidade dupla.
dualism [-izm], *s.* dualismo.
dualist [-ist], *s.* dualista.
dualistic [dju(:)ə'listik], *adj.* dualístico.
duality [dju(:)'æliti], *s.* (pl. **dualities**) dualidade.
dub [dʌb], **1** — *s.* lago fundo em rios do norte.
2 — *vt.* (pret. e pp. **dubbed**) apelidar, alcunhar, pôr alcunha a; armar cavaleiro batendo no ombro com a espada; conferir honras ou dignidades; tornar o couro impermeável; arranjar mosca artificial para pescar.
they dubbed him «Strong» — alcunharam-no de «Forte».
dubbin ['dʌbin], *s.* gordura, sebo.
dubiety [dju(:)'baiəti], *s.* (pl. **dubieties**) dubiedade, incerteza.
dubious ['dju:bjəs], *adj.* dúbio, duvidoso, incerto; indeciso.
dubious character — carácter dúbio.
the result is still dubious — o resultado ainda é duvidoso.
dubiously [-li], *adv.* duvidosamente.
dubiousness [-nis], *s.* incerteza; vacilação.
dubitate ['dju:biteit], *vi.* duvidar, hesitar.
dubitation [dju:bi'teiʃən], *s.* dubitação, dúvida.
dubitative ['dju:bitətiv], *adj.* dubitativo.
dubitatively [-li], *adv.* dubitativamente.
ducal ['dju:kəl], *adj.* ducal, de duque.
ducat ['dʌkət], *s.* ducado (moeda); *pl.* dinheiro.
ducatoon [dʌkə'tu:n], *s.* *(numism.)* ducatão.
duchess ['dʌtʃis], *s.* duquesa; variedade de cetim.
duchy ['dʌtʃi], *s.* (pl. **duchies**) ducado (território).
Grand Duchy of Luxemburg — Grão-Ducado do Luxemburgo.
duck [dʌk], *s.* (pl. **duck** ou **ducks** [dʌks]) pato, pata; carne de pato; (col.) pessoa amada; mergulho; acto de se esquivar a um golpe; brim branco; zero (no críquete).
a duck's egg — zero para o *batsman* no críquete.
a fine day for young ducks — dia de chuva, tempo húmido.
a lame duck — pessoa incapacitada.
ducks — calças brancas de cotim.
duck-shooting — caça ao pato.
in two shakes of duck's tail — num abrir e fechar de olhos.
like water off a duck's back — sem produzir qualquer efeito; sem dar resultado.
the child is a perfect duck — é um amor de criança.
to make ducks and drakes of—dissipar, esbanjar.
to play ducks and drakes with one's money — esbanjar dinheiro.
to take to anything like a duck to water — fazer qualquer coisa com naturalidade e facilidade, sentir-se como peixe na água.
wild duck — pato(s) bravo(s).
2 — *vt.* e *vi.* mergulhar; curvar-se de súbito para evitar uma pancada; meter debaixo de água.
to duck one's head — baixar rapidamente a cabeça.
to duck someone — evitar encontrar alguém.
duckbill [-bil], *s.* (zool.) ornitorrinco.
duck-board ['dʌkbɔ:d], *s.* carreiro estreito feito com ripas, para terreno encharcado.
ducker [-ə], *s.* criador de patos; mergulhão (ave).
ducking [-iŋ], *s.* mergulho; banho forçado; molhadela.
he fell into the sea and got a good ducking —ele caiu ao mar e apanhou um bom banho.
to get a ducking in the rain — apanhar uma molhadela à chuva.
duckling [-liŋ], *s.* patinho.
duct [dʌkt], *s.* canal; tubo; vaso.
Eustachian duct — trompa de Eustáquio.
ductile ['dʌktail], *adj.* dúctil; flexível; maleável; dócil.
ductility [dʌk'tiliti], *s.* ductilidade; flexibilidade; maleabilidade; docilidade.
ductless ['dʌktlis], *adj.* sem canal.
dud [dʌd], *s.* bomba que não explodiu; espantalho; (col.) pessoa inútil; *pl.* roupas velhas, farrapos.
dude [dju:d], *s.* (fem. **duddine** [dju'di:n]) (E. U.) (fam.) janota; pessoa que imita a pronúncia inglesa.

dudgeon ['dʌdʒən], *s.* ressentimento, indignação.
in high dudgeon — muito ofendido.
due [dju:], **1** — *s.* dívida, obrigação; *pl.* direitos, impostos, taxas; cotas. (*Sin.* fee, right, debt).
club dues — cotas.
custom dues — direitos alfandegários.
to give everyone his due — dar a cada um o que lhe é devido; dar o seu a seu dono.
to give the devil his due — ser justo; dar a César o que é de César.
2 — *adj.* devido; (com.) vencido; justo; próprio, adequado; esperado; causado por. (*Sin.* owing, fit, proper).
due date — dia do vencimento.
in due course — na devida altura.
in due time — no tempo marcado; na devida altura.
the accident was due to careless driving — o desastre foi devido a falta de cuidado.
the train is due at 7.30 — o comboio chega às 7,30.
to fall due (com.) — vencer-se.
when is the train due? — a que horas chega o comboio?
with all due respect to you — com todo o devido respeito para convosco.
3 — *adv.* directamente; exactamente.
the ship is steering due north — o navio segue directamente para o norte.
duel ['dju(:)əl], **1** — *s.* duelo.
2—*vi* (pret. e pp. **duelled**) bater-se em duelo.
dueller [-ə], *s.* duelista.
duelling [-iŋ], *s.* duelo, desafio.
duellist [-ist], *s.* duelista.
duenna [dju(:)'enə], *s.* dama de companhia; governanta.
duet [dju(:)'et], *s.* dueto; par.
duettist [dju:'etist], *s.* duetista.
duffer ['dʌfə], *s.* bufarinheiro, vendedor ambulante que pretende vender coisas sem valor como se fossem valiosas; moeda falsa; mina que não produz; cretino, pessoa estúpida; imbecil.
dug [dʌg], **1** — *s.* teta (de animal).
2 — *pret.* e *pp.* de **to dig.**
dugong ['du:gɔŋ], *s.* (zool.) dugongo.
dug-out ['dʌgaut], *s.* canoa feita dum tronco de árvore; abrigo cavado numa rocha ou na parede duma trincheira; (cal.) oficial reformado em serviço activo (em tempo de guerra).
duke [dju:k], *s.* (fem. **duchess** ['dʌtʃis]) duque; (cal.) punho, mão.
to dine with Duke Humphrey — ficar sem jantar.
dukedom [-dəm], *s.* ducado; dignidade de duque.
dulcet ['dʌlsit], *adj.* doce, melodioso, suave; agradável; harmonioso.
dulcify ['dʌlsifai], *vt.* dulcificar; suavizar.
dulcimer ['dʌlsimə], *s.* saltério, antigo instrumento musical de cordas.
Dulcinea [dʌlsi'niə], *n. p.* Dulcineia.
dull [dʌl], *adj.* estúpido, obtuso, néscio; insípido, enfadonho; monótono, fastidioso; embotado; opaco, obscuro; sombrio; encoberto (tempo); vagaroso; sem venda (mercadorias). (*Sin.* blunt, obtuse, gloomy, dark, dim, lifeless, slow. *Ant.* clever, clear, lively, bright.)
a dull day — um dia triste, sombrio.
a dull mirror — um espelho baço.
a dull speech — um discurso sem interesse.
as dull as ditchwater — muito estúpido.
dull season — estação morta.
dull trade — comércio parado.
dull weather — tempo encoberto.
dull-witted — lento de raciocínio, pouco inteligente.
to be dull of hearing — ser um pouco surdo.
to feel dull — estar aborrecido.
2 — *vt.* e *vi.* embotar, entorpecer; tornar-se estúpido; diminuir de intensidade; obscurecer.
to dull pain by narcotics — adormecer a dor com estupefacientes.
dullard [-əd], *s.* estúpido, pessoa bronca.
dullish [-iʃ], *adj.* estúpido; triste; lento; enfadonho; baço.
dul(l)ness [-nis], *s.* estupidez; entorpecimento; tristeza; lentidão; inactividade.
duly ['dju:li], *adv.* devidamente, em devido tempo; oportunamente.
duma ['du:mə], *s.* duma, parlamento russo (1905-1917).
dumb [dʌm], **1** — *adj.* mudo; calado; silencioso; (E. U.) (col.) pateta, estúpido.
a dumb dog — uma pessoa taciturna.
deaf and dumb — surdo-mudo.
dumb barge — barc sem velas nem remos.
dumb-bells — halteres.
dumb from birth — mudo de nascença.
dumb-show — mímica.
dumb-waiter—carrinho giratório que ajuda o serviço de mesa.
the dumb — os mudos
to remain dumb—emudecer, não dizer palavra.
to strike dumb — fazer emudecer.
2 — *vt.* calar, silenciar, fazer emudecer.
dumbfound [dʌm'faund], *vt.* confundir; emudecer; embaraçar; aturdir.
dumbfounded [-id], *adj.* estupefacto, admirado.
dumbly ['dʌmli], *adv.* mudamente, em silêncio.
dumbness ['dʌmnis], *s.* mudez; silêncio.
dumdum ['dʌmdʌm], *s.* dundum (bala).
dummy ['dʌmi], **1** — *s.* (pl. **dummies**) pessoa que faz ofício de corpo presente; manequim; objecto simulado; chupeta; morto (no jogo do *whist*); manca (em certos jogos de cartas); simplório; espantalho.
a baby's dummy — chupeta de um bebé.
a dummy gun — espingarda de madeira (brinquedo).
double dummy bridge — jogo de brídege com dois jogadores cada um dos quais com sua manca.
dummy bridge — jogo de brídege com três jogadores, um dos quais faz a manca.
to play dummy — fazer a manca.
to sell the dummy (desp.) — enganar o adversário fingindo passar a bola.
2 — *adj.* postiço, falso.
dump [dʌmp], **1** — *s.* lixeira, entulheira; depósito de apetrechos militares; depressão de preços nos artigos de exportação para aumentar a clientela; pancada surda; espécie de cavilha; (cal.) moeda de pouco valor; pessoa atarracada.
it was not worth a dump — não valia nada.
2 — *vt.* e *vi.* esvaziar, despejar; descarregar; exportar por preços inferiores para evitar a concorrência; depositar.
dumper [-ə], *s.* descarregador; exportador por baixo preço de mercadoria existente em grande quantidade.
dumping [-iŋ], *s.* exportação de mercadorias para mercado estrangeiro por baixo preço.
dumpling [-liŋ], *s.* pudim de maçã.
dumps [-s], *s. pl.* tristeza, melancolia; abatimento físico ou moral.
to be in the dumps — estar triste, abatido.
dumpy [-i], **1** — *s.* (pl. **dumpies**) variedade de galinhas de perna curta.
2 — *adj.* gordo e baixo, atarracado; triste, abatido.

dun [dʌn], **1** — *s.* credor importuno; cobrador de dívidas; pedido de pagamento; variedade de mosca artificial para pescar.
dun-bird — pato do mar.
2 — *adj.* castanho-acinzentado.
3 — *vt.* (pret. e pp. **dunned**) importunar (com o pagamento duma dívida); exigir o pagamento duma dívida.
dunce [dʌns], *s.* estúpido, ignorante. *(Sin.* blockhead, stupid, dullard. *Ant.* clever, intelligent, genius.)
dunderhead ['dʌndəhed], *s.* estúpido, imbecil, cabeça de burro.
Dundreary [dʌn'driəri], *s. Dundreary whiskers* — suíças compridas usadas com o rosto barbeado.
dune [dju:n], *s.* duna.
dung [dʌŋ], **1** — *s.* estrume; excremento de animais.
dunghill — monte de estrume.
to be a cock on one's own dunghill — ser o galo do seu poleiro; ser quem manda na sua casa.
2 — *vt.* estrumar, adubar.
dungaree [dʌŋgə'ri:], *s.* tecido forte de algodão.
dungeon ['dʌndʒən], **1** — *s.* masmorra, calabouço; torre de menagem.
2 — *vt.* meter numa masmorra.
dunnage ['dʌnidʒ], *s.* esteira, grade; (náut.) cobro do porão; bagagem de marinheiro.
dunnock ['dʌnək], *s.* (zool.) carriça.
doudecennial [dju(:)oudi'senjəl], *adj.* duodecenal.
doudecimal [dju(:)ou'desiməl], *adj.* duodecimal.
duodecimo [dju(:)ou'desimou], *s.* (pl. **duodecimos**) duodécimo (página dum livro do tamanho de 1/12 da folha de impressão).
duodenal [dju(:)ou'di:nl], *adj.* duodenal.
duodenal ulcer — úlcera duodenal.
duodenary [dju(:)ou'di:nəri], *adj.* duodenário, disposto em séries de doze.
duodenum [dju(:)ou'di:nəm], *s.* (pl. **duodenums, duodena** [-z, -ə]) duodeno.
duologue ['djuələg], *s.* diálogo.
dupable ['djupəbl], *adj.* capaz de ser enganado.
dupe [dju:p], **1** — *s.* incauto; crédulo; pessoa que se deixa enganar.
2 — *vt.* enganar; lograr.
dupery ['dju:pəri], *s.* engano, logro.
duple [dju:pl], *adj.* duplo.
duplex [-eks], *adj.* duplo.
duplex carburettor — carburador duplo.
duplicate [-ikit], **1** — *s.* duplicata, duplicado; sinónimo.
documents made in duplicate — documentos em duplicado.
2 — *adj.* duplo, duplicado.
duplicate key — chave em duplicado.
duplicate [-ikeit], *vt.* duplicar; tirar cópias; fazer em duplicado.
to duplicate expenses — duplicar as despesas.
duplicating [-ikeitiŋ], *s.* duplicação; tiragem de cópias.
duplicating-machine — duplicador.
duplication [dju:pli'keiʃən], *s.* duplicação.
duplicator ['dju:plikeitə], *s.* duplicador, copiador.
duplicity [dju(:)'plisiti], *s.* (pl. **duplicities**) duplicidade; má-fé; engano.
durability [djuərə'biliti], *s.* durabilidade.
durable ['djuərəbl], *adj.* durável; duradouro.
durableness [-nis], *s.* durabilidade.
durably [-i], *adv.* de modo duradouro.
duramen [djuə'reimen], *s.* durame, cerne (da madeira).

durance ['djuərəns], *s.* encarceramento; prisão.
duration [djuə'reiʃən], *s.* duração; dura; continuação.
of short duration — de pouca dura.
the duration of war — a duração da guerra.
durbar ['də:bɑ:], *s.* câmara de audiência (na Índia); tribunal (na Índia).
duress(e) [djuə'res], *s.* coação, pressão; prisão; ameaças.
to do something under duress — fazer alguma coisa sob coação.
during ['djuəriŋ], *prep.* durante.
durmast ['də:mɑ:st], *s.* (bot.) variedade de carvalho.
durst [də:st], *pret.* de **to dare.**
dusk [dʌsk], **1** — *s.* crepúsculo, anoitecer, lusco-fusco.
at dusk — ao anoitecer.
2 — *adj.* obscuro, sombrio.
3 — *vt.* e *vi.* escurecer; obscurecer-se.
duskiness [-nis], *s.* obscuridade; tom moreno.
dusky [-i], *adj.* escuro; moreno.
it is getting dusky — está a anoitecer.
dust [dʌst], **1** — *s.* pó; poeira; restos mortais; (cal.) dinheiro.
a cloud of dust — uma nuvem de poeira.
dust-bin — caixote do lixo.
dust-cart — carro do lixo.
dust-coal — carvão em pó.
dust-coat — guarda-pó.
dust-cover — capa (de livro); protecção contra o pó.
dust-jacket — capa protectora de livro.
dust-exhauster — aspirador.
dust-removal — aspiração de pó.
to be in the dust — ser humilhado; estar em situação inferior.
to bite the dust — morder o pó; tombar morto ou ferido.
to kick up a dust — fazer uma cena.
to lick the dust — rebaixar-se servilmente.
to raise (to make) dust — levantar poeira; (col.) fazer distúrbios.
to shake the dust off one's feet — partir indignado.
to throw dust in a person's eyes — deitar poeira nos olhos de alguém; enganar.
what a dust! — que poeirada!
2 — *vt.* e *vi.* limpar o pó, espanar, sacudir o pó; polvilhar, cobrir de pó.
to dust a cake with sugar — polvilhar um bolo com açúcar.
to dust a person's jacket for him — tosar alguém.
to dust furniture — limpar o pó da mobília.
duster ['dʌstə], *s.* pano de pó; pessoa que limpa o pó.
dustily ['dʌstili], *adv.* com pó; empoeiradamente.
dustiness ['dʌstinis], *s.* camada de poeira, poeirada; estado do que se acha coberto de pó.
dustless ['dʌstlis], *adj.* sem pó.
dustman ['dʌstmən], *s.* (pl. **dustmen** [-mən]) varredor.
dusty ['dʌsti], *adj.* poeirento, empoeirado, coberto de pó, cheio de pó; maçudo, insípido, sem interesse.
it is very dusty — faz muita poeira.
not so dusty — razoável, regular; não é mau de todo.
to come to dust and ashes — reduzir-se a nada.
Dutch [dʌtʃ], **1** — *s.* holandês; a língua holandesa.
the Dutch — os Holandeses.
2 — *adj.* holandês.

double Dutch — língua ininteligível, algaraviada.
Dutch auction — leilão em que o preço é reduzido pelo leiloeiro até que haja licitante.
Dutch cheese — queijo flamengo.
Dutch comfort — fraco conforto.
Dutch courage — valentia adquirida com bebidas alcoólicas.
Dutch treat (Dutch party) — passeio ou festa em que cada um paga a sua parte; contas do Porto.
he got in Dutch with the policeman — arranjou complicações com o polícia.
High Dutch — alto-alemão.
Low Dutch — baixo-alemão.
to go Dutch — fazer contas à moda do Porto.
to talk to someone like a Dutch uncle — repreender alguém paternalmente.

Dutchman [-mən], *s.* (pl. **Dutchmen** [-mən]) holandês.
Dutchman's breeches — aberta (nas nuvens).
you'll eat this, or I'm a Dutchman — diabos me levem se não comeres isto; hás-de comer isto, ou eu seja cão!

duteous ['dju:tjəs], *adj.* obediente, respeitoso.

duteously [-li], *adv.* obedientemente, respeitosamente.

duteousness [-nis], *s.* obediência, respeito.

dutiable ['dju:tjəbl], *adj.* sujeito a direitos alfandegários ou taxas.

dutiful ['dju:tiful], *adj.* obediente, submisso, respeitador. *(Sin.* obedient, respectful. *Ant.* rebellious.)
a dutiful daughter — uma filha obediente.

dutifully [-i], *adv.* respeitosamente, obedientemente.

dutifulness [-nis], *s.* respeito, obediência.

duty ['dju:ti], *s.* (pl. **duties**) dever, obrigação; obediência, acatamento; respeito, cumprimento; serviço, ocupação; direitos alfandegários, impostos. *(Sin.* obligation, function, business, tax, dues.)
as in duty bound — como é de nossa obrigação.
custom duties — direitos alfandegários.
death duty — imposto sucessório.
export duties — direitos de exportação.
free of duty — livre de direitos.
he comes off duty at 5 p. m. — ele sai do emprego às 5 da tarde.
he only did his duty — ele apenas cumpriu o seu dever.
he's on duty from 9 a. m. to 5 p. m. — ele está de serviço das 9 da manhã às 5 da tarde.
I come to present my humble duty to you — venho apresentar-lhe os meus respeitosos cumprimentos.
liable to duty — sujeito a direitos.
the box did duty for a table — a caixa serviu de mesa.
to be off duty — estar de folga.
to fulfil one's duty — cumprir o seu dever.
to make it a point of duty — tomar isso a peito; fazer disso ponto de honra.
to perform one's duty — fazer a sua obrigação.

duumvir [dju(:)'ʌmvə], *s.* (pl. **duumvirs**) duúnviro.

duumvirate [dju(:)'ʌmvirit], *s.* duunvirato.

dux [dʌks], *s.* estudante distinto (Escócia).

dwale [dweil], *s.* (bot.) beladona.

dwarf [dwɔ:f], **1** — *s.* (pl. **dwarfs**) anão, anã; duende.
2 — *adj.* anão; muito pequeno.
3 — *vt.* impedir o crescimento; dar a aparência de pequeno pelo contraste ou distância.

dwarfish [-iʃ], *adj.* da estatura dum anão; enfezado.

dwarfishness [-iʃnis], *s.* estatura de anão.

dwell [dwel], **1** — *s.* pausa regular e ligeira no movimento duma máquina.
2 — *vi.* (pret. e pp. **dwelt** [dwelt]) habitar, morar, residir, viver; alargar-se, alongar-se; deter-se, hesitar (o cavalo) antes de formar o salto para transpor o obstáculo.
he dwells in town — ele vive na cidade.
to allow the mind to dwell on the pleasures of the past — entregar o espírito às boas recordações do passado.
to dwell on a subject — alongar-se sobre um assunto.

dweller [-ə], *s.* morador, habitante; cavalo que hesita antes de formar o salto para passar o obstáculo.

dwelling [-iŋ], *s.* residência, habitação.
dwelling-house — casa de habitação.

dwindle [dwindl], *vi.* diminuir, minguar; decair, degenerar; declinar.
her fortune is dwindling rapidly — a fortuna dela está a diminuir rapidamente.

dyad ['daiæd], *s.* díade.

dyarchy ['daiɑ:ki], *s.* (pl. **dyarchies**) diarquia.

dye [dai], **1** — *s.* tinta, cor, matiz; matéria corante.
a crime of the deepest dye — um crime da pior espécie.
a scoundrel of the deepest dye — um refinado patife.
dyestuff — matéria corante.
dye-wood — madeira que contém matérias corantes.
dye-works — tinturaria.
fast dye — cor fixa.
2 — *vt.* e *vi.* (pret. e pp. **dyed** [daid], p. pr. **dyeing** ['daiŋ]) tingir; tingir-se.
to dye a white dress green — tingir de verde um vestido branco.
to dye in the wool (grain) — tingir a matéria-prima para a cor ficar mais perfeita.
to have a coat dyed — mandar tingir um casaco.

dyeing [-iŋ], *s.* tinturaria; processo de tingir.

dyer [-ə], *s.* tintureiro.

dying [-iŋ], **1** — *s.* morte.
dying bed — leito de morte.
2 — *adj.* moribundo, mortal.
a dying man — um moribundo.
he is dying to go to Lisbon — ele está ansioso por ir a Lisboa.

dyke [daik], *s.* ver **dike.**

dynamic [dai'næmik], *adj.* funcional; dinâmico, enérgico, activo.
dynamic loudspeaker — altifalante dinâmico.

dynamically [-əli], *adv.* dinamicamente.

dynamics [-s], *s.* dinâmica.

dynamism ['dainəmizm], *s.* dinamismo.

dynamist ['dainəmist], *s.* dinamista.

dynamite ['dainəmait], **1** — *s.* dinamite.
dynamite cartridge — cartucho de dinamite.
2 — *vt.* dinamitar.

dynamiter [-ə], *s.* bombista.

dynamo ['dainəmou], *s.* (pl. **dynamos**) dínamo.
dynamo-electric generator — gerador dínamo-eléctrico.

dynamograph ['dainəməgrɑ:f], *s.* dinamógrafo.

dynamometer [dainə'mɔmitə], *s.* dinamómetro.

dynast ['dinəst], *s.* dinasta.

dynastic [di'næstik], *adj.* dinástico.

dynasty ['dinəsti], *s.* (pl. **dynasties**) dinastia.
dyne [dain], *s.* dine, unidade de força.
dysenteric [disn'terik], *adj.* disentérico.
dysentery ['disntri], *s.* disenteria, doença dos intestinos.
dyskrasia [dis'kreizjə], *s.* discrasia, má constituição física.
dyslogistic [dislə'dʒistik], *adj.* desaprovador; pejorativo.
dyspepsia [dis'pepsiə], *s.* dispepsia, dificuldade em digerir.
dyspeptic [dis'peptik], *adj.* dispéptico.
dyspnoea [dis'pni(:)ə], *s.* dispneia, dificuldade na respiração.
dystrophy ['distrəfi], *s.* distrofia, desenvolvimento anormal dum órgão.
dysuria, dysury [dis'juəriə, 'disjuri], *s.* disúria, dificuldade de urinar.

E

E, e [i:], (pl. **E's, e's** [i:z]), *s.* E, e (a quinta letra do alfabeto); (mús.) mi.
(in) e flat — (em) mi bemol.
(in) e major — (em) mi maior.
(in) e minor — (em) mi menor.
each [i:tʃ], *adj.* e *pron.* cada; cada um.
each of us wanted to play — todos queríamos jogar.
each one of you — cada um de vocês.
each other — um ao outro; uns aos outros.
they cost two shillings each — cada um deles custa dois xelins.
they help each other — ajudam-se um ao outro.
eager ['i:gə], *adj.* ávido, ansioso, impaciente, desejoso, ardente. *(Sin.* anxious, ardent, impatient, longing. *Ant.* indifferent.)
eager to learn — desejoso de aprender.
he's eager for victory — está ansioso pela vitória.
to be eager to begin — estar ansioso por começar.
eagerly [-li], *adv.* ansiosamente, avidamente, impacientemente, ardentemente.
eagerness [-nis], *s.* ânsia, desejo ardente, ardor, impaciência, avidez.
eagle [i:gl], *s.* águia (ave de rapina); insígnia militar de algumas nações.
double-eagle — moeda de vinte dólares.
eagle-eyed — de olhar penetrante, com olhar de lince.
the Roman Eagles — as Águias Romanas.
eaglet [-it], *s.* aguieta, águia pequena.
eagre ['eigə], *s.* macaréu.
ear [iə], *s.* orelha, ouvido; espiga; percepção auditiva.
an ear for music — ouvido musical.
a word in your ear — em segredo.
dog's ear — folha de livro virada no canto.
ear-ache — dor de ouvidos.
ear-drop — pingente, brinco.
ear-drum — tímpano.
ear, nose & throat specialist — otorrinolaringologista.
ear of corn — espiga de trigo.
ear-phone — auscultador.
ear-ring — brinco.
ear-trumpet — corneta acústica.
ear-wax — cerúmen dos ouvidos.
ear-witness — testemunha auricular.
in at one ear and out at the other — entrar por um ouvido e sair por outro.
I will not have my ears bored — não quero as orelhas furadas.
out of ear-shot — fora do alcance da voz.
they play the piano by ear — tocam piano de ouvido.
to be all ears — ser todo ouvidos.
to be by the ears — discutir.
to be head over ears in debt — estar cheio de dívidas.
to come to one's ears — chegar aos ouvidos de alguém.
to give (lend) an ear to — prestar ouvidos a.
to have a good ear — ter bom ouvido.
to have a poor ear — não ter bom ouvido.
to have one's ears ringing — ter as orelhas a arder.
to take the wolf by the ears — ver-se entre a espada e a parede.
to prick up one's ears — prestar toda a atenção.
to pull a person's ears — puxar as orelhas a alguém.
to send a person away (off) with a flea in his ear — pregar um sermão a alguém; dizer das boas a alguém.
to set people by the ears — criar desavenças.
to turn a deaf ear to — fazer ouvidos de mercador.
to whisper in one's ear — segredar ao ouvido.
walls have ears — as paredes têm ouvidos.
we would give our ears for your happiness — daríamos tudo pela tua felicidade.
within ear-shot — ao alcance da voz.
you were up to the ears in work — estava sobrecarregado de trabalho.
eared [-d], *adj.* com orelhas; espigado.
long-eared — orelhudo.
earing [-riŋ], *s.* (náut.) pequena corda que segura o punho do gurutil.
earl [ə:l], *s.* (fem. **countess** ['kauntis]) conde.
Earl Marshal — alto dignitário britânico que dirige as grandes cerimónias.
earldom [-dəm], *s.* título de conde; condado.
earless ['i:əlis], *adj.* sem orelhas; com mau ouvido; sem espigas (cereais).
earliness ['ə:linis], *s.* precocidade, prematuridade; madrugada.
early ['ə:li], *adj.* e *adv.* matutino; primitivo; precoce; antecipado; temporão; prematuro; relativo ao princípio; cedo; de madrugada.
an early death — morte prematura.
as early as the ninth century — desde o século IX.
at an early date — dentro de pouco tempo.
at your earliest convenience — com a possível brevidade.
early bird (early riser) — madrugador.

early door (teat.) — porta por onde os espectadores podem entrar antes da hora marcada mediante o pagamento duma sobretaxa.
early fruit — fruta temporã.
early in life — no começo da vida.
early in the morning — de manhã cedo.
earlier on — mais cedo.
early reply — resposta pronta.
early strawberries — morangos temporões.
early to bed, early to rise, makes a man healthy and wealthy and wise — deitar cedo e cedo erguer dá saúde e faz crescer.
early train — o comboio da manhã.
***early Victorian* — relativo aos primeiros anos do reinado da rainha Victória.**
***in the early sping* — nos princípios da Primavera..**
***it is the early bird that catches the worn* — primeiro que chegue é o primeiro que é** servido; quem diante vai diante apanha.
the early part of the century — o começo do século.
to fix an early date — fixar uma data para breve.
earmark ['iəmɑ:k], **1** — *s.* marca ou sinal (nas orelhas dos carneiros, etc.).
2 — *vt.* pôr marca ou sinal; separar para fim especial.
to earmark money for travel — pôr de parte dinheiro para viajar.
earn [ə:n], *vt.* ganhar, alcançar, adquirir, obter; merecer.
he had a well-earned rest — teve um descanso bem merecido.
to earn one's living (one's livelihood, one's daily bread) — ganhar a vida.
earnest [-ist], **1** — *s.* seriedade; penhor, garantia; presságio.
earnest money — sinal dum contrato.
he works in earnest — trabalha seriamente.
it's an earnest of what is to come — é um presságio do que está para suceder.
to be in earnest — falar a sério.
2 — *adj.* fervoroso, activo, zeloso, sério, ardente. *(Sin.* serious, true, keen.)
an earnest pupil — um aluno zeloso.
to make an earnest effort — fazer um grande esforço.
earnestly [-istli], *adv.* seriamente, fervorosamente, sinceramente.
earnestness [-istnis], *s.* fervor, zelo, seriedade; actividade.
earnings [-iŋz], *s. pl.* salário; ganhos, lucros.
I spent all my earnings — gastei os meus ganhos, o fruto do meu trabalho.
earth [ə:θ], **1** — *s.* terra, terreno; globo terrestre; mundo; solo; toca. *(Sin.* land, soil, turf, ground, globe, world
earth connection (elect.) — ligação à terra.
earth contact (elect.) — contacto com a terra.
earth-fall — desmoronamento de terras.
earth-moving machine — máquina de terraplanagem; escavadora.
on the face of the earth — sobre a terra, à face da terra.
the greatest painter on earth — o maior pintor do mundo.
to come back to earth — vir à realidade.
to fill a hole with earth — tapar um buraco com terra.
to move heaven and earth — revolver o céu e a terra; empregar grandes esforços.
to put to earth (elect.) — ligar à terra.
to run someone to earth — descobrir alguém.
what on earth does he want? — que diabo quer ele?
why on earth! — porque diabo!
who on earth wrote that? — quem diabo escreveu aquilo?
2 — *vt.* e *vi.* cobrir com terra; (elect.) ligar à terra; fugir para a toca.
to earth up the roots of a tree — cobrir com terra as raízes de uma árvore.
earthen [-ən], *adj.* de barro; de terra.
earthen jar — bilha.
earthenware [-ənwɛə], *s.* louça de barro, faiança.
earthliness [-linis], *s.* qualidade terrestre; vaidade humana.
earthly [-li], *adj.* terrestre; mundano.
earthly joys are transitory — as alegrias terrestres são efémeras.
no earthly chances — sem nenhumas probabilidades.
no earthly use — inútil, de nenhuma utilidade.
earthquake [-kweik], *s.* tremor de terra; terramoto.
earthwork [-wə:k], *s.* aterro; (mil.) fortificação.
earthworme [-wə:m], *s.* minhoca, lombriga.
earthy [-i], *adj.* grosseiro, terroso.
earwig ['iəwig], **1** — *s.* fura-orelhas (insecto).
2 — *vt.* (pret. e pp. **earwigged**) encher os ouvidos a uma pessoa.
ease [i:z], **1** — *s.* sossego, repouso, descanso, ócio; à-vontade; facilidade.
at ease — à vontade.
he played the part of Hamlet with the greatest of ease — desempenhou o papel de Hamlet com o maior à-vontade.
she learns with ease — ela aprende com facilidade.
stand at ease! (mil.). — descansar!
to be ill at ease — estar inquieto; não estar descansado.
to live at ease — viver sem preocupações.
with ease — com facilidade, facilmente.
2 — *vt.* e *vi.* aliviar, mitigar, suavizar; consolar; moderar (velocidade); afrouxar; alargar (alfaiate).
to ease a coat — alargar um casaco.
to ease off — afrouxar; diminuir.
to ease one's mind — aliviar o espírito.
to ease the pain — suavizar a dor.
to ease up — aliviar.
easeful [-ful], *adj.* tranquilo; sossegado; confortável.
easefulness [-fulnis], *s.* tranquilidade; sossego; conforto.
easel [-l], *s.* cavalete de pintor.
easement [-mənt], *s.* servidão (nos terrenos); dependência, anexo; telheiro; (arc.) alívio.
easily [-ili], *adv.* facilmente.
easiness [-inis], *s.* facilidade; tranquilidade: presteza, desembaraço.
east [i:st], **1** — *s.* este, oriente.
the Far East — o Extremo Oriente.
the Middle East — o Médio Oriente.
the Near East — o Próximo Oriente.
2 — *adj.* oriental.
East Africa — África Oriental.
East End — zona oriental de Londres.
3 — *adv.* para leste, em direcção ao oriente.
it lies east — fica para oriente.
Easter [-ə], *s.* Páscoa.
Easter egg — ovo pintado ou de chocolate (para presente na Páscoa).
Easter Sunday — Domingo de Páscoa.
Easter-tide — a época da Páscoa.
Easter week — semana da Páscoa.
the Easter holidays — as férias da Páscoa.
easterly [-əli], **1** — *adj.* oriental, de leste.
an easterly wind — vento de leste.
2 — *adv.* para leste.

eastern [-ən], *s.* e *adj.* oriental.
easternmost [-ənmoust], *adj.* o mais oriental.
easting [-iŋ], *s.* (náut.) caminho a leste.
eastward [-wəd], *adj.* e *adv.* oriental; em direcção a leste.
eastwards [-wədz], *adv.* para leste.
easy ['i:zi], **1** — *s.* pequena paragem.
easy all! (náut.) — ordem aos remadores para fazerem uma pequena pausa.
2 — *adj.* fácil, acessível; sociável; condescendente; sossegado, calmo, tranquilo; suave, agradável; moderado. (*Sin.* facile, light. *Ant.* difficult.)
an easy mind — espírito tranquilo.
easy-chair — poltrona.
easy coat — casaco folgado.
easy speed — velocidade moderada.
he is an easy-going person—ele é um bonacheirão, um não-te-rales.
I cannot make myself easy about it — não posso estar tranquilo a esse respeito.
I put him on easy street — libertei-o das preocupações financeiras.
she bought the car on easy terms (com.) — ela comprou o automóvel com facilidades de pagamento.
she is an easy mark — ela deixa-se explorar facilmente.
to be very free and easy—não fazer cerimónias.
to feel easy about the future — estar tranquilo a respeito do futuro.
to make oneself easy — pôr-se à vontade.
we were in easy circumstances — vivíamos sem dificuldades.
within easy reach — a pequena distância.
yes, that was as easy as shelling peas (as easy as easy) — sim, foi duma facilidade extraordinária.
3 — *adv.* facilmente; devagar.
easier said than done — é mais fácil de dizer do que de fazer.
easy ahead! (náut.) — devagar avante!
easy astern! (náut.) — à ré devagar!
to go easy — não se cansar.
to take things easy — não se ralar, não se cansar.
eat [i:t], *vt.* e *vi.* (pret. **ate** [et], pp. **eaten** [i:tn]) comer; tomar refeições; consumir, devorar, destruir.
that horse ate its head off — aquele cavalo custava mais a sustentar do que aquilo que valia.
they eat out tonight — eles jantam fora esta noite.
to eat a person out of house and home — abusar da hospitalidade de alguém; comer-lhe os olhos da cara.
to eat away — destruir gradualmente; roer.
to eat humble pie — ser obrigado a pedir desculpa.
to eat into — corroer, consumir.
to eat one's fill — comer a fartar.
to eat one's heart out — sofrer em silêncio; andar muito triste.
to eat one's words — desdizer-se.
to eat up — comer tudo; acabar de comer.
eatable [-əbl], *adj.* comestível.
eatables [-əblz], *s. pl.* comestíveis, víveres.
eaten [-n], pp. de **to eat.**
eater [-ə], *s.* comedor.
eating [-iŋ], *s.* comida; comer.
eating-house — restaurante.
you are fond of eating — gostas de comer.
eaves [i:vz], *s. pl.* goteiras do telhado.
eavesdrop [-drɔp], *vi.* (pret. e pp. **eavesdropped**) escutar às portas ou janelas.
eavesdropper [-drɔpə], *s.* o que escuta às portas ou janelas.
eavesdropping [-drɔpiŋ], *s.* acto de escutar às portas ou janelas.
ebb [eb], **1** — *s.* vazante, refluxo da maré, baixa-mar, maré baixa; decadência, declínio.
at a low ebb — em dificuldades.
ebb and flow — fluxo e refluxo da maré.
ebb of life — velhice.
ebb-tide — maré baixa.
he is on the ebb — ele está em declínio.
2 — *vi.* baixar, descer, vazar (a maré); decair, declinar.
his life was rapidly ebbing away — a sua vida entrava rapidamente em decadência.
ebon ['ebən], *adj.* de ébano; negro.
ebonite [-ait], *s.* ebonite.
ebonize [-aiz], *vt.* fingir de ébano; dar a cor de ébano a.
ebony [-i], *s.* (pl. **ebonies**) ébano.
ebriety [i:'braiəti], *s.* ebriedade.
ebrious ['i:briəs], *adj.* ébrio.
ebullience, ebulliency [i'bʌljəns, -si], *s.* ebulição, efervescência; entusiasmo, animação.
ebullient [i'bʌljənt], *adj.* efervescente; vivo, animado, entusiasta.
ebullition [ebə'liʃən], *s.* ebulição, efervescência; exaltação.
eburnean [i'bə:niən], *adj.* ebúrneo.
eccentric [ik'sentrik], **1** — *s.* excêntrico; pessoa excêntrica.
2 — *adj.* excêntrico, extravagante, esquisito; que não tem o mesmo centro.
eccentric circles — circunferências excêntricas.
eccentric hoop (eccentric strap) — aro do excêntrico.
eccentric pulley (eccentric sheave) — carro do excêntrico.
eccentric rod — tirante do excêntrico.
eccentrically [-əli], *adv.* excentricamente.
eccentricity [eksen'trisiti], *s.* (pl. **eccentricities**) excentricidade.
a woman noted for her eccentricities — uma mulher conhecida pelas suas excentricidades.
ecchymosis [eki'mousis], *s.* equimose.
ecclesiastic [ikli:zi'æstik], *s.* e *adj.* eclesiástico.
ecclesiastical [-əl], *adj.* eclesiástico.
ecclesiastical body — sacerdócio.
ecclesiastically [-əli], *adv.* eclesiasticamente.
ecclesiasticism [ikli:zi'æstisizm], *s.* clericalismo.
ecclesiology [ikli:zi'ɔlədʒi], *s.* eclesiologia.
echelon ['eʃəlɔn], **1** — *s.* (mil.) escalão, formação de tropas em divisões paralelas.
2 — *vt.* (mil.) escalonar.
echelonned [-d], *adj.* escalonado.
echidna [e'kidnə], *s.* equidna, mamífero ovíparo existente na Austrália, Nova Guiné e Tasmânia.
echinoderm ['ekainədə:m], *s.* (zool.) equinoderme.
echinus [e'kainəs], *s.* (pl. **echini** [e'kainai]) equino, ouriço-do-mar; equino, parte do capitel dórico em forma dum ouriço.
echo ['ekou], **1** — *s.* (pl. **echoes**) eco.
echo box — caixa-de-ressonância.
they cheered him to the echo — aplaudiram-no ruidosamente.
2 — *vt.* e *vi.* ecoar; repetir; repercutir; produzir eco.
echoless [-lis], *adj.* sem eco.
éclair [ei'klɛə], *s.* pequeno bolo com recheio de creme ou chocolate.
eclampsia [i'klæmpsiə], *s.* (med.) eclampsia, ataque convulsivo relacionado com a gravidez ou o parto.
éclat ['eiklɑ:], *s.* grande brilho, esplendor.
eclectic [ek'lektik], *s.* e *adj.* ecléctico.

eclectically [-əli], *adv.* eclecticamente.
eclecticism [ek'lektisizəm], *s.* eclectismo.
eclipse [i'klips], **1** — *s.* eclipse.
2 — *vt.* eclipsar, interceptar a luz dum astro; exceder. *(Sin.* to obscure, to darken, to surpass, to outshine.)
to eclipse a person — fazer sombra a alguém.
ecliptic [i'kliptik], *s.* e *adj.* eclíptica; eclíptico.
eclogue ['eklɔg], *s.* écloga, poesia pastoril.
economic [i:kə'nɔmik], *adj.* económico; relativo à economia política.
an economic problem — um problema económico.
economical [-əl], *adj.* económico, poupado; relativo à economia política.
economical speed — velocidade económica.
he's an economical person — é uma pessoa económica.
economically [-əli], *adv.* economicamente.
economics [-s], *s.* economia (ciência); economia política.
economist [i(:)'kɔnəmist], *s.* ecónomo; pessoa económica.
economize [i(:)'kɔnəmaiz], *vt.* e *vi.* economizar, poupar.
economy [i(:)'kɔnəmi], *s.* (pl. **economies**) economia, parcimónia no gastar; frugalidade. *(Sin.* thrift, husbandry, frugality, care, order. *Ant.* extravagance.)
domestic economy — economia doméstica.
economy of time — economia de tempo.
political economy — economia política.
ecstasize ['ekstəsaiz], *vt.* e *vi.* extasiar, extasiar-se.
ecstasy ['ekstəsi], *s.* (pl. **ecstasies**) êxtase; arrebatamento.
to be in (go into) ecstasies over something — extasiar-se com qualquer coisa.
ecstatic [eks'tætik], *adj.* extático; absorto.
ecstatically [-əli], *adv.* extàticamente.
ectoplasm ['ektɔplæzm], *s.* ectoplasma.
Ecuador [ekwə'dɔ:], *top.* Equador (país).
Ecuadorian [-riən], *s.* e *adj.* natural do Equador; equatoriano.
ecumenical [i:kju(:)'menikəl], *adj.* ecuménico.
eczema ['eksimə], *s.* eczema.
edacious [i'deiʃəs], *adj.* voraz, glutão.
edacity [i'dæsiti], *s.* voracidade.
eddy ['edi], **1** — *s.* (pl. **eddies**) redemoinho; vento ou nevoeiro movendo-se em redemoinho.
2 — *vt.* e *vi.* redemoinhar, remoinhar.
edelweiss ['eidlvais], *s.* (bot.) leontopódio (planta alpina).
Eden ['i:dn], *s.* éden; paraíso.
edentate [iden'teit], *s.* e *adj.* *(zool.)* desdentado.
Edgar ['edgə], *n. p.* Edgar.
edge [edʒ], **1** — *s.* fio, corte, gume; orla, margem, borda; aresta; beira. *(Sin.* border, brink, brim, verge, margin.)
edge of a lake — margem dum lago.
edge of a roof — beira dum telhado.
gilt edges—margens douradas (de papel, etc.).
he has an edge on — ele está ligeiramente embriagado.
he has an edge on the other boys — tem uma leve vantagem sobre os outros rapazes.
not to put too fine an edge upon it — para falar com franqueza.
on the edge of a precipice — à beira dum precipício.
the edge of the mountain — a cumeada da montanha.
the knife has no edge — a faca não está afiada, não corta.
to be on edge — estar nervoso, excitado.
to give a person the edge of one's tongue — descompor uma pessoa.
to put an edge on a knife — afiar uma faca.
to put to the edge of a sword — passar a fio de espada.
to set the teeth on edge — arrepiar-se.
to sit on the edge of a chair — sentar-se na borda duma cadeira.
to take the edge off — embotar; enfraquecer; atenuar; diminuir (apetite, etc.).
what colour are the edges of that book? — de que cor são as bordas daquele livro?
2 — *vt.* e *vi.* afiar, aguçar; amolar; avançar de lado; deslocar-se vagarosa e cuidadosamente; debruar; orlar.
he edges his way through the crowd — ele abre caminho através da multidão.
the ship edged to the south — o barco virou a rota para sul.
to edge a path with box — orlar uma vereda com buxo.
to edge away — afastar-se cuidadosamente.
to edge in a word — meter a sua palavra.
to edge oneself into the conversation — imiscuir-se na conversa a pouco e pouco.
to edge out someone — derrotar alguém; alcançar a vitória sobre alguém.
edged [-d], *adj.* afiado, aguçado.
a two-edged sword — uma espada de dois gumes.
edged tools — instrumentos cortantes.
to play with edged tools—brincar com o fogo.
edgeless [-lis], *adj.* sem fio; embotado; rombo.
edgeways [-weiz], *adv.* de ponta; de lado; lado a lado.
not to be able to get a word in edgeways — não ter ocasião de dizer uma palavra quando um tagarela está presente.
edgewise [-waiz], *adv.* ver **edgeways.**
edging [-iŋ], *s.* fita, debrum, orla; bainha; guarnição; extremidade.
edgy [-i], *adj.* recortado; aguçado, afiado; irritado.
edibility [edi'biliti], *s.* comestibilidade, qualidade do que é comestível.
edible ['edibl], *adj.* comestível.
edibles [-z], *s. pl.* comestíveis.
edict ['i:dikt], *s.* edicto, lei, ordem, decreto.
edification [edifi'keiʃən], *s.* edificação; aperfeiçoamento moral.
edifice ['edifis], *s.* edifício; casa.
an imposing edifice — um edifício imponente.
edify ['edifai], *vt.* (pret. e pp. **edified**) edificar, construir; levar à virtude pelo exemplo; instruir. *(Sin.* to uplift, to improve, to instruct, to enlighten. *Ant.* to corrupt.)
edifying [-iŋ], *adj.* edificante; moralizador; instrutivo.
edifying books — livros edificantes.
Edinburgh ['edinbərə], *top.* Edimburgo.
edit ['edit], *vt.* editar; preparar para publicação.
Edith ['i:diθ], *n. p.* Edite.
edition [i'diʃən], *s.* edição; impressão e publicação duma obra.
a cheap edition — edição barata.
a pocket edition — edição de bolso.
a revised edition — edição revista.
the first edition of a book — a primeira edição dum livro.
editor ['editə], *s.* editor, director dum jornal ou revista; chefe de redacção.
editorial [edi'tɔ:riəl], **1** — *s.* editorial; artigo de jornal ou revista (da responsabilidade do editor).
2 — *adj.* editorial.
editorially [-i], *adv.* editorialmente.
editorship ['editəʃip], *s.* cargo e função de editor.

editress ['editres], *s. fem.* de **editor.**
Edmund ['edmənd], *n. p.* Edmundo.
educable ['ediukəbl], *adj.* educável.
educability [edju:kə'biliti], *s.* educabilidade.
educand ['edju(:)kənd], *s.* educando.
educate ['edju(:)keit], *vt.* educar; instruir; ensinar. *(Sin.* to instruct, to train, to teach, to cultivate.)
he educated his brothers after their father's death — ele educou os irmãos depois da morte do pai.
to educate a child — educar uma criança.
to educate the ear — educar o ouvido.
educated [-id], *adj.* educado, instruído.
an educated man — um homem educado.
education [edju(:)'keiʃən], *s.* educação; instrução; ensino.
Board of Education—Ministério da Educação.
education is compulsory — a instrução é obrigatória.
elementary education — instrução primária.
higher education — ensino superior.
secondary education — instrução secundária.
educational [edju(:)'keiʃnl], *adj.* relativo à educação; educativo; pedagógico.
education(al)ist [edu(:)'keiʃn(əl)ist], *s.* pedagogo, educador.
educative ['edju(:)kətiv], *adj.* educativo.
educator ['edju(:)keitə], *s.* educador.
educe [i(:)'dju:s], *vt.* eduzir; deduzir; separar, extrair. *(Sin.* to infer, to deduce, to separate, to extract. *Ant.* to insert).
educt ['i:dʌkt], *s.* dedução; (quím.) separação dum composto (por análise); extracto.
eduction [i(:)'dʌkʃən], *s.* edução; dedução; descarga, evacuação, saída.
eduction-pipe — tubo de descarga.
Edward ['edwəd], *n. p.* Eduardo.
Edwin ['edwin], *n. p.* Eduíno.
eel [i:l], *s.* enguia.
eel-bed — viveiro de enguias.
eel-pot (eel-basket) — nassa para enguias.
eel-pout — lota.
he is as slippery as an eel — é difícil de agarrar.
e'en [i:n], *adv.* ver **even.**
e'er [εə], *adv.* ver **ever.**
eerie, eery]'iəri], *adj.* que inspira medo, sobrenatural, misterioso; arrepiante.
eerily [-li], *adv.* misteriosamente.
eeriness [-nis], *s.* pavor do sobrenatural.
efface [i'feis], *vt.* apagar, safar; riscar, obliterar; destruir; fazer desaparecer a pouco e pouco.
to efface oneself — apagar-se, não querer salientar-se.
effaceable [-əbl], *adj.* que se pode apagar, apagável.
effacement [-mənt], *s.* acto de apagar, apagamento.
effect [i'fekt], **1** — *s.* efeito, resultado, consequência; impressão; significado; realização; *pl.* bens, propriedade.
cause and effect — causa e efeito.
he gives large sums of money for effect — ele distribui grandes somas de dinheiro para dar nas vistas.
he used words to this effect — usou palavras com este significado.
in effect — em vigor; efectivamente.
of no effect — inútil.
personal effects — bens móveis.
the effects of light on plants — os efeitos de luz nas plantas.
the law is still in effect — a lei ainda está em vigor.
to be of no effect — não produzir resultado.
to bring (carry) a thing into effect — levar a efeito, realizar, efectuar uma coisa.
to take effect—produzir efeito; entrar em vigor.
2 — *vt.* efectuar, levar a efeito, realizar. *(Sin.* to accomplish, to realize, to fulfil, to achieve, to execute, to complete.)
to effect a payment — efectuar um pagamento.
effective [i'fektiv], **1** — *s.* (mil.) efectivo, tropas do efectivo.
2 — *adj.* efectivo; eficaz; vistoso; que produz efeito.
an effective dress — um vestido que produz efeito; um vestido que dá nas vistas.
effective output — rendimento real.
effective power — potência efectiva.
the treatment was effective — o tratamento foi eficaz.
to take effective measures — tomar providências eficazes.
effectively [-li], *adv.* efectivamente; eficazmente.
effectiveness [-nis],*s.* eficiência; eficácia; efeito.
effectives [-z], *s. pl.* efectivos, tropas que constituem uma unidade militar.
effectual [i'fektjuəl], *adj.* eficiente; eficaz; válido, legal.
an effectual punishment — castigo eficaz.
effectually [-i], *adv.* eficientemente; eficazmente.
effectualness [-nis], *s.* eficácia, eficiência.
effectuate [i'fektjueit], *vt.* efectuar, realizar.
effectuation [ifektju'eiʃən], *s.* efectuação, execução; realização.
effeminacy [i'feminəsi], *s.* efeminação.
effeminate [i'feminit], *adj.* efeminado.
effeminately [i'feminitli], *adv.* efeminadamente.
effendi [e'fendi], *s.* efêndi.
efferent ['efərənt], *adj.* eferente.
effervesce [efə'ves], *vi.* efervescer.
effervescence, effervescency [-ns, -nsi], *s.* efervescência.
effervescent [-nt], *adj.* efervescente.
effete [e'fi:t], *adj.* gasto, cansado, exausto; estéril; caduco.
effeteness [-nis], *s.* exaustão; esgotamento; caducidade.
efficacious [efi'keiʃəs], *adj.* eficaz, eficiente. *(Sin.* effective, effectual, efficient. *Ant.* useless.)
efficaciously [-li], *adv.* eficazmente.
efficaciousness, efficacy [-nis, 'efikəsi], *s.* eficácia.
efficiency [i'fiʃənsi], *s.* eficiência, eficácia; rendimento (máquina).
efficient [i'fiʃənt], *adj.* eficiente; apto, competente.
an efficient teacher — professor competente.
efficiently [-li], *adv.* eficientemente.
effigy ['efidʒi], *s.* (pl. **effigies**) efígie; imagem.
to burn a person in effigy — queimar o retrato de uma pessoa como prova de ódio.
effloresce [eflɔ:'res], *vi.* eflorescer, começar a florescer.
efflorescence [-ns], *s.* eflorescência.
efflorescent [-nt], *adj.* eflorescente.
effluence ['efluəns], *s.* efluência, emanação.
effluent ['efluənt], **1** — *s.* rio que se forma de outro maior.
2 — *adj.* efluente.
effluvium [e'flu:viəm], *s.* (pl. **effluvia** [-iə]) eflúvio.
efflux ['eflʌks], *s.* (pl. **effluxes**) fluxo; efusão; emanação.
effort ['efət], *s.* esforço. *(Sin.* attempt, exertion, endeavour, strain.)
fruitless effort — esforço inútil.
to make an effort — fazer um esforço.
to spare no effort — não se poupar a esforços.

to use every effort — empregar todos os esforços.
utmost efforts — os maiores esforços.
effortless [-lis], *adj.* passivo; sem esforço.
effrontery [e'frʌntəri], *s.* descaramento, descaro, desfaçatez.
effulgence [e'fʌldʒəns], *s.* refulgência, brilho, resplendor, fulgor.
effulgent [e'fʌldʒənt], *adj.* refulgente, brilhante, resplandecente, fulgente. *(Sin.* brilliant, shining, beaming, splendid. *Ant.* dull.)
effuse [e'fju:z], **1** — *adj.* derramado; espalhado.
2 — *vt.* e *vi.* derramar, espargir; verter; espalhar-se.
effusion [i'fju:ʒən], *s.* efusão, derramamento. *(Sin.* emission, pouring, effluence, shedding. *Ant.* absorption.)
effusive [i'fju:siv], *adj.* efusivo; profuso; expansivo.
effusively [-li], *adv.* efusivamente; dum modo expansivo.
effusiveness [-nis], *s.* expansão.
eft [eft], *s.* lagartixa.
egg [eg], **1** — *s.* ovo; (col.) bomba explosiva.
addled egg — ovo goro.
as sure as eggs is eggs — tão certo como dois e dois serem quatro.
boiled eggs — ovos cozidos.
darning egg — ovo de coser meias.
egg-beater — batedeira de ovos.
egg-cup — oveiro; pequena taça para comer ovos cozidos.
egg-dealer — negociante de ovos.
egg-flip (egg-nog) — gemada (feita com ovos, açúcar, leite, vinho ou cerveja).
egg-plant — beringela.
egg-shell — casca de ovo.
egg sweets — trouxas de ovos.
egg-whisk — batedor de ovos.
fried eggs — ovos estrelados.
good egg (cal.) — boa pessoa; coisa boa.
hard-boiled eggs — ovos bem cozidos.
he is a bad egg — é um biltre.
in the egg — em embrião; no início.
it is like the curate's egg — nem é bom nem mau.
new-laid eggs — ovos frescos.
poached eggs — ovos escalfados.
raw-eggs — ovos crus.
rotten-egg — ovo podre.
scrambled eggs — ovos mexidos.
soft-boiled eggs — ovos pouco cozidos.
the white of the egg — a clara do ovo.
the yolk of the egg — a gema do ovo.
to lay eggs — pôr ovos.
to put all one's eggs into one basket — arriscar toda a fortuna numa empresa.
to teach his grandmother to suck eggs — ensinar o Pai-Nosso ao vigário.
2 — *vt.* incitar; provocar.
to egg a person on to do something — instigar alguém a fazer qualquer coisa.
to egg on — incitar, instigar.
eglantine ['egləntain], *s.* roseira silvestre odorífera.
egocentrism [egou'sentrizəm], *s.* egocentrismo.
egoism ['egouizm], *s.* egoísmo.
egoist ['egouist], *s.* egoísta.
egoistic(al) [egou'istik(əl)], *adj.* egoísta.
egoistically [egou'istikəli], *adv.* egoisticamente.
egotism ['egoutizm], *s.* egotismo, hábito de falar muito de si.
egotist ['egoutist], *s.* egotista.
egotistic(al) [egou'tistik(əl)], *adj.* egotista.
egotistically [egou'tistikəli], *adv.* dum modo egotista.
egotize ['egoutaiz], *vi.* falar muito de si.
egregious [i'gri:dʒəs], *adj.* enorme, tremendo; flagrante, extraordinário.
an egregious error — um erro flagrante.
an egregious folly — uma tremenda loucura.
an egregious fool — um grande parvo.
egregiously [-li], *adv.* enormemente; extraordinàriamente.
egress ['i:gres], *s.* (pl. **egresses**) egresso, saída; direito de saída.
egression [i(:)'greʃən], *s.* egressão.
egret ['i:gret], *s.* (zool.) espécie de garça; pluma, penacho.
Egypt ['i:dʒipt], *top.* Egipto.
Egyptian [i'dʒipʃən], *s.* e *adj.* egípcio.
Egyptologist [i:dʒip'tɔlədʒist], *s.* egiptólogo, o que é versado em egiptologia.
Egyptology [i:dʒip'tɔlədʒi], *s.* egiptologia, estudos relativos ao antigo Egipto.
eh [ei], *interj.* hein!, quê!
eider ['aidə], *s.* êider.
eider-down — penugem de ganso; edredão.
eider-duck — êider.
eidograph ['aidougrɑ:f], *s.* instrumento para aumentar ou reduzir desenhos.
eidolon [ai'doulɔn], *s.* (pl. **eidolona, eidolons** [-ə, -ɔnz]) espectro, fantasma.
eight [eit], *s.*, *adj.* e *num.* oito.
in eight weeks from now — dentro de oito semanas.
the eights — as corridas de barcos entre Oxónia e Cantabrígia.
two eights are sixteen — oito vezes dois são dezasseis.
eighteen ['ei'ti:n], *s.*, *adj.* e *num.* dezoito.
eighteenth [-θ], *s.*, *adj.* e *num.* décimo oitavo; dezoito avos.
eightfold ['eitfould], *adj.* e *adv.* óctuplo; oito vezes mais.
eighth [eitθ], *s.*, *adj.* e *num.* oitavo.
eighthly [-li], *adv.* em oitavo lugar.
eightieth ['eitiiθ], *s.*, *adj.* e *num.* octogésimo.
eightsome ['eitsəm], *s.* e *adj.* dança escocesa para oito pessoas.
eighty ['eiti], *s.*, *adj.* e *num.* oitenta.
Eire ['ɛərə], *top.* Estado Livre da Irlanda.
eirenicon [ai'ri:nikɔn], *s.* plano para assegurar a paz.
Eisenhower ['aizənhauə], *n. p.* apelido do general Dwight David Eisenhower, que foi presidente dos Estados Unidos da América do Norte.
eistddfodd [ais'teðvɔd], *s.* (pl. **eistddfodau** [aisteð'vɔdai), reunião de bardos e cantores para promover o amor pela literatura e música dos galeses.
either ['aiðə], **1** — *adj.* e *pron.* um de dois; um ou outro; cada um; ambos.
either of you can go — um ou outro pode ir.
either will do — um ou outro serve.
here are two pencils; you may take either — estão aqui dois lápis; pode levar qualquer um deles.
2 — *adv.* tão-pouco, também não (em frases negativas e interrogativas-negativas).
I didn't notice it either — eu também não reparei nisso.
if you do not go, I shall not either —se tu não fores, não irei também.
I haven't seen him: nor she either — eu não o vi, nem ela tão-pouco.
3 — *conj.* ou.
either speak yourself or let me speak — falas tu ou falo eu.
ejaculate [i'dʒækjuleit], *vt.* falar com veemência; exclamar; ejacular, emitir.
ejaculation [idʒækju'leiʃən], *s.* ejaculação, jacto; exclamação.

ejaculatory [i'dʒækjuleitəri], *adj.* ejaculatório; exclamatório.
eject 1 — ['i:dʒekt], *s.* objecto inferido.
2 — [i(:)'dʒekt], *vt.* lançar, arrojar; expulsar, mandar embora. (*Sin.* to expel, to dismiss, to send away, to throw out, to emit, to discharge. *Ant.* to retain.)
he was ejected because he didn't pay the rent — ele foi posto na rua porque não pagou a renda.
ejection [i(:)'dʒekʃən], *s.* ejecção; expulsão; mandado de despejo.
ejectment [i(:)'dʒektmənt], *s.* expulsão; (jur.) despejo.
ejector [i(:)'dʒektə], *s.* expulsor; ejector.
ejector button — botão ejector.
ejector pipe — tubo do ejector.
eke [i:k], **1** — *vt.* aumentar; fazer durar; preencher.
to eke out one's living — aumentar o vencimento arranjando quaisquer trabalhos.
2 — *adv.* (arc.) também.
elaborate 1 — [i'læbərit], *adj.* elaborado, feito com esmero; esmerado; primoroso; complicado.
elaborate plans — planos cuidadosamente preparados.
2 — [i'læbəreit], *vt.* elaborar; trabalhar com esmero.
elaborately [i'læbəritli], *adv.* esmeradamente; elaboradamente.
elaborateness [i'læbəritinis], *s.* esmero, perfeição, primor; acabamento.
elaboration [ilæbə'reiʃən], *s.* elaboração.
eland ['i:lənd], *s.* (zool.) antílope.
elapse [i'læps], *vi.* passar, decorrer.
elastic [i'læstik], *s.* e *adj.* elástico.
elastic band — fita elástica.
elastic conscience — consciência elástica.
elastic energy — energia elástica.
elastic power — força elástica.
elastically [-əli], *adv.* com elasticidade, elasticamente.
elasticity [elæs'tisiti], *s.* elasticidade.
elasticity of gas — elasticidade dos gases.
elate [i'leit], **1** — *adj.* orgulhoso; entusiasmado; exultante.
2 — *vt.* elevar, exaltar; extasiar-se.
elation [i'leiʃən], *s.* elação, exaltação; entusiasmo; orgulho.
Elba ['elbə], *top.* Elba (ilha).
Elbe [elb], *top.* Elba (rio).
elbow ['elbou], **1** — *s.* cotovelo; ângulo; esquina.
elbow bend — curva em cotovelo.
elbow-chair — cadeira de braços.
elbow-glove — luva alta.
elbow-grease — trabalho árduo.
elbow-high — até aos cotovelos.
elbow-pipe — tubo em forma de cotovelo.
I am up to the elbows in work — estou muito atarefado.
it is at your elbow — está perto de si.
out at elbows — mal vestido; de aspecto desprezível.
to have elbow-room — ter muito espaço, largueza.
to rub elbows with — misturar-se com.
2 — *vt.* acotovelar; abrir caminho, empurrar (com os cotovelos).
to elbow one's way through a crowd — abrir caminho às cotoveladas; por entre a multidão.
elchee ['eltʃi], *s.* embaixador.
elder ['eldə], **1** — *s.* pessoa idosa, ancião; juiz eclesiástico em algumas igrejas protestantes; (bot.) sabugueiro; *pl.* pessoas mais velhas.
elder-berry — baga de sabugueiro.
elder-berry wine — sumo de baga de sabugueiro.
obey your elders — obedeçam às pessoas mais velhas.
2 — *adj.* mais velho; com mais categoria.
the elder brother is married — o irmão mais velho está casado.
elderly ['eldəli], *adj.* de idade madura.
eldest ['eldist], *adj.* o mais velho.
the eldest son — o filho mais velho.
Eleanor ['elinə], *n. p.* Leonor.
Eleanora [eliə'nɔ:rə], *n. p.* Eleanora.
elecampane [elikæm'pein], *s.* (bot.) énula-campana.
elect [i'lekt], **1** — *s.* e *adj.* pessoa eleita; eleito, escolhido; preferido.
2 — *vt.* eleger, escolher; preferir. (*Sin.* to choose, to select, to prefer. *Ant.* to reject.)
to elect a member of Parliament — eleger um membro do Parlamento.
election [i'lekʃən], *s.* eleição, escolha.
by-election — eleição de um deputado para a vaga de outro.
electioneer [ilekʃə'niə], *vt.* fazer campanha eleitoral; angariar votos para eleições; galopinar.
electioneerer [-rə], *s.* angariador de votos para as eleições; galopim.
electioneering [-riŋ], *s.* campanha eleitoral.
elective [i'lektiv], *adj.* electivo.
electively [-li], *adv.* electivamente.
elector [i'lektə], *s.* eleitor.
electoral [i'lektərəl], *adj.* eleitoral.
electorate [i'lektərit], *s.* eleitorado; conjunto de eleitores.
electress [i'lektris], *s. fem.* eleitora.
electric [i'lektrik], **1** — *s.* substância capaz de produzir electricidade.
2 — *adj.* eléctrico.
electric accumulator — acumulador eléctrico.
electric bell — campainha eléctrica.
electric blue — azul eléctrico.
electric boiler — caldeira eléctrica.
electric burner — acendedor eléctrico.
electric cable — cabo eléctrico.
electric central station — central eléctrica.
electric chair — cadeira eléctrica.
electric column — pilha voltaica.
electric current — corrente eléctrica.
electric discharge — descarga eléctrica.
electric eye — célula fotoeléctrica.
electric fan — ventoinha eléctrica.
electric fire — radiador eléctrico.
electric fixtures — instalações eléctricas.
electric iron — ferro eléctrico.
electric lamp — lâmpada eléctrica.
electric light — luz eléctrica.
electric light engine — dínamo.
electric magnet — electroíman.
electric meter — contador.
electric mixer — batedeira eléctrica.
electric motor — motor eléctrico.
electric railway — caminho-de-ferro eléctrico.
electric record player — gira-discos eléctrico.
electric shaver — máquina eléctrica de barbear.
electric shock — choque eléctrico.
electric sign — reclamo luminoso.
electric stove — fogão eléctrico.
electric supply — fornecimento de energia eléctrica.
electric switch — interruptor eléctrico.
electric toaster — torradeira eléctrica.
electric torch — pilha eléctrica.
electric train — comboio eléctrico.

electrical [-əl], *adj.* eléctrico.
electrical alarm — alarme eléctrico.
electrical blower — ventoinha eléctrica.
electrical buzzer — sinal de alarme eléctrico.
electrical chain — cadeia eléctrica.
electrical connection — ligação eléctrica.
electrical engineer — engenheiro electrotécnico.
electrical fitter — mecânico electricista.
electrical shop — oficina para artigos de electricidade.
electrical tape — fita isoladora.
electrically [i'lektrikəli], *adv.* electricamente.
electrician [ilek'triʃən], *s.* electricista.
electricity [ilek'trisiti], *s.* electricidade.
electricity works — geradora eléctrica.
electrification [ilektrifi'keiʃən], *s.* electrificação.
electrified [i'lektrifaid], *adj.* electrificado.
electrified railroad — linha férrea electrificada.
electrify [i'lektrifai], *vt.* electrificar; electrizar; excitar; entusiasmar.
to electrify an audience — electrizar um auditório.
electrifying [-iŋ], **1** — *s.* electrificação; electrização.
2 — *adj.* electrizante.
electrize [i'lektraiz], *vt.* electrizar.
electro [i'lektrou], **1** — *s.* (col.) cromagem.
2 — *vt.* (col.) cromar; niquelar.
3 — *pref.* eléctrico, electricidade.
electro-cardiogram — electrocardiograma.
electro-chemistry — electroquímica.
electro-magnet — electroíman.
electro-therapeutics (electro-therapy) — electroterapia.
electrocute [i'lektrəkju:t], *vt.* electrocutar, matar por meio de electricidade.
electrocution [ilektrə'kju:ʃən], *s.* electrocução, morte produzida pela electricidade.
electrode [i'lektroud], *s.* eléctrodo.
electrodynamics [i'lektroudai'næmiks], *s.* electrodinâmica.
electrolier [ilektrou'liə], *s.* lustre, candelabro.
electrolyse [i'lektroulaiz], *vt.* electrolisar.
electrolysis [ilek'trɔlisis], *s.* electrólise, decomposição química produzida pela corrente eléctrica.
electrolyte [i'lektroulait], *s.* electrólito.
electrolytic [ilektrou'litik], *adj.* electrolítico.
electrolytic bath — banho electrolítico.
electrometer [ilek'trɔmitə], *s.* electrómetro.
electromotive [i'lektroumoutiv], **1** — *s.* electromotor.
2 — *adj.* electromotriz.
electron [i'lektrɔn], *s.* electrão.
electronic [ilek'trɔnik], *adj.* electrónico.
electronic calculator — máquina electrónica de calcular.
electronic microscope — microscópio electrónico.
electronics [-s], *s.* electrónica.
electrophone [i'lektrəfoun], *s.* electrofone.
electrophorus [ilek'trɔfərəs], *s.* electróforo.
electro-plate [i'lektrou-pleit], **1** — *s.* cromado; niquelado.
2 — *vt.* cromar; cobrir com metal por meio de galvanoplastia.
electroscope [i'lektrəskoup], *s.* electroscópio.
electrostatic [i'lektrou'stætik], *adj.* electrostático.
electrostatic field — campo electrostático.
electrostatic unit — unidade electrostática.
electrostatics [-s], *s.* electrostática.
electrotype [i'lektroutaip], *s.* electrotipia.
electrum [i'lektrəm], *s.* electro; âmbar amarelo; liga de ouro e prata.
electuary [i'lektjuəri], *s.* electuário, medicamento composto de pós, extractos vegetais e açúcar.
eleemosynary [elii:'mɔsinəri], *adj.* caritativo; que vive de esmolas.
elegance ['eligəns], *s.* elegância, distinção; graça; delicadeza de expressão; gentileza. (*Sin.* beauty, grace, refinement, taste, politeness. *Ant.* coarseness.)
elegant ['eligənt], **1** — *s.* pessoa elegante.
2 — *adj.* elegante, gentil, distinto.
elegantly [-li], *adv.* elegantemente.
elegiac [eli'dʒaiək], *adj.* elegíaco.
elegist ['elidʒist], *s.* autor de elegias, poeta elegíaco.
elegize ['elidʒaiz], *vt.* e *vi.* escrever elegias; escrever em tom de elegia.
elegy ['elidʒi], *s.* (pl. **elegies**) elegia.
element ['elimənt], *s.* elemento, componente; princípio fundamental; ambiente; meio; matéria-prima; indício; corpo simples; *pl.* noções, fundamentos, rudimentos; forças da natureza, elementos.
the four elements (earth, water, fire, air) — os quatro elementos (terra, água, fogo, ar).
there is an element of truth in what you say — há um indício de verdade no que dizes.
to be in one's element — estar dentro do seu elemento; estar como peixe na água.
to be out of one's element — estar como peixe fora de água; estar fora do seu elemento.
elemental [eli'mentl], *adj.* elementar, elemental; que tem natureza de elemento.
elementarily [eli'mentərili], *adv.* dum modo elementar.
elementariness [eli'mentərinis], *s.* qualidade de ser elementar.
elementary [eli'mentəri], *adj.* elementar, simples, rudimentar.
an elementary knowledge — conhecimento elementar.
an elementary school — uma escola elementar.
elemi ['elimi], *s.* elemi, resina da elemieira.
elenchus [i'leŋkəs], *s.* (pl. **elenchi** [i'leŋkai]) refutação lógica.
Socratic elenchus — método socrático.
Eleonora [eliə'nɔ:rə], *n. p.* Leonor.
elephant ['elifənt], *s.* elefante.
bull elephant — elefante-macho.
cow elephant — elefante-fêmea.
elephant-driver — cornaca, condutor e tratador de elefantes.
white elephant — presente que incomoda mais do que vale.
elephantiasis [elifæn'taiəsis], *s.* elefantíase, enfermidade da pele.
elephantine [eli'fæntain], *adj.* elefantino.
elevate ['eliveit], *vt.* elevar, levantar; animar; excitar; exaltar; dignificar. (*Sin.* to lift, to raise, to exalt, to dignify. *Ant.* to degrade.)
to elevate the voice — falar mais alto.
elevated [-id], *adj.* elevado, alto; nobre; sublime; (fam.) ébrio.
elevated thoughts — ideias elevadas.
to be a little elevated — estar tocado da pinga (col.).
elevation [eli'veiʃən], *s.* elevação, altura; nobreza, distinção; exaltação; alçado dum edifício.
elevation of style — elevação de estilo.
elevation of the Host — Elevação, momento da missa em que o sacerdote levanta a hóstia ou o cálice.
elevator ['eliveitə], *s.* (E. U.) elevador, ascensor; aparelho para elevar; armazém de cereais; (av.) leme de profundidade.
elevator operator — empregado do elevador.
eleven [i'levn], *s.*, *adj.* e *num.* onze.

an eleventh — um grupo desportivo formado por onze jogadores.
elevens (es) (col.) — refeição muito ligeira que se toma por volta das onze horas.
the Eleven — os onze discípulos (sem Judas).
eleventh [-θ], *s.*, *adj.* e *num.* décimo primeiro, undécimo; onze avos.
at the eleventh hour — à última hora, no último momento.
elf [elf], *s.* (pl. **elves** [elvz]) duende, gnomo, trasgo; anão.
elf-bolt — ponta de seta de sílex.
elf-land — região dos duendes.
elf-lock — trança de cabelo emaranhado.
elf-struck — enfeitiçado.
elfin ['elfin], **1** — *s.* anão; criança travessa. **2** — *adj.* de duende, próprio de gnomo.
elfish ['elfiʃ], *adj.* próprio de duende; misterioso; travesso, traquina.
Elias [i'laiəs], *n. p.* Elias.
elicit [i'lisit], *vt.* tirar, deduzir; fazer sair; obter gradualmente; descobrir.
to elicit a spark — fazer sair uma faísca.
to elicit the truth — descobrir a verdade.
elide [i'laid], *vt.* elidir (uma vogal ou sílaba); fazer elisão de.
eligibility [elidʒə'biliti], *s.* (pl. **eligibilities**) elegibilidade.
eligible ['elidʒəbl], *adj.* elegível; aceitável.
eligibly [-i], *adv.* dum modo elegível.
eliminable [i'liminəbl], *adj.* eliminável.
eliminate [i'limineit], *vt.* eliminar, excluir; pôr de parte. (*Sin.* to expel, to exclude, to remove.)
elimination [ilimi'neiʃən], *s.* eliminação; exclusão; expulsão.
eliminatory [i'liminətəri], *adj.* eliminatório.
elision [i'liʒən], *s.* elisão.
elixir [i'liksə], *s.* elixir.
Eliza [i'laizə], *n. p.* Elisa.
Elizabeth [i'lizəbəθ], *n. p.* Isabel.
Elizabethan [ilizə'bi:θən], *s.* e *adj.* pessoa que viveu na época de Isabel I; isabelino.
elk [elk], *s.* alce, espécie de grande veado das regiões do Norte.
elkhound ['elkhaund], *s.* cão de caça ao veado.
ell [el], *s.* vara (antiga medida de 45 polegadas).
if you give him an inch, he'll take an ell — se lhe dás o pé, tomar-te-á a mão; dá-se-lhe o dedo mínimo e ele agarra-se à mão toda.
Ellen ['elin], *n. p.* Helena.
ellipse [i'lips], *s.* (geom.) elipse.
ellipsis [i'lipsis], *s.* (pl. **ellipses** [i'lipsi:z]) elipse, omissão de uma ou mais palavras que se subentendem.
ellipsoid [i'lipsɔid], *s.* (geom.) elipsóide.
elliptic [i'liptik], *adj.* elíptico.
elliptic cross-section — secção elíptica.
elliptical [-əl], *adj.* ver **elliptic.**
elliptical orbit — órbita elíptica.
elliptically [i'liptikəli], *adv.* elipticamente.
ellipticity [elip'tisiti], *s.* elipticidade.
elm [elm], *s.* (bot.) olmo, olmeiro, ulmeiro.
elmy ['elmi], *adj.* cheio de olmeiros; que abunda em olmeiros.
elocute [elou'kju:t], *vi.* (E. U.) recitar.
elocution [elə'kju:ʃən], *s.* elocução; declamação.
elocutionary [elə'kju:ʃnəri], *adj.* declamatório.
elocutionist [elə'kju:ʃnist], *s.* declamador; professor de declamação.
Eloi [i:'louai], *n. p.* Elói.
elongate ['i:lɔŋgeit], *vt.* e *vi.* alongar, estender; alongar-se, estender-se.
elongation [i:lɔŋ'geiʃən], *s.* alongamento, prolongamento, extensão; aumento.
elope [i'loup], *vi.* fugir de casa para se casar; consentir no rapto.
elopement [-mənt], *s.* rapto; fuga (para se casar sem consentimento dos pais).
eloper [-ə], *s.* aquela que foge com o namorado ou noivo.
eloquence ['eləkwəns], *s.* eloquência; arte de bem falar.
eloquent ['eləkwənt], *adj.* eloquente.
eloquently [-li], *adv.* eloquentemente.
Elsa ['elsə], *n. p.* Elsa.
else [els], **1** — *adv.* (em ligação com pronomes indefinidos e interrogativos) outro; mais, além de.
anything else? — alguma coisa mais.
did you see anyone else? — viste mais alguém?
nobody else — mais ninguém.
nothing else — nada mais.
nowhere else — em nenhuma outra parte.
somewhere else — em qualquer outra parte.
what else did you do? — que mais fizeste?
who else? — quem mais?
2 — *conj.* quando não, ou então, senão.
run (or) else you'll be late — corre, quando não chegas tarde.
elsewhere ['els'wɛə], *adv.* em qualquer outra parte.
elucidate [i'lu:sideit], *vt.* elucidar, esclarecer; aclarar, explicar.
elucidation [ilu:si'deiʃən], *s.* elucidação, esclarecimento, explicação.
elucidative [i'lu:sideitiv], *adj.* elucidativo.
elucidator [i'lu:sideitə], *s.* elucidador.
elucidatory [-ri], *adj.* elucidativo.
elude [i'lu:d], *vt.* evitar, iludir, escapar. (*Sin.* to evade, to avoid, to escape. *Ant.* to encounter.)
to elude one's enemies — iludir os inimigos.
elusion [i'lu:ʒən], *s.* engano; ardil; estratagema; evasiva.
elusive [i'lu:siv], *adj.* enganoso; ardiloso; inapreensível; esquivo.
an elusive word — palavra difícil de reter.
elusive answers — respostas evasivas.
elusive arguments — argumentos ardilosos.
elusively [-li], *adv.* de modo elusivo; ardilosamente.
elusiveness [-nis], *s.* engano; ardil.
elusory [i'lu:səri], *adj.* evasivo, argucioso, ardiloso.
elvan ['elvən], *s.* rocha dura de origem ígnea.
elver ['elvə], *s.* enguia nova.
elves [elvz], *pl.* de **elf.**
Elvira [el'vaiərə], *n. p.* Elvira.
elvish ['elviʃ], *adj.* próprio de duendes; travesso.
Elysian [i'liziən], *adj.* elísio.
the Elysian Fields — os Campos Elísios.
elytron ['elitrɔn], *s.* (pl. **elytra** ['elitrə]) élitro, asa exterior dos coleópteros; vagina.
'em [əm], ver **them.**
emaciate [i'meiʃieit], *vt.* emagrecer; emaciar; empobrecer (o solo).
emaciated [-id], *adj.* emaciado; muito magro; definhado, emagrecido.
emaciation [imeisi'eiʃən], *s.* emaciação, emagrecimento.
emanate ['eməneit], *vi.* emanar, proceder, provir.
emanation [emə'neiʃən], *s.* emanação; exalação.
emanative ['eməneitiv], *adj.* emanante.
emancipate [i'mænsipeit], *vt.* emancipar; tornar-se livre; libertar.
to emancipate slaves — libertar escravos.
emancipated [-id], *adj.* emancipado.
emancipation [imænsi'peiʃən], *s.* emancipação; libertação.
emancipator [i'mænsipeitə], *s.* emancipador.

Emanuel [i'mænjuəl], *n. p.* Emanuel; Manuel.
emasculate [i'mæskjuleit], *vt.* emascular; castrar; efeminar; empobrecer (linguagem).
embalm [im'bɑ:m], *vt.* embalsamar; perfumar.
embalment [-ənt], *s.* embalsamamento.
embalmer [-ə], *s.* embalsamador.
embank [im'bæŋk], *vt.* represar; terraplenar; aterrar.
embankment [-mənt], *s.* dique; aterro; barragem de protecção.
embargo [em'bɑ:gou], **1** — *s.* embargo; detenção de navios ou mercadorias; proibição de comércio estrangeiro.
to be under an embargo — estar sob embargo.
to lay an embargo on — embargar.
to take off (lift, raise) the embargo on — levantar o embargo.
2 — *vt.* embargar; requisitar.
embark [im'bɑ:k], *vt.* e *vi.* embarcar; tomar parte em, meter-se (em negócios).
to embark on a new business undertaking — tomar parte num negócio novo.
to embark passengers and cargo — embarcar passageiros e carga.
embarkation [embɑ:'keiʃən], *s.* embarque; coisas embarcadas.
embarrass [im'bærəs], *vt.* embaraçar; estorvar; complicar, dificultar; perturbar.
to embarrass someone's movements — embaraçar os movimentos de alguém.
embarrassed [-t], *adj.* embaraçado, com dificuldades.
he is embarrassed by debts — está embaraçado com dívidas.
embarrassing [-iŋ], *adj.* embaraçoso.
embarrassingly [-iŋli], *adv.* embaraçosamente.
embarrassment [-mənt], *s.* embaraço, estorvo, dificuldade, obstáculo; perturbação; perplexidade.
embassy ['embəsi], *s.* (pl. **embassies**) embaixada.
embattle [im'bætl], *vt.* dispor em ordem de batalha; pôr ameias; fortificar.
embattled [-d], *adj.* recortado de ameias.
embay [im'bei], *vt.* (náut.) fechar numa baía, deter numa baía.
embed [im'bed], *vt.* (pret. e pp. **embedded**) encaixar; embutir, incrustar, encastoar; enterrar; implantar; fixar; reter (na memória).
a thorn embedded in the finger — um espinho enterrado no dedo.
the facts are embedded for ever in my recollection — os factos ficam gravados para sempre na minha memória.
embellish [im'beliʃ], *vt.* embelezar, aformosear; enfeitar, decorar; aperfeiçoar, realçar (uma descrição, história, etc.). (*Sin.* to decorate, to beautify, to adorn. *Ant.* to disfigure.)
embellishment [-mənt], *s.* embelezamento, aformoseamento; decoração; adorno.
ember ['embə], *s.* pedaço de carvão incandescente; brasa; *pl.* borralho, brasas.
Ember-days — as Quatro Têmporas.
Ember-fast — jejum das Têmporas.
Ember-week — semana das Têmporas.
embezzle [im'bezl], *vt.* desfalcar, defraudar, desencaminhar dinheiros.
embezzlement [-mənt], *s.* desfalque, desvio de valores.
embezzler [-ə], *s.* autor de desfalque.
embitter [im'bitə], *vt.* amargar, tornar amargo; amargurar; exasperar.
embittered [-d], *adj.* irritado; amargurado.
embitterment [-mənt], *s.* azedume; amargura; exasperação.

emblazon [im'bleizən], *vt.* brasonar; exaltar, enaltecer, celebrar.
emblazoned [-d], *adj.* brasonado.
emblazonry [-ri], *s.* heráldica; brasões.
emblem ['embləm], **1** — *s.* símbolo; divisa, emblema.
sporting emblem — emblema desportivo.
2 — *vt.* simbolizar.
emblematic(al) [embli'mætik(əl)], *adj.* emblemático, simbólico.
emblematically [-əli], *adv.* simbolicamente.
emblematize [em'blemətaiz], *vt.* simbolizar, representar por meio de emblemas.
emblements ['emblmənts], *s. pl.* produtos das terras semeadas ou plantadas; colheita anual do que se semeou ou plantou.
embodiment [im'bɔdimənt], *s.* incorporação; personificação.
embody [im'bɔdi], *vt.* incorporar, dar forma corpórea a; juntar, englobar, incluir. (*Sin.* to incorporate, to incarnate, to integrate. *Ant.* to disembody.)
embog [em'bɔg], *vt.* (pret. e pp. **embogged**) enterrar-se num atoleiro, mergulhar.
embolden [im'bouldən], *vt.* animar, encorajar.
embolism ['embəlizəm], *s.* embolia.
embosom [im'buzəm], *vt.* abraçar, apertar de encontro ao peito; circundar, cercar.
a garden embosomed with houses — um jardim cercado de casas.
emboss [im'bɔs], *vt.* gravar em relevo; entalhar.
embossing [-iŋ], *s.* gravura em relevo.
embossment [-mənt], *s.* relevo; realce; trabalho feito em relevo.
embottle [im'bɔtl], *vt.* engarrafar.
embowel [im'bauəl], *vt.* (pret. e pp. **embowelled**) estripar, desentranhar.
embower [im'bauə], *vt.* cobrir ou cercar com folhagem em forma de caramachão.
embrace [im'breis], **1** — *s.* abraço.
2 — abraçar; cingir; incluir, abranger; aceitar; aproveitar; adoptar.
his studies embraced many subjects — os seus estudos compreendiam muitas matérias.
to embrace an offer — aceitar uma oferta.
to embrace an opportunity — aproveitar uma ocasião.
to embrace a situation — encarar uma situação.
to embrace Christianity — abraçar o Cristianismo.
to embrace one's children — abraçar os filhos.
embracement [-mənt], *s.* abraço; aceitação.
embracer [-ə], *s.* o que abraça; (jur.) aquele que pretende corromper.
embracery [-əri], *s.* (jur.) tentativa para corromper os membros dum júri.
embranchment [im'brɑ:ntʃmənt], *s.* ramificação.
embrangle [im'bræŋgl], *vt.* enredar, embaralhar, confundir.
embrasure [im'breiʒə], *s.* vão de porta ou janela; abertura nas muralhas para assestar e disparar canhões, canhoneira.
embrocate ['embroukeit], *vt.* aplicar fomentações; aplicar linimentos.
embrocation [embrou'keiʃən], *s.* fomentação, fricção; linimento.
embroider [im'brɔidə], *vt.* bordar; embelezar.
hand embroidered — bordado à mão.
to embroider one's initials on a handkerchief — bordar as iniciais num lenço.
embroiderer [im'brɔidərə], *s.* bordador.
embroideress [im'brɔidəris], *s.* bordadeira.
embroidery [im'brɔidəri], *s.* (pl. **embroideries**) bordado.

embroil [im'brɔil], *vt.* embrulhar, enredar, confundir, intrigar; arrastar para.
she doesn't want to become embroiled in their quarrels — ela não quer ser envolvida nas questões deles.
embroilment [-mənt], *s.* embrulhada, enredo, confusão, intriga.
embryo ['embriou], *s.* (pl. **embryos**) embrião; começo, princípio.
in embryo — em embrião.
embryogenesis, embryogeny [-'dʒenisis, embri'ɔdʒəni], *s.* embriogenia, parte da biologia que trata dos seres vivos desde a formação do embrião.
embryogenetic, embryogenic [-dʒə'netik, -'dʒenik], *adj.* embriogénico.
embryologist [embri'ɔlədʒist], *s.* embriologista.
embryology [embri'ɔlədʒi], *s.* embriologia.
embryonary, embryonic ['embriounəri, embri'ɔnik], *adj.* embrionário.
emend [i(:)'mend], *vt.* emendar, corrigir. *(Sin,* to correct, to amend, to improve, to rectify
emendation [i:men'deiʃən], *s.* emenda, correcção; corrigenda.
emendator ['i:mendeitə], *s.* emendador.
emerald ['emərəld], *s.* esmeralda; cor de esmeralda.
the Emerald Isle — Irlanda.
emerge [i'mə:dʒ], *vi.* emergir; surgir, aparecer; sair dum meio. *(Sin.* to appear, to rise, to emanate, to issue. *Ant.* to disappear
emergence [i'mə:dʒəns], *s.* emergência.
emergency [i'mə:dʒənsi], *s.* (pl. **emergencies**) emergência; caso imprevisto; necessidade urgente; crise. *(Sin.* crisis, necessity, difficulty, urgency.)
emergency door (exit) — saída de emergência.
emergency hands — operários extraordinários.
emergency landing (av.) — aterragem de emergência.
in case of emergency — em caso de emergência.
ready for all emergencies — pronto para todas as emergências.
to rise to the emergency — portar-se à altura da situação.
emergent [i'mə:dʒənt], *adj.* emergente, repentino, crítico.
emeritus [i(:)'meritəs], *adj.* jubilado, aposentado.
emeritus professor — professor jubilado (duma Universidade).
emersion [i(:)'mə:ʃən], *s.* emersão; reaparição dum astro.
emery ['eməri], *s.* esmeril.
emery-dust — pó de esmeril.
emery-paper (-cloth) — lixa de esmeril.
emery-stick — polidor de esmeril.
emery-stone — pedra de esmeril.
emetic [i'metik], *s.* e *adj.* emético, que faz vomitar.
emmetrope [e'metroup], *s.* emetropia.
emigrant ['emigrənt], *s.* e *adj.* emigrante.
emigrate ['emigreit], *vt.* e *vi.* emigrar; ajudar alguém a emigrar.
emigration [emi'greiʃən], *s.* emigração.
emigratory ['emigrətəri], *adj.* migratório.
Emilia [i'miliə], *n. p.* Emília.
Emily ['emili], *n. p.* Emília.
eminence ['eminəns], *s.* eminência, altura, elevação de terreno; superioridade; elevação moral; celebridade; título dos cardeais.
Your Eminence — Vossa Eminência.
eminent ['eminənt], *adj.* eminente, notável, superior, célebre.
an eminent statesman — um estadista eminente.
eminently [-li], *adv.* eminentemente.
emir [e'miə], *s.* emir; título dado aos descendentes de Maomé; chefe muçulmano.
emissary ['emisəri], *s.* (pl. **emissaries**) emissário, mensageiro.
emission [i'miʃən], *s.* emissão; saída.
emissive [i'misiv], *adj.* emissivo.
emit [i'mit], *vt.* (pret. e pp. **emitted**) emitir, pôr em circulação; expedir; arrojar, lançar. *(Sin.* to eject, to cast, to exhale, to send forth, to issue. *Ant.* to absorb.)
to emit a sound — emitir um som.
emitter [-ə], *s.* emissor.
emitter segment — segmento do emissor.
Emma ['emə], *n. p.* Ema.
Emmanuel [i'mænjuəl], *n. p.* Emanuel.
emmet ['emit], *s.* formiga.
emollient [i'mɔliənt], *s.* e *adj.* emoliente.
emolument [i'mɔljumənt], *s.* emolumento.
emotion [i'mouʃən], *s.* emoção, abalo moral; comoção; sensação; excitamento. *(Sin.* sentiment, feeling, sensation.)
emotional [i'mouʃənl], *adj.* emocional, que causa comoção.
emotionalism [i'mouʃnəlizəm], *s.* emocionismo.
emotionalist [i'mouʃnəlist], *s.* pessoa emocionável.
emotionless [i'mouʃənlis], *adj.* insensível, sem se comover.
emotionlessness [-nis], *s.* frieza, indiferença.
emotive [i'moutiv], *adj.* emotivo, que provoca emoção.
emotively [-li], *adv.* dum modo emotivo.
empanel, impanel [im'pænl], *vt.* nomear os jurados; citar os jurados.
emperor ['empərə], *s.* imperador.
purple emperor — espécie de borboleta.
emphasis ['emfəsis], *s.* ênfase.
to lay great emphasis on — dar grande importância a.
emphasize ['emfəsaiz], *vt.* dar ênfase a, realçar, acentuar.
emphatic [im'fætik], *adj.* enfático, positivo, categórico. *(Sin.* positive, definite, significant. *Ant.* unemphatic.)
emphatic form (gram.) — forma enfática.
emphatically [-əli] *adv.* enfaticamente, positivamente, categoricamente.
emphysema [emfi'si:mə], *s.* enfisema.
empire ['empaiə], *s.* império.
Empire Day — Dia do Império (24 de Maio).
Empire City — Nova Iorque.
Empire State — o estado de Nova Iorque.
empiric [em'pirik], **1** — *s.* empírico; charlatão. **2** — *adj.* empírico.
empirical [-əl], *adj.* empírico.
empirical method — método empírico.
empirically [-əli], *adv.* empiricamente.
empiricism [em'pirisizəm], *s.* empirismo; doutrina exclusivamente fundada na experiência.
emplace [im'pleis], *vt.* colocar um canhão no seu lugar.
emplacement [-mənt], *s.* colocação; situação; plataforma para canhões.
emplane [im'plein], *vt.* e *vi.* ir ou pôr a bordo dum aeroplano.
employ [im'plɔi], **1** — *s.* emprego, ocupação, cargo; serviço.
to have many persons in one's employ — ter muita gente ao seu serviço.
2 — *vt.* empregar, ocupar, dar trabalho; usar; aplicar.
he is employed in a bank — ele está empregado num banco.
the new road will employ thousands of men — a nova estrada dará trabalho a milhares de homens.
to employ oneself in — ocupar-se de.

employable [-əbl], *adj.* que se pode empregar.
employee [emplɔi'i:], *s.* empregado.
this firm treats its employees very well — esta firma trata os seus empregados muito bem.
employer [im'plɔiə], *s.* patrão, chefe.
employment [im'plɔimənt], *s.* emprego, ocupação; colocação; uso, serviço.
employment of capital — emprego de capital.
out of employment — desempregado.
to lose one's employment — perder o emprego.
empoison [im'pɔizən], *vt.* envenenar.
emporium [em'pɔ:riəm], *s.* empório; grande centro de comércio; loja.
empower [im'pauə], *vt.* autorizar; dar poderes a; dar procuração a.
empress ['empris], *s.* *fem.* (pl. **empresses**) imperatriz.
emptiness ['emptinis], *s.* vácuo, estado do que é oco ou vazio.
empty ['empti], **1** — *s.* caixa, mala vazia.
2 — *adj.* vazio; oco; desocupado, vago.
an empty box — uma caixa vazia.
empty-handed — com as mãos vazias; sem trazer nem levar nada.
empty-headed — estúpido; de cabeça oca.
empty house — casa desocupada.
empty promises — promessas falsas.
empty words — palavras ocas.
to feel empty — ter fome.
3 — *vt.* e *vi.* esvaziar, vazar, despejar; esgotar; desocupar; esvaziar-se, esgotar-se; desaguar.
the river empties into the ocean — o rio desagua no oceano.
empurple [em'pə:pl], *vt.* tingir de púrpura.
empyreal [empai'ri(:)əl], *adj.* empíreo.
empyrean [empai'ri(:)ən], *s.* e *adj.* empíreo.
emu ['i:mju:], *s.* ema (ave).
emulate ['emjuleit], *vt.* emular; rivalizar ou competir com.
emulation [emju'leiʃən], *s.* emulação; rivalidade.
emulative ['emjulətiv], *adj.* emulativo.
emulator ['emjuleitə], *s.* émulo; rival, concorrente.
emulgent [i'mʌldʒənt], *adj.* emulgente.
emulous ['emjuləs], *adj.* émulo; rival.
to be emulous of fame — estar ansioso por se tornar famoso.
emulously [-li], *adv.* com emulação.
emulsification [imʌlsifi'keiʃən], *s.* emulsificação.
emulsify [i'mʌlsifai], *vt.* emulsionar.
emulsion [i'mʌlʃən], *s.* emulsão.
emulsive [i'mʌlsiv], *adj.* emulsivo.
emunctory [i'mʌŋktəri], **1** — *s.* (pl. **emunctories**) emunctório, órgão excretório ou eliminatório.
2 — *adj.* emunctório.
enable [i'neibl], *vt.* habilitar; facilitar; proporcionar; permitir.
enact [i'nækt], *vt.* estabelecer, determinar; ordenar, decretar; (teat.) fazer o papel de. *(Sin.* to establish, to decree, to command, to play, to perform.)
as by law enacted — nos termos da lei.
enaction [i'nækʃən], *s.* ordem, lei, decreto.
enactive [i'næktiv], *adj.* que pode decretar; que tem poder para ordenar.
enactment [i'næktmənt] *s.* ver **enaction.**
enactor [i'næktə], *s.* legislador, executor; intérprete de determinado papel.
enamel [i'næməl], **1** — *s.* esmalte dos dentes; esmalte; cor esmaltada.
enamel-paint — tinta de esmalte.
enamel-painting — pintura a esmalte.
enamel-ware — loiça esmaltada.
2 — *vt.* (pret. e pp. **enamelled**) esmaltar.
enamelled [i'næməld], *adj.* esmaltado; pintado a esmalte.
enamelled saucepan — caçarola de ferro esmaltado.
enameller [i'næmələ], *s.* esmaltador.
enamelling [i'næməliŋ], *s.* esmaltagem.
enamour [i'næmə], *vt.* enamorar; encantar.
to be enamoured of — estar apaixonado por.
encage [in'keidʒ], *vt.* engaiolar.
encamp [in'kæmp], *vt.* e *vi.* acampar; fazer acampar.
the troops encamped in a valley — as tropas acamparam num vale.
encampment [-mənt], *s.* acampamento.
encase [in'keis], *vt.* cobrir completamente; encerrar (em); revestir (de).
encasement [-mənt], *s.* cobertura, invólucro.
encash [in'kæʃ], *vt.* (com.) meter em caixa.
encaustic [en'kɔ:stik], *s.* e *adj.* encáustica; encáustico.
encephalic [enke'fælik], *adj.* encefálico.
encephalitis [enkefə'laitis], *s.* encefalite.
encephalon [en'kefəlɔn] *s.* encéfalo.
enchain [in'tʃein], *vt.* prender com cadeias, encadear.
enchainment [-mənt], *s.* encadeamento.
enchant [in'tʃɑ:nt], *vt.* encantar; enfeitiçar; cativar; deleitar. *(Sin.* to charm, to bewitch, to fascinate, to enrapture, to delight. *Ant.* to repel.)
enchanted [-id], *adj.* enfeitiçado; encantado.
the enchanted palace — o palácio encantado.
enchanter [-ə], *s.* feiticeiro; encantador.
enchanting [-iŋ], *adj.* encantador, fascinador, sedutor.
enchantingly [-iŋli], *adv.* dum modo encantador, sedutoramente.
enchantment [-mənt], *s.* encanto; feitiçaria, encantamento.
enchantress [-ris], *s.* feiticeira; mulher sedutora.
enchase [in'tʃeis], *vt.* engastar; gravar em relevo.
enchiridion [enkaiə'ridiən], *s.* enquirídio, manual; livro portátil.
encircle [in'sə:kl], *vt.* cercar, rodear, circundar; cingir.
a lake encircled by trees — um lago rodeado de árvores.
encirclement [-mənt], *s.* cerco; acto de cercar.
enclasp [in'klɑ:sp], *vt.* cingir, apertar, abraçar.
enclave ['enkleiv], *s.* enclave, território encravado em território estrangeiro.
enclitic [in'klitik], *s.* e *adj.* enclítica; enclítico.
enclose [in'klouz], *vt.* cercar, murar; encerrar; remeter junto; enclausurar; incluir.
I enclose a cheque for £ 10 — incluso envio um cheque (no valor) de 10 libras.
enclosed [-d], *adj.* fechado; cercado.
enclosed please find — em anexo encontrará.
enclosure [in'klouʒə], *s.* cerca, tapada, recinto fechado; conteúdo, o que vai incluso numa carta; clausura.
enclothe [in'klouð], *vt.* revestir.
encloud [in'klaud], *vt.* nublar, cobrir de nuvens.
encomiast [en'koumiæst], *s.* encomiasta, panegirista.
encomiastic [en'koumiæstik], *adj.* encomiástico.
encomium [en'koumjəm], *s.* encómio, louvor, elogio.
encompass [in'kʌmpəs], *vt.* cercar, circundar, rodear; incluir, conter; encerrar.
a castle encompassed with lofty walls — um castelo cercado por muros altos.
encompassed with perils — rodeado de perigos.
encompassing [-iŋ], *adj.* circundante.

encore [ɔŋ'kɔ:], **1** — *s.* (teat.) repetição, bis. **2** — *vt.* (teat.) bisar, pedir a repetição.
to encore a second time — bisar pela terceira vez.
3 — *interj.* bis!, outra vez!
encounter [in'kauntə], **1** — *s.* encontro inesperado; choque, combate, luta, conflito. **2** — *vt.* e *vi.* encontrar subitamente; encontrar-se; lutar.
to encounter an old friend — encontrar um velho amigo inesperadamente.
encourage [in'kʌridʒ], *vt.* encorajar, animar; estimular; ajudar. (*Sin.* to animate, to cheer, to rouse, to incite, to stimulate. *Ant.* to depress, to discourage.)
encouragement [-mənt], *s.* encorajamento, incitamento, estímulo.
encouraging [-iŋ], *adj.* encorajante, animador.
encouragingly [-iŋli], *adv.* de modo animador; com estímulo.
encroach [in'kroutʃ], *vi.* usurpar; invadir; apropriar-se de; prejudicar.
to encroach on one's rights — usurpar as atribuições de alguém.
to encroach upon a person's time — tomar tempo demasiado a alguém.
encroacher [-ə], *s.* usurpador; invasor.
encroaching [-iŋ], *adj.* usurpador, invasor.
encroachment [-mənt], *s.* usurpação, invasão; abuso; aumento.
encroachment on one's rights — usurpação dos direitos alheios.
encrust, incrust [in'krʌst], *vt.* e *vi.* cobrir com crosta; incrustar.
encrustment [-mənt], *s.* incrustação, crosta.
encumber [in'kʌmbə], *vt.* estorvar, embaraçar; atravancar, sobrecarregar; impedir.
an estate encumbered with mortgages — uma propriedade onerada de encargos.
encumbered with debts — carregado de dívidas.
encumbrance [in'kʌmbrəns], *s.* obstáculo, embaraço, impedimento; sobrecarga; hipoteca.
an estate free from encumbrances — uma propriedade livre de encargos.
encyclic(al) [en'siklik(əl)], *s.* e *adj.* encíclica; encíclico.
encyclopaedia [ensaiklou'pi:diə], *s.* enciclopédia.
encyclopaedic [ensaiklou'pi:dik], *adj.* enciclopédico.
encyclopaedism [ensaiklou'pi:dizm], *s.* enciclopedismo.
encyclopaedist [ensaiklou'pi:dist], *s.* enciclopedista.
encyst [en'sist], *vt.* enquistar.
encystation [-eiʃən], *s.* enquistamento.
end [end], **1** — *s.* fim; termo; extremidade; resultado; conclusão; limite; objectivo, alvo. (*Sin.* conclusion, finish, close, extremity, limit, aim. *Ant.* beginning.)
at the end — no fim.
at the end of the street — ao fim da rua.
at the end of two days — ao cabo de dois dias.
from end to end — dum extremo ao outro.
he has no end of money — ele é muito rico.
he thinks no end of himself — ele tem-se em grande conta.
he was no end disappointed — ficou muitíssimo desapontado.
in the end — afinal.
odds and ends — miudezas; bugigangas.
on end — continuamente; de pé.
the end doesn't justify the means — os fins não justificam os meios.
the holidays came to an end — as férias chegaram ao fim.
there is no end to it — isto é um nunca acabar.
to be at a loose end — não saber em que ocupar-se.
to be at an end — acabar, terminar.
to be at one's wits' end — estar atarantado; não saber o que dizer ou fazer.
to be at the end of one's tether — ter chegado até onde se podia.
to be near one's end — estar a acabar, estar a morrer.
to be on one's beam ends — estar em situação aflitiva.
to burn the candle at both ends — despender energias em excesso; trabalhar demasiado.
to gain one's ends — conseguir os seus fins.
to go off the deep end — perder as estribeiras.
to keep one's end up — persistir corajosamente.
to make an end of — acabar com; pôr termo a.
to make both ends meet — não gastar mais do que se tem; saber equilibar o barco.
to meet one's end — morrer.
to no end — em vão.
to put an end to — pôr fim a.
to the very end — até ao fim.
to what end? — com que fim?
two hours on end — duas horas consecutivas.
2 — *vt.* e *vi.* acabar, terminar, concluir, completar; pôr termo a.
all's well that ends well — tudo está bem quando acaba bem.
everything ended happily — tudo terminou bem.
he ended his days in a workhouse — acabou os seus dias num asilo.
it is ended and done with — é assunto arrumado.
the enterprise ended in disaster — a empresa acabou desastrosamente.
to end in smoke — falhar, ficar em nada; não dar resultado.
to end off — concluir, completar.
you'll end up in prison — acabarás na prisão.
endamage [in'dæmidʒ], *vt.* avariar; causar prejuízo, danificar.
endanger [in'deindʒə], *vt.* pôr em perigo, arriscar; fazer perigar; comprometer, expor.
endangering [-əriŋ], *adj.* perigoso, arriscado, comprometedor.
endear [in'diə], *vt.* fazer estimar; tornar querido; cativar, prender.
to endear oneself to one's friends — fazer-se estimar pelos amigos.
endearing [-riŋ], *adj.* simpático; que atrai; afectuoso, terno.
an endearing smile — um sorriso simpático.
endearingly [-riŋli], *adv.* simpaticamente; afectuosamente.
endearment [-mənt], *s.* ternura, carinho, afecto, meiguice; *pl.* carícias.
endeavour [in'devə], **1** — *s.* esforço, empenho, diligência, tentativa. (*Sin.* attempt, trial, aim, essay.)
he made every endeavour to come early — ele fez todos os esforços para vir cedo.
2 — *vt.* e *vi.* esforçar-se, diligenciar; tentar. (*Sin.* to strive, to try, to attempt, to essay.)
I shall endeavour to meet your wishes — esforçar-me-ei para o contentar.
to endeavour to do one's duty — fazer o possível para cumprir o dever.
endemic [en'demik], *s.* e *adj.* endemia; endémico.
endemically [-əli], *adv.* endemicamente.
endermic [en'də:mik], *adj.* endérmico.
ending ['endiŋ], **1** — *s.* conclusão, fim; desfecho, remate.

the story has a happy ending — a história tem um desfecho feliz.
2 — *adj.* último; final.
endive ['endiv], *s.* chicória; endívia.
endless ['endlis], *adj.* sem fim, interminável, contínuo, incessante.
an endless lecture — prelecção ou conferência interminável.
endless chain — cadeia sem-fim.
endless screw — parafuso sem-fim.
endless work — trabalho sem-fim.
endlessly [-li], *dv.* interminavelmente, incessantemente, continuamente.
endlessness [-nis], *s.* continuidade, duração incessante.
endocarditis ['endoukɑ:'daitis], *s.* endocardite, inflamação do endocárdio.
endocardium [endou'kɑ:diəm], *s.* endocárdio.
endocarp ['endoukɑ:p], *s.* endocarpo.
endocrine ['endoukrain], *s.* e *adj.* glândula endócrina; endócrino.
endocrinology [endoukri'nɔlədʒi], *s.* endocrinologia.
endogamy [en'dɔgəmi], *s.* endogamia.
endogenetic [endouʒə'netik], *adj.* endogenético.
endometritis [endoumi'traitis], *s.* endometrite, inflamação da mucosa uterina.
endorse [in'dɔ:s], *vt.* endossar; abonar; confirmar, corroborar; sancionar, aprovar.
he endorses what I do — aprova o que eu faço.
endorsee [endɔ:'si:], *s.* endossado.
endorsement [in'dɔ:smənt] *s.* endosso; visto; sanção; aprovação; confirmação.
endorser [in'dɔ:sə], *s.* endossante.
endoscope ['endɔskoup], *s.* endoscópio, instrumento usado no exame dos órgãos internos do corpo.
endoscopy [en'dɔskəpi], *s.* endoscopia.
endosmose, endosmosis ['endɔsmous, endɔs'mousis], *s.* endosmose.
endosperm ['endouspə:m], *s.* endosperma.
endow [in'dau], *vt.* dotar, doar; assegurar uma renda.
endowed with genius — dotado de talento.
endower [-ə], *s.* doador.
endowment [-mənt], *s.* doação; dote, talento, dom natural; renda.
endue [in'dju:], *vt.* dotar; vestir, revestir.
endurable [in'djuərəbl], *adj.* suportável, tolerável; durável.
endurance [in'duərəns], *s.* resistência; paciência, sofrimento; duração, continuação.
beyond (past) endurance — intolerável, insuportável.
endurance test — prova de resistência.
he came to the end of his endurance — chegou ao fim da sua paciência.
she showed a great power of endurance — ela mostrou um grande poder de resistência.
endure [in'djuə], *vt.* e *vi.* suportar, sofrer, tolerar; ter paciência; durar. (*Sin.* to tolerate, to bear, to undergo, to last. *Ant.* to perish.)
his fame will endure forever — a fama dele será eterna, durará sempre.
I can't endure that boy — não suporto aquele rapaz.
they had to endure to the end — tiveram de aguentar até ao fim.
what can't be cured must be endured — o que não tem remédio, remediado está.
enduring [-riŋ], *adj.* tolerante, paciente; constante, permanente, duradouro.
an enduring peace — uma paz duradoura.
enduringly [-riŋli], *adv.* tolerantemente, pacientemente; permanentemente.
enduringness [-riŋnis], *s.* tolerância; paciência; durabilidade.
endways, endwise ['endweiz, 'endwaiz], *adv.* com a extremidade virada para a frente; direito, perpendicularmente; ponta a ponta.
Eneas [i(:)'ni:æs], *n. p.* Eneias.
Eneid ['i:niid], *s.* Eneida.
enema ['enimə], *s.* clister.
enemy ['enimi], 1 — *s.* (pl. **enemies**) inimigo, pessoa inimiga; adversário.
an enemy of progress — um inimigo do progresso.
how goes the enemy? (col.) — que horas são?
the Enemy — o inimigo; o demónio.
to be one's own enemy — ser inimigo de si mesmo; prejudicar-se a si próprio.
2 — *adj.* inimigo, adversário.
the enemy fleet — a esquadra inimiga.
energetic [enə'dʒetik], *adj.* enérgico, activo, vigoroso, forte. (*Sin.* active, vigorous, efficient, forcible.)
energetically [-əli], *adv.* energicamente.
energize ['enədʒaiz], *vt.* e *vi.* incutir energia; proceder com energia; incitar, estimular.
energizing [-iŋ], *adj.* estimulante.
energumen [enə:'gju:men], *s.* energúmeno; fanático; entusiasta.
energy ['enədʒi], *s.* (pl. **energies**) energia, vigor, força, actividade; trabalho.
energy losses — perdas de energia.
full of energy — cheio de energia.
potential energy — energia potencial.
to apply (devote) one's energies to something — aplicar a sua actividade em qualquer coisa.
enervate 1 — ['enə:vit], *adj.* enervado, enfraquecido, debilitado.
2 — ['enə:veit], *vt.* enervar; enfraquecer, debilitar.
enervating ['enə:veitiŋ], *adj.* debilitante; enervante.
enervation [enə:'veiʃən], *s.* enervação, enfraquecimento, prostração.
enface [in'feis], *vt.* escrever, imprimir numa letra.
enfeeble [in'fi:bl], *vt.* enfraquecer, debilitar.
enfeeblement [-mənt], *s.* enfraquecimento, debilidade.
enfeoff [in'fef], *vt.* enfeudar; sujeitar.
they were enfeoffed to tyranny for a long time — estiveram sujeitos à tirania durante muito tempo.
enfeoffment [-mənt], *s.* enfeudação.
enfetter [in'fetə], *vt.* acorrentar, agrilhoar.
enfilade [enfi'leid], 1 — *s.* fogo de enfiada, tiro.
2 — *vt.* submeter a fogo de enfiada.
enfold [in'fould], *vt.* envolver, embrulhar; abraçar, cingir.
I enfolded him in my arms — apertei-o nos braços.
enforce [in'fɔ:s], *vt.* forçar, compelir, obrigar; fazer cumprir; pôr em vigor; fazer valer. (*Sin.* to force, to compel, to oblige.)
he enforced his rights — fez valer os seus direitos.
to enforce silence — impor silêncio.
to enforce the law — fazer cumprir a lei.
enforceable [-əbl], *adj.* que se pode forçar.
enforced [-t], *adj.* forçado.
enforcement [-mənt], *s.* coacção, imposição; cumprimento, execução duma ordem ou lei.
the enforcement of a new law — o cumprimento duma lei nova.
enframe [in'freim], *vt.* encaixilhar, emoldurar.
enfranchise [in'fræntʃaiz], *vt.* conceder direito de voto; conceder privilégios (a uma cidade ou vila); libertar, emancipar.

enfranchisement [in'fræntʃizmənt], *s.* concessão de direito de voto; concessão de privilégios (a cidades ou vilas); libertação.
engage [in'geidʒ], *vt.* e *vi.* ajustar, apalavrar; alugar, contratar; ocupar, empregar; combater, travar combate; tomar parte em; reservar; (na passiva) estar noivo; comprometer-se; encarregar-se de; atrair. (*Sin.* to employ, to busy, to fight, to promise, to bargain, to attack.)
are they engaged? — eles estão noivos?
he didn't engage the enemy — ele não atacou o inimigo.
he engaged a seat in a cinema — reservou um lugar no cinema.
his attention was engaged by the shopwindow — a sua atenção foi atraída pela montra.
I am engaged in writing letters — estou ocupado a escrever cartas.
my time is fully engaged — tenho o tempo todo ocupado.
the line is engaged — a linha (telefónica) está ocupada.
they engaged in politics — lançaram-se na política.
to engage a room — marcar um quarto.
to engage a servant — ajustar uma criada.
to engage for — garantir; tomar a responsabilidade.
to engage in war — tomar parte na guerra.
to engage the first gear (aut.) — meter a primeira velocidade.
engaged [-d], *adj.* ocupado; comprometido; apalavrado; impedido (telefone); noivo; engatado.
I can't dine with you tomorrow, I'm engaged — não posso jantar contigo amanhã, estou comprometido.
the seat is engaged — o lugar está ocupado.
they are engaged — eles estão noivos.
engagement [-mənt], *s.* ajuste; compromisso; promessa; ajuste de casamento; ocupação; combate.
engagement ring — anel de noivado.
he has money to meet his engagements — ele tem dinheiro para fazer face aos seus compromissos.
her engagement has been broken off — o casamento dela desmanchou-se.
I have several engagements for tomorrow — tenho vários compromissos para amanhã.
our army had an engagement with the enemy — o nosso exército teve um combate com o inimigo.
engager [-ə], *s.* o que se obriga ou promete.
engaging [-iŋ], *adj.* atraente; encantador, insinuante. (*Sin.* charming, attractive. *Ant.* repulsive.).
an engaging smile — um sorriso encantador.
to have engaging manners — ter maneiras insinuantes.
engagingly [-iŋli], *adv.* atractivamente, de modo insinuante.
engarland [in'gɑːlənd], *vt.* engrinaldar.
engender [in'dʒendə], *vt.* engendrar, produzir.
engine ['endʒin], **1** — *s.* máquina, motor.
Diesel engine — locomotiva Diesel.
engine-builder — serralheiro mecânico.
engine-driven pump — bomba a motor.
engine-driver — maquinista.
engine failure — avaria no motor.
engine fitter — montador de máquinas.
engine house — casa das máquinas.
engine lathe — torno mecânico.
engine power — potência do motor.
engine-room — casa das máquinas.
engine-shop — oficina (de máquinas).
engine survey — inspecção de máquinas.
fire-engine — bomba de incêndio.
jet engine — motor de jacto.
oil-engine — máquina movida a óleos pesados.
overhead-valve engine — motor de válvulas à cabeça.
steam-engine — máquina a vapor.
two-stroke engine — motor a dois tempos.
2 — *vt.* munir de motor; prover de máquinas.
engined [-d], *adj.* com motor.
three-engined — trimotor.
twin-engined — bimotor.
engineer [endʒi'niə], **1** — *s.* engenheiro; oficial encarregado das máquinas (em navio); soldado de engenharia.
agricultural engineer — engenheiro-agrónomo.
civil engineer — engenheiro civil.
electrical engineer — engenheiro electrotécnico.
engineer's day book — diário da máquina.
mechanical engineer — engenheiro de máquinas.
mining engineer — engenheiro de minas.
naval engineer — engenheiro naval.
2 — *vt.* e *vi.* dirigir e executar construções; exercer a profissão de engenheiro.
to engineer a bridge — dirigir a construção de uma ponte como engenheiro.
engineering [-iŋ], *s.* engenharia; profissão de engenheiro; manejos.
engineering laboratory — laboratório de engenharia.
enginery ['endʒinəri], *s.* maquinaria; manejo de máquinas.
engird(le) [in'gəːd(l)], *vt.* cingir; cercar.
England ['iŋglənd], *top.* Inglaterra.
English ['iŋgliʃ], **1** — *s.* e *adj.* a língua inglesa; inglês.
broken English — inglês incorrecto, inglês macarrónico.
in plain English — em palavras simples.
Middle English — médio inglês.
Old English — anglo-saxão, velho inglês.
the English are a great people — os Ingleses são um grande povo.
the King's English — inglês correcto.
to murder the King's English — assassinar a língua inglesa.
2 — *vt.* traduzir em inglês.
Englishman ['iŋgliʃmən], *s.* (pl. **Englishmen** [-mən]) inglês.
Englishwoman ['iŋgliʃwumən], *s. fem.* (*pl.* **Englishwomen** [-wimin]) inglesa.
englobe [in'gloub], *vt.* englobar.
engorge [in'gɔːdʒ], *vt.* devorar, engolir apressadamente.
he is engorged — ele está congestionado.
engorgement [-mənt], *s.* enfarte; congestão.
engraft [in'grɑːft], *vt.* enxertar; implantar, incutir.
engrail [in'greil], *vt.* dentear, serrilhar.
engrain [in'grein], *vt.* tingir com grã; inveterar, arraigar.
engrained habits — costumes arraigados.
engrave [in'greiv], *vt.* gravar, cinzelar, esculpir; gravar na memória, fixar.
to engrave a scene upon one's memory — gravar uma cena na memória.
engraver [-ə], *s.* gravador.
engraving [-iŋ], *s.* gravura; trabalho do gravador; gravação.
engraving in wood — gravação em madeira.
engross [in'grous], *vt.* passar a limpo, escrever em caracteres legíveis; tirar pública-forma de; monopolizar, absorver, tomar, ocupar. (*Sin.* to absorb, to occupy, to engage.)
he is engrossed in reading — está absorvido na leitura.
this business engrosses my whole time and attention — este negócio absorve-me todo o tempo e atenção.

engrosser [-ə], *s.* copista.
engrossing [-iŋ], *adj.* absorvente, cativante.
an engrossing novel — um romance absorvente.
engrossment [-mənt], *s.* transcrição; redacção de pública-forma; absorção do espírito.
engulf [in'gʌlf], *vt.* engolfar; submergir; absorver; abismar.
engulfment [-mənt], *s.* acto de engolfar; imersão, mergulho; absorção.
enhance [in'hɑ:ns], *vt.* encarecer; realçar; aumentar o valor.
to enhance the beauty — realçar a beleza.
to enhance the value — aumentar o valor.
enhancement [-mənt], *s.* encarecimento; realce; aumento (de valor); engrandecimento.
enharmonic [enhɑ:'mɔnik], *adj.* (mús.)in armónico.
enharmonically [-əli], *adv.* inarmonicamente.
enigma [i'nigmə], *s.* enigma, mistério; pessoa enigmática.
enigmatic(al) [enig'mætik(-əl)], *adj.* enigmático.
enigmatically [-əli], *adv.* enigmaticamente.
enigmatize [i'nigmətaiz], *vt.* usar enigmas; falar enigmaticamente.
enjambment [in'dʒæmmənt], *s.* continuação duma frase além do fim da linha (duma copla).
enjoin [in'dʒɔin], *vt.* impor; mandar, ordenar; proibir.
he enjoins silence — ele impõe silêncio.
enjoy [in'dʒɔi], *vt.* gozar, desfrutar; gostar de, apreciar; divertir-se; ter prazer em; ter, possuir. *(Sin.* to like, to love, to appreciate, to possess, to take delight in. *Ant.* to detest, to suffer.)
he enjoys a modest income — ele usufrui um modesto rendimento.
how did you enjoy the book? — que tal achaste o livro?
I enjoy listening to music — gosto de ouvir música.
I enjoy walking — sinto prazer em andar a pé.
to enjoy a cigar — sentir prazer em fumar um charuto.
to enjoy good health — gozar boa saúde.
to enjoy life — gozar a vida.
to enjoy oneself — divertir-se, gozar.
to enjoy one's food — apreciar a comida.
enjoyable [in'dʒɔiəbl], *adj.* que se pode gozar; agradável, deleitável.
enjoyableness [-nis], *s.* agrado; gozo, prazer.
enjoyably [-i], *adv.* agradavelmente; aprazivelmente.
enjoyment [in'dʒɔimənt], *s.* gozo, prazer; satisfação; divertimento; posse.
he is in the enjoyment of good health — ele tem boa saúde.
he lives only for enjoyment — vive só para o prazer.
his visit was a great enjoyment to me — a sua visita foi um grande prazer para mim.
enkindle [in'kindl], *vt.* acender, inflamar; atear.
enlace [in'leis], *vt.* enlaçar, entrelaçar; abraçar.
enlacement [-mənt], *s.* enlace; abraço.
enlarge [in'lɑ:dʒ], *vt.* e *vi.* aumentar, ampliar, alargar, estender; dilatar; alargar-se.
I need not enlarge upon this matter — não preciso de me alargar sobre este assunto.
to enlarge a photograph — ampliar uma fotografia.
to enlarge the payment of a bill (com.) — prorrogar o prazo para pagamento de uma letra.
you have enlarged ideas — tens ideias largas.
enlargement [-mənt], *s.* ampliação, extensão; alargamento, engrandecimento, aumento.
the enlargement of a photograph — ampliação de uma fotografia.
enlarger [-ə], *s.* ampliador.
enlighten [in'laitn], *vt.* iluminar; instruir, ilustrar; dar luz; informar, esclarecer. *(Sin.* to illuminate, to instruct, to teach, to inform.)
can you enlighten me on this subject? — podes ajudar-me a compreender este assunto?
to enlighten the ignorant — ensinar os ignorantes.
enlightened [-d], *adj.* informado, esclarecido; instruído.
thoroughly enlightened upon the question — inteiramente informado sobre a questão.
enlightenment [-mənt], *s.* ilustração, instrução; esclarecimento, luz.
age of enlightenment — século das luzes.
enlist [in'list], *vt.* e *vi.* alistar, recrutar; conseguir, atrair; alistar-se.
to enlist as a volunteer in an army — alistar-se como voluntário num exército.
enlistment [-mənt], *s.* recrutamento, alistamento.
enliven [in'laivn], *vt.* animar, dar vida; alegrar; inspirar; estimular.
to enliven the conversation — animar a conversa.
enmesh [in'meʃ], *vt.* enredar, emaranhar; confundir.
enmeshment [-mənt], *s.* emaranhamento, embrulhada; confusão.
enmity ['enmiti], *s.* (pl. **enmities)** inimizade, aversão, ódio, rancor; antipatia. *(Sin.* hatred, animosity, aversion, antagonism. *Ant.* friendship.)
ennead ['eniæd], *s.* grupo de nove; novena.
enneagonal [eni'ægounəl], *adj.* eneagonal.
ennoble [i'noubl], *vt.* enobrecer, nobilitar, engrandecer; ilustrar, tornar ilustre.
ennoblement [-mənt], *s.* enobrecimento, nobilitação.
ennui [ɑ̃:'nwi:], *s.* aborrecimento, tédio, enfado.
enormity [i'nɔ:miti], *s.* (pl. **enormities)** enormidade; atrocidade; monstruosidade.
enormous [i'nɔ:məs], *adj.* enorme, muito grande; excessivo; atroz.
enormously [-li], *adv.* enormemente.
the town has changed enormously — a cidade tem-se modificado muito.
this boy drinks enormously — este rapaz bebe muitíssimo.
enormousness [-nis], *s.* enormidade.
enough [i'nʌf], **1** — *s.* e *adj.* bastante, suficiente.
a word is enough to the wise — a bom entendedor meia palavra basta.
enough is as good as a feast — o suficiente é quanto basta.
enough of this nonsense! — basta de disparates!
he has enough money to live on — tem o suficiente para viver.
I have had enough of him — estou farto dele.
I have had enough of that — estou farto disso.
it is enough to say — basta dizer.
more than enough — mais do que o suficiente.
that's enough! — basta!
to have enough and to spare — ter mais do que se precisa.
2 — *adv.* bastante; suficientemente.
cheap enough — bastante barato.
it is good enough for her — é bom demais para ela.

sure enough — sem dúvida; certamente.
you know well enough what I mean — sabes muito bem o que quero dizer.
enounce [i(:)'nauns], *vt.* enunciar, declarar, expor; pronunciar, proferir.
enquire [in'kwaiə], *vt.* indagar, investigar; informar-se; inquirir, averiguar; esquadrinhar. *(Sin.* to ask, to question, to investigate. to examine.)
to enquire after anyone — perguntar por alguém.
to enquire into the truth — indagar a verdade.
enquirer [-rə], *s.* indagador, investigador.
enquiry [in'kwaiəri], *s.* (pl. **enquiries**), indagação, investigação, averiguação, inquérito; pedido de informações.
to make enquiries — colher informações; fazer indagações.
enrage [in'reidʒ], *vt.* enraivecer, enfurecer, exasperar, tornar enfurecido.
enrapture [in'ræptʃə], *vt.* extasiar, encantar, enlevar, arrebatar, entusiasmar.
enregiment [in'redʒimənt], *vt.* alistar em regimento; disciplinar.
enrich [in'ritʃ], *vt.* enriquecer, tornar rico; melhorar, fertilizar; valorizar. *(Sin.* to endow, to supply, to fertilize.)
to enrich soil — fertilizar a terra.
enrichment [-mənt], *s.* enriquecimento.
enrobe [in'roub], *vt.* vestir, revestir.
enrol(l) [in'roul], *vt.* (pret. e pp. **enrolled)** registar; inscrever-se, matricular-se; alistar-se, assentar praça; recrutar. to. *(Sin.* to register, to enlist, to record, to list, to incorporate.)
to enrol somebody as a member of a club — inscrever alguém como sócio dum clube.
enrolment [-mənt], *s.* recrutamento, alistamento; registo, matrícula, inscrição.
ensanguined [in'sæŋgwind], *adj.* ensanguentado.
ensconce [in'skɔns], *vt.* guardar, esconder, pôr em lugar seguro; esconder-se.
enshrine [in'ʃrain], *vt.* guardar num relicário; guardar como relíquia.
enshrinement [-mənt], *s.* colocação em relicário.
enshroud [in'ʃraud], *vt.* cobrir, esconder; amortalhar.
ensign ['ensain], *s.* bandeira, estandarte; insígnia, emblema; símbolo; porta-bandeira.
blue ensign — bandeira da marinha de reserva.
ensign staff — pau da bandeira.
red ensign — bandeira inglesa da marinha mercante.
white ensign — bandeira inglesa da marinha real.
ensigncy [-si], *s.* posto de porta-bandeira.
ensilage ['ensilidʒ], *s.* ensilagem, conservação de forragens em silos.
ensilage, ensile ['ensilidʒ, en'sail], *vt.* ensilar, meter no silo.
enslave [in'sleiv], *vt.* escravizar.
she is enslaved to habit — ela é escrava do hábito.
enslavement [-mənt], *s.* escravidão.
enslaver [-ə], *s.* o que escraviza; mulher que enfeitiça um homem com os seus encantos.
ensnare [in'snɛə], *vt.* armar o laço; enganar, iludir.
ensue [in'sju:], *vt.* e *vi.* seguir, suceder, resultar; seguir-se; (bíbl.) procurar.
ensuing [-iŋ]. *adj.* seguinte.
during the ensuing months — durante os meses seguintes.
ensure [in'ʃuə], *vt.* segurar; pôr em segurança; garantir; resguardar-se.
he registered the letter to ensure its delivery — ele registou a carta para garantir a sua entrega.
to ensure oneself against the cold — resguardar-se do frio.
enswathe [in'sweið], *vt.* enfaixar.
entablature [en'tæblətʃə], *s.* (arquit.) entablamento.
entablement [en'teiblmənt], *s.* cimalha.
entail [in'teil], **1** — *s.* vínculo, morgadio; herança.
they broke the entail — revogaram o testamento.
2 — *vt.* vincular; acarretar (como consequência); ocasionar; implicar.
wars entail enormous expenses — as guerras acarretam enormes despesas.
entangle [in'tæŋgl], *vt.* enredar, emaranhar; embaraçar; envolver-se em dificuldades; embrulhar.
the hook got entangled in the weeds — o anzol prendeu-se nas ervas.
to entangle oneself in debt — envolver-se em dívidas.
entanglement [-mənt]. *s.* enredo, embrulhada, confusão; complicação; embaraço; *pl.* rede de arame farpado.
entente [ɑ̃:n'tɑ̃:nt], *s.* acordo, pacto entre dois governos.
enter ['entə], *vt.* e *vi.* entrar, introduzir-se em; penetrar; registar, anotar, inscrever, dar entrada (em livros); entrar em cena; alistar; embarcar. *(Sin.* to penetrate, to invade, to pierce, to register, to record, to inscribe, to begin, to start. *Ant.* to leave, to exit.
he entered an action against that family — intentou uma acção contra aquela família.
he wants to enter the Church — ele quer entrar para a Igreja, quer tomar ordens.
I enter into my father's feelings — compartilho dos sentimentos do meu pai.
I want to enter my name for the subscription — quero dar o meu nome para a subscrição.
to enter a protest — protestar por escrito.
to enter a room — entrar numa sala.
to enter a tunnel — entrar num túnel.
to enter a university — entrar na universidade.
to enter deeply into — aprofundar.
to enter into — fazer parte de; meter-se em; penetrar; empenhar-se.
to enter into considerations — entrar em considerações.
to enter into conversation — entrar na conversa.
to enter into negotiations — entrar em negociações.
to enter on convalescence — entrar em convalescença.
to enter on, upon — começar; entrar na posse de.
to enter the army — alistar-se no exército.
to enter upon a career — encetar uma carreira.
to enter upon a new life — começar vida nova.
to enter upon an inheritance — entrar na posse duma herança.
enteric [en'terik], *adj.* entérico, relativo aos intestinos.
entering ['entəriŋ], **1** — *s.* entrada; registo; inscrição.
2 — *adj.* que entra.
enteritis [entə'raitis], *s.* enterite.
enterotomy [entə'rɔtəmi], *s.* enterotomia, incisão nos intestinos.
enterprise ['entəpraiz], *s.* empresa, empreendimento, iniciativa; espírito empreendedor.

(*Sin.* attempt, undertaking, essay, effort, adventure. *Ant.* timidity
a spirit of enterprise — um espírito empreendedor.
you have no enterprise — não tens iniciativa.
enterprising [-iŋ], *adj.* empreendedor; activo; arrojado, atrevido.
an enterprising man — um homem empreendedor.
entertain [entə'tein], *vt.* e *vi.* obsequiar; entreter, divertir, distrair; festejar; hospedar, dar hospitalidade a; tomar em consideração; alimentar no espírito; oferecer uma festa, um jantar.
he entertained us with anecdotes — divertiu-nos com anedotas.
the Browns entertain a great deal — os Browns têm sempre muitos convidados.
they entertain a high esteem for my parents — têm os meus pais em grande estima.
to entertain a hope — nutrir esperanças.
to entertain an idea about something — abrigar uma ideia acerca de qualquer coisa.
to entertain a party at dinner — ter visitas a jantar.
entertainer [-ə], *s.* dono da casa; aquele que diverte.
entertaining [-iŋ], *adj.* que entretém, divertido.
entertainingly [-iŋli], *adv.* divertidamente.
entertainment [-mənt], *s.* entretimento, divertimento, passatempo; hospitalidade, bom acolhimento; recepção; festa.
he gives many entertainments to his friends — dá muitas festas aos seus amigos.
that hotel is famous for its entertainment — aquele hotel é famoso pela sua hospitalidade.
the entertainment tax — taxa paga sobre o preço das entradas em espectáculos.
enthral(l) [in'θrɔ:l] *vt.* (pret. e pp. **enthralled**) fascinar, encantar, enlevar; interessar vivamente; dominar.
enthralling [-iŋ], *adj.* fascinante, encantador, interessante, atraente.
enthralment [-mənt], *s.* fascinação, encanto; sujeição.
enthrone [in'θroun]. *vt.* entronizar.
enthronement, enthronization [-mənt, inθrounai'zeiʃən], *s.* entronização.
enthuse [in'θju:z], *vi.* (col.) entusiasmar-se.
enthusiasm [-iæzm], *s.* entusiasmo. (*Sin.* admiration, zeal, devotion, passion, excitement, ardour. *Ant.* apathy.)
enthusiasm for sport — entusiasmo pelo desporto.
enthusiast [-iæst], *s.* entusiasta.
an enthusiast about poetry — um apaixonado por poesia.
enthusiastic [inθju:zi'æstik], *adj.* entusiástico.
an enthusiastic welcome — uma recepção entusiástica.
enthusiastically [-əli], *adv.* entusiasticamente; com ardor.
entice [in'tais], *vt.* atrair, engodar; seduzir, aliciar, tentar.
to entice a person to do something — levar alguém a fazer uma coisa.
enticement [-mənt], *s.* engodo; tentação, sedução.
enticer [-ə]. *s.* tentador, sedutor.
enticing [-iŋ], **1** — *s.* atracção; sedução. **2** — *adj.* tentador, sedutor.
enticingly [-iŋli], *adv.* atraentemente; de modo sedutor.
entire [in'taiə], **1** — *s.* cerveja preta inglesa. **2** — *adj.* inteiro, completo, total; íntegro; mero, puro; não castrado.
an entire mistake — puro engano.
he was in entire ignorance of what happened — ignorava por completo o que se passou.
entirely [-li]. *adv.* inteiramente, completamente; totalmente.
he is entirely forgotten — está completamente esquecido.
entireness [-rinis], *s.* inteireza; integridade; totalidade.
entirety [-ti], *s.* (pl. **entireties**) integridade; totalidade; o todo.
you have to consider the problem in its entirety — tem de considerar o problema no seu todo.
entitle [in'taitl], *vt.* intitular; dar direito a, autorizar.
this ticket entitles him to a dinner — este bilhete dá-lhe direito a um jantar.
entitled [-d], *adj.* com o direito de; autorizado a.
they are entitled to vote — têm o direito de votar.
entity ['entiti], *s.* (pl. **entities**) entidade.
entomb [in'tu:m], *vt.* enterrar, sepultar.
entombment [-mənt], *s.* enterramento.
entomological [entəmə'lɔdʒikəl], *adj.* entomológico.
entomologist [entə'mɔlədʒist], *s.* entomólogo, entomologista.
entomologize [entə'mɔlədʒaiz], *vt.* estudar entomologia; coleccionar insectos para estudos científicos.
entomology [entə'mɔlədʒi], *s.* (pl. **entomologies**) entomologia, tratado dos insectos.
entr'acte ['ɔntrækt], *s.* entreacto.
entrails ['entreilz], *s. pl.* entranhas; intestinos.
entrain [in'trein], *vt.* e *vi.* levar consigo; meter no comboio (tropas); entrar no comboio.
entrainment [-mənt], *s.* embarque (em comboio).
entrammel [in'træməl], *vt.* (pret. e pp. **entrammelled**) embaraçar, dificultar, impedir. (*Sin.* to hamper, to hinder, to embarrass, to entangle
entrance **1** — ['entrəns], *s.* entrada; porta; ingresso, admissão; posse, investidura; (teat.) entrada em cena.
back entrance — entrada lateral; porta de serviço.
entrance examination — exame de aptidão.
entrance fee — jóia, propina de inscrição.
entrance-hall — vestíbulo.
entrance next-door — entrada pela porta seguinte.
front entrance — entrada principal.
he made his entrance in the room — entrou na sala.
to have free entrance to — ter entrada livre.
2 — [in'trɑ:ns], *vt.* extasiar; fascinar; arrebatar, transportar.
he was entranced with the beauty of the landscape — ficou extasiado com a beleza da paisagem.
entrancement [in'trɑ:nsmənt], *s.* êxtase, arrebatamento.
entrancing [in'trɑ:nsiŋ], *adj.* extasiante, arrebatador.
entrancingly [-li], *adv.* extaticamente.
entrant ['entrənt], *s.* estreante, principiante; concorrente, participante.
all entrants are young — todos os concorrentes são novos.
entrap [in'træp], *vt.* (pret. e pp. **entrapped**) prender no laço; seduzir, enganar. (*Sin.* to seduce, to entice, to allure
entrapment [-mənt], *s.* laço, armadilha.

entreat [in'tri:t], *vt.* rogar, suplicar, implorar, pedir.
to entreat a favour of someone — pedir um favor a alguém.
entreating [-iŋ], *adj.* suplicante.
entreatingly [-iŋli], *adv.* de modo suplicante.
entreaty [in'tri:ti], *s.* (pl. **entreaties**) súplica, rogo, petição, instância.
to be open to entreaty — ser sensível às súplicas.
entrée ['ɔn trei], *s.* entrada; direito de entrada; entrada (os primeiros pratos duma refeição).
entrench [in'trentʃ], *vt.* e *vi.* entrincheirar; entrincheirar-se.
entrenchment [-mənt], *s.* entrincheiramento.
entrepreneur [ɔntrəprə'nə:], *s.* empresário.
entrust [in'trʌst], *vt.* confiar.
can I entrust him this task? — posso confiar-lhe esta tarefa?
entry ['entri], *s.* (pl. **entries**), entrada, vestíbulo; entrada (em livro comercial), lançamento; registo; começo; posse.
author entries — verbetes por autor.
double entry — partida dobrada.
entry-form — impresso de inscrição.
single entry — partida simples.
subject entry — verbete por assuntos.
the army made a triumphal entry in the city — o exército fez uma entrada triunfal na cidade.
to make an entry in — registar.
entwine [in'twain], *vt.* enlaçar, entrelaçar.
I entwine my arms round his neck — passo-lhe os braços em volta do pescoço.
entwist [in'twist], *vt.* enroscar; torcer.
enucleate [i'nju:klieit], *vt.* extrair; (fig.) esclarecer, explicar.
enumerate [i'nju:məreit], *vt.* enumerar, contar; pormenorizar.
enumeration [inju:mə'reiʃən], *s.* enumeração.
enumerator [i'nju:məreitə], *s.* enumerador.
enunciate [i'nʌnsieit], *vt.* enunciar, expor; articular, pronunciar.
enunciation [inʌnsi'eiʃən], *s.* enunciação, exposição; articulação, pronúncia.
enunciative [i'nʌnʃiətiv], *adj.* enunciativo.
enunciator [i'nʌnsieitə], *s.* enunciador.
enure [i'njuə], *vt.* e *vi.* acostumar, habituar; (jur.) entrar em vigor.
envelop [in'veləp], *vt.* envolver, cobrir, enrolar, embrulhar; esconder. (*Sin.* to wrap, to fold, to cover, to hide, to encircle. *Ant.* to expose.)
the subject was enveloped in mystery — o assunto estava envolvido em mistério.
envelope ['enviloup]. *s.* envelope, sobrescrito; invólucro.
sealed envelope — envelope lacrado.
to stick the stamp on the envelope — colar o selo no sobrescrito.
envelopment [in'veləpmənt], *s.* envolvimento; invólucro.
envenom [in'venəm], *vt.* envenenar; tornar odioso; deturpar, perverter.
an envenomed tongue — uma língua viperina.
envenomed words — palavras venenosas.
enviable ['enviəbl], *adj.* invejável.
an enviable position — uma posição invejável.
enviably [-i], *adv.* de modo invejável.
envious ['enviəs], *adj.* invejoso.
he is envious of my family — tem inveja da minha família.
enviously [-li], *adv.* invejosamente.
environ [in'vaiərən], *vt.* cercar, rodear.
environed by hills — rodeado de montes.
environed by perils — cercado de perigos.
environment [-mənt]. *s.* ambiente; meio.
environs ['envirənz], *s. pl.* arredores, arrabaldes, subúrbios, cercanias.
envisage [in'vizidʒ], *vt.* enfrentar, encarar, considerar; examinar; planear.
envision [en'viʒən], *vt.* visionar.
envoy ['envɔi], *s.* enviado, emissário; embaixador temporário. (*Sin.* ambassador, minister plenipotentiary, messenger.)
envy ['envi], **1** — *s.* inveja, ciúme; motivo de inveja. (*Sin.* covet, desire, grudge.)
out of envy — por inveja.
to be green with envy — morder-se de inveja.
2 — *vt.* invejar, ter inveja de; cobiçar; apetecer.
I don't envy your good fortune — não invejo a tua sorte.
enwrap [in'ræp], *vt.* (pret. e pp. **enwrapped**) envolver; embrulhar; cobrir.
enwreathe [in'ri:ð], *vt.* engrinaldar.
enzootic [inzou'ɔtik], **1** — *s.* enzootia, doença que, em certas regiões, ataca os animais.
2 — *adj.* enzoótico.
enzyme ['enzaim], *s.* enzima, fermento solúvel.
eocene ['i(:)ousi:n], *adj.* (geol.) eoceno, diz-se da camada mais antiga dos terrenos.
eolithic [i:ou'liθik], *adj.* eolítico, do período que precede a idade paleolítica.
eon ['i:ən], *vd.* **aeon.**
epact ['i:pækt], *s.* epacta, número de dias que se juntam ao ano lunar para ficar igual ao solar.
eparch ['epɑ:k], *s.* eparca, governador ou bispo duma diocese na Rússia.
eparchy [-i], *s.* (pl. **eparchies**) eparquia, diocese russa.
epaulement [e'pɔ:lmənt], *s.* parapeito (para proteger uma bateria).
epaulet(te) ['epoulet], *s.* dragona, galão que os oficiais usam no ombro como distintivo.
epenthesis [e'penθisis] *s.* epêntese.
epenthetic [epen'θetik], *adj.* epentético.
epergne [i'pə:n], *s.* centro de mesa.
epexegesis [epeksi'dʒi:sis], *s.* epexegese, explicação adicional.
ephemera [i'femərə], *s.* (pl. **ephemeras**) (zool.) insecto que nasce e morre no mesmo dia; coisa efémera.
ephemeral [i'femərəl], *adj.* efémero.
ephemeris [i'femərís], *s.* (pl. **ephemerides** [ife'meridi:z]) efeméride.
Ephesus ['efisəs], *top.* Éfeso.
ephod ['i:fɔd], *s.* éfode, paramento sagrado hebraico.
epiblast ['epiblæst], *s.* epiblasto.
epic ['epik], **1** — *s.* poema épico, epopeia.
2 — *adj.* épico.
epical [-əl] *adj.* épico.
epically [-əli], *adv.* epicamente.
epicarp ['epikɑ:p], *s.* epicarpo.
epicedium [epi'si:djəm], *s.* (pl. **epicedia**) epicédio, poema fúnebre.
epicene ['episi:n], **1** — *s.* hermafrodita.
2 — *adj.* epiceno.
epicentrum, epicentre ['episentrəm, e'pisentə], *s.* epicentro.
epicure ['epikjuə], *s.* epicurista.
epicureanism, epicurism [epikju'ri:ənizəm, 'epikjuərizəm]. *s.* epicurismo, doutrina de Epicuro.
Epicurus [epi'kjuərəs], *n. p.* Epicuro.
epicycle ['episaikl], *s.* epiciclo.
epicyclic [epi'saiklik], *adj.* epicíclico.
epidemic [epi'demik], **1** — *s.* epidemia.
2 — *adj.* epidémico.
epidemical [-əl], *adj.* epidémico.
epidemically [-əli], *adv.* epidemicamente.
epidemiology [epidi:mi'ɔlədʒi], *s.* epidemiologia, tratado de doenças epidémicas.

epidermic, epidermal [epi'də:mik, epi'də:məl], *adj.* epidérmico.
epidermis [epi'də:mis], *s.* epiderme.
epidiascope [epi'daiəskoup], *s.* epidiascópio.
epigastric [epi'gæstrik], *adj.* epigástrico.
epigastrium [epi'gæstriəm], *s.* epigastro, parte superior do abdómen de alguns animais.
epigenesis [epi'dʒenisis], *s.* epigenesia, geração por formações sucessivas.
epigenetic [epidʒə'netik], *adj.* epigenético.
epiglottic [epi'glɔtik], *adj.* epiglótico.
epiglottis [epi'glɔtis], *s.* epiglote.
epigram ['epigræm], *s.* epigrama, pequena composição poética do género satírico.
epigrammatic [epigrə'mætik], *adj.* epigramático.
epigrammatically [-əli], *adv.* epigramaticamente.
epigrammatist [epi'græmətist], *s.* epigramatista.
epigrammatize [epi'græmətaiz], *vt.* e *vi.* fazer epigramas.
epigraph ['epigrɑ:f], *s.* epígrafe.
epigraphic [epi'græfik], *adj.* epigráfico.
epigraphist [e'pigrəfist], *s.* epigrafista.
epigraphy [e'pigrəfi], *s.* epigrafia.
epigynous [e'pidʒinəs], *adj.* *(bot.)* epígino; epigínico.
epilepsy ['epilepsi], *s.* epilepsia.
epileptic [epi'leptik], *s.* e *adj.* epiléptico.
an epileptic fit — um ataque epiléptico.
epilogist [e'pilədʒist], *s.* epilogador, aquele que faz epílogos.
epilogue ['epilog], *s.* epílogo.
Epiphany [i'pifəni], *s.* Epifânia, dia dos Reis Magos.
epiphenomenon [epifi'nɔminən], *s.* (pl. **epiphenomena** [-inə]) epifenómeno, fenómeno que se vem juntar a outro sem exercer sobre este nenhuma influência; sintoma que sobrevém numa doença já declarada.
epiphysis [e'pifisis], *s.* epífese.
Epirus [e'paiərəs], *top.* Epiro.
episcopacy [i'piskəpəsi], *s.* episcopado, bispado.
episcopal [i'piskəpəl], *adj.* episcopal.
episcopalian [ipiskə'peiljən], *s.* e *adj.* membro da seita episcopal.
episcopally [i'piskəpəli], *adv.* episcopalmente, dum modo episcopal.
episcopate [i'piskəpit], *s.* episcopado.
episcope ['episkoup], *s.* episcópio.
episode ['episoud], *s.* episódio.
episodic(al) [epi'sɔdik(əl)], *adj.* episódico.
episodically [epi'sɔdikəli], *adv.* episodicamente.
epispastic [epi'spæstik], *s.* e *adj.* epispástico.
epistemology [episti:'mɔlədʒi], *s.* epistemologia, teoria do conhecimento.
epistle [i'pisl], *s.* epístola; carta.
epistolar [e'pistələ], *s.* sacerdote que lê a epístola.
epistolarian [epistə'lɛəriən], *s.* epistológrafo.
epistolary [i'pistələri], *adj.* epistolar.
epistolography [ipistə'lɔgrəfi], *s.* epistolografia, arte de escrever epístolas ou cartas.
epistrophe [e'pistrəfi], *s.* epístrofe.
epistyle ['epistɑil], *s.* epistilo, arquitrave.
epitaph ['epitɑ:f], *s.* epitáfio.
epithalamic [epiθə'læmik], *adj.* epitalâmico.
epithalamium [epiθə'leimjəm], *s.* epitalâmio, canto ou poesia nupcial.
epithelial [epi'θi:liəl], *adj.* epitelial.
epithelium [epi'θi:ljəm], *s.* epitélio.
epithet ['epiθet], *s.* epíteto.
epithetic(al) [epi'θetik(əl)], *adj.* epitético.
epithetically [-əli], *adv.* de modo epitético.
epitome [i'pitəmi], *s.* epítome, resumo.
epitomist [i'pitəmist], *s.* autor dum epítome.
epitomize [i'pitəmaiz], *vt.* epitomar, resumir.
epizoon [epi'zouɔn], *s.* (pl. **epizoa** [epi'zouə]) epizoário, animal parasita.
epizootic [epizə'ɔtik], *adj.* epizoótico.
epizooty [epi'zouəti], *s.* epizootia, doença que ataca ao mesmo tempo muitos animais da mesma região.
epoch ['i:pɔk], *s.* época; era.
an epoch-making discovery — descoberta que marca uma época.
epochal ['epɔkəl], *adj.* relativo a uma época; histórico.
epode ['epoud], *s.* epodo.
eponym ['epounim], *s.* epónimo, o que dá o seu nome a um povo, lugar ou instituição.
eponymous [i'pɔniməs], *adj.* eponímico.
epopee ['epoupi:], *s.* epopeia.
epos ['epɔs], *s.* poesia épica primitiva; epopeia.
epsilon [ep'sailən], *s.* épsilon, nome da quinta letra do alfabeto grego.
Epsom ['epsəm], *top.* nome de cidade inglesa.
Epsom salts — sais de Epsom; sulfato de magnésio.
equability [ekwə'biliti], *s.* equabilidade.
equable ['ekwəbl], *adj.* uniforme, igual.
equal ['i:kwəl], **1** — *s.* par, igual; pessoa da mesma categoria.
my equals — os da minha categoria.
some prefer to mix with their inferiors rather than with their equals — alguns preferem juntar-se aos seus inferiores e não aos seus iguais.
to have no equal — não haver igual.
what a nice building! I never saw its equal — que lindo edifício! nunca vi um igual.
2 — *adj.* igual, uniforme; idêntico; imparcial.
all men are equal in the sight of God — somos todos iguais perante Deus.
on equal terms — em condições iguais.
she does not feel equal to reading now — ela não tem disposição para ler agora.
to be equal with a person — vingar-se de uma pessoa.
two officers of equal rank — dois oficiais da mesma patente.
3 — *vt.* (pret. e pp. **equalled**) igualar, ser igual a.
he equals me in strengh—ele iguala-me em força.
not to be equalled — sem igual.
equality [i(:)kwɔliti], *s.* (pl. **equalities**) igualdade; uniformidade.
on a footing of equality with (on an equality with) — em pé de igualdade com.
equalization [i:kwəlai'zeiʃən], *s.* igualação; compensação; equilíbrio.
equalize ['i:kwəlaiz], *vt.* e *vi.* igualar, equilibrar.
to equalize salaries — nivelar salários.
equalizing [-iŋ], *s.* e *adj.* igualamento; igualador, que iguala.
equalizing gear (aut.) — diferencial.
equally ['i:kwəli], *adv.* igualmente, uniformemente; imparcialmente.
equanimity [i:kwa'nimiti], *s.* equanimidade, igualdade de ânimo na adversidade e na prosperidade; serenidade, calma; rectidão.
to bear the buffetings of fate with equanimity — suportar os reveses do destino com serenidade.
equate [i'kweit], *vt.* igualar; pôr em equação; comparar.
equation [i'kweiʃən], *s.* equação; equilíbrio.
quadratic equation (mat.) — equação do segundo grau.
simple equation (mat.) — equação do primeiro grau.
to find the equation of a problem — pôr um problema em equação.
to solve an equation — resolver uma equação.

equationally [-əli], *adv.* por meio de equação.
equator [i'kweitə], *s.* equador.
equatorial [ekwə'tɔ:riəl], *adj.* equatorial.
equerry [i'kweri], *s.* (pl. **equerries**) funcionário da Casa Real inglesa.
equestrian [i'kwestriən], *s.* e *adj.* cavaleiro; equestre.
an equestrian statue — uma estátua equestre.
equestrian exercises — exercícios de equitação.
equestrienne [ikwestri'en], *s. fem.* mulher que monta a cavalo; artista de circo que se exibe a cavalo.
equiangular [i:kwi'æŋgjulə], *adj.* equiângulo.
equidistance ['i:kwi'distəns], *s.* equidistância.
equidistant ['i:kwi'distənt], *adj.* equidistante.
equidistantly [-li], *adv.* a igual distância.
equilateral ['i:kwi'lætərəl], *adj.* equilátero.
equilateral triangle — triângulo equilátero.
equilibrate [i:kwi'laibreit], *vt.* e *vi.* equilibrar; equilibrar-se.
equilibration [i:kwilai'breiʃən], *s.* equilibração, equilíbrio.
equilibrator [i:'kwilibreitə], *s.* equilibrador.
equilibrist [i(:)'kwilibrist], *s.* equilibrista, acrobata.
equilibrium [i:kwi'libriəm], *s.* equilíbrio.
stable equilibrium — equilíbrio estável.
unstable equilibrium — equilíbrio instável.
equimultiple ['i:kwi'mʌltipl], *adj.* equimúltiplo.
equine ['i:kwain], *adj.* equino, relativo ao cavalo.
equinoctial [i:kwi'nɔkʃəl], **1** — *s.* linha equinocial; *pl.* ventos equinociais.
2 — *adj.* equinocial.
equinoctial gales — ventos do equinócio.
equinoctial line — linha equinocial.
equinox ['i:kwinɔks], *s.* equinócio.
the autumnal equinox — o equinócio do Outono.
the vernal equinox — o equinócio da Primavera.
equip [i'kwip], *vt.* (pret. e pp. **equipped**) equipar, apetrechar, aparelhar; prover do necessário (*Sin.* to supply, to furnish, to fit, to provide.)
to equip a ship for a voyage — preparar um navio para uma viagem.
equipage ['ekwipidʒ], *s.* equipagem; equipamento; apetrechos.
equipment [i'kwipmənt], *s.* equipamento, conjunto de coisas necessárias; material; instalação.
camping equipment — material de campismo.
electrical equipment — aparelhagem eléctrica.
equipoise ['ekwipɔiz], **1** — *s.* equilíbrio; contrapeso.
2 — *vt.* equilibrar; contrabalançar.
equipollence, equipollency [i:kwi'pɔləns, (-si)], *s.* equipolência.
equipollent [i:kwi'pɔlənt], *adj.* equipolente, equivalente, que tem igual poder.
equitable ['ekwitəbl], *adj.* equitativo, justo, recto, imparcial.
equitableness [-nis], *s.* equidade, rectidão, imparcialidade.
equitably [-i], *adv.* equitativamente, imparcialmente.
equitation [ekwi'teiʃən], *s.* equitação.
equity ['ekwiti], *s.* (pl. **equities**) equidade, rectidão, justiça natural, imparcialidade.
equivalence [i'kwivələns], *s.* equivalência.
equivalent [i'kwivələnt], *s.* e *adj.* equivalente.
equivocal [i'kwivəkəl], *adj.* equívoco, confuso, ambíguo.
an equivocal sentence — uma frase equívoca.
equivocally [-i], *adv.* equivocamente.
equivocalness [i'kwivəkəlnis], *s.* equívoco; ambiguidade.
equivocate [i'kwivəkeit], *vi.* equivocar, usar palavras ambíguas.
equivocation [ikwivə'keiʃən], *s.* equivocação, equívoco.
equivocator [i'kwivəkeitə], *s.* o que usa palavras ambíguas.
equivoque, equivoke ['ekwivouk], *s.* equívoco, ambiguidade.
er [ə:], *interj.* (significa hesitação no falar).
era ['iərə], *s.* era; época.
the Christian era — a era Cristã.
eradiate [i'reidieit], *vi.* irradiar.
eradiation [ireidi'eiʃən], *s.* irradiação.
eradicable [i'rædikəbl], *adj.* que se pode arrancar; extirpável.
eradicate [i'rædikeit], *vt.* erradicar, extirpar; arrancar.
eradication [irædi'keiʃən], *s.* erradicação; extirpação.
erasable [i'reizəbl], *adj.* que se pode apagar; delével.
erase [i'reiz], *vt.* apagar, safar, riscar, raspar; rasurar. (*Sin.* to rub out, to expunge, to efface, to obliterate. *Ant.* to write.)
erased [-d], *adj.* apagado, riscado, raspado.
erasement [-mənt], *s.* acto de apagar; rasura.
eraser [-ə], *s.* borracha; apagador; raspadeira.
ink eraser — borracha de tinta.
erasion [i'reiʒən], *s.* ver **erasement.**
Erasmus [i'ræzməs], *n. p.* Erasmo.
erasure [i'reiʒə], *s.* rasura, o que está rasurado.
ere [ɛə], **1** — *prep.* antes de.
ere long — dentro de pouco tempo.
2 — *conj.* antes que.
erect [i'rekt], **1** — *adj.* erecto, erguido, direito, levantado, firme, vertical.
to stand erect — estar direito.
2 — *vt.* erigir, levantar; edificar, construir; fundar; montar (máquinas).
to erect a monument — erigir um monumento.
to erect an engine — montar uma máquina.
erectile [-ail], *adj.* eréctil.
erectility [irek'tiliti], *s.* erectilidade.
erecting [i'rektiŋ], *s.* erecção; montagem (de máquinas, etc.).
erection [i'rekʃən], *s.* erecção; construção; estrutura; montagem.
erectly [i'rektli], *adv.* direito, a prumo.
erectness [i'rektnis], *s.* posição erecta, direita.
erector [i'rektə], *s.* erector; montador, instalador.
eremite ['erimait], *s.* eremita.
eremitic [eri'mitik], *adj.* eremítico, relativo aos eremitas.
erethism ['eriθizəm], *s.* eretismo.
erewhile [ɛə'wail], *adv.* outrora.
erg [ə:g], *s.* ergo, unidade de medida de trabalho.
ergastulum [ə:'gæstjuləm], *s.* ergástulo.
ergatocracy [ə:gə'tɔkrəsi], *s.* governo dos trabalhadores.
ergo ['ə:gou], *adv.* portanto.
ergon ['ə:gɔn], *adv.* ver **erg.**
ergot ['ə:gət], *s.* cravagem do centeio; morrão.
ergotism [-izəm], *s.* ergotismo, intoxicação pela cravagem do centeio.
ergotize [-aiz], *vt.* intoxicar com cravagem de centeio.
Erin ['iərin], *top.* antigo nome da Irlanda.
eristic [e'ristik], *s.* e *adj.* erístico.
Eritrea [eri'triə], *top.* Eritreia.
ermine ['ə:min], *s.* arminho; pele de arminho.
to rise to the ermine — ser nomeado juiz.
to wear the ermine — ser juiz.
erne [ə:n], *s.* (zool.) águia marinha (de cauda branca).
Ernest ['ə:nist], *n. p.* Ernesto.
Ernestine ['ə:nistin], *n. p.* Ernestina.
erode [i'roud], *vt.* corroer, roer; desgastar-se.

eroded [-id], *adj.* corroído, escavado.
erosion [i'rouʒən], *s.* erosão; corrosão.
erosive [i'rousiv], *adj.* erosivo; corrosivo.
erotic [i'rɔtik], *s.* e *adj.* poema erótico; erótico.
eroticism [e'rɔtisizəm], *s.* erotismo.
erotomania [eroutə'meiniə], *s.* erotomania, loucura caracterizada pelo amor sensual.
err [ə:], *vi.* errar, equivocar-se; pecar.
it's better to err on the side of mercy — é melhor pecar por excesso de bondade.
to err is human — errar é próprio dos homens.
to err on the safe side — ser cauteloso.
errancy ['erənsi], *s.* situação de erro; estado de erro.
errand ['erənd], *s.* recado, mensagem; incumbência.
a fool's errand — pessoa que não sabe o que anda a fazer, pateta.
errand-boy — moço de recados.
to go on errands for someone (to run errands) — fazer recados.
errant ['erənt], *s.* e *adj.* cavaleiro andante; errante, vagabundo.
knight errant — cavaleiro andante.
errantry [-ri], *s.* vida errante.
errata [e'rɑ:tə], *pl.* de **erratum.**
erratic [i'rætik], *adj.* errático; irregular; extravagante, excêntrico.
erratic life — vida desordenada.
erratically [-əli], *adv.* irregularmente, sem regra, sem ordem.
erratum [e'rɑ:təm], *s.* (*pl.* **errata** [-ə]) errata.
erring ['ə:riŋ], *adj.* pecaminoso; desviado (do bom caminho); no erro.
erroneous [i'rounjəs], *adj.* erróneo, falso; inexacto; errado.
erroneously [-li], *adv.* erroneamente.
erroneousness [-nis], *s.* erro, falsidade.
error ['erə], *s.* erro, engano, equívoco; ilusão. (*Sin.* mistake, inaccuracy, untruth.)
an error of judgment — erro de julgamento.
clerical error — erro de escrita.
errors and omissions excepted — salvo erro ou omissão.
errors of youth — desvarios da juventude.
the book is not free from printers' errors — o livro não está isento de erros de impressão.
to be in error — estar em erro.
to commit (make) errors — cometer erros.
to lead a person into error — induzir uma pessoa em erro.
erst, erstwhile [ə:st, -wail], *adv.* (arc.) outrora.
erubescence [eru(:)'besns], *s.* erubescência, vermelhidão, rubor.
erubescent [eru(:)'besnt], *adj.* erubescente, vermelho, corado.
eruct, eructate [i'rʌkt, i'rʌkteit], *vt.* e *vi.* arrotar, eructar.
eructation [i:rʌk'teiʃən], *s.* arroto, eructação.
erudite ['eru(:)dait], *adj.* erudito, que tem vasto saber; letrado.
eruditely [-li], *adv.* eruditamente.
erudition [eru(:)'diʃən], *s.* erudição.
erupt [i'rʌpt], *vi.* entrar em erupção; sair com força e rapidez; romper (os dentes).
eruption [i'rʌpʃən], *s.* erupção.
eruptive [i'rʌptiv], *adj.* eruptivo.
eruptively [-li], *adv.* eruptivamente.
eruptiveness [-nis], *s.* erupção.
erysipelas [eri'sipiləs], *s.* erisipela, doença muito contagiosa que se manifesta por inflamação da pele.
erythema [eri'θi:mə], *s.* eritema, exantema não contagioso.
escalade [eskə'leid], **1** — *s.* escalada.
2 — *vt.* escalar.
escalator ['eskəleitə], *s.* escada rolante.
escallop [is'kɔləp], *vd.* **scallop.**
escapade [eskə'peid], *s.* escapadela; correria, fuga; travessura, partida estouvada.
escape [is'keip], **1** — *s.* fuga, fugida, evasão; fuga dum gás; derrame dum líquido; saída; salvamento.
an escape of gas — fuga de gás.
an escape of wit — uma graça.
escape valve — válvula de escape.
escape warrant — mandado de captura.
he congratulated me on my escape from shipwreck — felicitou-me pelo meu salvamento no naufrágio.
he made good his escape from the prison — conseguiu fugir da prisão.
to have a narrow escape — escapar por um triz.
2 — *vt.* e *vi.* evitar, iludir, fugir; escapar, evadir-se; salvar-se; esquecer; não compreender bem. (*Sin.* to avoid, to shun, to elude, to evade, to fly, to slip. *Ant.* to capture.)
her name escapes me — não me lembro do nome dela.
it has escaped my memory — passou-me da memória.
the prisoner has escaped — o preso evadiu-se.
they were lucky to escape pursuit — tiveram sorte em escapar à perseguição.
to escape by the skin of one's teeth — escapar por um triz; escapar por uma unha negra.
to escape death — escapar à morte.
to escape one's notice — passar despercebido.
your meaning escapes me — não compreendo bem o que quer dizer.
escapee [iskei'pi:], *s.* evadido, fugitivo.
escapement [is'keipmənt], *s.* saída; escape (relógio).
escapement lever — alavanca de escape.
escaping [is'keipiŋ], *s.* acção de escapar; fuga.
escarp [is'kɑ:p], **1** — *s.* escarpa.
2 — *vt.* escarpar, fazer escarpa.
escarpment [-mənt], *s.* escarpa, escarpamento.
eschalot ['eʃəlɔt], *s.* (bot.) chalota, planta hortense; espécie de cebolinho.
eschar ['eskɑ:], *s.* (med.) escara, crosta de ferida.
eschatological [eskətə'lɔdʒikəl], *adj.* escatológico.
eschatology [eskə'tɔlədʒi], *s.* escatologia, doutrina dos fins últimos do homem e do que há-de acontecer no fim do mundo.
escheat [is'tʃi:t], **1** — *s.* confiscação; reversão de bens para o Estado por falta de herdeiros.
2 — *vt.* e *vi.* confiscar; reverter para o Estado por falta de herdeiros.
eschew [is'tʃu:], *vt.* evitar; renunciar a.
escort, 1 — ['eskɔ:t], *s.* escolta; acompanhamento; pessoa que acompanha outra.
2 — [is'kɔ:t], *vt.* escoltar; acompanhar.
who will escort this young lady home? — quem quer acompanhar esta senhora a casa?
escritoire [eskri(:)'twɑ:], *s.* escrivaninha, secretária.
esculent ['eskjulənt], *s.* e *adj.* comestível.
escutcheon [is'kʌtʃən], *s.* brasão, escudo de armas; espelho de fechadura.
a blot on one's escutcheon — uma mancha na reputação.
he besmirches his escutcheon — ele mancha a sua reputação.
Eskimo ['eskimou], *s.* (pl. **Esquimoes**) esquimó, habitante das regiões polares da América e Gronelândia; língua falada pelos Esquimós.
esoteric(al) [esou'terik(əl)], *adj.* esotérico; oculto, secreto, confidencial.
esoterically [-əli], *adv.* esotericamente.
esoterism [e'sɔtərizəm], *s.* esoterismo, doutrina que alguns filósofos da antiguidade apenas comunicavam aos iniciados.

espadrille [espə'dril], *s.* alpergata.
espagnolette [espænjou'let], *s.* fecho de porta envidraçada; tranca.
espalier [is'pæljə], *s.* espaldeira, renque de árvores; latada.
esparto [es'pɑːtou], *s.* esparto, planta herbácea.
especial [is'peʃəl], *adj.* especial; particular; principal.
my especial friend — meu particular amigo.
especially [-i], *adv.* especialmente, principalmente.
Esperantist [espə'ræntist], *s.* e *adj.* esperantista, pessoa que se dedica à aprendizagem do esperanto.
Esperanto [espə'ræntou], *s.* esperanto, linguagem convencional criada pelo Dr. Zamenhof para favorecer as relações internacionais.
espial [is'paiəl], *s.* espionagem; descoberta.
espionage [espiə'nɑːʒ], *s.* espionagem.
esplanade [esplə'neid], *s.* esplanada.
espousal [is'pauzəl], *s.* (pl.) esponsais, casamento; adesão; apoio (a uma causa ou ideia).
espouse [is'pauz], *vt.* desposar, casar; defender, sustentar, aderir (a uma causa).
espouser [-ə], *s.* contraente de esponsais ou matrimónio; defensor.
esprit de corps ['espriːdə'kɔː], *s.* espírito de classe.
espy [is'pai], *vt.* avistar, ver ao longe, divisar, distinguir; descobrir.
Esquimau ['eskimou], *s.* (pl. **Esquimaux** [-ouz]) ver **Eskimo.**
esquire [is'kwaiə], *s.* escudeiro; título de cortesia que se usa nos endereços das cartas, depois do nome e abreviado para *Esq.* *R. L. Brown, Esq.* — Exmo. Sr. R. L. Brown.
essay ['esei], **1** — *s.* ensaio; tentativa, experiência; tratado literário resumido; opúsculo. (*Sin.* trial, attempt, aim, effort, dissertation, article, composition.)
2 — [e'sei], *vt.* ensaiar, tentar, experimentar.
essayist [-ist], *s.* ensaísta, escritor de ensaios literários.
essence ['esns], *s.* essência; perfume; líquido volátil; substância.
essence of turpentine — aguarrás.
in essence — essencialmente.
essential [i'senʃəl], *adj.* essencial, principal, indispensável, necessário; substancial.
the essential thing — o essencial.
essentiality [isenʃi'æliti], *s.* essencialidade.
essentially [i'senʃəli], *s.* essencialmente.
essentials [i'senʃəlz], *s. pl.* essencial; coisas essenciais.
establish [is'tæbliʃ], *vt.* estabelecer, fundar, instituir; confirmar, afirmar, ratificar; instalar, fixar-se; demonstrar. (*Sin.* to settle, to found, to plant, to institute, to fix, to prove, to confirm. *Ant.* to demolish, to refute).
to establish a theory — demonstrar uma teoria.
to establish a university — fundar uma universidade.
to establish oneself in a new house — instalar-se numa casa nova.
established [-t], *adj.* estabelecido; provado; oficializado.
it is an established fact — é facto consumado.
establishment [-mənt], *s.* estabelecimento; instituição, fundação; casa de negócio.
a business establishment — casa comercial.
peace establishment (mil.) — efectivos de tempo de paz.
the establishment charges preoccupy him — as despesas da casa (da instalação) preocupam-no.
war establishment (mil.) — efectivos de tempo de guerra.
estate [is'teit], *s.* bens, propriedades; herdade, quinta, fazenda; estado, ordem, classe social; época, período.
estate agency — agência (de compra e venda de propriedades.)
estate agent — agente (de compra e venda de propriedades).
estate duty — direitos de transmissão.
he owns an estate in the country — possui uma quinta no campo.
he reached man's estate — atingiu a idade varonil.
life estates — bens vitalícios.
personal estates — bens móveis.
real estates — bens de raiz.
she is of high estate—é de alta condição social.
she is of low estate — é de condição humilde.
the fourth estate — a imprensa.
the three estates of the realm are the Lords Spiritual, the Lords Temporal and the Commons — os três estados do reino são o clero, a nobreza e o povo.
esteem [is'tiːm], **1** — *s.* estima, apreço, consideração.
to hold a person in high esteem — ter uma pessoa em grande apreço.
2 — *vt.* estimar, apreciar, ter em grande conta; considerar. (*Sin.* to regard, to consider, to reckon, to respect, to admire, to prize. *Ant.* to despise.)
I esteem it (as) an honour to address this audience — considero uma honra falar a este público.
your esteemed letter has just reached me — acabei de receber a sua estimada carta.
esterification [estərifi'keiʃən], *s.* esterificação, reacção de um álcool com um ácido, para formação de um éster.
Esther ['estə], *n. p.* Ester.
Esthonia [es'tounjə], *top.* Estónia.
estimable ['estiməbl], *adj.* estimável, apreciável, digno de estima; avaliável, calculável.
estimate **1** — ['estimit], *s.* estima, cálculo, orçamento; avaliação; estimação; preço.
a rough estimate — um orçamento aproximado.
at the lowest estimate — pelo mínimo, calculando pelo mais baixo.
it is impossible to form an estimate of his abilities — é impossível fazer uma ideia das suas capacidades.
to draw up an estimate — fazer um orçamento.
2 — ['estimeit], *vt.* e *vi.* calcular, fazer um orçamento, avaliar; apreciar.
I estimate my losses at a thousand pounds — avalio as minhas perdas em mil libras.
estimated [-d], *adj.* calculado, avaliado; aproximado.
Estimates (The) ['estimits], *s. pl.* orçamento do Estado.
estimation [esti'meiʃən], *s.* estimativa, estimação, apreço; apreciação, estima; opinião favorável; cálculo.
a hasty estimation of our available resources — um cálculo rápido da nossa situação financeira.
in her estimation — na opinião dela; quanto a ela.
to be held in high estimation — ser tido em grande consideração.
estimative ['estimətiv], *adj.* estimativo.
estimator ['estimeitə], *s.* avaliador; calculador.
estival [iːs'taivəl], *adj.* estival.
estop [is'tɔp], *vt.* (pret. e pp. **estopped**) impedir, embargar judicialmente.
estoppage [-idʒ], *s.* embargo judicial.

estoppel [-əl], *s.* (jur.) acto que não pode ser legalmente negado.
estrade [es'trɑ:d], *s.* estrado, tablado.
estrange [is'treindʒ], *vt.* alienar, tornar indiferente, afastar, apartar, indispor contra alguém.
estrangement [-mənt], *s.* indiferença, esfriamento (de relações), afastamento, desavença.
to cause an estrangement between two old friends — provocar a indiferença entre dois velhos amigos.
estreat [is'tri:t], *vt.* lavrar o auto de transgressão para pagamento do imposto e multa e seu pagamento coercivo.
estuary ['estjuəri], *s.* (pl. **estuaries**) estuário.
esurience, esuriency ['isjuəriəns (-si)], *s.* fome, miséria, necessidade; voracidade.
esurient [i'sjuəriənt], *adj.* esfomeado, faminto, necessitado.
eta ['i:tə], *s.* a letra eta do alfabeto grego.
etcetera [it'setrə], *s.* (pl. **etceteras**) etc.; o resto.
etch [etʃ], *vt.* e *vi.* gravar (por meio de ácidos); causticar.
etcher [-ə], *s.* gravador.
etching [-iŋ], *s.* gravura (por meio de ácidos).
eternal [i(:)'tə:nl], **1** — *s.* eterno.
2 — *adj.* eterno, imortal; incessante; inalterável.
the Eternal City — Roma, a cidade eterna.
the eternal life — a vida eterna.
the eternal triangle — caso de amor que envolve três pessoas.
the Father Eternal — o Pai Eterno.
eternalize [i(:)'tə:nəlaiz], *vt.* eternizar.
eternally [i(:)'tə:nəli], *adv.* eternamente.
eternity [i(:)'tə:niti], *s.* (pl. **eternities**) eternidade.
eternize [i:'tə:naiz], *vt.* eternizar; perpetuar.
Etesian [i'ti:ʒjən], *adj.* etésio.
Etesian winds — ventos etésios que sopram todos os anos durante seis semanas no Mediterrâneo.
ether ['i:θə], *s.* éter.
ethereal [i(:)'θiəriəl], *adj.* etéreo, celestial; espiritual; aéreo. (*Sin.* airy, aerial, celestial, heavenly, sublime, light. *Ant.* material.)
ethereality [i(:)θiəri'æliti], *s.* carácter etéreo.
etherealize [i(:)'θiəriəlaiz], *vt.* tornar etéreo, sublimar.
etheric [i(:)'θerik], *adj.* etérico.
etherify ['i:θərifai], *vt.* eterificar, converter em éter.
etherization [i:θərai'zeiʃən], *s.* eterização.
etherize ['i:θəraiz], *vt.* anestesiar (por meio do éter); converter em éter.
ethic(al) ['eθik(əl)], *adj.* ético, moral.
she has a high ethic standard — ela tem um alto nível moral.
ethically [-əli], *adv.* moralmente, de acordo com a ética.
ethics ['eθiks], *s. pl.* ética, moral.
Ethiopia [i:θi'oupjə], *top.* Etiópia.
Ethiopian [-n], *s.* e *adj.* etíope.
ethnic(al) ['eθnik(əl)], *adj.* étnico; etnológico.
ethnically [-əli], *adv.* etnologicamente.
ethnographer [eθ'nɔgrəfə], *s.* etnógrafo, aquele que é conhecedor de etnografia.
ethnographic(al) [eθnou'græfik(əl)], *adj.* etnográfico.
ethnography [eθ'nɔgrafi], *s.* etnografia, estudo dos povos quanto aos seus costumes, mentalidade, modo de vida e cultura.
ethnological [eθnou'lɔdʒikəl], *adj.* etnológico.
ethnologist [eθ'nɔlədʒist], *s.* etnólogo, etnologista, aquele que é conhecedor de etnologia.
ethnology [eθ'nɔlədʒi], *s.* etnologia, estudo dos povos quanto aos caracteres psíquicos e culturais.
ethological [i:θou'lɔdʒikəl], *adj.* etológico.
ethologist [i(:)'θɔlədʒist], *s.* etólogo, aquele que conhece etologia.
ethology [i(:)'θɔlədʒi], *s.* etologia, tratado dos costumes e dos caracteres humanos.
ethos ['i:θɔs], *s.* características duma comunidade ou dum povo.
ethyl ['eθil], *s.* etilo.
ethyl alcohol — álcool etílico.
ethylene ['eθili:n], *s.* (quím.) etileno.
etiolate ['i:tiouleit], *vt.* e *vi.* estiolar, definhar; estiolar-se.
etiolated [-id], *adj.* estiolado, definhado, murcho.
etiolation [i:tiou'leiʃən], *s.* estiolamento, definhamento.
etiology [i:ti'ɔlədʒi], *s.* etiologia, parte da medicina que estuda as causas das doenças.
etiquette [eti'ket], *s.* etiqueta, cerimónia.
Eton ['i:tn], *top.* povoação inglesa famosa pelo seu colégio.
Eton collar — colarinho engomado que se dobra por cima da gola do casaco.
Eton College — Colégio de Eton.
Eton crop — corte de cabelo à rapaz, para raparigas.
Eton jacket — casaco curto usado em Eton.
Etruria [i'truəriə], *top.* Etrúria.
Etruscan [i'trʌskən], *s.* e *adj.* etrusco.
etui [e'twi:], *s.* estojo.
etymological [etimə'lɔdʒikəl], *adj.* etimológico.
an etymological dictionary — dicionário etimológico.
etymologically [-i], *adv.* etimologicamente.
etymologist [eti'mɔlədʒist], *s.* etimologista.
etymologize [eti'mɔlədʒaiz], *vt.* e *vi.* estudar etimologia.
etymology [eti'mɔlədʒi], *s.* (pl. **etymologies**) etimologia, parte da gramática que trata da origem das palavras.
etymon ['etimɔn], *s.* étimo, vocábulo que é origem imediata de outro.
eucalyptus [ju:kə'liptəs], *s.* eucalipto.
Eucharist ['ju:kərist], *s.* Eucaristia.
eucaristic(al) [ju:kə'ristik(əl)], *adj.* eucarístico.
euchre ['ju:kə], **1** — *s.* jogo de cartas americano para duas, três ou quatro pessoas.
2 — *vt.* ganhar vantagem sobre o adversário no jogo do *euchre*.
Euclid ['ju:klid], **1** — *n. p.* Euclides.
2 — *s.* geometria; elementos de geometria de Euclides, célebre matemático de Alexandria.
eudemonism [ju:'di:mənizəm], *s.* eudemonismo.
eudemonist [ju:'di:mənist], *s.* eudemonista, pessoa versada na ciência sobre a felicidade.
eudiometer [ju:di'ɔmitə], *s.* eudiómetro, instrumento com que se determina a proporção relativa dos gases.
eudiometry [ju:di'ɔmitri], *s.* eudiometria, análise efectuada por meio de eudiómetro.
Eugen ['ju:dʒen], *n. p.* Eugénio.
Eugene [ju:'ʒein], *n. p.* Eugénio.
Eugenia [ju:'dʒi:njə], *n. p.* Eugénia.
eugenic [ju:'dʒenik], *adj.* eugénico, relativo à eugenia.
eugenically [-əli], *adv.* eugenicamente.
eugenics [-s], *s.* eugenia, ciência que trata de aperfeiçoar as condições físicas do homem, procurando obter tipos sadios, válidos e bonitos.
eugenist [ju:'dʒenist], *s.* pessoa que se consagra ao estudo da eugenia.
Eugenius [ju:'dʒi:njəs], *n. p.* Eugénio.
Eulalia [ju:'leiljə], *n. p.* Eulália.

eulogist [ˈjuːlədʒist], *s.* aquele que elogia, elogiador.
eulogistic(al) [juːləˈdʒistik(əl)], *adj.* laudatório, encomiástico.
eulogistically [-əli], *adv.* de modo encomiástico.
eulogize [ˈjuːlədʒaiz], *vt.* elogiar, encomiar, louvar.
eulogy [ˈjuːlədʒi], *s.* (pl. **eulogies**) elogio, encómio, panegírico.
eunuch [ˈjuːnək], *s.* eunuco.
euonymus [ju(ː)ˈɔniməs], *s.* (bot.) zaragatoa.
eupepsia [juːˈpepsiə], *s.* eupepsia, facilidade de digestão.
eupeptic [juːˈpeptik], *adj.* eupéptico, que facilita a digestão.
euphemism [ˈjuːfimizəm], *s.* eufemismo, emprego duma palavra ou frase agradável para traduzir uma ideia triste ou desagradável.
euphemistic [juːfiˈmistik], *adj.* eufemístico; eufémico.
euphemistically [-əli], *adv.* de modo eufemístico.
euphemize [ˈjuːfimaiz], *vt.* e *vi.* usar eufemismos; tratar qualquer coisa com eufemismos.
euphonic [juːˈfɔnik], *adj.* eufónico, suave, melodioso.
euphonically [-əli], *adv.* eufonicamente.
euphonious [juːˈfounjəs], *adj.* eufónico, melodioso, suave.
euphonium [juːˈfouniəm], *s.* eufónio (instrumento de música).
euphonize [ˈjuːfənaiz], *vt.* eufonizar, tornar eufónico.
euphony [ˈjuːfəni], *s.* eufonia, som agradável; escolha harmoniosa dos sons.
euphrasy [ˈjuːfrəsi], *s.* eufrásia, planta medicinal.
Euphrates [juːˈfreitiːz], *top* Eufrates.
Euphrosyne [juːˈfrɔziniː], *mit.* Eufrosina.
euphuism [ˈjuːfju(ː)izəm], *s.* eufuismo, estilo afectado.
euphuist [ˈjuːfju(ː)ist], *s.* eufuista.
euphuistic [juːfju(ː)ˈistik], *adj.* eufuístico.
euphuistically [-əli], *adv.* eufuisticamente.
Eurasian [juəˈreiʒjən], *s.* e *adj.* euro-asiático.
eureka [juəˈriːkə], *s.* e *interj.* eureca; descoberta importante.
eurhythmic [juːˈriðmik], *adj.* eurítmico, rítmico.
eurhythmics [-s], *s. pl.* ginástica rítmica.
eurhythmy [juːˈriðmi], *s.* euritmia, regularidade ou justa proporção entre as partes de um todo.
Europe [ˈjuərəp], *top.* Europa.
European [juərəˈpi(ː)ən], *s.* e *adj.* europeu.
Europeanization [juərəpi(ː)ənaiˈzeiʃən], *s.* europeização.
Europeanize [juərəˈpi(ː)ənaiz], *vt.* europeizar.
Eusebius [juːˈsiːbjəs], *n. p.* Eusébio.
Eustachian [juːsˈteiʃjən], *adj.* relativo a Eustáquio.
Eustachian tube — trompa de Eustáquio.
Euterpe [juːˈtəːpi], **1** — *mit.* Euterpe, musa da música.
2 — *s.* (bot.) euterpe.
euthanasia [juːθəˈneizjə], *s.* eutanásia, morte provocada por compaixão.
Eva [ˈiːvə], *n. p.* Eva.
evacuant [iˈvækjuənt], *s.* e *adj.* evacuante.
evacuate [iˈvækjueit], *vt.* e *vi.* evacuar, desocupar, despejar; abandonar.
the soldiers evacuated the fort — os soldados abandonaram o forte.
evacuation [ivækjuˈeiʃən], *s.* evacuação, desocupação.
evacuee [ivækjuˈiː], *s.* pessoa evacuada de local considerado perigoso.
evade [iˈveid], *vt.* evitar, iludir; fugir, escapar evadir. (*Sin.* to elude, to escape, to avoid. *Ant.* to encounter.)
to evade a question — evitar uma pergunta.
to evade one's enemies — escapar aos inimigos.
to evade the law — fugir à lei.
evader [-ə], *s.* fugitivo; pessoa que sofisma ou evita.
evaginate [iˈvædʒineit], *vt.* desenvaginar.
evaluate [iˈvæljueit], *vt.* avaliar, calcular.
evaluation [ivæljuˈeiʃən], *s.* avaliação.
evanesce [iːvəˈnes], *vi.* esvaecer, dissipar, desaparecer; esvanecer; desvanecer-se, dissipar-se. (*Sin.* to disappear, to vanish, to melt away, to pass. *Ant.* to appear.)
evanescence [-ns], *s.* esvaecimento; desaparição.
evanescent [-nt], *adj.* evanescente, que se dissipa; (mat.) infinitesimal.
evangelic [iːvænˈdʒelik], *adj.* evangélico.
evangelical [-əl], **1** — *s.* membro da religião evangélica.
2 — *adj.* evangélico.
evangelicalism [iːvænˈdʒelikəlizəm], *s.* evangelismo.
evangelist [iˈvændʒilist], *s.* evangelista.
evangelization [ivændʒilaiˈzeiʃən], *s.* evangelização.
evangelize [iˈvændʒilaiz], *vt.* evangelizar.
evangelizer [-ə], *s.* evangelizador.
evanish [iˈvæniʃ], *vi.* desaparecer gradualmente, desvanecer-se, dissipar-se.
evanishment [-mənt], *s.* desvanecimento, desaparição.
evaporable [iˈvæpərəbl], *adj.* evaporável.
evaporate [iˈvæpəreit], *vt.* e *vi.* evaporar, vaporizar; secar; dissipar; evaporar-se, dissipar-se.
it evaporates in the open air — evapora-se ao ar livre.
our hopes evaporated — as nossas esperanças dissiparam-se.
evaporation [ivæpəˈreiʃən], *s.* evaporação.
evaporative [iˈvæpəreitiv], *adj.* evaporativo, que facilita a evaporação.
evaporative condenser — condensador de evaporação.
evaporator [ivæpəˈreitə], *s.* evaporador; vaporizador.
evasion [iˈveiʒən], *s.* evasiva, subterfúgio; evasão, escusa; rodeio. (*Sin.* equivocation, subterfuge.)
his answer was a mere evasion — a sua resposta foi uma pura evasiva.
they resorted to evasions — recorriam a evasivas.
evasive [iˈveisiv], *adj.* evasivo, ambíguo.
evasively [-li], *adv.* evasivamente.
evasiveness [-nis], *s.* evasiva, escusa, subterfúgio.
Eve [iːv], *n. p.* Eva.
eve [iːv], *s.* véspera.
Christmas Eve — véspera de Natal.
New Year's Eve — véspera de Ano Novo.
on the eve of great events — na véspera de grandes acontecimentos.
even [ˈiːvən], **1** — *s.* (poet.) tardinha, noitinha.
2 — *adj.* plano, liso, igual; raso; uniforme; firme, constante; invariável; regular, rítmico; par.
an even match — jogo empatado.
an even number — número par.
an even surface — superfície plana.
even-handed — imparcial.
even temperature — temperatura uniforme.
of even date — da mesma data.
the even beat of the heart — as pulsações rítmicas do coração.
to be (get) even with a person — ficar quite

com alguém, tirar a desforra.
to make even — igualar, unir.
to part even-handed — ficar com partes iguais.
your work is not very even — o seu trabalho não é igual, regular.
3 — *vt.* igualar; nivelar.
4 — *adv.* ainda; até; mesmo; dum modo igual; precisamente, exactamente, justamente.
even a child knows this — até uma criança sabe isto.
even as he spoke, it began to rain — mesmo quando ele falava, começou a chover.
even if — ainda que; mesmo que.
even now — agora mesmo.
even so — ainda assim.
even though — ainda que.
it happened even as I expected — aconteceu precisamente como eu esperava.
it rains even in Summer — chove mesmo no Verão.
not even — nem mesmo; nem sequer.
this is even more difficult than that — isto é ainda mais difícil que aquilo.
you never even opened the book — nem sequer abriste o livro.

evenfall [-fɔ:l], *s.* cair da noite.

evening ['i:vniŋ], *s.* o anoitecer, a tardinha; noite, especialmente entre o anoitecer e a hora de deitar.
evening dress — trajo de cerimónia.
evening paper — jornal da tarde.
evening party — sarau.
evening performance (teat.) — representação à noite.
evening show (cin.) — sessão da noite.
good evening — boa-tarde; boas-noites.
he spent the evening with me — passou a noite comigo.
in the evening he reads the newspaper — lê o jornal à noite.
on Sunday evening — ao domingo à noite.
on the evening of the 10th — na noite do dia 10.
the evening star — estrela vespertina (Vénus).
this evening he goes to the cinema — vai ao cinema hoje à noite.
to make an evening of it — passar uma noite agradável fazendo qualquer coisa.
tomorrow evening — amanhã à noite.
what evening would suit you? — que noite lhe convém mais?

evenly ['i:vənli], *adv.* igualmente, lisamente, imparcialmente.

evenness ['ivənnis], *s.* igualdade, uniformidade; lisura; imparcialidade.

evensong ['i:vənsɔŋ], *s.* vésperas, orações da tarde.

event [i'vent], *s.* acontecimento, caso; êxito, sucesso; prova desportiva. (*Sin.* incident, occurrence, happening.)
at all events — em todo o caso; haja o que houver.
he took part in some events — tomou parte nalgumas provas desportivas.
in any event — haja o que houver.
in either event — quer num caso quer noutro.
in that event — nesse caso.
in the course of events — no decorrer dos acontecimentos.
in the event of death — em caso de morte.
in the event of my being unable to — no caso de eu não poder.
it was quinte an event! — foi uma festa rija!; aquilo foi um acontecimento!

eventful [-ful], *adj.* cheio de incidentes.

eventide ['i:vəntaid], *s.* (poét.) o anoitecer.

eventless [i'ventlis], *adj.* sem quaisquer acontecimentos.

eventual [i'ventjuəl], *adj.* consequente; final; contingente, eventual. (*Sin.* final, ultimate, contingent.)

eventuality [iventju'æliti], *s.* (pl. **eventualities**) eventualidade.

eventually [i'ventjuəli], *adv.* eventualmente; afinal.

eventuate [i'ventjueit], *vi.* resultar, acontecer.

ever ['evə], *adv.* sempre; já, alguma vez; nunca, em qualquer tempo; jamais.
better than ever — melhor do que nunca.
did you ever hear such nonsense? — já ouviste alguma vez tais disparates?
did you ever see the like? — já viste coisa parecida?
ever and anon — de quando em quando.
ever since — desde então.
ever so much — muito, muitíssimo.
for ever and a day — para nunca mais.
for ever and ever — para sempre.
have you ever been to London? — já foste alguma vez a Londres?
he is ever so ignorant — é muito ignorante.
how ever did you manage it? — como demónio arranjaste isso?
I hardly ever see her — quase nunca a vejo.
more than ever — mais do que nunca.
what ever is the matter with you? — que demónio tens tu?
work as hard as ever you can — trabalha o mais que puderes.
worse than ever — pior do que nunca.

Everest [-rist], *top.* Evereste.

everglade [-gleid], *s.* região pantanosa; *pl.* região pantanosa na Florida do Sul.

evergreen [-gri:n], *s.* e *adj.* (bot.) planta com folhas verdes durante todo o ano; sempre verde.

everlasting [evə'lɑ:stiŋ], **1** — *s.* eternidade.
everlasting flower (bot.) — perpétua (flor).
for everlasting — para toda a eternidade.
the Everlasting — Deus; o Eterno.
2 — *adj.* perpétuo, eterno; perene; interminável.
I'm tired of your everlasting jokes — estou cansado com os teus constantes gracejos.

everlastingly [-li], *adv.* eternamente; sem cessar.

everlastingness [evə'lɑ:stiŋnis], *s.* eternidade.

everliving [evə'liviŋ], *adj.* imortal.

evermore ['evə'mɔ:], *adv.* eternamente, para sempre.

eversion [i'və:ʃən], *s.* reviramento para fora.

evert [i'və:t], *vt.* revirar para fora.

every ['evri], *adj.* cada, cada um; todos.
every day — todos os dias.
every man for himself — salve-se quem puder.
every month — todos os meses.
every now and then (every now and again) — de tempos a tempos; de vez em quando.
every one of us — todos nós; cada um de nós.
every two days — dia sim, dia não; cada segundo dia.
every so often — às vezes.
every third day — de três em três dias.
every time she opens the door — sempre que ela abre a porta.
every two days — dia sim, dia não.
every week — todas as semanas.
he has promised us every assistance — prometeu ajudar-nos em tudo que pudesse.
he is every bit a patriot (he is every inch a patriot) — é patriota até à raiz dos cabelos.
I was late, but every other boy was early — cheguei tarde, mas todos os outros rapazes chegaram cedo.

she liked the cake and ate every bit of it — gostou do bolo e comeu-o todo.
there was every reason to believe that... — havia toda a razão para acreditar que ...
this is (in) every way better than that — isto é melhor que aquilo em todos os aspectos.
we expect her every minute — esperamo-la a todo o momento.
you are every bit as lazy as your brother — és tão preguiçoso como o teu irmão, sem dúvida alguma.
everybody [-bɔdi], *pron.* toda a gente.
everybody else came by train — todos os outros vieram de comboio.
everyday [-dei], *adj.* diário, usual, comum, quotidiano.
everyday life — a vida de todos os dias.
my everyday walk — o meu passeio diário.
Everyman [-mæn], *s.* o vulgo.
everyone [-wʌn], *pron.* toda a gente, todos.
everyone has his troubles — todos nós temos a nossa cruz.
everything [-θiŋ], *pron.* tudo.
money is everything for them — o dinheiro é tudo para eles.
everyway [-wei], *adv.* a todos os respeitos.
everywhere [-wɛə], *adv.* em toda a parte, por toda a parte.
evict [i(:)'vikt], *vt.* desalojar; expulsar.
eviction [i(:)'vikʃən], *s.* evicção; despejo, expulsão.
evidence ['evidəns], **1** — *s.* evidência; prova, testemunho, demonstração; declaração; testemunha. (*Sin.* proof, witness, testimony, manifestation).
circumstancial evidence — prova indirecta.
documentary evidence — prova documental.
evidence for the defence — testemunha de defesa.
evidence for the prosecution — testemunha de acusação.
external evidence — provas extrínsecas.
he got evidence to show his innocence — arranjou provas para mostrar a sua inocência.
he has no evidence to prove it — não tem provas para o provar.
internal evidence — provas intrínsecas.
she likes to be in evidence — ela gosta de ser notada; gosta de dar nas vistas.
they took the boy's evidence — recolheram o depoimento do rapaz.
to give (bear) evidence of — mostrar sinais de.
to give evidence — prestar declarações, dar testemunho.
to turn king's evidence (to turn queen's evidence) — depor contra os próprios cúmplices.
you fly in the face of facts — recusas-te a aceitar a evidência dos factos.
2 — *vt.* provar, evidenciar, demonstrar, revelar; testemunhar.
evident ['evidənt], *adj.* evidente, claro, óbvio. (*Sin.* obvious, manifest, clear, plain, unmistakable. *Ant.* doubtful
evidential [evi'denʃəl], *adj.* que indica prova, comprovativo.
evidentially [-əli], *adv.* por evidência.
evidently ['evidəntli], *adv.* evidentemente.
evil ['i:vl], **1** — *s.* mal, dano; maldade; pecado; desgraça; desastre.
of two evils choose the less — de dois males, o menor.
the king's evil — escrófulas.
to do evil — praticar o mal.
to return good for evil — fazer bem a quem nos faz mal; pagar o mal com o bem.
2 — *adj.* mau, perverso; nocivo, pernicioso.
an evil life — uma vida depravada.
evil be to him who evil thinks — maldito seja quem disto pensar mal.
evil days — dias funestos.
evil-doer — malfeitor.
evil eye — mau olhado.
evil-living — de maus costumes.
evil-looking — com mau aspecto.
evil-minded — malicioso.
evil-speaking — maldizente.
evil tongue — maldizente.
the Evil One — o demónio.
3 — *adv.* mal.
evilly ['i:vili], *adv.* mal; maldosamente.
evince [i'vins], *vt.* mostrar, indicar, demonstrar.
evincive [-iv], *adj.* demonstrativo.
evirate ['i:vireit], *vt.* emascular, castrar.
eviscerate [i'visəreit], *vt.* estripar; privar de coisas essenciais.
evisceration [ivisə'reiʃən], *s.* estripação.
evitable ['evitabl], *adj.* evitável.
evocation [evou'keiʃən], *s.* evocação.
evocative [i'voukətiv], *adj.* evocativo.
evocator ['evoukeitə], *s.* evocador.
evocatory [e'vɔkətəri], *adj.* evocatório; evocativo.
evoke [i'vouk], *vt.* evocar, chamar; invocar; suscitar. (*Sin.* to call, to summon, to rouse.)
to evoke admiration — suscitar admiraçao.
to evoke a spirit — evocar um espírito.
evolute ['i:vəlu:t], *s.* (geom.) evoluta.
evolution [i:və'lu:ʃən], *s.* evolução; desenvolvimento progressivo; movimento; manobra.
evolutional [i:və'lu:ʃənl], *adj.* evolutivo; evolucionário.
evolutionary [i:və'lu:ʃnəri], *adj.* evolucionário.
evolutionism [i:və'lu:ʃənizəm], *s.* evolucionismo.
evolutionist [i:və'lu:ʃənist], *s.* evolucionista.
evolutive ['i:vəlutiv], *adj.* evolutivo.
evolve [i'vɔlv], *vt.* e *vi.* desenvolver, desenrolar, estender; evolucionar; desenvolver-se; transformar-se; desprender-se; abrir-se.
to evolve a new theory — estabelecer uma teoria nova.
to evolve from one's inner consciousness — idear, imaginar.
evolving [-iŋ], *s.* desenvolvimento.
evulsion [i'vʌlʃən], *s.* evulsão, extirpação, arrancamento.
ewe [ju:], *s.* ovelha.
it is my ewe lamb — é a coisa que eu mais estimo.
ewer ['ju(:)ə], *s.* jarro para água.
exacerbate [eks'æsə(:)beit], *vt.* exacerbar, irritar, exasperar, agravar.
exacerbation [eksæsə(:)'beiʃən], *s.* exacerbação, irritação, exasperação.
exact [ig'zækt], **1** — *adj.* exacto, pontual, rigoroso; justo, correcto, escrupuloso; perfeito, preciso. (*Sin.* precise, accurate, correct, literal, careful, particular, strict, punctual. *Ant.* unexact, vague.)
an exact copy — uma cópia exacta.
exact meaning of a word — significado exacto duma palavra.
he is exact in business—é recto nos negócios.
the exact sciences — as ciências exactas.
2 — *vt.* exigir, requerer; obrigar; extorquir; reclamar.
this work exacts the closest attention — este trabalho requer atenção aturada.
to exact obedience — exigir obediência.
exactable [-əbl], *adj.* exigível.
exacting [-iŋ], *adj.* exigente.
an exacting master — um patrão exigente.
he is too exacting with the boys — é demasiado exigente com os rapazes.
exaction [ig'zækʃən], *s.* exacção; exigência, extorsão.

exactitude [ig'zæktitju:d], *s.* exactidão, pontualidade; precisão, rigor; justiça.
exactly [ig'zæktli], *adv.* exactamente, precisamente.
exactly! — isso mesmo!
exactness [ig'zæktnis], *s.* exactidão; pontualidade; precisão.
exaggerate [ig'zædʒəreit], *vt.* exagerar.
to exaggerate the charms of a place — exagerar os encantos dum lugar.
exaggerated [-id], *adj.* exagerado.
exaggeratedly [-idli], *adv.* exageradamente.
exaggeration [igzædʒə'reiʃən], *s.* exagero, exageração; encarecimento.
exaggerative [ig'zædʒərətiv], *adj.* exagerativo; exagerado.
exaggerator [ig'zædʒəreitə], *s.* exagerador.
exalt [ig'zɔ:lt], *vt.* exaltar, enaltecer, elevar; glorificar, sublimar; honrar; intensificar (cores, etc.).
to exalt to the skies — pôr nos píncaros da lua.
exaltation [egzɔ:l'teiʃən], *s.* exaltação, elevação; dignidade, engrandecimento; intensificação.
exalted [ig'zɔ:ltid], *adj.* exaltado, glorificado, elevado, engrandecido.
exam [ig'zæm], *s.* exame, prova.
they did an exam yesterday — fizeram ontem um exame.
examinable [-inəbl], *adj.* examinável.
examination [igzæmi:'neiʃən], *s.* exame, prova; investigação, inquérito; inspecção; interrogatório; verificação.
a medical examination — um exame médico.
competitive examination — concurso.
end-of-year examination — exame de passagem.
entrance examination — exame de aptidão.
examination paper — prova de exame.
he was ploughed in the examination (he was plucked in the examination) (col.) — chumbou no exame.
post-mortem examination — autópsia.
self-examination — exame de consciência.
to be under examination — estar a ser examinado.
to fail in an examination — ficar reprovado num exame.
to go in or up for an examination — fazer exame.
to pass an examination — passar num exame.
to sit for an examination (to take an examination) — fazer exame.
viva voce examination — exame oral.
we took the examination of that man — interrogámos aquele homem.
written examination — exame escrito.
examine [ig'zæmin], *vt.* examinar, fazer exame a; investigar; interrogar; inspeccionar.
to examine a picture — examinar um quadro.
to examine one's own conscience — fazer exame de consciência.
to examine pupils — examinar alunos.
examinee [igzæmi'ni:], *s.* examinando.
examiner [ig'zæminə], *s.* examinador; investigador; interrogador.
the examiners — o júri de exame.
example [ig'zɑ:mpl], **1** — *s.* exemplo; modelo, cópia; exemplar, espécime; aviso, lição.
a good example — um bom exemplo.
a shining example — um exemplo edificante.
for example — por exemplo.
let this be an example to you — que isto te sirva de exemplo.
to follow a person's examples — seguir os exemplos de alguém.
to make an example of — castigar para servir de exemplo.
to set (give) an example to — dar um exemplo.
without example — sem exemplo.
2 — *vt.* exemplificar.
exanimate [ik'sænimit], *adj.* exânime, desfalecido; morto.
exanthema [iksæn'θi:mə], *s.* exantema, erupção na pele, caracterizada por vermelhidão mais ou menos viva, sem pústulas.
exanthematous [iksæn'θi:mətəs], *adj.* exantemático.
exarch ['eksɑ:k], *s.* governador de província do império bizantino; patriarca, bispo da igreja grega.
exasperate [ig'zɑ:spəreit], *vt.* exasperar, irritar, exacerbar; agravar; provocar.
exasperating [-iŋ], *adj.* exasperador, irritante.
exasperatingly [-iŋli], *adv.* de modo irritante.
exasperation [igzɑ:spə'reiʃən], *s.* exasperação, irritação; exacerbação.
excavate ['ekskəveit], *vt.* escavar, cavar; tirar terra de.
excavation [ekskə'veiʃən], *s.* escavação; cavidade.
excavator ['ekskəveitə], *s.* escavador; máquina escavadora.
exceed [ik'si:d], *vt.* e *vi.* exceder, ultrapassar, sobrepujar; sobressair, avantajar; exceder-se, avantajar-se. (*Sin.* to surpass, to outstrip, to excel, to outdo.
he exceeded the speed limit — excedeu o limite de velocidade.
her success exceeded all expectations — o êxito dela excedeu toda a expectativa.
16 *exceeds* 10 *by* 6 — 16 excede 10 em 6.
exceeding [-iŋ], *adj.* excessivo; desmedido; excedente; extraordinário.
a scene of exceeding beauty — um espectáculo de extraordinária beleza.
exceedingly [-iŋli], *adv.* excessivamente, extraordinariamente.
excel [ik'sel], *vt.* e *vi.* (pret. e pp. **excelled**) sobressair, tornar-se notável, distinguir-se; ultrapassar; superar, ser superior a.
to excel at sport — distinguir-se na prática do desporto.
to excel (others) in courage — superar (os outros) em coragem.
excellence ['eksələns], *s.* excelência, superioridade; merecimento; perfeição.
excellency [-i], *s.* (pl. **excellencies**) excelência, título de honra.
His Excellency — Sua Excelência.
excellent ['eksələnt], *adj.* excelente; muito bom, magnífico. (*Sin.* superior, admirable, good, eminent, worthy. *Ant.* inferior
excellently [-li], *adv.* excelentemente.
excelsior [ek'selsiɔ:], **1** — *s.* (E. U.) aparas de madeira para enchimento.
2 — *interj.* excelente!, magnífico!
except [ik'sept], **1** — *vt.* e *vi.* exceptuar, excluir; objectar.
present company excepted — excepção feita aos presentes.
2 — *prep.* excepto; salvo; menos; à excepção de.
his composition is good except for some mistakes — a composição dele está boa exceptuando alguns erros.
they work every day except on Sundays — trabalham todos os dias excepto aos domingos.
we all failed except John — todos nós falhámos excepto o João.
3 — *conj.* a não ser que, a menos que, se não.
he'll do it, except he be a fool — fá-lo-á, a não ser que seja parvo.

excepting [-iŋ], *prep.* e *conj.* ver **except.**
exception [ik'sepʃən], *s.* excepção; exclusão.
the exception proves the rule — a excepção confirma a regra.
to take exception to — objectar; protestar contra; desaprovar.
without exception — sem excepção.
with the exception of — à excepção de.
exceptionable [ik'sepʃnəbl], *adj.* contestável, censurável, objectável.
exceptional [ik'sepʃənl], *adj.* excepcional. (*Sin.* uncommon, rare, extraordinary, abnormal, unusual. *Ant.* common.)
exceptional advantages — vantagens excepcionais.
exceptionality [iksepʃə'næliti], *s.* excepcionalidade.
exceptionally [ik'sepʃnəli], *adv.* excepcionalmente.
excerpt ['eksə:pt], **1** — *s.* excerto, extracto. **2** — [ek'sə:pt], *vt.* extractar, extrair.
we excerpt this passage from Othelo — este passo é extraído do Otelo.
excerption [ek'sə:pʃən], *s.* extracto, citação.
excess [ik'ses], *s.* excesso, demasia; adicional; intemperança; falta de moderação; extra.
excess fare — sobretaxa (nos comboios, etc.).
excess luggage — excesso de bagagem.
excess of weight — excesso de peso.
in excess of — mais que.
the excesses of the previous night gave them a bad headache — os excessos da noite anterior provocaram-lhes uma dor de cabeça terrível.
to eat to excess — comer em excesso.
excessive [ik'sesiv], *adj.* excessivo, demasiado, desmedido; exorbitante.
excessive charges — encargos excessivos.
excessive speed — velocidade excessiva.
excessively [-li], *adv.* excessivamente.
exchange [iks'tʃeindʒ], **1** — *s.* troca; câmbio; (com.) Bolsa; repartição central dos telefones.
at the exchange of — ao câmbio de.
bill of exchange — letra de câmbio.
current exchange — câmbio do dia.
exchange bank — banco que se dedica a operações cambiais.
exchange broker — corretor de câmbios.
Exchange Control — Junta Reguladora de Câmbios.
exchange of posts — permuta de lugares.
exchange of prisoners — troca de prisioneiros.
I gave him a book in exchange for his watch — dei-lhe um livro em troca do seu relógio.
rate of exchange — taxa, cotação cambial.
Stock Exchange — Bolsa.
telephone exchange — central telefónica.
2 — *vt.* e *vi.* trocar; permutar; cambiar.
to exchange American money for English — trocar dinheiro americano por inglês.
to exchange greetings — trocar saudações.
to exchange posts — permutar lugares.
to exchange words — altercar.
exchangeability [ikstʃeindʒə'biliti], *s.* permutabilidade.
exchangeable [iks'tʃeindʒəbl], *adj.* trocável, permutável.
exchanger [iks'tʃeindʒə], *s.* cambista.
exchequer [iks'tʃekə], *s.* tesouro público; Ministério das Finanças; orçamento particular.
exchequer bill — bilhete do Tesouro.
the Chancellor of the Exchequer — o ministro das Finanças, o chanceler do Tesouro.
excipient [ek'sipiənt], *s.* excipiente.
excisable [ek'saizəbl], *adj.* sujeito a impostos.
excise [ek'saiz], **1** — *s.* contribuição, imposto indirecto sobre os produtos antes da venda ao público.
excise duties — contribuições indirectas.
Excise Office — repartição das finanças para arrecadação destes impostos indirectos.
2 — *vt.* lançar impostos indirectos; extirpar.
exciseman [ek'saizmæn], *s.* (pl. **excisemen** [-men]) cobrador de impostos.
excision [ek'siʒən], *s.* excisão, corte; amputação; acto de cortar.
excitability [iksaitə'biliti], *s.* excitabilidade.
excitable [ik'saitəbl], *adj.* excitável.
excitant ['eksitənt], *s.* e *adj.* excitante.
excitation [eksi'teiʃən], *s.* excitação.
excitative [ek'saitətiv], *adj.* excitativo, que excita.
excitatory [ek'saitətəri], *adj.* excitante.
excite [ik'sait], *vt.* excitar; incitar, estimular; provocar agitação, agitar; entusiasmar. (*Sin.* to rouse, to stir up, to provoke, to agitate, to incite. *Ant.* to soothe.)
don't excite yourself! — não te exaltes, mantém-te calmo.
to excite hatred — excitar o ódio.
to excite interest — despertar interesse.
to excite riot — provocar tumultos.
excited [-id], *adj.* excitado; emocionado.
don't get excited! — não te enerves!; não te exaltes!
he was excited over the letter — ficou furioso com a carta.
excitedly [-idli], *adv.* excitadamente.
excitement [-mənt], *s.* excitação; incitamento; agitação; exaltação; entusiasmo. (*Sin.* agitation, stimulation. *Ant.* calmness.)
exciter [-ə], *s.* excitante; excitador.
exciting [-iŋ], *adj.* emocionante; que causa entusiasmo; que desperta vivo interesse; animado; estimulante; excitante.
exciting news — notícias excitantes.
exclaim [iks'kleim], *vt.* e *vi.* exclamar; gritar.
exclamation [ekslə'meiʃən], *s.* exclamação.
an exclamation of pain — uma exclamação de dor.
note of exclamation (exclamation mark) — ponto de exclamação.
exclamative [eks'klæmətiv], *adj.* exclamativo.
exclamatory [eks'klæmətəri], *adj.* exclamatório.
exclude [iks'klu:d], *vt.* excluir, exceptuar; rejeitar, pôr de parte.
to exclude the possibility of — excluir a possibilidade de.
exclusion [iks'klu:ʒən], *s.* exclusão.
to the exclusion of — com exclusão de.
exclusive [iks'klu:siv], *adj.* exclusivo; reservado.
there were five books on the table exclusive of mine — havia cinco livros na mesa; não contando com o meu.
exclusively [-li], *adv.* exclusivamente.
exclusiveness [-nis], *s.* exclusividade.
exclusivism [iks'klu:sivizəm], *s.* exclusivismo.
exclusivist [iks'klu:sivist], *s.* exclusivista.
excogitate [eks'kɔdʒiteit], *vt.* excogitar; meditar; cogitar profundamente; idear, imaginar.
excogitation [ekskɔdʒi'teiʃən], *s.* excogitação.
excommunicate, 1 — [ekskə'mju:nikit], *s.* e *adj.* excomungado.
2 — [ekskə'mju:nikeit], *vt.* excomungar.
excommunication ['ekskəmju:ni'keiʃən], *s.* excomunhão.
excommunicative [ekskə'mju:nikətiv], *adj.* relativo à excomunhão.
excoriate [eks'kɔ:rieit], *vt.* escoriar, esfolar.
excoriation [ekskɔ:ri'eiʃən], *s.* escoriação.
excrement ['ekskrimənt], *s.* excremento.
excremental [ekskri'mentl], *adj.* excrementoso.

excrementitious [ekskrimen'tiʃəs], *adj.* excrementício.
excrescence [iks'kresns], *s.* excrescência.
excrescent [iks'kresnt], *adj.* excrescente; supérfluo.
excreta [eks'kri:tə], *s. pl.* excreções.
excrete [eks'kri:t], *vt.* excretar; expelir.
excretion [eks'kri:ʃən], *s.* excreção.
excretive [eks'kri:tiv], *adj.* excretório.
excruciate [iks'kru:ʃieit], *vt.* excruciar, atormentar, martirizar.
excruciating [-iŋ], *adj.* excruciante, pungente, doloroso, torturante.
excruciatingly [-iŋli], *adv.* excruciantemente.
excruciation [ikskru:ʃi'eiʃən], *s.* tormento, tortura, martírio.
exculpate ['ekskʌlpeit], *vt.* desculpar; justificar; ilibar.
exculpation [ekskʌl'peiʃən], *s.* desculpa; justificação; ilibação.
exculpatory [eks'kʌlpətəri], *adj.* justificativo.
excursion [iks'kə:ʃən], *s.* excursão, passeio; digressão; divagação; (astr.) desvio; (mil.) incursão. (*Sin.* trip, outing, tour, expedition, journey, ramble.)
an excursion train — combóio especial, a preços reduzidos, para uma excursão.
excursion ticket — **bilhete de excursão.**
to make (to go on) an excursion — fazer uma excursão.
excursionist [iks'kə:ʃnist], *s.* excursionista.
excursionize [iks'kə:ʃnaiz], *vi.* fazer excursões.
excursive [eks'kə:siv], *adj.* errante; digressivo.
excursively [-li], *adv.* de modo vago ou errante; digressivamente.
excursiveness [eks'kə:sivnis], *s.* qualidade de errante; digressão.
excursus [eks'kə:səs], *s.* (pl. **excursuses** [-iz]) dissertação detalhada (dum ponto especial duma obra); divagação.
excusable [iks'kju:zəbl], *adj.* desculpável.
an excusable error — um erro desculpável.
excusableness [-nis], *s.* desculpabilidade.
excusably [-i], *adv.* desculpavelmente.
excusal [is'kju:zəl], *s.* isenção de impostos.
excusatory [iks'kju:zətəri], *adj.* justificativo, apologético.
excuse, 1 — [iks'kju:s], *s.* desculpa, escusa; justificação; pretexto; dispensa.
a foolish excuse — uma desculpa tola.
by way of excuse — à laia de desculpa, como desculpa.
have you not better excuse to give? — não tens melhor desculpa para dar?
I gave him my excuses for being late — apresentei-lhe o meu pedido de desculpa por ter chegado tarde.
in excuse of — como desculpa de.
that's no excuse — isso não é desculpa.
to make excuses — desculpar-se.
to stammer out an excuse — balbuciar uma desculpa.
2 — [iks'kju:z], *vt.* escusar, desculpar; perdoar; justificar; dispensar; isentar. (*Sin.* to pardon, to forgive, to clear, to free, to exonerate, to justify. *Ant.* to condemn.)
excuse me — peço desculpa; queira desculpar-me; com sua licença.
excuse my not writing before — desculpe-me não lhe ter escrito mais cedo.
to excuse oneself — desculpar-se; justificar-se.
to excuse one's presence — dispensar a presença de alguém.
exeat ['eksiæt], *s.* permissão para se ausentar temporariamente dum colégio.
execrable ['eksikrəbl], *adj.* execrável, abominável.
execrably [-i], *adv.* abominavelmente.
execrate ['eksikreit], *vt.* execrar, abominar, detestar, odiar.
execration [eksi:'kreiʃən], *s.* execração, abominação.
execrative ['eksikreitiv], *adj.* execratório.
executable ['eksikju:təbl], *adj.* executável.
executant [ig'zekjutənt], *s.* executante, pessoa que executa.
execute ['eksikju:t], *vt.* executar, cumprir, realizar; desempenhar; tocar; cantar; matar; legalizar. (*Sin.* to finish, to effect, to effectuate, to fulfil, to perform, to accomplish.)
the part of Othelo was badly executed — o papel de Otelo foi mal desempenhado.
to execute a murderer — executar um assassino.
to execute a person's orders — executar as ordens de alguém.
to execute a will — legalizar um testamento (assinar e selar).
execution [eksi'kju:ʃən], *s.* execução; cumprimento; realização; pena capital.
to carry something into execution (to put something in execution) — executar alguma coisa; pôr alguma coisa em execução.
writ of execution — auto de execução.
executioner [eksi'kju:ʃnə], *s.* carrasco.
executive [ig'zekjutiv], *s.* e *adj.* poder executivo; executivo.
executor [ig'zekjutə], *s.* testamenteiro; executor.
executrix [ig'zekjutriks], *s. fem.* (pl. **executrices** [-risiz]) testamenteira.
exegesis [eksi'dʒi:sis], *s.* exegese.
exegetic(al) [eksi'dʒetik(əl)], *adj.* exegético.
exegetically [-əli], *adv.* exegeticamente.
exemplar [ig'zemplə], *s.* exemplar; modelo.
exemplarily [-rili], *adv.* exemplarmente.
exemplariness [-rinis], *s.* exemplaridade, qualidade do que é exemplar.
exemplary [-ri], *adj.* exemplar, que pode servir de exemplo; modelar.
exemplification [igzemplifi'keiʃən], *s.* exemplificação; traslado.
exemplify [ig'zemplifai], *vt.* exemplificar; trasladar, tirar cópia autêntica.
exempt [ig'zempt], **1** — *s.* um dos quatro oficiais que comandam os Alabardeiros do Rei; pessoa que está isenta (de impostos).
2 — *adj.* isento, dispensado; livre, desobrigado.
these goods are exempt from taxation — estas mercadorias estão isentas de imposto.
3 — *vt.* isentar, dispensar; libertar. (*Sin.* to free, to relieve, to release, to privilege. *Ant.* to compel.)
to exempt a man from military service — isentar um homem do serviço militar.
exemption [ig'zempʃən], *s.* isenção, dispensa.
exemption from taxation — isenção de imposto.
exequatur [eksi'kweitə], *s.* exequátur, despacho governamental que dá autoridade a documentos pontifícios ou a representantes estrangeiros.
exequies ['eksikwiz], *s. pl.* exéquias, cerimónias fúnebres.
exercise ['eksəsaiz], **1** — *s.* exercício; treino; manobra militar; actividade; função; prática; *pl.* (E. U.) cerimónias.
exercise-book — caderno de exercícios.
gymnastic exercises — exercícios de ginástica.
opening exercises — cerimónias de abertura.
religious exercises — práticas religiosas.
you ought to take more exercise — Você deve fazer mais exercício.
2 — *vt.* e *vi.* exercitar, pôr em exercício; treinar-se; empregar; fazer exercícios, exercitar-se; afligir, incomodar; exercer.
he is very much exercised about the future — está muito preocupado com o futuro.
to exercise a horse — adestrar um cavalo.

to exercise boys in swimming — treinar rapazes na natação.
to exercise one's rights — fazer uso dos seus direitos; exercer os seus direitos.
to exercise patience — ser paciente; usar de paciência.
what I say exercises great influence on her — o que eu digo exerce grande influência nela.
exerciser [-ə], *s.* exercitante.
exercitation [egzə:si'teiʃən], *s.* exercitação, exercício.
exergue [ek'sə:g], *s.* exergo, espaço duma moeda ou medalha para inscrição ou data; a inscrição.
exert [ig'zə:t], *vt.* empregar; exercer; empenhar-se; esforçar-se.
to exert oneself — esforçar-se; empenhar-se.
he exerted all his influence — empregou toda a sua influência.
exertion [ig'zə:ʃən], *s.* esforço, diligência; emprego, uso. (*Sin.* effort, exercise, labour, toil, endeavour, attempt. *Ant.* rest.)
it was no exertion for him to speak for three hours no end — ele falou durante três horas consecutivas sem esforço.
to use all exertions — fazer todos os esforços.
exes ['eksiz], *s. pl.* (col.) despesas.
exeunt ['eksiʌnt], *vi.* (teat.) saem do palco.
exfoliate [eks'foulieit], *vi.* esfoliar-se.
exfoliation [eksfouli:'eiʃən], *s.* esfoliação.
exhalation [ekshə'leiʃən], *s.* exalação; evaporação.
exhale [eks'heil], *vt.* e *vi.* exalar; evaporar; emitir; evaporar-se, dissipar-se.
exhaust [ig'zɔ:st], **1** — *s.* escape; descarga; evacuação; saída.
exhaust lap — cobertura de evacuação.
exhaust pipe — tubo de escape.
exhaust port — canal de evacuação de vapor.
exhaust silencer (aut.) — silencioso; silenciador.
exhaust steam — vapor de descarga.
exhaust valve — válvula de escape.
2 — *vt.* exaurir, esgotar, consumir; acabar; esvaziar; aspirar.
to exhaust a subject — esgotar um assunto.
to exhaust a well — esvaziar um poço.
to exhaust one's health — arruinar a saúde.
to exhaust one's patience — esgotar a paciência.
to exhaust one's strength — esgotar as forças.
exhausted [-id], *adj.* exausto, esgotado; fatigado, cansado; consumido.
our provisions are exhausted — as nossas provisões estão esgotadas.
to feel quite exhausted — estar exausto.
exhauster [-ə], *s.* aspirador; extractor.
exhaustible [-əbl], *adj.* que se pode esgotar; exaurível.
exhausting [-iŋ], **1** — *s.* esgotamento.
2 — *adj.* exaustivo, fatigante.
exhaustingly [-iŋli], *adv.* exaustivamente.
exhaustion [-ʃən], *s.* exaustação; esgotamento, cansaço.
a state of exhaustion — estado de esgotamento.
exhaustion of resources — esgotamento de recursos.
exhaustive [-iv], *adj.* exaustivo, fatigante, esgotante; completo.
exhaustively [-ivli], *adv.* de modo exaustivo; completamente.
exhaustiveness [-ivnis], *s.* exaustação, esgotamento.
exheredate [eks'herideit], *vt.* deserdar.
exhibit [ig'zibit], **1** — *s.* documento ou objecto apresentado em juízo; coisas postas em exposição.
2 — *vt.* e *vi.* exibir, expor, mostrar, tornar patente; apresentar. (*Sin.* to show, to display, to evince, to manifest. *Ant.* to mask, to hide.)
he exhibits in all the art galleries — expõe em todas as galerias de arte.
exhibition [eksi'biʃən], *s.* exibição, exposição; bolsa de estudo; apresentação (dum filme).
exhibition of oil paintings — exposição de pinturas a óleo.
the Great Exhibition — exposição realizada em Londres em 1851.
to hold an exhibition — realizar uma exposição.
to make an exhibition of oneself — fazer uma figura ridícula.
exhibitioner [eksi'biʃnə], *s.* bolseiro (de universidade).
exhibitionism [eksi'biʃnizəm], *s.* exibicionismo.
exhibitionist [eksi'biʃnist], *s.* exibicionista.
exhibitor [ig'zibitə], *s.* expositor, aquele que expõe.
exhilarant [ig'zilərənt], *s.* e *adj.* hilariante; estimulante; alegre, jovial.
exhilarate [ig'zilәreit], *vt.* alegrar, divertir, animar, causar alegria.
exhilarated [-id], *adj.* alegre, divertido, animado.
exhilarating [-iŋ], *adj.* hilariante, divertido, que causa alegria.
exhilaratingly [-iŋli], *adv.* hilariantemente, de modo divertido.
exhilaration [igzilə'reiʃən], *s.* hilaridade, alegria, jovialidade, bom humor, animação. (*Sin.* glee, animation, gaiety, cheerfulness, hilarity, joyousness. *Ant.* depression.)
exhilarative [ig'zilərətiv], *adj.* que causa alegria.
exhort [ig'zɔ:t], *vt.* exortar; incitar, animar; admoestar.
exhortation [egzɔ:'teiʃən], *s.* exortação; admoestação.
exhortative [ig'zɔ:tətiv], *adj.* exortativo.
exhortatory [ig'zɔ:tətəri], *adj.* exortatório.
exhumation [ekshju:'meiʃən], *s.* exumação, desenterramento.
exhume [eks'hju:m], *vt.* exumar, desenterrar.
exigence, exigency ['eksidʒəns, -si], *s.* exigência; necessidade urgente; emergência; apuro.
in these exigencies — nestes apuros.
exigent ['eksidʒənt], *adj.* exigente; urgente.
exigible ['eksidʒibl], *adj.* exigível.
exiguity [eksi'gju(:)iti], *s.* exiguidade.
exiguous [eg'zigjuəs], *adj.* exíguo, muito pequeno, diminuto, escasso. (*Sin.* small, tiny, slim, slender, scanty.)
exiguousness [-nis], *s.* exiguidade, escassez.
exile ['eksail], **1** — *s.* exílio, desterro; exilado, desterrado, expatriado.
2 — *vt.* exilar, desterrar, expatriar.
exility [eg'ziliti], *s.* fragilidade, finura, tenuidade.
exist [ig'zist], *vi.* existir, viver; subsistir; ser. (*Sin.* to live, to breathe, to be, to subsist.)
such things do not exist — essas coisas não existem.
existence [ig'zistəns], *s.* existência; vida; ente, ser.
to call into existence — fazer nascer.
to lead a happy existence — levar uma vida feliz.
when did it come to existence? — quando começou a existir?
existent [ig'zistənt], *adj.* existente.
existentialism [egzis'tenʃəlizəm], *s.* existencialismo.
existing [ig'zistiŋ], *adj.* existente; presente.
exit ['eksit], **1** — *s.* saída; saída (do actor) do palco; morte.
to make one's exit — sair.
2 — *vi.* (teat.) sair (do palco); (col.) morrer.
exit Macbeth — sai Macbeth.
ex-libris [eks'laibris], *s.* sinal que usam alguns bibliófilos nas obras que possuem.

exodus ['eksədəs], *s.* êxodo, saída, emigração; livro da Bíblia, onde se narra a saída dos Hebreus do Egipto; êxodo dos Hebreus.
exon ['eksɔn], *s.* um dos quatro oficiais que comandam os Alabardeiros do Rei.
exonerate [ig'zɔnəreit], *vt.* exonerar; demitir; desculpar.
exoneration [igzɔnə'reiʃən], *s.* exoneração; desculpa.
exonerative [ig'zɔnərətiv], *adj.* que exonera, exonerativo.
exophtalmus [eksɔf'θælməs], *s.* exoftalmia, proeminência anormal do globo ocular na órbita.
exorbitance [ig'zɔ:bitəns], *s.* exorbitância; preço excessivo.
exorbitant [ig'zɔ:bitənt], *adj.* exorbitante; excessivo.
exorbitantly [ig'zɔ:bitəntli], *adv.* exorbitantemente.
exorcism ['eksɔ:sizəm], *s.* exorcismo; esconjuro.
exorcist ['eksɔ:sist], *s.* exorcista.
exorcize ['eksɔ:saiz], *vt.* exorcismar; esconjurar.
exordial [eg'zɔ:diəl], *adj.* exordial, relativo a exórdio.
exordium [ek'sɔ:djəm], *s.* exórdio, primeira parte dum discurso, dum sermão, etc.
exoteric [eksou'terik], *adj.* exotérico.
exotic [eg'zɔtik], **1** — *s.* planta exótica.
2 — *adj.* exótico; estranho.
exotiscism [ek'sɔtisizəm], *s.* exotismo.
expand [iks'pænd], *vt.* e *vi.* expandir, dilatar; alargar; desenvolver; expandir-se; abrir-se, dilatar-se.
he tries to expand his business — procura desenvolver o seu negócio.
expanded [-id], *adj.* dilatado; aberto.
expander [-ə], *s.* extensor (para ginástica); aparelho para alargar.
expanse [iks'pæns], *s.* extensão, área, grande superfície.
expansibility [ikspænsə'biliti], *s.* expansibilidade.
expansible [iks'pænsəbl], *adj.* expansível; dilatável.
expansile [iks'pænsail], *adj.* capaz de expansão.
expansion [iks'pænʃən], *s.* expansão; dilatação; alargamento; desenvolvimento; amplificação. (*Sin.* enlargement, opening, extension, evolution, increase. *Ant.* contraction.)
expansion engine — máquina de expansão.
expansion gear — aparelho de expansão variável.
expansion joint — junta de expansão.
expansion of steam — expansão do vapor.
expansion valve — válvula de expansão.
expansionism [iks'pænʃənizəm], *s.* expansionismo.
expansive [iks'pænsiv], *adj.* expansivo, comunicativo; extenso.
expansively [-li], *adv.* expansivamente.
expansiveness [-nis], *s.* expansividade.
expansivity [-iti], *s.* expansividade.
expatiate [eks'peiʃieit], *vi.* desenvolver (um assunto); ampliar; alargar-se, espraiar-se; discorrer, dissertar.
to expatiate upon a subject — alargar-se sobre um assunto.
expatiater, expatiator [-ə], *s.* dissertador; aquele que discorre; indivíduo prolixo.
expatiation [ekspeiʃi'eiʃən], *s.* desenvolvimento (dum assunto).
expatiatory [eks'peiʃjətəri], *adj.* difuso; prolixo.
expatriate [eks'pætrieit], *vt.* expatriar, desterrar, exilar.
expatriation [ekspætri'eiʃən], *s.* expatriação, desterro, exílio.

expect [iks'pekt], *vt.* esperar, estar na expectativa de; aguardar; contar com; julgar, supor.
I expect... — naturalmente...
I expect you to be punctual — espero que sejas pontual.
I shall expect you without fail — conto contigo sem falta.
not so bad as I expected — é melhor do que eu pensava.
she is expecting next week — conta ter o parto na próxima semana.
when may I expect it? — quando posso contar com isso?
will he come today? I don't expect so — ele virá hoje? Suponho que não.
expectancy [iks'pektənsi], *s.* expectativa; esperança; expectação.
expectant [iks'pektənt], **1** — *s.* candidato a um lugar.
2 — *adj.* expectante, que espera.
expectant mother — mulher grávida.
expectantly [-li], *adv.* com esperança.
expectation [ekspek'teiʃən], *s.* expectativa, expectação, esperança; probabilidade; *pl.* perspectivas.
according to expectations—segundo se esperava.
against expectation — contra aquilo que se esperava.
beyond expectation — mais do que se esperava.
contrary to all expectations — ao contrário do que se esperava.
did the reality come up to your expectations? — a realidade correspondeu à vossa expectativa?
he ate a light lunch in expectation of a good dinner — comeu pouco ao almoço contando com um bom jantar.
he has expectations from his uncle — espera vir a herdar do tio.
they have great expectations of their son — têm grandes esperanças no filho.
to answer (meet, come up to) one's expectations — corresponder ao que se esperava.
to fall short of one's expectations — não corresponder à expectativa.
to fulfil one's expectations — encher as medidas; satisfazer em absoluto.
expected [iks'pektid], **1** — *s.* o que se espera.
2 — *adj.* esperado.
expecter [iks'pektə], *s.* aquele que espera.
expectorant [eks'pektərənt], *s.* e *adj.* remédio que facilita a expectoração; expectorante.
expectorate [eks'pektəreit], *vt.* expectorar; escarrar.
expectoration [ekspektə'reiʃən], *s.* expectoração.
expedience, expediency [iks'pi:djəns,-si], *s.* expediência, desembaraço; conveniência, oportunidade; oportunismo.
expedient [iks'pi:djənt], **1** — *s.* expediente, meio, recurso.
he resorted to expedients — recorreu a expedientes.
2 — *adj.* conveniente, oportuno, vantajoso.
it is expedient that he should go now — é conveniente que ele vá agora.
expediently [li], *adv.* oportunamente; convenientemente.
expedite ['ekspidait], *vt.* apressar; desembaraçar; expedir; despachar; levar a cabo.
expediter [-ə], *s.* aquele que apressa ou despacha com presteza; expedito.
expedition [ekspi'diʃən], *s.* expedição; viagem, jornada; diligência; pressa, rapidez, prontidão.
an expedition to the North Pole — uma expedição ao Pólo Norte.
this must be done with expedition — isto tem de ser feito com rapidez.

expeditionary [-əri], *adj.* expedicionário.
expeditionary force (mil.) — força expedicionária.
expeditionist [-ist], *s.* expedicionário, o que faz parte da expedição.
expeditious [ekspi'diʃəs], *adj.* expedito, desembaraçado, activo, rápido. (*Sin.* swift, quick, prompt, speedy. *Ant.* slow.)
expeditiously [-li], *adv.* expeditamente; rapidamente.
expeditiousness [-nis], *s.* rapidez, prontidão, desembaraço.
expel [iks'pel], *vt.* (pret. e pp. **expelled**) expelir, expulsar; excluir, despedir.
to expel a member from a club — expulsar um sócio dum clube.
expend [iks'pend], *vt.* gastar, dispender; esgotar; (náut.) enrolar resto de cabo em torno de mastro.
to expend time on something — despender tempo com qualquer coisa.
to prefer to expend rather than to save — preferir gastar a poupar.
expenditure [iks'penditʃə], *s.* gasto, desembolso, despesa; consumo.
expense [iks'pens], *s.* despesa, gasto, custo, desembolso.
at the expense of — à custa de.
free of expense — livre de despesas.
household expenses — despesas do governo da casa.
idle expenses — gastos supérfluos.
incidental expenses — gastos eventuais.
I put my father to expense — obriguei o meu pai a fazer despesas.
law expenses — despesas de justiça.
loading expenses — despesas de carregamento.
petty expenses — despesas miúdas.
the boy is a great expense to them — o rapaz é um grande encargo para eles.
to cut down one's expenses — reduzir as despesas.
to go to the expense of — ir até à despesa de; gastar dinheiro em.
to incur expenses — incorrer em despesas.
travelling expenses — despesas de viagem.
we laughed at his expense — rimo-nos à custa dele.
expensive [iks'pensiv], *adj.* dispendioso, caro. (*Sin.* dear, costly, rich, valuable. *Ant.* cheap.)
expensive clothes — vestuário dispendioso.
expensively [-li], *adv.* dispendiosamente.
expensiveness [-nis], *s.* dispêndio, gasto.
experience [iks'piəriəns], **1** — *s.* experiência, prática; conhecimento; provação; aventura.
a thrilling experience — uma sensação forte.
experience of teaching — prática de ensino.
he spoke from experience — falou por experiência.
he told us about his experiences in Africa — falou-nos das suas aventuras em África.
to have experience — ter experiência.
to lack experience — ter falta de experiência; não ter experiência.
to learn by experience — aprender por experiência própria.
2 — *vt.* experimentar, conhecer pela prática; encontrar, sentir. (*Sin.* to try, to endure, to meet, to undergo.)
to experience a great joy — experimentar uma grande alegria.
experienced [-t], *adj.* experimentado; experiente; versado; perito, sabedor.
experiment [iks'perimənt], **1** — *s.* experiência, ensaio, tentativa, experimentação.
a chemical experiment — uma experiência química.
as an experiment — a título de experiência.
to make experiments — fazer experiências.
2 — *vi.* fazer experiências; experimentar, ensaiar, tentar.
experimental [eksperi'mentl], *adj.* experimental.
experimental analysis — análise experimental.
experimental manufacturing — fabrico experimental.
experimental philosophy — filosofia experimental.
experimentalism [eksperi'mentəlizəm], *s.* doutrina baseada na experiência; empirismo.
experimentalize [eksperi'mentalaiz], *vi.* experimentar, fazer experiências.
experimentally [eksperi'mentəli], *adv.* experimentalmente.
experimentation [eksperimen'teiʃən], *s.* experimentação.
expert ['ekspə:t], **1** — *s.* perito, especialista; sabedor.
2 — *adj.* conhecedor, perito; hábil, destro.
to be expert in (at) driving a motor-car — ser hábil na condução dum automóvel.
expertise [ekspə'ti:z], *s.* vistoria pericial; conhecimentos próprios de perito.
expertly [-li], *adv.* destramente, com perícia.
expertness ['ekspə:tnis], *s.* perícia, habilidade.
expiable ['ekspiəbl], *adj.* expiável.
expiate ['ekspieit], *vt.* expiar.
expiation [ekspi'eiʃən], *s.* expiação.
expiatory ['ekspiətəri], *adj.* expiatório.
expiration [ekspaiə'reiʃən], *s.* expiração, expulsão do ar dos pulmões; fim, termo; terminação dum prazo.
expiratory [iks'paiərətəri], *adj.* expiratório, relativo à expiração do ar.
expire [iks'paiə], *vt.* e *vi.* expirar, morrer, acabar; (com.) terminar um prazo.
expiring [-riŋ], *adj.* expirante; moribundo; que está a terminar.
expiry [iks'paiəri], *s.* (pl. **expiries**) terminação, fim; expiração.
explain [iks'plein], *vt.* e *vi.* explicar, esclarecer; justificar; dar explicações; explicar-se. (*Sin.* to expound, to elucidate, to teach. *Ant.* to obscure.)
I did not explain myself clearly — não me expliquei bem.
to explain away — aclarar um mal-entendido.
to explain oneself — justificar-se.
explainable [-əbl], *adj.* justificável, explicável.
explanation [eksplə'neiʃən], *s.* explicação, esclarecimento.
explanative [eks'plænətiv], *adj.* explicativo.
explanatory [iks'plænətəri], *adj.* explanatório; explicativo.
expletive [eks'pli:tiv], **1** — *s.* palavra ou frase expletiva.
2 — *adj.* expletivo.
expletively [-li], *adv.* expletivamente.
explicable ['eksplikəbl], *adj.* explicável.
explicate ['eksplikeit], *vt.* desenvolver; (arc.) explicar.
explicative [eks'plikətiv], *adj.* explicativo.
explicatory [eks'plikətəri], *adj.* explicativo, elucidativo.
explicit [iks'plisit], *adj.* explícito; expresso, claro; categórico. (*Sin.* plain, clear, categorical, definite, positive.)
explicitly [-li], *adv.* explicitamente.
explicitness [-nis], *s.* clareza, especificação.
explode [iks'ploud], *vt.* e *vi.* explodir, fazer explosão; rebentar; desmascarar; destruir.
to explode an idea — destruir uma ideia.
to explode with laughter — rebentar de riso.
to explode with rage — rebentar de raiva.
explodent [-ənt], *s.* consoante explosiva.

exploder [-ə], *s.* detonador; pessoa que causa explosão; o que destrói uma teoria, ideia, etc.
exploit 1 — ['eksplɔit], *s.* feito, façanha, proeza.
2 — [iks'plɔit], *vt.* tirar partido ou proveito de; explorar.
exploitable [-əbl], *adj.* explorável.
exploitation [eksplɔi'teiʃən], *s.* exploração; utilização (para uso próprio).
exploiter [iks'plɔitə], *s.* explorador.
exploration [eksplɔ:'reiʃən], *s.* exploração; investigação. (*Sin.* search, examination, inquiry, investigation.)
explorative [eks'plɔ:rətiv], *adj.* exploratório, explorador.
exploratory [eks'plɔ:rətəri], *adj.* exploratório, que serve para explorar.
explore [iks'plɔ:], *vt.* explorar; pesquisar; examinar, investigar.
to explore new countries — explorar novas regiões.
explorer [-rə], *s.* explorador.
explosion [iks'plouʒən], *s.* explosão, detonação; expansão violenta dum sentimento ou paixão.
an explosion of anger — um acesso de cólera.
an explosion of gunpowder — uma explosão de pólvora.
explosive [iks'plousiv], *s.* e *adj.* explosivo.
a high explosive — um explosivo potente.
explosive charge — carga explosiva.
explosive mixture — mistura explosiva.
explosively [-li], *adv.* com explosão.
explosiveness [-nis], *s.* propriedade explosiva.
exponent [eks'pounənt], *s.* e *adj.* intérprete, executante; representante; expoente.
exponential [ekspou'nenʃəl], *adj.* exponencial, que tem um expoente algébrico.
exponential equation — equação exponencial.
export 1 — ['ekspɔ:t], *s.* exportação; *pl.* artigos de exportação, exportações.
export duty — direitos de exportação.
export trade — comércio de exportação.
2 — [eks'pɔ:t], *vt.* exportar.
exportable [eks'pɔ:təbl], *adj.* exportável.
exportation [ekspɔ:'teiʃən], *s.* exportação.
exporter [eks'pɔ:tə], *s.* exportador.
expose [iks'pouz], *vt.* expor; arriscar; mostrar, apresentar; revelar, divulgar, descobrir; publicar; desmascarar; (fot.) expor; abandonar.
to expose a plot — revelar uma conspiração.
to expose articles for sale — expor artigos à venda.
to expose oneself to danger — expor-se ao perigo.
exposé [eks'pouzei], *s.* revelação comprometedora; exposição, explicação.
exposed [-d], *adj.* exposto (ao perigo, ar, tempo, etc.); descoberto; desprotegido; abandonado.
an exposed child — uma criança abandonada.
exposition [ekspə'ziʃən], *s.* exposição; exibição; explicação, interpretação.
expositive [eks'pɔzitiv], *adj.* expositivo.
expositor [eks'pɔzitə], *s.* expositor.
expository [-əri], *adj.* expositivo.
expostulate [iks'pɔstjuleit], *vi.* expostular, queixar-se, protestar; contender.
to expostulate with a person about something — protestar por qualquer coisa com alguém; queixar-se de qualquer coisa a alguém.
expostulation [ikspɔstju'leiʃən], *s.* expostulação, queixa, contenda, protesto; censura amigável.
expostulative, expostulatory [iks'pɔstjulətiv, -təri], *adj.* relativo à expostulação.
exposure [iks'pouʒə], *s.* exposição (ao perigo, ar, tempo, etc.); situação; orientação; revelação; fotografia; escândalo.
a house with a southern exposure — uma casa voltada para Sul.
exposure speed — velocidade de exposição.
exposure to the air — exposição ao ar.
he lives in fear of exposure — vive com o receio dum escândalo.
the exposure of a crime — descoberta dum crime.
they lost their way and died of exposure — perderam-se e morreram de frio.
expound [iks'paund], *vt.* expor, explicar; comentar, interpretar.
expounder [-ə], *s.* o que expõe; comentador.
express [iks'pres], 1 — *s.* comboio expresso, expresso; mensageiro.
2 — *adj.* expresso; claro, explícito, categórico, formal, preciso; rápido, veloz; muito semelhante.
the express train — o comboio expresso.
you are the express image of your father — pareces-te extraordinariamente com o teu pai.
3 — *vt.* expressar, exprimir, manifestar; proferir, dizer; enviar; despachar em grande velocidade; espremer, extrair o sumo. (*Sin.* to state, to declare, to say, to utter, to manifest, to squeeze.)
to express oneself — expressar-se, exprimir-se.
unable to express oneself — incapaz de se exprimir.
you'd better express the letter — era melhor mandares a carta por portador especial.
4 — *adv.* a toda a velocidade; por comboio expresso.
to travel express — viajar pelo expresso.
expressible [-əbl], *adj.* exprimível.
expression [iks'preʃən], *s.* expressão; gesto, atitude; vocábulo, locução; frase.
algebraical expression — expressão algébrica.
beyond (past) expression — inexprimível.
he gave expression to his looks — deu expressão aos seus olhares.
to find expression in — exprimir-se por.
expressional [iks'preʃənl], *adj.* que se refere à expressão; que tem poder expressivo.
expressionism [iks'preʃnizəm], *s.* expressionismo.
expressionist [iks'preʃnist], *s.* expressionista.
expressionless [iks'preʃənlis], *adj.* sem expressão, inexpressivo.
expressive [iks'presiv], *adj.* expressivo.
expressively [-li], *adv.* de modo expressivo.
expressiveness [-nis], *s.* expressão, significação, força de expressão.
expressly [iks'presli], *adv.* expressamente.
exprobration [eksprou'breiʃən], *s.* exprobração, censura.
expropriate [eks'prouprieit], *vt.* expropriar, alienar.
expropriation [eksproupri'eiʃən], *s.* expropriação, alienação.
expulsion [iks'pʌlʃən], *s.* expulsão.
expulsive [iks'pʌlsiv], *adj.* expulsivo.
expunge [eks'pʌndʒ], *vt.* apagar, riscar; cancelar, expungir; destruir.
to expunge a name from a list — riscar, eliminar um nome duma lista.
expurgate ['ekspə:geit], *vt.* expurgar; purificar; limpar; corrigir; eliminar.
expurgation [ekspə:'geiʃən], *s.* expurgação.
expurgator ['ekspə:geitə], *s.* purificador.
expurgatory [eks'pə:gətəri], *adj.* expurgatório.
exquisite ['ekskwizit], 1 — *s.* janota, peralvilho, pretensioso.
2 — *adj.* esquisito; excelente; fino; raro;

delicado; intenso, agudo. (*Sin.* rare, excellent, delicate, refined, keen. *Ant.* common.)
exquisite pain — dor aguda.
exquisite sensibility — sensibilidade delicada.
exquisitely [-li], *adv.* primorosamente; extremamente.
exquisiteness [-nis], *s.* perfeição, primor; delicadeza; gosto apurado.
exscind [ek'sind], *vt.* cortar, separar, extirpar.
ex-serviceman ['eks'sə:visman], *s.* antigo combatente.
exsiccate ['eksikeit], *vt.* dessecar, secar; enxugar.
exsiccation [eksi'keiʃən], *s.* dessecação.
exsiccator ['eksikeitə], *s.* dessecador.
extemporaneous [ekstempə'reinjəs], *adj.* extemporâneo; imprevisto; sem preparação, improvisado.
extemporaneously [-li], *adv.* extemporaneamente.
extemporaneousness [-nis], *s.* extemporaneidade.
extemporarily [iks'tempərərili], *adv.* improvisadamente, de improviso.
extemporary [iks'tempərəri], *adj.* improvisado, repentino, sem preparação.
extempore [eks'tempəri], *adj.* e *adv.* improvisado; de repente; de improviso.
he spoke extempore — falou de improviso.
extemporization [ekstempərai'zeiʃən], *s.* improvisação; improviso.
extemporize [iks'tempəraiz], *vt.* e *vi.* improvisar; fazer de repente e sem preparação.
extend [iks'tend], *vt.* e *vi.* estender, alargar, ampliar, aumentar; prolongar; oferecer, conceder, dar; escrever; penhorar; estender-se. (*Sin.* to stretch, to reach, to spread, to expand, to enlarge, to prolong. *Ant.* to abridge).
my farm extends as far as the railway line — a minha quinta estende-se até à linha de caminho-de-ferro.
to extend a building — aumentar um edifício.
to extend a welcome to a friend — desejar as boas-vindas a um amigo.
to extend one's power — ampliar o poder.
extended [-id], *adj.* estendido; alargado; aumentado, ampliado; prolongado; penhorado.
an extended discussion — uma discussão prolongada.
extensibility [ikstensə'biliti], *s.* extensibilidade.
extensible [iks'tensəbl], *adj.* extensível.
extensile [eks'tensail], *adj.* extensível.
extension [iks'tenʃən], *s.* extensão; ampliação; expansão; prolongamento; aumento; alargamento; prorrogação.
an extension of time — prorrogação do prazo.
extension telephone — extensão telefónica.
extensive [iks'tensiv], *adj.* extenso; extensivo; grande.
extensive fields of crops — extensos campos de cereais.
extensive repairs — reparações importantes.
extensively [-li], *adv.* extensivamente.
extensiveness [-nis], *s.* extensão; extensibilidade.
extensor [iks'tensə], *s.* extensor, músculo extensor.
extent [iks'tent], *s.* extensão, dimensão, tamanho; alcance; ponto, grau; penhora.
the extent of a park — a extensão dum parque.
to a certain extent — até certo ponto.
to a great extent — em grande parte.
to what extent can we trust him? — até que ponto podemos confiar nele?
extenuate [eks'tenjueit], *vt.* atenuar, diminuir; tornar menos grave. (*Sin.* to lessen, to minimize, to diminish, to reduce. *Ant.* to aggravate.)
extenuating [-iŋ], *adj.* atenuante, que diminui a gravidade.
extenuating circumstances — circunstâncias atenuantes.
extenuation [ekstenju'eiʃən], *s.* atenuação; enfraquecimento.
extenuatory [eks'tenjuətəri], *adj.* atenuante.
exterior [eks'tiəriə], *s.* e *adj.* exterior.
exterior angle — ângulo externo.
exteriority [ekstiəri'ɔriti], *s.* exterioridade.
exteriorization [ekstiəriərai'zeiʃən], *s.* exteriorização.
exteriorize [eks'tiəriəraiz], *vt.* exteriorizar, manifestar.
exterminate [eks'tə:mineit], *vt.* exterminar; eliminar; destruir; abolir.
extermination [ekstə:mi'neiʃən], *s.* exterminação, destruição; eliminação.
exterminative [eks'tə:minətiv], *adj.* exterminador.
exterminator [eks'tə:mineitə], *s.* exterminador.
exterminatory [eks'tə:minətəri], *adj.* exterminador.
extern [eks'tə:n], *s.* médico externo de hospital.
external [-l], **1** — *s.* exterior; *pl.* aparências.
to judge things and people by externals — julgar coisas e pessoas pelas aparências.
2 — *adj.* externo, exterior.
external evidence — provas extrínsecas.
for external application (med.) — para uso externo.
externality [ekstə:'næliti], *s.* (pl. **externalities**) exterioridade.
externalization [ekstə:nəlai'zeiʃən], *s.* acto de exteriorizar; manifestação.
externalize [eks'tə:nəlaiz], *vt.* exteriorizar, dar forma ou corpo.
externally [eks'tə:nəli], *adv.* externamente, exteriormente.
exterritorial ['eksteri'tɔ:riəl], *adj.* exterritorial, livre da jurisdição do país em que se está.
exterritoriality [ekstəritɔ:ri'æliti], *s.* exterritorialidade.
extinct [iks'tiŋkt], *adj.* extinto; apagado; abolido.
extinction [iks'tiŋkʃən], *s.* extinção; abolição; aniquilamento; supressão.
extinctive [iks'tiŋktiv], *adj.* extinto.
extinguish [iks'tiŋgwiʃ], *vt.* extinguir, apagar; obscurecer; suprimir, destruir, aniquilar. (*Sin.* to destroy, to annihilate, to eclipse, to suppress, to quench. *Ant.* to promote.)
to extinguish a fire — apagar um fogo.
to extinguish a hope — destruir uma esperança.
extinguishable [-əbl], *adj.* extinguível, que se pode extinguir.
extinguisher [-ə], *s.* extintor.
fire extinguisher — extintor de incêndios.
extinguishment [-mənt], *s.* extinção; abolição; supressão.
extirpate ['ekstə:peit], *vt.* extirpar; extrair; arrancar; destruir, exterminar.
to extirpate a tumour — extrair um tumor.
to extirpate weeds — arrancar ervas daninhas.
extirpation [ekstə:'peiʃən], *s.* extirpação; destruição.
extirpator ['ekstə:peitə], *s.* extirpador.
extol [iks'tɔl], *vt.* (pret. e pp. **extolled**) exaltar, louvar, enaltecer, elogiar. (*Sin.* to laud, to praise, to exalt, to magnify.)
extort [iks'tɔ:t], *vt.* extorquir, tirar à força, obter pela violência ou ameaça; interpretar forçadamente.
they extorted a confession from that man — arrancaram uma confissão àquele homem.
to extort money out of someone — extorquir dinheiro a alguém.

extortion [iks'tɔ:ʃən], *s.* extorsão, violência.
extortionate [iks'tɔ:ʃnit], *adj.* opressivo, violento; exorbitante.
extortioner, extortionist [iks'tɔ:ʃnə, iks'tɔ:ʃnist], *s.* extorsionista.
extra ['ekstrə], **1** — *s.* extra; o excesso, excedente; (cin.) pessoa contratada por um período de tempo para um papel secundário.
no extras — tudo incluído.
what do these extras amount to? — em quanto importam estes extraordinários?
2 — *adj.* extra, extraordinário, adicional, suplementar.
extra charge — taxa suplementar.
extra pay — salário suplementar.
extra postage — sobretaxa.
3 — *adv.* extraordinariamente; extra.
the beer is extra — a cerveja é por fora.
extract 1 — ['ekstrækt], *s.* extracto; substância que se extraiu de outra; excerto, resumo, sumário. (*Sin.* excerpt, selection, quotation, citation.)
2 — [iks'trækt], *vt.* extrair, arrancar; fazer um extracto de; fazer citações de.
to extract a tooth — extrair um dente.
to extract the truth from a witness — arrancar a verdade a uma testemunha.
extractable [iks'træktəbl], *adj.* que se pode extrair.
extraction [iks'trækʃən], *s.* extracção; origem; linhagem.
he is of noble extraction — é de alta linhagem.
people of English extraction — pessoas de origem inglesa.
the extraction of teeth — extracção de dentes.
extractive [iks'træktiv], **1** — *s.* extracto.
2 — *adj.* extractivo.
extractive industries — indústrias extractivas.
extractor [iks'træktə], *s.* extractor.
extraditable ['ekstrədaitəbl], *adj.* que se pode extraditar.
extradite ['ekstrədait], *vt.* extraditar, entregar por extradição.
extradition [ekstrə'diʃən], *s.* extradição.
extrados [iks'treidɔs], *s.* extradorso.
extrajudicial ['ekstrədʒu(:)'diʃəl], *adj.* extrajudicial.
extrajudicially ['ekstrədʒu(:)'diʃəli], *adv.* extrajudicialmente.
extramural ['ekstrə'mjuərəl], *adj.* extramural; de fora de uma universidade.
extraneous [eks'treinjəs], *adj.* estranho; extrínseco, exterior; alheio.
extraneous to the subject — estranho ao assunto.
extraneously [-li], *adv.* dum modo estranho; sem relações com.
extraneousness [-nis], *s.* qualidade de ser estranho.
extraordinarily [iks'trɔ:dinərili], *adv.* extraordinariamente.
extraordinariness [iks'trɔ:dinərinis], *s.* singularidade; extravagância.
extraordinary [iks'trɔ:dnri], **1** — *s. pl.* rações extras para as tropas.
2 — *adj.* extraordinário; singular; raro; excepcional; notável.
ambassador extraordinary — embaixador extraordinário.
extra-parochial ['ekstrə-pə'roukiəl], *adj.* de fora da paróquia.
extra-special [ekstrə'speʃəl], *adj.* extra-especial.
extraterritorial ['ekstrəteri'tɔ:riəl], *adj.* extraterritorial.
extravagance, extravagancy [iks'trævigəns, -si], *s.* extravagância, estroinice; prodigalidade; desvario; loucura.
extravagant [iks'trævigənt], *adj.* extravagante; gastador, esbanjador.
extravagantly [-li], *adv.* extravagantemente; com esbanjamento.
extravaganza [ekstrævə'gænzə], *s.* extravagante composição musical ou dramática.
extravasate [eks'trævəseit], *vt.* e *vi.* extravasar, extravasar-se.
extravasation [ekstrævə'seiʃən], *s.* extravasão, derramamento.
extreme [iks'tri:m], **1** — *s.* extremo, extremidade, o ponto mais distante.
extremes meet — os extremos tocam-se.
he is reduced to extremes — está sem nenhum recurso.
it is annoying in the extreme — é extremamente aborrecido.
to go to extremes — ir aos extremos; adoptar as medidas mais rigorosas.
2 — *adj.* extremo; rigoroso, severo.
an extreme case — um caso de necessidade.
extreme kindness — amabilidade extrema.
extreme measures — medidas muito rigorosas.
Extreme Unction — extrema-unção.
in extreme danger — em perigo extremo.
the extreme left — extrema esquerda (política).
the extreme penalty — pena máxima.
extremely [-li], *adv.* extremamente; muito.
it pains me extremely to have to say this — custa-me muito ter de dizer isto.
extremism [iks'tri:mizəm], *s.* extremismo, radicalismo.
extremist [iks'tri:mist], *s.* extremista.
extremity [iks'tremiti], *s.* (pl. **extremities**) extremidade, ponta, cabo; fim; miséria, necessidade; embaraço, apuro; *pl.* extremidades do corpo (mãos e pés); medidas extremas.
a pimple at the very extremity of the nose — uma borbulha mesmo na ponta do nariz.
he will help them in their extremity — ele ajudá-los-á na sua miséria.
in the extremity of misery — na maior miséria.
to go to extremities — adoptar medidas muito severas.
extricable ['ekstrikəbl], *adj.* que se pode aclarar ou deslindar.
extricate ['ekstrikeit], *vt.* desenredar; deslindar; libertar (gás) dum estado de combinação; desembaraçar.
to extricate oneself from difficulties — desembaraçar-se de dificuldades.
extrication [ekstri'keiʃən], *s.* desenredo, deslindação; libertação (de gás); desembaraço.
extrinsic [eks'trinsik], *adj.* extrínseco.
extrinsically [-əli], *adv.* extrinsecamente.
extroversion [ekstrou'və:ʃən], *s.* extroversão.
extrovert ['ekstrouvə:t], *s.* extrovertido.
extrude [eks'tru:d], *vt.* expulsar, banir; desapossar, depor.
extrusion [eks'tru:ʒən], *s.* expulsão; exclusão.
extrusive [eks'tru:siv], *adj.* extrusivo, que serve para expulsar.
exuberance, exuberancy [ig'zju:bərəns, -si], *s.* exuberância, superabundância, excesso.
exuberant [ig'zju:bərənt], *adj.* exuberante, superabundante; vivo, animado.
exuberant vegetation — vegetação exuberante.
exuberant young people — jovens cheios de animação.
in exuberant health — cheio de saúde.
exuberantly [-li], *adv.* exuberantemente.
exuberate [ig'zju:bəreit], *vi.* exuberar, superabundar, ter em excesso.
exudation [eksju:'deiʃən], *s.* exsudação; transpiração.
exude [ig'zju:d], *vt.* e *vi.* exsudar; transpirar; expelir em forma de gotas ou suor; suar.

exult [ig'zʌlt], *vi.* exultar, alegrar-se muito; triunfar.
to exult over (at) a success — exultar com um triunfo.
exultancy [ig'zʌltənsi], *s.* exultação, júbilo, alegria; triunfo.
exultant [ig'zʌltənt], *adj.* exultante, jubiloso, alegre, triunfante. (*Sin.* jubilant, triumphant, rejoicing, joyous. *Ant.* depressed.)
exultantly [-li], *adv.* triunfantemente, jubilosamente.
exultation [egzʌl'teiʃən], *s.* exultação, júbilo, alegria, triunfo, regozijo.
exulting [ig'zʌltiŋ], *adj.* exultante, jubiloso, alegre, triunfante.
exuviae [ig'zju:vii:], *s. pl.* peles, penas que caem.
exuviate [ig'zju:vieit], *vt.* e *vi.* mudar (de pele, de penas, etc.).
ex-voto [eks'voutou], *s.* ex-voto, objecto, quadro ou imagem que se expõe nas igrejas em cumprimento dum voto.
eyas ['aiəs], *s.* (pl. **eyases**) falcão novo tirado do ninho para ser treinado, ou ainda não completamente treinado.
eye [ai], **1** — *s.* olho; vista; olhar; atenção, vigilância; olho, botão (de planta); furo, buraco; fêmea (do colchete); olhal; escovém; fundo (de agulha).
an eye for an eye, a tooth for a tooth — olho por olho, dente por dente.
apple of the eye — menina do olho.
as far as the eye can reach — a perder de vista.
before one's eyes — à vista.
eye-beam — olhadela.
eyebright — (bot.) eufrásia.
eye-doctor — oculista.
eye-dropper — conta-gotas.
eyes front! — olhar frente!
eye-glass — monóculo.
eye-opener — facto ou história surpreendente; uma revelação.
eye-pleasing — agradável à vista.
eyes right! — olhar direita!
eye-servant — criado que só trabalha quando é vigiado.
eye-shade — viseira.
eye-specialist — médico oftalmologista.
eye-tooth — dente canino.
eye tube — telescópio.
eye-wash — velhacaria; impostura.
eye-wink — piscadela.
eye-witness — testemunha ocular.
green eye — ciúme.
his eyes are bigger than his belly — tem mais olhos que barriga.
hook and eye — colchete.
in the eye of the law — do ponto de vista legal.
in the twinkling of an eye — num abrir e fechar de olhos.
in the wind's eye (náut.) — contra o vento; à trinca.
it can be seen with half an eye — salta aos olhos, é evidente.
it is a sight for sore eyes — regala a vista ver-se.
mind your eye! — cuidado!
she has lovely blue eyes — ela tem uns lindos olhos azuis.
the apple of one's eye — o ai-Jesus.
to be all eyes — ser todo olhos, estar muito atento.
to be unable to take one's eyes off — não tirar a vista de cima de, estar fascinado.
to close one's eyes to — fechar os olhos a.
to cry one's eyes out — chorar amargamente, chorar até mais não.
to feast one's eyes on — regalar a vista com.
to give an eye to — vigiar cuidadosamente.
to have a black eye — ter um olho pisado.
to have a good eye for anything — ter bom golpe de vista; ser previdente.
to have an eye for business — ter olho para o negócio.
to have lovely eyes — ter uns olhos lindos.
to have one's eyes on — ter debaixo de olho; trazer debaixo de olho.
to keep an eye on — não tirar os olhos de.
to keep an eye to — olhar por.
to keep one's eyes wide open — ter os olhos bem abertos.
to make eyes at somebody — olhar para alguém com ternura.
to open a person's eyes to something — abrir os olhos a alguém sobre alguma coisa.
to pipe one's eyes (cal.) — chorar.
to run one's eyes over (through) — dar uma vista de olhos por.
to see a straw in another's eye, and not to see a beam in his own — ver o argueiro no olho alheio e não ver a tranca no seu.
to see eye to eye with a person — concordar inteiramente com alguém.
to see something in one's mind's eye — imaginar.
to set eyes on — pôr a vista em; ver.
to strain one's eyes — esforçar a vista; cansar a vista.
to throw dust in the eyes of somebody — lançar poeira aos olhos de alguém.
to turn up the whites of one's eyes — revirar as meninas dos olhos.
under our eyes — na nossa presença.
up to the eyes in debt — muito endividado.
up to the eyes in work — muito ocupado com trabalho.
with an eye to — com o objectivo de.
with the naked eye — a olho nu.
2 — *vt.* (p. pr. **eying**) olhar, ver, contemplar, observar.
I didn't like the way he eyed me — não gostei da maneira como ele me olhava.
she eyed him up and down — ela olhou-o de alto a baixo.
eyeball [-bɔ:l], *s.* globo ocular.
eyebrow [-brau], *s.* sobrancelha.
eyed [aid], *adj.* que tem olhos.
one-eyed — que tem só um olho.
eyehole [-houl], *s.* órbita ocular; ilhó.
eyelash [-læʃ], *s.* pestana.
eyeless [-lis], *adj.* sem olhos, cego.
eyelet [-lit], *s.* ilhó.
eyelid [-lid], *s.* pálpebra.
eyepiece [-pi:s], *s.* ocular (de telecóspio, luneta, etc.).
eyesalve [-sælv], *s.* pomada para os olhos.
eyeshot [-ʃɔt], *s.* campo de visão.
out of eyeshot — fora do alcance da vista.
within eyeshot — ao alcance da vista.
eyesight [-sait], *s.* vista.
you'll ruin your eyesight—dá cabo da sua vista.
eyesore [-sɔ:], *s.* pessoa ou coisa desagradável.
eyot [eit], *s.* ilhota (principalmente fluvial).
eyre [ɛə], *s.* viagem, deslocação (de juízes).
eyrie, eyry ['aiəri], *s.* (pl. **eyries**) ninho de ave de rapina; habitação em ponto elevado.

F

F, f [ef], (*pl.* **F's, f's** [efs]), sexta letra do alfabeto inglês; (mús.) fá.
(in) F major — (em) fá maior.
(in) F minor — (em) fá menor.
(in) F sharp — (em) fá sustenido.

fa [fɑ:], *s.* (mús.) fá.

Fabian ['feibjən], **1** — *s.* membro da Sociedade Fabiana, fundada em Inglaterra em 1884 e que tem por fim a propaganda dos princípios socialistas por meios pacíficos.
2 — *adj.* prudente, cauteloso.

fable ['feibl], **1** — *s.* fábula, conto, ficção; enredo; mentira, fantasia.
2 — *vt.* e *vi.* (arc.) contar fábulas; imaginar.

fabric ['fæbrik], *s.* tecido, pano; construção, edifício; estrutura; mão-de-obra.
cotton fabrics — tecidos de algodão.

fabricate ['fæbrikeit], *vt.* fabricar, construir; inventar, forjar, urdir.

fabrication [fæbri'keiʃən], *s.* fabricação, construção; mentira; invenção; ficção, história.

fabricator ['fæbrikeitə], *s.* construtor; inventor; embusteiro; falsificador.

fabulist ['fæbjulist], *s.* fabulista; mentiroso.

fabulous ['fæbjuləs], *adj.* fabuloso; falso, fingido, imaginário; incrível.
a fabulous wealth — riqueza fabulosa.
a house of fabulous size — uma casa dum tamanho fabuloso.

fabulously [-li], *adv.* fabulosamente.

fabulousness [-nis], *s.* qualidade de ser fabuloso.

façade [fə'sɑ:d], *s.* fachada, frontaria dum edifício; frontispício.

face [feis], **1** — *s.* face, rosto, cara; careta; superfície (dum objecto); frente, fachada; descaro, atrevimento; aparência, aspecto; mostrador (de relógio).
face-ache — nevralgia facial.
face-pack — máscara anti-rugas.
face-plate — prato de torno; prato de furos.
face-powder — pó-de-arroz.
face to face — cara a cara.
face value — valor nominal.
in the face of — em face de, na presença de.
the face of a card — o rosto (duma carta de jogar).
to one's face — (col.) nas barbas de.
to carry two faces under one hood — ser pessoa de duas caras.
to have the face to say — ter o descaramento de dizer.
to fly in the face of — desobedecer abertamente.
to keep a straight face—mostrar uma cara séria.
to laugh in one's face—rir-se na cara de alguém.
to look facts in the face — encarar as coisas como elas são.
to look a person full in the face — encarar com alguém.
to lose one's face — perder o prestígio.
to make faces at — fazer caretas.
to put a new face on — mudar o aspecto de.
to put a bold face on it — (col.) fazer das tripas coração; tirar o melhor partido duma má situação.
to put a good face on — aguentar ou resistir corajosamente.
to pull (make) a face — fazer uma cara feia.
to set one's face against — opor-se tenazmente.
to shut the door in a person's face — fechar a porta na cara de alguém.
to save one's face — salvar a honra do convento.
to show one's face — aparecer.
2 — *vt.* e *vi.* encarar, fazer frente; afrontar; voltar-se para; cobrir, revestir, forrar; aparentar, enganar; voltar (o corpo); dar para.
to face about — *(mil.)* dar meia volta.
to face the music — arrostar com as consequências.
to face a card — voltar uma carta.
to face out a lie — sustentar uma mentira.
to face up to — fazer face a.
to face dangers — enfrentar perigos.
the house faces the south — a casa está voltada para o Sul.
right face! (mil.) — direita volver!

faced [-t], *adj.* com rosto virado para; forrado, guarnecido.
double-faced — de duas caras; feijão frade.
ill-faced — mal-encarado.

facer [-ə], *s.* bofetada; dificuldade inesperada.

facet ['fæsit], *s.* faceta.

faceted [-id], *adj.* facetado.

facetious [fə'si:ʃəs], *adj.* jovial, chistoso, brincalhão. (*Sin.* merry, gay, jolly, comical, waggish, jocular, jocose. *Ant.* serious, dull.)

facetiously [-li], *adv.* jovialmente, alegremente, chistosamente.

facetiousness [-nis], *s.* chiste, graça; facécia; jovialidade.

facia ['feiʃə], *s.* tabuleta de estabelecimento comercial.

facial ['feiʃəl], **1** — *s. (E. U.)* massagem ao rosto.
2 — *adj.* facial.

facile ['fæsail], *adj.* fácil; dócil, obediente; cortês, afável; fluente; hábil.

facilitate [fə'siliteit], *vt.* facilitar.

facilitation [fəsili'teiʃən], *s.* facilitação.

facility (*pl.* **facilities**) [fə'siliti, -iz], *s.* facilidade; destreza, habilidade; docilidade, afabilidade; *pl.* oportunidades, vantagens.
to have a great facility in learning languages — aprender línguas com facilidade.

facing ['feisiŋ], *s.* adorno; cobertura, revestimento; forro; (mil.) canhões e golas de uniforme.
to put a person through his facings — examinar as suas qualidades.

facsimile [fæk'simili], **1** — *s.* fac-símile, cópia exacta.
2 — *vt.* imprimir em fac-símile.

fact [fækt], *s.* facto, acção; realidade; acontecimento; circunstância.
a matter-of-fact man — homem prático; positivista.
as a matter of fact — de facto, na realidade.
in fact — de facto.
in point of fact — na realidade.
facts are stubborn things — contra factos não há argumentos.
the fact of the matter is that — a verdade é que.
to know for a fact that — saber de certeza que.

faction ['fækʃən], *s.* facção; parcialidade; dissensão.

factional ['fækʃənl], *adj.* faccionário.

factious ['fækʃəs], *adj.* faccioso, parcial; sedicioso, perturbador.

factiously [-li], *adv.* facciosamente; parcialmente; com partidarismo.

factiousness [-nis], *s.* carácter faccioso; espírito partidário; parcialidade.
factitious [fæk'tiʃəs], *adj.* factício, artificial.
factitiously [-li], *adv.* artificialmente.
factitiousness [-nis], *s.* artificialidade.
factitive ['fæktitiv], *adj.* factitivo; causativo.
factor ['fæktə], *s.* factor; agente; elemento; (mat.) coeficiente.
safety factor — coeficiente de segurança.
factorage [-ridʒ], *s.* comissão; corretagem.
factorial [fæk'tɔ:riəl], *adj.* factorial; relativo aos factores; constituído por factores.
factory (*pl.* **factories**) ['fæktəri, -iz], *s.* fábrica; oficina; feitoria.
Factory Acts — estatutos que regulam a segurança dos operários.
factotum [fæk'toutəm], *s.* factótum.
factual ['fæktjuəl], *adj.* relativo a factos, concreto.
facula (*pl.* **faculae**) ['fækjulə, -i:], *s.* fácula, mancha luminosa no disco do Sol.
facultative ['fækəltətiv], *adj.* facultativo; contingente; relativo às faculdades.
faculty (*pl.* **faculties**) ['fækəlti, -iz], *s.* faculdade, aptidão; faculdade universitária.
fad [fæd], *s.* mania, capricho, fantasia; moda passageira.
faddiness [-inis], *s.* capricho, fantasia.
faddish [-iʃ], *adj.* caprichoso.
faddist [-ist], *s.* pessoa caprichosa.
faddy [-i], *adj.* caprichoso; esquisito.
to be faddy — ser esquisito.
fade [feid], *vt.* e *vi.* murchar, definhar; durar pouco; desaparecer gradualmente; enfraquecer; empalidecer; desbotar; desvanecer; (rádio) variar o volume do som. (*Sin.* to disappear, to vanish, to droop, to wither, to pale.)
to fade away — desaparecer, sumir-se.
to fade in — *(cin.)* passar gradualmente de uma cena para outra.
to fade out — desaparecer gradualmente.
the flowers have faded — as flores murcharam.
the sun has faded the colour of the curtains — o sol desbotou as cortinas.
fadeless [-lis], *adj.* que não murcha; de cor fixa.
fading [-iŋ], **1** — *s.* desvanecimento; murchidão; enfraquecimento; desaparecimento gradual (de imagens ou de sons).
2 — *adj.* esmorecido, lânguido; pálido; decadente.
faeces ['fi:si:z], *s. pl.* fezes; sedimentos.
faerie, faery ['feiəri], **1** — *s.* país das fadas; fadas.
2 — *adj.* visionário, imaginário.
fag [fæg], **1** — *s.* cansaço; trabalho penoso; (escolas inglesas) caloiro que serve de criado a aluno mais adiantado; (cal.) cigarro.
brain-fag — cansaço cerebral.
fag-end — (cal.) pirisca, ponta de cigarro.
what a fag! — que lida!, que fadiga!
2 — *vt.* e *vi.* (pret e pp. **fagged**) fatigar, cansar; estafar-se; (escolas inglesas) prestar serviços aos alunos mais adiantados.
to fag away at English — aplicar-se muito ao inglês.
fagged ['fægd], *adj.* fatigado, estafado.
to be fagged out — estar morto de fadiga.
fagging ['fægiŋ], **1** — *s.* (escolas inglesas) serviços prestados pelos caloiros aos alunos mais adiantados; estopada; cansaço.
2 — *adj.* esgotante, fatigante.
fag(g)ot ['fægət], **1** — *s.* feixe (de lenha, de varas de ferro, de aço, etc.); espécie de almôndega de fígado.
all faggots are not alike — nem tudo o que luz é oiro.
2 — *vt.* e *vi.* atar em molhos; enfeixar.

Fahrenheit ['færənhait], *n. p.* nome dum termómetro e do seu inventor, um físico alemão.
Fahrenheit thermometer — termómetro em que 32° corresponde a zero centígrado e 212° corresponde a 100° C.
faience [fai'ɑ̃:ns], *s.* faiança.
fail [feil], **1** — *s.* falta.
without fail — sem falta.
2 — *vt.* e *vi.* faltar, não cumprir; falhar, ter mau êxito, ser mal sucedido; malograr-se; falir; ser insuficiente; esquecer; deixar de; reprovar. (*Sin.* to miss, to forget, to decline, to neglect, to disappoint, to fall short, to miscarry. *Ant.* to succeed.)
it can't fail to be — não pode deixar de ser.
do not fail to come — não deixes de vir.
I will not fail — não faltarei.
to fail in an examination — ficar reprovado num exame.
to fail a student — reprovar um estudante.
failing [-iŋ], **1** — *s.* falta; imperfeição; defeito; desaire; falha, deficiência; enfraquecimento.
2 — *adj.* fraco, débil; que falha.
3 — *prep.* à falta de; se.
failing coffee she had to take milk — na falta de café ela teve de tomar leite.
failure ['feiljə], *s.* fracasso, malogro; falta, omissão; quebra, falência; mau êxito; fiasco; esquecimento; incapacidade; insuficiência.
as a teacher he is a failure — como professor é um incompetente.
fain [fein], *adj.* e *adv.* resignado, disposto a; de bom grado, de boa vontade.
I would fain do it — fá-lo-ia de boa vontade.
faint [feint], **1** — *s.* desmaio, desfalecimento; esvaimento.
2 — *adj.* abatido; desmaiado; tímido; frouxo; exausto; indistinto, vago.
a faint idea — uma fraca ideia.
faint hope — leve esperança.
not the faintest hope — sem a mais leve esperança.
to feel faint — sentir-se desfalecer.
faint heart never won fair lady — dos fracos não reza a história.
3 — *vi.* desmaiar, desfalecer; desanimar; enfraquecer.
faint-heart ['feinthɑ:t], *s.* cobarde, poltrão.
faint-hearted [-id], *adj.* cobarde, medroso.
faint-heartedly [-idli], *adv.* cobardemente.
faint-heartedness [-idnis], *s.* cobardia, medo.
fainting ['feintiŋ], **1** — *s.* desmaio; enfraquecimento.
2 — *adj.* débil.
faintness ['feintnis], *s.* fraqueza, languidez, debilidade, abatimento.
fair [fɛə], **1** — *s.* feira, mercado; exposição; festa de caridade.
a day after the fair — demasiado tarde.
2 — *adj.* claro, distinto; sem mancha, puro; imparcial, justo, honesto; belo; regular, suficiente; favorável; loiro, de cor clara; suave; tolerável; limpo.
a fair name — bom nome, boa reputação.
by fair means or foul — duma maneira ou doutra.
fair weather sailor — marinheiro de água doce.
fair play — honestidade; jogo lícito.
fair and square — honradamente.
fair-minded — imparcial, justo, honesto.
fair hair — cabelo loiro.
fair weather — bom tempo.
fair complexion — tez clara.
fair weather friends — amigos de Peniche.
that is only fair — é mais que justo.
fair copy — cópia a limpo.
in a fair way to — prestes a.
the fair sex — o belo sexo.

to be in a fair way to — ter probabilidades de; estar em condições favoráveis para.
your knowledge of English is fair — o teu conhecimento de inglês é razoável.
3 — *vt.* copiar (documentos).
4 — *adv.* imparcialmente; cortesmente; em cheio; com clareza.
fair and softly goes far in a day — devagar se vai ao longe.
fair-spoken — cortês, delicado, atencioso.
to play fair — jogar com lealdade.
he struck him fair on the nose — atingiu-o em cheio no nariz.

fairing [-riŋ], *s.* presente comprado na feira; acto de polir a superfície dum aeroplano.

fairish [-riʃ], *adj.* sofrível, razoável.

fairlead [-li:d], *s.* *(rád.)* descida da antena; entrada da antena.

fairly [-li], *adv.* razoavelmente; regularmente; justamente; sofrivelmente; favoravelmente; completamente; com imparcialidade.
I am fairly good at English — vou regularmente em Inglês.
to be fairly beside oneself with joy — estar fora de si de alegria.

fairness [-nis], *s.* clareza; honradez, honestidade; lealdade, boa-fé; candura; equidade, probidade; imparcialidade; beleza; cor loira.

fairway [-wei], *s.* canal, passagem limpa; águas navegáveis; *(golfe)* zona plana entre os buracos.

fairy (*pl.* **fairies**), [-ri, -iz], **1** — *s.* fada; (cal.) maricas.
fairy-like — feérico, como as fadas.
fairy-cycle — bicicleta de criança.
fairy-tale — conto de fadas.
fairy-lamp — lâmpada para iluminações decorativas.
2 — *adj.* relativo a fadas; imaginário, fictício.

fairyland [-lænd], *s.* país das fadas; país encantado.

faith [feiθ], *s.* fé, crença; confiança; lealdade; doutrina; honestidade.
in faith — em verdade.
in good faith — de boa fé; com boas intenções.
in bad faith — de má fé.
to break faith with — faltar à palavra dada.
to keep faith with — cumprir a palavra dada.
to pin one's faith to (upon) — confiar absolutamente em.
to put one's faith in — confiar em.

faithful [-ful], *adj.* fiel, leal; crente; dedicado.
the faithful — os crentes.

faithfully [-fuli], *adv.* fielmente; firmemente; dedicadamente; sinceramente.
yours faithfully — com consideração, muito atentamente (maneira de terminar uma carta, principalmente de carácter comercial).

faithfulness [-fulnis], *s.* fidelidade, lealdade; exactidão.

faithless [-lis], *adj.* incrédulo, sem fé; desleal.

faithlessly [-lisli], *adv.* incredulamente; deslealmente.

faithlessness [-lisnis], *s.* incredulidade; infidelidade; deslealdade.

fake [feik], **1** — *s.* imitação, falsificação; engano, trapaça, patranha, falsidade; (náut.) aducha de cabo; boato.
2 — *vt.* imitar fraudulentamente; intrujar, enganar; falsificar; (náut.) colher à manobra.

faker [-ə], *s.* falsificador; intrujão.

fakir ['fɑ:kiə], *s.* faquir.

falcate ['fælkeit], *adj.* falcado; falciforme.

falchion ['fɔ:ltʃən], *s.* cimitarra.

falcon ['fɔ:lkən], *s.* falcão.

falconer [-ə], *s.* falcoeiro, o que treina falcões ou o que caça com falcões.

falconry ['fɔ:lkənri], *s.* falcoaria; arte de adestrar falcões para a caça; caçada com falcões.

falderal ['fældə'ræl], *s.* ninharia, coisa sem valor; estribilho sem significado.

faldstool ['fɔ:ldstu:l], *s.* faldistório, cadeira episcopal, sem espaldar, ao lado do altar-mor.

fall [fɔ:l], **1** — *s.* queda; ruína, decadência; descida; inclinação; baixa (da maré, do barómetro, de preços, etc.); (E. U.) Outono; *pl.* cataratas, catadupas. (*Sin.* collapse, ruin, failure, sinking, descent, drop, decline.)
a heavy fall of rain — uma grande pancada de água.
the Niagara Falls — as quedas do Niágara.
2 — *vi.* (pret. **fell** [fel], pp. **fallen** ['fɔ:lən]) cair, deixar-se cair; diminuir, minguar; principiar uma coisa com entusiasmo; ir abaixo, perder o poder; aparecer; ceder; apostolar; acontecer, suceder; baixar (preço); inclinar-se; ficar, tornar-se.
Christmas falls on the 25th of December — o Natal calha a 25 de Dezembro.
he fell down on the job — ele não correspondeu ao que se esperava.
it falls on me to take the letter — é a mim que compete levar a carta.
to fall aboard — abordar (navio).
to fall asleep — adormecer.
to fall asleep at the post — adormecer no seu posto.
to fall away — diminuir; declinar; enfraquecer; deixar de cumprir o dever; abandonar.
to fall back — retroceder; faltar à palavra.
to fall backward — cair de costas.
to fall behind — perder terreno; ficar para trás.
to fall between two stools — perder uma oportunidade por hesitar entre duas alternativas.
to fall calm — acalmar.
to fall down — cair por terra; arruinar-se.
to fall down in History — ficar reprovado em História.
to fall dry — ficar em seco.
to fall due — expirar o prazo, vencer-se (letra).
to fall flat — deixar de produzir o efeito desejado; tornar-se insípido; falhar.
to fall from — abandonar.
to fall for — gostar, simpatizar.
to fall foul of — abalroar, chocar com; questionar.
to fall in — enfileirar-se; ir abaixo, desabar; coincidir; terminar; aceder.
to fall in love with — apaixonar-se por.
to fall in with — encontrar-se; conformar-se; concordar; associar-se.
to fall in battle — cair morto (em combate).
to fall in a fit — cair com um ataque.
to fall into the habit of — habituar-se a.
to fall off — diminuir; cair no chão; perder a beleza; passar de moda; desprender-se; desviar-se da rota.
to fall on — cair sobre, atacar, assaltar.
to fall out — questionar; ficar de mal; (mil.) tirar das fileiras; acontecer.
to fall overboard — cair ao mar.
to fall out of — desistir, cessar, renunciar a.
to fall on one's feet — cair de pé.
to fall over someone — rodear alguém de amabilidades.
to fall short — ser insuficiente.
to fall short of — falhar, não corresponder.
to fall through — falhar, fracassar.
to fall to — cair em sorte; começar uma coisa com entusiasmo; comer com sofreguidão.

to fall to pieces — desfazer-se.
to fall to the ground — cair por terra.
to fall upon — cair sobre, investir; recorrer a.
to fall under — ficar sujeito a; cair debaixo de.
fallacious [fə'leiʃəs], *adj.* falaz, enganador.
fallaciously [-li], *adv.* falazmente.
fallaciousness [-nis], *s.* falácia, engano.
fallacy (*pl.* **fallacies**) ['fæləsi, -iz], *s.* falácia, engano; sofisma.
fal-lal ['fæ'læl], *s.* ornamento insignificante.
fallen ['fɔ:lən], *pp.* do verbo **to fall.**
fallen woman — mulher perdida.
fallibility [fæli'biliti], *s.* falibilidade.
fallible ['fæləbl], *adj.* falível.
falling ['fɔ:liŋ], **1** — *s.* queda; baixa; derrocada.
falling out — contenda, desavença.
falling off — decadência; (náut.) desvio de rota; abandono.
2 — *adj.* que cai.
falling-star — estrela cadente.
falling door — alçapão.
fallow ['fælou], **1** — *s.* terra de pousio, alqueire.
2 — *adj.* fulvo; desocupado; de pousio (terra).
fallow-deer — gamo vulgar.
3 — *vt.* arrotear, desbravar terreno inculto para o cultivar.
false [fɔ:ls], **1** — *adj.* falso, fingido, desleal, pérfido; errado; postiço; fingido; irregular, ilegal.
false claim — queixa infundada.
false teeth — dentes postiços.
false imprisonment — detenção ilegal.
false-hearted — traiçoeiro, desleal.
false to the core — falso como Judas.
to sail with false colours — mostrar-se diferente do que é; navegar com bandeira de outro país.
2 — *adv.* deslealmente.
to play a person false — ser desleal para com uma pessoa.
falsehood [-hud], *s.* falsidade; mentira.
falsely [-li], *adv.* falsamente.
falseness [-nis], *s.* falsidade.
falsetto [fɔ:l'setou], **1** — *s.* (mús.) falsete.
2 — *adv.* em falsete.
falsification ['fɔ:lsifi'keiʃən], *s.* falsificação; adulteração.
falsify ['fɔ:lsifai], *vt.* falsificar; adulterar; alterar; enganar.
falsity (*pl.* **falsities**) ['fɔ:lsiti, -iz], *s.* falsidade.
falter ['fɔ:ltə], *vt.* e *vi.* gaguejar; hesitar, vacilar; tremer; balbuciar. (*Sin.* to waver, to hesitate, to stumble, to tremble, to totter, to stammer.)
faltering [-riŋ], **1** — *s.* gaguez; hesitação.
2 — *adj.* hesitante, titubeante; gaguejante.
fame [feim], *s.* fama, renome, reputação; voz geral. (*Sin.* name, renown, glory, celebrity, reputation. *Ant.* oblivion.)
famed [-d], *adj.* afamado, célebre, notável.
to be famed for — ter fama de.
familiar [fə'miljə], **1** — *s.* familiar; amigo íntimo.
2 — *adj.* familiar; íntimo; vulgar; habitual. (*Sin.* habitual, common, intimate, free, acquainted. *Ant.* distant, ignorant.)
he is familiar with the subject — conhece bem o assunto.
to be on familiar terms with — ter intimidade com.
to grow familiar with — familiarizar-se com.
familiarity (*pl.* **familiarities**) [fəmili'æriti, -iz], *s.* familiaridade; intimidade; conhecimento.
familiarity breeds contempt — a familiaridade engendra desprezo.
familiarization [fəmiljərai'zeiʃən], *s.* familiarização.
familiarize [fə'miljəraiz], *vt.* familiarizar, acostumar.
family (*pl.* **families**) ['fæmili, -iz], *s.* família; linhagem; raça.
family likeness — ares de família.
family tree — árvore genealógica.
family allowance — abono de família.
family man — pai de família; homem caseiro.
it runs in the family — é de família.
she is in the family way — está grávida.
famine ['fæmin], *s.* fome; escassez.
famish ['fæmiʃ], *vt.* e *vi.* matar ou morrer à fome.
famishing [-iŋ], *adj.* esfomeado.
famous ['feiməs], *adj.* famoso, insigne, célebre, notável; (col.) excelente, extraordinário.
famously [-li], *adv.* famosamente, com celebridade; notavelmente; (col.) muito bem.
fan [fæn], **1** — *s.* ventilador; ventoinha; leque, abano; aspirador; crivo de joeirar; (col.) entusiasta, apaixonado.
a cinema fan — um entusiasta por cinema.
electric fan — ventoinha eléctrica.
2 — *vt.* (pret. e pp. **fanned**) ventilar; abanar, refrescar; soprar; joeirar.
to fan oneself — abanar-se.
to fan the flame — atear a chama; aumentar a excitação.
fanatic [fə'nætik], *s.* e *adj.* fanático.
fanatical [-əl], *adj.* fanático.
fanatically [-əli], *adv.* fanaticamente.
fanaticism [fə'nætisizəm], *s.* fanatismo.
fanaticize [fə'nætisaiz], *vt.* e *vi.* fanatizar; actuar com fanatismo.
fancier ['fænsiə], *s.* apreciador, entendedor.
bird-fancier — criador e vendedor de aves.
fanciful ['fænsiful], *adj.* fantástico; imaginário; caprichoso.
fancifully [-i], *adv.* fantasticamente; caprichosamente.
fancifulness [-nis], *s.* fantasia; capricho.
fancy ['fænsi], **1** — *s.* (*pl.* **fancies** [-iz]) fantasia, imaginação; capricho; imagem, concepção, ideia; afeição, amizade, simpatia.
to take a fancy to a person — ter simpatia por alguém, simpatizar com.
to take (catch) a person's fancy — agradar a alguém.
he has a fancy that — ele tem a impressão de que.
2 — *adj.* caprichoso, imaginário; invulgar; de luxo; de fantasia.
fancy dogs — cães de luxo.
fancy goods — artigos de fantasia.
fancy-ball — baile de fantasia.
fancy-dress — vestido de fantasia.
fancy work — bordados.
at a fancy price — por um preço fantástico.
3 — *vt.* fantasiar; imaginar, idealizar; supor; apaixonar-se por; crer, julgar.
just fancy! — imagine!
fandango (*pl.* **fandangos**) [fæn'dæŋgou, -z], *s.* fandango.
fane [fein], *s.* (poét.) templo.
fanfare ['fænfɛə], *s.* toque de trombetas.
fanfaronade [fænfærə'na:d], *s.* fanfarronada.
fang [fæŋ], **1** — *s.* dente de animal, colmilho; dente de serpente; raiz de dente.
2 — *vt.* deitar água na bomba para puxar a água.
fanged [-d], *adj.* com presas.
fangless [-lis], *adj.* sem dentes.
fanlight ['fænlait], *s.* bandeira da janela ou da porta.
fanner ['fænə], *s.* joeirador; máquina de joeirar.
fantasia [fæn'teizjə], *s.* (mús.) fantasia.

fantasist [ˈfæntəzist], *s.* fantasista.
fantastic [fænˈtæstik], *adj.* fantástico, extraordinário, caprichoso, excêntrico, extravagante; imaginário.
fantasticality [fæntæstiˈkæliti], *s.* fantasia, capricho.
fantastically [fænˈtæstikəli], *adv.* fantasticamente.
fantasticalness [fænˈtæstikəlnis], *s.* fantasia.
fantasy (*pl.* **fantasies**) [ˈfæntəsi, -iz], *s.* fantasia; imaginação, concepção; capricho.
fantoccini [fæntouˈtʃi:ni], *s. pl.* fantoches; (col.) robertos.
far [fɑ:], **1** — *adj.* distante, remoto, afastado.
a far cry — uma grande distância.
at the far end — na extremidade.
the Far East — o Extremo Oriente.
few and far between — raros.
2 — *adv.* longe, distante; ao longe; em alto grau; muito.
as far as I know — pelo que sei; tanto quanto sei.
as far as — até; tanto quanto.
as far as I am concerned — pelo que me diz respeito.
by far — de longe; muitíssimo; indiscutivelmente.
far be it from me to say — longe de mim dizer.
far away — muito distante.
far off — a grande distância.
far and near — por toda a parte.
far from it — longe disso.
far und wide — por toda a parte.
far better — muito melhor.
far-fetched — forçado; afectado; artificial.
far-seeing — que vê ao longe.
far-sighted — prudente; presbita.
far-sightedness — prudência; presbitia.
far beyond — muito além.
far-famed — de muita fama.
far gone — muito doente; muito embriagado; louco; cheio de dívidas.
far-reaching — de grande alcance.
how far is it from here to the station? — que distância é daqui à estação?
so far so good — até aqui tudo bem.
farad [ˈfærəd], *s.* farádio, unidade prática de capacidade eléctrica.
farce [fɑ:s], **1** — *s.* farsa, procedimento absurdo.
2 — *vt.* rechear.
farcical [ˈfɑ:sikəl], *adj.* cómico, burlesco; de farsa; jocoso, alegre.
farcically [-i], *adv.* jocosamente, grotescamente, comicamente.
farcy [ˈfɑ:si], *s.* gafeira (dos cavalos).
fare [fεə], **1** — *s.* bilhete; custo do bilhete, preço da passagem; frete; passageiro; comida.
fares, please! — bilhetes, fazem favor (nos autocarros).
single fare — bilhete de ida.
return fare — bilhete de ida e volta.
the bill of fare — a ementa.
to like good fare — gostar da boa comida.
what is your fare? — quanto é a corrida?
2 — *vi.* tratar-se; passar bem ou mal; comer, alimentar-se; suceder; arranjar-se.
to fare forth — partir, ir.
you may go farther and fare worse — quem muito escolhe, pouco acerta.
farewell [ˈfεəˈwel], **1** — *s.* despedida, adeus.
a farewell dinner — jantar de despedida.
to make one's farewells — despedir-se.
2 — *interj.* adeus!
farina [fəˈrainə], *s.* farinha; fécula.
farinaceous [færiˈneiʃəs], *adj.* farináceo.
farinose [ˈfærinous], *adj.* farinhento, coberto de farinha.
farm [fɑ:m], **1** — *s.* quinta, herdade, propriedade rústica; viveiro (de ostras, etc.).
baby-farm — dispensário para crianças.
farm-hand — criado de lavoura.
farm-stead — quinta e suas dependências.
farm-yard — pátio da quinta.
2 — *vt.* e *vi.* cultivar, lavrar; arrendar; cuidar de crianças.
farmer [-ə], *s.* lavrador, agricultor; caseiro duma quinta; rendeiro de terras.
farming [-iŋ], **1** — *s.* agricultura, lavoura; cultura; arrendamento; cobrança de rendas.
2 — *adj.* agricultor.
faro [fεərou], *s.* faráo (antigo jogo de azar).
farouche [fəˈru:ʃ], *adj.* carrancudo; arisco, bravio, insociável.
farrier [ˈfæriə], *s.* ferrador.
farriery [-ri], *s.* oficina ou profissão de ferrador.
farrow [ˈfærou], **1** — *s.* ninhada de leitões.
2 — *vt.* e *vi.* parir (a porca).
fart [fɑ:t] **1.** *s.* *(cal.)* peido; traque.
2 — *vi.* *(cal.)* peidar-se.
farther [ˈfa:ðə], *adj.* e *adv.* mais longe; além de; mais tarde.
to wish somebody farther — mandar alguém para o Diabo.
farthermost [-moust], *adj.* o mais distante; remoto.
farthest [ˈfɑ:ðist], *adj.* e *adv.* muito ao longe, muito distante; o mais afastado.
farthing [ˈfɑ:diŋ], *s.* a quarta parte de um pene.
he doesn't care a farthing — ele não liga nenhuma.
this is not worth a (brass) farthing — isto não tem qualquer valor.
farthingale [-geil], *s.* anquinhas.
fascia (*pl.* **fasciae**) [ˈfæʃiə, -ii:], *s.* friso; faixa; ornato; tabuleta duma loja.
fasciated [ˈfæʃieitid], *adj.* enfaixado.
fascicle [ˈfæsikl], *s.* fascículo; pequeno feixe.
fascicular, fasciculate [fæˈsikjulə, fəˈsikjulit], *adj.* fascicular; fasciculado.
fascinate [ˈfæsineit], *vt.* fascinar, encantar, seduzir, cativar; atrair, enfeitiçar. (*Sin.* to charm, to enchant, to bewitch, to captivate, to delight. *Ant.* to repel.)
fascinating [-iŋ], *adj.* fascinador, sedutor.
fascinatingly [-iŋli], *adv.* de modo fascinante.
fascination [fæsiˈneiʃən], *s.* fascinação, encanto, sedução; feitiço.
fascinator [ˈfæsineitə], *s.* fascinador.
fascine [fæˈsi:n], *s.* faxina, feixe de paus curtos usados para encher fossos ou levantar fortificações.
fascism [ˈfæʃizəm], *s.* fascismo.
fascist [ˈfæʃist], *s.* e *adj.* fascista.
fash [fæʃ], **1** — *s.* aborrecimento.
2 — *vt.* irritar, aborrecer.
fashion [ˈfæʃən], **1** — *s.* moda, uso, estilo; forma, modelo, figura; modo, maneira; escol, alta sociedade. (*Sin.* form, mould, figure, style, cut, model, pattern, way, manner, custom, convention.)
a man of fashion — pessoa da alta sociedade.
after the fashion of — da mesma forma que; à imitação de.
to be in fashion — ser moda, estar em voga.
to be out of fashion — estar fora de moda.
to set the fashion — lançar a moda.
2 — *vt.* amoldar; talhar; adaptar.
fashionable [ˈfæʃnəbl], *adj.* da moda; elegante; de bom gosto.
fashionableness [-nis], *s.* moda, elegância; carácter ou forma do que está à moda.
fashionably [-i], *adv.* à moda; elegantemente.
fast [fɑ:st], **1** — *s.* jejum, abstinência; (náut.) amarra.
fast-day — dia de jejum.

to break one's fast — quebrar o jejum.
2 — *adj.* firme, fixo, seguro; apertado; durável, que não desbota; profundo; adiantado (relógio); rápido, ligeiro, expedito; dissoluto; fiel, constante.
a fast friend — amigo leal.
a fast knot — nó cego.
a fast train — comboio rápido.
to live a fast life — levar vida desregrada.
my watch is fast — o meu relógio está adiantado.
to take a fast hold of — segurar com firmeza.
3 — *vi.* jejuar; abster-se de.
4 — *adv.* fortemente; firmemente; profundamente; depressa; com duração; dissolutamente.
fast asleep — profundamente adormecido.
to play fast and loose — ser volúvel; fazer jogo duplo.
to stand fast — estar firme; não se mexer.
to hold fast — segurar bem.
to live fast — levar vida de dissipação.

fasten ['fɑːsn], *vt.* e *vi.* atar, prender, ligar; segurar; juntar, unir; trancar (portas ou janelas); apoderar-se de; (náut.) aboçar. (*Sin.* to bind, to secure, to unite, to join, to tie, to connect. *Ant.* to detach, to loosen.)
to fasten one's eyes upon — cravar os olhos em.
to fasten on — prender, fixar.
to fasten up a parcel — atar um embrulho.
he fastened the blame on me — deitou-me a culpa.

fastener [-ə], *s.* pessoa ou coisa que aperta ou segura; colchete.
paper fastener — agrafo.
zip fastener — fecho de correr.

fastening [-iŋ], *s.* atadura, ligadura; laço; união; nó; atilho; ligação, cavilhamento; fecho, ferrolho.

faster ['fɑːstə], **1** — *s.* jejuador.
2 — *comp.* de **fast.**

fasti ['fæstiː], *s. pl.* fastos, anais.

fastidious [fæs'tidiəs], *adj.* enfadonho; enjoativo; niquento; difícil de contentar, aborrecido; esquisito. (*Sin.* dainty, particular, squeamish. *Ant.* careless.)

fastidiously [-li], *adv.* com enfado.

fastidiousness [-nis], *s.* enfado, tédio; niquice; exigência.

fastness ['fɑːstnis], *s.* firmeza, solidez; velocidade, pressa; dissipação; fortaleza.

fat [fæt], **1** — *s.* gordura; sebo; banha; óleo; a melhor parte de qualquer coisa.
the fat is in the fire — a bomba vai rebentar; vai ser um sarilho.
to live on the fat of the land — viver à grande.
2 — *adj.* gordo, obeso, corpulento; untuoso; fértil, produtivo, rico, cheio, repleto.
a fat job — emprego com bom ordenado.
a fat lot you care! — não te importas nada!
as fat as a monk — gordo como um cevado.
fat-head — um estúpido.
3 — *vt.* e *vi.* (pret. e pp. **fatted**) engordar.
to kill the fatted calf — receber com festas e alegria.

fatal ['feitl], *adj.* fatal, inevitável; funesto; mortal.

fatalism ['feitəlizəm], *s.* fatalismo.

fatalist ['feitəlist], *s.* fatalista.

fatalistic [feitə'listik], *adj.* fatalista, relativo ao fatalismo.

fatality (*pl.* **fatalities**) [fə'tæliti, -iz], *s.* fatalidade, desgraça; morte; calamidade; destruição.

fatally ['feitəli], *adv.* fatalmente.

fate [feit], *s.* fado, destino, sorte, sina.
as sure as fate — tão certo como a morte.
he met his fate — ele morreu.

fated [-id], *adj.* predestinado, fadado; condenado.

fateful [-ful], *adj.* fatal, funesto.

fatefully [-fuli], *adv.* de modo fatal.

father ['fɑːðə], **1** — *s.* pai; antepassado; pai espiritual; chefe; Pai (primeira pessoa da Santíssima Trindade).
father-in-law — sogro.
the Fathers of the Church — os Padres da Igreja.
the Holy Father — o Papa.
like father, like son — tal pai, tal filho.
Father Christmas — o Pai Natal.
he is his father's son — ele é bem o filho do pai.
the child is father to the man — pelo dedo se conhece o gigante.
the wish is father to the thought — facilmente acreditamos no que desejamos que aconteça.
2 — *vt.* perfilhar, adoptar como filho; gerar; originar; conceber.

fatherhood [-hud], *s.* paternidade, autoridade paterna; qualidade de pai.

fatherland [-lænd], *s.* pátria, terra natal.

fatherless [-lis], *adj.* órfão de pai.

fatherlike [-laik], **1** — *adj.* como pai; paternal.
2 — *adv.* paternalmente.

fatherliness [-linis], *s.* amor paternal.

fatherly [-li], **1** — *adj.* paternal.
2 — *adv.* paternalmente.

fathom ['fæðəm], **1** — *s.* braça; sonda; profundidade; toesa, medida náutica de seis pés.
2 — *vt.* sondar; aprofundar; examinar a profundidade; observar atentamente; abarcar com os braços.

fathomable [-əbl], *adj.* sondável.

fathomless [-lis], *adj.* insondável.

fathomlessly [-lisli], *adv.* dum modo insondável.

fatidical [fei'tidikəl], *adj.* fatídico.

fatigue [fə'tiːg], **1** — *s.* fadiga, cansaço; (mil.) serviço de faxina.
2 — *vt.* fatigar, cansar, estafar. (*Sin.* to weary, to tire, to exhaust, to fag. *Ant.* to refresh.)

fatiguing [-iŋ], *adj.* fatigante.

Fatima ['fætimə], *n. p.* e *top.* Fátima.

fatless ['fætlis], *adj.* sem gordura.

fatling ['fætliŋ], *s.* animal gordo, cevado.

fatness ['fætnis], *s.* gordura; corpulência; fertilidade do solo.

fatten ['fætn], *vt.* e *vi.* engordar; cevar; fertilizar o solo.

fattener [-ə], *s.* o que engorda.

fattening [-iŋ], *s.* engorda.

fattish ['fætiʃ], *adj.* um tanto gordo.

fatty ['fæti], **1** — *s.* (col.) pessoa gorda.
2 — *adj.* gordurento; oleoso, untuoso.

fatuity (*pl.* **fatuities**) [fə'tju(ː)iti, -iz], *s.* fatuidade; estupidez.

fatuous ['fætjuəs], *adj.* fátuo; néscio, estúpido, tolo. (*Sin.* foolish, silly, imbecile, idiotic. *Ant.* sensible.)

fatuously [-li], *adv.* fatuamente.

fatuousness [-nis], *s.* fatuidade.

faucal ['fɔːkəl], *adj.* faucal, relativo à fauce.

faucet ['fɔːsit], *s.* (E. U.) torneira; espiche.

faugh [fɔː], *interj.* fora!

fault [fɔːlt], *s.* falta; culpa; erro; imperfeição; falha; defeito; carência; (geol.) deslocação duma rocha.
fault in design — defeito de construção.
to be at fault — estar embaraçado.
to find fault with — queixar-se de; censurar, criticar.
to a fault — demasiadamente.
whose fault is it? — de quem é a culpa?
fault-finder — crítico que só encontra faltas.

faultily [-ili], *adv.* defeituosamente.

faultiness [-inis], *s.* culpa; falta; defeito; imperfeição.
faultless [-lis], *adj.* sem falta; sem erro; perfeito; irrepreensível; impecável.
faultlessly [-lisli], *adv.* inculpavelmente; impecavelmente.
faultlessness [-lisnis], *s.* inculpabilidade; perfeição.
faulty [-i], *adj.* culpável; imperfeito; defeituoso.
faun [fɔ:n], *s.* fauno, divindade campestre.
fauna ['fɔ:nə], *s.* fauna.
faunal [-l], *adj.* relativo à fauna.
Faust [faust], *n. p.* Fausto.
Faustina [fɔ:s'ti:nə], *n. p.* Faustina.
Faustus ['fɔ:stəs], *n. p.* Fausto.
favour ['feivə], **1** — *s.* favor, obséquio, fineza; patrocínio, protecção; boa vontade; distintivo; roseta; (com.) carta; graça, mercê.
by your favour of (com.) — pela sua carta de.
by favour — por favor.
in favour of — a favor de.
out of favour — fora das boas graças.
may I ask a favour of you? — posso pedir-lhe um favor?
to be (stand) in one's favour — estar nas boas graças de alguém.
to do a favour — fazer um favor.
under favour of night — sob a protecção da noite.
2 — *vt.* favorecer; proteger; auxiliar; assemelhar-se mais a.
favourable [-rəbl], *adj.* favorável, propício. (*Sin.* propitious, advantageous, auspicious, beneficial, promising. *Ant.* adverse.)
favourableness [-rəblnis], *s.* benignidade, agrado, favor.
favourably [-rəbli], *adv.* favoravelmente, benignamente, vantajosamente.
favoured [-d], *adj.* favorecido; bem encarado.
***well-favoured* — bem-parecido.**
favourer [-rə], *s.* favorecedor, protector.
favouring [-riŋ], *adj.* favorável, propício.
favourite [-rit], *s.* e *adj.* favorito, predilecto; amado, querido; protegido.
favouritism [-ritizəm], *s.* favoritismo.
fawn [fɔ:n], **1** — *s.* cria (de corça ou de outro animal semelhante); cor fulva.
2 — *adj.* fulvo, castanho-claro.
3 — *vt.* e *vi.* bajular, adular; acariciar; parir (corça).
fawner [-ə], *s.* adulador, bajulador.
fawning [-iŋ], **1** — *s.* lisonja, adulação, bajulação; carícia.
2 — *adj.* lisonjeiro, bajulador, servil.
fawningly [-iŋli], *adv.* bajuladoramente, servilmente.
fay [fei], *s.* fada; duende.
fealty ['fi:əlti], *s.* fidelidade, lealdade.
fear [fiə], **1** — *s.* receio, medo, susto; respeito; temor; perigo. (*Sin.* dread, fright, anxiety, awe, apprehension, terror, panic. *Ant.* boldness, assurance.)
for fear that — para que não.
for fear of — com medo de.
out of fear — por medo.
to be in fear — recear.
2 — *vt.* e *vi.* recear, temer, ter medo; estar em cuidado.
never fear! — não há perigo!; nada de ter medo!
fearful [-ful], *adj.* receoso, apreensivo; terrível, tremendo, espantoso; digno de respeito, imponente; (col.) extraordinário, muito grande.
a fearful bore — uma maçada tremenda.
fearfully [-fəli], *adv.* assustadoramente; horrivelmente.
fearfulness [-fulnis], *s.* medo, susto, receio.
fearless [-lis], *adj.* intrépido, audaz, destemido, valente, corajoso. (*Sin.* dauntless, courageous, bold, brave, gallant, valiant. *Ant.* timid.)
fearlessly [-lisli], *adv.* intrepidamente, destemidamente.
fearlessness [-lisnis], *s.* intrepidez, audácia, bravura, valentia.
fearsome [-səm], *adj.* temível, espantoso, horroroso.
fearsomely [-səmli], *adv.* temivelmente.
fearsomeness [-səmnis], *s.* medo, pavor.
feasibility [fi:zə'biliti], *s.* praticabilidade; exequibilidade.
feasible ['fi:zəbl], *adj.* praticável; exequível; possível.
feast [fi:st], **1** — *s.* festa, festividade; banquete, festim; regozijo.
2 — *vt.* e *vi.* festejar; banquetear; dar uma festa; divertir-se; regalar.
they feast away the night — passam a noite a divertir-se.
to feast one's eyes on — regalar a vista com.
feaster [-ə], *s.* o que oferece a festa; pessoa que gosta de comer bem.
feasting [-iŋ], *s.* festim, banquete; acto de festejar.
feat [fi:t], **1** — *s.* feito, façanha, proeza; acção; valentia.
a feat of arms — um feito de armas.
2 — *adj.* (arc.) destro; elegante.
feather ['feðə], **1** — *s.* pena de ave; plumagem; pluma; cavalete; lingueta.
a feather in one's cap — um triunfo; uma lança em África.
as light as a feather — leve como uma pena.
feather-bed — colchão de penas.
feather-brained — parvo, pateta, imbecil.
fine feathers make fine birds — o hábito faz o monge.
feather-brush — espanador.
to be in high (full) feather — estar animado, alegre.
to crop someone's feathers — cortar as asas a alguém.
to show the white feather — mostrar-se cobarde.
birds of a feather — gente da mesma laia.
birds of a feather flock together — cada qual com seu igual.
2 — *vt.* e *vi.* cobrir com penas; emplumar-se, enfeitar (com penas); deslocar-se como uma pena; dar a forma de pena; arrancar, com um tiro, uma porção de penas a uma ave; mover o remo à flor da água.
to feather one's nest — enriquecer, encher as algibeiras.
feathered [-d], *adj.* coberto de penas.
feathering [-riŋ], *s.* plumagem; pêlo encaracolado de certos cães.
featherless [-lis], *adj.* sem penas, implume.
featherlet [-lit], *s.* peninha.
feathery [-ri], *adj.* coberto de penas ou parecido com penas; leve como pena.
feature ['fi:tʃə], **1** — *s.* feição, traço; aspecto; semblante, rosto; configuração; ponto característico; parte essencial duma coisa; característica; (jornalismo) artigo ou reportagem importante. (*Sin.* characteristic, part, portion, mark, appearance, item.)
handsome features — feições bonitas.
the geographical feature of a country — o aspecto geográfico de um país.
the feature film — o filme principal do programa.
2 — *vt.* dar importância; fazer sobressair; retratar, descrever; marcar; expor.

featureless [-lis], *adj.* sem feições características.

febrifugal [fe'brifjugəl], *adj.* febrífugo.

febrifuge ['febrifju:dʒ], *s.* febrífugo.

febrile ['fi:brail], *adj.* febril.

February ['februəri], *s.* Fevereiro.

feckless ['feklis], *adj.* fútil; irresponsável; sem energia; fraco; indeciso.

feculence ['fekjuləns], *s.* feculência, sedimentos, fezes; sujidade.

feculent ['fekjulənt], *adj.* feculento; turvo; sujo; que contém sedimento.

fecund ['fi:kənd], *adj.* fecundo.

fecundate ['fi:kəndeit], *vt.* fecundar; fertilizar.

fecundation [fi:kən'deiʃən], *s.* fecundação; fertilização.

fecundity [fi'kʌnditi], *s.* fecundidade; fertilidade.

fed [fed], *pret.* e *pp.* do verbo **to feed.**
fed up — farto, aborrecido.

federal ['fedərəl], *adj.* federal.

federalism [-izəm], *s.* federalismo.

federalist [-ist], *s.* federalista.

federate 1 — ['fedərit], *adj.* confederado.
2 — ['fedəreit], *vt.* e *vi.* federar, confederar; confederar-se.

federation [fedə'reiʃən], *s.* federação, confederação, liga.

federative ['fedərətiv], *adj.* federativo.

federatively [-li], *adv.* federativamente.

fee [fi:], **1** — *s.* honorários; propina; salário; cota; gratificação; taxa; feudo.
author's fee — direitos de autor.
registration fee — prémio de registo (correio).
to hold in fee — receber em feudo.
2 — *vt.* pagar, remunerar; gratificar.

feeble ['fi:bl], *adj.* fraco, débil, lânguido; delicado; ténue; indistinto. (*Sin.* weak, faint, languid, drooping, infirm. *Ant.* strong.)
feeble-minded — fraco de espírito, imbecil.

feebleness [-nis], *s.* fraqueza, debilidade.

feeblish [-iʃ], *adj.* um tanto fraco.

feebly [-i], *adv.* debilmente, fracamente.

feed [fi:d], **1** — *s.* alimento, sustento; ração; (mec.) alimentação.
feed valve — válvula de alimentação.
feed-pump — bomba de alimentação.
let us have a feed too (fam.) — vamos também comer.
to be off one's feed — estar com falta de apetite.
2 — *vt.* e *vi.* alimentar, dar de comer; sustentar; (mec.) alimentar; alimentar-se; nutrir; apascentar; fornecer; (fut.) fazer um passe a.
to feed on — alimentar-se de.
to feed up — engordar; superalimentar.
to feed one's family — sustentar a família.
to be fed up — estar farto, aborrecido.

feeder [-ə], *s.* (mec.) alimentador; o que dá de comer; biberão; babeiro de criança; afluente (dum rio); fomentador, incitador; condutor principal de electricidade; reserva de estiva.

feeding [-iŋ], *s.* alimentação, comida; pastagem, pasto.
feeding-bottle — biberão.

feel [fi:l], **1** — *s.* tacto; toque.
2 — *vt.* e *vi.* (pret. e pp. **felt** [felt]) sentir; perceber; apalpar; experimentar; mostrar sentimento por; sensibilizar-se; dar a impressão de; ter a consciência de; compadecer-se. (*Sin.* to touch, to perceive, to handle, to try, to sound, to prove, to experience.)
to feel like — estar disposto, inclinado; dar a impressão de.
to feel the pulse — tomar o pulso.
to feel one's way — apalpar o caminho; avançar cuidadosamente.
to feel at home with a person — sentir-se à vontade com alguém.
to feel quite oneself — sentir-se bem; estar calmo.
to feel out of it — sentir-se esquecido.
to feel for someone — ter dó de alguém.
to feel up to — sentir-se à altura de.
to feel it in one's bones that... — estar intimamente convencido de que...

feeler [-ə], *s.* antena (de insectos e crustáceos); o que toca ou apalpa; tentativa (para saber alguma coisa); balão de ensaio; batedor.

feeling [-iŋ], **1** — *s.* tacto; sentido do tacto; sensação; sentimento; sensibilidade; emoção; compaixão; ternura. (*Sin.* sense, sensation, touch, perception, sensibility, emotion, sentiment, tenderness, contact.)
good feeling — amizade.
ill feeling — aversão.
to hurt one's feelings — melindrar alguém.
to have fine feelings — ser muito sensível.
2 — *adj.* sensível, terno, compassivo, comovedor.

feelingly [-iŋli], *adv.* sensivelmente; com sentimento; com muita expressão.
she sings feelingly — ela canta com alma.

feet [fi:t], *s. pl.* de **foot.**
to jump with the feet together — saltar a pés juntos.
to be walked off one's feet — estar estafado de andar a pé.
to be on one's feet — estar de pé, activo.
to be carried off one's feet — estar louco de entusiasmo.

feign [fein], *vt.* e *vi.* fingir, dissimular; pretextar; inventar, imaginar; simular.
to feign an excuse — inventar uma desculpa.
to feign indifference — simular indiferença.

feint [feint], **1** — *s.* fingimento, dissimulação; simulação; ficção; ataque simulado; disfarce; (desp.) finta.
2 — *vi.* simular, fingir, disfarçar; fazer uma finta.

fel(d)spar ['fel(d)spɑ:], *s.* feldspato.

Felicia [fi'lisiə], *n. p.* Felícia.

felicitate [fi'lisiteit], *vt.* felicitar, dar parabéns, congratular.

felicitation [filisi'teiʃən], *s.* felicitação, parabéns.

felicitous [fi'lisitəs], *adj.* feliz; apropriado, oportuno.

felicitously [-li], *adv.* felizmente; apropriadamente.

felicity (*pl.* **felicities**) [fi'lisiti, -iz], *s.* felicidade, ventura; prosperidade; alegria; a-propósito.

feline ['fi:lain], *s.* e *adj.* felino.

felinity [fi'liniti], *s.* qualidade de ser felino.

Felix ['fi:liks], *n. p.* Félix.

fell [fel], **1** — *s.* pele de animal com pêlo; baldio, monte estéril; cabeleira; corte de árvores; sobrecostura.
2 — *adj.* cruel, feroz, terrível.
3 — *pret.* do verbo **to fall.**
4 — *vt.* derribar, lançar por terra; cortar; meter para dentro (costura).

fellah (*pl.* **fellaheen, fellahs**) ['felə, -hi:n, -z], *s.* felá, aldeão do Egipto.

felloe ['felou], *s.* jante de roda.

fellow ['felou], *s.* indivíduo; companheiro, camarada; sócio; par; sujeito; professor, membro da Universidade; director de Colégio (universidades inglesas). (*Sin.* companion, mate, associate, comrade, partner.)
a jolly good fellow — um belo companheiro.
a poor fellow — um pobre diabo.
fellow-citizen — concidadão.

fellow-creature — o próximo.
fellow-traveller — companheiro de viagem.
fellow-worker — companheiro de trabalho.
schoolfellow — condiscípulo.
fellow-feeling — simpatia.
to be hail fellow well met with — estar de boas relações com, ser muito dado.
stone dead hath no fellow — morto o bicho, acaba a peçonha.
I never saw his fellow — nunca vi pessoa assim.
poor fellow! — coitado!
the fellow of a shoe — o par dum sapato.

fellowship [-ʃip], *s.* companhia, sociedade; sociabilidade; associação; camaradagem; confraternidade; dignidade de membro de uma universidade.

felly (*pl.* **fellies**) ['feli, -iz], *s.* pina (de roda de carro).

felo de se (*pl.* **felones de se, felos de se**) ['fi:loudi:'si:, 'filouni:zdi'si:, 'filouzdi:'si:], *s.* suicida; (sem pl.) suicídio.

felon ['felən], **1** — *s.* criminoso, réu; panarício.
2 — *adj.* malvado; criminoso; traidor; cruel.

felonious [fi'lounjəs], *adj.* malvado, perverso.

feloniously [-li], *adv.* malvadamente; perversamente; com intenção criminosa.

felonry ['felənri], *s.* quadrilha de criminosos; classe dos criminosos.

felony (*pl.* **felonies**) ['feləni, -iz], *s.* felonia, traição, crime capital.

felspar ['fel-spɑ:], *s.* feldspato.

felt [felt], **1** — *s.* feltro.
a felt hat — um chapéu de feltro.
2 — *pret.* e *pp.* do verbo **to feel.**
3 — *vt.* e *vi.* forrar de feltro.

female ['fi:meil], **1** — *s.* fêmea.
2 — *adj.* feminino, feminil.
female screw — rosca de parafuso.
the female sex — o sexo feminino.

feminine ['feminin], *adj.* feminino, feminil; efeminado.

femininely [-li], *adv.* feminilmente.

femininity [femi'niniti], *s.* feminilidade, carácter próprio da mulher.

feminism ['feminizəm], *s.* feminismo.

feminist ['feminist], *s.* feminista, pessoa partidária do feminismo.

feminity (*pl.* **feminities**) [fe'miniti, -iz], *s.* feminilidade.

feminize ['feminaiz], *vt.* e *vi.* feminizar; afeminar.

femoral ['femərəl], *adj.* femoral.

femur (*pl.* **femurs, femora**) ['fi:mə, -z, 'femərə], *s.* fémur, osso da coxa.

fen [fen], *s.* pântano, paul; brejo. (*Sin.* bog, marsh, swamp, moor.)
fen-fire — fogo-fátuo.
fen-man — habitante dos Fens.
the Fens — os terrenos pantanosos de Lincolnshire e Cambridgeshire.

fence [fens], **1** — *s.* vedação; valado; sebe; barreira; cercado; esgrima; tabela (no hóquei em patins); (cal.) receptador.
fence-season, fence-time — defeso da caça ou pesca.
to sit on the fence — hesitar entre duas opiniões; ser neutral.
2 — *vt.* e *vi.* cercar, fechar (com valado); murar; esgrimir; defender-se; servir de receptador.
to fence off an attack — fugir a um ataque.
to fence with a question — fugir a uma pergunta.

fenceless [-lis], *adj.* que não está cercado; sem vedação; (poét.) indefeso.

fencer [-ə], *s.* esgrimista; cavalo para corrida de obstáculos.

fencing [-iŋ], *s.* esgrima; vedação, cercado, valado; receptação.
fencing-master — mestre de armas.
fencing-school — sala de armas; escola de esgrima.

fend [fend], *vt.* e *vi.* aparar, desviar; defender; tomar cuidado de; arranjar-se.
to fend for oneself — governar-se sozinho.
to fend off a blow — desviar um golpe.

fender [-ə], *s.* guarda-fogo (de chaminé ou de fogão); (náut.) defensa, molhelha; para-choques; (E. U.) guarda-lama de bicicleta ou automóvel.

fenestrate [fi'nestreit], *adj.* fenestrado; perfurado.

Fenian ['fi:njən], *s.* feniano.

fennel ['fenl], *s.* funcho.

fenny ['feni], *adj.* pantanoso.

feoff [fef], **1** — *s.* feudo.
2 — *vt.* enfeudar.

feoffee [fe'fi:], *s.* feudatário.

feoffer, feoffor ['fefə], *s.* senhor feudal.

feoffment ['fefmənt], *s.* enfeudação.

feral ['fiərəl], *adj.* selvagem; bravio; por cultivar.

Ferdinand ['fə:dinənd], *n. p.* Fernando.

ferine ['fiərain], *adj.* ferino, feroz, selvagem.

ferment, 1 — ['fə:ment], *s.* fermento, levedura; agitação, excitação.
2 — [fə(:)'ment], *vt.* e *vi.* fermentar, produzir fermentação; excitar, agitar; agitar-se. (*Sin.* to stir up, to excite, to rouse, to agitate, to heat, to effervesce. *Ant.* to calm.)

fermentable [-əbl], *adj.* fermentável.

fermentation [fə:men'teiʃən], *s.* fermentação; agitação, excitação.

fermentative [fə:'mentətiv], *adj.* fermentativo.

fern [fə:n], *s.* (bot.) feto.
fern-owl — engole-vento (ave).

fernery (*pl.* **ferneries**) ['fə:nəri, -iz], *s.* fetal, lugar onde se criam fetos.

ferny ['fə:ni], *adj.* cheio de fetos.

ferocious [fə'rouʃəs], *adj.* feroz, selvagem; cruel.

ferociously [-li], *adv.* ferozmente.

ferocity (*pl.* **ferocities**) [fə'rɔsiti, -iz], *s.* ferocidade; crueldade.

ferox ['ferɔks], *s.* grande truta dos lagos.

ferreous ['feriəs], *adj.* férreo.

ferret ['ferit], **1** — *s.* furão; investigador; fita estreita de seda ou de algodão.
2 — *vt.* e *vi.* caçar com furão; indagar esquadrinhar.
to ferret out — procurar, investigar, pesquisar.

ferreting [-iŋ], *s.* caça com furão.
to go ferreting — ir à caça (com furão).

ferrety [-i], *adj.* como um furão.

ferriage ['feriidʒ], *s.* frete dum barco (para atravessar um rio ou canal); preço da passagem de barco de travessia.

ferric ['ferik], *adj.* férrico.

ferriferous [fe'rifərəs], *adj.* ferrífero, que tem ferro.

ferro-concrete ['ferou'kɔŋkri:t], *s.* cimento armado; betão armado.

ferrotype ['feroutaip], *s.* fotografia sobre uma chapa de ferro.

ferrous ['ferəs], *adj.* ferroso.

ferruginous [fe'ru:dʒinəs], *adj.* ferruginoso.

ferrule ['feru:l], *s.* virola de metal; ponteira de guarda-chuva; ferrão (de bengala).

ferruled [-d], *adj.* provido de virola ou ponteira.

ferry (*pl.* **ferries**) ['feri, -iz], **1** — *s.* travessia, passagem (de rio ou canal); barco que faz essa travessia; lugar onde se pode fazer uma travessia de barco.
ferry-boat — barco de passagem; vapor de carreira (de rio, canal, etc.).
ferryman — barqueiro.

2 — *vt.* e *vi.* atravessar de barco; transportar em barco duma margem à outra; (av.) pilotar um avião desde a fábrica até ao campo operacional.
fertile ['fə:tail], *adj.* fértil, fecundo. (*Sin.* fruitful, productive, fecund, rich. *Ant.* barren.)
fertile in excuses — abundante em desculpas.
fertility [fə:'tiliti], *s.* fertilidade; fecundidade.
fertilizable ['fə:tilaizəbl], *adj.* fertilizável.
fertilization [fə:tilai'zeiʃən], *s.* fertilização; fecundação.
fertilize ['fə:tilaiz], *vt.* fertilizar; fecundar.
fertilizer [-ə], *s.* fertilizador; adubo químico.
ferule ['feru:l], **1** — *s.* férula, palmatória.
2 — *vt.* dar palmatoadas.
fervency ['fə:vənsi], *s.* fervor, ardor, zelo.
fervent ['fə:vənt], *adj.* ardente, fervoroso, vivo.
fervently [-li], *adv.* ardentemente, fervorosamente.
fervid ['fə:vid], *adj.* férvido, ardente, fogoso.
fervidly [-li], *adv.* ardentemente.
fervour ['fə:və], *s.* fervor, zelo, veemência, paixão.
fesse [fes], *s.* (her.) banda do escudo.
festal ['festl], *adj.* festivo; solene; alegre.
festally ['festəli], *adv.* festivamente; solenemente.
fester ['festə], **1** — *s.* úlcera, chaga, ferida; inflamação supurativa.
2 — *vt.* e *vi.* ulcerar, supurar; apodrecer.
festival ['festəvəl], *s.* e *adj.* festival.
festive ['festiv], *adj.* festivo, alegre; de festa.
festively [-li], *adv.* festivamente.
festivity (*pl.* **festivities**) [fes'tiviti, -iz], *s.* festividade, festa; alegria, regozijo. (*Sin.* joviality, gaiety, feast, festival, merriment, joyousness.)
festoon [fes'tu:n], **1** — *s.* festão; grinalda.
2 — *vt.* engrinaldar; festoar.
fetch [fetʃ], **1** — *s.* estratagema; espectro; sósia; distância a percorrer; extensão.
2 — *vt.* e *vi.* ir buscar, trazer; mandar vir; chegar a; levar; alcançar, conseguir; produzir; restaurar; atingir (preço); atrair, encantar, cativar, fascinar; mover-se.
to fetch a price — obter um preço.
to fetch a book — ir buscar um livro.
to fetch and carry — fazer recados.
to fetch a pump — deitar água em bomba para funcionar.
to fetch about — bordejar.
to fetch a sigh — dar um ai.
to fetch one a box on the ear — dar uma bofetada numa pessoa.
to fetch up — vomitar.
fetcher [-ə], *s.* o que vai buscar.
fête [feit], **1** — *s.* festa.
fête-day — dia de festa; festa onomástica.
2 — *vt.* festejar; solenizar.
fetid ['fetid], *adj.* fétido.
fetidly [-li], *adv.* fetidamente; com mau cheiro.
fetidness [-nis], *s.* fetidez, fedor.
fetish ['fi:tiʃ], *s.* feitiço.
fetishism [-izəm], *s.* feiticismo.
fetishist [-ist], *s.* feiticista.
fetlock ['fetlɔk], *s.* topete (detrás da pata do cavalo).
fetter ['fetə], **1** — *s. pl.* ferros, grilhões, cadeias.
2 — *vt.* encadear; agrilhoar; impedir.
fettered [-d], *adj.* preso com cadeias.
fettle ['fetl], *s.* condição, adaptação; disposição.
to be in good fettle — estar bem disposto, em boas condições.
feu [fju:], *s.* (Esc.) arrendamento perpétuo.
feud [fju:d], *s.* rixa, contenda; feudo.
feudal [-l], *adj.* feudal.
feudalism [-əlizəm], *s.* feudalismo.
feudality [fju:'dæliti], *s.* feudalidade.
feudalization [fju:dəlai'zeiʃən], *s.* enfeudação.
feudalize ['fju:dəlaiz], *vt.* enfeudar.
feudatory ['fju:dətəri], *s.* e *adj.* feudatário.
fever ['fi:və], **1** — *s.* febre; agitação; paixão viva e desordenada.
fever-hospital — hospital de doenças contagiosas.
typhoid fever — febre tifóide.
scarlet fever — escarlatina.
yellow-fever — febre amarela.
2 — *vt.* causar febre.
fevered [-d], *adj.* febril, que tem febre; agitado, exaltado.
feverish ['fi:vəriʃ], *adj.* febril, febricitante; agitado, exaltado.
feverishly [-li], *adv.* febrilmente.
feverishness [-nis], *s.* estado febril; desassossego; agitação.
few [fju:], *adj.* e *pron.* poucos, um pequeno número.
a few — alguns.
the few — a minoria.
a good few — um número regular.
not a few — muitos.
every few days — com intervalos de alguns dias.
few and far between — raros.
fewer [-ə], *comp.* de **few**: menos, em menor número.
the fewer the better — quanto menos melhor.
fewest [-ist], *sup.* de **few**: no menor número.
fewness [-nis], *s.* pequeno número; escassez.
fey [fei], *ad.* (*Esc.*) louco; visionário.
feyness [-nis], *s.* gracilidade; leveza; sexto sentido.
fez (*pl.* **fezes**) [fez, -iz], *s.* fez, barrete turco.
fiancé [fi'ɑ̃:nsei], *s.* noivo.
fiancée [fi'ɑ̃:nsei], *s.* noiva.
fiasco [fi'æskou], *s.* fiasco, fracasso. (*Sin.* failure, farce, fizzle.)
fiat ['faiæt], **1** — *s.* decreto, mandado; autorização.
2 — *vt.* autorizar; decretar.
fib [fib], **1** — *s.* mentira leve, peta; murro (pugilato).
2 — *vt.* e *vi.* (*pret.* e *pp.* **fibbed**) mentir levemente, pregar petas; gracejar; maltratar.
fibber [-ə], *s.* mentiroso; gracejador.
fibre ['faibə], *s.* fibra, filamento; (fig.) carácter, temperamento.
a man of fine fibre — homem de boa têmpera.
fibreless [-lis], *adj.* sem fibra; sem energia.
fibril ['faibril], *s.* fibrila.
fibrillate [fai'brileit], *adj.* composto de fibrilas; fibroso.
fibroid ['faibrɔid], *adj.* fibróide.
fibroma [fai'broumə], *s.* fibroma, tumor fibroso.
fibrous ['faibrəs], *adj.* fibroso.
fibrousness [-nis], *s.* qualidade de ser fibroso.
fibula (*pl.* **fibulae, fibulas**) ['fibjulə, -i:, -z], *s.* perónео; gato de ferro (para ligar pedras).
fichu ['fi:ʃu:], *s.* lenço de pescoço (para senhoras).
fickle ['fikl], *adj.* volúvel, inconstante.
fickleness [-nis], *s.* volubilidade, inconstância.
fictile ['fiktil], *adj.* maleável, moldável; plástico.
fiction ['fikʃən], *s.* ficção, invenção; novela, fábula.
fictional ['fikʃənl], *adj.* de ficção, imaginário.
fictionist ['fikʃənist], *s.* ficcionista.
fictitious [fik'tiʃəs], *adj.* fictício, imaginário.
fictitiously [-li], *adv.* ficticiamente.
fictitiousness [-nis], *s.* carácter fictício.
fid [fid], *s.* barra de ferro ou peça de madeira (para segurar); (náut.) cavirão, cunha (de mastaréu).

fiddle ['fidl], **1** — *s.* rabeca, violino; (náut.) réguas de balanço, rabecas.
fiddle-string — corda de violino.
to play first fiddle — ser o mandão.
to play second fiddle — ocupar um lugar inferior.
to feel as fit as a fiddle—estar de perfeita saúde.
fiddle-bow — arco de violino.
2 — *vt.* e *vi.* tocar violino; perder tempo com bagatelas.
to fiddle about (away) one's time — passar o tempo sem fazer nada.
fiddlededee ['fidldi'di:], *interj.* ora!, disparate!
fiddle-faddle ['fidlfædl], **1** — *s.* bagatelas, frivolidades.
2 — *adj.* rabujento.
3 — *vi.* passar o tempo com frioleiras; dizer disparates.
4 — *interj.* tolice!
fiddler ['fidlə], *s.* violinista, rabequista.
fiddlestick ['fidlstik], *s.* arco de violino; disparate.
fiddlesticks [-s], *interj.* histórias!, disparates!
fiddley ['fidli], *s.* (náut.) parte superior da casa das caldeiras.
fidelity (*pl.* **fidelities**) [fi'deliti, -iz], *s.* fidelidade, lealdade; veracidade.
fidget ['fidʒit], **1** — *s.* inquietação, desassossego; excitação nervosa; pessoa irrequieta.
to have the fidgets — estar excitado.
2 — *vt.* e *vi.* estar inquieto, estar irrequieto; inquietar, incomodar; estar nervoso, impaciente; impacientar-se, inquietar-se.
fidgetiness ['fidʒitnis], *s.* mal-estar; nervosismo; excitação nervosa.
fidgety [-i], *adj.* inquieto, impaciente, nervoso; irrequieto.
fiduciary [fi'dju:ʃiəri], *s.* e *adj.* fiduciário.
fie, [fai], *interj.* fora!, que vergonha!
fief [fi:f], *s.* feudo.
field [fi:ld], **1** — *s.* campo; campina; campo de batalha; campo de jogos; (mec.) campo, esfera de actividade; conjunto de competidores em jogos de campo; (críquete) grupo oposto ao do batedor; pessoas que tomam parte numa caçada à raposa.
field hospital — hospital ambulante.
field-gun — peça de campanha.
field-marshal — marechal de campo.
field-officer — oficial superior.
field sports — desportos ao ar livre.
field-artillery — artilharia de campanha.
field-mouse — arganaz.
field-day — dia de caça; dia de manobras; dia de grandes acontecimentos.
fields of ice — bancos de gelo.
fair field and no favour — igualdade de oportunidade.
to have a field-day — ter grande êxito.
to take the field — entrar em campanha.
2 — *vt.* e *vi.* (críquete) estar em posição para apanhar a bola.
fielder [-ə], *s.* (críquete) jogador que intercepta a bola.
fieldfare [-fɛə], *s.* (zool.) tordo.
fieldsman (*pl.* **fieldsmen**) [-mən, -mən], *s.* ver **fielder.**
fiend [fi:nd], *s.* inimigo, demónio; espírito maléfico; pessoa muito má; pessoa com qualquer hábito inveterado.
fresh-air fiend — pessoa amiga de ar puro.
fiendish [-iʃ], *adj.* demoníaco, diabólico.
fiendishly [-ʃli], *adv.* diabolicamente.
fiendishness [-iʃnis],]. maldade, perversidade.
fiendlike [-laik], *adj.* diabólico.
fierce [fiəs], *adj.* feroz, furioso; violento; cruel; impetuoso; intenso, veemente, ardente. (*Sin.* ferocious, savage, furious, cruel, violent, wild, vehement. *Ant.* tame, mild.)
fiercely [-li], *adv.* ferozmente.
fierceness [-nis], *s.* ferocidade; violência.
fierily ['faiərili], *adv.* ardentemente, apaixonadamente, veementemente.
fieriness ['faiərinis], *s.* ardor, calor, veemência; impetuosidade.
fiery ['faiəri], *adj.* ígneo; ardente, impetuoso, fogoso; vivo; furioso, colérico; feroz, indómito; brilhante como fogo; inflamável. (*Sin.* hot, ardent, eager, flaming, glowing, vehement, passionate, choleric, hasty. *Ant.* cold.)
fife [faif], **1** — *s.* pífaro, pífano.
2 — *vt.* e *vi.* tocar pífaro; tocar uma música no pífaro.
fifer [-ə], *s.* tocador de pífaro.
fifteen ['fif'ti:n], **1** — *s.* grupo de *rugby.*
2 — *num.* quinze.
fifteenth [-θ], *s.* e *num.* quinze avos; décimo quinto.
fifth [fifθ], *s.* e *num.* quinta parte; quinto.
fifthly [-li], *adv.* em quinto lugar.
fiftieth ['fiftiiθ], *s.* e *num.* quinquagésima parte; quinquagésimo.
fifty ['fifti], *s.* e *num.* cinquenta.
to go fifty-fifty with a person — fazer despesas a meias; repartir igualmente.
the fifties — a casa dos cinquenta.
fig [fig], **1** — *s.* figo; figueira; bagatela, ninharia; vestuário, equipamento; condição; figa.
fig-eater — papa-figos (ave).
I don't care a fig — não me importo nada.
to be under vine and fig-tree — estar seguro em sua casa.
to be in good fig — estar em boa forma.
2 — *vt.* (*pret.* e *pp.* **figged**) adornar; fazer uma figa a.
fight [fait], **1** — *s.* combate, luta, batalha, disputa; espírito combativo.
hand to hand fight — luta corpo a corpo.
to put up a good fight — combater com denodo e coragem.
to show fight — não se submeter, mostrar espírito de luta.
2 — *vt.* e *vi.* (*pret.* e *pp.* **fought** [fɔ:t]) lutar, combater; batalhar; brigar; guerrear; pugnar por; defender-se; bater-se; disputar. (*Sin.* to combat, to contend, to strive, to struggle, to contest, to wrestle.
to fight hand to hand — combater corpo a corpo.
to fight one's way in life (in the world) — abrir, lutando, o caminho na vida.
to fight shy of — evitar por desconfiança.
to fight off — combater, dominar, afastar.
to fight it out — decidir pelas armas.
fighter [-ə], *s.* combatente, lutador; guerreiro; avião de caça.
fighting [-iŋ], **1** — *s.* combate, luta, peleja; briga.
close fighting — luta corpo a corpo.
2 — *adj.* aguerrido, batalhador, combatente.
figment ['figmənt], *s.* invenção, ficção.
figurant ['figjurənt], *s.* figurante.
figuration [figju'reiʃən], *s.* figuração; configuração; forma.
figurative ['figjurətiv], *adj.* figurativo, simbólico; representativo; metafórico; típico.
figuratively [-li], *adv.* figuradamente; metaforicamente.
figurativeness [-nis], *s.* qualidade de ser figurativo.

figure ['figə], **1** — *s.* figura, forma exterior; feitio; imagem; aparência, aspecto; vulto; personagem; figura geométrica; cifra, número, algarismo; figura de gramática ou de retórica; importância social; símbolo. (*Sin.* allegory, symbol, image, appearance, picture, type, shape, form, number.)
a fine figure of a man — um homem esbelto.
figure of fun — pessoa caricata.
figure of speech — figura de retórica.
figure-head — (náut.) figura de proa; carranca de proa.
to cut a brilliant figure — fazer uma figura brilhante.
to cut a poor (sorry) figure — fazer triste figura.
to keep one's figure — não engordar; manter a estética.
2 — *vt.* e *vi.* figurar, representar por meio de figura; imaginar; simbolizar; formar, delinear; fazer figura; evidenciar-se; aparecer; calcular.
figured [-d], *adj.* adornado com figuras; simbolizado, floreado.
figurine ['figjuri:n], *s.* estatueta.
filament ['filəmənt], *s.* filamento; fibra.
filamentous [filə'mentəs], *adj.* filamentoso.
filaria [fi'lεəriə], *s.* filária, género de vermes em forma de fio e parasitas do homem.
filbert ['filbə(:)t], *s.* avelã; aveleira.
filch [filtʃ], *vt.* furtar, roubar; surripiar.
filcher [-ə], *s.* larápio, ratoneiro, gatuno.
file [fail], **1** — *s.* lima; fio de arame para segurar papéis; maço de papéis ou colecção de documentos para consulta; pasta classificadora; ficha; fila de soldados; multidão; fila; arquivo.
file-card — verbete, ficha.
file-case — ficheiro.
file-brush — escova para limas.
file-number — cota, número de arquivo.
rough-file — grosa.
rank and file — soldados e cabos.
single (Indian) file — fila indiana.
2 — *vt.* e *vi.* limar, polir; arquivar; registar, anotar; classificar; marchar em filas, desfilar.
to file one's petition in bankruptcy — dar-se por falido; depositar o seu balanço na falência.
filemot ['filimɔt], **1** — *s.* cor de folha seca.
2 — *adj.* amarelo-acastanhado, da cor da folha seca.
filer ['failə], *s.* limador; ficheiro.
filial ['filjəl], *adj.* filial.
filially [-i], *adv.* filialmente.
filiation [fili'eiʃən], *s.* filiação; perfilhação; adopção; sucursal.
filibuster ['filibʌstə], **1** — *s.* pirata, flibusteiro; obstrucionista.
2 — *vi.* piratear; fazer obstrucionismo.
filigree ['filigri:], **1** — *s.* filigrana.
2 — *vt.* filigranar.
filing ['failiŋ], *s.* limadura; método para ter a correspondência em ordem.
filings [-z], *s. pl.* limalha.
Filipino [fili'pi:nou], *s.* filipino.
fill [fil], **1** — *s.* fartura, saciedade; abundância.
to eat one's fill — comer à vontade.
2 — *vt.* e *vi.* encher; satisfazer; preencher; ocupar; obturar (dentes); fartar-se, saciar-se. (*Sin.* to replenish, to stock, to satisfy, to supply, to satiate. *Ant.* to empty.)
to fill a gap — preencher uma lacuna.
to fill in — preencher.
to fill out — completar; aumentar.
to fill up — encher completamente; preencher; ocupar um lugar.
to fill somebody's shoes — suceder a alguém nas suas funções.
to fill the bill — cumprir as suas funções.
he fills a prescription — ele avia uma receita.
filler [-ə], *s.* enchedor; carregador; enchimento; recheio.
fillet ['filit], **1** — *s.* filete, fita; ligadura; filete, moldura estreita; filete (de peixe, carne, etc.).
2 — *vt.* atar com fita; ornar com filetes; fazer filetes (de peixe, carne, etc.).
filling ['filiŋ], **1** — *s.* enchimento; adição, suplemento; obturação.
filling station — bomba de gasolina.
2 — *adj.* que enche.
fillip ['filip], **1** — *s.* piparote; estímulo, incentivo; insignificância.
2 — *vt.* e *vi.* dar piparotes; estimular, incitar.
filly (*pl.* **fillies**) ['fili, -iz], *s.* poldra; rapariga alegre.
film [film], **1** — *s.* película; película fotográfica; fita cinematográfica; filme; pele muito fina.
film fan — apaixonado do cinema.
film-star — estrela de cinema.
news film — filme de actualidades.
the films — o cinema.
to shoot a film — rodar um filme.
2 — *vt.* e *vi.* cobrir com película; filmar.
filmy [-i], *adj.* membranoso, pelicular; fino e diáfano.
filoselle ['filousel], *s.* filosela.
filter ['filtə], **1** — *s.* filtro.
2 — *vt.* e *vi.* filtrar, passar por filtro; infiltrar-se.
filterable [-rəbl], *adj.* filtrante.
filtering [-riŋ], *s.* filtragem.
filtering-paper — papel de filtrar.
filth [filθ], *s.* sujidade, porcaria, imundície; obscenidade; corrupção.
filthily [-ili], *adv.* porcamente; de maneira imoral.
filthiness [-inis], *s.* porcaria, imundície; imoralidade; obscenidade.
filthy [-i], *adj.* sujo, porco, imundo; corrompido; obsceno. (*Sin.* dirty, nasty, foul, corrupt, obscene. *Ant.* clean, unsullied.)
filtrate ['filtrit], **1** — *s.* líquido filtrado.
2 — ['filtreit], *vt.* e *vi.* filtrar; filtrar-se.
filtration [fil'treiʃən], *s.* filtração.
fimbriate(d) ['fimbrieit(id)], *adj.* fimbriado, franjado, orlado.
fin [fin], *s.* barbatana; barba de baleia; plano vertical fixo da cauda dum aeroplano que dá estabilidade lateral de movimento; (cal.) mão.
tip us your fin (col.) — venham lá esses ossos! dê cá um aperto de mão!
finable ['fainəbl], *adj.* sujeito ou exposto a multa; clarificável.
final ['fainl], **1** — *s.* final; exame final, prova final. (*Sin.* conclusion, termination.)
2 — *adj.* final; decisivo, definitivo. (*Sin.* ultimate, last, decisive, terminal, conclusive.)
to put the final touches — dar os últimos retoques.
finale [fi'nɑ:li], *s.* o final, a última parte de qualquer coisa; conclusão.
finalist ['fainəlist], *s.* finalista.
finality (*pl.* **finalities**) [fai'næliti, -iz], *s.* finalidade, fim determinado; carácter definitivo.
finally ['fainəli], *adv.* finalmente; em definitivo.
the matter is finally settled — o assunto está finalmente resolvido.
finance [fai'næns], **1** — *s.* finança; *pl.* finanças públicas.
2 — *vt.* e *vi.* administrar as finanças; financiar; fazer operações financeiras; negociar empréstimos.
financial [fai'nænʃəl], *adj.* financial; financeiro.
financial year — ano económico.
financially [-i], *adv.* financeiramente.

financier [fai'nænsiə], **1** — *s.* financeiro; cambista.
2 — [finæn'si:ə], *vt.* e *vi.* administrar as finanças; financiar.
finch [fintʃ], *s.* tentilhão.
find [faind], **1** — *s.* achado, descoberta.
a real find — um verdadeiro achado.
2 — *vt.* e *vi.* (*pret.* e *pp.* **found** [faund]), achar, encontrar; descobrir, averiguar; verificar, notar; arranjar; aprovar; sortir, fornecer; (jur.) julgar decidir. (*Sin.* to discover, to notice, to perceive, to detect, to supply, to provide, to remark. *Ant.* to lose.)
his father finds him in clothes — o pai é que lhe paga o vestir.
how did that idea find its way into your head? — como se te meteu na cabeça essa ideia?
the hotel charges 20 £ *a day, all found* — o hotel leva 20 libras por dia, incluindo tudo.
to find it in one's heart to — ter a coragem de.
to find fault with — censurar, criticar.
to find guilty — declarar culpado.
to find out — descobrir, adivinhar.
to find oneself — descobrir as suas tendências, ideais.
to find one's feet — adquirir experiência; aperfeiçoar-se.
the baby found its feet last week — o menino começou a andar a semana passada.
seek and you will find! — quem procura sempre alcança; procura e encontrarás!
findable [-əbl], *adj.* que se pode achar ou descobrir.
finder [-ə], *s.* descobridor; achador; inventor; visor.
finding [-iŋ], *s.* descobrimento; invenção; descoberta; (jur.) decisão do júri.
fine [fain], **1** — *s.* multa; (arc.) fim.
in fine — em conclusão.
in rain or fine — quer chova quer faça sol.
2 — *adj.* bonito, belo, formoso, lindo; primoroso, excelente, admirável; delicado, fino; perfeito; delgado; puro; bom, saudável; refinado; agradável; sem chuva; nítido; saboroso; vistoso. (*Sin.* beautiful, splendid, handsome, excellent, thin, nice, clear, refined. *Ant.* mean, coarse.)
fine weather — bom tempo.
fine arts — belas-artes.
fine-drawn — subtil.
fine-looking — elegante.
fine-spoken — bem-falante.
fine feathers make fine birds — o hábito faz o monge.
to have a fine time — divertir-se.
3 — *vt.* e *vi.* multar; clarificar (o vinho, cerveja, etc.); refinar.
4 — *adv.* muito bem; finamente.
that suits me fine — isso convém-me muitíssimo.
finely [-li], *adv.* primorosamente; finamente; belamente, subtilmente.
fineness [-nis], *s.* primor; delicadeza; finura; elegância; beleza; subtileza.
finery (*pl.* **fineries**) [-əri, -iz], *s.* luxo; enfeites exagerados; arrebiques; fornalha para fundição de ferro.
finesse [fi'nes], **1** — *s.* finura; astúcia, manha; estratagema; subtileza.
2 — *vt.* e *vi.* usar de estratagemas ou de artifícios; enganar.
finger ['fiŋgə], **1** — *s.* dedo; dimensão dum dedo; dedo (de luva).
by a finger's breadth — por uma unha negra; pelo negro de uma unha.
butter fingers — mãos de arame.
by fire and sword — a ferro e fogo.
finger-post — poste indicador.
finger-print — impressão digital.
finger-stall — dedeira.
finger-bowl — taça para lavar os dedos.
finger-mark — mancha ou marca feita com o dedo.
little finger — dedo mínimo.
index finger (*forefinger*) — dedo indicador.
middle finger — dedo médio.
ring-finger — dedo anular.
not to stir a finger — não mexer uma palha, não dar um passo.
his fingers are all thumbs — é desajeitado.
to have a finger in the pie — estar envolvido no caso.
to have at one's finger-tips (*finger-ends*) — saber na ponta da língua.
to lay one's finger upon — acertar; pôr o dedo na ferida.
to snap one's finger at — rir-se de; fazer pouco de.
to burn one's fingers — escaldar-se por se meter onde não devia.
to twist someone round one's little finger — manejar uma pessoa à sua vontade.
my fingers itch to — estou ansioso por.
2 — *vt.* dedilhar; manusear.
fingering [-riŋ], *s.* dedilhação; (mús.) posição dos dedos; lã (para meias).
finial ['fainiəl], *s.* (arquit.) remate.
finical ['finikəl], *adj.* exigente, esquisito; afectado; melindroso; fastidioso.
finically [-i], *adv.* afectadamente.
finick ['finik], *vi.* esmerar-se.
finicking, finikin [-iŋ, -in], *adj.* ver **finical.**
fining ['fainiŋ], *s.* clarificação; refinação; purificação.
finis ['fainis], *s.* fim, termo; o fim da vida.
finish ['finiʃ], **1** — *s.* fim, termo, remate; aperfeiçoamento.
be in at the finish — ficar até ao fim.
2 — *vt.* e *vi.* acabar, terminar, findar; levar a cabo, concluir; aperfeiçoar, retocar; consumar; cessar; morrer.
it almost finished her — quase a liquidou.
she finished second — ela acabou em segundo lugar.
they nearly finished him off — quase o mataram.
they finished up everything they found on the table — comeram tudo quanto encontraram na mesa.
finished [-t], *adj.* acabado, concluído, completo.
finisher [-ə], *s.* acabador; aperfeiçoador; consumador.
finishing [-iŋ], **1** — *s.* acabamento; consumação; último retoque.
2 — *adj.* último.
finishing-coat — última demão de tinta.
finishing-school — escola onde os alunos completam os seus cursos.
finishing-stroke — golpe de misericórdia.
finite ['fainait], *adj.* finito, limitado.
finitely [-li], *adv.* limitadamente.
finiteness [-nis], *s.* limitação, restrição; natureza finita.
Finland ['finlənd], *top.* Finlândia.
Finlander, Finn [-ə, fin], *s.* finlandês.
Finnish ['finiʃ], **1** — *s.* a língua finlandesa.
2 — *adj.* finlandês.
finny ['fini], *adj.* que tem barbatanas.
fiord [fjɔ:d], *s.* fiorde, braço de mar entre rochas alcantiladas.
fiorin ['faiərin], *s.* (bot.) agróstis.
fir [fə:], *s.* abeto.
fire ['faiə], **1** — *s.* fogo, lume; incêndio; chama, combustão; fuzilaria; descarga, fogo de artilharia; lareira; ardor, paixão.

burnt child dreads the fire — gato escaldado de água fria tem medo.
electric fire — aquecedor eléctrico.
fire-alarm — sinal de alarme.
fire-bell — campainha de alarme.
fire-brand — facho, tição; pessoa conflituosa.
fire-brick — tijolo refractário.
fire-brigade — corporação de bombeiros.
fire-dog — cão de chaminé.
fire-escape — escada de salvamento.
fire-engine — extintor de incêndios.
fire-extinghuisher — extintor de incêndios.
fire-plug — boca-de-incêndio.
fireside — lar.
firewood — lenha para queimar.
fireworks — fogo-de-artifício.
fireplace — fogão de sala.
fire-tongs — tenazes de fogão.
fire-irons — tenazes.
fire-pan — brazeira.
fire-arm — arma de fogo.
fire-grate — grelha.
fire-hose — mangueira de incêndio.
fire-fly — pirilampo.
fireproof — à prova de fogo.
fireman — bombeiro.
fire-insurance — seguro contra incêndios.
fire-station — quartel de bombeiros.
he had a few things on the fire (col.) — andava a preparar umas coisas.
out of the frying-pan into the fire — de mal a pior.
on fire — em chamas, a arder.
running fire — fogo consecutivo.
St. Anthony's fire — erisipela.
to keep up the fire — não deixar apagar o lume.
to keep the fire in — conservar o fogo.
to poke up the fire — atiçar o lume.
to light a fire — acender o lume.
to catch (take) fire — incendiar-se.
to strike fire — ferir lume.
to play with fire — brincar com o fogo.
to miss fire — errar fogo.
to set the Thames on fire — praticar uma proeza.
to set fire to, to set on fire — largar o fogo, incendiar.
to pour oil on fire — espicaçar os ânimos.
under fire — debaixo de fogo (em combate).
2 — *vt.* e *vi.* incendiar; queimar; fazer fogo, disparar armas de fogo; acender; cozer (louça, tijolos); despedir; incitar; excitar-se.
to fire up — irritar-se.
to fire away — continuar a disparar; começar.
firelock [-lɔk], *s.* espingarda de pederneira.
firer [-rə], *s.* incendiário.
firing [-riŋ], *s.* fogo; combustível; descarga de armas de fogo; cozedura.
firing-line — linha de fogo.
firing-party — destacamento que dá as descargas de honra nos funerais; pelotão de fuzilamento.
firing-pin — percutor.
firkin ['fə:kin], *s.* pequeno barril; medida de 9 galões.
firm [fə:m], 1 — *s.* firma comercial.
2 — *adj.* firme, fixo; forte, consistente, sólido; duro; inflexível; resoluto.
3 — *vt.* e *vi.* firmar, firmar-se.
to stand firm — manter-se firme.
firmament ['fə:məmənt], *s.* firmamento.
firman [fə:'mɑ:n], *s.* passaporte turco ou oriental.
firmly ['fə:mli], *adv.* firmèmente; tenazmente.
firmness ['fə:mnis], *s.* firmeza, constância; consistência; estabilidade; resolução; solidez.
first [fə:st], 1 — *s.* o primeiro; princípio; *pl.* artigos de primeira qualidade.
at first — a princípio.
from first to last — do princípio ao fim.
2 — *adj.* primeiro, anterior; principal; primitivo; excelente.
first aid — os primeiros socorros.
first-hand — em primeira mão.
a diamond of the first water — um brilhante do melhor quilate.
first-floor — primeiro andar.
first-class — primeira classe.
at first sight — à primeira vista.
3 — *adv.* antes, primeiro; primeiramente.
first of all — primeiro que tudo; antes de mais nada.
first-born — o primogénito.
first come, first served — quem primeiro vai à fonte primeiro enche a bilha; quem diante vai diante apanha.
first and last — no conjunto.
first-fruits — as primícias.
first-rate — de primeira ordem, excelente.
firstlings [-liŋz], *s. pl.* as primícias.
firstly [-li], *adv.* primeiramente; em primeiro lugar.
firth [fə:θ], *s.* enseada; estuário.
fisc, fisk [fisk], *s.* fisco, erário.
fiscal ['fiskəl], 1 — *s.* fiscal, funcionário.
2 — *adj.* fiscal.
fiscal year — ano financeiro; ano fiscal.
fish [fiʃ], 1 — (*pl.* **fish** ou **fishes** [-iz]), *s.* peixe; pescado; (náut.) lambareiro; telha de reforço; travessa de madeira da via férrea.
all's fish that comes to one's net — tudo o que vem à rede é peixe.
fishbone — espinha.
fish-breeding — piscicultura.
fish-ball — croquete de peixe.
fish-breeder — piscicultor.
fish-plate — placa de junção de trilhos.
fish-pond — viveiro de peixes.
fish-glue — cola de peixe.
fish-hook — anzol.
fish-gig — fisga de pesca.
fishmonger — negociante de peixe.
fish-slice — trinchante de peixe.
fish stew — caldeirada de peixe.
fish-well — viveiro no barco.
fish-weir — caniçada para apanhar peixe.
freshwater fish — peixe de água doce.
here is a pretty kettle of fish! — que sarilho!, que trapalhada dos diabos!
neither fish, fowl, nor good red herring — nem carne, nem peixe; coisa indeterminada.
sea-fish — peixe do mar.
to be like a fish out of water — estar fora do seu elemento.
to have other fish to fry — ter mais que fazer.
to feed the fishes — afogar-se; enjoar.
to drink like a fish — beber como uma esponja.
2 — *vt.* e *vi.* pescar; procurar obter; andar à pesca; (náut.) enrocar (mastro, verga, etc.).
to fish for compliments — agir com intenção de ser elogiado.
to fish for — procurar obter.
to fish out — esgotar a pesca.
to fish in troubled waters — pescar em águas turvas.
to fish the anchor (náut.) — engatar o lambareiro.
fisher [-ə], *s.* pescador.
fisherman (*pl.* **fishermen**) [-əmən, -mən], *s.* pescador; barco de pesca.
fishery [-əri], *s.* pesca; indústria da pesca.
cod fishery — pesca do bacalhau.

deep-sea fishery — pesca do alto mar.
drift fishery — pesca de arrasto.
fishiness [-inis], *s.* sabor ou cheiro a peixe; carácter duvidoso.
fishing [-iŋ], *s.* pesca.
fishing-ground — pesqueiro.
fishing-line — linha de pesca.
fishing-net — rede de pesca.
fishing-rod — cana de pesca.
fishing-tackle — aparelho de pesca.
fishing-basket — cesto de pesca.
fishing-boat — barco de pesca.
fishwife (*pl.* **fishwives**) [-waif, -waivz], *s.* peixeira.
fishy [-i], *adj.* piscoso, abundante em peixe; de peixe; semelhante a peixe; duvidoso, suspeito.
fisk [fisk], *s.* ver **fisc.**
fissile [ˈfisail], *adj.* que se pode fender, separável.
fission [ˈfiʃən], *s.* divisão, separação; subdivisão de células (como meio de reprodução).
fissiparous [fiˈsipərəs], *ad.* fissíparo.
fissure [ˈfiʃə], *s.* fissura, fenda, greta, abertura.
fist [fist], **1** — *s.* punho; (col.) mão; letra, caligrafia.
to grease someone's fist — subornar alguém.
to write a good fist — ter boa letra.
2 — *vt.* dar murros, socar; manobrar.
fistful [-ful], *s.* punhado.
fisticuffs [ˈfistikʌfs], *s. pl.* briga a murros.
fistula [ˈfistjulə], *s.* fístula; respiradouro (de baleia).
fistular, fistulous [ˈfistjulə, ˈfistjuləs], *adj.* fistuloso, ulcerado.
fit [fit], **1** — *s.* ataque, síncope; desmaio; crise; corte, modo de talhar roupa; ajuste, adaptação.
by fits and starts — irregularmente; por acessos.
to have a fit — ficar muito surpreendido.
when the fit is on him — quando lhe dá na veneta.
2 — *adj.* apto, capaz; idóneo; próprio, apropriado; justo, adaptado; pronto, preparado.
as fit as a fiddle — com a melhor saúde possível.
a meal fit for a king — uma refeição principesca.
he is not fit for it — não está apto para isso.
fit to eat — bom para comer.
3 — *vt.* e *vi.* (*pret.* e *pp.* **fitted**) ajustar, adaptar, apropriar; acomodar; acertar; preparar; aprontar; montar, instalar; convir; assentar, ficar bem; fornecer; ajustar-se. (*Sin.* to adapt, to adjust, to suit, to equip, to supply, to prepare, to accommodate.
to fit out a ship for a voyage — armar, aprontar, equipar um navio para uma viagem.
to fit up — prover com o necessário; preparar; equipar.
to fit out — armar, equipar.
to fit on — provar (um fato).
to go to the tailor's to be fitted — ir ao alfaiate provar um fato.
to fit like a glove — assentar como uma luva.
fitch [fitʃ], *s.* escova ou broxa feita de pêlo de doninha.
fitful [ˈfitful], *adj.* caprichoso; vacilante, intermitente, irregular; agitado. (*Sin.* fickle, capricious, irregular, inconstant. *Ant.* regular.)
fitfully [-i], *adv.* caprichosamente, por acessos; irregularmente.
fitment [ˈfitmənt], *s.* mobiliário.
fitness [ˈfitnis], *s.* aptidão, capacidade; adaptação; idoneidade; conveniência; ajustamento; propriedade.
fitter [ˈfitə], *s.* ajustador, adaptador; montador (de máquinas); contramestre (alfaiate que prova e tira as medidas).
fitting [ˈfitiŋ], **1** — *s.* ajuste, ajustamento, montagem (de máquinas); encaixe; instalação; adaptação; corte e prova (de fato); *pl.* mobiliário; acessórios; ferramentas.
fitting-room — sala de prova.
2 — *adj.* adequado, próprio, conveniente.
fittingly [-li], *adv.* convenientemente, propriamente.
five [faiv], *s.* e *num.* cinco; nota de 5 libras.
the five of spades — o cinco de espadas.
fivefold [-fould], *adj.* e *adv.* quíntuplo; ao quíntuplo.
fiver [ˈfaivə], *s.* (col.) nota de cinco libras.
fives [faivz], *s.* jogo de bola.
fix [fiks], **1** — *s.* apuro; situação crítica; dilema. (*Sin.* dilemma, predicament, quandary, plight.)
to be in a fix — estar embaraçado, sem saber o que há-de fazer.
2 — *vt.* e *vi.* fixar, assentar; estabelecer; determinar; consertar; resolver; dirigir; fitar; concentrar a atenção; fixar residência; arranjar.
he fixed me with a stony stare — fitou-me com um olhar duro.
to fix on (upon) — decidir, escolher.
to fix up — arranjar; instalar.
to fix up a meeting — marcar uma entrevista.
to fix up a quarrel — fazer as pazes.
fixable [-əbl], *adj.* que se pode fixar; adaptável.
fixation [fikˈseiʃən], *s.* fixação; firmeza; estabilidade; coagulação.
fixative [ˈfiksətiv], *s.* e *adj.* fixador; fixativo.
fixature [ˈfiksətjuə], *s.* fixador (para o cabelo).
fixed [ˈfikst], *adj.* fixo, firme; estável; permanente, estabelecido; previsto; determinado, fixado.
she is well fixed — ela tem dinheiro, está bem.
fixedly [ˈfiksidli], *adv.* fixamente; determinadamente; firmemente.
to look fixedly at — olhar fixamente para, fitar.
fixedness [ˈfiksidnis], *s.* fixidez, firmeza; fixação; estabilidade; imobilidade.
fixer [ˈfiksə], *s.* fixador; montador (de máquinas).
fixing [ˈfiksiŋ], *s.* fixação, adaptação; determinação; *pl.* adornos; aprestos, acessórios; equipamento.
fixing solution — (fot.) fixador.
fixity (*pl.* **fixities**) [ˈfiksiti, -iz], *s.* fixidez; permanência, estabilidade; imobilidade; invariabilidade.
fixture [ˈfikstʃə], *s.* o que está fixo; móveis fixos (no soalho ou na parede); adorno; data fixa para corrida, jogo, etc.; imóvel, prédio; pessoa que ocupa um lugar por muito tempo; *pl.* instalações, acessórios fixos.
our guest seems to be a fixture — o nosso hóspede parece estar de pedra e cal.
fizz [fiz], **1** — *s.* assobio; efervescência; champanhe.
2 — *vi.* silvar, assobiar; efervescer; fazer espuma (champanhe).
fizzer [-ə], *s.* assobiador; o que efervesce.
fizzle [-l], **1** — *s.* silvo; efervescência; (col.) fiasco.
2 — *vi.* assobiar; fazer fiasco; dar um estenderete.
to fizzle out — dar um estenderete; dar fiasco; ser mal sucedido.
fizzy [-i], *adj.* efervescente; espumoso.
fjord [fiɔ:d], *s.* fiorde.
flabbergast [ˈflæbəga:st], *vt.* causar espanto a, varar, assombrar. (*Sin.* to dumbfound, to astound, to amaze.)
flabbily [ˈflæbili], *adv.* frouxamente, debilmente, flacidamente.
flabbiness [ˈflæbinis], *s.* frouxidão, flacidez, moleza, lassidão.

flabby ['flæbi], *adj.* frouxo, mole, flácido, sem vigor, débil. (*Sin.* flaccid, soft, lax, drooping, feeble. *Ant.* firm

flabellate [flæ'belit], *adj.* flabelado, em forma de leque.

flabelliform [flæ'belifɔ:m], *adj.* flabeliforme, flabelado.

flaccid ['flæksid], *adj.* flácido, frouxo, mole, débil, lasso.

flaccidity [flæk'siditi], *s.* flacidez; frouxidão, lassidão, moleza; debilidade.

flag [flæg], **1** — *s.* bandeira, estandarte, pavilhão; bandeirola; variedade de plantas irídeas; penas compridas nas asas e pernas de certas aves; laje.
flag-bearer — porta-bandeira.
flag-captain — capitão de bandeira.
flag-day — festa da bandeira; dia de venda de emblemas (para fins de caridade).
flag-officer — oficial-general.
flag-lieutenant — ajudante-de-ordens.
flag-ship — navio almirante.
flag-staff — pau de bandeira; mastro de bandeira.
red flag — sinal de perigo.
yellow flag — bandeira de quarentena.
white flag — sinal de paz.
to lower (strike) the flag — arriar a bandeira.
to hoist the flag — içar a bandeira.
the flag at half-mast high — bandeira a meia-adriça.
2 — *vt.* e *vi.* (*pret.* e *pp.* **flagged**) embandeirar; fazer sinais com bandeiras; pender, cair, abater; enfraquecer; diminuir; desanimar; lajear, pavimentar.

flagellant ['flædʒilənt], **1** — *s.* penitente que se flagela.
2 — *adj.* flagelante.

flagellate 1 — ['flædʒilit], *adj.* flagelado.
2 — ['flædʒeleit], *vt.* flagelar.

flagellation [flædʒe'leiʃən], *s.* flagelação.

flagellator ['flædʒileitə], *s.* flagelador.

flagellum (*pl.* **flagella**) [flə'dʒeləm, -ə], *s.* flagelo, açoite; rebento duma planta rasteira, vergôntea.

flageolet [flædʒə'let], *s.* instrumento semelhante ao clarinete; variedade de feijão verde.

flagitious [flə'dʒiʃəs], *adj.* flagicioso.

flagitiously [-li], *adv.* flagiciosamente.

flagitiousness [-nis], *s.* atrocidade, malvadez, perversidade.

flagon ['flægən], *s.* garrafa de água com asa.

flagrancy (*pl.* **flagrancies**) ['fleigrənsi, -iz], *s.* flagrância; escândalo.

flagrant ['fleigrənt], *adj.* flagrante, notório; escandaloso.

flagrantly [-li], *adv.* flagrantemente; notoriamente; escandalosamente.

flagstone ['flægstoun],

flail [fleil], **1** — *s.* malho, mangual.
2 — *vt.* malhar.

flair [flɛə], *s.* intuição; discernimento instintivo; propensão, tendência; aptidão.
he had a flair for English — tinha aptidão para o inglês.

flake [fleik], **1** — *s.* floco; escama; lasca (de pedra, etc.); lâmina; centelha, faísca, chispa; cravo branco (com estrias).
2 — *vt.* e *vi.* formar flocos, lascas ou escamas.

flaky [-i], *adj.* cheio de flocos ou de escamas; em lâminas.

flam [flæm], *s.* impostura, mentira, engano; mistificação; rufo de tambor.

flambeau ['flæmbou], *s.* archote, tocha.

flamboyant [flæm'bɔiənt], **1** — *s.* (bot.) plantas de cor chamejante.
2 — *adj.* vistoso, flamante; retumbante; (arquit.) flamejante.

flame [fleim], **1** — *s.* chama, labareda; luz; fogo; ardor, paixão; amor, namoro. (*Sin.* fire, blaze, flash, glare, ardour, keenness, heat, eagerness, sweetheart.)
an old flame — um namoro antigo.
to commit to the flames — queimar; condenar ao fogo.
to burst into flames — romper em chamas, incendiar-se.
to fan the flame — atear a chama.
2 — *vt.* e *vi.* arder; chamejar; queimar; afoguear; exaltar-se; brilhar, luzir; incendiar-se; inflamar-se.
to flame out — romper em chamas.
to flame up — encolerizar-se; corar.

flameless [-lis], *adj.* sem chama.

flamen [-en], *s.* flâmine, antigo sacerdote romano.

flaming [-iŋ], **1** — *s.* clarão; incêndio.
2 — *adj.* flamejante, brilhante, chamejante; vistoso; ardente; vivo, fogoso.

flamingly [-iŋli], *adv.* em chamas; vistosamente.

flamingo (*pl.* **flamingo(e)s**) [flə'miŋgou, -z], *s.* flamingo, ave pernalta.

Flanders ['flɑ:ndəz], *top.* Flandres.

flange [flændʒ], **1** — *s.* beiral, borda; rebordo; manilha (de tubo); prato (de veio); parte saliente de uma roda que a impede de sair dos carris.
2 — *vt.* colocar beirais, bordas ou abas; rebaixar.

flank [flæŋk], **1** — *s.* lado; flanco; ilharga.
2 — *vt.* flanquear, atacar de flanco; marchar ao lado de; defender; estar situado no flanco.

flanker [-ə], *s.* (mil.) fortificação que protege ou ameaça o flanco.

flannel ['flænl], *s.* flanela de lã; *pl.* roupas de flanela, especialmente calças de flanela, para jogos de Verão.

flannelette [flænl'et], *s.* flanela de algodão.

flannelled ['flænld], *adj.* vestido com fato de flanela.

flannelly ['flænli], *adj.* feito de flanela; parecido com flanela.

flap [flæp], **1** — *s.* aba (de casaco, chapéu, etc.); lado, extremidade; saliência; o bater das asas; adejo; palmada; lábios duma ferida.
flap-eared — de orelhas pendentes.
to get into a flap — desorientar-se.
2 — *vt.* e *vi.* (*pret.* e *pp.* **flapped**) bater com as asas; pender; dar palmadas; sacudir; adejar; correr dum lado para o outro; agitar; (náut.) bater o pano.
to flap flies away — enxotar as moscas.

flapdoodle [-du:dl], *s.* história inventada; disparate.

flapjack [-dʒæk], *s.* espécie de filhó, sonho.

flapper [-ə], *s.* mata-moscas; matraca para espantar os pássaros; pato bravo novo; perdiz nova; barbatana; (col.) rapariguinha; (col.) mão.

flare [flɛə], **1** — *s.* chama trémula; brilho, fulgor; sinal luminoso usado no mar; exibição; folho (de saia).
2 — *vi.* brilhar, luzir; tremular; cintilar; deslumbrar; projectar; alargar. (*Sin.* to blaze, to dazzle, to glare, to flicker, to flutter.)
to flare up — encolerizar-se.

flash [flæʃ], **1** — *s.* lampejo, brilho, cintilação; relâmpago; momento, instante; ostentação.
a flash in the pan — sol de pouca dura; fogo de vista.
a flash of lightning — um relâmpago.
a flash of hope — um raio de esperança.
flash of wit — dito espirituoso.
in a flash — num instante.

2 — *adj.* vistoso; falso; próprio de calão; relativo a ladrões.
3 — *vt.* e *vi.* lampejar, reluzir; brilhar; fazer brilhar; cruzar ou passar como um relâmpago; passar pela mente.
flashily [-ili], *adv.* superficialmente; pomposamente.
flashiness [-inis], *s.* brilho passageiro.
flashy [-i], *adj.* superficial, aparente; vistoso, pomposo; de brilho passageiro.
flask [flɑ:sk], *s.* frasco; redoma.
thermos flask — garrafa-termo.
flat [flæt], **1** — *s.* planície; baixio, banco de areia; superfície horizontal; planura; (mús.) bemol; coisa plana; andar; palma (de mão); charco. (*Sin.* lowland, plain, sandbank, shallow
the flat of the hand — a palma da mão.
2 — *adj.* plano, horizontal, liso, chato; raso, achatado; aparente; absoluto; positivo, formal, categórico; monótono, insípido; (mús.) desafinado; grave (som); estendido (no chão).
a flat tyre — um pneu sem pressão de ar.
a flat refusal — uma recusa formal.
at a flat rate — a taxa ou preço invariável.
flat-fish — peixe de forma achatada (linguado, solha, etc.).
flat-footed — de pés chatos.
flat prices — preços sem alterações.
flat nonsense — disparate completo.
that's flat — é bem claro.
to feel flat (col.) — sentir-se deprimido.
3 — *vt.* (*pret.* e *pp.* **flatted**) alisar; achatar; atenuar.
4 — *adv.* completamente, absolutamente.
flatly [-li], *adv.* horizontalmente; positivamente, absolutamente; sem rodeios; redondamente; monotonamente; sem interesse.
flatness [-nis], *s.* lisura; planura; insipidez; monotonia; gravidade (do som).
flatten [-n], *vt.* e *vi.* aplanar, achatar; enfastiar; tornar insípido; amortecer (voz); derrubar; deprimir.
flattened [-nd], *adj.* rebaixado; deprimido; esvaziado (pneu).
flatter [-ə], **1** — *s.* alisador, assentador (de ferreiro).
2 — *vt.* e *vi.* lisonjear, adular; gabar; exaltar; agradar; embelezar; ser adulador.
this picture flatters her — está favorecida neste retrato.
flatterer [-ərə], *s.* adulador, lisonjeiro.
flattering [-əriŋ], **1** — *s.* lisonja.
2 — *adj.* lisonjeiro, lisonjeador.
flatteringly [-əriŋli], *adv.* lisonjeiramente.
flattery (*pl.* **flatteries**) [-əri, -iz], *s.* lisonja, adulação.
flatting [-iŋ], *s.* processo de alisar ou achatar.
flatulence ['flætjuləns], *s.* flatulência; vaidade, presunção.
flatulent ['flætjulənt], *adj.* flatulento; vaidoso, presunçoso.
flaunt [flɔ:nt], **1** — *s.* exibição, ostentação.
2 — *vt.* e *vi.* pavonear; ostentar; pavonear-se; exibir-se com vaidade; ondular (bandeira).
flaunting [-iŋ], *adj.* vaidoso, soberbo; ostentoso.
flauntingly [-iŋli], *adv.* ostentosamente; vaidosamente.
flautist ['flɔ:tist], *s.* flautista.
flavour ['fleivə], **1** — *s.* gosto, sabor, sainete; aroma. (*Sin.* savour, taste, relish, smack. *Ant.* insipidity.)
2 — *vt.* temperar, deitar tempero em; aromatizar.
flavoured [-d], *adj.* saboroso, gostoso; aromatizado.
flavouring [-riŋ], *s.* sainete; condimento.
flavourless [-lis], *adj.* insípido, sem sabor.
flavoursome [-səm], *adj.* saboroso.
flaw [flɔ:], **1** — *s.* fenda, greta; falha; falta, defeito; mancha (reputação); eiva; rajada (de vento); ampola.
2 — *vt.* e *vi.* fender; danificar, tornar imperfeito; invalidar, anular.
flawless [-lis], *adj.* sem fendas; sem falhas; sem defeitos; perfeito; são. (*Sin.* perfect, whole, complete, intact. *Ant.* defective.
flawlessly [-lisli], *adv.* sem defeito; bem acabado, bem feito, de forma perfeita.
flawlessness [-lisnis], *s.* perfeição.
flax [flæks], *s.* linho (planta).
flax-seed — linhaça, semente de linho.
flax-grower — cultivador de linho.
flaxen [-ən], *adj.* de linho; da cor do linho, loiro, aloirado.
flay [flei], *vt.* esfolar, pelar; extorquir; roubar; criticar severamente.
flayer [-ə], *s.* esfolador; explorador.
flea [fli:], *s.* pulga.
flea-bite — ferradela de pulga; (fig.) coisa sem importância; bagatela.
to send a person away with a flea in his ear — pregar um sermão a alguém.
fleabane [-bein], *s.* pulicária.
fleam [fli:m], *s.* lanceta (para sangrar animais).
fleck [flek], **1** — *s.* pinta, mancha, nódoa.
2 — *vt.* manchar; salpicar com cores diversas.
fleckless [-lis], *adj.* sem mancha, sem mácula, imaculado.
flecky [-i], *adj.* às manchas; pintalgado.
fled [fled], *pret.* e *pp.* do verbo **to flee**.
fledge [fledʒ], *vt.* emplumar; cobrir de penas; prover com penas ou asas.
fledged [-d], *adj.* que tem penas ou asas; que pode voar; emplumado.
fledg(e)ling [-liŋ], *s.* passarinho que começa a voar; pessoa inexperiente.
flee [fli:], *vt.* e *vi.* (*pret.* e *pp.* **fled** [fled]) fugir de, evitar, escapar; fugir, escapar-se. (*Sin.* to fly, to run, to escape, to retreat. *Ant.* to stand
fleece [fli:s], **1** — *s.* velo, lã de carneiro ou ovelha; neve em flocos; nuvem branca.
the Golden Fleece — Ordem do Tosão de Oiro.
2 — *vt.* tosquiar; extorquir; cobrir; despojar.
fleeced [-t], *adj.* lanoso, lanzudo.
fleecer [-ə], *s.* tosquiador; despojador.
fleecy [-i], *adj.* lanoso, lanudo, lanzudo; parecido com lã; em flocos.
fleer [fliə], **1** — *s.* risota, zombaria.
2 — *vi.* zombar, escarnecer.
fleet [fli:t], **1** — *s.* armada, esquadra, frota; pequena baía.
2 — *adj.* rápido, veloz.
3 — *vi.* passar rapidamente; desaparecer.
4 — *adv.* superficialmente.
fleeting [-iŋ], *adj.* passageiro, efémero, transitório. (*Sin.* ephemeral, passing, transitory. *Ant.* abiding
fleetly [-li], *adv.* rapidamente; transitoriamente.
fleetness [-nis], *s.* velocidade; ligeireza; rapidez.
Fleming ['flemiŋ], *s.* flamengo, habitante de Flandres.
Flemish ['flemiʃ], *s.* e *adj.* a língua flamenga; flamengo.
flesh [fleʃ], **1** — *s.* carne; o género humano; polpa dos frutos; a matéria.
flesh and blood — o corpo, a natureza humana.
flesh-colour — cor de carne.
flesh-pots — abundância; fartura; vida regalada.
flesh-wound — ferida superficial.
in the flesh — em carne.
one's own flesh and blood — os nossos parentes mais próximos.

to have one's pound of flesh — exigir a totalidade de uma dívida.
to put on flesh — engordar.
to lose flesh — emagrecer.
to go the way of all flesh — morrer.
to make one's flesh creep — fazer arrepiar; meter medo.
2 — *vt.* fartar, saciar de carne; dar o baptismo de sangue; descarnar; engordar.
fleshed [-t], *adj.* carnudo.
fleshiness [-inis], *s.* gordura; corpulência.
fleshless [-lis], *adj.* descarnado.
fleshly [-li], *adv.* carnal; sensual.
fleshy [-i], *adj.* carnudo; gordo; corpulento; polposo.
fleur-de-lis (*pl.* **fleurs-de-lis**) ['flə:də:'li:, *pl.* = *sing.*], *s.* flor-de-lis.
fleuron ['flə:rɔn], *s.* florão.
flew [flu:], *pret.* do verbo **to fly.**
flews [-z], *s. pl.* beiços pendentes dos cães.
flex [fleks], **1** — *s.* fio, condutor eléctrico flexível.
2 — *vt.* dobrar, curvar.
flexibility [fleksə'biliti], *s.* flexibilidade.
flexible ['fleksəbl], *adj.* flexível.
flexibly ['fleksibli], *adv.* flexivelmente, com flexibilidade.
flexion ['flekʃən], *s.* flexão; inclinação; curvatura.
flexional ['flekʃənəl], *adj.* flexional; que tem flexão.
flexor ['fleksə], *s.* músculo flexor.
flexuose ['fleksjuous], *adj.* sinuoso, flexuoso.
flexure ['flekʃə], *s.* flexura, flexão; curvatura, inclinação.
flibbertigibbet ['flibəti'dʒibit], *s.* pessoa frívola, volúvel; mulher linguareira.
flick [flik], **1** — *s.* chicotada leve; piparote; estalido; salpico, mancha.
flick-knife [-naif], *s.* faca de ponta e mola.
she went to the flicks (cal.) — ela foi ao cinema.
2 — *vt.* dar chicotadas leves; afastar com um piparote.
flicker [-ə], **1** — *s.* luz bruxuleante; movimento vacilante; picanço.
2 — *vi.* bruxulear, tremeluzir; voltear; pestanejar.
flickering [-əriŋ] **1** — *s.* vacilação.
2 — *adj.* bruxuleante, que treme; vacilante.
flier, flyer ['flaiə], *s.* voador; aviador; ave voadora; coisa veloz (navio, comboio, etc.).
flight [flait], *s.* voo; fuga rápida; velocidade, rapidez; bando de aves; rasgo de imaginação; espaço percorrido por uma bala ou por um aeroplano; (av.) linha, carreira; chuva de flechas; lanço de escadas.
a flight of stairs — lanço de escadas.
a flight of birds — bando de aves.
in the first flight — entre os primeiros.
to put to flight — pôr em debandada.
to take to flight — fugir.
flightily [-ili], *adv.* voluvelmente; inconstantemente; levianamente.
flightiness [-inis], *s.* veleidade; inconstância; leviandade; irreflexão.
flighty [-i], *adj.* volúvel, inconstante, leviano, caprichoso, irreflectido. (*Sin.* fickle, giddy, capricious, crazy, frivolous. *Ant.* stable, constant.)
flim-flam ['flim-flæm], *s.* capricho, extravagância; partida; engano; disparate, tolice.
flimsily ['flimzili], *adv.* fragilmente, sem consistência.
flimsiness ['flimzinis], *s.* falta de consistência; fragilidade; futilidade.
flimsy ['flimzi], **1** — *s.* (cal.) nota de banco; papel muito fino; papel de cópias.
2 — *adj.* frágil, inconsistente; débil; delgado, franzino; fútil, frívolo.
flinch [flintʃ], *vi.* vacilar, hesitar; desistir; retrair-se, retroceder.
flinders ['flindəz], *s. pl.* estilhaços, fragmentos.
to break in flinders — fazer-se em estilhaços.
fling [fliŋ], **1** — *s.* arremesso; salto; movimento súbito; folia; dança escocesa; sarcasmo.
in full fling — em plena actividade.
to have a fling at — atacar sarcasticamente; fazer uma tentativa; tentar qualquer coisa.
to have one's fling — andar numa folia desenfreada.
2 — *vt.* e *vi.* (*pret.* e *pp.* **flung** [flʌŋ]) arremessar, arrojar; lançar, atirar, despedir; vibrar; saltar, dar saltos; derrubar; vencer; atirar-se; espalhar. (*Sin.* to hurl, to toss, to throw, to cast, to pitch, to dart.)
to fling open — abrir de repente.
to fling in one's face — lançar em rosto.
to fling on the ground — atirar para o chão.
to fling out — arremessar com força; falar violentamente.
to fling up — abandonar.
to fling away — expulsar, repelir; deitar fora.
to fling about — espalhar.
to fling oneself into one's clothes — vestir-se à pressa.
flint [flint], *s.* pederneira; pedra de isqueiro; coisa muito dura.
as hard as flint — duro como pedra.
flint-glass — cristal de rocha.
to skin a flint — ser muito sovina.
to wring water from a flint — fazer milagres; fazer o impossível.
flintiness [-inis], *s.* dureza; inflexibilidade; insensibilidade.
flinty [-i], *adj.* de pederneira; muito duro; empedernido, insensível.
flip [flip], **1** — *s.* sacudidela; bebida feita com cerveja, aguardente e açúcar; (col.) pequeno passeio de avião.
2 — *vt.* e *vi.* (*pret.* e *pp.* **flipped**) tocar ao de leve; atirar ao ar com um piparote; sacudir.
flip-flap [-flæp], *s.* cambalhota; estalo (substância explosiva).
flippancy [-ənsi], *s.* petulância; loquacidade; frivolidade; insolência; desembaraço.
flippant [-ənt], *adj.* petulante; loquaz; insolente; frívolo.
flippantly [-əntli], *adv.* loquazmente; com petulância.
flipper [-ə], *s.* barbatana, membro natatório da foca, tartaruga, etc.; (col.) mão.
flirt [flə:t], **1** — *s.* namoro (por distracção); galanteio; pessoa que namora por passatempo; sacudidela.
2 — *vt.* e *vi.* namorar (por distracção); dizer galanteios; menear-se, saracotear-se; dar uma sacudidela; mover ou agitar rapidamente (leque, cauda, etc.).
flirtation [flə:'teiʃən], *s.* namorico; galanteio; coquetismo.
flirtatious [flə:'teiʃəs], *adj.* namoriscador; galanteador; leviano.
flit [flit], **1** — *s.* mudança.
2 — *vi.* (*pret.* e *pp.* **flitted**) voar; sair; fugir; emigrar; mudar de residência.
to flit to and fro — voar de um lado para o outro.
to flit from tree to tree — voar de árvore para árvore.
flitch [flitʃ], **1** — *s.* manta de toucinho; pedaço quadrado de gordura de baleia; tábua costaneira.
2 — *vt.* cortar em talhadas.
flitter ['flitə], *vi.* voar, esvoaçar.
flitter-mouse — morcego.

flitting ['flitiŋ], **1** — *s.* fuga; voo rápido; mudança de residência.
2 — *adj.* fugitivo.
flivver ['flivə], *s.* (E. U.) automóvel barato.
float [flout], **1** — *s.* flutuador; corpo flutuante; jangada; (teat.) ribalta; carroça baixa; carro alegórico em cortejos; pá de roda propulsora; pá de trolha; bóia (de linha de pesca).
float-bridge — ponte de jangadas.
2 — *vt.* e *vi.* flutuar, pôr a nado; boiar; circular, pôr em circulação; pôr a flutuar; iniciar; levar pelo ar; emitir; inundar, alagar.
to float a loan — emitir um empréstimo.
to float a rumour — pôr um boato a correr.
floatable [-əbl], *adj.* flutuável.
floatage [-idʒ], *s.* tudo o que flutua na água; transporte por flutuação; destroços.
flo(a)tation [flou'teiʃən], *s.* flutuação; princípio duma empresa comercial.
floater ['floutə], *s.* o que flutua; pessoa de moralidade pouco sólida; fundador de empresa.
floating ['floutiŋ], *adj.* flutuante; móvel; variável; circulante; marítimo.
floating-dock — doca flutuante.
floating-bridge — ponte flutuante.
floating debt — dívida flutuante.
floating population — população flutuante.
floating trade — comércio marítimo.
floccose [flɔ'kous], *adj.* flocoso.
flocculent ['flɔkjulənt], *adj.* flocoso.
flock [flɔk], **1** — *s.* bando de aves; manada, rebanho; froco; tufo; multidão (de pessoas); ajuntamento; congregação; refugo de lãs.
2 — *vi.* reunir-se, congregar-se, juntar-se; andar aos bandos; afluir.
birds of a feather flock together — cada qual com o seu igual.
flocky [-i], *adj.* em flocos.
floe [flou], *s.* massa de gelo flutuante.
flog [flɔg], *vt.* (*pret.* e *pp.* **flogged**) castigar, açoitar, punir; (cal.) pôr no prego.
to flog a dead horse — gastar energias inutilmente.
flogger [-ə], *s.* aquele que castiga corporalmente.
flogging [-iŋ], *s.* açoite; sova; castigo.
flogging hammer — marreta.
flood [flʌd], **1** — *s.* inundação, cheia, enxurrada; dilúvio; torrente; fluxo, maré; (poét.) rio caudaloso. (*Sin.* inundation, overflow, deluge, torrent, abundance.)
flood-lights — projectores.
flood-tide — maré-cheia.
flood-gate — comporta.
ebb and flood — fluxo e refluxo.
half-flood — meia-maré.
the Flood — o Dilúvio.
2 — *vt.* e *vi.* alagar, inundar; inundar-se; transbordar; apinhar, encher.
floodable [-əbl], *adj.* inundável.
flooding [-iŋ], *s.* inundação; hemorragia (uterina).
floor [flɔ:], **1** — *s.* soalho, sobrado, pavimento (de madeira); chão; andar de casa; eira; fundo; parte reservada aos deputados (na Câmara dos Comuns).
the ground-floor — rés-do-chão.
the first floor — o primeiro andar; (E. U.) rés-do-chão.
to have the floor — estar no uso da palavra.
to take the floor — tomar a palavra; falar num debate.
2 — *vt.* soalhar, pavimentar; derrubar, deitar ao chão; derrotar; desorientar, embaraçar; (col.) estender, dar um estenderete. (*Sin.* to pave, to confound, to nonplus, to beat, to strike down.)
floorer [-rə], *s.* murro, pancada forte; (col.) pergunta embaraçosa; (col.) estenderete.
flooring [-riŋ], *s.* chão, soalho; estrado; material para pavimentos ou soalhos; acto de pavimentar; derrota.
flop [flɔp], **1** — *s.* baque; (col.) insucesso; derrocada; pessoa indolente.
2 — *vt.* e *vi.* (*pret.* e *pp.* **flopped**) andar desajeitadamente; cair pesada e repentinamente; ir de encontro a; deixar cair repentinamente; saltitar; bater em cheio.
flop-house — pensão barata.
to flop into an armchair — atirar-se para uma poltrona.
3 — *adv.* surdamente.
floppy [-i], *adj.* flácido, frouxo, mole; inexacto, incorrecto; largo.
flora ['flɔ:rə], *s.* flora.
floral [-l], *adj.* floral; relativo à flora e a flores.
Florence ['flɔrəns], *top.* Florença.
Florentine ['flɔrəntain], *s.* e *adj.* florentino; tipo de seda entrançada.
florescence [flɔ:'resns], *s.* florescência.
florescent [flɔ:'resnt], *adj.* florescente.
floret ['flɔ:rit], *s.* florinha; flósculo, cada uma das flores duma flor composta.
floriate ['flɔ:rieit], *vt.* decorar com motivos de flores.
floriculture ['flɔ:rikʌltʃə], *s.* floricultura.
floriculturist [flɔ:ri'kʌltʃərist], *s.* floricultor.
florid ['flɔrid], *adj.* ornado (com motivos de flores); florido; floreado; ostentoso; corado, rosado. (*Sin.* flowery, figurative, ornate, showy, ruddy. *Ant.* plain.)
Florida ['flɔridə], *top.* Florida (E. U.).
floridity [flɔ'riditi], *s.* qualidade de ser florido.
floriferous [flɔ:'rifərəs], *adj.* florífero.
florin ['flɔrin], *s.* florim (moeda de **2** xelins).
florist ['flɔrist], *s.* florista.
floscular, flosculous ['flɔskjulə, -ləs], *adj.* flosculoso, composto de flósculos.
floss [flɔs], *s.* seda dos casulos; substância parecida com a seda; penugem.
flossy [-i], *adj.* sedoso.
flotation [flou'teiʃən], *s.* ver **floatation.**
flotilla [flou'tilə], *s.* flotilha, esquadrilha.
flotsam ['flɔtsəm], *s.* objectos flutuantes; destroços de naufrágio; viveiro de ostras.
flounce [flauns], **1** — *s.* folho, orla; meneio do corpo; sacudidela.
2 — *vt.* e *vi.* guarnecer com folhos; mergulhar na água; agitar-se; revolver-se; menear-se.
flounder ['flaundə], **1** — *s.* (zool.) solha; tentativa hesitante para andar.
2 — *vi.* espojar-se ou patinhar no lodo; falar ou proceder com atrapalhação; tropeçar, hesitar; debater-se.
floundering [-riŋ], *s.* acção de espojar-se ou patinhar.
flour ['flauə], **1** — *s.* farinha.
flour-mill — moinho.
flour-milling — fábrica de moagem.
2 — *vt.* enfarinhar, cobrir de farinha; moer.
flourish ['flʌriʃ], **1** — *s.* prosperidade; fausto; aparato; flores de retórica; floreio; floreado; ornamento; toque (de trombetas).
2 — *vt.* e *vi.* florescer, prosperar; gabar-se; florear (no falar, no escrever, etc.); preludiar; fazer traços à pena; brandir (uma espada).
I see you are all flourishing — vejo que estão todos de saúde.
flourishing [-iŋ], **1** — *s.* desenvolvimento, prosperidade; toque (de trombetas).
2 — *adj.* próspero, florescente; vigoroso.
flourishingly [-iŋli], *adv.* prosperamente.
floury ['flauəri], *adj.* enfarinhado, farinhento.

flout [flaut], **1** — *s.* zombaria, troça, escárnio.
2 — *vt.* e *vi.* mofar, escarnecer, meter a ridículo; insultar.
flouting [-iŋ], *s.* mofa, escárnio.
flow [flou], **1** — *s.* fluxo; corrente (de rio); torrente; inundação; abundância.
flow of spirits — disposição alegre.
the ebb and flow of the sea — a maré-baixa e a maré-alta.
2 — *vi.* fluir, correr; dimanar; subir (a maré); derramar; pender; proceder; afluir.
to flow in — afluir.
to flow into — desaguar.
to flow away — deslizar.
flower ['flauə], **1** — *s.* flor; planta em flor; botão; adorno, ornato; florão; o melhor de qualquer coisa; *pl.* flores; menstruação.
flower-bed — canteiro de flores.
flower-pot — vaso de flores.
flower-stalk — pedúnculo.
flower-girl — florista.
flower-show — exposição de flores.
flower-cup — cálice (parte da flor).
in-flower — em flor.
to burst into flower — florir.
she lays flowers on the grave — ela enfeita a sepultura com flores.
2 — *vt.* e *vi.* florescer, florir; enfeitar com flores.
flowerer [-rə], *s.* planta que floresce em épocas determinadas.
floweret [-rit], *s.* florinha.
flowering [-riŋ], **1** — *s.* floração.
2 — *adj.* florido, em flor.
flowerless [-lis], *adj.* sem flores.
flowery [-ri], *adj.* florido; enfeitado; floreado.
flowing ['flouiŋ], **1** — *s.* curso; inundação; abundância.
2 — *adj.* corrente; fluente; leve; que sobe (maré).
flowing wind — vento de feição.
flowingly [-li], *adv.* abundantemente; como uma torrente.
flown [floun], **1** — *adj.* (arc.) inchado, cheio.
2 — *pp.* do verbo **to fly.**
flu [flu:], *s.* gripe.
fluctuant ['flʌktjuənt], *adj.* flutuante.
fluctuate ['flʌktjueit], *vi.* flutuar; oscilar; ondear; vacilar.
fluctuating [-iŋ], *adj.* flutuante, incerto, variável.
fluctuation [flʌktju'eiʃən], *s.* flutuação; instabilidade; vacilação; variação.
flue [flu:], **1** — *s.* cano de chaminé; serpentina para aquecimento de água; cotão.
2 — *vt.* e *vi.* alargar; alargar-se.
fluency ['flu(:)ənsi], *s.* fluência; clareza de estilo; facilidade; eloquência.
fluent ['flu(:)ənt], *adj.* fluente; eloquente; verboso; corrente. (*Sin.* easy, eloquent, ready, flowing. *Ant.* laboured.)
fluently [-li], *adv.* fluentemente; correntemente.
fluff [flʌf], **1** — *s.* cotão, penugem, lanugem; (cal.) papel teatral mal estudado.
2 — *vt.* amaciar, tornar fofo; (teat.) representar mal.
fluffiness [-inis], *s.* cobertura de penugem, lanugem ou penas.
fluffy [-i], *adj.* formado ou coberto de penugem, lanugem ou penas; fofo; felpudo.
fluid ['fluid], *s.* e *adj.* fluido; líquido.
fluidity [flu'iditi], *s.* fluidez; instabilidade.
fluke [flu:k], **1** — *s.* trematódo (parasita das ovelhas); pata (de âncora); solha (peixe); tacada, golpe ou tiro certeiro dado por acaso ao jogo; acaso, sorte; *pl.* cauda da baleia.
to win by a fluke — ganhar por um acaso feliz.
2 — *vt.* e *vi.* ganhar ou acertar por um acaso feliz; ter sorte.
flukily [-ili], *adv.* por um milagre; por um acaso feliz.
fluky [-i], *adj.* incerto, contingente.
flume [flu:m], *s.* canal condutor de água; calheira; ravina com torrente.
flummery (*pl.* **flummeries**) ['flʌməri-iz], *s.* creme de ovos; conversa vã; parvoíce; tolice; lisonja.
flummox ['flʌməks], *vt.* (cal.) confundir, atrapalhar, desconcertar.
flump [flʌmp], **1** — *s.* ruído, estrondo (causado por algum objecto que cai); baque.
2 — *vt.* e *vi.* arremessar ou arremessar-se ao chão com violência.
3 — *interj.* pumba!
flung [flʌŋ], *pret.* e *pp.* do verbo **to fling.**
flunk ['flʌŋk], **1.** *s.* **reprovação (em exame).**
2. *vt.*, *vi.* **voltar a reprovar; voltar a ficar reprovado (em exame).**
flunkey ['flʌŋki], *s.* lacaio; pessoa servil.
flunkeyism [-iizəm], *s.* servilismo.
fluor ['flu(:)ɔ:], *s.* flúor, mineral incombustível e fusível.
fluorescence [fluə'resns], *s.* fluorescência.
fluorescent [fluə'resnt], *adj.* fluorescente.
fluorescent light — luz fluorescente.
fluorine ['fluəri:n], *s.* fluorina.
fluorite ['fluərait], *s.* fluorite, flúor (mineral).
flurry ['flʌri], **1** — *s.* (*pl.* **flurries**) agitação, comoção; perturbação; refrega (de vento); chuvada; saraivada; estertor.
2 — *vt.* perturbar, atrapalhar; confundir; agitar. (*Sin.* to agitate, to excite, to confuse, to disturb, to disconcert. *Ant.* to compose.)
flush [flʌʃ], **1** — *s.* fluxo rápido; rubor; animação, emoção; arrebatamento; frescura, vigor; voo rápido; abundância; instalação; naipe (de cartas).
2 — *adj.* abundante; vigoroso, fresco; rico, endinheirado; nivelado; à flor, ao nível, à face; embutido. (*Sin.* abundant, easy, vigorous, rich, even.)
the windows are flush with the wall — as janelas estão niveladas com a parede.
to be flush of money — estar cheio de dinheiro.
3 — *vt.* e *vi.* brotar; inundar; fluir, derramar-se; corar; brilhar; fazer corar; excitar; animar; voar, levantar voo; entusiasmar-se.
flushing [-iŋ], *s.* inundação; rubor; (bot.) rebento.
flushing-cistern — depósito de água de autoclismo.
fluster ['flʌstə], **1** — *s.* perturbação, confusão.
2 — *vt.* e *vi.* perturbar, confundir; agitar-se, estar nervoso; enervar.
flute [flu:t], **1** — *s.* flauta; tocador de flauta.
2 — *vt.* e *vi.* tocar flauta; acanelar; estriar.
fluting [-iŋ], *s.* acção de tocar flauta; canelagem, estria.
flutist [-ist], *s.* flautista, tocador de flauta.
flutter ['flʌtə], **1** — *s.* adejo; abalo; alvoroço, agitação, confusão; palpitação; vibração; sobressalto; acção de soltar uma bandeira ao vento; (cal.) especulação.
to be all in a flutter — estar todo agitado, nervoso.
2 — *vt.* e *vi.* bater as asas; adejar, esvoaçar; sacudir; agitar, tremer; estar alterado (pulso); palpitar; alvoroçar-se; estar inquieto; pôr em confusão; fazer vibrar; voltear; sobressaltar. (*Sin.* to flap, to tremble, to vibrate, to palpitate, to hover, to quiver, to agitate, to confuse, to beat.)
fluty ['fluti], *adj.* aflautado.
fluvial ['flu:vjəl], *adj.* fluvial.

flux [flʌks], **1** — *s.* fluxo; corrente; fusão; (quím.) dissolvente; mudança contínua.
2 — *vt.* e *vi.* fluir; derreter, fundir; derreter-se.
fluxion ['flʌkʃən], *s.* fluxo; (mat.) percentagem de variação duma quantidade.
fly [flai], **1** — *s.* (*pl.* **flies** [-z]) mosca; mosca artificial (para a pesca); cabriolé, carro de praça (*pl.* **flys**); voo; lapela do casaco; rosa-dos-ventos; comprimento de bandeira; volante (de relógio).
fly-leaf — folha em branco no princípio e no fim dum livro.
fly-paper — papel mata-moscas.
fly-blow — ovos de mosca postos na carne.
fly-book — colecção de moscas artificiais (para a pesca).
fly-catcher — papa-moscas (ave).
fly-speck — pinta de mosca.
fly-weight — peso mínimo (boxe).
fly-wheel — volante (de máquina).
flesh-fly — mosca varejeira.
a fly in the ointment — contrariedade.
on the fly — apressadamente.
there are no flies on him — ele é muito esperto.
he doesn't rise to that fly — com essa não o apanhas tu.
you catch more flies with honey than with verjuice — não é com vinagre que se apanham moscas.
2 — *vt.* e *vi.* (*pret.* **flew** [flu:], *pp.* **flown** [floun]) voar, fazer voar; fugir; desaparecer; evadir; tremular ao vento; precipitar-se, correr; escapar-se; atacar; sobrevoar.
to fly at — lançar-se sobre, atacar subitamente.
to fly away — escapar-se; levantar voo.
to fly a kite — lançar um papagaio.
to fly a flag — arvorar uma bandeira.
to fly along — precipitar-se a toda a velocidade.
to fly in pieces — voar em estilhaços.
to fly in the face — opor-se.
to fly into a passion (rage) — encolerizar-se.
to fly high — ter ambições.
to fly open — abrir-se de repente.
to fly off — desaparecer.
to fly for one's life — fugir o mais que se pode.
to fly someone — levar alguém de avião.
to fly to arms — recorrer às armas.
to fly to the head — subir à cabeça.
the bird has flown — a pessoa procurada fugiu.
to make the feathers (dust) fly — provocar uma questão.
to make the money fly — gastar dinheiro num instante.
with flying colours — com grande êxito.
fly-by-night [-bai-nait], **1** — *s.* noctívago, aquele que anda de noite.
2 — *adj.* insignificante; sem estabilidade.
flying [-iŋ], **1** — *s.* voo, aviação; fuga; acção de desfraldar ao vento.
2 — *adj.* voador; volante; rápido; que foge.
flying-boat — hidroavião.
flying-bridge — ponte provisória.
flying-buttress — arcobotante.
flying-fox — grande morcego comedor de frutos.
flying-machine — aeroplano.
flying-ground — aeródromo.
flying-man — aviador.
flying visit — visita rápida; visita de médico.
flying-kite — vela alta.
flying squad — destacamento de polícia com automóveis.
foal [foul], **1** — *s.* potro.
2 — *vt.* e *vi.* parir (égua, jumenta, burra).
foam [foum], **1** — *s.* espuma, escuma; saliva espumosa; o mar.
2 — *vi.* espumar; fazer cachão; babar-se.
to foam at the mouth — espumar de raiva.
foaming [-iŋ], **1** — *s.* espuma.
2 — *adj.* espumante.
foamless [-lis], *adj.* sem espuma.
foamy [-i], *adj.* espumoso.
fob [fɔb], **1** — *s.* bolso de relógio; (E. U.) corrente de relógio.
2 — *vt.* (*pret.* e *pp.* **fobbed**) meter no bolso; enganar, iludir, impingir.
he fobbed me off with empty promises — enganou-me com promessas vãs.
focal ['foukəl], *adj.* focal.
focalization [foukəlai'zeiʃən], *s.* acção de focar.
focalize ['foukəlaiz], *vt.* focar; concentrar.
focus ['foukəs], **1** — *s.* (*pl.* **focuses, foci** [-əsiz, 'fousai]) foco; ponto de convergência; centro de interesse.
in focus — focado; distinto, claro.
out of focus — desfocado; indistinto.
2 — *vt.* e *vi.* focar; concentrar; realçar; fazer convergir.
to focus one's attention on a subject — concentrar a atenção num assunto.
fodder ['fɔdə], **1** — *s.* forragem.
2 — *vt.* dar forragem ao gado.
foe [fou], *s.* inimigo, adversário.
foetal ['fi:tl], *adj.* relativo ao feto.
foetus (*pl.* **foetuses**) ['fi:təs, -iz], *s.* feto.
fog [fɔg], **1** — *s.* névoa, nevoeiro, cerração; confusão, perplexidade; erva do Outono; mancha em chapa fotográfica.
fog-bank — banco de névoa, nevoeiro espesso no mar.
fog bound — imobilizado pelo nevoeiro.
fog-horn — buzina de nevoeiro.
to be in a fog — estar atrapalhado, confuso.
2 — *vt.* (*pret.* e *pp.* **fogged**) enevoar, cobrir de névoa; obscurecer; toldar-se, enevoar-se; (fot.) velar-se; confundir, tornar perplexo.
to be fogged — estar confuso.
fogey, fogy ['fougi], *s.* caturra; bota-de-elástico; pessoa com ideias antiquadas.
fogeyism [-izəm], *s.* caturrice.
foggily ['fɔgili], *adv.* obscuramente; com névoas.
fogginess ['fɔginis], *s.* nebulosidade.
foggy ['fɔgi], *adj.* enevoado, cerrado (de nevoeiro); confuso, perplexo; indistinto. (*Sin.* misty, dim, indistinct, blurred. *Ant.* clear.)
he hasn't the foggiest ideia — ele não tem a menor ideia.
fogy ['fougi], *s.* ver **fogey.**
foible ['fɔibl], *s.* o fraco, o lado fraco; as fraquezas; parte da espada do meio até à ponta.
foil [fɔil], 1 — *s.* lâmina; florete embolado; engaste de pedra preciosa; chapa, folha delgada de metal (para revestimento); pista, rasto de caça; contraste; (arc.) derrota.
2 — *vt.* e *vi.* realçar por contraste; despistar; frustrar; repelir, vencer; amortecer.
foist [fɔist], *vt.* interpolar, introduzir sub-repticiamente; impingir; enganar.
fold [fould], **1** — *s.* dobra, prega; curral, redil; ondulação; (fig.) congregação de fiéis.
2 — *vt.* e *vi.* dobrar, fechar; envolver; encerrar; dobrar-se; encerrar-se; cruzar (braços); encurralar. (*Sin.* to double, to wrap, to enfold, to furl. *Ant.* to unfold.)
to fold in one's arms — estreitar nos braços; abraçar.
to fold up — dobrar; (col.) falir.
to fold one's arms — cruzar os braços.
folder [-ə], *s.* dobrador; dobradeira; prospecto dobrado.

folding [-iŋ], **1** — *s.* prega, dobra; encurralamento de gado em terra de cultura.
2 — *adj.* dobradiço; flexível; encurralado.
folding-chair — cadeira de molas.
folding-table — mesa de fechar.
folding-bed — cama de lona.
folding door — porta de dois batentes; alçapão.
folding-screen — biombo.
foliaceous [fouli'eiʃəs], *adj.* foliáceo.
foliage ['fouliidz], *s.* folhagem.
foliate 1 — ['fouliit], *adj.* foliado; frondoso; folheado, laminado.
2 — ['foulieit], *vt.* e *vi.* folhear; ornar com folhagem; estanhar espelhos; estalar, partir; numerar as folhas dum livro.
foliation [fouli'eiʃən], *s.* folheação, renovação das folhas das plantas; folheatura; laminação; estanhagem de espelhos; numeração das folhas dum livro.
folio ['fouliou], *s.* fólio, folha dobrada apenas em duas.
folk [fouk], *s.* povo, gente; nação, raça; *pl.* pessoas; família, parentela.
folk-dance — dança popular.
folk-song — canção popular.
folklore ['fouklɔ:], *s.* folclore, costumes, crenças e tradições populares.
folklorist [-rist], *s.* folclorista.
follicle ['fɔlikl], *s.* folículo; glândula.
follicular [fɔ'likjulə], *adj.* folicular.
follow ['fɔlou], **1** — *s.* tacada mal dada (bilhar), repetição de prato (restaurante).
2 — *vt.* e *vi.* seguir; acompanhar; suceder; resultar; obedecer; imitar; destinar-se à profissão de; perseguir; compreender; ser partidário de.
as follows — como se segue.
that does not follow — não se conclue isso; não é assim.
to follow in the steps of — seguir as pisadas de.
to follow one's mind — seguir a sua opinião.
to follow one's nose — ir sempre a direito.
to follow a profession — exercer uma profissão.
to follow suit — imitar; jogar do mesmo naipe.
to follow out — continuar até ao fim.
to follow the sea — seguir a vida do mar.
to follow the plough — dedicar-se à lavoura.
to follow up — prosseguir; seguir de perto.
do you follow me? — compreende-me?
follower [-ə], *s.* sectário, partidário; discípulo; imitador; roda ou peça que segue o movimento de outra; indivíduo que namora uma criada de servir; *pl.* séquito. (*Sin.* adherent, partisan, disciple, supporter, dependant. *Ant.* leader.)
following [-iŋ], **1** — *s.* comitiva, séquito; partidários.
2 — *adj.* seguinte; próximo; resultante.
the following days — os dias seguintes.
folly (*pl.* **follies**) ['fɔli, -iz], *s.* loucura, tolice, disparate.
foment [fou'ment], *vt.* fomentar; instigar; promover; fazer fomentações. (*Sin.* to excite, to encourage, to promote, to stimulate. *Ant.* to quench
fomentation [foumen'teiʃən], *s.* fomento; estímulo; instigação; fomentação.
fomenter [fou'mentə], *s.* fomentador; instigador.
fond [fɔnd], *adj.* amigo, apaixonado por; afectuoso, terno; amável; simples.
a fond mother — uma mãe carinhosa.
to be fond of — gostar muito de.
fondant ['fɔndənt], *s.* rebuçado que se derrete na boca.
fondle ['fɔndl], *vt.* amimar; afagar, acariciar, acarinhar. (*Sin.* to coddle, to pet, to caress, to indulge.
fondling [-iŋ], **1** — *s.* carinhos, carícias.
2 — *adj.* mimalho.
fondly [-i], *adv.* afectuosamente, ternamente.
fondness ['fɔndnis], *s.* afecto, ternura, carinho, meiguice; inclinação; predilecção.
font [fɔnt], *s.* pia baptismal; depósito de petróleo de candeeiro; (tip.) colecção de tipos.
food [fu:d], *s.* alimento, alimentação, comida; víveres; pasto de animais.
food-card — cartão de racionamento.
food-stuff — matérias alimentícias; víveres.
food-value — propriedade nutritiva dos alimentos.
food for thought — assunto para pensar.
to be food for fishes — morrer afogado.
foodless [-lis], *adj.* sem víveres; improdutivo.
fool [fu:l], **1** — *s.* tolo, louco, néscio, doido; insensato; bobo; fruta cozida misturada com nata, leite e açúcar.
All Fools' day — dia de enganos (1 de Abril).
April fool — pessoa enganada no primeiro de Abril.
fool's errand — empreendimento estúpido e sem resultado.
to be a fool for one's pains — não tirar resultado dos próprios esforços.
to live in a fool's paradise — viver na feliz ignorância do perigo.
to make a fool of — enganar; escarnecer de.
to make a fool of oneself — tornar-se ridículo.
to be no fool — não ser nenhum parvo.
to play the fool — fazer de bobo.
2 — *vt.* e *vi.* chasquear, zombar; fazer de doido; divertir-se, brincar; lograr, enganar.
to fool away one's time — desperdiçar tempo.
to fool with — divertir-se tolamente.
stop fooling! — basta de brincadeiras!
foolery (*pl.* **fooleries**) [-əri, -iz], *s.* loucura, tolice, doidice, extravagância.
foolhardily [-hɑ:dili], *adv.* temerariamente.
foolhardiness [-hɑ:dinis], *s.* temeridade, arrojo.
foolhardy [-hɑ:di], *adj.* temerário, audacioso.
foolish [-iʃ], *adj.* tolo, tonto, disparatado, néscio, imbecil; ridículo.
a foolish question requires no answer — para palavras loucas orelhas moucas.
to look rather foolish — parecer tolo.
foolishly [-iʃli], *adv.* tolamente, loucamente; imbecilmente.
foolishness [-iʃnis], *s.* loucura; tolice; disparate.
foolscap [-zkæp], *s.* papel almaço de 35 × 43; gorro com campainhas usado pelos bobos e saltimbancos.
foot [fut], *s.* (*pl.* **feet** [fi:t]), **1** — *s.* pé, pata; pé (de medida); pé (de verso); base, parte inferior; infantaria.
at the foot of the mountain — no sopé da montanha.
at a foot's pace — a passo regular.
from head to foot — dos pés à cabeça.
footbath — bacia para os pés.
footboard — estribo de carro.
footboy — pagem, lacaio.
foot-bridge — passadiço; ponte para peões.
foot-note — nota no fim duma página; nota de rodapé.
foot-and-mouth disease — febre aftosa.
footlights — ribalta.
foot-mat — capacho.
foot-race — corrida a pé.
foot-rope — estribo de relinga.
foot-soldier — soldado de infantaria.
footsore — com os pés doridos.
foot-passenger — peão.
foot-wear — calçado.
foot-plate — plataforma de locomotiva.
foot-dimmer (aut.) — pedal para baixar as luzes dos faróis.

on foot — a pé.
on one's feet — de pé; com saúde; independente.
to begin to feel one's feet — começar a ter consciência de si próprio.
to fall on one's feet — ser feliz.
to have one's foot in the grave — estar com os pés para a cova.
to put one's foot on the neck of someone — pôr o pé no pescoço (de alguém).
to put one's foot down — protestar; pôr os pés à parede.
to know the length of a person's foot — conhecer o fraco duma pessoa, saber levá-la.
to put one's foot in it — enganar-se.
to put one's best foot forward — fazer todos os possíveis; empregar todos os esforços.
to keep one's feet — não se deixar cair.
to set someone on his feet — tornar alguém independente.
you cannot measure men with a foot-rule — os homens não se medem aos palmos.
2 — *vt.* e *vi.* pisar; percorrer, andar a pé; dançar; pôr pés (em meias, etc.); pagar uma conta; somar e escrever a soma em baixo.
to foot a bill — pagar uma conta.
to foot up to — importar em.
football [-bɔ:l], *s.* futebol; bola de futebol.
footballer [-bɔ:lə], *s.* jogador de futebol.
footboard [-bɔ:d], *s.* estribo; plataforma (de locomotiva).
footed [-id], *adj.* que tem pés ou patas.
bare-footed — descalço.
four-footed — quadrúpede.
footfall [-fɔ:l], *s.* ruído de passos.
foothold [-hould], *s.* apoio para o pé; base de operações; posição segura.
to lose one's foothold — desequilibrar-se.
footing [-iŋ], *s.* pé, base, fundamento; apoio para os pés; o andar, o passo; admissão; piso; soma duma coluna de números.
he got a footing in society — ele conseguiu ser bem recebido na sociedade.
on a war footing — em pé de guerra.
to be on equal footing — estar nas mesmas condições.
to pay one's footing — pagar a patente.
to be on a friendly footing with a person — estar em boas relações com uma pessoa.
footling ['fu:tliŋ], *adj.* fútil, frívolo.
footman [-mən], *s.* infante; lacaio; criado.
footpad ['futpæd], *s.* salteador (a pé).
footpath ['futpɑ:θ], *s.* atalho; passeio.
footprint ['futprint], *s.* pegada.
footstalk ['futstɔ:k], *s.* pedúnculo.
footstep ['futstep], *s.* passo; pegada.
footway ['futwei], *s.* caminho para peões.
foozle ['fu:zl], **1** — *s.* jogada desastrada (golfe); fracasso estúpido.
2 — *vt.* fazer um jogo desastrado (golfe); atrapalhar tudo.
fop [fɔp], *s.* dândi, janota; peralvilho, peralta.
foppery (*pl.* **fopperies**) [-əri, -iz], *s.* janotismo; afectação no vestir; fatuidade.
foppish [-iʃ], *adj.* afectado, vaidoso, fátuo; presumido.
foppishly [-iʃli], *adv.* afectadamente; ridiculamente.
foppishness [-iʃnis], *s.* afectação, vaidade, fatuidade; trajo ridículo.
for [fɔ:], **1** — *prep.* para; por; por causa de; durante; a favor de; em troca de; em busca de.
for a song (col.) — muito barato.
for all I know — tanto quanto eu sei.
for certain — com certeza.
for as much as — tanto mais que.
for good, for ever — para sempre.
as for me — quanto a mim; pelo que me diz respeito.
for all that — apesar disso.
for the present — por enquanto.
for all the world — sem dúvida; exactamente.
for short — abreviando.
for a while — por algum tempo.
for fear of — com receio de.
but for — se não fosse; sem.
once for all — duma vez para sempre.
now he is in for it! — agora está metido nelas!
I have Mr. Brown for a teacher — tenho o Sr. Brown como professor.
what can I do for you? — em que lhe posso ser útil?
take my word for it — posso assegurar-lho.
it is bad for him to smoke — faz-lhe mal fumar.
she danced for joy — ela dançou de alegria.
2 — *conj.* porque, pois que, porquanto, visto que.
forage ['fɔridʒ], **1** — *s.* forragem; pilhagem.
2 — *vt.* e *vi.* forragear; saquear, roubar.
forager [-ə], *s.* forrageador.
foraging [-iŋ], *s.* forragem.
foramen (*pl.* **foramina**) [fə'reimen, -minə], *s.* forame.
foray ['fɔrei], **1** — *s.* saque, pilhagem; incursão.
2 — *vt.* e *vi.* saquear, pilhar; fazer incursões.
forbade [fə'beid], *pret.* do verbo **to forbid.**
forbear ['fɔ:bɛə], **1** — *s.* antepassado.
2 — [fɔ:'bɛə], *vt.* e *vi.* (*pret.* **forbore** [fɔ:'bɔ:], *pp.* **forborne** [fɔ:'bɔ:n]) abster-se, evitar, deixar de, reprimir-se; desistir.
to bear and forbear — ser tolerante.
forbearance [fɔ:'bɛərəns], *s.* indulgência, paciência, clemência; abstenção. (*Sin.* leniency, indulgence, patience, lenity, **abstinence.**)
forbearing [fɔ:'bɛəriŋ], *adj.* paciente, indulgente, clemente; sofredor.
forbearingly [-li], *adv.* indulgentemente; pacientemente.
forbid [fə'bid], *vt.* (*pret.* **forbade** [fə'beid], *pp.* **forbidden** [fə'bidn]) proibir, impedir; vedar; estorvar. (*Sin.* to prohibit, to inhibit, to interdict, to oppose. *Ant.* to allow.)
God forbid — Deus não permita.
forbidding [-iŋ], **1** — *s.* proibição.
2 — *adj.* proibitivo; repelente, repugnante; ameaçador; sinistro.
forbiddingly [-iŋli], *adv.* dum modo repelente; ameaçadoramente.
forbiddingness [-iŋnis], *s.* repelência, estado ou qualidade do que é repelente.
forbore [fɔ:'bɔ:], *pret.* do verbo **to forbear.**
forborn [-n], *pp.* do verbo **to forbear.**
force [fɔ:s], **1** — *s.* força, vigor; robustez; causa, motivo; violência, coacção; valor; poder; queda de água; força militar.
Air Force — Força Aérea.
by force of circumstances — pela força das circunstâncias.
force and lifting pump — bomba aspirante-premente.
in force — em vigor.
police force — força de polícia.
to be in force — estar em vigor; vigorar.
to come into force — entrar em vigor.
to put into force — pôr em vigor.
2 — *vt.* forçar, obrigar, constranger; meter à força; impor à força; fazer amadurecer à força; manobrar (navio). (*Sin.* to compel, to coerce, to constrain, to press, to urge, to cause to grow. *Ant.* to coax.)
to force away — obrigar a afastar-se.
to force along — fazer avançar.
to force back — repelir; rechaçar.
to force in — introduzir à força.
to force out — arrancar à força.

to force down — obrigar a baixar.
to force one's way through — abrir caminho por entre.
forced [-t], *adj.* forçado, constrangido, obrigado; artificial.
a forced landing — aterragem de emergência.
forced labour — trabalho forçado.
forced draught — tiragem forçada.
forcedly [-idli], *adv.* forçadamente, à força.
forceful [-ful], *adj.* enérgico, forte; violento; convincente.
force-meat [-mi:t], *s.* recheio de carne; espécie de salpicão.
forceps [ˈfɔ:seps], *s.* fórceps; tenaz; pinça.
forcer [ˈfɔ:sə], *s.* aquele ou aquilo que força; êmbolo.
forcible [ˈfɔ:səbl], *adj.* forte, enérgico; de grande peso; violento; convincente, concludente.
forcibleness [-nis], *s.* força, violência.
forcibly [-i], *adv.* violentamente, à força.
ford [fɔ:d], **1** — *s.* vau.
2 — *vt.* vadear, passar a vau.
fordable [-əbl], *adj.* vadeável.
fore [fɔ:], **1** — *s.* a proa; a parte anterior.
fore-and-aft — longitudinal; da popa à proa.
fore-stage — proscénio.
fore-sheet — escota do traquete.
fore-deck — convés da proa.
2 — *adj.* anterior, dianteiro; da proa.
3 — *int.* atenção! cuidado! (golfe).
forearm **1** — [ˈfɔ:rɑ:m], *adj.* antebraço.
2 — [fɔ:rˈɑ:m], *vt.* armar antecipadamente, precaver, prevenir.
forebode [fɔ:ˈboud], *vt.* prognosticar, pressagiar, profetizar; pressentir. (*Sin.* to portend, to augur, to foretell, to predict, to betoken.)
foreboder [-ə], *s.* pressagiador; presságio.
foreboding [-iŋ], *s.* presságio, prognóstico; pressentimento.
forecast **1** — [ˈfɔ:kɑ:st], *s.* previsão (do tempo); prognóstico, projecto; cálculo; estimativa.
weather forecast — previsão meteorológica.
2 — [fɔ:ˈkɑ:st], *vt.* prever, vaticinar, prognosticar; projectar, conjecturar; calcular; planear.
forecastle [ˈfouksl], *s.* castelo de proa.
foreclose [fɔ:ˈklouz], *vt.* e *vi.* impedir, excluir; executar uma hipoteca.
foredoom [fɔ:ˈdu:m], *vt.* predestinar; condenar antecipadamente.
forefather [ˈfɔ:fɑ:ðə], *s.* antepassado.
forefinger [ˈfɔ:fiŋgə], *s.* dedo indicador.
forefront [ˈfɔ:frʌnt], *s.* dianteira, frente, vanguarda; primeiro plano.
forego [fɔ:ˈgou], *vt.* e *vi.* (*pret.* **forewent** [fɔ:ˈwent], *pp.* **foregone** [fɔ:ˈgɔn]) ceder, renunciar a; privar-se de; anteceder.
foregoer [-ə], *s.* precursor; renunciante.
foregoing [-iŋ], *adj.* precedente, anterior; antecedente.
foregone [fɔ:ˈgɔn], *adj.* decidido de antemão.
foregone conclusion — conclusão antecipada; resultado previsto.
foreground [ˈfɔ:graund], *s.* primeiro plano.
forehand [ˈfɔ:hænd], *s.* quarto dianteiro (do cavalo); (ténis) jogada a direito, sem mudar de mão.
forehanded [-id], *adj.* económico; abastado.
forehead [ˈfɔrid], *s.* testa, fronte.
foreign [ˈfɔrin], *adj.* estrangeiro; estranho; adventício; alheio; exótico; exterior.
Foreign Office — Ministério dos Negócios Estrangeiros.
foreign trade — comércio externo.
the Foreign Secretary — o Ministro dos Negócios Estrangeiros.
foreigner [-ə], *s.* estrangeiro.
forejudge [fɔ:ˈdʒʌdʒ], *vt.* julgar de antemão.
foreknow [fɔ:ˈnou], *vt.* prever, conhecer antecipadamente.
foreknowledge [ˈfɔ:ˈnɔlidʒ], *s.* presciência, previsão.
forel [ˈfɔrəl], *s.* espécie de pergaminho (para capa de livros).
foreland [ˈfɔ:lənd], *s.* cabo, promontório; morro.
foreleg [ˈfɔ:leg], *s.* membro anterior (dum animal).
forelock [ˈfɔ:lɔk], **1** — *s.* guedelha; topete; chaveta, cavilha.
to take time by the forelock — aproveitar a primeira oportunidade.
2 — *vt.* colocar uma chaveta em; firmar com chavetas.
foreman (*pl.* **foremen**) [ˈfɔ:mən, -mən], *s.* capataz; maioral; encarregado, mestre (de oficina, etc.); presidente de jurados.
foremost [ˈfɔ:moust], *adj.* e *adv.* primeiro, o que se encontra em primeiro lugar.
first and foremost — em primeiro lugar; primeiro que tudo.
forenoon [ˈfɔ:nu:n], *s.* manhã.
forensic [fəˈrensik], *adj.* forense.
foreordain [ˈfɔ:rɔ:ˈdein], *vt.* predeterminar, predestinar.
forereach [fɔ:ˈri:tʃ], *vt.* e *vi.* (náut.) ganhar barlavento; ultrapassar.
forerun [fɔ:ˈrʌn], *vt.* (*pret.* **foreran** [fɔ:ˈræn], *pp.* **forerun**) preceder; adiantar-se a; anunciar.
forerunner [-ə], *s.* precursor; predecessor; prenúncio, sintoma. (*Sin.* precursor, predecessor, harbinger, herald. *Ant.* follower.)
foresee [fɔ:ˈsi:], *vt.* (*pret.* **foresaw** [fɔ:ˈsɔ], *pp.* **foreseen** [fɔ:ˈsi:n]) prever; pressupor; ver antecipadamente.
foreseeing [-iŋ], *adj.* previdente.
foreshadow [fɔ:ˈʃædou], *vt.* prefigurar; simbolizar; predizer.
foreshore [ˈfɔ:ʃɔ:], *s.* parte dianteira duma praia.
foreshorten [fɔ:ˈʃɔ:tn], *vt.* escorçar (pintura).
foreshortening [-iŋ], *s.* escorço; redução de dimensões dum desenho.
foreshow [fɔ:ˈʃou], *vt.* mostrar antecipadamente; predizer.
foresight [ˈfɔ:sait], *s.* previsão, presciência; perspicácia; mira (de arma). (*Sin.* prudence, precaution, forethought, forecast, care.)
foreskin [ˈfɔ:skin], *s.* prepúcio.
forest [ˈfɔrist], **1** — *s.* floresta, bosque, mata.
2 — *vt.* plantar um bosque; converter em floresta; arborizar.
forestall [fɔ:ˈstɔ:l], *vt.* antecipar; prevenir; monopolizar.
forester [ˈfɔristə], *s.* guarda-florestal; habitante dos bosques; árvore de grande porte.
forestry [ˈfɔristri], *s.* silvicultura.
foretaste, **1** — [ˈfɔ:teist], *s.* antegosto.
2 — [fɔ:ˈteist], *vt.* antegostar.
foretell [fɔ:ˈtel], *vt.* (*pret.* e *pp.* **foretold** [fɔ:ˈtould]) predizer, profetizar, pressagiar, vaticinar.
foreteller [-ə], *s.* profeta, vaticinador.
foretelling [-iŋ], **1** — *s.* presságio, profecia, predição.
2 — *adj.* pressagiador, profético.
forethought [ˈfɔ:θɔ:t], **1** — *s.* previdência; previsão; premeditação.
2 — *adj.* premeditado.
foretoken **1** — [ˈfɔ:toukən], *s.* prognóstico; sinal antecipado.
2 — [fɔ:ˈtoukən], *vt.* prognosticar, predizer; assinalar antecipadamente.
foretold [fɔ:ˈtould], *pret.* e *pp.* do verbo **to foretell.**

foretop ['fɔ:tɔp], *s.* (náut.) gávea do traquete.
foretype ['fɔ:taip], *s.* protótipo.
forever [fə'revə], *adv.* para sempre.
forewarn [fɔ:'wɔ:n], *vt.* avisar, prevenir, advertir.
forewarned is forearmed — homem prevenido vale por dois.
forewarning [-iŋ], *s.* aviso, prevenção, advertência.
forewent [fɔ:'went], *pret.* do verbo **to forego.**
forewoman (*pl.* **forewomen**) ['fɔ:wumən, -wimin], *s.* mestra (duma oficina); contramestre; presidente de júri feminino.
foreword ['fɔ:wə:d], *s.* prefácio.
foreyard ['fɔ:jɑ:d], *s.* verga do traquete.
forfeit ['fɔ:fit], **1** — *s.* multa, pena; perda legal de direitos; indemnização; prenda (em jogo). (*Sin.* fine, penalty, loss, amercement. *Ant.* reward.)
game of forfeits — jogo das prendas.
2 — *adj.* confiscado.
3 — *vt.* perder o direito a; confiscar.
forfeitable [-əbl], *adj.* confiscável.
forfeiter [-ə], *s.* o que sofreu confisco.
forfeiture ['fɔ:fitʃə], *s.* confisco; perda de direito; pena, multa; castigo.
forfend [fɔ:'fend], *vt.* impedir, afastar.
God forfend! — Deus nos livre!
forgather [fɔ:'gæðə], *vi.* associar-se, juntar-se; encontrar-se.
forgave [fə'geiv], *pret.* do verbo **to forgive.**
forge [fɔ:dʒ], **1** — *s.* forja; fornalha; oficina metalúrgica.
2 — *vt.* e *vi.* forjar, aquecer e trabalhar na forja; inventar; falsificar, imitar; tramar.
to forge a cheque — falsificar um cheque.
forger [-ə], *s.* forjador; falsificador; falsário; contrafactor.
forgery (*pl.* **forgeries**) ['fɔ:dʒəri, -iz], *s.* falsificação, contrafacção.
forget [fə'get], *vt.* e *vi.* (*pret.* **forgot** [fə'gɔt], *pp.* **forgotten** [fə'gɔtn]) esquecer, não se lembrar; descurar; esquecer-se. (*Sin.* to overlook, to neglect, to slight. *Ant.* to remember).
forget and forgive! — esquece e perdoa!
to forget oneself — ser desinteressado; pensar só nos outros; proceder inconscientemente.
forgetful [-ful], *adj.* esquecido, descuidado, negligente.
forgetfully [-fuli], *adv.* negligentemente.
forgetfulness [-fulnis], *s.* esquecimento, negligência, descuido.
forget-me-not [-minɔt], *s.* miosótis.
forging ['fɔ:dʒiŋ], *s.* forja; forjadura; peça forjada.
forgivable [fə'givəbl], *adj.* perdoável.
forgive [fə'giv], *vt.* e *vi.* (*pret.* **forgave** [fə'geiv], *pp.* **forgiven** [fə'givn]) perdoar, desculpar; remir (dívida).
forgiveness [-nis], *s.* perdão, clemência, indulgência, absolvição, remissão.
forgiving [-iŋ], *adj.* generoso, indulgente, clemente.
forgo [fɔ:'gou], *vt.* (*pret.* **forwent** [fɔ:'went], *pp.* **forgone** [fɔ:'gɔn]) ceder, renunciar a, abandonar; desistir de; passar sem.
forgot [fə'gɔt], *pret.* do verbo **to forget.**
forgotten [fə'gɔtn], *pp.* do verbo **to forget.**
fork [fɔ:k], **1** — *s.* garfo; forcado, forquilha; bifurcação; confluência dum rio; ziguezague (raio).
in fork — em seco (mina).
the fork of a road — a bifurcação duma estrada.
tuning-fork — diapasão.
pitchfork — forcado.
to play a good knife and fork — ter bom apetite; (col.) ser um bom garfo.
2 — *vt.* e *vi.* remover com forcado; bifurcar; bifurcar-se; secar, esgotar (mina); pôr em cheque duas pedras (xadrez).
to fork out — gastar dinheiro; esportular-se.
forked [-t], *adj.* bifurcado, bipartido, fendido; de forquilha; em ziguezague (raio).
forkful [-ful], *s.* garfada; quantidade apanhada duma só vez por um forcado.
forlorn [fə'lɔ:n], *adj.* abandonado, desamparado, perdido, esquecido; entristecido; desesperado.
forlorn hope — última esperança; último recurso; (mil.) coluna de assalto; empresa arriscada.
forlornly [-li], *adv.* ao abandono, desamparadamente.
forlornness [-nis], *s.* abandono, desamparo; situação desesperada.
form [fɔ:m], **1** — *s.* forma, figura; modelo; ordem, disposição, organização, sistema; método, modo, maneira; prática; classe (nas escolas); ritual, formalidade, cerimónia; molde, padrão, forma; fórmula; porte, comportamento; sombra, aparição; assento comprido, banco; compasso (de música); estilo; boas condições físicas; impresso; verbete. (*Sin.* shape, mould, figure, configuration, cut, fashion, pattern, ritual, manner, mode, class, formula, system, order, method.)
in due form — na devida forma.
for form's sake — por mera formalidade; por um pró-forma.
first form — primeiro ano (dos liceus).
good form — boa educação.
it is a matter of form — é apenas um pró-forma.
to fill up (in) a form — preencher um impresso.
to be in good form — estar em boa forma.
2 — *vt.* e *vi.* formar, construir; idear, conceber; ordenar, pôr em ordem; constituir; compor; criar, fazer; formar-se.
formal ['fɔ:məl], *adj.* formal; cerimonioso, solene; regular; metódico; afectado; exterior; constitutivo.
a formal call — visita cerimoniosa.
formalism [-izəm], *s.* formalismo.
formalist [-ist], *s.* formalista.
formalistic [fɔ:mə'listik], *adj.* formalístico.
formality (*pl.* **formalities**) [fɔ:'mæliti, -iz], *s.* formalidade; cerimónia; etiqueta.
a matter of mere formality — uma simples formalidade.
formalize ['fɔ:məlaiz], *vt.* formalizar; usar formalidades; ser cerimonioso; afectar.
formally ['fɔ:məli], *adv.* formalmente, solenemente.
format ['fɔ:mæt], *s.* formato.
formation [fɔ:'meiʃən], *s.* formação; disposição, arranjo.
formative ['fɔ:mətiv], *adj.* formativo.
former ['fɔ:mə], **1** — *s.* molde, matriz; o que dá forma a; fundador; formão; bisel.
2 — *adj.* anterior, primeiro; precedente, passado; primitivo.
in former times—nos tempos passados, outrora.
the former — o primeiro.
formerly [-li], *adv.* antigamente, outrora.
formicary ['fɔ:mikəri], *s.* formigueiro.
formication [fɔ:mi'keiʃən], *s.* formigueiro, prurido.
formidable ['fɔ:midəbl], *adj.* formidável; pavoroso, medonho, tremendo. (*Sin.* tremendous, alarming, dreadful, powerful, fearful. *Ant.* contemptible
formidableness [-nis], *s.* característica formidável.

formidably [-i], *adv.* formidavelmente.
formless ['fɔ:mlis], *adj.* sem forma, informe, disforme.
formlessly [-li], *adv.* disformemente.
formlessness [-nis], *s.* informidade, deformidade; ausência de forma.
Formosa [fɔ:'mousə], *top.* Formosa.
formula (*pl.* **formulas, formulae**) ['fɔ:mjulə, -əz, -i:], *s.* fórmula.
formulary ['fɔ:mjuləri], **1** — *s.* (*pl.* **formularies** [-iz]), formulário.
2 — *adj.* formal, sujeito a fórmula.
formulate ['fɔ:mjuleit], *vt.* formular; enunciar; elaborar.
formulation [fɔ:mju'leiʃən], *s.* formulação; elaboração; expressão.
formulist ['fɔ:mjulist], *s.* formalista.
formulize ['fɔ:mjulaiz], *vt.* formalizar; formular.
fornicate ['fɔ:nikeit], *v. i.* fornicar
fornication [fɔ:ni'keiʃən], *s.* fornicação.
fornicator ['fɔ:nikeitə], *s.* fornicador.
forsake [fə'seik], *vt.* (*pret.* **forsook** [fə'suk], *pp.* **forsaken** [fə'seikən]) abandonar, desamparar; desertar; deixar; separar-se; renunciar a. (*Sin.* to abandon, to leave, to quit, to desert, to renounce, to relinquish. *Ant.* to hold.)
forsaken [-ən], *pp.* do verbo **to forsake.**
forsaking [-iŋ], *s.* abandono, desamparo.
forsook [fə'suk], *pret.* do verbo **to forsake.**
forsooth [fə'su:θ], *adv.* certamente, na verdade, sem dúvida (irónico).
forswear [fɔ:'swɛə], *vt.* (*pret.* **forswore** [fɔ:'swɔ:], *pp.* **forsworn** [fɔ:'swɔ:n]) repudiar, abjurar; jurar falso.
to forswear oneself — perjurar.
fort [fɔ:t], *s.* forte, fortaleza.
forte [fɔ:t], **1** — *s.* o ponto forte; (mús.) ['fɔ:ti] forte; parte da espada desde o punho até meio da lâmina.
dancing is not my forte — a dança não é o meu forte.
2 — *adj.* (mús.) forte.
forth [fɔ:θ], *adv.* diante, adiante; fora; para fora; à vista; ao longe; em lugar de realce; exteriormente; até ao último; avante.
and so forth — e assim por diante; etc.
from this time forth — daqui em diante.
to set forth — expor.
back and forth — para trás e para diante.
forthcoming [fɔ:θ'kʌmiŋ], *adj.* próximo, futuro; que está a chegar; que vai aparecer.
a forthcoming book — um livro que vai ser publicado em breve.
forthright [fɔ:θ'rait], **1** — *s.* (arc.) caminho a direito.
2 — *adj.* direito, franco, aberto; decisivo.
3 — *adv.* a direito; com franqueza; imediatamente.
forthwith ['fɔ:θ'wiθ], *adv.* imediatamente, sem perda de tempo.
fortieth ['fɔ:tiiθ], *s.* e *num.* quadragésimo.
fortifiable ['fɔ:tifaiəbl], *adj.* fortificável.
fortification [fɔ:tifi'keiʃən], *s.* fortificação, forte; fortalecimento; reforço.
fortifier ['fɔ:tifaiə], *s.* fortificante; tónico.
fortify ['fɔ:tifai], *vt.* e *vi.* fortificar, fortalecer; reforçar; tonificar; corroborar; elevar a graduação alcoólica do vinho.
fortitude ['fɔ:titju:d], *s.* fortaleza, força de alma; coragem.
fortnight ['fɔ:tnait], *s.* quinzena.
today fortnight — de hoje a quinze dias.
a fortnight ago — há quinze dias.
fortnightly [-li], **1** — *adj.* quinzenal.
2 — *adv.* quinzenalmente.
fortress ['fɔ:tris], *s.* fortaleza, forte.

fortuitous [fɔ:'tju:itəs], *adj.* fortuito, eventual, casual. (*Sin.* casual, accidental, contingent. *Ant.* designed.)
fortuitously [-li], *adv.* fortuitamente, casualmente, por acaso.
fortuitousness [-nis], *s.* casualidade, acaso.
fortuity (*pl.* **fortuities**) [fɔ:'tju:iti, -iz], *s.* casualidade, acaso, caso fortuito, acidente.
fortunate ['fɔ:tʃnit], *adj.* afortunado, favorecido pela sorte; feliz, ditoso, venturoso.
born under a fortunate star — nascido com boa estrela.
to be fortunate in — ter sorte com.
fortunately [-li], *adv.* afortunadamente; felizmente.
Fortunatus [fɔ:tju(:)'neitəs], *n. p.* Fortunato.
fortune ['fɔ:tʃən], *s.* fortuna, sorte, ventura; destino, sina; fortuna, riqueza. (*Sin.* chance, fate, luck, destiny, property, riches, possession, wealth.)
by good fortune — por sorte.
by a turn of fortune's wheel — por uma reviravolta da sorte.
to come into a fortune — receber uma grande herança.
to tell a person's fortune — ler a sina.
to try one's fortune — tentar fortuna.
to make a fortune — fazer fortuna.
***fortune-hunter* — caçador de heranças; o que anda à procura de mulher rica.**
***fortune-telling* — leitura de sina.**
***to marry a fortune* — casar com uma herdeira rica; casar rico.**
fortuneless [-lis], *adj.* sem fortuna, sem bens.
forty ['fɔ:ti], *s.* e *num.* quarenta.
forty winks (col.) — sesta.
the forties — os anos entre 39 e 50
forum ['fɔ:rəm], *s.* foro, tribunal.
forward ['fɔ:wəd], **1** — *s.* (fut.) avançado
***centre-forward* — (desp.) avançado-centro.**
2 — *adj.* adiantado; precoce; temporão; prematuro; apressado, activo, vivo; audaz, empreendedor; atrevido; futuro; presumido.
he is always forward to help — ele está sempre pronto a ajudar.
3 — *vt.* expedir, enviar; fazer seguir, despachar; transmitir; activar, fazer progredir; proteger; promover.
to forward goods — expedir mercadorias.
4 — *adv.* para diante, para a frente.
from this time forward — de hoje em diante.
to go forward — avançar.
to set a clock forward — adiantar um relogio.
to put oneself forward — evidenciar-se, salientar-se.
to look forward — pensar no futuro.
to look forward to — aguardar com prazer antecipado; ansiar por.
forwarder [-ə], *s.* agente de transportes; expedidor, remetente; fomentador.
forwarding [-iŋ], *s.* expedição; envio, remessa.
forwardly [-li], *adv.* prontamente; apressadamente; descaradamente, atrevidamente.
forwardness [-nis], *s.* adiantamento; progresso; prontidão; descaramento; precocidade.
forwards [-z], *adv.* adiante; para diante, para a frente.
to walk backwards and forwards — andar para trás e para diante.
forwent [fɔ:'went], *pret.* do verbo **to forgo.**
fossa (*pl.* **fossae**) ['fɔsə, -i:], *s.* (anat.) fossa, depressão ou cavidade orgânica.
fosse [fɔs], *s.* fosso, vala.
fossil ['fɔsl], 1 — *s.* fóssil.
2 — *adj.* antiquado.
fossilization [fɔsilai'zeiʃən], *s.* fossilização.
fossilize ['fɔsilaiz], *vt.* e *vi.* fossilizar, petrificar; tornar fóssil; fossilizar-se, petrificar-se.

foster ['fɔstə], **1** — *s.* alimentação.
foster-brother — irmão de leite; irmão colaço.
foster-child — criança amamentada por ama.
foster-father — pai adoptivo.
foster-mother, mãe adoptiva; ama de leite.
2 — *vt.* criar; nutrir; encorajar, alentar; alimentar (no espírito); incitar.
to foster a desire for revenge — alimentar o desejo de vingança.
fosterage [-ridʒ], *s.* criação duma criança alheia; dinheiro devido pela amamentação.
fosterer [-rə], *s.* mulher que cria uma criança alheia; pessoa que fomenta qualquer coisa; protector.
fostering [-riŋ], **1** — *s.* protecção; amparo; concepção (de plano); apoio.
2 — *adj.* favorável; propício; protector.
fosterling [-liŋ], *s.* criança amamentada por ama; filho adoptivo.
fought [fɔ:t], *pret.* e *pp.* do verbo **to fight.**
foul [faul], **1** — *s.* violação das regras estabelecidas (nos jogos ou concursos); jogo desleal; falta, penalidade (jogo); choque.
through fair and foul — na prosperidade e na adversidade.
2 — *adj.* sujo, porco, asqueroso; imundo, impuro; viciado (ar); obsceno, hediondo; abominável, vil, grosseiro; desagradável; criminoso, mau; obstruído, entupido (cano, bomba); chuvoso, tempestuoso; que não satisfaz; desleal. (*Sin.* nasty, dirty, impure, filthy, defiled, unfair, dishonourable, cloudy, shameful. *Ant.* clean, fair, fine.)
foul breath — mau hálito.
foul deed — acção infame.
foul language — linguagem obscena.
foul play — traição, má fé; velhacaria; deslealdade.
by fair means or foul — a bem ou a mal.
he met with foul play — foi vítima duma emboscada.
3 — *vt.* e *vi.* sujar, manchar, poluir; desonrar; entupir; encravar; abalroar; violar as regras estabelecidas.
4 — *adv.* de modo desleal.
to run foul — abalroar.
to play somebody foul — tratar alguém com deslealdade.
foulard ['fulɑ:], *s.* tecido de seda leve; lenço de seda.
fouling ['fauliŋ], *s.* abalroamento; obstrução; encrustações.
foully ['fauli], *adv.* asquerosamente; vergonhosamente; porcamente; criminosamente.
foulness ['faulnis], *s.* imundície; impureza; torpeza, ignomínia; entupimento.
foumart ['fumɑ:t], *s.* doninha.
found [faund], **1** — *pret.* e *pp.* do verbo **to find.**
2 — *vt.* fundar, estabelecer; basear; edificar, cimentar; instituir; assentar, fixar; fundir, derreter. (*Sin.* to establish, to start, to institute, to plant, to originate, to root, to ground, to melt. *Ant.* to subvert.)
to found a scholarship — criar uma bolsa de estudo.
foundation [faun'deiʃən], *s.* fundação, origem; alicerce; estabelecimento; princípio, base, fundamento; apoio; doação para fundar uma escola, hospital, etc.
foundation-school — escola subvencionada.
foundation-stone — a primeira pedra.
to lay the foundation-stone — assentar (colocar) a primeira pedra.
foundationer [faun'deiʃnə], *s.* pessoa subsidiada.
founder ['faundə], **1** — *s.* fundador; criador; fundidor; inflamação no entrecasco do cavalo.
2 — *vt.* e *vi.* afundar, ir a pique, afundar-se; tropicar, tropeçar; desmoronar-se; atolar-se.
foundering [-riŋ], *s.* acto de ir a pique; afundamento; derrocada.
foundling ['faundliŋ], *s.* criança abandonada; enjeitado.
foundling hospital — roda; hospício de expostos.
foundress ['faundris], *s.* fundadora.
foundry (*pl.* **foundries**) ['faundri, -iz], *s.* fundição.
foundry work — fábrica de fundição.
fount [faunt], *s.* (poét.) fonte, nascente; origem; sortido de caracteres tipográficos; reservatório de tinta em caneta.
fountain ['fauntin], *s.* fonte, nascente, manancial; chafariz; fontenário; repuxo; princípio, origem.
fountain-head — manancial; nascente.
fountain-pen — caneta de tinta permanente.
fountain-play — jogo de águas.
four [fɔ:], *s.* e *num.* quatro.
four-cycle — a quatro tempos (motor).
four eyes (col.) — caixa de óculos; pessoa que usa óculos.
four-footed — quadrúpede.
four-poster — cama antiga de quatro colunas.
four-wheeler — carro de quatro rodas.
four-wheeled — de quatro rodas.
form fours! (mil.) — formar a quatro!
to go on all fours — andar de gatas.
the four corners of the earth — os confins do mundo; as sete partidas do mundo.
fourfold [-fould], *adj.* e *adv.* quádruplo; quatro vezes mais.
fourscore ['fɔ:'skɔ:], *adj.* octogenário.
foursome ['fɔ:səm], *s.* jogo de golfe entre dois pares; aos quatro.
fourteen ['fɔ:'ti:n], *s.* e *num.* catorze.
fourteenth [-θ], *s.* e *num.* décimo quarto.
fourteenthly [-θli], *adv.* em décimo quarto lugar.
fourth [fɔ:θ], *s.* e *num.* quarto; quarta parte.
fourth speed (aut.) — quarta velocidade.
the fourth estate — a imprensa periódica; jornalismo.
fourthly [-li], *adv.* em quarto lugar.
fowl [faul], **1** — *s.* ave doméstica; galo, galinha; ave de capoeira, criação.
fowl-house — capoeira.
roast fowl — galinha assada.
to keep fowls — ter galinhas.
2 — *vi.* caçar aves bravas.
fowler [-ə], *s.* caçador de aves bravas.
fowling [-iŋ], *s.* caça de aves bravas.
fowling-gun — espingarda caçadeira.
fowling-net — rede de caçar pássaros.
fox [fɔks], **1** — *s.* raposa; velhaco; pessoa matreira; caloiro; (náut.) mialhar, gacheta; carneiro (constelação).
fox and geese — jogo praticado a bordo entre dois parceiros.
fox-brush — cauda da raposa.
fox-earth — toca da raposa.
fox-hole — (mil.) abrigo subterrâneo; toca da raposa.
fox-trot — dança americana.
fox-glove — (bot.) dedaleira, digital.
fox-trap — armadilha para apanhar raposas.
fox-hunting — caça à raposa.
fox-wood — madeira carunchosa.
she plays the fox — ela é manhosa.
2 — *vt.* e *vi.* burlar; enganar; proceder ardilosamente; manchar; descolorar-se.
foxed [-t], *adj.* com manchas; desbotado; azedo; carunchento; desorientado.
foxiness [-inis], *s.* astúcia, manha, ardil; velhacaria; acidez; descoloração.

foxy [-i], *adj.* astuto; manhoso, velhaco; que tem qualidades da raposa; azedo; manchado; descolorado. (*Sin.* wily, artful, cunning, sly, crafty, sour. *Ant.* artless.)
foyer ['fɔiei], *s.* sala de fumo (de teatro).
fracas ['frækɑ:], *s.* desordem, rixa.
fraction ['frækʃən], *s.* fracção, fragmento, porção.
he escaped by the fraction of an inch — ele escapou por um triz.
fractional [-l], *adj.* fraccionário.
fractionally [-li], *adv.* por fracções.
fractionary [-əri], *adj.* fraccionário; fragmentário.
fractious ['frækʃəs], *adj.* richoso, brigão; irascível; intratável.
fractiously [-li], *adv.* de modo bulhento; com mau humor.
fractiousness [-nis], *s.* carácter bulhento; irascibilidade; rebeldia.
fracture ['fræktʃə], **1** — *s.* fractura; rotura; rompimento.
2 — *vt.* fracturar, quebrar, partir; estalar.
fragile ['frædʒail], *adj.* frágil, quebradiço; débil, fraco; efémero.
fragilely [-li], *adv.* fragilmente.
fragility [frə'dʒiliti], *s.* fragilidade.
fragment ['frægmənt], **1** — *s.* fragmento; estilhaço; extracto.
2 — *vt.* fragmentar.
fragmentary [-əri], *adj.* fragmentário; incompleto.
fragrance ['freigrəns], *s.* fragrância, aroma, perfume. (*Sin.* perfume, aroma, odour.)
fragrant ['freigrənt], *adj.* fragrante, aromático, perfumado, odorífero.
frail [freil], **1** — *s.* canastra, cesta (para fruta).
2 — *adj.* frágil, quebradiço; débil; efémero.
frailty (*pl.* **frailties**) ['freilti, -iz], *s.* fragilidade; fraqueza, debilidade; culpa.
frame [freim], **1** — *s.* estrutura; armação, construção, esqueleto; composição; caixilho, moldura; forma; disposição de espírito; bastidor; quadro (de bicicleta); ossada; cavername; (aut.) chassis; (cin.) imagem; baliza.
frame-saw — serrote de arco.
frame-bridge — ponte de madeira.
in a happy frame of mind — com boa disposição de espírito.
2 — *vt.* e *vi.* formar, construir, fabricar; compor, armar, ajustar; inventar; traçar; conceber, imaginar, idear; regular, arranjar; encaixilhar; articular (palavras); encavernar; adaptar; elaborar; desenvolver-se.
our plans are framing well — os nossos planos estão a correr bem.
to frame a sentence — construir uma frase.
framer [-ə], *s.* criador, autor; fabricante de moldes.
framework [-wə:k], *s.* armação; cavername.
the framework of society — a organização da sociedade.
framing [-iŋ], *s.* esboço; concepção; suportes; armação.
franc [fræŋk], *s.* franco (moeda francesa, suíça e belga).
France [frɑ:ns], *top.* França.
Frances ['frɑ:nsis], *n. p.* Francisca.
franchise ['fræntʃaiz], *s.* direito de voto; isenção; privilégio; direitos civis; concessão.
Francis ['frɑ:nsis], *n. p.* Francisco.
Franciscan [fræn'siskən], *s.* e *adj.* franciscano.
Francisco [fræn'siskou], *n. p.* Francisco.
francize ['frænsaiz], *vt.* afrancesar.
frangible ['frændʒibl], *adj.* frangível; frágil.
frank [fræŋk], **1** — *s.* sobrescrito franqueado.
2 — *adj.* franco, sincero, aberto; ingénuo, cândido; liberal; simples. (*Sin.* honest, sincere, open, outspoken, candid, ingenuous, artless. *Ant.* close, insincere.)
to be frank with somebody — ser franco com alguém.
3 — *vt.* franquear; transportar gratuitamente; desimpedir o caminho a.
Frankenstein ['fræŋkənʃtain], *s.* pessoa íntima do seu próprio trabalho; invento prejudicial ao autor.
Frankenstein's monster — invento prejudicial ao autor.
frankincense ['fræŋkinsens], *s.* incenso.
franklin ['fræŋklin], *s.* rendeiro livre (no tempo do feudalismo).
frankly ['fræŋkli], *adv.* francamente.
frankness ['fræŋknis], *s.* franqueza, sinceridade; candura; liberalidade; ingenuidade.
frantic ['fræntik], *adj.* frenético; furioso; agitado.
he is frantic with joy — ele está doido de alegria.
to drive somebody frantic—fazer desesperar.
frantically [-əli], *adv.* freneticamente; furiosamente.
fraternal [frə'tə:nl], *adj.* fraternal.
fraternity (*pl.* **fraternities**) [frə'tə:niti, -iz], *s.* fraternidade; irmandade; congregação; sociedade, grémio.
fraternization [frætənai'zeiʃən], *s.* fraternização.
fraternize ['frætənaiz], *vi.* fraternizar.
fratricidal [freitri'saidl], *adj.* fratricida.
fratricide ['freitrisaid], *s.* fratricida; fratricídio.
fraud [frɔ:d], *s.* fraude, dolo, engano, logro; estratagema; impostor; aquilo que decepciona.
fraudulence ['frɔ:djuləns], *s.* fraudulência; fraude, logro.
fraudulent ['frɔ:djulənt], *adj.* fraudulento.
fraudulently [-li], *adv.* fraudulentamente.
fraught [frɔ:t], *adj.* carregado; cheio, atestado.
fraught with — cheio de.
fray [frei], **1** — *s.* rixa, refrega, luta, conflito; lugar puído (no pano).
2 — *vt.* e *vi.* roçar-se (o pano); desgastar-se; puir; friccionar.
frayed [-d], *adj.* coçado, gasto.
frazil ['freizil], *s.* (E. U. e Canadá) gelo no leito dum rio.
freak [fri:k], *s.* capricho, veleidade, fantasia; extravagância, excentricidade; embrulhada.
out of mere freak — por simples capricho.
freakish [-iʃ], *adj.* caprichoso, extravagante, excêntrico. (*Sin.* fanciful, whimsical, odd, capricious. *Ant.* consistent.)
freakishly [-iʃli], *adv.* caprichosamente.
freakishness [-iʃnis], *s.* carácter caprichoso, capricho; singularidade, extravagância.
freckle ['frekl], **1** — *s.* sarda.
2 — *vt.* e *vi.* cobrir de sardas; tornar-se sardento.
freckled [-d], *adj.* sardento.
freckly [-i], *adj.* sardento.
Frederic(k) ['fredrik], *n. p.* Frederico.
Frederica [fredə'ri:kə], *n. p.* Frederica.
free [fri:], **1** — *adj.* livre, liberto; independente; emancipado; desembaraçado; autónomo; desocupado, vago; folgado; franco; imune; dispensado; permitido; voluntário; gratuito, grátis; vivo, activo; atrevido; acessível; privilegiado; público; liberal, generoso.
free and easy — à vontade.
free-lance — jornalista independente.
free-spoken — franco; habituado a falar sem reserva.
free-trade — comércio livre.
free on board — posto a bordo livre de encargos.

free of charge — **grátis; gratuito.**
free port — porto franco.
free cost — livre de despesas.
free goods — mercadorias isentas de taxas.
free admission — entrada livre.
free-handed — liberal, generoso.
free-hearted — franco, aberto.
free labour — trabalho livre.
free from — isento de.
free school — escola gratuita.
free will — livre arbítrio.
free-hand drawing — desenho à mão livre.
I gave a free hand to my wife — dei carta branca à minha mulher.
to be free of someone's house — ter entrada livre na casa de alguém.
to be free with one's money — ser gastador.
to set free — pôr em liberdade.
to make free with — tratar sem cerimónia; usar de demasiada liberdade para com.
to have a free hand — ter pulso livre.
2 — *vt.* livrar, libertar; isentar; desembaraçar; desentupir; (náut.) esgotar.
3 — *adv.* gratuitamente.
freebooter [-bu:tə], *s.* flibusteiro.
freebooting [-bu:tiŋ], *s.* pilhagem, pirataria.
freedom ['fri:dəm], *s.* liberdade; independência; isenção; imunidade; licença; familiaridade; atrevimento; desregramento; facilidade. (*Sin.* liberty, independence, emancipation, immunity, familiarity, informality, looseness. *Ant.* slavery, formality.)
he gave me the freedom of his house — pôs a sua casa à minha disposição.
to take (use) freedoms with somebody — tomar confiança demasiada com; ter muita familiaridade com.
freehold ['fri:hould], *s.* propriedade livre e alodial.
freeholder [-ə], *s.* proprietário de terra livre e alodial.
freeing ['fri:iŋ], *s.* libertação; desentupimento.
freely ['fri:li], *adv.* livremente; voluntariamente; familiarmente; grátis; à vontade.
freeman (*pl.* **freemen**) ['fri:mən,-mən], *s.* homem livre, cidadão.
freemason ['fri:meisn], *s.* mação.
freemasonry ['fri:meisnri], *s.* maçonaria.
freestone ['fri:stoun], *s.* grés.
freeze [fri:z], **1** — *s.* gelo.
2 — *vt.* e *vi.* (*pret.* **froze** [frouz], *pp.* **frozen** [frouzn]) gelar; congelar; tremer de frio, estar com muito frio; ficar imóvel. (*Sin.* to chill, to congeal, to solidify. *Ant.* to melt.)
to freeze one's blood — aterrorizar; fazer gelar o sangue nas veias.
to freeze to death — morrer de frio.
freezer [fri:zə], *s.* congelador; geladeira; frigorífico.
freezing [-iŋ], **1** — *s.* congelação.
2 — *adj.* glacial; que congela.
freezing-point — ponto de congelação.
freight [freit], **1** — *s.* frete; transporte de mercadorias.
freight car — vagão de mercadorias.
outward freight — frete de saída.
homeward freight — frete de retorno.
2 — *vt.* fretar; carregar um barco.
freightage [-idʒ], *s.* fretamento, frete.
freighter [-ə], *s.* fretador; navio de carga.
freighting [-iŋ], *s.* fretagem.
French [frentʃ], *s.* e *adj.* a língua francesa; francês.
French bean — feijão verde.
French chalk — talco; giz de alfaiate.
French-roof — mansarda.
French polishing — envernizamento.
French window — porta de sacada envidraçada.
the French — os Franceses.
to take French leave — despedir-se à francesa.
Frenchified ['frentʃifaid], *adj.* afrancesado.
Frenchify ['frentʃifai], *vt.* afrancesar.
Frenchman (*pl.* **Frenchmen**) ['frentʃmən, -mən], *s.* francês.
Frenchwoman (*pl.* **Frenchwomen**) ['frentʃ-wumən,-wimin], *s.* francesa.
Frenchy ['frentʃi], *adj.* afrancesado.
frenzied ['frenzid], *adj.* frenético; furioso; agitado.
frenzy ['frenzi], **1** — *s.* (*pl.* **frenzies** [-iz]) frenesim; furor; delírio.
2 — *vt.* causar frenesim; enfurecer.
frequency (*pl.* **frequencies**) ['fri:kwənsi,-iz], *s.* frequência.
frequent **1** — ['fri:kwənt], *adj.* frequente; abundante; habitual.
2 — [fri'kwent], *vt.* frequentar.
frequentation [fri:kwen'teiʃən], *s.* frequentação.
frequentative [fri'kwentətiv], **1** — *s.* verbo frequentativo.
2 — *adj.* frequentativo.
frequenter [fri'kwentə], *s.* frequentador.
frequently ['fri:kwəntli], *adv.* frequentemente.
fresco (*pl.* **frescos, frescoes**) ['freskou,-z], **1** — *s.* pintura a fresco, fresco.
2 — *vt.* pintar a fresco.
fresh [freʃ], **1** — *s.* aragem fresca; frescura; enxurrada; corrente de água; (col.) caloiro.
2 — *adj.* fresco, novo; viçoso; recente, recém-chegado; refrigerante; puro; são, robusto, forte; vivo; noviço, novato, inexperiente; verde (legumes); moderno; (E. U.) presumido; atrevido.
fresh butter — manteiga sem sal.
fresh eggs — ovos frescos.
fresh air — ar puro, fresco.
fresh flowers — flores viçosas.
a fresh hand — pessoa inexperiente.
as fresh as paint — fresco como uma alface.
in the fresh air — ao ar livre.
fresh paint — pintado de fresco.
fresh water — água doce.
he is fresh from Lisbon — ele acaba de chegar de Lisboa.
to break fresh ground — iniciar qualquer coisa de novo.
3 — *adv.* frescamente; recentemente; de fresco.
fresh-blown — flor recém-aberta.
fresh-caught — acabado de apanhar.
freshen ['freʃn], *vt.* e *vi.* refrescar, refrigerar; tirar o sal; refrescar-se, vigorizar-se, tornar-se vigoroso; avivar-se.
fresher ['freʃə], *s.* caloiro.
freshet ['freʃit], *s.* cheia, inundação súbita; corrente de água doce.
freshly ['freʃli], *adv.* frescamente; recentemente.
freshman (*pl.* **freshmen**) ['freʃmən,-mən], *s.* primeiranista (da Universidade), caloiro.
freshness ['freʃnis], *s.* frescura; frescor; vigor; vivacidade; inexperiência; ingenuidade; (E. U.) atrevimento.
freshwater ['freʃwɔ:tə] *adj.* de água doce.
fret [fret], **1** — *s.* fricção, desgaste; irritação, agitação; arrelia; realce; grega; trasto (de guitarra, etc.).
2 — *vt.* e *vi.* (*pret.* e *pp.* **fretted**) friccionar, esfregar; desgastar, corroer; enfeitar com trabalhos em relevo; irritar; impacientar-se, afligir-se, arreliar-se; ferver; variegar. (*Sin.* to rub, to abrade, to corrode, to worry, to fume, to annoy, to vex, to irritate. *Ant.* to pacify.)
this child is fretting for its mother — esta criança está a choramingar pela mãe.

fretful [-ful], *adj.* irritável, impertinente; mal-humorado, zangado, impaciente, aborrecido; agitado (rio). (*Sin.* irritable, peevish, cross, petulant. *Ant.* genial.)
fretfully [-fuli], *adv.* de mau humor, impertinentemente.
fretfulness [-fulnis], *s.* mau humor, irritação, impertinência.
fretsaw [-sɔ:], *s.* serra fina para trabalho de ornamentação com madeira fina.
fretting [-iŋ], *s.* irritação, impertinência; corrosão; ornamentação.
fretwork [-wə:k], *s.* obra de talha.
friability [fraiə'biliti], *s.* friabilidade, qualidade do que é friável.
friable ['fraiəbl], *adj.* friável, quebradiço; que se esboroa facilmente.
friar ['fraiə], *s.* frade.
Austin Friar — frade agostinho.
Black Friar — frade dominicano.
Grey Friar — frade franciscano.
White Friar — frade carmelita.
friary (*pl.* **friaries**) [-ri,-iz], *s.* convento de frades.
fribble ['fribl], **1** — *s.* frivolidade; pessoa frívola.
2 — *vi.* brincar, divertir-se com frivolidades.
fricandeau ['frikəndou], *s.* fricandó.
fricassee [frikə'si:] **1** — *s.* fricassé.
2 — *vt.* fazer fricassé.
fricative ['frikətiv], **1** — *s.* consoante fricativa.
2 — *adj.* fricativo.
friction ['frikʃən], *s.* fricção, atrito; desgaste; desacordo.
frictional [-l], *adj.* produzido por fricção.
frictional resistance — resistência de fricção.
frictionally [-li] *adv.* por meio de fricção.
Friday ['fraidi], *s.* sexta-feira.
Black Friday — dia aziago.
Good Friday — Sexta-Feira Santa.
fried [fraid], *pret.* e *pp.* do verbo **to fry.**
friend [frend], **1** — *s.* amigo; companheiro; correligionário; testemunha (em duelos); protector; membro da Sociedade dos Amigos (*Quakers*).
a friend in need is a friend indeed — os amigos certos conhecem-se nas ocasiões.
bosom-friend — amigo íntimo.
business friend (com.) — correspondente.
pen-friend — pessoa, geralmente estrangeira, com quem nos correspondemos.
to be friends with — ser amigo de.
to have a friend at court — ter um amigo influente.
to make friends — fazer as pazes; reconciliar-se.
to make friends with — contrair amizade com alguém.
2 — *vt.* (poét.) auxiliar, proteger.
friendless [-lis], *adj.* sem amigos, desamparado, desvalido.
friendlessness [-lisnis], *s.* desamparo; falta de amigos.
friendliness [-linis], *s.* amizade; simpatia; benevolência.
friendly [-li], **1** — *adj.* amigo; amigável, amistoso; prestável; propício; benévolo; favorável; amável.
a friendly match — um desafio amigável.
Friendly Society — Associação de Socorros Mútuos.
in a friendly way — como amigo.
to be on friendly terms with — estar em boas relações com.
2 — *adv.* amigavelmente.
friendship ['frendʃip], *s.* amizade, afeição; benevolência. (*Sin.* amity, affection, kindliness, fondness. *Ant.* hostility.)
frieze [fri:z], *s.* frisa, pano, ratina; friso; moldura.
frigate ['frigit], *s.* fragata.
frigate-bird — fragata (ave de rapina).
fright [frait], **1** — *s.* susto, medo; (col.) pessoa feia, ridícula.
to get a fright — apanhar um susto.
to give someone a fright — meter um susto a alguém.
to take fright at — ter medo de.
2 — *vt.* (poét.) assustar.
frighten ['fraitn], *vt.* assustar, amedrontar; espantar; aterrorizar. (*Sin.* to scare, to alarm, to terrify, to dismay. *Ant.* to reassure.)
to frighten away — afugentar.
to be frightened out of one's wits — perder a cabeça.
he frightened me into writing the letter — obrigou-me a escrever a carta.
frightened [-d] *adj.* assustado, amedrontado; aterrorizado.
frightful ['fraitful], *adj.* medonho, espantoso, terrível, horrendo, pavoroso; feio.
frightfully [-i], *adv.* terrivelmente; espantosamente.
frightfulness [-nis], *s.* horror, medo, susto, espanto; atrocidade.
frigid ['fridʒid], *adj.* frígido, glacial; indiferente, frio; insípido.
frigidity [fri'dʒiditi], *s.* frieza, frialdade; frigidez, indiferença; insipidez.
frigidly ['fridʒidli], *adv.* frigidamente.
frigidness ['fridʒidnis], *s.* frialdade, frieza.
frill [fril], **1** — *s.* enfeite de vestido de senhora; folho; *pl.* afectação; arrebiques, floreados.
2 — *vt.* preguear.
frilly ['frili], *adj.* franzido, pregueado.
fringe [frindʒ], **1** — *s.* franja; orla; guarnição; recorte (da costa).
2 — *vt.* franjar, pôr franjas; orlar; debruar.
fringeless [-lis], *adj.* sem franjas.
fringy [-i], *adj.* com franjas, franjado; semelhante a franja.
frippery (*pl.* **fripperies**) ['fripəri,-iz], *s.* coisas velhas e sem valor; ninharias; adornos ridículos.
frisk [frisk], **1** — *s.* salto, pulo, cabriola; brincadeira.
2 — *vt.* e *vi.* saltar, pular; brincar, dar pulos.
frisket [-it], *s.* frasqueta de imprensa.
friskily ['friskili], *adv.* alegremente.
friskiness ['friskinis], *s.* folia, brincadeira, folguedo; alegria; vivacidade.
frisky ['friski], *adj.* alegre, brincalhão; vivo, travesso; saltador, fogoso. (*Sin.* sportive, playful, lively, gay, frolicsome. *Ant.* sedate.)
frit [frit], **1** — *s.* frita, cozimento dos ingredientes de que se faz o vidro.
2 — *vt.* derreter frita para fazer vidro.
frith [friθ], *s.* enseada, estuário.
fritter ['fritə], **1** — *s.* fritos, fritura.
2 — *vt.* cortar em pedaços; desperdiçar.
Fritz [frits], *s.* nome genérico do alemão.
frivol ['frivəl], *vt.* e *vi.* (*pret.* e *pp.* **frivolled**) dizer ou fazer coisas inúteis; desperdiçar tempo ou dinheiro.
frivolity (*pl.* **frivolities**) [fri'vɔliti,-iz], *s.* frivolidade, futilidade.
frivolous ['frivələs], *adj.* frívolo, fútil, vão, inútil. (*Sin.* trifling, trivial, futile, silly. *Ant.* serious.)
frivolously [-li], *adv.* frivolamente; futilmente.
frivolousness [-nis], *s.* frivolidade, futilidade.
friz(z) [friz], **1** — *s.* frizado; anel de cabelo; cabelo ondulado.
2 — *vt.* encaracolar, frisar.

frizz [friz], *vi.* crepitar, produzir um som semelhante ao sal lançado ao lume ou a fritar.
frizzle [-l], **1** — *s.* frisado; anel de cabelo.
2 — *vt.* e *vi.* frisar, encaracolar; fritar, frigir.
frizzly, frizzy [-li,-i], *adj.* encaracolado, frisado, encrespado.
fro [frou], *adv.* atrás; para trás de.
to and fro — dum lado para o outro.
frock [frɔk] **1** — *s.* vestido (de senhora ou de criança); hábito de frade; blusa de operário; sobrecasaca.
frock-coat — sobrecasaca.
2 — *vt.* ordenar; professar.
frog [frɔg], *s.* rã; ranilha do cavalo; alamar; porta-espada; desvio (nas vias-férreas); epíteto dado aos franceses.
a frog in the throat — rouquidão.
froggy [-i], **1** — *s.* (*pl.* **froggies**) rã; (col.) francês.
2 — *adj.* abundante em rãs.
frog-march [frɔ-ma:tʃ], **1** — *s.* transporte de um preso à força, segurando-o, com a face para baixo, pelos braços e pelas pernas.
2 — *vt.* levar um preso à força, segurando-o, com a face para baixo, pelos braços e pelas pernas.
frolic ['frɔlik], **1**—*s.* brincadeira, divertimento.
2 — *adj.* folgazão, brincalhão.
3 — *vi.* (*pret.* e *pp.* **frolicked** [-t]) folgar, brincar; fazer travessuras.
frolicsome [-səm], *adj.* brincalhão, travesso, folgazão. (*Sin.* frisky, sportive, gay, playful. *Ant.* sedate.)
frolicsomeness [-səmnis], *s.* alegria, brincadeira, travessura.
from [frɔm], *prep.* de; desde; da parte de; por, por causa de; conforme; sobre, acerca de; longe de; segundo; em consequência de.
from above — do alto, de cima.
from top to toe — dos pés à cabeça.
from time to time — de tempos a tempos.
from bad to worse — de mal a pior.
from afar — de longe.
to paint from nature — pintar ao vivo, ao natural.
from a friend — da parte dum amigo.
from that point of view — desse ponto de vista.
frond [frɔnd], *s.* fronde.
frondage [-idʒ], *s.* folhagem.
frondescence [frɔn'desəns], *s.* frondescência.
frondescent [frɔn'desənt], *adj.* frondescente.
front [frʌnt], **1** — *s.* frente, fachada, frontispício; frente, área de combate; (poét.) fronte; atrevimento.
in front of — em frente de.
to come to the front — tornar-se notável.
to go to the front — juntar-se às tropas em campanha.
to put (to show) a bold front on (of) — defrontar qualquer situação sem receio.
to have the front to — ser bastante descarado para.
2 — *adj.* anterior, dianteiro; fronteiro; da frente.
front page — primeira página (dum jornal).
3 — *vt.* e *vi.* fazer frente; estar à frente ou em frente; olhar de frente, encarar; afrontar.
frontage [-idʒ], *s.* frontaria; extensão duma frente; vista.
frontal [-l], **1**—*s.* frontal; osso frontal; frontaria.
2 — *adj.* frontal.
frontier ['frʌntjə], **1** — *s.* fronteira, limite, raia. (*Sin.* border, boundary, limit, confine.)
2 — *adj.* fronteiro.
frontispiece ['frʌntispi:s], *s.* frontispício; fachada; (col.) rosto.
frontless ['frʌntlis], *adj.* sem frente; descarado.
frontlet ['frʌntlit], *s.* fita usada na testa.
frost [frɔst], **1** — *s.* geada; frio intenso; (fig.) desânimo; (col.) fracasso.
frost-bite — gangrena causada pelo frio intenso.
Jack Frost — o frio (personificação).
the play turned out a frost—a peça foi um fiasco.
2 — *vt.* e *vi.* cobrir de geada; gelar; queimar com frio; cobrir um bolo com açúcar.
frosted [-id] *adj.* gelado; queimado pela geada.
frosted-glass — vidro fosco.
frosted hair — cabelo branco.
frostily [-ili], *adv.* com muito frio.
frostiness [-inis], *s.* frio excessivo; ambiente pouco acolhedor.
frosting [-iŋ], *s.* claras de ovos batidas com açúcar para cobrir bolos; camada de geada nos vidros das janelas.
frosty [-i], *adj.* gelado, glacial; frio, indiferente; encanecido. (*Sin.* cold, chilly, frigid, icy, freezing. *Ant.* warm.)
froth [frɔθ], **1** — *s.* espuma; palavras fúteis; conversa vã; futilidades.
2 — *vt.* e *vi.* espumar; fazer espuma.
beer froths in the glass — a cerveja espuma no copo.
to froth at the mouth — deitar espuma pela boca.
frothiness [-inis], *s.* espumosidade; frivolidade.
frothy [-i], *adj.* espumoso; frívolo, fútil, vão.
frou-frou ['fru:fru:], *s.* frufru, rumor de folhas ou vestidos.
froward ['frouəd], *adj.* intratável, indócil, refractário; teimoso.
frown [fraun], **1** — *s.* franzimento das sobrancelhas; olhar carrancudo.
2 — *vi.* franzir as sobrancelhas; mostrar-se carrancudo; olhar com desdém.
to frown on (upon) — desaprovar.
frowning [-iŋ], **1** — *s.* olhar carrancudo.
2 — *adj.* carrancudo, trombudo; sombrio.
frowningly [-iŋli], *adv.* de modo carrancudo.
frowst [fraust], **1** — *s.* cheiro a mofo; ar abafado (num quarto).
2 — *vi.* cheirar a mofo; estar num quarto com ar abafado.
frowsty [-i], *adj.* bafiento, que cheira a mofo.
frowsy, frowzy ['frauzi], *adj.* fétido; mofento, bolorento; desalinhado, despenteado.
frowziness [-nis], *s.* mau cheiro; má ventilação; desalinho, desordem.
froze [frouz], *pret.* do verbo **to freeze.**
frozen [-n[, *pp.* do verbo **to freeze.**
fructiferous [frʌk'tifərəs], *adj.* frutífero.
fructification [frʌktifi'keiʃən], *s.* frutificação.
fructify ['frʌktifai], *vt.* e *vi.* frutificar, dar frutos; fertilizar, fecundar.
fructose ['frʌktous], *s.* frutose.
frugal ['fru:gəl], *adj.* frugal, económico, sóbrio, parcimonioso.
he is frugal of his money — ele não desperdiça o dinheiro.
frugality [fru(:)'gæliti] *s.* frugalidade; parcimónia. (*Sin.* economy, thrift, parsimony, care. *Ant.* extravagance.)
frugally ['fru:gəli], *adv.* frugalmente; solidamente.
fruit [fru:t], **1** — *s.* fruto; fruta; produto, proveito; resultado, utilidade; recompensa.
fruit-tree — árvore de fruto.
fruit-salad — salada de fruta.
fruit-sugar — glucose; levulose; frutose.
fruit-farming — fruticultura.
dried fruit — fruta seca.
stone fruit — fruta de caroço.
preserved fruit — compota de fruta.

fruit-cake — **torta de frutas.**
to feed on fruit — sustentar-se de fruta.
stewed fruit — fruta cozida.
2 — *vt.* e *vi.* frutificar, dar frutos.
fruitage ['fru:tidʒ], *s.* frutos; frutificação.
fruitarian [fru:'tɛəriən], *s.* frutívoro.
fruiter ['fru:tə], *s.* árvore frutífera; fruticultor; navio que carrega fruta.
fruiterer ['fru:tərə], *s.* fruteiro, negociante de fruta.
fruitful ['fru:tful], *adj.* frutífero, que dá frutos; fértil, fecundo; proveitoso, rendoso. *(Sin.* fertile, productive, rich. *Ant.* barren.)
fruitfully [-i], *adv.* fertilmente; frutuosamente; rendosamente.
fruitfulness [-nis], *s.* fertilidade, fecundidade.
fruition [fru(:)'iʃən], *s.* fruição; gozo; posse; realização de desejos.
to come to fruition — realizar-se.
fruitless ['fru:tlis], *adj.* sem fruto, infrutífero, estéril; vão.
fruitlessly [-li], *adv.* infrutiferamente, vãmente, inutilmente.
fruitlessness [-nis], *s.* esterilidade; inutilidade.
fruity ['fru:ti], *adj.* de sabor ou cheiro a fruta; (vinho) que sabe a uva; (col.) escabroso.
frumentaceous [fru:men'teiʃəs], *adj.* frumentáceo, semelhante a cereais.
frumenty ['fru:mənti], *s.* manjar de trigo.
frump [frʌmp], *s.* mulher mal vestida e desalinhada.
frumpish, frumpy [-iʃ,-i], *adj.* desalinhada, mal arranjada; rabujenta.
frustrate [frʌs'treit], *vt.* frustrar; baldar; inutilizar; malograr; desapontar; iludir a expectativa; malograr-se.
frustration [frʌs'treiʃən], *s.* frustração, malogro, mau êxito; desapontamento; contratempo.
frustum *(pl.* **frustums, frusta)** ['frʌstəm-z,-ə], *s.* (geom.) tronco de cone ou de pirâmide.
frutescent [fru'tesənt], *adj.* frutescente, que cria frutos.
frutex ['fru:teks], *s.* (bot.) frútice.
fry [frai], **1** — *s.* fritada; peixe miúdo; desova de peixe.
small fry — pessoas sem importância; arraia miúda; crianças; coisas insignificantes.
2 — *vt.* e *vi.* *(pret.* e *pp.* **fried** [-d]), fritar, frigir.
fried eggs — ovos estrelados.
fried potatoes — batatas fritas.
to fry in one's own fat (grease) — sofrer as consequências das loucuras que se praticam.
frying [-iŋ], *s.* acção de fritar.
frying-pan — frigideira.
out of the frying-pan into the fire — de mal a pior.
fubsy ['fʌbzi], *adj.* gordo, anafado.
fuchsia ['fju:ʃə], *s.* fúcsia, brincos de princesa.
fuchsine ['fu:ksi:n], *s.* fuscina.
fucus *(pl.* **fuci)** ['fju:kəs,'fjuisai], *s.* (bot.) fuco, espécie de alga marinha.
fuddle ['fʌdl],**1** — *s.* hebetismo, imbecilidade, confusão de ideias (devido à bebedeira); embriaguez.
2 — *vt.* e *vi.* tornar-se embotado (devido à bebida); hebetar; estar confuso (de ideias); embriagar, embriagar-se.
fuddling [-iŋ], *adj.* folgazão; que gosta de beber.
fudge [fʌdʒ], **1** — *s.* palavrório, patranha; embuste; disparate, tolice; coisa mal acabada; tipo de rebuçado; últimas novidades.
2 — *vt.* e *vi.* **inventar histórias; dizer patranhas; atabalhoar; inventar, forjar.**
3 — *interj.* **tolice!; disparate!**

fuel [fjuəl], **1** — *s.* combustível; lenha; (fig.) incentivo.
to add fuel to the fire (flames) — atiçar, **agravar uma questão; pôr mais achas na fogueira.**
2 — *vt.* e *vi.* *(pret.* e *pp.* **fuelled)** fornecer combustíveis; alimentar a fogo; meter combustível.
fug [fʌg], **1** — *s.* bolor, cheiro a bolor; ar abafado; cotão e pó (nos cantos).
2 — *vi.* *(pret.* e *pp.* **fugged)** permanecer em recinto abafado.
to fug at home — passar o tempo metido em casa.
fugacious [fju(:)'geiʃəs], *adj.* fugaz, efémero, passageiro, transitório, instável. *(Sin.* fugitive, transient, passing, ephemeral, fleeting, short. *Ant.* permanent.)
fugacity [fju(:)'gæsiti], *s.* fugacidade; caducidade.
fuggy ['fʌgi], *adj.* abafado, bafiento.
fugitive ['fju:dʒitiv], **1** — *s.* fugitivo, desertor; exilado.
2 — *adj.* fugitivo; transitório, fugaz, passageiro.
fugitively [-li], *adv.* fugitivamente.
fugle [fju:gl], *vi.* servir de guia ou de orientador.
fugue [fju:g], *s.* (mús.) fuga.
fulcrum *(pl.* **fulcra, fulcrums)** ['fʌlkrəm, -ə, -z], *s.* fulcro, ponto de apoio, esteio, sustentáculo, suporte.
fulfil [ful'fil], *vt.* *(pret.* e *pp.* **fulfilled)** cumprir, executar; realizar; completar; preencher; satisfazer. *(Sin.* to complete, to accomplish, to effectuate, to realize, to perform, to execute, to answer.)
to fulfil one's duties — cumprir os deveres.
to fulfil desires — satisfazer desejos.
fulfilment [-mənt], *s.* cumprimento, desempenho, realização, execução; deferimento.
fulgent ['fʌlʒənt], *adj.* fulgente, brilhante.
fulgurant ['fʌlgjuərənt], *adj.* fulgurante.
fulgurite ['fʌlgjurait], *s.* fulgurite, vitrificação produzida na areia pelo raio.
fuliginous [fju:'lidʒinəs], *adj.* fuliginoso.
full [ful], **1** — *s.* o mais alto ponto ou grau; medida completa; totalidade.
he enjoyed (amused) himself to the full — **ele divertiu-se ao máximo.**
2 — *adj.* cheio, completo, repleto; farto; atestado; pleno, amplo; maduro; saciado; abundante; inteiro; perfeito; solto, folgado. *(Sin.* complete, filled, entire, large, plentiful, strong, loud, copious, distinct. *Ant.* empty.)
a full house — uma casa à cunha.
a full hour — uma hora inteira.
at full speed — a toda a velocidade.
at full length — por completo; estendido ao **comprido; a todo o comprimento.**
full moon — lua cheia.
full age — maioridade.
full dress — traje de cerimónia.
full-dress uniform — grande uniforme.
full powers — amplos poderes.
full meat — refeição abundante.
full stop — ponto final.
full-eyed — com os olhos salientes.
full-brother — irmão germano.
full to the brim — cheio a transbordar.
full up — lotação esgotada.
full-length portrait — **retrato de corpo inteiro.**
in full — por extenso.
my heart was too full for words — a comoção não me permitia falar.
to be full of fun — ser muito engraçado.
to give full scope to — dar carta branca a.

to give full details — dar pormenores completos.
3 — *vt.* e *vi.* engrossar; pisoar; preguear, franzir.
4 — *adv.* inteiramente, completamente, plenamente; em cheio, directamente.
full-blooded — sanguíneo; vigoroso; de pura raça.
full-blown — (flor) desabrochada.
full-grown — crescido, desenvolvido; maduro.
he hit me full on the nose — atingiu-me em cheio no nariz.
fuller [-ə], *s.* assentador, pisoeiro.
fulling [-iŋ], *s.* pisoamento.
ful(l)ness [-nis], *s.* plenitude, abundância; riqueza; corpulência; amplitude.
in the fullness of time — no tempo designado.
he spoke with great fullness of heart — falou com grande comoção.
to have a sense of fullness after a meal — **sentir enfartamento depois de uma refeição.**
fully [-i], *adv.* inteiramente, completamente, plenamente, pormenorizadamente.
capital fully paid up — capital integralmente realizado.
to treat a subject fully — tratar a fundo dum assunto.
fulminant [ˈfʌlminənt], *adj.* fulminante; repentino.
fulminate [ˈfʌlmineit], *vt.* e *vi.* fulminar; explodir, detonar; fazer explodir; excomungar; invectivar; fulgurar.
fulmination [fʌlmiˈneiʃən], *s.* fulminação, explosão, detonação; sentença eclesiástica condenatória.
fulsome [ˈfulsəm], *adj.* vil, baixo, servil, nojento; grosseiro; exagerado.
fulsomely [-li], *adv.* servilmente, vilmente; de modo exagerado.
fulsomeness [-nis], *s.* servilismo, vileza.
fulvous [ˈfʌlvəs], *adj.* fulvo.
fumble [ˈfʌmbl], **1** — *s.* falta de jeito.
2 — *vt.* e *vi.* apalpar, tactear; remexer; manusear; atirar uma bola desajeitadamente.
to fumble at a lock — não dar com o buraco da fechadura.
to fumble for words — não encontrar palavras, hesitar.
fumbler [-ə], *s.* pessoa desajeitada, desastrada; (cal.) homem com impotência sexual.
fume [fju:m], **1** — *s.* fumo, vapor, gás; exalação, emanação; cólera, irritação.
in a fume — num acesso de cólera.
2 — *vt.* e *vi.* fumegar, defumar; exalar vapores; incensar, irritar-se, encolerizar-se.
to fuss and fume — estar encolerizado.
fumigate [ˈfju:migeit], *vt.* fumigar; defumar; perfumar; desinfectar.
fumigation [fju:miˈgeiʃən], *s.* fumigação; desinfecção.
fumigator [ˈfju:migeitə], *s.* fumigador.
fuming [ˈfju:miŋ], **1** — *s.* defumação; irritação; acto de perfumar com incenso.
2 — *adj.* fumegante; encolerizado, irritado.
fun [fʌn], **1** — *s.* brincadeira; divertimento; gracejo, chiste, graça. *(Sin.* entertainment, sport, gaiety, merriment, joy, drollery.)
for (in) fun — por graça.
it is great fun — é muito divertido.
to make fun of — fazer escárnio de.
to have great fun — divertir-se muito.
like fun — duma maneira rápida.
to poke fun at — ridicularizar.
2 — *vi.* *(pret.* e *pp.* **funned)** gracejar; divertir-se.
funambulist [fju(:)ˈnæmbjulist], *s.* funâmbulo.
function [ˈfʌŋkʃən], **1** — *s.* função; cargo; exercício; solenidade; festa; cerimónia religiosa; função fisiológica; (mat.) função; fim, objectivo.
as a function of — em função de.
2 — *vt.* funcionar; desempenhar funções; mover-se, trabalhar.
functional [-l], *adj.* funcional.
functionally [-li], *adv.* dum modo funcional.
functionary [ˈfʌŋkʃnəri], **1** — *s.* *(pl.* **functionaries** [-iz]) funcionário.
2 — *adj.* funcional.
fund [fʌnd], **1** — *s.* fundo, capital; *pl.* fundos públicos. *(Sin.* stock, store, supply, capital.)
fund-holder — possuidor de fundos, capitalista.
sinking funds — fundos amortizáveis.
to be in funds — ter dinheiro.
2 — *vt.* consolidar; empregar dinheiro em fundos.
fundament [-əmənt], *s.* nádegas; assento.
fundamental [fʌndəˈmentl], **1** — *s.* fundamento, princípio fundamental.
2 — *adj.* fundamental, essencial, basilar.
fundamentally (fʌndəˈmentəli], *adv.* fundamentalmente.
funded [ˈfʌndid], *adj.* consolidado; empregado em fundos públicos.
fundless [ˈfʌndlis], *adj.* sem fundos, sem dinheiro.
funeral [ˈfju:nərəl], **1** — *s.* funeral, enterro.
to attend a funeral — assistir a um funeral.
2 — *adj.* fúnebre; de funeral.
funeral march — marcha fúnebre.
funereal [fju(:)ˈniəriəl], *adj.* fúnebre; lúgubre; sepulcral.
funereally [-li], *adv.* dum modo fúnebre; lugubremente.
fungoid [ˈfʌŋgɔid], *adj.* fungoso.
fungosity *(pl.* **fungosities)** [fʌŋˈgɔsiti,-iz], *s.* fungosidade.
fungous [ˈfʌŋgəs], *adj.* fungoso.
fungus *(pl.* **fungi, funguses** [ˈfʌŋgəs, ˈfʌŋgai, ˈfʌŋgəsiz]), *s.* fungo; cogumelo; excrescência de natureza esponjosa.
funicular [fju(:)ˈnikjulə], *s.* e *adj.* funicular.
funk [fʌŋk], **1** — *s.* (col.) medo, terror; um cobarde.
to be in a blue funk — tremer de medo.
funk-hole — trincheira.
2 — *vt.* e *vi.* tremer de medo, recear; mostrar cobardia; ter medo.
funky [-i], *adj.* medroso; cobarde.
funnel [fʌnl], *s.* funil; tubo; cano de chaminé; chaminé (de vapor); tubo de ventilação.
funnel-cape — guarda de chaminé.
funnel-cover — capa de chaminé.
funneled [-d], *adj.* provido de chaminé; como uma chaminé.
funnily [ˈfʌnili], *adv.* dum modo engraçado.
funniness [ˈfʌninis], *s.* brincadeira, divertimento; graça, chiste.
funny [ˈfʌni], **1** — *s.* barco estreito dum só remador.
2 — *adj.* engraçado, divertido; cómico; chistoso, jocoso; estranho, invulgar, raro. *(Sin.* droll, comical, amusing, queer, laughable, diverting. *Ant.* sad.)
funny-bone — a extremidade do cotovelo.
that sounds funny — isso dá vontade de rir.
fur [fə:], **1** — *s.* pele de animais (para adorno); forro ou guarnição de peles; sarro, crosta, saburra; *pl.* peles, casacos de pele, abafos de pele.
furcoat — casaco de peles.
fur-lined coat — casaco forrado de peles.
to make the fur fly — provocar uma desordem, motim.

2 — *vt.* e *vi.* (*pret.* e *pp.* **furred**) forrar ou guarnecer de peles; ganhar crosta; cobrir-se de sarro; incrustar.
furbelow [-bilou], **1** — *s.* folho de saia; *pl.* ornamentos vistosos (depreciativo); variedade de alga.
2 — *vt.* ornamentar com folhos.
furbish [-biʃ], *vt.* **polir, lustrar, brunir; renovar.**
furcate ['fə:keit], **1**—*adj.* **bifurcado, ramificado.**
2 — *vi.* bifurcar-se, ramificar-se.
furcation [fə:'keiʃən], *s.* bifurcação.
furious ['fjuəriəs], *adj.* furioso, irado; desenfreado; raivoso; apaixonado, forte. (*Sin.* raging, wild, infuriated, mad, stormy. *Ant.* calm.)
fast and furious — ruidoso; barulhento.
at a furious pace — a toda a velocidade.
furiously [-li], furiosamente.
furiousness [-nis], *s.* fúria, raiva, ira, violência.
furl [fə:l], *vt.* e *vi.* dobrar, enrolar; desfraldar (bandeira); (náut.) ferrar (as velas).
furling [-iŋ], *s.* (náut.) acto de colher as velas; acção de enrolar.
furling-line — tomadouro.
furlong ['fə:lɔŋ], *s.* medida de comprimento equivalente a 1/8 de milha (201 metros).
furlough ['fə:lou], **1** — *s.* licença (concedida a soldados, marinheiros, etc.).
he went home on furlough — ele foi para casa de licença.
2 — *vt.* conceder licença.
furnace ['fə:nis], **1** — *s.* forno; fornalha; (fig.) lugar muito quente; prova muito difícil.
furnace-bars — grelhas da fornalha.
furnace-bridge — altar da fornalha.
he has been tried in the furnace — tem passado por duras experiências.
2 — *vt.* prover de fornalha.
furnish ['fə:niʃ], *vt.* fornecer, prover, sortir; abastecer; mobilar; guarnecer. (*Sin.* to supply, to equip, to provide, to afford, to give.)
to furnish a house — mobilar uma casa.
to furnish a library with books — prover uma biblioteca de livros.
furnisher [-ə], *s.* fornecedor, abastecedor, provedor.
furnishing [-iŋ], *s.* fornecimento; guarnição; *pl.* acessórios (duma casa); mobiliário.
furniture ['fə:nitʃə], *s.* mobília, móveis, mobiliário; utensílios; acessórios; adornos; conteúdo, matéria.
a piece of furniture — um móvel.
a set of bedroom furniture — mobília do quarto de dormir.
furniture-shop — casa de móveis.
the furniture of one's pocket — o dinheiro.
furniture-broker — negociante de móveis velhos.
furniture-van — **camioneta para o transporte de mobílias.**
furore [fjuə'rɔ:ri], *s.* furor, entusiasmo louco; delírio.
furred [fə:d], *adj.* enfeitado, forrado de peles; saburroso.
furrier ['fʌriə], *s.* peleiro; pessoa que prepara ou vende peles de agasalho.
furring ['fə:riŋ], *s.* acção de forrar com peles; sarro, saburra; crosta.
furrow ['fʌrou], **1** — *s.* sulco, rego (do arado); estria, ranhura; ruga do rosto; entalhe.
2 — *vt.* abrir sulcos, sulcar, lavrar; arregoar, fazer regos; estriar; enrugar.
furrowy ['fʌroui], *adj.* com sulcos ou regos; estriado; enrugado.
furry ['fə:ri], *adj.* coberto de peles; feito de peles; saburroso, sarrento.
further ['fə:ðə], **1** — *adj.* ulterior, posterior; adicional; outro, novo.
I will take no further steps in the matter — não dou mais passos pela questão.
till further orders — até nova ordem.
till further notice — até novo aviso.
2 — *vt.* promover, adiantar, avançar; favorecer; facilitar. (*Sin.* to promote, to advance, to help, to forward. *Ant.* to hinder.)
3 — *adv.* mais adiante, mais afastado, mais além.
I'll see you further first — nunca darei o meu consentimento a isso.
I can go no further — **não posso ir mais longe.**
furtherance ['fə:ðərəns], *s.* adiantamento, progresso; apoio, ajuda.
furtherer ['fə:ðərə], *s.* promotor; pessoa que ajuda; partidário.
furthermore ['fə:ðə'mɔ:], *adv.* demais; além disso; além de que.
furthermost ['fə:ðəmoust], *adj.* o mais afastado; o mais remoto.
furthest ['fə:ðist], **1** — *adj.* extremo; o mais distante.
2 — *adv.* a grande distância; mais completamente.
furtive ['fə:tiv], *adj.* furtivo; dissimulado.
a furtive glance — um olhar furtivo.
furtively [-li], *adv.* furtivamente.
furuncle ['fjuərʌŋkl], *s.* furúnculo.
furuncular [fjuə'rʌŋkjulə], *adj.* furuncular, furunculoso.
furunculosis [fjuərʌŋkju'lousis], *s.* furunculose.
fury (*pl.* **furies**) ['fjuəri,-iz], *s.* fúria, raiva, ira; ímpeto; frenesi; pessoa furiosa.
like fury — furiosamente.
to get into a fury — enfurecer-se.
furze [fə:z], *s.* (*bot.*) tojo.
furzy [-i], *adj.* coberto de tojo.
fuscous ['fʌskəs], *adj.* fusco.
fuse [fju:z], **1** — *s.* rastilho, mecha; espoleta; fusível.
fuse rack — quadro dos fusíveis.
fuse-wire — fio de fusível.
2 — *vt.* **e** *vi.* **colocar rastilho em; fundir, derreter; derreter-se; reunir; fundir-se.**
fusee [fju'zi:], *s.* fuso do relógio; fósforo de cabeça grande para acender charutos ou cachimbos quando está vento.
fuselage ['fju:zilɑ:ʒ], *s.* armação (dum aeroplano), fuselagem.
fuse-oil ['fju:zl'ɔil], *s.* álcool amílico.
fusibility [fju:zə'biliti], *s.* fusibilidade.
fusible ['fju:zəbl], *adj.* fusível, que pode fundir-se.
fusiform ['fju:zifɔ:m], *adj.* fusiforme.
fusil ['fju:zil], *s.* espingarda de pederneira.
fusilier [fju:zi'liə], *s.* fusileiro.
fusillade [fju:zi'leid], **1** — *s.* fuzilaria, fuzilada.
2 — *vt.* fuzilar.
fusing ['fju:ziŋ], *s.* fusão.
fusing-point — ponto de fusão.
fusion ['fju:ʒən], *s.* fusão, fundição, derretimento; união; mistura.
fuss [fʌs], **1** — *s.* reboliço, barulho, espalhafato, excitação; pormenores insignificantes considerados como importantes. (*Sin.* bustle, stir, ado, tumult, agitation. *Ant.* peace.)
to make a fuss about trifles — incomodar-se com ninharias.
to make a great fuss of somebody — fazer cerimónia de alguém.
fuss and feather — basófia.
fuss-pot **[fʌs-pɔt], *s.* pessoa que se entretém ou se inquieta com coisas sem importância.**
such a great fuss about nothing! — tanto barulho para nada!

2 — *vi.* inquietar-se; agitar-se; fazer espalhafato; entreter-se com ninharias; arreliar-se, incomodar-se.
don't fuss! — não te arrelies!
fussily ['fʌsili], *adv.* com barulho, espalhafatosamente.
fussiness ['fʌsinis], *s.* barulho, bulha, espalhafato; preocupação com coisas insignificantes.
fussy ['fʌsi], *adj.* barulhento, espalhafatoso; inquieto; exigente; exagerado; complicado, rebuscado.
to be fussy — ser miudinho; não achar nada bem.
fustian ['fʌstiən], **1** — *s.* fustão; discurso bombástico, aranzel; coisa sem valor.
2 — *adj.* de fustão; bombástico.
fustic ['fʌstik], *s.* pau amarelo empregado em tinturaria.
fustigate ['fʌstigeit], *vt.* fustigar, espancar.
fustigation [fʌsti'geiʃən], *s.* fustigação, espancamento.
fustiness ['fʌstinis], *s.* cheiro a bafio, bolor; aspecto velho.
fusty ['fʌsti], *adj.* bolorento, mofento; rançoso; malcheiroso; velho, antiquado. (*Sin.* mouldy, musty, ill-smelling, close, stuffy, old-fashioned, antiquated. *Ant.* fresh.)
futile ['fju:tail], *adj.* fútil, frívolo; vão, inútil.
futilely [-li], *adv.* futilmente; inutilmente.
futility (*pl.* **futilities**) [fju(:)'tiliti,-iz], *s.* futilidade; frivolidade; inutilidade; pessoa fútil.
futtock ['fʌtək], *s.* (náut.) braço de baliza.
future ['fju:tʃə], **1** — *s.* futuro, porvir; *pl.* mercadorias compradas para serem pagas mais tarde.
for the future; in future — no futuro; para o futuro.
to have no future — não ter futuro.
2 — *adj.* futuro, vindouro.
futureless [-lis], *adj.* sem futuro.
futurism [fju:tʃərizəm], *s.* futurismo.
futurist ['fju:tʃərist], *s.* e *adj.* futurista.
futurity (*pl.* **futurities**) [fju(:)'tjuəriti,-iz], *s.* futuridade, futuro, porvir; acontecimentos futuros.
fuzz [fʌz], *s.* cotão; partículas finas e leves; cabelo frisado.
fuzzy [-i], *adj.* coberto de cotão; semelhante a cotão; frisado; encrespado (cabelo); indistinto.
fy!, fye! [fai], *interj.* que vergonha!
fylfot [filfɔt], *s.* suástica.

G

G, g [dʒi:] (*pl.* **G's, g's** [dʒi:z]) *s.* a letra G; (mús.) sol.
(in) g minor — (em) sol menor.
(in) g major — (em) sol maior.
g clef — clave de sol.
gab [gæb], **1** — *s.* tagarelice, garrulice, loquacidade; (náut.) entalhe.
to have the gift of the gab — ter o dom da palavra; falar pelos cotovelos.
2 — *vi.* (*pret.* e *pp.* **gabbed**) tagarelar, palrar.
gabardine ['gæbədi:n], *s.* ver **gaberdine.**
gabble ['gæbl], **1** — *s.* tagarelice, palratório; algaraviada; cacarejo dos patos.
2 — *vt.* e *vi.* tagarelar, palrar; falar de forma pouco clara; ler em voz alta. (*Sin.* to chatter, to prattle, to gossip, to babble, to jabber.)
gabbler [-ə], *s.* tagarela, palrador.
gaberdine ['gæbədi:n], *s.* gabão; gabardina (tecido).
gabion ['geibjən], *s.* gabião.
gable [geibl], *s.* empena.
gable-end — empena.
gablet [-it], *s.* pequena empena.
Gabriel ['geibriəl], *n. p.* Gabriel.
gaby (*pl.* **gabies** ['geibi,-iz]), *s.* simplório, pateta.
gad [gæd], **1** — *s.* cunha de aço; estilete; vara com ferrão na ponta.
he is on the gad — ele anda na vadiagem.
2 — *vi.* (*pret.* e *pp.* **gadded**) vaguear; errar, andar dum lado para o outro.
to gad about — andar dum lado para o outro.
gadabout ['gædəbaut], *s.* vagabundo; pessoa que perde tempo a andar dum lado para o outro.
gadfly (*pl.* **gadflies** ['gædflai,-z]), *s.* moscardo, tavão.
gadget ['gædʒit], *s.* instrumento, aparelho; engenhoca; coisa.
gadwall ['gædwɔ:l], *s.* pato do norte.
Gaelic ['geilik], *s.* e *adj.* gaélico.
gaff [gæf], **1** — *s.* arpão; croque de ferro; gafa; (náut.) carangueja.
penny-gaff — teatro barato.
to blow the gaff — dar à língua, divulgar um segredo.
2 — *vt.* apanhar peixe com croque.
3 — *vi.* jogar a dinheiro.
gaffe [gæf], *s.* erro; acto ou observação pouco oportuna.
gaffer ['gæfə], *s.* velhote, velho; capataz.
gag [gæg], **1** — *s.* mordaça; dispositivo usado pelos dentistas para abrir a boca dos doentes; (teat.) interpolação feita por actores no papel que lhes é distribuído; piada; mentira.
2 — *vt.* e *vi.* (*pret.* e *pp.* **gagged**) amordaçar; mentir, enganar; gracejar.
gaga ['gæga:], *adj.* (cal.) decrépito, xexé.
gage [geidʒ], **1** — *s.* penhor, caução; desafio, luva; graminho.
to throw down the gage—desafiar; lançar a luva.
2 — *vt.* dar de penhor; empenhar, comprometer; medir; riscar com o graminho.
gaggle [gægl], **1** — *s.* bando de gansos.
2 — *vi.* grasnar.
gaiety (*pl.* **gaieties**) ['geiəti-iz], *s.* alegria; divertimento, folguedo; satisfação; ostentação; *pl.* divertimentos, festas.
gaily ['geili], *adv.* alegremente, jovialmente; vistosamente; brilhantemente.
gain [gein], **1** — *s.* ganho, lucro, proveito; benefício; acrescentamento.
2 — *vt.* e *vi.* ganhar; obter, conseguir; vencer; lucrar; alcançar; granjear, adquirir;

aumentar, crescer; melhorar; adiantar-se (o relógio); (náut.) ganhar caminho, barlavento. *(Sin.* to acquire, to get, to obtain, to profit, to earn. *Ant.* to lose.)
to gain on (upon) — aproximar-se de.
to gain the upper hand — vencer, adquirir superioridade sobre alguém.
to gain one's living — ganhar a vida.
to gain strength — ganhar forças; restabelecer-se.
to gain a hearing — obter uma audiência.
gainable [-əbl], *adj.* ganhável; acessível.
gainer [-ə], *s.* beneficiário; vencedor.
gainful [-ful], *adj.* lucrativo, vantajoso, proveitoso.
gaining [-iŋ], *s.* ganho, aquisição; *pl.* lucros, ganhos.
gainless [-lis], *adj.* desvantajoso, inútil, sem proveito, improfícuo.
gainsay [gein'sei], *vt.* *(pret.* e *pp.* **gainsaid** [gein'seid]) contradizer, negar; disputar. *(Sin.* to deny, to contradict, to dispute, to controvert. *Ant.* to affirm.)
gainsayer [gein'seiə], *s.* contraditor, antagonista.
gait [geit], *s.* passo; modo de andar, porte.
gaiter [-ə], *s.* polaina; polainito.
gala ['gɑ:lə], *s.* gala, pompa.
gala day — dia de gala.
gala dress — vestido de gala.
galactic [gə'læktik], *adj.* galáctico, referente à Via Láctea.
galaxy *(pl.* **galaxies)** ['gæləksi,-iz], *s.* Via Láctea; reunião de pessoas ilustres.
a galaxy of beauties — um conjunto de mulheres bonitas.
gale [geil], *s.* vento forte, rajada, ventania; furacão, temporal; (bot.) espécie de murta; pagamento de renda; (poét.) brisa suave.
galeeny *(pl.* **galeenies**) [gə'li:ni,-iz], *s.* galinha-da-índia.
galena [gə'li:nə], *s.* galena, sulfureto natural de chumbo.
galenic [gə'lenik] *adj.* galénico.
galenical [-əl], *s.* e *adj.* galénico.
Galilee ['gælili:], *top.* Galileia.
galimatias [gæli'meiʃəs], *s.* aranzel, embrulhada.
galingale ['gæliŋgeil], *s.* galanga, junça de cheiro.
galipot ['gælipɔt], *s.* terebentina impura, galipote.
gall [gɔ:l], **1** — *s.* fel, bílis; vesícula biliar; amargor; ódio; escoriação, esfoladura; defeito; excrescência em plantas; (E. U.) insolência, descaramento.
gall-bladder — vesícula biliar.
gall-duct — canal biliar.
gall-fly — insecto.
gall-stones — cálculos biliares.
2 — *vt.* e *vi.* esfolar, arranhar; humilhar; mortificar.
gallant ['gælənt], **1** — *s.* galanteador; namorador; indivíduo elegante.
to play the gallant — galantear.
2 — *adj.* bravo, intrépido, animoso; belo, magnífico, amoroso, galanteador.
3 — *vt.* e *vi.* cortejar, galantear.
gallantly [-li], *adv.* com bravura, corajosamente; [gə'læntli], galantemente.
gallantry *(pl.* **gallantries)** [-ri,-iz], *s.* valentia; heroísmo; cortesia; galanteio.
galleon ['gæliən], *s.* galeão.
gallery *(pl.* **galleries)** ['gæləri,-iz], *s.* galeria; tribuna; corredor; *(teat.)* geral, galinheiro.
to play to the gallery — armar à popularidade.
galley ['gæli], *s.* galé, galeota; cozinha de navio; galé de imprensa.
galley-proof — prova de granel.
galley-slave — forçado das galés.
Gallia ['gæliə], *top.* Gália.
galliambic [gæli'æmbik], **1** — *s.* galiambo, verso de 4 pés.
2 — *adj.* galiâmbico.
Gallic ['gælik], *s.* e *adj.* gaulês.
gallicism ['gælisizəm], *s.* galicismo.
gallicize ['gælisaiz], *vt.* e *vi.* afrancesar.
galligaskins ['gæligæskinz], *s. pl.* (joc.) calções; calças.
gallinaceous [gæli'neiʃəs], *adj.* galináceo.
galliot ['gæliət], *s.* galeota.
gallipot ['gælipɔt], *s.* boião (de farmácia).
gallivant [gæli'vænt], *vi.* andar atrás de mulheres; andar na gandaia.
gallon ['gælən], *s.* galão (medida de capacidade = 4,545 l).
galloon [gə'lu:n], *s.* galão, trança.
gallop ['gæləp], **1** — *s.* galope.
at full gallop — a toda a brida.
2 — *vt.* e *vi.* galopar, andar a galope; desenvolver-se rapidamente.
gallopade [gælə'peid], *s.* galope, galopada; galope (dança).
galloper ['gæləpə], *s.* o que galopa; (mil.) oficial às ordens.
galloping ['gæləpiŋ], *adj.* galopante.
galloping consumption — tuberculose galopante.
galloway ['gæləwei], *s.* raça de cavalo.
gallows ['gælouz], *s.* forca; armação de aparelhos de ginástica.
gallows-bird — criminoso que merece forca.
gallows-ripe — pronto para a forca.
galop ['gæləp], **1** — *s.* galope.
2 — *vt.* dançar o galope.
galore [gə'lɔ:], **1** — *s.* abundância.
2 — *adv.* muito, muitíssimo, em excesso.
galosh [gə'lɔʃ], *s.* galocha; gáspeas.
galvanic [gæl'vænik], *adj.* galvânico.
galvanize ['gælvənaiz], *vt.* galvanizar; reanimar, estimular.
to galvanize into life — reanimar.
galvanizing [-iŋ], *s.* galvanização.
galvanometer [gælvə'nɔmitə], *s.* galvanómetro.
galvanoplastic ['gælvænou'plæstik], *adj.* galvanoplástico.
galvanoscope ['gælvænouskoup], *s.* galvanoscópio.
gambade [gæm'beid], *s.* salto de cavalo; cabriola.
Gambia ['gæmbiə], *top.* Gâmbia.
gambit ['gæmbit], *s.* gambito (lance no jogo do xadrez).
gamble ['gæmbl], **1** — *s.* jogo a dinheiro; empresa arriscada.
2 — *vt.* e *vi.* dissipar, desbaratar dinheiro ao jogo; jogar a dinheiro; arriscar totalmente.
to gamble away — perder ao jogo.
gambler [-ə], *s.* jogador, batoteiro.
gambling [-iŋ], *s.* jogo, jogo de azar.
gamboge [gæm'bu:ʒ], *s.* (bot.) guta.
gambol ['gæmbəl], **1** — *s.* pulo, salto, cabriola; brincadeira.
2 — *vi.* *(pret.* e *pp.* **gambolled)** saltar, dar cabriolas; brincar, fazer travessuras. *(Sin.* to play, to frolic, to frisk, to leap.)
game [geim], **1** — *s.* jogo; partida; passatempo; brincadeira; artifício; projecto; caça; os animais caçados.
game-bag — bolsa de caçador.
game-cock — galo de combate.
gamekeeper — couteiro, guarda-florestal.
game laws — leis venatórias.
game-preserve — tapada com caça para desporto; reserva de caça.

game of chance — jogo de azar.
big game — caça graúda.
the game is up — está tudo perdido.
the game is not worth the candle — não vale o trabalho que dá.
he is on his game — ele está em forma.
he is off his game — ele está fora de forma.
to make game of a person — fazer troça de uma pessoa.
to beat someone at his own game — vencer alguém com as suas próprias armas.
that man tried to have a game with me — aquele homem tentou ludibriar-me.
to play the game — proceder honestamente.
2 — *adj.* valente, corajoso; pronto a; aleijado.
game for anything — pronto e ansioso por fazer qualquer coisa.
to die game — morrer corajosamente.
3 — *vt.* e *vi.* jogar a dinheiro; desperdiçar ao jogo.
gameness [-nis], *s.* coragem.
gamesome [-səm], *adj.* brincalhão, alegre, folgazão.
gamesomely [-səmli], *adv.* de um modo brincalhão, alegremente.
gamester [-stə], *s.* jogador de profissão.
gaming [-iŋ], *s.* jogo.
gaming-house — casa de jogo.
gaming-room — sala de jogo.
gaming-table — mesa de jogo.
gamma ['gæmə], *s.* gama (letra grega).
gammer ['gæmə], *s.* velhota.
gammon ['gæmən], **1** — *s.* jogo do gamão; brincadeira; engano; conversa disparatada; presunto.
2 — *vt.* e *vi.* enganar, lograr; brincar; dizer petas; defumar carne.
3 — *interj.* disparate!
gammoning [-iŋ], *s.* (náut.) trinca do gurupés.
gamp [gæmp], *s.* guarda-chuva grande.
gamut ['gæmət], *s.* gama, escala de música.
gamy ['geimi], *adj.* abundante em caça; que tem gosto ou sabor a caça; corajoso, animoso.
gander ['gændə], *s.* ganso; pateta, imbecil.
what is sauce for the goose is sauce for the gander — o que é justo para um é justo para outro.
gang [gæŋ], **1** — *s.* multidão, grupo; bando, quadrilha; súcia; jogo de ferramentas.
gang-board — prancha (de desembarque ou de descarga).
2 — *vi.* ir (Escócia).
to gang up on (col.) — conspirar contra.
ganger [-ə], *s.* capataz, feitor.
ganglion (*pl.* **ganglia**) ['gæŋgliən,-iə], *s.* gânglio.
gangrene ['gæŋgri:n], **1** — *s.* gangrena.
2 — *vt.* e *vi.* gangrenar; gangrenar-se.
gangster ['gæŋstə], *s.* criminoso que faz parte de um bando; bandido.
gangway ['gæŋwei], *s.* prancha de embarque e desembarque; portaló; passagem; coxia; corredor.
gangway ladder — escada do portaló.
ganister ['gænistə], *s.* carvão de qualidade inferior.
gannet ['gænit], *s.* (*zool.*) espécie de águia; ganso da Escócia.
ganoid ['gænɔid], *s.* e *adj.* ganóide.
gantry (*pl.* **gantries**) ['gæntri,-iz], *s.* canteiro (para pipas); cavalete para grua móvel.
gaol [dʒeil], **1** — *s.* cárcere, cadeia, prisão.
gaol-bird — cadastrado.
2 — *vt.* meter na cadeia, prender.
gaoler [-ə], *s.* carcereiro.
gap [gæp], **1** — *s.* brecha, buraco, lacuna; abertura; hiato; separação, distância; (tip.) espaço entre as palavras.
to fill up a gap — preencher uma lacuna.
2 — *vt.* (*pret.* e *pp.* **gapped**) recortar, entalhar.
gape [geip], **1** — *s.* bocejo; fenda, brecha, abertura; *pl.* doença das aves.
2 — *vi.* bocejar; estar de boca aberta, ficar admirado; abrir-se. (*Sin.* to yawn, to stare, to gaze, to wonder.)
to gape after (for) — desejar ardentemente.
to gape at — ficar boquiaberto.
gaper [-ə], *s.* bocejador; basbaque.
gaping [-iŋ], **1** — *s.* bocejo; abertura.
2 — *adj.* boquiaberto; escancarado.
garage ['gærɑ:ʒ], **1** — *s.* garagem.
2 — *vt.* meter na garagem.
garancine ['gærənsin], *s.* garancina, substância corante que se extrai da garança.
garb [gɑ:b], **1** — *s.* maneira de vestir; trajo; garbo, ar, porte; feixe, molho.
2 — *vt.* vestir.
garbage ['gɑ:bidʒ], *s.* restos de comida; desperdícios; refugo; lixo; qualquer coisa sem valor.
garble ['gɑ:bl], *vt.* escolher, seleccionar, separar; mutilar; deturpar, falsificar.
garden ['gɑ:dn], **1** — *s.* jardim; quintal; horta; pomar; *pl.* jardim público, parque.
garden-bed — canteiro de jardim.
garden-hose — mangueira de rega.
garden-party — festa ao ar livre.
garden-stuff — hortaliças; legumes.
Botanical Garden — jardim botânico.
Zoological Garden — jardim zoológico.
kitchen garden — horta.
to lead up the garden (cal.) — enganar.
2 — *vt.* e *vi.* jardinar.
gardener [-ə], *s.* jardineiro; hortelão.
gardenia [gɑ:'di:njə], *s.* gardénia.
gardening ['gɑ:dniŋ], *s.* jardinagem; horticultura.
garderobe ['gɑ:droub], *s.* guarda-roupa.
garefowl ['gɛəfaul], *s.* corvo-marinho de grandes proporções.
garfish ['gɑ:fiʃ], *s.* peixe-agulha.
garganey ['gɑ:gəni], *s.* (zool.) cerceta.
gargantuan [gɑ:'gæntjuən], *adj.* gigantesco, enorme.
gargle ['gɑ:gl], **1** — *s.* gargarejo; (col.) bebida.
2 — *vt.* e *vi.* gargarejar.
gargling [-iŋ], *s.* gargarejo.
gargoyle ['gɑ:gɔil], *s.* gárgula, carranca de goteira de telhado.
garish ['gɛəriʃ], *adj.* vistoso, pomposo; brilhante; berrante. (*Sin.* gaudy, showy, flashy, dazzling. *Ant.* quiet.)
garishly [-li], *adv.* brilhantemente, vistosamente.
garishness [-nis], *s.* ostentação, pompa; extravagância.
garland ['gɑ:lənd], **1** — *s.* grinalda, festão; coroa; rede de comida (usada pelos marinheiros); antologia, colectânea.
2 — *vt.* engrinaldar; coroar.
garlic ['gɑ:lik], *s.* alho.
clove of garlic — dente de alho.
garlicky [-i], *adj.* com sabor ou cheiro a alho.
garment ['gɑ:mənt], *s.* vestuário, trajo, peça de roupa exterior; *pl.* roupas.
garner ['gɑ:nə], **1** — *s.* celeiro.
2 — *vt.* enceleirar; guardar; colher.
garnet ['gɑ:nit], *s.* granada (pedra preciosa); (náut.) candeliça.
garnish ['gɑ:niʃ], **1** — *s.* enfeite, adorno; intimação judicial.

2 — *vt.* guarnecer, enfeitar, embelezar; intimar judicialmente. *(Sin.* to deck, to adorn, to embellish, to decorate, to beautify, to summon. *Ant.* to strip.)
garnishee [gɑːni'ʃiː], *s.* fiel depositário; pessoa intimada judicialmente.
garnishment ['gɑːniʃmənt], *s.* ornamento, enfeite; aperfeiçoamento; intimação judicial.
garniture ['gɑːnitʃə], *s.* guarnição; enfeite, adorno; acessórios.
garret ['gærət], *s.* águas-furtadas, sótão; (col.) cabeça.
to be wrong in the garret, to have one's garret unfurnished — (col.) ter uma aduela a menos; ter macaquinhos no sótão.
garreteer [gærə'tiːə], *s.* morador numa água-furtada; literato pobre.
garrison ['gærisn], **1** — *s.* guarnição militar.
2 — *vt.* pôr guarnição militar em; defender.
garron ['gærən], *s.* cavalo pequeno de raça escocesa ou irlandesa.
garrot ['gærət], *s.* pato do mar.
gar(r)otte [gə'rɔt], **1** — *s.* garrote.
2 — *vt.* garrotar, estrangular.
garrotter [-ə], *s.* carrasco do garrote.
garrulity [gæ'ruːliti], *s.* garrulice, tagarelice.
garrulous ['gærulәs], *adj.* gárrulo, palrador, loquaz, tagarela. *(Sin.* verbose, loquacious, wordy, babbling.)
garrulously [-li], *adv.* com loquacidade.
garrulousness [-nis], *s.* loquacidade, garrulice, tagarelice.
garter ['gɑːtəl, **1** — *s.* liga, jarreteira.
the Order of the Garter—a Ordem da Jarreteira.
2 — *vt.* prender com liga.
gas [gæs], **1** — *s.* gás; (E. U.) gasolina; (col.) tolice, conversa tola.
gas-bag — balão para gás.
gas-boiler — caldeira aquecida a gás.
gas-engine — motor a gás.
gas-jet — bico de gás.
gas-fitting — instalação de gás.
gas-mask — máscara antigásica.
gas-stove — fogão de gás.
coal gas — gás de iluminação.
gas-meter — contador de gás.
gas-works — fábrica de gás.
2 — *vt.* e *vi* *(pret.* e *pp.* **gassed**) expor à acção de um gás, intoxicar com gás; ferver.
Gascon ['gæskən], *s.* e *adj.* gascão.
gasconade [gæskə'neid], **1** — *s.* fanfarronada.
2 — *vi.* fanfarronar.
Gascony ['gæskəni], *top.* Gasconha.
gaselier [gæsə'liə], *s.* candeeiro de gás.
gaseous ['geizjəs], *adj.* gasoso.
gash [gæʃ], **1** — *s.* cutilada, golpe comprido e fundo.
2 — *vt.* acutilar, ferir; cortar.
gasification [gæsifi'keiʃən], *s.* gasificação.
gasify ['gæsifai], *vt.* e *vi.* gasificar; gasificar-se.
gasket ['gækit], *s.* *(náut.)* gaxeta; *(mec.)* junta de culatra.
gasogene, gazogene ['gæsoudʒiːn], *s.* gasogénio.
gasolene, gasoline ['gæsəliːn], *s.* gasolina.
gasolier [gæsou'liːə], *s.* candeeiro de gás.
gasometer [gæ'sɔmitə], *s.* gasómetro.
gasp [gɑːsp], **1** — *s.* arfada, arquejo; sobressalto. *(Sin.* pant, blow, puff. *Ant.* breathe.)
at the last gasp — na agonia.
2 — *vt.* e *vi.* arfar, arquejar, respirar com dificuldade; sobressaltar-se.
to gasp for breath — respirar com dificuldade.
to gasp life away (out) — expirar.
gasper [-ə], *s.* (col.) cigarro barato.
gasping [-iŋ], **1** — *s.* respiração difícil; arquejo.
2 — *adj.* agonizante.
gassy ['gæsi], *adj.* impregnado de gás; semelhante ao gás; verboso, falador.
gast(e)ropod *(pl.* **gast(e)ropada, gast(e)ropods**) ['gæst(ə)rəpɔd, gæst(ə)'rɔpədə,-ɔdz], *s.* (zool.) gasterópode.
gastric ['gæstrik], *adj.* gástrico.
gastric juice — suco gástrico.
gastric ulcer — úlcera gástrica.
gastritis [gæs'traitis], *s.* gastrite.
gastronome ['gæstrənoum], *s.* gastrónomo.
gastronomic(al) [gæstrə'nɔmik(əl)], *adj.* gastronómico.
gastronomist [gæs'trɔnəmist], *s.* gastrónomo.
gastronomy [gæs'trɔnəmi], *s.* gastronomia.
gate [geit], **1** — *s.* portão; entrada; cancela; porta; barreira; passagem entre montanhas; comporta; rua; galeria de mina; canal.
gate-keeper — porteiro; guarda-portão.
gate-keeper — porteiro; guarda-portão.
gate-money — preço de entrada num recinto fechado.
gate-crasher — (fam.) intruso, pessoa que aparece sem ser convidada.
between you and me and the gate-post — em absoluto segredo.
to take the gate — pôr-se a caminho; pôr-se ao fresco.
2 — *vt.* reter um estudante no colégio (nas Universidades de Oxónia e Cantabrígia).
gateless [-lis], *adj.* sem portas ou cancelas.
gateway [-wei], *s.* passagem; porta de entrada; portão.
gather ['gæðə], *vt.* e *vi.* juntar, reunir; amontoar; colher, apanhar; concluir, inferir; obter; escolher; franzir, fazer pregas; reunir-se, acumular-se; criar pus, inchar. *(Sin.* to assemble, to collect, to meet, to pick, to pluck, to infer, to conclude, to fold, to plait, to amass, to hoard. *Ant.* to dissipate.)
to gather breath — respirar, tomar alento.
to gather dust — cobrir-se de pó.
to gather one's thoughts — concentrar-se.
to gather strength — recuperar forças; cobrar ânimo.
to gather the brows — franzir a testa.
to be gathered to one's father — morrer.
gatherer [-rə], *s.* colector, cobrador; segador.
gathering [-riŋ], *s.* acumulação; amontoamento; reunião; assembleia; peditório; colheita; prega, franzido; abcesso. *(Sin.* meeting, assembly, collecting, abscess.)
gaud [gɔːd], *s.* enfeite, adorno; bagatela, frivolidade; *pl.* festas aparatosas.
gaudily [-ili], *adv.* ostentosamente; garridamente.
gaudiness [-inis], *s.* ostentação; garridice.
gaudy [-i], **1** — *s.* festa anual aos antigos alunos de um colégio.
2 — *adj.* faustoso, vistoso, brilhante, pomposo; garrido.
gauge [geidʒ], **1** — *s.* padrão; medida de arqueação; bitola; calibre; diâmetro; manómetro; indicador (de nível, de vácuo, de volume); norma; modelo; escala; capacidade; extensão; (náut.) posição em relação ao vento; calado de navio; largura (da via-férrea).
gauge-glass — tubo de indicador de nível.
broad-gauge — via larga (caminho-de-ferro).
oil-gauge — mostrador de óleo.
narrow-gauge — via estreita; via reduzida (caminho-de-ferro).
to take the gauge of a person — medir uma pessoa.
2 — *vt.* medir; cubicar; avaliar, calcular; sondar; uniformizar.
gaugeable [-əbl], *adj.* que se pode medir; avaliável.
gauger [-ə], *s.* medidor, aferidor; arqueador.

gauging [-iŋ], *s.* medição; arqueação.
gauging-rod — instrumento para medir cascos.
Gaul [gɔ:l], **1** — *top.* Gália.
2 — *s.* gaulês.
Gaulish [-iʃ], *s.* e *adj.* a língua gaulesa; gaulês.
gaunt [gɔ:nt], *adj.* magro, descarnado, delgado; desolado; lúgubre.
gauntlet [-lit], *s.* manopla; luva.
to take up the gauntlet — aceitar um desafio.
to throw down the gauntlet — desafiar.
gauntness [-nis], *s.* magreza, fraqueza.
gauze [gɔ:z], *s.* gaze; névoa muito leve; tela metálica.
gauziness [-inis], *s.* transparência, leveza.
gauzy [-i], *adj.* de gaze, semelhante a gaze; leve, transparente.
gave [geiv], *pret.* do verbo **to give.**
gavel ['gævəl], *s.* martelo de leiloeiro ou de presidente de uma assembleia; feixe.
gavelkind [-kaind], *s.* (júr.) partilha de terras entre varões e em partes iguais.
gavotte [gə'vɔt], *s.* gavota; antiga dança francesa; música para essa dança.
gawk [gɔ:k], **1** — *s.* pessoa tímida; pateta.
2 — *vi.* ficar de boca aberta.
gawkiness [-inis], *s.* parvoíce.
gawky [-i], **1** — *s.* parvo, tolo.
2 — *adj.* desajeitado, tímido.
gay [gei], *adj.* alegre, jovial, de bom humor; vistoso; brilhante; satisfeito; feliz; festivo; (cal.) atrevido, descarado; (col.) ébrio. *(Sin.* merry, bright, jolly, jovial, lively, happy, cheerful. *Ant.* sad.)
to go gay — perder a vergonha.
gayly, gaily [-li], *adv.* alegremente; com ar esperto.
gaze [geiz], **1** — *s.* olhar fixo; contemplação.
2 — *vi.* contemplar, olhar atentamente; pasmar. *(Sin.* to stare, to look, to contemplate, to view, to regard.)
gazebo [gə'zi:bou], *s.* casa com grande terraço; belveder.
gazelle [gə'zel], *s.* (zool.) gazela.
gazer ['geizə], *s.* contemplador, observador.
gazette [gə'zet], *s.* gazeta, jornal.
London Gazette — Diário do Governo Inglês.
gazetteer [gæzi'tiə], *s.* dicionário geográfico; jornalista; diário.
gazing ['geiziŋ], **1** — *s.* contemplação; olhar pasmado.
2 — *adj.* contemplador.
gear [giə], **1** — *s.* aparelho; engrenagem; mecanismo; acessórios; roda dentada; volante; adriça; atavio, adorno; utensílios; transmissão de movimentos.
gear-box — caixa de velocidades.
gear-wheel — roda dentada, roda de engrenagem.
first gear — primeira velocidade.
top gear — (aut.) *prise.*
high gear — grande velocidade.
in gear — engrenado; engatado.
out of gear — desengrenado; desengatado.
to shift gear — mudar de velocidade.
2 — *vt.* e *vi.* aparelhar, montar; armar; encaixar; engrenar, ligar; embraiar.
to gear down — diminuir a velocidade.
geared [-d], *adj.* ligado por engrenagem.
gearing [-riŋ], **1** — *s.* engrenagem; encaixe; montagem; aparelho; transmissão de movimento.
2 — *adj.* que engrena.
gecko *(pl.* **geckos, geckoes)** ['gekou,-z], *s.* (zool.) espécie de lagarto.
gee-ho!; gee-up!, ['dʒi:hou, 'dʒi:ʌp], *interj.* arre!; anda mais depressa!

geese [gi:s], *s. pl.* de **goose.**
all his geese are swans — pessoa exagerada.
geezer ['gi:zə], *s. (cal.)* velhote; coruja (mulher velha).
geisha ['geiʃə], *s.* dançarina japonesa; gueixa.
gelatine [dʒelə'ti:n], *s.* gelatina.
gelatinize [dʒi'lætinaiz], *vt.* e *vi.* converter em gelatina; gelatinizar-se.
gelatinous [dʒi'lætinəs], *adj.* gelatinoso. *(Sin.* gummy, viscous, glutinous.)
gelation [dʒe'leiʃən], *s.* congelação.
geld [geld], *vt.* castrar, capar.
gelding [-iŋ], *s.* cavalo ou qualquer outro animal castrado; castração.
gelid ['dʒelid], *adj.* gélido, glacial, gelado.
gelignite ['dʒelignait], *s.* explosivo de nitro-glicerina.
gem [dʒem], **1** — *s.* gema; jóia, pedra preciosa; a parte melhor.
2 — *vt.* (*pret.* e *pp.* **gemmed)** adornar com pedras preciosas ou com jóias.
geminate **1** — ['dʒeminit], *adj.* geminado.
2 — ['dʒemineit], *vt.* geminar; duplicar.
gemination [dʒemi'neiʃən], *s.* geminação; duplicação.
Gemini **1** — ['dʒemini:], *s.* Gémeos (constelação).
2 — ['dʒimini], *interj.* essa agora!
gemma *(pl.* **gemmae)** ['dʒemə,-i:], *s.* (bot.) rebento, botão; borbulha.
gemmate **1** — ['dʒemit], *adj.* gemado; com rebentos.
2 — ['dʒemeit], *vi.* gemar; enxertar com gema; lançar rebentos.
gemmation [dʒe'meiʃən], *s.* gemação.
gemmiferous [dʒe'mifərəs], *adj.* gemífero.
gemsbok ['gemzbɔk], *s.* antílope da África.
gendarme ['ʒɑ̃:ndɑ:m], *s.* gendarme.
gender ['dʒendə], **1** — *s.* género.
2 — *vt.* (poét.) gerar.
genealogical [dʒi:njə'lɔdʒikəl], *adj.* genealógico.
genealogical tree — árvore genealógica.
genealogically [-i], *adv.* por ordem genealógica.
genealogist [dʒi:ni'ælədʒist], *s.* genealogista.
genealogy *(pl.* **genealogies)** [dʒi:ni'ælədʒi, -iz], *s.* genealogia.
genera ['dʒenərə], *s. pl.* de **genus.**
general ['dʒenərəl], **1** — *s.* general; geral de uma ordem religiosa; geral.
2 — *adj.* geral, vulgar, comum, usual; extenso; vago; chefe, superior.
general post office — correio geral.
general servant — criada para todo o serviço.
in general — geralmente; em geral.
as a general rule — geralmente.
the general reader — os leitores.
generalissimo [dʒenərə'lisimou], *s.* generalíssimo.
generality *(pl.* **generalities)** [dʒenə'ræliti, -iz], *s.* generalidade; a maior parte.
generalization [dʒenərəlai'zeiʃən], *s.* generalização.
generalize ['dʒenərəlaiz], *vt.* generalizar.
generally ['dʒenərəli], *adv.* geralmente, em geral.
generalship ['dʒenərəlʃip], *s.* generalato; estratégia; diplomacia.
generate ['dʒenəreit], *vt.* gerar, procriar; produzir; causar.
generation [dʒenə'reiʃən], *s.* geração; prole, descendência; reprodução.
generative ['dʒenərətiv], *adj.* produtivo, procriador, gerador.
generator ['dʒenəreitə], *s.* gerador; procriador; produtor.

generic(al) [dʒi'nerik(əl)], *adj.* genérico.
generically [-əli], *adv.* genericamente.
generosity *(pl.* **generosities)** [dʒenə'rɔsiti, -iz], *s.* generosidade, liberalidade.
generous ['dʒenərəs], *adj.* generoso, liberal.
generously [-li], *adv.* generosamente.
genesis ['dʒenisis], *s.* génese, origem, princípio; criação; geração.
genetic [dʒi'netik], *adj.* genético; genésico.
Geneva [dʒi'ni:və], *top.* Genebra.
genial ['dʒi:njəl], *adj.* cordial, afável, amável; sociável; jovial; suave; quente; bom. *(Sin.* hearty, cordial, pleasant, jovial, warm, sociable, cheering. *Ant.* cold.)
geniality [dʒi:ni'æliti], *s.* cordialidade, afabilidade; jovialidade; suavidade (clima).
genially ['dʒi:njəli], *adv.* cordialmente, afavelmente; jovialmente.
genii ['dʒi:niai], *s. pl.* de **genius.**
genitals ['dʒenitlz], *s. pl.* órgãos sexuais.
genitive ['dʒenitiv], *s.* e *adj.* genitivo.
genius *(pl.* **geniuses)** ['dʒi:njəs,-iz], *s.* génio; pessoa de grande talento; *pl.* **genii** ['dʒi:niai], génio, demónio, espírito bom ou mau. *(Sin.* intellect, talent, invention, faculty, power, cleverness. *Ant.* stupidity, dullness.)
Genoa ['dʒenouə], *top.* Génova.
Genoese [dʒenou'i:z], *s.* e *adj.* genovês.
gent [dʒent], *s.* **abrev. de gentleman.**
genteel [dʒen'ti:l], *adj.* cortês, correcto; elegante, distinto; de boas maneiras.
genteely [-li], *adv.* gentilmente.
genteelness [-nis], *s.* gentileza, distinção.
gentian ['dʒenʃiən], *s.* *(bot.)* **genciana.**
gentile ['dʒentail], *s.* e *adj.* gentílico; pagão, gentio.
gentility [dʒen'tiliti], *s.* pretensão a elegante; nobreza.
gentle ['dʒentl], **1** — *s.* isca constituída por larva de insecto.
2 — *adj.* dócil, meigo, brando; suave; tranquilo; amável; de boa descendência. *(Sin.* tender, mild, kind, well-born, soft, meek, quiet. *Ant.* rough.)
3 — *vt.* amansar (um cavalo).
gentlefolk [-fouk], *s.* fidalguia; pessoas de distinção.
gentleman *(pl.* **gentlemen)** [-mən,-mən], *s.* cavalheiro; homem educado; homem de carácter; amador (críquete).
gentleman-commoner — estudante privilegiado de Oxónia e Cantabrígia.
gentlemanlike ['mənlaik], *adj.* de homem fino, de homem de boa sociedade; que tem maneiras distintas.
gentlemanliness [-mənlinis], *s.* cavalheirismo, distinção.
gentlemanly [-mənli], *adj.* cavalheiresco, urbano, cortês, fidalgo; distinto.
gentleness [-nis], *s.* docilidade, afabilidade, brandura, delicadeza; origem nobre.
gentlewoman *(pl.* **gentlewomen)** [-wumən, -wimin], *s.* senhora, dama; fidalga.
gently [-i], *adv.* suavemente; brandamente; pouco a pouco.
gentry ['dʒentri], *s.* classe média; pequena nobreza.
genuflect ['dʒenju:flekt], *vi.* genuflectir.
genuflection, genuflexion [dʒenju:'flekʃən], *s.* genuflexão.
genuine ['dʒenjuin], *adj.* genuíno, puro, verdadeiro, autêntico; natural; típico. *(Sin.* true, pure, real, sound, authentic, unadulterate. *Ant.* spurious.)
genuinely [-li], *adv.* genuinamente, sinceramente, naturalmente.
genuineness [-nis], *s.* pureza; autenticidade; realidade; sinceridade.
genus *(pl.* **genera)** ['dʒi:nəs, 'dʒenərə], *s.* género, carácter comum a diversas espécies.
geocentric [dʒi:ou'sentrik], *adj.* geocêntrico.
geode ['dʒi(:)oud], *s.* geode, pedra oca que contém cristais.
geodesic [dʒi(:)ou'desik], *adj.* geodésico.
geodesy [dʒi(:)'ɔdisi], *s.* geodesia.
Geoffrey ['dʒefri], *n. p.* Godofredo.
geographer [dʒi'ɔgrəfə], *s.* geógrafo.
geographic(al) [dʒiə'græfik(əl)], *adj.* geográfico.
geographically [-əli], *adv.* geograficamente.
geography *(pl.* **geographies)** [dʒi'ɔgrəfi,-iz], *s.* geografia; tratado de geografia.
geologic(al) [dʒiə'lɔdʒik(əl)], *adj.* geológico.
geologist [dʒi'ɔlədʒist], *s.* geólogo.
geologize [dʒi'ɔlədʒaiz], *vt.* e *vi.* fazer estudos ou investigações geológicas; dedicar-se à geologia.
geology *(pl.* **geologies)** [dʒi'ɔlədʒi,-iz], *s.* geologia.
geometer [dʒi'ɔmitə], *s.* geómetra.
geometric(al) [dʒiə'metrik(əl)], *adj.* geométrico.
geometrically [-əli], *adv.* geometricamente.
geometrician [dʒioume'triʃən], *s.* geómetra.
geometry *(pl.* **geometries)** [dʒi'ɔmitri,-iz], *s.* geometria.
geophagy [dʒi:'ɔfədʒi], *s.* geofagia, hábito de comer terra.
geophysics [dʒi:ou'fiziks], *s.* geofísica.
George [dʒɔ:dʒ], *n. p.* Jorge.
by George! — caramba! (exclamação de surpresa).
Georgia ['dʒɔ:dʒjə], *top.* Geórgia.
Georgian [-n], *adj.* georgiano.
georgic ['dʒɔ:dʒik], **1** — *s.* geórgica.
2 — *adj.* geórgico.
Gerald ['dʒerəld], *n. p.* Geraldo.
geranium [dʒi'reinjəm], *s.* gerânio.
Gerard ['dʒerɑ:d], *n. p.* Gerardo.
gerfalcon ['dʒə:fɔ:lkən], *s.* gerifalte, espécie de falcão.
germ [dʒə:m], **1** — *s.* germe, embrião; gema; semente; micróbio; princípio, origem. *(Sin.* seed, embryo, cell, origin, cause, source, beginning.)
2 — *vi.* germinar; brotar.
German ['dʒə:mən], *s.* e *adj.* a língua alemã; alemão.
germander [dʒə:'mændə], *s.* (bot.) germandreia, planta labiada.
germane [dʒə:'mein], *adj.* apropriado, relativo a.
Germanic [dʒə:'mænik], *adj.* germânico.
Germanism ['dʒə:mənizəm], *s.* germanismo.
Germanist ['dʒə:mənist], *s.* germanista, pessoa especializada em língua e literatura germânica.
germanization [dʒə:mənai'zeiʃən], *s.* germanização.
germanize ['dʒə:mənaiz], *vt.* germanizar.
Germany ['dʒə:məni], *top.* Alemanha.
germicide ['dʒə:misaid], *s.* germicida.
germinal ['dʒə:minl], *adj.* germinal.
germinate ['dʒə:mineit], *vt.* e *vi.* germinar, brotar; fazer nascer. *(Sin.* to vegetate, to sprout, to shoot, to bud, to push. *Ant.* to decay.)
germination [dʒə:mi'neiʃən], *s.* germinação.
gerrymander ['dʒerimændə], **1** — *s.* alteração do recenseamento político.
2 — *vt.* alterar, falsificar o recenseamento político para obter melhor votação.
Gertrude ['gə:tru:d], *n. p.* Gertrudes.
gerund ['dʒerənd], *s.* gerúndio.

gerundive [dʒiˈrʌndiv], *adj.* gerundivo.
Gervase [ˈdʒəːvəs], *n. p.* Gervásio.
gesso [ˈdʒesou], *s.* gesso.
gestation [dʒesˈteiʃən], *s.* gestação, gravidez.
gesticulate [dʒesˈtikjuleit], *vt.* e *vi.* gesticular.
gesticulation [dʒestikjuˈleiʃən], *s.* gesticulação.
gesticulator [dʒesˈtikjuleitə], *s.* gesticulador.
gesticulatory [dʒesˈtikjulətəri], *adj.* gesticulatório, relativo à gesticulação.
gesture [ˈdʒestʃə], **1** — *s.* gesto, aceno; acção. **2** — *vt.* e *vi.* fazer gestos.
get [get], **1** — *s.* geração (de animais). **2** — *vt.* e *vi.* (*pret.* e *pp.* **got** [gɔt]) obter, adquirir, grangear; conseguir, ganhar; vir a ser; contrair; habituar-se, acostumar-se; comprar; apanhar, agarrar; receber; ter, possuir; ser obrigado a; induzir, persuadir; mandar; ordenar; aprender; decorar; buscar; trazer; compreender; contribuir para, causar. (*Sin.* to gain, to obtain, to acquire, to win, to earn, to attain, to secure, to procure, to bring, to fetch, to learn, to persuade, to induce, to arrive, to reach, to become. *Ant.* to leave, to abandon, to renounce, to relinquish.)
he is getting on in years — está a caminhar para a velhice.
to get about — **tornar-se conhecido; restabelecer-se (após uma doença); mexer-se; viajar.**
to get ahead — prosperar, passar adiante.
to get along — avançar, progredir; dar-se bem; viver; fazer seguir; transportar.
to get along without — passar sem.
to get abroad — divulgar, espalhar (notícias).
to get a cold — constipar-se.
to get a person (thing) on the brain — pensar única e exclusivamente numa determinada pessoa (coisa).
to get ashore — desembarcar.
to get at — chegar a, alcançar; rir-se de; insinuar; subornar; pôr-se em comunicação com.
to get away — partir, ir-se, retirar-se.
to get away from — escapar-se; fugir de.
to get away with — **levar; vencer.**
to get anything out of one's mind — **esquecer; esquecer-se de.**
to get back — voltar; recuperar o perdido.
to get before — ir adiante; adiantar-se.
to get behind — ficar atrás; perder terreno.
to get better — melhorar (de saúde, de situação).
to get the better of — levar a melhor; vencer.
to get the best of it — **ganhar; sair vitorioso de.**
to get back at someone — vingar-se de alguém.
to get by heart — decorar.
to get clear of — **desembaraçar-se de; livrar-se de.**
to get dark — escurecer.
to get done with — **acabar; concluir.**
to get down — descer; escrever qualquer coisa ditada; engolir; sentir-se infeliz, triste, mal disposto.
to get free — **livrar-se; libertar-se.**
to get forward — **avançar, progredir.**
to get hold of — **agarrar; achar; conseguir.**
to get home — chegar a casa.
to get in — entrar; insinuar-se; meter dentro; ser eleito; abastecer-se.
to get it into one's head — **estar convencido de.**
to get it in one's way — **interromper; pôr dificuldades a.**
to get into a bad corner — estar em maus lençóis.
to get into a mess — meter-se em sarilhos.
to get married — casar.
to get off — fugir; escapar; partir; apear-se; descer; enviar; expedir.
to get off on the wrong foot — dar um passo em falso; proceder com pouco senso.
to get on — progredir; subir para um carro; melhorar (de uma doença).
to get on with — viver em boa harmonia com.
to get on one's nerves — **irritar; contender com os nervos de.**
to get out — sair, fazer sair; tirar, arrancar; divulgar.
to get out of the way — **pôr-se de lado; desembaraçar-se de.**
to get out of hand — insubordinar-se.
to get out of sight — desaparecer da vista.
to get out of a scrape — sair de embaraços.
to get one thing off one's chest — desabafar.
to get over — passar sobre; causar boa impressão; dirigir-se a; terminar; solucionar; desviar-se; restabelecer-se (de doença).
to get ready — aprontar para.
to get rid of — libertar-se de.
to get the start of somebody — **tomar a dianteira a alguém.**
to get the wind up — (fam.) assustar-se.
to get the worst of — **ser vencido por; levar a pior parte de.**
to get to — chegar a.
to get through — penetrar; sair de dificuldades; acabar; passar num exame; gastar doidamente.
to get round — convencer; fugir a; constar; tornar-se redondo.
to get under — meter-se debaixo de; subjugar.
to get up — **subir; levantar-se da cama; preparar, aprontar; planear; organizar, montar; subir na vida.**
to get up steam — dar vapor (à máquina).
to get used to — habituar-se a.
to get wind — respirar fundo.
to get wind of — ouvir rumores de; ouvir dizer.
to get fairly under way — começar a prosperar.
to get into debt — contrair dívidas.
get-at-able [getˈætəbl], *adj.* que se pode adquirir; acessível.
getting [ˈgetiŋ], *s.* aquisição; ganho, lucro, proveito.
get-up [getˈʌp], *s.* estilo de vestuário; estilo de produção (de um livro, etc.); aparência; aquisição; ganho, lucro.
geum [ˈdʒiːəm], *s.* (bot.) espécie de planta vivaz.
gewgaw [ˈgjuːgɔː], *s.* frioleira, bagatela, ninharia; ostentação.
geyser [ˈgaizə], *s.* géiser; jacto de água quente que sai da terra; esquentador.
ghastliness [ˈgɑːstlinis], *s.* palidez; aspecto cadavérico; horror.
ghastly [ˈgɑːstli], **1** — *adj.* pálido; lívido, cadavérico; horrível. (*Sin.* frightful, shocking, horrible, terrible, pale.) **2** — *adv.* horrivelmente.
gherkin [ˈgəːkin], *s.* pepino de conserva.
ghetto [ˈgetou], *s.* bairro de residência obrigatória para os Judeus.
ghost [goust], **1** — *s.* espectro, fantasma; alma penada; espírito, sombra; escritor ou artista que realiza um trabalho que outro assina.
not the ghost of a chance — sem possibilidade alguma.
the Holy Ghost — o Espírito Santo.
to raise a ghost — evocar um espírito.
to give up the ghost — soltar o último suspiro.
to lay a ghost — esconjurar um espírito.
2 — *vt.* e *vi.* **colaborar, por dinheiro e anonimamente, numa obra assinada por outro.**

ghostliness [-linis], *s.* espiritualidade; carácter espectral.
ghostly [-li], *adj.* espiritual, espectral.
ghoul [gu:l], *s.* vampiro.
ghoulish ['gu:liʃ], *adj.* macabro; vampírico.
giant ['dʒaiənt], **1** — *s.* gigante.
2 — *adj.* gigantesco.
giantess [-is], *s.* giganta.
gib [dʒib], *s.* contrachaveta; grampo.
gibber [-ə], **1** — *s.* algaraviada.
2 — *vi.* falar atabalhoadamente.
gibberish [-əriʃ], *s.* palavras sem sentido; linguagem inintelegível.
gibbet ['dʒibit], **1** — *s.* forca, patíbulo.
2 — *vt.* enforcar; condenar à forca.
gibbon ['gibən], *s.* (zool.) espécie de macaco da Índia.
gibbosity [gi'bɔsiti], *s.* gibosidade, corcunda.
gibbous ['gibəs], *adj.* corcovado, corcunda; convexo.
gibe [dʒaib], **1** — *s.* troça, escárnio, zombaria, motejo.
2 — *vt.* e *vi.* zombar, motejar, escarnecer, troçar.
giber [-ə], *s.* escarnecedor.
gibing [-iŋ], *adj.* escarnecedor, zombeteiro.
gibingly [-iŋli], *adv.* por troça, de escárnio, com zombaria.
giblets ['dʒiblits], *s. pl.* miúdos de aves.
Gibraltar [dʒi'brɔ:ltə], *top.* Gibraltar.
gibus ['dʒaibəs], *s.* chapéu de molas; chapéu claque.
giddily ['gidili], *adv.* vertiginosamente; estouvadamente.
giddiness ['gidinis], *s.* vertigem, atordoamento; inconstância, volubilidade.
giddy ['gidi], **1** — *adj.* vertiginoso; aturdido, tonto; estouvado, inconstante.
to feel giddy — sentir vertigens.
2 — *vt.* e *vi.* entontecer, causar vertigens.
gift [gift], **1** — *s.* presente, dádiva, prenda; dom; mercê.
never look a gift horse in the mouth — a cavalo dado não se olha o dente.
the gift of the gab — verbosidade; dom da palavra.
2 — *vt.* doar, dotar.
gifted [-id], *adj.* dotado, prendado.
gig [gig], *s.* cabriolé; canoa; fisga.
gigantic [dʒai'gæntik], *adj.* gigantesco, enorme.
gigantically [-əli], *adv.* gigantescamente.
giggle ['gigl], **1** — *s.* riso sacudido; risadinha.
2 — *vi.* dar risadinhas.
Gilbert ['gilbət], *n. p.* Gilberto.
gild [gild], *vt.* (*pret.* e *pp.* **gilded** [-id]; quando empregado como adjectivo, o *pp.* é **gilt** [gilt]) dourar; adornar; tornar atraente.
gilder [-ə], *s.* dourador.
gill [gil], **1** — *s.* guelra de peixe; papada (de certas aves); pente de fiação; barranco, ravina; rio estreito de montanha; [dʒil], medida de capacidade equivalente a 1,42 dl.
2 — *vt.* estripar (peixe).
Gillian ['giliən], *n. p.* Juliana.
gillyflower ['dʒiliflauə], *s.* goivo.
gilt [gilt], **1** — *s.* douradura, dourado.
gilt-edged securities — fundos públicos perfeitamente seguros.
to take the gilt off the gingerbread — sofrer uma desilusão.
2 — *adj.* e *pp.* de **to gild**, dourado.
gimbal ['dʒimbəl], *s.* balanceiro (da bússola, cronómetro, etc.).
gimcrack ['dʒimkræk], **1** — *s.* ninharia, brinquedo; ornamento inútil; peça insignificante de um maquinismo; bugiganga.
2 — *adj.* malfeito; de qualidade inferior.
gimlet ['gimlit], *s.* verruma.

gimp [gimp], *s.* galão; alamar; divisa; passamane.
gin [dʒin], **1** — *s.* genebra; armadilha; máquina para separar as sementes do algodão; molinete.
gin-palace — casa de bebidas luxuosa.
gin-soaked — embrutecido pela bebida.
2 — *vt.* (*pret.* e *pp.* **ginned**) apanhar um animal com armadilhas; descaroçar o algodão.
ginger ['dʒindʒə], **1** — *s.* gengibre; vivacidade, espírito, energia; cor ruiva (de cabelo).
ginger-snap — biscoito com gengibre.
2 — *vt.* dar vida, animar; aromatizar com gengibre.
gingerbread [-bred], *s.* bolo feito com gengibre e melaço.
to take the gilt off the gingerbread — sofrer uma desilusão; ter uma decepção.
gingerly [-li], **1** — *adj.* escrupuloso; cauteloso; delicado.
2 — *adv.* cautelosamente; escrupulosamente.
gingham ['giŋəm], *s.* guingão, espécie de pano de algodão listrado; (col.) guarda-chuva.
gingival [dʒin'dʒaivəl], *adj.* das gengivas.
gingko (*pl.* **gingkoes**) ['giŋkou,-z], *s.* gingo, árvore do Japão.
gipsy (*pl.* **gipsies**) ['dʒipsi], *s.* cigano; mulher esperta.
gipsy bonnet — chapéu de abas largas.
ginnery ['dʒinəri], *s.* fábrica de fiação de algodão.
to gird up one's loins — estar pronto para a luta.
giraffe [dʒi'rɑ:f], *s.* girafa.
girandole ['dʒirəndoul], *s.* girândola; candelabro, lustre; jacto de água giratório.
girasol(e) ['dʒirəsoul], *s.* girassol (pedra preciosa).
gird [gə:d], **1** — *s.* mofa, escárnio, troça; remorso.
by fits and by girds — frequentemente.
2 — *vt.* e *vi.* (*pret.* e *pp.* **girded** ['gə:did] ou **girt** [gə:t]) cingir, cercar, rodear; atar; investir; escarnecer, troçar de.
girder [-ə], *s.* viga, trave; (náut.) pontal; escarnecedor.
girdle ['gə:dl], **1** — *s.* cinto; cinturão; faixa; incisão circular na casca duma árvore.
to be like a hen on a hot girdle — ser como gato sobre brasas.
2 — *vt.* cingir, cercar, encerrar; fazer uma incisão circular na casca de uma árvore.
girl [gə:l], *s.* rapariga, menina; filha; criada; (col.) namorada.
girlhood [-hud], *s.* adolescência; mocidade feminina.
girlish [-iʃ], *adj.* próprio de rapariga.
girlishly [-iʃli], *adv.* como uma rapariga.
girlishness [-iʃnis], *s.* carácter próprio de rapariga.
girt [gə:t] *pret.* e *pp.* do verbo **to gird.**
girth [gə:θ], **1** — *s.* cilha; circunferência; medida da cinta; contorno; periferia.
2 — *vt.* e *vi.* cilhar; cingir; medir.
gist [dʒist], *s.* substância, ponto principal de uma questão.
give [giv], **1** — *s.* elasticidade.
give and take — concessão mútua; compromisso.
2 — *vt.* e *vi.* (*pret.* **gave** [geiv], *pp.* **given** ['givn]) dar, conceder, oferecer; entregar, confiar; ceder; conferir; doar; trespassar; empenhar (a palavra); apresentar; produzir, ocasionar; consagrar; pagar; diminuir; prover; mostrar; trocar. (*Sin.* to grant, to bestow, to afford, to present, to supply, to confer, to impart, to pronounce, to produce, to cause, to occasion.)

to give a hand to — ajudar.
to give and take — dar ela por ela; dar e levar.
to give a piece of one's mind — ralhar; repreender; dar a conhecer a nossa opinião.
to give as good as one gets — pagar na mesma moeda; responder à letra.
to give away — transferir; levar (a noiva) ao altar; distribuir; mostrar.
to give away a secret — revelar um segredo.
to give audience — dar audiência; dar ouvidos.
to give back — restituir, devolver.
to give birth to — dar à luz; originar.
to give best — reconhecer o insucesso.
to give ear to — dar ouvidos a.
to give evidence — testemunhar.
to give evidence of — dar provas de.
to give forth — publicar, divulgar; emitir; soltar; exalar (cheiro).
to give ground — recuar, ceder.
to give ground to — dar motivo a.
to give head — dar certa liberdade.
to give in—ceder; entregar; dar-se por vencido.
to give into — adoptar (uma opinião, um partido, etc.).
to give leave — permitir.
to give notice to — despedir.
to give like for like — pagar na mesma moeda.
to give odds — dar partido (ao jogo).
to give off — emanar; exalar.
to give oneself airs—tomar ares de importância.
to give oneself away — trair-se.
to give over — abandonar; dar-se; entregar.
to give out — distribuir; publicar; divulgar; esgotar-se; parar (motor).
to give one the go-by — evitar alguém propositadamente.
to give one's mind to — dedicar-se a.
to give rise to — dar origem a; ocasionar.
to give the slip to — escapulir-se de.
to give tit for tat — pagar na mesma moeda.
to give up — desistir, renunciar, ceder; render-se; entregar; abandonar.
to give way — ceder, consentir; quebrar; sucumbir; bater em retirada.
given [-n], *adj.* e *pp.* do verbo **to give,** dado, concedido; propenso, inclinado a.
giver [-ə], *s.* dador, doador.
giving [-iŋ], *s.* dom; dádiva; oferta.
giving out — distribuição; anúncio.
giving away — declínio, queda; traição.
gizzard ['gizəd], *s.* moela das aves; canal alimentar de alguns crustáceos e insectos.
glabrous ['gleibrəs], *adj.* glabro, aveludado, liso, macio; calvo.
glacial ['gleisjəl], *adj.* glacial.
glaciation [glæsi'eiʃən], *s.* congelação.
glacier ['glæsjə], *s.* glaciar; geleira.
glacis ['glæsis], *s.* talude inclinado de fortificação.
glad [glæd], *adj.* alegre, contente, satisfeito; divertido. *(Sin.* delighted, pleased, happy, joyous, gratified. *Ant.* sorry.)
the glad eye (cal.) — olhar amoroso.
to be glad of — estimar.
to put on one's glad rags — vestir os fatos melhores.
gladden [-n], *vt.* alegrar, animar; contentar; regozijar.
glade [gleid], *s.* clareira, abertura.
gladiator ['glædieitə], *s.* gladiador.
gladiolus [glædi'ouləs], *s.* (bot.) gladíolo.
gladly ['glædli], *adv.* alegremente; de bom grado; com prazer, de boa vontade.
gladness ['glædnis], *s.* alegria, regozijo, contentamento, satisfação.
gladsome ['glædsəm], *adj.* satisfeito, contente, alegre, feliz.
gladsomely [-li], *adv.* alegremente.
gladsomeness [-nis], *s.* contentamento, alegria, satisfação.
glair [glɛə], **1** — *s.* clara de ovo; qualquer substância parecida com clara de ovo; substância viscosa.
2 — *vt.* untar com clara de ovo.
glaireous [-riəs], *adj.* como clara de ovo; pegajoso, viscoso.
glairy [-ri], *adj.* pegajoso, viscoso.
glamour ['glæmə], **1** — *s.* encanto, feitiço, bruxaria; beleza, sedução.
to cast a glamour over — enfeitiçar.
2 — *vt.* encantar; enfeitiçar.
glamorous ['glæmərəs], *adj.* encantador; enfeitiçador.
glance [glɑːns], **1** — *s.* vislumbre; clarão; relance; olhar, olhadela; golpe desviado. *(Sin.* gaze, look, glimpse.)
at a glance — num relance.
at the first glance — à primeira vista.
to catch a glance of — ver de passagem.
2 — *vt.* e *vi.* olhar de soslaio; lançar uma vista rápida, relancear; cintilar, resplandecer, fulgurar.
to glance at — olhar de relance; aludir a, referir-se a.
to glance aside (off) — desviar-se.
to glance over — passar a vista por.
to glance through a book — folhear um livro.
glancingly [-iŋli], *adv.* de relance, de passagem; rapidamente.
gland [glænd], *s.* glândula; (mec.) bucim.
glandered [əd], *adj.* com mormo.
glanders [-z], *s. pl.* mormo.
glandiferous [glæn'difərəs], *adj.* glandífero.
glandiform ['glændifɔːm], *adj.* glandiforme.
glandular ['glændjulə], *adj.* glandular.
glandule ['glændjuːl], *s.* glândula.
glandulous [-əs], *adj.* glanduloso.
glare [glɛə], **1** — *s.* brilho, resplendor, claridade; olhar feroz e penetrante.
2 — *adj.* (E. U.) brilhante.
3 — *vi.* brilhar; deslumbrar; olhar com ar feroz; deitar lume pelos olhos. *(Sin.* to sparkle, to gleam, to shine, to glitter.
glaring ['glɛəriŋ], *adj.* brilhante, ofuscante; deslumbrante; flagrante, notório; vistoso, espaventoso; feroz.
a glaring mistake — um erro flagrante.
glaringly [-li], *adv.* notoriamente; espaventosamente; de modo deslumbrante.
glaringness [-nis], *s.* brilho, resplendor; espavento; notoriedade.
glass [glɑːs], **1** — *s.* vidro, vidraria; copo; espelho; luneta, óculo, telescópio; barómetro; *pl.* óculos, binóculo.
clear as glass — claro como água.
glass case — caixa de vidro; vitrina.
glass-paper — lixa.
glass works — fábrica de vidros.
glass ware — objectos de vidro.
glass-window — vitral.
glass eye — olho de vidro.
looking-glass — espelho.
glass-house — estufa de jardim; galeria fotográfica.
cupping-glass — ventosa.
stained glass — vitral.
weather glass — barómetro.
those who live in glass houses should not throw stones — quem tem telhados de vidro não deve atirar pedradas.
to be fond of a glass — gostar de beber.
to have a glass too much — (col.) ter um copo a mais.
2 — *vt.* espelhar; colocar vidros; polir.
glassful [-ful], *s.* conteúdo de um copo.

glassy [-i], *adj.* vítreo; de vidro cristalino.
glaucoma [glɔ:'koumə], *s.* glaucoma (doença de olhos).
glaucous ['glɔ:kəs], *adj.* glauco, verde-mar.
glaze [gleiz], **1** — *s.* vidrado (da louça); lustre, verniz; superfície lisa e lustrosa; brilho.
2 — *vt.* e *vi.* envidraçar, vidrar; envernizar; acetinar; dar brilho a; polir.
glazed [-d], *adj.* vidrado; envidraçado; acetinado; envernizado.
glazier [-jə], *s.* vidraceiro.
is your father a glazier? — és muito baço para espelho.
glazing [-iŋ], *s.* vidrado; verniz; acto de colocar vidros; polimento; esmalte; acetinação.
gleam [gli:m], **1** — *s.* fulgor, brilho; clarão, cintilação; raio de luz.
not a gleam of hope — nem um raio de esperança.
2 — *vi.* brilhar, cintilar, resplandecer. (*Sin.* to beam, to shine, to glitter, to flash.
gleaming [-iŋ], **1** — *s.* relâmpago; raio de luz, clarão.
2 — *adj.* cintilante, fulgurante, brilhante.
glean [gli:n], *vt.* e *vi.* respigar, recolher; juntar aos bocados. (*Sin.* to gather, to collect, to pick up.)
gleaner [-ə], *s.* respigador; rebuscador.
gleaning [-iŋ], *s.* respigo, rebusco; *pl.* compilação; restos.
glebe [gli:b], *s.* (poét.) gleba; terreno, terra; passal de igreja.
glee [gli:], *s.* alegria, júbilo; prazer; copla, canção. (*Sin.* gaiety, liveliness, hilarity, mirth. *Ant.* sorrow.)
gleeful [-ful], *adj.* alegre, jovial, prazenteiro.
gleefully [-fuli], *adv.* alegremente, jovialmente.
gleesome [-səm], *adj.* alegre, satisfeito, contente, jovial.
gleet [gli:t], *s.* gonorreia.
glen [glen], *s.* vale estreito; desfiladeiro.
glib [glib], *adj.* fluente; liso, solto, escorregadio; volúvel; desembaraçado. (*Sin.* smooth, easy, fluent, ready, voluble.)
glib-tongued — de língua desembaraçada; de réplica pronta.
glibly [-li], *adv.* correntemente, fluentemente; voluvelmente.
glibness [-nis], *s.* fluência; volubilidade; fluidez.
glide [glaid], **1** — *s.* deslize, escorregadela; (mús.) sucessão de notas, ao passar dum tom a outro, sem parar a voz ou instrumento; voo planado.
2 — *vt.* e *vi.* resvalar, deslizar, escorregar; planar; passar sem se notar.
glider [-ə], *s.* aquele ou aquilo que desliza; aeroplano sem motor; planador.
gliding [-iŋ], **1** — *s.* deslize; descida lenta; voo planado.
2 — *adj.* deslizante.
glidingly [-iŋli], *adv.* a deslizar; planado.
glimmer [glimə], **1** — *s.* luz ténue; vislumbre; reflexo.
2 — *vi.* bruxulear, brilhar debilmente; cintilar.
glimmering [-əriŋ], **1** — *s.* luz frouxa; vislumbre; ténue claridade.
2 — *adj.* fraco, ténue; vacilante, bruxulante.
glimmeringly [-əriŋli], *adv.* com uma ténue claridade, frouxamente.
glimpse [glimps], **1** — *s.* relance, vislumbre; luz ténue; reflexo, raio; gozo passageiro; indício.
to catch a glimpse of — entrever; ver de relance.
2 — *vt.* e *vi.* ver de relance; tremeluzir; dar uma vista de olhos; vislumbrar.
glint [glint], **1** — *s.* brilho, fulgor; reflexo.
2 — *vi.* luzir, brilhar; cintilar; reflectir-se.
glissade [gli'sɑ:d], **1** — *s.* deslize; plano inclinado coberto de neve ou gelo para praticar desportos de inverno; passo de *ballet*.
2 — *vi.* deslizar, escorregar (no gelo.)
glisten ['glisn], **1** — *s.* cintilação, brilho, fulgor; reflexo.
2 — *vi.* cintilar, brilhar, fulgir; reflectir.
glitter ['glitə], **1** — *s.* brilho, lustre, fulgor; esplendor.
2 — *vi.* cintilar, resplandecer, reluzir, brilhar.
all is not gold that glitters — nem tudo o que luz é oiro.
glittering [-riŋ], **1** — *s.* cintilação, brilho.
2 — *adj.* brilhante; fulgente; deslumbrante; esplêndido.
glitteringly [-riŋli], *adv.* brilhantemente, com esplendor.
gloaming ['gloumiŋ], *s.* crepúsculo; o cair da noite.
gloat [glout], *vi.* regozijar-se com o mal alheio; devorar com o olhar; olhar com mau pensamento.
global ['gloubəl], *adj.* global.
globe [gloub], **1** — *s.* globo; esfera; Terra; globo ocular.
globe-trotter — turista que corre o mundo todo.
globe-daisy (bot.) — globulária.
2 — *vt.* e *vi.* formar em globo; dar a forma esférica.
globose [-ous], *adj.* esférico, redondo.
globosity [glou'bɔsiti], *s.* esfericidade, redondeza.
globular ['glɔbjulə], *adj.* globular, esférico, redondo.
globule ['glɔbju:l], *s.* glóbulo.
gloom [glu:m], **1** — *s.* obscuridade, trevas, escuridão; tristeza, melancolia; pessimismo.
2 — *vt.* e *vi.* escurecer, obscurecer; toldar; entristecer.
gloomily [-ili], *adv.* obscuramente, tristemente; lugubremente.
gloominess [-nis], *s.* obscuridade, escuridão; tristeza; melancolia; aspecto carrancudo.
gloomy [-i], *adj.* escuro, sombrio, triste; lúgubre, tenebroso. (*Sin.* dark, dim, obscure, sad, cheerless, depressed, dismal. *Ant.* light, cheering, cheerful.)
glorification [glɔ:rifi'keiʃən], *s.* glorificação; apoteose; celebração.
glorifier ['glɔ:rifaiə], *s.* glorificador.
glorify ['glɔ:rifai], *vt.* glorificar, celebrar, exaltar.
glorious ['glɔ:riəs], *adj.* glorioso, ilustre; magnífico, esplêndido, soberbo. (*Sin.* famous, renowned, noble, splendid, bright. *Ant.* dull, base.)
a glorious day — um dia magnífico.
to have a glorious time — passar um tempo muito feliz; divertir-se muito.
gloriously [-li], *adv.* gloriosamente; esplendidamente.
glory ['glɔ:ri], **1** — *s.* (*pl.* **glories** [-iz]) glória, honra, renome; fama, celebridade; auréola, resplendor; magnificência; glória celeste, céu; satisfação; motivo de orgulho.
to go to glory (col.) — morrer.
to send to glory (col.) — matar.
2 — *vi.* gloriar-se, ufanar-se, gabar-se; regozijar-se com.
gloss [glɔs], **1** — *s.* lustro; polimento, brilho; falsa aparência; glosa, comentário; interpretação.
to take the gloss off — tirar o lustro a.
2 — *vt.* e *vi.* polir, lustrar; acetinar; iludir com falsas aparências; comentar, glosar, criticar. (*Sin.* to polish, to brighten, to

disguise, to comment).
to gloss over something — tentar desculpar alguma coisa, dando-lhe outra aparência.
glossarist [-ərist], *s.* glosador, comentador; glossarista.
glossary *(pl.* **glossaries)** [-əri,-iz], *s.* glossário.
glosser [-ə], *s.* glosador, comentador; polidor.
glossiness [-nis], *s.* polimento, lustro.
glossy [-i], *adj.* lustroso, brilhante; acetinado. *(Sin.* smooth, shining, bright. *Ant.* rough.)
glove [glʌv], **1** — *s.* luva.
glove stretcher — alargador de luvas.
to be hand in glove with — ser unha e carne com.
to fit like a glove — assentar como uma luva.
to handle without gloves — agir sem contemplações.
to take up the glove — aceitar um desafio.
to throw down the glove — desafiar.
2 — *vt.* enluvar, calçar luvas **a.**
glover [-ə], *s.* luveiro.
glow [glou], **1** — *s.* calor, ardor; vermelhidão; incandescência; animação, paixão, entusiasmo. *(Sin.* brightness, gleam, warmth, ardour.)
glow-worm — pirilampo.
glow-lamp — lâmpada de incandescência.
to be in a glow — estar afogueado.
2 — *vi.* arder, abrasar; brilhar, luzir; inflamar-se; resplandecer; iluminar; animar-se, exaltar-se; sentir calor, aquecer-se.
glower ['glauə], **1** — *s.* olhar indignado.
2 — *vi.* olhar ferozmente; mostrar um semblante carregado.
glowing ['glouiŋ], **1** — *s.* brilho; incandescência.
2 — *adj.* resplandecente, brilhante; corado; inflamado; ardente, apaixonado.
to paint in glowing colours — descrever com entusiasmo.
glowingly [-li], *adv.* ardentemente; brilhantemente.
gloxinia [glɔk'sinjə], *s.* (bot.) gloxínia.
gloze [glouz], *vt.* e *vi.* comentar, explicar; (arc.) adular, lisonjear.
glucose ['glu:kous], *s.* glucose.
glue [glu:], **1** — *s.* grude; cola; caldo espesso.
2 — *vt.* colar; grudar.
gluer [-ə], *s.* colador.
gluey [-i], *adj.* pegajoso, viscoso, glutinoso
glum [glʌm], *adj.* mal-humorado, maldisposto; carrancudo; rabujento.
glume [glu:m], *s.* película, invólucro das plantas.
glumly ['glʌmli], *adv.* com mau humor; taciturnamente.
glumness ['glʌmnis], *s.* mau humor, amuo, rabugice.
glut [glʌt], **1** — *s.* fartura, superabundância, excesso, saciedade.
2 — *vt.* *(pret.* e *pp.* **glutted)** saciar, fartar; abarrotar, atestar.
gluten ['glu:tən], *s.* glúten.
glutinosity [glu:ti'nɔsiti], *s.* viscosidade.
glutinous ['glu:tinəs], *adj.* glutinoso, pegajoso, viscoso. *(Sin.* viscous, clammy, gluey, sticky).
glutinously [-li], *adv.* de modo pegajoso.
glutinousness [-nis], *s.* viscosidade.
glutton ['glʌtn], *s.* glutão.
gluttonize ['glʌtnaiz], *vi.* comer excessivamente; devorar.
gluttonous ['glʌtnəs], *adj.* glutão; voraz.
gluttonously [-li], *adv.* vorazmente; como um glutão.
gluttony ['glʌtni], *s.* gulodice; voracidade.
glycerin(e) [glisə'ri:n], *s.* glicerina.
glycogen ['glikoudʒen], *s.* (quím.) glicogénio.
glycol ['glaikɔl], *s.* (quím.) glicol.
glyph [glif], *s.* glifo.
glyptography [glip'tɔgrəfi], *s.* gliptografia.
gnarled, gnarly [nɑ:ld,'nɑ:li], *adj.* nodoso, cheio de nós; deformado.
gnash [næʃ], *vt.* ranger (os dentes).
gnat [næt], *s.* mosquito; pequeno incómodo; bagatela.
to strain at a gnat — prender-se com ninharias.
gnaw [nɔ:], *vt.* e *vi.* *(pret.* **gnawed,** *pp.* **gnawn** [-d-n]) roer; corroer; torturar. *(Sin.* to bite, to corrode, to consume.
gnawing [-iŋ], **1** — *s.* acção de roer; tortura.
2 — *adj.* roedor; torturante.
gneiss [nais], *s.* gneisse, rocha composta de feldspato, mica e quartzo.
gnome [noum], *s.* gnomo, diabrete; máxima, aforismo.
gnomon ['noumən], *s.* gnómon; ponteiro de relógio de sol.
gnosis ['nousis], *s.* gnose.
gnu [nu:; nju:], *s.* *(zool.)* gnu; antílope africano.
go [gou], **1** — *s.* *(pl.* **goes** [-z]) força; entusiasmo; situação embaraçosa; moda; oportunidade, vez.
it was a near go! — foi por um triz!
it's no go — **é inútil.**
the go — **o auge da moda;** o último grito da moda.
go-between — medianeiro, intermediário.
is it a go? — combinado?
2 — *vi.* *(pret.* **went** [went], *pp.* **gone** [gɔn]) ir, andar, caminhar; dirigir-se a; partir; mover-se; marchar; progredir; prosseguir; passar por; funcionar; viajar; desaparecer; (mec.) assentar, ficar bem; vender; ceder; tolerar, suportar; participar; contribuir; interessar; pertencer a; acompanhar; morrer; ser moda.
go to Bath! (to Jericho!, to blazes!) — vá para o diabo!
go about your business — meta-se na sua vida.
go it! — coragem.
to go abroad — ir para o estrangeiro.
to go about — começar a trabalhar; andar de uma parte para outra; empreender; constar.
to go against — opor-se; contrariar.
to go ahead — avançar, prosseguir.
to go along — ir-se embora; prosseguir; caminhar ao longo de.
to go along with one — acompanhar alguém; ser da mesma opinião.
to go astray — **desencaminhar-se, extraviar-se; tresmalhar-se.**
to go ashore — ir a terra; desembarcar.
to go after — seguir, ir atrás de.
to go aground — encalhar, dar em seco.
to go at — atacar.
to go away — ir-se embora.
to go back — voltar, recuar.
to go backwards and forwards — andar de um lado para o outro.
to go before — preceder, adiantar-se; ser repreendido.
to go between — servir de medianeiro.
to go beyond — ir além do permitido; exceder.
to go by — passar junto de; regular-se por.
to go blind — cegar.
to go bad — estragar-se, apodrecer, deteriorar-se.
to go down — descer, baixar; afundar-se; piorar; ser lembrado.
to go easy — ter cuidado; evitar estragar.
to go far — ir longe; ser bem sucedido.
to go fast — adiantar-se (relógio).
to go for — ir buscar; dirigir-se para.
to go for a walk — **(ir) dar um passeio (a pé).**

to go halves — partir a meias.
to go hot and cold — ficar cheio de ansiedade; sentir calafrios.
to go in — entrar; penetrar em.
to go in for — decidir-se por; dedicar-se a, praticar; especializar-se em; seguir a carreira de; entrar a exame de.
to go into — entrar, tomar parte em; frequentar; investigar.
to go into black — pôr luto.
to go it — continuar com coragem; gastar à larga.
to go off — explodir; ir-se embora; ter boa venda; perder a beleza.
to go on — continuar, progredir; passar.
to go on horseback — andar a cavalo.
to go out — sair; pôr-se a caminho; apagar-se; passar de moda.
to go out of print — esgotar-se (livro).
to go out of one's way to — fazer tudo para.
to go over — passar por cima; atravessar; atropelar; examinar minuciosamente; repetir.
to go round — ser suficiente; andar à volta de.
to go shares — dividir a meias.
to go through — realizar, conseguir; passar por; penetrar; sofrer; atravessar; experimentar.
to go to the dogs — arruinar-se.
to go to law — intentar uma acção judicial.
to go to pieces — desfazer-se em bocados.
to go under — falir, arruinar; passar por baixo de; pôr-se (o Sol); ficar vencido.
to go up — subir; aumentar (preço); explodir.
to go without — passar sem.
to go without saying — aceitar como certo sem explicação; subentender-se uma coisa.
to go wrong — fracassar; seguir caminho errado; apodrecer.

Goa ['gouə], *top.* Goa.
goad [goud], **1** — *s.* aguilhão, aguilhoada; incentivo.
2 — *vt.* aguilhoar; picar; incitar, estimular.
goal [goul], *s.* meta; baliza; golo; objectivo.
goal-keeper — guarda-redes.
goal-posts — baliza.
to score a goal — marcar um golo.
Goan [gouən], *s.* e *adj.* habitante de Goa; goês.
goat [gout], *s.* cabra; Capricórnio (constelação).
to get one's goat — irritar-se.
to play the giddy goat — fazer de tolo.
to separate the sheep from the goats — separar os bons dos maus.
goatee [gou'ti:], *s.* pêra (barba no queixo).
goatherd ['goutha:d], *s.* cabreiro.
goatish ['goutiʃ], *adj.* caprino; com cheiro a bode; sensual.
goatling ['goutliŋ], *s.* cabrito.
goatsucker ['goutsʌkə], *s.* (zool.) noitibó.
gob [gɔb], **1** — *s.* escarro; expectoração; (E. U.) marinheiro.
2 — *vi.* (*pret.* e *pp.* **gobbed**) escarrar.
gobble [gɔbl], **1** — *s.* gluglu (voz do peru); (golfe) bola rolada que entra a direito num buraco.
2 — *vt.* e *vi.* engolir, tragar; fazer gluglu (peru); gorgorejar.
gobbler [-ə], *s.* glutão; peru macho.
goblet ['gɔblit], *s.* taça, copo.
goblin ['gɔblin], *s.* duende, diabrete.
God [gɔd], *s.* Deus.
god-child — afilhado.
God-damn — caramba!
god-daughter — afilhada.
Godwilling — queira Deus.
for God's sake — por amor de Deus.
the gods (teat.) — a galeria, a geral.
thank God — graças a Deus.
help yourself and God will help you — quem madruga Deus o ajuda.

goddess [-is], *s.* deusa.
godfather ['gɔdfa:ðə], *s.* padrinho.
to stand godfather to — servir de padrinho a.
Godfrey ['gɔdfri], *n. p.* Godofredo.
godhead ['gɔdhed], *s.* divindade.
godless ['gɔdlis], *adj.* hereje, ímpio, ateu.
godlike ['gɔdlaik], *adj.* divino, como Deus.
godliness ['gɔdlinis], *s.* piedade, devoção.
godly ['gɔdli], *adj.* piedoso, religioso.
godmother ['gɔdmʌðə], *s.* madrinha.
to stand godmother to — servir de madrinha a.
godown ['goudaun], *s.* armazém indiano.
godparents ['gɔdpɛərənts], *s.* padrinhos (padrinho e madrinha).
godsend ['gɔdsend], *s.* graça divina.
godship ['gɔdʃip], *s.* divindade.
godson ['gɔdsʌn], *s.* afilhado.
godwards ['gɔdwə:dz], *adv.* para Deus.
goer ['gouə], *s.* andador, passeante; aquele que vai.
church-goers — os fiéis.
the comers and goers — os que vêm e os que vão.
theatre-goer — frequentador de teatro.
goffer ['gɔfə], **1** — *s.* pregueado.
2 — *vt.* preguear; frisar; estampar.
goggle ['gɔgl], **1** — *s.* o arregalar dos olhos; *pl.* óculos protectores.
2 — *vt.* e *vi.* arregalar os olhos.
going ['gouiŋ], **1** — *s.* ida; saída; passo; piso.
2 — *adj.* que vai; existente.
goings-on ['gouiŋz'ɔn], *s. pl.* conduta, porte, procedimento; acontecimentos, ocorrências, factos.
goitre, goiter ['gɔitə], *s.* bócio, papeira.
goitrous ['gɔitrəs], *adj.* relativo ao bócio.
gold [gould], *s.* ouro; dinheiro, riqueza; cor de ouro.
gold-field — terreno aurífero.
gold-fish — dourada (peixe).
gold-dust — ouro em pó.
gold-digger — pesquisador de ouro; *(cal.)* mulher que consegue extorquir dinheiro aos homens.
gold-fever — mania do ouro.
all is not gold that glitters — nem tudo o que luz é ouro.
gold plate — baixela de ouro.
golden [-ən], *adj.* dourado, áureo; brilhante; precioso; excelente, feliz. *(Sin.* splendid, precious, excellent. *Ant.* worthless.)
golden age — período da inocência; a idade de ouro.
golden wedding — bodas de ouro.
goldsmith [-smiθ], *s.* ourives.
golf [gɔlf], **1** — *s.* golfe.
golf-club — pau para jogar o golfe; clube de golfe.
2 — *vi.* jogar golfe.
golfer [-ə], *s.* jogador de golfe.
golliwog ['gɔliwɔg], *s.* boneco fantasticamente vestido.
golosh [gə'lɔʃ], *s.* galocha.
gonad ['gɔnəd], *s.* gónada.
gondola ['gɔndələ], *s.* gôndola.
gondolier [gɔndə'liə], *s.* gondoleiro.
gone [gɔn], *pp.* do verbo **to go** e *adj.* passado, decorrido; perdido; ido, desaparecido.
far gone in years — muito velho, muito idoso.
gone case — caso perdido.
gone coon — homem liquidado.
gong [gɔŋ], **1** — *s.* gongo, tantã.
2 — *vt.* (polícia) buzinar a um condutor para parar.
gongorism ['gɔŋgərizəm], *s.* gongorismo.
goniometer [gouni'ɔmitə], *s.* goniómetro, instrumento destinado à medida de ângulos.
Gonzaga [gɔn'za:gə], *n. p.* Gonzaga.

good [gud], **1** — *s.* bem; proveito, vantagem; benefício, uso.
he was £ 1000 to the good — ele teve um lucro de 1000 libras.
for good (and all) — para sempre, de vez.
it will do you good — isso far-te-á bem.
what good is it? — para que serve isso?
2 — *adj.* bom; excelente; apto útil, vantajoso; conveniente, próprio; perfeito, virtuoso; verdadeiro, genuino, puro; válido; benévolo, bondoso; dócil, obediente; hábil; grande, considerável; digno; bem-comportado, educado. (*Sin.* excellent, kind, proper, profitable, useful. *Ant.* bad, useless.)
good morning! — bom dia!
good afternoon! — boa tarde!
good evening! — boa noite!
good night! — boa noite!
good for little — de pouco valor.
good for nothing — que não presta para nada.
good-looking — bem-parecido; bonito.
good-natured — bonacheirão, bondoso.
good-tempered — com boa disposição.
Good Friday — Sexta-Feira Santa.
good turn — amabilidade.
in good earnest — seriamente.
in good spirits — animado; de bom humor.
in good time — a horas, a tempo.
as good as — por assim dizer.
his word is as good as his bond — é um homem de palavra.
to have a good time — divertir-se.
to make good — indemnizar, compensar; justificar; provar; fazer valer.
a good many — muitos.
a good deal — bastante.
your good wife — a sr.ª sua esposa.
3 — *adv.* bem.
good-bye [gud'bai], **1** — *s.* adeus, despedida.
to bid (to wish) good-bye — despedir-se.
2 — *interj.* adeus!
goodish ['gudiʃ], *adj.* um tanto bom; sofrível, razoável.
goodliness ['gudlinis], *s.* beleza, formosura, elegância, graça.
goodly ['gudli], *adj.* belo, formoso; bem-parecido; vasto, considerável.
goodness ['gudnis], *s.* bondade, benevolência; virtude; amabilidade; generosidade; favor, mercê. (*Sin.* honesty, probity, rectitude, morality, excellence. *Ant.* evil.)
for goodness's sake! — por amor de Deus!
goodness gracious! — meu Deus!
goods [gudz], *s. pl.* mercadorias, géneros; fazendas, bens, haveres; bagagem.
goods train — comboio de mercadorias.
by fast goods service — em grande velocidade.
goods and chattels — artigos pessoais.
goodwill ['gud'wil], *s.* (com.) freguesia, fregueses; boa vontade; benevolência.
goody ['gudi], **1** — *s.* (*pl.* **goodies** [-iz]), (arc.) velhota; bombom, gulodice.
2 — *adj.* bonacheirão; ingénuo; pretensioso.
3 — *interj.* (E. U.) óptimo!
goof [gu:f], *s.* (*cal.*) pateta; palerma.
goose (*pl.* **geese**) [gu:s, gi:s], *s.* ganso; bobo, néscio, pateta; ferro de brunir dos alfaiates.
goose-flesh carne de ganso; pele de galinha (pele arrepiada).
all his geese are swans — pessoa que exagera os méritos ou qualidades de outrem.
to be unable to say bo to a goose — ser muito tímido.
what is sauce for the goose is sauce for the gander — o que é justo para um é justo para outro.
goosander [gu:'sændə], *s.* (*zool.*) merganso, mergulhão.
gooseberry ['guzbəri], *s.* groselha; groselheira.
to play gooseberry — servir de pau de cabeleira.
gopher ['goufə], *s.* animal parecido com o rato; esquilo dos prados.
Gordian ['gɔ:djən], *adj.* górdio.
Gordian knot — nó górdio; problema intrincado.
gore [gɔ:], **1** — *s.* sangue coalhado; nesga (de pano); pedaço de terreno triangular; (náut.) cutelo.
2 — *vt.* ferir com os chifres; espetar; preguear (vestido); (náut.) cortar em cutelo.
gorge [gɔ:dʒ], **1** — *s.* garganta, goela; desfiladeiro; moldura; trago, bocado; grande comezaina.
2 — *vt.* e *vi.* engolir; devorar; saciar-se, fartar-se.
gorgeous [-əs], *adj.* magnífico, vistoso, esplêndido, brilhante, grandioso, soberbo. (*Sin.* magnificent, superb, rich, splendid, brilliant, dazzling. *Ant.* plain, simple.)
gorgeously [-əsli], *adv.* sumptuosamente; vistosamente.
gorgeousness [-əsnis], *s.* esplendor, brilho, magnificência.
gorgon ['gɔ:gən], *s.* (mit. grega) górgona, uma de três mulheres com o cabelo formado por serpentes, cujos olhares petrificavam quem as contemplava; mulher repelente.
gorilla [gə'rilə], *s.* (zool.) gorila.
gormandize ['gɔ:məndaiz], **1** — *s.* gula.
2 — *vt.* e *vi.* comer com avidez; ser sôfrego.
gormandizer [-ə], *s.* glutão; gastrónomo.
gormandizing [-iŋ], *s.* voracidade.
gorse [gɔ:s], *s.* (bot.) urze, tojo.
gory ['gɔ:ri], *adj.* ensanguentado; sangrento.
gosh [gɔʃ], *interj.* caramba!
goshawk ['gɔshɔ:k], *s.* (zool.) açor.
gosling ['gɔzliŋ], *s.* ganso pequeno.
Gospel ['gɔspəl], *s.* Evangelho.
gospel truth — verdade indiscutível.
she takes his dreams as gospel — ela acredita em tudo que ele diz.
to preach the Gospel — pregar o Evangelho.
gossamer ['gɔsəmə], **1** — *s.* fio muito delgado; tecido muito leve; teia de aranha.
2 — *adj.* muito leve.
gossip ['gɔsip], **1** — *s.* tagarelice, bisbilhotice; conversa fútil; pessoa bisbilhoteira; compadre, comadre.
gossip-shop — lugar de má-língua.
to have a gossip with — conversar um bocado com.
2 — *vi.* tagarelar; conversar; mexericar.
gossipy [-i], *adj.* murmurador, bisbilhoteiro.
got]gɔt], *pret.* e *pp.* do verbo **to get**.
got-up — artificial, arranjado.
gothic ['gɔθik], **1** — *s.* a língua gótica; estilo gótico.
2 — *adj.* gótico; bárbaro, rude.
Gothicism ['gɔθisizəm], *s.* idioma dos godos; rudeza.
gotten ['gɔtn], *pp.* do verbo **to get.**
gouge [gaudʒ], **1** — *s.* goiva; escopro; ranhura; logro, engano.
2 — *vt.* cortar com uma goiva; enganar.
gourd [guəd], *s.* abóbora; cabaça.
gourmand ['guəmənd], *adj.* guloso, glutão.
gourmet ['guəmei], *s.* gastrónomo.
gout [gaut], *s.* gota, artritismo.
goutily [-ili], *adv.* de aspecto gotoso.
goutiness [-inis], *s.* gota, artritismo.
gouty [-i], *adj.* gotoso, artrítico.
govern ['gʌvən], *vt.* e *vi.* governar, dirigir,

administrar, mandar; (gram.) reger; decidir; subjugar; (mec.) regular. *(Sin.* to rule, to sway, to guide, to direct, to command, to control, to conduct. *Ant.* to misrule; to obey.)

governable [-əbl], *adj.* dócil, submisso; obediente; dirigível.

governance [-əns], *s.* governo, direcção, autoridade; regulamentação.

governess [-is], *s.* instrutora, preceptora.

governing [-iŋ], **1** — *s.* governo, direcção; comando.

2 — *adj.* que governa, que dirige.

government ['gʌvnmənt], *s.* governo, administração pública; autoridade; ministério; (gram.) regência.

governmental [gʌvən'mentl], *adj.* governamental.

governor ['gʌvənə], *s.* governador; director; dono; patrão; (fam.) pai; regulador de velocidade.

governorship [-ʃip], *s.* governo, cargo de governador.

gown [gaun], **1** — *s.* vestido; bata; trajo académico; toga; roupão.

dressing-gown — roupão.

2 — *vt.* e *vi.* vestir a toga; vestir-se.

grab [græb], **1** — *s.* acto de agarrar de repente; grampo.

grab-all — açambarcador.

to have the grab on somebody — ter vantagem sobre alguém.

2 — *vt.* e *vi.* *(pret.* e *pp.* **grabbed)** agarrar, prender, arrebatar; apoderar-se de.

grabber [-ə], *s.* açambarcador.

grabble ['græbl], *vi.* apalpar, andar às apalpadelas; prostrar-se, estender-se.

grace [greis], **1** — *s.* graça; garbo, elegância; favor, benefício, mercê; gentileza; graça divina; concessão, privilégio; título de honra; acção de graças (às refeições). *(Sin.* gracefulness, elegance, beauty, refinement, mercy, kindness, pardon, devotion.)

days of grace — os três dias de tolerância após o vencimento de uma letra.

to say grace — dar graças a Deus antes e depois das refeições.

to be in one's good graces — estar nas boas graças de alguém.

2 — *vi.* ornar, embelezar; favorecer; agraciar, honrar.

graceful [-ful], *adj.* gracioso, engraçado, elegante, airoso; agradável.

gracefully [-fuli], *adv.* com graça, com elegância, graciosamente.

gracefulness [-fulnis], *s.* graça, elegância, gentileza; agrado.

graceless [-lis], *adj.* desengraçado, desajeitado; depravado; ímpio.

gracelessness [-isnis], *s.* descaramento; depravação; deselegância.

gracious ['greiʃəs], *adj.* benigno; bondoso; afável, cortês; clemente. *(Sin.* kind, benign, benevolent, merciful, beneficent.)

good gracious! — valha-me Deus!

graciously [-li], *adv.* atenciosamente; misericordiosamente.

graciousness [-nis], *s.* afabilidade, amabilidade; clemência.

grackle [grækl], *s.* *(zool.)* quíscalo.

gradation [grə'deiʃən], *s.* gradação; ordem; série, grau; esbatimento (de cores).

gradational [grə'deiʃənl], *adj.* gradual, ordenado.

grade [greid], **1** — *s.* grau, graduação; posto, dignidade; ordem, classificação; série, classe; declive; cruzamento de raças de animais; situação, estado; (E. U.) ano (nas escolas primárias); classificação atribuída a um aluno pelos seus trabalhos escolares. *(Sin.* degree, rank, step, stage.)

things are on the up grade — as coisas estão a melhorar.

2 — *vt.* e *vi.* graduar; nivelar; arranjar; cruzar raças de animais; esbater (cores); classificar; (E. U.) classificar (exercícios, provas de exame, etc.).

grader [-ə], *s.* selecionador; máquina niveladora.

gradient [-iənt], *s.* rampa, declive, inclinação.

gradin(e) ['greidin], *s.* banqueta do altar; assentos (de um anfiteatro).

gradual ['grædjuəl], *adj.* gradual, progressivo. *(Sin.* progressive, continuous, regular, slow. *Ant.* sudden.)

gradually [-i], *adv.* gradualmente.

graduate **1** — [grædjuit], *s.* graduado, licenciado.

2 — ['grædjueit], *vt.* e *vi.* conferir um grau universitário; graduar-se; licenciar-se, doutorar-se; regular gradualmente; (quím.) preparar, concentrar.

graduation [grædju'eiʃən], *s.* licenciatura, formatura; graduação; progressão gradual; esbatimento (de cores).

graduator ['grædjueitə], *s.* graduador, regulador.

gradus ['greidəs], *s.* dicionário de prosódia latina.

graft [grɑ:ft], **1** — *s.* enxerto; garfo; (E. U.) corrupção; trabalho duro mas honesto.

2 — *vt.* e *vi.* enxertar, fazer enxertos; cultivar a corrupção.

grafter [-ə], *s.* enxertador; (E. U.) trapaceiro.

grafting [-iŋ], *s.* enxerto, enxertia.

Grail [greil], *s.* Graal, cálice usado por Cristo na última ceia.

grain [grein], **1** — *s.* grão; qualquer cereal; semente; pevide; grã (para tingir); veio de madeira; grão (de areia, sal, etc.); partícula, grânulo; (fig.) tendência, inclinação. *(Sin.* corn, cereals, seed, kernel, particle, bit.)

against the grain — contra a vontade; de mau grado.

without a grain of sense — sem sentido.

2 — *vt.* e *vi.* granular; formar grãos; tingir em lã; imitar, pintando, os veios da madeira, do mármore, etc.

grainer [-ə], *s.* o que imita os veios de madeira em pintura; navalha de curtidor; infusão para amaciar o couro.

grains [-z], *s.* forquilha de três dentes para arpoar peixes.

grainy [-i], *adj.* granuloso.

gram [græm], *s.* grama (medida de peso); grão-de-bico (para forragem).

grama ['grɑ:mə], *s.* (bot.) grama.

graminaceous [greimi'neiʃəs], *adj.* gramíneo.

grammar ['græmə], *s.* gramática.

grammar-school — escola secundária; liceu.

grammarian [grə'mɛəriən], *s.* gramático.

grammatical [grə'mætikəl], *adj.* gramatical.

grammatically [-i], *adv.* gramaticalmente.

grammaticize [grə'mætisaiz], *vt.* tornar gramatical.

gramme [græm], *s.* grama (peso).

gramophone ['græməfoun], *s.* gramofone.

grampus ['græmpəs], *s.* golfinho; pessoa corpulenta que respira com dificuldade.

Granada [grə'nɑ:də], *top.* Granada.

granary ['grænəri], *s.* celeiro; tulha.

grand [grænd], **1** — *s.* piano de cauda; (E. U.) mil dólares.

2 — *adj.* grandioso, sublime, importante; principal; magnífico, esplêndido; nobre, ilustre; vaidoso; muito bom.

grand-daughter — neta.

grand-nephew — segundo-sobrinho.

to have a grand time — divertir-se muito.
the grand-stand — tribuna principal.
grandee [græn'di:], *s.* magnate; grande de Espanha ou Portugal; pessoa de alta posição.
grandeur ['grændʒə], *s.* grandeza, fausto, pompa, magnificência, esplendor.
grandfather ['grændfɑ:ðə], *s.* avô.
grandfather's clock — relógio antigo de pesos.
grandiloquence [græn'diləkwəns], *s.* grandiloquência.
grandiloquent [græn'diləkwənt], *adj.* grandiloquente.
grandiloquently [-li], *adv.* de um modo grandiloquente.
grandiose ['grændious], *adj.* grandioso, pomposo, imponente, bombástico.
grandiosely [-li], *adv.* grandiosamente, imponentemente.
grandiosity [grændi'ɔsiti], *s.* grandiosidade, imponência.
grandly ['grændli], *adv.* grandiosamente, majestosamente.
grandmother ['grænmʌðə], *s.* avó.
go and teach your grandmother to suck eggs — vai ensinar o Pai-nosso ao vigário.
grandness ['grændnis], *s.* grandeza, pompa.
grandparent ['grænpɛərənt], *s.* avô, avó.
grandsire ['grænsaiə], *s.* avô; antepassado.
grandson ['grænsʌn], *s.* neto.
grange [greindʒ], *s.* granja, herdade, casal; casa senhorial.
grangerize ['greindʒəraiz], *vt.* ilustrar com gravuras (livro).
granite ['grænit], *s.* granito.
to bite on granite — teimar em vão.
granitic(al) [græ'nitik(əl)] *adj.* granítico.
grannie, granny ['græni], *s.* (col.) avó.
grant [grɑ:nt], **1** — *s.* concessão, privilégio, outorga, mercê, dádiva, permissão; auxílio, documento que concede um privilégio.
2 — *vt.* conceder, dar, outorgar; permitir, consentir; concordar; conferir; transferir. (*Sin.* to bestow, to confer, to concede, to admit, to allow, to yield. *Ant.* to withhold.)
to take for granted — considerar como certo.
grantee [grɑ:n'ti:], *s.* concessionário; donatário.
grantor [grɑ:n'tɔ:], *s.* doador; concessor.
granular ['grænjulə], *adj.* granular; granuloso.
granulate ['grænjuleit], *vt.* e *vi.* granular; granular-se; cristalizar (açúcar).
granulation [grænju'leiʃən], *s.* granulação.
granule ['grænju:l], *s.* grânulo; grãozinho.
granulous ['grænjuləs], *adj.* granuloso.
grape [greip], *s.* uva, bago de uva.
a bunch of grapes — um cacho de uvas.
grape-fruit — toranja.
grape-stone — graínha.
grape-gatherer — vindimador.
grape-gathering — vindima.
grape-shot — (*mil.*) metralha.
grape-sugar — glucose.
grape-vine — vide, videira.
to gather grapes — vindimar.
graph [græf], **1** — *s.* diagrama; mapa; copiador de gelatina.
2 — *vt.* representar por meio de gráfico; tirar cópias num copiador.
graphic(al) ['græfik(əl)], *adj.* gráfico; (fig.) vivo, animado.
graphically [-əli], *adv.* graficamente; de modo vivo.
graphite ['græfait], *s.* grafite.
graphology [græ'fɔlədʒi], *s.* grafologia.
grapnel ['græpnəl], *s.* âncora pequena; fateixa.
grapple ['græpl], **1** — *s.* luta renhida, briga; fateixa; acção de agarrar firmemente.
2 — *vt.* e *vi.* agarrar, prender fortemente; abordar um navio por meio de arpéu; agarrar-se. (*Sin.* to grip, to clasp, to grasp, to clutch, to seize, to hold. *Ant.* to loose.)
grappling [-iŋ], *s.* abordagem; luta.
grappling-iron — arpão.
grapy ['greipi], *adj.* cheio ou feito de uvas.
grasp [grɑ:sp], **1** — *s.* acção de agarrar; capacidade de compreender; inteligência; energia; domínio; punho (de espada, remo).
2 — *vt.* e *vi.* agarrar, abraçar; apoderar-se de; tentar agarrar; entender, compreender.
grasp all, lose all — quem tudo quer tudo perde.
grasper [-ə], *s.* agarrador; aquele que compreende; pessoa interesseira; avaro.
grasping [-iŋ], **1** — *s.* compreensão.
2 — *adj.* avaro, ávido.
grass [grɑ:s], **1** — *s.* erva, relva, verdura, pasto; *pl.* canas, bambus.
grass-cutter — segador; segadeira; ceifeira (máquina).
grass-green — verde como a salsa.
grass-plot — maciço de erva.
grass-snake — cobra.
grass-widow — mulher com marido ausente.
keep off the grass! — não pise a relva!
not to let the grass grow under one's feet — não perder tempo.
to go to grass — estender-se no solo.
2 — *vt.* cobrir de erva; lançar por terra, fazer tombar; fazer subir (o minério).
grasshopper [-hɔpə], *s.* cigarra, gafanhoto.
grassy [-i], *adj.* coberto de erva; relvoso.
grate [greit], **1** — *s.* grade, grelha de fogão.
grate-surface — superfície da grelha.
2 — *vt.* e *vi.* esfregar, desgastar; raspar; ralar; diminuir; pôr grades; ofender, ferir. (*Sin.* to rub, to abrade, to scrape, to scratch, to irritate.)
to grate on — irritar.
grateful [-ful], *adj.* grato, agradecido, reconhecido; agradável. (*Sin.* thankful, obliged, indebted, pleased. *Ant.* ungrateful.)
gratefully [-fuli], *adv.* reconhecidamente.
gratefulness [-fulnis], *s.* reconhecimento, gratidão.
grater [-ə], *s.* raspador, ralador.
graticulate [græ'tikuleit], *vt.* quadricular.
gratification [grætifi'keiʃən], *s.* satisfação, prazer, deleite; gratificação, gorgeta.
gratify ['grætifai], *vt.* satisfazer, contentar, deleitar; agradar; gratificar. (*Sin.* to satisfy, to please, to charm. *Ant.* to displease.
gratifying [-iŋ], *adj.* agradável, satisfatório.
grating ['greitiŋ], **1** — *s.* grade; som desagradável; xadrez.
2 — *adj.* áspero, irritante; dissonante.
gratingly [-li], *adv.* asperamente; desagradavelmente.
gratis ['greitis], *adj.* e *adv.* grátis.
gratitude ['grætitju:d], *s.* gratidão, reconhecimento.
gratuitous [grə'tju(:)itəs], *adj.* gratuito; espontâneo, voluntário; injustificável.
gratuitously [-li], *adv.* gratuitamente, graciosamente.
gratuitousness [-nis], *s.* espontaneidade.
gratuity [grə'tju:iti], *s.* presente, dádiva; gratificação, gorgeta.
gravamen [græ'veimen], *s.* gravame; ponto mais grave da acusação.
grave [greiv], **1** — *s.* sepultura, cova; fossa; vala.
grave-digger — coveiro.
gravestone — pedra sepulcral.
graveyard — cemitério.
to have one foot in the grave — estar com os pés para a cova.

2 — *adj.* sério, severo, grave; importante, solene.
3 — *vt.* (*pret.* **graved** [-d], *pp.* **graven** [-ən] ou **graved**) (arc.) enterrar; gravar, esculpir; fixar; (náut.) limpar o casco dos navios.
gravel ['grævəl], **1** — *s.* areia grossa, cascalho; cálculos (nos rins, fígado, etc.).
2 — *vt.* (*pret.* e *pp.* **gravelled**) cobrir de areia ou de cascalho; desorientar, confundir.
gravelly [-i], *adj.* arenoso; pedregoso.
gravely ['greivli], *adv.* gravemente, seriamente.
graven ['greivən], *pp.* do verbo **to grave.**
graver ['greivə], *s.* gravador, cinzelador; busil; cinzel; (náut.) limpador de cascos de navios.
gravid ['grævid], *adj.* grávida; (de animais) cheia.
graving ['greiviŋ], *s.* gravação; limpeza do casco do navio.
graving-dock — doca seca, dique.
gravitate ['græviteit], *vi.* gravitar.
gravitation [grævi'teiʃən], *s.* gravitação, atracção universal.
gravity ['græviti], *s.* gravidade, seriedade; atracção; importância.
gravy ['greivi], *s.* molho; suco de carne.
gravy soup — caldo de carne.
gray [grei], *s.* ver **grey.**
grayish [-iʃ], *adj.* acinzentado; pardacento.
graze [greiz], **1** — *s.* toque leve; arranhadela.
2 — *vt.* e *vi.* pastar, apascentar; roçar, tocar ao de leve; (náut.) lavrar no fundo. (*Sin.* to scrape, to touch, to skim, to pasture.)
grazier [-iə], *s.* criador de gado.
grease **1** — [gri:s], *s.* gordura; unto, sebo; massa lubrificante; graxa (doença de alguns animais).
2 — [gri:z], *vt.* untar, engordurar; lubrificar.
to grease a person's palm (hand) — subornar; untar as mãos a alguém.
greaser [-ə], *s.* lubrificador; azeitador; (fam.) um mexicano.
greasiness [-inis], *s.* gordura; untuosidade.
greasy [-i], *adj.* gorduroso, oleoso, ensebado; escorregadio.
great [greit], *adj.* grande, volumoso; ilustre, notável, importante; nobre; sublime, magnificente; imenso, vasto; principal; (col.) óptimo.
a great many — muitos.
a great deal — muito.
great-granddaughter — bisneta.
great-grandson — bisneto.
great-grandmother — bisavó.
great-great-grandfather — trisavô.
Great Britain — Grã-Bretanha.
that's great — isso é óptimo.
to be great at — ser bom em.
to be great on — interessar-se muito por.
the Great Bear — a Ursa Maior.
greatly [-li], *adv.* muito, grandemente; com nobreza.
greatness [-nis], *s.* grandeza, grandiosidade, majestade; sublimidade; magnanimidade; poder; intensidade. (*Sin.* grandeur, nobility, magnitude, distinction, majesty, vastness, immensity, exaltation. *Ant.* smallness.)
greats [greits], *s.* exame final na Universidade de Oxónia.
Grecian ['gri:ʃən], *s.* e *adj.* grego.
Greece [gri:s], *top.* Grécia.
greed [gri:d], *s.* voracidade, gula; avareza; avidez.
greedily [-ili], *adv.* vorazmente; avidamente.
greediness [-inis], *s.* avidez, gula.
greedy [-i], *adj.* voraz, insaciável; guloso; avaro; ambicioso.
Greek [gri:k], **1** — *s.* grego; a língua grega.
that's Greek to me — isso para mim é grego.
2 — *adj.* grego.
green [gri:n], **1** — *s.* verde; a cor verde; verdura; relva; prado; relvado; largo (de aldeia).
he is in the green — ele é muito jovem.
2 — *adj.* verde, de cor verde; fresco, recente; verde, inexperiente; cheio de energia. (*Sin.* fresh, undecayed, flourishing, new, verdant.)
green-eyed monster — ciúme.
green meat — carnes verdes.
green peak — (zool.) picanço.
green winter — inverno suave.
he went green at the gills — ele mostrou sinais de medo.
they are green from the country — eles acabam de chegar da província.
to be green with envy — morder-se de inveja.
3 — *vt.* e *vi.* reverdecer; pintar de verde; (col.) enganar.
greenery (*pl.* **greeneries** [-əri,-iz]), *s.* verdura, folhagem; vegetais; lugar onde se planta verdura.
greengage [-geidʒ], *s.* rainha-cláudia.
greengrocer [-grousə], *s.* vendedor de hortaliças; hortaliceira.
greengrocery [-grousəri], *s.* comércio de frutas e hortaliças.
greenhorn [-hɔ:n], *s.* simplório, inexperiente.
greenhouse [-haus], *s.* estufa.
greenish [-iʃ], *adj.* esverdeado.
Greenland [-lənd], *top.* Gronelândia.
Greenlander [-lændə], *s.* gronelandês.
greenness [-nis], *s.* verdura; frescura; inexperiência; juventude.
greenshank [-ʃæŋk], *s.* nome de uma ave aquática.
greensward [-swɔ:d], *s.* relva, relvado.
greenwood [-wud], *s.* floresta verdejante.
greet [gri:t], *vt.* e *vi.* saudar, felicitar; chorar (Escócia).
greeting [-iŋ], *s.* saudação, cumprimento; acolhimento. (*Sin.* salutation, salute, welcome, hail.)
gregarious [gre'gεəriəs], *adj.* gregário; que faz parte de uma grei; que tem o hábito de viver ou andar em bandos.
gregariously [-li], *adv.* em bandos.
gregariousness [-nis], *s.* tendência para andar em bandos.
Gregorian [gre'gɔ:riən], *adj.* gregoriano.
Gregory ['gregəri], *n. p.* Gregório.
Grenada [gre'neidə], *top.* Granada.
grenade [gri'neid], *s.* granada.
grenadier [grenə'diə], *s.* granadeiro.
grew [gru:], *pret.* do verbo **to grow.**
grey [grei], **1** — *s.* cinzento; cor cinzenta.
2 — *adj.* cinzento, pardo; encanecido; grisalho; pálido.
a grey day — um dia sombrio, triste.
3 — *vt.* e *vi.* tornar cinzento.
greybeard [-biəd], *s.* homem de barba grisalha; velho.
greyhound [-haund], *s.* galgo; navio muito rápido.
greyhound racing — corrida de galgos.
greyish [-iʃ], *adj.* acinzentado.
greyness [-nis], *s.* qualidade do que é cinzento ou pardo.
grid [grid], *s.* grelha, grade, rede.
griddle ['gridl], *s.* torteira.
gride [graid], **1** — *s.* rangido.
2 — *vi.* ranger; cortar com um som áspero.
gridiron ['gridaiən], *s.* grelha; grade; (E. U.) campo de futebol.

grief [gri:f], *s.* pesar, dor, aflição, mágoa, desgosto, pena; preocupação.
to come to grief — sofrer um desastre.
grievance ['gri:vəns], *s.* injúria, afronta, ofensa, agravo; injustiça.
grieve [gri:v], *vt.* e *vi.* agravar, ofender; afligir; afligir-se; lamentar-se; doer-se; ficar triste.
grieving [-iŋ], **1** — *s.* aflição; angústia; mágoa, dor.
2 — *adj.* entristecido; doloroso.
grievous ['gri:vəs], *adj.* penoso; doloroso; aflitivo; cruel; insuportável, atroz.
grievously [-li], *adv.* aflitivamente; cruelmente.
grievousness [-nis], *s.* aflição, angústia; desgosto; severidade.
griffin, griffon ['grifin, 'grifən], *s.* grifo, animal fabuloso.
grig [grig], *s.* enguia pequena; grilo.
grill [gril], **1** — *s.* grelha; carne assada na grelha; gradeado.
grill-room — restaurante especializado em grelhados.
2 — *vt.* e *vi.* grelhar; gradear; atormentar, martirizar.
grille [gril], *s.* grade de ferro para portas e janelas.
grilse [grils], *s.* salmonete pequeno.
grim [grim], *adj.* carrancudo; inflexível; horrendo, sinistro; ameaçador; cruel. *(Sin.* fierce, cruel, horrible, stern, severe, merciless. *Ant.* benign.)
to hold on like grim death — agarrar-se com unhas e dentes.
grimace [gri'meis], **1** — *s.* careta, carantonha, carranca.
2 — *vi.* fazer caretas; escarnecer.
grimalkin [gri'mælkin], *s.* gata velha; mulher velha e má.
grime [graim], **1** — *s.* sujidade, fuligem.
2 — *vt.* sujar.
griminess [-inis], *s.* imundície, porcaria.
grimly ['grimli], *adv.* horrivelmente; de modo sinistro; rigidamente.
grimness ['grimnis], *s.* horror; severidade; espanto.
grimy ['graimi], *adj.* sujo, imundo.
grin [grin], **1** — *s.* arreganho de dentes; riso sardónico.
2 — *vt.* e *vi.* *(pret.* e *pp.* **grinned)** arreganhar os dentes.
to grin and bear — aguentar e mostrar cara alegre.
to grin like a Cheshire cat — rir tolamente.
grind [graind], **1** — *s.* acção de moer ou afiar; trabalho pesado e monótono; estudo aturado; passeio a pé para exercício.
2 — *vt.* e *vi.* *(pret.* e *pp.* **ground** [graund]) moer, triturar; esmagar, pisar; amolar, fiar; esmerilar; esfregar, polir; estudar com afinco; vedar; oprimir; pulverizar-se.
to grind one's teeth — ranger os dentes.
to grind valves — rodar válvulas.
to have an axe to grind — ter um interesse particular a defender.
grinder [-ə], *s.* dente molar; moleiro; moinho; pedra de amolar; mó; amolador; aluno muito aplicado; tocador de realejo; explicador (para exame).
grinding [-iŋ], **1** — *s.* moagem; trituração, pulverização; amoladura; polimento, aguçamento; (mec.) rodagem, rectificação; opressão.
grinding machine — máquina de amolar; máquina de polir.
2 — *adj.* moedor, triturante; opressor.
grindstone [-stoun], *s.* pedra de afiar; pedra de amolar.
to hold (keep) one's nose to the grindstone — trabalhar sem descanso.
grip [grip], **1** — *s.* aperto de mão; acção de agarrar com firmeza; mão, garra; poder de captação; (E. U.) mala de mão; vala aberta.
to come to grips with — lutar com.
to have a good grip of — ter boa visão de.
2 — *vt.* e *vi.* *(pret.* e *pp.* **gripped)** agarrar, segurar, prender; agarrar-se com força; atrair, prender; apertar.
gripe [graip], **1** — *s.* acção de agarrar; pressão; poder, domínio; *pl.* cólicas.
2 — *vt.* e *vi.* agarrar, segurar; beliscar; oprimir; ter cólicas.
griping [-iŋ], **1** — acto de agarrar; opressão; cólica.
2 — *adj.* avarento; que causa cólicas.
grippe [grip], *s.* (col.) gripe.
gripper ['gripə], *s.* pinça.
grisaille [gri'zeil], *s.* pintura de cores cinzentas, em imitação de baixo-relevo.
grisly ['grizli], *adj.* horrendo, medonho, terrível; sinistro. *(Sin.* dire, hideous, appalling, grim, horrible. *Ant.* pleasing.)
grist [grist], *s.* grão para moer; provisão.
all is grist that comes to his mill — não perde nada; aproveita tudo.
to bring grist to the mill — levar a água ao seu moinho.
gristle ['grisl], *s.* cartilagem; *pl.* tendões.
gristly [-i], *adj.* cartilaginoso.
grit [grit], **1** — *s.* areia, saibro; cascalho; aveia mal moída; farelo; firmeza de carácter; coragem. *(Sin.* gravel, sand, courage.)
to have plenty of grit — ter muita coragem.
2—*vt.* e *vi.* *(pret.* e *pp.* **gritted**) ensaibrar.
grits [-s], *s. pl.* aveia meio moída, sem casca; rolão.
gritstone [-stoun], *s.* areia grossa.
grittiness [-inis], *s.* estado arenoso; firmeza de carácter, coragem.
gritty [-i], *adj.* saibroso, arenoso; enérgico.
grizzle ['grizl], *vi.* choramingar.
grizzled [-d], *adj.* grisalho; cinzento.
grizzly [-i], **1** — *s.* urso-pardo da América.
2 — *adj.* grisalho; cinzento.
grizzly bear — urso pardo.
groan [groun], **1** — *s.* gemido, lamento; murmúrio.
2 — *vt.* e *vi.* gemer, lamentar; suspirar; murmurar.
the shelf groaned with books — a prateleira estava carregada de livros.
groaning [-iŋ], **1** — *s.* lamento, gemido.
2 — *adj.* que geme.
groat [grout], *s.* antiga moeda de 4 dinheiros; pequena importância.
groats [-s], *s. pl.* sêmola.
grocer ['grousə], *s.* merceeiro.
grocery *(pl.* **groceries)** [-ri,-iz], *s.* mercearia; *pl.* artigos de mercearia.
grog [grɔg], **1** — *s.* grogue.
grog-blossom — vermelhidão no rosto dos ébrios.
grog-shop — loja de bebidas.
2 — *vt.* e *vi.* *(pret.* e *pp.* **grogged)** beber grogues.
groggily [-ili], *adv.* a cambalear como um ébrio; hesitantemente.
grogginess [-inis], *s.* embriaguez; pouca firmeza.
groggy [-i], *adj.* embriagado; cambaleante; fraco.
grogram ['grɔgrəm], *s.* gorgorão.
groin [grɔin], **1** — *s.* virilha; (arquit.) nervura; curva feita pela intersecção de dois arcos.
2 — *vt.* e *vi.* construir com nervuras.

grommet ['grɔmit], *s.* *(náut.)* rosca; alça.
gromwell ['grɔmwəl], *s.* (bot.) litospermo.
groom [grum], **1** — *s.* moço de estrebaria; paquete; lacaio; camareiro; noivo.
2 — *vt.* tratar de; cuidar de; preparar.
groomsman *(pl.* **groomsmen)** [-zmən,-mən], *s.* amigo solteiro que acompanha o noivo no casamento.
groove [gru:v], **1** — *s.* encaixe, entalhe, cavidade, ranhura, estria; sulco; rotina. *(Sin.* channel, cutting, canal, furrow, routine.)
2 — *vt.* encaixar, entalhar; estriar.
grooving [-iŋ], *s.* processo de fazer encaixes ou entalhes.
groovy [-i], *adj.* rotineiro.
grope [group], *vt.* e *vi.* andar às apalpadelas, tactear, apalpar.
to grope about — andar às apalpadelas.
to grope one's way — achar o caminho às apalpadelas.
groper [-ə], *s.* aquele que anda às apalpadelas.
groping [-iŋ], **1** — *s.* o tactear; o apalpar.
2 — *adj.* tacteante.
gropingly [-iŋli], *adv.* às apalpadelas.
grosbeak ['grousbi:k], *s.* pardal de bico grosso.
gross [grous], **1** — *s.* grosa; a parte principal.
by the gross — às grosas.
in the gross — em conjunto; por grosso.
2 — *adj.* grosso; grosseiro; rude; espesso; basto, denso; compacto; gordo; total; crasso; indecoroso, vergonhoso; exuberante; (com.) sem descontos. *(Sin.* coarse, unseemly, shameful, indelicate, dense, bulky, rough, total. *Ant.* refined, delicate.)
grossly [-li], *adv.* grosseiramente; por junto.
grossness [-nis], *s.* grossura, densidade; espessura; rudeza, grosseria.
grotesque [grou'tesk], **1** — *s.* grotesco, determinado tipo de pintura.
2 — *adj.* grotesco, ridículo.
grotesquely [-li], *adv.* grotescamente.
grotto *(pl.* **grottos, grottoes)** ['grɔtou,-z], *s.* gruta, caverna, antro.
grotty ['grɔti], *adj.* imundo; imoral; obsceno.
grouch [grautʃ], *s.* *(col.)* mau humor; resmungão.
groucher ['grautʃə], *s.* resmungão; pessoa rabugenta.
ground [graund], **1** — *s.* terra, terreno, solo; pavimento; chão, sobrado; região; fundamento, princípio, base; motivo, causa, origem; razão; terras, bens de raiz; leito, fundo (do mar, rio, etc.); plano de fundo; *pl.* borras, restos, sedimentos. *(Sin.* earth, soil, clod, field, reason, motive, base, support.)
above ground — à superfície; vivo.
to be dashed to the ground — fracassar; malograr-se.
to break fresh ground — fazer qualquer coisa de novo.
to have the ground cut from under one's feet — sentir fugir o chão debaixo dos pés.
to hold (stand, keep) one's ground — manter-se firme, não ceder.
to suit down to the ground — convir perfeitamente; assentar muito bem.
to lose ground — perder terreno.
to fall to the ground — fracassar, cair por terra.
ground-floor — rés-do-chão.
ground-sea — calema.
ground tackle — (náut.) ferros, amarras, cabrestante e aparelhos.
ground-nut — amendoim.
on the grounds of — sob o pretexto de.
2 — *vt.* e *vi.* fundar, estabelecer; fundamentar, basear; pôr em terra; encalhar; dar em seco; (av.) impedir de levantar voo, aterrar; ensinar sistematicamente (ciência, arte, etc.); (elect.) ligar à terra.
ground arms! — (mil.) descansar armas!
3 — *pret.* e *pp.* do verbo **to grind.**
groundage [-idʒ], *s.* direitos de entrada de um navio.
grounding [-iŋ], *s.* encalhe de um navio; fundamento, base; o fundo; (av.) aterragem; (elect.) ligação à terra.
he has a good grounding in English — ele tem boas bases de inglês.
groundless [-lis], *adj.* infundado; sem bases.
groundlessly [-lisli[, *adv.* infundadamente.
groundlessness [-lisnis], *s.* falta de fundamento.
groundling [-liŋ], *s.* caboz (peixe); leitor de mau gosto.
groundsel ['graunsl], *s.* (bot.) cardo-morto; limiar, soleira; peitoril.
groundsman *(pl.* **groundsmen)** ['graundzmən, -mən], *s.* homem que cuida de um recinto desportivo.
groundwork ['graund-wə:k], *s.* fundação, base; alicerce; parte essencial; esboço.
group [gru:p], **1** — *s.* grupo; série; ordem.
2 — *vt.* e *vi.* agrupar, reunir; agrupar-se; classificar.
grouping [-iŋ], *s.* agrupamento.
grouse [graus], **1** — *s.* (zool.) galo silvestre.
2 — *vi.* caçar falcões ou galos silvestres; resmungar.
grout [graut], **1** — *s.* argamassa; sedimento, borra.
2 — *vt.* e *vi.* encher com argamassa; fossar (o porco).
grove [grouv], *s.* alameda; bosque pequeno.
grovel ['grɔvl], *vi.* *(pret.* e *pp.* **grovelled)** arrastar-se, rojar-se; rastejar; aviltar-se. *(Sin.* to crawl, to cringe, to sneak, to fawn.)
groveller [-ə], *s.* homem servil.
grovelling [-iŋ], **1** — *s.* adulação.
2 — *adj.* rasteiro, vil, desprezível, servil.
grow [grou], *vt.* e *vi.* *(pret.* **grew** [gru:], *pp.* **grown** [groun] cultivar; crescer, medrar; desenvolver-se, progredir; aumentar; tornar-se, vir a ser; fixar-se; ganhar raiz. *(Sin.* to increase, to enlarge, to improve, to develop, to become, to cultivate, to produce, to raise.)
to grow old — envelhecer.
to grow rich — enriquecer.
to grow up — crescer.
to grow to seed — espigar.
to grow on one — aumentar na estima de alguém.
to grow into fashion — estar na voga.
to grow out of — sair, proceder; tornar-se demasiado grande para; ser a consequência de.
grower [-ə], *s.* cultivador, produtor; planta que cresce.
growing [-iŋ], **1** — *s.* crescimento; cultura, vegetação.
2 — *adj.* que cresce; que se desenvolve.
growl [graul], **1** — *s.* rosnadela, resmungo.
2 — *vt.* e *vi.* rosnar; resmungar; rugir.
growler [-ə], *s.* resmungão; cão que rosna; carro de quatro rodas; (fam.) caneca para cerveja.
grown [groun], *adj.* e *pp.* do verbo **to grow,** crescido, desenvolvido.
grown-up — adulto; crescido.
growth [grouθ], *s.* crescimento, desenvolvimento; produção; progresso, melhoria; tumor.
full growth — completo desenvolvimento.
early growth — crescimento prematuro.
groyne [grɔin], **1** — *s.* quebra-mar de madeira.
2 — *vt.* levantar estacadas.

grub [grʌb], **1** — *s.* larva; gorgulho; (col.) comida; (críquete) bola jogada rente ao solo; escrevinhador.
2 — *vt.* e *vi.* (*pret.* e *pp.* **grubbed**) limpar a terra (das ervas daninhas); cavar; sachar; roçar o mato; dar de comer; mourejar.
to grub up — arrancar, tirar a erva ruim.
grubber [-ə], *s.* pessoa que cava na terra; aquele que trabalha muito; sacho para arrancar ervas e raízes; comida.
grubby [-i], *adj.* sujo; cheio de larvas.
grudge [grʌdʒ], **1** — *s.* inveja; rancor, má vontade; antipatia, aversão. (*Sin.* envy, dislike, spite, aversion, malice, hatred. *Ant.* charity.)
to bear any one a grudge — estar de ponta com alguém.
to owe a person a grudge — estar ressentido com alguém.
2 — *vt.* invejar, chorar, dar de má vontade; resmungar; mostrar má vontade.
grudging [-iŋ], **1** — *s.* inveja; mesquinhez; má vontade; aversão.
2 — *adj.* invejoso; mesquinho.
grudgingly [-iŋli], *adv.* com repugnância; de má vontade.
gruel [ˈgruəl], **1** — *s.* caldo (de trigo, milho ou de aveia); tareia.
to have (get) one's gruel — (col.) ser castigado severamente.
2 — *vt.* (*pret.* e *pp.* **gruelled**) sovar.
gruesome [ˈgru:səm], *adj.* horrendo, horrível; arrepiante.
gruesomely [-li], *adv.* horrivelmente.
gruesomeness [-nis], *s.* horror; aspecto arrepiante.
gruff [grʌf], *adj.* áspero; rude; grosseiro; rabujento; carrancudo, mal-humorado. (*Sin.* surly, churlish, rough, blunt, impolite, harsh. *Ant.* affable.)
gruffly [-li], *adv.* asperamente; de mau humor.
gruffness [-nis], *s.* aspereza, mau humor.
grumble [ˈgrʌmbl], **1** — *s.* resmungadela; *pl.* (col.) mau humor.
2 — *vt.* e *vi.* resmungar, murmurar, queixar-se. (*Sin.* to murmur, to complain, to growl, to repine.)
grumbler [-ə], *s.* resmungão; rabujento.
grumbling [-iŋ], **1** — *s.* resmungo, murmuração, queixume.
2 — *adj.* resmungão; descontente.
grumpily [ˈgrʌmpili], *adv.* de mau humor; com rabugice.
grumpiness [ˈgrʌmpinis], *s.* rabugice; aspereza.
grumpy [ˈgrʌmpi], *adj.* rabugento, mal-humorado; áspero.
Grundy [ˈgrʌndi], *n. p.* figura imaginária que representa o decoro dos Ingleses; as bocas do mundo.
I don't care a straw what Mrs. Grundy says — não me importo nada com o que o mundo diz.
grunt [grʌnt], **1** — *s.* grunhido; gemido; queixume.
2 — *vt.* e *vi.* grunhir; gemer, queixar-se; resmungar.
grunter [-ə], *s.* grunhidor; porco, suíno.
guano [ˈgwɑ:nou], **1** — *s.* guano.
2 — *vt.* adubar com guano.
guarantee [gærənˈti:], **1** — *s.* garantia; caução, fiança; fiador.
2 — *vt.* garantir; abonar, afiançar; caucionar; prestar caução.
guarantor [gærənˈtɔ:], *s.* fiador, abonador.
guaranty (*pl.* **guaranties**) [ˈgærənti,-iz], *s.* abono, garantia, caução.
guard [gɑ:d], **1** — *s.* guarda, resguardo, defesa, protecção, cautela, vigilância; sentinela, guarda, vigilante; condutor (de comboio); (mec.) espera, tampa.
guard-room — casa da guarda.
guard-house—prisão militar; casa dos guardas.
advanced guard — guarda avançada.
body-guard — guarda de honra.
to be on guard — estar de sentinela.
to be on one's guard — estar prevenido.
to mount guard — entrar de guarda.
to relieve the guard — render a guarda.
2 — *vt.* e *vi.* guardar, vigiar, defender, proteger; guardar-se; prevenir-se.
guarded [-id], *adj.* cauteloso; prevenido.
guardedly [-idli], *adv.* cautelosamente.
guardian [-jən], *s.* guardião; tutor; curador; protector; superior de convento de Franciscanos.
guardianship [-jənʃip], *s.* tutela; tutoria; curadoria; protecção, guarda.
Guatemala [gwætiˈmɑ:lə], *top.* Guatemala.
guava [ˈgwɑ:və], *s.* goiaba; goiabeira.
gubbins [ˈgʌbinz], *s. pl.* conteúdo; coisas contidas.
gudgeon [ˈgʌdʒən], *s.* cadoz; munhão; eixo; fêmea (de leme); cruzeta; simplório, papalvo.
guerdon [ˈgə:dən], *s.* (poét.) recompensa.
guer(r)illa [gəˈrilə], *s.* guerrilha; guerrilheiro.
guess [ges], **1** — *s.* conjectura, suspeita; suposição.
at a guess — adivinhando; à sorte.
guess-work — conjectura.
2 — *vt.* e *vi.* conjecturar, adivinhar, supor; imaginar; acertar. (*Sin.* to conjecture, to surmise, to suspect, to suppose. *Ant.* to prove, to know.)
guessable [-əbl], *adj.* conjecturável.
guesser [-ə], *s.* conjecturador, adivinho.
guest [gest], *s.* hóspede, pensionista; convidado, conviva; visita; parasita.
guest-chamber — quarto de hóspedes.
paying guest — hóspede de casa particular.
guffaw [gʌˈfɔ:], **1** — *s.* gargalhada ruidosa.
2 — *vt.* e *vi.* rir-se às gargalhadas.
Guiana [giˈɑ:nə], *top.* Guiana.
guidance [ˈgaidəns], *s.* guia; governo; direcção; chefia.
guide [gaid], **1** — *s.* guia, mentor, director; modelo, padrão; informação.
guide-book — guia; roteiro.
guide-line — linha directriz.
guide-post — poste indicador.
2 — *vt.* guiar, dirigir; conduzir; regular; arranjar, ordenar; servir de exemplo; informar. (*Sin.* to lead, to direct, to manage, to govern. *Ant.* to mislead.)
guiding [-iŋ], **1** — *s.* direcção; orientação.
2 — *adj.* que guia; orientador; director.
guidon [ˈgaidən], *s.* (mil.) guião; estandarte.
guild [gild], *s.* corporação, associação; grémio.
Guildhall [-ˈhɔ:l], *s.* salão da corporação da cidade de Londres, onde se dão banquetes políticos e grandes festas.
guile [gail], *s.* engano, fraude, ardil; estratagema, artifício. (*Sin.* deceit, artfulness, cunning, craft, fraud, duplicity. *Ant.* honesty.)
guileful [-ful], *adj.* insidioso; traidor; pérfido; astucioso.
guilefully [-fuli], *adv.* insidiosamente; astuciosamente.
guilefulness [-fulnis], *s.* insídia, perfídia.
guileless [-lis], *adj.* franco, sincero; simples, ingénuo.
guilelessly [-lisli], *adv.* ingenuamente; com franqueza.

guilelessness [-lisnis], *s.* ingenuidade, sinceridade, simplicidade.
guillemot ['gilimɔt], *s.* (zool.) corvo marinho.
guillotine [gilə'ti:n], **1** — *s.* guilhotina.
2 — *vt.* guilhotinar.
guilt [gilt], *s.* culpa; delito, crime.
guiltily [-ili], *adv.* criminalmente; com culpa.
guiltiness [-inis], *s.* culpabilidade.
guiltless [-lis], *adj.* inocente, livre de culpa.
to be guiltless of Latin — não saber latim.
guiltlessly [-lisli], *adv.* inocentemente.
guiltlessness [-lisnis], *s.* inocência.
guilty [-i], *adj.* culpado; criminoso; delinquente. *(Sin.* criminal, culpable. *Ant.* innocent.)
to find somebody guilty — declarar alguém culpado.
to plead guilty — declarar-se culpado.
guimp [gimp], *s. vd.* **gimp.**
Guinea ['gini], *top.* Guiné.
Guinea-pepper — malagueta.
guinea ['gini], *s.* guinéu, unidade monetária de 21 xelins.
guinea-fowl ['ginifaul], *s.* pintada; galinha-da-índia.
guinea-pig ['gini-pig], *s.* cobaia.
guise [gaiz], *s.* aparência, aspecto; pretexto; maneira, modo; (arc.) maneira de vestir.
guitar [gi'tɑ:], *s.* violão, viola.
gulch]gʌlʃ], *s.* (E. U.) ravina.
gulden ['guldən], *s.* antiga moeda holandesa.
gules [gju:lz], *s.* goles, cor vermelha (brasões).
gulf [gʌlf], **1** — *s.* golfo; abismo; linha divisória intransponível. *(Sin.* chasm, abyss).
2 — *vt.* engolir, tragar.
gull [gʌl], **1** — *s.* gaivota; simplório; engano, fraude.
2 — *vt.* enganar, defraudar; iludir.
gullet ['gʌlit], *s.* garganta; esófago; canal; desfiladeiro.
gullibility [gʌli'biliti], *s.* simplicidade, credulidade.
gullible ['gʌləbl], *adj.* crédulo, ingénuo, simples.
gully ['gʌli], **1** — *s.* *(pl.* **gullies** [-iz] barranco; ravina estreita; canal artificial; esgoto.
2 — *vt.* abrir canais; formar barrancos.
gulp [gʌlp], **1** — *s.* trago, gole.
2 — *vt.* e *vi.* tragar, engolir; reprimir.
gum [gʌm], **1** — *s.* gengiva; goma, cola; remela; *pl.* (E. U.) botas de borracha.
gum arabic — goma-arábica.
gum-boots — botas de borracha.
to be up a gum-tree — estar atrapalhado.
2 — *vt.* e *vi.* *(pret.* e *pp.* **gummed)** grudar, colar; engomar.
gumboil [-bɔil], *s.* abcesso nas gengivas.
gumminess [-inis], *s.* gomosidade.
gumming [-iŋ], *s.* goma (doença das árvores frutíferas).
gummy [-i], *adj.* gomoso, viscoso, pegajoso.
gumption ['gʌmpʃən], *s.* perspicácia, inteligência; senso comum.
gun [gʌn], **1** — *s.* arma de fogo; peça de artilharia, canhão; espingarda.
gun-barrel — cano de espingarda.
gun-cotton — algodão-pólvora.
gunboat — canhoneira.
gun-runner — contrabandista de armas.
great gun — pessoa eminente.
son of a gun — pessoa desprezível.
to blow great guns — ventar fortemente.
to stand (stick) to one's guns — manter a sua posição.
2 — *vt.* e *vi.* matar a tiro; disparar.
gunman *(pl.* **gunmen)** [-mən,-mən], *s.* terrorista, salteador, pistoleiro.
gunnel [-l], *s.* ver **gunwale.**
gunner [-ə], *s.* artilheiro; caçador.
gunnery [-əri], *s.* artilharia.
gunny [-i], *s.* saco de juta.
gunpowder [-paudə], *s.* pólvora.
gunshot [-ʃɔt], *s.* tiro de peça.
within gunshot — ao alcance de tiro.
gunsmith [-smiθ], *s.* armeiro.
gunwale [-l], *s.* (náut.) talabardão, borda de navio.
gurgle ['gə:gl], **1** — *s.* gorgolhão, borbotão.
2 — *vt.* e *vi.* gorgolhar; borbotar.
gurgling [-iŋ], **1** — *s.* murmúrio, sussurro.
2 — *adj.* gorgolejante.
gurnard, gurnet ['gə:nəd, 'gə:nit], *s.* (zool.) trigla, espécie de salmonete.
gush [gʌʃ], **1** — *s.* jorro, borbotão, fluxo; comoção; efusão.
2 — *vt.* e *vi.* jorrar, brotar; borbulhar; comover. *(Sin.* to flow, to stream, to spout, to burst, to outpour.)
gusher [-ə], *s.* pessoa impressionável; poço de petróleo que brota naturalmente.
gushing [-iŋ], **1** — *s.* jorro; acção de brotar.
2 — *adj.* que jorra, que brota; comovente.
gushingly [-iŋli], *adv.* de modo comovente.
gusset ['gʌsit], *s.* entretela; gorjal.
gusset plate — esquadro horizontal.
gust [gʌst], *s.* pé de vento, rabanada de vento, rajada; chuvada súbita; paixão; sabor; ataque.
gustation [gʌs'teiʃən], *s.* acto de provar, gustação.
gustatory ['gʌstətəri], *adj.* gustativo, relativo ao sentido do gosto.
Gustavus [gus'tɑ:vəs], *n. p.* Gustavo.
gustily ['gʌstili], *adv.* de modo tempestuoso ou violento.
gusto ['gʌstou], *s.* gosto, deleite, prazer, satisfação.
gusty ['gʌsti], *adj.* tempestuoso, borrascoso; violento; saboroso.
gut [gʌt], **1** — *s.* tripa; corda de tripa; passagem estreita; *pl.* (col.) coragem.
2 — *vt.* *(pret.* e *pp.* **gutted)** estripar; esvaziar; resumir.
gutta-percha ['gʌtə'pə:tʃə], *s.* guta-percha.
gutter ['gʌtə], **1** — *s.* algeroz, goteira, canal, valeta; (fig.) bairros pobres; estripador de peixe.
to take a child out of the gutter — tirar uma criança do atoleiro.
2 — *vi.* derreter.
guttering [-riŋ], *s.* encanamento das águas; caleiras; material para fabrico de caldeiras.
guttersnipe [-snaip], *s.* garoto da rua.
guttural ['gʌtərəl], **1** — *s.* som gutural.
2 — *adj.* gutural.
gutturally [-i], *adv.* guturalmente.
guy [gai], **1** — *s.* corda, cadeia, corrente; indivíduo ridiculamente vestido; espantalho; efígie de Guy Fawkes, queimada a 5 de Novembro, para comemorar a descoberta da Conspiração da Pólvora; (E. U.) tipo, pessoa.
2 — *vt.* e *vi.* segurar com um cabo; expor em efígie; ridicularizar; fugir.
guzzle ['gʌzl], *vt.* e *vi.* beber em demasia; comer com sofreguidão; dissipar dinheiro em patuscadas.
guzzler [-ə], *s.* bêbedo, borrachão; comilão.
gwyniad ['gwiniæd], *s.* espécie de salmão de água doce.
gymkhana [dʒim'kɑ:nə], *s.* gincana.
gymnasium *(pl.* **gymnasiums, gymnasia)** [dʒim'neizjəm,-jəmz,-jə], *s.* ginásio.
gymnast ['dʒimnæst], *s.* ginasta.
gymnastic [dʒim'næstik], *adj.* ginástico.
gymnastics [-s], *s.* ginástica.
gynaecological [gainikə'lɔdʒikəl], *adj.* ginecológico.

gynaecology [gaini'kɔlədʒi], *s.* ginecologia.
gyp [dʒip], *s.* criado dos colégios da Universidade de Cantabrígia.
to give one gyp (cal.) — castigar sem piedade.
gypsum ['dʒipsəm], *s.* gipso, gesso-de-paris.
gypsy ['dʒipsi], *s.* ver **gipsy.**
gyrate 1 — ['dʒaiərit], *adj.* (bot.) circular.
2 — [dʒaiə'reit], *vi.* girar, circular; dar voltas.
gyration [dʒaiə'reiʃən], *s.* giro, rotação, volta. (*Sin.* revolution, spinning, turning, rotation.)
gyratory ['dʒaiərətəri], *adj.* giratório, rotatório; circulatório.
gyroscope ['gaiərəskoup], *s.* giroscópio.
gyroscopic [gaiərəs'kɔpik], *adj.* giroscópico.
gyve [dʒaiv], *vt.* pôr grilhões, agrilhoar.
gyves [-z], *s. pl.* grilhões, cadeias.

H

H, h [eitʃ], (*pl.* **H's, h's**) H, h (agá, oitava letra do alfabeto).
silent h — h mudo.
h aspirate — h aspirado.
to drop one's h's — não aspirar os agás.
ha [hɑ:], **1** — *interj.* ah!
2 — *vi.* ver **hum.**
habeas corpus ['heibiæs'kɔ:pəs], *s.* (jur.) habeas-corpus.
haberdasher ['hæbədæʃə], *s.* capelista, vendedor de miudezas.
haberdashery [-ri], *s.* loja de miudezas.
habile ['hæbil], *adj.* hábil, destro.
habiliment [hə'bilimənt], *s.* apetrechos; *pl.* vestuário.
habilitate [hə'biliteit], *vt.* e *vi.* doutorar-se em universidade alemã; dar o capital necessário para uma mina ser explorada.
habilitation [həbili'teiʃən], *s.* doutoramento em universidade alemã; dádiva do capital necessário para uma mina ser explorada.
habilitator [hə'biliteitə], *s.* capitalista, o que adianta capital.
habit ['hæbit], **1** — *s.* hábito, uso, costume; vestuário usado por uma comunidade religiosa (arcaico).
from force of habit — por força do hábito.
to make a habit of (to be in the habit of) — ter o hábito de.
to fall into bad habits — cair em maus hábitos.
once does not make a habit — uma vez não são vezes.
to get into the habit of — cair no hábito de.
to get out of a habit (to fall out of a habit) — perder um hábito.
habit of mind — maneira de ser.
2 — *vt.* vestir; (arcaico) habitar.
habitability [hæbitə'biliti], *s.* habitabilidade.
habitable ['hæbitəbl], *adj.* habitável.
habitableness [-nis], *s.* ver **habitability.**
habitant 1 — ['hæbitənt], *s.* habitante.
2 — [hæbi'tɑ̃], *s.* canadiano descendente de franceses.
habitat ['hæbitæt], *s.* habitat, lugar em que cada ser organizado vive; habitação.
habitation [hæbi'teiʃən], *s.* habitação, moradia.
habitual [hæ'bitjuəl], *adj.* habitual, costumado.
habitually [-i], *adv.* habitualmente.
habituate [hə'bitjueit], *vt.* habituar, acostumar, habituar-se. (*Sin.* to accustom, to familiarize, to inure.)
habituation [hæbitju'eiʃən], *s.* habituação, hábito.
habitude ['hæbitju:d], *s.* hábito, costume; tendência; temperamento, maneira de ser.
habitué [hə'bitjuei], *s.* frequentador habitual de café, casa de espectáculos, etc.
hack [hæk], **1** — *s.* cavalo de aluguer; sendeiro; grade; mercenário; picareta, picão; golpe; fenda, abertura; carro de aluguer; escritor que vende os seus serviços; grade para secar tijolos; prostituta (mil.).
hack-saw — serra para metal.
2 — *vt.* e *vi.* picar, cortar, fazer em pedaços; tossir; estropiar; mutilar; agredir com sabre; rir secamente; prostituir-se; tornar vulgar; andar a cavalo; andar em cavalo alugado, alugar cavalos.
to hack for somebody — trabalhar vendendo os seus serviços a outrem (escritor).
to hack to pieces — desfazer em pedaços.
hacker [-ə], *s.* machada, picareta; pessoa que usa machada ou picareta.
hackery [-əri], *s.* carro indiano.
hacking [-iŋ], **1** — *s.* acção de cortar ou fazer em pedaços.
2 — *adj.* seco, entrecortado.
a hacking cough — uma tosse seca.
hackle [-l], **1** — *s.* carda; sedeiro; espadela; isca de pesca; penas compridas do pescoço do galo e de outras aves; filamento; (col.) coragem.
with his hackles up (col.) — todo irritado; de crista levantada.
2 — *vt.* cardar; ripar; espadelar; separar; despedaçar.
hackler [-lə], *s.* cardador, espadelador.
hackling [-liŋ], *s.* cardação, acto de espadelar.
hackly [-li], *adj.* cortado, rachado; denteado, recortado; irregular.
hackney [-ni], **1** — *s.* cavalo de aluguer; carro de aluguer; mercenário.
hackney-carriage (hackney-coach) — carro de aluguer.
2 — *vt.* gastar, cansar pelo uso; vulgarizar; conduzir um carro de aluguer.
hackneyed [-nid], *adj.* usado, gasto, estafado; trivial.
a hackneyed phrase — uma frase trivial.
had [hæd], *pret.* e *pp.* de **to have.**
you have been had — (col.) foste levado.
he had better go there — era melhor ele ir lá.
haddock ['hædək], *s.* espécie de bacalhau pequeno; gado.
hade [heid], **1** — *s.* descida escarpada de uma mina; inclinação do filão.
2 — *vi.* desviar-se do ponto vertical (filão, mina).
Hades ['heidi:z], *s.* (mitológico) mansão dos mortos, Hades.
what the Hades is he doing? — que diabo estará ele a fazer?
Hadrian ['heidriən], *n. p.* Adriano.
Hadrian's Wall — a muralha de Adriano (na Inglaterra).

haemal ['hi:məl], *adj.* hemal, do sangue.
haematemesis ['hi:mətimisis], *s.* hematemese.
haematic [hi'mætik], *adj.* hemático.
haematin ['hi:mətin], *s.* hematina.
haematite ['hemətait], *s.* hematite.
haematography [hi:mə'tɔgrəfi], *s.* hematografia.
haematology [hi:mə'tɔlədʒi], *s.* hematologia.
haematophobia [hi:mətou'foubiə], *s.* hematofobia.
haematose [himə'tous], *adj.* relativo à hematose.
haematosis [hi:mə'tousis], *s.* hematose.
haemoglobin [hi:mou'gloubin], *s.* hemoglobina.
haemophilia [hi:mou'filiə], *s.* hemofilia.
haemoptysical [hi:moup'tizikəl], *adj.* hemoptísico.
haemoptysis [hi:'mɔptisis], *s.* hemoptise.
haemorrhage ['hemərid ʒ], *s.* hemorragia.
haemorrhoidal [hemə'rɔidəl], *adj.* hemorroidal.
haemorrhoids ['hemərɔids], *s. pl.* hemorróidas.
haemostasia [hi:mou'steizjə], *s.* hemostasia, hemóstase.
haemostat ['hi:moustæt], *s.* hemostático.
haemostatic [hi:mou'stætik], *adj.* hemostático.
hafnium ['hæfnjəm], *s.* háfnio (metal).
haft [hɑ:ft], **1** — *s.* cabo, punho.
2 — *vt.* encabar, pôr um cabo.
hafting [-iŋ], *s.* acção de encabar, de pôr um cabo.
hag [hæg], **1** — *s.* bruxa, feiticeira; velha feia; (arcaico) espírito maligno em forma de mulher; atoleiro.
hag-fish — peixe parasita ligado à lampreia.
hag-ridden — atormentado por pesadelos.
2 — *vt. (pret.* e *pp.* **hagged**) (arcaico) causar.
hagberry ['hægberi], *s.* cereja pequena.
haggard ['hægəd], **1** — *s.* falcão não amestrado.
2 — *adj.* pálido, macilento; fatigado; intragável, arisco; bravo (falcão). *(Sin.* wild, worn, lean, gaunt, weary.)
haggardness [-nis], *s.* aspecto bravio, cansado, macilento.
haggis ['hægis], *s.* prato escocês feito com miúdos de carneiro, aveia, etc.
haggish ['hægiʃ], *adj.* horrendo, feio, medonho.
haggishly [-li], *adv.* horrivelmente.
haggle [hægl], *vi.* cortar em pedaços; regatear, discutir preços; questionar, altercar. *(Sin.* to bargain, to higgle, to wrangle.)
haggler [-ə], *s.* regateador, o que discute.
haggling [-iŋ], *s.* acção de regatear, regateio, discussão, altercação.
hagiarchy ['hægiɑ:ki], *s.* hagiarquia.
hagiographa [hægi'ɔgrəfə], *s. pl.* hagiografias.
hagiographal [-l], *adj.* hagiográfico.
hagiographer [hægi'ɔgrəfə], *s.* hagiógrafo.
hagiographic(al) [hægiə'græfik(əl)], *adj.* hagiográfico.
hagiography [hægi'ɔgrəfi], *s.* hagiografia.
hagiolatry [hægi'ɔlətri], *s.* hagiolatria.
hagiologic(al) [hægiə'lɔdʒik(əl)], *adj.* hagiológico.
hagiologist [hægi'ɔlədʒist], *s.* hagiólogo, hagiógrafo.
hagiology [hægi'ɔlədʒi], *s.* hagiologia.
Hague [heig], *top.* Haia.
the Hague Conference — a conferência da Haia.
hah [hɑ:], *interj.* ah!
ha ha ['hɑ:'hɑ], *interj.* ah! ah! (para reprimir o riso).
ha-ha [hɑ:'hɑ], *s.* vedação baixa de parque ou jardim.
haick [haik], *s.* albornoz.
haik [haik], *s.* ver **haick.**

hail [heil], **1** — *s.* granizo, saraiva; saudação.
hail-stone — pedra de granizo.
2 — *interj.* salve!
Hail Mary! — ave, Maria!
to be hail fellow well met with everybody — mostrar grande intimidade com toda a gente.
3 — *vt.* e *vi.* saudar, aclamar, cumprimentar; chamar à fala (de bordo); fazer um sinal; granizar, cair granizo; pertencer a um porto, vir de um porto.
to hail a ship — chamar um navio à fala.
to hail a taxi — chamar um táxi.
it hails — está a saraivar.
to hail on someone — bater desalmadamente em alguém.
haily [-i], *adj.* cheio de saraiva.
hair [hɛə], *s.* cabelo, pêlo, fibra, filamento; coisa insignificante.
false hair — cabelo postiço.
hair-brush — escova de cabelo.
hair-dresser — cabeleireiro.
hair-dressing — penteado.
hair-pin — gancho do cabelo.
hair-shirt — cilício.
hair-trigger — gatilho de pequena pressão.
against the hair — a contrapelo; ao arrepio.
to a hair — exactamente.
to split hairs — disputar por ninharias; esmiuçar.
hair-splitting — esmiuçador na discussão.
keep your hair on! — tenha calma!, não se exalte!
to do one's hair — arranjar o cabelo; pentear-se.
hair-spring — cabelo do relógio.
to have one's hair cut — (mandar) cortar o cabelo.
hair-cream — fixador.
to wave the hair — ondular o cabelo.
to make one's hair stand on end — fazer pôr os cabelos em pé a; fazer arrepiar (de medo).
to brush one's hair — escovar o cabelo.
hair-curler — ferro de frisar, rolo (de frisar o cabelo).
hair-cut — corte de cabelo.
hair-do — penteado.
hair-drier — secador do cabelo.
hair-like — semelhante a um cabelo.
hair-mattress — colchão de crina.
hair-moss (bot.) — polítrico.
hair-net — rede para o cabelo.
hair-oil — óleo capilar.
hair-pencil — pincel.
hair-raising — pavoroso; de pôr os cabelos em pé.
hair-restorer — restaurador do cabelo.
hair-tail (zool.) — peixe-espada-lírio.
hair-wash — loção para o cabelo.
to get into someone's hair — aborrecer; irritar.
to let down one's hair — deixar cair o cabelo sobre os ombros; (col.) entrar em confidências.
to lose one's hair — ficar calvo; (col.) irritar-se.
haired [-d], *adj.* que tem cabelo.
fair-haired — de cabelo louro.
red-haired — de cabelo ruivo.
hairiness [-rinis], *s.* qualidade de ser cabeludo ou peludo.
hairless [-lis], *adj.* calvo, pelado.
hairy [-ry], *adj.* cabeludo, peludo, felpudo.
hairy-heeled (calão) — sem educação; sem maneiras.
Haiti ['heiti], *top.* Haiti.
Haitian ['heiʃjən, heitjən], *s.* e *adj.* haitiano.
hake [heik], *s.* pescada; espécie de peixe da família do bacalhau.
Hal [hæl], *n. p.* diminutivo de **Henry.**
halated [hə'leitid], *adj.* (fotografia) com halo.
halation [hə'leiʃən], *s.* (fotografia) halo.

halberd ['hælbə:d], *s.* alabarda.
halberdier ['-iə], *s.* alabardeiro.
halcyon ['hælsiən], **1** — *s.* alcião (ave aquática).
2 — *adj.* calmo, sereno, tranquilo.
halcyon days — dias tranquilos.
hale [heil], **1** — *adj.* robusto, são, forte, vigoroso (empregado em relação a pessoas de idade).
hale and hearty — rijo e são.
2 — *vt.* (náut.) puxar à sirga; içar, alar.
haler [-ə], *s.* **o que puxa ou arrasta com violência.**
half [hɑ:f], **1** — *s.* (pl. **halves** [hɑ:vz]) metade, meio; semestre.
two halves — dois meios; duas metades.
two and a half — dois e meio.
my better half — a minha cara metade.
the first half (futebol) — a primeira parte.
outward half — a metade do bilhete correspondente à ida (caminho-de-ferro).
return half — a metade do bilhete correspondente à volta (comboio).
to cut in halves — cortar ao meio.
to fold in halves — dobrar ao meio.
to go halves with — repartir igualmente com.
***to do by halves* — fazer de maneira imperfeita.**
to cry halves — reclamar partes iguais.
2 — *adj.* meio.
half a crown — meia coroa (2 1/2 xelins).
half a dozen — meia dúzia.
half-brother — irmão consanguíneo.
***half-caste* — mestiço.**
half dead — quase morto, exausto.
half-length — de meio corpo.
half-mast high — bandeira a meio pau, em sinal de luto; meia adriça.
half moon — meia lua.
half mourning — luto aliviado.
half-seas-over — bêbado.
half-way — equidistante.
***half-wit* — pateta, idiota.**
half-witted — imbecil.
it isn't half bad — é muito bom.
to have half a mind to — ter quase a intenção de.
half yearly — semestralmente.
half an hour — meia hora.
half-back (futebol) — médio defesa.
half-nicker — dez xelins.
3 — *adv.* semi, meio, quase.
half blood — mestiço; parente só pela parte do pai ou da mãe.
half blooded — mestiço.
half boarder — aluno semi-interno.
half-brother — meio-irmão.
half-closed — entreaberto.
half cycle — hemiciclo.
half-deck — (náut.) coberta da ré.
half-faced — pouco sincero.
half-round — semicircular.
half-speed — meia-velocidade.
half-weekly — duas vezes por semana.
half-wit — idiota.
half-year — semestre.
half-fare — meio bilhete de caminho-de-ferro.
halflight — penumbra.
half-hourly — de meia em meia hora.
half-cocked (col.) — com um grão na asa, meio bêbado.
half-tone — meias-tintas; (mús.) meio-tom.
halfcrown ['kraun], *s.* meia-coroa, moeda de dois xelins e meio.
halfpence ['heipəns], *s. pl.* de **halfpenny.**
halfpenny ['heipni], *s.* (*pl.* **halfpence, halfpennies**) meio dinheiro.
halfpennyworth [-wə:θ], *s.* valor de meio dinheiro.
half-sole ['hɑ:fsoul], *vt.* pôr meias solas.
halibut ['hælibʌt], *s.* halibu, peixe grande.
halieutic [hæli'ju:tik], *adj.* haliêutico, relativo à pesca.
halieutics [-s], *s.* haliêutica, arte da pesca.
Halifax ['hælifæks], *top.* nome de cidade inglesa em Yorkshire; nome de uma cidade do Canadá.
halitosis [hæli'tousis], *s.* hálito fétido.
hall [hɔ:l], *s.* sala de entrada, vestíbulo, átrio, antecâmara; entrada, corredor; sala de sessões; refeitório (de um colégio); edifício público; sala de tribunal; salão; colégio (das Universidades); casa nobre na província; (mec.) casa das máquinas.
City Hall (Town Hall) — edifício da Câmara Municipal.
hall mark — marca do contraste.
hall-stand — bengaleiro.
servants' hall — copa (onde os criados comem).
hall table — mesa de vestíbulo.
concert-hall — sala de concertos.
parish hall — salão paroquial.
waiting hall — sala de espera.
Westminster Hall — antigo Palácio da Justiça de Westminster, agora grande salão usado em ocasiões solenes.
halleluiah [hæli'lu:jə], *s.* e *interj.* aleluia!
hallelujah [hæli'lu:jə], *s.* e *interj.* ver **halleluiah.**
halliard ['hæljəd], *s.* adriça, ostaga.
hallo [hə'lou], **1** — *s.* e *interj.* olá!, viva!
2 — *vi.* dizer olá.
halloa [hə'lou], *s.* e *interj.* ver **hallo.**
halloo [hə'lu:], **1** — *interj.* boca!, pega! (caça); olhe lá (chamar a atenção); essa agora! (surpresa).
2 — *vt.* e *vi.* gritar, açular os cães (caça); gritar boca!, pega!; chamar a atenção de alguém gritando.
do not halloo until you are out of the wood — não cantes vitória antes do tempo.
hallooing [-iŋ], *s.* o açular os cães na caça; algazarra.
hallow ['hælou], **1** — *s.* santo.
2 — *vt.* e *vi.* santificar, consagrar, reverenciar. *(Sin.* to sanctify, to dedicate, to devote, to revere.)
Hallowe'en ['hælou'i:n], *s.* véspera do dia de finados.
Hallowmas ['hæloumæs], *s.* dia de finados.
hallucinate [hæ'lju:sineit], *vt.* alucinar.
hallucination [hə'lu:si'neiʃən], *s.* alucinação.
hallucinatory [hæ'lju:sinətəri], *adj.* alucinatório.
halm [hɑ:m], *s.* colmo, talo, haste de cereal.
halma ['hælmə], *s.* jogo.
halo ['heilou], **1** — *s.* (*pl.* **halos, haloes**) auréola, halo; resplendor, anel luminoso.
2 — *vt.* aureolar.
haloed [-d], *adj.* aureolado.
halogen ['hæloudʒen], *adj.* (quím.) halogénio, halógeno.
halogenous [hæ'lɔdʒənəs], *adj.* halogénico.
haloid ['hælɔid], **1** — *s.* composto halóide.
2 — *adj.* halóide.
halology [hæ'lɔlədʒi], *s.* halologia, halografia.
halometer [hæ'lɔmitə], *s.* halómetro.
halometry [hæ'lɔmitri], *s.* halometria.
halotechny ['hæloutekni], *s.* (quím.) **halotecnia.**
halt [hɔ:lt], **1** — *s.* paragem, alto, pausa; maneira de andar de coxo ou aleijado; andar hesitante.
2 — *adj.* halóide; (arc.) aleijado, coxo.
to make halt — fazer alto.
to speak with a halt — falar de maneira hesitante.

3 — *vt.* e *vi.* parar, deter, fazer alto; hesitar, vacilar; coxear.
to halt between two opinions — hesitar entre duas opiniões.
halter [-ə], 1 — *s.* cabresto, cabeçada; baraço, corda; corda com laço para enforcar.
2 — *vt.* prender com cabresto; lançar uma corda ao pescoço.
halteres [hæl'ti:əri:z], *s. pl.* (zool.) halteres.
halting ['hɔ:ltiŋ], 1 — *s.* hesitação, vacilação; coxeadura.
2 — *adj.* hesitante, vacilante.
haltingly [-li], *adv.* hesitantemente, de maneira vacilante; vagarosamente.
halve [hɑ:v], *vt.* dividir em duas partes; reduzir a metade.
halves [-z], *s. pl.* de **half.**
halving [-iŋ], *s.* meia-madeira.
halyard ['hæljəd], *s.* (náut.) adriça, ostaga.
halyard punchase — (náut.) béta da ostaga.
ham [hæm], *s.* presunto, pernil de porco; fiambre; (hist.) burgo.
smoked ham — presunto.
ham-fisted — grosseiro de mãos, com mãos fortes do trabalho manual.
the hams — as nádegas, o traseiro.
hamadryad ['hæmə'draiəd], *s.* hamadríada, ninfa dos bosques.
Hamburg ['hæmbə:g], *top.* Hamburgo.
Hamburger [-ə], *s.* natural ou habitante de Hamburgo; espécie de bife feito com carne picada.
Hamburger steak — sanduíche com bife picado à moda de Hamburgo.
Hamburgh ['hæmbərə], *s.* variedade de uva preta.
hames [heimz], *s. pl.* cangalhas.
hamesucken ['heimsʌkən], *s.* (jur.) delito cometido em casa da vítima.
Hamilcar [hæ'milkɑ:], *n. p.* Amílcar.
Hamite ['hæmait], *s.* camita, descendente de Cam; pessoa líbia, egípcia ou etíope.
hamite ['hæmait], *s.* hamite (fóssil).
Hamitic [hæ'mitik], *adj.* camítico.
Hamlet ['hæmlit], *n. p.* título de tragédia de Shakespeare.
hamlet ['hæmlit], *s.* lugarejo, aldeola.
hammer ['hæmə], 1 — *s.* martelo, malho, malhete; cão de espingarda, percutor; flagelo (figurado).
to come under the hammer — pôr em praça.
hammer and tongs — com todas as forças, a mais não poder.
chipping-hammer — picadeira.
chasing-hammer — martelo de embutir.
hammer-test — prova de martelagem.
hammer-hardening — martelagem a frio.
hammer-head — cabeça do martelo.
hammer shaft — cabo do martelo, eixo do martelo mecânico.
glazier's hammer — bisegre.
granite hammer — martelo de britar pedra.
throwing the hammer (desp.) — lançamento do martelo.
to live hammer and tongs — viver como o cão com o gato.
2 — *vt.* e *vi.* martelar, bater; cravar; (fig.) derrotar; atacar.
to hammer away — trabalhar com assiduidade.
to hammer in (into) — fazer entrar (na cabeça).
to hammer out — inventar, planear, projectar.
to hammer at the door — bater muitas vezes à porta.
to hammer in a nail — pregar um prego.
to hammer out one's fortune — conquistar a sua própria fortuna.
hammered [-d], *adj.* martelado, batido.
hammered iron — ferro trabalhado.

hammerer [-rə], *s.* martelador.
hammerhead [-hed], *s.* peixe-martelo.
hammering [-riŋ], *s.* martelagem, acto de martelar ou forjar; estrondo de martelos.
hammerless [-lis], *adj.* sem cão (espingarda).
hammerman [-mən], *s.* malhador.
hammersmith [-smiθ], *s.* ferreiro que trabalha com martelo.
hammock ['hæmək], *s.* rede; maca; machila; cama de marinheiro.
hammock chair — cadeira de lona.
hamper ['hæmpə], 1 — *s.* canastra, cesto grande, cabaz.
2 — *vt.* embaraçar, impedir, obstruir, enredar. (*Sin.* to hinder, to encumber, to clog, to entangle. *Ant.* to help.)
hampered [-d], *adj.* embaraçado, atrapalhado.
Hampstead ['hæmpstid], *top.* nome de bairro residencial em Londres.
hamster ['hæmstə], *s.* criceto, mamífero roedor.
hamstring ['hæmstriŋ], 1 — *s.* tendão da curva da perna, tendão do jarrete.
2 — *vt.* (*pret.* e *pp.* **hamstringed** [-d], ou **hamstrung** ['hæmstrʌŋ]) jarretar, cortar os tendões do jarrete.
hamulate ['hæmjulit], *adj.* (bot.) em forma de gancho.
hamulose [hæmju'lous], *adj.* ver **hamulate.**
hanap ['hænæp], *s.* hanape, taça.
hand [hænd], 1 — *s.* mão; pata dianteira; ponteiro de relógio; forma, talho de letra; mão do jogo; poder de execução, habilidade, destreza; operário, trabalhador manual; palmo; assinatura; origem; jogador, jogo; poder.
hand-bag — mala de mão.
hand-book — manual.
hand-barrow — padiola; pequeno carro de mão.
hand-cuffs — algemas.
hand-made — manual; feito à mão.
hand-mirror — espelho de mão.
hand-shake — aperto de mão.
hand in hand — de mão dada.
at hand — perto, ao alcance de, à mão.
on all hands — de todos os lados.
on the one hand — por um lado.
on the other hand — por outro lado; pelo contrário.
off-hand — improvisado, sem preparação; imediatamente, de maneira pouco delicada.
off one's hands — fora do cuidado ou da direcção de.
hands off! — tire as mãos!
hands up! — mãos ao ar!
in one's hand — à responsabilidade de alguém.
under-hand — à mão; às escondidas, secretamente.
to live from hand to mouth — viver do seu trabalho diário.
to do a hand's turn — fazer o menor esforço.
to lend a hand — ajudar, dar uma ajuda.
to get the upper hand — adquirir superioridade.
to wash one's hands of — lavar daí as suas mãos; declinar responsabilidades.
to bear a hand — dar uma ajuda.
to put one's hand to the plough — pôr mãos à obra.
to change hands — mudar de dono.
to keep one's hand in — praticar para não esquecer.
to take in hand — encarregar-se de, empreender.
to be the right hand of — ser o braço direito de.
a good hand — uma pessoa destra, hábil.
to lay hands on — apoderar-se de, lançar mão; pôr as mãos (conseguir).

to shake hands — apertar a mão.
to have a bad hand — ter mau jogo.
old hand — pessoa de experiência, com prática.
clean hands — mãos limpas, honradez.
small hand — letra miúda (à mão).
short-hand — taquigrafia.
under my hand — firmado por mim.
my hands are full — estou muito ocupado.
all hands ahoy (náut.) — leva arriba!, toda a gente acima!
hands by the anchor! (náut.) — ferro pronto a largar!
all hands — todo o pessoal.
to be hand and glove together — ser como unha e carne.
hand-bill — impresso, prospecto.
hand-saw — serrote, serra de mão.
hand-rail — corrimão (de escada); balaustrada.
hand language — alfabeto dos surdos.
hand line — linha para pescar sem cana.
hand-work — manufactura.
by hand — à mão; por trabalho manual; por mão própria.
balance in hand — em caixa, a pronto pagamento.
cap in hand — humildemente; de chapéu na mão.
from good hands (fig.) — de boa fonte.
in hand — em mão, seguro; em depósito; sob discussão; entre mãos.
to buy second-hand — comprar em segunda mão.
to place in the hands of — pôr nas mãos de, entregar (um assunto, etc.).
out of hand — prontamente, depressa, sem demora; insubordinado.
to put a finishing hand to — dar os últimos retoques a.
to set the hand to — empreender.
to strike hands — concluir um contrato.
on hand — em mão; em depósito.
to fall into one's hands — vir às mãos de alguém.
joined hands — mãos postas.
to go from hand to hand — passar de mão em mão.
master hand — mão de mestre.
to lead by the hand — levar pela mão.
hand-hold — punho, pega.
his hand is out — não tem praticado, falta-lhe a prática.
to hold one's hands — abster-se de intervir; cruzar os braços.
he writes a good hand — tem boa caligrafia.
to his own hands — ao próprio.
to give a free hand to — dar carta branca a.
to have on one's hand — ter a seu cargo, ter à sua responsabilidade.
to be tied hand foot — estar atado de pés e mãos.
written by hand — escrito à mão.
hand-breadth — palmo, mão travessa.
hand-gear — maquinismo de mover à mão.
hand-glass — espelho de mão, campânula para defesa das plantas ao ar livre.
hand-float — pequena colher de trolha.
hand-balance — acrobata.
hand-brake — travão de mão.
hand-brake lever — alavanca do travão de mão.
hand-cart — carro de mão.
hand-crane — guindaste manual.
hand-driven — movido à mão.
hand-driving — accionamento manual.
hand-feeding — aleitamento com o biberão.
hand-grenade — granada de mão.
hand-grip — punho (de guiador de bicicleta).
hand jack (mec.) — macaco.
hand-key — manípulo (telégrafo).
hand-knitted — feito à mão (malha).
hand-mill — moinho manual.
hand-organ — realejo.
hand-loom — tear manual.
hand-reader — quiromante.
hand-reading — quiromancia.
hand-wheel — volante; manípulo de torneira.
hand-stitched — cosido à mão.
a close hand — **um sovina, um *unhas de fome*.**
a four-hand piece — uma música a quatro mãos.
on hands and knees — de gatas.
with heavy hand — com mão de ferro, com severidade.
with a high hand — arrogantemente.
to clap hands — bater palmas.
to have an open hand — ser generoso.
to play a good hand — jogar bem.
to feed out of one's hand (fig.) — ser muito obediente.
to play into another's hands — trabalhar em proveito de outra pessoa.
give me your hand — deixe-me dar-lhe os parabéns.
a bird in the hand is worth two in the bush — mais vale um pássaro na mão que dois a voar.
2 — *vt.* ajudar, auxiliar (com a mão); dar, passar (com a mão).
to hand in — entregar.
to hand about — fazer passar de mão em mão.
to hand on — transmitir.

handball [-bɔl], *s.* handebol (jogo).
handbasket [-bɑ:skit], *s.* cesto de mão.
handbell [-bel], *s.* campainha, sineta.
handbill [-bil], *s.* prospecto; nota impressa que deve ser distribuída de mão em mão.
handcuff [-kʌʃ], *vt.* algemar.
handcuffs [-kʌʃs], *s. pl.* algemas.
handful [-ful], *s.* punhado, mão-cheia; criança endiabrada.
by handfuls — às mãos cheias.
the child is a handful — a criança é endiabrada.
handicap ['hændikæp], **1** — *s.* impedimento, embaraço, obstáculo; imposição aos contendores; prova desportiva em que se impõem desvantagens.
to be under a handicap — estar em desvantagem.
2 — *vt.* (*pret.* e *pp.* **handicapped**) dar desvantagem; embaraçar, pôr obstáculos; impor condições desvantajosas.
handicapped [-t], *adj.* com desvantagem; com dificuldade.
handicapper [-ə], *s.* aquele que impõe desvantagem.
handicapping [-iŋ], *s.* (desp.) sistema de desvantagens.
handicraft ['hændikrɑ:ft], *s.* mão-de-obra; arte mecânica; trabalho manual; ofício; ocupação.
handicraftsman [-smən], *s.* mecânico, artífice, operário.
handily ['hændili], *adv.* habilmente, destramente; comodamente.
handiness ['hændinis], *s.* perícia, habilidade, destreza; jeito; comodidade; facilidade de manobra.
handiwork ['hændiwə:k], *s.* trabalho manual.
handkerchief ['kæŋkətʃif], *s.* lenço de assoar; lenço de bolso.
handle [hændl], **1** — *s.* punho, manípulo, puxador, cabo (de faca, garfo, etc.); asa (de cafeteira, etc.); maçaneta; manivela; chave, alavanca; (fig.) vantagem.

handle-bar — guiador de bicicleta.
handle of a hammer — cabo de martelo.
handle of a plough — rabiça do arado.
2 — *vi.* manusear, manejar, manobrar; apalpar; dirigir; pôr mãos a; tocar com a mão.
to handle a situation — dominar uma situação.
to handle a ship — governar um navio.
to handle without gloves (to handle without mittens) — agir com firmeza.
to be hard to handle — ser difícil de lidar (com alguém).
handled [-d], *adj.* com cabo, com punho; manuseado.
handless ['hændlis], *adj.* sem mãos.
handling ['hændliŋ], *s.* manejo; manobra; execução; direcção; retoque; colocação de cabo ou punho.
handmaid ['hændmeid], *s.* (arc.) criada.
handsel ['hænsl], **1** — *s.* presente dado no Ano Novo ou numa situação nova; penhor; primeiras vendas.
2 — *vt.* presentear; inaugurar, estrear; dar sinal, dar penhor.
handshake ['hændʃeik], *s.* aperto de mão como cumprimento.
handshaking [-iŋ], *s.* acção de apertar a mão como cumprimento.
handsome ['hænsəm], *adj.* belo, elegante, formoso, bem parecido; primoroso, excelente; generoso; perfeito. *(Sin.* beautiful, fair, fine, stately, comely, liberal, generous. *Ant.* ugly, niggardly.)
a handsome fortune — uma fortuna considerável.
a handsome present — um belo presente.
handsomely [-li], *adv.* primorosamente; generosamente; com cautela.
handsomeness [-nis], *s.* beleza, formosura, elegância, graça, primor, gentileza; generosidade, liberalidade.
handy ['hændi], *adj.* cómodo, jeitoso, destro, hábil, útil, conveniente; ao alcance da mão; maneável.
handy-man — topa-a-tudo.
to come in handy — ser útil; vir a propósito.
hang [-hæŋ], **1** — *s.* declive, inclinação; aba de casaco; (col.) significado.
I don't care a hang — não quero saber disso para nada.
to get the hang of — compreender.
2 — *vt.* e *vi.* *(pret.* e *pp.* **hung** [hʌŋ]), pendurar, suspender; estar pendurado; colgar; demorar.
to hang about — rondar.
to hang down — baixar; descer; estar suspenso.
to hang out — arvorar; suspender de uma janela.
to hang up — suspender; pôr de parte.
time hangs heavily upon me — custa-me muito a passar o tempo.
to hang one's head — inclinar a cabeça.
to hang over — ameaçar, estar iminente; pairar; inclinar-se.
to hang together — permanecer unido.
hang on her (náut.) — aguenta a remada.
to hang out clothes — estender, dependurar a roupa.
to hang on to another — depender de alguém.
to hang fire (mil.) — suspender o fogo.
to hang behind — ficar para trás.
to hang on like grim death — agarrar-se com todas as forças.
3 — *vt.* e *vi.* *(pret.* e *pp.* **hanged** [-d]) enforcar, pendurar na forca.
hang sorrow! — o diabo leve as tristezas!
I'll be hanged if... — diabos me levem se...
as well be hanged for a sheep as for a lamb — perdido por um, perdido por mil.

hangar ['hæŋə], *s.* hangar.
hangbird ['hæŋbə:d], *s.* (zool.) verdelhão.
hang-dog ['hæŋdɔg], **1** — *s.* pessoa ordinária; de aparência patibular.
2 — *adj.* envergonhado, deprimido, de orelha murcha.
hanger ['hæŋə], *s.* cabide, gancho para pendurar; carrasco; alfange.
coat-hanger — cabide.
hanger-on — **parasita, papa-jantares; (col.) pendura.**
paper-hanger — forrador de paredes a papel.
hanging ['hæŋiŋ], **1** — *s.* acção de pendurar; enforcamento; montagem; *pl.* colgaduras, tapeçarias.
hanging matter — caso de forca.
hanging compass (náut.) — agulha de suspensa.
hanging valve (náut.) — válvula de charneira.
2 — *adj.* suspenso, pendurado; de aspecto patibular.
hanging bridge — ponte pênsil.
the hanging gardens of Babylon — os jardins suspensos da Babilónia.
hanglock ['hæŋlɔk], *s.* cadeado com fechadura.
hangman ['hæŋmən], *s.* carrasco.
hank [hæŋk], **1** — *s.* novelo de fio, meada; (náut.) garruncho, abraçadeira, anilha, palomba de fio; influência, poder.
to have a hank on a person — ter poder sobre uma pessoa.
2 — *vt.* enovelar.
hanker [-ə], *vi.* (seguido de **after**) ansiar, suspirar.
hankering [-riŋ], *s.* desejo veemente, ânsia.
a hankering after fortune — uma ânsia de fortuna.
hanky ['hæŋki], *s.* (infantil) ver **handkerchief.**
hanky-panky ['hæŋki'pæŋki], *s.* escamoteação; prestidigitação.
Hannah ['hænə], *n. p.* Ana.
Hannibal ['hænibəl], *n. p.* Aníbal.
Hanoi [hæ'nɔi], *top.* Hanói.
Hanover ['hænəvə], *top.* Hanôver.
Hanoverian ['hænou'viəriən], *s.* e *adj.* hanoveriano.
Hansard ['hænsəd], *s.* informes impressos relativos aos debates no Parlamento.
hanse [hæns], *s.* hansa.
the Hanse — a Liga Hanseática.
hanseatic [hænsi'ætik], *adj.* hanseático.
hansom ['hænsəm], *s.* cabriolé com a boleia atrás.
hansom cab — cabriolé com a boleia atrás.
hap [hæp] **1** — *s.* sorte, acaso; acidente; *pl.* acontecimentos casuais.
by good hap — por um feliz acaso.
2 — *vt.* (arc.) acontecer por acaso; aconchegar a roupa.
to hap someone in bed — aconchegar a roupa da cama a alguém.
haphazard ['hæp'hæzəd], **1** — *s.* sorte, fortuna, acaso.
at haphazard (by haphazard) — ao acaso.
2 — *adj.* casual, fortuito.
3 — *adv.* à sorte.
hapless ['hæplis], *adj.* desgraçado, infeliz. *(Sin.* unlucky, ill-fated, unfortunate, miserable, wretched. *Ant.* lucky.)
haplessly [-li], *adv.* desgraçadamente.
haplograply [hæp'lɔgrəʃi], *s.* haplografia.
haplology [hæp'lɔlədʒi], *s.* haplologia.
haplopetalous [hæplə'petələs], *adj.* haplopétalo.
hap'orth ['heipəθ], *s.* (contracção de *halfpenny worth*) o valor de meio péni; de pouco valor.
happen ['hæpən], *vi.* acontecer, suceder, ocorrer.
what has happened? — que aconteceu?

it happened thus — aconteceu assim.
this is how things happened — eis como as coisas se passaram.
if he happened to come — se por acaso ele viesse.
this would happen — isto tinha que acontecer.
as it happens — por acaso.
whatever happens — aconteça o que acontecer.

happening [-iŋ], *s.* acontecimento, sucesso.

happily ['hæpili], *adv.* felizmente.

happiness ['hæpinis], *s.* felicidade, ventura, feliz acaso.

happy ['hæpi], *adj.* feliz, afortunado, ditoso; propício, oportuno. (*Sin.* delighted, fortunate, lucky, prosperous. *Ant.* sad, unlucky.)
I shall be happy — terei muito prazer.
as happy as the day is long — feliz como os amores.
I shall be happy to serve you — terei muito muito prazer em servi-lo.
a happy retort — uma resposta a tempo.
to be as happy as a sandboy — estar nas suas sete quintas.
I am happy to say — tenho o prazer de dizer.
as happy as a king (as happy as a bird on the tree, as happy as a larry) — felicíssimo.
to be happy at — ter jeito para.

happy-go-lucky [-goulʌki], *adj.* que confia na sorte, imprevidente.

Hapsburg ['hæpsbə:g], *top.* Habsburgo.

haptophore ['hæptəfɔ:], *adj.* haptóforo.

hara-kiri ['hærə'kiri], *s.* hara-quiri, suicídio praticado pelos japoneses.

harangue [hə'ræŋ], **1** — *s.* arenga, alocução. **2** — *vt.* e *vi.* arengar, fazer uma alocução.

haranguer [-ə], *s.* arengador.

haras ['hærəs], *s.* coudelaria.

harass ['hærəs], *vt.* importunar, perseguir, hostilizar; cansar, fatigar; vexar; assaltar. (*Sin.* to annoy, to vex, to plague, to tire, to weary, to tease, to irritate. *Ant.* to relieve.)

harasser [-ə], *s.* perseguidor, importuno; devastador.

harassing [-iŋ], **1** — *s.* acção de perseguir, de importunar, de devastar. **2** — *adj.* importuno; devastador.

harassment [-mənt], *s.* acção de perseguir, de atormentar, de devastar.

harbinger ['hɑ:bindʒə], **1** — *s.* precursor, mensageiro, anunciador. **2** — *vt.* predizer, anunciar.

harbour ['hɑ:bə], **1** — *s.* porto de abrigo; refúgio, asilo.
harbour-dues — taxas portuárias.
harbour-master — capitão de porto.
harbour master's assistant — patrão-mor.
dry harbour — porto que fica em seco.
harbour light — farol de porto.
harbour of refuge — porto de abrigo.
harbour station — estação marítima.
natural harbour — porto natural.
artificial harbour — porto artificial.
to clear the harbour — deixar o porto.
2 — *vt.* e *vi.* proteger, abrigar; dar asilo.
to harbour a hope — acalentar uma esperança.

harbourage [-ridʒ], *s.* porto de abrigo, refúgio; asilo, albergue.

harbourer [-rə], *s.* aquele que abriga ou alberga.

harbourless [-lis], *adj.* desprotegido, desamparado; sem portos.

hard [hɑ:d], **1** — *s.* desembarcadouro inclinado. **2** — *adj.* duro, sólido, firme, forte, endurecido; insensível; difícil, intrincado; custoso, trabalhoso; injusto; opressivo; áspero, inflexível, severo; tosco, vigoroso; rigoroso; (gram.) surdo, forte.
hard cash — dinheiro na mão, dinheiro realizado.
hard labour — trabalhos forçados.
hard lines! — como é triste!; que infelicidade!
hard-fisted — avarento.
hard facts — factos indiscutíveis.
hard of hearing — duro de ouvido.
hard words — palavras duras, ofensivas.
heard-hearted — de coração duro, insensível.
to be hard up — estar em apuros, sem dinheiro.
to be hard on a person — ser severo para alguém.
to be hard at work — trabalhar muito.
hard to please — difícil de contentar.
to drink hard — beber em excesso.
hard task — trabalho penoso.
to draw a hard and fast line — impor uma regra fixa.
to grow hard — endurecer.
hard of belief — incrédulo.
hard to deal with — intratável.
hard court — campo de ténis de cimento.
a hard winter — um inverno rigoroso.
as hard as nails — muito forte, vigoroso, musculoso.
hard as a bone — duro como ferro.
hard-bitten — tenaz.
hard cheese (col.) — pouca sorte.
hard coal — carvão magro.
hard-headed — realista, prático.
hard-rubber — ebonite.
***hard-set* — atrapalhado, sem saber o que fazer.**
hard-working — trabalhador.
hard X rays — raios X.
as hard as adamant — duro como o diamante.
to have a hard nut to crack — (col.) estar numa camisa-de-onze-varas.
to have hard luck — ter pouca sorte.
to try one's hardest — esforçar-se ao máximo.
3 — *adv.* muito, fortemente, diligentemente; em más circunstâncias; muito perto; imediatamente.
hard-earned — ganho com muita dificuldade.
hard by — muito perto.
hard pressed (hard up) — atrapalhado, sem dinheiro.
to be hard on sixty — estar quase nos sessenta anos.
to die hard — morrer depois de sofrer muito; morrer corajosamente.
to rain hard — chover muito.

harden [-n], *vt.* e *vi.* endurecer, calejar; robustecer; tornar insensível; endurecer-se; temperar (um metal).
to harden the body — enrijecer o corpo.
to harden steel — temperar o aço.

hardened [-nd], *adj.* endurecido; temperado (metal); insensível.
a hardened criminal — um criminoso inveterado.

hardener [-nə], *s.* o que endurece.

hardening [-niŋ], *s.* endurecimento; dureza, têmpera.
hardening bath — banho para temperar.
hardening furnace — fornalha para temperar.

hardhead [-hed], *s.* pessoa positiva; (zool.) nome de peixe.

hardheartedly [-'hɑ:tidli], *adv.* sem piedade, impiedosamente.

hardheartedness [-'hɑ:tidnis], *s.* insensibilidade, falta de piedade.

hardihood ['hɑ:dihud], *s.* temeridade, audácia, arrojo; impudência.

hardily ['hɑ:dili], *adv.* audaciosamente, arrojadamente; com aspereza.

hardiness ['hɑ:dinis], *s.* coragem, intrepidez; vigor, robustez; força.
hardish ['hɑ:diʃ], *adj.* um tanto duro.
hardly ['hɑ:dli], *adv.* dificilmente, com custo; apenas mal; à força; de má vontade; com rigor, rigorosamente; asperamente; pobremente.
hardly-earned — ganho com muito custo.
it is hardly worth while — quase não vale a pena.
I can hardly believe it — custa-me a crer.
I need hardly say — escusado será dizer.
hardly ever — quase nunca.
to be hardly treated — ser tratado com dureza.
hardness ['hɑ:dnis], *s.* dureza; solidez; insensibilidade; severidade; penúria; dificuldade; trabalho; grosseria; obstinação no mal.
hardness of hearing — dureza de ouvido.
hardness test — ensaio de dureza.
hardship ['hɑ:dʃip], *s.* trabalho; fadiga; pena; opressão, aflição; privação; incómodo.
to bear hardships — suportar fadigas, privações.
hardware ['hɑ:dwɛə], *s.* ferragens; quinquilharia.
hardwareman [-mən], *s.* quinquilheiro.
hardwood ['hɑ:dwud], *s.* madeira dura.
hardy ['hɑ:di], **1** — *s.* escopro, talhadeira.
2 — *adj.* forte, robusto; audaz, ousado, intrépido; resistente. *(Sin.* plucky, courageous, brave, strong, healthy, hale, robust, bold, intrepid. *Ant.* timid, weak.)
hardy annual (bot.) — que se dá ao ar livre; (fig.) assunto debatido todos os anos.
hare [hɛə], **1** — *s.* lebre.
hare-brained — estouvado.
hare-lipped — com lábio leporino.
hares and hounds — jogo campestre em que se imita a caça às lebres.
as mad as a march hare — doido varrido.
hare's foot — espécie de trevo.
hare's ear (bot.) — orelha de lebre.
to hunt with the hounds and run with the hare — (fig.) jogar com pau de dois bicos.
jugged hare — guisado de lebre.
to put up a hare — levantar uma lebre.
hare-hearted — medroso, cobarde.
buck-hare — lebre-macho.
doe-hare — lebre-fêmea.
2 — *vi.* saltar como lebre, comer como uma lebre.
harebell [-bel], *s.* (bot.) campainha.
harem ['hɛərəm], *s.* harém .
harewood ['hɑ:wud], *s.* bordo, ácer.
haricot ['hærikou], *s.* feijão verde; guisado de carneiro com feijão.
hark [hɑ:k], *vt.* e *vi.* escutar.
to hark to — prestar atenção a.
harl [hɑ:l], *s.* fibra, filamento de linho; ramificação lateral do ráquis de uma pena.
harlequin ['hɑ:likwin], *s.* arlequim.
harlequin duck — uma espécie de pato do Norte.
harlequinade [hɑ:likwi'neid], *s.* arlequinada.
harlot ['hɑ:lət], **1** — *s.* prostituta.
2 — *vi.* prostituir-se.
harlotry [-ri], *s.* prostituição.
harm [hɑ:m], **1** — *s.* mal, dano, prejuízo, injúria, ofensa.
out of harm's way — em segurança.
to do harm — fazer mal.
what harm was there in it? — que mal fazia?
there is no harm done — não aconteceu mal nenhum.
I meant no harm — não fiz isso por mal.
harm watch, harm catch — ir buscar lã e vir tosquiado; ir buscar lenha para se queimar.
2 — *vt.* fazer mal a, ofender.
harmful [-ful], *adj.* nocivo, perigoso.
harmfulness [-fulnis], *s.* maldade, dano, prejuízo.
harmless [-lis], *adj.* inocente, inofensivo; ileso, são e salvo.
harmlessly [-lisli], *adv.* inofensivamente.
harmlessness [-isnis], *s.* inocência.
harmonic [hɑ:'mɔnik], **1** — *s.* (mús.) harmónico.
harmonic receiver — receptor de ondas eléctricas.
2 — *adj.* harmónico.
harmonic currents — ondas vibratórias que se alteram periodicamente.
harmonica [-ə], *s.* harmónica de boca.
harmonically [-əli], *adv.* harmonicamente.
harmonicon [-ən], *s.* harmónica de boca.
harmonics [-s], *s.* harmónica.
harmonious [hɑ:'mounjəs], *adj.* harmonioso, melodioso.
harmoniously [-li], *adv.* harmoniosamente, melodiosamente.
harmonist ['hɑ:mənist], *s.* harmonista.
harmonistic [hɑ:mə'nistik], *adj.* harmonizador.
harmonistics [-s], *s.* harmonística.
harmonium [hɑ:'mounjəm], *s.* harmónio.
harmonization ['hɑ:mənai'zeiʃən], *s.* harmonização.
harmonize ['hɑ:mənaiz], *vt.* e *vi.* harmonizar, pôr em harmonia; pôr-se de acordo, adaptar-se.
to harmonize with — harmonizar-se com.
harmonizer [-ə], *s.* (mús.) harmonizador; conciliador.
harmonometer ['hɑ:mənɔmitə], *s.* harmonómetro.
harmonometric [hɑ:mənɔ'metrik], *adj.* harmonométrico.
harmonometrical [-əl], *adj.* ver **harmonometric.**
harmony ['hɑ:məni], *s.* harmonia, acordo, concordância; (mús.) harmonia. *(Sin.* accord, concord. *Ant.* discord.)
harmony of the spheres — regularidade do movimento dos corpos celestes.
to be in harmony with — estar em harmonia com.
harness ['hɑ:nis], **1** — *s.* arreio, jaez; arnês, armadura.
in harness — em serviço activo.
to die in harness — morrer a trabalhar.
harness-cask — salgadeira de bordo.
to run in double harness (to work in double harness) — trabalhar acompanhado; (col.) estar casado.
to run in single harness — trabalhar sozinho; (col.) ser solteiro.
to be out of harness — estar aposentado.
2 — *vt.* ajaezar, arrear; armar, proteger com armadura.
harnessing [-iʒ], *s.* arreios; acto de ajaezar.
harp [hɑ:p], **1** — *s.* harpa.
to play on the harp — tocar harpa.
Aeolian harp — harpa eólia.
2 — *vt.* tocar harpa.
to harp on one string — repisar a mesma coisa.
to harp on — insistir (no mesmo assunto).
harper [-ə], *s.* harpista.
harping [-iŋ], *s.* harpejo, repetição fastidiosa; (náut.) corrimão da borda do castelo.
harpist [-ist], *s.* harpista.
harpoon [hɑ:'pu:n], **1** — *s.* arpéu, arpão.
harpoon-head — cabeça de arpão.
2 — *vt.* lançar o arpão a.
harpooner [-ə], *s.* arpoador.
harpooning [-iŋ], *s.* arpoação, acção de arpoar.

harpsichord ['hɑ:psikɔ:d], *s.* (mús.) cravo.
harpy ['hɑ:pi], *s.* harpia; pessoa avarenta, extorcionário.
harpy eagle — águia da América do Sul.
harpy-bat (zool.) — harpia.
harquebus ['hɑ:kwibəs], *s.* arcabuz.
harquebusade [hɑ:kwibə'seid], *s.* arcabuzada.
harquebusier [hɑ:kwibə'siə], *s.* arcabuzeiro.
harridan ['hæridən], *s.* velha feia e de mau génio; prostituta.
harrier ['hæriə], *s.* galgo lebréu; espécie de falcão; saqueador; *pl.* matilha de galgos lebréus juntamente com os caçadores.
Harriet ['hæriət], *n. p.* Henriqueta.
Harris tweed ['hæris twi:d], *s.* nome de tecido fabricado em Harris.
Harrovian [hə'rouvjən], *s.* e *adj.* relativo a Harrow; aluno da Harrow School.
Harrow ['hærou], *top.* nome de cidade inglesa famosa pelo seu colégio.
harrow ['hærou], **1** — *s.* grade de lavoura.
to be under the harrow — passar por grandes dificuldades.
2 — *vt.* gradar; atormentar; dilacerar.
harrower [-ə], *s.* gradador.
harrowing [-iŋ], *adj.* cruciante, dilacerante, horrível.
Harry ['hæri], *n. p.* Henrique.
harry ['hæri], *vt.* devastar, assolar, oprimir, atormentar, despojar; importunar.
harsh [hɑ:ʃ], *adj.* áspero, severo, rígido, austero; incivil; amargo; cruel. *(Sin.* jarring, discordant, rough, severe, rigorous, gruff, austere. *Ant.* musical, gentle.)
harsh words — palavras ásperas.
harsh temper — génio áspero.
harsh treatment — maus tratos.
harshly [-li], *adv.* àsperamente, severamente; bruscamente.
harshness [-nis], *s.* aspereza, rigor, austeridade, severidade, azedume.
hart [hɑ:t], *s.* veado (com mais de cinco anos).
hart's tongue — variedade de feto.
hartshorn ['hɑ:tshɔ:n], *s.* substância obtida dos chifres do veado.
spirit of hartshorn — solução aquosa de amoníaco.
salt of hartshorn — sais amoniacais.
harum-scarum ['hɛərəm'skɛərəm], **1** — *s.* pessoa estouvada, inconsciente.
2 — *adj.* estouvado, leviano, temerário.
Harvard ['hɑ:vəd], *s.* nome da universidade mais antiga dos E. U. (em Massachusetts).
harvest ['hɑ:vist], **1** — *s.* colheita, ceifa; produto de um trabalho; vindima; época das colheitas.
harvest time — época das colheitas.
harvest home — festa das colheitas.
harvest mouse — rato pequeno.
harvest-man — ceifeiro.
harvest-bell — genciana.
harvest-bug — piolho das colheitas.
harvest watchman — homem que está de guarda às colheitas.
to get in the harvest — fazer as colheitas.
such seeds he sows, such harvest shall he find (fig.) — quem cardos semeia, cardos colhe; quem semeia ventos colhe tempestades.
harvest-fly — cigarra.
harvest-hand — ceifeiro.
harvest-spider — aranha-navalheira.
2 — *vt.* segar, ceifar, colher; fazer as colheitas.
harvester [-ə], *s.* máquina de ceifar; ceifador(a).
harvester-thresher — cegadora-debulhadora.
harvesting [-iŋ], *s.* ceifa, colheita.
has [hæz, həz, (ə)z, s], *3.ª pes. sing pres. ind.* de **to have.**
has-been ['hæzbi:n], *s.* pessoa já sem préstimo; coisa velha, inútil.
Hasdrubal ['hæzdrubəl], *n. p.* Asdrúbal.
hash [hæʃ], **1** — *s.* picado, recheio; confusão; erro grave.
to make a hash of something — estragar uma coisa.
to settle a person's hash — ajustar contas com alguém.
2 — *vt.* picar (carne).
hasheesh ['hæʃi:ʃ], *s.* haxixe.
hashish ['hæʃi:ʃ], *s.* ver **hasheesh.**
haskinization [hæskinai'zeiʃən], *s.* vulcanização da madeira.
haskinize ['hæskinaiz], *vt.* vulcanizar (a madeira).
haslet ['heizlit], *s.* fressura (especialmente de porco).
hasp [hɑ:sp], **1** — *s.* anel de cadeado; gancho; ferrolho.
2 — *vt.* fechar com ferrolho, fechar com cadeado.
hassock ['hæsək], *s.* almofada própria para ajoelhar na igreja; tufo de relva.
hast [hæst], (arc.) **2.ª** *pes. sing. pres. ind.* de **to have.**
hastate ['hæsteit], *adj.* (bot.) lanceolado.
haste [heist], **1** — *s.* pressa, presteza, precipitação; urgência. *(Sin.* hurry, speed, quickness, celerity. *Ant.* delay.)
to make haste — apressar-se.
in haste — à pressa.
make haste! — apressa-te!
more haste, less speed — quanto mais depressa mais devagar.
in great haste — a toda a pressa.
2 — *vt.* e *vi.* apressar, apressar-se.
hasten ['heisn], *vt.* e *vi.* apressar, acelerar, dar pressa; antecipar.
to hasten the evil day — antecipar o mal.
to hasten one's pace — acelerar o passo.
to hasten one's preparation — apressar os preparativos.
to hasten away — partir à pressa.
to hasten down — descer à pressa.
to hasten in — entrar à pressa.
hastening [-iŋ], *s.* antecipação; aceleração.
hastily ['heistili], *adv.* apressadamente, à pressa; precipitadamente.
hastiness ['heistinis], *s.* pressa, rapidez, precipitação; arrebatamento; prontidão; impaciência.
Hastings ['heistiŋz], *n. p.* e *top.* cidade inglesa em Sussex, perto da qual se travou a batalha de Hastings.
hasty ['heisti], *adj.* apressado, precipitado; vivo; arrebatado, violento, colérico; irreflectido. *(Sin.* quick, fast, speedy, swift, hurried, cursory, rash, impetuous, fretful, irritable. *Ant.* deliberate, thoughtful.)
hat [hæt], **1** — *s.* chapéu.
top hat — chapéu alto.
hat-box — chapeleira.
hat-band — fita do chapéu.
hats off! — descubram-se!
to hang up one's hat — pôr-se à vontade em casa alheia.
to pass (send) round the hat — pedir dinheiro; angariar fundos por subscrição.
to be hat in hand — andar de chapéu na mão.
a bad hat — indivíduo imoral e desacreditado.
straw-hat — chapéu de palha.
to touch one's hat — levar a mão ao chapéu.
wide-brimmed hat — chapéu de aba larga.
hat-block — molde para chapéu.
hat-maker — fabricante de chapéus.
hat-making — indústria de chapelaria.

hat-rack (hat-rail) — cabide para chapéus.
hat-shop — chapelaria.
cardinal's hat (red hat) — chapéu cardinalício.
soft felt hat — chapéu mole.
my hat! — caramba! (surpresa).
to talk through one's hat (col.) — exagerar.
to be high hat — dar-se ares.
2 — *vt.* (*pret.* e *pp.* **hatted**) dar um chapéu a; pôr um chapéu a.

hatch [hætʃ], **1** — *s.* ninhada, incubação, saída da casca; meia porta; escotilha, alçapão.
to be under hatches — estar preso no porão; (fig.) morto.
hatches, catches, matches & dispatches — nascimentos, noivados, casamentos e óbitos (secção no jornal).
the fore hatch — a escotilha da proa.
the after hatch — a escotilha de popa.
the main hatch — a escotilha principal.
2 — *vt.* e *vi.* chocar, fazer sair da casca; tracejar, sombrear; idear, maquinar; fomentar; conspirar.
to hatch a plot — tramar uma conspiração.
do not count your chickens before they are hatched! — joga sempre pelo seguro!; não deites foguetes antes da festa!

hatchel ['hætʃl], **1** — *s.* carda, sedeiro, restelo, rastelo.
2 — *vt.* cardar, rastelar, sedar.

hatcheler [-ə], *s.* cardador, assedador, restelador.

hatcher ['hætʃə], *s.* chocadeira; galinha choca; fomentador (de desordens, conspirações, etc.).

hatchery [-ri], *s.* incubadora; estação aquícola.
trout hatchery — viveiro de trutas.

hatchet ['hætʃit], *s.* machadinha.
to bury the hatchet — fazer a paz.
to dig up the hatchet — romper hostilidades.

hatching ['hætʃiŋ], *s.* incubação; sombreado.

hatchling ['hætʃliŋ], *s.* peixe ou ave recém-nascido.

hatchment ['hætʃmənt], *s.* as armas de um defunto num escudo; escudo de armas.

hatchway ['hætʃwei], *s.* escotilha.
hatchway-house — gaiuta, alboi.
main hatchway — escotilha maior.
booby hatchway — escotilhão.

hate [heit], **1** — *s.* ódio, aversão, aborrecimento.
2 — *vt.* odiar, abominar, aborrecer, ter aversão a, detestar. (*Sin.* to detest, to loathe, to abominate, to abhor, to dislike. *Ant.* to love.)

hateable [-əbl], *adj.* odioso, abominável.

hateful [-ful], *adj.* odioso, detestável, abominável.

hatefully [-fuli], *adv.* odiosamente, de modo abominável.

hatefulness [-fulnis], *s.* ódio, animosidade, aversão.

hater [-ə], *s.* aquele que odeia.

hatful ['hætful], *s.* chapéu cheio.

hath [hæθ], (arc.) 3.ª *pes. sing. pres. ind.* de **to have.**

hating [heitiŋ], *s.* ódio, aborrecimento.

hatless ['hætlis], *adj.* sem chapéu.

hatred ['heitrid], *s.* ódio, aversão, inimizade.
to bear hatred — odiar.

hatter ['hætə], **1** — *s.* chapeleiro.
as mad as a hatter — doido varrido.
2 — *vt.* atormentar, fazer mal.

hauberk ['hɔ:bə:k], *s.* cota de malha.

haugh [hɔ:], *s.* (Escócia) extensão de terra aluvial.

haughtily ['hɔ:tili], *adv.* arrogantemente, altivamente, orgulhosamente.

haughtiness ['hɔ:tinis], *s.* altivez, orgulho, arrogância, soberba. (*Sin.* arrogance, pride, contempt. *Ant.* modesty.)

haughty ['hɔ:ti], *adj.* soberbo, altivo, arrogante.

haul [hɔ:l], **1** — *s.* arrasto, arranco, puxão; lanço de rede; trajecto; redada; assalto, o que se consegue com certo esforço.
at one haul — num só lanço de rede.
a good haul — uma boa aquisição.
2 — *vt.* e *vi.* puxar, arrastar, (náut.) içar, alar; rondar (o vento).
to haul up — içar.
to haul upon the wind — orçar; tomar a direcção do vento.
to haul alongside — atracar.
to haul along — dar uma espia.
to haul in — alar; meter dentro; chegar-se para terra.
to haul close — andar à bolina.
to haul in the slack — rondar o brando.
to haul down — baixar, arriar.
to haul tight the bowline — alar a bolina.

haulage [-idʒ], *s.* alagem, acção de alar; preço pedido para alar uma embarcação; transporte.
man haulage — tracção a braço.
haulage man — mineiro encarregado das vagonetas.

hauler [-ə], *s.* pessoa que puxa à sirga; mineiro encarregado das vagonetas.

haulier [-jə], *s.* mineiro encarregado das vagonetas; homem encarregado de transportes.

hauling [-iŋ], *s.* reboque, puxão, arranco.
hauling-line — cabo de vaivém.
hauling cable — cabo de sirga.
hauling chain — corrente de sirga.
hauling rope — sirga.

haulm [hɔ:m], *s.* colmo, talo, haste de cereal; restolho.

haulmy [-i], *adj.* com haste de cereal; com restolho.

haunch [hɔ:ntʃ], *s.* anca, quadril; garupa de cavalo.
haunch-bone — osso ilíaco.

haunt [hɔ:nt], **1** — *s.* lugar frequentado, retiro, guarida; caverna; valhacoito.
2 — *vt.* frequentar, visitar; perseguir; aparecer frequentemente; importunar; obcecar; assombrar (fantasmas). (*Sin.* to frequent, to follow, to visit, to importune. *Ant.* to avoid.)
to be haunted by a memory — ser perseguido por uma recordação.

haunted [-id], *adj.* frequentado, visitado (por aparições, espíritos, etc.).

haunter [-ə], *s.* frequentador.

haunting [-iŋ], **1** — *s.* acção de frequentar, de visitar muitas vezes, de perseguir.
2 — *adj.* que frequenta, que visita muitas vezes; que persegue.
haunting memory — ideia fixa.

hausmannite ['hausmənait], *s.* (miner.) haussemanite.

haustorium [hɔ:s'tɔ:riəm], *s.* (bot.) haustório, órgão sugador das plantas parasitas.

haustrum ['hɔ:strəm], *s.* (*pl.* **haustra**) sáculo do cólon.

hautboy ['oubɔi], *s.* (mús.) oboé; variedade de morango.

hauteur [ou'tə:], *s.* arrogância, altivez.

Havana [hə'vænə], *top.* Havana.

have [hæv], **1** — *s.* engano, embuste.
the haves and the have-nots — os ricos e os pobres.
2 — *vt.* [hæv, həv, əv, v], (*pret.* e *pp.* **had** [hæd, həd, əd, d]). ter, possuir; haver; mandar; querer; ter de, dever; fazer com que; lembrar-se, descobrir; tolerar; receber; comer, beber, ser enganado; dizer; sofrer.
to have rather — preferir.

to have a suit made — mandar fazer um fato.
to have on — usar, trazer vestido.
to have about one — ter (trazer) consigo.
to have to do — ser obrigado a fazer.
let him have it! — castiga-o, chega-lhe!
I have to do my work — tenho de fazer o meu trabalho.
to have by heart — saber de cor.
to have a bad time — passar um mau bocado.
to have a bee in one's bonnet — (col.) ter macaquinhos no sótão.
to have a bent for — ter inclinação para.
to have a button loose — não ter o juízo todo.
to have a cold — estar constipado.
to have a feeling — ter um pressentimento.
to have a bone to pick with someone — ter contas a ajustar com alguém.
to have a chip on one's shoulder — ser conflituoso.
to have a bad temper — ter mau génio.
I have it! — compreendi!
have some tea! — tome uma chávena de chá!
have a good time! — diverte-te!
you had better go — era melhor que fosses.
do well and have well — quem boa cama fizer, nela se deitará.
to have a cigarette — fumar um cigarro.
to have a flair for — ter queda para.
to have a good head on one's shoulders — ser muito inteligente.
to have a good grasp of things — perceber bem as coisas.
to have a screw loose — (col.) ter um parafuso solto; ter uma aduela a menos.
to have a good mind to — estar disposto a.
to have a head like a sieve — (col.) ter memória de grilo.
to have a score to reckon — ter contas a ajustar.
to have a heart — ser generoso.
to have a knack of — ter aptidão para.
to have an ear for — ter bom ouvido para.
to have a soft spot for someone — ter um fraco por alguém.
to have an eye for — (col.) ter olho para.
to have a sweet tooth — ser guloso.
to have back — reaver.
to have elbow-room — ter espaço para se mexer à vontade.
to have feet of clay — ter pés de barro.
to have half a mind to — estar quase resolvido a.
to have kittens — (col.) estar muito irritado.
to have no qualms about — não hesitar acerca de.
to have one's heart in one's boots — desesperar.
to have it both ways — optar por duas coisas ao mesmo tempo.
to have news from — ter notícias de.
to have on toast — enganar, intrujar.
to have one's head in the clouds — (col.) andar na lua.
to have one's heart in one's mouth — (col.) ter o coração ao pé da boca; assustar-se muito.
to have the choice — poder escolher.
to have plenty of backbone — ter coragem.
to have the gift of the gab — (col.) falar pelos cotovelos.
to have someone on — rir-se de alguém.
to have someone round — convidar alguém para nossa casa.
to have something on a person — ter informações contra alguém.
to have the laugh of — levar a melhor sobre.
to have it one's own way — fazer uma coisa como lhe apetecer.
she has a way with her — ela tem um certo encanto.
to have the law on — recorrer aos tribunais contra.
have done! — alto!

haven ['heivn], *s.* porto, enseada; abrigo, refúgio.

haver ['hævə], *vi.* dizer banalidades (Escócia).

havers [-z], *s. pl.* banalidades, disparates (Escócia).

haversack ['hævəsæk], *s.* mochila.

having ['hæviŋ], *s.* bens, fortuna.

havoc ['hævək], **1** — *s.* estrago, ruína, devastação, destruição.
2 — *vt.* devastar, assolar, destruir.
3 — *interj.* mata!

haw [hɔ:], **1** — *s.* baga do espinheiro alvar; cercado; belida nos olhos; voz hesitante; gaguez; terçol.
2 — *vi.* gaguejar; virar à esquerda (parelha de cavalos).
to hum and haw — gaguejar.

Hawaii [hɑ:'waii], *top.* Havai.

Havaiian [-ən], *s.* e *adj.* havaiano.

hawbuck ['hɔ:bʌk], *s.* campónio, pessoa desajeitada.

hawfinch ['hɔ:fintʃ], *s.* pardal de bico grosso.

haw-haw ['hɔ:hɔ:], **1** — *s.* gargalhada.
2 — *vi.* rir às gargalhadas.

hawk [hɔ:k], **1** — *s.* falcão; vendedor ambulante; tábua rectangular de pedreiro e estucador; espectoração.
hawk-eyed — com olhos de águia.
hawk-nose — nariz aquilino.
hawk-moth — cabeça-de-morto (borboleta).
hawk's bill — tartaruga do mar.
hawk's beard — (bot.) crépis.
hawk of the first coat — falcão de quatro anos.
between hawk and buzzard (col.) — entre a cruz e a caldeirinha.
to enter a hawk — amansar um falcão.
2 — *vt.* e *vi.* caçar com falcão; vender géneros pelas ruas, apregoar; escarrar fazendo muito barulho.

hawkbill [-bil], *s.* tartaruga do mar.

hawker [-ə], *s.* falcoeiro; vendedor ambulante, bufarinheiro.
hawker's news — novidades que toda a gente sabe.

hawking [-iŋ], *s.* caça com falcões.

hawkish [-iʃ], *adj.* próprio de falcão; rapace.

hawkweed [-wi:d], *s.* (bot.) olho-de-mocho, leituga.

hawse [hɔ:z], *s.* (náut.) amarração; frente do escovém; espaço entre o navio ancorado e as âncoras.
hawse-block — tampo dos escovéns.
hawse-hole — escovém.
foul-hawse — amarra com voltas.
to cross someone's hawse — (col.) estragar os planos de alguém.

hawser [-ə], *s.* (náut.) espia, guindalete; cabo de guindaste.
to cast off the hawsers — soltar as amarras.

hawthorn ['hɔ:θɔ:n], *s.* espinheiro branco ou alvar.

hay [hei], **1** — *s.* ferro, forragem; sebe.
hay fever — febre do feno.
hay-stack — pilha de feno.
to make hay while the sun shines — aproveitar a ocasião favorável.
to make hay — estender o feno para secar.
hay-time — tempo de sega do feno.
hay-maker — segador, o que vira a erva para secar.
hay-baler — máquina para enfardar feno.
hay-binder — máquina de atar o feno.
hay-fork — forcado; forquilha.

hay-box — caixote de palha para conservar a comida quente.
hay-harvest — colheita do feno.
hay-rack — grade manjedoura.
hay-loft — palheiro.
hay-mow — meda de feno.
bottle of hay — molho de feno.
hay-rake — ancinho.
to look for a needle in a bottle of hay — (col.) procurar agulha em palheiro.
2 — *vt.* e *vi.* preparar o feno; transformar em forragem.
haybag [-bæg], *s.* mulher (depreciativo).
haycock [-kɔk], *s.* pequena meda de feno.
haying [-iŋ], *s.* ceifa do feno.
haymaking [-meikiŋ], *s.* sega do feno.
hayward [-wəd], *s.* funcionário encarregado de vigiar cercados e vedações.
haywire [-waiə], *s.* arame para enfardar.
to go haywire — ficar excitado, endoidear.
hazard ['hæzəd], **1** — *s.* acaso, casualidade, sorte; azar, risco, perigo; jogo de dados; jogada que faz entrar uma das bolas na ventanilha (bilhar); acidente de terreno no golfe; estação de táxis (Irlanda).
at all hazards — com todos os riscos; a todo o transe.
to run the hazard — correr o risco de.
2 — *vt.* e *vi.* arriscar, correr o risco de, arriscar-se.
hazardous [-əs], *adj.* arriscado, perigoso.
hazardously [-əsli], *adv.* arriscadamente, de modo incerto.
hazardousness [-əsnis], *s.* perigo, risco.
haze [heiz], **1** — *s.* cerração, neblina, nevoeiro, obscuridade; ofuscação mental.
2 — *vt.* e *vi.* estar nublado; ofuscar; (náut.) importunar com tarefas escusadas.
hazel ['heizl], *s.* aveleira; cor de avelã.
hazel-nut — avelã.
hazel-grove — avelanal.
hazel-grouse — galo silvestre.
hazel-hen — galinha silvestre.
hazily ['heizili], *adv.* indistintamente, confusamente, nebulosamente.
haziness ['heizinis], *s.* cerração, escuridão, nebulosidade, névoa.
hazy [heizi], *adj.* enevoado, nublado, nebuloso; confuso, vago; um bocado tonto.
he [hi:], **1** — *pron. pes. masc.* **3.ª** *pes. sing.* ele, aquele.
he who said that — aquele que disse isso.
2 — *s.* homem, macho.
he-ass — burro.
he-goat — bode.
he-bear — urso.
it is a he — é um homem.
head [hed], **1** — *s.* cabeça; chefe; ponto principal; a parte superior; título; testa de ponte; intelecto, entendimento; assunto; proa do navio; fonte, nascente; fachada; capitel de alambique; crise; ponto decisivo; cabeçalho; espuma que se forma ao cimo das bebidas fermentadas; domínio, superioridade; botão; olho; dor de cabeça.
head and ears — completamente.
head-office — sede de sociedade.
head over ears in debt — cheio de dívidas.
head over ears in love — loucamente apaixonado.
head over heels — precipitadamente, sem reflectir, loucamente.
from head to foot — da cabeça aos pés.
off one's head — de cabeça perdida, desvairado, fora de si.
to have a sensible head on one's shoulders — ter boa cabeça.
to make neither head nor tail of anything — não perceber patavina.
to lose one's head — perder a serenidade; perder a cabeça.
to keep one's head — conservar o sangue frio.
not to know whether one is standing on one's head or one's heels — estar transtornado, não saber o que faz.
to have one's head screwed on the right way — ser muito sensato.
to put out of one's head — tirar da ideia; esquecer.
to put heads together — consultar mutuamente.
out of one's own head — de moto próprio.
to keep one's head above water — evitar dívidas.
head of hair — cabeleira.
to make head — avançar.
how is the head? — (náut.) onde está a proa?
head-fast (náut.) — amarra da proa.
head sea (náut.) — mar de proa.
head-bay — canal de uma doca.
head of the family — cabeça de casal.
to hang one's head — estar envergonhado.
head-gate — a primeira porta de um dique.
head-note — nota no princípio de um capítulo ou página.
head-voice — falsete.
head of a book — título de um livro.
to turn one's head — dar volta ao miolo a.
head-pump — bomba de proa.
head-partner — sócio principal.
to make head (to make head against) — fazer progressos, avançar; fazer frente.
to shake one's head — abanar a cabeça; mostrar oposição ou reprovação.
to come to a head — atingir o ponto culminante.
to bite one's head off — responder rudemente.
over one's head — iminente.
head-on — de frente.
to be at the head of — estar à testa de; governar, comandar; dirigir.
to give someone his head — deixar alguém guiar-se pela sua cabeça.
to go by the head (náut.) — ter a proa inclinada; meter o pé na argola.
to put one's head in a noose — cair numa armadilha.
to have a swelled head — ser presunçoso.
head-money — imposto por cabeça.
that never entered my head — isso nunca me veio à cabeça.
it cost him his head — custou-lhe a vida.
you cannot get it out of his head — não lhe tira isso da cabeça.
to put oneself at the head of — pôr-se à testa de.
the head of the school — o aluno mais classificado da escola.
two heads are better than one — quatro olhos vêem mais do que dois.
to come to a head — formar abcesso.
to be at the head of affairs — estar à testa dos negócios.
he stands head and shoulders above his colleagues — ele é superior aos colegas.
head-boom (náut.) — pau da bujarrona.
head-cook — chefe de cozinha; cozinheiro-chefe.
head-clerk — primeiro-caixeiro; chefe de secretaria.
head-hunter — caçador de cabeças.
head first — de cabeça para a frente; de cabeça para baixo.
head-foreman — capataz-chefe.
head-gear — toucado.
head-dress — toucado.

head-in-hair — cabeça no ar.
head-lessee — locatário principal.
head-light — farol dianteiro.
head-master — reitor de liceu; director de estabelecimento de ensino.
head-mastership — reitoria, direcção.
head-mistress — reitora de liceu; directora de estabelecimento de ensino.
head of a bed — cabeceira de cama.
head of an arrow — ponta de seta.
head of a hammer — cabeça de martelo.
head of a cane — castão de bengala.
head of key — nariz de chaveta.
head of a cask — tampo de pipa.
head of the stairs — alto das escadas.
head of a coin — anverso de moeda.
head of water — altura de água.
head pan — crânio.
head of the windpipe — laringe.
head-phone — auscultador.
head-quarters — quartel-general.
head-piece — capacete, elmo; (fig.) vinheta, florão; (col.) boa cabeça, inteligência.
head-room — pé direito (numa casa).
head-shrinker — *(col.)* psiquiatra.
head-splitting — de quebrar a cabeça.
head-waiter — chefe de mesa.
head-wind — vento de proa.
head-work — trabalho intelectual.
head-worker — intelectual.
head-works — trabalhos de arte.
heads or tails? — cara ou coroa? (ao deitar uma moeda ao ar).
on this head — a este respeito.
by a short head — por pouco.
so much a head (so much per head) — tanto por cabeça.
hydraulic head — pressão hidráulica.
by the head and ears — à força.
body head — capota (automóvel).
some hot head — alguém impetuoso.
to draw a head — abrir caminho.
large head of game — grande quantidade de caça.
to have a head — ter uma dor de cabeça.
to reckon in one's head — calcular de cabeça.
to turn head over heels — dar uma cambalhota.
to show one's head — aparecer.
to strike off someone's head—decapitar alguém.
heads I win, tails you lose — duma maneira ou de outra, quem ganha sou eu.
to turn someone's head — dar volta à cabeça a alguém
2 — *vt.* e *vi.* dirigir, conduzir, mandar; ir à frente; formar cabeça; cabecear; encaminhar; dar um título a; opor-se a.
to head a cask — pôr os tampos numa pipa.
to head back — cortar a retirada.
to head off — evitar; impedir de.
to head up — espigar, desabrochar.

headache [-eik], *s.* dor de cabeça.
a splitting headache — uma violenta dor de cabeça.
I have a headache — dói-me a cabeça.

headachy [-eiki], *adj.* com dores de cabeça; que causa dores de cabeça.

headband [-bænd], *s.* fita que se usa em torno da cabeça.

headborough [-bʌrə], *s.* meirinho.

headed [-id], *adj.* com cabeça; comandado.
pig-headed (col.) — teimoso.
black-headed — de cabelo preto.
thick-headed — estúpido.
wooly-headed (col.) — esquecido.

header [-ə], *s.* o que põe cabeças (em pregos, alfinetes, etc.); mergulho de cabeça; pedra angular; máquina escavadora.
to take a header — mergulhar de cabeça.

headfast [-fɑ:st], *s.* amarra de proa.

headily [-ili], *adv.* obstinadamente, desatinadamente.

headiness [-inis], *s.* obstinação, teimosia; arrebatamento, impetuosidade.

heading [-iŋ], *s.* título, cabeçalho; galeria de mina; proa (direcção); tampo (de barrica).

headland [-lənd], *s.* cabo, promontório, morro; ponta, pontal; tira de terra não lavrada nas extremidades dos sulcos; pequena península.

headless [-lis], *adj.* decapitado, sem cabeça; ignorante; irreflectido; sem chefe.
headless screw — parafuso sem cabeça.

headlight [-lɑit]. *s.* farol da frente (de locomotiva, automóvel, etc.); farol.

headline [-lain], *s.* linha do cimo da página; cabeçalho; parangona.

headlong [-lɔŋ], 1 — *adj.* temerário, imprudente; precipitado; escarpado; de cabeça.
headlong fight — fuga precipitada.
2 — *adv.* precipitadamente, impensadamente.
to fall headlong — cair de cabeça.

headman [hed'mæn], *s.* chefe.

headmost ['hedmoust], *adj.* mais avançado, dianteiro.

headship ['hedʃip], *s.* cargo de chefe; supremacia.

headsman ['hedzmən], *s.* carrasco, verdugo; (náut.) patrão de baleeira.

headspring ['hedspriŋ], *s.* fonte de origem; nascente principal de um rio.

headstock ['hedstɔk], *s.* cabeçote (de torno).
gearing headstock — cabeçote de engrenagem (téc.).

headstone ['hedstoun], *s.* lápide mortuária; pedra fundamental, pedra angular.

headstrong ['hedstrɔŋ], *adj.* obstinado, cabeçudo.

headstrongness [-nis], *s.* teimosia, obstinação.

headway ['hedwei], *s.* adiantamento, progresso; (náut.) marcha avante; seguimento; elevação; intervalo (entre duas carruagens ou autocarros).
to make headway — avançar; progredir.
to make headway against — fazer frente a.

headwear ['hedwɛə], *s.* toucado.

heady ['hedi], *adj.* impetuoso, violento; capitoso, forte (o vinho). *(Sin.* impetuous, rash, violent, hasty, wilful, intoxicating. *Ant.* cautious.)

heal [hi:l], *vt.* e *vi.* curar, sarar, cicatrizar-se. *(Sin.* to cure, to restore, to repair, to soothe. *Ant.* to wound.)
time heals all sorrows — o tempo tudo cura.

healer [-ə], *s.* o que cura.
time is a great healer — o tempo é um grande remédio.

healing [-iŋ], 1 — *s.* cura, acto de curar, cicatrização.
2 — *adj.* que cura, curativo, medicinal. calmante.

health [helθ], *s.* saúde; salubridade, sanidade; brinde.
bill of health — carta de saúde; atestado de saúde.
health-officer — delegado de saúde.
to drink to a person's health — fazer uma saúde; beber à saúde de alguém; fazer um brinde a alguém.
health-visitor — visitadora sanitária.
health guard-boat — embarcação de saúde.
health-office — repartição de saúde.
Board of Health — Junta de Saúde.
in good health — de boa saúde.
health of body and mind — saúde de corpo e espírito.
health-giving — tonificante.

to look the picture of health — respirar saúde por todos os poros.
to regain health — recuperar a saúde.
your health! — à sua saúde!
healthful [-ful], *adj.* são, saudável, salubre.
healthfully [-fuli], *adv.* saudavelmente, salutarmente.
healthfulness [-fulnis], *s.* salubridade, sanidade, saúde.
healthily [-ili], *adv.* saudavelmente.
healthiness [-inis], *s.* sanidade, salubridade.
healthy [-i], *adj.* são, salubre, sadio, saudável, salutar.
healthy look — aspecto saudável.
early to bed and early to rise, makes a man healthy and wealthy and wise — deitar cedo e cedo erguer dá saúde e faz crescer.
heap [hi:p], **1** — *s.* montão, pilha; multidão.
heaps of times — muitas vezes.
to have heaps of time — ter muitíssimo tempo.
2 — *vt.* e *vi.* amontoar, acumular; carregar.
to heap coals of fire upon a person's head — pagar o mal com o bem.
to heap up riches — acumular riquezas.
heaped [-t], *adj.* amontoado.
heaping [-iŋ], *s.* o acto de amontoar.
heaps [-s], *adv.* muito (col.).
heaps better — muitíssimo melhor.
hear [hiə], *vt.* e *vi.* (*pret.* e *pp.* **heard** [hə:d]) ouvir, escutar, ouvir dizer; estar informado; atender a; interrogar (réu).
hear! hear! — apoiado!
to hear from — ter notícias de.
to hear somebody out — ouvir alguém até ao fim.
you will be hearing from her — vais receber notícias dela.
let me hear from you soon — dá-me notícias tuas brevemente.
hearable [-rəbl], *adj.* audível.
hearer [-rə], *s.* auditor, ouvinte.
hearing [-riŋ], *s.* audição; alcance do ouvido; exame de testemunhas.
to get a hearing — obter audiência.
to grant a hearing — dar uma audiência.
hearing aid — aparelho de surdos.
hard of hearing — duro de ouvido.
that's good hearing (col.) — eis uma boa notícia.
quick of hearing — de ouvido apurado.
out of hearing — fora do alcance da voz.
to give somebody a hearing — conceder uma audiência a alguém.
to gain a hearing — conseguir uma audiência.
hearken ['hɑ:kən], *vt.* e *vi.* escutar atentamente.
hearsay ['hiəsei], *s.* boato, rumor.
to know a thing by hearsay — saber uma coisa de ouvir dizer.
hearse [hə:s], *s.* carro fúnebre, féretro.
hearst [-t], *s.* corça nova, de dois ou três anos.
heart [hɑ:t], *s.* coração; peito; afeição; coragem, valor, ânimo; alma; amor; sensibilidade; o interior (de qualquer coisa); copas (cartas).
heart-ache — angústia, pesar, desgosto profundo.
heart and soul — devotadamente.
heart-breaking — doloroso.
heart-broken — abatido, desanimado.
heart-rending — que despedaça o coração.
heart-sick — magoado, abatido.
after one's own heart — conforme se deseja.
to have one's heart in one's mouth — atemorizar-se; ficar sem pinta de sangue.
not to find in one's heart — não ter coração para.
to take to heart — sentir-se muito.
to take heart — sentir-se com coragem.
to lose one's heart — apaixonar-se.
to lose heart — desanimar.
with all one's heart — com toda a sinceridade.
to wear one's heart on one's sleeve — manifestar os seus sentimentos; ser franco.
heart-to-heart talk — conversa íntima e leal.
heart-strings — fibras do coração.
in one's heart — secretamente.
to learn by heart — aprender de cor.
to break one's heart — quebrar o coração, ter um grande desgosto.
to have the heart to — ter coragem de.
to be sick at heart — estar aborrecidíssimo.
heart-alluring — encantador.
heart-attack — ataque cardíaco.
heart-beat — pulsação.
heart-breaker — pessoa má, sem piedade.
heart-burning — inveja, rancor.
heart-case — pessoa cardíaca.
heart-ease — tranquilidade, descanso.
heart-clover — variedade de luzerna.
heart-failure — colapso cardíaco.
heart-discouraging — desanimador.
heart-grief — mágoa.
heart-felt — sincero; sentido; do fundo do coração.
heart-free — de coração livre.
heart-heaviness — tristeza.
heart-purse — pericárdio.
heart-blood — sangue; vida.
heart sore — desgostoso; desgosto.
heart-shaped — em forma de coração.
heart-soreness — aflição, grande dor.
heart-specialist — cardiologista.
heart-whole — sem amores; sincero.
against the heart — contra vontade.
at heart — no fundo; no íntimo.
faint heart never won fair lady — dos fracos não reza a história.
my heart! — meu amor!
in one's heart of hearts — no mais íntimo do coração.
to cry one's heart out — chorar muito.
the heart of England — o condado de Warwick.
to have one's heart in one's boots — desanimar; perder a coragem.
to eat one's heart out — sofrer em silêncio.
heartburn [-bə:n], *s.* azia.
hearten [-n], *vt.* e *vi.* animar, encorajar.
heartener [-nə], *s.* pessoa que anima, que encoraja.
heartening [-niŋ], *adj.* animador, encorajante.
heartfelt [-felt], *adj.* sincero, sentido.
hearth [hɑ:θ], *s.* lareira, lar, fogão, fornalha; forja, forno de fundição.
hearth-money, hearth-penny, hearth-tax — imposto pago por cada fogo ou casa.
hearthstone [-stoun], *s.* pedra do lar.
heartily ['hɑ:tili], *adv.* cordialmente; sinceramente, do coração; com apetite.
heartiness ['hɑ:tinis], *s.* sinceridade, cordialidade, franqueza.
heartless ['hɑ:tlis], *adj.* desumano, cruel, desalmado, sem coração. (*Sin.* harsh, cruel, merciless, hard, unfeeling, brutal. *Ant.* tender.)
heartlessly [-li], *adv.* desapiedadamente; cruelmente.
heartlessness [-nis], *s.* desumanidade, insensibilidade; desânimo.
heartsome ['hɑ:tsəm], *adj.* alegre, bem disposto.
hearty ['hɑ:ti], **1** — *s.* (náut.) valente, moço; (calão univ.) atleta.
2 — *adj.* cordial, sincero; puro; robusto, são; copioso, abundante. (*Sin.* sincere, honest, warm, cordial, earnest, strong, vigorous, robust, abundant. *Ant.* insincere, delicate.)

a hearty meal — uma refeição abundante.
a hearty appetite — um bom apetite.
a hearty eater (col.) — um bom garfo.

heat [hi:t], **1** — *s.* calor, ardor; ânsia, exaltação, cólera; veemência; cio (dos animais).
heat-wave — onda de calor.
the first heat — a primeira parte de uma refeição.
sultry heat — calor sufocante.
white heat — incandescência.
boiling-heat — temperatura de ebulição.
melting-heat — calor de fusão.
available-heat — calor aproveitável.
the heat of the sun — o calor do sol.
heat accumulator — acumulador térmico.
heat apparatus — estufa.
heat by friction — calor por atrito.
heat-apoplexy — insolação.
heat-coil — serpentina de aquecimento.
heat-conveying — calorífero.
heat-constant — constante térmica.
heat-energy — energia térmica.
heat-flow — circulação térmica.
heat-engine — máquina termodinâmica.
heat insulator — isolador térmico.
heat of youth — ardor da juventude.
heat ray — raio calorífico.
heat spectrum — espectro calorífico.
heat proof — à prova de calor.
heat-stroke — insolação.
heat-wave — onda de calor.
2 — *vt.* e *vi.* aquecer; agitar; excitar; fermentar; arder; caldear; esquentar; encolerizar-se; inflamar-se.

heated [-id], *adj.* aquecido, quente.
heated discussion — discussão em termos exaltados.
to get heated — animar-se, excitar-se, exaltar-se.

heatedly [-idli], *adv.* acaloradamente, exaltadamente.

heater [-ə], *s.* aquecedor, esquentador; estufa; língua de ferro.
heater hose — mangueira de aquecedor.
heater unit — unidade de aquecimento.
dish-heater — esquentador de louça.
electric heater — radiador eléctrico.
gas-heater — aquecedor a gás.

heath [hi:θ], *s.* urze; charneca; tojal.
heath-cock — galo silvestre.
heath broom — vassoura de giesta.
heath-bell — (bot.) campainha do monte.
heath-berry (bot.) — camarinha.

heathen ['hi:ðən], *s.* e *adj.* pagão, gentio, idólatra; gentílico, bárbaro, selvagem.

heathendom [-dəm], *s.* paganismo, países gentios.

heathenish [-iʃ], *adj.* pagão, idólatra.

heathenishly [-iʃli], *adv.* à maneira pagã.

heathenize [-aiz], *vt.* e *vi.* paganizar, paganizar-se.

heather ['heðə], *s.* urze, torga; queiró.
heather-bell — flor de urze.
to take to the heather — andar fugido, andar a monte.

heathery [-ri], *adj.* coberto de urze; parecido com urze.

heating ['hi:tiŋ], **1** — *s.* aquecimento; fermentação.
heating apparatus — aquecedor.
heating coil — serpentina de aquecimento.
heatint plant — central de aquecimento.
heating furnace — forno de aquecimento; estufa.
heating system — sistema de aquecimento.
heating value — poder calorífico.
2 — *adj.* que aquece.

heave [hi:v], **1** — *s.* arremesso; elevação; náusea; deslocação; esforço para se levantar; altura de onda; *pl.* pulmoeira.
2 — *vt.* e *vi.* levantar, erguer; içar, crescer, engrossar (o mar); soltar suspiros; virar (náut.); palpitar (o coração); avistar-se; crescer, subir (no horizonte).
to heave up — (náut.) suspender (o ferro, uma rede, etc.).
to heave down — (náut.) virar de querena.
to heave out (náut.) — largar (pano).
to heave round (náut.) — virar redondo.
to heave short (náut.) — virar a pique.
to heave anchor (náut.) — suspender o ferro.
to heave apeak (náut.) — virar a pique.
to heave the lead (náut.) — largar o prumo.
to heave in (náut.) — meter amarra dentro.
to heave in sight — aparecer à vista.
to heave to — meter de capa (um navio).
to heave a sigh — suspirar.
to heave overboard — lançar pela borda fora.

heaven ['hevn], **1** — céu, firmamento; *pl.* céus.
good heavens! — meu Deus!
for heaven's sake — por amor de Deus.
to be in the seventh heaven — viver num céu aberto.
heaven-born — descido do céu; celeste.
heaven forbid! — Deus me livre!
heaven grant! — Deus permita!
heaven-sent — providencial.
to move heaven and earth — revolver o céu e a terra.

heavenliness [-inis], *s.* excelência suprema.

heavenly [-li], **1** — *adj.* celeste, divino.
heavenly-minded — piedoso, devoto.
heavenly bodies — corpos celestes.
heavenly hosts — seres angélicos.
our heavenly Father — o nosso Pai Celestial.
2 — *adv.* divinamente.

heavenward [-wəd], *adv.* para o céu.

heavenwards [-wədz], *adv.* ver **heavenward.**

heaver ['hi:və], *s.* carregador; (náut.) pé-de-cabra; espeque.

heavily ['hevili], *adv.* pesadamente; vagarosamente; tristemente; amargamente.
to be punished heavily — ser severamente castigado.

heaviness ['hevinis], *s.* peso; languidez; abatimento, prostração; opressão; melancolia, tristeza; piso duro; piso em mau estado (estrada).

heaving ['hi:viŋ], **1** — *s.* agitação; viragem de navio; elevação (das águas do mar).
2 — *adj.* agitado.

heavy ['hevi], **1** — *adj.* pesado; grave; grande; denso; rijo; carregado, opressivo, triste, penoso, aflitivo; lento; duro; árduo; enfadonho; oneroso; grávida; alcoólico.
heavy sea — mar escapelado.
heavy taxes — contribuições onerosas.
heavy-hearted — acabrunhado pela dor.
heavy news — notícias tristes.
heavy payments — grandes pagamentos.
heavy artillery — artilharia pesada.
heavy-laden — sobrecarregado.
heavy rain — chuva torrencial.
heavy bodies — corpos graves.
heavy of sale — de pouca venda.
heavy bomber — bombardeiro pesado.
heavy quarry — picareta.
heavy crops — colheita abundante.
heavy sky — céu carregado.
heavy reading — leitura pesada.
heavy-weight — pesado (pugilista).
heavy spar — barita.
heavy gait — andar pesado.
heavy with young — grávida.

2 — *adv.* pesadamente; com dificuldade.
heavy-eyed — de olhos pisados.
heavy-armed — fortemente armado.
heavy-headed — "de cabeça dura"; estúpido.
heavy-handed — sem habilidade, desajeitado.
hebdomadal [heb'dɔmədl], *adj.* hebdomadário.
hebdomadally [-i], *adv.* hebdomadàriamente.
hebdomadary [heb'dɔməri], *s.* e *adj.* hebdomadário.
Hebe ['hi:bi], **1** — *n. p.* (mit.) Hebe.
2 — *s.* criada de café.
hebetate ['hebiteit], *vt.* e *vi.* estupidificar, estupidificar-se.
hebetude [hebitju:d], *s.* estupidificação.
Hebraic [hi:'breiik], *adj.* hebraico.
hebraically [-əli], *adv.* à maneira hebraica.
hebraism ['hi:breiizəm], *s.* hebraísmo.
hebraist ['hi:breiist], *s.* hebraísta.
hebraistic [hi:brei'istik], *adj.* hebraico.
hebraistically [-əli], *adv.* à maneira hebraica.
hebraize ['hi:breiaiz], *vt.* e *vi.* hebraizar, hebraizar-se.
Hebrew ['hi:bru:], *s.* e *adj.* hebreu, judeu; hebraico.
Hebridean [he'bridiən], *s.* e *adj.* hebridense.
Hebrides ['hebridiiz], *top.* Hébridas.
hecatomb ['hekətoum], *s.* hecatombe; carnificina.
heck ['hek], *s.* caniço para apanhar peixe; (Escócia) grade de manjedoura.
heckle [-l], **1** — *s.* espadela, cardador.
2 — *vt.* cardar; interrogar severamente; importunar.
heckler [-lə], *s.* cardador; interrogador importuno; atormentador.
heckling [-liŋ], *s.* cardação, espadelada; interrogatório para confundir.
hectare ['hektɑ:], *s.* hectare.
hectic ['hektik], **1** — *s.* héctico, tuberculoso; tísica, héctica.
2 — *adj.* héctico, tuberculoso; (fam.) excitado.
hectically [-əli], *adv.* febrilmente.
hecticity [hek'tisiti], *s.* hecticidade.
hectogram ['hektougræm], *s.* hectograma.
hectogramme ['hektougræm], *s.* ver **hectogram.**
hectograph ['hektougrɑ:f], **1** — *s.* hectógrafo.
2 — *vt.* hectografar.
hectographing [-iŋ], *s.* hectografia.
hectoliter ['hektou'li:tə], *s.* hectolitro.
hectolitre ['hektou'li:tə], *s.* ver **hectoliter.**
hectometer ['hektou'mi:tə], *s.* hectómetro.
hectometre ['hektou'mi:tə], *s.* ver **hectometer.**
Hector ['hektə], *n. p.* Heitor.
hector ['hektə], **1** — *s.* fanfarrão, valentão, brigão, ferrabrás.
2 — *vt.* e *vi.* fanfarronar, ameaçar com bravatas, tratar insolentemente.
hectoring [-riŋ], *adj.* autoritário, próprio de fanfarrão.
hectowatt ['hektouwɔt], *s.* hectovátio.
heddle [hedl], s. *(téc.)* liço.
hedge [hedʒ], **1** — *s.* sebe, vedação; barreira.
quickset hedge — sebe viva.
hedge-sparrow — carriça.
hedge-clippers — tesouras de podar.
hedge-bill — podão, podoa.
hedge-tavern — taberna má.
hedge-school — escola má; (Irl.) escola ao ar livre.
hedge-priest — padre ignorante.
hedge-shears — tesoura de cortar sebes.
dead-hedge — sebe de plantas mortas.
over hedge and ditch — por montes e vales.
to be on the wrong side of the hedge — enganar-se.
2 — *vt.* e *vi.* cercar com sebes; esconder-se; cortar sebes; apostar nos dois partidos; precaver-se contra prejuízos; evitar comprometer-se. *(Sin.* to enclose, to surround, to obstruct, to hide, to bet. *Ant.* to open.)
to hedge in — fechar, encerrar.
to hedge off — vedar.
to hedge on both sides — apostar nos dois partidos.
hedger [-ə], *s.* pessoa que trata ou faz sebes; pessoa que não quer comprometer-se com nenhum de dois partidos.
hedgerow [-rou], *s.* plantação que serve de sebe.
hedghog [-hɔg], *s.* ouriço-cacheiro.
hedghoggy [-hɔgi], *adj.* espinhoso; rabujento.
hedging [-iŋ], *s.* acção de cercar de sebes; corte de sebes; aposta feita em mais do que um concorrente.
hedonic [hi:'dɔnik], *adj.* hedónico.
hedonics [-s], *s.* hedonística.
hedonism ['hi:dənizəm], *s.* hedonismo.
hedonist ['hi:dənist], *s.* hedonista.
hedonistic [-ik], *adj.* hedonístico.
heed [hi:d], **1** — *s.* atenção, cautela, cuidado; reparo, observação. *(Sin.* mindfulness, attention, care. *Ant.* disregard.)
to pay (to give) heed to — prestar atenção a.
to take heed to — ter cautela em.
2 — *vt.* e *vi.* atender, prestar atenção; observar; considerar.
heedful [-ful] *adj.* atento, cauteloso, prudente, cuidadoso, circunspecto.
heedfully [-fuli], *adv.* atentamente, cautelosamente, cuidadosamente.
heedfulness [-fulnis], *s.* atenção, cuidado, cautela; vigilância.
heedless [-lis], *adj.* descuidado, distraído, negligente; insensato.
heedlessly [-lisli], *adv.* distraidamente, descuidadamente.
heedlessness [-lisnis], *s.* descuido, distracção, negligência, imprudência.
hew-haw ['hi:'hɔ:], **1** — *s.* zurro; burro; gargalhada.
2 — *vi.* zurrar; soltar gargalhadas.
heel [hi:l], **1** — *s.* calcanhar, salto; esporão de galo; parte de trás do casco do cavalo; resto; inclinação lateral (de navio); (cal.) pessoa desleal, pessoa rude; extremo de ré (da quilha).
down at heels — em circunstâncias precárias; com os tacões gastos.
to be at the heels of — seguir atrás de alguém.
to show a clean pair of heels — "dar às de vila-diogo"; fugir.
to kick (cool) one's heels — esperar muito tempo.
heel-ball — bola de cera (dos sapateiros).
to come to heel — obedecer cegamente.
heel of Achilles — "calcanhar de Aquiles" ponto fraco.
to lay by the heels — prender; apanhar na rede.
to follow on the heels — seguir de perto.
heel-knee (náut.) — curva do cadaste.
heel-tenon (náut.) — mecha do pé (de mastro, etc.).
heel-pintle (náut.) — pião do leme.
heel-piece — calcanhar reforçado da meia.
heel-maker — fabricante de tacões, de saltos.
to kick up one's heels — saltar de alegria; (col.) morrer.
heel-taps — restos de bebida que ficam no fundo dos copos.
head over heels, heels over head — de pernas para o ar; com muita pressa.

to be under the heels of somebody — estar sob o domínio de alguém.
to have the heels of — passar à frente de.
to turn on one's heels — virar-se de repente.
to set at one's heels — olhar do alto, desprezar.
2 — *vt.* e *vi.* deitar tacões; inclinar-se (o navio), dar à banda; bater com o tacão no chão enquanto se dança; (fut.) passar a bola com o calcanhar; (golfe) bater a bola com a base do ferro.
heeled [-d], *adj.* com tacões; com esporões (galo); (cal.) armado de revólver, endinheirado.
heeler [-ə], *s.* pessoa que põe tacões ou saltos; (E. U.) galo que luta bem; homem em quem se pode ter confiança.
heeling [-iŋ], *s.* acto de pôr tacões ou saltos em sapatos; passagem da bola com o calcanhar (fut.); inclinação lateral do navio.
heft [heft], **1** — *s.* (E. U.) peso; esforço.
2 — *vt.* (E. U.) tomar o peso a.
hefty [-i], *adj.* (col.) forte; pesado; robusto.
Hegel ['heigl], *n. p.* nome de filósofo alemão.
hegelian [hei'gi:ljən], *s.* e *adj.* hegeliano.
hegemony [hi:'geməni], *s.* hegemonia, supremacia.
hegira ['hedʒirə], *s.* hégira (era maometana).
Heidelberg ['haidlbə:g], *top.* Heidelberga.
heifer ['hefə], *s.* vitela, novilho.
heigh [hei], *interj.* eia!, coragem!; olhe lá!
heigh-ho! — que aborrecimento!; ai Jesus!
height [hait], *s.* altura, elevação; auge; excelência; extremo, cúmulo; outeiro; altitude; (náut.) pontal.
the height of folly — o auge da loucura.
at its height — no auge.
in the height of Summer — no pino do Verão.
in the height of the day — no pino do meio-dia.
of middle height — de estatura mediana.
height above base — altura acima do solo.
height barometer — barómetro altimétrico.
height above sea level — altitude.
height gage (height finder, height gauge) — altímetro.
height fallen through — altura de queda.
in the height of fashion — na última moda.
height of the barometer — altura barométrica.
what is the height of? — que altura tem?
heighten [-n], *vt.* e *vi.* erguer, levantar; aumentar; aperfeiçoar; encarecer; intensificar; realçar (uma descrição, uma história, etc...).
heightening [-niŋ], *s.* elevação; aumento; aperfeiçoamento.
heinous ['heinəs], *adj.* odioso, nefando, atroz, horrível.
heinously [-li], *adv.* atrozmente, horrivelmente, odiosamente.
heinousness [-nis], *s.* atrocidade, perversidade, odiosidade.
heir [εə], *s.* herdeiro, sucessor.
joint-heir — co-herdeiro.
heir apparent — herdeiro forçado.
heir presumptive — herdeiro presuntivo.
heir-at-law — herdeiro legal.
to fall heir to — herdar.
heirdom [-dəm], *s.* herança, direito de herança, estado de herdeiro.
heiress [-ris], *s.* herdeira.
heirless [-lis], *adj.* sem herdeiros.
heirloom [-lu:m], *s.* objecto de estimação (de família); bens móveis herdados.
heirship [-ʃip], *s.* qualidade de herdeiro, direito de herdar.
hejira ['hedʒirə], *s.* ver **hegira.**
held [held], *pret.* e *pp.* de **to hold.**
Helen ['helin], *n. p.* Helena.
Helena ['helinə], *n. p.* Helena.
Helenus ['helinəs], *n. p.* Heleno.
heliacal [hi:'laiəkəl], *adj.* helíaco.
heliacally [-i], *adv.* emergindo da luz do sol.
helianthus ['hi:li'ænθəs], *s.* (bot.) helianto.
helical ['helikəl], *adj.* helicoidal, em forma de hélice.
helical vault — abóbada de caracol.
helical blower — ventilador helicoidal.
helical spring — mola helicoidal.
helical angle — ângulo helicoidal.
helically [-i], *adv.* em hélice; em espiral.
helicoid ['helikɔid], *adj.* helicoidal.
helicoidal [-əl], *adj.* ver **helicoid.**
helicopter ['helikɔptə], *s.* helicóptero.
helio ['hi:liou], **1** — *s.* (col.) heliógrafo.
2 — *vt.* (col.) heliografar.
heliocentric ['hi:liou'sentrik], *adj.* heliocêntrico.
heliochrome ['hi:lioukroum], *s.* heliócromo.
heliochromy [-i], *s.* heliocromia.
Heliodorous [hi:liou'dɔ:rəs], *n. p.* Heliodoro.
Heliogabalus [hi:liou'gæbələs], *n. p.* Heliogábalo, Elagábalo.
heliograph ['hi:liougrɑ:f], **1** — *s.* heliógrafo; mensagem enviada por heliógrafo; heliogravura.
2 — *vt.* heliografar; enviar mensagem por heliógrafo; reproduzir por meio de heliogravura.
heliographic ['hi:liou'græfik], *adj.* heliográfico.
heliography ['hi:li:'ɔgrəfi], *s.* heliografia.
heliogravure ['hi:liougrə'vjuə], *s.* fotogravura.
heliometer ['hi:li'ɔmitə], *s.* heliómetro.
heliometric [hiliou'metrik], *adj.* heliométrico.
heliometrical [-əl], *adj.* ver **heliometric.**
Helios ['hi:liɔs], *n. p.* (mit.) Hélio, deus do Sol.
helioscope ['hi:ljəskoup], *s.* helioscópio.
helioscopic ['hi:ljəskɔpik], *adj.* helioscópico.
helioscopical [-əl], *adj.* ver **helioscopic.**
helioscopy [hi:li'ɔskəpi], *s.* helioscopia.
heliostat ['hi:lioustæt], *s.* helióstato.
heliostatic [-ik], *adj.* heliostático.
heliostatical [-ikəl], *adj.* ver **heliostatic.**
heliotherapy [hi:liou'θerəpi], *s.* helioterapia.
heliothermomether ['hi:liouθə'mɔmitə], *s.* heliotermómetro.
heliotrope ['heljətroup], *s.* (bot.) heliotrópio; pedra preciosa esverdeada e com estrias vermelhas.
heliotropic [hi:liou'trɔpik], *adj.* heliotrópico.
heliotropism [hi:li'ɔtroupisəm], *s.* heliotropismo.
heliotype ['hi:lioutaip], *s.* heliótipo; heliotipia.
heliotypography [hi:lioutai'pɔgrəfi], *s.* heliotipografia.
heliport ['helipɔ:t], *s.* campo de aterragem de helicópteros.
helispheric [helis'erik], *adj.* espiral.
helispherical [-əl], *adj.* ver **helispheric.**
helium ['hi:ljəm], *s.* hélio.
helium gas — hélio.
helix ['hi:liks], *s.* (*pl.* **helixes, helices** ['hi:liksiz, 'helisi:z]), hélice; voluta; circuito exterior da orelha; caracol.
hell [hel], *s.* inferno; casa de jogo; lugar ou situação de miséria física ou moral.
gambling-hell — casa de jogo.
a hell of a noise — um barulho infernal.
what the hell are you doing? — que diabo estás tu a fazer?.
to make one's life a hell — fazer da vida de alguém um inferno.
hell-black — negro como o diabo.
hell-born — infernal.
hell-doomed — condenado ao inferno.

hell-cat — bruxa.
hell-hound — alma do diabo; mastim do inferno.
to suffer hell on earth—sofrer o inferno na terra.
hell-weed (bot.) — cuscuta.
come hell and high water — aconteça o que acontecer.
to work like hell — trabalhar muitíssimo.
hellbender ['helbendə], *s.* (col.) patuscada; pessoa que faz muitas patuscadas.
helleboraster [helibɔ'ræstə], *s.* (bot.) erva-besteira, heléboro.
hellebore ['helibɔ:], *s.* ver **helleboraster.**
Hellene ['heli:n], *s.* heleno.
Hellenic [he'li:nik], *adj.* helénico, grego.
Hellenism [helinizəm], *s.* helenismo.
Hellenist ['helinist], *s.* helenista.
Hellenistic ['heli'nistik], *adj.* helenístico.
hellenize ['helinaiz], *vt.* e *vi.* helenizar, helenizar-se.
hellenizing [-iŋ], *adj.* helenizante, helenista.
Hellespont ['helispɔnt], *top.* Helesponto.
hellion ['heliən], *s.* *(col.)* diabinho.
hellish ['heliʃ], *adj.* infernal. *(Sin.* infernal, demoniacal, fiendish, devilish. *Ant.* angelic.)
hellishly [-li], *adv.* infernalmente.
hellishness [-nis], *s.* qualidade de ser infernal.
hello ['he'lou], *interj.* Ver **hallo.**
helm [helm], 1 — *s.* leme, direcção, governo; (arc.) capacete, elmo.
to take the helm — governar.
to be at the helm — estar ao leme.
a hand to the helm! — um homem ao leme!
down with the helm! — o leme à feição do vento!
helm allee! — leme de ló!
helm amidships! — leme a meio!
up with the helm! — leme de encontro!
right the helm! — leme a direito!
the helm of the state — as rédeas do governo.
2 — *vt.* governar, dirigir.
helmed [-d], *adj.* com capacete, com elmo.
helmet [-it], *s.* capacete, elmo.
tropical helmet — capacete colonial.
helmeted [-itid], *adj.* protegido com capacete.
helminth ['helminθ], *s.* helminto, verme.
helminthagogue [hel'minθəgɔg], *s.* helmintagogo; vermífugo.
helmsman ['helmzmən], *s.* (náut.) homem do leme; timoneiro.
Heloise [elou'i:z], *n. p.* Heloísa.
helot ['helət], *s.* hilota, escravo.
helotism [-izəm], *s.* hilotismo.
helotry [-ri], *s.* situação dos hilotas.
help [help], 1 — *s.* auxílio, ajuda, socorro; amparo, protecção; (E. U.) criado ajudante.
a daily help — mulher a dias.
to call for help — chamar por socorro.
there is no help for it — não há nada a fazer-lhe.
help! help! — socorro!, socorro!
lady help — dama de companhia.
by the help of — com a ajuda de.
it is past help — não tem remédio.
wind at help (náut.) — vento de feição.
to come to help — vir em auxílio.
2 — *vt.* e *vi.* auxiliar, ajudar, socorrer, amparar, proteger; evitar; deixar de fazer; servir-se (de comida).
it can't be helped — não tem remédio.
help yourself — sirva-se.
to help out — ajudar a vencer uma dificuldade.
to help up — ajudar a subir.
to help on — ajudar a vestir.
to help over — ajudar a passar.
so help me God! — assim Deus me ajude!
I can't help saying—não posso deixar de dizer.
how can I help it? — que queres que eu faça?
to help to — servir-se de.
to help off — ajudar a despir.
what is done cannot be helped — depois do mal feito não há remédio.
help yourself and God will help you — Deus ajuda quem cedo madruga.
to help forward — favorecer.
helper [-ə], *s.* auxiliar, assistente, ajudante; locomotiva de socorro.
helpful [-ful], *adj.* proveitoso, útil, vantajoso; serviçal.
helpfully [-fuli], *adv.* de maneira proveitosa, de maneira vantajosa.
helpfulness [-fulnis], *s.* assistência, ajuda, protecção, auxílio.
helping [-iŋ], *s.* porção de comida de que cada um se serve.
helpless [-lis], *adj.* desamparado, sem recursos; impotente; impossibilitado; irremediável. *(Sin.* weak, impotent, powerless, feeble, infirm, defenceless. *Ant.* strong.)
helplessly [-lisli], *adv.* desamparadamente; irremediavelmente.
helplessness [-lisnis], *s.* desamparo, abandono; falta de recursos; incapacidade física.
helpmate [-meit], *s.* companheiro (a); assistente; marido, mulher.
helpmeet [mi:t], *s.* Ver **helpmate.**
Helsinki ['helsiŋki], *top.* Helsínquia.
helter-skelter ['heltə'skeltə], 1 — *s.* confusão; debandada precipitada.
2 — *adj.* confuso; precipitado.
3 — *adv.* desordenadamente; precipitadamente.
helve [helv], **1** — *s.* cabo (de martelo).
2 — *vt.* pôr um cabo.
helved [-d], *adj.* com cabo.
Helvetia [hel'viʃjə], *top.* Helvécia.
Helvetian [-n], *s.* e *adj.* helvético, suíço.
Helvetic [hel'vetik], *adj.* helvético, suíço.
Helveltii [hel'vi:ʃjai], *s. pl.* Helvetas.
hem [hem], 1 — *s.* bainha, debrum.
the hem of a dress — a bainha dum vestido.
openwork hem — bainha de ponto aberto.
2 — *vt.* e *vi.* (pret. e pp. **hemmed**) fazer bainha, debruar; hesitar ao falar.
to hem in — fechar, encerrar.
to hem round — cercar.
3 — *interj.* hem!
hemal ['hi:məl], *adj.* hemal.
hematic [hi'mætik], *adj.* hemático.
hamatine ['hemətain], *s.* (quím.) hematina.
hematite ['hemətait], *s.* hematite.
hematozoon ['hemətou'zouɔn], *s.* *(pl.* **hematozoa** ['hemətou 'zouə]) (zool.) hematozoário.
hemialgia [hemi'ældʒiə], *s.* hemialgia.
hemianaesthesia [hemiænis'θi:ziə], *s.* hemianestesia.
hemianopsia [hemiæ'nɔpsiə], *s.* hemianopsia.
hemicrania [hemi'kreinjə], *s.* hemicrania, enxaqueca.
hemicycle ['hemi'saikl], 1 — *s.* hemiciclo, semi-círculo.
2 — *adj.* semicircular.
hemicyclic [hemi'saiklik], *adj.* hemicíclico.
hemicylindric [hemisi'lindrik], *adj.* hemicilíndrico.
hemicylindrical [-əl], *adj.* ver **hemicylindric.**
hemihedral ['hemi'hi:drəl], *adj.* hemiédrico.
hemihedric [hemi'hi:drik], *adj.* hemiédrico.
hemihedrism [hemi'hi:drizəm], *s.* hemiedria.
hemihedron [hemi'hi:drən], *adj.* hemiedro.
hemione ['hemioun], *s.* (zool.) hemíono.
hemiopia [hemi'oupiə], *s.* hemiopia.
hemiplegia [hemi'pli:dʒiə], *s.* hemiplegia.
hemiplegic [hemi'pli:dʒik], *s.* e *adj.* hemiplégico.

hemipter [he'miptə], *s.* *(pl.* **hemiptera, hemipters** [he'miptərə, əs]), hemíptero.
hemipteral [-rəl], *adj.* hemíptero.
hemipteran [-rən], *s.* e *adj.* hemíptero.
hemipterous [-rəs], *adj.* hemíptero.
hemisphere ['hemisfiə], *s.* hemisfério.
hemispheric ['hemi'sferik], *adj.* hemisférico.
hemispherical [-əl], *adj.* ver **hemispheric.**
hemistich ['hemistik], *s.* hemistíquio.
hemitrope ['hemitroup], *adj.* hemítropo.
hemitropic [hemi'trɔpik], *adj.* ver **hemitrope.**
hemitropism [he'mitroupizəm], *s.* hemitropia.
hemlock ['hemlɔk], *s.* cicuta; abeto do Canadá.
hemmer ['hemə], *s.* embainhador (máquina ou pessoa).
hemorrhage ['hemərid ʒ], *s.* hemorragia.
hemorrhoids ['hemərɔidz], *s. pl.* hemorróidas.
hemp [hemp], *s.* cânhamo.
hemp-seed — linhaça.
hemp-comb — sedeiro.
hemp-break — gramadeira.
hemp-nettle — cânhamo bastardo.
hemp-rope — corda de cânhamo.
hemp yarn — cânhamo em fio.
hempen [-ən], *adj.* de cânhamo.
hen [hen], *s.* galinha; fêmea de algumas aves.
hen-cop — capoeira.
turkey-hen — perua.
hen-roost — poleiro.
hen-pecked husband — marido governado pela mulher.
hen-hearted — pusilânime, cobarde.
hen-house — galinheiro, capoeira.
hen-party — reunião de senhoras.
clocking hen — galinha no choco.
hen-fruit — ovos.
hen-harrier — milhafre.
hen-witted — estúpido.
henbane [-bein], *s.* meimendro (planta medicinal).
hence [hens], *adv.* por esta razão; daqui; por isso; (arc.) longe, para longe.
a month hence — dentro de um mês.
one mile hence — a uma milha de aqui.
the golden hence (E. U.) — o paraíso.
henceforth [-'fɔ:θ], *adv.* de hoje em diante.
henceforward [-'fɔ:wəd], *adv.* ver **henceforth.**
henchman ['hentʃmən], *s.* homem de confiança; escudeiro.
hendecagon [hen'dekəgən], *s.* hendecágono.
hendecagonal [hende'kægounəl], *adj.* hendecagonal.
hendecahedron [hendekə'hi:drən], *s.* hendecaedro.
hendecasyllabic ['hendekəsi'læbik], *s.* e *adj.* hendecassílabo, hendecassilábico.
hendecasyllable ['hendekə'siləbl], *s.* hendecassílabo.
hendiadys [hen'daiədis], *s.* hendíadis.
henna ['henə], 1 — *s.* (bot.) alcana; hena.
2 — *vt.* tingir com hena.
hennery [-ri], *s.* capoeira, galinheiro.
henny ['heni], 1 — *s.* galo parecido com uma galinha.
2 — *adj.* parecido com uma galinha.
henotheism ['henouθi:zm], *s.* henoteísmo.
henpeck ['henpek], *vt.* governar ou dominar o marido.
Henry ['henri], *n. p.* Henrique.
Henry the Navigator — Infante D. Henrique.
hep [hep], 1 — *s.* baga de roseira brava.
2 — *adj.* (E. U. cal.) bem informado.
hepatic [hi'pætik], *s.* e *adj.* hepático.
hepatica [hi'pætikə], *s.* (bot.) hepática.
hepatism ['hepətizm], *s.* hepatismo.
hepatite ['hepətait], *s.* (min.) hepatite.
hepatitis [hepə'taitis], *s.* (med.) hepatite.
hepatization [hepətai'zeiʃən], *s.* (med.) hepatização.
hepatize ['hepətaiz], *vt.* (med.) hepatizar.
hepatocele ['hepətousi:l], *s.* hepatocele, hérnia do fígado.
hepatogastritis ['hepətougæs'traitis], *s.* hepatogastrite.
hepatolith ['hepətouliθ], *s.* hepatólito, cálculo biliar.
heptachord ['heptəkɔ:d], *s.* e *adj.* heptacórdio, heptacordo.
heptad ['heptæd], *s.* a soma ou número de sete.
heptaglot ['heptəglɔt], *s.* e *adj.* em sete línguas; livro em sete línguas.
heptagon ['heptəgən], *s.* heptágono.
heptagonal [hep'tægənl], *adj.* heptagonal.
heptahedron ['heptə'hedrən], *s.* heptaedro.
heptameron [hep'tæmərən], *s.* heptâmetro.
heptameter [hep'tæmitə], *s.* heptâmetro.
heptane ['heptein], *s.* (quím.) heptano.
heptarch ['hepta:k], *s.* heptarca.
heptarchy [-i], *s.* heptarquia.
heptasyllabic [heptəsi'læbik], *adj.* heptassilábico.
Heptateuch ['heptətju:k], *s.* heptateuco.
heptavalent [heptə'veilənt], *adj.* heptavalente.
her [hə:], 1 — *pron. pes. compl.* ela, a ela, lhe, a.
give her this letter — dê-lhe esta carta.
it's her — é ela.
2 — *adj. pos.* seu, sua, seus, suas (dela).
her brother — o irmão dela.
her brothers — os irmãos dela.
her sister — a irmã dela.
her sisters — as irmãs dela.
Heraclean ['herə'kli:ən], *adj.* herácleo.
Heracles ['herəkli:z], *n. p.* (mit.) Héracles.
Heraclid ['herəklid], *s.* (mit.) *(pl.* **Heraclids, Heraclidae** ['herəklidz, herə'klaidi:]) heráclida.
Heraclitus ['herə'klaitəs], *n. p.* Heráclito.
herald ['herəld], 1 — *s.* arauto, precursor; oficial de armas; pessoa encarregada de organizar o registo das famílias brasonadas.
2 — *vt.* anunciar, proclamar; apresentar.
heraldic [he'rældik], *adj.* heráldico.
heraldic bearing — brasão.
heraldically [-əli], *adv.* heraldicamente.
heraldist ['herəldist], *s.* heraldista.
heraldry ['herəldri], *s.* heráldica.
book of heraldry — armorial.
herb [hə:b], *s.* erva, planta; legumes. *(Sin.* grass, herbs, vegetation, pasture.)
sweet herbs — ervas odoríferas.
pot-herbs — hortaliça.
herb-bennet — erva benta.
herb-Paris — pariseta.
herb-eating — herbívoro.
herb Cristopher — erva-de-são-cristóvão.
herb Robert — erva-de-são-roberto.
herb-trinity — amor-perfeito.
herbaceous [hə:'beiʃəs], *adj.* herbáceo.
herbage ['hə:bidʒ], *s.* verdura para o gado, pastagem.
herbal ['hə:bəl], 1 — *s.* e *adj.* herbário.
2 — *adj.* de ervas, com ervas.
herbalist [-ist], *s.* herborista, ervanário, herbanário.
herbarium [hə:'bɛəriəm], *s.* herbário, ervário.
Herbert ['hə:bət], *n. p.* Herberto.
herbivora [hə:'bivərə], *s. pl.* herbívoros, animais herbívoros.
herbivorous [hə':bivərəs], *adj.* herbívoro.
herborize ['hə:bəraiz], *vi.* herborizar.
herbous ['hə:bəs], *ad.* herboso, ervoso.
Herculean ['hə:kju'li:ən], *adj.* hercúleo, de Hércules.
Hercules ['hə:kjuli:z], *n. p.* e *astr.* Hércules.

Herculid ['hə:kjulid], *s.* estrela da constelação de Hércules.
herd [hə:d], **1** — *s.* rebanho, manada; quadrilha; bando; multidão; pastor.
a herd of deer — **uma manada de veados, corças ou gamos.**
a herd of cattle — uma manada de gado.
a herd of swine — uma vara de porcos.
the common herd — a ralé.
the herd instinct — o instinto gregário.
2 — *vt.* e *vi.* andar aos bandos; guardar gado.
herdsman [-zmən], *s.* guardador de gado, pastor.
here [hiə], *adv.* aqui, neste lugar.
here and there — **por aqui e por ali; cá e lá.**
here it is — ei-lo.
here! — presente!
here he comes! — lá vem ele!
here lies — aqui jaz.
here we are! — cá estamos nós!
here within — aqui dentro.
it is neither here nor there — (col.) não aquece **nem arrefece; não põe nem tira.**
here below — **cá na terra.**
look here! — **olha lá!**
here and now — imediatamente.
here is to you! — à sua saúde.
up to here — até aqui.
hereabout [-rəbaut], *adv.* por aqui, nestas imediações.
hereabouts [-rəbauts], *adv.* ver **hereabout.**
hereafter [hiər'a:ftə], **1** — *s.* o futuro; a vida futura.
2 — *adv.* daqui em diante; na outra vida; mais abaixo.
hereby [-'bai], *adv.* (com.) pela presente, por este meio; não longe daqui.
hereditable [hi'reditəbl], *adj.* que pode ser herdado.
hereditament ['heri'ditəmənt], *s.* herança.
hereditarian [hiredi'tɛəriən], *s.* pessoa que dá valor à hereditariedade.
hereditarily [hi:'reditərili], *adv.* hereditariamente.
hereditary [hi':reditəri], *adj.* hereditário.
hereditism [hi:'reditizəm], *s.* hereditariedade.
heredito-syphilitic [hi:'reditousifi'litik], *adj.* heredossifilítico.
heredity [hi'rediti], *s.* hereditariedade.
herein ['hiər'in], *adv.* nisto; aqui dentro; incluso.
hereof [hiər'ɔv], *adv.* acerca disto, disto.
hereon [hiər'ɔn], *adv.* acerca disto, sobre isto.
heresiarch [he'ri:zia:k], *s.* heresiarca.
heresy ['herəsi], *s.* heresia.
heretic ['herətik], *s.* herege, herético.
heretical [-əl], *adj.* herético.
hereto ['hiə'tu:], *adj.* incluso, incluído.
heretofore ['hiətu'fɔ:], **1** — *s.* passado.
2 — *adv.* antigamente, outrora, até aqui.
hereupon ['hiərə'pɔn], *adv.* nisto, em consequência disto.
hereunder [hiər'ʌndə], *adv.* abaixo disto, em virtude disto.
herewith ['hiə'wið], *adv.* com isto, junto, incluso.
heritable ['heritəbl], *adj.* que se pode herdar; apto para herdar; (biol.) transmitido por hereditariedade.
heritably [-i], *adv.* hereditariamente.
heritage ['heritidʒ], *s.* herança. *(Sin.* inheritance, legacy, bequest, portion, patrimony.)
heritor ['heritə], *s.* herdeiro; (Esc.) censionário.
hermaphrodism [hə:'mæfroudizəm], *s.* hermafroditismo.
hermaphrodite [hə:'mæfrədait], *s.* e *adj.* hermafrodita; (náut.) goleta.
hermaphroditic [hə:mæfrou'ditik], *adj.* hermafrodita.
hermaphroditical [-əl], *adj.* ver **hermaphroditic.**
hermeneutic [hə:mi'nju:tik], *adj.* hermenêutico.
hermeneutical [-əl], *adj.* ver **hermeneutic.**
hermeneutics [-s], *s.* hermenêutica.
hermetic [hə:'metik], *adj.* hermético.
hermetically [-əli], *adv.* hermeticamente.
hermetically close — hermeticamente fechado.
Hermetism ['hə:mitizəm], *s.* alquimia.
hermit ['hə:mit], *s.* eremita, anacoreta.
hermit crab — caranguejo que se aproveita das conchas dos moluscos para se abrigar.
hermitage [-idʒ], *s.* eremitério, ermida; tipo de vinho francês.
hern [hə:n], *s.* ver **heron.**
hernia ['hə:njə], *s.* hérnia.
hernial [-l], *adj.* hernial.
herniary [-ri], *adj.* hérnico.
herniated ['hə:njeitid], *adj.* com hérnia.
herniation [hə:ni'eiʃən], *s.* formação de hérnia.
herniotomy [hə:ni'ɔtəmi], *s.* herniotomia.
hero ['hiərou], *s.* herói.
hero-worship — culto dos heróis.
no man is a hero to his valet — ninguém é grande para o seu criado.
Herod ['herəd], *n. p.* Herodes.
Herodian [he'roudjən], *adj.* herodiano.
Herodias [he'roudiæs], *n. p.* Herodíade.
Herodotus [he'rɔdətəs], *n. p.* Heródoto.
heroic [hi'rouik], *adj.* heróico.
heroic tales — romances de capa e espada.
heroical [-əl], *adj.* ver **heroic.**
heroically [-əli], *adv.* heroicamente.
heroicalness [-əlnis], *s.* heroicidade.
heroi-comic [hirɔi'kɔmik], *adj.* herói-cómico.
heroics [hi'rouiks], *s.* versos heróicos; ênfase; exagero.
heroify [hi'rouifai], *vt.* heroificar.
heroin ['herouin], *s.* heroína; estupefaciente.
heroism ['herouizəm], *s.* heroismo, heroicidade.
heroize ['hi:ərouaiz], *vt.* e *vi.* heroificar; exaltar.
heron ['herən], *s.* garça.
heronry [-ri], *s.* lugar onde as garças fazem criação.
heronshaw [-ʃɔ:], *s.* garça, garça nova.
herpes ['hə:pi:z], *s.* herpes.
herpetic [hə:'petik], *adj.* herpético.
herpetological [hə:petə'lɔdʒikəl], *adj.* herpetológico.
herpetologist [hə:pe'tɔlədʒist], *s.* herpetologista.
herpetology [hə:pe'tɔlədʒi], *s.* herpetologia.
herring ['heriŋ], *s.* arenque; barco para pesca de arenque.
red herring — arenque defumado.
herring-bone — espinha de arenque; colocação de fiadas de pedra em filas alternadas.
herring-harvest — pesca de arenque.
herring-packer — embarricador de arenques.
herring smack — barco arenqueiro.
herring-fisher — pescador de arenque.
pickled herring — arenque salgado.
herringer [-ə], *s.* pescador de arenque.
hers [hə:z], *pron. pos.* seu, sua, seus, suas (dela).
this book is hers — este livro é dela.
a friend of hers — um amigo dela.
herse [hə:s], *s.* (mil.) cavalo de frisa.
herself [hə:'self], *pron. refl. e enf.* ela mesma; a si mesma.
by herself — sozinha.
she herself wrote the letter — ela própria escreveu a carta.
she is not herself — **ela não está no seu estado normal; não parece a mesma.**

she has hurt herself — ela magoou-se.
of herself — espontaneamente.
Hertzian [hə:tsiən], *adj.* hertziano.
Hertzian waves — ondas hertzianas.
Hesiod ['hi:siɔd], *n. p.* Hesíodo.
hesitance ['hezitəns], *s.* hesitação, indecisão; dúvida, incerteza.
hesitancy [-i], *s.* ver **hesitance.**
hesitant ['hezitənt], *adj.* hesitante, indeciso, duvidoso.
hesitantly [-li], *adv.* hesitantemente.
hesitate ['heziteit], *vi.* hesitar, vacilar, duvidar. (*Sin.* to vacillate, to waver, to dubitate, to falter, to delay, to demur. *Ant.* to decide.)
hesitating [-iŋ], *adj.* hesitante, vacilante, duvidoso, irresoluto.
hesitatingly [-iŋli], *adv.* irresolutamente, com hesitação.
hesitation ['hezi'teiʃən], *s.* hesitação, indecisão, dúvida, irresolução.
there is no room for hesitation — não há que hesitar.
to have no hesitation about in — não hesitar quanto a.
Hesperia [hes'pi:əriə], *top.* Hespéria.
Hesperian [hes'piəriən], *s.* e *adj.* hespério, ocidental.
Hesperides [hes'peridi:z], *n. p.* (mit.) Hespérides.
the garden of the Hesperides — o jardim das Hespérides.
hesperis ['hespəris], *s.* (bot.) goiveiro, hesperídea.
Hesperus ['hespərəs], *n. p.* Hésper, Vésper.
Hesse ['hesi], *top.* Hesse, região na Alemanha.
Hessian [-ən], *s.* e *adj.* de Hesse; tecido grosseiro de juta ou cânhamo.
Hessian fly — insecto muito prejudicial aos cereais.
Hester ['hestə], *n. p.* Ester.
hetaera [he'tiərə], *s.* (*pl.* **hetaerae** [-i:]) hetera; cortesã da Grécia antiga.
hetaira [he'tairə], *s.* (pl. **hetairae** [-ri:]) ver **hetaera.**
heterocarpian [hetərou'kɑ:piən], *adj.* (bot.) heterocarpo.
heterocarpus [hetərou'kɑ:pəs], *adj.* ver **heterocarpian.**
heterocentric [hetərou'sentrik], *adj.* difuso.
heterochromous [hetərou'kroumәs], *adj.* heterocrómico.
heteroclite ['hetərouklait], *s.* e *adj.* irregular; heteróclito; palavra irregular.
heterocyclic [hetərou'saiklik], *adj.* (quím.) heterocíclico.
heterodont ['hetəroudɔnt], *s.* e *adj.* (zool.) heterodonte.
heterodox ['hetərədɔks], *adj.* heterodoxo.
heterodoxy [-i], *s.* heterodoxia.
heterodynamous [hetərə'dainəməs], *adj.* heterodinâmico.
heterodyne ['hetərədain], **1** — *adj.* (T. S. F.) heteródino.
heterodyne reception — recepção heteródina.
2 — *vi.* tornar heteródino.
heterogamous [hetə'rɔgəməs], *adj.* heterogâmico.
heterogamy [hetə'rɔgəmi], *s.* heterogamia.
heterogeneity [hetəroudʒi'ni:iti], *s.* heterogeneidade.
heterogeneous ['hetərou'dʒi:njəs] *adj.* heterogéneo.
heterogeneously [-li], *adv.* heterogeneamente.
heterogeneousness [-nis], *s.* heterogeneidade.
heterogenesis ['hetərou'dʒenisis], *s.* heterogénese.
heterogeny [hetə'rɔdʒəni], *s.* heterogenia.
heteromorphic [hetərə'mɔ:fik], *adj.* heteromórfico.
heteromorphus [hetərə'mɔ:fəs], *adj.* heteromorfo.
heteronomy [hetə'rɔnəmi], *s.* heteronomia.
heteronym [hetə'rɔnim], *s.* heterónimo.
heteronymous [-əs], *adj.* heterónimo.
heterophyllous [hetərou'filəs], *adj.* (bot.) heterofilo.
heteroplasty ['hetərəplæsti], *s.* heteroplastia.
heteropoda [hetə'rɔpədə], *s. pl.* (zool.) heterópodes.
heteroptera [hetə'rɔptərə], *s. pl.* (zool.) heterópteros.
heterosexual [hetərə'seksjuəl], *adj.* heterossexual.
heterostatic [hetərou'stætik], *adj.* (elect.) heterostático.
heterosuggestion [hetərousə'dʒestjən], *s.* heterossugestão.
heterozygote [hetərou'zaigout], *s.* heterozigótico.
Hetty ['həti], *n. p.* Henriquetazinha.
heuristic [hjuə'ristik], **1** — *s.* heurística.
2 — *adj.* heurístico.
hew [hju:], *vt.* (pret. **hewed,** pp. **hewed** ou **hewn**) cortar, decepar; desbastar; talhar.
to hew to pieces — cortar em pedaços.
to hew down — abater; deitar abaixo.
hewer [-ə], *s.* talhador, desbastador; mineiro; lenhador.
hewing [-iŋ], *s.* acção de cortar, de derrubar.
hewn [-n], *pp.* de **to hew.**
hex [heks], **1** — *s.* (E. U.) feiticeira; feitiço.
2 — *vt.* enfeitiçar.
hexachord ['heksəkɔ:d], *s.* hexacorde, hexacórdio, escala de seis notas.
hexagon ['heksəgən], *s.* hexágono.
hexagon nut — porca sextavada.
hexagonal [hek'sægənl], *adj.* hexagonal.
hexagonal prism — prisma hexagonal.
hexagram ['heksəgræm], *s.* hexagrama.
hexahedral ['heksə'hedrəl], *adj.* hexaédrico.
hexahedron ['heksə'hedrən], *s.* hexaedro.
hexamerous [hek'sæmərəs], *adj.* hexâmetro.
hexameter [hek'sæmitə], *s.* hexâmetro.
hexametric [heksə'metrik], *adj.* hexâmetro.
hexametrical [-əl], *adj.* ver **hexametric.**
hexandrous [hek'sændrəs], *adj.* (bot.) hexandro.
hexangular [heks'æŋgjulə], *adj.* hexagonal.
hexaoctahedron ['heksə'ɔktə'hedrən], *s.* hexaoctaedro.
hexapod ['heksəpɔd], *s.* e *adj.* (zool.) hexápode.
hexapody [hek'sæpədi], *s.* hexapodia.
hexarchy ['heksa:ki], *s.* hexarquia.
hexastyle ['heksəstail], *s.* e *adj.* hexástilo, formado por seis colunas, pórtico de seis colunas.
hexasyllabic [heksəsi'læbik], *adj.* hexassilábico.
hexavalent [heksə'veilənt], *adj.* (quím.) hexavalente.
hexoctahedral [heksɔktə'hi:drəl], *adj.* hexaoctaédrico.
hexoctahedron [heksɔktə'hi:drən], *s.* hexaoctaedro.
hexode ['heksoud], *s.* (elect.) héxodo.
hextetrahedral [hekstetrə'hi:drəl], *adj.* hextetraedro.
hextetrahedron [hekstetrə'hi:drən], *s.* hextetraedro.
hey [hei], *interj.* eh!, heim!, o quê?
heyday [-dei], **1** — *s.* auge; alegria louca da juventude.
2 — *interj.* eh!, ena! (alegria ou admiração).
hey-ho [-hou], *interj.* ora bolas! (aborrecimento).
hi [hai], *interj.* olhe lá! (chamar a atenção).
hiatus [hai'eitəs], *s.* (*pl.* **hiaties**) hiato; fenda.
hibernaculum [haibə'nækjuləm], *s.* hibernáculo.

hibernal [hai:'bə:nl], *adj.* hibernal.
hibernant ['haibə:nənt], *adj.* hibernante.
hibernate ['haibə:neit], *vi.* hibernar, invernar.
hibernating [-iŋ], *adj.* hibernante.
hibernation ['haibə:'neiʃən], *s.* hibernação.
Hibernia [hai'bə:njə], *top.* Hibérnia, nome antigo da Irlanda.
Hibernian [-n], *s.* e *adj.* hibérnico, irlandês.
Hibernianism [-izm], *s.* idiotismo irlandês; expressão irlandesa; peculiaridade irlandesa.
Hibernicism [hai'bə:nisizəm], *s.* ver **Hibernianism.**
hibiscus [hi'biskəs], *s.* (bot.) hibisco.
hiccough ['hikʌp], **1** — *s.* soluço.
2 — *vt.* e *vi.* ter soluços, estar com soluços.
hiccup ['hikʌp], , *vt.* e *vi.* ver **hiccough.**
hiccupy ['hikəpi], *adj.* (voz) soluçante.
hickey ['hiki], *adj.* meio embriagado.
hickory ['hikəri], *s.* nogueira branca americana.
hid [hid], *pret.* e *pp.* de **to hide.**
hidden [hidn], *pp.* de **to hide.**
hide [haid], **1** — *s.* couro, pele; medida de cerca de 120 acres.
raw hide — couro verde.
to dress hides — curtir peles.
to have the hide to — ter o descaramento de.
to save one's hide — salvar a pele.
to tan a person's hide — (col.) chegar a roupa ao pêlo a alguém.
2 — *vt.* e *vi.* (pret. **hid** [hid], *pp.* **hid** ou **hidden** [hidn]) esconder, ocultar; esconder-se, ocultar-se.
hide-and-seek — jogo das escondidas.
to play hide-and-seek — jogar às escondidas.
hidebound [-baund], *adj.* «pele e osso»; intolerante; tacanho.
hided [-id], *adj.* de couro; coberto de pele.
hideous ['hidiəs], *adj.* horrível, repugnante.
hideously [-li], *adv.* horrivelmente, medonhamente.
hideousness [-nis], *s.* horror, fealdade, hediondez; deformidade; espanto.
hider ['haidə], *s.* aquele que se esconde.
hiding ['haidiŋ], *s.* acção de esconder; esconderijo; sova, pancadaria; encobrimento.
hiding-place — esconderijo.
to be in hiding — estar escondido.
to go into hiding — esconder-se.
hie [hai], *vt.* e *vi.* (poét.) activar; apressar-se.
hierarch ['haiərɑ:k], *s.* hierarca.
hierarchal ['haiə'rɑ:kəl], *adj.* hierárquico.
hierarchic ['haiə'rɑ:kik], *adj.* hierárquico.
hierarchical [-əl], *adj.* ver **hierarchic.**
hierarchically [-əli], *adv.* hierarquicamente.
hierarchize ['haiərɑ:kaiz] *vt.* hierarquizar.
hierarchy ['haiərɑ:ki], *s.* hierarquia.
hieratic ['haiə'rætik], *adj.* hierático.
hieratically [-əli], *adv.* hieràticamente.
hieroglyph ['haiərəglif], *s.* hieróglifo.
hieroglyphic ['haiərə'glifik], *adj.* hieroglífico.
hieroglyphical [-əl], *adj.* ver **hieroglyphic.**
hieroglyphically [-əli], *adv.* hieroglìficamente.
hieroglyphics [-s], *s. pl.* hieróglifos.
hierogram ['haiərougræm], *s.* hierograma.
hierograph ['haiərougrɑ:f], *s.* hierógrafo.
hierographic [haiərou'græfik], *adj.* hierográfico.
hierographical [-əl], *adj.* ver **hierographic.**
hierography [haiə'rɔgrəfi], *s.* hierografia.
Hieronymus ['haiərɔniməs], *n. p.* Jerónimo.
hieronymy [haiə'rɔnimi], *s.* hieronímia.
higgle [higl], **1** — *s.* regateio.
2 — *vi.* regatear, altercar. *(Sin.* to haggle, to bargain, to chaffer.)
higgled-piggledy [-di-'pigldi], *adv.* em desordem; em confusão; à toa.
higgler [-ə], *s.* o que regateia.
higgling [-iŋ], **1** — *s.* regateio.
2 — *adj.* regateador.

high [hai], **1** — *adj.* alto, elevado; grande; eminente; solene; altivo, arrogante, orgulhoso; turbulento; indómito; pleno; elevado; difícil, árduo; forte, poderoso; de preço elevado; principal; agudo.
high and dry (náut.) — encalhado; em seco.
high and mighty — arrogante.
High Church — Igreja Anglicana.
High Court of Justice — Tribunal da Relação.
high day — dia de festa solene.
high colour — vermelhidão.
high-life — alta sociedade.
high Mass — missa cantada.
high-pressure — alta pressão.
high spirits — grande ànimação e contentamento; alegria; bom humor.
high tea — chá ajantarado.
high tide — maré alta.
high terms — termos lisonjeiros.
high and low — de todas as categorias (pessoas).
high-flown — bombástico.
high-handed — arbitrário, despótico.
high falutin — bombástico, empolado.
it is high time — já é mais que tempo.
high watermark — o ponto mais alto da maré.
high wind — vento rijo.
at a high rate — por alto preço.
high-brow — pessoa intelectual.
high-reaching — ambicioso.
high altar — altar-mor.
on the high ropes — altivo, ufano; (col.) encolerizado.
High Court of Parliament — o Parlamento britânico constituído em tribunal.
high-priest — sumo sacerdote.
high-flyer — pessoa ambiciosa ou extravagante.
high-grade — de grau superior.
high speed — grande velocidade.
high sea — alto mar.
high days and holidays — dias festivo
high jinks — pândega.
high treason — alta traição.
high relief — alto-relevo.
high flavour — paladar forte.
high-boiling point — ponto de ebulição muito elevado.
high-bred — de nascimento nobre; de fina raça (cavalo).
high-class — de primeira classe; muito bom.
high-frequency — alta frequência.
high command (mil.) — alto comando.
high explosive — explosivo muito forte.
high gear — grande velocidade.
High German — alto-alemão.
high jump (desp.) — salto em altura.
high level — a grande altitude.
high-minded — generoso.
high-keyed — nervoso.
high-pressure — alta pressão; alta tensão.
high-pressure generator — gerador de alta pressão.
high-priced — de preço elevado.
high-principled — de bons princípios.
high-pressure boiler — caldeira de alta pressão.
high school — liceu.
high-souled — magnânimo, generoso.
high-stomached — afectado.
high summer — pleno verão.
high-stepper — pessoa que veste à moda.
high-up — pessoa que dirige.
high-water — maré cheia.
high words — palavras exaltadas.
high table — mesa de honra.
the high lights — as pessoas importantes.
to have a high time — divertir-se muito.
high-tension plant — instalação de alta tensão.
to ride the high horse — ser arrogante.

2 — *s.* céu.
on high — no céu.
glory be to God on high! — glória a Deus nas alturas!
the most High — o altíssimo.
3 — *adv.* alto, no alto; muito, fortemente.
to drink high — beber muito.
to feed high — comer muito.
to play high — jogar muito.
highball [-bɔ:l], *s.* (E. U.) uísque com soda.
highboy [-bɔi], *s.* cómoda alta.
higher [-ə], *adj. comp.* de **high.**
the higher-ups — as pessoas com cargos dirigentes.
higher education — educação superior.
high-hat [-hæt], 1 — *s.* (E. U.) pessoa empertigada; janota.
2 — *vt.* e *vi.* (pret. e pp. **high-hatted**) dar-se ares.
highjack ['haidʒack], *vt.* roubar à mão armada.
highjacker ['haidʒækə], *s.* *(col.)* bandido armado.
highland [-lənd], *s.* região montanhosa.
the Highlands — as terras altas da Escócia.
highlander [-ləndə], *s.* serrano; habitante das terras altas da Escócia.
highlandman [-ləndmən], *s.* serrano; habitante das terras altas da Escócia.
highly [-li], *adv.* altamente, grandemente; elevadamente; sumamente; muito bem.
to speak highly of someone — dizer muito bem de alguém.
to think highly of — ter em grande conceito.
highly amusing — muitíssimo divertido.
highly strung — muito nervoso.
highly paid — muito bem pago.
highness [-nis], *s.* altura; alteza (título); força.
His Highness — Sua Alteza.
highway [-wei], *s.* estrada nacional; via muito importante.
high system — rede rodoviária.
to take to the highway — fazer-se salteador.
high-crossing — cruzamento de estradas.
highwayman [-weimən], *s.* salteador de estrada, bandido.
hike [haik], 1 — *s.* viagem recreativa a pé.
hitch-hike — viagem recreativa a pé, aproveitando uma boleia de vez em quando.
2 — *vi.* viajar a pé, percorrer a pé.
hiker [-ə], *s.* pessoa que anda a pé por turismo.
hiking [-iŋ], *s.* andar a pé por turismo.
hilarious [hi'lɛəriəs], *adj.* alegre, jovial, hilariante. *(Sin.* jolly, joyful, gay, jovial, cheerful, mirthful. *Ant.* despondent.)
hilariously [-li] *adv.* alegremente, jovialmente.
hilariousness [-nis], *s.* hilaridade, alegria.
hilarity [hi'læriti], *s.* hilaridade, alegria.
Hilary ['hiləri], *n. p.* Hilário.
Hilda ['hildə], *n. p.* Hilda.
Hildebrand ['hildəbrænd], *n. p.* Hildebrando.
hill [hil], 1 — *s.* colina, outeiro, pequeno monte.
ant-hill — formigueiro.
hill-side — encosta.
the top of the hill — o cume do outeiro.
up the hill — monte acima.
is the hill much up and down? — o monte é muito acidentado?
hill-man — montanhês.
hill-country — região montanhosa.
up-hill work — trabalho árduo.
as old as the hills — antiquíssimo.
2 — *vt.* fazer um pequeno monte de terra; amontoar.
hilliness [-inis], *s.* acidentação.
hilling [-iŋ], *s.* acção de amontoar.
hillock ['hilək], *s.* pequena colina, outeirinho, cabeço, eminência.
hilly ['hili], *adj.* montanhoso.
a hilly country — uma região acidentada.
hilt [hilt], 1 — *s.* punho, guarda (de espada), copos.
2 — *vt.* pôr punho (em espada); pôr um cabo.
hilum ['hailəm], *s.* hilo.
him [him], *pron. pes. compl. masc. 3.ª pes. sing.* ele, a ele, o, lhe, aquele.
he has no money about him — ele não traz dinheiro consigo.
will you lend him your pencil? — emprestas-lhe o teu lápis?
I was speaking to him — estava a falar com ele.
it's him (that's him) — é ele.
Hymmalaya ['himə'leiə], *top.* Himalaia.
Hymmalayan [-n], *s.* e *adj.* himalaico.
himself [him'self], *pron. pes. refl. e enf. 3.ª pes. sing. mas.* ele mesmo, ele próprio; se, a si mesmo.
by himself — sozinho.
he himself carried the parcel — ele próprio levou o embrulho.
he cut himself — ele cortou-se.
hind [haind], 1 — *s.* corça; criado de lavoura; campónio.
2 — *adj.* posterior, traseiro.
hind wheel — roda traseira.
hind-sight — alça de espingarda.
hinder 1 — ['haində], *adj.* posterior, traseiro.
2 — ['hində], *vt.* e *vi.* impedir, estorvar; pôr obstáculos; retardar; opor-se; embaraçar.
she hindered him from coming — ela impediu-o de vir.
hinderer [-rə], *s.* aquele que impede ou estorva; empecilho.
hindering [-riŋ], *adj.* que impede ou estorva.
hindermost [-moust], *adj.* último, que fica mais tarde.
Hindi ['hin'di:], *s.* e *adj.* língua do norte da Índia; do norte da Índia.
hindmost ['haindmoust], *adj.* ver **hindermost.**
Hindoo ['hin'du:], *s.* e *adj.* hindu.
hindrance ['hindrəns], *s.* obstáculo, embaraço, impedimento, estorvo. *(Sin.* impediment, check, obstacle, obstruction, prevention, restraint.)
Hindu ['hin'du:], *s.* e *adj.* ver **Hindoo.**
Hindustan ['hindu'sta:n], *top.* Indostão.
Hindustani [-i], *s.* hindustani.
hinge [hindʒ], 1 — *s.* gonzo, quício, eixo; ponto principal; charneira; razão principal; leme; ficha.
to be off the hinges — estar fora dos eixos; estar em desordem.
butt hinge — dobradiça, charneira.
hinge joint — junta de gonzo.
2 — *vt.* e *vi.* engonçar; pôr gonzos; girar sobre um gonzo; depender de.
hinged [-d], *adj.* com dobradiças; articulado.
hinge door — porta articulada.
hingeless [-lis], *adj.* sem gonzos, desarticulado.
hinny ['hini], 1 — *s.* macho, muar; (Esc.) querido.
2 — *vi.* relinchar.
hint [hint], 1 — *s.* insinuação, alusão indirecta; sugestão, ideia; aviso. *(Sin.* suggestion, insinuation, indication, intimation.)
to give a hint — dar a entender.
to take a hint — aceitar um conselho.
not a hint of — nem sombra de, nem sinais de.
a broad hint — uma alusão clara.
hints for teachers — sugestões para professores.
2 — *vt.* e *vi.* insinuar, aludir a; sugerir; dar a entender; fazer uma alusão indirecta.
to hint at — fazer alusão a.
hinterland ['hintəlænd], *s.* interior dum país.
hip [hip], 1 — *s.* anca, quadril; fruto da silva-macha; neurastenia, melancolia.

hip-roof — o ângulo externo na junção de dois telhados em declive ou de dois lados de um telhado.
hip-joint — articulação do fémur com o ílio.
to smite hip and high — derrotar completamente.
hip-bath — banho de assento.
to have one on the hip — levar vantagem a alguém.
hip-bone — osso ilíaco.
hip-pocket — bolso de trás.
hip-disease — coxalgia.
2 — *vt.* (pret. e pp. **hipped**) tornar melancólico.
3 — *interj.*
hip! hip! hurrah! — hurrah!
hipe [haip], 1 — *s.* golpe que prende a perna do adversário (luta livre).
2 — *vt.* dominar o adversário prendendo-lhe uma perna (luta livre).
hipped ['hipt], *adj.* magro de ancas; triste, melancólico.
hippety-hop ['hipəti'hɔp], *adv.* aos saltinhos.
hippic ['hipik], *adj.* hípico.
hippo ['hipou], *s.* (col.) hipopótamo.
hippoboscid [hipou'bɔsid], *s.* (zool.) hipoboscídeo.
hippocampus [hipou'kæmpəs], *s.* hipocampo; cavalo-marinho.
hippocras ['hipoukræs], *s.* hipocraz, vinho preparado de maneira especial.
Hippocrates [hi'pɔkrəti:z], *n. p.* Hipócrates.
hippocratic ['hipou'krætik], *adj.* hipocrático.
hippodrome ['hipədroum], *s.* hipódromo.
hippogriff ['hipougrif], *s.* hipogrifo, animal fabuloso metade grifo metade cavalo.
hippogryph ['hipougrif], *s.* ver **hippogriff.**
hippology [hi'pɔlədʒi], *s.* hipologia.
Hippolytus [hi'pɔlitəs], *n. p.* Hipólito.
hippophagy [hi'pɔfədʒi], *s.* hipofagia.
hippopotamus ['hipə'pɔtəməs], *s.* hipopótamo.
hirable ['haiərəbl], *adj.* que pode ser alugado.
hircine ['hə:sain], *adj.* hircino.
hire ['haiə], 1 — *s.* aluguer; salário.
hire purchase — sistema de vendas a prestações.
hire-system — sistema de vendas a prestações.
on hire — de aluguer.
for hire — para alugar; livre (táxi).
2 — *vt.* alugar; assalariar.
to hire out — dar de aluguer.
hireable [-rəbl], *adj.* que se pode alugar.
hired [-d], *adj.* alugado, que presta serviços em troca de dinheiro.
hireling [-liŋ], *s.* (geralm. pej.) mercenário, assalariado; jornaleiro.
hirer [-rə], *s.* aquele que aluga, que arrenda.
hiring [-riŋ], *s.* aluguer; contrato.
Hiroshima ['hirɔ'ʃi:mə], *top.* Hiroshima.
hirsel ['hə:səl], *s.* (Esc.) pastagem.
hirsute ['hə:sʃu:t], *adj.* hirsuto, cabeludo, eriçado; áspero.
hirsuteness [-nis], *s.* qualidade de ser hirsuto.
hirudiniculture [hi'ru:dinikʌltʃə], *s.* hirudinicultura, criação de sanguessugas.
hirudinidae [hiru'dinidi:], *s. pl.* sanguessugas.
hirundinidae [hirʌn'dinidi], *s. pl.* andorinhas.
his [hiz], *pron. e adj. poss. masc. sing.* seu (s), sua(s) (dele).
his son — o filho dele.
his sons — os filhos dele.
it's not mine, it's his — não é meu, é dele.
a friend of his — um amigo dele.
Hispania [his'pænjə], *top.* Hispânia.
Hispanic [his'pænik], *adj.* hispânico.
Hispanicism [his'pænisizəm], *s.* hispanismo.
Hispano-American [his'pænouə'merikən], *s.* e *adj.* hispano-americano.
hispid ['hispid], *adj.* híspido, com pêlos ásperos e afastados.
hiss [his], 1 — *s.* assobio, silvo, assobio de desagrado (teatro).
2 — *vt.* e *vi.* assobiar; assobiar de desagrado (teatro).
to hiss off — assobiar uma peça ou um actor.
to hiss a play — assobiar uma peça.
hisser [-ə], *s.* assobiador.
hissing [-iŋ], 1 — *s.* sibilo, assobio, silvo.
2 — *adj.* sibilante.
hissing sound — som sibilante.
hissingly [-iŋli], *adv.* assobiando, com assobios.
hist [hist], *interj.* silêncio!, caluda!
hister [-ə], *s.* escaravelho.
histogenesis [histou'dʒenisis], *s.* histogénese.
histogenetic [histoudʒə'netik], *adj.* histogéneo.
histogeny [his'tɔdʒini], *s.* histogenia, histogénese.
histological ['histə'lɔdʒikəl], *adj.* histológico.
histologist [his'tɔlədʒist], *s.* histologista.
histology [his'tɔlədʒi], *s.* histologia.
historian [his'tɔ:riən], *s.* historiador.
historiated [his'tɔ:rieitid], *adj.* historiado, enfeitado com figuras.
historic [his'tɔrik], *adj.* histórico.
a historic occasion — uma ocasião histórica.
historic present (gram.) — presente histórico.
historic infinitive (gram.) — infinito histórico.
historical [-əl], *adj.* histórico.
historical criticism — crítica histórica.
historically [-əli], *adv.* historicamente.
historicity [histə'risiti], *s.* historicidade.
historico-philosophic [his'tɔrikou-filə'sɔfik], *adj.* histórico-filosófico.
historiographer ['histɔ:ri'ɔgrəfə], *s.* historiógrafo.
historiographic [histɔ:riə'græfik], *adj.* historiográfico.
historiographical [-əl], *adj.* ver **historiographic.**
historiography [histɔ:ri'ɔgrəfi], *s.* historiografia.
history ['histəri], *s.* história.
history-book — livro de história (escolar).
Natural History — Ciências Naturais.
a woman with a history — uma mulher com passado.
histrion ['histriən], *s.* histrião, comediante.
histrionic ['histri'ɔnik], *adj.* histriónico.
histrionical [-əl], *adj.* ver **histrionic.**
histrionically [-əli], *adv.* histrionicamente.
histrionicism [histriəni'sizm], *s.* histrionia.
histrionics [-s], *s.* histrionia.
histrionism ['histriənizəm], *s.* ver **histrionicism.**
hit [hit], 1 — *s.* golpe, pancada; lanço feliz, fortuna; acerto; observação irónica.
to make a hit — fazer sucesso.
a lucky hit — um lanço feliz.
to have a sly hit at a person — fazer troça de alguém.
hit-and-run driver — condutor que atropela alguém e foge.
2 — *vt.* e *vi.* (pret. e pp. **hit**) bater, ferir; acertar no alvo; acertar, atingir, alcançar; convir; tocar; descobrir por acaso.
to hit the mark — acertar no alvo.
to hit hard — bater com força.
to hit the nail on the head (fig.) — pôr o dedo na ferida; acertar.
to hit upon — encontrar, descobrir por acaso.
to hit on the right idea — ter uma ideia acertada.
to hit against — dar contra (alguma coisa).
to hit it off together — concordar, harmonizar.

to hit off — imitar com perfeição, descrever exactamente.
to hit below the belt — ferir pelas costas; ferir deslealmente (boxe).
to hit back — defender-se.
to hit the hay (cal.) — ir para a cama.
to hit the ceiling — irritar-se muito.
to hit the spot — vir mesmo a propósito.
I can't hit on that — não consigo lembrar-me disso.
hitch [hitʃ], **1** — *s.* nó; (náut.) cote; encrenca, dificuldade; impedimento, obstáculo; puxão. (*Sin.* catch, check, obstacle, hindrance, impediment.)
hitch-pin — cavilha.
to have a hitch in one's gait — coxear.
without a hitch — sem dificuldade.
half hitch (náut.) — meia volta.
2 — *vt.* e *vi.* prender, agarrar; mover-se aos saltos; agarrar-se; agitar-se; puxar subitamente.
to hitch up — amarrar (cavalo).
to hitch up one's trousers — puxar as calças para cima.
to be hitched up (col.) — casar; "enforcar-se".
hitching [-iŋ], *s.* acção de prender, agarrar, puxar.
hitch-hike [-haik], *vi.* (E. U.) andar à boleia.
hitch-hiker [-haikə], *s.* (E. U.) pessoa que viaja à boleia.
hither [ˈhiðə], 1 — *adj.* de cá, daqui; interior.
2 — *adv.* aqui, para aqui.
hither and thither — de cá para lá.
hitherto [-ˈtu], *adv.* até agora, até aqui.
hitherward [-wəːd], *adv.* (arc.) para cá.
Hitlerite [ˈhitlərait], *s.* e *adj.* hitleriano.
hitter [ˈhitə], *s.* o que bate, que fere, que acerta.
hive [haiv], **1** — *s.* colmeia, cortiço, enxame.
hive-dross — cera bruta.
a hive of industry — um centro industrial.
2 — *vt.* e *vi.* enxamear, enxamear-se; viver em sociedade, viver juntos.
hiveful [-ful], *s.* conteúdo de colmeia.
hives [-z], *s. pl.* urticária; difteria.
h'm [hm], *interj.* hum!
hmph [mh], *interj.* hum! (indiferença).
ho [hou], *interj.* olá!, oh!, eh!
sail oh! — navio à vista!
hoar [hɔː], **1** — *s.* geada.
2 — *adj.* branco; grisalho; bolorento.
hoar-frost — geada branca.
hoard [hɔːd], **1** — *s.* provisão; tesouro oculto; esconderijo; montão.
2 — *vt.* e *vi.* entesourar; amontoar, acumular, amealhar. (*Sin.* to amass, to accumulate, to save, to store. *Ant.* to dissipate.)
to hoard up — amontoar.
hoarder [-ə], *s.* aquele que junta dinheiro; acumulador.
hoarding [-iŋ], *s.* amontoamento, entesouramento; tapume.
hoariness [ˈhɔːrinis], *s.* brancura; cãs; velhice.
hoarse [hɔːs], *adj.* enrouquecido, rouco; discordante.
hoarsely [-li], *adv.* roucamente.
hoarsen [-n], *vt.* e *vi.* enrouquecer.
hoarseness [-nis], *s.* rouquidão.
hoary [ˈhɔːri], *adj.* branco; grisalho; encanecido; coberto de geada branca. (*Sin.* grey, silvery, frosty, white. *Ant.* dark.)
hoax [houks], **1** — *s.* engano, mistificação, logro, burla.
to play a hoax on somebody — dizer uma intrujice a alguém.
2 — *vt.* enganar, burlar, mistificar; pregar uma partida.
hoaxer [-ə], *s.* mistificador, enganador, burlão.
hoaxing [-iŋ], *s.* mistificação, trapaçaria.
hob [hɔb], **1** — *s.* saliência do fogão onde se colocam panelas, tachos, etc., para conservar a comida quente; paulito do jogo da malha; travessura; duende; prejuízo; aldeão; fresa para engrenagens.
hob-nail — cravo de ferradura.
2 — *vt.* (pret. e pp. **hobbed**) fresar.
hobber [-ə], *s.* máquina para fresar.
hobbing [-iŋ], *s.* fresamento.
hobble [ˈhɔbl], **1** — *s.* coxeadura; peia; dificuldade.
2 — *vt.* e *vi.* coxear, claudicar; embaraçar; prender com peia.
hobbledehoy [-diˈhɔi], *s.* adolescente desajeitado; (col.) trangalhadanças.
hobbledehoydom [-diˈhɔidəm], *s.* falta de jeito de adolescente.
hobbledehoyhood [-diˈhɔihud], *s.* ver **hobbledehoydom.**
hobbledehoyism [-diˈhɔiizəm], *s.* ver **hobbledehoydom.**
hobbler [ˈhɔblə], *s.* pessoa que coxeia.
hobbling [ˈhɔbliŋ], *adj.* que coxeia.
hobby [ˈhɔbi], *s.* ocupação favorita, distracção, passatempo preferido; mania; (arc.) cavalo pequeno; cavalo de pau. (*Sin.* pastime, pursuit, recreation, amusement, occupation, speciality.)
hobby-horse — cavalinho de pau.
hobgoblin [ˈhɔbˈgɔblin], *s.* duende; espectro, fantasma.
hobnail [ˈhɔbneil], **1** — *s.* tachão; campónio.
2 — *vt.* pregar com tachões.
hobnailed [-d], *adj.* com tachões, cardado.
hobnailed liver — fígado com cirrose.
hobnob [ˈhɔbnɔb], **1** — *vi.* (pret. e pp. **hobnobbed**) beber em companhia de outros; associar-se familiarmente.
to hobnob with somebody — dar-se muito bem com alguém.
2 — *adv.* à sorte, ao calhar.
hobo [ˈhoubou], **1** — *s.* (E. U.) operário esfarrapado, vagabundo.
2 — *vt.* andar à procura de trabalho.
hoboism [-izəm], *s.* vagabundagem.
Hobson [ˈhɔbsn], *n. p.* Hobson.
it's Hobson's choice — é pegar ou largar.
hock [hɔk], **1** — *s.* jarrete de animal; vinho do Reno (de Hochheim).
a hock of bacon — um presunto pequeno.
in hock (E. U.) — na cadeia; no "prego"; empenhado.
2 — *vt.* cortar o jarrete; (E. U.) pôr "no prego".
hockey [ˈhɔki], *s.* hóquei (jogo).
hockey-stick — taco do hóquei.
ice-hockey — hóquei em patins sobre o gelo.
(roller)-rink hockey — hóquei em patins.
hockey-player — hoquista.
field hockey — hóquei em campo.
hocus [ˈhoukəs], **1** — *s.* bebida narcotizada.
2 — *vt.* (pret. e pp. **hocussed**) enganar; misturar narcótico na bebida.
hocus-pocus [-ˈpoukəs[, **1** — *s.* pelotiqueiro; prestidigitação; embuste.
2 — *vt.* e *vi.* (pret. e pp. **hocus-pocussed**) fazer prestidigitação; enganar.
hod [hɔd], *s.* cocho de cal e areia.
hodden [-n], *s.* (Esc.) tecido de lã.
Hodge [hɔdʒ], *s.* camponês, rústico; zé-pacóvio.
hodge-podge [-pɔdʒ], *s.* ver **hotch-potch.**
hodiernal [houdiˈəːnəl], *adj.* hodierno.
hodman [ˈhɔdmən], *s.* servente de pedreiro.
hodograph [ˈhɔdəgrɑːf], *s.* hodógrafo.
hodometer [hɔˈdɔmitə], *s.* hodómetro, ciclómetro.
hodometric [hɔdɔˈmetrik], *adj.* hodométrico.
hodometrical [-əl], *adj.* ver **hodometric.**

hodometry [hɔdɔ'mitri], *s.* hodometria.
hoe [hou], **1** — *s.* enxada, sachola, máquina para cavar.
double-headed hoe — enxadão.
miner's hoe — sapa de mineiro.
hoe-rake — gadanho.
2 — *vt.* e *vi.* sachar; mondar.
to have a hard row to hoe — ter uma tarefa dura a realizar.
hoeing [-iŋ], *s.* mondagem; cava.
hoer [-ə], *s.* cavador, sachador.
hog [hɔg], **1** — *s.* porco, varrão; (dial.) carneiro antes da primeira tosquia; pessoa suja; pessoa gulosa.
to go the whole hog — ir até onde se pode.
hog-mane — crina de cavalo cortada curta.
hog's bristles — cerdas.
hog's wash — lavadura para porcos.
hog-cholera — peste porcina.
hog-pen — pocilga.
hog in armour — pessoa de movimentos rígidos.
hog's lard — banha de porco.
hog's bread — (bot.) ciclame.
2 — *vt.* e *vi.* (pret. e pp. **hogged**) arquear, arquear-se; curtar a crina muito curta; (col.) ser como um porco.
hogback [-bæk], *s.* abaulamento.
hogbacked [-bækt], *adj.* abaulado.
hogged [-d], *adj.* abaulado, arqueado; em forma de escova (diz-se da crina de cavalo).
hogget [-it], *s.* carneiro muito novo.
hoggin [-in], *s.* cascalho passado pelo crivo.
hogging [-iŋ], *s.* abaulamento da quilha dum navio; corte curto de crina de cavalo.
hoggish [-iʃ], *adj.* porcino; porco; grosseiro, bruto; guloso.
hoggishly [-iʃli], *adv.* porcamente; sôfregamente, vorazmente.
hoggishness [-iʃnis], *s.* grosseria, sofreguidão; o ser-se porco.
hogling [-liŋ], *s.* leitão.
hogmanay [-mənei], *s.* (Esc.) o dia 31 de Dezembro; presente que as crianças andam a pedir nesse dia.
hogshead [-zhed], *s.* casco, barril, pipa; medida de capacidade equivalente a 60 galões.
hogweed [-wi:d], *s.* (bot.) sempre-noiva, serralha.
hoist [hɔist], **1** — *s.* acção de levantar ou içar; grua; sarilho; elevador; monta-cargas; (náut.) guinda.
hoist engine — guindaste.
hoist bridge — ponte levadiça.
hoist truck — camião-guindaste.
the fly and hoist of a flag — comprimento e largura de uma bandeira.
2 — *vt.* içar, levantar, guindar; suspender. (*Sin.* to lift, to heave, to raise, to elevate. *Ant.* to lower.)
to hoist in — içar e meter dentro.
to hoist out — deitar fora.
to hoist up — içar.
to hoist with one's petard — ser batido com as suas próprias armas.
to hoist a sail — içar uma vela.
to hoist the anchors — levantar as âncoras.
hoisting [-iŋ], *s.* acção de elevar ou içar.
hoisting-crab — guindaste.
hoisting-device — guindaste, guincho.
hoity-toity ['hɔiti'tɔiti], **1** — *s.* comportamento estouvado.
2 — *adj.* petulante; brincalhão; desenvolto.
3 — *interj.* com efeito!, que vergonha!
hokey-pokey ['houki'pouki], *s.* gelado barato que se vende nas ruas.

hold [hould], **1** — *s.* presa; prisão; custódia; forte; porão; força, poder; (mús.) pausa.
to keep a tight hold on — conter-se; segurar bem qualquer coisa.
to take hold (náut.) — unhar bem o ferro.
main hold — porão grande.
hold-all — mala ou saco de viagem que pode levar tudo o que é preciso.
hold-ladder — escada do porão.
hold-back — obstáculo.
hold-up — engarrafamento de trânsito.
hold-up man — salteador que ataca à mão armada.
to have in hold — ter à guarda.
to lose one's hold on reality — perder o sentido das realidades.
2 — *vt.* e *vi.* (pret. e pp. **held** [held]) ter; segurar; manter; defender; deter, conter; possuir; gozar; celebrar; aguentar; conservar; durar; continuar; julgar, considerar; reunir; valer; aderir; presidir a; não ceder; valer.
to hold aloof from — conservar-se afastado de.
to hold back — reter; recuar; hesitar.
to hold over — adiar; deter; suspender.
to hold forth — falar em público, pregar.
to hold dear — estimar muito.
to hold fast — segurar firmemente.
to hold in — refrear; conter-se.
to hold on — continuar, persistir, segurar.
to hold out — oferecer; manter-se, suportar; persistir.
to hold up — levantar, erguer; proteger, apoiar; manter-se firme.
to hold together — unir, ligar.
not to hold water — não ter bases para se defender.
to hold a North course — fazer caminho ao Norte.
to hold one's ground — resistir.
to hold out for — insistir, sustentar (uma causa).
to hold a dance — dar um baile.
to hold a meeting — realizar uma reunião.
hold tight! — agarrem-se bem!
to hold in great contempt — ter grande desprezo por.
to hold water — meter os remos na água.
to hold down — reter; baixar.
to hold good — ser verdadeiro; valer.
hold on! — pare um momento!, segure!
hold hard! — pare lá!
to hold in great esteem — ter em grande estima.
to hold a wager — fazer uma aposta.
to hold an office — exercer um cargo.
to hold one's breath — reter a respiração.
to hold by — aprovar, ser partidário de.
to hold one's own with the best — rivalizar com os melhores.
to hold one's tongue — calar-se.
to hold still — ficar quieto.
to hold the floor — dominar o auditório.
to hold the bag (col.) — aguentar com as responsabilidades.
to hold the line — não desligar o telefone.
to hold to — aprovar.
to hold true — ser verdadeiro.
to hold up as a model — apresentar como modelo.
to hold watch — estar de guarda.
to hold up a train — fazer parar um comboio.
holder [-ə], *s.* detentor, possuidor; arrendatário; asa; cabo, punho; apoio; colchete.
bond-holder — obrigacionista.
share-holder — accionista.
land-holder — proprietário rural.
holder of a bill — portador de uma letra.
cable-holder (náut.) — concha do cabrestante.

ticket holder — detentor de bilhete.
holders of debt claims — credores.
cigarette-holder — boquilha.
pen-holder — caneta.
holdfast [-fɑ:st], *s.* gancho, croque, gato de ferro; apoio; (bot.) gavinha.
holding [-iŋ], *s.* posse; arrendamento; terra aforada; influência, detenção; colocação de capital; reunião; poder, domínio.
to secure the holding — assegurar a posse.
holding-up hammer — contramartelo.
small holdings system — sistema de pequena propriedade.
hole [houl], **1** — *s.* buraco, cavidade, cova; caverna; choça; situação difícil; falha, lapso.
hole and corner — clandestino, secreto.
to pick holes in — censurar, criticar.
to stop a hole — tapar um buraco.
to be in a hole — estar atrapalhado.
hole-cutter — broca de fazer buracos.
hole in the air (av.) — poço de ar.
like a rat in a hole — apanhado sem poder fugir.
arm-hole — sovaco.
to put someone in a hole — meter uma pessoa entre a espada e a parede.
to knock holes in — mostrar os pontos fracos de.
2 — *vt.* e *vi.* furar; esburacar; meter num buraco; entrar num buraco.
holey [-i], *adj.* esburacado, com buracos.
holiday [ˈhɔlədi], *s.* dia santo; dia feriado; dia de festa; *pl.* férias.
to be on holidays — estar em férias.
holiday-maker — o que vai a férias; veraneante.
a busman's holiday — feriado passado a trabalhar na mesma ocupação.
to go out for a holiday — ir passar uns dias fora.
National Holiday — feriado nacional.
holiday course — curso de férias.
bank holiday — feriado nacional.
to take a holiday — fazer férias.
Christmas Holidays — férias de Natal.
Easter Holidays — férias de Páscoa.
Summer Holidays — férias de Verão.
holily [ˈhoulili], *adv.* piedosamente, santamente.
holiness [ˈhoulinis], *s.* santidade.
His Holiness — Sua Santidade.
holland [ˈhɔlənd], *s.* holanda (tecido).
Holland [ˈhɔlənd], *top.* Holanda.
hollands [-z], *s.* genebra holandesa.
hollo [ˈhɔlou], **1** — *s.* grito, olá.
2 — *vi.* gritar.
3 — *interj.* olá!, olhe cá!
hollow [ˈhɔlou], **1** — *s.* concavidade, cavidade, cova, buraco; canal; vácuo; antro; vale; depressão.
2 — *adj.* oco; côncavo; surdo (som); falso, dissimulado, enganador.
hollow-hearted — falso, hipócrita.
hollow eyes — olhos encovados, sumidos.
hollow brick — tijolo furado.
hollow drill — máquina oca de furar.
hollow cheeks — rosto chupado.
hollow promises — promessas vãs.
hollow mould — molde oco.
to feel hollow — (col.) ter a barriga a dar horas.
3 — *vt.* cavar, escavar, tornar côncavo.
4 — *adv.* ocamente, surdamente; completamente.
hollowing [-iŋ], *s.* acto de escavar, de tornar oco.
hollowly [-li], *adv.* com cavidades, com buracos; falsamente.
hollowness [-nis], *s.* cavidade, concavidade; falsidade.
holluschickie [ˈhɔləstʃiki], *s.* foca-macho muito jovem.
holly [ˈhɔli], *s.* azevinho.
holly berry — baga de azevinho.
hollyock [-hɔk], *s.* (bot.) malva-rosa gigante.
Hollywood [ˈhɔliwud], *top.* cidade norte-americana, grande centro de indústria cinematográfica.
holm [houm], *s.* pequena ilha junto à costa ou no meio do rio; (bot.) azinheira.
holmium [ˈhɔlmiəm], *s.* (quím.) hólmio.
holoblastic [hɔlouˈblæstik], *adj.* (bot.) holoblástico.
holocaust [ˈhɔləkɔ:st], *s.* holocausto.
holocephalous [ˈhɔləˈsefələs], *adj.* holocéfalo.
holograph [ˈhɔləgrɑ:f], **1** — *s.* holografia; testamento.
2 — *adj.* hológrafo.
holohedral [hɔlouˈhi:drəl], *adj.* holoédrico.
holohedrism [hɔlouˈhi:drizəm], *s.* holoedria.
holohedron [hɔlouˈhi:drən], *s.* holoedro.
holometer [hɔˈlɔmitə], *s.* holómetro.
holomorphic [hɔləˈmɔ:fik], *adj.* holomórfico.
holophote [ˈhɔləfout], *s.* holofote.
holophrastic [hɔlouˈfræstik], *adj.* holofrástico.
holosymmetry [hɔlouˈsimitri], *s.* holoedria.
hols [hɔlz], *s. pl.* (Esc. col.) férias.
holster [ˈhoulstə], *s.* coldre.
holstered [-rəd], *adj.* com coldres.
holt [hoult], *s.* (poét.) bosque; toca de animal.
holus-bolus [ˈhouləsˈbouləs], *adv.* de repente.
holy [ˈhouli], **1** — *s.* santo.
the Holy of Holies — o santuário.
2 — *adj.* santo, sagrado, santificado, puro.
Holy Ghost — Espírito Santo.
Holy Thursday — quinta-feira da Ascensão; Quinta-Feira Santa.
Holy Week — Semana Santa.
Holy Writ — Sagrada Escritura.
Holy Family — Sagrada Família.
holy water — água benta.
***Holy Land* — Terra Santa; Palestina.**
holy war — guerra santa.
holy orders — ordens sacras.
the Holy Father — o Santo Padre.
Holy Saturday — Sábado de Aleluia.
Holy Office — Inquisição.
Holy Trinity — Santíssima Trindade.
the most Holy — o Santíssimo.
holystone [-stoun], **1** — *s.* pedra de esfregar o convés do navio.
2 — *vt.* esfregar o convés do navio.
homage [ˈhɔmidʒ], *s.* homenagem, respeito.
to do (to play) homage to — prestar homenagem a.
Homburg [ˈhɔmbə:g], *top.* Homburgo.
Homburg hat — chapéu de feltro para homem.
homburg [ˈhɔmbə:g], *s.* ver **Homburg hat.**
home [houm], **1** — *s.* casa, lar, habitação, residência; sede; ninho paterno; pátria, metrópole; origem; instituição de caridade; vida futura; céu.
last home — última morada.
at home — em casa.
***an at home* — uma recepção; uma reunião.**
to strike home — dar no alvo.
make yourself at home — não faça cerimónias.
nursing home — casa de saúde.
I am not at home today — hoje não recebo visitas.
to feel at home — sentir-se à vontade.
at home day — dia de recepção.
an orphans' home — asilo de órfãos.
home for the blind — asilo de velhos.
home-work — *(esc.)* trabalho de casa.
home, sweet home, there is no place like home — lar, doce lar, nada chega ao nosso lar.

East and West, home is best — não há nada como o nosso lar.
charity begins at home — a caridade começa por nós.
to pay home — pagar na mesma moeda.
home for the aged — asilo de velhos.
to leave home — sair de casa.
it's a home from home—está-se como em casa.
2 — *adj.* caseiro, doméstico, de casa; nacional; forte.
home-grown — produzido no país; de produção nacional.
home life — vida caseira, vida doméstica.
home-town — cidade natal.
home address — direcção de casa.
Home Rule — autonomia administrativa.
Home Fleet — esquadra metropolitana.
home guards — forças territoriais.
Home Office — Ministério do Interior.
Home Secretary — Ministro do Interior.
home joys — alegrias do lar.
home-reason — razão forte.
home-training — educação familiar.
3 — *adv.* para casa, para a pátria; em casa, na pátria; a propósito.
home-born — nativo, natural; doméstico.
home-abiding — caseiro, que gosta de estar em casa.
home-made — feito em casa ou no país.
home-bound — a caminho de casa; a caminho da pátria.
home-folks — parentes; conterrâneos.
home-coming—regresso a casa; regresso à pátria.
to go home — ir para casa.
to come home — vir para casa.
that comes home to me — isso diz-me respeito.
on my way home — ao ir para casa.
4 — *vt.* e *vi.* ir para casa (diz-se de pombos); dar casa a, alojar numa casa.
homecraft [-kra:ft], *s.* indústria caseira.
homeland [-lænd], *s.* pátria.
homeless [-lis], *adj.* sem casa, sem lar; sem abrigo.
homelike [-laik], *adj.* familiar, caseiro.
homeliness [-linis], *s.* simplicidade, rusticidade, grosseria.
homely [-li], **1** — *adj.* simples, caseiro; humilde; ingénuo; modesto; ignorante; ordinário; feio, grosseiro (de feições).
2 — *adv.* de uma maneira simples; humildemente; grosseiramente.
homer ['houmə], *s.* pombo-correio.
Homer ['houmə], *n. p.* Homero.
Homeric [hou'merik], *adj.* homérico.
homesick ['houm-sik], *adj.* com saudades da pátria ou do lar; nostálgico.
to be homesick — ter saudades da terra.
homesickness [-nis], *s.* nostalgia, saudade do lar ou da pátria.
homespun ['houm-spʌn], **1** — *s.* tecido feito em casa.
2 — *adj.* caseiro; simples; tecido em casa, feito em casa; nacional; grosseiro.
homestead ['houm-sted], *s.* solar; residência da família; herdade; lugar nativo.
homesteader [-ə], *s.* (E. U.) arrendatário de herdade.
homeward ['houmwəd], **1** — *adj.* que regressa a casa ou ao país; (naut.) de torna-viagem.
2 — *adv.* de retorno, em direcção a casa, para a pátria.
homeward-bound — de torna-viagem.
homewards [-z], *adv.* ver **homeward.**
homicidal ['hɔmi'saidl], *adj.* homicida, sanguinário.
homicide ['hɔmisaid], *s.* homicídio; homicida.
culpable homicide — homicídio voluntário.
excusable homicide — homicídio involuntário.
homily ['hɔmili], *s.* homilia, sermão.
homing ['houmiŋ], *adj.* que volta a casa.
homing-pigeon — pombo-correio.
hominid ['hɔminid], *s.* e *adj.* hominídeo.
hominoid ['hɔminɔid], *s.* e *adj.* ver **hominid.**
hominy ['hɔmini], *s.* (E. U.) papas de milho.
homocentric [hɔmou'sentrik[, *adj.* homocêntrico.
homocentrical [-əl], *adj.* ver **homocentric.**
homocercal [hɔmou'sə:kəl], *adj.* (zool.) homocerco.
homocyclic [hɔmou'saiklik], *adj.* homocíclico.
homodromal [hou'mɔdrəməl], *adj.* homódromo.
homodromous [hou'mɔdrəməs], *adj.* ver **homodromal.**
homoepath ['houmjəpæθ], *s.* homeopata, médico homeopata.
homoepathic ['houmjə'pæθik], *adj.* homeopático.
homoepathically [-əli], *adv.* homeopaticamente.
homoepathist ['houmi'ɔpəθist], *s.* homeopata.
homoepathy ['houmi'ɔpəθi], *s.* homeopatia.
homogamous [hɔ'mɔgəməs], *s.* (bot.) homógamo.
homogeneity ['hɔmoudʒe'ni:iti], *s.* homogeneidade.
homogenous ['hɔmə'dʒi:njəs], *adj.* homogéneo.
homogenously [-li], *adv.* homogeneamente.
homogenousness [-nis], *s.* homogeneidade.
homogenesis [hɔmou'dʒenisis], *s.* homogenia.
homogeny [hɔ'mɔdʒəni], *s.* homogenia.
homographic ['hɔmou'græfik], *adj.* homográfico.
homographical [-əl], *adj.* ver **homographic.**
homography [hɔ'mɔgrəfi], *s.* homografia.
homolateral [hɔmou'lætərəl], *adj.* homolateral.
homologate [hɔ'mɔləgeit], *vt.* homologar, confirmar, ratificar.
homologation [hɔmələ'geiʃən], *s.* homologação, confirmação, ratificação.
homologative [hɔmə'lɔgətiv], *adj.* homologatório.
homological [hɔmə'lɔdʒikəl], *adj.* homológico.
homologically [-i], *adv.* homologicamente.
homologize [hɔ'mɔlədʒaiz], *vt.* e *vi.* tornar homólogo, ser homólogo.
homologous [hɔ'mɔləgəs], *adj.* homólogo.
homologue ['hɔməlɔg], *s.* parte homóloga.
homology [hɔ'mɔlədʒi], *s.* homologia.
homonomy [hɔ'mɔnəmi], *s.* homonomia.
homonym ['hɔmənim], *s.* homónimo.
homonymous [hɔ'mɔniməs], *adj.* homónimo.
homonymously [-li], *adv.* num sentido homónimo.
homonymy [hɔ'mɔnimi], *s.* homonímia.
homopetalous [hɔmə'petələs], *adj.* homopétalo.
homophone ['hɔməfoun], *s.* homófano.
homophonic [hɔmə'fɔnik], *adj.* homófono.
homophonous [hɔ'mɔfənəs], *adj.* homófono.
homophony [hɔ'mɔfəni], *s.* homofonia.
homopolar [hɔmə'poulə], *adj.* unipolar.
homoptera [hɔ'mɔptərə], *s. pl.* (zool.) homópteros.
homosexual ['houmou'seksjuəl], *s.* e *adj.* homossexual.
homosexuality ['houmouseksju'æliti], *s.* homossexualidade.
homothermal [hɔmou'θe:məl], *adj.* homotérmico.
homothermous [hɔmou'θə:məs], *adj.* homotermal.
homothetic [hɔmou'θetik], *adj.* (geom.) homotético.
homotype ['hɔmoutaip], *s.* homótipo.
homotypic [hɔmou'tipik], *adj.* homotípico.
homotypical [-əl], *adj.* ver **homotypic.**

homozygote [hɔmou'zaigout], *s.* (biol.) homozigótico.
homuncle [hɔ'mʌnkl], *s.* homúnculo, anão.
homuncule [hɔ'mʌnkju:l], *s.* ver **homuncle.**
homy ['houmi], *adj.* caseiro, familiar.
Honduran [hɔn'djuərən], *s.* e *adj.* natural ou habitante das Honduras; das Honduras.
Honduranean [hɔndju'reiniən], *s.* e *adj.* ver **Honduran.**
Honduras [hɔn'djuərəs], *top.* Honduras.
hone [houn], **1** — *s.* pedra de afiar.
2 — *vt.* afiar.
honest ['ɔnist], *adj.* honesto, honrado, probo, recto; franco, sincero; autêntico. (*Sin.* fair, just, honourable, open, straight, sincere, true, reliable, trusty. *Ant.* deceitful.)
to earn an honest penny — ganhar a vida honradamente.
honest opinion — opinião sincera.
honestly [-li], *adv.* honradamente, honestamente.
honesty [-i], *s.* honradez, honestidade; candura; (bot.) lunária.
honesty is the best policy — a probidade é a melhor política.
honey ['hʌni], *s.* mel, doçura; querida, meu amor.
honey-tongued — de falas doces.
honey-sweet — doce como o mel; muito querido.
honey-bag — receptáculo onde a abelha leva o mel.
honey-buzzard — espécie de falcão; pilha-ratos.
honey-stone — melite.
honey-bee — abelha doméstica.
honey-cup (bot.) — nectário.
honey-eating — melívoro.
honey-lotus — trevo-de-cheiro.
honey stalk — flor de trevo.
honey-thief — cigarra.
honey is sweet, but the bee stings — não há mel sem fel; não há rosa sem espinho; não há bela sem senão.
honeycomb [-koum], **1** — *s.* favo de mel; alvéolo; colmeia; coisa com aspecto de favo.
2 — *vt.* crivar de buracos; dar o aspecto de favo ou colmeia; minar.
honeycombed [koumd], *adj.* cheio de alvéolos, do feitio dum favo; furado.
honeycombing [-koumiŋ], *s.* acto de fazer buracos; corrosão.
honeyed [-d], *adj.* doce, coberto de mel; melífluo.
honeymoon [-mu:n], **1** — *s.* lua-de-mel.
2 — *vi.* passar a lua-de-mel.
honeysucker [-'sʌkə], *s.* (zool.) beija-flor.
honeysuckle [-sʌkl], *s.* madressilva.
honeywort [-wə:t], *s.* (bot.) chupa-mel.
honied ['hʌnid], *adj.* coberto de mel; melífluo.
honing ['houniŋ], *s.* afiação.
honk [hɔŋk], **1** — *s.* grasnar do pato bravo; silvo (da sereia de um automóvel, bicicleta, etc.).
2 — *vt.* e *vi.* buzinar.
honorarium ['ɔnə'rɛəriəm], *s.* (pl. **honoraria**) honorário, honorários.
honorary ['ɔnərəri], *adj.* honorário.
honorary degree — grau «honoris causa».
honorary monument — cenotáfio.
honorific ['ɔnə'rifik], **1** — *s.* expressão honorífica.
2 — *adj.* honorífico.
Honorius [hou'nɔ:riəs], *n. p.* Honório.
honour ['ɔnə], **1** — *s.* honra, honradez, honestidade; veneração, respeito; dignidade; sinal de distinção; fama; pudor; título de honra; senhoria; rei, dama, valete e ás de trunfo (cartas); *pl.* distinções académicas.
honour bright — palavra de honra.
on my honour — por minha fé, por minha honra.
point of honour — pundonor.
in honour of — em honra de.
to meet due honour — ter bom acolhimento (uma letra de câmbio).
last honours — última homenagem.
to do the honours of the house — fazer as honras da casa.
military honours — honras militares.
code (law) of honour — código da honra.
to do honour — prestar honras.
whom have I the honour of addressing? — a quem tenho a honra de falar?
birthday honours — títulos concedidos pela rainha no dia do seu aniversário.
for honour's sake — por questão de honra.
man of honour — homem honrado.
maid of honour — dama de honor.
word of honour — palavra de honra.
to be the soul of honour — ser a honestidade personificada.
to pass with honours in (univ.) — passar com distinção em.
to hold a place of honour — ocupar um lugar de honra.
2 — *vt.* honrar, respeitar, venerar, estimar; aceitar ou pagar uma letra; reconhecer assinatura.
to honour a bill — honrar uma letra.
honour thy father and thy mother — honrarás pai e mãe.
honourable [-rəbl], *adj.* honrado; honroso; ilustre; título de distinção. (*Sin.* illustrious, distinguished, great, dignified, exalted. *Ant.* base, dishonourable.)
my Honour friend — o meu ilustre amigo.
honourableness [-rəblnis], *s.* honorabilidade; honradez, honestidade.
honourably [-rəbli], *adv.* honrosamente, honorificamente.
honoured [-d], *adj.* honrado.
honourer [-rə], *s.* aquele que honra, que presta honras.
hood [hud], **1** — *s.* touca, capuz; capelo; capota de automóvel; caparão; capuchana; gaiuta, tampa.
all hoods make not monks — o hábito não faz o monge.
2 — *vt.* pôr touca ou capuz; tapar os olhos.
hooded [-id], *adj.* com touca, capuz; escondido; de olhos tapados; coberto.
hoodie ['hu:di], *s.* gralha com poupa.
hooding ['hudiŋ], *s.* acção de cobrir o automóvel com capota.
hoodless ['hudlis], *adj.* sem capuz ou touca; descoberto.
hoodlum ['hu:dləm], *s.* (E. U. col.) vadio, valdevinos.
hoodoo ['hu:du:], **1** — *s.* confusão, comoção.
2 — *adj.* azarento.
hoodwink ['hudwiŋk], *vt.* tapar os olhos; lograr, enganar.
hoof [hu:f], **1** — *s.* casco (de cavalo, boi, etc.); pata.
hoof-beaten — pisado pelos cavalos.
hoof and mouth disease — febre aftosa.
on the hoof — vivo (gado).
to beat the hoof (col.) — andar a pé.
2 — *vt.* e *vi.* andar a pé; dar um pontapé.
hoofed [-t.], *adj.* (zool.) ungulado.
hoofer [-ə], *s.* (E. U. col.) o que dança "ballet"
hook [huk], **1** — *s.* gancho, croque; anzol, engodo, arpéu; colchete; cabide; (náut.) garruncho, boçarda.
hook and eye — colchete macho e fêmea.
by hook or by crook — (fam.) por fás ou por nefas.

on one's own hook (fam.) — por conta própria.
hook-nosed — de nariz adunco.
clasp (clip-hook) — gato de tesoura.
hook-ladder — escada com ganchos; escada de bombeiro.
hook-like — em forma de gancho.
hook-nail — escápula.
clothes-hook — cabide para roupa.
shepherd's hook — cajado de pastor.
off the hooks (col.) — imediatamente.
boat-hook — bicheiro.
to drop off the hooks (col.) — morrer.
to go off the hooks (col.) — zangar-se; casar.
2 — *vt.* e *vi.* enganchar; acolchetar; engatar; engodar; prender com gancho; fisgar; apanhar no laço; arquear-se; apanhar no anzol.
to hook it — fugir.
hookah ['hukə], *s.* cachimbo turco.
hooked ['hukt], *adj.* curvo, adunco.
hooker ['hukə], *s.* chaveco (barco do mar do Norte); o que liga, o que prende; (críquete, golfe) golpe dado.
hookworm ['hukwə:m], *s.* ancilóstomo.
hooligan ['hu:ligən], *s.* vadio, rufia.
hooliganism [-izəm], *s.* vida de rufia.
hoop [hu:p], **1** — *s.* arco, aro; grito; cinta de boca de fogo; armação de saia em balão; tosse convulsa; arco de ferro usado no jogo de cróquete.
hoop knife — enxó de tanoeiro.
hoop cramp — grampo.
hoop-maker — fabricante de arcos para pipas.
hoop-skirt — saia de balão.
to put somebody through the hoop — tornar a vida difícil a alguém.
2 — *vt.* e *vi.* arcar, apertar com arcos; cercar; gritar, abraçar.
hooper [-ə], *s.* tanoeiro; (zool.) cisne selvagem.
hooping [-iŋ], *s.* trabalho de pôr arcos; gritaria.
hooping-cough — tosse convulsa.
hoopoe ['hu:pu:], *s.* (zool.) poupa.
hoosh [hu:ʃ], *s.* (cal.) guisado ou sopa grossa de carne (regiões polares).
hoot [hu:t], **1** — *s.* grito, algazarra; vaia, apupo; pio do mocho; barulho produzido por buzina de automóvel ou sirene.
2 — *vt.* e *vi.* gritar; apupar; piar como o mocho; tocar a buzina (de automóvel, camioneta, etc.).
to hoot an actor — assobiar um actor.
hootch [hu:tʃ], *s.* bebida alcoólica.
hooter [-ə], *s.* buzina (de automóvel, camioneta, etc.); sirene de navio.
hooting [-iŋ], **1** — *s.* pio (de mocho, coruja); o buzinar (de automóvel, camioneta, etc.).
2 — *adj.* que pia (mocho); que grita.
hop [hɔp], **1** — *s.* salto, pulo; lúpulo; (col.) dança.
hop-picking — colheita do lúpulo.
hop-garden — plantação de lúpulo.
hop-bind — haste do lúpulo.
hop-field (hop-ground) — plantação de lúpulo.
hop-grower — cultivador de lúpulo.
hop-step-and-jump — triplo salto.
to catch a person on the hop — apanhar alguém em flagrante.
2 — *vt.* e *vi.* andar aos pulos; saltar ao pé coxinho; saltitar; pôr lúpulo na cerveja; colher (o lúpulo).
to hop the twig (stick) (fam.) — morrer.
hop it! — põe-te a andar!, rua!
to hop off (av.) — partir.
hope [houp], **1** — *s.* esperança; confiança; expectativa; (Esc.) pequena baía.
to buoy up with hopes — deixar-se embalar com esperanças.
while there is life, there is hope — enquanto há vida, há esperança.
beyond hope — sem esperança.
the Cape of Good Hope — o cabo da Boa Esperança.
to be out of hope — já não ter esperança.
2 — *vt.* e *vi.* ter esperança, esperar, ter confiança.
to hope against hope — esperar quando já não há esperança.
I hope so — espero que sim.
I hope not — espero que não.
to hope in God — confiar em Deus.
to hope for the best — esperar o melhor.
hopeful [-ful], *adj.* esperançoso, esperançado.
hopefully [-fuli], *adv.* esperançosamente, com esperança, com confiança.
hopefulness [-fulnis], *s.* boas esperanças, expectativa favorável, perpectiva de êxito.
hopeless [-lis], *adj.* desesperado, sem esperança; sem remédio, irremediável.
a hopeless case — um caso perdido.
a hopeless illness — uma doença incurável.
hopelessly [-lisli], *adv.* desesperadamente, sem esperança.
hopelessness [-lisnis], *s.* desesperação, desânimo.
hop-o'-my-thumb ['hɔpəmi'θʌm], *s.* pigmeu, anão.
hopper ['hɔpə], *s.* saltador, aquele que salta; tremonha; barca das dragas; saco de sementeira; ganguil; apanhador de lúpulo.
hopper-barge (hopper-punt) — batelão de lodo.
hopping ['hɔpiŋ], *s.* salto, pulo.
hopple ['hɔpl], **1** — *s.* peia.
2 — *vt.* pear.
hopscotch ['hɔpskɔtʃ], *s.* jogo da macaca.
Horace ['hɔrəs], *n. p.* Horácio.
horary ['hɔ:rəri], *adj.* horário.
Horation [hɔ'reiʃjən], *adj.* horaciano.
Horatio [hɔ'reiʃiou], *n. p.* Horácio.
horde [hɔ:d], *s.* horda, tribo errante.
hordeolum [hɔ:'di:ələm], *s.* hordéolo, terçol.
horehound ['hɔ:haund], *s.* (bot.) marroio.
horizon [hə'raizn], *s.* horizonte.
on the horizon — acima do horizonte.
apparent horizon (sensible horizon, visible horizon) — horizonte visual.
science gives us a new horizon — a ciência abre-nos novos horizontes.
horizontal ['hɔri'zɔntl], *adj.* horizontal.
horizontal alignment — alinhamento horizontal.
horizontal furnace — fornalha horizontal.
horizontal boiler — caldeira horizontal.
horizontal circulating-pump — bomba de circulação horizontal.
horizontal compression — compressão horizontal.
horizontal feed pump — bomba de alimentação horizontal.
horizontal lever — alavanca horizontal.
horizontal plane — plano horizontal.
horizontal shaft — eixo horizontal.
horizontality [hɔrizɔn'tæliti], *s.* horizontalidade.
horizontally [-i], *adv.* horizontalmente.
hormone ['hɔ:moun], *s.* hormona.
horn [hɔ:n], **1** — *s.* chifre, ponta, chavelho; cornetim; trompa (de caça, etc.); buzina; antena (de insecto); corno da lua.
to draw in one's horns — reprimir-se, suster-se; "meter-se nas encolhas"
horn-book — abecedário.
hunting horn — corneta de caça.
horn-fish — peixe-agulha.
horn-blower — tocador de corneta.
horn of plenty — cornucópia.
horn-mad — louco de raiva.
shoe-horn — calçadeira.

to take the bull by the horns — encarar o problema de frente.
2 — *vt.* e *vi.* atacar com os chifres; (cal.) "pôr os chifres".
hornbeam [-bi:m], *s.* álamo-branco, faia-branca.
hornbill [-bil], *s.* (zool.) bucero.
hornblend [-blend], *s.* (min.) horneblenda.
horned [-d], *adj.* com chifres.
horned cattle — gado vacum.
single-horned — unicorne.
horner [-ə], *s.* corneteiro; o que trabalha em chifres.
hornet [-it], *s.* vespão, tabão.
to bring a hornets' nest about one's ears — criar uma situação desagradável; criar inimigos.
hornful [-ful], *s.* chifre cheio.
horniness [-inis], *s.* calosidade.
hornist [-ist], *s.* (E. U.) tocador de trombeta.
hornless [-lis], *adj.* sem chifres.
hornpipe [-paip], *s.* nome de uma dança muito usada entre marinheiros; música para esta dança; (arc.) gaita de foles.
hornstone [-stoun], *s.* (min.) espécie de quartzo.
hornswoggle [-zwɔgl], *vt.* (cal.) ludibriar.
horny [-i], *adj.* caloso; feito de chifre.
horny-handed — com mãos calosas.
horography [hɔ'rɔgrəfi], *s.* horografia.
horologe ['hɔrələdʒ], *s.* relógio.
horological ['hɔrə'lɔdʒikəl], *adj.* horologial.
horologist [hɔ'rɔlədʒist], *s.* relojoeiro.
horology [hɔ'rɔlədʒi], *s.* relojoaria; horometria.
horoscope ['hɔrəskoup], *s.* horoscópio, horóscopo.
horoscopic ['hɔrə'skɔpik], *adj.* horoscópico.
horoscopical [-əl], *adj.* ver **horoscopic.**
horoscopy [hɔ'rɔskəpi], *s.* horoscopia.
horrent ['hɔrənt], *adj.* (poét.) áspero, eriçado.
horrible ['hɔrəbl], *adj.* horrível; (col.) desagradável. (*Sin.* terrible, awful, dreadful, fearful, hateful, alarming. *Ant.* pleasant.)
horribleness [-nis], *s.* horribilidade.
horribly [-i], *adv.* horrivelmente.
horrid ['hɔrid], *adj.* hórrido, horrível, atroz, espantoso; (col.) aborrecido.
horridly [-li], *adv.* horrivelmente.
horridness [-nis], *s.* horror, enormidade.
horrific [hɔ'rifik], *adj.* horrífico, horrível.
horrification [hɔrifi'keiʃən], *s.* horror.
horrify ['hɔrifai], *vt.* horrorizar, espantar.
horrifying [-iŋ], *adj.* horroroso.
horripilate [hɔ'ripileit], *vt.* horrorizar, horripilar.
horripilation [hɔripi'leiʃən], *s.* horripilação; arrepio.
horror ['hɔrə], *s.* horror.
horror-stricken — aterrado.
horror of water — hidrofobia.
in horror — horrorizado.
the horrors (col.) — "delirium tremens".
hors-d'oeuvre [ɔ:'də:vr], *s.* acepipes.
horse [hɔ:s], **1** — *s.* cavalo; cavalete; cavalaria; (náut.) estribo; nota de cinco libras; mulher alta e forte; (col.) cavalão.
horse-breaker — picador.
horse-chestnut — castanheiro-da-índia.
horse-hair — crina de cavalo.
horse-marine — pessoa fora do seu elemento.
horse-play — gracejo grosseiro.
horse-race — corrida de cavalos.
horse-shoe — ferradura.
race-horse — cavalo de corrida.
throughbred horse — puro sangue (cavalo).
to mount (ride) the high horse — dar-se ares de importância; tomar uma atitude arrogante.
to put the cart before the horse — inverter a ordem natural das coisas; (col.) pôr o carro adiante dos bois.
pack-horse — cavalo de carga.
horse-dealer — negociante de cavalos.
horse latitudes — zonas das calmas tropicais.
horse-fly — tavão.
horse-draught — beberagem para cavalos.
horse-laugh — gargalhada estrondosa.
horse-leech — sanguessuga; pedinchão.
off horse — cavalo de mão.
to be a dark horse — ser candidato ignorado até ao último momento.
to back the wrong horse — enganar-se numa previsão.
wild horses would not drag him there — nada o induzia a fazer tal coisa.
horse-trappings — arreios de cavalos.
a willing horse — uma pessoa serviçal.
horse-radish — rábano picante.
as strong as a horse — forte como um touro.
horse-power — potência; cavalo-vapor.
horse-plum — ameixa brava da América.
horse-mussel — mexilhão grande.
horse and foot — cavalaria e infantaria.
horse artillery — artilharia montada.
horse-boy — moço de cavalariça.
horse-bean — fava-cavalinha.
horse-brush — escova para cavalos.
horse-butcher — carniceiro que vende carne de cavalo.
horse-cloth — manta de cavalos.
horse-car — carro de cavalos.
horse-crib — manjedoura.
horse-colt — poldro.
horse-drawn — puxado a cavalos.
horse-exercise — equitação.
horse-dung — estrume de cavalo.
Horse Guards — Guardas Reais a cavalo.
horse-harness — arreios.
horse-mackerel — cavala.
horse-hide — pele de cavalo.
horse-mint — hortelã silvestre.
horse-nail — cravo de ferradura.
horse-mart — mercado para cavalos.
horse-pond — bebedouro para cavalos.
horse-path — pista para cavalos.
horse-radish — rábano picante.
horse-rustler — *(E.U.)* ladrão de cavalos.
horse-sense (col.) — senso comum.
horse-shoer — ferrador.
horse-towel — toalha de mãos rolante.
horse-show — concurso hípico.
a horse of another colour — um assunto muito diferente.
bay horse — cavalo baio.
carriage-horse — cavalo de tiro.
horse-trooper — soldado de cavalaria.
light horse — cavalaria ligeira.
docked horse — cavalo rabão.
pied horse — cavalo malhado.
saddle-horse — cavalo de sela.
sorrel horse — alazão.
to sit a horse well — montar bem a cavalo.
to take horse — montar a cavalo.
to flog a dead horse — perder tempo com coisas inúteis.
to work like a horse—trabalhar como um negro.
2 — *vt.* e *vi.* atrelar cavalos a; montar; cobrir uma égua.
horseback [-bæk], *s.* dorso do cavalo.
on horseback — a cavalo.
to ride on horseback — andar a cavalo.
horseless [-lis], *adj.* sem cavalo.
horseman [-mən], *s.* cavaleiro; (zool.) grande pombo-correio.
horsemanship [-mənʃip], *s.* equitação, cavalaria.

horsewhip [-wip], **1** — *s.* chicote, pingalim. **2** — *vt.* (pret. e pp. **horsewhipped**) chicotear.
horsewhipping [-wɪpɪŋ], *s.* acção de chicotear.
horsewoman [-wumən], *s.* amazona.
horsiness [-inis], *s.* afeição pelos cavalos.
horsing [-iŋ], **1** — *s.* o acto de montar. **2** — *adj.* com cio (égua).
horst [hɔ:st], *s.* (geol.) horst.
horsy [ˈhɔ:si], *adj.* relativo a cavalos; amigo de cavalos ou de corridas de cavalos.
hortative [ˈhɔ:tətiv], *adj.* exortativo.
hortatory [ˈhɔ:tətəri], *adj.* exortatório.
hortensia [hɔ:ˈtensiə], *s.* hortênsia.
horticultural [ˈhɔ:tiˈkʌltʃərəl], *adj.* hortícola.
horticultural-show — exposição de horticultura.
horticulturally [-i], *adv.* sob um aspecto hortícola.
horticulture [ˈhɔ:tikʌltʃə], *s.* horticultura.
horticulturist [ˈhɔ:tiˈkʌltʃərist], *s.* horticultor.
hortus siccus [ˈhɔtəsˈsikəs], *s.* herbário.
hosanna [houˈzænə], **1** — *s.* hossana. **2** — *interj.* hossana!
hose [houz], **1** — *s.* meias, peúgas; roupa interior de homem; mangueira, tubo flexível.
hose-wrench — chave de uniões (de mangueiras).
hose-nipple — bocal de mangueira.
hose-cock — ligação de mangueira.
air-hose — tubo de ar flexível.
2 — *vt.* regar com mangueira.
hosier [ˈhouʒə], *s.* vendedor de roupa interior artigos de malha, meias ou peúgas; camiseiro.
hosiery [-ri], *s.* camisaria.
hospice [ˈhɔspis], *s.* hospício.
hospitable [ˈhɔspitəbl], *adj.* hospitaleiro.
hospitably [-i], *adv.* de modo hospitaleiro.
hospital [ˈhɔspitl], *s.* hospital.
hospital attendant — enfermeiro.
hospital nurse — enfermeira.
hospital-ward — enfermaria.
hospital-ship — navio-hospital.
to walk a hospital — ter aulas num hospital.
hospitality [ˈhɔspiˈtæliti], *s.* hospitalidade.
hospitalization [hɔspitəliˈzeiʃən], *s.* hospitalização.
hospitalize [ˈhɔspitəlaiz], *vt.* hospitalizar.
hospitaller [ˈhɔspitlə], *s.* hospitalário.
Knights Hospitallers — cavaleiros hospitalários.
host [houst], *s.* hoste, chusma; hospedeiro, dono da casa; hoteleiro; hóstia; (arc.) hoste.
to be a host in oneself — fazer o trabalho de muitos.
a host of enemies — um exército de inimigos.
the heavenly hosts — as milícias celestes.
the Lord of Hosts — O Senhor, Deus dos exércitos.
hostage [ˈhɔstidʒ], *s.* refém.
hostage to fortune — pessoa ou coisa susceptível de se perder; (col.) mulher e filhos.
hostel [ˈhɔstəl], *s.* pensionato para estudantes; pousada.
youth hostels — albergues da juventude.
hostelry [ˈhɔstəlri], *s.* *(arc.)* estalagem; hospedaria.
hostess [ˈhoustis], *s.* hospedeira, dona da casa; hospedeira de bordo (de avião).
hostile [ˈhɔstail], *adj.* hostil, inimigo.
hostile to — hostil a.
hostilely [-li], *adv.* hostilmente.
hostility [hɔsˈtiliti], *s.* hostilidade; *pl.* guerra, hostilidades. (*Sin.* unfriendliness, opposition, animosity, enmity, hatred. *Ant.* peace, friendliness.)
to open hostilities — abrir as hostilidades.
hostler [ˈɔslə], *s.* moço de estrebaria de uma estalagem.
hot [hɔt], **1** — *adj.* quente, ardente, abrasador; fogoso, veemente, apaixonado; violento; fervoroso; pungente; irritado; com cio (animal); fresco; picante.
hot-blooded — irritável.
hot-brained — exaltado; fogoso.
***hot-foot* — a toda a velocidade.**
hot-head — pessoa impetuosa.
hot-press — prensa de acetinar papel.
hot chisel — talhadeira, cinzel.
hot-pot — carneiro guisado com batatas.
give it to him hot — castiga-o severamente.
in hot water — num estado de aflição.
hot-tempered — impetuoso, arrebatado.
to be hot — estar quente, ter calor, fazer calor.
hot springs — termas.
hot-air bath — estufa seca.
hot-air heater — aquecedor a ar quente.
hot and hot — muito quente.
hot blast — jacto de ar quente.
hot chair (E. U.) — cadeira eléctrica.
hot-dipping — banho quente.
hot-dog — cachorro quente.
hot-mouthed — teimoso, que não se deixa levar.
hot story — história picante.
boiling-hot — a ferver.
hot-water bottle — botija de água quente.
burning-hot — incandescente.
to get hot — aquecer; exaltar-se.
to blow hot and cold — estar sempre a mudar de opinião; ser "vira-casacas".
to get hot and cold all over — sentir arrepios.
to let off hot air — dizer coisas sem interesse.
2 — *adv.* impetuosamente, exaltadamente.
3 — *vt.* (col.) aquecer.
hotbed [-bed], *s.* canteiro de terra aquecido, por substâncias em fermentação; alfobre.
hotchpot [ˈhɔtʃpɔt], *s.* guisado; mistura; confusão.
hotchpotch [ˈhɔtʃpɔtʃ], *s.* ver **hotchpot**.
hotel [houˈtel], *s.* hotel.
hotel-keeper — hoteleiro, dono de hotel.
hotel manager — gerente de hotel.
hotel trade — indústria hoteleira.
hothouse [ˈhɔthaus], *s.* estufa para plantas.
hotly [ˈhɔtli], *adv.* ardentemente, veementemente, impetuosamente
hot-mould [ˈhɔtmould], *vt.* moldar a quente.
hotness [ˈhɔtnis], *s.* calor, ardor, veemência; paladar picante.
hotspur [ˈhɔtspə:], **1** — *s.* pessoa arrebatada, colérica. **2** — *adj.* temerário, violento.
Hottentot [ˈhɔtntɔt], *s.* e *adj.* hotentote; pessoa embrutecida.
hotwell [ˈhɔtwel], *s.* (mec.) reservatório do condensador.
hough [hɔk], **1** — *s.* jarrete de animal. **2** — *vt.* estropiar cortando os tendões do jarrete.
hound [haund], **1** — *s.* cão de caça, sabujo, galgo; homem desprezível; (náut.) romão do mastro; corredor no jogo "hare and hounds".
pack of hounds — matilha de cães.
hound's tongue (bot.) — cinoglossa.
hound-piece (náut.) — romão.
hound-bitch — cadela.
fox-hound — cão de caça à raposa.
2 — *vt.* caçar com cães; açular.
houndfish [-fiʃ], *s.* pequeno tubarão.
hounding [-iŋ], *s.* (náut.) guinda de mastro.
hour [ˈauə], *s.* hora; tempo, ocasião.
hour-plate — quadrante, mostrador.
hour-hand — ponteiro das horas.

hour-glass — ampulheta.
at the eleventh hour — à última hora.
in an evil hour — numa hora infeliz.
to keep good hours — levar uma vida regular.
at an early hour — de manhã muito cedo.
don't be half an hour — não te demores com isso.
hour-angle — ângulo horário.
up to all hours — de pé até muito tarde.
by the hour — à hora.
an hour and a half — hora e meia.
hour by hour — de hora a hora.
every hour — cada hora.
half an hour — meia hora.
hours at a time — horas seguidas.
hour-circle — fuso horário.
hour-zone — fuso horário.
Book of Hours — Livro de Horas.
the small hours — entre a meia-noite e as quatro da manhã.
to keep late hours — deitar-se ou levantar-se tarde.

hourly [-li], 1 — *adj.* a cada hora, de todas as horas, constante, horário.
2 — *adv.* constantemente, continuamente, a todas as horas.

house [haus], 1 — *s.* casa, domicílio; família; casa comercial; câmara de um corpo legislativo; assembleia; casa de espectáculos; câmara; parlamento; divisão do tabuleiro de xadrez e damas; (teat.) assistência.
house-boat — barco com acomodações para residência.
house-breaker — ladrão.
House of Lords — Câmara dos Pares.
House of Commons — Câmara dos Deputados.
like a house on fire — com grande rapidez e facilidade.
a full house (cin., teat.) — casa à cunha; lotação esgotada.
house and home — lar.
to keep the house — não sair de casa.
to keep house — ter casa independente; dirigir o governo da casa.
to keep open house — ter mesa franca; ser muito hospitaleiro.
to have neither house nor home — não ter eira nem beira.
house-dog — cão de guarda.
house-agent — agente de casas.
house-top — telhado.
prefabricated house — casa pré-fabricada.
house to let — casa para alugar.
house-hunting — à procura de casa.
to leave one's father's house — deixar a casa dos pais.
house-leek — (bot.) saião; erva-dos-telhados.
to keep a good house — não faltar com o preciso em casa.
to bring down the house (teat.) — aplaudir entusiàsticamente, deitar a casa abaixo.
the House of Windsor — a família real inglesa.
summer-house — caramanchel.
house-physician — médico residente no hospital.
house-cricket — grilo doméstico.
house-bread — pão caseiro.
house-builder — construtor civil.
house-building — construção civil.
house-design — planta de casa.
house-decorator — decorador.
house-eaves — goteiras do telhado.
house-duty — imposto sobre habitações.
house of cards — castelo de cartas.
house-furnishings — coisas necessárias numa casa.
house of ill fame — casa de má nota; bordel.
house-property — imóveis.
house-pigeon — pombo doméstico.
house-work — trabalhos domésticos.
ale house — cervejaria.
business-house — casa comercial.
country house — casa de campo.
fowl house — galinheiro.
to move house — mudar de casa.
private house — casa particular.
to set up house — pôr casa.
2 — *vt.* e *vi.* residir, morar; hospedar; recolher, abrigar, alojar; guardar; meter a bordo; acachapar (mastaréu).

housecraft [-kra:ft], *s.* artes domésticas.

houseful [-ful], *s.* casa cheia.

household [-hould], *s.* casa; família; governo da casa; criados.
household affairs — assuntos domésticos.
household management — governo de casa.
Household Cavalry — guarda real montada.
household expenses — orçamento doméstico.
household goods — mobiliário.

householder [-houldə], *s.* chefe da família; dono da casa.

housekeeper [-ki:pə], *s.* governanta; dono da casa; chefe de família.

housekeeping [-ki:piŋ], *s.* governo da casa, economia doméstica, arranjos caseiros.
housekeeping-money — dinheiro do governo da casa.

houseless [-lis], *adj.* sem casa, sem abrigo.

housemaid [-meid], *s.* criada de fora, criada.
housemaid's knee — higroma prerotuliano.

housemaster [-mɑ:stə], *s.* chefe da casa; gerente de um internato (colégio).

housewife [-waif], *s.* mãe de família; dona de casa.

housewife ['hʌzif], *s.* estojo de costura.

housewifely ['hauswaifli], *adj.* e *adv.* que pertence a uma boa dona de casa; à maneira de uma boa dona de casa.

housewifery ['hauswifəri], *s.* governo de casa; economia doméstica.

housing ['hauziŋ], *s.* habitação, alojamento, residência; xairel, gualdrapa; (náut.) merlim; armazenamento; (aut.) invólucro do farol; cárter.
housing cover — tampa do cárter.
the housing problem — o problema da habitação.

hove [houv], *pret.* e *pp.* de **to heave.**

hovel ['hɔvəl], *s.* telheiro, choça, cabana. (*Sin.* hut, cabin, shed, den, cot, hole.)

hoveller [-ə], *s.* piloto de navio que não tem carta; pequeno barco costeiro.

hover ['hɔvə], 1 — *s.* acto de pairar, de estar suspenso.
2 — *vi.* pairar, adejar, ficar suspenso no ar; rondar um lugar.
to hover between — hesitar entre.

how [hau], 1 — *s.* como.
the hows and the whys — os comos e os porquês.
2 — *adv.* como, de que maneira, por que meio; quanto, quão; por que razão.
how long? — quanto tempo?
how far? — a que distância?
how often? — quantas vezes?
how much? — quanto?
how many? — quantos?
how so? — como assim?
how now? — e agora?, que quer dizer isto?
to know how — saber.
how-d'ye-do — situação crítica; estado aflitivo.
how do you do? — muito prazer em conhecê-lo.
how are you? — como está?, como passa?
how much is it? — quanto custa?

how beautiful! — como é belo!
how goes the enemy? (col.) — que horas são?
how old are you? — quantos anos tens?
here is how! — à sua saúde!
howdah ['haudə], *s.* assento fixo no dorso do elefante (Índia).
howel ['hauəl], *s.* enxó.
however [hau'evə], *adv.* e *conj.* de qualquer maneira, como quer que seja; todavia, contudo, não obstante; ainda que.
however rich he may be — por muito rico que ele seja.
however little — por pouco que seja.
howitzer ['hauitsə], *s.* morteiro, obus.
howl [haul], **1** — *s.* uivo, latido; rugido; gemido; ruído (na telefonia); gritaria.
2 — *vt.* e *vi.* uivar, latir; rugir; gemer; gritar.
to howl with laughter — rir a bandeiras despregadas.
howler [-ə], *s.* aquele que uiva ou ruge; (cal.) calinada grande; araguato, macaco da América do Sul.
howlet [-it], *s.* (dial.) coruja.
howling [-iŋ], **1** — *s.* grande barulho.
the howling of the wind — o sibilar do vento.
2 — *adj.* barulhento; enorme.
howsoever ['hausou'evə], *adv.* como quer que, por mais que.
hoy [hɔi], **1** — *s.* batelão.
2 — *interj.* olá!; ó do barco!
hoyden [-dn], *s.* maria-rapaz.
hoydenhood [-dnhud], *s.* maneiras arrapazadas (em rapariga).
hoydenish [-dniʃ], *adj.* arrapazado.
hub [hʌb], *s.* cubo da roda; eixo, centro; (col.) marido.
hub-cap — *(aut.)* tampa do cubo da roda.
2 — *vt.* e *vi.* vender coisas pelas ruas; traficar.
up to the hub — até ao eixo; completamente.
a hub of commerce — um centro de comércio.
hubble-bubble ['hʌbl'bʌbl], *s.* cachimbo turco; algazarra; gluglu.
hubbub ['hʌbʌb], *s.* tumulto, algazarra, alarido, gritaria; confusão. (*Sin.* noise, uproar, confusion, din, disturbance, tumult. *Ant.* quiet.)
hubby ['hʌbi], *s.* (col.) marido.
Hubert ['hju:bə:t], *n. p.* Humberto.
huckaback ['hʌkəbæk], *s.* espécie de tecido de linho grosso para toalhas, etc.
huckle [hʌkl], *s.* anca, quadril.
huckle back — corcunda.
huckle-bone — osso ilíaco.
huckleberry [-beri], *s.* nome de um arbusto americano que produz bagas azuladas; bagas de mirto.
huckster ['hʌkstə], **1** — *s.* vendilhão, bufarinheiro; velhaco.
2 — *vt.* e *vi.* vender coisas pela ruas.
hucksterer [-rə], *s.* vendedor ambulante.
hucksteress [-ris], *s.* vendedeira ambulante.
huckstering [-riŋ], *s.* venda ambulante; negócio.
huckstery [-ri], *s.* venda ambulante; negócio.
huddle ['hʌdl], **1** — *s.* confusão, desordem, barafunda, baralhada.
all in a huddle — em confusão; num montão.
2 — *vt.* e *vi.* confundir, misturar; pôr em desordem; vir em tropel; acotovelar-se; empurrar; obrar confusa e precipitadamente.
hue [hju:], *s.* cor, tinta, matiz; tez; aspecto. (*Sin.* tint, tinge, colour, shade.)
hue of health — cor de saúde, aspecto de saúde.
hue of death — cor de morte.
to change the hue — mudar de cor.
hue and cry ['hju:ən'krai], *s.* grito de "ó da guarda", "socorro"; gritaria.
huff [hʌf], **1** — *s.* acesso de cólera, arrebatamento; fanfarronice, basófia. (*Sin.* rage, anger, temper.)
to be in a huff — estar furioso.
to take the huff — ofender-se, (col.) ir à serra.
2 — *vt.* e *vi.* bazofiar; ofender-se; formalizar-se; agastar-se, bufar de raiva.
to huff and puff — bufar de indignação.
huffily [-ili], *adv.* arrogantemente; irritadamente.
huffiness [-inis], *s.* arrogância, basófia; irritabilidade.
huffish [-iʃ], **1** — *adj.* arrogante, petulante; irascível; fanfarrão.
2 — *adv.* arrogantemente; irritadamente.
huffishly [-iʃli], *adv.* insolentemente, com petulância.
huffishness [-iʃnis], *s.* petulância, insolência, arrogância, bazófia.
huffy [-i], *adj.* irritável; insolente, arrogante, petulante, fanfarrão; inchado.
hug [hʌg], **1** — *s.* abraço apertado.
2 — *vt.* (*pret.* e *pp.* **hugged**) abraçar, estreitar nos braços; aceitar; adoptar; (náut.) cingir-se com.
to hug oneself on (for) — congratular-se por.
to hug the wind — cingir-se com o vento.
to hug the land — navegar junto à terra.
hug-me-tight — camisola de lã justa ao corpo.
huge [hju:dʒ], *adj.* vasto, imenso, colossal, enorme. (*Sin.* enormous, tremendous, vast, immense, colossal. *Ant.* minute.)
hugely [-li], *adv.* enormemente, imensamente.
hugeness [-nis], *s.* vastidão, grandeza, imensidade, enormidade.
huggable ['hʌgəbl], *adj.* que apetece abraçar.
hugger-mugger ['hʌgə'mʌgə], **1** — *s.* segredo; confusão; barafunda.
2 — *adj.* clandestino, secreto; confuso.
3 — *adv.* secretamente; confusamente.
4 — *vt.* e *vi.* esconder; atrapalhar-se; não ter método.
Hugh [hju:], *n. p.* Hugo.
Hughes [hju:z], *n. p.*
Hugo ['hju:gou], *n. p.* Hugo.
Hugoesque [hju:gou'esk], *adj.* huguesco.
Huguenot ['hju:gənɔt], *s.* huguenote.
hula ['hu:lə], *s.* dança de mulheres nas ilhas Havai.
hulk [hʌlk], **1** — *s.* casco do navio; pontão; navio velho; (fig.) pessoa pesada e desajeitada.
2 — *vt.* instalar no pontão (marinheiros).
hulking [-iŋ], *adj.* volumoso, enorme; desajeitado.
hull [hʌl], **1** — *s.* casca; vagem; casco de embarcação; invólucro (de crisálida, etc.).
2 — *vt.* descascar; furar o casco de um navio com projécteis; flutuar na água como um casco.
hullabaloo ['hʌləbə'lu], *s.* tumulto, algazarra, barulho.
huller ['hʌlə], *s.* o que descasca.
hulling ['hʌliŋ], *s.* acção de descascar.
hullo ['hʌ'lou], *interj.* olá!
hulloa ['hʌ'lou], *interj.* ver **hullo.**
hum [hʌm], **1** — *s.* zumbido, zunido; sussurro; murmúrio (de aprovação); mistificação, logro.
the hum of the bees — o zumbido das abelhas.
the hum of the traffic — o ruído do tráfego.
2 — *vt.* e *vi.* (*pret.* e *pp.* **hummed**) zunir, zumbir; sussurrar, murmurar; cantarolar; enganar; trautear.

to hum and ha — hesitar; balbuciar, tartamudear.
hummed accompaniment — acompanhamento à boca fechada.
3 — *interj.* hein! (dúvida ou hesitação).
human ['hju:mən], **1** — *s.* ser humano.
2 — *adj.* humano.
human race — género humano.
human being — ser humano.
humane [hju:'mein], *adj.* humano, humanitário, compassivo (*Sin.* tender, compassionate, kind, merciful, benevolent. *Ant.* cruel.)
humane society — sociedade filantrópica.
humane studies — humanidades.
humanely [-li], *adv.* humanamente, compassivamente.
humaneness [-nis], *s.* humanidade, clemência, benevolência, bondade.
humanism ['hju:mənizəm], *s.* humanismo, cultura literária; humanidade.
humanist ['hju:mənist], *s.* humanista.
humanistic ['hju:mə'nistik], *adj.* humanístico.
humanitarian [hju:'mæni'tɛəriən], *s.* e *adj.* humanitário, benévolo, filantropo; aquele que nega a divindade de Cristo.
humanitarianism [-izəm], *s.* humanitarismo.
humanities [hju:'mænitiz], *s. pl.* humanidades, estudos clássicos.
humanity [hju:'mæniti], *s.* humanidade; bondade. (*Sin.* manhood, man, mankind, kindness. *Ant.* cruelty.)
humanization ['hju:mənai'zeiʃən], *s.* humanização.
humanize ['hju:mənaiz], *vt.* e *vi.* humanizar, humanizar-se, tornar humano.
humanly ['hju:mənli], *adv.* humanamente.
humankind ['hju:mən'kaind], *s.* género humano.
humanness ['hju:mənnis], *s.* humanidade.
humble ['hʌmbl], **1** — *adj.* humilde, modesto.
humble bee — abelha silvestre grande.
to eat humble pie (col.) — ser obrigado a pedir desculpa
of humble birth — de baixa condição.
2 — *vt.* humilhar, rebaixar.
to humble oneself — humilhar-se.
humbleness [-nis], *s.* humildade.
humbling [-iŋ], **1** — *s.* humilhação.
2 — *adj.* humilhante.
humbly [-i], *adv.* humildemente.
humbug ['hʌmbʌg], **1** — *s.* fraude, burla; decepção; charlatão, embusteiro.
it is all humbug — é tudo intrujice.
2 — *vt.* e *vi.* (*pret.* e *pp.* **humbugged**) enganar, mistificar, burlar, lograr.
humbugging [-iŋ], **1** — *s.* engano, fraude.
2 — *adj.* mistificador, mentiroso.
humdrum ['hʌmdrʌm], **1** — *s.* monotonia, insipidez; pessoa monótona; pessoa insípida.
2 — *adj.* monótono, insípido; néscio, estúpido.
humeral ['hju:mərəl], *adj.* umeral.
humerus ['hju:mərəs], *s.* (*pl.* **humeri**) úmero.
humid ['hju:mid], *adj.* húmido.
humidifier [hju'midifaiə], *s.* humedecedor.
humidify [hju'midifai], *vt.* humidificar.
humidity [hju:'miditi], *s.* humidade.
humidity of the air — estado higrométrico do ar.
humidor ['hju:midɔ:], *s.* máquina humidificadora.
humiliate [hju:'milieit], *vt.* humilhar, rebaixar.
humiliating [-iŋ], *adj.* humilhante.
humiliation [hju:'mili'eiʃən], *s.* humilhação.
humiliatory [hju'miliətəri], *adj.* humilhante.
humility [hju:'militi], *s.* humildade, modéstia, submissão.
humming ['hʌmiŋ], **1** — *s.* sussurro, murmúrio.
2 — *adj.* murmurante, sussurrante; vigoroso, enérgico.
humming-bird — colibri; beija-flor.
humming cap — cerveja muito forte.
hummock ['hʌmək], *s.* montículo, outeirinho.
hummocky [-i], *adj.* cheio de montículos.
humoral ['hju:mərəl], **1** — *s.* teoria médica dos humores.
2 — *adj.* humoral.
humoralism [-izəm], *s.* (med.) humorismo.
humoralist [-ist], *s.* (med.) partidário da teoria dos humores.
humorist ['hju:mərist], *s.* humorista, pessoa engraçada; escritor humorista.
humoristic ['hju:mə'ristik], *adj.* humorístico.
humorous ['hju:mərəs], *adj.* chistoso, engraçado, gracioso, espirituoso.
humorously [-li], *adv.* com graça, jocosamente.
humorousness [-nis], *s.* jocosidade, humor.
humour ['hju:mə], **1** — *s.* humor, génio, índole, disposição; fantasia; graça, chiste; mania, capricho.
good humour — bom humor; bom génio.
ill humour — mau humor; mau génio.
out of humour — mal-humorado.
to be in good humour — estar de bom humor.
aqueous humour — humor aquoso.
vitreous humour — humor vítreo.
to do a thing for the humour of it — fazer uma coisa por brincadeira.
when the humour takes me — quando me apetecer.
to please one's humour — seguir os seus impulsos.
2 — *vt.* condescender, fazer a vontade a, consentir em; acomodar-se; satisfazer.
to humour a child — fazer a vontade a uma criança.
humoursome [-səm], *adj.* caprichoso; petulante, engraçado.
humous ['hju:məs], *adj.* humoso.
hump [hʌmp], **1** — *s.* corcova, corcunda; (cal.) acesso de depressão.
to get the hump (cal.) — estar triste, abatido.
hump-backed — corcunda.
2 — *vt.* e *vi.* corcovar; curvar; dobrar; corcovar-se; desanimar.
humpback [-bæk], *s.* corcunda.
humpbacked [-bækt], *adj.* corcunda.
humped [-t], *adj.* com corcunda; com lomba.
humph [hʌmf], *interj.* safa!, uf!
humpty-dumpty ['hʌmpti'dʌmpti], *s.* pessoa atarracada.
humpy ['hʌmpi], **1** — *s.* cabana australiana.
2 — *adj.* corcunda, corcovado, giboso.
humus ['hju:məs], *s.* húmus, terra vegetal.
Hun [hʌn], *s.* huno; (fig.) pessoa destruidora.
hunch [hʌntʃ], **1** — *s.* corcova; cotovelada; naco, grande pedaço.
2 — *vt.* arquear as costas; levantar os ombros; acotovelar.
hunchback [-bæk], *s.* ver **humpback.**
hunchbacked [-bækt], *adj.* ver **humpbacked.**
hundred ['hʌndrəd], *s.* e *num. card.* cem, cento, centena.
a hundred boys — cem rapazes.
one hundred and ten girls — cento e dez raparigas.
hundreds of men — centenas de homens.
a hundred per cent — cem por cento.
hundred odd — cento e tantos.
about a hundred — cerca de uma centena.
by the hundred — ao cento.
by hundreds — aos centos.
the Hundred Years War — a Guerra dos Cem Anos.
to have a hundred and one things to do — ter mil e uma coisas a fazer.

hundredfold [-fould], *num.* cêntuplo; cem vezes.
hundredth [-θ], *num. ord.* centésimo.
hundredweight [-weit], *s.* quintal inglês (cerca de cinquenta quilos) (abreviatura *cwt.*).
hung [hʌŋ], *pret.* e *pp.* de **to hang.**
Hungarian [hʌŋ'gɛəriən], *s.* e *adj.* húngaro.
Hungary ['hʌŋgəri], *top.* Hungria.
hunger ['hʌŋgə], **1** — *s.* fome.
hunger-strike — greve da fome.
hunger is the best sauce — para boa fome não há mau pão; a fome é o melhor cozinheiro.
to appease hunger — matar a fome.
rabid hunger — fome canina.
2 — *vt.* e *vi.* ter fome; estar desejoso de, ansiar por.
hungered [-d], *adj.* esfomeado.
hungerer [-rə], *s.* o que tem fome; o que anseia por.
hungering [-riŋ], *s.* fome; ânsia.
hungrily ['hʌŋgrili], *adv.* com fome, avidamente, vorazmente.
hungriness ['hʌŋgrinis], *s.* fome.
hungry ['hʌŋgri], *adj.* faminto, esfomeado; estéril; pobre.
as hungry as a hunter — esfomeado como um cão.
to be hungry — ter fome.
to be ravenously hungry — ter uma fome de cão.
to be hungry for — ansiar por.
hunk [hʌŋk], *s.* pedaço, naco, tracalhaz.
hunkers [-əz], *s. pl.* ancas.
on one's hunkers — de cócoras.
hunks [-s], *s.* (col.) avarento, unhas de fome.
hunnish ['hʌniʃ], *adj.* burro; selvagem; muito feroz.
hunnishness [-nis] *s.* ferocidade; atitude própria dos hunos.
hunt [hʌnt], **1** — *s.* caça com cães, caçada; matilha; conjunto de caçadores. (*Sin.* chase, pursue, seek, follow.)
fox-hunt — caça à raposa.
2 — *vt.* e *vi.* caçar, andar à caça com cães; perseguir; expulsar.
to hunt after — perseguir; ir no encalço de.
to hunt up — procurar.
to hunt up and down — procurar por toda a parte.
to hunt out — descobrir a caça.
to hunt a thief — perseguir um ladrão.
hunter [-ə], *s.* caçador; cão de caça; cavalo de caça.
hunting [-iŋ], **1** — *s.* caça, caçada, caçador; oscilação pendular.
hunting-horn — trompa de caça.
hunting-knife — faca de mato.
hunting-party — grupo de caçadores.
hunting-box — pavilhão temporário de caça.
hunting-crop — pequeno chicote com presilha de couro na ponta.
to go a-hunting — ir à caça.
hunting-season — estação de caça.
hunting-belt — cartucheira.
hunting-ground — lugar onde se caça.
hunting-horse — cavalo de caça.
2 — *adj.* da caça, que caça.
huntress [-ris], *s.* caçadora.
huntsman [-smən], *s.* caçador, monteiro.
huntsmanship [-smənʃip], *s.* cinegética.
hurdle ['hə:dl], **1** — *s.* estacada; valado; cancela móvel de vimes; caniçada, grade; (desp.) corrida de barreiras.
hurdle-race — corrida de obstáculos.
2 — *vt.* fechar com cancelas de vimes; fazer cercas de vimes; (fig.) vencer uma dificuldade.

hurdler [-ə], *s.* (desp.) corredor de obstáculos; fabricante de tapumes.
hurdling [iŋ], *s.* acção de saltar obstáculos.
hurdy-gurdy ['hə:di'gə:di], *s.* realejo, sanfona.
hurl [hə:l] **1** — *s.* arremesso, acção de arremessar ou atirar; confusão, tumulto.
2 — *vt.* arremessar com força; atirar-se com força; mover-se rapidamente (*Sin.* to throw, to fling, to pitch, to precipitate.)
hurler [-ə], *s.* o que arremessa; o que joga o *hurling.*
hurley [-i], *s.* jogo de hóquei (Irlanda), pau usado nesse jogo.
hurling [-iŋ], *s.* hóquei irlandês; arremesso, lançamento.
hurly-burly ['hə:li'bə:li], *s.* alvoroço, barafunda, alarido, confusão, tumulto.
hurrah [hu'ra:], **1** — *s.* viva, aplauso, exclamação de alegria.
2 — *interj.* hurrah!, viva!
3 — *vt.* e *vi.* dar vivas, aclamar.
hurray [hu'rei], *s.*, *interj.*, *vt.* e *vi.* ver **hurrah.**
hurricane ['hʌrikən], *s.* furacão, ciclone, tufão, tempestade.
hurricane deck — tombadilho superior, convés de manobra.
hurried ['hʌrid], *adj.* apressado.
hurriedly [-li], *adv.* apressadamente, precipitadamente.
hurry ['hʌri], **1** — *s.* pressa, precipitação, confusão.
to be in a hurry — estar com pressa.
in a hurry — à pressa.
2 — *vt.* e *vi.* apressar, apressar-se, acelerar, atropelar, estar com pressa.
hurry up! — avie-se!
to hurry out — sair rapidamente.
to hurry the visitors away — pôr as visitas na rua.
to hurry home — ir rapidamente para casa.
hurry-scurry ['hʌri'skʌri], **1** — *s.* confusão.
2 — *adv.* confusamente, em desordem.
hurst [hə:st], *s.* pequeno bosque; pequena colina arborizada; banco de areia.
hurt [hə:t], **1** — *s.* mal, prejuízo; ferida, pancada, contusão.
2 — *vt.* e *vi.* (*pret.* e *pp.* **hurt**) ferir, magoar, doer, fazer doer; prejudicar, lesar; ofender.
to hurt oneself — magoar-se.
to hurt somebody's feelings — ofender alguém.
badly hurt — muito ferido.
hurter [-ə], *s.* aquele que magoa.
hurtful [-ful], *adj.* nocivo, prejudicial; funesto, pernicioso; ofensivo.
hurtfully [-fuli], *adv.* perniciosamente; de maneira ofensiva.
hurtfulness [-fulnis], *s.* maldade; prejuízo, dano.
hurtle ['hə:tl], **1** — *s.* som, barulho de choque.
2 — *vt.* e *vi.* mover-se rapidamente; esbarrar contra; empurrar à força; deslocar-se com grande barulho.
hurtless ['hə:tlis], *adj.* inofensivo; sem ser ferido.
hurtlessly [-li], *adv.* de maneira inofensiva.
hurtling ['hə:tliŋ], *adj.* ruidoso, que se desloca com grande barulho.
husband ['hʌzbənd], **1** — *s.* marido, esposo; capitão de terra, capitão geral; gerente de navios; passador (de marinheiro); administrador.
husband's tea — chá frio e fraco.
2 — *vt.* economizar; arranjar marido, casar; administrar.
husbanding [-iŋ], *s.* administração (de bens).
husbandman [-mən], *s.* agricultor.
husbandry ['hʌzbəndri], *s.* lavoura, agricultura; boa administração.

animal husbandry — criação de animais.
hush [hʌʃ], **1** — *s.* silêncio, tranquilidade, calma.
hush-money — peita (dinheiro com que se compra o silêncio de uma pessoa).
extortion of hush-money — chantagem.
2 — *vt.* e *vi.* fazer calar; acalmar, aquietar; estar calado ou quieto.
to hush up the affair — abafar a questão.
3 — *interj.* silêncio!, caluda!
hushaby ['hʌʃəbai], *interj.* nana, ó-ó (para crianças).
hush-hush ['hʌʃ 'hʌʃ], **1** — *adj.* escondido; confidencial.
2 — *vt.* mandar calar.
husk [hʌsk], **1** — *s.* casca; vagem; pele; folhelho.
2 — *vt.* descascar, debulhar.
husked [-t], *adj.* sem casca; com muitas vagens.
husker [-ə], *s.* máquina descorticadora.
huskily [-ili], *adv.* roucamente; asperamente.
huskiness [-inis], *s.* rouquidão; estado daquilo que tem casca.
husking [-iŋ], *s.* descasque, debulha; desfolhada.
husky [-i], **1** — *s.* esquimó; língua dos esquimós; cão de esquimó.
2 — *adj.* rouco; cascudo; seco; (fam.) corpulento, forte.
hussar [hu'zɑ:], *s.* hussardo.
hussy ['hʌsi], *s.* rapariga ladina, atrevida; mulher leviana.
hustings [hʌtiŋz], *s.* tribuna onde se fazem discursos eleitorais.
hustle ['hʌsl], **1** — *s.* encontrão; pressa.
hustle and bustle — grande actividade.
2 — *vt.* e *vi.* empurrar, acotovelar, andar aos empurrões, atropelar.
to hustle somebody up — empurrar alguém.
hustler [-ə], *s.* o que empurra; pessoa enérgica, fura-vidas; gabarola.
hustling [-iŋ], *s.* atropelo; grande actividade; bazófia.
hut [hʌt], **1** — *s.* choça, cabana, choupana, barraca; abarracamento militar.
hut-camp — abarracamento.
2 — *vt.* e *vi.* abarracar, aquartelar, bivacar.
hutch [hʌtʃ], *s.* coelheira; arca grande; cuba ou vagão usado nas minas; cabana.
hutch-rabbit — coelho doméstico.
hutment ['hʌtmənt], *s.* abarracamento de tropas.
huzza [hu'zɑ:], **1** — *s.* aclamação, viva.
2 — *interj.* hurrah!, viva!
3 — *vt.* e *vi.* aclamar, dar vivas a.
hyacinth ['haiəsinθ], *s.* jacinto.
wild hyacinth (wood hyacinth) — jacinto-dos-campos.
hyacinthine ['haiə'sinθain], *adj.* com a cor do jacinto.
hyaena [hai'i:nə], *s.* hiena.
hyaline ['haiəlin], **1** — *s.* (poét.) mar tranquilo, céu límpido.
2 — *adj.* hialino, cristalino, transparente.
hyalite ['haiəlait], *s.* (min.) hialite.
hyaloid ['haiəlɔid], **1** — *s.* membrana hialóide.
2 — *adj.* hialóide.
hybrid ['haibrid], *s.* e *adj.* híbrido.
hybrid bill — projecto de lei pertencente ao Estado e a interesses locais.
hybridism [-izm], *s.* hibridismo.
hybridity [-iti], *s.* ver **hybridism.**
hybridization [haibridai'zeiʃən], *s.* hibridização.
hybridize ['haibridaiz], *vt.* e *vi.* produzir híbridos; tornar-se híbrido.
Hide Park ['haid'pɑ:k], *s.* parque londrino.
hydra ['haidrə], *s.* hidra.
hydrangea [hai'dreindʒə], *s.* hidrângea; hortênsia.
hydrant ['haidrənt], *s.* boca-de-incêndio; (náut.) hidrante.
hydrate ['haidreit], **1** — *s.* hidrato.
hidrate of lime — hidrato de cal.
hidrate of potash — potássia cáustica.
hidrate of sodium — hidrato de sódio.
2 — *vt.* e *vi.* hidratar, hidratar-se.
hydrated [-id], *adj.* hidratado.
hydrated lime — cal apagada.
hydrated oxide — hidróxido.
hydration [hai'dreiʃən], *s.* hidratação.
hydraulic [hai'drɔ:lik], *adj.* hidráulico.
hydraulic cement — cimento hidráulico.
hydraulic crane — guindaste hidráulico.
hydraulic engineer — engenheiro hidráulico.
hydraulic engine — motor hidráulico.
hydraulic lime — cal hidráulica.
hydraulic propeller — hélice de barco a motor.
hydraulician [haidrɔ:'liʃən], *s.* engenheiro hidráulico.
hydraulics [hai'drɔ:liks], *s.* hidráulica.
hydric ['haidrik], *adj.* hídrico.
hydric chloride — ácido clorídrico.
hydro ['haidrou], *s.* abreviatura de **hydropathic.**
hydro-aeroplane ['haidrou'ɛərouplein], *s.* hidroavião.
hydrocarbon ['haidrou'kɑ:bən], *s.* (quím.) hidrocarboneto.
hydrocarbonate [-it], *s.* (quím.) hidrocarbonato.
hydrocarburet ['haidrou'kɑ:bjuret], *s.* (quím.). hidrocarbureto.
hydrocephalic [haidrousi'fælik], *adj.* hidrocéfalo.
hydrocephalous [haidrou'sefələs], *adj.* ver **hydrocephalic.**
hydrocephalus [haidrou'sefələs], *s.* hidrocefalia.
hydrocephaly [haidrou'sefəli], *s.* ver **hydrocephalus.**
hydrochloric ['haidrə'klɔrik], *adj.* clorídrico.
hydrochloric acid — ácido clorídrico.
hydrochloride ['haidrə'klɔ:raid], *s.* (quím.) cloridrato.
hydrodinamic ['haidroudai'næmik], *adj.* hidrodinâmico.
hydrodynamical [-əl], *adj.* ver **hydrodynamic.**
hydrodynamically [-əli], *adv.* hidrodinamicamente.
hydrodynamics [-s], *s.* hidrodinâmica.
hydro-electric ['haidroui'lektrik], *adj.* hidroeléctrico.
hydro-electric plant — instalação hidroeléctrica.
hydro-electric generator — gerador hidroeléctrico.
hydro-electric station — central hidroeléctrica.
hydrofluoric ['haidrouflu'ɔrik], *adj.* fluorídrico.
hydrofoil ['haidrou'fɔil], *s.* superfície hidrodinâmica.
hydrogen ['haidridʒən], *s.* hidrogénio.
hydrogen blowpipe — maçarico a hidrogénio.
hydrogen chloride — ácido clorídrico.
hydrogen bomb — bomba de hidrogénio.
hydrogen dioxide — água oxigenada.
hydrogen content — percentagem de hidrogénio.
hydrogen flame — chama de hidrogénio.
hydrogen sulphide — ácido sulfídrico.
hydrogenate [hai'drɔdʒineit], *vt.* ver **hydrogenize.**
hydrogenated [-id], *adj.* ver **hydrogenized.**
hydrogenize [hai'drɔdʒinaiz], *vt.* hidrogenar.

hydrogenized [-d], *adj.* hidrogenado.
hydrogenous [hai'drɔdʒinəs], *adj.* hidrógeno.
hydroglider ['haidrouglaidə], *s.* hidroplanador.
hydrographer [hai'drɔgrəfə], *s.* engenheiro hidrógrafo.
hydrographic [haidrou'græfik], *adj.* hidrográfico.
hydrographical [-əl], *adj.* ver **hydrographic.**
hydrography [hai'drɔgrəfi], *s.* hidrografia.
hydroid ['haidrɔid], *s.* e *adj.* (zool.) hidróide, hidrozoário.
hydrokineter ['haidroukaini:tə], *s.* agitador.
hydrokinetic [haidroukai'netik], *adj.* hidrocinético.
hydrokinetics [-s], *s.* hidrocinética.
hydrol ['haidrəl], *s.* molécula simples de água.
hydrological [haidrou'lɔdʒikel], *adj.* hidrológico.
hydrology [hai'drɔlədʒi], *s.* hidrologia.
hydrolysis [hai'drɔlisis], *s.* hidrólise.
hydrolytic [haidrou'litik], *adj.* hidrolítico.
hydromechanic ['haidroumi'kænik], *adj.* hidromecânico.
hydromechanical [-əl], *adj.* ver **hydromechanic.**
hydromechanically [-əli], *adv.* hidromecanicamente.
hydromechanics [-s], *s.* hidromecânica.
hydromel ['haidroumel], *s.* hidromel, mistura de água e mel.
hydrometallurgic ['haidroumetə'lə:dʒik], *adj.* hidrometalúrgico.
hydrometallurgical [-əl], *adj.* ver **hydrometallurgic.**
hydrometallurgy ['haidroume'tælədʒi], *s.* hidrometalurgia.
hydrometer [hai'drɔmitə], *s.* hidrómetro; densímetro.
hydrometric ['haidrou'metrik], *adj.* hidrométrico.
hydrometrical [-əl], *adj.* ver **hydrometric.**
hydrometrograph ['haidrou'mitrəgrɑ:f], *s.* hidrometrógrafo.
hydrometry [hai'drɔmitri], *s.* hidrometria.
hydromotor ['haidroumoutə], *s.* hidromotor.
hydropathic ['haidrə'pæθik], **1** — *s.* estância termal.
2 — *adj.* hidropático; hidroterápico.
hydropathy [hai'drɔpəθi], *s.* hidropatia
hydrophilous [hai'drɔfiləs], *adj.* hidrófilo.
hydrophobia [haidrə'foubiə], *s.* hidrofobia.
hydrophobic [haidrə'foubik], *adj.* hidrófobo.
hydrophone ['haidroufoun], *s.* hidrofone.
hydrophyte ['haidroufait], *s.* (bot.) planta hidrófita, planta higrófita.
hydropic [hai'drɔpik], *adj.* hidrópico.
hydroplane ['haidrouplein], *s.* hidroavião.
hydropneumatic [haidrounju'mætik], *adj.* hidropneumático.
hydropneumatics [-s], *s.* hidropneumática.
hydropower ['haidroupauə], *s.* força hidráulica.
hydropsy ['haidrɔpsi], *s.* hidropisia.
hydroscope ['haidrəskoup], *s.* hidroscópio.
hydrosol ['haidrəsɔl], *s.* (quím.) hidrossol.
hydrosphere ['haidrousfiə], *s.* hidrosfera.
hydrostat ['haidroustæt], *s.* hidróstato.
hydrostatic [-ik], *adj.* hidrostático.
hydrostatic balance — balança hidrostática.
hydrostatical [-ikəl], *adj.* hidrostático.
hydrostatically [-ikəli], *adv.* hidrostaticamente.
hydrostatics [-iks], *s.* hidrostática.
hydrotechny [haidrou'tekni], *s.* hidrotécnica.
hydrotherapeutic [haidrouθerə'pju:tik], *adj.* hidroterápico.
hydrotherapeutics [-s], *s.* hidroterapia.
hydrotherapy [haidrou'θerəpi], *s.* ver **hydrotherapeutics.**
hydrothermal [haidrou'θə:məl], *adj.* hidrotérmico.
hydrothorax [haidrou'θɔ:ræks], *s.* hidrotoracia, hidrotórax.
hydrous ['haidrəs], *adj.* hidratado, aquoso.
hydrous sulphate of calcium — sulfato de cálcio hidratado.
hydroxide [hai'drɔksaid], *s.* (quím.) hidróxido.
hydroxy-acid [hai'drɔksi'æsid], *s.* (quím.) oxácido.
hydrozoon [haidrou'zouɔn], *s.* (*pl.* **hydrozoa**) (zool.) hidromedusa.
hyena [hai'i:nə], *s.* hiena.
hygiene ['haidʒi:n], *s.* higiene.
hygienic [hai'dʒi:nik], *adj.* higiénico.
hygienical [-əl], *adj.* ver **hygienic.**
hygienically [-əli], *adv.* higienicamente.
hygienics [-s], *s.* higiene.
hygienist ['haidʒi:nist], *s.* higienista.
hygroma [hai'groumə], *s.* higroma.
hygrometer [hai'grɔmitə], *s.* higrómetro.
hair hygrometer — higrómetro de cabelo.
hygrometric [haigrou'metrik], *adj.* higrométrico.
hygrometrical [-əl], *adj.* ver **hygrometric.**
hygrometry [hai'grɔmitri], *s.* higrometria.
hygroscope ['haigrəskoup], *s.* higroscópio.
hygroscopic [haigrə'skɔpik], *adj.* higroscópico.
hygroscopic surface — superfície higroscópica.
hygroscopical [-əl], *adj.* ver **hygroscopic.**
hygroscopy [hai'grɔskəpi], *s.* higroscopia.
Hymen ['haimen], *n. p.* (mit.) Himeneu.
hymen ['haimen], *s.* hímen; himeneu.
hymeneal [haime'ni:əl], *adj.* himenal,himenial.
hymenoptera [haimen'ɔptərə], *s. pl.* himenópteros.
hymenopterous [-s], *adj.* himenóptero.
hymn [him], **1** — *s.* hino.
hymn-book — livro de hinos.
2 — *vt.* e *vi.* celebrar com hinos; entoar hinos.
hymnal ['himnəl], **1** — *s.* livro de hinos.
2 — *adj.* de hinos.
hymnary ['himnəri], *s.* livro de hinos.
hymnic ['himnik], *adj.* relativo aos hinos.
hymnodist ['himnədist], *s.* hinista; cantor de hinos; compositor de hinos.
hymnody ['himnədi], *s.* hinologia.
hymnographer [him'nɔgrəfə], *s.* hinógrafo, compositor de hinos.
hymnologist [him'nɔlədʒist], *s.* hinógrafo.
hymnology [him'nɔlədʒi], *s.* hinologia.
hyoid ['haiɔid], *s.* e *adj.* (anat.) hióide; hióideo.
hyoid bone — hióide.
hyoidean [hai'ɔidiən], *adj.* hióide, hióideo.
hypaesthesia [hipes'θi:siə], *s.* hipoestesia.
hypallage [hai'pælədʒi:], *s.* hipálage.
hyperacute ['haipərə'kju:t], *adj.* excessivamente agudo.
hyperaemia [haipər'i:miə], *s.* hiperemia, congestão.
hyperaesthesia [haipəris'θi:siə], *s.* hiperestesia.
hyperalgesia [haipəræl'dʒi:siə], *s.* hiperalgesia, hiperalgia.
hyperbaton [hai'pə:bətən], *s.* hipérbato.
hyperbola [hai'pə:bələ], *s.* (geom.) hipérbole.
hyperbole [hai'pə:bəli], *s.* hipérbole (figura de retórica).
hyperbolic [haipə:'bɔlik], *adj.* hiperbólico.
hyperbolic curve (geom.) — hipérbole.
hyperbolic sine (mat.) — seno hiperbólico.
hyperbolic spiral — espiral hiperbólica.
hiperbolical [-əl], *adj.* hiperbólico.
hiperbolically [-əli], *adv.* hiperbolicamente.
hyperbolism [hai'pə:bəlizm], *s.* hiperbolismo.

hyperbolist [hai'pə:bəlist], *s.* pessoa que fala em hipérboles.
hyperboloid [hai'pə:bəlɔid], *s.* (geom.) hiperbolóide.
hyperboloid of one sheet — hiperbolóide de uma folha.
hyperborean [haipɔ:bɔ'ri:ɔn], *adj.* hiperbóreo.
hyperborean [haipə:bɔ'ri:ən], *adj.* hiperbóreo.
the hyperboreans — os habitantes do Norte
hypercritic ['haipə:'kritik], *s.* hipercrítico.
hypercritical [-əl], *adj.* hipercrítico.
hypercritically [-əli], *adv.* hipercriticamente.
hypercriticism ['haipə:'kritisizm], *s.* hipercrítica.
hyperexcitation [haipəeksi'teiʃən], *s.* sobreexcitação.
Hyperion [hai'piəriən], *n. p.* (mit.) Hipérion.
hypermetropia [haipəmi'troupiə], *s.* hipermetropia.
hypermetropic [haipəmi'trɔpik], *adj.* hipermetrope.
hyperphysical [haipə'fizikəl], *adj.* sobrenatural; hiperfísico.
hyperpiesis [haipəpai'i:sis], *s.* hiperpíese, hipertensão.
hypersensitive ['haipə'sensitiv], *adj.* hipersensível.
hypersensitizing ['haipə'sensitaiziŋ], *s.* hipersensibilidade.
hypertension [haipə'tenʃən], *s.* hipertensão.
hyperthyroidism [haipə'θairɔidizm], *s.* hipertiroidismo.
hypertrophied [hai'pə:trəfaid], *adj.* hipertrofiado.
hypertrophy [hai'pə:trəfi], **1** — *s.* hipertrofia. **2** — *vi.* hipertrofiar-se.
hyphen ['haifən], **1** — *s.* hífen, traço de união. **2** — *vt.* pôr traço de união.
hyphenate [-eit], *vt.* ver **hyphen 2**.
hyphenated American — estrangeiro naturalizado americano.
hypnosis [hip'nousis], *s.* hipnose.
hypnotic [hip'nɔtik], *adj.* hipnótico.
hypnotic state — estado hipnótico.
hypnotism ['hipnətizm], *s.* hipnotismo.
hypnotist ['hipnətist], *s.* hipnotizador.
hypnotize ['hipnətaiz], *vt.* hipnotizar.
hypnotizer [-ə], *s.* hipnotizador.
hypnotizing [-iŋ], *adj.* hipnotizante, hipnotizador.
hypochondria [haipou'kɔndriə], *s.* hipocondria.
hypochondriac [haipou'kɔndriæk], *s.* e *adj.* hipocondríaco.
hypochondriacal [haipoukɔn'draiəkəl], *adj.* hipocondríaco.
hypochromat [haipou'kroumæt], *s.* daltónico.
hyprocrisy [hi'pɔkrəsi], *s.* hipocrisia.
hypocrite ['hipəkrit], *s.* hipócrita.
hypocritical [hipə'kritikəl], *adj.* hipócrita.
hypocritically [-i], *adv.* hipocritamente.
hypoderm [haipə'də:m], *s.* hipoderme.
hypoderma [-ə], *s.* ver **hypoderm.**
hypodermic [-ik], *adj.* hipodérmico, subcutâneo.
hypodermic injection — injecção subcutânea.
hypodermic syringe — seringa para injecção hipodérmica.
hypodermically [-ikəli], *adv.* hipodermicamente.
hypogastric [haipou'gæstrik], *adj.* hipogástrico.
hypogastrium [haipou'gæstriəm], *s.* hipogástrio.
hypogeum [haipou'dʒi:əm], *s.* (*pl.* **hypogea**) hipogeu.
hypophysis [hai'pɔfisis], *s.* hipófise.
hypostasis [hai'pɔstəsis], *s.* hipóstase.
hypostatic [haipɔ'stætik], *adj.* hipostático.
hypostyle ['haipoustail], *adj.* hipostilo.
hyposulphite [haipou'sʌlfait], *s.* hipossulfito.
hyposulphite of soda — hipossulfito de soda.
hypotension [haipou'tenʃən], *s.* hipotensão.
hypotenuse [hai'pɔtinju:z], *s.* hipotenusa.
hypothec [hai'pɔθek], *s.* hipoteca.
hypothecary [-əri], *adj.* hipotecário.
hypothecate [hai'pɔθikeit], *vt.* hipotecar.
hypothecation [haipɔθi'keiʃən], *s.* acção de hipotecar.
hypothecator [haipɔθi'keitə], *s.* devedor hipotecário.
hypothesis [hai'pɔθisis], *s.* (*pl.* **hypotheses**) hipótese.
hypothesize [hai'pɔθisaiz], *vt.* e *vi.* admitir a hipótese de; fazer hipóteses.
hypothetic [haipou'θetik], *adj.* hipotético.
hypothetical [-əl], *adj.* ver **hypothetic.**
hypothetically [-əli], *adv.* hipoteticamente.
hypothyroidism[haipou'θairɔidizm], *s.* hipotiroidismo.
hypotonia [haipou'touniə], *s.* hipotonia.
hypsometer [hip'sɔmitə], *s.* hipsómetro.
hypsometric [hipsou'metrik], *adj.* hipsométrico.
hysometrical [-əl], *adj.* ver **hypsometric.**
hypsometry [hip'sɔmitri], *s.* hipsometria.
hyrax ['haiəræks], *s.* pequeno mamífero parecido com o coelho.
Hyrcan ['hə:kən], *s.* e *adj.* hircânio.
Hyrcania [hə:'keinjə], *top.* Hircânia.
Hyrcanian [-n], *s.* e *adj.* hircaniano.
hyson ['haisn], *s.* hissom, variedade de chá verde.
hyssop ['hisəp], *s.* (bot.) hissopo.
hysterectomy [histə'rektəmi], *s.* histerectomia.
hysteria [his'tiəriə], *s.* histeria.
hysteric [his'terik], *adj.* histérico.
hysterical [-əl], *adj.* histérico; nervoso.
hysterical laughter — riso histérico.
hysterically [-əli], *adv.* histericamente.
hystericism [his'terisizm], *s.* histerismo.
hysterics [his'teriks], *s.* histeria, ataque de nervos.
to go into hysterics — ter um ataque de nervos.
hysterogenic [histərou'dʒenik], *adj.* histerogénico, relativo ao útero.
hysterotomy [histə'rɔtəmi], *s.* histerotomia, cesariana.
hysteron proteron ['histərən'prɔtərɔn], *s.* (gram.) inversão da ordem natural das palavras
hythe [haið], *s.* pequeno porto.

I

I, i [ai] (*pl.* **I's, i's** [aiz]) **1** — *s.* I, i (a nona letra do alfabeto inglês); símbolo químico do iodo.
2 — **I** (*pl.* **we** [Wi:]) *pron. pess. suj.* eu.
iambic [ai'æmbik], *s.* e *adj.* jambo; jâmbico.
iambus (pl. **iambi**) [ai'æmbəs], *s.* jambo.
Iberia [ai'biəriə], *top.* Ibéria.
Iberian [-n], **1** — *s.* ibero.
2 — *adj.* ibérico.
ibex (*pl.* **ibexes**) [ai'beks, -iz], *s.* (zool.) espécie de cabrito montês.
ibidem [i'baidem], *adv.* ibidem; no mesmo lugar.
ibis (*pl.* **ibises**) ['aibis, -iz], *s.* (zool.) íbis.
ice [ais] **1** — *s.* gelo; sorvete, gelado.
ice-boat — barco quebra-gelo.
ice-bound — bloqueado pelo gelo.
ice-box — geladeira.
ice-breaker — navio quebra-gelos.
ice-cream — sorvete, gelado.
ice-floe — banco de gelo; gelos flutuantes.
ice-field — banco de gelo.
ice-axe — machado para cortar gelo.
ice-rink — **pista de gelo.**
ice-spar — variedade de feldspato.
ice-safe — geladeira; sorveteira.
on thin ice — numa situação difícil.
to break the ice — entabular uma conversa; entrar num assunto delicado.
2 — *vt.* gelar; cobrir com gelo; cobrir bolos com açúcar cristalizado. (*Sin.* to congeal, to chill, to freeze. *Ant.* to heat.)
iceberg ['aisbə:g], *s.* icebergue, montanha de gelo flutuante; (fig.) indivíduo frio.
iceblink [-bliŋk], *s.* **reflexo no céu causado pelo gelo.**
iced ['aist], *adj.* gelado; de gelo; coberto de açúcar cristalizado.
a jug of iced water — um jarro de água gelada.
Iceland ['aislənd], *top.* Islândia.
Icelander ['aislændə], *s.* islandês.
Icelandic [ais'lændik], *s.* e *adj.* a língua islandesa; islandês.
iceman (*pl.* **icemen**) ['aismæn, -men], *s.* vendedor de gelo ou de gelados; homem acostumado a andar no gelo.
ichneumon [ik'nju:mən], *s.* (zool.) icnêumon, mangusto.
ichnographic(al) [iknou'græfik(əl)], *adj.* icnográfico.
ichnography [ik'nɔgrəfi], *s.* icnografia.
ichor ['ai:kɔ:], *s.* icor, serosidade.
ichthyologist [ikθi'ɔlədʒist], *s.* ictiólogo.
ichthyology [ikθi'ɔlədʒi], *s.* ictiologia, parte da zoologia que trata dos peixes.
icicle ['aisikl], *s.* pingente de gelo, sincelo.
icily ['aisili], *adv.* friamente, geladamente.
iciness ['aisinis], *s.* congelação; frio glacial.
icing ['aisiŋ], *s.* congelação; crosta de gelo ou de açúcar cristalizado; enfeites de açúcar.
icon ['aikɔn], *s.* imagem; estátua; pintura sacra.
icònic [ai'kɔnik], *adj.* icónico, icástico.
iconoclasm [ai'kɔnəklæzəm], *s.* iconoclasmo.
iconoclast [ai'kɔnəklæst], *s.* iconoclasta, destruidor de imagens.
iconographer [aikɔ'nɔgrəfə], *s.* iconógrafo.
icteric [ik'terik], *adj.* ictérico.
icy ['aisi], *adj.* gelado, gélido; frio. (*Sin.* **cold**, chilly, freezing, frosty, frigid. *Ant.* warm.)
idea [ai'diə], *s.* ideia, noção; concepção; imagem mental; fantasia. (*Sin.* belief, notion, opinion, fancy, conceit, thought, conception).
a bright idea — uma ideia luminosa.
I had no idea you were there — não fazia ideia de que estavas aí; não sabia que estavas aí.
his one idea — a sua ideia fixa.
to get ideas into one's head — fazer grandes planos com poucas probabilidades de realização.
what an idea! — que ideia!
ideal [ai'diəl], *s.* e *adj.* o ideal; ideal, mental, utópico, imaginário.
idealism [i-zəm], *s.* idealismo.
idealist [-ist], *s.* idealista.
idealistic [aidiə'listik], *adj.* idealístico.
idealization [aidiəlai'zeiʃən], *s.* idealização.
idealize [ai'diəlaiz], *vt.* e *vi.* idealizar, imaginar.
ideally [ai'diəli], *adv.* idealmente, mentalmente.
identical [ai'dentikəl], *adj.* idêntico, análogo. (*Sin.* same, self-same. *Ant.* different.)
identically [-i], *adj.* identicamente.
identifiable [ai'dentifaiəbl], *adj.* identificável.
identification [aidentifi'keiʃən], *s.* identificação.
identification card — bilhete de identidade.
identification plate (aut.) — chapa de matrícula.
identify [ai'dentifai], *vt.* identificar; reconhecer; descobrir.
identity (*pl.* **identities**) [ai'dentiti, -iz], *s.* identidade.
identity card — bilhete de identidade.
ideograph ['idiougrα:f], *s.* ideógrafo.
ideographic(al) [idiou'græfik(əl)], *adj.* ideográfico.
ideography [idi'ɔgrəfi], *s.* ideografia.
ideologist [aidi'ɔlədʒist], *s.* ideólogo.
ideology (*pl.* **ideologies**) [aidi'ɔlədʒi, -iz], *s.* ideologia.
idiocy ['idiəsi], *s.* idiotismo, imbecilidade, inépcia; fraqueza de espírito.
idiom ['idiəm], *s.* idioma, linguagem, dialecto; idiotismo.
idiomatic(al) [idiə'mætik(əl)], *adj.* idiomático.
idiomatically [-əli], *adv.* idiomaticamente.
idiosyncrasy (*pl.* **idiosyncrasies**) [idiə'sinkrəsi, -iz], *s.* idiossincrasia.
idiot ['idiət], *s.* idiota, imbecil.
idiotic [idi'ɔtik], *adj.* idiota, parvo, imbecil; absurdo.
idiotically [-əli], *adv.* à maneira de idiota; estupidamente.
idle ['aidl], **1** — *adj.* indolente, preguiçoso, inútil, mandrião; frívolo, vão, ocioso. (*Sin.* lazy, inactive, sluggish, slothful, indolent, inert, useless, unoccupied, empty, vain. *Ant.* busy, useful.)
idle talk — palavreado.
it is idle to expect — é inútil esperar.
not to have an idle moment — não ter um momento de descanso.
2 — *vt.* e *vi.* estar ocioso, mandriar; funcionar em marcha lenta.
to idle away one's time — perder o tempo na ociosidade.
idleness [-nis], *s.* ociosidade, preguiça; inutilidade, frivolidade, inactividade.
idleness is the root of all evils — a ociosidade é a mãe de todos os vícios.
to eat the bread of idleness — viver à custa dos outros.
idler [-ə], *s.* ocioso, preguiçoso.
idly [-i], *adv.* ociosamente, negligentemente; frivolamente; em vão.

to talk idly — falar no ar; dizer disparates.
idol ['aidl], *s.* ídolo; ilusão.
idolater [ai'dɔlətə], *s.* idólatra.
idolatress [ai'dɔlətris], *s.* mulher idólatra.
idolatrous [ai'dɔlətrəs], *adj.* idólatra.
idolatrously [-li], *adv.* com idolatria.
idolatry [ai'dɔlətri], *s.* idolatria.
idolize ['aidəlaiz], *vt.* idolatrar. (*Sin.* to adore, to venerate, to worship, to love, to reverence. *Ant.* to execrate.)
idyll ['idil], *s.* idílio.
idyllic [ai'dilik], *adj.* idílico.
idyllist ['aidilist], *s.* idilista; visionário, sonhador, utopista.
if [if], **1** — *s.* se; condição, incerteza.
without ifs and ands — sem réplica; sem ses nem mas.
2 — *conj.* se; ainda que, mesmo que, suposto que, quando mesmo.
if it rains — se chover.
if only I knew — se eu soubesse.
as if you didn't know — sabes perfeitamente.
if not — a menos que; a não ser que; caso contrário.
igloo ['iglu:], *s.* cabana de esquimó.
Ignatius [ig'neiʃjəs], *n. p.* Inácio.
igneous ['igniəs], *adj.* igneo, vulcânico; de fogo.
ignis fatuus ['ignis'fætjuəs], *s.* fogo-fátuo; fogo de Santelmo; prazer ou glória que se extingue depressa; brilho transitório.
ignitable [ig'naitəbl], *adj.* inflamável.
ignite [ig'nait], *vt.* e *vi.* acender, inflamar; inflamar-se, incendiar-se; abrasar.
ignition [ig'niʃən], *s.* ignição; inflamação.
ignobility [ignou'biliti], *s.* baixeza, ignobilidade.
ignoble [ig'noubl], *adj.* ignóbil, vil, baixo; desprezível; plebeu.
ignobleness [-nis], *s.* baixeza, vileza, ignobilidade.
ignobly [-i], *adv.* ignobilmente, vilmente.
ignominious [ignə'miniəs], *adj.* ignominioso, deprimente, vergonhoso.
ignominiously [-li], *adv.* ignominiosamente; vergonhosamente.
ignominy (*pl.* **ignominies**) ['ignəmini, -iz], *s.* ignomínia, infâmia, desonra, opróbrio. (*Sin.* disgrace, contempt, discredit, infamy, opprobium. *Ant.* honour.)
ignoramus (*pl.* **ignoramuses**) [ignə'reiməs, -iz], *s.* ignorante; estúpido.
ignorance ['ignərəns], *s.* ignorância; desconhecimento.
where ignorance is bliss, it's folly to be wise — onde a ignorância reina é loucura ser-se sábio.
ignorant ['ignərənt], *adj.* ignorante, desconhecedor.
ignorantly [-li], *adv.* ignorantemente; sem saber, por ignorância.
ignore [ig'nɔ:], *vt.* ignorar; fazer vista grossa, fingir que não se vê; menosprezar; desconhecer.
iguana [i'gwɑ:nə], *s.* (zool.) iguana.
ilex (*pl.* **ilexes**) ['aileks, -iz], *s.* (bot.) azevinho; azinheira.
iliac ['iliæk], *adj.* ilíaco.
Iliad ['iliəd], *s.* Ilíada.
ilk [ilk], *adj.* o mesmo, a mesma, cada um.
ill [il], **1** — *s.* mal; injustiça; calamidade.
to speak ill of — dizer mal de.
you return ill for good — pagas o bem com o mal.
2 — *adj.* mau, ruim; doente.
it's an ill wind that blows nobody good — há males que vêm por bem.
ill breeding — má educação.
to fall (to be taken) ill — adoecer.
they are ill to please — eles são difíceis de contentar.
3 — *adv.* mal; desfavoravelmente.
ill-advised — imprudente.
ill-affected — mal-intencionado; maldisposto.
ill at ease — embaraçado.
ill-bred — malcriado.
ill-disposed — mal-intencionado; malévolo.
ill-fated — desgraçado; fatal.
ill-favoured — feio; sem graça.
ill-gotten — mal adquirido.
ill-health — **indisposição; falta de saúde.**
ill-looking — de mau aspecto.
ill-mannered — rude, grosseiro.
ill-natured — maldoso; desagradável.
ill-starred — com má sina.
ill-shaped — informe; monstruoso.
ill-tempered — de má índole; de mau temperamento.
ill-treated — maltratado.
ill-willed — **malévolo; mal-intencionado.**
illation [i'leiʃən], *s.* ilação; inferência.
illegal [i'li:gəl], *adj.* ilegal.
illegally [-i], *adv.* ilegalmente.
illegality (*pl.* **illegalities**) [ili(:)'gæliti, -iz], *s.* ilegalidade.
illegibility [iledʒi'biliti], *s.* ilegibilidade.
illegible [i'ledʒəbl], *adj.* ilegível.
illegibly [-i], *adv.* ilegivelmente.
illegitimacy (*pl.* **illegitimacies**) [ili'dʒitiməsi, -iz], *s.* ilegitimidade.
illegitimate [ili'dʒitimit], *adj.* ilegítimo.
illegitimately [-li], *adv.* ilegitimamente.
illiberal [i'libərəl], *adj.* iliberal, tacanho, mesquinho; avarento.
illiberality [ilibə'ræliti], *s.* iliberalidade, mesquinhez, avareza.
illiberally [i'libərəli], *adv.* avaramente, mesquinhamente.
illicit [i'lisit], *adj.* ilícito.
illicitly [-li], *adv.* ilicitamente.
illicitness [-nis], *s.* ilegalidade.
illimitable [i'limitəbl], *adj.* ilimitado.
illimitableness [-nis], *s.* ilimitabilidade.
illimitably [-i], *adv.* ilimitavelmente.
illiteracy (*pl.* **illiteracies**) [i'litərəsi, -iz], *s.* ignorância, falta de instrução.
illiterate [i'litərit], *s.* e *adj.* iletrado, ignorante, inculto.
illiterately [-li], *adv.* ignorantemente.
illiterateness [-nis], *s.* ignorância, incultura.
illness ['ilnis], *s.* doença, enfermidade, mal; indisposição.
illogical [i'lɔdʒikəl], *adj.* ilógico.
illogicality (*pl.* **illogicalities**) [ilɔdʒi'kæliti, -iz], *s.* falta de lógica.
illogically [i'lɔdʒikəli], *adv.* ilogicamente.
illuminant [i'ljuminənt], **1** — *s.* aparelho de iluminação.
2 — *adj.* iluminante.
illuminate [i'lju:mineit], *vt.* iluminar, alumiar; esclarecer; ilustrar; adornar com estampas coloridas.
illumination [ilju:mi'neiʃən], *s.* iluminação; esplendor, brilho; inspiração; pintura iluminada; iluminura.
illuminative [i'lju:minətiv], *adj.* iluminativo; esclarecedor.
illumine [i'lju:min], *vt.* iluminar; esclarecer, aclarar.
illuminism [-izəm], *s.* iluminismo.
illusion [i'lu:ʒən], *s.* ilusão, engano, erro. (*Sin.* delusion, fallacy, dream, vision, chimera, fantasy. *Ant.* reality.)
illusionism [-izəm], *s.* ilusionismo.
illusionist [-ist], *s.* ilusionista; visionário.
illusive [i'lu:siv], *adj.* ilusório, ilusivo, enganador.

illusively [-li], *adv.* ilusivamente, falsamente.
illusiveness [-nis], *s.* ilusão, engano, falsa aparência.
illusorily [i'lu:sərili], *adv.* ilusoriamente.
illusoriness [i'lu:sərinis], *s.* qualidade de ser ilusório.
illusory [i'lu:səri], *adj.* ilusório, enganador,
illustrate ['iləstreit], *vt.* ilustrar, esclarecer, explicar, aclarar. (*Sin.* to elucidate, to demonstrate, to explain, to exemplify, to interpret. *Ant.* to obscure.)
illustration [iləs'treiʃən], *s.* ilustração, explicação; gravura, desenho.
by way of illustration — a título de exemplificação.
illustrative ['iləstreitiv], *adj.* ilustrativo, explicativo.
illustratively [-li], *adv.* explicativamente.
illustrator ['iləstreitə], *s.* explicador, comentador.
illustrious [i'lʌstriəs], *adj.* ilustre, notável, nobre, célebre, distinto, preclaro, eminente, brilhante.
illustriously [-li], *adv.* ilustremente.
illustriousness [-nis], *s.* brilho, eminência, nobreza, distinção, grandeza.
image ['imidʒ], **1** — *s.* imagem; estátua; ídolo; figura; ideia, representação; metáfora. (*Sin.* likeness, picture, representation, effigy, figure, ressemblance, copy, idol, statue.)
he is the living image of his father — ele é o retrato vivo do pai.
2 — *vt.* imaginar; formar uma imagem; fazer o retrato de; reflectir.
imagery ['imidʒəri], *s.* imagens; fantasias; pinturas; estátuas; figuras de retórica; obras de imaginação.
imaginable [i'mædʒinəbl], *adj.* imaginável.
imaginably [-i], *adv.* imaginavelmente.
imaginary [i'mædʒinəri], *adj.* imaginário, fantástico, fictício, quimérico. (*Sin.* unreal, fanciful, illusive, illusory, visionary, chimerical. *Ant.* real.)
imagination [imædʒi'neiʃən], *s.* imaginação, fantasia; quimera; ideia.
imaginative [i'mædʒinətiv], *adj.* imaginativo.
imaginatively [-li], *adv.* com imaginação.
imaginativeness [-nis], *s.* faculdade de imaginação.
imagine [i'mædʒin], *vt.* imaginar, conjecturar, fantasiar; conceber; supor, julgar; formar imagens mentais.
I can hardly imagine it — custa-me a acreditar.
you can't imagine what he is doing — não pode imaginar o que ele está a fazer.
imaginer [-ə], *s.* imaginador, inventor.
imagining [-iŋ], *s.* imaginação, fantasia.
imago (*pl.* **imagines, imagoes**) [i'meigou, i'meidʒini:z, i'meigouz], *s.* (zool.) imago; insecto perfeito.
iman, imaum [i'mɑ:m], *s.* imã, sacerdote maometano.
imbecile ['imbisi:l], *s.* e *adj.* imbecil, estúpido, idiota.
imbecility (*pl.* **imbecilities**) [imbi'siliti, -iz], *s.* imbecilidade, estupidez.
imbibe [im'baib], *vt.* embeber; beber; absorver; ensopar; inalar (ar).
imbiber [-ə], *s.* o que embebe ou absorve.
imbricate ['imbrikeit], *vt.* e *vi.* imbricar.
imbroglio [im'brouliou], *s.* embrulhada, trapalhada, enredo.
imbue [im'bju:], *vt.* empapar, ensopar; tingir; imbuir; impregnar.
imitable ['imitəbl], *adj.* imitável.
imitate ['imiteit], *vt.* imitar, arremedar; falsificar; copiar; fingir.
imitation [imi'teiʃən], *s.* imitação, cópia; falsificação. (*Sin.* copy, parody, likeness.)
imitative ['imitətiv], *adj.* imitativo; imitador.
imitatively [-li], *adv.* imitativamente.
imitativeness [-nis], *s.* qualidade de ser imitativo; imitação.
imitator ['imiteitə], *s.* imitador; falsificador.
immaculate [i'mækjulit], *adj.* imaculado, puro; inocente.
immaculately [-li], *adv.* imaculadamente.
immaculateness [-nis], *s.* pureza, inocência, imaculabilidade.
Immanuel [i'mænjuəl], *n. p.* Emanuel.
immaterial [imə'tiəriəl], *adj.* imaterial, incorpóreo; pouco importante; indiferente.
immaterialism [-izəm], *s.* imaterialismo, idealismo.
immaterialist [-ist], *s.* imaterialista.
immateriality (*pl.* **immaterialities**) ['imətiəri'æliti, -iz], *s.* imaterialidade; pouca importância.
immaterialize [imə'tiəriəlaiz], *vt.* imaterializar.
immature [imə'tjuə], *adj.* imaturo; prematuro; impensado.
immaturely [-li], *adv.* imaturamente.
immaturity [imə'tjuəriti], *s.* imaturidade; precocidade. (*Sin.* imperfection, crudeness, unripeness, incompleteness. *Ant.* ripeness.)
immeasurability [imeʒərə'biliti], *s.* incomensurabilidade.
immeasurable [i'meʒərəbl], *adj.* incomensurável; infinito; imenso.
immeasurableness [-nis], *s.* incomensurabilidade.
immeasurably [-i], *adv.* incomensuravelmente.
immediate [i'mi:djət], *adj.* imediato, contíguo, próximo; directo; urgente; instantâneo, sem demora.
an immediate reply — uma resposta urgente.
immediately [-ili], **1** — *adv.* imediatamente; directamente. (*Sin.* nearly, closely, proximately, directly, straightway. *Ant.* distantly.)
2 — *conj.* logo que.
immediateness [-nis], *s.* prontidão, brevidade.
immemorial [imi'mɔ:riəl], *adj.* imemorial; muito antigo.
immemorially [-i], *adv.* de modo imemorial.
immense [i'mens], *adj.* imenso, infinito, vasto. (*Sin.* vast, infinite, boundless, immeasurable, huge, gigantic. *Ant.* small.)
immensely [-li], *adv.* imensamente; extremamente.
immenseness, immensity [-nis, -iti], *s.* imensidade, vastidão, enormidade, infinidade.
immerse [i'mə:s], *vt.* mergulhar, imergir, fazer imersão; baptizar por imersão; penetrar em.
immersion [i'mə:ʃən], *s.* imersão; baptismo por imersão.
immigrant ['imigrənt], *s.* e *adj.* imigrante.
immigrate ['imigreit], *vt.* e *vi.* imigrar.
immigration [imi'greiʃən], *s.* imigração.
imminence, imminency ['iminəns, -si], *s.* iminência, perigo próximo.
imminent ['iminənt], *adj.* iminente.
imminently [-li], *adv.* iminentemente.
immiscible [i'misibl], *adj.* imiscível.
immobile [i'moubail], *adj.* imóvel, imóbil; fixo.
immobility [imou'biliti], *s.* imobilidade; fixidez.
immobilize [i'moubilaiz], *vt.* imobilizar; paralizar.
immoderate [i'mɔdərit], *adj.* imoderado, descomedido, excessivo. (*Sin.* excessive, intemperate, extreme, inordinate, extravagant, unreasonable. *Ant.* reasonable.)

immoderately [-li] *adv.* imoderadamente, demasiadamente, excessivamente.
immoderateness, immoderation [-nis, imɔdə'reiʃən], *s.* imoderação, excesso, demasia.
immodest [i'mɔdist], *adj.* imodesto, indecoroso; presumido. (*Sin.* bold, brazen, shameless, forward. *Ant.* bashful.)
immodestly [-li], *adv.* imodestamente, impudicamente; com presunção.
immodesty [-i], *s.* imodéstia; presunção.
immolate ['imouleit], *vt.* imolar.
immolation [imou'leiʃən], *s.* imolação.
immolator ['imouleitə], *s.* imolador.
immoral [i'mɔrəl], *adj.* imoral, depravado, corrupto, licencioso.
immorality [imə'ræliti], *s.* imoralidade, devassidão.
immorally [i'mɔrəli], *adv.* imoralmente.
immortal [i'mɔ:tl], *s.* e *adj.* imortal. (*Sin.* eternal, everlasting, perpetual, lasting, undying. *Ant.* perishable.)
immortality [imɔ:'tæliti], *s.* imortalidade.
immortalize [i'mɔ:təlaiz], *vt.* imortalizar; perpetuar.
immortally [i'mɔ:təli], *adv.* imortalmente.
immortelle [imɔ':tel], *s.* (bot.) perpétua.
immovable [i'mu:vəbl], *adj.* imóvel, permanente; inalterável, inabalável; impassível.
immovableness [-nis], *s.* imobilidade; insensibilidade.
immovables [-z], *s. pl.* bens imobiliários.
immovably [-i], *adv.* imovelmente; imutavelmente; permanentemente, firmemente.
immune [i'mju:n], **1** — *s.* pessoa imunizada.
2 — *adj.* imune, isento, livre.
immunity (*pl.* **immunities**) [i'mju:niti, -iz], *s.* imunidade; isenção; prerrogativa, privilégio.
immunize ['imju(:)naiz], *vt.* imunizar.
immure [i'mjuə], *vt.* encarcerar, enclausurar.
immurement [-mənt], *s.* encarceramento.
immutability [imju:tə'biliti], *s.* imutabilidade, estabilidade.
immutable [i'mju:təbl], *adj.* imutável.
immutably [-i] *adv.* imutavelmente, invariavelmente.
imp [imp], **1** — *s.* diabinho; criança endiabrada.
he is a young imp — é um diabrete.
2 — *vt.* aumentar, reforçar.
impact **1** — ['impækt], *s.* choque, colisão, embate; impacto.
2 — [im'pækt], *vt.* apertar; enfeixar; fechar; esbarrar-se contra.
impair [im'pɛə], *vt.* enfraquecer, debilitar; deteriorar, prejudicar, alterar; comprometer; arruinar. (*Sin.* to injure, to weaken, to deteriorate, to harm, to lessen. *Ant.* to improve.)
to impair the faculties — alterar as faculdades.
impairment [-mənt], *s.* enfraquecimento; deterioração; prejuízo, dano; depreciação.
impale [im'peil], *vt.* juntar dois brasões de armas no mesmo escudo, com uma linha vertical de separação; empalar.
impalement [-mənt], *s.* pala (de brasão); empalação.
impalpability [impælpə'biliti], *s.* impalpabilidade.
impalpable [im'pælpəbl], *adj.* impalpável; inacessível.
impalpably [-i] *adv.* de forma impalpável; inacessivelmente.
impanel [im'pænəl], *vt.* nomear os jurados.
imparisyllabic ['impærisi'læbik] *adj.* imparissilábico.
impart [im'pɑ:t], *vt.* comunicar, fazer saber, participar; conceder, dar; afiar.
to impart news — comunicar notícias.
impartial [im'pɑ:ʃəl], *adj.* imparcial, recto. (*Sin.* just, disinterested, equitable, neutral. *Ant.* partial.)
impartiality ['impɑ:ʃi'æliti], *s.* imparcialidade.
impartially [im'pɑ:ʃəli], *adv.* imparcialmente.
impassable [im'pɑ:səbl], *adj.* intransitável; impraticável.
impassableness [-nis], *s.* estado intransitável; impraticabilidade.
impasse [æm'pɑ:s], *s.* beco sem saída; dificuldade insuperável.
impassibility ['impæsə'biliti], *s.* impassibilidade.
impassible [im'pæsibl], *adj.* impassível, insensível.
impassibly [-i], *adv.* impassivelmente.
impassive [im'pæsiv], *adj.* insensível, impassível, indiferente. (*Sin.* insensible, impassible, indifferent. *Ant.* emotional.)
impassively [-li], *adv.* insensivelmente, impassivelmente.
impassiveness [-nis], *s.* impassibilidade, insensibilidade, indiferença.
impatience [im'peiʃəns], *s.* impaciência; aversão.
impatient [im'peiʃənt], *adj.* impaciente.
to get (grow) impatient — impacientar-se.
impatiently [-li], *adv.* impacientemente.
impavid [im'pævid], *adj.* impávido, destemido.
impeach [im'pi:tʃ], *vt.* acusar, denunciar; imputar; pôr em dúvida; rebaixar, aviltar; criticar.
impeachable [-əbl], *adj.* que pode ser acusado; sujeito a acusação; acusável; censurável.
impeacher [-ə], *s.* acusador, delator.
impeachment [-mənt], *s.* acusação, denúncia; censura.
impeccability [impekə'biliti], *s.* impecabilidade.
impeccable [im'pekəbl], *adj.* impecável, irrepreensível.
impecunious [impi'kju:njəs], *adj.* pobre, sem dinheiro.
impecuniously [-li], *adv.* pobremente, sem dinheiro.
impecuniousness [-nis], *s.* pobreza, falta de dinheiro.
impede [im'pi:d], *vt.* impedir, deter; retardar; estorvar, embaraçar.
impediment [im'pedimənt], *s.* impedimento, obstáculo. (*Sin.* obstacle, hindrance, obstruction, difficulty, bar. *Ant.* facility.)
impediment in one's speech — defeito na fala; gaguez.
impedimenta [impedi'mentə], *s. pl.* bagagem militar; bagagem (em geral).
impel [im'pel], *vt.* (*pret.* e *pp.* **impelled**) impelir, instigar, incitar, forçar.
impellent [-ənt], **1** — *s.* força impulsiva.
2 — *adj.* impulsivo.
impeller [-ə], *s.* impulsor, instigador.
impend [im'pend], *vi.* impender, ameaçar, estar iminente.
impending [-iŋ], *adj.* iminente, próximo.
impenetrability [impenitrə'biliti], *s.* impenetrabilidade.
impenetrable [im'penitrəbl], *adj.* impenetrável.
impenetrableness [-nis], *s.* impenetrabilidade.
impenetrably [-i], *adv.* impenetravelmente.
impenitence [im'penitəns], *s.* impenitência.
impenitent [im'penitənt], *adj.* impenitente.
impenitently [-li], *adv.* impenitentemente.
imperative [im'perətiv], **1** — *s.* imperativo.

2 — *adj.* imperativo, obrigatório; urgente, necessário. (*Sin.* urgent, obligatory, peremptory, commanding. *Ant.* optional.)
it is imperative for him to go — é forçoso que ele vá.

imperatively [-li], *adv.* terminantemente, imperativamente.

imperativeness [-nis], *s.* imperiosidade.

imperceptibility [ˈimpəseptəˈbiliti], *s.* imperceptibilidade.

imperceptible [impəˈseptəbl], *adj.* imperceptível.

imperceptibleness [-nis], *s.* imperceptibilidade.

imperceptibly [-i], *adv.* imperceptivelmente.

imperfect [imˈpə:fikt], **1** — *s.* (gram.) imperfeito.
2 — *adj.* imperfeito, defeituoso; incompleto. (*Sin.* faulty, defective, hacking, incomplete. *Ant.* entire, perfect.)

imperfection [impəˈfekʃən], *s.* imperfeição; defeito; estado incompleto.

imperfectly [imˈpə:fiktli], *adv.* imperfeitamente; incompletamente.

imperforate [imˈpə:fərit], *adj.* imperfurado.

imperial [imˈpiəriəl], **1** — *s.* imperial, perinha no queixo; lugar na parte superior de uma diligência; moeda de ouro dos czares.
2 — *adj.* imperial; imponente, majestoso.

imperialism [imˈpiəriəlizəm], *s.* imperialismo.

imperialist [imˈpiəriəlist], *s.* imperialista.

imperially [imˈpiəriəli], *adv.* imperialmente.

imperil [imˈperil], *vt.* (*pret.* e *pp.* **imperilled**) arriscar; pôr em perigo, fazer perigar.

imperious [imˈpiəriəs], *adj.* imperioso, autoritário; urgente. (*Sin.* despotic, arrogant, overbearing, domineering, tyrannical. *Ant.* mild.)

imperiously [-li], *adv.* imperiosamente.

imperiousness [-nis], *s.* imperiosidade.

imperishable [imˈperiʃəbl], *adj.* imperecível, imorredouro, indestrutível.

imperishableness [-nis], *s.* indestrutibilidade, imortalidade.

imperishably [-i], *adv.* imperecivelmente.

impermeability [impə:mjəˈbiliti], *s.* impermeabilidade.

impermeable [imˈpə:mjəbl], *adj.* impermeável.

impermeably [-i], *adv.* impermeavelmente.

impersonal [imˈpə:snl], *adj.* impessoal.

impersonality [impə:səˈnæliti], *s.* impersonalidade, falta de originalidade.

impersonally [imˈpə:snli], *adv.* impessoalmente.

impersonate [imˈpə:səneit], *vt.* personificar; representar o papel de.

impersonation [impə:səˈneiʃən], *s.* personificação; representação.

impersonator [imˈpə:səneitə], *s.* personificador; actor; imitador.

impertinence [imˈpə:tinəns], *s.* impertinência, insolência; despropósito.

impertinent [imˈpə:tinənt], *adj.* impertinente, insolente; intempestivo, inoportuno; absurdo, intrometido; estranho ao assunto. (*Sin.* rude, saucy, officious, meddling, irrelevant, insolent. *Ant.* polite, pertinent.)
an impertinent remark — uma observação intempestiva.

impertinently [-li], *adv.* impertinentemente, insolentemente.

imperturbability [ˈimpə(:)tə:bəˈbiliti], *s.* imperturbabilidade.

imperturbable [impə(:)ˈtə:bəbl], *adj.* imperturbável; calmo. (*Sin.* composed, collected, serene, calm, cool, sedate. *Ant.* excited.)

imperturbably [-i], *adv.* imperturbavelmente.

impervious [imˈpə:vjəs], *adj.* impermeável, impenetrável; insensível.
impervious to water — impermeável à água.

imperviously [-li], *adv.* impenetravelmente.

imperviousness [-nis], *s.* impenetrabilidade, impermeabilidade.

impetigo [impiˈtaigou], *s.* impetigo.

impetuosity [impetjuˈɔsiti], *s.* impetuosidade.

impetuous [imˈpetjuəs], *adj.* impetuoso, arrebatado, violento.

impetuously [-li], *adv.* impetuosamente.

impetuousness [-nis], *s.* impetuosidade.

impetus (*pl.* **impetuses**) [ˈimpitəs, -iz], *s.* ímpeto, impulso; velocidade.

impiety (*pl.* **impieties**) [imˈpaiəti, -iz], *s.* impiedade.

impinge [imˈpindʒ] *vt.* e *vi.* bater de encontro a, chocar com.

impingement [-mənt], *s.* choque, embate.

impious [ˈimpiəs], *adj.* ímpio, descrente, profano; irreverente.

impiously [-li], *adv.* impiamente.

impish [ˈimpiʃ], *adj.* endiabrado, irrequieto.

impishly [-li], *adv.* endiabradamente.

impishness [-nis], *s.* diabrura, travessura; malícia.

implacability [implækəˈbiliti], *s.* implacabilidade.

implacable [imˈplækəbl], *adj.* implacável, inflexível. (*Sin.* stern, relentless, harsh, pitiless, inexorable. *Ant.* lenient.)

implacably [-i], *adv.* implacavelmente.

implant [imˈplɑ:nt], *vt.* implantar, fixar; incutir, infundir; estabelecer.
to implant ideas in the mind — incutir ideias no espírito.

implantation [implɑ:nˈteiʃən], *s.* implantação.

implement [ˈimplimənt], **1** — *s.* instrumento, utensílio, ferramenta; acessório.
agricultural implements — alfaias agrícolas.
2 — *vt.* cumprir (contratos); acrescentar.

implicate [ˈimplikit], *vt.* implicar; envolver; comprometer; entrelaçar.

implication [impliˈkeiʃən], *s.* implicação; dedução; insinuação; sugestão.
by implication — implicitamente.

implicative [imˈplikətiv], *adj.* implicativo, implicante.

implicit [imˈplisit], *adj.* implícito, tácito. (*Sin.* implied, tacit, inferred, understood. *Ant.* expressed.)

implicitly [-li], *adv.* implicitamente, tacitamente.

implicitness [-nis], *s.* implicação; carácter do que é implícito.

implied [imˈplaid], **1** — *adj.* implícito, subentendido.
2 — *pret.* e *pp.* do verbo **to imply.**

impliedly [-li], *adv.* implicitamente, tacitamente.

implore [imˈplɔ:], *vt.* implorar, suplicar, rogar.

implorer [-rə], *s.* suplicante, implorador.

imploringly [-riŋli], *adv.* suplicantemente.

imply [imˈplai], *vt.* implicar; significar; subentender; sugerir, indicar. (*Sin.* to mean, to hint, to indicate, to suggest.)

impolicy [imˈpɔlisi], *s.* imprudência, inconveniência; má política.

impolite [impəˈlait], *adj.* grosseiro, descortês, inconveniente, incorrecto.

impolitely [-li], *adv.* grosseiramente, incorrectamente.

impoliteness [-nis], *s.* indelicadeza, grosseria; descortesia.

impolitic [imˈpɔlitik], *adj.* impolítico; precipitado; pouco oportuno.

imponderable [imˈpɔndərəbl], *adj.* imponderável.

import 1 — ['impɔ:t], *s.* importação; importância; significado, sentido; conteúdo (de documento).
imports and exports — importações e exportações.
import duties — direitos de importação.
2 — [im'pɔ:t], *vt.* importar; introduzir; implicar; significar; dizer respeito a; envolver.
what does it import? — que significa isso?
importable [im'pɔ:təbl], *adj.* importável.
importance [im'pɔ:təns], *s.* importância; consequência; consideração.
to be of little importance — ter pouca importância.
important [im'pɔ:tənt], *adj.* importante.
to become important — tomar vulto.
importantly [-li], *adv.* importantemente.
importation [impɔ:'teiʃən], *s.* importação.
importer [im'pɔ:tə], *s.* importador.
importunate [im'pɔ:tjunit], *adj.* importuno; urgente, imperioso.
importunately [-li], *adv.* importunamente.
importune [im'pɔ:tju:n], **1** — *adj.* importuno.
2 — *vt.* importunar; enfadar, aborrecer.
importunity (*pl.* **importunities**) [impɔ:'tju:niti, -iz], *s.* importunidade, importunação.
impose [im'pouz], *vt.* e *vi.* impor, obrigar a; enganar, intrujar, iludir; abusar de.
to impose upon — enganar.
imposing [-iŋ], *adj.* imponente, grandioso. (*Sin.* impressive, majestic, grand, stately, striking. *Ant.* insignificant.)
imposingly [-iŋli], *adv.* imponentemente.
imposition [impə'ziʃən], *s.* imposição; tributo, imposto; engano; tarefa de castigo nas escolas; (tip.) imposição; abuso.
impossibility [impɔsə'biliti], *s.* impossibilidade.
impossible [im'pɔsəbl], **1** — *s.* impossível.
2 — *adj.* impossível, impraticável; insuportável; incrível; irrealizável.
an impossible person — uma pessoa insuportável.
impossibly [-i], *adv.* impossivelmente.
impost ['impoust], *s.* imposto, tributo, taxa; (arq.) imposta.
impostor [im'pɔstə], *s.* impostor.
imposture [im'pɔstʃə], *s.* impostura; fraude.
impotence, impotency ['impətəns, -si], *s.* impotência, debilidade; impotência sexual.
impotent ['impətənt], *adj.* impotente; fraco.
impotently [-li], *adv.* impotentemente; em vão.
impound [im'paund], *vt.* encurralar; encerrar; apossar-se de; confiscar.
impoverish [im'pɔvəriʃ], *vt.* empobrecer; esgotar os recursos; enfraquecer; esgotar.
impoverishment [-mənt], *s.* empobrecimento.
impracticability [impræktikə'biliti], *s.* impraticabilidade.
impraticable [im'præktikəbl], *adj.* impraticável; intransitável; intratável. (*Sin.* impossible, unachievable, unmanageable. *Ant.* possible.)
impracticableness [-nis], *s.* impraticabilidade.
impracticably [-i], *adv.* impraticavelmente.
imprecate ['imprikeit], *vt.* imprecar, amaldiçoar.
imprecation [impri'keiʃən], *s.* imprecação, maldição.
imprecatory ['imprikeitəri], *adj.* imprecatório.
impregnability [impregnə'biliti], *s.* inexpugnabilidade.
impregnable [im'pregnəbl], *adj.* inexpugnável, inconquistável.
impregnate 1 — [im'pregnit], *adj.* impregnado; embebido; fecundado.
2 — ['impregneit], *vt.* impregnar; embeber; fecundar.
impregnation [impreg'neiʃən], *s.* impregnação, saturação; fecundação.
impresario [impre'sɑ:riou], *s.* empresário.
impress 1 — ['impres], *s.* impressão; marca; semelhança; cunho, timbre.
2 — [im'pres], *vt.* imprimir, estampar; impressionar, comover; assinalar, marcar; obrigar a serviços públicos; (tip.) tirar uma prova.
deeply impressed with — compenetrado de.
impressibility [impresi'biliti], *s.* impressionabilidade.
impressible [im'presəbl], *adj.* impressível; impressionável.
impressibly [-i], *adv.* impressionavelmente.
impression [im'preʃən], *s.* impressão; ideia; sensação; impressão tipográfica. (*Sin.* notion, idea, effect, sensation, feeling.)
I was under the impression that — eu tinha a impressão de que.
impressionability [impreʃnə'biliti], *s.* qualidade de ser impressionável, impressionabilidade.
impressionable [im'preʃnəbl], *adj.* impressionável; susceptível.
impressionism [im'preʃnizəm], *s.* impressionismo.
impressionist [im'preʃnist], *s.* impressionista.
impressive [im'presiv], *adj.* impressivo, impressionante. (*Sin.* imposing, stirring, moving, touching, affecting. *Ant.* ridiculous.)
impressively [-li], *adv.* impressivamente.
impressiveness [-nis], *s.* qualidade de causar impressão.
imprest ['imprest], *s.* empréstimo ao Estado.
imprint 1 — ['imprint], *s.* impressão; marca; nome do editor de um livro.
2 — [im'print], *vt.* imprimir; gravar.
to imprint on the mind — gravar no espírito.
imprison [im'prizn], *vt.* encarcerar; aprisionar; fechar.
imprisonment [-mənt], *s.* prisão, encarceramento.
improbability (*pl.* **improbabilities**) [imprɔbə'biliti, -iz], *s.* improbabilidade.
improbable [im'prɔbəbl], *adj.* improvável. (*Sin.* unlikely, doubtful, uncertain, problematic. *Ant.* certain.)
improbably [-i], *adv.* improvavelmente.
improbity [im'proubiti], *s.* improbidade; desonestidade.
impromptu [im'prɔmptju:], **1** — *s.* improviso.
2 — *adj.* improvisado.
3 — *adv.* de improviso, improvisadamente.
improper [im'prɔpə], *adj.* impróprio; incorrecto; inconveniente; inexacto. (*Sin.* incorrect, false, wrong, inexact, indecorous, unfit. *Ant.* correct, fit.)
improperly [-li], *adv.* impropriamente.
impropriate [im'prouprieit], *vt.* apropriar-se; apoderar-se; alienar (os bens eclesiásticos).
impropriation [improupri'eiʃən], *s.* secularização dos bens eclesiásticos.
impropriator [im'prouprieitə], *s.* possuidor de propriedades da Igreja.
impropriety (*pl.* **improprieties**) [imprə'praiəti, -iz],*s.* impropriedade; inconveniência; inexactidão.
improvable [im'pru:vəbl], *adj.* susceptível de ser melhorado.
improve [im'pru:v], *vt.* e *vi.* melhorar, aperfeiçoar, fazer progressos; modernizar; subir (preços); aperfeiçoar-se.
he has improved — ele tem feito progressos.
to improve the occasion — aproveitar a oportunidade.

improvement [-mənt], *s.* melhoramento, aperfeiçoamento, progresso, adiantamento. (*Sin.* progress, bettering, advance, amendment. *Ant.* deterioration.)
improvidence [im'prɔvidəns], *s.* imprevidência, descuido.
improvident [im'prɔvidənt], *adj.* imprevidente, descuidado.
improvidently [-li], *adv.* imprevidentemente.
improvisation [imprəvai'zeiʃən], *s.* improviso.
improvisator [im'prɔvizeitə], *s.* improvisador; repentista.
improvise ['imprəvaiz], *vt.* e *vi.* improvisar.
imprudence [im'pru:dəns], *s.* imprudência, indiscrição.
imprudent [im'pru:dənt], *adj.* imprudente; irreflectido; indiscreto. (*Sin.* careless, unwise, heedless, indiscreet, hasty. *Ant.* wise.)
imprudently [-li], *adv.* imprudentemente.
impudence ['impjudəns], *s.* impudência; descaramento, desfaçatez.
impudent ['impjudənt], *adj.* impudente; descarado.
impudently [-li], *adv.* impudentemente; descaradamente.
impugn [im'pju:n], *vt.* impugnar; refutar. (*Sin.* to oppose, to gainsay, to deny, to contradict, to resist, to attack. *Ant.* to support.)
impugner [-ə], *s.* impugnador.
impuissance [im'pju(:)isns], *s.* impotência; fraqueza.
impuissant [im'pju(:)isnt], *adj.* impotente; fraco.
impulse ['impʌls], *s.* impulso; ímpeto; impulsão; motivo; estímulo, instigação; desejo. (*Sin.* impetus, push, instigation, incentive).
impulsion [im'pʌlʃən], *s.* impulsão, ímpeto, impulso.
impulsive [im'pʌlsiv], *adj.* impulsivo, impetuoso.
impulsively [-li], *adv.* impulsivamente.
impulsiveness [-nis], *s.* impulsividade.
impunity [im'pju:niti], *s.* impunidade.
with impunity — sem castigo; impunemente.
impure [im'pjuə], *adj.* impuro; imoral, desonesto.
impurely [-li], *adv.* impuramente.
impurity (*pl.* **impurities**) [-riti, -iz], *s.* impureza.
imputability [impju:təbiliti], *s.* imputabilidade.
imputable [im'pju:təbl], *adj.* imputável; atribuível.
imputation [impju(:)'teiʃən], *s.* imputação, censura, acusação. (*Sin.* accusation, charge, blame, reproach.)
impute [im'pju:t], *vt.* imputar, atribuir.
to impute the fault to one — deitar a culpa a alguém.
imputrescible [impju'tresibl], *adj.* imputrescível.
in [in], **1** — *s.* (usado no plural) grupo político que está no poder; pormenores.
the ins and outs — os que estão no poder e os que não estão; os pormenores.
2 — *adj.* interno; que vive dentro.
in-patient — doente internado num hospital.
3 — *adv.* em casa, dentro.
all in — tudo incluído.
in for a penny, in for a pound — perdido por um, perdido por mil.
day in and day out — dia após dia.
to be in with — estar de boas relações com.
to be in for history — estudar história.
to go in — entrar, ir para dentro.
to be in — estar em casa.
Summer is in — começou o Verão.
the fire is still in — o lume está ainda aceso.
the Republicans are in now — os republicanos estão agora no poder.
4 — *prep.* em, dentro de; de; a; durante; com; por.
in a little while — dentro em pouco.
in a blue dress — com um vestido azul.
in a way — de certo modo.
in cash — a dinheiro.
in deep water (col.) — em dificuldades.
in fun — por brincadeira.
in haste — à pressa.
in memory of — à memória de.
in earnest — a sério.
in order to — para, a fim de.
in order that — a fim de que.
in so far as — até ao ponto de.
in somebody's good books — nas boas graças de alguém.
in the morning — de manhã.
in the dark — às escuras.
in the meantime — entretanto.
in the distance — à distância.
in the rain — à chuva.
in any case — em qualquer caso.
to be in step with — manter-se a par de.
inability (*pl.* **inabilities**) [inə'biliti, -iz], *s.* inabilidade, incapacidade, inaptidão. (*Sin.* incompetence, incapacity, disability. *Ant.* competence.)
inaccessibility ['inæksesə'biliti], *s.* inacessibilidade.
inaccessible [inæk'sesəbl], *adj.* inacessível.
inaccessibly [-i], *adv.* inacessivelmente.
inaccuracy (*pl.* **inaccuracies**) [in'ækjurəsi, -iz], *s.* inexactidão, engano; pouco cuidado.
inaccurate [in'ækjurit], *adj.* inexacto, incorrecto, errado. (*Sin.* inexact, incorrect, wrong, erroneous. *Ant.* correct.)
inaccurately [-li], *adv.* incorrectamente, inexactamente.
inaction [in'ækʃən], *s.* inacção, inactividade.
inactive [in'æktiv], *adj.* inactivo, desocupado.
to remain inactive — ficar inactivo.
inactively [-li], *adv.* inactivamente, indolentemente.
inactivity [inæk'tiviti], *s.* inactividade, inércia, indolência, ociosidade.
inadequacy [in'ædikwəsi], *s.* insuficiência, desproporção; disparidade; incapacidade; imperfeição.
inadequate [in'ædikwit], *adj.* inadequado; insuficiente; inconveniente; desproporcionado.
inadequately [-li], *adv.* inadequadamente; insuficientemente; desproporcionadamente.
inadequateness [-nis], *s.* insuficiência; desproporção.
inadmissibility ['inədmisə'biliti], *s.* inadmissibilidade.
inadmissible [inəd'misəbl], *adj.* inadmissível; inaceitável.
inadmissibly [-i], *adv.* inadmissivelmente.
inadvertence, inadvertency [inəd'və:təns,-si], *s.* inadvertência, descuido, irreflexão. (*Sin.* oversight, inattention, heedlessness, error. *Ant.* attention.)
inadvertent [inəd'və:tənt], *adj.* inadvertido, descuidado, irreflectido.
inadvertently [-li], *adv.* inadvertidamente.
inalienability [ineiljənə'biliti], *s.* inalienabilidade.
inalienable [in'eiljənəbl], *adj.* inalienável.
inalienably [-i], *adv.* de modo inalienável.
inane [i'nein], **1** — *s.* vácuo, vazio.
2 — *adj.* vazio; inane; inútil; falto de inteligência.
inanely [-li], *adv.* vãmente, sem efeito; estupidamente.

inanimate [in'ænimit], *adj.* inanimado. (*Sin.* dead, lifeless, inert, extinct. *Ant.* living.)
inanimate nature — natureza morta.
inanimately [-li], *adv.* sem vida, sem alma.
inanition [inə'niʃən], *s.* inanição, definhamento, fraqueza, enfraquecimento.
inanity [i'næniti], *s.* inanidade, nulidade, vacuidade.
inappeasable [inə'pi:zəbl], *adj.* inexorável, implacável.
inappetence [in'æpitəns], *adj.* inapetência, falta de apetite.
inapplicability ['inæplikə'biliti], *s.* inaplicabilidade.
inapplicable [in'æplikəbl], *adj.* inaplicável.
inapposite [in'æpəzit], *adj.* inconveniente, intempestivo, impróprio, inoportuno.
inappositely [-li], *adv.* inconvenientemente, impropriamente.
inappreciable [inə'pri:ʃəbl], *adj.* inapreciável.
inappreciably [-i], *adv.* inapreciavelmente.
inappreciation [inəpri:ʃi'eiʃən], *s.* falta de apreço, incompreensão.
inapproachable [inə'proutʃəbl], *adj.* inacessível; incomparável.
inappropriate [inə'proupriit], *adj.* inapropriado, inadequado, inconveniente. (*Sin.* unsuitable, inapt, unfit. *Ant.* proper.)
inappropriately [-li], *adv.* de modo inconveniente.
inapt [in'æpt], *adj.* inapto, incapaz; impróprio. (*Sin.* inappropriate, unfit, unskilful, unsuitable.)
inaptly [-li], *adv.* impropriamente, inconvenientemente.
inaptitude, inaptness [in'æptitju:d, in'æptnis], *s.* inaptidão, falta de habilidade, incapacidade.
inarticulate [inɑ:'tikjulit], *adj.* inarticulado; indistinto; silencioso; mudo.
inarticulately [-li], *adv.* de modo indistinto, confusamente.
inarticulateness [-nis], *s.* inarticulação; falta de clareza.
inartistic [inɑ:'tistik], *adj.* inartístico; rude, imperfeito.
inartistically [-əli], *adv.* sem gosto, sem arte.
inattention [inə'tenʃən], *s.* desatenção, distracção; negligência.
inattentive [inə'tentiv], *adj.* desatento, distraído; negligente.
inattentively [-li], *adv.* desatentamente, distraidamente.
inattentiveness [-nis], *s.* desatenção, descuido, distracção.
inaudibility [[inɔ:də'biliti], *s.* incapacidade de poder ser ouvido.
inaudible [in'ɔ:dəbl], *adj.* inaudível, que não se pode ouvir.
inaudibly [-i], *adv.* inaudivelmente; sem se ouvir.
inaugural [i'nɔ:gjurəl], **1** — *s.* (E. U.) discurso de inauguração.
2 — *adj.* inaugural; inicial.
inaugurate [i'nɔ:gjureit], *vt.* inaugurar; iniciar; investir; instalar; consagrar. (*Sin.* to begin, to start, to initiate, to install, to originate, to introduce. *Ant.* to terminate.)
inauguration [inɔ:gju'reiʃən], *s.* inauguração; investimento; instalação.
inaugurator [i'nɔ:gjureitə], *s.* inaugurador.
inauspicious [inɔ:s'piʃəs], *adj.* infeliz; sinistro, de mau agouro.
inauspiciously [-li], *adv.* sinistramente, desgraçadamente.
inauspiciousness [-nis], *s.* falta de sorte; desgraça.
inboard ['in'bɔ:d], **1** — *adj.* interior.
2 — *adv.* a bordo, dentro do navio.
inborn ['in'bɔ:n], *adj.* inato; congénito. (*Sin.* inbred, innate, natural, congenital, inherent. *Ant.* acquired.)
inbreathe ['in'bri:ð], *vt.* inspirar, insuflar.
inbred ['in'bred], *adj.* inato, natural; consanguíneo.
incalculability [inkælkjulə'biliti], *s.* incalculabilidade.
incalculable [in'kælkjuləbl], *adj.* incalculável, inconcebível; incerto, instável.
incalculably [-i], *adv.* incalculavelmente.
incandescence [inkæn'desns], *s.* incandescência.
incandescent [inkæn'desnt], *adj.* incandescente.
incantation [inkæn'teiʃən], *s.* encantamento, feitiço.
incapability [inkeipə'biliti], *s.* incapacidade, incompetência, inabilidade, insuficiência.
incapable [in'keipəbl], *adj.* incapaz; inapto. (*Sin.* unable, unfitted, unqualified, incompetent. *Ant.* qualified.)
incapacitate [inkə'pæsiteit], *vt.* incapacitar, tornar incapaz; inabilitar; desqualificar.
incapacity (*pl.* **incapacities**) [inkə'pæsiti, -iz], incapacidade, incompetência.
incarcerate [in'kɑ:səreit], *vt.* encarcerar, prender.
incarceration [inkɑ:sə'reiʃən], *s.* encarceramento.
incarnadine [in'kɑ:nədain], **1** — *adj.* cor de carne; encarnado.
2 — *vt.* colorir de encarnado.
incarnate **1** — [in'kɑ:nit], *adj.* encarnado, revestido de carne.
2 — ['inkɑ:neit], *vt.* encarnar; revestir de carne.
incarnation [inkɑ:'neiʃən], *s.* encarnação.
incautious [in'kɔ:ʃəs], *adj.* incauto, negligente, imprudente.
incautiously [-li], *adv.* incautamente; imprudentemente.
incautiousness [-nis], *s.* descuido, imprudência, falta de cautela.
incendiarism [in'sendjərizəm], *s.* incêndio provocado.
incendiary [in'sendjəri], **1** — *s.* incendiário.
2 — *adj.* incendiário; revoltoso.
incensation [insen'seiʃən], *s.* incensação.
incense ['insens], **1** — *s.* incenso; (fig.) lisonja.
incense-burner — turíbulo.
2 — *vt.* incensar, perfumar com incenso.
incense [in'sens], *v. t.* irritar, provocar, exasperar.
incentive [in'sentiv], **1** — *s.* incentivo, estímulo; motivo.
2 — *adj.* estimulante.
inception [in'sepʃən], *s.* princípio, início.
inceptive [in'septiv], *adj.* incipiente; inicial.
incertitude [in'sə:titju:d], *s.* incerteza.
incessant [in'sesnt], *adj.* incessante, contínuo, ininterrupto. (*Sin.* unceasing, continual, constant, uninterrupted. *Ant.* intermittent.)
incessantly [-li], *adv.* incessantemente.
incestuous [in'sestjuəs], *adj.* incestuoso.
inch [intʃ], **1** — *s.* polegada (= **25,4** mm); (Esc.) ilhota; pequena quantidade.
inch by inch — pouco a pouco; palmo a palmo.
by inches — gradualmente.
every inch — todo; inteiramente; dos pés à cabeça.
he is every inch a gentleman — é um perfeito cavalheiro.
he can't see an inch before himself — não vê um palmo adiante do nariz.
give him an inch and he'll take an ell — dá-lhe o pé e ele tomar-te-á a mão.
not an inch — nada.

2 — *vt.* e *vi.* fazer avançar ou recuar pouco a pouco; medir por polegadas; mover lentamente.
inchoate ['inkoueit], 1 — *adj.* principiado, começado; imperfeito.
2 — *vt.* começar, iniciar.
inchoately [-li], *adv.* incompletamente; no início.
inchoation [inkou'eiʃən], *s.* incoação; princípio, começo.
inchoative ['inkoueitiv], *adj.* incoativo; inicial.
incidence ['insidəns], *s.* incidência.
incident ['insidənt], 1 — *s.* incidente, acidente; casualidade; circunstância; episódio.
touching incident — episódio comovedor.
2 — *adj.* incidente, casual; respeitante a.
incidental [insi'dentl], 1 — *s.* casualidade; despesa imprevista.
2 — *adj.* incidental; acidental, casual.
incidentally [-i], *adv.* acidentalmente, casualmente, por acaso.
incinerate [in'sinəreit], *vt.* incinerar, reduzir a cinzas.
incineration [insinə'reiʃən], *s.* incineração; cremação.
incinerator [in'sinəreitə], *s.* incinerador; forno crematório.
incipience, incipiency [in'sipiəns, -si], *s.* princípio, começo.
incipient [in'sipiənt], *adj.* incipiente.
incise [in'saiz], *vt.* cortar, talhar, fazer uma incisão; gravar.
incision [in'siʒən], *s.* incisão, corte, golpe.
incisive [in'saisiv], *adj.* incisivo; agudo; sarcástico.
incisively [-li], *adv.* de modo incisivo.
incisiveness [-nis], *s.* qualidade de ser incisivo; mordacidade.
incisor [in'saizə], *s.* dente incisivo.
incitation [insai'teiʃən], *s.* incitação; instigação, incentivo, estímulo.
incite [in'sait], *vt.* incitar, estimular, impelir, instigar, animar. (*Sin.* to rouse, to stir, to stimulate, to impel, to animate. *Ant.* to dissuade.)
incitement [-mənt], *s.* incitamento, estímulo, instigação, impulso.
inciter [-ə], *s.* incitador, instigador.
inciting [-iŋ], 1 — *s.* incitação, estímulo.
2 — *adj.* incitante, estimulante.
incitingly [-iŋli], *adv.* de modo incitante.
incivility (*pl.* **incivilities**) [insi'viliti,-iz], *s.* incivilidade, descortesia, indelicadeza.
inclemency [in'klemənsi], *s.* inclemência, inflexibilidade; severidade, rigor.
inclement [in'klemənt], *adj.* inclemente; severo, duro, rigoroso.
inclinable [in'klainəbl], *adj.* inclinado, disposto a; tendente.
inclination [inkli'neiʃən], *s.* inclinação, tendência; propensão; declive, inclinação.
incline [in'klain], 1 — *s.* declive, rampa.
2 — *vt.* e *vi.* inclinar, curvar, pender; inclinar-se, dispor-se a; ter tendência para. (*Sin.* to predispose, to turn, to dispose, to lean, to bend, to tend.)
I am inclined to think — isso leva-me a crer.
I feel much inclined to... — tenho grande vontade de...
inclining [-iŋ], 1 — *s.* inclinação, declive; tendência.
2 — *adj.* inclinado, pendente; disposto para; propenso a.
include [in'klu:d], *vt.* incluir; conter; abranger, compreender. (*Sin.* to contain, to comprehend, to comprise, to embrace. *Ant.* to exclude.)
included [-id], *adj.* incluído, contido, compreendido.
my expenses are included in the account — as minhas despesas estão incluídas na conta.
including [-iŋ], *adj.* incluso, compreendido.
inclusion [in'klu:ʒən], *s.* inclusão.
inclusive [in'klu:siv], *adj.* incluído, incluindo.
inclusively [-li], *adv.* inclusivamente.
incognito [in'kɔgnitou], 1 — *s.* (*pl.* **incogniti** [ti:]) incógnito, desconhecido.
2 — *adj.* incógnito.
3 — *adv.* incógnito; incognitamente.
to travel incognito — viajar incógnito.
incoherence, incoherency, [inkou'hiərəns, (-si)], *s.* incoerência.
incoherent [inkou'hiərənt], *adj.* incoerente, desconexo; desligado. (*Sin.* unconnected, disunited, incongruous, inconsistent, unintelligible. *Ant.* intelligible.)
incoherently [-li], *adv.* incoerentemente.
incombustibility ['inkəmbʌstə'biliti], *s.* incombustibilidade.
incombustible [inkəm'bʌstəbl], *adj.* incombustível.
income ['inkəm], *s.* renda, rendimento, receita; salário.
income-tax — imposto sobre o rendimento.
to live beyond one's income — gastar para além dos seus rendimentos.
to live up to one's income — gastar todo o seu rendimento.
incomer ['inkʌmə], *s.* recém-chegado; intruso; imigrante.
incoming ['inkʌmiŋ], 1 — *s.* entrada, chegada; rendimento.
2 — *adj.* que entra; futuro, seguinte, próximo.
incommensurability ['inkəmenʃərə'biliti], *s.* incomensurabilidade.
incommensurable [inkə'menʃərəbl], *adj.* incomensurável.
incommensurably [-i], *adv.* incomensuravelmente.
incommensurate [inkə'menʃərit], *adj.* desproporcionado, inadequado; incomensuravel. (*Sin.* disproportionated, unequal, inadequate, insufficient. *Ant.* equal.)
incommensurateness [-nis], *s.* desproporção.
incommode [inkə'moud], *vt.* incomodar, importunar, molestar.
incommodious [inkə'moudjəs], *adj.* incómodo; inconveniente.
incommodiously [-li], *adv.* incomodamente.
incommodiousness [-nis], *s.* incomodidade, inconveniência.
incommunicability [inkə'mju:nikə'biliti], *s.* incomunicabilidade.
incommunicable [inkə'mju:nikəbl], *adj.* incomunicável; pouco comunicativo.
incommunicableness [-nis], *s.* incomunicabilidade; taciturnidade.
incommunicably [-i], *adv.* incomunicavelmente.
incommutable [inkə'mju:təbl], *adj.* incomutável.
incommutableness [-nis], *s.* incomutabilidade.
incommutably [-i], *adv.* incomutavelmente.
incomparable [in'kɔmpərəbl], *adj.* incomparável. (*Sin.* unequalled, peerless, unmatched, unique, matchless. *Ant.* ordinary.)
incomparableness [-nis], *s.* incomparabilidade.
incomparably [-i], *adv.* incomparavelmente.
incompatibility ['inkəmpætə'biliti], *s.* incompatibilidade.
incompatible [inkəm'pætəbl], *adj.* incompatível; inconciliável.
incompatibly [-i], *adv.* incompativelmente.

incompetence, incompetency [in'kɔmpitəns, -si], *s.* incompetência, incapacidade.
incompetent [in'kɔmpitənt], *adj.* incompetente, incapaz.
incompetently [-li], *adv.* incompetentemente.
incomplete [inkəm'pli:t], *adj.* incompleto; imperfeito; por acabar. (*Sin.* imperfect, faulty, lacking, deficient, unfinished. *Ant.* perfect, complete.)
incompletely [-li], *adv.* incompletamente; imperfeitamente.
incompleteness [-nis], *s.* falta de acabamento, imperfeição.
incomprehensibility [inkɔmprihensə'biliti], *s.* incompreensibilidade.
incomprehensible [inkɔmpri'hensəbl], *adj.* incompreensível; ilimitado.
incomprehensibly [-i], *adv.* incompreensivelmente.
incomprehension [inkɔmpri'henʃən], *s.* incompreensão.
incompressible [inkəm'presabl], *adj.* incompressível.
incomputable [inkəm'pju:təbl], *adj.* incalculável; incomputável.
inconceivability ['inkənsi:və'biliti], *s.* incompreensibilidade, incredibilidade.
inconceivable [inkən'si:vəbl], *adj.* inconcebível, inacreditável, incompreensível. (*Sin.* incomprehensible, unimaginable, incredible, enormous. *Ant.* reasonable.)
inconceivably [-i], *adv.* inconcebivelmente.
inconclusive [inkən'klu:siv], *adj.* inconcludente; ilógico.
inconclusively [-li], *adv.* de uma maneira inconcludente.
inconclusiveness [-nis], *s.* inconsequência; situação ilógica.
inconformity [inkən'fɔ:miti], *s.* inconformidade.
incongruent [in'kɔŋgruənt], *adj.* incongruente, incompatível.
incongruity [inkɔŋ'gru(:)iti], *s.* incongruência, incongruidade; incompatibilidade.
incongruous [in'kɔŋgruəs], *adj.* incongruente; incompatível; absurdo. (*Sin.* incompatible, inconsistent, contradictory, absurd, incoherent. *Ant.* consistent, compatible.)
incongruously [-li], *adv.* incongruentemente.
incongruousness [-nis], incongruidade, incongruência.
inconsequence [in'kɔnsikwəns], *s.* inconsequência; falta de lógica.
inconsequent [in'kɔnsikwənt], *adj.* inconsequente; ilógico, incoerente.
inconsequential [inkɔnsi'kwenʃəl], *adj.* inconsequente; sem importância.
inconsequently [in'kɔnsikwəntli], *adv.* inconsequentemente.
inconsiderable [inkən'sidərəbl], *adj.* insignificante; sem importância.
inconsiderably [-i], *adv.* de uma maneira insignificante; sem importância.
inconsiderate [inkən'sidərit], *adj.* inconsiderado, indiscreto, irreflectido, imprudente, precipitado. (*Sin.* thoughtless, rash, indiscreet, hasty, imprudent, careless. *Ant.* thoughtful, cautious.)
inconsiderately [-li], *adv.* inconsideradamente, irreflectidamente.
inconsiderateness [-nis], *s.* inconsideração, leviandade, irreflexão.
inconsideration ['inkənsidə'reiʃən], *s.* inconsideração, inadvertência.
inconsistence, inconsistency [inkən'sistəns, -si], *s.* inconsistência, inconstância; inconsequência; incompatibilidade; contradição.
inconsistent [inkən'sistənt], *adj.* inconsistente; incompatível; inconstante, volúvel; inconsequente.
inconsistently [-li], *adv.* inconsistentemente; incongruentemente.
inconsolable [inkən'souləbl], *adj.* inconsolável.
inconsolably [-i], *adv.* inconsolavelmente.
inconspicuous [inkən'spikjuəs], *adj.* não conspícuo; imperceptível, inapreciável.
inconspicuously [-li], *adv.* de maneira pouco conspícua; modestamente.
inconspicuousness [-nis], *s.* falta de conspicuidade; modéstia.
inconstancy [in'kɔnstənsi], *s.* inconstância, instabilidade, volubilidade. (*Sin.* changeableness, fickleness, instability, unsteadiness. *Ant.* constancy.)
inconstant [in'kɔnstənt], adj. inconstante, volúvel; variável.
inconstantly [-li], *adv.* inconstantemente.
incontestable [inkən'testəbl], *adj.* incontestável, indiscutível.
incontestably [-i], *adv.* incontestavelmente.
incontinence [in'kɔntinəns], *s.* incontinência; sensualidade.
incontinently [in'kɔntinəntli], *adv.* imediatamente, sem demora.
incontrovertible ['inkɔntrə'və:təbl], *adj.* incontroverso; incontestável.
incontrovertibly [-i], *adv.* incontestavelmente, indisputavelmente.
inconvenience [inkən'vi:njəns], **1** — *s.* inconveniência; transtorno; incómodo; embaraço. **2** — *vt.* maçar, dar incómodo.
inconvenient [inkən'vi:njənt], *adj.* inconveniente; impróprio; inoportuno; incómodo; intempestivo; desvantajoso. (*Sin.* annoying, troublesome, awkward, inopportune, disadvantageous. *Ant.* convenient, commodious.)
inconveniently [-li], *adv.* inconvenientemente; maçadoramente.
inconvertible [inkən'və:təbl], *adj.* inconvertível.
inconvertibly [-i], *adv.* de um modo inconvertível.
incorporate **1** — [in'kɔ:pərit], *adj.* incorporado, unido, inseparável; associado.
2 — [in'kɔ:pəreit], *vt.* e *vi.* incorporar, unir; incorporar-se, ligar-se; fundir. (*Sin.* to consolidate, to embody, to unite, to combine, to associate. *Ant.* to sever.)
incorporation [inkɔ:pə'reiʃən], *s.* incorporação, associação; inclusão; agrupamento.
incorporeal [inkɔ:'pɔ:riəl], *adj.* incorpóreo, imaterial, espiritual, impalpável.
incorporeally [-i], *adv.* imaterialmente.
incorrect [inkə'rekt], *adj.* incorrecto; inexacto; erróneo, errado.
incorrectly [-li], *adv.* incorrectamente.
incorrectness [-nis], *s.* inexactidão, incorrecção.
incorrigibility [inkɔridʒə'biliti], *s.* incorrigibilidade, indocilidade.
incorrigible [in'kɔridʒəbl], *adj.* incorrigível.
incorrigibly [-i], *adv.* incorrigivelmente.
incorruptibility ['inkərʌptə'biliti], *s.* incorruptibilidade; austeridade.
incorruptible [inkə'rʌptəbl], *adj.* incorruptível; inalterável. (*Sin.* imperishable, undestructible, lasting, abiding. *Ant.* perishable.)
incorruptibly [-i], *adv.* incorruptivelmente.
incorruption ['inkərʌpʃən], *s.* incorrupção.
increase **1** — ['inkri:s], *s.* aumento, crescimento, incremento; multiplicação; progénie; proveito, lucro; (jur.) agravamento de pena. *increase of speed* — aumento de velocidade.

2 — [in'kri:s], *vt.* e *vi.* aumentar, crescer, acrescentar; intensificar; estender-se, aumentar-se. (*Sin.* to enlarge, to intensify, to grow, to multiply. *Ant.* to decrease, to diminish.)
increasing [in'kri:siŋ], **1** — *s.* aumento; incremento.
2 — *adj.* crescente, aumentativo.
increasingly [-li], *adv.* de uma maneira crescente; progressivamente.
incredibility [inkredi'biliti], *s.* incredibilidade.
incredible [in'kredəbl], *adj.* incrível, inconcebível, inacreditável.
incredibly [-i], *adv.* incrivelmente.
incredulity [inkri'dju:liti], *s.* incredulidade. (*Sin.* unbelief, mistrust, doubt, scepticism. *Ant.* belief.)
incredulous [in'kredjuləs], *adj.* incrédulo; céptico.
incredulousness [-nis], *s.* incredulidade.
increment ['inkrimənt], *s.* incremento, desenvolvimento.
incriminate [in'krimineit], *vt.* incriminar; acusar.
incrimination [inkrimi'neiʃən], *s.* incriminação; acusação.
incriminatory [in'kriminətəri], *adj.* respeitante a incriminação.
incrust [in'krʌst], *vt.* incrustar.
incrustation [inkrʌs'teiʃən], *s.* incrustação.
incubate ['inkjubeit], *vt.* e *vi.* incubar, chocar; estar a preparar-se.
incubation [inkju'beiʃən], *s.* incubação.
incubative ['inkjubeitiv], *adj.* relativo à incubação.
incubator ['inkjubeitə], *s.* incubador; incubadora.
incubatory [-ri], *adj.* que serve para incubação.
incubus ['iŋkjubəs], *s.* incubo; pesadelo.
inculcate ['inkʌlkeit], *vt.* inculcar; incutir.
inculcation [inkʌl'keiʃən], *s.* inculcação.
inculcator ['inkʌlkeitə], *s.* inculcador.
inculpate ['inkʌlpeit], *vt.* inculpar, incriminar.
inculpation [inkʌl'peiʃən], *s.* inculpação, incriminação.
inculpatory [in'kʌlpətəri], *adj.* que serve para acusar.
incumbency [in'kʌmbənsi], *s.* posse de um cargo; benefício eclesiástico; incumbência.
incumbent [in'kʌmbənt], **1** — *s.* beneficiado; possuidor de benefício eclesiástico.
2 — *adj.* deitado, estendido; incumbente; obrigatório.
incunable [in'kjunəbl], *s.* incunábulo.
incur [in'kə:], *vt.* (*pret.* e *pp.* **incurred**) incorrer; ficar sujeito a; expor-se a; ficar implicado.
to incur debts — contrair dívidas.
to incur expenses — incorrer em despesas.
to incur ridicule — provocar o ridículo.
incurability [inkjuərə'biliti], *s.* incurabilidade.
incurable [in'kjuərəbl], *adj.* incurável. (*Sin.* cureless, hopeless, irremediable. *Ant.* remediable, curable.)
incurious [in'kjuəriəs], *adj.* descuidado, desatento, incurioso.
incursion [in'kə:ʃən], *s.* incursão; invasão.
incursive [in'kə:siv], *adj.* que faz incursão; agressivo.
incurvation [inkə:'veiʃən], *s.* curvatura.
incurve ['in'kə:v], *vt.* curvar, dobrar, arquear.
incuse [in'kju:z], **1** — *s.* cunho, marca.
2 — *adj.* cunhado.
3 — *vt.* imprimir (por estampagem).
indebted [in'detid], *adj.* individado; obrigado, agradecido, reconhecido. (*Sin.* owing, obliged, beholden.)
greatly indebted — sumamente grato.
indebtedness [-nis], *s.* gratidão, reconhecimento; obrigação, dívida.
indecency (*pl.* **indecencies**) [in'di:snsi,-iz], *s.* indecência, imodéstia, imoralidade, desonestidade.
indecent [in'di:snt], *adj.* indecente, indecoroso, obsceno.
indecently [-li], *adv.* vergonhosamente; indecentemente, desonestamente.
indecision [indi'siʒən], *s.* indecisão, irresolução, hesitação, incerteza. (*Sin.* vacillation, irresolution, weakness, wavering, hesitation. *Ant.* resolution.)
indecisive [indi'saisiv], *adj.* indeciso, irresoluto, hesitante.
indecisively [-li], *adv.* indecisamente.
indecisiveness [-nis], *s.* indecisão, hesitação.
indeclinable [indi'klainəbl], *adj.* indeclinável.
indecomposable ['indi:kəm'pouzəbl], *adj.* indecomponível.
indecorous [in'dekərəs], *adj.* indecoroso, impróprio, vergonhoso.
indecorously [-li], *adv.* indecorosamente.
indecorousness [-nis], *s.* indecoro, falta de decoro.
indeed [in'di:d], **1** — *adv.* na verdade, de facto; deveras; com efeito, realmente.
he was indeed a remarkable man — era realmente um homem notável.
a friend in need is a friend indeed — os amigos conhecem-se nas ocasiões.
2 — *interj.* ai sim!, essa agora!
indefatigable [indi'fætigəbl], *adj.* infatigável, incansável. (*Sin.* persistent, assiduous, untiring. *Ant.* indolent.)
indefatigableness [-nis], *s.* infatigabilidade.
indefatigably [-i], *adv.* infatigavelmente, incansavelmente.
indefeasibility ['indifi:zə'biliti], *s.* indestrutibilidade; irrevogabilidade.
indefeasible [indi'fi:zəbl], *adj.* indestrutível; irrevogável, inalterável.
indefeasibly [-i], *adv.* indestrutivelmente, irrevogavelmente.
indefectible [indi'fektibl], *adj.* indefectível; infalível.
indefensible [indi'fensəbl], *adj.* indefensável; indesculpável.
indefensibly [-i], *adv.* indefensavelmente; indesculpavelmente.
indefinable [indi'fainəbl], *adj.* indefinível.
indefinably [-i], *adv.* de modo indefinido.
indefinite [in'definit], *adj.* indefinido; vago, impreciso. (*Sin.* vague, indeterminate, unsettled, undefined, doubtful, uncertain. *Ant.* definite.)
indefinitely [-li], *adv.* indefinidamente.
indefiniteness [-nis], *s.* qualidade de ser indefinido.
indelibility [indeli'biliti], *s.* indelibilidade.
indelible [in'delibl], *adj.* indelével; indestrutível.
indelibly [-i], *adv.* indelevelmente.
indelicacy (*pl.* **indelicacies**) [in'delikəsi,-iz], *s.* indelicadeza, grosseria, incivilidade.
indelicate [in'delikit], *adj.* indelicado, grosseiro, malcriado, descortês.
indelicately [-li], *adv.* indelicadamente; grosseiramente.
indemnification [indemnifi'keiʃən], *s.* indemnização; reparação.
indemnify [in'demnifai], *vt.* indemnizar, compensar; proteger, segurar (contra acidente ou perda).
indemnity (*pl.* **indemnities**) [in'demniti,-iz], *s.* indemnização; indemnidade, segurança; reparação.

indemonstrable [in'demənstrəbl], *adj.* indemonstrável.
indent 1 — ['indent], *s.* recorte dentado; mossa; marca, impressão; encomenda; requisição, ordem de fornecimento.
2 — [in'dent], *vt.* e *vi.* recortar; dentear; amolgar; contratar; encomendar; passar duplicado de documento.
indentation [inden'teiʃən], *s.* recorte dentado; amolgadela; entalhe; (tip.) espaço deixado numa linha além da margem.
indenture [in'dentʃə], **1** — *s.* escritura de contrato; ajuste, pacto.
2 — *vt.* prender por contrato.
independence, independency [indi'pendəns, -si], *s.* independência; autonomia; liberdade. (*Sin.* freedom, liberty, autonomy. *Ant.* subjection.)
Independence Day (E. U.) — dia da Independência (4 de Julho).
independent [indi'pendənt], **1** — *s.* (pol.) independente.
2 — *adj.* independente; autónomo; livre.
independently [-li], *adv.* independentemente.
indescribable [indis'kraibəbl], *adj.* indescritível, inexplicável. (*Sin.* inexpressible, wonderful, ineffable.)
indescribably [-i], *adv.* indescritivelmente.
indestructibility ['indistrʌktə'biliti], *s.* indestrutibilidade.
indestructible [indis'trʌktəbl], *adj.* indestrutível.
indestructibly [-i], *adv.* indestrutivelmente.
indeterminable [indi'tə:minəbl], *adj.* indeterminável; insolucionável.
indeterminate [indi'tə:minit], *adj.* indeterminado, indeciso, indefinido.
indeterminately [-li], *adv.* indeterminadamente.
indetermination ['inditə:mi'neiʃən], *s.* indeterminação, irresolução; dúvida.
index ['indeks], **1** — *s.* (*pl.* **indexes, indices** [-iz,'indisi:z]) índex; dedo indicador; índice; mostrador; expoente.
2 — *vt.* pôr no índex; arquivar; dotar um livro com um índice.
India ['indjə], *top.* Índia.
Indian [-n], *s.* e *adj.* indiano; índio.
Indian corn — milho da Índia.
Indian ink — tinta da China.
Indian Summer — verão de S. Martinho.
red Indian — pele-vermelha.
indiarubber ['indjə'rʌbə], *s.* borracha, goma elástica.
indicate ['indikeit], *vt.* indicar, designar, apontar; anunciar; sugerir.
indication [indi'keiʃən], *s.* indicação; indício; sinal.
indicative [in'dikətiv], *s.* e *adj.* modo indicativo; indicativo.
indicatively [-li], *adv.* de modo indicativo.
indicator ['indikeitə], *s.* indicador; manómetro; agulha indicadora; quadro que indica o movimento dos comboios.
indicator diagram — diagrama do indicador.
indicator barrel — tambor do indicador de pressão.
indicatory [in'dikətəri], *adj.* indicador, designativo, demonstrativo.
indices ['indisi:z], *s. pl.* de **index.**
indict [in'dait], *vt.* acusar; processar.
indictable [-əbl], *adj.* sujeito a denúncia ou a processo; processável.
indicter [-ə], *s.* acusador.
indiction [in'dikʃən], *s.* indicção, convocação, proclamação; ciclo de 15 anos.
indictment [in'daitmənt], *s.* acusação formal.
bill of indictment — acusação escrita.
Indies ['indiz], *top. pl.* Índias.

indifference [in'difrəns], *s.* indiferença, apatia, frieza; imparcialidade.
indifferent [in'difrənt], *adj.* indiferente; desinteressado; apático; neutral, imparcial; vulgar, banal; inerte. (*Sin.* cool, apathetic, insensible, regardless, unconcerned, neutral, impartial. *Ant.* ardent.)
indifferently [-li], *adv.* indiferentemente; imparcialmente; de modo vulgar.
indigence, indigency ['indidʒəns,-si], *s.* indigência, penúria, pobreza.
indigenous [in'didʒinəs], *adj.* indígena, natural, originário.
indigent ['indidʒənt], *s.* e *adj.* indigente, pobre.
indigently [-li], *adv.* pobremente.
indigested [indi'dʒestid], *adj.* indigesto; mal digerido.
indigestibility ['indidʒestə'biliti], *s.* indigestibilidade.
indigestible [indi'dʒestəbl], *adj.* indigesto.
indigestion [indi'dʒestʃən], *s.* indigestão.
indignant [in'dignənt], *adj.* indignado. (*Sin.* angry, ireful, furious, exasperated, wrathful. *Ant.* gratified.)
indignantly [-li], *adv.* indignadamente.
indignation [indig'neiʃən], *s.* indignação.
in great indignation — com grande indignação.
indignity (*pl.* **indignities**) [in'digniti,-iz], *s.* indignidade, afronta, opróbrio, ultraje.
indigo (*pl.* **indigos**) ['indigou,-z], *s.* anil.
indigo blue — azul-violeta.
indirect [indi'rekt], *adj.* indirecto; oblíquo; simulado; secundário; desleal.
indirect object — complemento indirecto.
indirect speech — discurso indirecto.
indirectly [-li], *adv.* indirectamente.
indirecteness [-nis], *s.* obliquidade; meio indirecto; deslealdade.
indiscernible [indi'sə:nəbl], *adj.* indiscernível; imperceptível. (*Sin.* invisible, imperceptible, slight, indistinguishable.)
indiscernibly [-i], *adv.* de um modo indiscernível.
indisciplinable [in'disiplinəbl], *adj.* indisciplinável.
indiscipline [in'disiplin], *s.* indisciplina; desordem; desobediência.
indiscreet [indis'kri:t], *adj.* indiscreto; inconsiderado, irreflectido, imprudente. (*Sin.* unwise, imprudent, incautious, inconsiderate. *Ant.* wise.)
indiscreetly [-li], *adv.* indiscretamente.
indiscretion [indis'kreʃen], *s.* indiscrição; imprudência.
indiscriminate [indis'kriminit], *adj.* indiscriminado, confuso, indistinto.
indiscriminately [-li], *adv.* indiscriminadamente, sem distinção.
indiscrimination ['indiskrimi'neiʃən], *s.* indiscriminação, confusão.
indispensability ['indispensə'biliti], *s.* indispensabilidade.
indispensable [indis'pensəbl], *adj.* indispensável. (*Sin.* essential, vital, needed, necessary. *Ant.* unnecessary.)
indispensably [-i], *adv.* indispensavelmente.
indispose [indis'pouz], *vt.* indispor; malquistar; inabilitar.
indisposed [-d], *adj.* indisposto, incomodado; pouco inclinado a.
indisposition [indispəzi'ʃən], *s.* indisposição; aversão, pouca inclinação para.
indisputable ['indis'pju:təbl], *adj.* indisputável; indiscutível; incontestável.
indisputableness [-nis], *s.* incontestabilidade; indisputabilidade.
indisputably [-i], *adv.* indisputavelmente; indiscutivelmente.

indissolubility ['indisɔlju'biliti], *s.* indissolubilidade.
indissoluble [indi'sɔljubl], *adj.* indissolúvel.
indissolubly [-i], *adv.* indissoluvelmente.
indistinct [indis'tiŋkt], *adj.* indistinto, confuso, vago, imperfeito. (*Sin.* dim, confused, undefined, indefinite, vague, undistinguishable. *Ant.* clear.)
indistinctive [indis'tiŋktiv], *adj.* indistinguível.
indistinctively [-li], *adv.* de um modo confuso.
indistinctly [-li], *adv.* indistintamente.
indistinctness [-nis], *s.* confusão, falta de clareza, obscuridade.
indistinguishable [indis'tiŋgwiʃəbl], *adj.* indistinguível.
indistinguishably [-i], *adv.* de um modo indistinguível.
indite [in'dait], *vt.* redigir, escrever; compor (poesia, etc.).
inditer [-ə], *s.* redactor, escritor.
individual [indi'vidjuəl], **1** — *s.* indivíduo. **2** — *adj.* individual, pessoal; particular.
individualism [-izəm], *s.* individualismo.
individualist [-ist], *s.* individualista.
individualistic [individjuə'listik], *adj.* individualista.
individuality (*pl.* **individualities**) [individju'æliti,-iz], *s.* individualidade; personalidade.
individualization [individjuəlai'zeiʃən], *s.* individualização.
individualize [indi'vidjuəlaiz], *vt.* individualizar.
indivisibility ['indivizi'biliti], *s.* indivisibilidade.
indivisible [indi'vizəbl], *adj.* indivisível.
indivisibly [-i], *adv.* indivisivelmente.
Indo-China ['indou'tʃainə], *top.* Indochina.
Indo-Chinese ['indou-tʃai'ni:z], *s.* e *adj.* indochinês.
indocile [in'dousail], *adj.* indócil. (*Sin.* intractable, ungovernable, refractory, stubborn. *Ant.* amenable.)
indocility [indou'siliti], *s.* indocilidade.
indoctrinate [in'dɔktrineit], *vt.* doutrinar; ensinar.
Indo-European ['indoujuərə'pi(:)ən], *s.* e *adj.* indo-europeu.
Indo-Germanic ['indoudʒə:'mænik], *s.* e *adj.* indo-germânico.
indolence ['indələns], *s.* indolência, apatia.
indolent ['indələnt], *adj.* indolente, apático, ocioso. (*Sin.* idle, inactive, slothful, lazy, sluggish. *Ant.* diligent.)
indolently [-li], *adv.* indolentemente.
indomitable [in'dɔmitəbl], *adj.* indomável, indómito.
indomitably [-i], *adv.* indomitamente.
Indonesia [indou'ni:zjə], *top.* Indonésia.
Indonesian [-n], *s.* e *adj.* indonésio.
indoor ['indɔ:], *adj.* feito dentro de casa; interior.
indoor games — jogos de sala.
indoor relief — auxílio prestado aos pobres dentro de um asilo.
indoors ['in'dɔ:z], *adv.* portas a dentro; dentro de casa.
to keep indoors — ficar dentro de casa.
indorsee [indɔ:'si:], *s.* endossado.
indraught, indraft ['in-dra:ft], *s.* aspiração, absorção; afluência.
indubitable [in'dju:bitəbl], *adj.* indubitável, incontestável, certo. (*Sin.* indisputable, incontestable, undeniable, certain, sure. *Ant.* doubtful.)
indubitableness [-nis], *s.* certeza.
indubitably [-i], *adv.* indubitàvelmente, incontestavelmente.
induce [in'dju:s], *vt.* induzir, persuadir, instigar; causar, originar, influenciar; inferir.
inducement [-mənt], *s.* incentivo, incitamento, instigação; motivo, razão; pretexto; móbil; atracção.
inducer [-ə], *s.* instigador; tentador; (elect.) indutor.
induct [in'dʌkt], *vt.* introduzir; instalar; dar posse; estabelecer; iniciar uma pessoa numa coisa.
inductile [in'dʌktail], *adj.* indúctil.
induction [in'dʌkʃən], *s.* indução; instalação; introdução; investidura em cargo ou função; motivo, causa.
inductive [in'dʌktiv], *adj.* indutivo; ilativo; incitativo.
inductively [-li], *adv.* indutivamente; por indução.
inductor [in'dʌktə], *s.* indutor; o que dá posse; instalador.
indulge [in'dʌldʒ], *vt.* e *vi.* satisfazer; favorecer, condescender com; permitir; acarinhar, fazer a vontade a; gozar; entregar-se a; conceder indulgências. (*Sin.* to foster, to cherish, to fondle, to gratify, to permit. *Ant.* to discipline.)
indulgence, indulgency [in'dʌldʒəns,-si], *s.* indulgência; complacência, condescendência; prazer; (com.) prorrogação de prazo.
indulgent [in'dʌldʒənt], *adj.* indulgente, condescendente, complacente. (*Sin.* gentle, kind, compliant, clement. *Ant.* harsh.)
indulgently [-li], *adv.* indulgentemente, complacentemente.
indulger [in'dʌldʒə], *s.* pessoa indulgente ou complacente.
indult [in'dʌlt], *s.* indulto.
indurate ['indjuəreit], *vt.* e *vi.* endurecer, calejar; ficar duro; empedernir-se; endurecer-se; robustecer.
industrial [in'dʌstriəl], *adj.* industrial.
industrial school — escola industrial.
industrialism [in'dʌstriəlizəm], *s.* industrialismo.
industrialist [in'dʌstriəlist], *s.* industrial.
industrialize [in'dʌstriəlaiz], *vt.* industrializar.
industrially [in'dʌstriəli], *adv.* industrialmente.
industrious [in'dʌstriəs], *adj.* industrioso; activo, laborioso, diligente; zeloso.
industriously [-li], *adv.* diligentemente.
industry (*pl.* **industries**) ['indəstri,-iz], *s.* indústria; actividade, diligência; profissão mecânica ou mercantil; ramo de negócio; assiduidade. (*Sin.* assiduity, activity, perseverance, diligence, toil, work, trade, commerce. *Ant.* idleness.)
indwell ['in'dwel], *vt.* e *vi.* (*pret.* e *pp.* **indwelt** ['in'dwelt]) residir, morar, habitar.
indweller [-ə], *s.* habitante.
indwelling [-iŋ], *adj.* íntimo; que reside connosco.
inebriate [i'ni:briit], **1** — *s.* ébrio, alcoólico. **2** — *adj.* embriagado.
inebriate [i'ni:brieit], *vt.* embriagar; inebriar, entusiasmar.
inebriated [-id], *adj.* inebriado; embriagado.
inebriation [ini:bri'eiʃən], *s.* embriaguez; entusiasmo.
inebriety [ini(:)'braiəti], *s.* embriaguez.
inedited [in'editid], *adj.* inédito, não publicado.
ineffability, ineffableness [inefə'biliti,in'efəblnis], *s.* inefabilidade.
ineffable [in'efəbl], *adj.* inefável. (*Sin.* indescribable, inexpressible, wonderful. *Ant.* commonplace.)
ineffably [-i], *adv.* inefàvelmente.
ineffaceable [ini'feiʃəbl], *adj.* indelével, inapagável, indestrutível.
ineffaceably [-i], *adv.* indelèvelmente.

ineffective [ini'fektiv], *adj.* ineficaz, inútil, baldado, insuficiente.
ineffectively [-li], *adv.* baldadamente, ineficazmente.
ineffectual [ini'fektjuəl], *adj.* ineficaz, improdutivo, baldado.
ineffectually [-i], *adv.* ineficazmente, baldadamente.
ineffectualness [-nis], *s.* ineficácia.
inefficacious [inefi'keiʃəs], *adj.* ineficaz.
inefficaciously [-li], *adv.* ineficazmente.
inefficacy [in'efikəsi], *s.* ineficácia.
inefficiency [ini'fiʃənsi], *s.* incapacidade, ineficácia.
inefficient [ini'fiʃənt], *adj.* ineficaz; insuficiente.
inefficiently [-li], *adv.* ineficazmente; de modo deficiente.
inelastic [ini'læstik], *adj.* sem elasticidade; inflexível.
inelasticity [inilæs'tisiti], *s.* falta de elasticidade; inflexibilidade.
inelegance, inelegancy [in'eligəns,-si], *s.* deselegância.
inelegant [in'eligənt], *adj.* deselegante.
inelegantly [-li], *adv.* sem elegância, deselegantemente.
ineligibility [inelidʒə'biliti], *s.* inelegibilidade.
ineligible [in'elidʒəbl], *adj.* inelegível; inaceitável.
ineligibly [-i], *adv.* de modo inelegível.
inept [i'nept], *adj.* inepto, incapaz; inexperiente; inábil; absurdo, disparatado. (*Sin.* foolish, senseless, silly, futile, worthless, void, unsuitable. *Ant.* apt, useful.)
ineptitude [i'neptitju:d], *s.* inépcia, incapacidade; inaptidão.
ineptly [i'neptli], *adv.* disparatadamente.
ineptness [i'neptnis], *s.* inépcia, inaptidão, incapacidade.
inequality (*pl.* **inequalities**) [ini(:)'kwɔliti,-iz], *s.* desigualdade, disparidade, diferença; irregularidade; incompetência, variabilidade.
inequitable [in'ekwitəbl], *adj.* injusto.
inequitably [-i], *adv.* injustamente.
inequity (*pl.* **inequities**) [in'ekwiti,-iz], *s.* injustiça.
ineradicable [ini'rædikəbl], *adj.* que não pode arrancar-se; inextirpável.
ineradicably [-i], *adv.* de modo inextirpável.
inert [i'nə:t], *adj.* inerte; frouxo; apático.
inertia [i'nə:ʃjə], *s.* inércia.
inertly [i'nə:tli], *adv.* indolentemente; inertemente.
inertness [i'nə:tnis], *s.* inércia; torpor; indolência.
inestimable [in'estiməbl], *adj.* inestimável, incalculável. (*Sin.* valuable, precious, priceless, invaluable. *Ant.* worthless.)
inestimably [-i], *adv.* incalculàvelmente, de modo inestimável.
inevitability [inevitə'biliti], *s.* inevitabilidade.
inevitable [in'evitəbl], *adj.* inevitável; fatal; (col.) usual. (*Sin.* unavoidable, necessary, certain, sure. *Ant.* avoidable.)
inevitableness [-nis], *s.* qualidade de ser inevitável, inevitabilidade.
inevitably [-i], *adv.* inevitavelmente.
inexact [inig'zækt], *adj.* inexacto, incorrecto. (*Sin.* inaccurate, incorrect, faulty. *Ant.* exact, accurate.)
inexactitude, inexactness [-itju:d,-nis], *s.* inexactidão.
inexactly [-li], *adv.* inexactamente.
inexcusable [iniks'kju:zəbl], *adj.* indesculpável, imperdoável.
inexcusableness [-nis], *s.* indesculpabilidade.
inexcusably [-i], *adv.* indesculpavelmente.
inexhaustibility ['inigzɔ:stə'biliti], *s.* qualidade do que é inexaurível.
inexhaustible [inig'zɔ:stəbl], *adj.* inesgotável, inexaurível. (*Sin.* unfailing, perennial, exhaustless. *Ant.* limited.)
inexhaustibly [-i], *adv.* inesgotavelmente.
inexorability [ineksərə'biliti], *s.* inexorabilidade, inflexibilidade.
inexorable [in'eksərəbl], *adj.* inexorável, inflexível, implacável.
inexorably [-i], *adv.* inexoravelmente, inflexivelmente.
inexpedience, inexpediency [iniks'pi:djəns, -si], *s.* inconveniência, impropriedade; inoportunidade.
inexpedient [iniks'pi:djənt], *adj.* inconveniente, impróprio; inoportuno. (*Sin.* unwise, injudicious, unadvisable, imprudent. *Ant.* profitable.)
inexpediently [-li], *adv.* inconvenientemente; inoportunamente.
inexpensive [iniks'pensiv], *adj.* barato, económico.
inexperience [iniks'piərəns], *s.* inexperiência; imperícia.
inexperienced [-t], *adj.* inexperiente, inábil. (*Sin.* fresh, untrained, raw, new, unskilled. *Ant.* expert.)
inexpert [ineks'pə:t], *adj.* inexperiente, inábil; desajeitado.
inexpertness [-nis], *s.* inexperiência.
inexpiable [in'əkspiəbl], *adj.* inexpiável; imperdoável.
inexplicability, inexplicableness [inekspli-kə'biliti,in'eksplikəblnis], *s.* inexplicabilidade.
inexplicable [in'eksplikəbl], *adj.* inexplicável, incompreensível. (*Sin.* incomprehensible, enigmatical, strange, mysterious. *Ant.* obvious.)
inexplicably [-i], *adv.* inexplicavelmente.
inexplicit [iniks'plisit], *adj.* inexplícito, confuso.
inexplicitness [-nis], *s.* falta de clareza.
inexplorable [iniks'plɔ:rəbl], *adj.* inexplorável.
inexpressible [iniks'presəbl], *adj.* inexprimível, indescritível; inexplicável, indizível.
inexpressibly [-i], *adv.* inexprimivelmente; indescritivelmente.
inexpressive [iniks'presiv], *adj.* inexpressivo.
inexpressiveness [-nis], *s.* qualidade do que é inexpressivo.
inexpugnable [iniks'pʌgnəbl], *adj.* inexpugnável.
inextensible [iniks'tensəbl], *adj.* inextensível.
inextinguishable [iniks'tiŋgwiʃəbl], *adj.* inextinguível; interminável.
inextinguishably [-i], *adv.* de um modo inextinguível; interminavelmente.
inextricable [in'ekstrikəbl], *adj.* inextricável; enredado; emaranhado. (*Sin.* involved, entangled, intricate, perplexed.)
inextricably [-i], *adv.* inextricavelmente.
infallibility [infælə'biliti], *s.* infalibilidade.
infallible [in'fæləbl], *adj.* infalível, seguro, certo, inevitável.
infallibly [-i], *adv.* infalìvelmente.
infamous ['infəməs], *adj.* infame, vergonhoso, indigno.
infamously [-li], *adv.* infamemente.
infamy (*pl.* **infamies**) ['infəmi,-iz], *s.* infâmia, ignomínia, vileza. (*Sin.* shame, disgrace, opprobrium. *Ant.* honour.)
infancy (*pl.* **infancies**) ['infənsi,-iz], *s.* infância; meninice; (jur.) menoridade.
infant ['infənt], *s.* infante, menino; menor com menos de 21 anos; infante.
infanta [in'fæntə], *s. fem.* infanta.
infanticide [in'fæntisaid], *s.* infanticídio; infanticida.

infantile ['infəntail], *adj.* infantil, pueril.
infantry (*pl.* **infantries**) ['infəntri,-iz], *s.* infantaria.
infarct [in'fa:kt], *s.* *(med.)* enfarte; enfartamento.
infatuate [in'fætjueit], *vt.* enfatuar; inspirar uma grande paixão; entontecer.
infatuated [-id], *adj.* enfatuado; apaixonado.
infatuation [infætju'eiʃən], *s.* enfatuação; paixão louca; grande entusiasmo. (*Sin.* stupefaction, folly, fatuity, foolishness.)
infect [in'fekt], *vt.* infectar, contagiar; contaminar; afectar.
infection [in'fekʃən], *s.* infecção; contaminação, contágio; (jur.) viciação (de contrato).
infectious [in'fekʃəs], *adj.* infectado; contagioso, infeccioso.
infectiously [-li], *adv.* por infecção.
infectiousness [-nis], *s.* qualidade ou propriedade de infeccionar; infecção.
infelicitous [infi'lisitəs], *adj.* infeliz, desafortunado; inapropriado.
infelicity (*pl.* **infelicities**) [infi'lisiti,-iz], *s.* infelicidade; tolice; impropriedade.
infer [in'fə:], *vt.* (*pret.* e *pp.* **inferred**) inferir, deduzir, concluir; provar.
inferable [-rəbl], *adj.* ilativo, conclusivo.
inference ['infərəns], *s.* inferência, dedução; consequência; conclusão. (*Sin.* conclusion, deduction, consequence, induction.)
inferential [infə'renʃəl], *adj.* ilativo, conclusivo.
inferentially [-i], *adv.* por dedução.
inferior [in'fiəriə], **1** — *s.* inferior, subalterno; (tip.) pequena letra colocada como índice de outra.
2 — *adj.* inferior, subalterno, subordinado.
in no way inferior to — em nada inferior a.
inferiority [infiəri'ɔriti], *s.* inferioridade.
inferiority complex — complexo de inferioridade.
infernal [in'fə:nl], *adj.* infernal; medonho.
infernally [-li], *adv.* infernalmente.
infertile [in'fə:tail], *adj.* estéril, infrutífero.
infest [in'fest], *vt.* infestar; molestar, incomodar, atormentar. (*Sin.* to throng, to haunt, to overrun, to pester, to torment, to infect.)
infidel ['infidəl], *s.* e *adj.* infiel, descrente; céptico.
infidelity (*pl.* **infidelities**) [infi'deliti,-iz], *s.* infidelidade; descrença; traição.
infighting ['infaitiŋ], *s.* corpo-a-corpo (boxe).
infiltrate ['infiltreit], *vt.* e *vi.* infiltrar; penetrar, infiltrar-se.
infiltration [infil'treiʃən], *s.* infiltração.
infinite ['infinit], **1** — *s.* infinito.
the Infinite — Deus.
2 — *adj.* infinito, ilimitado; sem fim.
infinitely [-li], *adv.* infinitamente.
infiniteness [-nis], *s.* infinidade.
infinitesimal [infini'tesiməl], **1** — *s.* infinitésima.
2 — *adj.* infinitesimal.
infinitesimally [-i], *adv.* num grau infinitesimal.
infinitival [infini'taivəl], *adj.* próprio do modo infinito.
infinitive [in'finitiv], *s.* e *adj.* infinito, infinitivo.
infinitude [in'finitju:d], *s.* infinidade; imensidade; grande porção.
infinity (*pl.* **infinities**) [in'finiti,-iz], *s.* infinidade; imensidade.
infirm [in'fə:m], *adj.* enfermo, doente; débil, fraco; irresoluto. (*Sin.* **feeble, frail, weak, irresolute, wavering.** *Ant.* **strong.**)
infirmary (*pl.* **infimaries**) [in'fə:məri,-iz], **s. enfermaria; casa de saúde.**
infirmity (*pl.* **infirmities**) [in'fə:miti,-iz], *s.* **enfermidade, doença; fraqueza; irresolução.**

infix 1 — **['infiks],** *s.* **infixo.**
2 — **[in'fiks],** *vt.* **cravar, enterrar; gravar;** inserir.
inflame [in'fleim], *vt.* e *vi.* inflamar, abrasar; excitar, irritar; provocar; agravar; inflamar-se; agravar-se.
inflammability [inflæmə'biliti], *s.* inflamabilidade.
inflammable [in'flæməbl], *adj.* inflamável; excitável.
inflammables [-z], *s. pl.* substâncias inflamáveis.
inflammation [inflə'meiʃən], *s.* inflamação; calor, ardor, excitação violenta; irritação.
inflammatory [in'flæmətəri], *adj.* inflamatório; excitador.
inflate [in'fleit], *vt.* inflar, encher de ar; inchar, intumescer; enfatuar, envaidecer; provocar a inflação. (*Sin.* to swell, to distend, to expand, to increase, to enlarge. *Ant.* to compress, to deflate.)
inflated [-id], *adj.* inchado, entumecido; bombástico, empolado; soprado.
inflation [in'fleiʃən], *s.* inflação; inchação; orgulho; ênfase de estilo; dilatação.
inflator [in'fleitə], *s.* o que faz inchar; injector de bicicleta.
inflect [in'flekt], *vt.* torcer, dobrar, curvar; declinar; conjugar; modular a voz. (*Sin.* to curve, to bend, to bow, to decline, to modulate, to conjugate.)
inflection [in'flekʃən], *s.* inflexão; modulação da voz; declinação; (gram.) conjugação.
inflectional [-l], *adj.* que admite flexão.
inflective [in'flektiv], *adj.* sujeito a flexão.
inflexibility [infleksə'biliti], *s.* inflexibilidade.
inflexible [in'fleksəbl], *adj.* inflexível; inexorável, implacável; invariável, inalterável; indiferente, impassível. (*Sin.* stubborn, resolute, inexorable, immovable, rigid, unbendable, firm. *Ant.* ductile.)
inflexibly [-i], *adv.* inflexivelmente.
inflexion [in'flekʃən], *s.* inflexão; modulação de voz.
inflexional [-l], *adj.* que admite flexão.
inflict [in'flikt], *vt.* infligir; impor castigo, punir; causar dano.
infliction [in'flikʃən], *s.* imposição; inflicção; castigo aplicado; sofrimento.
inflow ['inflou], *s.* afluxo; afluência.
inflow of water — invasão de água.
influence ['influəns], **1** — *s.* influência; ascendência, autoridade; prestígio; (elect.) indução. (*Sin.* power, authority, effect, sway, control.)
influence on a person — influência sobre alguém.
2 — *vt.* influenciar; influir; mover; induzir; dirigir.
influent ['influənt], **1** — *s.* afluente (rio).
2 — *adj.* que aflui.
influential [influ'enʃəl], *adj.* influente, que exerce influência.
influentially [-i], *adv.* influentemente; (elect.) por indução.
influenza [influ'enzə], *s.* influenza, gripe.
influx ['inflʌks], *s.* influxo; afluência; desembocadura; preia-mar.
inform [in'fɔ:m], **1** — *adj.* informe; tosco.
2 — *vt.* e *vi.* informar, participar; esclarecer; prevenir; inspirar.
to inform against — acusar, denunciar.
informal [-l], *adj.* irregular; insólito; sem cerimónia; sem formalidades. (*Sin.* unconventional, unceremonious, natural, irregular, simple, free, easy. *Ant.* ceremonious.)
an informal dinner — um jantar sem cerimónia.
informality [infɔ:'mæliti], *s.* irregularidade; falta de formalidade; ausência de cerimónia.

informally [in'fɔ:məli], *adv.* falta de formalidade; sem cerimónia.
informant [in'fɔ:mənt], *s.* informador.
information [infə'meiʃən], *s.* informação; notícia, aviso; comunicação; conhecimento, erudição; acusação.
informative [in'fɔ:mətiv], *adj.* informativo; instrutivo.
informatory [in'fɔ:mətəri], *adj.* instrutivo.
informed [in'fɔ:md], *adj.* informado; instruído. *well-informed* — bem informado.
informer [in'fɔ:mə], *s.* informador, delator, denunciante.
infraction [in'frækʃən], *s.* infracção, violação, transgressão.
infra-red ['infrə'red], *adj.* infravermelho.
infrequency [in'fri:kwənsi], *s.* infrequência, falta de frequência, raridade.
infrequent [in'fri:kwənt], *adj.* raro, pouco comum, infrequente.
infrequently [-li], *adv.* raramente.
infringe [in'frindʒ], *vt.* e *vi.* infringir, transgredir; violar; usurpar. (*Sin.* to violate, to break, to transgress, to disobey.)
infringement [-mənt], *s.* infracção, transgressão; violação.
infringer [-ə], *s.* infractor, transgressor.
infructuous [in'frʌktjuəs], *adj.* infrutífero, estéril, infrutuoso.
infuriate [in'fjuərieit], *vt.* enfurecer, enraivecer, encolerizar.
infuse [in'fju:z], *vt.* infundir; introduzir em; pôr de infusão; inspirar.
infusibility [infju:zi'biliti], *s.* infusibilidade.
infusible [in'fju:zəbl], *adj.* infusível.
infusion [in'fju:ʒən], *s.* infusão; instilação.
infusoria [infju:'zɔ:riə], *s. pl.* (zool.) infusórios.
ingathering ['ingæðəriŋ], *s.* colheita.
ingenious [in'dʒi:njəs], *adj.* engenhoso, hábil, destro; esperto. (*Sin.* clever, gifted, smart, able, inventive, ready. *Ant.* awkward.)
ingeniously [-li], *adv.* engenhosamente.
ingeniousness [-nis], *s.* engenho, subtileza, habilidade, arte.
ingenuity [indʒi'nju(:)iti], *s.* engenho, capacidade, habilidade.
ingenuous [in'dʒenjuəs], *adj.* ingénuo, franco, sincero, natural. (*Sin.* artless, honest, open, frank, sincere, truthful. *Ant.* cunning.)
ingenuously [-li], *adv.* ingenuamente; francamente.
ingenuousness [-nis], *s.* ingenuidade, franqueza.
inglorious [in'glɔ:riəs], *adj.* inglório; ignominioso, desonroso; obscuro.
ingloriously [-li], *adv.* ingloriamente; vergonhosamente.
ingloriousness [-nis], *s.* ignomínia, vergonha.
ingoing ['ingouiŋ], **1** — *s.* entrada.
2 — *adj.* que entra.
ingot ['iŋgət], *s.* lingote, barra de metal.
ingrain 1 — ['in'grein], *adj.* tingido em rama; inveterado, enraizado.
2 — [in'grein], *vt.* tingir lã em rama.
ingrained [-d], *adj.* arraigado, inveterado, enraizado; tingido em rama.
to be ingrained in — estar profundamente enraizado.
ingratiate [in'greiʃieit], *vt.* insinuar-se, ganhar a afeição de.
to ingratiate oneself with someone — captar as boas graças de alguém.
ingratitude [in'grætitju:d], *s.* ingratidão.
ingredient [in'gri:djənt], *s.* ingrediente. (*Sin.* component, part, particle, element.)
ingress ['ingres], *s.* ingresso; entrada; admissão.
ingrowing ['ingrouiŋ], *adj.* que cresce para dentro.
ingrowing nail — unha encravada.
inguinal ['iŋgwinl], *adj.* inguinal.
inhabit [in'hæbit], *vt.* habitar, residir, morar, viver.
inhabitable [-əbl], *adj.* habitável.
inhabitant [-ənt], *s.* habitante.
inhalation [inhə'leiʃən], *s.* inalação, inspiração.
inhale [in'heil], *vt.* inalar, aspirar, absorver.
inhaler [-ə], *s.* inalador; o que aspira ou inala.
inharmonious [inha:'mounjəs], *adj.* desarmónico, dissonante; discordante.
inharmoniously [-li], *adv.* sem harmonia, discordantemente.
inhere [in'hiə], *vi.* estar inerente, inerir.
inherence, inherency [in'hiərəns,-si], *s.* inerência.
inherent [in'hiərənt], *adj.* inerente; próprio; inseparável. (*Sin.* natural, innate, inborn, inbred, native. *Ant.* casual.)
inherently [-li], *adv.* inerentemente.
inherit [in'herit], *vt.* e *vi.* herdar; suceder como herdeiro; receber em herança.
inheritance [-əns], *s.* herança; sucessão.
inheritor [-ə], *s.* herdeiro.
inheritress, inheritrix [-ris,-riks], *s.* herdeira.
inhibit [in'hibit], *vt.* inibir, proibir; impedir; restringir.
inhibition [inhi'biʃən], *s.* inibição, proibição, impedimento.
inhospitable [in'hɔspitəbl], *adj.* inóspito; inabitável. (*Sin.* unkind, unfriendly, barren. *Ant.* friendly.)
inhospitableness [-nis], *s.* inospitabilidade.
inhospitably [-i], *adv.* sem hospitalidade.
inhospitality ['inhɔspi'tæliti], *s.* inospitalidade.
inhuman [in'hju:mən], *adj.* desumano, cruel, bárbaro; insensível.
inhumanity [inhju(:)'mæniti], *s.* desumanidade, crueldade.
inhumanly [in'hju:mənli], *adv.* desumanamente, cruelmente.
inhumation [inhju(:)'meiʃən], *s.* inumação; enterramento.
inhume [in'hju:m], *vt.* inumar, enterrar, sepultar.
inimical [i'nimikəl], *adj.* inimigo, hostil; contrário, adverso; desfavorável. (*Sin.* hostile, contrary, adverse, opposed, antagonistic. *Ant.* friendly.)
inimically [-i], *adv.* hostilmente, adversamente.
inimitability, inimitableness [inimitə'biliti, i'nimitəblnis], *s.* inimitabilidade.
inimitable [i'nimitəbl], *adj.* inimitável.
inimitably [-i], *adv.* inimitavelmente.
iniquitous [i'nikwitəs], *adj.* iníquo, perverso, malvado, injusto.
iniquitously [-li], *adv.* iniquamente.
iniquity (*pl.* **iniquities**) [i'nikwiti,-iz], *s.* iniquidade; perversidade. (*Sin.* sin, crime, wickedness, wrong, offence. *Ant.* virtue.)
initial [i'niʃəl], **1** — *s.* inicial, letra inicial.
2 — *adj.* inicial; primeiro.
3 — *vt.* (*pret.* e *pp.* **initialled**) assinar com as iniciais do nome; rubricar; pôr o visto em.
initially [-i], *adv.* inicialmente; no princípio; de um modo inicial.
initiate 1 — [i'niʃiit], *s.* e *adj.* iniciado.
2 — [i'niʃieit], *vt.* iniciar, começar; tomar a iniciativa; ensinar qualquer coisa nova; admitir.
initiation [iniʃi'eiʃən], *s.* início, começo; iniciação.
initiative [i'niʃiətiv], **1** — *s.* iniciativa.
to lack initiative — não ter iniciativa.
to take the initiative — tomar a iniciativa.
2 — *adj.* iniciativo, inicial; preliminar; introdutivo.
initiatory [i'niʃiətəri], *adj.* iniciativo; introdutório; preliminar.

inject [in'dʒekt], *vt.* injectar; aplicar uma injecção a; introduzir.
injection [in'dʒekʃən], *s.* injecção.
injector [in'dʒektə], *s.* injector.
injudicious [indʒu(:)'diʃəs], *adj.* indiscreto, irreflectido, imprudente, inconsiderado.
injudiciously [-li], *adv.* indiscretamente; imprudentemente.
injudiciousness [-nis], *s.* indiscrição, imprudência; irreflexão.
injunction [in'dʒʌŋkʃən], *s.* ordem, mandado, preceito; injunção; (jur.) embargo.
injure ['indʒə], *vt.* prejudicar, lesar, causar dano; injuriar, ofender; ferir, magoar; enfraquecer. (*Sin.* to damage, to hurt, to spoil, to impair, to mar, to wrong. *Ant.* to benefit.)
injurer [-rə], *s.* ofensor; injuriador.
injurious [in'dʒuəriəs], *adj.* prejudicial, nocivo; ofensivo; injurioso. (*Sin.* hurtful, harmful, pernicious, prejudicial. *Ant.* beneficial.)
injuriously [-li], *adv.* perniciosamente, com prejuízo; ofensivamente.
injuriousness [-nis], *s.* injúria, ofensa; dano, prejuízo.
injury (*pl.* **injuries**) ['indʒəri,-iz], *s.* injúria, ofensa, insulto; dano, prejuízo; ferimento, mal; (mec.) avaria.
insurance against injuries — seguro contra acidentes de trabalho.
injustice [in'dʒʌstis], *s.* injustiça.
ink [iŋk], **1** — *s.* tinta.
ink-bottle — frasco de tinta.
ink-fish — *(zool.)* calamar; sépia.
a blot of ink — um borrão de tinta.
Chinese (Indian) ink — tinta-da-china.
printer's ink — tinta de impressão.
2 — *vt.* sujar com tinta; cobrir de tinta; marcar com tinta.
inker [-ə], *s.* rolo de tinta.
inkiness [-inis], *s.* cor de tinta; negrura.
inkling [-liŋ], *s.* indício leve; ideia vaga; suspeita. (*Sin.* hint, suggestion, intimation.)
to get an inkling of — ficar com uma vaga ideia de.
inkpot [-pɔt], *s.* tinteiro.
inkstand [-stænd], *s.* tinteiro com um ou mais recipientes para tinta, e às vezes com um descanso para canetas.
inky [-i], *adj.* de tinta; manchado de tinta; preto como a tinta.
inlaid ['in'leid], *adj.* marchetado, embutido.
inlaid work — obra de embutido.
inland ['inlənd], **1** — *s.* o interior dum país.
2 — *adj.* interior; nacional.
inland navigation — navegação nos rios, lagos e canais dum país.
inland revenue — impostos internos.
inland trade — comércio interno.
3 — *adv.* no interior; em direcção ao interior.
inlander [-ə], *s.* habitante do interior.
inlay ['in'lei], **1** — *s.* obra de embutido.
2 — *vt.* (*pret.* e *pp.* **inlaid** ['in'leid]) marchetar; embutir; incrustar.
inlaying [-iŋ], *s.* embutidura; incrustação.
inlet ['inlet], *s.* angra, enseada, braço de mar; entrada, passagem, admissão; incrustação.
inly ['inli], *adv.* interiormente; (poét.) no fundo do coração, no íntimo.
inlying ['inlaiiŋ], *adj.* deitado; situado no interior.
inmate ['inmeit], *s.* internado (de um asilo); companheiro de casa.
inmost ['inmoust], *adj.* interior; íntimo; o mais secreto.
inn [in], *s.* pousada; estalagem; hospedaria; hotel.
Inns of Court — colégios de advogados.
innate [i'neit], *adj.* inato; natural, próprio. (*Sin.* inherent, inborn, natural, congenital.)
innateness [-nis], *s.* qualidade do que é inato.
innavigable [i'nævigəbl], *adj.* inavegável.
inner ['inə], *adj.* interior, íntimo; oculto, secreto, recôndito.
the inner man — a alma, o espírito; (fam.) o estômago.
the inner ear — o ouvido interno.
to satisfy the inner man — satisfazer o apetite.
innermost [-moust], *adj.* íntimo, recôndito, interior.
innervate ['inə:veit], *vt.* dar vigor, dar energia; alentar.
innervation [inə:'veiʃən], *s.* actividade nervosa.
innings ['iniŋz], *s.* vez de jogar no jogo do críquete; período de sorte; período de actividade; ocupação do poder; terras deixadas pelo mar.
innkeeper ['inki:pə], *s.* estalajadeiro; hoteleiro.
innocence ['inəsns], *s.* inocência; simplicidade; candura.
innocent ['inəsnt], **1** — *s.* simplório, pateta; pessoa inocente.
2 — *adj.* inocente; simples; puro; legítimo; isento de.
innocently [-li], *adv.* inocentemente.
innocuous [i'nɔkjuəs], *adj.* inocente, inofensivo, inócuo.
innocuously [-li], *adv.* inocuamente.
innocuousness [-nis], *s.* qualidade do que é inofensivo; inocuidade.
innovate ['inouveit], *vi.* inovar; introduzir novidades.
innovation [inou'veiʃən], *s.* inovação; novidade. (*Sin.* novelty, alteration, change.)
innovator ['inouveitə], *s.* inovador.
innoxious [i'nɔkʃəs], *adj.* inóxio, inocente, inofensivo.
innoxiously [-li], *adv.* inofensivamente.
innoxiousness [-nis], *s.* inocuidade.
innuendo (*pl.* **innuendoes**) [inju(:)'endou,-z], *s.* insinuação, alusão indirecta.
innumerable [i'nju:mərəbl], *adj.* inumerável.
innumerably [-i], *adv.* inumeravelmente.
innutrition [inju(:)'triʃən], *s.* falta de nutrição; desnutrição.
innutritious [inju(:)'triʃəs], *adj.* que não é nutritivo.
inobservance [inəb'zə:vəns], *s.* inobservância; falta de atenção.
inobservant [inəb'zə:vənt], *adj.* inobservante.
inoculate [i'nɔkjuleit], *vt.* inocular; impregnar; contaminar, infectar; vacinar; enxertar de borbulha.
inoculation [inɔkju'leiʃən], *s.* inoculação; vacina; enxerto de borbulha.
inoculator [i'nɔkjuleitə], *s.* inoculador.
inodorous [in'oudərəs], *adj.* inodoro.
inoffensive [inə'fensiv], *adj.* inofensivo.
inoffensively [-li], *adv.* inofensivamente.
inoffensiveness [-nis], *s.* qualidade de ser inofensivo.
inofficious [inə'fiʃəs], *adj.* **ino**ficioso.
inoperative [in'ɔpərətiv], *adj.* inoperante, ineficaz.
inopportune [in'ɔpətju:n], *adj.* inoportuno, intempestivo. (*Sin.* untimely, inconvenient, unseasonable.)
inopportunely [-li], *adv.* inoportunamente; intempestivamente.
inordinate [i'nɔ:dinit], *adj.* desordenado, irregular, excessivo; turbulento.
inordinately [-li], *adv.* desordenadamente; descomedidamente.
inordinateness [-nis], *s.* desordem, imoderação, irregularidade.
inorganic [inɔ:'gænik], *adj.* inorgânico.
inorganically [-əli], *adv.* inorganicamente.
in-patient ['in'peiʃənt], *s.* doente internado num hospital ou casa de saúde.

inquest ['inkwest], *s.* inquérito, inquirição, investigação.
inquietude [in'kwaiitju:d], *s.* inquietação, desassossego. (*Sin.* disquiet, anxiety, uneasiness, restlessness. *Ant.* easiness.)
inquire [in'kwaiə], *vt.* e *vi.* inquirir, perguntar, investigar, indagar; informar-se; examinar.
to inquire after someone — informar-se do estado de saúde de alguém.
to inquire into a matter — investigar uma questão.
inquirer [-rə], *s.* inquiridor; investigador; pessoa que pergunta ou se informa.
inquiring [-riŋ], *adj.* curioso; que inquire, que investiga.
inquiry (*pl.* **inquiries**) [-ri,-iz], *s.* inquérito, investigação, exame, pesquisa; pergunta; informação. (*Sin.* question, research, investigation, examination, interrogation.)
inquiry office — agência de informações.
on inquiry — após investigação.
to make inquiries — informar-se; tirar informações.
inquisition [inkwi'ziʃən], *s.* inquisição, investigação, inquérito judicial.
the Inquisition — a Inquisição; tribunal do Santo Ofício.
inquisitional [-l], *adj.* inquisitorial; inquiridor.
inquisitive [in'kwizitiv], *adj.* curioso, perguntador, indiscreto; inquiridor.
inquisitively [-li], *adv.* curiosamente; inquiridoramente.
inquisitiveness [-nis], *s.* curiosidade; indiscrição.
inquisitor [in'kwizitə], *s.* inquiridor; inquisidor.
inquisitorial [inkwizi'tɔ:riəl]. *adj.* inquisitorial.
inroad ['inroud], *s.* incursão, invasão; irrupção, assalto; (fig.) usurpação.
inrush ['inrʌʃ], *s.* invasão, irrupção.
insalubrious [insə'lu:briəs], *adj.* insalubre; doentio.
insalubrity [insə'lu:briti], *s.* insalubridade.
insane [in'sein], *adj.* insano, louco, demente; insensato, irrealizável.
insane asylum — manicómio.
insanely [-li], *adv.* loucamente, insensatamente.
insaneness [-nis], *s.* demência, loucura, insensatez.
insanitary [in'sænitəri], *adj.* insalubre, doentio.
insanity [in'sæniti], *s.* loucura, demência, insensatez.
insatiability [inseiʃjə'biliti], *s.* insaciabilidade.
insatiable [in'seiʃjəbl], *adj.* insaciável.
insatiableness [-nis], *s.* insaciabilidade.
insatiably [-i], *adv.* insaciavelmente.
insatiate [in'seiʃiit], *adj.* insaciável, insatisfeito.
inscribe [in'skraib], *vt.* inscrever, gravar; imprimir profundamente; dedicar (um livro). (*Sin.* to write, to print, to engrave, to dedicate, to address.)
inscriber [-ə], *s.* aquele que inscreve ou dedica um livro.
inscription [in'skripʃən], *s.* inscrição; dedicatória; letreiro; rótulo.
inscrutability [inskru:tə'biliti], *s.* inescrutabilidade, impenetrabilidade.
inscrutable [in'skru:təbl], *adj.* inescrutável, impenetrável.
inscrutably [-i], *adv.* inescrutavelmente; insondavelmente.
insect ['insekt], *s.* insecto.
insect-powder — pó insecticida.
insecticide [in'sektisaid], *s.* e *adj.* insecticida.
insectivorous [insek'tivərəs], *adj.* insectívoro.
insecure [insi'kjuə], *adj.* inseguro; arriscado; incerto; perigoso.
insecurely [-li], *adv.* sem segurança, em perigo.
insecurity (*pl.* **insecurities**) [insi'kjuəriti,-iz], *s.* insegurança; situação perigosa.
inseminate [in'semineit], *vt.* inseminar.
insemination [insemi'neiʃən], *s.* inseminação.
insensate [in'senseit], *adj.* insensato, tolo; insensível. (*Sin.* stupid, insensible, indifferent, blind, unconscious. *Ant.* sensitive.)
insensately [-li], *adv.* insensatamente.
insensibility [insensə'biliti], *s.* insensibilidade; indiferença, apatia; desfalecimento.
insensible [in'sensəbl], *adj.* insensível; inconsciente, desmaiado; imperceptível.
insensible of any danger — indiferente ao perigo.
to remain insensible — não dar acordo de si.
insensibly [-i], *adv.* insensivelmente; imperceptivelmente.
insensitive [in'sensitiv], *adj.* insensitivo, indiferente, insensível.
insentient [in'senʃiənt], *adj.* insensível, inanimado.
inseparability [insepərə'biliti], *s.* inseparabilidade.
inseparable [in'sepərəbl], *adj.* inseparável.
inseparably [-i], *adv.* inseparavelmente.
insert [in'sə:t], *vt.* inserir; introduzir; intercalar; incluir; embutir. (*Sin.* to place, to introduce, to thrust, to put in.)
insertion [in'sə:ʃən], *s.* inserção; introdução.
inset 1 — ['inset], *s.* inserção; folha intercalada (em livro); maré ascendente.
2 — ['in'set], *vt.* inserir; introduzir.
inshore ['in'ʃɔ:], *adj.* e *adv.* na costa; perto da costa; em direcção à costa.
inside ['in'said], **1** — *s.* interior, o lado de dentro; (col.) estômago, barriga.
to turn inside out — virar de dentro para fora.
2 — *adj.* interior, interno.
inside left (fut.) — interior-esquerdo.
inside right (fut.) — interior-direito.
3 — *adv.* interiormente; do lado de dentro.
inside of a week — em menos de uma semana.
4 — *prep.* dentro de.
insider [-ə], *s.* o que está dentro dum segredo; membro de uma certa organização com privilégios especiais; o que recebe informações em primeira mão.
insidious [in'sidiəs], *adj.* insidioso, traiçoeiro; astucioso. (*Sin.* crafty, treacherous, deceptive, cunning, tricky.)
insidiously [-li], *adv.* insidiosamente; com astúcia.
insidiousness [-nis], *s.* insídia, perfídia, traição.
insight ['insait], *s.* conhecimento profundo; perspicácia, discernimento; compreensão. (*Sin.* penetration, perception, under-standing, discernment.)
insignia [in'signiə], *s. pl.* insígnias.
insignificance, insignificancy [insig'nifikəns, -si], *s.* insignificância.
insignificant [insig'nifikənt], *adj.* insignificante; sem importância.
insignificantly [-li], *adv.* de modo insignificante.
insincere [insin'siə], *adj.* fingido, dissimulado, hipócrita, desleal.
insincerely [-li], *adv.* hipocritamente, fingidamente.
insincerety [insin'seriti], *s.* falta de sinceridade, hipocrisia, deslealdade, dissimulação.
insinuate [in'sinjueit], *vt.* insinuar; introduzir; incutir.
insinuating [-iŋ], *adj.* insinuante; atraente.
insinuatingly [-iŋli], *adv.* de modo insinuante; insinuantemente.
insinuation [insinju'eiʃən], *s.* insinuação; sugestão indirecta.
to make insinuations against someone — fazer insinuações contra alguém.

insinuator [in'sinjueitə], *s.* insinuador.
insipid [in'sipid], *adj.* insípido, insosso, desenxabido; monótono, enfadonho. (*Sin.* vapid, flat, tasteless, tedious, lifeless, dull, uninteresting, flavourless. *Ant.* bright, engaging.)
insipidity, insipidness [insi'piditi,-nis], *s.* insipidez; sensaboria, monotonia.
insist [in'sist], *vt.* e *vi.* insistir, teimar, instar.
insistence, insistency [in'sistəns,-si], *s.* insistência; teimosia.
insistent [in'sistənt], *adj.* insistente; persistente.
insistently [-li], *adv.* insistentemente.
insobriety [insou'braiəti], *s.* intemperança; embriaguez.
insolation [insou'leiʃən], *s.* insolação; banho de sol.
insole ['insoul], *s.* palmilha.
insolence ['insələns], *s.* insolência, desfaçatez, atrevimento. (*Sin.* rudeness, sauciness, pertness, impudence. *Ant.* deference.)
insolent ['insələnt], *adj.* insolente, atrevido; malcriado.
insolently [-li], *adv.* insolentemente.
insolubility [insɔlju'biliti], *s.* insolubilidade.
insoluble [in'sɔljubl], *adj.* insolúvel, indissolúvel; sem resolução.
insolvable [in'sɔlvəbl], *adj.* insolúvel, inexplicável; indissolúvel.
insolvency [in'sɔlvənsi], *s.* insolvência; insolubilidade.
insolvent [in'sɔlvənt], **1** — *s.* devedor insolvente; comerciante falido.
2 — *adj.* insolvente; falido. (*Sin.* bankrupt, penniless, ruined. *Ant.* rich.)
insomnia [in'sɔmniə], *s.* insónia.
insomuch [insou'mʌtʃ], *adv.* a tal ponto (que); de modo (que).
inspect [in'spekt], *vt.* inspeccionar, examinar, vistoriar; passar em revista.
inspection [in'spekʃən], *s.* inspecção, exame; vistoria, fiscalização; revista.
inspection hole — vigia de inspecção.
on the first inspection — à primeira vista.
to hold an inspection (mil.) — passar revista.
inspector [in'spektə], *s.* inspector; superintendente; fiscal; verificador.
inspectorate [in'spektərit], *s.* inspectoria; distrito a cargo de um inspector.
inspectorship [in'spektəʃip], *s.* inspecção, inspectoria.
inspiration [inspə'reiʃən], *s.* inspiração; aspiração, inalação. (*Sin.* exaltation, elevation, enthusiasm, inhalation.)
inspiratory [in'spaiərətəri], *adj.* inspiratório.
inspire [in'spaiə], *vt.* inspirar; aspirar; sugerir, animar; comunicar.
inspirer [-rə], *s.* inspirador.
inspiring [-riŋ], *adj.* inspirador; animador.
inspiringly [-riŋli], *adv.* de modo inspirador.
inspirit [in'spirit], *vt.* animar, estimular, encorajar. (*Sin.* to inspire, to enliven, to animate, to encourage, to invigorate.)
inspiriting [-iŋ], *adj.* animador, estimulante, encorajante.
instability (*pl.* **instabilities**) [instə'biliti,-iz], *s.* instabilidade; mutabilidade; inconstância; fraqueza.
install [in'stɔ:l], *vt.* instalar; dar posse, empossar; implantar.
installation [instə'leiʃən], *s.* instalação, montagem; acção de dar posse.
electric installation — instalação eléctrica.
instalment [in'stɔ:lmənt], *s.* prestação; pagamento a prestações; cota; fascículo.
to buy on the instalment system — comprar a prestações.
to pay by instalments — pagar a prestações.
instance ['instəns], **1** — *s.* exemplo; instância, pedido; (jur.); instância; caso. (*Sin.* case, example, illustration, request, urgency.)
for instance — por exemplo.
at the instance of — a pedido de.
court of first instance — tribunal de primeira instância.
in the first instance — em primeiro lugar.
2 — *vt.* citar como exemplo; ilustrar.
instancy [-i], *s.* urgência; iminência; instância.
instant ['instənt], **1** — *s.* instante, momento.
on the instant — imediatamente.
I told him the instant I knew — disse-lho no momento em que o soube.
this instant — neste instante.
2 — *adj.* urgente, instante, imediato; (com.) do corrente, do presente mês.
of the 5 th. instant — de 5 do corrente.
instantaneous [instən'teinjəs], *adj.* instantâneo, momentâneo.
instantaneously [-li], *adv.* instantaneamente.
instantaneousness [-nis], *s.* instantaneidade.
instantly ['instəntli], *adv.* imediatamente, urgentemente, acto contínuo.
instauration [instɔ:'reiʃən], *s.* instauração; inauguração.
instead [in'sted], *adv.* em vez de, em lugar de.
instead of — em vez de.
instep ['instep], *s.* peito do pé.
instigate ['instigeit], *vt.* instigar, excitar, incitar; fomentar.
instigation [insti'geiʃən], *s.* instigação, incitamento.
instigator ['instigeitə], *s.* instigador, incitador.
instil(l) [in'stil], *vt.* (*pret.* e *pp.* **instilled**) instilar; infundir; insinuar; inspirar. (*Sin.* to ingraft, to implant, to fix, **to infuse, to insinuate.**)
instillation [insti'leiʃən], *s.* instilação; insinuação, persuasão.
instinct 1 — **['instiŋkt],** *s.* **instinto.**
by instinct — por instinto.
2 — [in'stiŋkt], *adj.* animado, instigado, movido; dotado de.
instinctive [in'stiŋktiv], *adj.* instintivo.
instinctively [-li], *adv.* instintivamente.
institute ['institju:t], **1** — *s.* instituto; academia; estabelecimento; instituições.
2 — *vt.* instituir, estabelecer, fundar; principiar; empossar; conferir um benefício eclesiástico.
institution [insti'tju:ʃən], *s.* instituição, estabelecimento; instituto; associação; fundação.
institutional [-l], *adj.* elementar; respeitante a instituições.
institutor ['institju:tə], *s.* instituidor; fundador; preceptor.
instruct [in'strʌkt], *vt.* instruir; ensinar; informar; avisar; dar instruções a; mandar, dar ordens. (*Sin.* to educate, to inform, to teach, to command, to order, to enlighten.)
instruction [in'strʌkʃən], *s.* instrução; ensino; conhecimentos; *pl.* instruções, normas.
instructional [-l], *adj.* relativo à instrução.
instructive [in'strʌktiv], *adj.* instrutivo.
instructively [-li], *adv.* instrutivamente.
instructor [in'strʌktə], *s.* instrutor; preceptor.
instructress [in'strʌktris], *s.* preceptora.
instrument ['instrumənt], **1** — *s.* instrumento; utensílio; meio, agente; (jur.) acta, escritura.
sharp instrument — instrumento cortante.
stringed instrument — instrumento de corda.
wind instrument — instrumento de sopro.
2 — *vt.* (mús.) instrumentar.
instrumental [instru'mentl], *adj.* instrumental; que serve como instrumento para.
instrumental music — música instrumental.
he was instrumental in finding work for his friend — ele contribuiu para encontrar trabalho para o seu amigo.

instrumentalist [instru'mentəlist], *s.* (mús.) instrumentista.
instrumentality (*pl.* **instrumentalities**) [instrumen'tæliti,-iz], *s.* meio; acção, intervenção.
instrumentally [instru'mentəli], *adv.* instrumentalmente; como instrumento.
instrumentation [instrumen'teiʃən], *s.* instrumentação; intervenção, acção.
insubmersible [insʌb'mə:sibl], *adj.* insubmersível.
insubordinate [insə'bɔ:dnit], *adj.* insubordinado, indisciplinado, desobediente, insubmisso. (*Sin.* unruly, disobedient, turbulent, rebellious. *Ant.* obedient.)
insubordination ['insəbɔ:di'neiʃən], *s.* insubordinação, rebelião.
insubstantial [insəb'stænʃəl], *adj.* insubstancial; imaterial.
insubstantiality [insəbstænʃi'æliti], *s.* insubstancialidade; irrealidade.
insufferable [in'sʌfərəbl], *adj.* insofrível, insuportável, intolerável, detestável. (*Sin.* unbearable, intolerable, detestable. *Ant.* tolerable.)
insufferably [-i], *adv.* insuportavelmente, intoleravelmente.
insufficiency [insə'fiʃənsi], *s.* insuficiência; incapacidade; incompetência.
insufficient [insə'fiʃənt], *adj.* insuficiente, incapaz, incompetente. (*Sin.* deficient, lacking.
insufficiently [-li], *adv.* insuficientemente.
insufflate ['insʌfleit], *vt.* insuflar, encher de ar; espalhar pó em qualquer objecto para descobrir impressões digitais.
insular ['insjulə], **1** — *s.* insular, pessoa que vive numa ilha.
2 — *adj.* insular, isolado, solitário.
insularism [-rizəm], *s.* insularidade; estreiteza de espírito.
insularity [insju'læriti], *s.* insularidade; estreiteza de espírito, maneira de ver acanhada.
insulate ['insjuleit], *vt.* insular, transformar em ilha; isolar; separar; insonorizar.
insulation [insju'leiʃən], *s.* isolação; isolamento (eléctrico);
insulator ['insjuleitə], *s.* isolador (eléctrico); isolado.
insulin ['insjulin], *s.* insulina.
insult 1 — ['insʌlt], *s.* insulto. afronta, injúria, ofensa.
to offer an insult — ofender.
to pocket an insult — engolir um insulto.
2 — [in'sʌlt], *vt.* insultar, injuriar, ultrajar, ofender. (*Sin.* to abuse, to mock, to affront, to offend. *Ant.* to respect, to flatter.)
insulter [-ə], *s.* insultador; ofensor.
insulting [-iŋ], *adj.* insultante, ultrajante.
insultingly [-iŋli], *adv.* insolentemente.
insuperability [insju:pərə'biliti], *s.* invencibilidade, insuperabilidade.
insuperable [in'sju:pərəbl], *adj.* insuperável, invencível. (*Sin.* insurmountable, unsurpassable, invincible.)
insuperably [-i], *adv.* insuperavelmente.
insupportable [insə'pɔ:təbl], *adj.* insuportável, intolerável.
insupportableness [-nis], *s.* qualidade de ser insuportável.
insupportably [-i], *adv.* insuportavelmente.
insuppressible [insə'presəbl], *adj.* que não pode ser suprimido ou oculto.
insurable [in'ʃuərəbl], *adj.* que se pode segurar.
insurance [in'ʃuərəns], *s.* seguro.
insurance policy — apólice de seguro.
fire insurance — seguro contra fogo.
life insurance — seguro de vida.
accident insurance — seguro contra acidentes.
insurance company — companhia de seguros.
all-risk insurance — seguro contra todos os riscos.
marine insurance — seguro marítimo.
insurant [in'ʃuərənt], *s.* segurado.
insure [in'ʃuə], *vt.* segurar; garantir.
insured [-d], *s.* e *adj.* segurado; no seguro.
insurer [-rə], *s.* segurador.
insurgency [in'sə:dʒənsi], *s.* rebelião, revolta.
insurgent [in'sə:dʒənt], **1** — *s.* rebelde, insurrecto, revoltoso.
2 — *adj.* revoltado; insurgente.
insurmountable [insə(:)'mauntəbl], *adj.* insuperável, invencível; impossível de se conseguir.
insurmountably [-i], *adv.* de modo invencível.
insurrection [insə'rekʃən], *s.* insurreição, sublevação; revolta.
insurrectional [-l], *adj.* insurreccional, revolucionário.
insurrectionary [insə'rekʃnəri], *adj.* revolucionário.
insurrectionist [insə'rekʃnist], *s.* rebelde, insurrecto, revoltoso.
insusceptibility ['insəseptə'biliti], *s.* falta de susceptibilidade, insensibilidade.
insusceptible [insə'septəbl], *adj.* insusceptível; insencível. (*Sin.* unfeeling, indifferent, impassible. *Ant.* sensible, susceptible).
intact [in'tækt], *adj.* intacto, íntegro; ileso.
intaglio [in'ta:liou], *s.* obra de talha; gravura em pedra preciosa; fotogravura.
intangibility [intændʒə'biliti], *s.* intangibilidade.
intangible [in'tændʒəbl], *adj.* intangível; impalpável. (*Sin.* impalpable, vague, imperceptible, indefinite. *Ant.* definite.)
intangibly [-i], *adv.* de modo intangível.
integer ['intidʒə], *s.* (mat.) número inteiro; totalidade.
integral ['intigrəl], **1** — *s.* (mat.) função integral.
2 — *adj.* integral; integrante.
integral calculus — cálculo integral.
integrally [-i], *adv.* integralmente.
integrand ['intigrænd], *s.* *(mat.)* expressão a integrar.
integrate 1 — ['intigrit], *adj.* integral, inteiro.
2 — ['intigreit], *vt.* integrar; inteirar; completar.
integration [inti'greiʃən], *s.* integração.
integrity [in'tegriti], *s.* integridade, rectidão, honradez; pureza, inteireza.
integument [in'tegjumənt], *s.* tegumento.
intellect ['intilekt], *s.* intelecto; entendimento, inteligência; pessoas inteligentes. (*Sin.* brains, understanding, mind, reason.)
intellection [inti'lekʃən], *s.* intelecção, inteligência.
intellective [inti'lektiv], *adj.* intelectivo.
intellectual [inti'lektjuəl], *s.* e *adj.* intelectual.
intellectuality ['intilektju'æliti], *s.* intelectualidade.
intellectually [inti'lektjuəli], *adv.* intelectualmente.
intelligence [in'telidʒəns], *s.* inteligência, entendimento; sagacidade; notícia, informação.
Intelligence Department (mil.) — secção do serviço de informações.
to send out for intelligence — mandar à procura de informações.
intelligencer [-ə], *s.* informador; espião.
intelligent [in'telidʒənt], *adj.* inteligente.
to be intelligent of — estar informado de.
intelligently [-li], *adv.* inteligentemente.
intelligibility [intelidʒə'biliti], *s.* inteligibilidade.
intelligible [in'telidʒəbl], *adj.* inteligível, compreensível, claro, distinto. (*Sin.* comprehensible, plain, clear, distinct.)
intelligibly [-i], *adv.* inteligivelmente.
intemperance [in'tempərəns], *s.* intemperança.

intemperate [in'tempərit], *adj.* intemperado; imoderado, desmedido; desordenado; dado à bebida.
intemperately [-li], *adv.* imoderadamente; excessivamente.
intend [in'tend], *vt.* tencionar, fazer tenção, pretender; querer dizer; projectar, designar, destinar.
this bun is intended for you — este bolo é para ti.
intendance, intendancy [in'tendəns,-si], *s.* intendência.
intendant [in'tendənt], *s.* intendente, superintendente, director.
intended [in'tendid], *adj.* destinado, projectado; prometido.
intense [in'tens], *adj.* intenso, forte; veemente, ardente, violento; extremo.
intense cold — frio intenso.
intensely [-li], *adv.* intensamente; extremamente.
intenseness [-nis], *s.* intensidade, força, violência; veemência.
intensification [intensifi'keiʃən], *s.* intensificação.
intensifier [in'tensifaiə], *s.* intensificador; (fot.) reforçador.
intensify [in'tensifai], *vt.* e *vi.* intensificar, tornar intenso; intensificar-se, aumentar.
intensity (*pl.* **intensities**) [in'tensiti,-iz], *s.* intensidade, força, tensão; veemência. (*Sin.* violence, force, power, strength, activity, ardour, energy, vehemence. *Ant.* debility.)
intensive [in'tensiv], *adj.* .intensivo, intenso; forte; enfático.
intensively [-li], *adv.* intensivamente.
intent [in'tent], **1** — *s.* intenção; intento, fim, desígnio, intuito. (*Sin.* purpose, design, aim, end, intention.)
to all intents and purposes — em todo o sentido.
with the intent to steal — com a intenção de roubar.
with good intent — com boa intenção.
2 — *adj.* atento; aplicado; resolvido a, decidido; concentrado; apaixonado por.
intention [in'tenʃən], *s.* intenção, objectivo, propósito deliberado; *(lóg.)* concepção, ideia.
hell is paved with good intentions — de boas intenções está o Inferno cheio.
intentional [-l], *adj.* intencional, propositado.
intentionally [-li], *adv.* intencionalmente, deliberadamente.
I did not do it intentionally — não o fiz intencionalmente.
intentioned [-d], *adj.* intencionado, com intenção.
ill-intentioned — mal-intencionado.
well-intentioned — bem—intencionado.
intentness [in'tentnis], *s.* atenção, aplicação assídua; decisão.
inter [in'tə:], *vt.* (*pret.* e *pp.* **interred**) enterrar, sepultar, inumar.
interact 1 — **['intərækt]**, *s.* **entreacto.**
2 — [intər'ækt], *vi.* actuar um sobre o outro; actuar reciprocamente.
interaction [intər'ækʃən], *s.* acção recíproca.
interbreed [intə:'bri:d], *vt.* cruzar raças de.
intercalary [in'tə:kələri], *adj.* intercalar; intercalado.
intercalate [in'tə:kəleit], *vt.* intercalar, interpolar, inserir.
intercalation [intə:kə'leiʃən], *s.* intercalação, interpolação.
intercede **[intə(:)'si:d]**, ***vi.*** **interceder; intervir, ser intermediário.** ***(Sin.*** **to plead, to interpose, to interfere, to mediate.)**
interceder **[-ə]**, *s.* **intercessor, medianeiro.**
intercept 1 — **['intə(:)sept]**, *s.* **segmento de linha entre dois pontos.**
2 — [intə(:) sept], *vt.* interceptar; interromper; impedir; cortar. (*Sin.* to interrupt, to stop, to obstruct, to catch. *Ant.* to release.)
interception [intə(:)'sepʃən], *s.* intercepção.
intercession [intə'seʃən], *s.* intercessão; mediação.
intercessional [-l], *adj.* relativo a intercessão.
intercessor [intə'sesə], *s.* intercessor.
intercessory [-ri], *adj.* que intercede; intercessório.
interchange 1 — ['intə(:)'tʃeindʒ], *s.* intercâmbio, troca, permuta; sucessão alternada, alternância.
2 — [intə(:)'tʃeindʒ], *vt.* e *vi.* trocar, permutar, cambiar; suceder alternadamente, alternar.
interchangeability [intə(:)tʃeindʒə'biliti], *s.* permutabilidade, câmbio; sucessão alternada.
interchangeable [intə(:)'tʃeindʒəbl], *adj.* permutável; recíproco, mútuo, sucessivo; substituível.
interchangeably [-i], *adv.* alternadamente; reciprocamente; mutuamente.
intercolonial ['intə(:)kə'lounjəl], *adj.* intercolonial.
intercommunicate [intə(:)kə'mju:nikeit], *vi.* comunicar reciprocamente; intercomunicar.
intercommunication ['intə(:)kəmju:ni'keiʃən], *s.* intercomunicação.
intercommunion [intə(:)kə'mju:njən], *s.* permuta, troca; reciprocidade, comunhão mútua.
intercommunity [intə(:)kə'mju:niti], *s.* comunidade (de posses ou bens).
intercostal [intə(:)'kɔstl], *adj.* músculo intercostal; intercostal.
intercourse ['intə(:)kɔ:s], *s.* comércio, relações comerciais; comunicação; trato; tráfego; relações; relações sexuais.
friendly intercourse — relações de amizade.
social intercourse — convívio social.
intercurrence [intə(:)'kʌrəns], *s.* intercorrência, repetição; irregularidade.
intercurrent [intə(:)'kʌrənt], *adj.* intercorrente.
interdependence [intədi(:)'pendəns], *s.* interdependência.
interdependent [intədi(:)'pendənt], *adj.* interdependente.
interdict 1 — **['intə(:)dikt]**, *s.* **interdito; proibição.**
2—[intə(:)'dikt], *vt.* interdizer; proibir; interditar; obstar; suspender; vedar. (*Sin.* to prohibit, to forbid, to bar, to inhibit, to disallow.)
interdiction [intə(:)'dikʃən], *s.* interdição, proibição.
interdictory [intɔ:'diktəri], *adj.* interditivo; proibitivo.
interest ['intrist], **1** — *s.* interesse; lucro; vantagem, proveito; influência; juro; actractivo; atenção.
it is to your interest — é para teu bem.
compound interest — juro composto.
simple interests — juros simples.
back interest — juro atrasado.
to take no interest in — não ter interesse em.
to put money out at interest — pôr dinheiro a juros.
to have an interest in — ter interesse em; empenhar-se em.
to take an interest in — tomar interesse por.
to lose interest in — perder o interesse por.
to bear interest at 5 % — render juro de 5 %.
rate of interest — razão de juro.
to lend on interest — emprestar a juros.
2 — *vt.* interessar, excitar a curiosidade. (*Sin.* to attract, to engage, to concern, to affect. *Ant.* to bore.)
to be interested in — estar interessado por.
to interest oneself in — interessar-se em.
interested [-id], *adj.* interessado; com interesses.

interestedly [-idli], *adv.* por interesse, interessadamente.
interesting [-iŋ], *adj.* interessante, atractivo, atraente.
interfere [intɔ'fiɔ], *vi.* interferir; intervir; impedir, dificultar; ingerir-se; intrometer-se; chocar-se; alcançar-se. (*Sin.* to interpose, to intervene, to meddle, to intermeddle.)
to interfere with — ingerir-se em; intrometer-se em.
interference [-rəns], *s.* interferência, interposição, intervenção; obstáculo, colisão.
interferer [-rə], *s.* interventor, medianeiro.
interfuse [intə(:)'fju:z], *vt.* e *vi.* fundir juntamente; misturar; impregnar; misturar-se.
interfusion [intə(:)'fju:ʒən], *s.* combinação pela fusão, mistura.
interim ['intərim], **1** — *s.* tempo intermédio.
2 — *adj.* provisório, temporário.
3 — *adv.* no entretanto.
interior [in'tiəriə], **1** — *s.* o interior, a parte interna.
2 — *adj.* interior, interno; nacional.
interiorly [-li], *adv.* interiormente.
interject [intə(:)'dʒekt], *vt.* lançar, interpor, intercalar; inserir.
interjection [intə(:)'dʒekʃən], *s.* (gram.) interjeição; intercalação, interposição.
interjectional [-l], *adj.* interjeccional.
interlace [intə(:)'leis], *vt.* e *vi.* entrelaçar; misturar; enlear; entrelaçar-se.
interlacement [-mənt], *s.* entrelaçamento; entretecimento; mistura.
interlard [intə(:)'la:d], *vt.* entremear, misturar.
interleaf (*pl.* **interleaves**) ['intəli:f,-vz], *s.* folha intercalada; folha em branco num livro interfoliado.
interleave [intə(:)'li:v], *vt.* interfoliar.
interline [intə(:)'lain], *vt.* entrelinhar; pautar.
interlinear [intə(:)'liniə], *adj.* interlinear.
interlineation ['intə(:)lini'eiʃən], *s.* acto de entrelinhar; entrelinha.
interlink [intə(:)'liŋk], *vt.* encadear; entrelaçar.
interlock [intə(:)'lɔk], **1** — *s.* engate; travamento.
2 — *vt.* e *vi.* apertar; engatar; travar; apertar-se; unir-se.
interlocution [intə(:)lou'kju:ʃən], *s.* interlocução. (*Sin.* conversation, conference, colloquy, dialogue.)
interlocutor [intə(:)'lɔkjutə], *s.* interlocutor.
interlocutory [-ri], *s.* (jur.) interlocutório.
interlocutress, interlocutrix [intə(:)'lɔkjutris,intə(:)'lɔkjutriks], *s. fem.* interlocutora.
interlope [intə(:)'loup], *vi.* entremeter-se, negociar sem licença.
interloper [-ə], *s.* pessoa intrometida; intruso; negociante sem licença.
interlude ['intə(:)lu:d], *s.* interlúdio; entremez.
intermarriage [intə(:)'mæridʒ], *s.* casamento entre duas famílias, tribos ou nações.
intermarry ['intə(:)'mæri], *vi.* ligar famílias ou raças por meio do casamento.
intermeddle [intə(:)'medl], *vi.* entremeter-se, ingerir-se, intervir.
intermeddler [-ə], *s.* intrometido; (col.) fiscal.
intermediary [intə(:)'mi:djəri], *s.* e *adj.* intermediário.
intermediate [intə(:)'mi:djət], **1** — *s.* intermediário.
2 — *adj.* intermediário; intermédio.
intermediate pressure — pressão média.
intermediately [-li], *adv.* numa posição intermédia.
interment [in'tə:mənt], *s.* funeral, enterro.
intermezzo (*pl.* **intermezzos, intermezzi**) [intə(:)'metsou,-z,-i], *s.* (mús. e teat.) intermezzo; entremeio.
interminable [in'tə:minəbl], *adj.* interminável, infindo, infinito, ilimitado. (*Sin.* endless, ceaseless, interminate, infinite, unlimited. *Ant.* brief, concise.)
interminably [-i], *adv.* interminavelmente.
intermingle [intə(:)'miŋgl], *vt.* e *vi.* entremear, misturar; ligar-se, misturar-se. (*Sin.* to mix, to mingle, to blend, to intermix. *Ant.* to separate.)
intermission [intə(:)'miʃən], *s.* intermissão, interrupção; intermitência; intervalo. (*Sin.* pause, stop, interval, interruption, break, suspension. *Ant.* continuity.)
intermit [intə:'mit], *vt.* e *vi.* (*pret.* e *pp.* **intermitted**) interromper, suspender; descontinuar; interromper-se, intermitir.
intermittent [intə(:)'mitənt], *adj.* intermitente.
intermittently [-li], *adv.* intermitentemente.
intermix [intə(:)'miks], *vt.* e *vi.* misturar, entremear, misturar-se.
intermixture [intə(:)'mikstʃə], *s.* mistura.
intern [in'tə:n], **1** — *s.* (E. U.) interno (dos hospitais).
2 — *vt.* internar.
internal [-l], *adj.* interno, interior; doméstico; intrínseco; íntimo; do país.
internal charges — impostos internos.
internally [-li], *adv.* internamente, interiormente.
international [intə(:)'næʃənl], **1** — *s.* (desp.) internacional.
2 — *adj.* internacional.
international code of signals — código internacional de sinais.
internationalism [intə(:)'næʃnəlizəm], *s.* internacionalismo.
internationalist [intə(:)'næʃnəlist], *s.* internacionalista.
internationalize [intə(:)'næʃnəlaiz], *vt.* internacionalizar.
internationally [intə(:)'næʃənli], *adv.* internacionalmente.
internecine [intə(:)'ni:sain], *adj.* exterminador, mortal, mutuamente destrutivo. (*Sin.* exterminating, destructive, mortal.)
internee [intə:'ni:], *s.* internado, interno.
internment [in'tə:nmənt], *s.* internamento.
internment camp — campo de concentração.
interoceanic ['intə(:)rouʃi'ænik], *adj.* interoceânico.
interpellate [in'tə:peleit], *vt.* interpelar.
interpellation [intə:pe'leiʃən], *s.* interpelação.
interplanetary [intə(:)'plænitəri], *adj.* interplanetário.
interpolate [in'tə:pouleit], *vt.* interpolar, intercalar, inserir.
interpolation [intə:pou'leiʃən], *s.* interpolação.
interpolator [in'tə:pouleitə], *s.* interpolador.
interposal [intə(:)'pouzl], *s.* interposição, intervenção, mediação.
interpose [intə(:)'pouz], *vt.* e *vi.* interpor; intervir; ingerir-se, interpor-se.
interposer [-ə], *s.* o que se interpõe; mediador.
interposition [intə:pə'ziʃən], *s.* intervenção, interposição, mediação.
interpret [in'tə:prit], *vt.* interpretar, explicar, esclarecer; representar. (*Sin.* to expound, to explain, to elucidate, to decipher, to unfold. *Ant.* to distort.)
interpretable [-əbl], *adj.* interpretável.
interpretation [intə:pri'teiʃən], *s.* interpretação, explicação, esclarecimento; desempenho.
interpretative [in'tə:pritətiv], *adj.* interpretativo.
interpretatively [-li], *adv.* interpretativamente, como interpretação.
interpreter [in'tə:pritə], *s.* intérprete.
interpretress [in'tə:pritris], *s. fem.* intérprete.

interregnum (*pl.* **interregna, interregnums**) [intəˈregnəm,-ə,-z], *s.* interregno.
interrogate [inˈterəgeit], *vt.* interrogar, perguntar, inquirir, examinar. (*Sin.* to question, to ask, to examine.)
interrogation [interəˈgeiʃən], *s.* interrogação; pergunta; interrogatório.
note of interrogation — ponto de interrogação.
interrogative [intəˈrɔgətiv], *adj.* interrogativo; interrogador.
interrogative pronouns — pronomes interrogativos.
interrogatively [-li], *adv.* interrogativamente.
interrogator [inˈterəgeitə], *s.* interrogador, examinador.
interrogatory [intəˈrɔgətəri], **1** — *s.* (jur.) interrogatório.
2 — *adj.* interrogador.
interrupt [intəˈrʌpt], *vt.* interromper; suspender, parar; estorvar, perturbar; interceptar.
interrupter [-ə], *s.* (elect.) interruptor; pessoa que interrompe.
interruption [intəˈrʌpʃən], *s.* interrupção; suspensão, paragem, pausa; interposição.
intersect [intə(:)ˈsekt], *vt.* e *vi.* entrecortar, cruzar; interceptar; cruzar-se, cortar-se.
intersection [intə(:)ˈsekʃən], *s.* intercepção; encruzilhada; corte.
intersperce [intə(:)ˈspə:s], *vt.* espalhar, espargir, disseminar, semear; interpolar. (*Sin.* to scatter, to mix, to interlard.)
interspersion [intə(:)ˈspə:ʃən], *s.* espargimento, disseminação.
interstice [inˈtə:stis], *s.* interstício.
intertwine [intə(:)ˈtwain], *vt.* e *vi.* entrelaçar, entretecer; entrelaçar-se.
interval [ˈintəvəl], *s.* intervalo; pausa; distância; intermitência.
at intervals — de quando em quando.
intervene [intə(:)ˈvi:n], *vi.* intervir, interferir, interpor-se; acontecer, suceder, sobrevir.
intervener [-ə], *s.* fiador; medianeiro.
intervention [intə(:)ˈvenʃən], *s.* intervenção, interposição, mediação.
interview [ˈintəvju:], **1** — *s.* entrevista; conferência.
2 — *vt.* entrevistar; ter entrevista com.
interviewer [-ə], *s.* o que entrevista, entrevistador.
interweave [intə(:)ˈwi:v], *vt.* (*pret.* **interwove** [intəˈwouv], *pp.* **interwoven** [intəˈwouvən]) entrelaçar, entretecer, enlaçar; entrelaçar-se.
intestacy [inˈtestəsi], *s.* falta de testamento.
intestate [inˈtestit], **1** — *s.* pessoa que morreu sem testamento.
2 — *adj.* intestado; que não testou.
he died intestate — morreu sem deixar testamento.
intestinal [inˈtestinl], *adj.* intestinal.
intestine [inˈtestin], **1** — *s.* intestino, (col.) tripa.
2 — *adj.* intestino, interno, interior, doméstico.
intimacy (*pl.* **intimacies**) [ˈintiməsi,-iz], *s.* intimidade, familiaridade; relações íntimas.
intimate [ˈintimit], **1** — *s.* amigo íntimo; íntimo.
2 — *adj.* íntimo; familiar; cordial. (*Sin.* familiar, close, friendly, confidential. *Ant.* distant.)
intimate friendship — amizade íntima.
intimate [ˈintimeit], *vt.* insinuar; dar a entender; sugerir; indicar; anunciar.
intimately [ˈintimitli], *adv.* intimamente.
intimation [intiˈmeiʃən], *s.* insinuação; sugestão; notificação; aviso.
intimidate [inˈtimideit], *vt.* intimidar, amedrontar.
intimidation [intimiˈdeiʃən], *s.* intimidação; ameaça.
intimidator [inˈtimideitə], *s.* intimidador; aquele que intimida.
intimity [inˈtimiti], *s.* intimidade; vida íntima.
into [ˈintu], *prep.* para; para dentro de; por.
he came into the room — ele entrou no quarto.
to break into pieces — quebrar em bocados.
to get into trouble — meter-se em trabalhos.
to look into the matter — estudar o assunto.
to translate into another language — traduzir para outra língua.
intolerable [inˈtɔlərəbl], *adj.* intoleravel, insuportavel.
intolerableness [-nis], *s.* qualidade de ser intolerável.
intolerably [-i], *adv.* intoleravelmente, insuportavelmente.
intolerance [inˈtɔlərəns], *s.* intolerância.
intolerant [inˈtɔlərənt], *adj.* intolerante. (*Sin.* narrow-minded, imperious, bigoted, overbearing. *Ant.* liberal.)
intolerantly [-li], *adv.* intolerantemente.
intonate [ˈintouneit], *vt.* entoar; modular a voz; pronunciar com entoação.
intonation [intouˈneiʃən], *s.* entoação; modulação da voz.
intone [inˈtoun], *vt.* entoar, cantar, salmodiar.
intoxicant [inˈtɔksikənt], **1** — *s.* bebida que embriaga.
2 — *adj.* embriagante.
intoxicate [inˈtɔksikeit], *vt.* embriagar; excitar em alto grau.
intoxicating [-iŋ], *adj.* embriagante; inebriante.
intoxicating spirits — bebidas alcoólicas.
intoxication [intɔksiˈkeiʃən], *s.* embriaguez; entusiasmo; excitação; intoxicação.
intractability [intræktəˈbiliti], *s.* indocilidade; intratabilidade; aspereza de génio.
intractable [inˈtræktəbl], *adj.* intratável; insociável; indócil; rebelde, teimoso.
intractably [-i], *adv.* asperamente; de modo intratável.
intrados [inˈtreidɔs], *s.* (arq.) intradorso.
intransigent [inˈtrænsidʒənt], *s.* e *adj.* intransigente.
intransitive [inˈtrænsitiv], *adj.* intransitivo.
intransitively [-li], *adv.* intransitivamente.
intravenous [intrəˈvinəs], *adj.* intravenoso.
intrench [inˈtrentʃ], *vt.* entrincheirar.
intrepid [inˈtrepid], *adj.* intrépido, audaz, denodado, arrojado, destemido. (*Sin.* brave, courageous, bold, daring, dauntless. *Ant.* timid.)
intrepidity [intriˈpiditi], *s.* intrepidez, arrojo, ousadia, denodo.
intrepidly [inˈtrepidli], *adv.* intrepidamente; corajosamente.
intricacy (*pl.* **intricacies**) [ˈintrikəsi,-iz], *s.* complicação, embrulhada, confusão, embaraço.
intricate [ˈintrikit], *adj.* intrincado, complicado, confuso, emaranhado; difícil. (*Sin.* involved, difficult, complicated, complex, obscure. *Ant.* simple.)
intricately [-li], *adv.* intrincadamente, complicadamente.
intrigue [inˈtri:g], **1** — *s.* intriga; enredo; trama; aventura amorosa.
2 — *vt.* e *vi.* intrigar; tramar; mexericar; ter intrigas amorosas.
intriguer [-ə], *s.* intrigante; intriguista.
intrinsic [inˈtrinsik], *adj.* intrínseco, inerente; próprio. (*Sin.* natural, inherent, essential, internal. *Ant.* acquired.)
intrinsic value — valor intrínseco.
intrinsically [-əli], *adv.* intrinsecamente.
introduce [intrəˈdju:s], *vt.* introduzir; apresentar; tornar adoptado, estabelecer; iniciar.

(*Sin.* to conduct, to present, to begin, to insert.)
to introduce a bill — apresentar um projecto de lei.
would you like to be introduced to Mrs. Smith? — quer que o apresente à senhora Smith?
introducer [-ə], *s.* introdutor.
introduction [intrə'dʌkʃən], *s.* introdução; apresentação; prefácio.
letter of introduction — carta de apresentação.
introductive [intrə'dʌktiv], *adj.* introdutivo.
introductory [intrə'dʌktəri], *adj.* introdutivo, preliminar.
introit ['intrɔit], *s.* intróito, começo.
intromit [introu'mit], *vt.* e *vi.* (*pret.* e *pp.* **intromitted**) admitir, introduzir; intrometer-se.
introspection [introu'spekʃən], *s.* introspecção.
introspective [introu'spektiv], *adj.* introspectivo.
introvert [introu'və:t], *s.* (*psic.*) introvertido.
intrude [in'tru:d], *vt.* e *vi.* introduzir à força; entremeter-se; ingerir-se; importunar; apresentar-se sem ser convidado. (*Sin.* to thrust, to force, to trespass, to interfere.)
I am really afraid of intruding on your kindness — receio realmente abusar da sua bondade.
to intrude on someone — incomodar alguém.
intruder [-ə], *s.* intruso, importuno, intrometido; usurpador.
intrusion [in'tru:ʒən], *s.* intrusão; entremetimento; usurpação.
intrusive [in'tru:siv], *adj.* intruso, importuno.
intrusively [-li], *adv.* intrusamente; importunamente.
intrusiveness [-nis], *s.* qualidade de ser intruso.
intuition [intju(:)'iʃən], *s.* intuição, pressentimento; visão beatífica.
intuitional, intuitive [-l,in'tju(:)itiv], *adj.* intuitivo.
intuitively [-li], *adv.* intuitivamente.
intumescence [intju(:)'mesns], *s.* intumescência; inchação; tumor.
intumescent [intju(:)'mesnt], *adj.* intumescente; inchado; que tem tumor.
inundate ['inʌndeit], *vt.* inundar, alagar. (*Sin.* to flood, to deluge, to overflow, to swamp, to overcome. *Ant.* to drain.)
inundation [inʌn'deiʃən], *s.* inundação.
inurbane [inə:'bein], *adj.* incivil; incorreto.
inure [i'njuə], *vt.* e *vi.* acostumar, habituar; acostumar-se; (jur.) entrar em vigor.
inurement [-mənt], *s.* costume, hábito, prática.
inutility [inju(:)'tiliti], *s.* inutilidade.
invade [in'veid], *vt.* invadir; conquistar; usurpar, violar.
invader [-ə], *s.* invasor; usurpador.
invaginate [in'vædʒineit], *vt.* e *vi.* invaginar; dobrar-se por dentro.
invalid [in'vælid], *adj.* inválido; nulo.
invalid 1 — ['invəli:d], *s.* e *adj.* inválido; enfermo, doente; fraco. (*Sin.* ill, weak, infirm, sickly, frail, feeble. *Ant.* strong.)
invalid-chair — cadeira de inválido.
2 — [invə'li:d], *vt.* e *vi.* afastar do serviço por doença, reformar; reformar-se.
invalidate [in'vælideit], *vt.* invalidar, anular, tornar nulo.
invalidation [invæli'deiʃən], *s.* invalidação, anulação.
invalidity [invə'liditi], *s.* invalidade; nulidade.
invaluable [in'væljuəbl], *adj.* inestimável, inapreciável, incalculável. (*Sin.* precious, inestimable, priceless, valuable. *Ant.* worthless.)
invariability [invɛəriə'biliti], *s.* invariabilidade.
invariable [in'vɛəriəbl], *adj.* invariável.
invariably [-i], *adv.* invariavelmente.
invasion [in'veiʒən], *s.* invasão; incursão.
invasive [in'veisiv], *adj.* invasivo, agressivo, hostil.
invective [in'vektiv], *s.* invectiva; linguagem injuriosa.
inveigh [in'vei], *vi.* invectivar, injuriar, atacar violentamente. (*Sin.* to rail, to vituperate, to abuse, to blame, to reproach. *Ant.* to praise.)
inveigle [in'vi:gl], *vt.* seduzir, enganar. (*Sin.* to trap, to entice, to seduce.)
inveiglement [-mənt], *s.* sedução; engodo.
inveigler [-ə], *s.* sedutor.
invent [in'vent], *vt.* inventar, descobrir; forjar. (*Sin.* to create, to contrive, to fabricate, to devise, to originate.)
invention [in'venʃən], *s.* invenção, descoberta; história, mentira.
inventive [in'ventiv], *adj.* inventivo, engenhoso.
inventively [-li], *adv.* pelo poder de invenção.
inventor [in'ventə], *s.* inventor.
inventory ['invəntri], **1** — *s.* (*pl.* **inventories** [-iz]), inventário.
2 — *vt.* fazer inventário de.
inverse ['in'və:s], **1** — *s.* inverso; contrário.
2 — *adj.* inverso; invertido.
inversely [-li], *adv.* inversamente; ao inverso; em sentido inverso.
inversion [in'və:ʃən], *s.* inversão.
invert 1 — ['invə:t], *s.* arco ou abóbada invertida; homossexual.
2 — [in'və:t], *vt.* inverter; trocar, alterar.
invertebrat [in'və:tibrit], *s.* e *adj.* invertebrado.
invertebrata [invə:ti'bra:tə], *s.* *pl.* (zool.) invertebrados.
invest [in'vest], *vt.* e *vi.* investir, aplicar dinheiro em; gastar dinheiro com; investir, empossar; atacar; sitiar, cercar.
investigate [in'vestigeit], *vt.* investigar, averiguar, indagar. (*Sin.* to explore, to examine, to inquire, to study. *Ant.* to disregard).
investigation [investi'geiʃən], *s.* investigação; inquérito.
investigative [in'vestigeitiv], *adj.* dado à investigação; investigador.
investigator [in'vestigeitə], *s.* investigador.
investiture [in'vestitʃə], *s.* investidura.
investment [in'vestmənt], *s.* investimento, colocação de capitais; cerco; investidura; ataque.
investor [in'vestə], *s.* o que emprega capitais; accionista; capitalista.
inveteracy [in'vetərəsi], *s.* inveteração.
inveterate [in'vetərit], *adj.* inveterado, arreigado; incorrigível.
inveterately [-li], *adv.* inveteradamente.
inviable [in'vaiəbl], *adj.* inviável; irrealizável.
invidious [in'vidiəs], *adj.* invejoso, odioso; detestável.
invidiously [-li], *adv.* invejosamente, odiosamente.
invidiousness [-nis], *s.* qualidade de ser invejoso; inveja.
invigorate [in'vigəreit], *vt.* robustecer, fortalecer. (*Sin.* to animate, to enliven, to strengthen, to brace, to fortify, *Ant.* to enervate.)
invigoration [invigə'reiʃən], *s.* acção de fortalecer; robustecimento, fortalecimento.
invigorator [in'vigəreitə], *s.* fortificante, tónico.
invincibility [invinsi'biliti], *s.* invencibilidade.
invincible [in'vinsəbl], *adj.* invencível.
invincibly [-i], *adv.* invencivelmente.
inviolability [invaiələ'biliti], *s.* inviolabilidade.
inviolable [in'vaiələbl], *adj.* inviolável.
inviolably [-i], *adv.* inviolavelmente.
inviolate [in'vaiəlit], *adj.* inviolado; íntegro, incorrupto, intacto.
inviolately [-li], *adv.* de modo inviolado.
inviolateness [-nis], *s.* inviolabilidade.
invisibility [invizə'biliti], *s.* invisibilidade.
invisible [in'vizəbl], *adj.* invisível. (*Sin.* unseen, imperceptible, hidden, concealed. *Ant.* apparent).

invisibly [-i], *adv.* invisivelmente.
invitation [invi'teiʃən], *s.* convite, solicitação.
to accept an invitation — aceitar um convite.
to decline an invitation — declinar um convite.
to send out invitation cards — mandar cartões de convite.
invite [in'vait], **1** — *s.* (col.) convite.
2 — *vt.* convidar; solicitar; atrair; tentar. (*Sin.* to ask, to call, to request, to allure, to attract, to tempt, to solicit. *Ant.* to forbid.)
inviter [-ə], *s.* aquele que convida; dono da casa.
inviting [-iŋ], *adj.* convidativo; tentador, atraente, sedutor.
invitingly [-iŋli], *adv.* de modo convidativo.
invitingness [-iŋnis], *s.* atractivo, sedução, atracção.
invocation [invou'keiʃən], *s.* invocação.
invoice ['invɔis], **1** — *s.* factura, remessa.
invoice price — preço de factura.
as per invoice — conforme a factura.
pro-forma invoice — factura provisória.
invoice book — livro de facturas.
to make up an invoice — tirar uma factura.
2 — *vt.* facturar; fazer uma factura.
invoke [in'vouk], *vt.* invocar, chamar, implorar, suplicar; esconjurar.
involucre ['invəlu:kə], *s.* invólucro.
involuntarily [in'vɔləntərili], *adv.* involuntariamente.
involuntariness [in'vɔləntərinis], *s.* falta de vontade; abulia.
involuntary [in'vɔləntəri], *adj.* involuntário.
involute ['invəlu:t], **1** — *s.* (geom.) evoluta.
2 — *adj.* voltado para dentro; intrincado.
involution [invə'lu:ʃən], *s.* envolvimento; involução; complicação.
involve [in'vɔlv], *vt.* envolver, embrulhar; implicar; compreender; comprometer; causar; arrastar, acarretar; confundir. (*Sin.* to implicate, to entangle, to compromise, to envelop. *Ant.* to extricate.)
to involve in mystery — envolver em mistério.
involved in debt — endividado.
invulnerability [invʌlnərə'biliti], *s.* invulnerabilidade.
invulnerable [in'vʌlnərəbl], *adj.* invulnerável.
invulnerably [-i], *adv.* invulneravelmente.
inward ['inwəd], **1** — *s. pl.* (col.) intestinos; entranhas.
2 — *adj.* interior, interno; íntimo, secreto; escondido.
inward thoughts — pensamentos íntimos.
3 — *adv.* para dentro; por dentro, interiormente.
inwardly [-li], *adv.* interiormente; no íntimo.
inwardness [-nis], *s.* o interior; intimidade; essência.
inweave ['in'wi:v], *vt.* (*pret.* **inwove** ['in'wouv], *pp.* **inwoven** ['in'wouvn]) entrelaçar, entretecer.
inwrought ['in'rɔ:t], *adj.* lavrado, embutido, ornado com figuras.
iodic [ai'ɔdik], *adj.* iódico.
iodine ['aiədi:n], *s.* iodo.
tincture of iodine — tintura de iodo.
iodize ['aiədaiz], *vt.* iodar; embeber em iodo.
iodoform [ai'ɔdəfɔ:m], *s.* iodofórmio.
ion ['aiɔn], *s.* ião.
Ionia [ai'ounjə], *top.* Jónia.
Ionian [-n], *s.* e *adj.* jónico; jónio.
ionic [ai'ɔnik], *adj.* iónico.
iota [ai'outə], *s.* jota; quantidade diminuta; (col.) nada.
ipecacuanha [ipikækju'ænə], *s.* ipecacuanha.
Iphigenia [ifidʒi'naiə], *n. p.* Ifigénia.
Irak, Iraq [i'rɑ:k], *top.* Iraque.
Iran [i'rɑ:n], *top.* Irão.
Iranian [i'reinjən], *s.* e *adj.* iraniano.
Iraq [i'rɑ:k], ver **Irak.**
irascibility [iræsi'biliti], *s.* irascibilidade, irritabilidade.
irascible [i'ræsibl], *adj.* irascível, irritável.
irate [ai'reit], *adj.* irado, irritado; zangado, encolerizado.
ire ['aiə], *s.* (poét.) ira, cólera, raiva.
ireful [-ful], *adj.* (poét.) irado, colérico.
irefully [-fuli], *adv.* (poét.) iradamente, colericamente.
Ireland ['aiələnd], *top.* Irlanda.
Irene [ai'ri:ni], *n. p.* Irene.
irenic(al) [ai'ri:nik(əl)], *adj.* pacífico, conciliador.
iridescence [iri'desns], *s.* iridescência; as cores do arco-íris.
iridescent [iri'desnt], *adj.* iridescente; com as cores do arco-íris.
iridium [ai'ridiəm], *s.* irídio.
iris ['aiəris], *s.* íris.
Irish ['aiəriʃ], *s.* e *adj.* a língua irlandesa; irlandês.
Irish assurance — descaramento.
Irish bull — calinada.
Irish stew — estufado de carneiro com batatas e cebolas.
Irishism [-izəm], *s.* locução irlandesa; idiotismo irlandês.
Irishman (*pl.* **Irishmen**) [-mən,-mən], *s.* irlandês.
Irishwoman (*pl.* **Irishwomen**) [-wumən,-wimin], *s.* irlandesa.
irksome ['ə:ksəm], *adj.* enfadonho, fastidioso, incómodo, penoso. (*Sin.* tedious, tiresome, wearisome, boring. *Ant.* pleasant.)
irksomely [-li], *adv.* fastidiosamente, penosamente.
irksomeness [-nis], *s.* tédio, enfado, fadiga; contrariedade.
iron ['aiən], **1** — *s.* ferro; ferro de passar; firmeza, energia; *pl.* grilhões, cadeias.
iron plate — chapa de ferro.
iron foundry — fundição de ferro.
iron bar — barra de ferro.
iron-bark — pau-ferro.
iron-clad — revestido de ferro; blindado.
iron founder — fundidor de ferro.
iron age — idade do ferro.
Iron Duke — duque de Wellington.
iron-mould — mancha de ferrugem.
iron-grey — cinzento-escuro.
iron chest — caixa-forte.
iron dust — limalha de ferro.
iron ore — minério de ferro.
wrought iron — ferro forjado.
red-hot iron — ferro em brasa.
to be in irons — estar a ferros.
to have too many irons in the fire — tentar fazer muitas coisas ao mesmo tempo; querer abraçar o céu e a terra.
to rule with a rod of iron (with an iron hand) — governar com uma mão de ferro.
to strike while the iron is hot — malhar no ferro enquanto está quente.
2 — *vt.* e *vi.* passar a ferro; pôr a ferros; algemar; cobrir de ferro; manchar com ferrugem.
ironic(al) [ai'rɔnik(əl)], *adj.* irónico.
ironically [-əli], *adv.* ironicamente.
ironmonger ['aiənmʌŋgə], *s.* ferrageiro.
ironmongery [-ri], *s.* ferragens; quinquilharias.
ironsmith ['aiənsmiθ], *s.* ferreiro.
ironware ['aiənwɛə], *s.* ferragens.
ironworks ['aiənwə:ks], *s.* fundição, forja.
irony ['aiəni], *adj.* de ferro, férreo.
irony ['aiərəni], *s.* ironia.
irradiance [i'reidjəns], *s.* irradiação; esplendor, brilho.

irradiant [i'reidjənt], *adj.* irradiante; que irradia; luminoso.
irradiate [i'reidieit], *vt.* irradiar; iluminar, brilhar, luzir; esclarecer. (*Sin.* to brighten, to illumine, to illuminate. *Ant.* to darken.)
irradiation [ireidi'eiʃən], *s.* irradiação; iluminação; brilho, fulgor; esplendor.
irrational [i'ræʃənl], **1** — *s.* número irracional. **2** — *adj.* irracional; absurdo, disparatado.
irrationality [iræʃə'næliti], *s.* irracionalidade.
irrationally [i'ræʃənli], *adv.* irracionalmente; absurdamente.
irrebuttable [iri'bʌtəbl], *adj.* indiscutivel; irrefutável.
irreclaimable [iri'kleiməbl], *adj.* incorrigível; irreclamável.
irrecognizable [i'rekəgnaizəbl], *adj.* irreconhecível.
irreconcilability [irekənsailə'biliti], *s.* impossibilidade de reconciliação; irreconciliabilidade.
irreconcilable [i'rekənsailəbl], *adj.* irreconciliável.
irreconcilably [-i], *adv.* irreconciliavelmente.
irrecoverable [iri'kʌvərəbl], *adj.* irrecuperável, irremediável, irreparável.
irrecoverably [-i], *adv.* irremediavelmente, irreparavelmente.
irredeemable [iri'di:məbl], *adj.* irredimível; irremediável; irreparável.
irredeemably [-i], *adv.* irremediavelmente.
irreducibility [iridju:si'biliti], *s.* irreductibilidade.
irreducible [iri'dju:səbl], *adj.* irredutível, irreduzível.
irrefragable [i'refrəgəbl], *adj.* irrefragável; incontestável, indiscutível.
irrefragably [-i], *adv.* irrefragavelmente.
irrefutability [irefjutə'biliti], *s.* irrefutabilidade.
irrefutable [i'refjutəbl], *adj.* irrefutável.
irrefutably [-i], *adv.* irrefutavelmente.
irregular [i'regjulə], *adj.* irregular; desigual.
irregularity (*pl.* **irregularities**) [iregju'læriti, iz], *s.* irregularidade.
irregularly [i'regjuləli], *adv.* irregularmente.
irrelevance, irrelevancy [i'relivəns,-si], *s.* inconveniência, impropriedade, despropósito.
irrelevant [i'relivənt], *adj.* irrelevante; inconveniente, despropositado; inaplicável; estranho a. (*Sin.* impertinent, inapplicable, inapt. *Ant.* relevant.)
irrelevantly [-li], *adv.* inconvenientemente; fora de propósito, intempestivamente.
irreligion [iri'lidʒən], *s.* irreligião, ateísmo.
irreligious [iri'lidʒəs], *adj.* irreligioso, ateu.
irreligiously [-li], *adv.* sem religião; impiamente; irreligiosamente.
irreligiousness [-nis], *s.* irreligiosidade.
irremediable [iri'mi:djəbl], *adj.* irremediável; irreparável; inevitável.
irremediably [-i], *adv.* irremediavelmente.
irremissible [iri'misibl], *adj.* irremissível; imperdoável.
irremovability ['irimu:və'biliti], *s.* inamovibilidade.
irremovable [iri'mu:vəbl], *adj.* fixo, imutável, inamovível.
irreparable [i'repərəbl], *adj.* irreparável, irremediável.
irreparableness [-nis], *s.* irreparabilidade.
irreparably [-i], *adv.* irreparavelmente.
irreplaceable [iri'pleisəbl], *adj.* insubstituível.
irrepressible [iri'presəbl], *adj.* irreprimível.
irrepressibly [-i], *adv.* de modo irreprimível.
irreproachable [iri'proutʃəbl], *adj.* irrepreensível; impecável.
irreproachableness [-nis], *s.* irrepreensibilidade.
irreproachably [-i], *adv.* irrepreensivelmente.
irresistibility ['irizistə'biliti], *s.* irresistibilidade.
irresistible [iri'zistəbl], *adj.* irresistível, fatal.
irresistibly [-i], *adv.* irresistivelmente.
irresolute [i'rezəlju:t], *adj.* irresoluto, indeciso, hesitante. (*Sin.* weak, undecided, hesitating, undetermined. *Ant.* firm.)
irresolutely [-li], *adv.* irresolutamente, indecisamente.
irresoluteness [-nis], *s.* irresolução.
irresolution ['irezə'lu:ʃən], *s.* irresolução, indecisão, hesitação.
irresolvable [iri'zɔlvəbl], *adj.* irresolúvel, insolúvel.
irrespective [iris'pektiv], *adj.* independente de; não atendendo a, sem respeito a.
irrespectively [-li], *adv.* independentemente; inconsideradamente.
irresponsibility ['irispɔnsə'biliti], *s.* irresponsabilidade.
irresponsible [iris'pɔnsəbl], *adj.* irresponsável.
irresponsibly [-i], *adv.* irresponsavelmente.
irresponsive [iris'pɔnsiv], *adj.* calmo, impassível.
irresponsiveness [-nis], *s.* calma, impassibilidade; reserva.
irretentive [iri'tentiv], *adj.* que não retém, que não fixa.
irretrievable [iri'tri:vəbl], *adj.* irreparável, irrecuperável.
irretrievably [-i], *adv.* irreparavelmente.
irreverence [i'revərəns], *s.* irreverência, falta de respeito.
irreverent [i'revərənt], *adj.* irreverente.
irreverently [-li], *adv.* irreverentemente.
irreversibility ['irivə:sə'biliti], *s.* irrevogabilidade.
irreversible [iri'və:səbl], *adj.* irreversível; irrevogável.
irrevocability [irevəkə'biliti], *s.* irrevocabilidade.
irrevocable [i'revəkəbl], *adj.* irrevocável.
irrevocably [-i], *adv.* irrevocavelmente.
irrigable ['irigəbl], *adj.* irrigável.
irrigate ['irigeit], *vt.* irrigar, regar; lavar ferida. (*Sin.* to water, to inundate, to flood. *Ant.* to drain.)
irrigation [iri'geiʃən], *s.* irrigação, rega.
irrigator ['irigeitə], *s.* irrigador.
irritability [irɪtə'biliti], *s.* irritabilidade.
irritable ['iritəbl], *adj.* irritável, colérico, irascível.
irritably [-i], *adv.* irritadamente.
irritant ['iritənt], *s.* e *adj.* irritante.
irritate ['iriteit], *vt.* irritar, exacerbar, exasperar; (jur.) anular, invalidar; estimular.
irritation [iri'teiʃən], *s.* irritação, provocação, exacerbação; estimulação.
irritative ['iriteitiv], *adj.* irritativo.
irruption [i'rʌpʃən], *s.* irrupção; invasão súbita.
irruptive [i'rʌptiv], *adj.* irruptivo.
Isaac ['aizək], *n. p.* Isaac.
Isabel, Isabella ['izəbel,izə'belə], *n. p.* Isabel, Isabela; (cal.) guarda-chuva.
Isidorus [isi'dɔ:rəs], *n. p.* Isidoro.
isinglass ['aiziŋglɑ:s], *s.* cola de peixe, ictiocola.
Islam ['izlɑ:m], *s.* Islão.
Islamic [iz'læmik], *adj.* islâmico.
Islamism ['izləmizəm], *s.* islamismo.
Islamite ['izləmait], *s.* e *adj.* islamita.
island ['ailənd], *s.* ilha; refúgio para peões (no meio das ruas).
islander [-ə], *s.* ilhéu, insulano, natural das ilhas.
isle [ail], *s.* ilha.
islet [-it], *s.* ilhota, pequena ilha.
isobar ['aisoubɑ:], *s.* isóbara.

isochromatic [aisoukrou'mætik], *adj.* isocromático.
isochronal [ai'sɔkrənl], *adj.* isócrono.
isochronism [ai'sɔkrənizəm], *s.* isocronismo.
isochronous [ai'sɔkrənəs], *adj.* isócrono.
isolate ['aisəleit], *vt.* isolar; separar. (*Sin.* to detach, to separate, to insulate, to dissociate, to sever. *Ant.* to unite.)
isolation [aisə'leiʃən], *s.* isolação, isolamento.
isolator ['aisəleitə], *s.* isolador.
isomeric [aisou'merik], *adj.* isomérico.
isomerism [ai'sɔmərizəm], *s.* (quím.) isomerismo.
isomerous [ai'sɔmərəs], *adj.* isómero.
isometric [aisou'metrik], *adj.* isométrico.
isomorphic [aisou'mɔ:fik], *adj.* isomorfo.
isosceles [ai'sɔsili:z], *adj.* isósceles.
isothermal [aisou'θə:məl], *adj.* isotérmico.
isotropic [aisou'trɔpik], *adj.* isotrópico.
Israel ['izreiəl], *top.* Israel.
Israelite ['izriəlait], *s.* e *adj.* israelita.
issuable ['isju(:)əbl], *adj.* que pode ser emitido; (jur.) em litígio.
issue ['isju:], **1** — *s.* saída, fluxo; expedição; emissão de notas; fim, resultado, decisão; êxito; desfecho; edição; tiragem; impressão; descendência, prole, filhos; entrega; problema, questão a resolver. (*Sin.* end, upshot, effect, result, progeny, offspring, number, edition, copy, outcome.)
at issue — em questão.
issue of banknotes — emissão de notas de banco.
the point at issue — o ponto em discussão.
to bring to an issue — levar a cabo.
to join (take) issue with — discutir com.
to put a claim in issue — contestar uma reclamação.
to be at issue with — estar em desacordo com.
without issue — sem descendência.
2 — *vt.* e *vi.* expedir, emitir, despachar; sair, brotar, emanar; publicar; provir; terminar, resultar; distribuir; derivar de.
issuer [-ə], *s.* emissor; o que emite; distribuidor.
Istanbul [istæn'bu:l], *top.* Istambul.
isthmian ['isθmiən], **1** — *s.* habitante de istmo.
2 — *adj.* ístmico.
isthmus (*pl.* **isthmuses**) ['isməs,-iz], *s.* istmo.
it (*pl.* **they; them**) [it, ðei; ðem], *pron. pes. suj.* e *compl. 3.ª pes. sing.* ele, ela, o, a; isto, isso.
it is cold — está frio.
it is I, it is me — sou eu.
it is a good thing — é bem bom.
it thunders — troveja.
it is late — é tarde.
it is a fine day — está um dia lindo.
it is raining — está a chover.
do not rely on it — não te fies nisso.
Italian [i'tæljən], *s.* e *adj.* habitante da Itália; a língua italiana; italiano.
Italic [i'tælik], **1** — *s.* (tip.) itálico.
2 — *adj.* itálico, italiano.
Italy ['itəli], *top.* Itália.
itch [itʃ], **1** — *s.* sarna; tinha; irritação na pele; desejo, ânsia, ambição.
to have an itch for money — ter a paixão do dinheiro.
2 — *vi.* sentir comichão; arder em desejos.
itchy [-i], *adj.* que tem comichão; tinhoso, sarnento.
item ['aitem], **1** — *s.* artigo; número (de programa); notícia, parágrafo em jornal.
2 — *adv.* da mesma maneira; também.
itemize [-aiz], *vt.* pormenorizar; especificar.
iterate ['itəreit], *vt.* repetir, reiterar.
iteration [itə'reiʃən], *s.* repetição, reiteração.
iterative ['itərətiv], *adj.* iterativo.
Ithaca ['iθəkə], *top.* Itaca.
itineracy, itinerancy [i'tinərəsi,i'tinərənsi], *s.* jornada, viagem.
itinerant [i'tinərənt], *adj.* itinerante; ambulante. (*Sin.* roving, wandering, travelling, roaming. *Ant.* stationary.)
itinerary [ai'tinərəri], *s.* itinerário.
itinerate [i'tinəreit], *vi.* viajar, andar de terra em terra.
its [its], *adj.* e *pron. pos. neutro 3.ª pes. sing.* seu, sua, seus, suas.
itself [it'self], *pron. refl. neutro 3.ª pes. sing.* ele mesmo, ela mesma; próprio.
ivied ['aivid], *adj.* coberto de heras.
ivory ['aivəri], **1** — *s.* (*pl.* **ivories** [-iz]) marfim; (cal.) dente; *pl.* objectos de marfim; (cal.) dados, bolas de bilhar.
black ivory — escravos de África.
2 — *adj.* semelhante a marfim, ebúrneo.
ivy ['aivi], *s.* (bot.) hera.

J

J, j [dʒei], (*pl.* **J's, j's** [-z]), J, j, décima letra do alfabeto.
jab [dʒæb], **1** — *s.* golpe, pancada; estocada; soco.
2 — *vt.* (*pret.* e *pp.* **jabbed**) bater; atravessar; furar.
jabber [-ə], **1** — *s.* algaraviada; tagarelice.
2 — *vt.* e *vi.* algaraviar; tagarelar; falar precipitadamente.
jabberer [-ərə], *s.* tagarela; tartamudo.
jabbering [-əriŋ], *s.* **tagarelar**; o falar atabalhoadamente.
jabiru ['dʒæbiru:], *s.* (zool.) jabiru.
jaborandi [dʒæbə'rændi], *s.* (bot.) jaborandi.
jacinth ['dʒæsinθ], *s.* jacinto.
Jack [dʒæk], *n. p. dim.* Joãozinho.
Union Jack — bandeira inglesa.
before you could say Jack Robinson — num rufo.
jack [dʒæk], **1** — *s.* pessoa; trabalhador; marinheiro; valete; qualquer instrumento que substitui um rapaz; macaco para pesos; macho de alguns animais; bandeira de proa; cota de malha.
jack-staff — pau de bandeira.
jack-o'-lantern — fogo-fátuo.
jack-in-office — empregado enfatuado.
jack-knife — navalha de mola.
jack-in-the-box — títere.
jack-of-all-trades — homem dos sete ofícios, faz-tudo.
jack-pudding — saltimbanco, palhaço, bobo.
jack straw — homem inútil.
jack-rabbit — lebre americana.
jack-towel — toalha grossa e áspera.
jack-tar — marinheiro.
jack-a-dandy — homem bem vestido.
jack-boot — descalçadeira.
fresh water jack — marinheiro de água doce.
every man jack — todos sem excepção.
jack-daw — gralha.

jack-plane — plaina para desbastar.
2 — *vt.* levantar empregando um macaco.
to jack up a car — levantar um carro com um macaco.
jackal ['dʒækɔ:l], **1** — *s.* chacal; criado, lacaio.
2 — *vt.* (*prep* e *pp.* **jackalled**).
to jackal for — prestar serviço de lacaio.
jackanapes ['dʒækəneips], *s.* pessoa impertinente; homem presumido; criança endiabrada.
jackass ['dʒækæs], *s.* burro, jumento, asno; estúpido, imbecil.
jachdaw ['dʒækdɔ:], *s.* *(zool.)* gralha.
jacket ['dʒækit], **1** — *s.* jaqueta; camisola; blusa; casaco; pele (de fruto); cobertura exterior; camisa de vapor.
potatoes boiled in their jackets — batatas cozidas com a casca.
book-jacket — sobrecapa para o livro.
straight jacket — camisa-de-forças.
dinner jacket — casaco de cerimónia; «smoking».
blue-jacket — marinheiro da Armada.
pea-jacket — casaco (de marinheiro).
to dust someone's jacket (col.) — chegar a roupa ao pêlo a alguém.
2 — *vt.* cobrir com casaco; (col.) chegar a roupa ao pêlo.
jacketed [-id], *adj.* revestido de camisa.
jacketing [-iŋ], *s.* acção de encamisar.
jackman ['dʒækmən], *s.* criado, aio.
Jacky ['dʒæki], *n. p.* diminutivo de **Jack.**
Jacob ['dʒeikəb], *n. p.* Jacob.
Jacob's ladder — escada de corda.
Jacobean [dʒækə'bi:ən], *adj.* da época de Jaime I da Inglaterra.
Jacobin ['dʒækəbin], *s.* e *adj.* jacobino; dominicano.
jacobin ['dʒækəbin], *s.* pombo de poupa ou de capuz.
Jacobinism [-izm], *s.* jacobinismo.
Jacobite ['dʒækəbait], *s.* e *adj.* jacobita, do partido de Jaime II depois da sua abdicação.
Jacqueline ['dʒækli:n], *n. p.* Jaquelina.
jade [dʒeid], **1** — *s.* rocim; jade; prostituta.
2 — *vt.* e *vi.* fatigar, cansar; desanimar.
jaded [-id], *adj.* fatigado, cansado; desanimado.
jag [dʒæg], **1** — *s.* corte; entalhe; recorte dentado; dente de serra; mossa.
2 — *vt.* (*pret.* e *pp.* **jagged**) recortar, dentar; entalhar.
jagged [-id], *adj* denteado, recortado; escabroso. (*Sin.* uneven, indented, ragged. *Ant.* even.)
jaggedly [-idli], *adv.* irregularmente; recortadamente; com saliências.
jaggedness [-nis], *s.* irregularidade; recorte denteado; mossa.
jagger [-ə], *s.* instrumento próprio para cortar massas, bolos, etc.; carretilha.
jaggery [-əri], *s.* açúcar mascavado.
jaggy [-i], *adj.* irregular; recortado; embotado.
jaguar ['dʒægjuə], *s.* jaguar.
jail [dʒeil], *s.* ver **gaol.**
jail-bird — cadastrado; preso (pessoa).
jailer [-ə], *s.* ver **gaoler.**
Jake [dʒeik], *n. p.* (E. U.) Jacob.
country jake — labrego.
jalap ['dʒæləp], *s.* (bot.) jalapa.
jalousie ['ʒæluzi:], *s.* gelosia, persiana.
jam [dʒæm], **1** — *s.* conserva de fruta; compota; aperto; engarrafamento de trânsito.
traffic-jam — engarrafamento de trânsito.
2 — *adj.* e *adv.* apertado; completamente.
the bus is jam full — o autocarro está completamente cheio.
3 — *vt.* e *vi.* (*pret.* e *pp.* **jammed**) apertar, comprimir; calcar; entalar; apinhar; calçar; morder; impedir; entupir; improvisar.
Jamaica [dʒə'meikə], *top.* Jamaica.
Jamaica wood — pau-brasil.
Jamaican [-n], *s.* e *adj.* natural ou habitante da Jamaica; da Jamaica.
jamb [dʒæm], *s.* umbral da porta; pano de chaminé.
jamboree [dʒæmbə'ri], *s.* patuscada; (E. U., fam.) acampamento de escuteiros de diversos países.
James [dʒeimz], *n. p.* Jaime.
jammed [dʒæmd], *adj.* mordida (corda).
jamming ['dʒæmiŋ], *s.* aperto; acumulação; encravamento; (náut.) nó.
jammy ['dʒæmi], *adj.* como geleia, doce; que se cola.
that's jammy — isso é que é bom.
Jane [dʒein], *n. p.* Joana.
Janet ['dʒænit], *n. p.* Joaninha.
jangle [dʒængl], **1** — *s.* ruído áspero; discussão barulhenta.
2 — *vt.* e *vi.* produzir ruído áspero; soar ou fazer soar desagradàvelmente; discutir fazendo muito barulho.
jangling [-iŋ], **1** — *s.* discussão, ruído áspero.
2 — *adj.* discordante; barulhento.
janitor ['dʒænitə], *s.* porteiro; bedel.
janitress ['dʒenitris], *s.* porteira.
jannock ['dʒænək], *adj.* honesto.
Jansenism ['dʒænsnizm], *s.* jansenismo.
Jansenist ['dʒænsnist], *s.* jansenista.
January ['dʒænjuəri], *s.* Janeiro.
Jap [dʒæp], *s.* e *adj.* (col.) japonês.
Jap silk — seda japonesa.
Japan [dʒə'pæn], *top.* Japão.
japan [dʒə'pæn], **1** — *s.* charão, verniz do Japão.
2 — *vt.* (*pret.* e *pp.* **japanned**) acharoar; envernizar, esmaltar.
Japanese [dʒæpə'ni:z], *s.* e *adj.* japonês.
japanned [dʒə'pænd], *adj.* acharoado; envernizado, esmaltado.
japanner [dʒə'pænə], *s.* acharoador; envernizador.
jape [dʒeip], **1** — *s.* gracejo; partida.
2 — *vt.* e *vi.* troçar, mofar de; gracejar.
Japonic [dʒə'pɔnik], *adj.* japonês, japónico.
japonica [-ə], *s.* (bot.) japoneira; camélia.
japonism ['dʒæpənizm], *s.* japonismo.
jar [dʒɑ:], **1** — *s.* jarro, cântaro, bilha; botija; som discordante; choque; querela, disputa; sobressalto; ruído vibratório.
Leyden jar (elect.) — garrafa de Leyden.
on the jar — entreaberto.
2 — *vt.* e *vi.* (*pret.* e *pp.* **jarred**) discordar, discutir, estar em desacordo, altercar; ranger; produzir um choque.
jardinière [dʒɑ:di'njɛə], *s.* vaso de flores.
jargon ['dʒɑ:gən], *s.* calão; linguagem incompreensível; pio das aves; jacinto (pedra preciosa).
jarrah ['dʒɑ:rɑ:], *s.* mogno da Austrália.
jarring ['dʒɑ:riŋ], **1** — *s.* ruído áspero; choque; discussão; trepidação.
2 — *adj.* discordante, áspero; incompatível.
jarringly [-li], *adv.* discordantemente.
jasmin(e) ['dʒæsmin], *s.* jasmim, jasmineiro.
yellow jasmin — jasmim amarelo.
cape jasmim — jasmim-do-cabo.
Jasper ['dʒæspə], *n. p.* Gaspar.
jasper ['dʒæspə], *s.* (min.) jaspe.
jasperize ['dʒæspəraiz], *vt.* dar a aparência de jaspe, jaspear.
jasperizing [-iŋ], *s.* acção de jaspear.
jaundice ['dʒɔ:ndis], **1** — *s.* icterícia; (fig.) desconfiança, inveja.
2 — *vt.* contaminar com desconfiança ou inveja.
jaundiced [-t], *adj.* afectado de icterícia.
jaunt [dʒɔ:nt], **1** — *s.* pequena excursão; passeio.

to take a jaunt — dar uma passeata.
2 — *vi.* fazer uma pequena excursão; dar um giro; passear.
jauntily [-ili], *adv.* airosamente; ligeiramente; com graça.
jauntiness [-inis], *s.* garbo, graça; ligeireza; elegância, distinção.
jaunty [-i], *adj.* garboso, airoso, gentil, elegante, vistoso; desenvolto.
a jaunty air — um ar de boa disposição.
Java ['dʒɑ:və], *top.* Java.
Javanese [dʒɑ:və'ni:z], *s.* e *adj.* javanês.
javelin ['dʒævlin], *s.* dardo de arremesso.
javelin throwing (desp.) — lançamento do dardo.
jaw [dʒɔ:], **1** — *s.* queixada, maxila, mandíbula; abismo; palavriado, ralhos; garras; forquilha; (náut.) boca de carangueja.
jaw-breaker (col.) — palavra difícil de pronunciar.
jaw-bone — osso maxilar.
jaw tooth — dente molar, queixal.
into the jaws of death — nas garras da morte.
2 — *vt.* e *vi.* ralhar, tagarelar.
jay [dʒei], *s.* gaio; (col.) pateta; tagarela.
jay-walker — peão descuidado.
jazz [dʒæz], **1** — *s.* jazz, dança de jazz, música de jazz; ruído, barulho.
jazz-band — orquestra de jazz.
2 — *adj.* discordante; ruidoso.
3 — *vt.* tocar música de jazz, dançar música de jazz; animar.
to jazz up — animar.
jazzer [-ə], *s.* pessoa que dança o jazz.
jazzy [-i], *adj.* parecido com o jazz; discordante.
jealous ['dʒeləs], *adj.* invejoso, ciumento, cioso; desconfiado. (*Sin.* covetous, envious, suspicious, apprehensive, solicitous. *Ant.* unsuspicious, indifferent.)
to be jealous of one's own rights — ser cioso dos seus próprios direitos.
jealously [-li], *adv.* ciosamente, invejosamente; cuidadosamente.
jealousy [-i], *s.* ciúme, suspeita, inveja.
Jean [dʒi:n], *n. p.* (Esc.) Joana.
jean [dʒein], *s.* pano entrançado, espécie de fustão; ***pl.* calças baratas, usadas por rapazes e raparigas.**
jeannette [dʒə'net], *s.* cotim grosseiro.
jeep [dʒi:p], *s.* jipe.
jeer [dʒiə], **1** — *s.* zombaria, escárnio, troça; aparelho para içar as vergas de papafigos.
2 — *vi.* escarnecer, mofar, zombar.
to jeer at — fazer troça de.
jeerer [-rə], *s.* escarnecedor, trocista.
jeering [-riŋ], **1** — *s.* sarcasmo.
2 — *adj.* escarnecedor, sarcástico.
jeeringly [-riŋli], *adv.* com escárnio.
Jehovah [dʒi'houvə], *n. p.* (bíbl.) Jeová.
jejune [dʒi'dʒu:n], *adj.* magro; escasso; árido, estéril; vazio; insípido; maçador.
jejunely [-li], *adv.* esterilmente; sem interesse.
jejuneness [-nis], *s.* escassez, carência; aridez, esterilidade; insipidez.
jellied ['dʒelid], *adj.* gelatinoso.
jellify ['dʒelifai], *vt.* e *vi.* gelatinizar; congelar.
jelly ['dʒeli], **1** — *s.* geleia; gelatina.
jelly-bag — coador de geleia.
jelly fish — alforreca.
jelly-belly — (col.) barriga de unto.
2 — *vt.* e *vi.* transformar em geleia; congelar.
jemima [dʒə'maimə], *s.* (col.) nó de gravata; *pl.* botas de elástico.
jemmy ['dʒemi], *s.* pé-de-cabra (usado pelos gatunos); cabeça de carneiro cozida.
jennet ['dʒenit], *s.* cavalinho espanhol, ginete.
jenneting [-iŋ], *s.* variedade de maçã.
Jenny ['dʒeni], *n. p.* Joaninha.
jenny ['dʒeni], *s.* máquina para fiar; tear mecânico.
jeopardize ['dʒepədaiz], *vt.* arriscar, pôr em perigo, expor ao perigo.
jeopardy ['dʒepədi], *s.* perigo, risco.
to be in jeopardy — estar em perigo.
jerboa [dʒə'bouə], *s.* gerbo, mamífero roedor.
jeremiad [dʒeri'maiəd], *s.* jeremiada, lamentação.
Jeremiah [dʒeri'maiə], *n. p.* Jeremias.
Jeremy ['dʒerimi], *n. p.* Jeremias.
Jericho ['dʒerikou], *top.* Jericó.
go to Jericho! — vai à tua vida!
jerk [dʒə:k], **1** — *s.* sacudidela; solavanco; empurrão; choque; salto repentino; pancada.
by jerks — aos sacões.
with a jerk — de repente.
physical jerks (col.) — exercícios físicos.
2 — *vt.* e *vi.* sacudir; empurrar; lançar, arremessar; dar solavancos; curar carne ao sol.
jerked-beef — carne salgada e seca ao sol.
to jerk up — levantar a cabeça sacudindo-a.
jerkily [-ili], *adv.* aos empurrões, aos sacões.
jerkin [-in], *s.* jaqueta.
jerky [-i], *adj.* espasmódico; impaciente; sacudido, brusco.
Jeroboam [dʒerə'bouəm], *s.* grande tigela de metal; medida de oito garrafas.
Jerome ['dʒerəm], *n. p.* Jerónimo.
Jerry ['dʒeri], *n. p.* Jeremias; (cal. mil.) alemão, os alemães.
jerry ['dʒeri], *s.* (cal.) bacio; taberna.
jerry-builder — construtor de edifícios baratos e mal acabados.
jerry-building — construção barata e mal acabada.
jerry-built — mal construído.
jersey ['dʒə:zi], *s.* camisola de lã justa ao corpo; estambre fino.
Jerusalem [dʒə'ru:sələm], *top.* Jerusalém.
jess [dʒes], **1** — *s.* peia para falcão.
2 — *vt.* prender as pernas ao falcão.
jessamine ['dʒesəmin], *s.* (bot.) jasmim.
Jessie ['dʒesi], *n. p.* Joaninha.
jest [dʒest], **1** — *s.* gracejo, brincadeira, motejo; joguete de zombaria. (*Sin.* joke, fun, sport, jeer. *Ant.* earnest.)
in jest — por brincadeira.
a standing jest — objecto de escárnio.
to make a jest — gracejar.
2 — *vi.* gracejar, brincar, zombar.
jester [-ə], *s.* gracejador, brincalhão; bobo, truão.
jesting [-iŋ], **1** — *s.* gracejo, troça, galhofa.
2 — *adj.* zombeteiro, gracejador.
jestingly [-iŋli], *adv.* por troça, por escárnio, por brincadeira.
Jesuit ['dʒezjuit], *s.* jesuíta.
Jesuitical [dʒezju'itikəl], *adj.* jesuítico.
Jesuitically [-i], *adv.* jesuiticamente.
Jesuitism ['dʒezjuitizm], *s.* jesuitismo.
Jesus ['dʒi:səs], *n. p.* Jesus.
jet [dʒet], **1** — *s.* jacto, jorro; cano de saída; repuxo; azeviche.
jet of water — jacto de água.
jet pipe — agulheta.
jet-black — negro como azeviche.
jet propelled vessel — navio de propulsão por jacto.
jet-engine — motor a jacto.
jet plane — avião a jacto.
jet sprayer — pulverizador.
2 — *vt.* e *vi.* (*pret.* e *pp.* **jetted**) sair em jacto, jorrar; lançar, arrojar, expelir.
jetsam ['dʒetsəm], alijamento de carga, carga alijada; pessoa sem posição.

jettison [ˈdʒetisn], **1** — *s.* ver **jetsam.**
2 — *vt.* (*pret.* e *pp.* **jettisonned**) alijar a carga; abandonar.
jettisoning [ˈdʒetisəniŋ], *s.* lançamento de carga ao mar; abandono.
jetty [ˈdʒeti], **1** — *s.* molhe, quebra-mar; cais, saliência; sacada.
landing jetty — desembarcadoiro.
2 — *adj.* de azeviche, negro como azeviche.
Jew [dʒu:], **1** — *s.* judeu.
the wandering Jew — o judeu errante.
Jew's ear — fungo.
tell that to the Jews (col.) — vai contar essa a outro.
2 — *vt.* (col.) intrujar, burlar.
jewel [ˈdʒu:əl], **1** — *s.* jóia; pedra preciosa.
she is a jewel in a thousand — ela é uma jóia.
jewel-case — guarda-jóias.
the jewels of the Crown — as jóias da Coroa.
2 — *vt.* (*pret.* e *pp.* **jewelled**) enfeitar com jóias.
jewelled [-d], *adj.* com jóias, cheio de jóias.
jeweller [-ə], *s.* joalheiro.
jewellery [ˈdʒu:əlri], *s.* joalharia; pedras preciosas.
Jewess [ˈdʒu:is], *s.* judia.
Jewish [ˈdʒu:iʃ], *adj.* judeu, judaico, de judeu.
Jewry [ˈdʒuəri], *s.* judiaria, bairro de judeus.
Jewy [ˈdʒu:i], *adj.* judeu.
jib [dʒib], **1** — *s.* (náut.) bujarrona; lança de guindaste.
standing jib — vela da bujarrona.
jib guy — patarrás da bujarrona.
the cut of his jib — o seu aspecto pessoal.
jib-boom — pau da bujarrona.
2 — *vt.* e *vi.* (*pret.* e *pp.* **jibbed**) mudar de lado a vela grande; pegar-se (o cavalo).
to jib at — recusar-se a.
jibber [-ə], *s.* cavalo teimoso; pessoa teimosa.
jibe [dʒaib], *s.* e *vi.* ver **gibe.**
jiffy [ˈdʒifi], *s.* instante, momento.
in a jiffy — num rufo, num momento.
jig [dʒig], **1** — jiga (dança); balada; crivo para separar metal; estroinice; modelo.
jig-saw puzzle — jogo de paciências.
2 — *vt.* e *vi.* dançar a jiga; saltitar; separar minério agitando-o num crivo.
jigger [-ə], **1** — *s.* dançador de jiga; vela seca; teque ou talha de rabicho.
2 — *vt.* calibrar.
I'm jiggered if (col.) — macacos me mordam se.
jiggerer [-rə], *s.* calibrador, graduador.
jiggery-pokery [-riˈpoukəri], *s.* (*col.*) trapaças; manigâncias; artimanhas.
jiggle [dʒigl], *vt.* e *vi.* sacudir levemente; abalar levemente.
jig-saw [ˈdʒig-sɔ:], *s.* serra de vaivém.
jilt [dʒilt], **1** — *s.* namoradeira.
2 — *vt.* e *vi.* enganar o namoro, ser namoradeira.
Jim [dʒim], *n. p.* diminutivo de **James.**
jim-crow [-krou], *s.* pé-de-cabra; espécie de alavanca.
Jimmy [ˈdʒimi], *n. p.* diminutivo de **James.**
jimmy [ˈdʒimi], *s.* pé-de-cabra.
jingbang [ˈdʒiŋˈbæŋ], *s.* (col.) malta.
the whole jingbang — a malta toda.
jingle [dʒiŋgl], **1** — *s.* tinido, retintim; correspondência de som nas rimas.
2 — *vt.* e *vi.* retinir, tinir, soar; rimar.
jinglet [-it], *s.* bola pequena dentro dum guizo para o fazer tocar.
jingling [-iŋ], **1** — *s.* tinido, retintim.
2 — *adj.* que tine.
jingo [ˈdʒiŋgou], **1** — *s.* jingo; patriota exagerado; chauvinista.
2 — *interj.*
by jingo! — caramba!, com a breca!
jingoism [ˈdʒiŋgouizm], *s.* jingoísmo; patriotismo exagerado.
jingoistic [ˈdʒiŋgouˈistik], *adj.* jingoísta; exageradamente patriota.
jink [dʒiŋk], **1** — *s.* (fut.) finta.
2 — *vt.* e *vi.* (Esc. fut.) fintar; enganar.
jinks [-s], *s. pl.*
high jinks — grande animação.
jinnee [dʒiˈni:], *s.* espírito da mitologia maometana.
jinneeyeh [-i], *s. fem.* de **jinnee.**
jitney [ˈdʒitni], **1** — *s.* (E. U.) moeda de cinco cêntimos.
2 — *adj.* barato e de má qualidade.
jiu-jitsu [dʒju:ˈdʒitsu:], *s.* jiu-jitsu, judo.
jive [dʒaiv], *s.* (cal.) jazz.
Joan [dʒoun], *n. p.* Joana.
Joan of Arc — Joana d'Arc.
Joanna [dʒouˈænə], *n. p.* Joana.
Job [dʒoub], *n. p.* Job.
Job's comforter — pessoa que agrava a tristeza daquele que procura consolar.
Job's tears (bot.) — lágrimas-de-Job.
job [dʒɔb], **1** — *s.* obra, trabalho, tarefa, ocupação; negócio; empreitada; (fam.) bico-de--obra; (cal.) assalto, roubo.
a bad job — um mau negócio.
by the job — por empreitada.
job lot — saldo, pechincha.
what a fine job! (col.) — que bela coisa!, que lindo serviço!
everyman to his job — cada qual no seu ofício.
to be out of a job — estar desempregado.
to be on the job — trabalhar bem.
2 — *vt.* e *vi.* (*pret.* e *pp.* **jobbed**) fazer um pequeno trabalho; servir-se da sua posição para arranjar situações vantajosas para outros ou para ser desonesto; comprar por junto para vender a retalho.
jobation [dʒouˈbeiʃən], *s.* repreensão longa e aborrecida.
jobber [ˈdʒɔbə], *s.* agiota; corretor; remendão; operário que trabalha de empreitada; revendedor; pessoa que aluga cavalos; (fam.) intriguista.
jobbery [-ri], *s.* agiotagem; meios ilícitos para alcançar alguma coisa.
jobbing [-iŋ], **1** — *s.* trabalho de empreitada; agiotagem; venda por intermediários; aluguer de cavalos.
2 — *adj.* que faz pequenos trabalhos; que recebe conforme o trabalho feito.
jobless [-lis], *adj.* desempregado, sem trabalho, sem emprego.
jockey [ˈdʒɔki], **1** — *s.* jóquei, corredor profissional nas corridas de cavalos; embusteiro, trapaceiro.
jockey-cap — boné de jóquei.
Jockey-Club — clube que regula as corridas de cavalos na Inglaterra.
2 — *vt.* e *vi.* enganar, lograr, trapacear; montar um cavalo.
jockeying [-iŋ], *s.* intrujice, logro, trapaça; profissão de jóquei.
jockeyship [-ʃip], *s.* ofício de jóquei.
jocko [ˈdʒɔkou], *s.* chimpanzé.
jocose [dʒəˈkous], *adj.* jocoso, chistoso, alegre. (*Sin.* bright, droll, playful, sportive, humorous. *Ant.* melancholic.)
jocosely [-li], *adv.* jocosamente.
jocoseness [-nis], *s.* jocosidade, alegria.
jocosity [dʒouˈkɔsiti], *s.* ver **jocoseness.**
jocular [ˈdʒɔkjulə], *adj.* jocoso, divertido, jovial, engraçado
jocularity [dʒɔkjuˈlæriti], *s.* jocosidade, jovialidade.
jocularly [ˈdʒɔkjuləli], *adv.* jovialmente.

jocund ['dʒɔkənd], *adj.* **jucundo, prazenteiro, alegre, jovial.**
jocundity [dʒou'kʌnditi], *s.* alegria, jovialidade, prazer.
jocundly ['dʒɔkʌndli], *adv.* alegremente, jovialmente.
Joe [dʒou], *n. p.* José, Zé.
not for a Joe! (cal.) — para mim, não!
jog [dʒɔg], **1** — *s.* empurrão, balanço, sacudidela; andar lento, trote lento.
jog-trot — meio trote.
jog-trot life — vida rotineira.
2 — *vt.* e *vi.* (*pret.* e *pp.* **jogged**) sacudir, abalar; andar a meio trote; andar vagarosamente; empurrar.
to jog a person's memory — espevitar a memória a alguém.
to jog on (along) — andar vagarosamente.
jogger [-ə], *s.* aquele que anda vagarosamente.
jogging [-iŋ], **1** — *s.* solavancos; cotovelada; meio trote.
2 — *adj.* que dá solavancos, que sacode.
joggle [-l], **1** — *s.* encaixe para junção de peças de madeira ou de pedra; sacudidela; espiga.
2 — *vt.* e *vi.* sacudir, estremecer; vacilar; agitar-se; encaixar pedaços de madeira uns nos outros; fixar.
to joggle along — avançar aos solavancos.
jogi ['jougi], *s.* asceta indiano, iogui.
Johanna [dʒou'hænə], *n. p.* Joana.
John [dʒɔn], *n. p.* João.
John Bull — os Ingleses, a Inglaterra.
John Chinaman — os Chineses, a China.
John Lackland — João Sem Terra.
Johnian ['dʒounjən], *s.* membro do Colégio de S. João em **Cantabrígia.**
Johnny ['dʒɔni], *n. p.* Joãozinho.
Johnny Raw — **principiante, novato, recruta.**
johnny ['dʒɔni], *s.* homem de sociedade ocioso.
johny-cake — bolo de farinha torrada.
join [dʒɔin], **1** — *s.* ponto de junção; articulação.
2 — *vt.* e *vi.* juntar, unir, ligar; associar, anexar, acrescentar; reunir-se, ir ter com; concordar; encontrar-se com.
to join a club — entrar para um clube.
to join a ship — embarcar como tripulante.
will you join us for lunch? — quer vir almoçar connosco?
to join company with — juntar-se à companhia de.
to join hands — trabalhar em conjunto.
to join in — tomar parte em.
to join up (col.) — assentar praça.
joiner [-ə], *s.* marceneiro; carpinteiro de obra branca.
joiner's glue — cola de carpinteiro.
joiner's bench — banco de marceneiro.
joinering [-əriŋ], *s.* carpintaria.
joinery [-əri], *s.* ver **joinering.**
joining [-iŋ], *s.* união, junção; costura de cabo.
joining shackle (náut.) — manilha de amarra.
joining up — acto de entrar para a tropa.
joint [dʒɔint], **1** — *s.* junta, articulação; nó; união, ligação; bisagra, gonzo; charneira; junta (de tubos de chapa, etc.); encaixe; quarto (de animal); posta; peça de carne; falange (de dedo).
to put a person's nose out of joint — suplantar alguém.
out of joint — deslocado; desconjuntado.
joint-dowel — tarugo.
joint pipe — tubo de comunicação.
2 — *adj.* **ligado, junto, unido; combinado;** associado; repartido; em comum.
joint-stock company — sociedade anónima.
joint-stock — capital social.
joint-owner — co-proprietário.
joint-tenancy — propriedade de terras ou bens em comum.
joint-sharer — parceiro.
joint heir — co-herdeiro.
joint heiress — co-herdeira.
3 — *vt.* juntar, ligar, unir; esquartejar; unir-se; articular-se.
jointed [-id], *adj.* ligado, unido; articulado.
jointer [-ə], junteira (instrumento de carpinteiro); juntura.
jointing [-iŋ], *s.* acto de juntar; união, ligação; o desfazer um animal no talho.
jointly [-li], *adv.* conjuntamente, juntamente, de acordo.
jointress [-ris], *s.* (jur.) viúva com bens, viúva com dote vitalício.
jointure [-ʃə], **1** — *s.* bens parafernais.
2 — *vt.* fazer doação de bens vitalícios à esposa.
joist [dʒɔist], **1** — *s.* viga, barrote, trave.
2 — *vt.* colocar o travejamento.
joisting [-iŋ], *s.* travejamento.
joke [dʒouk], **1** — *s.* gracejo, piada, zombaria, brincadeira.
to crack a joke — dizer uma piada.
it is no joke — não é brincadeira.
to treat the matter as a joke — não tomar uma coisa a sério.
to see a joke — perceber uma piada.
practical joke — partida de mau gosto.
in joke — por brincadeira.
2 — *vt.* e *vi.* gracejar, dizer chalaças; brincar, divertir-se à custa de alguém.
you are joking! — estás a brincar!
joker [-ə], *s.* gracejador, chalaceador, brincalhão; o trunfo mais alto em alguns jogos de cartas.
joking [-iŋ], **1** — *s.* gracejo, chalaça, brincadeira.
2 — *adj.* gracejador, brincalhão.
jokingly [-iŋli], *adv.* por brincadeira, jovialmente.
jollification [dʒɔlifi'keiʃən], *s.* festança, folia.
jollify ['dʒɔlifai], *vt.* e *vi.* fazer uma festança, fazer uma folia.
jollily ['dʒɔlili], *adv.* alegremente.
jolliness ['dʒɔlinis], *s.* alegria, regozijo, júbilo, jovialidade.
jollity ['dʒɔliti], *s.* ver **jolliness.**
jolly ['dʒɔli], **1** — *s.* (cal. nav.) soldado da infantaria; pândega; lancha pequena.
2 — *adj.* alegre, jovial, folgazão; encantador; meio embriagado.
as jolly as a sandboy — feliz como os amores.
jolly fellow — bom companheiro.
the jolly god — Baco.
the jolly Roger — a bandeira negra dos piratas.
3 — *adv.* (col.) muito.
jolly good — muito bom.
4 — *vt.* (E. U.) lisonjear, escarnecer.
jolly-boat ['dʒɔli-bout], *s.* escaler.
jolt [dʒoult], **1** — *s.* solavanco, balanço; surpresa.
2 — *vt.* e *vi.* dar solavancos, sacudir, abanar, balançar.
joltiness [-inis], *s.* irregularidade de piso.
jolting [-iŋ], **1** — *s.* balanço, solavanco.
2 — *adj.* que salta, que dá solavancos.
joltingly [-iŋli], *adv.* aos solavancos.
Jonathan ['dʒɔnəθən], *n. p.* **Jónatas;** variedade de maçã.
Brother Jonathan — personificação do povo dos Estados Unidos; os Estados Unidos.
jonquil ['dʒɔŋkwil], **1** — *s.* junquilho; a cor do junquilho.
2 — *adj.* da cor do junquilho.

jorum ['dʒɔ:rəm], *s.* taça grande ou o seu conteúdo.
Joseph ['dʒouzəf], *n. p.* José.
Josephine [-in], *n. p.* Josefina.
josh [dʒɔʃ], *vt.* gracejar; brincar; rir-se de.
josher ['dʒɔʃə], *s.* brincalhão; gracejador.
Joshua ['dʒɔʃwə], *n. p.* Josué.
joskin ['dʒɔskin], *s.* labrego; palerma.
joss [dʒɔs], *s.* ídolo chinês.
joss house — pagode.
joss-stick — pau de incenso.
josser [-ə], *s.* (col.) tolo; tipo, indivíduo.
jostle [-l], *vt.* e *vi.* empurrar, dar empurrões; acotovelar; abrir caminho às cotoveladas.
jostling [-liŋ], *s.* empurrão, encontrão.
jot [dʒɔt], **1** — *s.* ponto; til; jota; um nada.
not one jot — nem nada; absolutamente nada.
2 — *vt.* (*pret.* e *pp.* **jotted**) apontar, assentar, tomar notas.
to jot down — tomar apontamentos.
jotter [-ə], *s.* bloco de apontamentos.
jotting [-iŋ], *s.* nota, apontamento; acção de tomar notas.
jounce [dʒauns], **1** — *s.* sacudidela, balanço (de carro).
2 — *vt.* e *vi.* sacudir, dar balanços, trepidar.
journal [dʒə:nl], *s.* jornal, diário, revista, periódico; livro "Diário"; (mec.) munhão.
fashion journal — revista de modas.
journalism [-izm], *s.* jornalismo.
journalist [-ist], *s.* jornalista; editor.
journalistic [-istik], *adj.* jornalístico.
journalize [-aiz], *vt.* e *vi.* escrever artigos para um jornal; registar em diário; fazer jornalismo.
journey ['dʒə:ni], **1** — *s.* jornada, viagem por terra, trajecto.
to go on a journey — ir de viagem.
to make a journey — fazer uma viagem.
journey work — trabalho de indivíduo que anda a trabalhar a dias.
pleasant journey! — boa viagem!
to go on one's last journey — fazer a última viagem; morrer.
2 — *vi.* viajar por terra, fazer jornadas.
journeyman [-mən], *s.* mecânico; operário; jornaleiro.
journeyman carpenter — oficial de carpinteiro.
joust [dʒaust], **1** — *s.* justa, torneio.
2 — *vi.* tomar parte em torneio.
Jove [dʒouv], *n. p.* (mit.) Jove, Júpiter.
by Jove! — cáspite!
jovial ['dʒouvjəl], *adj.* jovial, alegre.
joviality [dʒouvi'æliti], *s.* jovialidade, alegria, regozijo.
jovially ['dʒouvjəli], *adv.* jovialmente, alegremente.
jowl [dʒaul], *s.* face; mandíbula; maxila, maxilar; cabeça (de salmão e outros peixes); papo e parte exterior do pescoço (de aves).
cheek by jowl — ombro a ombro; de rostos encostados.
joy [dʒɔi], **1** — *s.* alegria, prazer, júbilo.
to leap for joy — saltar de alegria.
to weep for joy — chorar de alegria.
joy-bells — sinos que repicam em sinal de festa.
joy-stick — *(av.)* alavanca de direcção.
I wish you joy — os meus parabéns.
2 — *vt.* e *vi.* alegrar, alegrar-se, regozijar-se.
joyful [-ful], *adj.* contente, alegre, prazenteiro.
joyfully [-fuli], *adv.* alegremente, prazenteiramente.
joyousness [-əsnis], *s.* alegria, júbilo.
joyless [-lis], *adj.* triste, sem alegria; monótono.
joylessly [-lisli], *adv.* tristemente.
joylessness[-lisnis], *s.* tristeza, amargura, pesar.
joyous [-əs], *adj.* alegre, jubiloso.
joyously [-əsli], *adv.* alegremente.
joyousness [-əsnis], *s.* alegria, júbilo.
jubilance ['dʒu:biləns], *s.* alegria, regozijo.
jubilant ['dʒu:bilənt], *adj.* jubiloso, exultante, triunfante. (*Sin.* triumphant, exultant, joyous. *Ant.* mournful.)
jubilantly [-li], *adv.* jubilosamente.
jubilate ['dʒu:bileit], *vi.* exultar, regozijar-se.
jubilation [dʒu:bi'leiʃən], *s.* júbilo, regozijo.
jubilee ['dʒu:bili], *s.* jubileu; júbilo.
diamond jubilee — bodas de diamante.
silver jubilee — bodas de prata.
Judaea [dʒu:'diə], *top.* Judeia.
Judaean [-n], *s.* e *adj.* da Judeia.
Judah ['dʒu:də], *top.* Judá.
judaic [dʒu:'deiik], *adj.* judaico.
judaical [-əl], *adj.* ver **judaic.**
judaically [-əli], *adv.* de maneira judaica.
judaism ['dʒu:deiizm], *s.* judaísmo.
judaize ['dʒu:deiaiz], *vt.* e *vi.* judaizar.
Judas ['dʒu:dəs], *n. p.* (bíbl.) Judas.
Judas Kiss — beijo de Judas.
Judas tree — variedade de olaia.
judas ['dʒu:dəs], *s.* ralo de porta.
judder ['dʒʌdə], **1** — *s.* trepidação (dos travões).
2 — *vi.* trepidar.
judge [dʒʌdʒ], **1** — *s.* juiz; árbitro, perito, entendido, conhecedor.
to be a good judge — ser entendedor.
judge's order — mandado judicial.
to be a judge in one's own case — ser juiz em causa própria.
Judge Advocate General — promotor de justiça (num tribunal marcial).
he is a judge of music — ele é um conhecedor de música.
assistant judge — juiz suplente.
the Book od Judges (bíbl.) — o livro dos Juízes.
presiding judge — juiz-presidente.
2 — *vt.* e *vi.* julgar; considerar; pensar; sentenciar; criticar; opinar; avaliar. (*Sin.* to suppose, to consider, to imagine, to think, to sentence, to try, to decide, to criticize, to conclude, to deem, to doom, to determine, to condemn.)
as far as I can judge — na minha opinião.
judgematical [-'mætikəl], *adj.* judicioso, sensato.
judgement ['dʒʌdʒmənt], *s.* juízo; julgamento; parecer; critério; opinião; decisão, sentença; castigo.
Judgement-day — dia do Juízo Final.
in my judgement — na minha opinião.
judgement by default — julgamento à revelia.
to pass judgement on a criminal — condenar um criminoso.
judger ['dʒʌdʒə], *s.* julgador, juiz; perito.
judgeship ['dʒʌdʒʃip], *s.* cargo de juiz; magistratura.
judging ['dʒʌdʒiŋ], *s.* julgamento; exame, apreciação.
judgment ['dʒʌdʒmənt], *s.* ver **judgement.**
judicature ['dʒu:dikətʃə], *s.* judicatura, magistratura; tribunal.
Supreme Court of Judicature — Supremo Tribunal de Justiça.
judicial [dʒu:'diʃəl], *adj.* judicial; judicioso.
judicial separation — separação judiciária (entre marido e mulher).
judicial fairness — imparcialidade.
judicially [-i], *adv.* judicialmente; judiciosamente.
judiciary [dʒu:'diʃəri], **1** — *s.* poder judiciário; magistratura, justiça.
2 — *adj.* judiciário.
judicious [dʒu:'diʃəs], *adj.* judicioso, prudente, discreto. (*Sin.* wise, sensible, prudent, reasonable. *Ant.* rash.)

judiciously [-li], *adv.* judiciosamente, criteriosamente.
judiciousness [-nis], *s.* juízo, perspicácia, sensatez, circunspecção.
Judith ['dʒu:diθ], *n. p.* Judite.
Judy ['dʒu:di], *n. p.* Judite.
jug [dʒʌg], **1** — *s.* jarro, cântaro, bilha; (fam.) cadeia, prisão.
the jug-jug of the nightingale — o canto do rouxinol.
2 — *vt.* e *vi.* (*pret.* e *pp.* **jugged**) estufar lebre ou coelho em pote; imitar o canto do rouxinol; (col.) meter na cadeia.
jugged hare — lebre à caçadora.
jugate ['dʒu:git], *adj.* conjugado.
jugful ['dʒʌgful], *s.* cântaro ou jarro cheio.
juggins ['dʒʌgins], *s.* (fam.) pacóvio, simplório.
juggle [dʒʌgl], **1** — *s.* prestidigitação; **trapaça.**
2 — *vt.* e *vi.* fazer prestidigitação; escamotear; enganar, iludir.
to juggle with facts — deturpar factos.
juggler [-ə], *s.* prestidigitador; escamoteador; impostor; trapaceiro.
jugglery [-əri], *s.* prestidigitação; trapaça.
juggling [-iŋ], *s.* acto de fazer prestidigitação; trapaça.
Jugoslav ['ju:gou'slɑ:v], *s.* e *adj.* jugoslavo.
Jugoslavia [-jə], *top.* Jugoslávia.
jugular ['dʒʌgjulə], *s.* e *adj.* a veia jugular; jugular.
jugular vein — veia jugular.
jugulate ['dʒʌgjuleit], *vt.* jugular; degolar.
juice [dʒu:s], **1** — *s.* suco, sumo; essência; (col.) electricidade, gasolina.
gastric juice — suco gástrico.
digestive juices — sucos digestivos.
2 — *vt.* (na passiva) receber um choque eléctrico.
juiceless [-lis], *adj.* sem sumo, seco; árido.
juicily [-li], *adv.* suculentamente.
juiciness [-inis], *s.* qualidade de ser sumarento, suculência.
juicy [-i], *adj.* sumarento, suculento; *(col.)* com interesse. (*Sin.* succulent, watery, moist).
jujube ['dʒu:dʒu:b], *s.* pastilha de gelatina.
ju-jutsu [dʒu:'dʒʌtsu], *s.* ver **jiu-jitsu.**
julep ['dʒu:lep], *s.* julepo.
Julia ['dʒu:ljə], *n. p.* Júlia.
Julian [-n], **1** — *n. p.* Juliano.
2 — *adj.* juliano (relativo a Júlio César).
Julian calendar — calendário juliano.
Juliana [dʒu:lj'ɑ:nə], *n. p.* Juliana.
julienne [dʒu:lj'en], *s.* (culin.) sopa juliana.
Juliet ['dʒu:ljət], *n. p.* Julieta.
Julius ['dʒu:ljəs], *n. p.* Júlio.
juke-box ['dʒukbɔks], *s.* gira-discos automático, que trabalha quando se lhe introduz **uma** moeda.
July [dʒu:'lai], *s.* Julho.
jumble [dʒʌmbl], **1** — *s.* baralhada, confusão, embrulhada, misturada; solavancos (de carro).
jumble-sale — venda de objectos em segunda mão com fins beneficentes.
2 — *vt.* e *vi.* misturar, baralhar, confundir; enredar; misturar-se; revolver-se.
jumbling [-iŋ], *s.* confusão, embrulhada.
jumbo ['dʒʌmbou], **1** — *s.* colosso; pessoa grosseira e pesada.
2 — *adj.* enorme, colossal.
jumby ['dʒʌmbi], *s.* fantasma.
jump [dʒʌmp], **1** — *s.* salto, pulo; acaso; feliz encontro; subida repentina de preços; ***jump-leads* — *(aut.)*** cabos para bateria, obstáculo; *pl.* delirium-tremens.
hop-step-and-jump — triplo-salto.
long jump — salto em comprimento.
pole jump — salto à vara.
running jump — salto com balanço.
standing jump — salto sem balanço.
2 — *vt.* e *vi.* saltar, pular, transpor de um salto, galgar; concordar, convir; levantar (caça); sobressaltar-se; roubar.
to jump to a conclusion — tirar uma conclusão sem fundamento.
to jump at an offer — aceitar jubilosamente um oferecimento.
to jump for joy — saltar de contente.
to jump together — concordar, estar de acordo.
to jump over — saltar por cima de, transpor.
to jump down one's throat — interromper alguém bruscamente.
to jump out of one's skin — não caber na pele.
his eyes were jumping out of his head — os olhos saltavam-lhe das órbitas.
to jump about — saltitar.
to jump in — saltar para dentro.
to jump out — sair de um salto.
to jump over the broomstick — viver em mancebia.
jumper [-ə], *s.* saltador; blusa de marinheiro; blusa de malha ou renda para senhora; broca comprida.
jumpiness [-inis], *s.* agitação; nervosismo.
jumping [-iŋ], *s.* acto de saltar, salto; subida repentina de preços ou valores.
jumping-jack — títere.
jumpy [-i], *adj.* nervoso, excitado; saltitante.
junction ['dʒʌŋkʃən], **1** — *s.* junção; entroncamento (do caminho-de-ferro); derivação (de circuito eléctrico). (*Sin.* joint, union, connection, linking. *Ant.* separation.)
junction dock — doca de ligação.
junction box (elect.) — caixa de ligação.
junction signal (cam. fer.) — sinal de bifurcação.
2 — *vi.* (cam. fer.) entroncar.
juncture ['dʒʌŋktʃə], *s.* junção, união, junta; conjuntura.
at this juncture — nesta conjuntura, neste momento crítico.
June [dʒu:n], *s.* Junho.
jungle [dʒʌŋgl], *s.* mato, matagal, selva.
jungly [-i], *adj.* cheio de matagais, coberto de mato.
junior ['dʒu:njə], *s.* e *adj.* júnior, novo, o mais novo; (E. U. col.) filho.
junior partner — consócio.
junior to commander — oficial subalterno.
the junior classes — as classes elementares.
he is my junior — ele é mais novo do que eu.
juniority [dʒu:ni'ɔriti], *s.* a circunstância de ser mais novo; situação de inferioridade.
juniper ['dʒu:nipə], *s.* (bot.) zimbro, junípero.
junk [dʒʌŋk], **1** — *s.* junco (barco de vela chinês); massame desfeito; cabo velho; qualquer coisa inútil; estopa; carne salgada fornecida aos navios para longas viagens.
junk ring — coroa de êmbolo.
junk-dealer — negociante de ferro-velho.
that's all junk — são tudo disparates.
2 — *vt.* cortar em bocados grandes.
junket [-it], **1** — *s.* doce feito com requeijão misturado com nata e adoçado; banquete, festim; piquenique.
2 — *vi.* fazer uma festa, fazer um piquenique.
junketing [-ıting], *s.* festim, comezaina.
junta ['dʒʌntə], *s.* junta, conselho, assembleia (Portugal, Espanha, Itália).
junto ['dʒʌntou], *s.* liga secreta; facção; cabala.
Jupiter ['dʒu:pitə], *n. p.* (mit.) Júpiter.
jurat ['dʒuəræt], *s.* jurado; senador.
juridical [dʒuə'ridikəl], *adj.* jurídico, judicial.
juridically [-i], *adv.* juridicamente.
jurisconsult ['dʒuəriskənsʌlt], *s.* jurisconsulto, advogado, jurista.
jurisdiction [dʒuəris'dikʃən], *s.* jurisdição.

jurisdictional [-əl], *adj.* jurisdicional.
jurisprudence [ˈdʒuərispruːdəns], *s.* jurisprudência.
jurisprudential [dʒuərisprruˈdenʃəl], *adj.* relativo à jurisprudência.
jurist [ˈdʒuərist], *s.* jurista, jurisconsulto; estudante de Direito.
juror [ˈdʒuərə], *s.* jurado, membro do júri; pessoa que presta juramento.
jury [ˈdʒuəri], **1** — *s.* júri.
to be on the jury — ser membro do júri.
jury-box — bancada dos jurados.
special jury — júri especial.
gentlemen of the jury! — senhores jurados!
grand jury — júri de acusação.
2 — *adj.* (náut.) improvisado.
jury-mast — guindola.
jury-leg — perna de pau.
juryman [-mən], *s.* jurado.
jurywoman [-wumən], *s.* senhora que faz parte dum júri.
just [dʒʌst], **1** — *adj.* justo, exacto, recto, equitativo, imparcial, conveniente, racional, legítimo, bom.
a just reward — uma recompensa justa.
2 — *adv.* justamente, precisamente; quase; somente; logo.
just now — agora mesmo.
just as — quando, no momento em que.
just then — justamente então.
that's just it — é isso mesmo.
just as you please — como quiser.
it is just the thing! — é isso mesmo que me convém!
it is just starting to rain — está a começar a chover.
I have just one match left — só me resta um fósforo.
just a minute — só um minuto.
just tell me — ora diga-me.
to have just (seguido de p. p.) — acabar de.
just see! — ora veja!
just at the entrance — logo à entrada.
just a little bit — só um bocadinho.
just so — exactamente, tal (e) qual.
justice [-is], *s.* justiça, rectidão, equidade, imparcialidade; juiz, magistrado.
to do justice — fazer justiça.
to do justice to — fazer justiça a, apreciar.
Justice of the Peace — juiz de paz.
Lord Chief Justice — presidente do Supremo Tribunal de Justiça.
a court of justice — um tribunal.
to bring to justice — acusar em tribunal.
justiceship [-isʃip], *s.* magistratura.
justiciable [dʒʌsˈtiʃəbl], *s.* e *adj.* judicial; sujeito a jurisdição.
justiciary [dʒʌsˈtiʃəri], *s.* e *adj.* juiz; administrador de justiça; judicial.
justifiability [dʒʌstifaiəˈbiliti], *s.* rectidão, justiça, justificabilidade.
justifiable [dʒʌstiˈfaiəbl], *adj.* justificável; justo. (*Sin.* right, defensible, correct, vindicable.)
justifiableness [-nis], *s.* rectidão, justiça, razão.
justifiably [-i], *adv.* justificadamente, com razão, com justiça.
justification [dʒʌstifiˈkeiʃən], *s.* justificação; defesa.
justificative [ˈdʒʌstifikeitiv], *adj.* justificativo.
justified [ˈdʒʌstifaid], *adj.* justificado; com razão.
justify [ˈdʒʌstifai], *vt.* justificar, esclarecer; fundamentar.
justifying [-iŋ], *adj.* justificativo.
Justin [ˈdʒʌstin], *n. p.* Justino.
Justinian [dʒʌsˈtinjən], *n. p.* Justiniano.
justly [ˈdʒʌstli], *adv.* com justiça, justamente.
justness [ˈdʒʌstnis], *s.* exactidão; justiça.
Justus [ˈdʒʌstəs], *n. p.* Justo.
jute [dʒuːt], *s.* juta.
jute covering — revestimento de juta.
Jutland [ˈdʒʌtlənd], *top.* Jutlândia.
Juvenal [ˈdʒuːvinl], *n. p.* Juvenal.
juvenescence [dʒuːviˈnesns], *s.* período de transição da infância para a adolescência.
juvenescent [dʒuːviˈnesnt], *adj.* juvenil, entre a infância e a adolescência.
juvenile [ˈdʒuːvinail], **1** — *s.* jovem, adolescente.
2 — *adj.* juvenil, jovem.
juvenile court — tribunal de menores.
juvenile literature — literatura juvenil.
juvenility [dʒuːviˈniliti], *s.* juvenilidade.
juxtapose [ˈdʒʌkstəpouz], *vt.* justapor.
juxtaposed [-d], *adj.* justaposto.
juxtaposition [dʒʌkstəpəˈziʃən], *s.* justaposição.

K

K, k [kei], (*pl.* **K's k's** [-z]), K, k, décima primeira letra do alfabeto.
Kaaba [ˈkɑːbə], *s.* Caaba.
kack-handed [ˈkæk-ˈhændid], *adj.* canhoto.
kaffir [ˈkæfə], *s.* cafre; membro de uma raça bantu, na África do Sul.
kail [keil], *s.* ver **kale.**
kailyard [-jɑːd], *s.* ver **kaleyard.**
Kaiser [ˈkaizə], *s.* imperador da Alemanha.
kaiserism [-rizm], *s.* cesarismo prussiano.
kale [keil], *s.* couve lombarda.
Scotch kale — couve escocesa.
kaleidoscope [kəˈlaidəskoup], *s.* caleidoscópio.
kaleidoscopic [kəlaidəˈskɔpik], *adj.* caleidoscópico.
kaleidoscopical [-əl], *adj.* ver **kaleidoscopic.**
kaleidoscopically [-əli], *adv.* caleidoscopicamente.
kalends [ˈkælendz], *s.* calendas.
on the Greek Kalends — para as calendas gregas; nunca.
Kaleyard [ˈkeiljaːd], *s.* horta.
Kamerun [ˈkæməruːn], *top.* Camarões.
kangaroo [kæŋgəˈruː], *s.* canguru.
kangaroo-court — tribunal irregular.
Kantian [ˈkæntiən], *adj.* kantiano, de Kant.
Kantism [ˈkæntizm], *s.* Kantismo.
kaolin [ˈkeiəlin], *s.* caulino.
kaolinization [-aiˈzeiʃən], *s.* caulinização.
kaolinize [ˈkeiəlinaiz], *vt.* caulinizar.
kapok [ˈkeipɔk], *s.* capoca.
Kashmir [kæʃˈmiə], *top.* Caxemira.
katabolism [kæˈtæbəlizm], *s.* catabolismo.
Kate [keit], *n. p.* Catarinazinha.
Katharine [ˈkæθərin], *n. p.* Catarina.
Katherine [ˈkæθərin] *n. p.* ver **Katharine.**

Katie ['keiti], *s.* ver **Kate.**
katydid ['keitidid], *s.* espécie de cigarra (E. U.).
kayak ['kaiæk], *s.* caiaque; canoa dos Esquimós.
kea ['keiə], *s.* papagaio da Nova Zelândia.
keck [kek], **1** — *s.* esforço para vomitar.
2 — *vi.* fazer esforço para vomitar.
to keck at — recusar comida com repugnância.
kedge [kedʒ], **1** — *s.* ancoreta.
2 — *vt.* e *vi.* (náut.) alar sobre uma ancoreta.
kedgeree [kedʒə'ri:], *s.* prato indiano à base de arroz, lentilhas e ovos.
kedging [-iŋ], *s.* reboque.
keel [ki:l], **1** — *s.* quilha; barco de fundo chato; (bot. e zool.) naveta; (poét.) barco.
on an even keel — calmamente.
upper keel — quilha principal.
2 — *vt.* e *vi.* pôr a quilha numa embarcação; querenar um barco.
keelage [-idʒ], *s.* imposto de porto.
keeled [-d], *adj.* provido de quilha.
keelhaul [-hɔ:l], *vt.* (náut.) fazer passar debaixo da quilha (castigo).
keelless [-lis], *adj.* sem quilha.
keelson [-n], *s.* (náut.) sobrequilha, longarina.
keen [ki:n], **1** — *s.* (Irl.) lamentos fúnebres, canções fúnebres.
2 — *adj.* vivo, fino, penetrante; perspicaz; aguçado, afiado; ardente, fogoso; colérico, violento.
keen-sighted — de vista perspicaz.
keen appetite — apetite devorador.
keen air — ar penetrante.
to be keen on — ser entusiasta por.
to be keen to go — ter muito empenho em ir.
keen-edged — muito afiado.
keenly [-li], *adv.* vivamente, agudamente; subtilmente; ardentemente.
keenness [-nis], *s.* agudeza, perspicácia, subtileza; veemência; desejo ardente; acrimónia.
keep [ki:p], **1** — *s.* guarda; protecção; sustento; condição; torre de menagem; *(mec.)* capa.
in good keep — em bom estado.
the keep of a horse — o sustento dum cavalo.
is it mine for keeps? (cal.) — posso ficar comisso?
2 — *vt.* e *vi.* (pret. e pp. **kept** [kept] guardar conservar; ter, reter; ocupar; possuir; aguardar; cumprir, executar; administrar; proteger; sustentar, alimentar; prender; encerrar; anotar, registar, apontar, escriturar; permanecer, ficar; conservar; deter; observar; durar; prosseguir; preservar; transferir.
to keep at work — não deixar o trabalho.
to keep away — afastar-se, conservar-se afastado.
to keep back — reter, deter.
to keep an appointment — chegar à hora marcada e local designado para um encontro ou entrevista.
to keep one's balance — equilibrar-se.
to keep one's bed — ficar de cama.
to keep body and soul together — sustentar a vida; ir vivendo.
to keep company with — acompanhar com.
to keep down — ficar em baixo; dominar, sujeitar.
to keep down one's anger — refrear a cólera.
to keep asunder — estar desunido; manter separado; viver em desunião.
to keep the log — escriturar o diário de bordo.
to keep in with the land (náut.) — cingir-se com a terra.
to keep the offing (to keep the sea) — aguentar-se ao largo.
to keep one's countenance — conservar-se imperturbável.
to keep an eye on — vigiar cuidadosamente.
to keep something (someone) in — ter fechado; reter, esconder.
to keep in shape — conservar a forma.
to keep look out — estar de vigia.
to keep station — conservar a posição.
to keep the right (the left) — ir pela direita (esquerda) (tráfico).
to keep accounts — escriturar livros.
to keep someone's birthday — festejar o aniversário de alguém.
to keep good hours — deitar-se e levantar-se cedo.
to keep one's ground — conservar-se firme.
to keep house — governar a casa.
to keep in the house — não sair de casa.
to keep in with — conservar as boas graças de.
to keep indoors — conservar-se recolhido em casa.
to keep off — afastar-se, conservar-se a distância.
to keep on — continuar; avançar.
to keep oneself to oneself — separar-se dos outros; isolar-se.
to keep out — conservar-se fora; impedir a entrada; afastar-se.
to keep out the cold — defender-se do frio.
to keep a shop — ter uma loja.
to keep one's temper — ter calma, saber conter-se.
to keep up — alimentar; guardar; não desanimar.
to keep up with — não se deixar exceder por alguém; acompanhar; seguir.
to keep out of sight — esconder, estar oculto, esconder-se.
to keep a good table — ter boa mesa.
to keep good health — ter boa saúde.
to keep a promise — cumprir uma promessa.
God keep you! — Deus vos guarde!
to keep silence — guardar silêncio.
to keep up appearances — salvaguardar as aparências.
keep stroke! — rema certo!
keep off the grass! — não pise a relva!
to keep a close check on someone — vigiar alguém cuidadosamente.
to keep a secret — guardar um segredo.
to keep a stiff upper lip — manter-se firme; não deixar transparecer emoção.
to keep ahead (náut.) — manter-se à proa.
to keep Christmas — festejar o Natal.
to keep aloof — conservar-se à parte.
to keep at arm's length — manter a distância; evitar familiaridade com.
to keep dark about — esconder a opinião.
to keep down — reprimir; conservar inclinado.
to keep fit — conservar-se em boa forma.
to keep in mind — recordar.
to keep good time — funcionar bem (relógio).
to keep one's eyes skinned (to keep one's eyes peeled) — manter-se vigilante.
to keep one's nose to the grindstone — trabalhar muito.
to keep one's word — cumprir a palavra.
to keep quiet — estar calado.
to keep somebody waiting — obrigar alguém a esperar.
to keep the law — observar a lei.
to keep the pot boiling — ganhar a vida.
to keep up with the times — acompanhar os tempos.
to keep watch (náut.) — fazer o quarto.
keep her full! (náut.) — a todo o vento!
keep good men company and you shall be of the number — junta-te aos bons e serás um deles.

keep smiling! — sorria!; não desanime!
keep your hair on (keep your wool on) — não te desorientes.
keeper [-ə], *s.* guarda; vigia; defensor.
goal-keeper (fut.) — guarda-redes.
park-keeper — guarda do parque.
time keeper — cronometrista.
the keeper of the Seals — o Chanceler-Mor.
keeper of a museum — conservador de um museu.
keeping [-iŋ], *s.* guarda; custódia; defesa; alimento, sustento; harmonia, acordo. (*Sin.* custody, charge, guardianship, accord, harmony, agreement, maintenance.)
to be in keeping with — estar em perfeita harmonia com.
to be out of keeping with — estar em desacordo com.
keepsake [-seik], *s.* lembrança, presente, dádiva.
keg [keg], *s.* barril pequeno, barrica.
kelp [kelp], *s.* algas marinhas; cinza extraída das algas.
kelson [kelsn], *s.* sobrequilha.
main kelson — sobrequilha central.
kelt [kelt], *s.* instrumento pré-histórico, semelhante a machado de pedra ou bronze; salmão depois da desova.
Kelt [kelt], *s.* celta.
Keltic ['keltik], *adj.* ver **Celtic.**
kemp [kemp], *s.* pêlo áspero da lã.
kempy [-i], *adj.* com pêlo áspero (lã).
ken [ken], **1** — *s.* vista, alcance de vista; conhecimento; compreensão.
within one's ken — ao alcance de alguém.
2 — *vt.* (*pret.* **kenned** [-d], **kent** [-t], *pp.* **kent** [-t]) conhecer, saber; reconhecer a distância, ver ao longe.
kennel [kenl], **1** — *s.* canil, casota de cão; covil; sarjeta, valeta.
2 — *vt.* e *vi.* recolher ou recolher-se ao canil ou ao covil; viver num covil.
kent [kent], *pret.* e *pp.* do verbo **to ken.**
kentledge [-lidʒ], *s.* (náut.) linguado de lastro.
kepi ['kepi], *s.* quépi.
kept [kept], *pret.* e *pp.* de **to keep.**
kerb [kə:b], **1** — *s.* guia de pedra de um passeio ou de uma rua.
kerb walker — cantor ambulante.
2 — *vt.* colocar guia de pedra em passeio ou rua.
kerbstone [-stoun], *s.* guia de pedra de um passeio ou rua.
kerchief ['kə:tʃif], *s.* lenço de cabeça.
kerf [kə:f], *s.* nó da madeira; superfície cortada em árvore que se deitou abaixo; corte de serra.
kermess ['kə:mes], *s.* quermesse.
kermis ['kə:mis], *s.* ver **kermess.**
kern [kə:n], *s.* soldado irlandês de infantaria; campónio, rústico; (tip.) parte saliente duma letra.
kernel ['kə:nl], *s.* caroço, amêndoa, pevide; miolo; grão; a parte central, cerne; núcleo; glândula congestionada.
kerosene ['kerəsi:n], *s.* querosene, petróleo refinado.
kersey ['kə:zi], *s.* variedade de pano grosso de lã.
kerseymere [-miə], *s.* casimira.
kestrel [kestrəl], *s.* francelho, espécie de falcão.
ketch [ketʃ], *s.* chalupa de recreio.
ketchup ['ketʃəp], *s.* molho de tomate, cogumelos, etc.
ketone ['ki:toun], *s.* acetona.
kettle [ketl], *s.* chaleira; caldeira.
here is a pretty kettle of fish! (col.) — que grande sarilho!
the pot calls the kettle back — a panela diz para a sertã: «chega-te para lá, não me enfarrusques!».
the kettle is boiling — a água está a ferver.
kettle-drum — timbale.
key [ki:], **1** — *s.* chave; chaveta; (arq.) fecho da abóbada; manípulo; teclado; chave; recifes; (fig.) resolução, solução; ponto principal.
master-key — gazua.
key-money — quantia paga além da renda para alugar uma casa; chave.
key-note — nota tónica, lamiré.
key-ring — argola para chaves.
to strike a key-note — dar o lamiré.
to put under lock and key — fechar a sete chaves.
to turn the key — dar volta à chave.
bunch of keys — molho de chaves.
key to a mystery — chave de um mistério.
key-cold — muito frio.
key station (rád.) — estação central.
in a minor key — melancolicamente.
a golden key opens every door — o dinheiro abre todas as portas.
2 — *vt.* fechar com chaveta, enchavetar; (mús.) dar o lamiré.
to key up — afinar as cordas (instrumento.)
keyboard [-'bɔ:d], *s.* teclado.
key instrument (mús.) — instrumento de teclado.
keyed [-d], *adj.* com teclado; com chave; com chavetas.
keyhole [-houl], *s.* buraco de fechadura.
keying [-iŋ], *s.* afinação de piano; fixação por meio de chavetas.
keyless [-lis], *adj.* sem chave; sem chaveta.
keyman [-mən], *s.* telegrafista.
keystone [-stoun], *s.* pedra angular; fecho de arco ou abóbada.
khaki ['kɑ:ki], **1** — *s.* caqui.
2 — *adj.* cor de caqui.
khalifa [kɑ:'li:fə], *s.* ver **caliph.**
khalifat ['kɑ:lifæt], *s.* ver **caliphate.**
khan [kɑ:n], *s.* nome do soberano ou alto dignitário em certas regiões da Ásia.
kibe [kaib], *s.* frieira ulcerada.
kibble [kibl], *vt.* esmagar; moer grosseiramente.
kick [kik], **1** — *s.* pontapé; patada, coice; (col.) crítica, queixa; energia, força.
kick-off (fut.) — pontapé de saída.
free-kick (fut.) — (pontapé) livre.
corner kick (fut.) — (livre de) canto.
2 — *vt.* e *vi.* dar coices; dar pontapés; bater com o pé; (cal.) resmungar, opôr-se.
to kick the bucket (col.) — morrer.
to kick against the pricks — remar contra a maré.
to kick up a row — fazer grande barulho.
to kick out — expulsar a pontapés.
to kick down — derrubar com um pontapé.
kicker [-ə], *s.* aquele que dá pontapés; cavalo que dá coices; (fut.) jogador.
kickshaw [-ʃɔ:], *s.* ninharia; acepipe, pitéu; fantasia ridícula.
kid [kid], **1** — *s.* cabrito, pele de cabrito; (fam.) criança; (cal.) mistificação.
kid-gloves — luvas de pelica.
kid-glove literature — literatura cor-de-rosa.
2 — *vt.* e *vi.* (fam.) enganar, burlar; parir um cabrito; arreliar.
kidder [-ə], *s.* charlatão, intrujão.
kiddie [-i], *s.* (col.) criança, garoto.
kiddle [-l], *s.* pesqueira; represa de redes fixas (para apanhar peixe).
kiddy [-i], *s.* ver **kiddie.**
kidling [-liŋ], *s.* (col.) cabritinho.

kidnap [-næp], *vt.* (*pret.* e *pp.* **kidnapped**) raptar, sequestrar.
kidnapper [-næpə], *s.* raptor.
kidnapping [-næpiŋ], *s.* rapto.
kidney ['kidni], *s.* rim; temperamento, disposição; espécie, natureza.
kidney bean — feijão verde.
kidney potato — variedade de batata oval.
of the same kidney — da mesma natureza.
kidney-wort (bot.) — conchelo.
kilderkin ['kildəkin], *s.* barril pequeno (16 a 18 galões).
kill [kil], **1** — *s.* acção de matar; animal morto.
2 — *vt.* e *vi.* matar; destruir; neutralizar.
to kill time — matar o tempo.
to kill off — exterminar.
kill-joy countenance — (fam.) cara de enterro.
kill-time — passatempo.
to kill two birds with one stone — matar dois coelhos de uma cajadada.
killer [-ə], *s.* matador, assassino; instrumento que serve para matar.
killing [-iŋ], **1** — *s.* assassínio; acção de matar.
2 — *adj.* assassino; mortal; irresistível; de se morrer a rir.
a killing hat — **um cahpéu de se morrer a rir.**
a killing rigout — uma maneira de vestir irresistível.
killingly [-iŋgli], *adv.* irresistivelmente; de se morrer a rir.
kiln [kiln], **1** — *s.* forno (de cal ou cerâmica).
2 — *vt.* cozer em forno, secar em estufa.
kilocycle ['kilousaikl], *s.* quilociclo.
kilogram ['kiləgræm], *s.* quilograma.
kilogramme *s.* ver **kilogram.**
kilolitre ['kiloulitə:], *s.* quilolitro.
kilometre ['kiləmi:tə], *s.* quilómetro.
kilometric [kilə'metrik], *adj.* quilométrico.
kilowatt ['kiləwɔt], *s.* quilovate, quilovátio.
kilowatt-hour — quilovate-hora.
kilt [kilt], **1** — *s.* saiote escocês.
2 — *vt.* arregaçar; franzir.
to kilt up one's skirts — arregaçar a saia.
kiltie ['kilti], *s.* soldado escocês com o trajo próprio.
kimono [ki'mounou], *s.* quimono.
kin [kin], **1** — *s.* parentesco, parente, família.
lineal kin — parentes em linha recta.
collateral kin — parentes em linha colateral.
the next of kin — os parentes mais próximos.
2 — *adj.* parente, aparentado; da mesma espécie.
to be kin to — ser parente de.
kincob ['kiŋkəb], *s.* tecido rico de seda bordado a prata ou ouro, feito na Índia.
kind [kaind], **1** — *s.* género, espécie, tipo, qualidade; casta; classe; modo; artigos, géneros.
nothing of that kind — nada que se pareça.
perfect in its kind — perfeito no seu género.
several kinds of things — várias espécies de coisas.
tea of a kind — chá de má qualidade.
something of the kind — qualquer coisa do género.
the law of kind — a lei da natureza.
to pay in kind — pagar em géneros.
2 — *adj.* generoso, bom, bondoso, afável, amável, benigno.
kind-hearted — bondoso.
be so kind as to — faça o favor de.
you are extremely kind — é muito amável.
this is very kind of you — é muita amabilidade da sua parte.
kindergarten ['kində'gɑ:tn], *s.* jardim infantil, escola infantil.
kindle [kindl], *vt.* e *vi.* acender, inflamar, atear, abrasar-se; animar-se, excitar.
kindler [-ə], *s.* agitador; animador, incitador.
kindliness ['kaindlinis], *s.* bondade, benevolência, afabilidade, boa índole.
kindling ['kindliŋ], *s.* fogo; entusiasmo; material para acender o lume; ignição.
kindly ['kaindli], **1** — *adj.* afável, bondoso, amável, benigno, acolhedor.
2 — *adv.* afavelmente, amavelmente.
kindness ['kaindnis], *s.* bondade, amabilidade, benevolência, generosidade; obséquio.
to treat with kindness — tratar com bondade.
to do someone a kindness — fazer um obséquio a alguém.
to kill with kindness — confundir com tantas amabilidades.
will you have the kindness to...? — quer fazer-me o favor de...?
kindred ['kindrid], **1** — *s.* parentesco, parentes; afinidade.
2 — *adj.* parente, aparentado; da mesma natureza.
kine [kain], *s.* (*pl. arc.* de **cow**) gado.
kinematograph [kaini'mætəgrɑ:f], *s.* cinematógrafo.
king [kiŋ], **1** — *s.* rei, monarca; rei (cartas de jogar e xadrez); dama (no jogo das damas).
king-killer — regicida.
king-eagle — águia real.
king-pin — *(mec.)* perno central; cavilha central.
king's English — inglês correcto.
king's evidence — testemunho de um réu contra os seus cúmplices.
the one-eyed man is a king among the blind — em terra de cegos quem tem um olho é rei.
the king is dead, long live the king — rei morto, rei posto.
the three kings of Cologne — os três Reis Magos.
kingcup [-kʌp], *s.* ranúnculo amarelo.
kingdom [-dəm], *s.* reino, monarquia; reino (mineral, vegetal, animal); região.
the United Kingdom — o Reino Unido.
kingfisher [-fiʃə], *s.* (zool.) alcião.
kinglike [-'laik], *adj.* real, régio, majestoso.
kingliness [-linis], *s.* carácter, dignidade ou majestade real.
kingly [-li], *adj.* régio, real, majestoso.
kingship [-ʃip], *s.* **majestade, realeza.**
kink [kiŋk], **1** — *s.* volta de cabo; dobra; prega; mania, excentricidade.
2 — *vt.* e *vi.* embaraçar-se, enrolar-se (cabo); torcer.
kinkled ['kiŋklid], *adj.* crespo, eriçado (cabelo).
kinky ['kiŋki], *adj.* com dobras ou pregas.
kinless ['kinlis], *adj.* sem parentes.
kinsfolk ['kinzfouk], *s.* parentela, parentes.
kinship ['kinʃip], *s.* parentesco.
the call of kinship — a voz do sangue.
kinsman ['kinzmən], *s.* parente.
kinsmanship [-ʃip], *s.* parentesco.
kinswoman [-wumən], *s. fem.* parente.
kiosk [ki'ɔsk], *s.* quiosque.
kip [kip], **1** — *s.* pele de animal (não curtida); (cal.) cama, bordel.
2 — *vi.* (*pret.* e *pp.* **kipped**) deitar-se, dormir.
kipper [-ə], **1** — *s.* salmão desovado; peixe curado ou defumado.
2 — *vt.* curar peixe ao fumo.
kirsch(wasser) ['kiəʃ(vɑ:sə)], *s.* licor feito com cereja brava.
kismet ['kizmet], *s.* destino, sorte.
kiss [kis], **1** — *s.* beijo.
to blow a kiss — atirar um beijo.
to snatch a kiss — roubar um beijo.
2 — *vt.* e *vi.* beijar, beijar-se.
to kiss the dust — humilhar-se.

to kiss the rod — aceitar um castigo com submissão.
kissing [-in], *s.* beijo, acção de beijar.
kissing-crust — lado da côdea de pão que ficou pegado a outro no forno.
kissing of hands — beija-mão.
kiss-me-quick [-mi:kwik], *s.* madressilva; (fam.) caracol sobre a testa, «caça-rapazes».
kit [kit], *s.* mochila de marinheiro ou de soldado; celha pequena; ferramenta de mecânico; estojo de viagem; gatinho; equipamento.
kit-inspection (mil.) — revista de roupa.
shooting-kit — equipamento de caça.
Kit [kit], *n. p.* diminutivo de **Catharine** e **Christopher.**
kitchen ['kitʃin,'kitʃən], *s.* cozinha.
kitchen-range — fogão de cozinha.
kitchen tackle — trem de cozinha.
travelling-kitchen (mil.) — cozinha de campanha.
kitchen-garden — horta.
kitchen-maid — ajudante de cozinha.
kitchen dresser — aparador de cozinha.
soup-kitchen — cozinha-económica.
kitchen-stuff — legumes.
kitchener ['kitʃinə,'kitʃənə], *s.* fogão de cozinha; cozinheiro-chefe de um convento.
kite [kait], **1** — *s.* milhano; papagaio de papel; papagaios (velas); letra de favor; tratante; caloteiro; gatuno.
kite-flying — modo de extorquir dinheiro por meio de letras de favor; acção de deitar papagaios de papel.
kite-baloon — balão.
to fly a kite — lançar um papagaio de papel; lançar um balão de ensaio; (fig.) tactear a opinião pública.
2 — *vt.* e *vi.* voar como um papagaio de papel; fazer subir como um papagaio de papel.
kith [kiθ], *s.* amigos, conhecidos.
kith and kin — amigos e parentes.
kitten [kitn], **1** — *s.* gatinho; rapariga que tem à-vontade.
2 — *vt.* e *vi.* parir (gata).
kittenish ['kitniʃ], *adj.* brincalhão; próprio de um gatinho.
kittiwake ['kitiweik], *s.* gaivota de asas compridas.
kittle [kitl], *adj.* intratável.
kittle cattle — pessoas intratáveis.
kitty ['kiti], *s.* gatinho.
kiwi ['ki:wi:], *s.* aptérix (ave neo-zelandesa); fruto comestível saboroso e perfumado da Nova Zelândia; *(col.)* soldado neo-zelandês.
klaxon [klæksn], *s.* buzina, cláxon.
klaxonhorn [-hɔ:n], *s.* ver **klaxon.**
kleptomania [kleptou'meinjə], *s.* cleptomania.
kleptomaniac [kleptou'meiniæk], *adj.* cleptomaníaco.
kloof [klu:f], *s.* ravina na África do Sul.
knack [næk], *s.* habilidade, jeito, destreza, expediente; tendência; ramerrão.
to have the knack of — ter habilidade para.
knacker [-ə], *s.* negociante de cavalos velhos; esfolador.
knackery [-əri], *s.* matadouro de cavalos.
knacky [-i], *adj.* habilidoso, hábil.
knag [næg], *s.* nó de madeira.
knaggy [-i], *adj.* nodoso; áspero.
knap [næp], **1** — *s.* cume, elevação, eminência.
2 — *vt.* (*pret.* e *pp.* **knapped**) partir, quebrar, britar.
knapper [-ə], *s.* britador; (col.) cabeça.
knapsack [-sæk], *s.* mochila; saco de alpinista ou de campismo.
knapweed [-wi:d], *s.* (bot.) grande centáurea.
knar [na:], *s.* nó (de árvore).
knave [neiv], *s.* patife, velhaco; valete (jogo de cartas).
knavery [-əri], *s.* velhacaria, patifaria.
knavish [-iʃ], *adj.* velhaco, tratante, patife.
knavish trick (fam.) — esperteza saloia.
knavishly [-iʃli], *adv.* velhacamente.
knavishness [-iʃnis], *s.* velhacaria, patifaria.
knead [ni:d], *vt.* amassar, juntar, ligar.
kneader [-ə], *s.* amassador.
kneading [-iŋ], *s.* e *adj.* acto de amassar; que amassa.
kneading-trough — masseira.
knee [ni:], **1** — *s.* joelho; curva; ângulo.
knee-deep — até aos joelhos.
knee-breeches — calções até aos joelhos.
on one's knees — de joelhos.
to be on the knees of the gods — ser problemático, incerto.
to bow the knee (fig.) — submeter-se.
to bring a person to his knees — submeter alguém.
knee-cap (knee-pan) — rótula.
knee-joint — articulação do joelho.
knee-piece — joelheira.
to bend the knee — dobrar o joelho.
knee to knee — lado a lado.
2 — *vt.* tocar com joelho; fazer joelheiras nas calças.
kneel [ni:l], *vi.* (*pret.* e *pp.* **knelt** [nelt]). ajoelhar, ajoelhar-se.
kneeling [-iŋ], **1** — *s.* genuflexão.
kneeling-stool — genuflexório.
2 — *adj.* ajoelhado, de joelhos.
knell [nel], **1** — *s.* dobre de sinos.
to toll the knell — dobrar a finados.
2 — *vt.* e *vi.* dobrar os sinos.
knelt [-t], *pret.* e *pp.* de **to kneel.**
knew [nju:], *pret.* de **to know.**
knickerbocker(s) ['nikəbɔkə(z)], *s. pl.* cuecas de mulher apertadas debaixo do joelho; calças de golfe.
knickers ['nikəz], *s. pl.* cuecas de senhora.
knick-knack ['niknæk], *s.* brinquedo; bugiganga; ninharia, bagatela.
knick-knackery [-əri], *s.* bugigangas; ninharias.
knife [naif], **1** — *s.* faca; punhal; navalha.
pocket-knife — navalha; canivete.
carving-knife — faca de trinchar.
pen-knife — canivete.
pruning-knife — podadeira.
to play a good knife and fork — ser um bom garfo; comer muito.
knife-edge — fio de uma faca.
knife-grinder — amolador de facas e navalhas.
knife-and-fork meal — refeição de faca e garfo.
knife file — lima-faca.
knife handle — cabo de faca.
fish-knife — faca de peixe.
dessert-knife — faca de sobremesa.
kitchen-knife — faca de cozinha.
table-knife — faca de carne.
2 — *vt.* esfaquear, apunhalar.
knight [nait], **1** — *s.* cavaleiro (título honorífico); campeão; cavalo (no xadrez).
knight-errant — cavaleiro andante.
knight of the Garter — cavaleiro da Ordem da Jarreteira.
the knights of the Round Table — os cavaleiros da Távola Redonda.
2 — *vt.* armar cavaleiro; dar a categoria de cavaleiro.
knighthood [-hud], *s.* cavalaria; dignidade de cavaleiro.
knightly [-li], **1** — *adj.* cavalheiresco; próprio de cavaleiro.
2 — *adv.* cavalheirescamente; como um cavaleiro.

knit [nit], **1** — *s.* trabalho de malha.
2 — *vt.* e *vi.* (*pret.* e *pp.* **knitted** ou **knit**) fazer malha; unir, atar, ligar; contrair.
to knit the eyebrows — franzir as sobrancelhas.
knitted fabric — artigo de malha.
knitter [-ə], *s.* pessoa que faz trabalhos de malha.
knitting [-iŋ], *s.* trabalho de malha; união, ligação.
knitting-machine — máquina de tricotar.
knitting-needle — agulha de malha.
knittle [-l], *s.* (náut.) amarra, cabo de ferrar, gaxeta.
knitwear [-wɛə], *s.* roupas de malha.
knob [nɔb], **1** — *s.* protuberância, inchaço; corcova; nó; botão; puxador, maçaneta; castão de bengala.
2 — *vt.* e *vi.* (*pret.* e *pp.* **knobbed**) formar saliência, arquear.
knobbed [-d], *adj.* com protuberância, arqueado.
knobby ['nɔbi], *adj.* nodoso, cheio de protuberâncias ou nós.
knobstick ['nɔbstik], *s.* bengala com castão.
knock [nɔk], **1** — *s.* golpe, pancada, toque.
knock-out — soco que inutiliza o adversário (boxe).
a knock at the door — uma pancada na porta.
a nasty knock — uma forte pancada.
2 — *vt.* e *vi.* bater; chocar; ir de encontro a; espancar; impressionar.
to knock about — desancar; (fam.) vaguear; levar vida dissoluta.
to knock against — ir de encontro a.
to knock at the door — bater à porta.
to knock down — derrubar; entregar em leilão; diminuir os preços de.
to knock in (into) — arrombar.
to knock off — largar o trabalho; quebrar; abater.
to knock out — fazer sair à força de pancadas; vencer, submeter; (boxe) derrotar.
to knock up — acordar, obrigar a levantar (batendo à porta).
to knock the bottom out of — refutar (um argumento).
to knock cold — deitar abaixo; fazer perder os sentidos.
to knock in a nail — pregar um prego.
to be knocked down in an exam (cal.) — ficar reprovado pela segunda vez num exame.
knocker [-ə], *s.* o que bate; batente de uma porta; aldraba; pára-choques.
knocking [iŋ], *s.* pancada, golpe, acção de bater.
knock-kneed ['nɔkni:d], *adj.* cambaio.
knoll [noul], **1** — *s.* outeirinho; cume, cabeço.
2 — *vt.* e *vi.* (arc.) tocar (sino).
knot [nɔt], **1** — *s.* nó, laço, laçada, vínculo; dificuldade, embaraço; nó, milha náutica; bando, grupo.
running-knot (slip knot) — nó corredio.
knot-grass — corriola (erva).
Gordian knot — nó górdio.
dead knot — nó cego.
the wedding-knot — os laços do matrimónio.
to tie a knot — dar um nó.
to seek a knot in a rush — procurar agulha em palheiro.
2 — *vt.* e *vi.* (*pret.* e *pp.* **knotted**) dar nós, atar, fazer nós.
knotted [-id], *adj.* com nós.
knottiness [-inis], *s.* nodosidade, abundância de nós; embaraço, dificuldade.
knotting [-iŋ], *s.* acção de atar com nós.
knotty [-i], *adj.* nodoso; duro; difícil, espinhoso, intrincado.
a knotty problem — (col.) um bico-de-obra.
knout [naut], **1** — *s.* chicote usado na Rússia para castigo.
2 — *vt.* chicotear.
know [nou], **1** — *s.* conhecimento
2 — *vt.* e *vi.* (*pret.* **knew** [nju:], *pp.* **known**. [noun]), saber, conhecer; distinguir; compreender; (bíbl.) coabitar com.
to know again — reconhecer.
to know of — estar ao facto de.
to know by heart — saber de cor.
to know the ropes — conhecer por fora e por dentro; conhecer de olhos fechados.
to know by sight — conhecer de vista.
to know by name — conhecer de nome.
to know thoroughly — saber, conhecer a fundo.
to know one's own mind — não vacilar.
to know what's what — conhecer bem uma coisa; ser muito esperto.
to let know — informar de; dar parte de.
not that I know of — não que eu saiba.
ask and you will know — (col.) quem tem boca vai a Roma.
I should not know him from Adam — não o reconhecia.
to know what one is about — ser perspicaz, prudente.
as far as I know — pelo que sei.
for all I know — pelo que sei.
to know for certain — saber ao certo.
to know one's place — não abusar.
to come to know (to get to know) — vir a saber.
to make oneself known — dar-se a conhecer; apresentar-se.
to know how many beans make five (col.) — saber viver.
everything gets known — tudo se sabe.
knowable [-əbl], *adj.* que se pode saber ou conhecer.
knowing [-iŋ], **1** — *s.* conhecimento.
2 — *adj.* instruído; hábil, sagaz; astucioso.
knowingly [-iŋgli], *adv.* com conhecimento; astuciosamente; intencionalmente; sagazmente.
knowledge ['nɔlidʒ], *s.* conhecimento; ciência, saber; inteligência; erudição; habilidade.
to the best of my knowledge and belief — no meu fraco entendimento; tanto quanto eu sei.
not to my knowledge — sem eu saber.
it came to my knowledge — chegou ao meu conhecimento.
known [noun], *pp.* de **to know.**
to make known — tornar conhecido, fazer saber.
know-nothing ['nounʌθiŋ], *s.* e *adj.* ignorante, estúpido; agnóstico.
know-nothingism [-izm], *s.* agnosticismo.
know-nothingness [-nis], *s.* agnosticismo.
knuckle [nʌkl], **1** — *s.* articulação dos dedos; junta, articulação; jarrete de vitela.
knuckle-joint — articulação; juntura.
2 — *vt.* bater com os nós dos dedos; submeter-se, render-se.
to knuckle down — render-se; dar-se por vencido.
to knuckle under — submeter-se; ceder.
knur [nə:], *s.* nó (de árvore).
knurl [-l], **1** — *s.* protuberância, saliência; nó; serrilha.
2 — *vt.* serrilhar.
koala [kou'a:lə], *s.* (*zool.*) cuala, urso-da-austrália.
kodak ['koudæk], **1** — *s.* máquina fotográfica marca «Kodak»; (col.) máquina fotográfica para instantâneos.
2 — *vt.* fotografar; (*fig.*) esboçar.
kohlrabi ['koul'ra:bi], *s.* rábano.

kola ['koulə], *s.* (bot.) cola.
kola-nut — noz de cola.
koodoo ['ku:du:], *s.* nome de um antílope da África.
kopeck ['koupek], *s.* copeque, nome de moeda russa.
Koran [kɔ'rɑ:n], *s.* Corão, Alcorão.
Korea [kə'riə], *top.* Coreia.
Korean [-n], *s.* e *adj.* coreano.
kraft [krɑ:ft], *s.* papel forte de embrulho.
Kremlin ['kremlin], *s.* cidadela de Moscovo.
krone ['krounə], *s.* coroa (moeda) dinamarquesa, sueca e norueguesa; antiga moeda alemã.
kyloe ['kailou], *s.* boi ou vaca das Hébridas.

L

L, l [-el], (*pl.* **L's, l's** [-z]), L, l, décima segunda letra do alfabeto.
L iron — ferro em L.
la [lɑ:], *s.* lá (nota musical).
laager ['lɑ:gə], *s.* acampamento de carros de bois.
lab [læb], *s.* abrev. de **labour** e **laboratory.**
label [leibl], **1** — *s.* rótulo, etiqueta, letreiro; nota; moldura saliente de janela gótica; lambel; (bot.) labelo.
2 — *vt.* rotular; pôr etiqueta(s); marcar; classificar; registar.
labelling [-iŋ], *s.* colocação de rótulos ou etiquetas.
labelling-machine — máquina de rotular.
labia ['leibiə], *s. pl.* de **labium.**
labial [-l], **1** — *s.* labial, consoante labial.
2 — *adj.* labial.
labialization [-lai'zeiʃən], *s.* labialização.
labialize [-laiz], *vt.* labializar.
labiodental ['leibioudentl], *s.* e *adj.* labiodental.
labionasal [leibiou'neizəl], *s.* e *adj.* labionasal.
labium ['leibiəm], *s.* lábio (da vulva).
laboratory [lə'bɔrətəri], *s.* laboratório.
laborious [lə'bɔ:riəs], *adj.* laborioso, trabalhador, diligente, activo; penoso, difícil, trabalhoso; fatigante. (*Sin.* diligent; tiring.)
laboriously [-li], *adv.* laboriosamente; penosamente.
laboriousness [-nis], *s.* trabalho, esforço, afã; diligência; fadiga; dificuldade, custo.
labour ['leibə], **1** — *s.* trabalho; lida; obra; esforço; fadiga; dores de parto; os trabalhadores, as classes trabalhadoras, o operariado.
hard labour — trabalhos forçados.
labour of love — trabalho gratuito, feito por gosto.
lost labour — trabalho perdido.
Labour Party — partido trabalhista.
Labour Day — dia dos operários (1.º de Maio).
Labour member — deputado trabalhista.
labour-market — mão-de-obra.
labour union — união de trabalhadores; espécie de sindicato.
manual labour — trabalho manual.
Minister of Labour — Ministro do Trabalho.
skilled labour — trabalho especializado.
2 — *vt.* e *vi.* trabalhar; afanar-se, afadigar-se, esforçar-se por; executar; trabalhar com dificuldade.
to labour under a mistake — laborar em erro.
laboured [-d], *adj.* elaborado, bem acabado; engenhoso; perfeito; laborioso, difícil, trabalhoso.
labourer [-rə], *s.* trabalhador, operário; jornaleiro.
day-labourer — jornaleiro.
labouring [-riŋ], *s.* e *adj.* trabalho, lida, fadiga; de trabalho; laborioso, trabalhador.
labouring man — homem que trabalha, laborioso.
labouring class — classe trabalhadora.
labouring heart — coração palpitante.
labourite [-rait], *s.* trabalhista, membro do partido trabalhista.
laboursome [-səm], *s.* duro para o mar (navio).
Labrador ['læbrədɔ:], *top.* Labrador.
Labradorian [læbrə'dɔ:riən], *s.* e *adj.* natural do Labrador; relativo ao Labrador; do Labrador.
laburnum [lə'bə:nəm], *s.* laburno (bot.).
labyrinth ['læbərinθ], *s.* labirinto; confusão.
labyrithian [læbə'rinθiən], *adj.* labiríntico; confuso, intrincado.
labyrinthine [læbə'rinθain], *adj.* labiríntico; confuso, intrincado.
lac [læk], *s.* laca, goma-laca.
lace [leis], **1** — *s.* atacador; cordão; laço; renda; fita; galão; passamanaria.
point lace — renda de agulha.
bone lace — renda de bilros.
lace maker — fabricante de rendas.
gold lace — galão, fita com fios de ouro.
2 — *vt.* e *vi.* apertar com cordões ou atacadores, atacar, atar; guarnecer de rendas; agaloar; espancar; (náut.) fazer uma cosedura; misturar uma bebida alcoólica com outra mais fraca.
Lacedaemon [læsi'di:mən], *top.* Lacedemónia.
Lacedaemonian [læsidi'mounjən], *adj.* e *s.* lacedemónio.
lacerate ['læsəreit], *vt.* dilacerar, lacerar; despedaçar, rasgar.
laceration [læsə'reiʃən], *s.* laceração, dilaceração.
lacerative ['læsərətiv], *adj.* lacerante, dilacerante.
lacertiform [lə'sə:tifɔ:m], *adj.* lacertiforme, semelhante a lagarto.
laches ['leitʃiz,'lætʃiz], *s.* negligência, desleixo, desatenção; (jur.) demora não justificada.
lachrymal ['lækriməl], *adj.* lacrimal.
lachrymator ['lækrimeitə], *s.* gás lacrimogénio.
lachrymatory ['lækrimətəri], **1** — *adj.* lacrimatório; lacrimal.
2 — *s.* vaso de vidro para recolher as lágrimas.
lachrymose ['lækrimous], *adj.* lacrimoso.
lachrymosely [-li], *adv.* lacrimosamente.
lacing ['leisiŋ], *s.* acção de atar, atadura; laço, cordão; (fam.) sova, tareia; galão; cosedura (náut.).
lacing-hole — ilhó.
lack [læk], **1** — *s.* falta, carência, necessidade. (*Sin.* want, need, shortage, scarcity.)
lack-lustre — sem brilho.
lack-a-day! — maldito dia!, ai de mim!
for lack of — por falta de.
for lack of something better — à falta de melhor.

2 — *vt.* e *vi.* faltar, carecer, ter necessidade; não ter; não haver.
money was lacking — havia falta de dinheiro.
lackadaisical [lækə'deizikəl], *adj.* lânguido; triste; indiferente; de aspecto indolente; sentimental; pensativo; afectado.
lackaday ['lækədei], *interj.* maldito dia!, ai de mim!
lacker ['lækə], 1 — *s.* laca; verniz; trabalho em laca.
2 — *vt.* lacar; envernizar.
lackerer [-rə], *s.* envernizador.
lackering [-riŋ], *s.* envernizamento com laca; mão de verniz; lacagem.
lackey ['læki], *s.* lacaio; (fig.) adulador.
lacking ['lækiŋ], *s.* e *adj.* falta, carência, necessidade; falto de, necessitado.
to be lacking in — ter falta de.
lackland ['læklænd], *s.* indivíduo que não possui terras.
John Lackland — João Sem-Terra.
Laconia [lə'kounjə], *top.* Lacónia.
Laconian [-n], *s.* e *adj.* laconiano.
laconic [lə'kɔnik], *adj.* lacónico; breve, conciso.
laconically [-əli], *adv.* laconicamente.
laconism ['lækounizm], *s.* laconismo.
lacquer ['lækə], *s.* e *vt.* ver **lacker.**
lacquerer [-rə], *s.* envernizador.
lacquering [-riŋ], *s.* envernizamento com laca; mão de verniz; lacagem.
lacquey ['læki], *s.* ver **lackey.**
lacrosse [lə'krɔs], *s.* jogo canadiano que se pratica com bola e raquetes curvas.
lactary ['læktəri], *adj.* lactário.
lactase ['lækteis], *s.* (quím.) lactase.
lactate ['lækteit], *s.* (quím.) lactato.
lactation [læk'teiʃən], *s.* lactação.
lacteal ['læktiəl], *adj.* lácteo.
lactic ['læktik], *adj.* láctico.
lactic acid — ácido láctico.
lactifuge ['læktifju:dʒ], *s.* lactífugo.
lactometer [læk'tɔmitə], *s.* lactómetro.
lactose ['læktous], *s.* (quím.) lactose.
lacuna [lə'kju:nə], *s.* lacuna, falta.
lacunae [lə'kju:ni:], *s. pl.* de **lacuna.**
lacustrian [lə'kʌstriən], *adj.* lacustre.
lacustrine [lə'kʌstrain], *adj.* lacustre.
lacy ['leisi], *adj.* semelhante a renda; rendado; rendilhado.
lad [læd], *s.* moço, rapaz; jovem; homem; mancebo.
ladder ['lædə], *s.* escada de mão; malha caída (em meia, camisola, etc.); graduação.
companion-ladder — (náut.) escada do tombadilho; escada da câmara.
rope-ladder — escada de corda.
I've just made a ladder — caiu-me agora uma malha na meia.
ladder-mender — apanhadeira de malhas (em meias); máquina de apanhar malhas.
step-ladder — escada de mão.
lade [leid], *vt.* carregar um navio; fazer água (náut.).
laden [-n], *adj.* carregado, cheio; prostrado, abatido.
heavily laden — abarrotado; abatido, oprimido.
laden in bulk — com carga a granel.
ladin [lə'di:n], *s.* ladim, ladino, romanche.
lading ['leidiŋ], *s.* carga, carregamento; frete; embarque de mercadorias num navio.
bill of lading — conhecimento de embarque.
Ladislaus ['lædislɔ:s], *n. p.* Ladislau.
ladle [leidl], 1 — *s.* concha, colher grande (de sopa); colher de fundição; colherão.
2 — *vt.* deitar ou tirar com colherão.
to ladle out soup — servir a sopa com concha.
ladleful [-ful], *s.* colherada; concha cheia.
Ladrones [lə'drounz], *top.* Ladrões (ilhas).
lady ['leidi], *s.* senhora; dona de casa; título honorífico, feminino de "lord"; esposa; amada.
young lady — moça, menina, rapariga.
lady help — governanta; dama de companhia.
lady's maid — criada grave.
lady doctor — médica.
lady-in-waiting — dama de companhia ou dama de honor; açafata.
a perfect lady — uma senhora de educação esmerada.
lady-killer — galanteador; "D. João"; conquistador.
Our Lady — Nossa Senhora.
Lady Mayoress — esposa do "Lord Mayor", presidente do município.
Ladies and gentlemen! — (Minhas) senhoras e (meus) senhores!
lady-apple — maçã camoesa.
Lady Chapel — capela dedicada a Nossa Senhora, numa igreja, situada atrás do altar-mor.
Lady Day — dia da Anunciação de Nossa Senhora (25 de Março).
ladybird ['leidibə:d], *s.* joaninha; escaravelho; boi de Deus.
ladyfy ['leidifai], *vt.* tratar como senhora.
ladylike ['leidilaik], *adj.* senhoril, próprio de senhora; distinto; delicado; efeminado.
ladyship ['leidiʃip], *s.* título honorífico das senhoras nobres, excelência.
Your Ladyship — Vossa Excelência (tratamento dado a uma "Lady").
Laertes [lei'ə:ti:z], *n. p.* Laerte(s).
Laertius [lei'ə:ʃijəs], *n. p.* Laércio.
lag [læg], 1 — *s.* atraso, retardamento; o último, o que vem no fim ou atrás; retardação de movimento (fís.); cobertura, revestimento (de cilindro, de tambor, etc.); (fam.) cadastrado.
2 — *vt.* e *vi.* demorar(-se), retardar(-se), atrasar(-se); ir devagar; afrouxar; ficar para trás; deportar; prender, capturar; mandar para a prisão; revestir.
to lag behind — ficar para trás.
lager(beer) ['lagə:(biə)], *s.* tipo de cerveja alemã.
laggard ['lægəd], *s.* e *adj.* ronceiro, retardatário, vagaroso, tardio, (col.) lesma.
lagger ['lægə], *s.* retardatário, ronceiro, (col.) lesma.
lagging ['læging], *s.* e *adj.* atraso, retardamento; revestimento, forro isolador; demorado, ronceiro, vagaroso, lento.
lagoon [lə'gu:n], *s.* lagoa; charco; laguna, ria.
Lagos ['leigɔs], *top.* Lagos (na Nigéria).
lagune [lə'gu:n], *s.* ver **lagoon.**
Lahore [lə'hɔ:], *top.* Lahore (no Paquistão).
laic ['leiik], *adj.* e *s.* laico, leigo, secular.
laical [-əl], *adj.* laico, leigo, secular.
laicization [leiisai'zeiʃən], *s.* laicização.
laicize ['leiisaiz], *vt.* laicizar.
laid [leid], *pret.* e *pp.* do verbo **to lay** e *adj.* posto, colocado; deitado; estendido.
laid up — de cama; acumulado (dinheiro); desarmado, amarrado (navio).
laid out — exposto à vista; planeado (jardim, etc.).
lain [lein], *pp.* do verbo **to lie (lay, lain).**
lair [lɛə], *s.* covil, toca, fojo, caverna; sepultura, cova.
laird [lɛəd], *s.* proprietário de terras na Escócia.
laity ['leiiti], *s.* os leigos; o estado laico ou secular.
lake [leik], *s.* lago; laca, goma-laca.
lake dwelling — habitação lacustre.

Lake District — região dos lagos na Inglaterra (Westmoreland, Cumberland, Lancashire).
the Lake Poets — grupo de poetas românticos ingleses, que viveram no "Lake District" (Wordsworth, Coleridge, Southey).
the Great Lakes — os Grandes Lagos (dos Estados Unidos).
lakelet [-lit], *s.* pequeno lago.
lallation [læ'leiʃən], *s.* **lalação; balbucio.**
lam [læm], *vt.* (col.) bater, sovar.
lama ['lɑ:mə], *s.* lama, sacerdote budista; monge do Tibete; lama, alpaca, quadrúpede do Perú (o mesmo que **llama**).
lamasery ['lɑ:məsəri], *s.* convento de "lamas".
lamb [læm], *s.* cordeiro; (fig.) pessoa ingénua, simples; criancinha.
a wolf in lamb's clothing — um lobo com pele de cordeiro.
as meek as a lamb — manso como um cordeiro.
we may as well be hanged for a sheep as a lamb — perdido por um, perdido por mil.
the Lamb of God — o Cordeiro de Deus.
lambda ['læmdə], *s.* lambda, letra grega.
lambdacism [-sizm], *s.* la(m)bdacismo.
lambency ['læmbənsi], *s.* cintilação; brilho.
lambent ['læmbənt], *adj.* cintilante; brilhante; ligeiro.
lambkin ['læmkin], *s.* cordeirinho.
lambrequin ['læmbəkin], *s.* lambrequim; sanefa.
lambskin ['læmskin], *s.* pele de cordeiro, pelica.
lame [leim], **1** — *adj.* coxo; aleijado; defeituoso, deficiente, imperfeito. (*Sin.* crippled, limp.)
lame excuse — desculpa de mau pagador.
lame story — história inverosímil.
2 — *vt.* aleijar, estropiar.
lamella [lə'melə], *s.* lamela.
lamellae [lə'meli], *s. pl.* de **lamella.**
lamellar [lə'mələ], *adj.* lameliforme, laminar, lamelar.
lamely ['leimli], *adv.* imperfeitamente, deficientemente, incompletamente; coxeando.
lameness ['leimnis], *s.* coxeadura, acto de coxear; claudicação; defeito, deficiência, imperfeição; fraqueza.
lament [lə'ment], **1** — *s.* lamento, lamentação, queixume, queixa; elegia. (*Sin.* lamentation, complaint, mourning.)
2 — *vt.* e *vi.* lamentar, deplorar, prantear, lastimar; lamentar-se.
lamentable ['læməntəbl], *adj.* lamentável, deplorável, lastimável.
lamentably [-i], *adv.* lamentavelmente, deploravelmente.
lamentation [læmen'teiʃən], *s.* lamentação, queixume, lamento.
lamented [lə'mentid], *adj.* chorado, deplorado, lastimado.
lamenting [lə'mentiŋ], *s.* e *adj.* lamentação, lamento; lamentoso, que se lamenta, choroso; triste, lúgubre.
lamentingly [-li], *adv.* de modo lamentoso, com lamentação, chorosamente.
lamina ['læminə], *s.* lâmina; lamela; chapa.
laminae ['læmini:], *s. pl.* de **lamina.**
laminar ['læminə], *adj.* laminar; laminoso.
laminate ['læmineit], *vt.* e *vi.* laminar, dividir ou separar em lâminas; laminar-se.
laminated [-id], *adj.* laminado; contraplacado.
laminating [-iŋ], *s.* acção de laminar; laminação.
lamination [læmi'neiʃən], *s.* laminação, laminagem.
Lammas ['læməs], *s.* festa dos frutos (dia 1 de Agosto).
latter Lammas — dia incerto, que nunca chega; "calendas gregas".
lamming ['læmiŋ], *s.* (col.) tareia, sova.
lamp [læmp], **1** — *s.* lâmpada; candeeiro; lamparina; lanterna; candeia; (cal.) olho.
lamp-post — candeeiro de iluminação pública.
street-lamp — candeeiro público.
lamp-bulb — lâmpada eléctrica.
lamp-chimney — chaminé de candeeiro.
lamp-cord — fio de ligação de candeeiro ou lâmpada.
lamp-holder — suporte de lâmpada.
safety-lamp — lâmpada de segurança.
lamp globe — globo de candeeiro.
lamp-shade — quebra-luz.
lamp-screen — quebra-luz.
lamp wick — torcida.
oil lamp — candeia, candeeiro de petróleo.
spirit lamp — lâmpada de álcool.
pocket lamp — lanterna de bolso.
standard lamp — candeeiro de pé.
lamp-black — fuligem; negro-de-fumo.
lamp-lighter — lampianista, indivíduo encarregado de acender e apagar os candeeiros de iluminação pública.
2 — *vt.* e *vi.* pôr lâmpadas, prover de lâmpadas; iluminar; brilhar, luzir, reluzir.
lampas ['læmpəs], *s.* lampa, tipo de seda; fava, doença de cavalos.
lampblack ['læmpblæk], *s.* fuligem; negro--de-fumo.
lampern ['læmpən], *s.* lampreia.
lampion ['læmpiən], *s.* lamparina de vidro.
lamplight ['læmplait], *s.* luz de candeeiro ou de lâmpada.
lamplighter [-ə], *s.* lampianista, indivíduo encarregado de acender e apagar os candeeiros de iluminação pública.
lampoon [læm'pu:n], **1** — *s.* libelo difamatório; pasquim.
2 — *vt.* satirizar; escrever pasquins, pasquinar; ridicularizar.
lampooner [-ə], *s.* autor de pasquins, pasquineiro.
lampoonery [-əri], *s.* carácter **pasquineiro;** sátira; crítica difamatória.
lampoonist [-ist], *s.* ver **lampooner.**
lamprey ['læmpri], *s.* lampreia.
lance [lɑ:ns], **1** — *s.* lança; pique; lanceta.
2 — *vt.* ferir com lança; lancetar.
to lance a boil — lancetar um abcesso.
to break a lance for someone — quebrar lanças por alguém.
lance-corporal [lɑ:ns'kɔpərəl], *s. (mil.)* soldado com atribuições de cabo.
Lancelot ['lɑ:nslət], *n. p.* Lancelote, Lançarote.
lancer ['lɑ:nsə], *s.* lanceiro.
a set of lancers — uma quadrilha de lanceiros.
lancet ['lɑ:nsit], *s.* lanceta; ogiva.
lancet arch — arco em ogiva.
lanciform ['lɑ:nsifɔ:m], *adj.* lanciforme; ogival.
lancinating ['lɑ:nsineitiŋ], *adj.* lancinante.
lancing ['lɑ:nsiŋ], *s.* lancetada.
land [lænd], **1** — *s.* terra, terreno; território; país; nação, povo; região, província; terra firme; continente; bens de raiz.
the land of the living — a terra dos vivos.
land-agency — agência de venda de propriedades.
land-bank — banco hipotecário.
land-surveying — agrimensura.
land-tax — imposto sobre bens de raiz.
land-surveyor — agrimensor.
land-waiter — verificador da alfândega.
land-girl — rapariga que trabalha no campo.
Women's Land Army — Exército Agrícola Feminino.

to travel by land — viajar por terra.
by sea and land — por mar e por terra.
land-jobber — aquele que especula em terras.
to make the land — demandar a terra.
to go from Land's End to John O'Groats — correr Seca e Meca.
land breeze — brisa terrestre.
to see how the land lies — ver em que pé estão as coisas.
main land — terra firme, continente.
land-owner — proprietário de terras.
land-lubber — pessoa que nunca embarcou.
land-forces — exército de terra.
to spy out the land (fig.) — apalpar o terreno.
land-act — lei agrária.
land animal — animal terrestre.
land-cruiser — carro de assalto; tanque.
land beef (bot.) — borragem.
Land League — Liga Agrária.
land of cakes — Escócia.
land-warfare — guerra terrestre.
land-worker — trabalhador agrícola.
land of nod — sono.
my native land — a minha terra natal, o meu país.
waste land — terra inculta.
to come to land — entrar num porto.
the Promised Land — a Terra Prometida.
to do a land-office business — fazer um negócio muito bom.
to lay the land — perder a terra de vista.
2 — *vt.* e *vi.* desembarcar; ir a terra; aterrar; descarregar, pôr em terra; (col.) pescar; conseguir.
she landed a rich man — ela conseguiu "pescar" um homem rico.

landau ['lændɔ:], *s.* landó.
landed ['lændid], *adj.* desembarcado; descarregado; que tem terras.
landed proprietor — proprietário de terras.
lander ['lændə], *s.* (col.) soco em cheio no rosto (no boxe).
landfall ['lændfɔ:l], *s.* primeira terra descoberta em viagem; aterragem.
landgrabber ['lændgræbə], *s.* extorquidor de terras.
landgrabbing ['lændgræbiŋ], *s.* extorsão de terras.
landgrave ['lændgreiv], *s.* landegrave, landegrávio.
landholder ['lændhouldə], *s.* proprietário rural.
landing ['lændiŋ], **1** — *s.* desembarque; descarga; aterragem; patamar.
landing charges — despesas de descarga.
landing order — despacho de desembarque ou de descarga.
landing-place — cais de desembarque.
landing stage — desembarcadouro flutuante.
landing-net — camaroeiro.
landing crew — pessoal técnico de terra.
landing field — campo de aterragem.
landing ground — aeródromo.
landing strip — pista de aterragem.
landing pier — molhe de desembarque.
landlady ['lænleidi], *s.* proprietária; senhoria; dona de hospedaria.
landless ['lændlis], *adj.* sem terras.
landlocked ['lændlɔkt], *adj.* cercado de terras; defendido por terras; ao abrigo da terra.
landlocked sea — mar interior.
landlord ['lænlɔ:d], *s.* proprietário; senhorio; dono de hospedaria; patrão; dono de terras, proprietário de terrenos ou bens imóveis.
landmark ['lændmɑ:k], *s.* limite, marco, baliza; ponto de referência; reconhecimento; marco miliário; acontecimento histórico; descoberta extraordinária, que faz época.

landocracy [læn'dɔkrəsi], *s.* (col.) aristocracia rural.
landowner ['lændounə], *s.* proprietário rural.
landrail ['lændreil], *s.* (zool.) francolim.
landscape ['lænskip], *s.* paisagem, panorama; vista; quadro representando paisagem.
landscape-painter — pintor paisagista.
landscape-garden — jardim que imita a paisagem natural.
landscape-gardener — arquitecto paisagista; jardineiro que imita a natureza.
landscapist [-ist], *s.* pintor paisagista.
landslide ['lændslaid], *s.* desmoronamento (de uma encosta); (E. U.) derrota política esmagadora.
landslip ['lændslip], *s.* desmoronamento de terrenos, desabamento.
landsman ['lændzmən], *s.* camponês; homem que faz a sua vida em terra (em contraste com a vida no mar).
landswoman ['lændzwumən], *s.* camponesa.
landswomen ['lændzwimin], *s. pl.* de **landswoman.**
landward ['lændwəd], **1** — *adj.* do lado da terra; (Esc.) camponês.
2 — *adv.* para terra, em direcção à terra.
landwards [-z], *adv.* em direcção à terra, para terra.
lane [lein], *s.* rua estreita; beco; passadiço; travessa; ala aberta entre pessoas.
country lane — azinhaga, congosta.
langrage ['læŋgridʒ], *s.* (náut.) metralha.
lang syne ['læŋ'sain], **1** — *s.* (Esc.) tempo passado, os tempos de outrora.
2 — *adv.* (Esc.) antigamente, nos tempos de outrora.
language ['læŋgwidʒ], *s.* linguagem, língua, idioma; estilo.
language master — professor de línguas.
strong language — linguagem violenta.
bad language — linguagem grosseira.
modern languages — línguas vivas, línguas modernas.
living languages — línguas vivas.
dead languages — línguas mortas.
finger language — mímica.
Languedocian [læŋgə'douʃiən], *s.* do Languedoque.
languid ['læŋgwid], *adj.* lânguido, langoroso; débil, sem vigor; indolente; exausto; desanimado. (*Sin.* feeble, weary, drooping, flagging, pining, languishing. *Ant.* vigorous.)
languidly [-li], *adv.* languidamente; lentamente; apaticamente.
languidness [-nis], *s.* languidez, prostração, abatimento; definhamento; desfalecimento.
languish ['læŋgwiʃ], *vi.* definhar; desfalecer; consumir-se; olhar com ternura, com languidez.
to languish for — ansiar por.
languishing [-iŋ], **1** — *s.* definhamento; desfalecimento.
2 — *adj.* lânguido, desfalecido, abatido.
languishingly [-iŋli], *adv.* lânguidamente; ternamente.
languishment [-mənt], *s.* languidez; abatimento; ternura de olhar.
languor ['læŋgə], *s.* langor, desfalecimento, prostração.
languorous [-rəs], *adj.* langoroso, lânguido; desanimado.
languorously [-rəsli], *adv.* languidamente; dèbilmente.
laniard ['lænjəd], *s.* ver **lanyard.**
laniary ['læniəri], *s.* e *adj.* canino; dente canino.
laniferous [læ'nifərəs], *adj.* lanífero.
lanigerous [læ'nidʒərəs], *adj.* lanígero.

lank [læŋk], *adj.* frouxo, mole; magro; encolhido; liso, escorrido (cabelo).
to grow lank — emagrecer.
lank hair — cabelo escorrido.
lankily [-ili], *adv.* frouxamente; de maneira esgalgada.
lankiness [-inis], *s.* frouxidão; magreza.
lankness [-nis], *s.* magreza; aspecto escorrido do cabelo.
lanky [-i], *adj.* frouxo, mole; magro, esgalgado, alto e magro.
lanoline ['lænəli:n], *s.* lanolina.
lansquenet ['lænskənit], *s.* lansquenete; lansqueneta.
lantern ['læntən], *s.* lanterna; farol; clarabóia.
dark lantern — lanterna de furta-fogo.
lantern views — projecções luminosas.
lantern-jawed — de rosto chupado.
magic lantern — lanterna mágica.
lanthorn ['læntən], *s.* lanterna.
lanuginous [lə'nju:dʒinəs], *adj.* (bot.) lanuginoso.
lanyard ['lænjəd], *s.* correia; corda; passadeira; corda que prende os toldos às bordas dos escaleres; (náut.) arrida; colhedor de bigotas.
Lao ['leiou], *top.* Laos.
Laocoon [lei'ɔkouɔn], *n. p.* Laocoonte.
Laos [lauz], *top.* Laus.
Laotian ['lauʃiən], *s.* e *adj.* lauciano.
lap [læp], **1** — *s.* aba (de vestuário); regaço, colo; dobra; bainha; sobreposição longitudinal (de tábuas, chapas, etc.); batimento das ondas na praia.
lap-dog — cão de regaço.
lap-eared — de orelhas pendentes.
lap-joint — junta sobreposta.
lap-stone — pedra de bater sola.
lap of the ear — lóbulo da orelha.
2 — *vt.* e *vi.* (*pret.* e *pp.* **lapped**) dobrar; embrulhar; enrolar; sorver, lamber; beber como os cães; sobrepor; sobrepor-se; percorrer uma volta (em pista de corridas).
laparotomy [læpə'rɔtəmi], *s.* laparotomia.
lapel [lə'pəl], *s.* lapela.
lapelled [-d], *adj.* com lapela.
lapful ['læpful], *s.* arregaçada, abada.
lapidary ['læpidəri], **1** — *s.* lapidário; polidor de pedras preciosas.
2 — *adj.* lapidar, lapidário; tumular.
lapidate ['læpideit], *vt.* lapidar; apedrejar.
lapidation [læpi'deiʃən], *s.* lapidação.
lapidification [læpidifi'keiʃən], *s.* lapidificação.
lapidify [læ'pidifai], *vt.* lapidificar.
lapis lazuli [læpis'læzjulai], *s.* lápis-lazúli.
Lapland ['læplænd], *top.* Lapónia.
Laplander ['læplændə], *s.* lapão.
Lapp [læp], *s.* e *adj.* lapão.
lappet ['lepit], *s.* aba, dobra, fralda; pano; monco (de peru); barbela; lapela.
Lappish ['læpiʃ], *s.* e *adj.* lapão.
lapse [læps], **1** — *s.* lapso, erro, falta; queda; escorregadela; queda gradual; renegação de fé; espaço de tempo; (jur.) prescrição.
the lapse of time — o decurso do tempo.
2 — *vi.* passar, decorrer; errar; decair; cair em erro; resvalar; (jur.) prescrever. (*Sin.* to slip, to sink, to fall, to slide, to glide, to flow.)
lapsed [-t], *adj.* descaído, caído; devoluto; caduco; (jur.) que prescreveu.
lapsing [-iŋ], *s.* (jur.) prescrição; apostasia.
lapstone ['læpstoun], *s.* pedra de sapateiro.
lapsus ['læpsəs], *s.* lapso.
Laputan [lə'pju:tən], *s.* e *adj.* de Laputa (ilha das "Viagens de Gulliver"); visionário.
lapwing ['læpwiŋ], *s.* (zool.) pavoncino.
lar [lɑ:], *s.* (*pl.* **lares**) lar, divindade tutelar de uma casa.

larboard ['lɑ:bəd], *s.* (arc.) bombordo.
larcener ['lɑ:sənə], *s.* ladrão de coisas miúdas.
larcenous ['lɑ:sənəs], *adj.* ladrão de coisas miúdas.
larceny ['lɑ:sni], *s.* roubo de coisas miúdas.
larch [lɑ:tʃ], *s.* (bot.) lariço.
lard [lɑ:d], **1** — *s.* banha de porco, toucinho, unto.
2 — *vt.* lardear, entremear.
larder ['lɑ:də], *s.* despensa.
lardy ['lɑ:di], *adj.* gordo; parecido com toucinho.
lare [lɛə], *s.* torno.
lares ['lɛəri:z], *s. pl.* de **lar.**
large [lɑ:dʒ], **1** — *s.* (empregado só nas frases seguintes:
at large — pormenorizadamente; duma maneira geral.
in large — em grande escala.
gentleman at large — senhor sem ocupação especial.
the people at large — o povo duma maneira geral.
to be at large — andar em liberdade.
to talk at large — falar à toa.
ambassador at large — embaixador itinerante.
2 — *adj.* grande, espaçoso; volumoso; amplo; extenso; considerável; numeroso; forte, vigoroso; abundante; grandioso, magnífico; liberal; populoso.
large-minded — de vistas largas.
a large sum of money — uma grande soma de dinheiro.
a large city — uma grande cidade, populosa.
large-hearted — liberal.
large caliber — calibre largo.
large-crowned — com grande copa (árvore).
large ideas — ideias largas.
large-footed — com grandes pés.
large-handed — com grandes mãos.
large-sized — grande.
large views — vistas largas.
3 — *adv.* com vento favorável.
largely [-li], *adv.* grandemente, amplamente, largamente; liberalmente.
largeness [-nis], *s.* tamanho, grandeza; grossura; extensão, amplidão; liberalidade.
largish [-iʃ], *adj.* bastante grande, bastante largo.
largo ['lɑ:gou], *s.* e *adv.* (mús.) largo.
lariat ['læriət], *s.* laço, corda (para animais).
lark [lɑ:k], **1** — *s.* cotovia, calhandra; partida, brincadeira, travessura.
to be fond of a lark — gostar de partidas.
to rise with the lark — levantar-se cedo.
for a lark — por brincadeira.
what a lark! — que divertido!
2 — *vi.* pregar partidas; dizer graçolas.
larker ['-ə], *s.* pessoa divertida.
larkiness ['-inis], *s.* travessura, graça.
larkspur ['-spə], *s.* (bot.) esporas.
larky ['-i], *adj.* folgazão, brincalhão, travesso, divertido.
larmier ['lɑ:miə], *s.* goteira; beiral.
larrikin ['lærikin], *s.* rufia.
larva ['lɑ:və], *s.* (*pl.* **larvae**) larva.
larval [-l], *adj.* larvar, larval.
larviform ['lɑ:vifɔ:m], *adj.* larviforme.
laryngeal [lærin'dʒiəl], *adj.* laríngeo.
larynges [lə'rindʒi:z], *s. pl.* de **larynx.**
laryngitis [lærin'dʒaitis], *s.* laringite.
laryngology [læriŋ'gɔlədʒi], *s.* laringologia.
laryngoscope [lə'riŋgəskoup], *s.* laringoscópio.
laryngoscopic [ləriŋgəs'kɔpik], *adj.* laringoscópico.
laryngoscopy [læriŋ'gɔskəpi], *s.* laringoscopia.
laryngotomy [læriŋ'gɔtəmi], *s.* laringotomia.
larynx ['læriŋks], *s.* (*pl.* **larynges**) laringe.

lascivious [lə'siviəs], *adj.* lascivo, obsceno, libidinoso.
lasciviously [-li], *adv.* lascivamente.
lasciviousness [-nis], *s.* lascívia, luxúria.
lash [læʃ], **1** — *s.* látego, açoute; ponta de chicote; chicote; chicotada; sarcasmo; pestana; insulto.
eye-lash — pestana.
the lash of criticism — o látego da crítica.
2 — *vt.* e *vi.* chicotear, azorragar; satirizar; censurar asperamente; bater contra; (náut.) amarrar; atacar com fúria.
to lash out — escoucear, irromper à toa.
to lash out at a horse — chicotear um cavalo.
lasher ['-ə], *s.* açoutador; cordas de amarração.
lashing ['-iŋ], **1** — *s.* chicotada; (náut.) cosedura; *pl.* fundas, cabos de atracação; (fam.) abundância.
2 — *adj.* mordaz, contundente.
lass [læs], *s.* moça, rapariga; aldeã; namorada.
lassitude ['læsitju:d], *s.* lassitude.
lasso ['læsou], **1** — *s.* laço (usado por vaqueiros).
2 — *vt.* laçar, apanhar com o laço.
last [lɑ:st], **1** — *s.* último; fim, extremidade; forma de calçado; carga; lastro; força.
to the last — até ao fim.
to breathe one's last — soltar o último suspiro.
let the shoemaker stick to his last — não suba o sapateiro além da chinela.
2 — *adj.* último, derradeiro, passado; menos provável.
last but not least — o último mas não o menos importante.
the last but one — o penúltimo.
last year — o ano passado.
last Tuesday — terça-feira passada.
at last — finalmente.
the day before last — anteontem.
this day last year — faz hoje um ano.
3 — *adv.* em último lugar; da última vez.
when did you see her last? — quando a viste pela última vez?
they laugh best who laugh last — rirá melhor o último a rir.
4 — *vt.* e *vi.* durar, subsistir, continuar; permanecer, conservar-se; meter na forma (para sapatos). (*Sin.* to abide, to remain, to endure, to continue, to persist. *Ant.* to perish, to finish.)
lasting ['-iŋ], **1** — *s.* duração; resistência.
2 — *adj.* duradouro, durável; constante; permanente.
lastingly ['-iŋli], *adv.* permanentemente; para sempre.
lastingness ['-iŋnis], *s.* duração.
lastly ['-li], *adv.* finalmente; ultimamente.
latch [lætʃ], **1** — *s.* trinco, fecho, aldraba; fecho.
latch-key — chave da porta; chave de casa.
on the latch — só com o trinco.
2 — *vt.* e *vi.* fechar com trinco ou aldraba.
late [leit], **1** — *adj.* tardio, atrasado; vagaroso; demorado; recente, último; falecido há pouco; serôdio.
of late years — nestes últimos anos.
to keep late hours — recolher tarde, deitar-se tarde.
late edition — última edição.
late-comer — retardatário.
in late Summer — nos fins do Verão.
of late — recentemente.
to be late — chegar atrasado.
to get late — fazer-se tarde.
2 — *adv.* tarde, fora de horas; ultimamente.
better late than never — mais vale tarde do que nunca.
to sit up late — trabalhar até tarde.
late into the night — pela noite dentro.
lateen [lə'ti:n], *adj.* (náut.) latino.
lateen sail — vela latina.
lately ['leitli], *adv.* há pouco, recentemente.
latency ['leitənsi], *s.* estado latente.
lateness ['leitnis], *s.* atraso, demora; hora adiantada.
latening ['leitniŋ], **1** — *s.* atraso.
2 — *adj.* tardio, atrasado.
latent ['leitənt], *adj.* latente, escondido, secreto. (*Sin.* secret, concealed, undeveloped, hidden, veiled, unseen. *Ant.* conspicuous.)
latent power — energia latente.
latently [-li], *adv.* latentemente, ocultamente, secretamente.
later ['leitə], *comp.* de **late.**
sooner or later — mais cedo ou mais tarde.
at a later date — em data posterior.
later on — mais tarde.
see you later! — até à vista!; até logo!
some days later — alguns dias mais tarde.
lateral ['lætərəl], *adj.* lateral, do lado.
laterally ['lætərəli], *adv.* lateralmente.
latest ['leitist], *sup.* de **late.**
at the latest — o mais tardar.
the latest fashion — a última moda.
lath [lɑ:θ], **1** — *s.* ripa, sarrafo, ripado.
as thin as a lath — magro como um espeto.
2 — *vt.* cobrir com ripas ou sarrafos.
lathe [leið], **1** — *s.* torno mecânico.
lathe screw — fuso de torno.
lathe center — bancada do torno.
lathe operator — torneiro.
2 — *vt.* trabalhar ao torno.
lather ['lɑ:ðə,'læðə], **1** — *s.* espuma de sabão; espuma da transpiração do cavalo.
2 — *vt.* e *vi.* ensaboar, cobrir com espuma de sabão; (col.) dar uma tareia em; cobrir-se de espuma (cavalo).
lathering ['-riŋ], *s.* ensaboamento; (col.) tareia.
lathy ['lɑ:θi], *adj.* delgado, fraco; parecido com uma ripa; alto e magro.
latifundia [læti'fʌndiə], *s. pl.* latifúndios.
Latin ['lætin], **1** — *s.* latim.
old Latin — latim pré-clássico.
low Latin — baixo-latim.
2 — *adj.* latino.
the Latin peoples — os povos latinos.
Latin America — a América Latina.
Latinism [-izm], *s.* latinismo.
Latinist [-ist], *s.* latinista.
Latinity [lə'tiniti], *s.* latinidade.
latinize ['lætinaiz], *vt.* e *vi.* latinizar; usar expressões latinas.
latish ['leitiʃ], *adj.* um pouco tarde, um tanto tardio.
latitude ['lætitju:d], *s.* latitude; acepção, extensão de significação; liberdade excessiva; largura; *pl.* regiões.
latitude in (náut.) — latitude de chegada.
horse latitudes — calmas do trópico de Câncer.
high latitudes — regiões muito afastadas do equador.
in latitude 15 º *south* — a 15 º de latitude sul.
low latitudes — regiões próximas do equador.
latitudinal [-inəl], *adj.* latitudinal.
latitudinarian [lætitju:di'nɛəriən], *s.* e *adj.* latitudinário.
latitudinarianism [-izm], *s.* latitudinarismo.
Latium ['leiʃjəm], *top.* Lácio.
latria [lə'traiə], *s.* culto de Deus.
latrine [lə'tri:n], *s.* latrina, retrete.
latter ['lætə], *adj.* o último (de dois); o mais recente.
in these latter days — nestes últimos dias.
the latter part of a month — a segunda parte de um mês.
latterly [-li], *adv.* ultimamente, recentemente, há pouco.

lattice ['lætis], **1** — *s.* gelosia; rótula; janela de grade.
lattice-work — entrançado, gradeado.
2 — *vt.* pôr gelosias, pôr rótula ou gradeado.
latticed [-t], *adj.* gradeado; provido de rótulas; entrançado.
Latvia ['lætviə], *top.* Letónia.
Latvian [-n], *s.* e *adj.* letão.
laud [lɔ:d], **1** — *s.* louvor, elogio; *pl.* laudes.
2 — *vt.* louvar, celebrar (em hinos).
laudability [-ə'biliti], *s.* laudabilidade.
laudable ['-əbl], *adj.* louvável; (med.) saudável.
laudableness ['-əblnis], *s.* qualidade do que é louvável.
laudably ['-əbli], *adv.* louvavelmente.
laudanum ['lɔdnəm], *s.* láudano.
laudative ['lɔ:dətiv], *adj.* laudativo.
laudator [lɔ:'deitə], *s.* o que louva.
laudatory ['lɔ:dətəri], *adj.* laudatório.
laugh [lɑ:f], **1** — *s.* riso, risada; escárnio, troça.
silly laugh — riso tolo; riso alvar.
loud laugh — gargalhada.
to break into a laugh — desatar a rir.
to force a laugh — rir-se com riso forçado.
to raise a laugh — fazer rir.
2 — *vt.* e *vi.* rir, rir-se; escarnecer, ridicularizar.
to laugh at — rir-se de; escarnecer de.
to laugh out — rir às gargalhadas.
to laugh off — livrar-se de um embaraço com um gracejo.
to laugh in someone's face — rir-se na cara de alguém.
to laugh someone out of — fazer perder um hábito a alguém, ridicularizando-o.
to laugh down — fazer calar, ridicularizando.
to laugh at someone's expense — rir à custa de alguém.
to laugh heartily — rir a bom rir.
to laugh over — discutir a rir.
to laugh in one's sleeve — rir-se à socapa.
to laugh one's head off — rebentar a rir.
to laugh till one's sides ache — rir-se até ficar com dores de barriga.
to laugh over a book — rir-se ao ler um livro.
laugh on Friday, cry on Sunday — riso hoje, choro amanhã.
to laugh till the tears come — rir-se até às lágrimas.
laughable ['-əbl], *adj.* que faz rir; risível, ridículo, irrisório.
laughableness ['-əblnis], *s.* coisa cómica, que faz rir.
laughably ['-əbli], *adv.* ridiculamente; de maneira cómica.
laugher ['-ə], *s.* aquele que se ri; folgazão.
laughing ['-iŋ], **1** — *s.* riso.
laughing-stock — motivo de riso.
2 — *adj.* risonho, alegre, que causa o riso.
laughing gas — gás hilariante.
laughingly ['-iŋli], *adv.* rindo, alegremente.
laughter ['-tə], *s.* riso, risada.
loud laughter — gargalhada.
to burst into laughter — desatar a rir.
to rock with laughter — torcer-se com riso.
a fit of laughter — um ataque de riso.
launce [lɑ:ns], *s.* (zool.) enguia-da-areia.
Launcelot ['lɑ:nslət], *n. p.* Lancelote, Lançarote.
launch [lɔ:ntʃ], **1** — *s.* lancha, chalupa; lançamento de navio ao mar.
police launch — lancha da polícia.
2 — *vt.* e *vi.* lançar à água (navio); arremessar; deitar-se à água; alargar-se, estender-se sobre um assunto.
to launch out — gastar dinheiro à larga.
to launch into eternity — partir para a eternidade.
to launch an issue — fazer uma emissão de capital.
launching ['-iŋ], *s.* lançamento (à água, no mercado, etc.).
the launching of companies — a criação de companhias.
launder ['lɔ:ndə], **1** — *s.* lavadouro de metais.
2 — *vt.* e *vi.* lavar, lavar e passar a ferro.
laundering [-riŋ], *s.* lavagem.
laundress ['lɔ:ndris], **1** — *s.* lavadeira.
2 — *vt.* (col.) lavar.
laundry ['lɔ:ndri], *s.* lavandaria; roupa para lavar.
laundry-maid — criada encarregada de tratar da roupa.
laundry tumbler — tambor de lavandaria.
laundry-man — homem encarregado da lavagem da roupa.
Laura ['lɔ:rə], *n. p.* Laura.
laureate ['lɔ:riit], **1** — *s.* pessoa laureada.
2 — *adj.* laureado; premiado.
poet laureate — poeta laureado.
3 — *vt.* laurear, coroar de louros, galardoar.
laureateship [-ʃip], *s.* dignidade de poeta laureado.
laurel ['lɔrəl], **1** — *s.* loureiro, louro; *pl.* louros, glória.
wreath of laurels — coroa de louros.
to win laurels — ganhar louros.
to rest on one's laurels (col.) — criar fama e deitar-se na cama.
2 — *vt.* (*pret.* e *pp.* **laurelled**) coroar de louros.
laurelled [-d], *adj.* laureado; ornado com louros.
Laurence ['lɔrəns], *n. p.* Lourenço.
Lausanne [lou'zæn], *top.* Lausana (cidade suíça).
lava ['lɑ:və], *s.* lava.
lava flow — corrente de lava.
lavabo [lə'veibou], *s.* lavabo; lavatório.
lavation [lə'veiʃən], *s.* lavagem, ablução.
lavatory ['lævətəri], *s.* lavabo; instalação sanitária; (arc.) lavatório.
lave [leiv], *vt.* (poét.) lavar, banhar.
lavement ['-mənt], *s.* clister.
lavender ['lævində], **1** — *s.* alfazema; cor de alfazema.
lavender-water — água de alfazema.
Arabian lavender — rosmaninho.
French lavender — alfazema comum.
to lay up in lavender — guardar para o futuro.
2 — *vt.* pôr alfazema na roupa branca.
laver ['leivə], *s.* bacia, tina; gomil; tipo de alga.
laverock ['lævərək], *s.* cotovia, calhandra.
Lavinia [lə'viniə], *n. p.* Lavínia.
lavish ['læviʃ], **1** — *adj.* pródigo, gastador, estroina; liberal, generoso; muito abundante.
lavish praise — elogio generoso.
to live in lavish style — viver à grande.
2 — *vt.* dissipar, esbanjar, desbaratar. (*Sin.* to squander, to pour, to waste, to spend, to dissipate.)
lavisher [-ə], *s.* pessoa pródiga.
lavishing [-iŋ], *s.* prodigalidade.
lavishly [-li], *adv.* prodigamente; profusamente.
lavishness [-nis], *s.* prodigalidade.
law [lɔ:], **1** — *s.* lei, estatuto; direito; regra; processo; foro; jurisprudência; constituição; regulamento.
law-abiding — obediente à lei.
law-breaker — transgressor das leis.
law-maker — legislador.
Law Court — Tribunal de Justiça.
law-suit — pleito, litígio, demanda, processo.

to lay down the law — falar autoritariamente; bazofiar.
to take the law into one's own hands — fazer justiça por suas próprias mãos.
to go to law — demandar, recorrer à justiça.
to follow the law — seguir o curso de direito.
to be law — ter força de lei.
to keep the law — obedecer à lei.
the laws of the game — as regras do jogo.
law of nature — lei da natureza.
civil law — direito civil.
law notices — anúncios judiciais.
law of merchants — código comercial.
law expenses — custas do processo.
necessity knows no law — a fome não tem lei.
law-agent (Esc.) — advogado.
law-monger — rábula.
law report — revista dos tribunais.
according to law — de acordo com a lei.
law-writer — jurista.
father-in-law — sogro.
mother-in-law — sogra.
brother-in-law — cunhado.
sister-in-law — cunhada.
commercial law — direito comercial.
common law — direito consuetudinário.
the law of supply and demand — a lei da oferta e da procura.
canon law — direito canónico.
to be at law — trazer uma questão nos tribunais.
to give the law to — impor a sua vontade a.
2 — *interj.* (col.) pode lá ser!

lawful ['lɔ:ful], *adj.* legal, legítimo, lícito.
lawful age — maioridade legal.

lawfully [-i], *adv.* legalmente, licitamente, validamente.

lawfulness [-nis], *s.* legalidade, legitimidade.

lawless ['lɔ:lis], *adj.* ilegal, ilegítimo; independente; desordenado.

lawlessly [-li], *adv.* ilegalmente, ilicitamente, contra a lei.

lawlessness [-nis], *s.* ilegalidade, desaforo; anarquia.

lawn [lɔ:n], *s.* relvado, tabuleiro de relva; cambraia fina; dignidade episcopal.
lawn-sleeves — mangas de cambraia (que usam os bispos).
lawn-mower — máquina para cortar relva.
lawn-tennis — ténis em campo relvado.
lawn-grass (bot.) — gramínea.

lawny ['-i], *adj.* com relva; semelhante a cambraia.

Lawrence ['lɔrəns], *n. p.* Lourenço.

laws [lɔ:z], **1** — *s. pl.* de **law.**
2 — *interj.* pode lá ser!

lawsuit ['lɔ:sju:t], *s.* processo, acção judicial.

lawyer ['lɔ:jə], *s.* advogado, jurisconsulto.

lax [læks], **1** — *s.* salmão sueco ou norueguês.
2 — *adj.* lasso, mole, frouxo; descuidado; flácido; vago; com diarreia.

laxative ['læksətiv], *s.* e *adj.* laxante; laxativo.

laxity ['læksiti], *s.* lassidão, afrouxamento, flacidez, relaxamento; (med.) diarreia.

laxly ['læksli], *adv.* descuidadamente; sem firmeza.

lay [lei], **1** — *s.* camada, leito; situação; canto, balada, poema narrativo; acidentes do terreno; declive; fila; viveiro de ostras; (cal.) ofício, negócio; (náut.) cocha de cabo.
lay-off — férias de operários.
lay-by — economias; parque de estacionamento em estradas.
2 — *adj.* leigo, secular; não especialista.
lay brother — irmão leigo de uma congregação religiosa.
lay-figure — manequim.
lay friar — frade leigo.
lay-reader — leitor (na igreja anglicana).
lay-days — dias úteis de carga e descarga.
lay elder — mordomo de igreja.
3 — *pret.* de **to lie.**
4 — *vt.* e *vi.* (*pret.* e *pp.* **laid**) pôr, colocar, assentar; estender; deitar; aplicar; impor; imputar, atribuir; mandar, ordenar; acalmar, sossegar; apostar; apresentar; pôr (ovos).
to lay aside — pôr de lado, abandonar.
to lay bare (to lay open) — patentear.
to lay before — mostrar, expor, apresentar.
to lay by — reservar, pôr de lado.
to lay claim — reclamar, pretender.
to lay down — pôr em baixo; depor; renunciar a; pousar; deitar.
to lay hands on — apoderar-se de; deitar mão a.
to lay hold on (to lay hold of) — apossar-se de, pegar em.
to lay in — fazer provisão de.
to lay one's hopes on — pôr as suas esperanças em.
to lay on — impor, bater; aplicar; estender as tintas.
to lay the land — perder a terra de vista.
to lay out — dispor; exibir; gastar; plantar.
to lay over — cobrir; untar; embutir.
to lay together — juntar, reunir; confrontar.
to lay under — sujeitar, subjugar.
to lay up — acumular, guardar; estar de cama; meter um navio no dique.
to lay upon — impor, infligir.
to lay waste — devastar, assolar.
to lay in stores — acumular provisões.
to lay the table (to lay the cloth) — pôr a mesa.
to lay stress on — acentuar, dar importância a.
to lay a person under an obligation — tornar alguém devedor de um favor.
to lay a child to sleep — deitar uma criança.
to lay a fire — preparar tudo para acender uma fogueira.
to lay a woman — assistir a uma parturiente.
to lay a trap — preparar uma armadilha.
to lay along — estender ao comprido.
to lay at stake — pôr em perigo.
to lay down one's arms — render-se.
to lay down one's knife and fork (cal.) — morrer.
to lay eggs — pôr ovos.
to lay for two — pôr a mesa para duas pessoas.
to lay heads together — discutir um plano.
to lay level — arrasar.
to lay in one's dish (cal.) — lançar em rosto.
to lay one on the face (col.) — dar uma bofetada.
to lay on blows — agredir fortemente.
to lay out a corpse — amortalhar um cadáver.
to lay one's cards on the table (to lay one's hand on the table) — pôr as cartas na mesa.
to lay over — parar, pernoitar (durante uma viagem).
to lay to heart — levar a sério.
to lay taxes on — lançar impostos sobre.
to lay the blame for a thing on somebody — censurar alguém por alguma coisa.
to lay violent hands upon oneself — suicidar-se.
small rain lays great dust — pouca chuva acalma grande poeira.

layer ['leiə], **1** — *s.* leito, camada, cama; estrato renovo, vergôntea; (bot.) mergulhão; apostador; poedeira; banco de ostras.
layer of concrete — camada de cimento.
mine-layer (náut.) — lança-minas.
layer of insulation — camada isoladora.
2 — *vt.* (bot.) reproduzir por mergulhia; dispor em camadas.

laying ['leiiŋ], **1** — *s.* colocação; postura (de ovos).

laying up — armazenagem; desarmamento de um navio.
laying down — abandono; traçado.
laying out — gastos; esboço; amortalhamento (de cadáver).
2 — *adj.* que põe; poedeira (galinha).
layman ['leimən], *s.* leigo.
laymanship [-ʃip], *s.* laicidade.
laystall ['leistɔ:l], *s.* lixeira.
lazar ['læzə], *s.* (arc.) lázaro, leproso.
lazaret(to) [læzə'retou], *s.* lazareto; (náut.) paiol da popa.
Lazarus ['læzərəs], *n. p.* Lázaro.
laze [leiz], **1** — *s.* (col.) ócio, preguiça.
2 — *vt.* e *vi.* viver na ociosidade; ser ocioso.
lazily ['-ili], *adv.* preguiçosamente, indolentemente.
laziness ['-inis], *s.* preguiça, indolência.
lazy ['-i], **1** — *adj.* preguiçoso, mandrião, indolente, vagaroso. (*Sin.* sluggish, idle, indolent, inactive, inert. *Ant.* industrious).
lazy-bones — preguiçoso.
2 — *vt.* e *vi.* preguiçar.
lea [li:], *s.* (poét.) prado, pasto, planície com erva; medida variável conforme a região.
leach [li:tʃ], **1** — *s.* barrela; vasilha onde se faz a barrela.
2 — *vt.* e *vi.* lavar com barrela; filtrar.
leaching ['-iŋ], *s.* filtragem; barrela.
lead [led], **1** — *s.* chumbo; sonda; prumo; chumbo em folhas para os telhados; entrelinha; grafite.
lead-covered roof — telhado chato coberto com folhas de chumbo.
lead line — linha de sonda, de prumo.
black lead — plombagina.
white lead — alvaiade de chumbo.
sheet lead — folha de chumbo.
red lead — zarcão.
lead alloy — liga de chumbo.
lead bar — barra de chumbo.
lead compass — compasso de lápis.
lead-bearing — plumbífero.
lead eraser — borracha de lápis.
lead shot — chumbo miúdo.
lead-swinger — pessoa que evita o trabalho por qualquer pretexto.
lead-works — fábrica de fundição de chumbo.
lead glance — galena.
2 — *vt.* e *vi.* chumbar, cobrir de chumbo; entrelinhar.
lead [li:d], **1** — *s.* primazia; primeiro lugar; precedência; dianteira; guia; condução; comando; mão (no jogo); (náut.) testa (de esquadra); cabo condutor; influência; sugestão; papel principal em representação dramática; trela (para cães).
to take the lead — tomar a dianteira; assumir a direcção.
lead screw — parafuso de avanço.
to take the lead on — orientar, dirigir.
to give somebody a lead — dar uma sugestão a alguém.
to have the lead — ir à frente.
whose lead is it? — de quem é a mão? (jogo de cartas).
2 — *vt.* e *vi.* (*pret.* e *pp.* **led**) conduzir, guiar, levar; pilotar; governar; mandar, comandar; indicar o caminho; preceder; induzir; dirigir; passar; gastar; empregar; ser mão (em jogo de cartas).
to lead the way — indicar o caminho, guiar.
to lead astray — desencaminhar.
to lead away — conduzir; arrastar, impelir.
to lead back — reconduzir.
to lead off — ser o primeiro, começar primeiro.
to lead by the nose — conduzir ou governar alguém à sua vontade.
to lead a happy life — levar uma vida feliz.
to lead a dog's life (fig.) — levar uma vida de cão.
to lead a double life — levar uma vida dupla.
to lead a political party — chefiar um partido político.
to lead by force — levar à força.
to lead apes in hell (cal.) — morrer solteiro.
to lead to — conduzir a.
all paths lead to Rome — todos os caminhos vão dar a Roma.
leaded ['ledid], *adj.* com chumbo; entrelinhado; (med.) intoxicado com chumbo.
leaden [ledn], *adj.* de chumbo; cor de chumbo, plúmbeo; pesado; vagaroso.
leaden sky — céu carregado.
leaden hearted — apático, insensível.
leader ['li:də], *s.* guia, chefe, condutor; chefe de um partido político, caudilho; cabeça, comandante; maestro; artigo de fundo de um jornal; navio-testa; cavalo dianteiro; primeiro violino de orquestra; (anat.) tendão; (mec.) roda principal. (*Sin.* guide, director, chief, commander, captain.)
team leader (desp.) — capitão de um grupo desportivo.
leaderette [li:də'ret], *s.* pequeno artigo de fundo de um jornal.
leadership ['li:dəʃip], *s.* direcção, chefia; gerência.
leading ['li:diŋ], **1** — *s.* condução; direcção; exemplo; orientação.
2 — *adj.* principal; condutor.
leading article — artigo de fundo.
leading man — homem eminente; sumidade.
leading press — principais jornais.
leading question — pergunta capciosa.
leading ship — navio testa.
leading buoy — bóia baliza.
leading hand — operário-chefe, capataz.
leading seaman — cabo marinheiro.
leading card — a primeira carta jogada.
leading note (mús.) — nota sensível.
leading screw — fuso de torno.
leading shareholder — accionista principal.
leading-strings — andadeiras para crianças.
leading wind — vento em popa.
leadsman ['li:dsmən], *s.* sondador.
leaf [li:f], **1** — *s.* (*pl.* **leaves** [li:vz]) folha (de planta, de livro, etc.); tábua de mesa; caixilho; peça de biombo; lâmina muito fina (de metal); batente de porta; (náut. e mil. col.) licença.
to turn over a new leaf — emendar-se; seguir vida nova.
to take a leaf out of another's book — seguir o exemplo de outrem.
the fall of the leaf — o outono.
leaf-mould — terriço de folhas.
leaf-blade — limbo de folha.
leaf-brass — ouropel.
leaf-fodder — forragem verde.
leaf-green — clorofila.
leaf gold — ouro em folhas.
leaf-litter — cama de folhas.
leaf-lard — pingue.
leaf-stalk — pecíolo.
leaf-turner (mús.) — dispositivo para virar as folhas.
to come into leaf — deitar folhas.
to turn over the leaves of a book — virar as páginas de um livro.
2 — *vi.* deitar folhas, cobrir-se de folhas.
leafage ['-idʒ], *s.* folhagem.
leafless ['-lis], *adj.* sem folhas.
leaflet ['-lit], *s.* folha pequena; folha solta para distribuir; folheto.

leafy ['-i], *adj.* folhudo, frondoso, coberto de folhas.
league [li:g], **1** — *s.* liga, aliança, confederação; união; légua.
in league with — aliado a.
marine league — légua marítima.
the League of Nations — a Sociedade das Nações.
2 — *vt.* e *vi.* ligar-se, unir-se; aliar-se; confederar-se.
leaguer ['-ə], *s.* membro de uma liga.
Leah [liə], *n. p.* (bíbl.) Lia.
leak [li:k], **1** — *s.* buraco, abertura; rombo; fenda; (náut.) veio de água.
to spring a leak — abrir água (um navio).
to stop a leak — tapar uma fenda.
2 — *vi.* verter, derramar-se, vazar; escoar; fazer água (um navio).
to leak out — espalhar-se; vir a público.
the ship is leaking — o barco está a meter água.
leakage ['-idʒ], *s.* derrame, escoamento, fuga (de água, vapor, etc.); divulgação de segredos.
leakage detector — detector de fugas.
leakiness ['-inis], *s.* estado do que vaza.
leaking ['-iŋ], **1** — *s.* escoamento, derrame; fuga (de água, vapor, etc.).
2 — *adj.* que vaza, que deixa passar.
leaky ['-i], *adj.* que escoa, que vaza; mal vedado; aberto; (náut.) com água aberta; linguareiro.
leal [li:l], *adj.* (Esc.) leal, fiel.
Land of the leal — paraíso.
lean [li:n], **1** — *s.* carne magra; inclinação.
2 — *adj.* magro; chupado; estéril, improdutivo; insípido.
lean years—anos de escassez, de más colheitas.
to grow lean — emagrecer.
lean-faced — de rosto chupado.
lean coal — hulha magra.
lean meat — carne magra.
3 — *vt.* e *vi.* (*pret.* e *pp.* **leaned** ou **leant**) inclinar; apoiar-se; encostar-se; inclinar-se. (*Sin.* to recline, to rest, to repose, to rely, to trust, to depend.)
to lean against a wall — encostar-se a uma parede.
to lean back — encostar-se para trás.
to lean forward — inclinar-se para a frente.
to lean out of a window — debruçar-se duma janela.
don't lean out of the window too far — não te debruces muito da janela.
Leander [li(:)'ændə], *n. p.* Leandro.
leaning ['li:niŋ], **1** — *s.* inclinação; tendência.
to have a leaning towards — ter inclinação para.
2 — *adj.* inclinado, pendente.
the Leaning Tower of Pisa — a torre inclinada de Pisa.
leanly ['li:nli], *adv.* magramente, sem gordura; pobremente.
leanness ['li:nnis], *s.* magreza.
leant [lent], *pret.* e *pp.* de **to lean.**
lean-to ['li:n'tu:], *s.* alpendre; hangar.
leap [li:p], **1** — *s.* salto, pulo; transição súbita.
at a leap — dum pulo.
to take a leap — dar um pulo.
a leap in the dark — um passo arriscado.
by leaps and bounds — a passos agigantados, rapidamente.
leap-day — dia 29 de Fevereiro.
leap-day proposal — declaração de amor feita por uma mulher a um homem.
2 — *vt.* e *vi.* (*pret.* e *pp.* **leapt** ou **leaped**) saltar, pular; transpor; fazer saltar.
to leap about — andar aos saltos.
to leap over — saltar por cima.
look before you leap — antes que cases, vê o que fazes.
to leap for joy — saltar de alegria.
leapable ['-əbl], *adj.* que pode transpor-se dum salto.
leaper ['-ə], *s.* aquele que salta.
leap-frog ['-frɔg], **1** — *s.* jogo de eixo.
2 — *vt.* e *vi.* saltar o eixo.
leaping ['-iŋ], **1** — *s.* salto, acção de saltar.
2 — *adj.* que salta.
leapt [lept], *pret.* e *pp.* de **to leap.**
leap-year ['li:p-jə:], *s.* ano bissexto.
learn [lə:n], *vt.* e *vi.* (*pret.* e *pp.* **learned** ou **learnt**) aprender, instruir-se; saber; ter notícias; ensinar; informar-se; ouvir dizer.
to learn by heart (to learn by rote) — aprender de cor.
to learn news — saber novidades.
it is never too late to learn — nunca é tarde para aprender; aprender até morrer.
learned ['lə:nid], *adj.* erudito, douto, sábio, ilustrado, culto, versado; hábil. (*Sin.* erudite, scholarly, lettered, literate, versed. *Ant.* ignorant.)
a deeply learned person — um poço de ciência.
learned profession — profissão liberal.
learnedly [-li], *adv.* sabiamente, eruditamente, doutamente.
learnedness [-nis], *s.* erudição, saber, sabedoria, conhecimentos.
learner ['lə:nə], *s.* aprendiz, principiante; estudante; caloiro; noviço.
learning ['lə:niŋ], *s.* saber, ciência, erudição, estudo.
seat of learning — centro intelectual.
the New Learning — a Renascença.
polite learning — belas-letras.
learnt [lə:nt], *pret.* e *pp.* de **to learn.**
leasable ['li:səbl], *adj.* arrendável, que pode arrendar-se.
lease [li:s], **1** — *s.* arrendamento, escritura de arrendamento; concessão; aforamento.
to take a new lease of life — começar vida nova.
to let by lease (to let out to lease) — dar de arrendamento.
to take the lease of — tomar de arrendamento.
2 — *vt.* arrendar, alugar.
to lease out — dar de arrendamento.
leasehold ['-hould], **1** — *s.* arrendamento; terra arrendada.
2 — *adj.* arrendado.
leaseholder ['-houldə], *s.* arrendatário.
leash [li:ʃ], **1** — *s.* trela, correia; atilho; três.
a leash of hounds — três galgos.
2 — *vt.* atar, prender com correia; ligar.
least [li:st], *s.*, *adj.* e *adv.* (*sup.* de **little**) (o) menos, (o) mínimo, (o) menor.
not in the least — de modo algum.
at least — pelo menos.
least said, soonest mended — o calado é o melhor.
the one I like least of all — aquele de que gosto menos.
the least intelligent — o menos inteligente.
the least common multiple — o menor múltiplo comum.
leastways ['-weiz], *adv.* (col.) pelo menos; contudo.
leastwise ['-waiz], *adv.* (rar.) ver **leastways.**
leat [li:t], *s.* água para um moinho.
leather ['leðə], **1** — *s.* cabedal, couro, pele.
patent leather — couro envernizado; polimento.
Morocco leather — marroquim.
leather-dresser — surrador, peleiro, curtidor.
leather bottle — odre.
leather-cloth — oleado.

leather-head — estúpido.
Russia leather — couro da Rússia.
leather belt — correia ou cinto de couro.
leather jacket — gibão de couro; (zool.) balista (espécie de peixe).
2 — *vt.* e *vi.* cobrir com couro; zurzir, bater com uma correia.
leatherette [leðə'ret], *s.* papel ou pano imitando o couro.
leathering ['leðəriŋ], *s.* (col.) tareia.
leathern ['leðə(:)n], *adj.* de couro.
leathery ['leðəri], *adj.* de couro; semelhante ao couro; rijo.
leave [li:v], **1** — *s.* licença, permissão; autoridade; liberdade; despedida.
to give leave to — dar licença para; permitir.
to take leave of — despedir-se.
to take French leave — despedir-se à francesa.
by your leave — com sua licença.
on leave — de licença.
sick leave — licença militar por doença.
to beg leave to — tomar a liberdade de.
to get leave of absence — conseguir licença.
leave-taking — despedidas.
2 — *vt.* e *vi.* (*pret.* e *pp.* **left**) deixar, abandonar, desamparar; partir, sair; desistir de, renunciar a; cessar; separar-se de.
to leave behind — deixar atrás, deixar ficar.
to leave for — partir para.
to leave off — parar, cessar, acabar.
to leave out — omitir; excluir.
to leave over — deixar ficar.
to leave in the dark — ocultar.
it leaves much to be desired — deixa muito a desejar.
leave it to me — deixa isso comigo.
to leave alone — não perturbar; deixar em paz.
to leave undone — deixar por fazer.
to leave no stone unturned — fazer todos os possíveis.
to leave one's mark — deixar a sua marca; influenciar.
to leave the track — descarrilar.
leave it to time — dá tempo ao tempo.
to leave to chance — entregar ao acaso.
to leave word with somebody — confiar um recado a alguém (para ser entregue a outra pessoa).
four from eight leaves four — oito menos quatro são quatro.
take it or leave it — é pegar ou largar.
leaved [li:vd], *adj.* feito de folhas; que tem folhas; guarnecido de folhas.
leaven [levn], **1** — *s.* levedura, fermento; (fig.) causa latente.
2 — *vt.* fermentar, levedar; viciar.
leavening ['-iŋ], *adj.* que transforma.
leaver ['li:və], *s.* (o) que parte ou se afasta.
leaving ['li:viŋ], *s.* partida, saída; *pl.* restos, desperdícios.
leaving certificate — certificado de estudos secundários.
leaving out — omissão.
leaving off — cessação, fim; interrupção.
Lebanese [lebə'ni:z], *s.* e *adj.* libanês.
Lebanon ['lebənən], *top.* Líbano.
lecher ['letʃə], *s.* (arc.) devasso, libertino.
lecherous ['letʃərəs], *adj.* luxurioso, libertino, devasso.
lecherously [-li], *adv.* libertinamente, devassamente.
lecherousness [-nis], *s.* libertinagem, luxúria, devassidão.
lechery ['letʃəri, *s.* ver **lecherousness**.
lectern ['lektə(:)n], *s.* estante do coro.
lector ['lektɔ:], *s.* leitor, professor de curso prático de línguas.
lecture ['lektʃə], **1** — *s.* lição, prelecção, conferência, aula; leitura; discurso; sermão, repreensão. (*Sin.* discourse, speech, prelection, reprimand, rebuke, lesson, scolding.)
to read somebody a lecture — pregar um sermão a alguém.
to attend a lecture — assistir a uma conferência.
to deliver a lecture — fazer uma conferência.
2 — *vt.* e *vi.* ensinar, fazer prelecções ou conferências; repreender, censurar.
to lecture on — fazer uma conferência sobre.
to lecture somebody for something — ralhar a alguém por alguma coisa.
lecturer [-rə], *s.* leitor, prelector, conferente, professor universitário.
lectureship [-ʃip], *s.* cargo de leitor, de prelector ou professor.
lecturing [-riŋ], *s.* prelecção, conferência; acção de fazer prelecções ou conferências.
led [led], *pret.* e *pp.* de **to lead.**
ledge [ledʒ], **1** — *s.* borda, saliência, proeminência; cadeia de rochedos; camada; recife.
2 — *vt.* colocar sobre.
ledger ['-ə], *s.* (com.) livro-mestre; lápide sepulcral; pedra assente horizontalmente.
to carry to the ledger — passar um lançamento para o livro-mestre.
ledger-line (mús.) — linha suplementar.
ledger-work (com.) — escrituração de livro-mestre.
lee [li:], *s.* sotavento; lugar abrigado do vento.
under the lee — a sotavento.
lee-side — lado de sotavento.
lee helm — leme de ló.
lee tide — água a favor do vento.
leech [li:tʃ], *s.* sanguessuga; (náut.) guinda, testa, valuma; (fam.) indivíduo maçador que não larga uma pessoa.
to stick like a leech (fam.) — não largar uma pessoa; ser como uma sanguessuga.
artificial leech — ventosa.
to apply leeches to — aplicar sanguessugas a.
leek [li:k], *s.* alho-porro (emblema nacional do país de Gales).
to eat the leek — engolir uma afronta.
leer [liə], **1** — *s.* olhar de soslaio; olhar malicioso; olhar lúbrico.
2 — *vi.* olhar de soslaio; olhar maliciosamente; olhar lubricamente.
leering ['-riŋ], *adj.* de soslaio; malicioso, maldoso; lúbrico.
leeringly ['-riŋli], *adv.* maliciosamente; lubricamente.
lees [li:z], *s. pl.* borras; fezes; ralé.
to drink to the lees — beber até às fezes.
leet [li:t], *s.* antigo tribunal; lista de pretendentes a um lugar.
leeward ['li:wəd,'lu(:)əd], **1** — *s.* sotavento.
2 — *adj.* e *adv.* a sotavento, para sotavento.
leewardly [-li], *adv.* que descai para sotavento.
leeway ['li:wei], *s.* (náut.) declinação.
to make leeway — descair para sotavento.
to make up leeway — compensar o tempo perdido.
left [left], **1** — *s.* esquerda, mão esquerda; (pol.) esquerda; lado esquerdo.
on the left — à esquerda.
to keep to the left — seguir pela esquerda.
2 — *adj.* esquerdo.
left-handed — canhoto; desajeitado.
left hand blow — bofetada dada com a mão esquerda.
left-hand drive car — carro de volante à esquerda.
left-hand side of an equation (mat.) — primeiro membro duma equação.

left-handed marriage — casamento morganático.
left-handedness — hábito de se servir especialmente com a mão esquerda.
left-wing (pol.) — esquerda.
left-winger (pol.) — esquerdista.
3 — *adv.* para a esquerda.
turn left! — (mil.) esquerda volver!
4 — *pret.* e *pp.* de **to leave.**
it has left off raining — parou de chover.
left luggage — depósito de bagagens.
that is all I have left — é tudo o que me resta.
I have nothing left — não me resta nada.
nothing was left to accident — não se deixou nada à sorte.
leftward ['leftwəd], 1 — *adj.* esquerdo.
2 — *adv.* ver **leftwards.**
leftwards [-z], *adv.* para a esquerda.
leg [leg], 1 — *s.* perna; pata; base, suporte, escora; lado de triângulo; parte de viagem.
to give a leg up to a person — ajudar alguém.
to pull a person's leg — fazer troça de alguém.
to stand on ones' own legs — ser independente.
to be on one's last legs — estar reduzido ao extremo; estar quase a morrer.
slender leg — perna delgada.
thick leg — perna grossa.
to stretch one's legs — desenferrujar (estender) as pernas; dar um passeio a pé.
leg of mutton — perna de carneiro.
to find one's legs — voltar a andar (depois de uma doença; aprender a andar (criança).
not to have a leg to stand on — não ter defesa; não ter argumentos consistentes para se defender.
leg-bone — tíbia.
leg-guards — caneleiras.
leg-of-mutton sail — vela triangular.
leg of compasses (leg of dividers) — perna de compasso.
leg-pull — vigarice.
to give leg-bail — fugir.
to shake a leg (col.) — dançar, "dar à perna"; (cal.) apressar-se.
to show a leg (col.) — levantar-se da cama.
to take to one's legs — fugir.
2 — *vi.* (*pret.* e *pp.* **legged**) andar depressa.
legacy ['legəsi], *s.* legado, doação; missão.
legacy-hunter — pessoa que anda à procura de heranças; caçador de heranças.
legal ['li:gəl], *adj.* legal, legítimo, válido.
legal act — acto jurídico.
legal quay — cais da alfândega.
legal claim (jur.) — recurso.
to take legal action — empreender uma acção no tribunal.
by legal process — por vias legais.
to go into the legal profession — seguir a carreira jurídica.
to take legal advice — consultar um advogado.
legality [li(:)'gæliti], *s.* legalidade.
legalization [li:gəlai'zeiʃən], *s.* legalização.
legalize ['li:gəlaiz], *vt.* legalizar.
legally ['li:gəli], *adv.* legalmente.
legate ['legit], *s.* legado do Papa; (arc.) embaixador.
legate [le'geit], *vt.* legar.
legatee [legə'ti:], *s.* legatário.
legateship ['legitʃip], *s.* função de legado do Papa.
legation [li'geiʃən], *s.* legação.
legato [le'ga:tou,li'ga:tou], *adv.* (mús.) legato, com as notas ligadas sem interrupção, ligado.
legator [le'geitə], *s.* testador, o que lega.
legend ['ledʒənd], *s.* lenda; legenda; inscrição; conto, saga; fantasia; inscrição em moeda ou medalha.
legendary ['led'ʒəndəri], *adj.* lendário.
legerdemain ['ledʒədə'mein], *s.* ligeireza de mão; prestidigitação.
legging(s) ['legiŋ(z)], *s.* polaina(s).
leggy ['legi], *adj.* de pernas altas e magras.
Leghorn ['leg'hɔ:n], *top.* Liorne.
leghorn [le'gɔ:n;'legɔ:n], *s.* raça de galinhas; chapéu de palha da Itália.
legibility [ledʒi'biliti], *s.* legibilidade.
legible ['ledʒibl], *adj.* legível.
legibleness [-nis], *s.* legibilidade.
legibly [-i], *adv.* legivelmente.
legion ['li:dʒən], *s.* legião; multidão.
Legion of Honour — Legião de Honra.
the Foreign Legion — a Legião Estrangeira.
legionary [-əri], *s.* e *adj.* legionário.
legislate ['ledʒisleit], *vt.* e *vi.* legislar; impor a lei sobre.
legislation [ledʒis'leiʃən], *s.* legislação.
legislative ['ledʒislətiv], *adj.* legislativo.
legislative power — poder legislativo.
legislative assembly — assembleia legislativa.
legislator ['ledʒisleitə], *s.* legislador.
legislatorial [ledʒislə'tɔ:riəl], *adj.* legislativo.
legislature ['ledʒisleitʃə], *s.* legislatura.
legist ['li:dʒist], *s.* legista.
legitimacy [li'dʒitiməsi], *s.* legitimidade; legalidade.
legitimate 1 — [li'dʒitimit], *adj.* legítimo; legal; racional.
2 — [li'dʒitimeit], *vt.* legitimar; legalizar.
legitimately [-li], *adv.* legitimamente.
legitimation [lidʒiti'meiʃən], *s.* legitimação; legalização.
legitimatize [li'dʒitimətaiz], *vt.* legitimar.
legitime ['ledʒitim], *s.* (jur.) legítima, parte da herança que pertence, legalmente, aos herdeiros em linha recta.
legitimism [li'dʒitimizm], *s.* (pol.) legitimismo.
legitimist [li'dʒitimist], *s.* e *adj.* legitimista.
legitimize [li'dʒitimaiz], *vt.* ver **legitimatize.**
legless ['leglis], *adj.* sem pernas.
legume ['legjum], *s.* fruto de leguminosa; vagem.
legumen [le'gju:men], *s.* ver **legume.**
leguminous [le'gju:minəs], *adj.* leguminoso.
Leipzig ['laipzig], *top.* Lípsia (cidade alemã).
leister ['li:stə], 1 — *s.* espécie de lança usada na pesca do salmão.
2 — *vt.* pescar salmão com uma espécie de lança dentada.
leisure ['leʒə], *s.* ócio, vagar, descanso, ociosidade.
at leisure — devagar; com sossego.
leisure time — tempo livre.
to be at leisure — ter vagar.
at your leisure — quando tiver tempo.
leisured [-d], *adj.* desocupado.
leisureliness [-linis], *s.* descanso, ócio, vagar.
leisurely [-li], 1 — *adj.* vagaroso; desocupado.
2 — *adv.* vagarosamente, calmamente.
leman ['lemən], *s.* (arc.) amado, amada, amante.
lemma ['lemə], *s.* (*pl.* **lemmata** ['lemətə]) assunto; lema; título de artigo, etc.; norma; anotação; artigo.
lemming ['lemiŋ], *s.* (zool.) lemo (mamífero roedor).
lemon ['lemən], *s.* limão; limoeiro; cor de limão; (col.) rapariga pouco bonita.
lemon juice — sumo de limão.
lemon-squeezer — espremedor de limão.
lemon squash — limonada.
lemon-coloured — cor de limão.
lemon-tree — limoeiro.
lemon-balm — erva-cidreira.
he is a lemon — (col.) ele é um tanso, um palerma.

lemonade ['lemǝneid], *s.* limonada.
lemur ['li:mǝ], *s.* (zool.) lémure.
lemuroid ['lemjurɔid], *s.* e *adj.* lemuróide.
Lena 1 — ['li:nǝ], *n. p.* Lena, Helena.
2 — ['leinǝ, 'ljenǝ], *top.* Lena (rio da Sibéria).
lend [lend], *vt.* (*pret.* e *pp.* **lent**) emprestar; dar; proporcionar; conceder; adaptar-se.
to lend assistance — prestar auxílio.
to lend money — emprestar dinheiro.
to lend a helping hand — dar uma ajuda.
to lend at interest — emprestar a juros.
to lend an ear to — dar ouvidos a.
lender ['-ǝ], *s.* pessoa que empresta; prestamista.
lending ['-iŋ], **1** — *s.* empréstimo; prestação.
2 — *adj.* que empresta.
length [leŋθ], *s.* comprimento, extensão; espaço; duração; alcance; amplificação de linguagem.
at length — por fim; em conclusão.
at full length — por extenso; completamente.
at arm's length — a pouca distância; à distância de um braço.
full length (pint.) — de corpo inteiro.
half length — meio corpo.
length over all — comprimento de fora a fora.
to go all lengths — esgotar as possibilidades.
to measure one's length — estatelar-se no chão.
length of service — tempo de serviço.
full length film — filme de longa metragem.
to go to any lengths — ir a todos os extremos.
to go to the length of saying — ir até ao ponto de dizer.
to speak at length — falar durante muito tempo.
to keep somebody at arm's length — conservar alguém a distância.
lengthen ['-ǝn], *vt.* e *vi.* estender, prolongar; alongar; estirar; prolongar-se; estender-se, alongar-se. (*Sin.* to stretch, to extend, to prolong, to elongate. *Ant.* to shorten.)
lengthened ['-ǝnd], *adj.* alongado, prolongado.
lengthening ['-ǝniŋ], *s.* prolongamento; extensão; aumento.
lengthily ['leŋθili], *adv.* prolongadamente, extensamente; prolixamente.
lengthiness ['leŋθinis], *s.* comprimento; prolixidade.
lengthways ['leŋθweiz], *adv.* longitudinalmente.
lengthwise ['leŋθwaiz], **1** — *adj.* longitudinal.
2 — *adv.* longitudinalmente.
lengthy ['leŋθi], *adj.* longo; prolongado; dilatado; enfadonho.
leniency ['li:njǝnsi], *s.* brandura, clemência, lenidade.
lenient ['linjǝnt], *adj.* brando, suave, clemente, compassivo. (*Sin.* mild, merciful, kind, clement, tender, easy. *Ant.* hard.)
leniently [-li], *adv.* brandamente, suavemente.
Lenin ['lenin], *n. p.* Lenine.
Leningrad [-grɑ:d], *top.* Leninegrado.
lenitive ['lenitiv], *s.* e *adj.* lenitivo.
lenity ['leniti], *s.* brandura, suavidade, clemência, lenidade.
leno ['li:nou], *s.* gaze.
Lenore [lǝ'nɔ:], *n. p.* Leonor.
lens [lenz], *s.* (ópt.) lente.
lens-holder — suporte da objectiva.
lens-hood — protector contra o sol.
lens tissue — material para limpar lentes.
lens opening — abertura da lente.
crystalline lens — cristalino (do olho).
Lent [lent], *s.* quaresma.
Lent-sermon — sermão de quaresma.
Lent-term — segundo período escolar.
lent-lily — narciso-dos-prados.
lent [lent], *pret.* e *pp.* de **to lend.**
lenten ['-ǝn], *adj.* quaresmal.
lenten face — ar sombrio.
lenten fare — alimentação sem carne.
lenticular [len'tikjulǝ], *adj.* lenticular.
lentiform ['lentifɔ:m], *adj.* lentiforme.
lentil ['lentil], *s.* (bot.) lentilha.
lentiscus [len'tiskǝs], *s.* (bot.) lentisco.
lentisk ['lentisk], *s.* ver **lentiscus.**
lento ['lentou], *s.* e *adv.* (mús.) lento.
lentoid ['lentɔid], *adj.* lentiforme.
Leonard ['lenǝd], *n. p.* Leonardo.
Leonardo [li(:)ǝ'nɑ:dou], *n. p.* Leonardo.
Leonidas [li:(:)'ɔnidæs], *n. p.* Leónidas.
leonine ['li(:)ǝnain], *adj.* leonino.
Leonine verse — verso leonino.
leopard ['lepǝd], *s.* leopardo.
American leopard — jaguar.
snow leopard — onça.
leopardess [-is], *s.* leopardo-fêmea.
Leopold ['liǝpould], *n. p.* Leopoldo.
leper ['lepǝ], *s.* leproso.
leper-house — leprosaria.
Lepidus ['lepidǝs], *n. p.* Lépido.
leporine ['lepǝrain], *adj.* leporino.
leprosy ['leprǝsi], *s.* lepra.
leprous ['leprǝs], *adj.* leproso.
leprous disease — lepra.
leprous house — leprosaria, lazareto.
Lesbia ['lezbiǝ], *n. p.* Lésbia.
Lesbian [-n], **1** — *s.* natural ou habitante da ilha de Lesbos; lesbiana; lésbia.
2 — *adj.* lésbio, da ilha de Lesbos.
lese-majesty ['li:z'mædʒisti], *s.* lesa-majestade.
lesion ['li:ʒǝn], *s.* lesão; prejuízo, violação de direito.
less [les], **1** — *s.* menos, número menor, quantidade menor.
so much the less — tanto menos.
of two evils choose the less — do mal o menos.
in less than no time — (col.) enquanto o diabo esfrega um olho.
2 — comp. de **little,** menos, menor.
in a less degree — em menor grau.
more or less — mais ou menos.
to make less — diminuir.
3 — *adv.* menor, em menor grau.
even less — ainda menos.
less and less — cada vez menos.
4 — *prep.* excepto, menos.
five less one equals four — cinco menos um são quatro.
a year less ten days — um ano menos dez dias.
lessee [le'si:], *s.* arrendatário, inquilino.
lessee of theatre — empresário teatral.
lessen [lesn], *vt.* e *vi.* diminuir, encurtar; deprimir; rebaixar; degradar-se.
lessening ['-iŋ], *s.* diminuição; depreciação; encurtação.
lesser ['lesǝ], *adj.* menor, inferior.
lesson [lesn], **1** — *s.* lição; instrução; classe; repreensão, censura.
to give lessons — dar lições.
to take lessons — receber lições.
to set a lesson — passar uma lição.
to teach a lesson — dar uma lição.
let this be a lesson to you! — que isto te sirva de lição!
to give private lessons — dar lições particulares.
to take lessons in English — receber lições de Inglês.
2 — *vt.* censurar, repreender.
lessor [le'sɔ:], *s.* senhorio.
lest [lest], *conj.* com medo de; para que não.
let [let], **1** — *s.* impedimento; aluguer.
2 — *vt.* e *vi.* (*pret.* e *pp.* **let**) deixar, consentir, permitir; alugar, arrendar, dar de aluguer.
to let rooms — alugar quartos.

house to let — casa para alugar.
to let alone — deixar só; não incomodar.
to let be — deixar ficar.
to let down — deixar cair; abaixar; desapontar; rebaixar, humilhar; abandonar (um amigo num momento crítico).
to let in — deixar entrar; introduzir.
to be let in — achar-se envolvido.
to let into — deixar conhecer; inserir.
to let drop — não falar mais (num assunto).
to let loose — pôr em liberdade.
to let drop a hint — lançar uma sugestão.
to lep slip — dizer sem querer.
to let out — dar de aluguer; revelar (segredo); deixar ir por fora (líquido); alargar (vestuário).
let bygones be bygones! — o que lá vai lá vai!
let George do it! (col.) — que outra pessoa faça isso!
let me know — informa-me.
how much does the house let for? — qual é a renda da casa?
to let off — disparar (arma de fogo); desculpar.
let go anchor! — larga âncora!
let-down [ˈletˈdaun], *s.* desilusão.
lethal [ˈliːθəl], *adj.* letal, mortal.
lethargic [leˈθɑːdʒik], *adj.* letárgico.
lethargical [-əl], *adj.* ver **lethargic.**
lethargically [-əli], *adv.* letargicamente.
lethargy [ˈleθədʒi], *s.* letargia, apatia.
Lethe [ˈliːθi(ː)], *top.* (mit.) Letes.
letheon [ˈliːθiən], *s.* éter sulfúrico.
lethiferus [liˈθifərəs], *adj.* letífero, letal.
Lett [let], *s.* letão; o lético.
lettable [-əbl], *adj.* alugável, que se pode alugar.
letter [ˈletə], **1** — *s.* letra; carta; garantia; diploma; pessoa que aluga; *pl.* letras, literatura, cultura literária.
letter-book — copiador de cartas.
letter-card — cartão selado e fechado como uma carta; carta-postal.
letter of attorney — procuração.
letter of credit — carta de crédito.
letter-press — prensa de copiar.
capital letter — letra maiúscula.
small letter — letra minúscula.
registered letter — carta registada.
man of letters — literato.
to the letter — à letra.
air letter — carta por via aérea.
letter of advice — carta de aviso.
to post a letter — deitar uma carta no correio.
letter-box — caixa do correio.
silent letter — letra muda.
letter-paper — papel de carta.
letters patent — patente de invenção.
Roman letter — letra redonda.
letter of regret — carta de recusa.
letter of inquiries — carta pedindo informações.
bearer of a letter — portador de uma carta.
sender of a letter — remetente.
returned letter — carta devolvida.
letters to be called for — correspondência de posta restante.
letter containing valuables — carta com valor declarado.
love letter — carta de namoro; carta de amor.
letter of congratulations — carta de parabéns.
letter-balance — pesa-cartas.
letter citatory — carta citatória.
letter-file — classificador de cartas.
letter of safe conduct — salvo-conduto.
letter of introduction — carta de apresentação.
letter-pad — bloco de papel de carta.
letter patent — carta patente.
business letter — carta comercial.
letter-opener — abre-cartas.
by letter — por escrito.
2 — *vt.* estampar letras; pôr rótulos; classificar, ordenar alfabeticamente.
lettered [-d], *adj.* letrado, erudito; com letras impressas; marcado com letras.
lettering [-riŋ], *s.* título, rótulo; impressão.
lettering of a drawing — legenda dum desenho.
letterless [-lis], *adj.* sem letras; iletrado.
letting [-iŋ], *s.* acção de permitir; aluguer.
letting of blood — sangria.
Lettonian [leˈtounjən], *s.* e *adj.* letão, natural da Letónia.
lettuce [ˈletis], *s.* alface.
cabbage lettuce — alface repolhuda.
let-up [letˈʌp], *s.* abrandamento, diminuição; pausa.
he usually works without a let-up — ele costuma trabalhar sem interrupção.
Leucadia [ljuˈkeidiə], *top.* Lêucade (ilha).
Leucadian [-n], *adj.* leucádio.
leuchaemia [ljuˈkiːmiə], *s.* leucemia.
leucite [ˈljuːsait], *s.* (min.) leucite.
leucocyte [ˈljuːkəsait], *s.* leucócito.
leucocytosis [ljuːkousaiˈtousis], *s.* leucocitose.
leucoma [ljuˈkoumə], *s.* leucoma.
leud [ljuːd], *s.* vassalo.
Levant [liˈvænt], *top.* Levante.
levanter [-ə], *s.* levantino, habitante do Levante; vento levantino.
Levantine [ˈlevəntain], *s.* e *adj.* levantino, do Levante; levantina (tecido das regiões do Levante).
levee [ˈlevi], *s.* recepção dada pelo soberano ou alta personagem só a homens.
levee [ləˈviː], *s.* dique, molhe.
level [levl], **1** — *s.* nível; superfície plana; planície; nível de bolha de ar.
to be on a level with — estar ao nível de.
to find one's level — encontrar-se no seu meio.
to be (to act) on the level — ser justo, ser recto.
out of level — desnivelado.
sea-level — nível do mar.
water-level — nível de água.
2 — *adj.* plano, liso; igual; raso; horizontal; equilibrado; honrado.
level-crossing (cam. fer.) — passagem de nível.
level-headed — dotado de senso comum.
3 — *adv.* uniformemente; horizontalmente; sensatamente.
4 — *vt.* e *vi.* nivelar, aplainar; comparar; igualar; arrasar; apontar (uma arma); assestar.
to level down to the ground — arrasar.
leveller [ˈ-ə], *s.* nivelador; pessoa que nivela.
death is the great leveller — na morte todos são iguais.
levelling [ˈ-iŋ], **1** — *s.* nivelamento; pontaria.
levelling instrument — nível.
levelling staff — mira.
2 — *adj.* que nivela.
levelness [ˈ-nis], *s.* nível; superfície plana; igualdade.
lever [ˈliːvə], **1** — *s.* alavanca; pé-de-cabra; manivela.
lever jack (mec.) — macaco.
lever stop pin — alavanca das velocidades.
2 — *vt.* e *vi.* servir-se de alavanca ou manivela.
leverage [-ridʒ], *s.* acção da alavanca; braço de alavanca; (fig.) influência.
leveret [-rit], *s.* lebre muito nova.
leviable [ˈleviəbl], *adj.* sujeito a impostos.
leviathan [liˈvaiəθən], *s.* monstruosidade, coisa desconforme; (fig.) navio muito grande.

levigate 1 — ['levigeit], *vt.* levigar, moer; aplanar; pulverizar.
2 — ['levigit], *adj.* reduzido a pó, pulverizado.
levigation [levi'geiʃən], *s.* levigação, pulverização.
levitate ['leviteit], *vt.* suspender no ar (espiritismo), erguer ou suspender por levitação.
Levite ['li:vait], *s.* levita, membro da tribo de Levi.
Levitical [li'vitikəl], *adj.* levítico.
Leviticus [li'vitikəs], *s.* Levítico (livro da Bíblia).
levity ['leviti], *s.* leveza; leviandade, inconstância, irreflexão.
levy ['levi], 1 — *s.* recrutamento; levantamento (de dinheiro); cobrança, colecta; embargos.
2 — *vt.* e *vi.* recrutar; lançar impostos; pôr embargos.
to levy blackmail — exercer chantagem.
to levy on an estate — penhorar uma propriedade.
to levy an army — levantar um exército.
levying [-iŋ], *s.* cobrança ou lançamento de tributos ou impostos.
lewd [lu:d], *adj.* lascivo, dissoluto, depravado.
lewdly ['-li], *adv.* lascivamente; perversamente.
lewdness ['-nis], *s.* lascívia, devassidão, imoralidade.
Lewis ['lu(:)is], *n. p.* Luís.
Lewis gun — tipo de metralhadora.
Lewis-gunner — metralhador.
lewis ['lu(:)is], 1 — *s.* luva (instrumento de ferro para auxiliar a levantar grandes pesos).
2 — *vt.* levantar pesos com ferro de luva.
lexical ['leksikəl], *adj.* léxico.
lexicographer [leksi'kɔgrəfə], *s.* lexicógrafo.
lexicographical [leksikou'græfikəl], *adj.* lexicográfico.
lexicography [leksi'kɔgrəfi], *s.* lexicografia.
lexicological [leksikə'lɔdʒikəl], *adj.* lexicológico.
lexicologist [leksi'kɔlədʒist], *s.* lexicólogo.
lexicology [leksi'kɔlədʒi], *s.* lexicologia.
lexicon ['leksikən], *s.* léxico.
ley [lei], *s.* terreno temporàriamente cultivado de erva.
Leyden [laidn], *top.* Leida (cidade holandesa).
Leyden jar — garrafa de Leida.
liability [laiə'biliti], *s.* responsabilidade, obrigação; perigo, risco; débito; *pl.* dívidas passivas; compromissos; passivo.
to incur liabilities — tornar-se responsável.
assets and liabilities — activo e passivo.
limited liability — responsabilidade limitada.
to increase the liabilities — aumentar o passivo.
liability for military service — sujeição ao serviço militar.
employers' liability — responsabilidade patronal.
limited liability company — sociedade anónima de responsabilidade limitada.
liable ['laiəbl], *adj.* responsável; sujeito, exposto; devedor.
liable to duty — sujeito a direitos alfandegários.
liable for payment — responsável pelo pagamento.
liable for the damages — responsável pelos estragos.
liaison [li(:)'eizɔ̃:ŋ], *s.* ligação; ligação amorosa.
liaison officer (mil.) — oficial de comunicação entre forças aliadas.
liana [li'ɑ:nə], *s.* (bot.) cipó.
liane [li'ɑ:n], *s.* ver **liana.**
liar ['laiə], *s.* mentiroso.
to be an arrant liar — mentir com quantos dentes tem.
lias ['laiəs], *s.* (geol.) pedra lias.
liasic [lai'æsik], *adj.* (geol.) liásico.
liassic, *adj.* ver **liasic.**
Libanus ['libənəs], *top.* Líbano.
libation [lai'beiʃən], *s.* libação; (joc.) acção de beber.
libel ['laibəl], 1 — *s.* libelo, difamação, pasquim. (*Sin.* **slander, detraction.** *Ant.* **eulogy.**)
2 — *vt.* (*pret.* e *pp.* **libelled**) difamar, caluniar, ultrajar.
libellant [-ənt], *s.* (jur.) acusador, o que intenta um libelo contra.
libellee [-i:], *s.* (jur.) aquele que se defende de um libelo de acusação.
libeller [-ə], *s.* difamador por escrito.
libelling [-iŋ], *s.* acção de caluniar.
libellous [-əs], *adj.* injurioso, difamatório.
libellously [-əsli], *adv.* caluniosamente.
libellula [li'beljulə], *s.* (zool.) libélula.
liber ['laibə], *s.* (bot.) líber.
liberal ['libərəl], 1 — *s.* liberal; (pol.) membro do partido liberal.
2 — *adj.* liberal, generoso, nobre, franco, pródigo; copioso; (pol. e educação) liberal.
liberal party — partido liberal.
liberal education — educação liberal.
the liberal arts — as artes liberais.
liberal translation — tradução livre.
liberalism [-izm], *s.* liberalismo.
liberalist [-ist], *s.* liberalista, liberal.
liberality [libə'ræliti], *s.* liberalidade, generosidade, munificência; prodigalidade; largueza; magnanimidade.
liberalize ['libərəlaiz], *vt.* tornar liberal.
liberally ['libərəli], *adv.* liberalmente, generosamente.
liberate ['libəreit], *vt.* libertar, livrar; dar carta de alforria (a escravo); soltar; desobrigar.
liberating [-iŋ], *adj.* que liberta.
liberation [libə'reiʃən], *s.* libertação; carta de alforria; liberação.
liberation of capital — mobilização de capital.
liberationism [-izm], *s.* política de separação da Igreja do Estado.
liberator ['libəreitə], *s.* libertador.
Liberia [lai'biəriə], *top.* Libéria.
Liberian [-n], *s.* e *adj.* liberiano, natural da Libéria; relativo à **Libéria.**
libertarian [libə'tɛəriən], *s.* e *adj.* libertário, partidário do livre-arbítrio.
liberticide [li'bə:tisaid], *s.* e *adj.* liberticídio; liberticida.
libertinage ['libətinidʒ], *s.* libertinagem, devassidão.
libertine ['libə(:)tain], *s.* libertino; livre-pensador em religião; devasso.
libertinism ['libertinizm], *s.* libertinismo, libertinagem, devassidão.
liberty ['libəti], *s.* liberdade; privilégio; imunidade; isenção; licença, permissão; livre-arbítrio.
liberty of the press — liberdade de imprensa.
to take liberties — tomar muita confiança.
to set at liberty — pôr em liberdade.
to be at liberty — estar em liberdade.
to take the liberty of — tomar a liberdade de.
liberty cap — barrete frígio.
liberty of speech — liberdade de palavra.
liberty of the will — livre arbítrio.
liberty of trade — liberdade de comércio.
liberty of thought — liberdade de pensamento.
liberty man — (náut.) marinheiro que tem licença de ir à terra em gozo de férias.
liberty-ticket — (náut.) licença concedida aos marinheiros para irem à terra.
libidinous [li'bidinəs], *adj.* libidinoso, sensual.
libidinously [-li], *adv.* libidinosamente.
libidinousness [-nis], *s.* libidinosidade.

libido [li'bi:dou], *s.* libido.
Libra ['laibrə,'li:brə], *s.* (astr.) balança, libra.
librarian [lai'brɛəriən], *s.* bibliotecário.
librarianship [-ʃip], *s.* cargo de bibliotecário.
library ['laibrəri], *s.* biblioteca.
reference library — biblioteca de consulta de livros.
library book — livro emprestado por uma biblioteca.
circulating library — biblioteca de empréstimo de livros.
a walking library — pessoa muito erudita.
free library — biblioteca pública.
private library — biblioteca particular.
record library — discoteca.
librate ['laibreit], *vi.* balançar, oscilar, equilibrar-se.
libration [lai'breiʃən], *s.* balanço, equilíbrio; (astr.) oscilação aparente da lua.
libratory ['laibrətəri], *adj.* oscilatório; em equilíbrio.
libretto [li'bretou], *s.* (*pl.* **librettos, libretti**) libreto, texto de ópera.
Libya ['libiə], *top.* Líbia.
Libyan [-n], *s.* e *adj.* líbio, líbico, da Líbia.
lice [lais], *s. pl.* de **louse.**
licence ['laisəns], *s.* licença, permissão, autorização; despacho; privilégio; liberdade excessiva; licenciosidade; grau universitário concedido por algumas Faculdades.
occasional licence — autorização especial.
gun licence — licença de porte de arma.
driving licence (aut.) — carta de condução.
marriage licence — dispensa de banhos (casamento).
under licence from — com autorização de.
wireless licence — licença de aparelhos de rádio.
license ['laisəns], **1** — *s.* ver **licence.**
2 — *vt.* autorizar, permitir; conceder um privilégio; licenciar.
licensed [-t], *adj.* com licença para; autorizado; tolerado.
a licensed drunkard — um bêbado inveterado.
licensee [laisən'si:], *s.* pessoa que obteve licença ou permissão.
licenser ['laisənsə], *s.* pessoa ou entidade que concede uma autorização; censor (de peças teatrais, obras literárias, etc.).
licensing ['laisənsiŋ], *s.* autorização, concessão de licença.
licentiate [lai'sensiit,lisensiit], *s.* licenciado (por uma universidade); pastor presbiteriano.
licentious [lai'senʃəs], *adj.* licencioso, libertino, devasso, dissoluto; desregrado.
licentiously [-li], *adv.* licenciosamente.
licentiousness [-nis], *s.* licenciosidade, devassidão.
lichen ['laiken,'litʃin], **1** — *s.* (*bot.*) líquen.
2 — *vt.* cobrir de líquenes.
lichened [-d], *adj.* coberto de líquenes.
lich-gate ['litʃgeit], *s.* portão de cemitério.
lich-house ['litʃhaus], *s.* câmara-ardente.
lich-owl ['litʃ-aul], *s.* (zool.) coruja.
licit ['lisit], *adj.* lícito, permitido, legal, autorizado.
licitly [-li], *adv.* licitamente.
lick [lik], **1** — *s.* lambedura; quantidade muito pequena; (col.) soco; depósito salino; (cal.) velocidade.
salt-lick — terreno salgadiço.
at full lick (at a great lick) — a toda a velocidade.
to give somebody a lick — adular alguém.
to lick into shape — dar a forma apropriada a.
to lick the dust — morder o pó; ser vencido.
lick dish (col.) — "papa-jantares".
2 — *vt.* lamber, chupar; bater; vencer.
to lick up — devorar, consumir.
to lick one's lips — lamber os beiços.
to lick a person's boots (col.) — lamber as botas de alguém; bajular alguém.
to lick one's chops (col.) — lamber os beiços.
that licks me! (col.) — não percebo patavina!
licker ['-ə], *s.* lambedor; lambão, glutão.
that's a licker! (col.) — é o cúmulo!
lickerish ['-əriʃ], *adj.* lambareiro, guloso; apetitoso; luxurioso.
lickerishly ['-əriʃli], *adv.* gulosamente, àvidamente; saborosamente; de maneira lúbrica.
lickerishness ['-əriʃnis], *s.* gulodice; lubricidade, sensualidade; sofreguidão.
lickspittle ['likspitl], *s.* sabujo, bajulador.
licorice ['likəris], *s.* (bot.) alcaçuz.
lid [lid], *s.* tampa, cobertura; pálpebra; opérculo; portinhola.
lidded [-id], *adj.* com tampa; com pálpebras; com cobertura; com opérculo.
lie [lai], **1** — *s.* mentira, falsidade; ficção, fábula; desmentido; toca de animal; lixívia, barrela.
to give the lie to — desmentir.
white lie — mentira inofensiva.
to tell a lie — dizer uma mentira.
a lie has no legs — mais depressa se apanha um mentiroso do que um coxo.
lie-detector — detector de mentiras.
to wash with lie — meter em barrela.
lie of the land — configuração do terreno.
whopping lie **(col). — mentira flagrante.**
to act a lie **— dissimular; fingir.**
2 — *vt.* e *vi.* (*pret.* e *pp.* **lied**) mentir, enganar.
to lie like a lawyer — mentir descaradamente.
3 — *vi.* (*pret.* **lay,** *pp.* **lain**) estar deitado, jazer; estar situado; permanecer; consistir; estar pendente; aguentar-se; existir.
to lie heavy on — pesar sobre.
to lie by — repousar, estar tranquilo.
to lie down — deitar-se.
to lie over — ficar adiado; caducar; deixar de pagar uma letra.
to lie on (upon) — ser obrigatório; pesar sobre.
to lie at anchor — estar ancorado.
to lie to (náut.) — capear, estar à capa.
to lie at stake — estar em perigo.
to lie in the way — ser um obstáculo.
to lie in wait — estar de emboscada.
to lie on the bed one has made — sofrer as consequências dos seus actos.
to lie in state — estar exposto em câmara ardente (defunto).
here lies — aqui jaz.
to lie about — estar em desordem.
to lie asleep — estar a dormir.
to lie in — estar de cama; estar de parto.
to lie in jail — estar na prisão.
to lie on the head of — ser da responsabilidade de.
to lie under a mistake — laborar num erro.
to lie at the mercy of — estar à mercê de.
to lie back — reclinar-se; recostar-se.
to lie with somebody — dormir com alguém.
to let a bill lie over **(com.) — mandar uma** letra para protesto.
it lies on him — está a cargo dele.
to lie at the point of death — estar a morrer.
lie-abed ['-əbed], *s.* dorminhoco.
liege [li:dʒ], *s.* e *adj.* senhor feudal; soberano; súbdito; vassalo; feudatário.
liege lord — suserano.
liegeman ['-mən], *s.* vassalo.
lien ['liən], *s.* hipoteca; direito de retenção.
lieu [lju:], *s.* lugar.
in lieu of — em lugar de, em vez de.
lieutenancy [lef'tenənsi], *s.* posto de tenente.

lieutenant [lef'tenənt], *s.* (exército); [le'tenənt], (armada) tenente; lugar-tenente, governador (de província).
lieutenant-colonel — tenente-coronel.
lieutenant-commander (náut.) — capitão de corveta.
lieutenant-general — tenente-general.
lieutenant-governor — vice-governador.
first lieutenant — primeiro-tenente.
second lieutenant — segundo-tenente.
lieutenantship [-ʃip], *s.* cargo de tenente ou de lugar-tenente.
life [laif], *s.* vida, existência; modo de vida; biografia; conduta; vivacidade; ardor; movimento; mundo.
life annuity — renda vitalícia.
life-stirring — cheio de animação.
for life — por toda a vida.
from life — do natural.
to make life a burden — tornar a vida insuportável.
to adapt oneself to life — adaptar-se à vida.
to the life — exactamente.
life-saving — socorros a náufragos.
to bring to life — reanimar.
prime of life — flor da idade.
as large as life — do tamanho natural.
life-belt — cinto de salvação.
to sell one's life dearly — vender a vida bem cara.
to have the time of one's life — divertir-se como nunca.
life-line — cabo de vaivém.
life estate — herdade com usufruto vitalício.
life-giving — vivificante.
to run for one's life (to run for dear life) — pôr-se a salvo.
it's a question of life or death — é uma questão de vida ou de morte.
never in my life — nunca na minha vida.
a sheltered life — uma vida sossegada.
here I am as large as life — aqui estou em carne e osso.
life lies before you! — a vida está para ti!
life purpose — objectivo na vida.
while there's life there's hope — enquanto há vida há esperança.
life and death struggle — luta de morte.
life boat — barco salva-vidas.
life buoy — bóia de salvação.
life-guard — guarda-pessoal; salva-vidas (nas praias).
life imprisonment — prisão perpétua.
life-jacket — colete de salvação.
life insurance — seguro de vida.
life-net — rede usada pelos bombeiros.
life rent — renda vitalícia.
life office — escritório de companhia de seguros.
high-life — alta-roda.
life table — estatística de mortalidade.
a cat has nine lives — **um gato tem sete fôlegos.**
low life — classes baixas.
the other life — a outra vida; o outro mundo.
struggle for life — luta pela vida.
the Life Guards — a Guarda Real a cavalo.
what a life! — mas que vida!
to portray to the life — pintar ao natural.
lifeless ['-lis], *adj.* inanimado; morto; desabitado.
lifelessly ['-lisli], *adv.* inanimadamente; sem energia.
lifelessness ['-lisnis], *s.* falta de vida; falta de vigor.
lifelike ['-laik], *adj.* natural, que parece vivo.
lifelong ['-lɔŋ], *adj.* vitalício; que dura toda a vida.
lifetime ['-taim], *s.* curso de vida, duração da vida.
a lifetime — uma vida inteira.
lift [lift], **1** — *s.* acção de levantar; ascensor, elevador; ajuda; esforço para levantar.
to give somebody a lift — dar uma ajuda a alguém; dar "boleia" a alguém.
lift-attendant — encarregado do elevador.
lift pump — bomba elevatória.
lift-bridge — ponte levadiça.
lift in the ground — elevação de terreno.
goods-lift — monta-cargas.
to be at a dead lift — ver-se em apuros.
2 — *vt.* e *vi.* levantar, erguer, içar; elevar; exaltar; subir, levantar-se; roubar; desenterrar (plantas); (av.) descolar; (desp.) andar nas pontas dos pés.
to lift up — levantar do chão.
to lift up one's head — levantar a cabeça.
to lift up the voice — levantar a voz; gritar.
to lift one's elbow **(col.) — beber de mais.**
to lift up with pride — envaidecer-se.
lifter ['-ə], *s.* aquele que levanta, que eleva; ladrão.
lifting ['-iŋ], **1** — *s.* acção de levantar; auxílio que se dá a alguém para que se levante; colheita; roubo; plágio.
lifting bridge — ponte levadiça.
lifting jack — macaco de elevação.
lifting cable — cabo de suspensão.
2 — *adj.* que pode levantar-se.
ligament ['ligəmənt], *s.* (anat.) ligamento.
ligamental [ligə'mentl], *adj.* ligamentoso.
ligamentous [ligə'mentəs], *adj.* ver **ligamental.**
ligate ['laigeit], *vt.* ligar (com ligadura).
ligation [lai'geiʃən], *s.* acção de ligar (com ligadura).
ligature ['ligətʃuə], **1** — *s.* **(tip., mús. e cir.)** ligadura.
2 — *vt.* ligar (com ligadura).
light [lait], **1** — *s.* luz, clarão, claridade; resplendor; candeeiro; farol; vela; lâmpada; clarabóia; o raiar da aurora; aspecto; ponto **de vista; percepção, inteligência;** ***pl.*** **(col.)** olhos.
moon-light — luar.
sky-light — clarabóia.
to turn on (to switch on) the light — acender a luz; ligar a luz.
to turn off (to switch off) the light — apagar a luz.
that puts things in a different light — isso dá um aspecto diferente às coisas.
to stand in somebody's light — fazer sombra **a alguém;** prejudicar alguém.
to bring to light — revelar; publicar.
by the light of — à luz de.
northern light — aurora boreal.
head lights — faróis (de automóvel).
to have one's back to the light — estar de costas voltadas contra a luz.
to throw light upon — lançar luz sobre.
to be a leading light — ser uma pessoa eminente.
electric light — luz eléctrica.
light screen — quebra-luz.
light beam — raio de luz.
a light year — um ano-luz.
advertising lights — anúncios luminosos.
high lights — a parte mais clara dum quadro.
traffic lights — luzes reguladoras do trânsito.
the light of one's eyes (fig.) — a luz dos seus olhos.
to see the light — **vir à luz; nascer.**
to strike a light — acender um fósforo.
to drive without lights (aut.) — **guiar com os** faróis apagados.

2 — *adj.* leve, ligeiro; alegre; volúvel, fútil, inconstante, leviano; claro; loiro (cabelo).
light blue — azul-claro.
light breeze — aragem.
light hair — cabelo louro.
light infantry — infantaria ligeira.
as light as a feather — leve como uma pena.
light step — passo leve.
light beacon — baliza luminosa.
3 — *adv.* levemente.
light-headed — estouvado.
light-coloured — de cor clara; de cores claras.
light-hearted — alegre, jovial.
light-handed (náut.) — com tripulação reduzida.
light-fingered — de dedos ágeis; com habilidade para roubar.
light-fingered gentry — carteiristas.
4 — *vt.* e *vi.* (*pret.* e *pp.* **lit** ou **lighted**) acender; alumiar; incendiar; sair, descer (de carruagem); cair; animar-se.
to light up — acender as luzes; começar a fumar.
to light a cigarette — acender um cigarro.
lighted ['-id], *adj.* iluminado; aceso.
lighten [-n], *vt.* e *vi.* alumiar, iluminar; esclarecer; aliviar, alijar; alegrar, regozijar; tornar-se leve; relampejar.
it lightens — relampeja.
lightener ['-nə], *s.* coisa ou pessoa que alivia o sofrimento.
lightening ['-niŋ], *s.* desanuviamento do tempo.
lighter ['-ə], 1 — *s.* acendedor; isqueiro; batelão; fragata.
2 — *comp.* de **light.**
3 — *vt.* transportar em barcaça.
lighterage ['-əridʒ], *s.* frete de fragata; despesa de carga e descarga em fragatas ou barcaças.
lighterman ['-əmən], *s.* fragateiro, arrais de fragata.
lighthouse ['-haus], *s.* farol (casa ou torre).
lighthouse-keeper ['-haus-'ki:pə], *s.* faroleiro.
lighthouseman ['-hausmən], *s.* encarregado de farol, faroleiro.
lighting ['-iŋ], *s.* iluminação artificial.
lighting effects (teat.) — efeitos de luz.
lighting and power station — central de iluminação e distribuição de energia.
lighting gas — gás de iluminação.
lighting station — central de iluminação.
electric lighting — luz eléctrica.
lightless ['-lis], *adj.* sem luz.
lightly ['-li], *adv.* ligeiramente, levemente; facilmente; alegremente; levianamente; sem razão.
to think lightly of — não ligar importância a.
lightly come, lightly go — dinheiros de sacristão, cantando, vêm, cantando, vão.
lightness ['-nis], *s.* ligeireza; leviandade, inconstância; frivolidade; agilidade, leveza.
lightning ['-niŋ], *s.* raio, relâmpago; faísca; centelha.
a flash of lightning — um relâmpago.
lightning-rod (lightning-conductor) — pára-raios.
like lightning — num relâmpago.
with lightning speed — com uma rapidez incrível; com a rapidez do relâmpago.
lights ['-s], *s. pl.* bofes, pulmões (de animal).
lightship ['-ʃip], *s.* barco-farol.
lightsome ['-səm], *adj.* alegre, festivo; claro, luminoso; gracioso, ágil. (*Sin.* light, buoyant, airy, gay, joyous, luminous.)
lign-aloes [lain'ælouz], *s.* (bot.) aloés, aloé; azebres.
ligneous ['liniəs], *adj.* lenhoso, lígneo.
ligniform ['lignifɔ:m], *adj.* ligniforme.
lignite ['lignait], *s.* lenhite, lignite, lignito.
lignum vitae ['lignəm'vaiti:], *s.* (bot.) guaiaco, pau-santo.
ligula ['ligjulə], *s.* lígula; lígulo.
Ligurian [li'gjuəriən], *adj.* ligúrico.
likable ['laikəbl], *adj.* simpático, amável.
likableness [-nis], *s.* simpatia.
like [laik], 1 — *s.* coisa igual, coisa semelhante; preferência, predilecção.
I never saw the like — nunca vi coisa igual.
like cures like (col.) — mordedura de cão cura-se com o pêlo do mesmo cão.
like loves like — cada qual com seu igual.
and the like — etc.
to give like for like — pagar na mesma moeda.
everyone has his likes and dislikes — toda a gente tem as suas simpatias e antipatias.
2 — *adj.* igual, semelhante, parecido; provável; verosímil; homogéneo.
like father like son — tal pai tal filho.
like master like man — tal amo tal criado.
in like manner — da mesma maneira.
like-minded — da mesma opinião.
something like this — uma coisa assim.
they are as like as two peas — parecem-se como duas gotas de água.
it looks like raining — parece que vai chover.
to feel like — apetecer-lhe.
what is she like? — como é ela?
to look like — parecer-se com.
to be like somebody — parecer-se com alguém.
it is like enough — é muito provável.
3 — *conj.* como, da mesma maneira que.
to smoke like a chimney — fumar como uma chaminé.
to drink like a fish — beber como um tonel.
to swear like a trooper — praguejar como um carroceiro.
to swim like a duck — nadar como um pato.
to work like mad — trabalhar doidamente.
it fits him like a glove — assenta-lhe que nem uma luva.
4 — *adv.* possivelmente, provavelmente; como (com valor de conjunção).
like enough (very like) — muito possivelmente.
5 — *vt.* e *vi.* gostar de; desejar; estar contente com; convir; achar conveniente; querer.
as you like — como quiseres.
how do you like it? — que tal acha?
to like better — preferir.
whether he likes it or not — quer queira quer não.
I like that! — essa é boa!
I like your impudence! — é preciso ser descarado!
likeable ['-əbl], *adj.* ver **likable.**
likeableness ['-əblnis], *s.* ver **likableness.**
likelihood ['-lihud], *s.* probabilidade, possibilidade.
in all likelihood — segundo todas as probabilidades.
likeliness ['-linis], *s.* ver **likelihood.**
likely ['-li], 1 — *adj.* provável, verosímil; apto, idóneo, próprio para.
a likely story — uma história verosímil.
a likely young man — um jovem prometedor.
this is likely to happen — é provável que isto aconteça.
2 — *adv.* provavelmente, possivelmente.
liken ['-n], *vt.* comparar; (rar.) tornar semelhante.
likeness ['-nis], *s.* semelhança; aparência; aspecto, ar; retrato; figura. (*Sin.* resemblance, similarity, sameness, correspondence, picture, portrait. *Ant.* unlikeness.)
likeness to — semelhança com.

to take one's likeness — tirar o retrato duma pessoa.
likening ['-niŋ], *s.* comparação.
likewise ['-waiz], *adv.* e *conj.* semelhantemente, igualmente, também, do mesmo modo.
liking ['-iŋ], *s.* inclinação, simpatia; gosto, agrado.
to take a liking to somebody — simpatizar com alguém.
to have a liking for — gostar muito (de uma coisa).
to one's liking — ao gosto da pessoa.
lilac ['lailək], *s.* e *adj.* lilás, cor de lilás.
liliaceous [lili'eiʃəs], *adj.* liliáceo.
Lilliputian [lili'pju:ʃjən], *s.* e *adj.* liliputiano.
lilt [lilt], **1** — *s.* canto melodioso e rítmico. **2** — *vt.* e *vi.* entoar um canto melodioso e rítmico.
lilting ['-iŋ], *adj.* melodioso, ritmado.
lily ['lili], *s.* lírio; (her.) flor-de-lis.
white lily — açucena.
lily of the valley — lírio do campo.
lily-livered — cobarde.
lily-like — semelhante ao lírio.
lily-pad — folha de nenúfar.
lily-white — branco como o lírio.
limanda [li'mændə], *s.* (zool.) azevia.
limb [lim], **1** — *s.* membro; orla, borda; extremidade; braços ou hastes de cruz; pernada de árvore; limbo (da folha); saliência de monte; limbo (de astro, de instrumento).
to escape with life and limb — escapar sem grande dano.
limbs of the law — polícia; advogado.
lower limbs — membros inferiores.
upper limbs — membros superiores.
2 — *vt.* desmembrar; arrancar os ramos (a uma árvore).
limber ['limbə], **1** — *s.* (náut.) bueiro; armão.
limber-hole (náut.) — bueiro.
limber-board (náut.) — tábua dos bueiros.
2 — *adj.* flexível; flácido; brando.
3 — *vt.* tornar flexível; (mil.) engatar.
limbo ['limbou], *s.* limbo, lugar aonde são lançadas as almas das crianças que morrem antes de serem baptizadas; prisão; abandono; encarceramento; esquecimento, ostracismo.
limbus ['limbəs], *s.* (bot.) limbo.
limby ['limbi], *s.* homem só com uma perna.
lime [laim], **1** — *s.* cal; visco; (bot.) tília; lima, limeira.
bird-lime — visco para apanhar pássaros.
lime kiln — forno de cal.
lime-twig — vara enviscada para apanhar pássaros.
lime-tree — limeira.
quick lime — cal viva.
lime-juice — sumo de lima.
lime-hound — cão de fila.
lime-water — água de cal.
slaked lime (slack lime, slacked lime) — cal apagada.
hydraulic lime — cal-hidráulica.
2 — *vt.* enviscar; apanhar no laço; adubar as terras com cal; aplicar cal.
limelight ['-lait], **1** — *s.* luz de carbureto.
in the limelight — em foco; em evidência.
2 — *vt.* (*pret.* e *pp.* **limelighted** ou **limelit**) (teat.) dirigir os projectores de luz sobre.
limerick ['limərik], *s.* composição poética humorística disparatada de cinco versos.
limestone ['laimstoun], *s.* pedra calcária.
lime-wash ['laimwɔʃ], **1** — *s.* leite-de-cal. **2** — *vt.* caiar.
limey ['laimi], *s.* marinheiro inglês; inglês recém-chegado à Austrália (E. U.).
limit ['limit], **1** — *s.* limite, termo, fim, fronteira.
that's the limit! (fam.) — é o cúmulo!
to exceed the limits — ultrapassar os limites.
limit of load — limite de carga.
limit of speed — limite de velocidade.
within limits — dentro de certos limites.
limit value — valor limite.
speed limit — velocidade máxima.
to set a limit to — pôr um limite a.
you're the limit! — és único!
2 — *vt.* limitar, restringir, determinar.
to limit oneself to — limitar-se a.
limitable [-əbl], *adj.* limitável, restringível.
limitary [-əri], *adj.* limítrofe, confinante; limitado.
limitation [limi'teiʃən], *s.* limitação, restrição; demarcação; prescrição.
I know my limitations — conheço as minhas limitações.
limited ['limitid], **1** — *s.* comboio rápido. **2** — *adj.* limitado, restrito; com preconceitos.
limited train — comboio rápido; comboio especial.
limited edition — edição de tiragem limitada.
limiter ['limitə], *s.* limitador.
limitless ['limitlis], *adj.* sem limites, ilimitado, indefinido.
limitrophe ['limitrouf], *adj.* limítrofe.
limn [lim], *vt.* (arc.) pintar um quadro; pintar iluminuras.
limner ['-nə], *s.* (arc.) pintor; pintor que fazia iluminuras.
limning ['-niŋ], *s.* (arc.) iluminura.
limonite ['laimounait], *s.* (min.) limonite.
limousine ['limu(:)zi:n], *s.* limusina (tipo de automóvel).
limp [limp], **1** — *s.* acção de coxear.
2 — *adj.* mole, brando, flexível.
to feel limp — sentir-se sem energia.
3 — *adv.* a coxear.
4 — *vi.* coxear, mancar, claudicar.
limpet ['limpit], *s.* (zool.) lapa.
limpid ['limpid], *adj.* límpido, puro, transparente, claro.
limpidity [lim'piditi], *s.* limpidez, transparência, claridade.
limpidly ['limpidli], *adv.* limpidamente.
limpidness ['limpidnis], *s.* ver **limpidity.**
limply ['limpli], *adv.* sem vivacidade, molemente.
limpness ['limpnis], *s.* debilidade, moleza, falta de energia.
limy ['laimi], *adj.* calcário; viscoso.
linage ['lainidʒ], *s.* número de linhas impressas; preço por linha.
linchpin ['lintʃpin], *s.* chaveta em S.
linden ['lindən], *s.* tília.
line [lain], **1** — *s.* fio de linho; linha, traço, contorno; perfil; cabo; carreira de navegação; linha férrea; equador; fila; limite, confim; ramo de negócio; especialidade; género; serviço; carreira (de meio de transporte); verso; *pl.* (teat.) papel de cada actor.
base line — linha de base (desenho de navio); linha de serviço (ténis).
straight line — linha recta.
line-keeper — guarda-via.
a line of business — um ramo de negócio.
that is not my line — não é a minha especialidade.
to toe the line — cumprir ordens.
to drop a line to — escrever umas linhas a.
to read between the lines — ler nas entrelinhas.
to cross the line — atravessar o equador.
in a line — em linha.
hard lines — apuros, situação crítica.
branch line — ramal (de caminho-de-ferro).

to give line — dar liberdade.
line of fire — linha de fogo.
fighting line — linha de combate.
to hold the line — esperar com o auscultador (do telefone) no ouvido.
the line is bad — não se ouve bem (ao telefone).
forward line (fut.) — linha dos avançados.
to get a line on — descobrir o fio da meada.
trunk-line — **linha interurbana.**
to have one's lines fall in pleasant places — ser bafejado pela sorte.
line of sights — linha de mira.
to leave a line blank — deixar uma linha em branco.
line clear (cam. fer.) — via livre.
line drawing — desenho à pena.
line of conduct — linha de conduta.
line engaged! (telefone) — **linha ocupada!**
line of intersection — linha de intersecção.
line of latitude — paralelo.
line-fisherman — pescador à linha.
line-fishing — pesca à linha.
line of longitude — meridiano.
line of level — linha de nível.
steamship line — carreira de navegação.
line of telegraphs — linha telegráfica.
all along the line — em toda a linha.
air line — linha aérea.
marriage lines — certidão de casamento.
out of line — desalinhado.
building line of a street — alinhamento de casas numa rua.
curved line — linha curva.
broken line — linha quebrada.
down line (cam. fer.) — linha que parte de Londres.
to come of a good line — ser de boa família.
to draw a line — **traçar uma linha.**
to draw the line — pôr fim a.
to come into line with — concordar com; cooperar com.
to lay out by the line — dispor em linha.
to go on wrong lines — proceder de maneira errada.
it's in my line — é da minha especialidade.
to ***overstep the line*** (col.) — **pisar o risco**; abusar.
2 — *vt.* e *vi.* traçar, riscar linhas; alinhar; pôr em fila; estar em linha; forrar; guarnecer; revestir, cobrir; (animais) copular com.
to line up in the queue — alinhar na bicha.
to line a coat — forrar um casaco.
to line up — calcar, ajustar (chumaceira, etc.).
to line through — cortar, riscar.
lineage ['liniidʒ], *s.* linhagem, estirpe, raça; pagamento por linha impressa.
lineal ['liniəl], *adj.* (descendência ou ascendência) em linha recta; hereditário; linear.
lineally [-i], *adv.* em linha recta (descendência ou ascendência); directamente.
lineament ['liniəmənt], *s.* lineamento, **feição**, traço fisionómico.
linear ['liniə], *adj.* linear.
linear equation — equação do primeiro grau.
linear inch — polegada linear.
linear measure — medida linear.
linearly [-li], *adv.* linearmente.
lineation [lini'eiʃən], *s.* delineamento.
lined ['laind], *adj.* pautado; forrado.
lined paper — papel pautado.
a well-lined purse — uma bolsa bem recheada.
fur-lined coat — casaco forrado de pele.
lineman ['lainmən], *s.* juiz de linha (futebol); **guarda-linha** (caminho-de-ferro).
linen ['linin], **1** — *s.* linho, pano de linho; roupa branca.
bed linen — roupa branca de cama.
linen-room — rouparia.
to wash one's dirty linen in public — discutir em público assuntos particulares; lavar a roupa suja em público.
linen-weaver — tecelão de linho.
to change one's linen — mudar de roupa interior.
linen-draper — negociante de panos de linho.
table-linen — **toalhas e guardanapos.**
2 — *adj.* de linho.
linen cloth — pano de linho.
liner ['lainə], *s.* paquete; transatlântico; grande avião de carreira; casquilho, camisa de cilindro (mec.); estofador, forrador; pautador.
linesman ['lainzmən], *s.* juiz de linha (futebol e ténis); **guarda-linha** (caminho-de-ferro).
liney ['laini], *adj.* com linhas; (rosto) vincado, com rugas, enrugado.
ling [liŋ], *s.* urze, esteva; espécie de bacalhau.
linger ['liŋgə], *vt.* e *vi.* prolongar, dilatar; demorar; retardar; padecer; estar doente durante muito tempo; demorar-se. (*Sin.* to loiter, to delay, to dawdle, to lag, to prolong. *Ant.* to hurry.)
to linger after — suspirar por.
lingerer [-rə], *s.* pessoa indolente, vagarosa; pessoa que padece; retardatário.
lingerie ['lɛ̃:nʒəri:], *s.* roupa interior de senhora.
lingering [-riŋ], *adj.* lento, vagaroso, ronceiro.
a lingering disease — uma doença prolongada.
lingering death — morte lenta.
lingo ['liŋgou], *s.* gíria, calão; algaravia; dialecto.
lingual ['liŋg'wəl], **1** — *s.* consoante lingual.
2 — *adj.* lingual (consoante).
linguiform ['liŋgwifɔ:m], *adj.* linguiforme.
linguist ['liŋgwist], *s.* poliglota, linguista.
linguistic [liŋ'gwistik], *adj.* linguístico.
linguistics [-s], *s. pl.* linguística.
lingulate ['liŋgjulit], *adj.* lingulado.
linguodental ['liŋgwou'dentl], **1** — *s.* consoante linguodental.
2 — *adj.* linguodental.
liniment ['linimənt], *s.* linimento, unguento.
lining ['lainiŋ], *s.* forro; (náut.) forra de vela; guarnição de chumaceira; revestimento; (mec.) camisa; cobrição (de animal).
every cloud has a silver lining — nem tudo é tão negro como se pinta.
glazed lining — percalina.
lining of a cylinder — camisa de cilindro (mec.).
link [liŋk], **1** — *s.* anel de cadeia; elo; archote; abraçadeira; enlace; união, conexão; sector; fio de fusível; *pl.* botões de punho.
cuff-links — botões de punho.
link-connected — encadeado.
link lever — alavanca de mudança de velocidades.
link verb (gram.) — verbo de ligação.
2 — *vt.* e *vi.* encadear, ligar, unir; encadear-se, unir-se. (*Sin.* to connect, to tie, to join, to fasten, to bind, to unite. *Ant.* to sever.)
to link one's arm through another person's *arm* — enfiar o braço no braço de outra pessoa.
to link hands — dar as mãos.
linkage ['-idʒ], *s.* sistema de ligação; união de elos; cadeia; articulação.
linkman ['-mən], *s.* **porta-facho.**
links [-s], *s.* terreno arenoso; campo de golfe.
linn [lin], *s.* (Esc.) queda de água; precipício; ravina.
Linnaeus [li'ni(:)əs], *n. p.* Lineu.

linnet ['linit], *s.* pintarroxo.
green linnet — verdelhão.
lino ['lainou], *s.* (col.) linóleo; (tip.) linótipo.
lino cut — gravura em linóleo.
linoleum [li'nouljəm], *s.* linóleo.
linotype ['lainoutaip], *s.* linótipo.
linotyper [-ə], *s.* linotipista.
linseed ['linsi:d], *s.* linhaça.
linseed poultice — cataplasma de linhaça.
linseed oil — óleo de linhaça.
linsey-woolsey ['linzi-'wulzi], *s.* tecido de linho e lã.
lint [lint], *s.* linho para feridas.
bandages and lint — ligaduras e pensos.
lintel ['lintl], *s.* caixilho; verga de porta ou janela; padieira.
liny ['laini], *adj.* ver **liney.**
lion ['laiən], *s.* leão; homem valente; herói; homem célebre.
lion's mane — juba de leão.
lion's share — a parte de leão (o maior quinhão).
to put one's head into the lion's mouth — meter-se na boca do lobo.
lion-hunter — caçador de leões.
a lion in the way (a lion in the path) — um obstáculo.
to beard the lion in his den — desafiar uma pessoa temida.
a great lion — uma pessoa célebre.
lion's cub — cria de leão.
lion's mouth — erva-bezerra.
lion's foot (bot.) — pé-de-leão.
lioncel ['laiənsel], *s.* leãozinho.
Lionel ['laiənl], *n. p.* Leonel.
lioness ['laiənis], *s.* leoa.
lionize ['laiənaiz], *vt.* e *vi.* tratar alguém como uma celebridade; ver, mostrar coisas ou lugares de interesse.
lip [lip], **1** — *s.* lábio, beiço; borda de recipiente; descaramento; gume de ferramenta.
lip-devotion — devoção só de boca; devoção aparente.
to pay lip service — ser fingido; oferecer serviços que não tenciona prestar.
to keep a stiff upper lip — ser forte, corajoso na adversidade.
to bite one's lips — morder os lábios; reprimir-se; abafar o riso.
lip-reading — interpretação do movimento dos lábios.
to hang on a person's lips — escutar alguém com grande atenção, estar suspenso dos lábios de alguém.
none of your lip! — basta de insolências!
parted lips — lábios entreabertos.
to smack one's lips — lamber os lábios, mostrar satisfação.
my lips are sealed — a minha boca não se abre.
a curl of the lip — um olhar ou riso de desprezo.
lip consonant — consoante labial.
lip service — adulação.
lip-deep — superficial.
lip-teeth consonant — consoante lábio-dental.
upper lip — lábio superior.
nether lip (under lip) — lábio inferior.
to give lip to somebody — responder malcriadamente a alguém.
to hang one's lip — fazer beicinho.
2 — *vt.* (*pret.* e *pp.* **lipped**) tocar com os lábios; balbuciar, murmurar.
liparite ['lipərait], *s.* liparito, riolito.
lipothymy [li'pɔθimi], *s.* (med.) lipotimia.
lipped [lipt], *adj.* que tem lábios; que tem bordos.
blubber-lipped — beiçudo.
thick-lipped — de lábios grossos.
thin-lipped — de lábios finos.
lippy ['lipi], *adj.* (col.) atrevido, malcriado.
lipsalve ['lipsɑ:v], *s.* pomada para os lábios; lisonja.
lipstick ['lipstik], *s.* "baton" para os lábios.
liquability [laikwə'biliti], *s.* fusibilidade.
liquable ['laikwəbl], *adj.* que pode fundir-se.
liquate ['laikweit], *vt.* submeter metal a liquação.
liquation [li'kweiʃən], *s.* liquação.
liquefaction [likwi'fækʃən], *s.* liquefacção.
liquefiable ['likwifaiəbl], *adj.* liquidificável, fusível.
liquefied ['likwifaid], *adj.* liquefeito.
liquefy ['likwifai], *vt.* e *vi.* liquefazer, derreter; liquefazer-se; tornar-se líquida (consoante).
liquescent [li'kwesənt], *adj.* que se pode liquefazer; que está a liquefazer-se.
liqueur [li'kjuə], **1** — *s.* licor.
liqueur glass — cálice de licor.
liqueur-stand (liqueur-frame) — licoreiro.
liqueur brandy — conhaque.
2 — *vt.* temperar o champanhe.
liquid ['likwid], **1** — *s.* líquido; consoante líquida.
2 — *adj.* líquido; fluído; doce, suave; claro; melífluo; que se converte facilmente em dinheiro; instável.
liquid assets (liquid securities) — valores realizáveis.
liquid ammonia — água amoniacal.
a liquid sky — um céu límpido.
liquidate ['likwideit], *vt.* e *vi.* liquidar, saldar contas; matar.
liquidation [likwi'deiʃən], *s.* liquidação.
to go into liquidation — entrar em liquidação.
liquidator ['likwideitə], *s.* liquidatário.
liquidity [li'kwiditi], *s.* claridade; liquidez.
liquor ['likə], **1** — *s.* licor, bebida alcoólica.
liquor-case — licoreiro.
malt liquor — cerveja.
liquor gauge — alcoómetro.
liquor house (liquor shop) — loja de bebidas.
to be in liquor — estar embriagado.
2 — *vt.* e *vi.* humedecer; untar; (col.) beber bebida alcoólica.
liquored [-d], *adj.* embriagado.
liquorice [-ris], *s.* ver **licorice.**
lira ['liərə], *s.* lira (moeda italiana).
Lisbon ['lizbən], *top.* Lisboa.
lisle thread [lail θred], *s.* fio de Escócia.
lisp [lisp], **1** — *s.* cicio, murmúrio; ceceio.
2 — *vt.* e *vi.* balbuciar, ciciar; cecear.
lissom ['lisəm], *adj.* flexível, ágil.
lissome ['lisəm], *adj.* ver **lissom.**
list [list], **1** — *s.* lista, rol, registo; ourela (do pano); liça, arena; inclinação do navio; catálogo; relação; (arq.) filete, listel; (náut.) flanco de navio.
to make a list — fazer uma lista.
army-list — almanaque do exército.
to take a list (náut.) — adornar; dar a banda.
alphabetical list — lista alfabética.
2 — *vt.* e *vi.* registar; alistar, matricular; alistar-se; catalogar; calafetar; (poét. e arc.) escutar, ouvir, atender; apetecer, desejar.
listen [lisn], **1** — *s.* acção de estar à escuta.
2 — *vt.* e *vi.* escutar, ouvir; prestar atenção; atender. (*Sin.* to heark, to attend, to hear. *Ant.* to ignore.)
to listen to reason — dar ouvidos à razão.
to listen in — interceptar uma comunicação telefónica; ouvir rádio.
to listen to somebody — escutar alguém.
listener ['-ə], *s.* ouvinte, aquele que escuta.
listeners never hear good of themselves — quem escuta de si ouve.

listening [ˈ-iŋ], *s.* acção de escutar.
listless [ˈlistlis], *adj.* indiferente; negligente.
lit [lit], *pret.* e *pp.* de **to light.**
litany [ˈlitəni], *s.* litania.
literacy [ˈlitərəsi], *s.* aptidão para ler e escrever; grau de instrução.
literal [ˈlitərəl], *adj.* literal, exacto; prosaico.
literal translation — tradução literal.
literal error — erro tipográfico.
to take something in a literal sense — tomar uma coisa à letra.
a literal description — uma descrição exacta.
literalism [-izm], *s.* interpretação literal; espírito prático.
literalist [-ist], *s.* literalista.
literality [litəˈræliti], *s.* literalidade.
literally [ˈlit(ə)rəli], *adv.* literalmente; rigorosamente.
literalness [ˈlit(ə)rəlnis], *s.* ver **literality.**
literary [ˈlit(ə)rəri], *adj.* literário.
literary man — homem de letras.
literary property — propriedade literária.
literary profession — profissão das letras.
literary style — estilo literário.
literate [ˈlitərit], **1** — *adj.* **literato; letrado; que sabe ler e escrever.**
2 — *s.* **pessoa que sabe ler e escrever.**
literati [litəˈrɑːti], *s. pl.* literatos; homens de letras.
literatim [litəˈrɑːtim], *adv.* literalmente, textualmente.
literature [ˈlit(ə)ritʃə], *s.* literatura; obras literárias; bibliografia.
literature of a subject — bibliografia sobre um assunto.
light literature — literatura leve.
litharge [ˈliθɑːdʒ], *s.* litargírio.
lithe [laið], *adj.* flexível, brando, maleável.
lithely [ˈ-li], *adv.* de modo flexível, de modo maleável.
litheness [ˈ-nis], *s.* brandura, flexibilidade, maleabilidade.
lithesome [ˈ-səm], *adj.* ágil, lesto, flexível, brando.
lithia [ˈliθiə], *s.* (quím.) lítia.
lithiasis [liˈθaiəsis], *s.* litíase.
lithic [ˈliθik], *adj.* lítico.
lithium [ˈliθiəm], *s.* lítio.
lithochromatic [liθəkrouˈmætik], *adj.* litocromático.
lithochromatics [-s], *s. pl.* litocromia.
lithograph [ˈliθəgrɑːf], **1** — *s.* litografia.
2 — *vt.* litografar.
lithographer [liˈθɔgrəfə], *s.* litógrafo.
lithographic [liθəˈgræfik], *adj.* litográfico.
lithography [liˈθɔgrəfi], *s.* litografia.
lithophyte [ˈliθoufait], *s.* litófito.
lithosphere [ˈliθousfiə], *s.* litosfera.
lithotypy [liˈθɔtipi], *s.* litotipia.
Lithuania [liθju(ː)ˈeinjə], *top.* Lituânia.
Lithuanian [-n], *s.* e *adj.* lituano.
litigable [ˈlitigəbl], *adj.* sujeito a um litígio.
litigant [ˈlitigənt], *s.* e *adj.* litigante, demandista.
litigate [ˈlitigeit], *vt.* e *vi.* litigar, pleitear.
litigation [litiˈgeiʃən], *s.* litígio, pleito.
litigious [liˈtidʒəs], *adj.* litigioso, litigante. (*Sin.* quarrelsome, contentious, wrangling.)
litigiously [-li], *adv.* litigiosamente.
litigiousness [-nis], *s.* tendência para litígios; espírito trapaceiro.
litmus [ˈlitməs], *s.* (quím.) tornassol.
litmus solution — tintura de tornassol.
litotes [ˈlaitoutiːz], *s.* litotes (figura de retórica).
litre [ˈliːtə], *s.* litro.
litter [ˈlitə], **1** — *s.* liteira; cama de animal; ninhada; desordem, confusão; esterco, lixo.
2 — *vt.* e *vi.* desarrumar; deitar lixo para o chão; ter uma ninhada (animal); preparar a cama para um animal.
litter here! — deite aqui o lixo (nos parques, jardins, etc.).
little [litl], **1** — *s.* pouco, pequena quantidade; pequeno espaço de tempo ou distância.
a little — um pouco.
little by little — a pouco e pouco.
for a little — por pouco tempo.
wait a little — espere um bocadinho.
great and little — grandes e pequenos.
in little — em pequena escala.
many a little makes a mickle — muitos poucos fazem muito.
I see very little of you — quase nunca te vejo.
to make little of something — fazer pouco caso de alguma coisa.
to think little of somebody — ter fraca ideia de alguma pessoa.
2 — *adj.* pequeno; insignificante; mesquinho; pouco; humilde.
a little one — um menino, um petiz.
little money — pouco dinheiro.
Little Bear (astr.) — Ursa Menor.
a little while — pouco tempo.
the little woman — a esposa.
the little finger — o dedo mínimo.
3 — *adv.* pouco; escassamente; de modo nenhum.
I little thought — mal eu sabia.
little known — pouco conhecido.
little-go [ˈ-gou], *s.* (col.) **primeiro exame para bacharel (Cantabrígia).**
littleness [ˈ-nis], *s.* pequenez, ninharia; mesquinhês; baixeza, ruindade.
littoral [ˈlitərəl], *s.* e *adj.* litoral; do litoral.
liturgic [liˈtəːdʒik], *adj.* litúrgico.
liturgical [liˈtəːdʒikəl], *adj.* litúrgico.
liturgically [-i], *adv.* liturgicamente.
liturgist [ˈlitə(ː)dʒist], *s.* liturgista.
liturgy [ˈlitə(ː)dʒi], *s.* liturgia.
livable [ˈlivəbl], *adj.* habitável; tolerável, suportável.
live **1** — [laiv], *adj.* vivo; activo; enérgico; ardente, abrasador; eficaz; efectivo; brilhante; de grande interesse.
live-stock — gado de toda a espécie; (cal.) pulgas, etc.
live wire — pessoa activa, enérgica.
live coal — brasa.
live-bait — isca viva.
live bearers — peixes vivíparos.
live match — fósforo não usado.
live-axle — eixo-motor.
live rock — rocha viva.
2 — [liv], *vt.* e *vi.* viver, existir; passar a vida; subsistir; habitar, morar; perpetuar-se; nutrir-se.
to live to oneself — isolar-se; ser egoísta.
to live alone (to live by oneself) — viver só.
to live up to — viver em conformidade com.
to live out — sobreviver.
to live on — sustentar-se de.
live and let live! — **vive e deixa viver!; sê tolerante!**
live and learn — aprender até morrer.
to live in a small way — viver económica e pacatamente.
to live on air — viver do ar.
to live rough — viver com muitas dificuldades.
to live beyond one's income — gastar mais do que os rendimentos permitem.
to live up to one's income — gastar todo o rendimento.
to live on a small income — viver de um pequeno rendimento.

to live within one's means — viver só do que se tem.
to live a happy life — levar uma vida feliz.
to live in clover — viver regaladamente.
to live in great style — viver com luxo.
to live carefully — viver com economia.
to live free from care — viver sem preocupações.
to live on the fat of the land — viver à grande.
to live from hand to mouth — viver do seu trabalho diário.
as long as I live — enquanto eu viver.
to live by one's work — viver do seu trabalho.
to live on hope — viver de esperanças.
to live on one's wits — viver de expedientes.
liveable ['-əbl], *adj.* ver **livable.**
lived [-d], *adj.* da vida, com vida; de costumes.
long-lived — de longa vida.
short-lived — de vida curta.
livelihood ['laivlihud], *s.* vida, subsistência.
to earn (to get) one's livelihood — ganhar o pão de cada dia.
liveliness ['laivlinis], *s.* vida, agilidade, vivacidade, viveza; actividade; animação, alegria.
livelong ['livlɔŋ,laivlɔŋ], **1** — *s.* (bot.) favária-maior.
2 — *adj.* longo, durável, permanente; eterno, perene; todo, inteiro.
all the livelong day — todo o santo dia.
lively ['laivli], **1** — *adj.* animado, cheio de vida; alegre, espirituoso; vigoroso; enérgico; airoso; desembaraçado; (náut.) que se levanta bem.
a lively description — uma descrição viva.
to give a lively idea of — dar uma ideia viva de.
as lively as a cricket — alegre como um passarinho.
a lively colour — uma cor viva.
a lively conversation — uma conversa animada.
a lively imagination — uma imaginação viva.
she is a lively image of her mother — é o vivo retrato da mãe.
2 — *adv.* animadamente, com vida.
liven [laivn], *vt.* e *vi.* (com **up**) animar, animar-se.
livener ['-ə], *s.* o que anima.
liveness ['-nis], *s.* animação.
liver ['livə], *s.* fígado; ser vivo.
liver-complaint — doença do fígado.
liver brown — cor de fígado.
liver extract — extracto de fígado.
liver freckles — sardas.
a good liver — um homem que gosta de viver bem; um homem sério.
liver stone (min.) — hepatite.
lily liver (white liver) — cobardia.
to have a liver (col.) — sofrer do fígado.
livered [-d], *adj.* de fígado.
white-livered (lily-livered) — cobarde.
cold-livered — imperturbável.
liveried ['livərid], *adj.* com libré.
liverish ['livəriʃ], *adj.* (col.) doente do fígado.
Liverpool ['livəpu:l], *top.* Liverpul.
liverwort ['livəwə:t], *s.* (bot.) hepática.
livery ['livəri], **1** — *s.* libré; aluguer de cocheira e sustento de cavalos; (jur.) emancipação de menor.
livery servant — criado de libré.
livery horse — cavalo de aluguer.
out of livery — sem libré.
in livery — de libré.
2 — *adj.* da cor do fígado; maldisposto.
lives 1 — [laivz], *s. pl.* de **life.**
2 — ['livz], 3.ª *pess. do sing. do pres. do ind. do verbo* **to live.**
Livia ['liviə], *n. p.* Lívia.
livid ['livid], *adj.* lívido, pálido; plúmbeo (céu).
lividity [li'viditi], *s.* lividez, palidez.
lividness ['lividnis], *s.* ver **lividity.**
living ['liviŋ], **1** — *s.* modo de vida; existência; vida; subsistência.
to get a living — ganhar a vida.
living-room — sala de estar.
living-out allowance — subsídio de alojamento.
living-wage — salário mínimo.
good living — boa mesa e conforto.
to make a living out of — viver de.
standard of living — nível de vida.
cost of living allowance — ajudas de custo.
2 — *adj.* vivo; vivificante; vigoroso; evidente.
living or dead — vivo ou morto.
while living — em vida.
living languages — línguas vivas.
living water — água corrente.
living rock — rocha viva.
the living — os vivos.
not a living soul — nem viva alma.
Livonia [li'vounjə], *top.* Livónia.
Livonian [-n], *s.* e *adj.* livoniano, da Livónia.
Livy ['livi], *n. p.* Lívio.
lixiviate [lik'sivieit], *vt.* lixiviar, fazer lixívia.
lixiviation [liksivi'eiʃən], *s.* lixiviação.
lixivium [lik'siviəm], *s.* lixívia.
Liza ['laizə], *n. p.* Lisa.
lizard ['lizəd], *s.* lagarto.
flying lizard — dragão.
Lizze ['lizi], *n. p.* (diminutivo de **Elizabeth**) Isabelinha.
Lizzy ['lizi], *n. p.* ver **Lizze.**
llama ['lɑ:mə], *s.* (zool.) lama, alpara.
lo [lou], **1** — *s.* (col. E. U.) pele-vermelha.
2 — *interj.* eis!, ai!, vede!
loach [loutʃ], *s.* (zool.) cadoz.
load [loud], **1** — *s.* carga, carregamento, fardo; peso, opressão; *pl.* grandes quantidades.
that's a load off my mind — é um peso que me saiu das costas.
load draught (náut.) — calado máximo.
load-water line (náut.) — linha de água carregada.
load-line (náut.) — linha de flutuação.
load factor — coeficiente de carga.
2 — *vt.* e *vi.* carregar, acumular; sobrecarregar; carregar (uma arma de fogo); embaraçar, impedir.
to load somebody with gifts — encher alguém de presentes.
a table loaded with food — uma mesa cheia de iguarias.
loaded ['-id], *adj.* carregado; pesado; oprimido.
loaded engine — motor sob carga.
loaded spring — mola sob pressão.
loader ['-ə], *s.* carregador.
loading ['-iŋ], *s.* carga, acção de carregar.
loading-crane — guincho de carga.
loading port — porto de carregamento.
loadstar ['-sta:], *s.* Estrela Polar.
loadstone ['-stoun], *s.* pedra-íman; magnetite.
loaf [louf], **1** — *s.* (*pl.* **loaves**) cacete, carcaça, um pão grande; olho (de couve ou alface).
a loaf of cabbage — um repolho.
half a loaf is better than no bread — mais vale pouco do que nada.
a loaf of bread — um pão.
cottage loaf — tipo de pão arredondado.
tin loaf — pão de forma.
the loaves and fishes — os benefícios materiais.
to be in a bad loaf — (col.) estar em maus lençóis.
2 — *s.* (*pl.* **loafs**) vadiagem.
to have a loaf — vadiar, mandriar.

3 — *vt.* e *vi.* vadiar, mandriar.
to loaf about — vadiar, andar sem fazer nada.
4 — *vi.* formar olho (couve, alface).
loafer ['-ə], *s.* mandrião, preguiçoso, vadio.
loafing ['-iŋ], **1** — *s.* vadiagem; indolência.
2 — *adj.* vadio, mandrião.
loam [loum], **1** — *s.* marga; argila.
loam brick — tijolo cru.
2 — *vt.* cobrir com argamassa, cobrir de barro.
loamy ['-i], *adj.* que contém marga, margoso, argiloso.
loan [loun], **1** — *s.* empréstimo (objecto ou valor emprestado).
to raise a loan — contrair um empréstimo.
loan-office — caixa de empréstimos.
dead loans — empréstimos não pagos.
loan bank — casa de crédito.
loan shark — usurário.
loan-word — palavra importada de outra língua.
2 — *vt.* emprestar.
loanable ['-əbl], *adj.* disponível (capital), que pode emprestar-se.
loanee [lou'ni:], *s.* pessoa que recebe um empréstimo.
loaner ['lounə], *s.* pessoa que empresta.
loaning ['louniŋ], *s.* acção de emprestar.
loath [louθ], *adj.* contrário a, relutante, que tem repugnância.
nothing loath — de boa vontade.
loathe [louð], *vt.* e *vi.* aborrecer, detestar, abominar; causar tédio; sentir desgosto por; ter aversão a. (*Sin.* to hate, to abominate, to detest, to abhor, to dislike. *Ant.* to love.)
loathful ['-ful], *adj.* enfastiado, aborrecido; detestável, abominável.
loathing ['-iŋ], *s.* aborrecimento, tédio, asco, repugnância, aversão. (*Sin.* abomination, hatred, dislike, aversion. *Ant.* liking.)
loathingly ['-iŋli], *adv.* com aversão, com tédio, com repugnância.
loathliness ['-linis], *s.* aversão, repugnância, tédio.
loathly ['-li], *adj.* repugnante, nojento, abominável.
loathness ['-nis], *s.* ver **loathliness.**
loathsome ['-səm], *adj.* repugnante, asqueroso, nauseabundo, repelente; fastidioso.
loathsomely ['-səmli], *adv.* asquerosamente; fastidiosamente.
loathsomeness ['-səmnis], *s.* repugnância, asco, aversão.
loaves [louvz], *s. pl.* de **loaf.**
lob [lɔb], **1** — *s.* rústico, grosseiro; (ténis) bolada alta.
lob-worm — minhoca usada como isca pelos pescadores.
2 — *vt.* e *vi.* (*pret.* e *pp.* **lobbed**) andar ou mover-se vagarosa e pesadamente; (ténis) atirar uma bola alta; deixar cair (por desleixo).
lobar ['loubə], *adj.* lobar, relativo a lóbulo ou lobo.
lobate ['loubeit], *adj.* lobado.
lobby ['lɔbi], **1** — *s.* ante-câmara; vestíbulo; sala de espera; corredor; passadiço; salão (de teatro); (náut.) contra-paiol.
2 — *vt.* e *vi.* espalhar intrigas com fins políticos (entre membros do parlamento).
lobe [loub], *s.* lobo, lóbulo.
lobe of ear — lobo da orelha.
lobes of lungs — lobos pulmonares.
lobes of liver — lobos do fígado.
lobed [-d], *adj.* lobulado, lobado.
lobelia [lou'bi:ljə], *s.* (bot.) lobélia.
loblolly [lɔb'lɔli], *s.* papa para doentes.
loblolly man — (náut.) enfermeiro.
loblolly boy (náut.) — ajudante de enfermeiro.
lobster ['lɔbstə], *s.* lagosta; lavagante.
lobster-pot — armadilha para apanhar lagostas.
lobster-eyed — de olhos salientes.
cock-lobster — lagosta-macho.
lobster-ground — viveiro de lagostas.
hen-lobster — lagosta-fêmea.
lobular ['lɔbjulə], *adj.* lobular.
lobulate ['lɔbjulit], *adj.* lobulado.
lobule ['lɔbju:l], *s.* lóbulo.
lobulous ['lɔbjuləs], *adj.* lobuloso.
local ['loukəl], **1** — *s.* local; pessoa do lugar; médico local.
2 — *adj.* local, de lugar.
local time — hora local.
local adverb — advérbio de lugar.
local call — chamada telefónica local.
local anaesthesia — anestesia local.
local habitation — residência.
local colour — cor local.
local name — nome regional.
local horizon — horizonte visual de um lugar.
local wine — vinho da região.
locale [lou'ka:l], *s.* localidade.
localism ['loukəlizm], *s.* localismo, regionalismo; costume regional.
locality [lou'kæliti], *s.* localidade, localização; posição.
he has the bump of locality — ele tem sentido de orientação.
localizable [loukə'laizəbl], *adj.* localizável.
localization [loukəlai'zeiʃən], *s.* localização.
localize ['loukəlaiz], *vt.* localizar; concentrar.
to localize one's attention on — concentrar a atenção sobre.
locally ['loukəli], *adv.* localmente.
locate [lou'keit], *vt.* pôr, colocar, situar; estabelecer; determinar; fixar. (*Sin.* to fix, to place, to find, to settle, to establish, to set.)
locater [-ə], *s.* localizador (pessoa ou aparelho).
location [lou'keiʃən], *s.* posição, situação, colocação, sítio, localidade; (cin.) exteriores.
locative ['lɔkətiv], *s.* e *adj.* (gram.) locativo.
locator [lou'keitə], *s.* localizador (pessoa ou aparelho).
loch [lɔk,lɔx], *s.* (Esc.) lago; ria; braço de mar.
loci ['lousai,'loukai], *s. pl.* de **locus.**
lock [lɔk], **1** — *s.* fechadura; fecho; fechos de arma de fogo; abraço apertado (em luta); anel de cabelo; comporta; canal entre duas comportas; (col.) engarrafamento de trânsito; *pl.* cabelo.
spring lock — fechadura de mola.
lock-jaw — tétano.
lock, stock and barrel — tudo absolutamente.
lock hospital — hospital de doencas venéreas.
lock stitch — pesponto duplo (costura).
double lock — fechadura com duas voltas.
safety lock — fechadura de segurança.
under lock and key (col.) — a sete chaves.
2 — *vt.* e *vi.* fechar à chave; encerrar; fazer eclusas num canal; apertar (nos braços); fechar-se à chave; apertar uma forma tipográfica.
to lock up — fechar; ter debaixo de chave.
to lock somebody out — fechar a porta a alguém.
to lock the stable door after the horse has been stolen — casa roubada, trancas na porta.
the door is locked and bolted — a porta está fechada à chave e trancada.
to lock away — fechar à chave.

to lock in one's arms — abraçar; apertar nos braços.
to lock up capital — aplicar capitais.
to lock one's teeth — cerrar os dentes.
lockage ['-idʒ], *s.* comporta; taxa de comporta; desnivelamento de eclusa.
locked [-t], *adj.* fechado à chave; encerrado; (náut.) abrigado pela terra.
locker ['-ə], *s.* armário; compartimento de bordo, paiol.
not a shot in the locker — nem um centavo no bolso.
Davy Jones's locker — o mar; a sepultura no mar.
locket ['-it], *s.* medalhão, medalha.
lockfast ['-fɑ:st], *adj.* fechado à chave.
lockgate ['-geit], *s.* porta de eclusa.
locking ['-iŋ], **1** — *s.* acção de fechar; prisão. **2** — *adj.* que se fecha.
lockout ['-aut], *s.* greve de patrões.
locksman ['-mən], *s.* guarda de comporta.
locksmith ['-smiθ], *s.* serralheiro.
locksmithery ['-smiθəri], *s.* serralharia.
locomote ['loukəmout], *vt.* e *vi.* locomover-se, deslocar-se.
locomotion [loukə'mouʃən], *s.* locomoção.
locomotive ['loukəmoutiv], **1** — *s.* locomotiva.
locomotive driver — maquinista.
2 — *adj.* locomotor, que se desloca.
locomotivity [loukəmou'tiviti], *s.* locomotividade.
locomotor ['loukəmoutə], *adj.* locomotor.
loculus ['lɔkjuləs], *s.* (*pl.* **loculi**) lóculo.
locum-tenens ['loukəm-'ti:nenz], *s.* lugar-tenente; substituto.
locus ['loukəs], *s.* (*pl.* **loci**) lugar, local; (mat.) lugar geométrico; localidade.
locus communis — lugar comum.
locust ['loukəst], *s.* gafanhoto; (bot.) locusta.
locust-bean — alfarroba.
locust-tree — acácia falsa, robínia.
a plague of locusts — uma praga de gafanhotos.
locution [lou'kju:ʃən], *s.* locução.
locutory ['lɔkjutəri], *s.* locutório.
lode [loud], *s.* filão, veio de minério ou de metal.
outcrop of a lode — afloramento de um filão.
lodestar ['-stɑ:], *s.* ver **loadstar.**
lodestone ['-stoun], *s.* ver **loadstone.**
lodge [lɔdʒ], **1** — *s.* cabana, casa pequena; casa de guarda; cubículo; covil; loja maçónica.
porter's lodge — casa do porteiro.
lodge-keeper — porteiro.
shooting lodge — pavilhão de caça.
2 — *vt.* e *vi.* alojar, hospedar; recolher; pôr, colocar; depositar; residir, morar; alojar-se, hospedar-se. (*Sin.* to stay, to live, to sojourn, to reside, to dwell, to remain, to deposit, to place.)
to lodge a complaint — formular uma queixa.
to lodge a bullet — acertar com uma bala.
to lodge one's money in the bank — depositar dinheiro no banco.
to lodge with somebody — estar hospedado em casa de alguém.
lodgement ['-mənt], *s.* alojamento; depósito (bancário); entrincheiramento; amontoamento.
lodger ['-ə], *s.* hóspede, inquilino.
to take lodgers — aceitar hóspedes.
lodging ['-iŋ], *s.* alojamento; pousada, hospedaria; casa, habitação; depósito (bancário).
board and lodging — cama e mesa.
furnished lodgings — quartos mobilados.
to take a lodging — alugar um quarto.
lodging-house — casa de hóspedes.
private lodging — quarto em casa particular.
lodgment ['-mənt], *s.* ver **lodgement.**
loft [lɔft], **1** — *s.* sótão; celeiro, palheiro; casa de arrecadação; pombal; bando de pombas; (náut.) casa das velas; tacada para levantar a bola por causa de um obstáculo (golfe). **2** — *vt.* criar pombas em pombal; dar uma tacada na bola por causa de um obstáculo (golfe).
lofter ['-ə], *s.* ferro usado no golfe para elevar a bola.
loftily ['-ili], *adv.* altivamente; pomposamente; em cima, no alto; sublimemente.
loftiness ['-inis], *s.* altura, elevação; pompa; altivez; orgulho; majestade.
lofting ['-iŋ], *s.* tacada na bola (golfe).
lofty ['-i], *adj.* alto, elevado; pomposo; sublime; altivo; eminente; excelso.
log [lɔg], **1** — *s.* acha, cepo, lenha; barrote, trave; barquilha.
log-book — diário de navegação.
log-board — tábua da barquilha.
log cabin — choça, cabana rústica.
log-ship — batel.
log-glass — ampulheta.
log-line — linha de barca.
a log fire — uma lareira com lenha.
it is as easy as falling off a log — é tarefa fácil.
like a log — inconsciente; imóvel.
2 — *vt.* e *vi.* (*pret.* e *pp.* **logged**) derrubar árvores e cortá-las em toros; (náut.) lançar no diário de bordo.
loganberry ['lougənbəri], *s.* espécie de framboesa silvestre.
logarithm ['lɔgəriθm], *s.* logaritmo.
logarithmic [lɔgə'riθmik], *adj.* logarítmico.
logarithmic table — tábua de logaritmos.
logarithmically [-əli], *adv.* por meio de logaritmos.
loggerhead ['lɔgəhed], *s.* tartaruga marinha; maça esférica para derreter alcatrão; pateta.
at loggerheads — em desacordo, em disputa.
logic ['lɔdʒik], *s.* lógica.
logical [-əl], *adj.* lógico; coerente. (*Sin.* reasonable, sound, discriminating. *Ant.* fallacious.)
logically [-əli], *adv.* logicamente.
logician [lou'dʒiʃən], *s.* lógico, aquele que é versado em lógica.
logogram ['lɔgougræm], *s.* logograma.
logograph ['lɔgougrɑ:f], *s.* ver **logogram.**
logographer [-ə], *s.* logógrafo.
logogriph ['lɔgougrif], *s.* logogrifo.
logos ['lɔgɔs], *s. pl.* (teológico) o Verbo.
logwood ['lɔgwud], *s.* (bot.) pau-de-campeche.
loin [lɔin], *s.* lombo; rins; *pl.* lombo assado.
loin-cloth — tanga.
loin-chop — costeleta.
loir ['lɔiə], *s.* ratazana.
loiter ['lɔitə], *vt.* e *vi.* tardar, demorar-se; perder tempo; vadiar; estar ocioso.
to loiter away — desperdiçar o tempo.
loiterer [-rə], *s.* ocioso, vagabundo.
loitering [-riŋ], **1** — *s.* ociosidade; demora. **2** — *adj.* ocioso, preguiçoso; vagabundo.
loiteringly [-riŋli], *adv.* indolentemente, vagarosamente; ociosamente; demoradamente.
loll [lɔl], *vt.* e *vi.* recostar-se, refastelar-se, repimpar-se; estender-se; deitar a língua de fora.
to loll out the tongue — deitar a língua de fora.
lollipop ['lɔlipɔp], *s.* caramelo, chupa-chupa.
Lombard ['lɔmbɑ:d], *s.* e *adj.* lombardo, da Lombardia.
Lombardy ['lɔmbədi], *top.* Lombardia.

London ['lʌndən], *top.* Londres.
London ordinary — a praia de Brighton.
London ivy — fumo ou nevoeiro de Londres.
London-smoke — cinzento-baço.
Londoner [-ə], *s.* londrino.
Londonism [-ism], *s.* pronúncia ou expressão própria dos londrinos.
lone [loun], *adj.* solitário, só, isolado; abandonado; desabitado.
lone wolf (col.) — "bicho-do-mato", pessoa que não gosta de conviver.
the Lone Star (E. U.) — o Estado do Texas.
loneliness ['-linis], *s.* solidão, isolamento.
lonely ['-li], *adj.* solitário, só; isolado.
lonesome ['-səm], *adj.* solitário; deserto; que evita o convívio social.
lonesomeness ['-səmnis], *s.* solidão, isolamento.
long [lɔŋ], **1** — *s.* longo período de tempo; sílaba longa; férias grandes; longitude.
for long — durante muito tempo.
before long — dentro de pouco tempo.
longs and shorts — sílabas longas e breves.
the long and short of it — o resumo disso.
2 — *adj.* longo, comprido, extenso; vagaroso; tardio; tedioso; ansioso.
in the long run — ao fim de contas.
long vacation — férias grandes.
a long dozen — treze.
a long time ago — há muito tempo.
a long face — uma cara de desapontamento.
a long family — uma família numerosa.
long-boat — chalupa comprida.
long finger — dedo médio.
long-headed — perspicaz.
long acre (cal.) — jornal.
long bill (zool.) — narceja.
long-winded — que tem muito fôlego.
long-suffering — paciente.
long-sighted — que vê ao longe.
long hundred — cento e vinte.
long in the leg — de pernas altas.
long in the tooth (cal.) — velho.
long-legged — pernalta.
long date — longo prazo.
long-dated — a longo prazo.
long measure — medida linear.
long jump (desp.) — salto em comprimento.
long price — preço elevado.
long distance call — chamada telefónica interurbana.
long-distance flight (av.) — voo de longo curso.
long purse — bolsa bem recheada.
long-playing record — microgravação, disco microgravado.
long home — última morada; sepultura.
long-tongued — linguareiro.
long-tailed beggar (col.) — gato.
long wave — onda longa.
not by a long chalk — de modo nenhum.
to have a long tale to tell — ter muito que contar.
long robe — toga de advogado.
to take long views — ser clarividente.
to take a long time — levar muito tempo.
to draw the long bow (col.) — exagerar.
how long is that? — que comprimento tem isso?
3 — *adv.* por muito tempo; continuamente.
long ago — há muito (tempo).
long after — muito (tempo) depois.
long before — muito (tempo) antes.
long-lived — com grande duração; (bot.) vivaz.
long-liver — pessoa que vive muitos anos.
all day long — o dia inteiro.
before long — em breve.
for long — há muito tempo.
so long! — até à vista!; até logo!
to be long — demorar-se.
she is no longer a doctor — ela já não é médica.
4 — *vi.* desejar com veemência, suspirar por; ter saudades.
to long for — desejar com impaciência; estar ansioso por.
I long to see him — tenho saudades dele.
I'm simply longing for — estou morto por.
to long for home — ter saudades de casa.
longeval [lɔn'dʒi:vəl], *adj.* longevo.
longevity [lɔn'dʒeviti], *s.* longevidade.
longhand ['lɔŋhænd], *s.* escrita por extenso.
longimanous [lɔn'dʒimənəs], *adj.* longímano.
longing ['lɔŋiŋ], **1** — *s.* ânsia, desejo veemente, anseio.
2 — *adj.* ansioso; veemente; desejoso.
longingly [-li], *adv.* veementemente, com ânsia, impacientemente.
longish ['lɔŋiʃ], *adj.* um tanto longo.
longitude ['lɔndʒitju:d], *s.* longitude.
longitudinal [lɔndʒi'tju:dinl], *adj.* longitudinal.
longitudinal profile — perfil longitudinal.
longitudinal section — secção longitudinal.
longitudinally [lɔndʒi'tju:dinəli], *adv.* longitudinalmente.
longshanks ['lɔŋʃæŋks], *s.* (zool.) avejão, ave pernalta; pernilongo, tremilongo, esparrela, fusiloa.
longshoreman ['lɔŋʃɔ:mən], *s.* estivador; carregador de porto.
longways ['lɔŋweiz], *adv.* longitudinalmente.
longwise ['lɔŋwaiz], *adv.* ver **longways.**
loo [lu:], **1** — *s.* jogo de cartas.
2 — *vt.* dar capote ao jogo.
looby ['lu:bi], *s.* (col.) tolo, pateta, palerma.
loof [lu:f], **1** — *s.* (náut.), ló.
to keep the loof — guardar o barlavento.
2 — *vi.* meter de ló.
loofah ['lu:fɑ:], *s.* (bot.) lufa; esponja feita de vagem de lufa.
look [luk], **1** — *s.* olhar; vista de olhos; aspecto, ar; expressão, semblante; aparência; ademanes.
good looks — beleza; bom aspecto.
to cast a look — lançar uma vista de olhos.
downcast look — ar abatido.
scornful look — olhar desdenhoso.
angry look — olhar colérico.
criminal look — cara patibular.
to have an evil look — ter cara de poucos amigos.
to have a look at — lançar um olhar sobre.
to be on the look-out — estar de vigia.
to judge by (from) looks — julgar pelas aparências.
2 — *vt.* e *vi.* ver, olhar, contemplar; considerar; parecer-se; encarar.
to look at — olhar para; considerar.
to look after — cuidar de, olhar por.
to look ahead — pensar no futuro.
to look alive — mexer-se; aviar-se.
to look at the bright side (col.) — ser optimista; ver tudo cor-de-rosa.
to look at the back side — ser pessimista, ver tudo negro.
to look big — empavonar-se.
to look back on — reflectir; considerar um facto passado.
to look down — baixar os olhos; baixar o preço.
to look down on (to look down upon) — considerar-se superior; olhar com desprezo.
to look for — procurar.
to look forward to — aguardar com prazer antecipado.
to look ill — ter aspecto de doente.

to look in — fazer uma curta visita; entrar.
to look into — examinar; considerar; deitar para; ter vista para.
to look like — parecer-se com.
to look on (to look upon) — estimar; imaginar; olhar.
to look on to — dar para.
to look out — olhar para fora; estar alerta; procurar; cuidar de; estar preparado para.
to look out for — olhar; procurar; estar à espera de.
to look over — examinar; rever; vigiar; perdoar.
to look round — estudar as possibilidades de um assunto.
to look sharp — ser cuidadoso; aviar-se.
to look to — cuidar de; velar; tomar a responsabilidade de.
to look through — olhar através; penetrar; percorrer com o olhar.
to look up — visitar; levantar os olhos; recobrar ânimo; procurar palavras.
to look out of — olhar (por janela, vidros).
to look through an account — examinar uma conta.
to look up to — pôr as esperanças em; contar com a protecção de; venerar.
to look up and down — examinar (alguém) dos pés à cabeça.
to look well — ter boa aparência.
look here! — olha!
look out! — tem cuidado!
look alive! — mexe-te!
to look blue — sentir-se infeliz.
it looks like rain — parece que vai chover.
to look daggers — lançar olhares furiosos.
to look all wonder — estar pasmado.
to look away — desviar o olhar.
to look for a needle in a haystack (to look for a needle in a bundle of hay) — procurar agulha em palheiro.
to look high and low for something — procurar uma coisa por toda a parte.
to look in the face — olhar de frente.
to look in at a window — espreitar para dentro de uma janela.
to look in the pink (col.) — estar com muito bom aspecto.
to look up a word in the dictionary — procurar uma palavra no dicionário.
to look nine ways for Sunday (col.) — ser estrábico.
to look one's last on — lançar um último olhar a.
to look out of countenance — atrapalhar alguém olhando-o fixamente.
look before you leap! (col.) — antes que cases, vê o que fazes!

looker ['-ə], *s.* o que olha.
looker on — espectador.
he is a looker (col.) — ele é muito guloso.
looker-out — atalaia.

looking ['-iŋ], *s.* e *adj.* acção de olhar; aspecto; com aspecto.
looking-glass — espelho.
good-looking (fine-looking) — que tem boa figura; bem-parecido; bonito.
looking down — desprezo.
looking for — procura.

loom [lu:m], **1** — *s.* tear; braço de remo; miragem; aparição.
2 — *vi.* aparecer, assomar; parecer grande ao longe; deformar-se pela miragem.

looming ['-iŋ], **1** — *s.* miragem; aparência indistinta de objectos vistos ao longe.
2 — *adj.* vago.

loon [lu:n], *s.* (zool.) mergulhão.

loony ['lu:ni], **1** — *s.* (col.) maluco, pateta.
loony-bin (col.) — manicómio.
2 — *adj.* (col.) lunático, maluco.

loop [lu:p], **1** — *s.* presilha, olhal, aselha, ilhó; cordão; alamar; alça; curva, volta.
loop-knot — nó de aselha.
looping the loop — dar uma volta completa com um avião.
2 — *vt.* e *vi.* segurar com uma presilha; fazer caracóis; andar fazendo curvas.

loophole ['lu:phoul], *s.* buraco; seteira; evasiva.

loopy ['lu:pi], *adj.* (col.) maluco, lunático.

loose [lu:s], **1** — *s.* liberdade; desregramento.
on the loose — na pândega.
2 — *adj.* solto, livre; largo; desatado; amplo, vago, indeterminado; licencioso; móvel.
to set loose — soltar; pôr em liberdade.
to break loose — escapar-se da prisão.
to have a screw loose (col.) — ter um parafuso a menos; não ter o juízo todo.
to let loose — largar, soltar.
loose-box — cavalariça.
loose sleeves — mangas soltas.
loose morals — costumes dissolutos.
to give a loose rein to — dar largas a.
loose reasoning — raciocínio vago.
loose living — vida airada.
loose tooth — dente abalado.
loose bowels — intestinos desarranjados, com diarreia.
loose-fitting clothes — roupas folgadas.
to have a loose tongue — falar de mais; ser linguareiro.
3 — *vt.* desprender, desatar, soltar, libertar; desobrigar; largar pano; desocupar.
to loose one's hold — soltar.
to loose an arrow — atirar uma seta.
to loose a knot — desfazer um nó.

loosely ['-li], *adv.* livremente; licenciosamente.

loosen [-n], *vt.* e *vi.* desprender, soltar; abrandar; folgar; desligar; separar-se; aliviar.
to loosen the bowels — tomar um laxante.
to loosen one's purse-strings (col.) — alargar os cordões à bolsa.

loosener ['-nə], *s.* o que desata ou solta.

looseness ['-nis], *s.* liberdade; frouxidão; diarreia; licenciosidade.

loosening ['-niŋ], *s.* acção de soltar; laxante; frouxidão.

loot [lu:t], **1** — *s.* saque, pilhagem, despojo.
2 — *vt.* e *vi.* saquear, pilhar, despojar; roubar.

looter ['-ə], *s.* saqueador.

looting ['-iŋ], *s.* saque, pilhagem, despojo.

lop [lɔp], **1** — *s.* ramos mais pequenos das árvores; marulho das ondas.
2 — *vt.* e *vi.* (*pret.* e *pp.* **lopped**) podar, desbastar árvores. (*Sin.* to prune, to cut, to crop, to shorten.)

lope [loup], **1** — *s.* galope largo; passo largo.
2 — *vi.* galopar; saltar.

lop-ear ['lɔpiə], *s.* orelha caída.

lop-eared [-d], *adj.* de orelhas caídas.

lopper ['lɔpə], *s.* podador; podadeira.

lopping ['lɔpiŋ], **1** — *s.* poda, desbastamento dos ramos de uma árvore.
2 — *adj.* pendente, caído; frouxo.

loppy ['lɔpi], *adj.* mole, flácido; murcho; caído.

lopsided ['lɔp'saidid], *adj.* torto, inclinado; cambado para um lado; desequilibrado; assimétrico.

loquacious [lou'kweiʃəs], *adj.* loquaz, tagarela, palrador. (*Sin.* talkative, garrulous, babbling. *Ant.* taciturn.)

loquaciously [-li], *adv.* loquazmente.

loquaciousness [-nis], *s.* loquacidade.

loquacity [lou'kwæsiti], *s.* ver **loquaciousness.**

loquat ['loukwət], *s.* nêspera do Japão.

lord [lɔ:d], **1** — *s.* senhor; lorde; Deus; magnate; par do reino; amo; dono; (col.) marido.
Lord Chief Justice — presidente do Supremo Tribunal de Justiça.
First Lord of the Admiralty — ministro da marinha.
Lord Chancellor — chanceler-mor do reino.
Lord Chamberlain — camareiro-mor.
***House of Lords* — Câmara dos Pares; Câmara dos Lordes; Câmara Alta.**
Lord Mayor — presidente da Câmara Municipal.
Our Lord — Nosso Senhor.
Lords temporal — Pares leigos.
Lords spiritual — bispos e arcebispos que têm assento na Câmara Alta.
Lord's Prayer — pai-nosso (oração).
Lord God Almighty — Deus Todo-Poderoso.
Lord Lieutenant — governador de um condado.
Lord High Steward — mordomo-mor.
Lord's day — o dia do Senhor, o domingo.
Lord's supper — Eucaristia; a Ultima Ceia.
Lord's table — mesa da comunhão.
in the year of our Lord — no ano do Senhor.
to live like a lord — viver muito bem.
***drunk as a lord* (col.) — bêbado como um cacho.**
2 — *vt.* e *vi.* elevar à dignidade de lorde; governar, mandar; dominar.
3 — *interj.* meu Deus!
lordliness ['-linis], *s.* dignidade; grandeza; altivez, orgulho, arrogância.
lordling ['-liŋ], *s.* fidalgote.
lordly ['-li], *adj.* fidalgo; altivo, orgulhoso.
lordosis [lɔ:'dousis], *s.* lordose.
lordotic [lɔ:'dɔtik], *adj.* lordótico.
lordship ['lɔ:dʃip], *s.* senhorio; poder, domínio; excelência.
***Your Lordship* — Vossa Excelência (tratamento para lordes e bispos).**
lordy ['lɔ:di], *interj.* meu Deus!
lore [lɔ:], *s.* conjunto de factos, tradições e crenças populares; saber.
bird-lore — ornitologia.
folk-lore — folclore.
lorgnette [lɔ:'njet], *s.* lornhão; binóculo de teatro.
lorgnon ['lɔ:njɔn], *s.* ver **lorgnette.**
lorica [lə'raikə], *s.* (zool.) lorica.
loris['lɔris], *s.* (zool.) espécie de lémure.
lorn [lɔ:n], *adj.* (poét.) abandonado; solitário, só; desolado.
lorry ['lɔri], *s.* camião.
lory ['lɔ:ri], *s.* (zool.) arara.
losable ['lu:zəbl], *adj.* que pode perder-se.
lose [lu:z], *vt.* e *vi.* (*pret.* e *pp.* **lost**) perder; malograr; desperdiçar; arrastar para a perdição; fazer perder; perder-se, extraviar-se; (náut.) descair; atrasar-se (relógio).
to lose sight of — perder de vista.
to lose ground — perder terreno.
***to lose one's temper* — perder a calma; encolerizar-se.**
***to lose one's way* — perder-se; andar extraviado.**
***to lose a baby* — ter um aborto.**
***to lose a lawsuit* (jur.) — perder uma questão judicial.**
***to lose one's balance* — perder o equilíbrio.**
***to lose one's head* — perder a cabeça; perder a calma.**
***to lose one's mind* — perder o juízo.**
to lose oneself in thought — perder-se em pensamentos.
to lose one's tongue — ficar mudo (de emoção).
to lose weight — perder peso; emagrecer.
to lose out to — perder a favor de.
losel ['louzəl], *s.* (arc.) libertino; vadio; indivíduo depravado.
loser ['lu:zə], *s.* aquele que perde.
to be a good loser — saber perder.
to be a bad loser — não saber perder.
losing ['lu:ziŋ], **1** — *s.* acção de perder.
2 — *adj.* que perde; perdido; que dá prejuízo.
losing concern — mau negócio.
loss [lɔs], *s.* perda, dano, prejuízo; quebra; privação; destruição; desperdício.
***to be at a loss* — não saber que fazer; estar embaraçado; ficar à toa.**
to sell at a loss — vender com prejuízo.
to bear a loss — sofrer uma perda.
to defray a loss — indemnizar de uma perda.
to retrieve one's losses — recuperar as perdas.
dead loss — perda total.
heavy loss — grande perda.
lost [lɔst], *pret.* e *pp.* de **to lose** e *adj.* perdido; frustrado; arruinado; desperdiçado; extraviado; desorientado.
to give something up for lost — dar uma coisa como perdida.
lost-luggage office — depósito de objectos achados.
lost to — insensível.
no time is to be lost — não há tempo a perder.
a lost cause — uma causa perdida.
lost in thought — perdido em pensamentos.
to get lost — perder-se.
lot [lɔt], **1** — *s.* lote, quinhão, partilha; fado, destino, sorte, fortuna; porção, grande quantidade, muito.
by lot — à sorte.
a bad lot — uma má pessoa.
to cast lots — deitar sortes.
to draw lots — tirar à sorte.
***to fall to somebody's lot* — cair (calhar) em sorte a alguém.**
to sell in lots — vender em lotes.
he has lots of friends — ele tem muitos amigos.
lots of trouble — muitas arrelias.
a lot of money — uma quantidade de dinheiro; bastante dinheiro.
to take a lot out of — esgotar, exaurir.
the whole lot — tudo, todos.
3 — *vt.* (*pret.* e *pp.* **lotted**) dividir em lotes; catalogar.
loth [louθ], ver **loath.**
Lothair [lou'θεə], *n. p.* Lotário.
lothario [lou'θɑ:riou], *s.* libertino.
lotion ['louʃən], *s.* loção; (cal.) bebida alcoólica.
lottery ['lɔtəri], *s.* lotaria, rifa.
to draw a prize in the lottery — ter um prémio na lotaria.
charity lottery — tômbola.
lotus ['loutəs], *s.* lódão, trevo amarelo.
lotus-eater — indolente.
loud [laud], **1** — *adj.* ruidoso, estrondoso, retumbante, alto; forte; vistoso.
in a loud voice — em voz alta.
loud laugh — risada estrondosa.
loud-speaker — alto-falante.
2 — *adv.* ruidosamente, em voz alta.
to speak loud — falar alto.
to laugh loud — rir-se alto.
louden ['-ən], *vt.* e *vi.* aumentar de intensidade (som); fortalecer, intensificar.
loudly ['-li], *adv.* ruidosamente, em voz alta; vistosamente.
loudness ['-nis], *s.* ruído, barulho; sonoridade; mau gosto, vulgaridade.
lough [lɔk,lɔx], *s.* (Esc.) lago; ria; braço de mar.
Louis ['lu(:)i], *n. p.* Luís.
Louisa [lu(:)'i:zə], *n. p.* Luísa.
Louisiana [lu(:)i:zi'ænə], *top.* Luisiana.

lounge [laundʒ], **1** — *s.* mandriice, ociosidade; antecâmara; sala de repouso.
lounge-chair — poltrona, divã.
lounge-suit — fato de passeio.
2 — *vi.* vaguear; preguiçar; recostar-se.
to lounge away time — mandriar; passar o tempo na ociosidade.
to lounge along — caminhar vagarosamente.
lounger ['-ə], *s.* vadio, ocioso, mandrião.
lounging ['-iŋ], **1** — *s.* ociosidade, preguiça, vadiagem.
2 — *adj.* ocioso, indolente.
lour ['lauə], **1** — *s.* rosto carrancudo; aspecto carregado do céu; aspecto ameaçador.
2 — *vi.* mostrar-se carrancudo; escurecer; toldar-se; ameaçar tempestade (céu).
louring [-riŋ], *s.* e *adj.* rosto carrancudo; aspecto carregado do céu; sombrio; carrancudo; ameaçador.
louringly ['-riŋli], *adv.* ameaçadoramente; sobriamente; carrancudamente.
loury [-ri], *adj.* carrancudo; que ameaça tempestade.
louse [laus], *s.* (*pl.* **lice**) piolho.
lousiness ['lauzinis], *s.* piolhice.
lousy ['lauzi], *adj.* piolhoso; muito mau.
lout [laut], *s.* rústico, estúpido, grosseiro, lorpa.
loutish ['-iʃ], *adj.* um tanto grosseiro, estúpido ou rústico.
loutishly ['-iʃli], *adv.* estupidamente, grosseiramente.
loutishness ['-iʃnis], *s.* rusticidade, estupidez, grosseria.
louver ['lu:və], *s.* persiana; respiradouro.
louvre [lu:vr], *s.* ver **louver.**
lovable ['lʌvəbl], *adj.* digno de ser amado; adorável.
lovableness [-nis], *s.* encanto, simpatia.
lovably [-i], *adv.* encantadoramente.
lovage ['lʌvidʒ], *s.* (bot.) ligústico.
love [lʌv], **1** — *s.* **amor; caridade; afeição; amizade; galanteio; pessoa amada; objecto amado; (em jogos) zero.**
in love with — apaixonado por.
self-love — amor-próprio.
for love — de graça; sem pagar.
love in a cottage — o teu amor e uma cabana.
love-knot — nó cego.
love-match — casamento por amor.
love-token — prenda de amor.
there is no love lost between us — nunca morremos de amor um pelo outro.
love-in-a-mist (bot.) — flor de funcho.
love-lies-bleeding — **(bot.) moncos de peru; espécie de amaranto.**
for love or money — por nada desta vida.
labour of love — trabalho gratuito feito por prazer.
love-sick — apaixonado; perdido de amor.
love affair — **ligação amorosa.**
love-child — filho natural.
love all — zero a zero (jogos).
love-letter — carta de amor.
love-begotten — ilegítimo.
love bird — periquito.
love-in-idleness (bot.) — amor-perfeito.
love-potion — **filtro amoroso; beberagem para despertar amor.**
love-song — canção de amor.
to fall in love with — apaixonar-se por.
for the love of God — por amor de Deus.
to be head over ears in love with — estar loucamente apaixonado por.
to make love to — fazer a corte a.
(with) love from — saudades de (no fim das cartas).
2 — *vt.* amar; adorar; gostar de, ter afeição a; deleitar-se.
to love dearly — amar muitíssimo.
lovelace ['-leis], *s.* libertino, devasso.
loveless ['-lis], *adj.* sem amor; antipático; indiferente.
lovelessness ['-lisnis], *s.* ausência de amor.
loveliness ['-linis], *s.* beleza; encanto, doçura, suavidade.
lovelock ['-lɔk], *s.* anel de cabelo usado na testa, (col.) caça-rapazes.
lovely ['-li], *adj.* encantador, adorável; amável; simpático; lindo; agradável.
lover ['-ə], *s.* amante; namorado; querido; amador.
a lover of music — um apaixonado pela música.
loving ['-iŋ], *adj.* amante, amoroso; terno, afectuoso, afável.
low [lou], **1** — *s.* mugido (de vaca ou boi); berro (de animal); (Esc.) luz, brilho.
2 — *adj.* baixo; profundo; humilde; barato; moderado; pequeno; abatido, desanimado; vulgar; vil, ruim; servil; pobre; submisso.
Low Countries — Países Baixos.
in a low voice — em voz baixa.
low tide (low water) — maré vazante.
to be in low water **(col.) — estar em apuros.**
low-church — seita anglicana oposta ao ritualismo.
a low dress — um vestido decotado.
low gear — primeira velocidade (automóvel).
low boy (E. U.) — cómoda baixa.
low language — linguagem grosseira.
Low Latin — baixo latim.
low sound — som grave.
low relief — baixo-relevo.
Low Sunday — domingo de Pascoela.
low birth — nascimento humilde.
to feel low — sentir-se deprimido.
to have a low opinion of — ter má opinião de.
at a low rate — barato.
to be brought low — ser humilhado.
to be in low spirits — sentir-se "em baixo"; sentir-se abatido.
3 — *adv.* baixo, em baixo; por baixo preço; vilmente; profundamente; em voz baixa; submissamente.
low-born — de nascimento humilde.
low-spirited — desanimado.
low-necked dress — vestido decotado.
to lay low — deitar por terra.
to speak low — falar em voz baixa.
to bow low — inclinar-se profundamente.
4 — *vi.* mugir (vaca ou boi); berrar (animal).
lowbrow ['-brau], *s.* pessoa sem cultura; pessoa sem preocupações intelectuais.
lower **1** — **['louə],** ***adj.*** **e** ***adv.*** **(deriv. de low)** inferior; de baixo; mais baixo; (náut.) de gávea.
lower deck — segunda coberta.
lower mast — mastro real.
lower case (tip.) — caixa baixa.
the lower animals — os animais inferiores.
lower corner — canto inferior.
the Lower House — **a Câmara dos Comuns; a Câmara Baixa.**
2 — *vt.* e *vi.* abaixar, baixar; descer; aviltar, humilhar; diminuir, pôr mais baixo; amainar (as velas).
to lower the pride — abater o orgulho.
to lower the voice — abaixar a voz.
to lower the sails — **amainar (arriar) as velas.**
to lower a boat — deitar um escaler à água.
to lower oneself — humilhar-se.
to lower the flag — arriar a bandeira.
3 — ['lauə], *s.* e *vi.* ver **lour.**
lowering ['louəriŋ], **1** — *s.* abaixamento, descida; rebaixamento.

2 — *adj.* que desce; que enfraquece.
loweringly [-li], *adv.* ver **louringly.**
lowermost ['lauəmoust], *adj.* (o) mais baixo; ínfimo.
lowest ['louist], *adj.* (sup. de **low**) o mais baixo.
lowest common multiple — menor múltiplo comum.
at the lowest — no mínimo.
lowing ['louiŋ], **1** — *s.* mugido; berro (de animal).
2 — *adj.* que muge; que berra (animal).
lowland ['loulənd], *s.* terra baixa.
the Lowlands — as terras baixas da Escócia.
lowlander [-ə], *s.* habitante das terras baixas da Escócia.
lowlily ['loulili], *adv.* humildemente.
lowliness ['loulinis], *s.* humildade; baixeza.
lowly ['louli], **1** — *adj.* humilde, modesto; abjecto.
2 — *adv.* humildemente; vilmente.
lowmost ['loumoust], *adj.* ínfimo; o mais baixo.
lowness ['lounis], *s.* pequenez; baixeza, vileza; depreciação (de valor comercial); profundidade; abatimento, prostração; gravidade (do som).
loyal ['lɔiəl], *adj.* leal, fiel, constante.
loyalism [-izm], *s.* lealismo.
loyalist [-ist], *s.* lealista.
loyally [-i], *adv.* lealmente.
loyalty [-ti], *s.* lealdade, fidelidade.
lozenge ['lɔzindʒ], *s.* losango; pastilha, comprimido.
lozenged [-d], *adj.* em forma de losango.
lubber ['lʌbə], *s.* lapuz, rústico, labrego; marinheiro de água doce.
lubberliness [-linis], *s.* estupidez; rusticidade; indolência.
lubberly [-li], **1** — *adj.* rústico; desastrado; ronceiro.
2 — *adv.* toscamente, rusticamente; ronceiramente.
lubricant ['lu:brikənt], *s.* e *adj.* lubrificante, óleo lubrificante; massa lubrificante.
lubricant inlet — admissão de lubrificante.
lubricate ['lu:brikeit], *vt.* e *vi.* lubrificar, untar, amaciar.
lubricating [-iŋ], **1** — *s.* lubrificação.
lubricating oil — óleo de lubrificação.
2 — *adj.* lubrificante.
lubrication [lu:bri'keiʃən], *s.* lubrificação.
forced-feed lubrication — lubrificação sob pressão.
lubrication service — serviço de lubrificação.
lubricator ['lu:brikeitə], *s.* lubrificador.
lubricity [lu:'brisiti], *s.* lubricidade, sensualidade; macieza, oleosidade.
lubricous ['lu:brikəs], *adj.* lúbrico, sensual; escorregadio, viscoso.
Lucania [lu:'keinjə], *top.* Lucânia.
luce [lju:s], *s.* (zool.) lúcio.
lucency ['lu:snsi], *s.* brilho, fulgor.
lucent ['lu:snt], *adj.* brilhante, luzente, translúcido.
lucern [lu:'sə:n], *s.* (bot.) luzerna.
lucerne [lu:'sə:n], *s.* ver **lucern.**
Lucerne [lu:'sə:n], *top.* Lucerna (cidade suíça).
Lucia ['lu:sjə], *n. p.* Lúcia.
Lucian ['lu:sjən], *n. p.* Luciano.
lucid ['lu:sid], *adj.* lúcido; claro, transparente.
lucid intervals — intervalos lúcidos (em loucura).
lucidity [lu:'siditi], *s.* lucidez; claridade.
lucidly ['lu:sidli], *adv.* lucidamente; claramente.
lucidness ['lu:sidnis], *s.* ver **lucidity.**
Lucifer ['lu:sifə], *s.* Lúcifer; lúcifer, planeta Vénus.
as proud as Lucifer — muito orgulhoso.
luciola [lu'si:ələ], *s.* (zool.) lucíolo.
luck [lʌk], *s.* sorte, fortuna, felicidade; acaso, casualidade.
good luck — fortuna; boa sorte.
bad luck — infelicidade; pouca sorte; má sorte; azar.
a run of bad luck — um período de infelicidade.
to try one's luck — tentar a sorte.
to be in luck — estar com sorte.
by good luck — por felicidade; por sorte.
good luck (to you)! — muitas felicidades!
with luck — por sorte.
what rotten bad luck! — que pouca sorte!; que azar!
hard luck — pouca sorte.
to have no luck — não ter sorte nenhuma.
luckily ['-ili], *adv.* felizmente, por sorte, afortunadamente.
luckiness ['-inis], *s.* boa sorte, feliz acaso, felicidade.
luckless ['-lis], *adj.* sem sorte, infeliz, desgraçado.
lucky ['-i], *adj.* afortunado, feliz, ditoso, propício.
lucky chap! — felizardo!
how lucky! — que sorte!
you're lucky! — estás com sorte!
at a lucky moment — num momento de sorte.
lucrative ['lu:krətiv], *adj.* lucrativo, rendoso.
lucratively [-li], *adv.* lucrativamente.
lucrativeness [-nis], *s.* lucro, rendimento.
lucre ['lu:kə], *s.* (depreciativo) lucro, proveito.
Lucretia [lu:'kri:ʃjə], *n. p.* Lucrécia.
lucubrate ['lu:kj(:)breit], *vi.* lucubrar, trabalhar, estudar de noite.
lucubration [lu:kju(:)'breiʃən], *s.* lucubração; meditação; trabalho literário de tipo rebuscado.
Lucy ['lu:si], *n. p.* Lúcia.
lud [lʌd], *s.* o mesmo que **lord** (nos tribunais, em relação ao juiz presidente).
ludicrous ['lu:drikəs], *adj.* burlesco, ridículo, cómico, jocoso. (*Sin.* absurd, funny, comical, odd, ridiculous. *Ant.* tragic.)
ludicrously [-li], *adv.* ridiculamente, jocosamente.
ludicrousness [-nis], *s.* jocosidade; extravagância.
luff [lʌf], **1** — *s.* (náut.) ló, barlavento, bolina; testa de vela latina.
to keep the luff — chegar-se ao vento.
2 — *vt.* e *vi.* meter de ló, bolinar, orçar.
luffer-board ['-ə-bɔ:d], *s.* persiana.
lug [lʌg], **1** — *s.* coisa que se puxa com dificuldade; peso; orelha; asa; argola; minhoca usada como isca para pescar; puxão.
lug-sail (náut.) — vela londrina ou de pendão.
2 — *vt.* e *vi.* (*pret.* e *pp.* **lugged**) puxar com força; arrastar; içar, alar.
*to lug in (*to lug into*)* — fazer entrar à força.
to lug out — fazer sair à força.
to lug away — levar arrastado.
luge [lju:dʒ], *s.* pequeno trenó individual para desporto.
luggage ['lʌgidʒ], *s.* bagagem.
excess luggage — excesso de bagagem.
to book the luggage — despachar a bagagem.
luggage-grid — porta-bagagem.
luggage porter — bagageiro; carregador.
lugger ['lʌgə], *s.* lugre, barco de velas de pendão.
lugubrious [lu:'gju:briəs], *adj.* lúgubre, fúnebre.

lugubriously [-li], *adv.* lugubremente.
lugubriousness [-nis], *s.* aspecto lúgubre.
Luke [lu:k], *n. p.* Lucas.
the Gospel according to Luke — o Evangelho segundo S. Lucas.
lukewarm ['lu:kwɔ:m], *adj.* morno, tépido; indiferente, insensível, apático; frio; seco.
lukewarmly [-li], *adv.* friamente, indiferentemente.
lukewarmness [-nis], *s.* calor moderado; indiferença, apatia.
lull [lʌl], **1** — *s.* murmúrio; calma; calmaria; coisa que faz dormir; intervalo.
2 — *vt.* e *vi.* embalar, acalentar; suavizar, acalmar; adormecer; acalmar-se; amainar.
to lull a person with vain hopes — embalar alguém com esperanças vãs.
to lull a baby to sleep — adormecer um bebé embalando-o ou cantando-lhe.
lullaby ['lʌləbai], **1** — *s.* canção de embalar.
2 — *vt.* adormecer (criança) cantando.
lum [lʌm], *s.* chaminé.
lumbago [lʌm'beigou], *s.* lumbago.
lumbar ['lʌmbə], **1** — *s.* vértebra ou nervo lombar.
2 — *adj.* lombar.
lumber ['lʌmbə], **1** — *s.* madeiras, tábuas; madeira de construção; trastes velhos; rebotalho; coisa incómoda e de pouco valor.
lumber-room — quarto de arrumações.
lumber-jack — lenhador; madeireiro.
lumber-mill — fábrica de serração.
lumber-yard — depósito de madeiras.
2 — *vt.* e *vi.* mover-se com dificuldade; amontoar trastes velhos ou rebotalho; apanhar lenha no mato.
to lumber along — mover-se com ruído surdo.
to lumber about — arrastar-se de um lado para o outro.
lumbered [-d], *adj.* atravancado.
lumberer [-rə], *s.* lenhador, madeireiro.
lumberman [-mən], *s.* lenhador, madeireiro.
lumbersome [-səm], *adj.* pesado.
luminary ['lu:minəri], *s.* luminar; astro.
luminesce [lu:mi'nes], *vi.* tornar-se luminescente.
luminescence [-əns], *s.* luminescência.
luminescent [-ənt], *adj.* luminescente.
luminiferous [lu:mi'nifərəs], *adj.* luminífero, luminoso.
luminist ['lu:minist], *s.* luminista.
luminosity [lu:mi'nɔsiti], *s.* luminosidade.
luminous ['lu:minəs], *adj.* luminoso, brilhante, resplandecente. (*Sin.* bright, radiant, shining, brilliant, clear. *Ant.* dark.)
luminous dot — ponto luminoso.
luminous arc lamp—lâmpada de arco luminoso.
luminous paint — pintura fosforescente.
luminous source — fonte luminosa.
luminously [-li], *adv.* luminosamente, brilhantemente.
luminousness [-nis], *s.* luminosidade, brilho; lucidez.
lump [lʌmp], **1** — *s.* massa informe; conjunto; bocado; inchaço, "galo"; pessoa estúpida e pesadona; torrão.
in the lump — por junto, por grosso; a granel.
a lump of sugar — uma pedra ou um torrão de açúcar.
to sell by the lump — vender por junto.
to have a lump in one's throat — ter um nó na garganta.
2 — *vt.* e *vi.* amontoar; comprar ou vender por junto; aglomerar-se; amontoar-se; converter-se em massa.
if you don't like it, you may lump it — é engolir (ouvir) e calar.
lumper ['-ə], *s.* estivador.
lumping ['-iŋ], **1** — *s.* aglomeração, amontoamento.
2 — *adj.* grande, pesado, grosso.
lumpish ['-iʃ], *adj.* pesado, grosso; maciço; estúpido; grosseiro.
lumpishly ['-iʃli], *adv.* pesadamente; estupidamente.
lumpishness ['-iʃnis], *s.* qualidade do que é pesado; grosseria; estupidez; ignorância.
lumpy ['-i], *adj.* grumoso, granuloso, cheio de torrões.
lunacy ['lu:nəsi], *s.* loucura intermitente.
lunar ['lu:nə], *adj.* lunar, lunário; de prata (em medicina e química).
lunar caustic — nitrato de prata.
lunar year — ano lunar.
lunar month — mês lunar.
lunaria [lu'nɛəriə], *s.* (bot.) lunária.
lunarian [-n], **1** — *s.* lunar; astrónomo especializado em questões lunares.
2 — *adj.* lunar.
lunate ['lu:neit], *adj.* em forma de meia-lua.
lunatic ['lu:nətik], *s.* e *adj.* lunático, alienado, louco. *(Sin.* mad, insane, madman, maniac. *Ant.* sane.)
lunatic asylum — manicómio.
lanution [lu:'neiʃən], *s.* lunação.
lunch [lʌntʃ], **1** — *s.* almoço.
to have lunch (to take lunch) — almoçar.
2 — *vt.* e *vi.* almoçar; dar de almoçar.
luncheon ['-ən], *s.* ver **lunch** [**1**].
luncher ['-ə], *s.* pessoa que almoça.
lune [lu:n], *s.* (geom.) lúnula.
lunette [lu:'net], *s.* luneta (fresta oval).
lung [lʌŋ], *s.* pulmão; *pl.* bofes, pulmões.
lung trouble — doença pulmonar.
lung-fish (zool.) — peixe dipnóico.
to cry at the top of one's lungs — berrar muito.
lunge [lʌndʒ], **1** — *s.* estocada, bote; investida; picadeiro.
2 — *vt.* e *vi.* dar uma estocada; investir.
lunged [-d], *adj.* que tem pulmões.
lungi ['lu:ngi], *s.* tanga.
lungwort ['lʌŋwə:t], *s.* (bot.) pulmonária.
luniform ['lu:nifɔ:m], *adj.* luniforme.
lunisolar [lu:ni'soulə], *adj.* lunissolar.
lunisolar period — período de 532 anos.
lunular ['lu:njulə], *adj.* lunular.
lunulate ['lu:njuleit], *adj.* luniforme; lunado.
lunulated [-id], *adj.* ver **lunulate.**
lunule ['lu:nju:l], *s.* lúnula, branco das unhas.
lupa ['lu:pə], *s.* (zool.) lupa, género de crustáceos.
lupin ['lu:pin], *s.* (bot.) lupino, tremoceiro, tremoço.
lupine ['lu:pin], *s.* ver **lupin.**
lupine ['lu:pain], *adj.* lupino, próprio de lobo.
lupus ['lu:pəs], *s.* (med.) lúpus.
lurch [lə:tʃ], **1** — *s.* guinada, balanço brusco; desamparo, abandono; dificuldade.
to leave somebody in the lurch — abandonar alguém em má situação.
2 — *vi.* balançar; fazer bordos (o navio); estar de emboscada.
lurcher ['-ə], *s.* pessoa que está de emboscada; espia; larápio; cão que espreita a caça.
lurching ['-iŋ], **1** — *s.* balanço, solavanco; bordos (que faz o navio).
2 — *adj.* com solavancos, com balanço.
lure [ljuə,luə], **1** — *s.* chamariz, engodo; tentação; atractivo.
2 — *vt.* engodar; atrair; induzir.
lurid ['-rid], *adj.* lúgubre, sombrio; fúnebre; triste; pálido; cor de cobre.
to cast a lurid light on facts — revelar factos de uma maneira trágica.

a lurid sky — um céu acobreado.
luridly [ˈ-ridli], *adv.* lugubremente, tristemente.
luridness [ˈ-ridnis], *s.* aspecto lúgubre; tom acobreado.
luring [ˈ-riŋ], *adj.* atraente, fascinante.
lurk [ləːk], **1** — *s.* esconderijo.
to be on the lurk — estar à espreita; estar à coca.
2 — *vi.* ocultar-se, esconder-se; estar de emboscada; espiar.
lurker [ˈ-ə], *s.* pessoa que está de emboscada; espia.
lurking [ˈ-iŋ], *adj.* oculto, escondido; emboscado; secreto.
lurking-place — esconderijo; emboscada.
lurkingly [ˈ-iŋli], *adv.* ocultamente; secretamente.
luscious [ˈlʌʃəs], *adj.* saboroso, delicioso, agradável; suculento; muito doce, açucarado; voluptuoso. (*Sin.* delicious, delightful, sweet. *Ant.* nauseous.)
lusciously [-li], *adv.* deliciosamente; de modo suculento; voluptuosamente.
lusciousness [-nis], *s.* doçura extrema; delícia; voluptuosidade.
lush [lʌʃ], **1** — *s.* (cal.) bebida alcoólica.
2 — *adj.* suculento; fresco e viçoso; de vegetação luxuriante.
3 — *vt.* e *vi.* (cal.) beber; embriagar-se.
lushness [ˈ-nis], *s.* suculência; carácter luxuriante.
lushy [ˈ-i], *adj.* (cal.) embriagado.
Lusitania [luːsiˈteinjə], *top.* Lusitânia.
Lusitanian [-n], *s.* e *adj.* lusitano.
lust [lʌst], **1** — *s.* cobiça; luxúria.
2 — *vi.* cobiçar; ser luxurioso.
to lust after a woman — desejar uma mulher.
to lust for power — sentir ânsia de poder.
lustful [ˈ-ful], *adj.* cobiçoso; lascivo.
lustfully [ˈ-fuli], *adv.* cobiçosamente; lascivamente.
lustfulness [ˈ-fulnis], *s.* cobiça; luxúria.
lustily [ˈ-ili], *adv.* vigorosamente, com força.
lustiness [ˈ-inis], *s.* vigor, força, robustez.
lusting [ˈ-iŋ], **1** — *s.* cobiça; sensualidade; desejo carnal.
2 — *adj.* sensual.
lustral [ˈlʌstrəl], *adj.* lustral, purificador.
lustrate [ˈlʌstreit], *vt.* lustrar, purificar (com água).
lustration [lʌsˈtreiʃən], *s.* lustração, purificação (pela água).
lustre [ˈlʌstə], **1** — *s.* brilho, fulgor, esplendor; lustre, candelabro; lustro (espaço de cinco anos).
2 — *vt.* lustrar, dar lustro a.
lustreless [-lis], *adj.* sem brilho, embaciado.
lustrine [ˈlʌstrin], *s.* lustrina, tecido com muito lustro.
lustring [ˈlʌstriŋ], *s.* lustrina.
lustrous [ˈlʌstrəs], *adj.* lustroso, reluzente, brilhante.
lustrousness [-nis], *s.* brilho, lustro.
lustrum [ˈlʌstrəm], *s.* (*pl.* **lustra**) lustro, espaço de cinco anos.
lusty [ˈlʌsti], *adj.* forte, vigoroso, robusto. (*Sin.* strong, robust, vigorous, healthy, sturdy. *Ant.* weak.)
lutanist [ˈluːtənist], *s.* tocador de alaúde.
lute [luːt], **1** — *s.* alaúde; luto, massa para fazer a vedação de aparelhos.
lute-player — tocador de alaúde.
2 — *vt.* vedar com luto.
luteous [ˈljuːtiəs], *adj.* lúteo, amarelo.
Luther [ˈluːθə], *n. p.* Lutero.
Lutheran [-rən], *s.* e *adj.* luterano.
Lutheranism [-rənizm], *s.* luteranismo.
Lutheranize [-rənaiz], *vt.* e *vi.* luteranizar, luteranizar-se.
luxate [ˈlʌkseit], *vt.* luxar, deslocar, fazer uma luxação, desarticular.
luxation [lʌkˈseiʃən], *s.* luxação, deslocação.
Luxemburg [ˈlʌksəmbəːg], *top.* Luxemburgo.
luxuriance [lʌgˈzjuəriəns], *s.* exuberância; viço; superabundância.
luxuriant [lʌgˈzjuəriənt], *adj.* luxuriante; viçoso; frondoso; exuberante; supérfluo. (*Sin.* profuse, abundant, exuberant, superabundant. *Ant.* scant.)
luxuriantly [-li], *adv.* exuberantemente, abundantemente, luxuriantemente.
luxuriate [lʌgˈzjuərieit], *vi.* vicejar, florescer com exuberância; viver com luxo; ostentar.
luxurious [lʌgˈzjuəriəs], *adj.* luxuoso, sumptuoso, faustoso; exuberante; voluptuoso.
luxuriously [-li], *adv.* luxuosamente, com fausto; exuberantemente; voluptuosamente.
luxuriousness [-nis], *s.* luxo, fausto; voluptuosidade.
luxury [ˈlʌkʃəri], *s.* luxo, fausto, sumptuosidade; prazer, deleite; manjar delicioso; intemperança.
to live in the lap of luxury — viver no seio da abundância; viver na grandeza.
luxury car — carro de luxo.
to live in luxury — viver no luxo.
lycée [ˈliːsei], *s.* liceu.
lyceum [laiˈsiəm], *s.* liceu, instituição literária; nome de um dos mais importantes ginásios da antiga Atenas, o "Liceu" de Aristóteles.
lychnis [ˈliknis], *s.* (bot.) candelária.
Lycia [ˈlisiə], *top.* Lícia, região da Ásia Menor.
lycopod [ˈlaikəpɔd], *s.* (bot.) licopódio.
lycopodium [laikəˈpoudjəm], *s.* ver **lycopod.**
Lycurgus [laiˈkəːgəs], *n. p.* Licurgo.
lyddite [ˈlidait], *s.* lidite (explosivo).
Lydia [ˈlidiə], *n. p.* e *top.* Lídia.
Lydian [-n], *s.* lídio; natural da Lídia, relativo à Lídia.
lye [lai], *s.* lixívia.
lying [ˈlaiiŋ], **1** — *s.* mentira, embuste; leito.
lying-in — parto.
lying-in hospital — maternidade.
2 — *adj.* mentiroso, falso; deitado, estendido; sito, situado.
to take a thing lying down — aceitar sem protesto.
low-lying — situado num nível inferior.
lyingly [-li], *adv.* mentirosamente, falsamente.
lyke-wake [ˈlaikweik], *s.* velada fúnebre.
lymph [limf], *s.* linfa.
lymphatic [limˈfætik], *adj.* linfático.
lymphatics [-s], *s. pl.* vasos linfáticos.
lymphatism [ˈlimfətizm], *s.* linfatismo.
lymphocyte [ˈlimfousait], *s.* linfócito.
lyncean [linˈsiːən], *adj.* de lince, com olhos de lince.
lynch [lintʃ], *vt.* linchar; matar ou condenar sem culpa formada.
lyncher [ˈ-ə], *s.* linchador.
lynching [ˈ-iŋ], *s.* linchamento.
lynx [liŋks], *s.* (zool.) lince.
lynx-eyed — com vista de lince.
Lyra [ˈlaiərə], *s.* (astr.) Lira, constelação boreal.
lyrate [ˈlaiərit], *adj.* que tem forma de lira.
lyre [ˈlaiə], *s.* (mús.) lira.

lyric ['lirik], **1** — *s.* poema lírico; *pl.* (mús.) letra.
2 — *adj.* lírico.
the lyric stage — a ópera.
lyrical [-əl], *adj.* lírico.
lyricism ['lirisizm], *s.* lirismo.
lyricist ['lirisist], *s.* poeta lírico.
lyrism ['lirizm], *s.* lirismo.
lyrist ['laiərist], *s.* tocador de lira; poeta lírico.
Lysander [lai'sændə], *n. p.* Lisandro.
lysin ['laisin], *s.* (quím.) lisina.
Lysistratus [lai'sistrətəs], *n. p.* Lisístrato.
lysol ['laisɔl], *s.* lisol.
lyssa ['lisə], *s.* hidrofobia, raiva.
lytic ['litik], *adj.* lítico.

M

M, m [em], *pl.* **M's, m's** [-z] M, m (décima terceira letra do alfabeto inglês).
ma [mɑ:], *s.*(col.) forma abreviada de **mama,** mamã.
ma'am [mæm], *s.* contracção de **madam,** minha senhora.
Mab [mæb], *n. p.* (mit.) rainha das fadas, mulher de Oberon.
mac [mæk], *s.* forma coloquial de **mackintosh,** impermeável; capa de borracha.
macabre [mə'kɑ:br], *adj.* macabro.
danse macabre — dança macabra.
macadam [mək'ædəm], **1** — *s.* macadame.
macadam road — estrada em macadame.
2 — *vt.* macadamizar.
macadamization [məkædəmai'zeiʃən], *s.* macadamização.
macadamize [mə'kædəmaiz], *vt.* macadamizar.
Macao [mə'kau], *top.* Macau.
Macarius [mə'kɛəriəs], *n. p.* Macário.
macaroni [mækə'rouni], *s.* macarrão.
macaronic [mækə'rɔnik], *s.* e *adj.* verso macarrónico; macarrónico.
macaroon [mækə'ru:n], *s.* bolo de amêndoa.
macassar [mə'kæsə], *s.* macáçar, cosmético para o cabelo.
macaw [mə'kɔ:], *s.* arara.
macaw-tree — macaúba, espécie de palmeira.
Maccabean [mækə'bi:ən], *adj.* relativo aos Macabeus.
Maccabees [mækə'bi:z], *s. pl.* Macabeus.
Maccabeus [mækə'bi(:)əs], *n. p.* Macabeu.
mace [meis], *s.* maça, clava; castão; bastão; maceiro, bedel, funcionário que leva a maça em certas solenidades; (bot.) macis.
Macedonia [mæsi'dounjə], *top.* Macedónia.
Macedonian [-n], *s.* e *adj.* macedónio, macedoniano; da Macedónia.
macerate ['mæsəreit], *vt.* e *vi.* macerar; amolecer; mortificar(-se).
macerated [-id], *adj.* macerado; amolecido; mortificado.
macerated paper — papel macerado.
maceration [mæsə'reiʃən], *s.* maceração.
Machiavel(li) [mækiə'vel(i)], *n. p.* Maquiavel.
Machiavellian [-iən], *s.* e *adj.* maquiavelista; maquiavélico.
Machiavellism [-izm], *s.* maquiavelismo, doutrina de Maquiavel.
Machiavellist [-ist], *s.* maquiavelista.
machicolation [mætʃikə'leiʃən], *s.* balestreiro, abertura em muralha.
machinate ['mækineit], *vi.* maquinar, tramar, forjar, planear, traçar. *(Sin.* to plot, to plan, to devise, to scheme, to contrive.)
machination [mæki'neiʃən], *s.* maquinação, trama, conjuração, conluio.
machinator ['mækineitə], *s.* maquinador, intrigante.
machine [mə'ʃi:n], **1** — *s.* máquina; engenho; maquinismo; veículo; instrumento; organização.
sewing-machine — máquina de costura.
printing-machine — máquina de impressão.
hand machine — máquina manual.
grinding-machine — **máquina de amolar** (afiar).
machine-gun — metralhadora.
machine-made — feito à máquina.
machine factory — oficina de construção de máquinas.
shearing-machine — máquina para tosquiar carneiros.
adding machine — máquina de somar.
machine drawing — desenho de máquinas.
machine oil — óleo de máquinas.
machine production — produção em série.
machine output — produção mecânica.
bathing-machine — barraca com rodas usada antigamente nas praias.
reaping-machine — máquina de ceifar.
2 — *vt.* trabalhar com máquinas; coser à máquina.
machined [-d], *adj.* feito à máquina; cosido à máquina.
machinery [-əri], *s.* mecanismo; máquinas; (lit.) maravilhoso.
worked by machinery — accionado mecanicamente.
machining [-iŋ], *s.* trabalho mecânico; costura (em máquina de costura).
machinist [-ist], *s.* maquinista; mecânico.
mack [mæk], *s.* forma coloquial de **mackintosh.**
mackerel ['mækrəl], *s.* sarda, cavala.
Spanish mackerel — cavala.
mackerel sky — céu coberto de nuvens pequenas.
mackerel-breeze — brisa forte.
mackintosh ['mækintɔʃ], *s.* impermeável, capa de borracha.
mackle [mækl], **1** — *s.* (tip.) impressão sem nitidez; maculatura.
2 — *vt.* (tip.) ficar mal impresso, com manchas e sem nitidez.
macle [mækl], *s.* (min.) macla; (tip.) impressão sem nitidez.
macrocephalic [mækrouse'fælik], *adj.* macrocéfalo.
macrocephalous [mækrou'sefələs], *adj.* ver **macrocephalic.**
macrocephaly [mækrou'sefəli], *s.* macrocefalia.
macrocosm ['mækrəkɔzm], *s.* macrocosmo.
macron ['mækrɔn], *s.* mácron, sinal de vogal longa.
macroscopic [mækrou'skɔpik], *adj.* macroscópico.
macula ['mækjulə], *s.* (pl. **maculae**) mácula, mancha, sinal na pele.

maculate 1 — ['mækjuleit], *vt.* macular, manchar.
2 — ['mækjulit], *adj.* maculado, manchado.
maculation [mækju'leiʃən], *s.* maculação, mancha.
mad [mæd], **1** — *s.* aparelho para descobrir jazigos de minério, poços de petróleo, etc.
2 — *adj.* louco, doido; furioso; desesperado; raivoso; divertido.
stark mad — doido varrido.
to run mad (to go mad) — enlouquecer.
raving mad — doido furioso.
mad-apple — beringela.
mad dog — cão raivoso.
to be mad about something — estar louco por; estar muito entusiasmado por.
3 — *vt.* e *vi.* (pret. e pp. **madded**) enlouquecer.
madam ['mædəm], *s.* minha senhora (tratamento para senhoras casadas ou idosas).
madame ['mædəm], *s.* forma de tratamento usada antes de nomes femininos.
madcap ['mædkæp], *s.* e *adj.* estouvado, doidivanas, leviano, maluco, cabeça de vento.
madden [mædn], *vt.* e *vi.* enlouquecer, ficar louco; irritar.
maddening ['-iŋ], *adj.* que enlouquece; furioso, enraivecido; medonho, horrível.
maddeningly ['-iŋli], *adv.* furiosamente, loucamente.
madder ['-ə], *s.* (bot.) garança.
madding ['-iŋ], *adj.* (lit.) doido; furioso; insensato.
made [meid], *pret.* e *pp.* de **to make.**
made-up — artificial; acabado; pintado (o rosto).
ready-made clothes — fatos prontos a vestir.
a self-made man — um homem que se elevou pelo seu trabalho.
made mast — mastro enfeixado.
to have a new coat made — mandar fazer um casaco.
made to order — feito por medida.
Madeira [mə'diərə], **1** — *top.* Madeira.
2 — *s.* vinho da Madeira.
Madeira wood — acaju; caju; acajueiro.
Madeiran [-n], *s.* e *adj.* madeirense.
Madeline ['mædli:n], *n. p.* Madalena.
Madge [mædʒ], *s.* diminutivo de **Margaret.**
madhouse ['mædhaus], *s.* manicómio.
madly ['mædli], *adv.* loucamente, furiosamente; insensatamente.
madman ['mædmən], *s.* doido, demente.
madness ['mædnis], *s.* loucura, demência, fúria, raiva.
fit of madness — ataque de loucura.
Madonna [mə'dɔnə], *s.* Madona, Virgem Maria.
Madras [mə'drɑ:s], *top.* Madrasta.
madrepore [mædri'pɔ:], *s.* (zool.) madrépora.
madreporic [-rik], *adj.* madrepórico.
madrigal ['mædrigəl], *s.* madrigal.
madrigalesque [mædrigə'lesk], *adj.* madrigalesco.
madrigalian [mædri'geiliən], *adj.* madrigálico.
madrigalist ['mædrigəlist], *s.* madrigalista.
Madrilenian [mædri'li:niən], *s.* e *adj.* madrileno, de Madrid.
madwort ['mædwə:t], *s.* (bot.) buglossa, língua-de-vaca.
Maecenas [mi(:)'si:næs], *n. p.* Mecenas.
maelstrom ['meilstroum], *s.* redemoinho, turbilhão, sorvedoiro, voragem.
maenad ['mi:næd], *s.* ménade, bacante; mulher dissoluta.
maestoso [ma:es'touzou, mais'tousou], *adv.* (mús.) maestoso.
maestri ['maistri:], *s. pl.* de **maestro.**
maestro [mɑ:'estrou, 'maistrou], *s.* (mús.) maestro.
mafeesh [mɑ:'fi:ʃ], *adj.*, *adv.* e *interj.* pronto!, nada mais!
maffick ['mæfik], *vi.* manifestar-se ruidosamente; exultar.
mafficker [-ə], *s.* zaragateiro; barulhento, pessoa que manifesta a sua alegria ruidosamente; exuberante.
mafficking [-iŋ], *s.* algazarra, manifestação ruidosa de alegria.
mag [mæg], *s.* (cal.) meio péni.
magazine [mægə'zi:n], *s.* armazém; revista; paiol da pólvora; carretel de filme em máquina de filmar.
magazinist [-ist], *s.* pessoa que colabora em revistas.
Magdalen ['mægdəlin], *n. p.* Madalena.
Magdalene [mægdə'li:n(i)], *n. p.* ver **Magdalen.**
Magdalenian [-ən], *adj.* (geol.) magdaleano.
Magellan [mə'gelən], *n. p.* Magalhães; geralmente referido a Fernão de Magalhães.
magenta [mə'dʒentə], *s.* e *adj.* magenta, cor de magenta.
Maggie ['mægi], *n. p.* diminutivo de **Margaret,** Guida.
maggot ['mægət], *s.* gusano; verme; capricho, fantasia.
as the maggot bites him — (col.) conforme lhe dá na real gana.
maggoty [-i], *adj.* bichoso; fantástico, caprichoso, excêntrico.
magi ['meidʒai], *s. pl.* de **magus.**
magian ['meidʒiən], **1** — *s.* mago.
2 — *adj.* relativo aos magos.
magianism [-izm], *s.* magismo.
magic ['mædʒik], **1** — *s.* magia, artes mágicas, prestidigitação; encantamento; bruxaria, feitiçaria.
black magic — magia negra.
white magic — magia branca.
2 — *adj.* **mágico, extraordinário;** encantador.
magic eye (rád.) — olho mágico.
magical [-əl], *adj.* mágico, extraordinário.
magically [-əli], *adv.* magicamente, por artes mágicas.
magician [mə'dʒiʃən], *s.* mago, mágico, feiticeiro.
magism ['meidʒizm], *s.* magismo.
magisterial ['mædʒis'tiəriəl], *adj.* magistral; autoritário, imperioso; absoluto. *(Sin.* dictatorial, imperious, despotic, arbitrary. *Ant.* modest.)
magisterially [-i], *adv.* magistralmente; autoritariamente.
magistracy ['mædʒistrəsi], *s.* magistratura.
magistral [mə'dʒistrəl], *adj.* magistral; preparado segundo a indicação do médico (medicamento).
the magistral staff of a school — o corpo docente de uma escola.
magistrate ['mædʒistrit], *s.* magistrado; juiz de paz.
magistrateship [-ʃip], *s.* magistratura.
magistrature ['mædʒistrətjuə], *s.* ver **magistrateship.**
magma ['mægmə], *s.* (pl. **magmata** ou **magmas**) magma.
Magna Carta ['mægnə'kɑ:tə], *s.* Magna Carta.
Magna Graecia ['mægnə'gri:ʃjə], *top.* a Grande Grécia.
magnanimity [mægnə'nimiti], *s.* magnanimidade, generosidade; nobreza.
magnanimous [mæg'næniməs], *adj.* magnânimo, generoso, nobre. *(Sin.* clement, generous, lofty, unselfish. *Ant.* mean.)
magnanimously [-li], *adv.* magnanimamente.

magnate ['mægneit], *s.* magnate, pessoa grada; pessoa muito rica.
magnesia [mæg'ni:ʃə], *s.* magnésia.
sulphate of magnesia — sulfato de magnésia.
magnesia magma — leite de magnésia.
Magnesia [mæg'ni:zjə], *top.* Magnésia, cidade grega.
magnesic [mæg'ni:sik], *adj.* magnésio.
magnesium [mæg'ni:zjəm], *s.* magnésio.
magnesium bicarbonate — bicarbonato de magnésio.
magnesium lamp — lâmpada de magnésio.
magnesium oxide — óxido de magnésio.
magnesium sulphide — sulfureto de magnésio.
magnesium sulphate — sulfato de magnésio.
magnet ['mægnit], *s.* magnete, íman; electroíman.
magnet compass needle — agulha magnética.
magnetic [mæg'netik], *adj.* magnético; atraente, sedutor.
magnetic amplitude — amplitude magnética.
magnetic compass — bússola.
magnetic dip — inclinação magnética.
magnetic field — campo magnético.
magnetic figures — espectro magnético.
magnetic needle — bússola.
magnetic sleep — sono hipnótico.
magnetic north — norte magnético.
magnetic tape — fita magnética.
magnetically [-əli], *adv.* magneticamente.
magnetism ['mægnitizm], *s.* magnetismo.
magnetite ['mægnitait], *s.* (min.) magnetite.
magnetizable ['mægnitaizəbl], *adj.* magnetizável.
magnetization [mægnitai'zeiʃən], *s.* magnetização.
magnetize ['mægnitaiz], *vt.* magnetizar; fascinar.
magnetizer [-ə], *s.* magnetizador.
magnetizing [-iŋ], *s.* acção de magnetizar.
magneto [mæg'ni:tou], *s.* magneto.
magnific(al) [mæg'nifik(əl)], *adj.* (arc.) magnífico; grandioso.
magnification [mægnifi'keiʃən], *s.* ampliação, aumento, exagero; glorificação.
magnificence [mæg'nifisns], *s.* magnificência, sumptuosidade, grandeza.
magnificent [mæg'nifisnt], *adj.* magnificente, sumptuoso; esplêndido.
magnificently [-li], *adv.* magnificentemente, magnificamente, esplendorosamente.
magnified ['mægnifaid], *adj.* ampliado, aumentado.
magnifier ['mægnifaiə], *s.* ampliador; lente, vidro de aumento, lupa; exagerador.
magnify ['mægnifai], *vt.* aumentar, ampliar; exagerar.
magnifying [-iŋ], **1** — *adj.* que amplia, que aumenta.
magnifying-glass — lupa, vidro de aumento.
2 — *s.* ampliação, aumento.
magniloquence [mæg'niləkwəns], *s.* grandiloquência, altiloquência.
magniloquent [mæg'niləkwənt], *adj.* grandíloquo, altíloquo, de estilo pomposo.
magnitude ['mægnitju:d], *s.* magnitude, grandeza; importância; extensão. (*Sin.* size, extent, volume, bigness, greatness, **importance.**)
star of the first magnitude — estrela de primeira grandeza.
magnitude of a force — intensidade duma força.
magnolia [mæg'nouliə], *s.* magnólia.
magnum ['mægnəm], *s.* garrafa de cerca de 2,7 litros.
magnum bonum [-'bounəm], *s.* variedade de ameixa amarela; certa qualidade de batata.
magnum opus [-'oupəs], *s.* obra-prima; obra grandiosa.
magpie ['mægpai], *s.* (zool.) pega; pessoa tagarela.
Magrab ['mɔ:grəb], *top.* Magrebe.
magus ['meigəs], *s.* (pl. **magi**) mago.
the three Magi — os três Reis Magos.
Magyar ['mægjɑ:], *s.* e *adj.* magiar, húngaro.
mahaleb ['mɑhəleb], *s.* madeira-de-santa-lúcia.
maharajah [mɑ:hə'rɑ:dʒə], *s.* marajá.
maharanee [mɑ:hə'rɑ:ni:], *s.* mulher do marajá.
mah-jong ['mɑ:'dʒɔŋ], *s.* majongue (jogo chinês).
mahogany [mə'hɔgəni], *s.* mogno, cor de mogno; mesa de sala de jantar.
Mahomet [mə'hɔmit], *n. p.* Maomé.
Mahometan [-ən], *s.* e *adj.* maometano.
mahoute [mə'haut], *s.* cornaca, condutor de elefantes.
maid [meid], *s.* donzela, menina, rapariga; criada.
old maid — solteirona.
house-maid — criada de todo o serviço.
maid of honour — dama de honor.
maid-servant — criada.
nurse-maid — aia de crianças.
maid-of-all-work — criada para todo o serviço.
the Maid of Orleans — a donzela de Orleães (Joana d' Arc).
maiden [-n], **1** — *s.* donzela, virgem; antigo tipo de guilhotina.
maiden name — nome de solteira.
2 — *adj.* virgem, virginal; solteira; novo; intacto.
maiden speech — primeiro discurso feito por um deputado na Câmara dos Comuns.
maiden trip (maiden voyage) — primeira viagem de um barco.
maidenhair ['-nhɛə], *s.* capilária, avenca.
maidenhead ['-nhed], *s.* virgindade; (anat.) hímen.
maidenhood ['-nhud], *s.* virgindade; celibato (rapariga).
maidenlike ['-nlaik], **1** — *adj.* próprio de rapariga; virginal; modesta.
2 — *adv.* modestamente, com pudor, recatadamente.
maidenliness ['-nlinis], *s.* pudor, modéstia; doçura.
maidenly ['-nli], *adj.* e *adv.* ver **maidenlike.**
maieutics [mei'ju:tiks], *s.* maiêutica.
mail [meil], **1** — *s.* correio, mala do correio, correspondência; cota de malha, armadura; carapaça de tartaruga; (Esc.) imposto.
mail-boat — barco de correio.
mail-train — comboio-correio.
mail-coach — malaposta.
mail-bag — mala do correio.
air-mail — correio aéreo.
mail-carriage — carruagem-correio.
mail-order — encomenda comercial feita pelo correio.
by return of mail — na volta do correio.
coat of mail — cota de malha.
2 — *vt.* expedir por correio; deitar ao correio; revestir de cota de malha.
mailable ['-əbl], *adj.* (E. U.) que pode ser enviado pelo correio.
mailed [-d], *adj.* armado com cota de malha; couraçado, blindado.
maim [meim], *vt.* mutilar, cortar, estropiar.
maimed [-d], *adj.* mutilado, estropiado, defeituoso.
main [mein], **1** — *s.* esforço, energia; (poét.) alto mar, oceano; principal condutor (cano); (náut.) mastro principal; lanço de dados; combate de galos.

in the main — de um modo geral.
with might and main — com toda a energia.
2 — *adj.* principal, essencial, importante, capital; vasto; poderoso; grande, maior; inteiro.
***main brace* — *(náut.)* braço da vela grande.**
***to splice the main brace* — beber mais um copo de rum.**
main deck — coberta principal.
main road — estrada real; estrada principal.
main point — ponto principal.
***to have an eye to the main chance* — cuidar dos seus interesses; aproveitar a oportunidade.**
main boiler — caldeira principal.
main bulwark — amurada.
main clause (gram.) — oração principal.
main heel — quilha.
main street — rua principal.
by main force — à viva força.
main sail (náut.) — vela grande.
mainland ['-lænd], *s.* terra firme, continente.
mainly ['-li], *adv.* principalmente, primeiramente, poderosamente, consideravelmente.
mainmast ['-mɑ:st], *s.* (náut.) mastro grande.
mainsail ['-seil], *s.* (náut.) estai do mastro grande.
maintain [men'tein], *vt.* manter, continuar; **sustentar; afirmar; defender; apoiar.**
to maintain an argument — defender um ponto de vista.
maintainable [-əbl], *adj.* defensável, sustentável.
maintainer [-ə], *s.* mantenedor, defensor, protector.
maintenance ['meintinəns], *s.* manutenção; sustento, mantimento; apoio, custeio, arrimo; protecção, defesa.
separate maintenance — separação de bens.
Mainz [maints], *top.* Mogúncia.
maize [meiz], *s.* milho.
maizena [mei'zi:nə], *s.* maisena.
majestic [mə'dʒestik], *adj.* majestoso, imponente, pomposo, sublime, sumptuoso.
majestical [-əl], *adj.* ver **majestic.**
majestically [-əli], *adv.* majestosamente, imponentemente; pomposamente.
majesty ['mædʒisti], *s.* majestade; grandeza; soberania; sublimidade; esplendor.
His Majesty — Sua Majestade (o rei).
Her Majesty — Sua Majestade (a rainha).
majolica [mə'jɔlikə, mə'dʒɔlikə], *s.* majólica; louça fina italiana da época da Renascença.
major ['meidʒə], **1** — *s.* major; comandante; (lóg.) premissa maior; pessoa de maioridade.
major-general — general de divisão.
sergeant-major — sargento-ajudante.
major-domo — mordomo.
2 — *adj.* maior; principal; de maioridade.
major key (mús.) — modo maior.
major premiss (lóg.) — premissa maior.
major road — estrada com prioridade.
the major part — a maior parte.
Majorca [mə'dʒɔ:kə, mə'jɔ:kə], *top.* Maiorca.
majority [mə'dʒɔriti], *s.* maioria, maioridade; maior parte; posto de major.
decision taken by a majority — decisão tomada por maioria.
the majority of people — a maioria das pessoas.
to attain one's majority (to reach one's majority) — atingir a maioridade.
to join the majority (col.) — morrer.
majorship ['meidʒəʃip], *s.* posto de major.
majuscule ['mædʒəskju:l], *s.* e *adj.* maiúsculo, letra maiúscula.
make [meik], **1** — *s.* forma, feitio; fabrico, manufactura; produto; estrutura; (elect.) contacto, ligação.
is this your own make? — isto é feito por ti?
make-up — caracterização.
2 — *vt.* e *vi.* fazer, fabricar; produzir, criar; formar; construir; efectuar, realizar, executar; completar; causar; tornar, tornar-se, vir a ser; chegar, atingir; forçar, obrigar; compreender; compor, preparar; estabelecer; determinar; ganhar, adquirir; contribuir para; somar; representar; arranjar; perfazer; fazer-se.
***to make acquaintance with* — travar relações com.**
***to make after* — apontar.**
***to make allowance for* — fazer um desconto de;** tomar em conta as circunstâncias atenuantes.
to make amends for — compensar, remediar.
to make away with — desfazer-se de; dissipar; matar.
to make an excuse — desculpar-se.
to make a friend — adquirir um amigo.
***to make known* — tornar conhecido; publicar.**
***to make liable* — tornar responsável.**
***to make little of* — depreciar; fazer pouco caso de.**
***to make a mistake* — enganar-se; dar (cometer) um erro.**
to make money — ganhar dinheiro.
to make the most of — tirar o melhor partido de; fazer muito caso de.
to make off — escapar-se.
to make out — distinguir, compreender, decifrar; escrever, copiar, passar (um documento).
***to make over*—ceder; transferir; tornar a fazer.**
to make shift — tirar partido; arranjar.
to make sure of — assegurar-se de.
to make up — acabar, concluir; compor; construir, arranjar (roupas); fazer as pazes; aviar receitas; completar; compensar; pintar-se; paginar.
to make up a report — fazer um relatório.
to make up for — compensar, substituir por equivalente.
to make up one's mind to — decidir-se a.
to make it up — reconciliar-se.
to make way — abrir caminho; progredir.
to make room — dar lugar.
to make a mountain of a molehill — fazer de um argueiro um cavaleiro; exagerar.
to make good — reparar, indemnizar; fazer valer; melhorar; sustentar.
to make war — fazer guerra.
to make much of — fazer muito caso de, tirar grande partido de.
***to make fun of* — ridicularizar; rir-se de.**
to make up for lost time — recuperar o tempo perdido.
he was made to repeat it — obrigaram-no a repetir.
to make haste — apressar-se.
to make at — atacar, arremeter.
to make against — ser desfavorável a; lutar com.
to make ready — preparar.
to make sail — fazer-se à vela, partir; dar mais vela.
to make conditions — pôr condições.
to make up to — avançar para; insinuar-se.
to make use of — fazer uso de.
to make water (náut.) — abrir água.
to make an agreement — fazer um ajuste; fazer um contrato.
to make an apology — desculpar-se; dar uma desculpa.
to make a noise — fazer barulho.
to make a bargain — fazer um ajuste.
to make a journey — fazer uma viagem (por terra).

to make a voyage — fazer uma viagem (por mar).
to make an observation — fazer uma observação.
to make a blunder — cometer um erro crasso.
to make up one's face — pintar-se, arranjar a cara.
to make away with oneself — suicidar-se.
to make friends with — reconciliar-se com.
to make for — dirigir-se para; conduzir a; assaltar.
to make for the land (náut.)—demandar a terra.
to make free with — tratar com familiaridade; abusar, usar de demasiada liberdade.
to make head (or tail) of — compreender.
to make love to — namorar.
to make no matter — ser indiferente.
to make off with money — fugir com dinheiro; roubar.
to make away with money — desperdiçar dinheiro.
to make out a list — fazer uma lista.
to make a balk — desapontar.
to make a clean breast of it — confessar.
to make a fool of oneself—fazer figura de parvo.
to make a hole in one's pocket (col.) — ser muito caro.
to make a hole in the water — afogar-se.
to make a killing — ganhar muito dinheiro.
to make a match between — arranjar um casamento entre.
to make a port (náut.) — chegar a um porto.
to make a sensation — causar sensação.
to make a train — apanhar um comboio.
to make as if (to make as though) — fingir que.
to make bad marks — ter más notas.
to make boast of — vangloriar-se de.
to make certain — verificar.
to make eyes at — (col.) fazer olhinhos a; fazer namoro a.
to make photographic prints — tirar cópias fotográficas.
to make good — ser bem sucedido.
to make free with the bottle — beber demais.
to make good time — fazer uma boa média; viajar a grande velocidade.
to make hay while the sun shines — aproveitar uma oportunidade.
to make like (col.) — imitar.
to make mouths at somebody — fazer caretas a alguém.
to make no bones (col.) — não estar com meias-medidas.
to make one's will — fazer testamento.
to make the cards — (jogo) baralhar as cartas.
to make the bed — fazer (arranjar) a cama.
to make up a letter — dobrar uma carta.
to make up an account (com.)—tirar uma conta.
to make words — falar muito.
to make water — urinar; (náut.) meter água.
make yourself at home! — esteja à vontade, (como em sua casa).
to make something into a parcel — embrulhar qualquer coisa.
the cowl does not make the monk — o hábito não faz o monge.
the ebb makes — a maré desce.
the flood makes — a maré sobe.
what do you make the time? — que horas são?
make-believe ['-bili:v], **1** — *s.* pretexto; pretensão; fingimento.
the land of make-believe — o país das quimeras.
2 — *adj.* falso, fictício.
3 — *vi.* (*pret.* e *pp.* **made-believe**) fingir.
make-do ['-du], *adj.* de emergência.
makefast ['-fa:st], *s.* (náut.) amarra.
maker ['-ə], *s.* criador, autor; fabricante; construtor; artífice.
our Maker — o Criador, Deus.
maker-up (teat.) — pessoa encarregada da maquilhagem dos actores; (tip.) empregado que compõe as páginas.
makeshift ['-ʃift], **1** — *s.* expediente; solução provisória.
2 — *adj.* temporário, provisório; substituto.
make-up ['-ʌp], *s.* paginação; caracterização, maquilhagem; pintura; ficção; conjunto; modo de ser.
makeweight ['-weit], *s.* contrapeso; pessoa insignificante.
making ['-iŋ], *s.* fabrico; manufactura; estrutura; feitio; trabalho; forma; mão-de-obra.
making up — caracterização; pintura.
history in the making — a génese da história.
Malachi ['mæləkai], *n. p.* Malaquias.
malachite ['mæləkait], *s.* (min.) malaquite.
malacology [mælə'kɔlədʒi], *s.* malacologia, estudo dos moluscos.
maladaptation ['mælədæp'teiʃən], *s.* má adaptação, inadaptação.
maladjustment ['mælə'dʒʌstmənt], *s.* mau ajustamento, desajustamento.
maladministration ['mælədminis'treiʃən], *s.* má administração, desgoverno.
maladministrator ['mælədminis'treitə], *s.* mau administrador; prevaricador.
maladroit ['mælə'drɔit], *adj.* desastrado, desajeitado.
maladroitly [-li], *adv.* desajeitadamente, desastradamente.
maladroitness [-nis], *s.* falta de jeito, inépcia.
malady ['mælədi], *s.* doença.
Malaga ['mæləgə], *top.* Málaga.
Malagasy [mælə'gæsi], *s.* e *adj.* malgaxe; de Madagáscar.
malaguetta [mælə'getəl, *s.* malagueta.
malapert ['mæləpə:t], *adj.* e *s.* insolente.
malaprop ['mæləprɔp], *s.* erro ridículo; palavra empregada erradamente.
malapropism [-izm], *s.* mau uso de palavras.
malapropos ['mæl'æprəpou], *adj.* fora do propósito, impróprio, intempestivo, inoportuno.
malar ['meilə], *s.* e *adj.* (anat.) malar.
malaria [mə'lɛəriə], *s.* malária; febre palustre.
malarial [-l], *adj.* malárico.
malarian [-n], *adj.* malárico.
Malay [mə'lei], *s.* e *adj.* malaio.
the Malay Archipelago — a Malásia.
Malayan [-ən], *adj.* malaio.
Malaysia [mə'leisiə], *top.* Malásia.
malcontent ['mælkəntent], *s.* e *adj.* descontente.
male [meil], *s.* e *adj.* macho, varão; masculino, viril.
male issue — filhos varões, sucessão masculina.
male horse — garanhão.
male screw — parafuso.
male sex — sexo masculino.
male ward — enfermaria para homens.
Maldive Islands ['mɔ:ldiv 'ailəndz], *top.* ilhas Maldivas.
malediction [mæli'dikʃən], *s.* maldição.
maledictory [mæli'diktəri], *adj.* maldito, referente a maldição.
malefaction [mæli'fækʃən], *s.* malefício; crime.
malefactor ['mælifæktə], *s.* malfeitor.
malefic [mə'lefik], *adj.* maléfico, prejudicial.
maleficence [mə'lefisəns], *s.* maleficência, maldade.
maleficent [mə'lefisnt], *adj.* maléfico, malfazejo, maligno.
malevolence [mə'levələns], *s.* malevolência, má vontade, rancor.
malevolent [mə'levələnt], *adj.* malévolo, malfazejo.
malevolently [-li], *adv.* malevolamente.

malfeasance [mæl'fi:zəns], *s.* maldade, malignidade, prevaricação.
malfeasant [mæl'fi:zənt], *adj.* infractor.
malformation ['mælfɔ:'meiʃən], *s.* formação ou constituição defeituosa; deformação.
malformed [mæl'fɔ:md], *adj.* disforme, deformado.
malic ['mælik], *adj.* (quím.) málico, extraído das maçãs.
malic acid — ácido málico.
malice ['mælis], *s.* malícia; maldade, ruindade.
out of malice — por maldade.
to bear malice to somebody — querer mal a alguém.
malicious [mə'liʃəs], *adj.* malicioso, maldoso, mau, ruim.
malicious intent — intenção criminosa.
maliciously [-li], *adv.* maliciosamente; maldosamente.
maliciousness [-nis], *s.* malícia; maldade.
malign [mə'lain], **1** — *adj.* maligno, daninho, nocivo, pernicioso.
2 — *vt.* caluniar, dizer mal.
malignancy [mə'lignənsi], *s.* malignidade, perversidade, maldade.
malignant [mə'lignənt], *adj.* mau, perverso, maligno; nocivo.
malignant fever — febre maligna.
malignant tumor — tumor maligno.
malignantly [-li], *adv.* malignamente.
malignants [-s], *s. pl.* nome dado aos partidários de Carlos I e adversários do Parlamento.
maligner [mə'lainə], *s.* detractor, caluniador, difamador.
malignity [mə'ligniti], *s.* malignidade, maldade, perversidade.
malinger [mə'liŋgə], *vi.* (mil. e nav.) fingir doença.
malingerer [-rə], *s.* (mil. e nav.) doente fingido.
malingering [-riŋ], *s.* (mil. e nav.) simulação de doença.
Mall [mæl], *top.* rua de Londres *(The Mall).*
mall [mɔ:l], *s.* alameda, passeio público; malho.
mallard ['mæləd], *s.* adem, pato bravo.
malleability [mæliə'biliti], *s.* maleabilidade.
malleable ['mæliəbl], *adj.* maleável, moldável.
malleable iron — ferro maleável.
malleable steel — aço maleável.
malleableness [-nis], *s.* ver **malleability.**
mallet ['mælit], *s.* maço, macete, malho.
malleus ['mæliəs], *s.* (anat.) martelo, ossículo do ouvido.
mallow ['mælou], *s.* (bot.) malva.
rose mallow — malva-rosa.
malmsey ['mɑ:mzi], *s.* malvasia; tipo de vinho. (malvasia).
malnutrition ['mælnju'triʃən], *s.* subalimentação, alimentação deficiente.
malodorous [mæ'loudərəs], *adj.* mal cheiroso.
malpractice ['mæl'præktis], *s.* prevaricação, abuso; tratamento errado de uma doença (pelo médico).
malt [mɔ:l], **1** — *s.* malte.
malt liquor — cerveja.
malt sugar — maltose.
malt-worm — beberrão.
2 — *vt.* e *vi.* preparar o malte para a cerveja.
Malta ['mɔ:ltə], *top.* Malta.
Malta-fever — febre-de-Malta.
maltase [mɔl'teis], *s.* (quím.) maltase.
Maltese ['mɔ:l'ti:z], *s.* e *adj.* maltês.
Maltese cross — cruz de Malta.
Maltese cat — gato maltês.
maltha ['mælθə], *s.* malta, pez.
Malthusian [mæl'θju:zjən], *adj.* maltusiano, partidário das doutrinas de Maltus.

Malthusianism [-izm], *s.* maltusianismo, doutrinas de Maltus.
maltose [mɔl'tous], *s.* (quím.) maltose.
maltreat [mæl'tri:t], *vt.* maltratar; espancar. *(Sin.* to injure, to hurt, to harm, to abuse.)
maltreating [-iŋ], *s.* acção de maltratar.
maltreatment [-mənt], *s.* mau tratamento.
malvaceae [mæl'veisii:], *s. pl.* (bot.) malváceas.
malvaceous [mæl'veiʃəs], *adj.* malváceo.
mamelon ['mæmələn], *s.* montículo arredondado.
Mameluke ['mæmilu:k], *s.* mameluco; escravo.
mamilla [mə'milə], *s.* mamilo; bico de seio.
mamillary [-ri], *adj.* mamilar, relativo ao mamilo; em forma de mamilo.
mam(m)a [mə'ma:], *s.* mamã, mãezinha.
mamma ['mæmə], *s.* mama, seio.
mammal ['mæməl], *s.* mamífero.
mammalia [mæ'meiljə], *s. pl.* mamíferos.
mammalian [-n], *adj.* mamífero.
mammary ['mæməri], *adj.* mamário.
the mammary glands — as glândulas mamárias.
mammate ['mæmit], *adj.* mamífero, que tem mamas.
mammee [mæ'mi:], *s.* (bot.) mamoeiro, papaieira; papaia; sapota.
mammiferous [mæ'mifərəs], *adj.* mamífero.
Mammon ['mæmən], *n. p.* deus das riquezas da mitologia síria e fenícia.
mammoth ['mæməθ], **1** — *s.* mamute, elefante antediluviano.
2 — *adj.* enorme, gigantesco.
mammy ['mæmi], *s.* mãezinha, mamã.
man [mæn], **1** — *s.* (*pl.* **men** [men]), homem, ser humano; varão; marido; criado, servo; peão (no jogo do xadrez); pedra (no jogo das damas); alguém, uma pessoa; tripulante; *pl.* operários, marinheiros, soldados; (desp.) jogadores.
man-eater — antropófago, canibal; tigre.
between man and man — de homem para homem.
man-power — número de homens aptos para o serviço militar ou outros trabalhos.
so much a man — tanto por cabeça.
to a man — todos à uma, unanimemente.
man and wife — marido e mulher.
the man in the street — o vulgo, o homem do povo.
man-servant — criado.
a man of the world — um homem com experiência da vida.
a man about town — um homem da sociedade.
to play the man — ser valente, corajoso.
fine-looking man — homem bem—parecido.
a man of honour — um homem honrado.
man proposes, God disposes — o homem põe e Deus dispõe.
man-child — criança do sexo masculino.
man cook — cozinheiro.
man hater — misantropo.
man killer — homicida.
man hunter — caçador de cabeças.
man slaughter — homicídio.
man midwife — parteiro.
man of laws — homem de leis.
man of letters — homem de letras.
man-of-war — navio de guerra.
masters and men — patrões e operários.
no man's land — terra de ninguém.
so many men, so many minds — cada cabeça, cada sentença.
the inner man — o homem interior, a parte espiritual do homem.
the outer man — o homem exterior.
2 — *vt.* (*pret.* e *pp.* **manned**) equipar;

tripular; armar, fortalecer; guarnecer; encher de coragem; domesticar (falcão).
Man (the Isle of) — (top.) a ilha de Man).
manacle ['mænəkl], 1 — *s.* manilha; algema, grilheta.
2 — *vt.* algemar, manietar.
manage ['mænidʒ], *vt.* e *vi.* governar; manejar; manobrar; conduzir; dirigir, administrar, gerir; guiar; operar; levar a cabo um negócio, resolver um assunto; conseguir; domesticar.
manage it as you can! — arranja-te lá como puderes!
to manage the affairs of a family — dirigir os negócios de uma família.
how could you manage? — como se arranjou?
as soon as I can manage — assim que puder; logo que possa.
she manages well — é uma boa dona de casa.
manageable [-əbl], *adj.* manejável, maneável; maneiro; tratável, dócil; possível.
manageableness [-əblnis], *s.* maneabilidade; flexibilidade; docilidade, mansidão.
management [-mənt], *s.* direcção, administração; governo; manejo; gerência; uso, emprego; empresa; corpo de directores; procedimento, conduta.
manager [-ə], *s.* director, administrador, gerente; empresário; regente; pessoa económica; dona de casa.
acting-manager — director-gerente.
stage-manager — empresário teatral.
works manager — director de fábrica.
manageress [-əris], *s.* administradora; regente.
managerial [mænə'dʒiəriəl], *adj.* administrativo, directivo.
managing ['mænidʒiŋ], 1 — *s.* administração, gerência, direcção; corpos administrativos.
2 — *adj.* que dirige, que gere.
managing partner — sócio-gerente.
managing directors — conselho de administração.
Manchuria [mæn'tʃuəriə], *top.* Manchúria.
manciple ['mænsipl], *s.* mordomo; despenseiro; ecónomo.
mandarin ['mændərin], *s.* mandarim.
mandarin-duck — pato mandarim.
manderin ['mændəri:n], *s.* tangerina.
manderine ['mændəri:n], *s.* ver **manderin.**
mandate ['mændeit], 1 — *s.* mandato, ordem judicial; encargo.
2 — *vt.* confiar sob mandato; atribuir um mandato a.
mandatory ['mændətəri], 1 — *s.* mandatário.
2 — *adj.* obrigatório.
mandible ['mændibl], *s.* mandíbula; maxilar inferior.
mandibular [mæn'dibjulə], *adj.* mandibular.
mandibulate [[mæn'dibjuleit], *adj.* mandibular; mandibulado.
mandolin ['mændəlin], *s.* mandolim, mandolina.
mandoline [mændə'li:n], *s.* ver **mandolin.**
mandolinist [-ist], *s.* mandolinista.
mandragora [mæn'drægərə], *s.* (bot.) mandrágora.
mandrake ['mændreik], *s.* (bot.) mandrágora.
mandrel ['mændrel], 1 — *s.* mandril.
mandrel of a lathe — árvore do torno.
2 — *vt.* mandrilar.
mandril ['mændril], *s.* ver **mandrel.**
mandrill ['mændril], *s.* (zool.) mandril (variedade de macaco).
manducable ['mændjukəbl], *adj.* manducável, mastigável, comível.
manducate ['mændjukeit], *vt.* manducar, mastigar, comer.
manducation [mændju'keiʃən], *s.* manducação, mastigação.
mane [mein], *s.* juba, crina.
manège, manege [mæ'neiʒ], *s.* picadeiro; escola de equitação.
maned [-d], *adj.* com juba, com crina.
manes ['mɑ:neiz, 'meini:z], *s. pl.* manes.
Manfred ['mænfred], *n. p.* Manfredo.
manful ['mænful], *adj.* corajoso, valoroso, viril, intrépido, forte; atrevido.
manfully [-i], *adv.* varonilmente, corajosamente.
manfulness [-nis], *s.* coragem, valentia, valor, virilidade.
manganate ['mæŋgənit], *s.* (quím.) manganato.
manganese [mæŋgə'ni:z], *s.* manganés.
dioxide of manganese — bióxido de manganés.
mange [meindʒ], *s.* rabugem; ronha; sarna (dos animais).
mangel-wurzel ['mængl-'wə:zl], *s.* beterraba usada como forragem para o gado.
manger ['meindʒə], *s.* manjedoura; (naut.) caixa da água.
a dog in the manger — pessoa muito invejosa.
mangerful [-ful], *s.* gamelada, mangedoura cheia.
manginess ['meindʒinis], *s.* estado sarnoso (nos animais).
mangle [mængl], 1 — *s.* calandra, máquina de calandrar ou de acetinar; (bot.) mangue.
2 — *vt.* calandrar; mutilar, lacerar, despedaçar; estropiar; destroçar.
mangler [-ə], *s.* calandreiro, lustrador; despedaçador; mutilador.
mangling [-iŋ], *s.* mutilação; calandragem.
mango ['mæŋgou], *s.* (bot.) mango, mangueira.
mango-tree — mangueira (árvore).
mangonel ['mæŋgənel], *s.* catapulta.
mangosteen ['mæŋgousti:n], *s.* (bot.) mangostim.
mangrove ['mæŋgrouv], *s.* (bot.) mangue.
mangy ['meindʒi], *adj.* sarnoso; sujo; mesquinho; miserável.
manhole ['mænhoul], *s.* abertura nas caldeiras ou aquedutos por onde pode passar um homem; porta de visita, orifício de visita.
manhood ['mænhud], *s.* natureza humana, humanidade; virilidade; idade viril; força, vigor.
manhood suffrage — sufrágio universal.
mania ['meinjə], *s.* mania, loucura; frenesim.
speed mania — mania das velocidades.
to have a mania for — ter a mania de.
maniac ['meiniæk], *adj.* maníaco, louco.
maniacal [mə'naiəkəl], *adj.* maníaco, louco.
maniacally [-i], *adv.* maniacamente.
Manichean [mæni'ki(:)ən], *adj.* maniqueu.
Manichee ['mæniki:], *s.* maniqueu, adepto do maniqueísmo.
Manicheism [-izm], *s.* maniqueísmo, doutrinas de Manés.
manicure ['mænikjə], 1 — *s.* tratamento das mãos e das unhas; manicuro, manicura.
2 — *vt.* tratar das mãos, tratar das unhas.
manicurist [-rist], *s.* manicura.
manifest ['mænifest], 1 — *s.* (náut.) manifesto de carga destinado à alfândega.
2 — *adj.* manifesto, claro, evidente.
3 — *vt.* e *vi.* manifestar, patentear, exibir, expressar, demonstrar. (*Sin.* to exhibit, to evince, to show, to disclose, to discover. *Ant.* to hide.)
manifestation [-'eiʃən], *s.* manifestação, demonstração, declaração.
manifesto [mæni'festou], *s.* manifesto, declaração, protesto público.
manifold ['mænifould], 1 — *s.* cópia, duplicado; tubuladura.

manifold paper — papel de cópia.
manifold writer — duplicador, copiador.
2 — *adj.* variado; variados, diversos, múltiplos; cópia, duplicado.
3 — *vt.* tirar cópias, tirar duplicados.
manifolder [-ə], *s.* duplicador, copiador.
manifolding [-iŋ], *s.* acção de tirar cópias.
manifolding machine — duplicador.
manifoldness [-nis], *s.* multiplicidade, variedade.
manikin ['mænikin], *s.* anão; manequim; (zool.) tangará.
Manilla, Manila [mə'nilə], *top.* Manila.
Manilla hemp — abacá (árvore).
manilla [mə'nilə], *s.* manilha; charuto de manilha; pita.
manille [mæ'nil], *s.* manilha (jogos de cartas).
manioc ['mæniɔk], *s.* (bot.) mandioca.
maniple ['mænipl], *s.* manípulo (subdivisão de uma legião romana); paramento eclesiástico.
manipular [mə'nipjulə], *s.* e *adj.* manipular.
manipulate [mə'nipjuleit], *vt.* e *vi.* manipular, manejar; fabricar; trabalhar com as mãos; falsificar.
to manipulate accounts — forjar contas.
manipulation [mənipju'leiʃən], *s.* manipulação, manobra; arranjo.
manipulator [mə'nipjuleitə], *s.* manipulador; agiota; especulador.
mankind ['mænkaind, mæn'kaind], *s.* humanidade; os homens.
manlike ['mænlaik], *adj.* varonil, próprio de homem; animoso.
manliness ['mænlinis], *s.* ar varonil, força, energia; valor; brio; ânimo.
manly ['mænli], *adj.* varonil; valoroso, valente, corajoso.
manna ['mænə], *s.* maná.
mannequin ['mænikin], *s.* modelo, manequim (pessoa).
manner ['mænə], *s.* maneira, modo, método, forma; costume; moda; hábito; prática; civilidade, delicadeza, urbanidade; ar, porte.
good manners — boa educação.
to have no manners — ser mal-educado.
bad manners — má educação.
after (in) this manner — assim; deste modo.
in a manner — até certo ponto; de certo modo.
to the manner born — acostumado desde o berço.
in the same manner as — da mesma maneira que.
adverb of manner — advérbio de modo.
all manner of — toda a espécie de.
in a manner of speaking — por assim dizer.
there is no manner of doubt — não há que duvidar.
mannered [-d], *adj.* delicado, cortês, polido, civil; (lit.) rebuscado.
well-mannered — delicado, cortês.
ill-mannered — mal-educado.
mannerism [-rizm], *s.* maneirismo, afectação.
mannerist [-rist], *s.* maneirista; pessoa afectada.
mannerized [-raizd], *adj.* amaneirado, rebuscado.
mannerless [-lis], *adj.* sem educação, descortês.
mannerliness [-linis], *s.* cortesia, urbanidade, delicadeza, civilidade.
mannerly [-li], *adj.* delicado, cortês, polido, bem-educado.
manning ['mæniŋ], *s.* acto de tripular, tripulação; armamento.
mannish ['mæniʃ], *adj.* viril, varonil; masculinizado.
mannishness [-nis], *s.* aspecto masculino, viril.
man(o)euvrable [mə'nu:vrəbl], *adj.* manobrável, manejável.
man(o)euvre [mə'nu:və], **1** — *s.* manobra; manejo; evolução; artifício, estratagema.
troops on manoeuvres — tropas em manobras.
2 — *vt.* e *vi.* manobrar; fazer manobras; intrigar, tramar, maquinar; planear.
to manoeuvre into — levar a, induzir a.
man(o)euvrer [-rə], *s.* manobrador; intriguista.
man(o)euvring [-riŋ], *s.* manobras; intrigas.
manometer [mə'nɔmitə], *s.* manómetro.
manometric [mænə'metrik], *adj.* manométrico.
manometrical [-əl], *adj.* ver **manometric.**
manor ['mænə], *s.* feudo, senhorio; casa de feudo; quinta, fazenda.
manor house — casa senhorial; solar.
the lord of the manor — o suserano dum feudo.
manorial [mə'nɔ:riəl], *adj.* senhorial.
manrope ['mænroup], *s.* (náut.) guarda-mancebos, cabo do portaló.
mansard ['mænsəd], *s.* mansarda.
manse [mæns], *s.* (Esc.) presbitério.
mansion ['mænʃən], *s.* mansão, casa senhorial.
mansion-house — solar.
Mansion House — palácio do presidente da Câmara de Londres ("Lord Mayor").
manslaughter ['mænslɔ:tə], *s.* homicídio involuntário.
manslayer ['mænsleiə], *s.* homicida, assassino.
mantel [mæntl], *s.* prateleira de fogão.
mantelet ['mæntlit], *s.* mantelete; parapeito contra balas.
mantelpiece ['-pi:s], *s.* escarpa de chaminé; prateleira por cima do fogão.
mantelshelf ['-ʃelf], *s.* prateleira de fogão.
mantilla [mæn'tilə], *s.* mantilha.
mantis ['mæntis], *s.* (zool.) louva-a-deus.
mantle [mæntl], **1** — *s.* manto, capa; camisa incandescente (em lâmpada ou candeeiro); (zool.) manto de moluscos e tunicados.
2 — *vt.* e *vi.* tapar; encobrir; disfarçar; cobrir de espuma; corar, vir a cor ao rosto.
mantlet *s. vd.* **mantelet.**
mantling ['mæntliŋ], *s.* pano próprio para mantos; (her.) mantelete.
Mantua ['mæntjə], *top.* Mântua.
manual ['mænjəl], **1** — *s.* manual, compêndio; teclado de órgão.
2 — *adj.* manual.
manual labour — trabalho manual.
manual exercise — manejo das armas.
the manual alphabet — o alfabeto dos surdos-mudos.
manually [-i], *adv.* manualmente.
Manuel ['mænjuel], *n. p.* Manuel.
manufactory [mænju'fæktəri], *s.* fábrica, oficina, manufactura.
manufacture [mænju'fæktʃə], **1** — *s.* manufactura, fabrico, indústria; obra; produto fabricado. (*Sin.* make, production, fabrication, construction, moulding.)
2 — *vt.* fabricar, manufacturar, elaborar; produzir.
manufactured [-d], *adj.* manufacturado, fabricado.
manufacturer [-rə], *s.* fabricante; manufactor; industrial.
manufacturing [-riŋ], **1** — *s.* fabrico, manufactura, indústria.
2 — *adj.* que manufactura; fabril; fabricante.
manufacturing town — cidade industrial.
manumission [mænju'miʃən], *s.* manumissão, libertação, alforria.
manumit [mænju'mit], *vt.* (*pret.* e *pp.* **manumitted**) libertar, dar alforria a.
manumitter [-ə], *s.* manumissor, libertador.

manure [mə'njuə], 1 — *s.* estrume, adubo.
manure heap — pilha de estrume.
chemical manure — adubo químico.
2 — *vt.* **estrumar,** adubar (as terras).
manuring [-riŋ], *s.* estrumação, acção de estrumar ou adubar as terras.
manuscript ['mænjuskript], 1 — *s.* manuscrito, original.
2 — *adj.* manuscrito, escrito à mão.
Manx [mæŋks], *s.* e *adj.* manês, da ilha de Man; dialecto da ilha de Man.
the Manx — os habitantes ou naturais da ilha de Man.
Manxman ['-mən], *s.* homem natural ou habitante da ilha de Man.
Manxwoman ['-wumən], *s.* mulher natural da ilha de Man.
many ['meni], 1 — *s.* multidão, grande número.
the many — a multidão.
2 — *adj.* muitos, em grande número, diversos, vários.
many times — muitas vezes.
how many times? — quantas vezes?
a great many — muitos; um grande número de.
too many — demasiados.
many a time — muitas vezes.
how many? — quantos?
as many as — tantos quantos.
twice as many — o dobro.
one too many — um a mais.
many a man — muitos homens.
so many — tantos.
many-sided — com muitos lados, possibilidades ou aspectos.
many-coloured — multicor.
ever so many times — tantas vezes que já lhes perdi a conta.
many drops make a shower — muitos poucos fazem muito.
Maori ['mauri], *s.* maori, natural da Nova Zelândia.
map [mæp], 1 — *s.* mapa, carta geográfica, plano topográfico; planta.
map-board — prancheta.
map-maker — cartógrafo.
map of the world — mapa-múndi.
map of distributing system — plano de instalação eléctrica.
map-case — pasta para cartas.
outline map (skeleton map) — mapa mudo.
2 — *vt.* (*pret.* e *pp.* **mapped**) delinear mapas; traçar planos; indicar no mapa.
maple [meipl], *s.* (bot.) ácer; bordo; carvalho silvestre.
mapping ['mæpiŋ], *s.* cartografia.
mar [mɑ:], *vt.* (*pret.* e *pp.* **marred**) estragar; arruinar; manchar; estragar; corromper.
marabou ['mærəbu:], *s.* (zool.) marabu; penas de marabu usadas como enfeite.
marabout [-t], *s.* marabuto, marabu (eremita maometano).
maraschino [mærəs'ki:nou], *s.* marasquino, licor de marascas.
marasmus [mə'ræzməs], *s.* marasmo; grande magreza, grande debilidade.
Marathon ['mærəθən], *top.* Maratona.
Marathon (race) (desp.) — maratona (corrida).
maraud [mə'rɔ:d], *vt.* e *vi.* pilhar; assaltar os viajantes.
marauder [-ə], *s.* rapinante; saqueador.
marauding [-iŋ], 1 — *s.* pilhagem; roubo; saque.
2 — *adj.* que pilha; que saqueia.
marble [mɑ:bl], 1 — *s.* mármore; bolinha com que as crianças brincam; *pl.* jogo de bolinhas.
marble breast — coração de pedra.
marble cutter — marmorista.
marble whiteness — brancura de mármore.
to play marbles — jogar a berlinda; jogar o carolo.
the Elgin Marbles — famosa colecção de esculturas gregas do Museu Britânico de Londres.
2 — *vt.* **dar um aspecto de mármore a; marmorear, marmorizar.**
marbling ['-iŋ], *s.* imitação de mármore.
marbly ['-i], *adj.* marmóreo; marmorizado.
Marburg ['mɑ:buəg], *top.* Marburgo.
marcasite ['mɑ:kəsait], *s.* (*min.*) marcassite.
marcel [mɑ:'sel], 1 — *s.* ondulação artificial do cabelo.
2 — *vt.* (*pret.* e *pp.* **marcelled**) fazer uma ondulação (ao cabelo).
Marcella [mɑ:'selə], *n. p.* Marcela.
Marcellinus [mɑ:si'lainəs], *n. p.* Marcelino.
Marcellus [mɑ:'seləs], *n. p.* Marcelo.
marcescent [mɑ:'sesənt], *adj.* marcescente.
March [mɑ:tʃ], *s.* Março.
as mad as a March hare — desorientado.
march [mɑ:tʃ], 1 — *s.* marcha; avanço; progresso; fronteira.
forced march — marcha forçada.
dead march — marcha fúnebre.
march past — desfile de tropas em continência.
to steal a march on someone — antecipar-se a um rival na execução de um plano.
march-land — país limítrofe.
march-stone — marco.
order of march — ordem de marcha.
quick march — passo acelerado.
slow march — **passo ordinário; marcha fúnebre.**
the march of events — o curso dos acontecimentos.
the march of time — a marcha do tempo.
2 — *vt.* e *vi.* marchar, fazer marchar, pôr em marcha; marchar; ficar fronteiriço.
to march in — entrar.
to march off — partir.
to march out — sair.
to march up — avançar.
quick march! — (mil.) acelerado!
marching ['-iŋ], 1 — *s.* marcha.
marching orders — ordem de marcha.
2 — *adj.* em marcha, que marcha.
marchioness ['mɑ:ʃənis], *s.* marquesa (título).
marchpane ['mɑ:tʃpein], *s.* maçapão.
Marcianus [mɑ:si'einəs], *n. p.* Marciano.
marconi [mɑ:' ouni], 1 — *s.* **mensagem pelo sistema Ma oni.**
2 — *vt.* e *i.* **transmitir ou enviar mensagem pelo siste Marconi.**
marconigram [-græm], *s.* marconigrama.
Marcus ['mɑ:kəs], *n. p.* Marco.
mare [mεə], *s.* égua; fêmea de qualquer animal de raça cavalar.
mare's nest — suposta descoberta de valor.
mare's tail (bot.) — cavalinha.
mare colt — égua nova.
mare ['meiə], *s.* (lat.) mar.
Margaret ['mɑ:gərit], *n. p.* Margarida.
margarin [mɑ:gə'ri:n], *s.* (quím.) margarina.
margarine [mɑ:dʒə'ri:n, mɑ:gə'ri:n], *s.* margarina.
marge [mɑ:dʒ], *s.* (poét.) margem; (col.) margarina.
Margery ['mɑ:dʒəri], *n. p.* Margarida.
margin ['mɑ:dʒin], 1 — *s.* margem, borda; extremidade; orla; reserva; tolerância admissível; cercadura, beira.
margin for safety — margem de segurança.
to escape by a narrow margin — escapar por pouco.
2 — *vt.* e *vi.* marginar; pôr borda ou margem; depositar fundos para determinados fins.
marginal [-l], *adj.* marginal.

marginal note — nota marginal; nota à margem.
marginal price — preço mínimo.
marginally [-əli], *adv.* à margem.
margrave ['mɑ:greiv], *s.* margrave.
margravine ['mɑ:grəvin], *s.* margravina.
marguerite [mɑ:gə'ri:t], *s.* (bot.) margarida.
Maria [mə'raiə], *n. p.* Maria.
black Maria (col.) — carro celular.
Marian ['mɛəriən], **1** — *n. p.* Mariana.
2 — *s.* partidário de Maria Stuart.
3 — *adj.* mariano; da Virgem Maria; relativo a Maria Stuart.
Marianas [mæri'ɑ:nəs], *top.* Marianas (ilhas).
Marie ['mɑ:ri, mə'ri:], *n. p.* Maria.
marigold ['mærigould], *s.* (bot.) maravilha; malmequer.
yellow marigold — (bot.) margarida dourada.
marinade [mæri'neid], *s.* escabeche.
marine [mə'ri:n], **1** — *s.* marinha; soldado de marinha; (pint.) marinha; fuzileiro naval; forças navais.
blue marines — artilheiros navais.
mercantile marine — marinha mercante.
tell that to the marines! — vai meter essa a outro!, essa não ma pregas tu!
red marines — fuzileiros navais.
2 — *adj.* marinho, marítimo; naval, náutico.
marine artillery — artilharia naval.
marine engineer — engenheiro naval.
marine insurance — seguro marítimo.
marine officer — oficial da marinha.
marine policy — apólice de seguro marítimo.
mariner ['mærinə], *s.* marinheiro, marítimo.
mariner's compass — agulha de marear.
master mariner — capitão de navio mercante.
marionette [mæriɔ'net], *s.* títere, fantoche; (col.) roberto.
marital [mə'raitl, 'mæritl], *adj.* marital, conjugal.
maritally [-i], *adv.* maritalmente.
maritime ['mæritaim], *adj.* marítimo, naval; náutico.
maritime town — cidade marítima.
maritime trade — comércio marítimo.
maritime affairs — negócios marítimos.
marjoram ['mɑ:dʒərəm], *s.* mangerona.
wild marjoram — (bot.) orégão.
Marjory ['mɑ:dʒəri], *n. p.* Margarida.
mark [mɑ:k], **1** — *s.* marca, sinal; alvo, baliza; traço; indício; prova, testamento; nota, aviso; evidência; símbolo; vestígio, impressão; marco (moeda); tento (ao jogo); regra, norma; nota escolar; cicatriz; arranhadura.
to make one's mark — assinar de cruz; distinguir-se.
to hit the mark — dar no alvo.
beside the mark — alheio ao assunto.
up to the mark — que chega à bitola; bem de saúde.
trade mark — marca da fábrica.
mark of friendship — prova de amizade.
a black mark — uma mancha na reputação.
(god) save the mark! — que rica pontaria! (irónico); passe a expressão!
beside the mark — fora de propósito.
examination markes — (esc.) notas de exame.
man of mark — homem notável.
interrogation mark — ponto de interrogação.
of little mark — de pouca importância.
to make one's mark — tornar-se importante.
price-mark — etiqueta com o preço.
that's hardly up to the mark — isso deixa muito a desejar.
2 — *vt.* marcar; notar; observar; advertir; caracterizar; assinalar; reparar; ser próprio de.
to mark down — anotar; marcar com um preço mais baixo.
to mark time — marcar passo.
mark my words — tome nota do que lhe digo; não se esqueça do que lhe digo.
to mark out — designar, assinalar; escolher.
a marked difference — uma diferença notável.
to mark an exercise (esc.) — classificar um exercício.
to mark stock — cotar valores (na Bolsa).
to mark off — traçar; limitar; separar.
to mark the rhythm — marcar o ritmo.
Mark [mɑ:k], *n. p.* Marcos.
marked [-t], *adj.* assinalado, marcado; vincado; evidente; nítido.
a marked man — um homem marcado.
marked tendency — tendência vincada.
markedly ['-idli], *adv.* com marca; nitidamente.
marker ['-ə], *s.* marcador; marca; ficha.
book-marker — marca de livro para indicar a página.
market ['-it], **1** — *s.* mercado, praça, feira, bazar; praça comercial; preço; venda; comércio.
in the market — no mercado; para venda.
market-day — dia de feira; dia de mercado.
market-place — mercado; praça; bazar.
market garden — horta.
market price — preço corrente.
to put on the market — pôr à venda.
market stand — banca da praça.
market rate — preço do mercado.
to bull the market — jogar na alta.
to bear the market — jogar na baixa.
steady market — mercado firme.
black market — mercado negro.
market-gardener — hortelão.
to make a good market of — tirar proveito de.
to meet with a ready market — vender-se bem.
there is no market for those goods — não há compradores para esses artigos.
2 — *vt.* e *vi.* comprar ou vender no mercado; pôr à venda.
marketable ['-itəbl], *adj.* vendível.
marketing ['-itiŋ], *s.* compra ou venda no mercado; artigos expostos no mercado.
to go marketing — ir ao mercado (fazer compras).
marksman ['-smən], *s.* bom atirador; analfabeto que assina de cruz.
marl [mɑ:l], **1** — *s.* marga, greda.
marl-pit — margueira.
2 — *vt.* margar, corrigir um terreno com marga; (náut.) prender com merlim.
marld [-d], *adj.* matizado, variegado.
marline ['mɑ:lin], *s.* (náut.) merlim.
marling ['mɑ:liŋ], *s.* margagem.
marly ['mɑ:li], *adj.* margoso, que contém marga.
marm [mɑ:m], *s.* (E. U.) mãe; minha senhora.
marmalade ['-əleid], *s.* doce de laranja.
Marmora ['-ərə], *top.* Mármara.
marmoreal [mɑ:'mɔ:riəl], *adj.* marmóreo.
marmorean [mɑ:'mɔ:riən], *adj.* ver **marmoreal.**
marmoset ['mɑ:məzet], *s.* (zool.) saguim, sagui.
marmot ['mɑ:mət], *s.* (zool.) marmota, arganaz.
maroon [mə'ru:n], **1** — *s.* cor castanho-avermelhado; negro fugitivo; pessoa abandonada numa ilha.
2 — *adj.* castanho-avermelhado.
3 — *vt.* e *vi.* abandonar numa ilha deserta; vaguear.
marooner [-ə], *s.* pirata, corsário; pessoa abandonada em ilha deserta.
marplot ['mɑ:plɔt], *s.* desmancha-prazeres; pessoa que só faz disparates.
marquee [mɑ:'ki:], *s.* marquesa; barraca grande, tenda, pavilhão.
Marquesas [mɑ:'keisæs], *top.* Marquesas (ilhas).
marquess ['mɑ:kwis], *s.* marquês.

marquetry ['mɑ:kətri], *s.* marqueteria, embutidos.
marquis ['mɑ:kwis], *s.* ver **marquess.**
marquisate ['mɑ:kwizit], *s.* marquesado, domínio, cargo ou dignidade de marquês.
marquise [mɑ:'ki:z], *s.* marquesa (não inglesa).
Marrakesh [mærə'keʃ], *top.* Marraquexe.
marriage ['mæridʒ], *s.* matrimónio, casamento; núpcias, boda; enlace. *(Sin.* wedding, matrimony, union, wedlock, nuptials.)
marriage articles — escritura de casamento.
marriage portion — dote de casamento.
civil marriage — casamento civil.
marriage day — dia do casamento.
marriage bed — leito nupcial.
marriage certificate (marriage lines) — certidão de casamento.
marriage ring — aliança (anel).
to ask in marriage — pedir em casamento.
to give in marriage — dar em casamento.
to take somebody in marriage — receber alguém em casamento.
marriageable [-əbl], *adj.* casadouro, em idade de casar.
married ['mærid], *adj.* casado; matrimonial, conjugal.
married couple — casal; cônjuges.
to get married — casar.
married state — estado matrimonial; estado de casado.
married life — vida conjugal.
newly married couple — par recém-casado.
to be married to — estar casado com.
just married — casados de fresco.
marring ['mɑ:riŋ], *s.* deterioração; estrago; perturbação.
marrow ['mærou], *s.* tutano, medula; essência; (dial.) cônjuge, consorte; (bot.) variedade de ervilha grande; espécie de abóbora menina.
spinal marrow — medula espinal.
vegetable marrow — abóbora.
marrow-fat — variedade de ervilha de grão.
marrow-bones (cal.) — joelhos.
to be chilled (to be frozen) to the marrow — estar gelado até aos ossos.
marrowbone [-boun], *s.* osso cheio de medula.
marrowless [-lis], *adj.* sem medula; (fig.) sem energia.
marrowy [-i], *adj.* com medula; semelhante à medula; (fig.) com substância.
marry ['mæri], **1** — *vt.* e *vi.* casar, desposar; casar-se com; dar em casamento.
to marry a fortune — casar com uma herdeira.
to marry below oneself — casar com alguém de categoria inferior.
to marry money — casar por dinheiro.
2 — *interj.* caramba!
marrying [-iŋ], **1** — *s.* casamento.
2 — *adj.* relativo ao casamento.
Mars [mɑ:z], *mit.* e *astr.* Marte.
marsh [mɑ:ʃ], *s.* pântano, paul, lodaçal.
marsh mallow (bot.) — alteia.
marsh fever — malária, paludismo.
marsh marigold (bot.) — malmequer amarelo.
marsh cress (bot.) — agrião dos pântanos.
marsh-fire — fogo-fátuo.
marsh ground — terreno pantanoso.
marsh mint (bot.) — hortelã.
marsh rocket (bot.) — trevo dos pântanos.
marshal ['mɑ:ʃəl], **1** — *s.* marechal; mestre de cerimónias; (E. U.) funcionário com funções de xerife ou chefe de polícia.
field-marshal — marechal de campo.
air-marshal — marechal do ar.
2 — *vt.* ordenar; pôr em ordem; dirigir, disciplinar; mandar; conduzir cerimoniosamente.
marshalship [-ʃip], *s.* marechalato, dignidade ou cargo de marechal.
marshiness ['mɑ:ʃinis], *s.* qualidade de ser pantanoso; estado pantanoso.
marshy ['mɑ:ʃi], *adj.* pantanoso, alagadiço.
marsupial [mɑ:'sju:pjəl], *s.* e *adj.* (zool.) marsupial.
marsupium [mɑ:'sju:pjəm], *s.* marsúpio, bolsa marsupial.
mart [mɑ:t], *s.* (poét.) mercado; centro de comércio; empório comercial.
martagon [-əgən], *s.* (bot.) mártago, lírio--mártago.
marten ['mɑ:tin], *s.* (zool.) marta; pele de marta.
Martha ['mɑ:θə], *n. p.* Marta.
martial ['mɑ:ʃəl], *adj.* marcial, militar, guerreiro, bélico.
Court-martial — conselho de guerra.
martial array — ordem de batalha.
martial law — lei marcial.
martially [-i], *adv.* marcialmente; belicamente.
Martian ['mɑ:ʃjən], **1** — *s.* marciano, habitante de Marte.
2 — *adj.* marciano.
Martin ['mɑ:tin], *n. p.* Martim, Martinho.
St. Martin's day — dia de S. Martinho.
St. Martin's summer — verão de S. Martinho.
Martin drunk — (col.) bêbedo como um cacho.
martin ['mɑ:tin], *s.* (zool.) gaivão, andorinhão.
martinet [mɑ:ti'net], *s.* (mil.) oficial disciplinador; (náut.) carregadeiras.
martinetism [-izm], *s.* autoritarismo.
martingale ['mɑ:tiŋgeil], *s.* gamarra; (náut.) pica-peixe.
martingale boom — pau de pica-peixe.
martini [mɑ:'ti:ni], *s.* espécie de vermute (bebida).
martyr ['mɑ:tə], **1** — *s.* mártir.
to make a martyr of oneself — sacrificar-se sem necessidade; fazer-se mártir.
2 — *vt.* martirizar, torturar.
martyrdom [-dəm], *s.* martírio.
martyrization [-rai'zeiʃən], *s.* martírio, acto de martirizar.
martyrize [-raiz], *vt.* martirizar; atormentar.
martirology [mɑ:ti'rɔlədʒi], *s.* martirológio.
marvel ['mɑ:vəl], **1** — *s.* maravilha, prodígio; assombro. *(Sin.* wonder, astonishment, surprise, amazement, miracle.)
to work marvels — fazer maravilhas.
2 — *vi.* maravilhar-se, admirar-se.
to marvel at a thing — admirar-se com qualquer coisa.
marvelling [-iŋ], *adj.* maravilhado; surpreendido.
marvellous ['mɑ:viləs], *adj.* maravilhoso, assombroso, estupendo, pasmoso, admirável.
the marvellous — o maravilhoso.
marvellously [-li], *adv.* maravilhosamente, admiravelmente.
marvellousness [-nis], *s.* maravilha, singularidade; prodígio.
Marxian ['mɑ:ksjən], *s.* e *adj.* marxista, relativo às doutrinas de Carlos Marx.
Marxism [-izm], *s.* marxismo, doutrinas de Carlos Marx.
Marxist ['mɑ:ksist], *s.* e *adj.* marxista, relativo às doutrinas de Carlos Marx.
Mary ['mɛəri], *n. p.* Maria.
little Mary (col.) — o estômago.
Marylander [-lændə], *s.* e *adj.* relativo a Maryland; natural de Maryland.
marzipan [mɑ:zi'pæn], *s.* ver **marchpane.**
mascara [mæs'kɑ:rə], *s.* rímel (produto usado para realçar as pestanas e sobrancelhas).
mascot ['mæskət], *s.* mascote; amuleto.
masculine ['mɑ:skjulin], **1** — *s.* género masculino, palavra masculina.
2 — *adj.* masculino; varonil; masculinizada (mulher).

masculine ending — verso masculino.
masculine rhyme — rima masculina.
masculine woman — mulher masculinizada.
masculinely [-li], *adv.* de modo varonil; energicamente, com masculinidade.
masculineness [-nis], *s.* masculinidade; aspecto ou carácter masculino.
masculinity [mɑ:skju'liniti], *s.* masculinidade, carácter masculino.
masculinize ['mæskjulinaiz], *vt.* masculinizar.
mash [mæʃ], **1** — *s.* massa, mistura; malte; bebida que se dá aos cavalos; (cal.) puré de batata; (cal.) pessoa por quem outra se apaixona.
to make a mash on — tentar conquistar.
2 — *vt.* amassar, misturar, triturar, pisar; "fazer uma conquista".
mashed ['-t], *adj.* em puré, esmagado; amassado; misturado.
mashed potatoes — puré de batatas.
masher ['-ə], *s.* misturador; esmagador; (cal.) "conquistador".
mashing ['-iŋ], *s.* fabrico de cerveja; acção de misturar ou de amassar.
mashy ['-i], **1** — *s.* um dos paus de jogar o golfe.
2 — *adj.* polposo, mole.
mask [mɑ:sk], **1** — *s.* máscara, mascarada; pretexto; aparência; disfarce, dissimulação; subterfúgio.
to throw off the mask — arrancar a máscara.
gas-mask — máscara contra gases.
carnival mask — máscara carnavalesca.
death-mask — máscara mortuária.
fencing mask — máscara protectora (esgrima).
to put on a mask — mascarar-se.
2 — *vt.* e *vi.* mascarar, mascarar-se; encobrir; disfarçar, dissimular; ocultar.
masked ['-t], *adj.* mascarado; dissimulado; (mil.) camuflado.
masked ball — baile de máscaras.
masker ['-ə], *s.* mascarado, pessoa mascarada.
masking ['-iŋ], *s.* o uso de máscara; disfarce; dissimulação.
masochism ['mæzoukizm], *s.* masoquismo.
masochist ['mæzoukist], *adj.* masoquista.
masochistic [mæzou'kistik], *adj.* masoquista.
mason [meisn], **1** — *s.* pedreiro, canteiro; mação, pedreiro-livre.
2 — *vt.* construir em pedra.
masonic [mə'sɔnik], *adj.* maçónico, relativo à maçonaria.
masonry ['meisnri], *s.* ofício de pedreiro; obra de alvenaria; maçonaria.
masque [mɑ:sk, mæsk], *s.* mascarada (pantomima teatral); composição literária para uma mascarada.
masquerade [-ə'reid], **1** — *s.* máscara; baile de máscaras; disfarce; dissimulação.
2 — *vi.* mascarar-se, disfarçar-se, andar mascarado.
masquerader [-ə], *s.* máscara, mascarada; dissimulador, hipócrita.
masquerading [-iŋ], *s.* disfarce; acção de usar máscara.
mass [mæs, mɑ:s], **1** — *s.* massa, montão, amontoado, conjunto, agregado; o grosso, a maior parte; missa.
the masses — a plebe; o vulgo.
in the mass — em massa; em conjunto.
mass attack — ataque em massa.
mass-book — missal.
mass meeting — assembleia monstro.
high mass — missa solene.
low mass — missa rezada.
requiem mass — missa de defuntos.
to attend mass — assistir à missa.
to go to mass — ir à missa.
to say mass — dizer missa; celebrar missa.
2 — *vt.* e *vi.* reunir em massa, juntar; amassar; juntar-se em massa; celebrar missa.
massacre ['mæsəkə], **1** — *s.* massacre, carnificina, morticínio, mortandade.
massacre of the innocents — matança dos inocentes.
2 — *vt.* massacrar, chacinar.
massacrer ['mæsəkrə], *s.* aquele que pratica um massacre, que chacina.
massacring ['mæsəkəriŋ], *s.* carnificina, massacre, chacina.
massage ['mæsɑ:dʒ], **1** — *s.* maçagem, massagem.
2 — *vt.* maçajar, massajar, dar massagens.
massé ['mæse], *s.* pancada na bola de bilhar com o taco em posição vertical.
masseur [mæ'sə:], *s.* maçágista (homem).
masseuse [mæ'sə:z], *s.* maçagista (mulher).
massiness ['mæsinis], *s.* peso, volume, solidez.
massive ['mæsiv], *adj.* maciço, pesado, sólido; (geol.) amorfo.
massively [-li], *adv.* maciçamente, de modo maciço.
massiveness [-nis], *s.* volume, peso, solidez.
massy ['mæsi], *adj.* maciço, sólido; pesado.
mast [mɑ:st], **1** — *s.* mastro; mastaréu; mastreação; bolota.
main mast — mastro grande.
fore mast — mastaréu do traquete.
top mast — joanete.
mizen mast — mastro da mezena.
spare mast — mastro de reserva.
mast step — carlinga.
ground masts — alimentos que os porcos encontram à superfície do solo.
radio masts — antenas de estação emissora.
to set up a mast — colocar um mastro.
2 — *vt.* mastrear; levantar uma verga.
a three-masted ship — um navio de três mastros.
master ['mɑ:stə], **1** — *s.* amo, patrão; dono, proprietário; senhor; mestre, professor; arrais; director, chefe; título de respeito usado antes de nome de rapaz.
head-master — director (de colégio); reitor (de liceu).
master-at-arms — *(náut.)* oficial subalterno encarregado de manter a disciplina.
master of the house — dono da casa.
past master — pessoa sabedora; mestre.
master-builder — mestre-de-obras.
dancing-master — mestre-de-dança.
Master of Ceremonies — mestre-de-cerimónias.
master-key — chave-mestra.
the old masters — os pintores da Renascença ou as suas obras.
master-stroke — golpe-mestre.
Master of the Rolls — arquivista-mor.
Master of Arts — licenciado em Letras.
master hand — mão de mestre.
master workman — mestre; capataz.
to be one's own master — ser senhor de si.
to make oneself master of — adquirir conhecimento profundo.
fencing-master — mestre de esgrima.
master cook — cozinheiro-chefe.
master lock — fechadura de porta.
master mason — mestre pedreiro.
master mind — espírito superior.
master of a mess — rancheiro.
master of the horse — estribeiro-mor.
master sin — pecado original.
master tooth — dente molar.
master telephone — telefone principal.
Master John — o menino João.
mathematics master — professor de matemática.
like master like man — tal amo tal criado.

to meet one's own master — encontrar quem chegue para nós.
the Master — o Mestre (Jesus Cristo).
2 — *vt.* vencer, dominar; saber a fundo; governar; assenhorear-se de, fazer-se senhor de; executar com mestria, ser perito em, ser superior em alguma coisa. *(Sin.* to conquer, to subjugate, to overcome, to defeat, to subdue, to learn, to acquire.)
to master a difficulty — vencer uma dificuldade.
to master one's temper — dominar-se.
to master a language — dominar uma língua.
masterdom [-dəm], *s.* domínio, mando, comando; supremacia, superioridade.
masterful [-ful], *adj.* imperioso; altivo; dominante; arbitrário; hábil, de mestre; perito.
masterfully [-fuli], *adv.* imperiosamente; de modo dominador; autoritariamente.
masterfulness [-fulnis], *s.* domínio, império; supremacia, superioridade.
masterly [-li], *adj.* e *adv.* magistral, dominante, imperioso; magistralmente.
masterpiece [-pi:s], *s.* obra-prima.
mastership [-ʃip], *s.* magistério, mestria; poder, domínio; superioridade; talento; reitoria, direcção (em escola secundária ou superior).
mastery [-ri], *s.* domínio, poder; superioridade; governo; mestria; habilidade; conhecimento profundo; autoridade; primazia. *(Sin.* supremacy, conquest, ascendancy, command, superiority, skill.)
masthead [ˈmɑ:sthed], *s.* tope, calcês.
masticate [ˈmæstikeit], *vt.* mastigar, triturar, mascar.
mastication [mæstiˈkeiʃən], *s.* mastigação, trituração.
masticator [ˈmæstikeitə], *s.* mastigador, triturador.
masticatory [-ri], *adj.* masticatório, mastigador.
mastiff [ˈmæstif, mɑ:stif], *s.* mastim, tipo de cão.
mastitis [mæsˈtaitis], *s.* (med.) mastite, inflamação na mama.
mastless [ˈmɑ:stlis], *adj.* sem mastros.
mastodon [ˈmæstədɔn], *s.* mastodonte.
mastoid [ˈmæstɔid], **1** — *s.* apófise mastóide.
2 — *adj.* mastóide, mastoideia.
mastoidean [mæsˈtɔidiən], *adj.* mastóide.
masturbate [ˈmæstəbeit], *vi.* masturbar-se.
masturbation [mæstəˈbeiʃən], *s.* masturbação.
mat [mæt], **1** — *s.* capacho, esteira; mate do metal; (náut.) esteira do porão; pano bordado ou de renda que se põe debaixo das jarras; protectores (geralmente de cortiça) que se põem debaixo dos pratos e travessas.
door-mat — capacho da porta.
2 — *adj.* opaco, mate, sem brilho.
mat paper — papel-mate.
3 — *vt.* e *vi.* (*pret.* e *pp.* **matted**) esteirar; tecer; entrançar; tornar fosco; forrar com coxim; enriçar (o cabelo).
matador [ˈmætədɔ], *s.* matador (de toiros); carta principal em alguns jogos.
match [mætʃ], **1** — *s.* igual, semelhante; companheiro; competidor; partido; partida, desafio; regata; jogo; luta, certame; contenda; aposta; casamento; carreira, corrida; fósforo, pavio, torcida.
match-box — caixa de fósforos.
match-maker — casamenteiro; fabricante de fósforos.
even match — partido igual (no casamento).
splendid match — bom partido.
to make a good (bad) match — fazer um bom (mau) casamento.
to find (meet) one's match — encontrar alguém de igual força; encontrar "a forma do seu pé".
love match — casamento de amor.
safety match — fósforo amorfo.
football match — desafio de futebol.
to strike a match — acender (riscar) um fósforo.
2 — *vt.* e *vi.* irmanar, igualar; equiparar; casar; ser igual a; aparelhar; combinar; condizer; casar-se; irmanar-se; competir com. *(Sin.* to suit, to agree, to correspond, to equal, to rival, to fit, to oppose, to marry.)
to match somebody with — casar alguém com.
a coat and a blouse to match — um casaco e uma blusa a condizer.
matchable [ˈ-əbl], *adj.* igual, proporcionado, correspondente; que condiz.
matchboard [ˈ-bɔ:d], *s.* tábua de macho e fêmea.
matching [ˈ-iŋ], *s.* harmonização; encaixe; junção.
matchless [ˈ-lis], *adj.* incomparável, sem rival. *(Sin.* peerless, unequalled, incomparable, surpassing. *Ant.* ordinary.)
matchlessly [ˈ-lisli], *adv.* incomparavelmente, sem comparação.
matchlessness [ˈ-lisnis], *s.* qualidade do que é incomparável, incompatibilidade.
matchlock [ˈ-lɔk], *s.* espingarda antiga de mecha.
matchwood [ˈ-wud], *s.* madeira própria para fósforos.
mate [meit], **1** — *s.* companheiro (a); cônjuge, consorte; ajudante; sócio; camarada, colega; contramestre; mate (no xadrez); macho ou fêmea; (náut.) piloto.
first mate — primeiro imediato.
school-mate — condiscípulo.
the mate of a glove — o par de uma luva.
2 — *vt.* e *vi.* igualar, emparelhar; casar, unir; competir; dar xeque-mate (no xadrez).
maté [ˈmætei], *s.* chá-mate.
mateless [ˈ-lis], *adj.* sem companheiro; só; desemparelhado.
matelot [ˈmætlou], *s.* (cal. náut.) marinheiro.
materfamilias [ˈmeitə-fəˈmiliəs], *s.* mãe de família.
material [məˈtiəriəl], **1** — *s.* material; matéria, assunto; tecido, estofo.
raw materials — matérias-primas.
building materials — materiais de construção.
writing materials — artigos de escritório.
dress material — fazenda para vestidos.
insulating material — substância isoladora.
war material — material de guerra.
2 — *adj.* material, corpóreo, físico; principal; importante, essencial; materialista.
material evidence (jur.) — provas relevantes.
the material world — o mundo material.
nothing material — nada de importante.
materialism [-izm], *s.* materialismo.
materialist [-ist], **1** — *s.* materialista.
2 — *adj.* materialista; material.
materialistic [mətiəriəˈlistik], *adj.* materialista; material.
materialistically [-əli], *adv.* materialisticamente, de modo materialista.
materiality [mətiəriˈæliti], *s.* materialidade, corporeidade; importância.
materialization [mətiəriəlaiˈzeiʃən], *s.* materialização; concretização.
materialize [məˈtiəriəlaiz], *vt.* e *vi.* materializar, concretizar; tornar-se visível; realizar; realizar-se.
materializing [-iŋ], *s.* materialização, realização, concretização.
materially [məˈtiəriəli], *adv.* materialmente; essencialmente; de modo sensível.

maternal [mə'tə:nl], *adj.* maternal, materno.
maternally [mə'tə:nəli], *adv.* maternalmente.
maternity [mə'tə:niti], *s.* maternidade; casa de maternidade.
maternity hospital — maternidade.
maternity ward — enfermaria para parturientes.
mathematical [mæθi'mætikəl], *adj.* matemático; exacto; rigoroso.
mathematical symbol — símbolo matemático.
mathematical table — tabuada.
mathematical constant — constante matemática.
mathematically [-i], *adv.* matematicamente; exactamente; rigorosamente.
mathematician [mæθimə'tiʃən], *s.* matemático.
mathematicize [mæθi'mætisaiz], *vt.* e *vi.* matematizar; raciocinar matematicamente.
mathematics [mæθi'mætiks], *s.* matemática; matemáticas.
pure mathematics — matemáticas puras.
mathematize ['mæθimətaiz], *vt.* e *vi.* ver **mathematicize.**
Mathias [mə'θaias], *n. p.* Matias.
Mathilda [mə'tildə], *n. p.* Matilda.
maths [mæθs], *s.* (col.) matemática (forma abreviada de **mathematics**).
Matilda [mə'tildə], *n. p.* Matilda.
matin ['mætin], *s.* canto matinal; *pl.* matinas, orações da manhã.
matinée ['mætinei], *s.* (teat. ou cin.) espectáculo à tarde, "matinée".
matlo ['mætlou], *s.* (cal. náut.) marinheiro, marujo.
matriarch ['meitriɑ:k], *s.* matriarca.
matriarchal [-əl], *adj.* matriarcal.
matriarchy [-i], *s.* matriarcado.
matric [mə'trik], *s.* (col. ex.) exame de admissão à universidade (forma abreviada de **matriculation**).
to take one's matric — fazer exame de admissão à universidade.
matrices ['meitrisi:z], *s. pl.* de **matrix.**
matricidal ['meitrisaidəl], *adj.* matricida.
matricide ['meitrisaid], *s.* matricídio.
matriculant [mə'trikjulənt], *s.* estudante que se matricula na universidade.
matriculate [mə'trikjuleit], *vt.* e *vi.* matricular na universidade, matricular-se na universidade.
matriculated [-id], *adj.* matriculado.
matriculation [mətrikju'leiʃən], *s.* matrícula; exame de admissão à universidade.
matrilineal [mætri'liniəl], *adj.* pelo lado materno.
matrimonial [mætri'mounjəl], *adj.* matrimonial.
matrimonially [-i], *adv.* matrimonialmente.
matrimony ['mætriməni], *s.* matrimónio, casamento.
matrix ['meitriks], *s.* (*pl.* **matrixes, matrices**) *s.* (anat.) matriz, útero; molde para fundir caracteres tipográficos.
matron ['meitrən], *s.* matrona; mãe de família; enfermeira-chefe; directora de instituto ou colégio.
matronage [-idʒ], *s.* cargo ou funções de matrona.
matronal [-əl], *adj.* matronal, de matrona.
matronly [-əli], *adj.* matronal; séria, grave, respeitável.
matronship [-ʃip], *s.* funções de matrona.
matt [mæt], **1** — *s.* metal não purificado; moldura de quadro; superfície baça.
2 — *adj.* mate, baço.
matter ['mætə], **1** — *s.* matéria, substância; material; assunto; objecto, coisas; negócios; importância; consequência; matéria, pus; (tip.) tipo composto, exemplar.
what is the matter with you? — que é que tens?
what is the matter? — que aconteceu?, que há de novo?
the matter in hand — o assunto em questão.
it is no matter — não importa.
small matter — coisa de pouca importância.
matter of course — coisa natural.
no great matter — não é coisa de cuidado.
as a matter of fact — na verdade.
matter of fact — realidade.
it is no laughing matter — é caso sério.
as if nothing was the matter — como se nada houvesse.
money matters — assuntos de dinheiro.
as matters stand — no pé em que as coisas estão.
a matter-of-fact person — uma pessoa prática, positiva.
I don't know exactly what is the matter with me — não sei bem o que tenho.
the matter will be easily settled — o assunto resolve-se facilmente.
what can the matter be? — que será?
matter of conscience — problema de consciência.
matter of habit — questão de hábito.
matter of history — facto histórico.
postal matters — coisas enviadas pelo correio.
for that matter — quanto a isso.
2 — *vi.* importar, vir para o caso; supurar, formar pus.
what does it matter? — que importa?
it matters little — pouco importa.
it matters a good deal — tem muita importância.
it doesn't matter — não tem importância.
Matthew ['mæθju:], *n. p.* Mateus.
the Gospel according to St. Matthew — o Evangelho segundo S. Mateus.
Matthias [mə'θaiəs], *n. p.* Matias.
matting ['mætiŋ], *s.* esteira, esteirado; entrançamento; processo de produzir o mate do metal.
mattock ['mætək], **1** — *s.* alvião, picareta; enxadão.
2 — *vt.* cavar com um enxadão.
mattoid ['mætɔid], *adj.* amalucado.
mattress ['mætris], *s.* colchão.
spring mattress — colchão de molas.
wire mattress — colchão de arame.
foam rubber mattress — colchão de borracha.
Matty ['mæti], *n. p.* diminutivo de **Mathilda** e **Matilda.**
maturant ['mætjurənt], *s.* (med.) maturativo.
maturate ['mætjureit], *vt.* e *vi.* amadurecer; (med.) supurar.
maturation [mætju'reiʃən], *s.* maturação; (med.) supuração.
mature [mə'tjuə], **1** — *adj.* maduro, amadurecido, sazonado; perfeito; prudente; (com.) vencido, pagável. (*Sin.* ripe, complete, full, mellow, developed, perfect. *Ant.* embryonic.)
mature plans — planos amadurecidos.
mature deliberation — deliberação ponderada.
mature years — idade madura.
matured [-d], *adj.* maduro, amadurecido; (com.) vencido.
maturely [-li], *adv.* maduramente; ponderadamente.
matureness [-nis], *s.* maturidade.
maturing [-riŋ], *s.* maturação.
maturity [-riti], *s.* maturidade; perfeição; (com.) vencimento de letra, termo de pagamento.

at maturity — no vencimento.
matutinal [mætju(:)'tainl], *adj.* matutino, matinal. (*Sin.* early, waking, dawning. *Ant.* late.)
matutinally [-i], *adv.* matutinamente, matinalmente.
Maud [mɔ:d], *n. p.* Matilde.
maud [mɔ:d], *s.* manta escocesa, manta axadrezada.
maudlin ['mɔ:dlin], **1** — *s.* sentimentalismo "barato".
2 — *adj.* embriagado; sentimental, choramingas; estúpido.
maul [mɔ:l], **1** — *s.* malho, maço, marreta. **2** — *vt.* malhar, espancar, maltratar; criticar fortemente.
mauler ['-ə], *s.* (cal.) punho.
mauling ['-iŋ], *s.* acção de maltratar; maus tratos.
maulstick ['-stik], *s.* vareta de pintor, tento.
maunder ['mɔ:ndə], *vi.* vaguear; numerar, resmungar, falar incoerentemente.
maundy ['mɔ:ndi], *s.* cerimónia de lavar os pés aos pobres na Quinta-Feira Santa.
Maundy Thursday — Quinta-Feira Santa.
Mauresque [mou'resk], *adj.* mouro.
Mauritania [mɔri'teinjə], *top.* Mauritânia.
Mauritius [mə'riʃəs, mɔ:'riʃəs], *top.* Maurícia (ilha).
Mauser ['mauzə], *s.* Mauser (tipo de espingarda).
mausoleum [mɔ:sə'liəm], *s.* (*pl.* **mausolea, mausoleums**) mausoléu.
mauther ['mɔ:ðə], *s.* (dial.) rapariga.
mauve [mouv], *s.* e *adj.* cor de malva.
maverick ['mævərik], *s.* (E. U.) novilho sem ferro; vagabundo.
mavis ['meivis], *s.* (poét.) espécie de tordo.
maw [mɔ:], *s.* bucho, papo; estômago (animais).
to fill one's maw — encher a barriga; encher a pança.
mawkish ['mɔ:kiʃ], *adj.* asqueroso, repugnante; insípido.
mawkishly [-li], *adv.* asquerosamente; insipidamente.
mawkishness [-nis], *s.* asco, nojo; estupidez, sensaboria.
mawworm ['mɔ:wə:m], *s.* verme intestinal; (cal.) hipócrita.
maxila [mæk'silə], *s.* (*pl.* **maxillae**) osso maxilar.
maxillary [-ri], *adj.* maxilar.
maxim ['mæksim], *s.* máxima, axioma, aforismo. (*Sin.* saying, proverb, axiom, aphorism.)
Maxim ['mæksim], *s.* metralhadora automática.
maximal [-əl], *adj.* máximo.
Maximian [mæk'simiən], *n. p.* Maximiano.
Maximilian [mæksi'miljən], *n. p.* Maximiliano.
maximize ['mæksimaiz], *vt.* exagerar ao máximo; levar ao extremo.
maximum ['mæksiməm], **1** — *s.* (*pl.* **maxima**) máximo, o ponto mais alto.
maximum and minimum thermometer — termómetro de máxima e mínima.
to a maximum — ao máximo.
2 — *adj.* máximo.
maximum demand — consumo máximo.
maximum diameter — diâmetro externo.
maximum distance — distância máxima.
maximum length — comprimento máximo.
maximum height — altura máxima.
maximum price — preço máximo.
Maximus ['mæksiməs], *n. p.* Máximo.
may [mei], **1** — *s.* ver **maiden**; (bot.) pilriteiro.
2 — *v. def.* e *aux.* (só tem *pres. ind.* **may** e *pret.* **might**; substitui-se por **to be permitted** e **to be allowed** nos outros tempos) posso, tenho licença; é possível, é lícito.
may it be so! — oxalá que assim seja!
if I may say so — se me é lícito dizê-lo.
it may rain tomorrow — é possível que chova amanhã.
may I come in? — posso entrar?, dá-me licença de entrar?
may you live long and happily! — viva largos e felizes anos!
you may depend on it — pode contar com isso.
may I open the window? — posso abrir a janela?, dá-me licença de abrir a janela?
be that as it may — seja como for.
may I rather die! — preferia morrer!
you may for me — por mim, podes.
I went to London, so that I might see him — fui a Londres para o ver.
May [mei], **1** — *s.* Maio; (fig.) apogeu, plenitude; *pl.* (**em Cantabrígia**) exames em Maio ou princípios de Junho.
May-day — o primeiro de Maio.
May Queen — rainha da festa do primeiro de Maio.
may-beetle (*may-bug*) (zool.) — besouro.
may-pole — mastro enfeitado à volta do qual se dança na festa do primeiro de Maio.
May and December — **rapariga casada com um velho.**
2 — *n. p.* diminutivo de **Mary.**
Mayan ['mɑjən], *adj.* relativo aos Maias, povo antigo indígena do México.
maybe ['meibi:], *adv.* talvez, possìvelmente.
mayflower ['meiflauə], *s.* (bot.) primavera; (E. U.) hepática.
mayhap ['meihæp], *adv.* (arc.) talvez.
maying ['meiiŋ], *s.* festas do primeiro de Maio.
mayonnaise [meiə'neiz], *s.* maionese.
mayor [mɛə], *s.* presidente de município, presidente de câmara municipal.
Lord Mayor — lorde maior.
mayoralty ['-rəlti], *s.* cargo de presidente de município; presidência de município; mandato de presidente de município.
mayoress ['-ris], *s.* esposa do presidente do município.
mazarine [mæzə'ri:n], *s.* e *adj.* azul-ferrete.
maze [meiz], 1 — *s.* labirinto; confusão; perplexidade. (*Sin.* labyrinth, intricacy, confusion, bewilderment.)
2 — *vt.* confundir, embaraçar, desorientar; assombrar.
mazed ['-d], *adj.* desorientado, embaraçado, perplexo, confuso.
mazily ['-ili], *adv.* confusamente.
maziness ['-inis], *s.* confusão, embaraço; labirinto.
mazurka [mə'zə:kə], *s.* mazurca.
mazy ['meizi], *adj.* confuso, perplexo, embaraçado, intrincado; labiríntico.
me [mi:], **1** — *pron. pess. compl.* me, mim, a mim, eu.
it's me — sou eu.
she saw me — ela viu-me.
they played with me — eles brincaram comigo.
dear me! — valha-me Deus!
as for me — quanto a mim.
what will become of me? — que vai ser de mim?
2 — *adj. pos.* (dial.) meu.
mead [mi:d], *s.* hidromel; (poét.) prado.
meadow ['medou], *s.* prado, veiga, campina.
meadow-sweet — (bot.) **ulmária.**
meadow-mushroom — cogumelo comestível.
meadow-land — pastagens; pradaria.
meadowy [-i], *adj.* cheio de erva, cheio de prados; próprio de prados.

meagre ['mi:gə], **1** — *s.* variedade de peixe. **2** — *adj.* magro, seco, descarnado; pobre, escasso, mesquinho. (*Sin.* thin, skinny, lean, poor, scanty, sterile, lank. *Ant.* fat.)
meagre face — rosto magro.
meagre lime — cal magra.
meagre meal — refeição parca; refeição pouco abundante.

meagrely [-li], *adv.* magramente, pobremente, escassamente.

meagreness [-nis], *s.* magreza, pobreza; escassez; esterilidade.

meal [mi:l], **1** — *s.* comida, alimento, refeição; farinha; quantidade de leite que uma vaca dá em cada mungidura.
meal-monger — negociante de farinhas.
meal-time — horas das refeições.
barley meal — farinha de cevada.
square meal — refeição substancial.
light meal — refeição leve.
hearty meal — refeição abundante.
2 — *vt.* e *vi.* tomar uma refeição; esmagar (pólvora).
to meal with — tomar uma refeição com.

mealie(s) ['mi:li(z)], *s.* milho.

mealiness ['mi:linis], *s.* propriedade farinácea; (col.) falas mansas.

mealy ['mi:li], *adj.* farináceo, farinhento; pálido; (col.) com falas mansas; com manchas (cavalo).
mealy (-mouthed) — de falas mansas, falso.

mean [mi:n], **1** — *s.* mediocridade; meio termo; média; *pl.* meio, processo, forma; bens, riquezas, cabedais.
the golden mean — o meio termo.
by fair means — por meios lícitos.
by foul means — por maus modos; à força.
by all means — sem dúvida; positivamente.
by no means — de modo nenhum.
by means of — por meio de.
by this means — por este meio.
to live on one's means — viver dos rendimentos.
a man of means — um homem rico.
by some means or other — de um modo ou de outro.
arithmetical mean — média aritmética.
geometrical mean — média geométrica.
she lives beyond her means — ela gasta mais do que pode (ganha).
private means — fortuna pessoal.
2 — *adj.* baixo, vil, mesquinho, sórdido, insignificante; indigno, abjecto; humilde, inferior; pobre; mediano, médio, intermédio; avarento; mau, maldoso.
of mean birth — de baixa condição.
mean-spirited — desprezível; abjecto.
mean solar time — hora média solar.
mean temperature — temperatura média.
in the mean time — entretanto.
to feel mean — sentir-se **maldisposto.**
3 — *vt.* (*pret.* e *pp.* **meant**) significar, querer dizer; tencionar, pretender; destinar; ter em vista; resolver.
what do you mean? — que queres dizer?
what does this mean? — que significa isto?
do you mean it? — fala a sério?
to mean harm — estar com más intenções.
you don't mean it! — estás a brincar!
I mean what I say — estou a falar a sério.

meander [mi'ændə], **1** — *s.* meandro, sinuosidade; labirinto; complicação.
the meanders of a river — os meandros dum rio.
2 — *vi.* serpear, correr sinuosamente; fazer meandros; vaguear.

meandering [-riŋ], **1** — *s.* meandros, sinuosidades.
2 — *adj.* que forma meandros, sinuoso.

meaning ['mi:niŋ], **1** — *s.* sentido, significação, significado; desígnio, intenção; acepção; propósito.
with meaning — com intenção; significativamente.
literal meaning — sentido literal.
what is the meaning of this? — que significa isto?
2 — *adj.* expressivo, significativo.
well-meaning — de boas intenções.
ill-meaning — de más intenções.

meaningless [-lis], *adj.* sem sentido, sem significação.

meaningly [-li], *adv.* significativamente; intencionalmente.

meanly ['mi:nli], *adv.* vilmente, desprezivelmente; pobremente; baixamente.

meanness ['mi:nnis], *s.* baixeza, vileza; pobreza; mesquinhez; inferioridade, mediocridade; avareza; humildade.

meant [ment], *pret.* e *pp.* de **to mean.**

meantime ['mi:n'taim], **1** — *s.* intervalo.
in the meantime — entretanto.
2 — *adv.* entretanto.

meanwhile ['mi:n'wail], *s.* ver **meantime.**

measled [mi:zld], *adj.* com sarampo; com gafeira (porcos).

measles [mi:zlz], *s. pl.* sarampo; gafeira (dos porcos); cancro (das árvores).

measly ['mi:zli], *adj.* atacado de sarampo ou de gafeira; (fam.) desprezável.

measurability [meʒərə'biliti], *s.* mensurabilidade.

measurable ['meʒərəbl], *adj.* mensurável; limitado, moderado.

measurableness [-nis], *s.* mensurabilidade.

measurably [-i], *adv.* moderadamente, até certo ponto.

measure ['meʒə], **1** — *s.* medida, medição; arqueação; dimensão; tamanho; quantidade; correspondência; capacidade, extensão; compasso, cadência; modo, grau, graduação; regra, modelo; proporção; projecto de lei; (mús.) compasso; meios, recursos.
in some measure — em certa medida.
beyond measure — em excesso.
without measure — desmedidamente.
clothes made to measure — fatos feitos por medida.
to take measures — tomar providências.
to take someone's measure — medir uma pessoa.
greatest common measure — maior divisor comum.
tape-measure — fita métrica.
far-reading measure — medida de grande alcance.
measure for measure — olho por olho, dente por dente.
measure of length — medida de comprimento.
measure of capacity — medida de capacidade.
measure of surface — medida de superfície.
measure of volume — medida de volume.
agrarian measures — medidas agrárias.
common measure — divisor comum.
out of all measure — desmedidamente.
preventive measures — medidas preventivas.
to sell by measure — vender por medida.
to take someone's measure for a dress — tirar as medidas para fazer um vestido.
to tread a measure — dançar.
2 — *vt.* e *vi.* medir; avaliar; julgar; proporcionar; arquear; regular; graduar; ajustar; tomar medida; tirar medidas (para um fato).
to measure one's length — estatelar-se no chão.
to measure all by the same yard-stick — medir todos pela mesma bitola.

to measure one's strength with someone — medir forças com alguém.
to measure someone with one's eyes — medir alguém com o olhar.
to measure up — medir (madeira).
to measure up to — mostrar-se à altura de.
measured [-d], *adj.* medido, calculado; uniforme; lento; compassado; restringido.
measured language — linguagem comedida.
measureless [-lis], *adj.* incomensurável, ilimitado, imenso, infinito. *(Sin.* immeasurable, infinite, unlimited, endless, immense, boundless. *Ant.* finite.)
measurement [-mənt], *s.* medida, medição, dimensão; arqueação.
chest measurement — perímetro torácico.
measurer [-rə], *s.* medidor.
measuring [-riŋ], *s.* medição, medida; arqueação.
measuring chain — cadeia do agrimensor.
measuring glass — copo graduado.
measuring-tape — fita métrica.
meat [mi:t], *s.* carne; alimento; (arc.) refeição.
butcher's meat — carne do açougue.
chopped (minced) meat — carne picada.
broiled meat — carne assada na grelha.
meat ball — almôndega.
stewed meat — guisado.
fried meat — carne frita.
meat-pie — pastel de carne.
one man's meat is another man's poison — o que a um cura, a outro mata.
meat and drink — comida e bebida.
meat chopper — cutelo para carne.
meat eater — animal carnívoro.
meat-fly — mosca varejeira.
meat-grinder — máquina de moer carne.
meat of a nut — miolo de uma noz.
meat sausage — linguiça.
abstention from meat — abstenção de carne.
chilled meat — carne congelada.
cold meat — carnes frias.
fresh meat — carne fresca.
frozen meat — carne congelada.
white meat — carnes brancas.
roast meat — carne assada.
to say grace before meat — dar graças antes da refeição.
this is meat and drink to me — isto é tudo para mim.
to sit at meat — sentar-se à mesa (de jantar).
meatless [-lis], *adj.* sem carne; descarnado.
meaty ['mi:ti], *adj.* carnudo; semelhante a carne, substancioso.
Mecca ['mekə], *top.* Meca.
mechanic [mi'kænik], *s.* mecânico; artista, artífice.
dental mechanic — mecânico dentista.
mechanical [-əl], *adj.* mecânico; maquinal.
mechanical engineer — engenheiro de máquinas.
mechanical calculator — máquina de calcular.
mechanical drawing — desenho de máquinas.
mechanical pilot (av.) — piloto automático.
mechanicalism [-əlizm], *s.* mecanicismo; mecanização.
mechanicalization [mikænikəlai'zeiʃən], *s.* mecanização.
mechanicalize [mi'kænikəlaiz], *vt.* mecanizar.
mechanically [mi'kænikəli], *adv.* mecanicamente; maquinalmente.
mechanician [mekə'niʃən], *s.* mecânico.
mechanics [mi'kæniks], *s.* mecânica.
mechanics of air — mecânica do ar.
analytical mechanics — mecânica analítica.
pure mechanics — mecânica racional.
mechanism ['mekənizm], *s.* mecanismo.
mechanist ['mekənist], *s.* mecânico.
mechanization [mekənai'zeiʃən], *s.* mecanização.
mechanize ['mekənaiz], *vt.* mecanizar.
mechanized [-d], *adj.* mecanizado.
mechanized army — exército motorizado.
meconium [me'kouniəm], *s.* mecónio.
med [med], *s.* (col.) estudante de medicina.
medal [medl], **1** — *s.* medalha.
the reverse of the medal — o reverso da medalha.
2 — *vt.* (pret. e pp. **medalled**) condecorar com medalha.
medalled [-d], *adj.* condecorado com medalha.
medallion [mi'dæljən], *s.* medalhão; emblema.
medallist ['medlist, 'medəlist], *s.* fabricante de medalhas; gravador de medalhas; pessoa condecorada com uma medalha; coleccionador de medalhas.
meddle [medl], *vi.* intrometer-se; ocupar-se.
to meddle with another's business — (col.) meter foice em seara alheia.
meddler ['-ə], *s.* pessoa intrometida; intruso.
meddlesome ['-səm], *adj.* intrometido; intruso; curioso.
meddlesomeness ['-səmnis], *s.* hábito de se meter nos negócios alheios; intervenção.
meddling ['-iŋ], **1** — *s.* intromissão em assuntos alheios; tendência para se meter na vida alheia.
2 — *adj.* intrometido; intruso, metediço.
Medea [mi'diə], *n. p.* Medeia.
media ['mi:djə], *s. pl.* de **medium.**
mediaeval [medi'i:vəl], *adj.* medieval, medievo.
mediaevalism [-izm], *s.* medievalismo, medievismo.
medial ['midjəl], **1** — *s.* letra medial.
2 — *adj.* médio; medial, central.
medial consonant — consoante medial.
medially [-i], *adv.* medialmente.
median ['mi:djən], **1** — *s.* (geom.) mediana; (anat.) veia mediana; nervo mediano.
2 — *adj.* mediano.
Median ['mi:djən], *s.* e *adj.* medo, médico (da Média); relativo à Média.
mediate, 1 — ['mi:diit], *adj.* mediato, intermediário; interposto.
2 — ['mi:dieit], *vt.* e *vi.* mediar; intervir; interpor-se.
mediately ['mi:diitli], *adv.* mediatamente.
mediating ['mi:dieitiŋ], *adj.* medianeiro.
mediation [mi:di'eiʃən], *s.* mediação, intervenção; intercessão.
mediative ['mi:diətiv], *adj.* mediador, intercessor, medianeiro.
mediator ['mi:dieitə], *s.* mediador, medianeiro, intercessor.
mediatory [-ri], *adj.* mediador, medianeiro, intercessor.
medicable ['medikəbl], *adj.* medicável, tratável; curável.
medical ['medikəl], *adj.* médico; medicinal; clínico.
medical student — estudante de medicina.
medical jurisprudence — medicina legal.
Medical Board — junta médica.
medically [-i], *adv.* medicamente, clinicamente.
medicament ['medikəmənt], *s.* medicamento, remédio.
medicaster ['medikæstə], *s.* medicastro, charlatão, curandeiro.
medicate ['medikeit], *vt.* medicar; tratar clinicamente.
medicated [-id], *adj.* higienizado; hidrófilo (algodão).
medication [medi'keiʃən], *s.* medicação; tratamento médico.

medicative ['medikətiv], *adj.* medicativo; medicamentoso.
Medici ['meditʃi(:)], *n. p.* Médicis.
medicinal [me'disinl], *adj.* medicinal.
medicinally [-i], *adv.* medicinalmente.
medicine ['medsin, 'medisin], *s.* medicina; medicamento; feitiçaria, magia.
medicine-man — feiticeiro.
medicine-chest — farmácia portátil.
medicine-dropper — conta-gotas.
a Doctor of Medicine — um doutor em Medicina.
to practise medicine — exercer a medicina.
medicine-glass — copo graduado.
to take medicine (col.) — tomar um purgante.
2 — *vt.* medicar, medicamentar; tratar com medicamentos.
medick ['mi:dik], *s.* (bot.) luzerna.
medico ['medikou], *s.* (col.) médico, cirurgião.
medieval [medi'i:vəl], *adj.* ver **mediaeval.**
mediocre ['mi:dioukə], *adj.* medíocre.
mediocrity [mi:di'ɔkriti], *s.* mediocridade; mediania; moderação.
meditate ['mediteit], *vt.* e *vi.* meditar, reflectir; premeditar; contemplar; projectar; tramar.
to meditate on — meditar em.
meditated [-id], *adj.* meditado, projectado.
meditation [medi'teiʃən], *s.* meditação, reflexão; cogitação; contemplação.
meditative ['meditətiv], *adj.* meditativo, contemplativo.
meditatively [-li], *adv.* meditativamente.
meditativeness [-nis], *s.* meditação, contemplação.
meditator ['mediteitə], *s.* meditador, indivíduo que se entrega à meditação.
Mediterranean [meditə'reinjən], 1 — *s.* Mediterrâneo.
the Mediterranean (the Mediterranean Sea) — o mar Mediterrâneo.
the Mediterraneans — os povos mediterrânicos.
2 — *adj.* mediterrâneo, mediterrânico.
medium ['mi:djəm], 1 — *s.* (pl. **media**) meio, meio termo; intermédio; meio, instrumento, expediente; éter, atmosfera; (fís.) ambiente; líquido (óleo, etc.) usado em pintura para mistura das cores; médium (espiritismo); (lóg.) premissa menor de um silogismo.
social medium — meio social.
through the medium of — por intermédio de.
2 — *adj.* médio; intermédio; mediano, moderado, medíocre.
medium frequency (rád.) — frequência média.
medium speed — velocidade média.
medium waves (rád.) — ondas médias.
medlar ['medlə], *s.* nêspera.
medlar-tree — nespereira.
medley ['medli], 1 — *s.* miscelânea, mistura, mixórdia.
2 — *adj.* confuso, misturado, heterogéneo.
3 — *vt.* misturar.
medulla [me'dʌlə], *s.* (*pl.* **medullae**) medula; espinal-medula.
medullary [-ri], *adj.* medular, relativo à medula; da medula.
medusa [mi'dju:zə], *s.* (zool.) medusa, alforreca.
Medusa [mi'dju:zə], *n. p.* (mit.) Medusa.
meed [mi:d], *s.* (poét.) prémio, galardão, recompensa.
meek [mi:k], *adj.* manso, dócil, meigo, humilde, submisso. (*Sin.* mild, gentle, soft, yielding. *Ant.* proud, aggressive.)
as meek as a lamb — manso como um cordeiro.
blessed are the meek — bem-aventurados os mansos.
meekly ['-li], *adv.* docilmente, mansamente, humildemente.
meekness ['-nis], *s.* brandura, docilidade, humildade, submissão.
meet [mi:t], 1 — *s.* reunião de caçadores ou de ciclistas; (geom.) ponto de encontro de duas rectas.
2 — *adj.* (arc.) próprio, conveniente.
3 — *vt.* e *vi.* (*pret.* e *pp.* **met**) encontrar, achar; ir ter com; juntar, reunir; arrostar, afrontar; pagar, saldar; satisfazer; conhecer; juntar-se; encontrar-se; chocar com; reunir-se com; combater; refutar.
to meet daily expenses — fazer face às despesas diárias.
to meet a bill — pagar uma letra.
to meet trouble — sofrer desgostos.
to meet a friend at the station — ir esperar um amigo à estação.
to meet half-way — fazer concessões; partir a diferença ao meio.
to meet with — encontrar-se com; experimentar; ser vítima de.
to meet with an accident — ser vítima de um desastre.
I am pleased to meet you — muito prazer em conhecê-lo.
extremes meet — os extremos tocam-se.
to meet a person's eye — cruzar o olhar com.
to meet a person's wishes — ir ao encontro dos desejos de alguém.
to meet due honour — ser bem acolhido.
to meet a charge — refutar uma acusação.
to meet the approbation of — ter a aprovação de.
till we meet again! — até à vista!
to meet one's Waterloo — ser derrotado.
to meet with a friend — encontrar-se por acaso com um amigo.
an at-home to meet somebody — uma recepção em honra de alguém.
meeting ['-iŋ], *s.* reunião, assembleia; sessão; comício; entrevista; encontro; desafio; conferência; confluência de dois rios; duelo.
meeting-place — lugar de encontro, ponto de reunião.
meeting of creditors — reunião de credores.
to hold a meeting — convocar uma assembleia.
general meeting — assembleia geral.
political meeting — comício político.
to address the meeting — tomar a palavra.
to call a meeting — convocar uma reunião.
to open the meeting — abrir a sessão.
Meg [meg], *n. p.* **(diminuitivo de Margaret)** Guidinha, Guida.
megacephalic [megə'sefəlik], *adj.* megacéfalo; megacefálico.
megadyne ['megə'dain], *s.* megadine (um milhão de "dines").
megalith ['megəliθ], *s.* megálito.
megalithic [megə'liθik], *adj.* megalítico.
megalomania ['megəlou'meinjə], *s.* megalomania.
megalomaniac ['megəlou'meiniæk], 1 — *s.* megalómano.
2 — *adj.* megalomaníaco.
megaphone ['megəfoun], *s.* megafone.
megaseism ['megəsaizm], *s.* megassismo, sismo de grande violência.
megrim ['mi:grim], *s.* enxaqueca.
melancholia [melən'kouljə], *s.* melancolia, hipocondria.
melancholic [melən'kɔlik], *adj.* melancólico, hipocondríaco.
melancholically [-əli], *adv.* melancolicamente.
melancholy ['melənkəli], 1 — *s.* melancolia, tristeza, hipocondria.
2 — *adj.* melancólico, triste; deprimente.
Melanesia [melə'ni:zjə], *top.* Melanésia.
Melania [me'leiniə], *n. p.* Melânia.

melanic [me'lænik], *adj.* melânico; que contém melanina.
melanism ['melənizm], *s.* (med.) melanismo.
melaite ['melənait], *s.* (min.) melanite.
melic ['melik], *adj.* mélico, suave; musical; destinado a ser cantado.
melinite ['melinait], *s.* melinite, explosivo.
meliorate ['mi:liəreit], *vt.* e *vi.* melhorar, aperfeiçoar.
melioration [mi:liə'reiʃən], *s.* melhoramento; aperfeiçoamento.
melissa [me'lisə], *s.* (bot.) melissa, erva-cidreira.
melliferous [me'lifərəs], *adj.* melífero.
mellifluous [me'lifluəs], *adj.* melífluo; doce, suave.
mellivorous [me'livərəs], *adj.* melívoro, que se alimenta de mel.
mellow ['melou], **1** — *adj.* maduro, sazonado; mole, suave, tenro, macio; brando, melodioso; sumarento (fruto); meio embriagado; ajuizado; (pessoa) que atingiu a maturidade. **2** — *vt.* e *vi.* sazonar, amadurecer; suavizar; tornar melodioso.
mellowing [-iŋ], *s.* maturação, amadurecimento.
mellowly [-li], *adv.* suavemente; ponderadamente.
mellowness [-nis], *s.* maturação; maturidade; doçura, suavidade.
melodic [mi'lɔdik,me'lɔdik], *adj.* (mús.) melódico.
melodious [mi'loudjəs,me'loudjəs], *adj.* melodioso, harmonioso.
melodiously [-li], *adv.* melodiosamente, harmoniosamente.
melodiousness [-nis], *s.* melodia, harmoniosidade.
melodist ['melədist], *s.* melodista.
melodize ['melədaiz], *vt.* e *vi.* compor melodias; tornar melodioso, melodizar.
melodrama ['melədrɑ:mə,'meloudrɑ:mə], *s.* melodrama.
melodramatic [meloudrə'mætik], *adj.* melodramático.
melodramatically [-əli], *adv.* melodramaticamente; em ar melodramático.
melodramatist [melou'dræmətist], *s.* autor de melodramas, melodramaturgo.
melodramatize [melou'dræmətaiz], *vt.* melodramatizar.
melody ['melədi], *s.* melodia, canção melodiosa; ária; poema melódico.
melomania [melou'meiniə], *s.* melomania.
melomaniac [melou'meiniæk], *s.* melómano, melomaníaco.
melon ['melən], *s.* melão.
water-melon — melancia.
Melos ['mi:lɔs,'melɔs], *top.* Milo.
the Venus of Melos — a Vénus de Milo.
Melpomene [mel'pɔmini(:)], *n. p.* (mit.) Melpómene.
melt [melt], **1** — *s.* substância derretida; fusão. **2** — *vt.* e *vi.* derreter, fundir, dissolver; enternecer; derreter-se; desvanecer-se.
to melt into tears — debulhar-se em lágrimas.
to melt away — desaparecer; derreter-se inteiramente.
melter ['-ə], *s.* fundidor; crisol, cadinho.
melting ['-iŋ], **1** — *s.* fusão; derretimento.
melting point — ponto de fusão.
melting-pot — cadinho de fundição.
to go into the melting-pot — estudar de novo um assunto; sofrer uma reforma total.
2 — *adj.* fusível; comovido, que comove.
melting sun — sol abrasador.
melting ice — gelo fundente.
meltingly ['-iŋli], *adv.* enternecidamente, ternamente.
melton ['meltən], *s.* mélton (tecido).
member ['membə], *s.* membro; parte de um todo; sócio; indivíduo; (mat.) membro. (*Sin.* part, portion, limb, component, constituent, element.)
member of a family — membro duma família.
member of a club — sócio dum clube.
membered [-d], *adj.* com membros.
membership [-ʃip], *s.* sociedade, comunidade, confraria; qualidade de ser membro ou sócio.
membership card — cartão de sócio.
membranaceous [membrə'neiʃəs], *adj.* membranoso.
membrane ['membrein], *s.* membrana.
membraned [-d], *adj.* provido de membrana.
membraneous [mem'breinjəs], *adj.* membranoso.
membranous [mem'breinəs], *adj.* ver **membraneous.**
memento [mi'mentou,me'mentou], *s.* lembrança, recordação; memento, oração rezada pelos mortos.
memo ['mi:mou,'memou], *s.* (col.) memorando.
memoir ['memwɑ:,'memwɔ:], *s.* memória, relação; narrativa; *pl.* memórias, livro de memórias.
memoirist ['memwɔrist], *s.* memorista.
memorabilia [memərə'biliə], *s. pl.* coisas memoráveis.
memorable ['memərəbl], *adj.* memorável.
memorably [-i], *adv.* memoravelmente.
memorandum [memə'rændəm], *s.* (*pl.* **memoranda, memorandums**) lembrança, nota; nota diplomática.
memorandum-book — agenda.
to make a memorandum of — tomar nota de.
memorial [mi'mɔ:riəl], **1** — *s.* monumento comemorativo, memorial; instância; petição; nota, apontamento; *pl.* crónica.
as a memorial of — em memória de.
war memorial — monumento aos mortos da guerra.
2 — *adj.* comemorativo.
memorialist [-ist], *s.* memorialista; autor duma petição em memorial.
memorialize [-aiz], *vt.* comemorar; apresentar um memorial ou petição; erigir um memorial a.
memorization [-ai'zeiʃən], *s.* memorização.
memorize ['meməraiz], *vt.* aprender de memória; recordar.
memorizing [-iŋ], *s.* memorização.
memory ['meməri], *s.* memória, recordação, lembrança; monumento; fama, glória.
to commit to memory — decorar.
in memory of — em memória de.
to call to memory — lembrar-se de.
to have a short memory — ter fraca memória.
memory like a sieve — memória de grilo.
childhood memories — recordações de infância.
to the best of my memory — tanto quanto me posso lembrar.
it's out of my memory — não me lembro.
Memphis ['memfis], *top.* Mênfis.
men [men], *s. pl.* de **man.**
many men, many minds — cada cabeça, sua sentença.
menace ['menəs], **1** — *s.* ameaça, perigo.
2 — *vt.* ameaçar.
menacer [-ə], *s.* ameaçador.
menacing [-iŋ], **1** — *s.* acto de ameaçar.
2 — *adj.* ameaçador.
menacingly [-iŋli], *adv.* ameaçadoramente.
ménage [me'nɑ:dʒ], *s.* vida de casa; governo da casa.
menagerie [mi'nædʒəri], *s.* colecção de feras vivas em jaulas.

mend [mend], **1** — *s.* conserto; emenda; reforma.
2 — *vt.* e *vi.* consertar, reparar, compor; passajar; emendar, corrigir; melhorar; reformar; remediar; emendar-se, corrigir-se; curar-se.
least said soonest mended — o calado é o melhor.
it is never too late to mend — nunca é tarde para o bem.
to mend one's pace — apressar o passo.
to mend socks — passajar peúgas.
to mend a fire — activar o lume.
mendable ['-əbl], *adj.* emendável, corrigível.
mendacious [men'deiʃəs], *adj.* mentiroso, falso, embusteiro, impostor.
mendaciously [-li], *adv.* falsamente, mentirosamente.
mendaciousness [-nis], *s.* mentira, falsidade; impostura.
mendacity [men'dæsiti], *s.* falsidade, mentira, impostura.
mender ['mendə], *s.* remendão; pessoa que conserta; cerzidor.
invisible mender — cerzidor.
mendicancy ['mendikənsi], *s.* mendicidade.
mendicant ['mendikənt], **1** — *s.* frade mendicante; pedinte.
2 — *adj.* pedinte, mendicante.
mendicant friar — frade mendicante.
mendicant orders — ordens mendicantes.
mendicity [men'disiti], *s.* mendicidade.
mending ['mendiŋ], *s.* conserto, reparação.
invisible mending — cerzidura.
Menelaus [meni'leiəs], *n. p.* Menelau.
menfolk ['menfouk], *s. pl.* homens.
menhir ['menhiə], *s.* menir (monumento pré-histórico).
menial ['mi:njəl], **1** — *s.* criado, lacaio.
2 — *adj.* doméstico; subalterno, servil.
menially [-i], *adv.* servilmente, como lacaio.
meningeal [me'nindʒiəl], *adj.* meníngeo, relativo às meninges.
meninges [me'nindʒi:z], *s. pl.* de **meninx.**
meningitis [menin'dʒaitis], *s.* meningite.
meninx ['mi:niŋks], *s.* (*pl.* **meninges**) meninge.
meniscus [me'niskəs], *s.* menisco.
menkind ['menkaind], *s.* humanidade, os homens.
menopause ['menəpɔ:z], *s.* menopausa.
menorrhagia [menou'reidʒiə], *s.* (pat.) menorragia, menstruação demasiado abundante.
menorrhoea [menou'riə], *s.* menorreia, mênstruo.
menses ['mensi:z], *s. pl.* menstruação.
menstrual ['menstruəl], *adj.* menstrual.
menstruate ['menstrueit], *vi.* ter a menstruação.
menstruation [menstru'eiʃən], *s.* menstruação.
mensurability [menʃurə'biliti], *s.* mensurabilidade.
mensurable ['menʃurəbl], *adj.* mensurável; rítmico.
mensuration [mensjuə'reiʃən], *s.* mensuração, medição.
mental [mentl], **1** — *s.* (col.) débil mental.
2 — *adj.* mental, intelectual.
mental patient — doente mental.
mental home — manicómio.
mental deficiency — deficiência mental.
mental arithmetic — cálculo mental.
mental specialist — psiquiatra.
mental powers — capacidades mentais.
mental test — teste de inteligência.
mentality [men'tæliti], *s.* mentalidade.
mentally ['mentəli], *adv.* mentalmente.
mentally deficient — deficiente mental.
menthol ['menθɔl], *s.* mentol.
mentholated ['menθəleitid], *adj.* mentolado.
mention ['menʃən], **1** — *s.* menção, alusão.
honourable mention — menção honrosa.
2 — *vt.* mencionar, aludir; notar; citar.
don't mention it! — não tem de quê!
not to mention (without mentioning) — sem falar em.
I never mentioned him — eu nunca me referi a ele.
mentionable [-əbl], *adj.* mencionável, digno de menção.
mentor ['mentɔ:], *s.* mentor.
menu ['menju:], *s.* ementa.
Mephistophelean [mefistə'fi:ljən], *adj.* mefistofélico.
Mephistopheles [mefis'tɔfili:z], *s.* Mefistófeles.
Mephistophelian [mefistə'fi:ljən], *adj.* ver **Mephistophelean.**
mephitic [me'fitik], *adj.* mefítico; fétido.
mephitis [me'faitis], *s.* mefitismo.
mephitism ['mefitizm], *s.* ver **mephitis.**
mercantile ['mə:kəntail], *adj.* mercantil, mercante, comercial.
mercantile marine — marinha mercante.
mercantile theory — mercantilismo.
mercantilism ['mə:kəntilizm], *s.* mercantilismo (doutrina económica).
mercenarily ['mə:sinərili], *adv.* mercenariamente.
mercenariness ['mə:sinərinis], *s.* mercenarismo.
mercenary ['mə:sinəri], **1** — *s.* soldado mercenário.
2 — *adj.* mercenário, venal.
mercer ['mə:sə], *s.* negociante de tecidos caros; loja de modas.
mercerization [mə:sərai'zeiʃən], *s.* mercerização, tratamento especial da fibra do algodão.
mercerize ['mə:səraiz], *vt.* mercerizar, tratar pela mercerização.
mercerized [-d], *adj.* mercerizado.
mercerizing [-iŋ], *s.* mercerização, acto de mercerizar.
merchandise ['mətʃəndaiz], *s.* mercadoria, géneros.
merchant ['mə:tʃənt], **1** — *s.* negociante, comerciante; mercador.
law merchant — direito comercial.
2 — *adj.* mercantil, comercial.
merchant fleet — frota mercante.
merchant navy — marinha mercante.
merchant shipping act — acto de navegação.
merchant captain — capitão de um navio mercante.
merchant goods — mercadorias.
merchant ship — navio mercante.
merchantable [-əbl], *adj.* negociável.
merchantman [-mən], *s.* navio mercante.
merchantry [-ri], *s.* comércio.
Mercia ['mə:ʃjə], *top.* Mércia (antigo reino anglo-saxão).
merciful ['mə:siful], *adj.* misericordioso, clemente, compassivo, benigno. (*Sin.* clement, compassionate, benignant, forbearing. *Ant.* harsh, merciless.)
mercifully [-i], *adv.* misericordiosamente, compassivamente.
mercifulness [-nis], *s.* misericórdia, piedade, compaixão, clemência.
merciless ['mə:silis], *adj.* cruel, implacável, desumano, desalmado. (*Sin.* pitiless, hard, cruel. *Ant.* merciful.)
mercilessly [-i], *adv.* desapiedadamente, cruelmente, impiedosamente, desumanamente, implacavelmente.
mercilessness [-nis], *s.* crueldade, desumanidade.
Mercurial [mə:'kjuəriəl], *adj.* relativo ao deus Mercúrio.

mercurial [mə:'kjuəriəl], 1 — *s.* preparação mercurial.
2 — *adj.* mercurial; vivo, activo; inconstante, volúvel.
mercurial barometer — barómetro de mercúrio.
mercurial steam-gauge — manómetro de mercúrio.
mercurialism [-ism], *s.* mercurialismo; intoxicação pelo mercúrio.
mercurialize [-aiz], *vt.* submeter a um tratamento mercurial; mercurializar; introduzir mercúrio no organismo.
mercuric [mə:'kjurik], *adj.* mercúrico.
mercuric corrosive sublimate — sublimado corrosivo.
red mercuric sulphide — cinábrio.
mercurous ['mə:kjurəs], *adj.* mercuroso.
Mercury ['mə:kjuri], *n. p.* (mit. e astr.) Mercúrio.
mercury ['mə:kjuri], *s.* mercúrio, azougue.
mercury barometer — barómetro de mercúrio.
mercury thermometer — termómetro de mercúrio.
the mercury is rising — o barómetro está a subir.
the mercury is falling — o barómetro está a descer.
mercy ['mə:si], *s.* misericórdia, clemência; mercê, graça; bondade; perdão.
at the mercy of — à mercê de.
for mercy! (for mercy's sake!) — por piedade!
to cry for mercy — pedir misericórdia.
to have mercy on (upon) — ter piedade de.
sister of mercy — irmã da caridade.
works of mercy — obras de caridade.
Lord have mercy on us! — Deus tenha piedade de nós!
what a mercy! — que sorte!
mere [miə], 1 — *s.* lagoa, pântano; limite, fronteira.
2 — *adj.* mero, simples, puro. (*Sin.* pure, simple, sheer, bare.)
mere fiction — pura ficção.
merely ['miəli], *adv.* meramente, simplesmente, puramente; apenas.
I merely said that — eu só disse que.
merestone ['mi:əstoun], *s.* marco, baliza.
meretrices [meri'traisi:z], *s. pl.* de **meretrix.**
meretricious [meri'triʃəs], *adj.* de meretriz, próprio de ou relativo a meretriz.
meretrix ['meritriks], *s.* (*pl.* **meretrices**) meretriz, prostituta.
merganser [mə:'gænsə], *s.* (zool.) mergulhão.
merge [mə:dʒ], *vt.* e *vi.* fundir, unir; submergir; perder-se; abismar-se; submergir-se.
to be merged in — transformar-se em.
mergence ['-əns], *s.* fusão; ligação íntima.
merger ['mə:dʒə], *s.* fusão (de sociedades industriais, etc.); anexação de uma propriedade a outra maior.
industrial merger — unificação industrial.
mericarp ['merikɑ:p], *s.* (bot.) mericarpo.
meridian [mə'ridjən,mi'ridjən], 1 — *s.* meridiano; meio-dia; zénite; auge.
meridian of Greenwich — meridiano de Greenwich.
2 — *adj.* meridiano, de meridiano; relativo ao meio-dia.
meridian line — meridiana.
meridional [-l], 1 — *s.* meridional, habitante do Sul; austral.
2 — *adj.* meridional; austral, do Sul (especialmente da Europa).
meridionally [-li], *adv.* meridionalmente.
meringue [mə'ræŋ], *s.* merengue (tipo de bolo).
merino [mə'ri:nou], *s.* merino, carneiro de raça merina; pano merino.
merino sheep — carneiro merino.
meristem ['meristem], *s.* (bot.) meristema.
merit ['merit], 1 — *s.* mérito, merecimento; virtude; prémio. (*Sin.* value, worth, excellence.)
to reward a person according to his merits — dar a uma pessoa o louvor ou o castigo que ela merece.
man of merit — homem de mérito.
to make a merit of — fazer alarde de.
2 — *vt.* merecer, ser digno de.
meritorious [meri'tɔ:riəs], *adj.* meritório, merecedor, digno; apreciável.
meritoriously [-li], *adv.* meritoriamente, com mérito.
meritoriousness [-nis], *s.* merecimento, mérito.
merlin ['mə:lin], *s.* (zool.) esmerilhão.
merlon ['mə:lən], *s.* merlão (saliência entre duas ameias).
mermaid ['mə:meid], *s.* (poét.) sereia.
merman ['mə:mæn], *s.* (mit.) tritão.
Merovaeus [merou'viəs], *n. p.* Meroveu.
merrily ['merili], *adv.* alegremente, jovialmente.
merriment ['merimənt], *s.* alegria, júbilo; festa, divertimento.
merry ['meri], 1 — *s.* cereja brava.
2 — *adj.* alegre, jovial; divertido, contente; prazenteiro, risonho.
merry Christmas! — Natal alegre!
to lead a merry life — levar vida alegre.
merry-go-round — carrocel.
merry as a cricket (merry as a lark) — alegre como um pardal.
merry-maker — pessoa divertida.
as merry as the day is long — alegre como um pardal.
the merry monarch — Carlos II da Inglaterra.
merry-andrew [-'ændru:], *s.* palhaço, bobo.
merrythought [-θɔ:t], *s.* forquilha, osso do peito das aves.
meseems [mi'si:mz], *vi.* (arc.) parece-me, penso, julgo.
mesenteric [mesen'terik], *adj.* (anat.) mesentérico.
mesentery ['mesəntəri], *s.* (anat.) mesentério.
mesh [meʃ], 1 — *s.* malha (de rede); obra de malha; armadilha, laço; (mec.) engrenagem.
in mesh (mec.) — engrenado.
mesh of circumstances (col.) — série de circunstâncias.
2 — *vt.* e *vi.* enredar, apanhar com rede; enredar-se; (mec.) engrenar.
meshed [-t], *adj.* com malhas; engrenado.
meshing ['-iŋ], *s.* entrelaçamento; emaranhado; rede; malhas.
meshy ['-i], *adj.* reticulado, em forma de malha.
mesial ['mi:zjəl], *adj.* mesial, relativo à mediana.
mesmerian [mez'miəriən], *adj.* mesmeriano.
mesmeric [mez'merik], *adj.* mesmérico.
mesmerist ['mezmərist], *s.* mesmerista; hipnotizador.
mesmerite ['mezmərait], *s.* mesmerista, mesmeriano.
mesmerize ['mezməraiz], *vt.* magnetizar; hipnotizar.
mesmerizer [-ə], *s.* magnetizador; hipnotizador.
mesne [mi:n], *adj.* médio, intermediário.
mesocarp ['mesoukɑ:p], *s.* (bot.) mesocarpo.
mesology [me'sɔlədʒi], *s.* mesologia.

Mesopotamia [mesəpə'teimjə], *top.* Mesopotâmia.
mess [mes], **1** — *s.* (arc.) prato de comida; rancho; porção, quantidade; "chiqueiro", porcaria; confusão, embrulhada, desordem; messe (de oficiais).
to be in a pretty mess — estar em maus lençóis.
to make a mess of — estragar; fazer uma embrulhada de.
to get into a mess — meter-se em dificuldades.
mess-room — sala da messe.
what a mess! — que porcaria!; que trapalhada!
2 — *vt.* e *vi.* dar rancho, dar de comer, arranchar; arranjar uma embrulhada; desordenar; enxovalhar.
to mess up — estragar; alterar.
message ['mesidʒ], **1** — *s.* mensagem, recado, aviso; profecia.
telephoned message — comunicação telefónica.
to deliver a message to — dar um recado a.
to run messages — fazer recados.
to send somebody on a message — mandar alguém fazer um recado.
2 — *vt.* mandar mensagem; transmitir telefonicamente.
Messalina [mesə'li:nə], *n. p.* Messalina.
messenger ['mesindʒə], *s.* mensageiro; estafeta; precursor.
hotel messenger — paquete de hotel.
telegraph messenger — boletineiro.
Messenia [me'si:niə], *top.* Messénia.
Messiah [mi'saiə,me'saiə], *s.* Messias.
messianic [mesi'ænik], *adj.* messiânico.
messily ['mesili], *adv.* desordenadamente; porcamente.
messiness ['mesinis], *s.* desarranjo; porcaria.
messmate ['mesmeit], *s.* camarada de rancho; comensal, conviva.
Messrs ['mesəz], abrev. de **Messieurs** (senhores).
messuage ['meswidʒ], *s.* (jur.) casa e suas dependências.
messy ['mesi], *adj.* desarranjado, desordenado, desarrumado; sujo.
mestiza [mes'ti:zə], *s. fem.* mestiça.
mestizo [mes'ti:zou], *s.* mestiço.
met [met], *pret.* e *pp.* do verbo **to meet.**
metabolic [metə'bɔlik], *adj.* metabólico.
metabolism [me'tæbəlizm], *s.* metabolismo.
metabolize [me'tæbəlaiz], *vt.* transformar por metabolismo.
metacarpus [metə'kɑ:pəs], *s.* (anat.) metacarpo.
metacentre ['metəsentə], *s.* metacentro.
metacentric [metə'sentrik], *adj.* metacêntrico.
metacentric height — altura metacêntrica.
metal [metl], **1** — *s.* metal, liga; substância; cascalho; coragem, energia; *pl.* carris (caminho-de-ferro).
metal covering — revestimento metálico.
metal-detecting device — detector de metais.
metal industry — indústria metalúrgica.
base metal — metal vulgar.
metal polish — polidor para metais.
noble metals — metais nobres.
road-metal — pedra britada.
2 — *vt.* (*pret.* e *pp.* **metalled**) forrar de metal; cobrir com cascalho; empedrar.
metalepsis [metə'lepsis], *s.* metalepse.
metalled [-d], *adj.* empedrado, com cascalho.
metallic [mi'tælik], *adj.* metálico.
metallic coating — revestimento metálico.
metallic alloy — liga metálica.
metallic colour — cor metálica.
metallic sound — som metálico.
metallic lustre — brilho metálico.
metallic voice — voz metálica.
metalliferous [metə'lifərəs], *adj.* metalífero.
metalliform [me'tælifɔ:m], *adj.* metaliforme.
metalling ['metliŋ], *s.* metalização; empedramento (de estradas).
metallization [metəlai'zeiʃən], *s.* metalização; vulcanização (de borracha).
metallize ['metəlaiz], *vt.* metalizar; vulcanizar (borracha).
metallized [-d], *adj.* metalizado.
metallizing [-iŋ], *s.* metalização.
metallography [metə'lɔgrəfi], *s.* metalografia.
metalloid ['metəlɔid], *s.* e *adj.* metalóide.
metallurgic [metə'lə:dʒik], *adj.* metalúrgico.
metallurgical [-əl], *adj.* metalúrgico.
metallurgical industry — indústria metalúrgica.
metallurgist [me'tælədʒist], *s.* metalurgista.
metallurgy [me'tælədʒi], *s.* metalurgia.
the metallurgy of iron — a siderurgia.
metamorphic [metə'mɔ:fik], *adj.* metamórfico.
metamorphism [metə'mɔ:fizm], *s.* metamorfismo.
metamorphose [metə'mɔ:fouz], *vt.* e *vi.* metamorfosear.
metamorphosis [metə'mɔ:fəsis], *s.* (*pl.* **metamorphoses**) metamorfose.
metamorphous [metə'mɔ:fəs], *adj.* ver **metamorphic.**
metaphony [me'tæfəni], *s.* metafonia.
metaphor ['metəfə], *s.* metáfora.
to speak in metaphors — falar por metáforas.
metaphoric [metə'fɔrik], *adj.* metafórico.
metaphorical [-əl], *adj.* ver **metaphoric.**
metaphorically [-əli], *adv.* metaforicamente.
metaphysical [metə'fizikəl], *adj.* metafísico.
metaphysically [-i], *adv.* metafisicamente.
metaphysician [metəfi'ziʃən], *s.* metafísico.
metaphysics [metə'fiziks], *s.* metafísica.
metaplasm ['metəplæzm], *s.* metaplasma.
metapsychic [metə'saikik], *adj.* metapsíquico.
metapsychical [-əl], *adj.* ver **metapsychic.**
metapsychics [metə'saikiks], *s.* metapsíquica.
metastasis [mə'tæstəsis], *s.* (pat.) metástase.
metatarsus [metə'tɑ:səs], *s.* (*pl.* **metatarsi**) metatarso.
metathesis [me'tæθəsis], *s.* metátese.
metazoa [metə'zouə], *s. pl.* de **metazoon.**
metazoan [-n], *s.* e *adj.* metazoário.
metazoon [metə'zouɔn], *s.* (*pl.* **metazoa**) metazoário.
mete [mi:t], **1** — *s.* limite, marco.
2 — *vt.* (lit.) medir.
Metellus [mi'teləs], *n. p.* Metelo.
metempsychosis [metempsi'kousis], *s.* metempsicose.
meteor ['mi:tjə], *s.* meteoro.
meteoric [mi:ti'ɔrik], *adj.* meteórico.
meteoric stone — aerólito.
meteorically [-əli], *adv.* meteoricamente.
meteorism ['mi:tjərizm], *s.* meteorismo.
meteorite ['mi:tjərait], *s.* meteorito.
meteoritic [mi:tjə'ritik], *adj.* meteorítico.
meteoroid ['mi:tjərɔid], *s.* meteoro, meteorito.
meteorolite ['mi:tjərəlait], *s.* ver **meteorite.**
meteorologic [mi:tjərə'lɔdʒik], *adj.* meteorológico.
meteorological [-əl], *adj.* ver **meteorologic.**
meteorologist [mi:tjə'rɔlədʒist], *s.* meteorólogo, meteorologista.
meteorology [mi:tjə'rɔlədʒi], *s.* meteorologia.
meter ['mi:tə], **1** — *s.* medidor; registo.
meter board (elect.) — quadro de contadores.

current meter (electric meter) — contador de electricidade.
water meter — contador de água.
petrol meter — medidor de gasolina.
2 — *vt.* medir por meio de contador ou aparelho de medição.
methinks [mi'θiŋks], *vi.* (arc.) (*pret.* **methought**) parece-me.
method ['meθəd], *s.* método; sistema; ordem; regra; forma, maneira; livro de estudo; (mús.) execução técnica.
there is method in his madness — não é tão doido como parece.
method of manufacture — processo de fabrico.
a man of method — um homem metódico.
method of payment — modalidade de pagamento.
experimental method — método experimental.
methodical [mi'θɔdikəl], *adj.* metódico; sistemático.
methodically [-i], *adv.* metodicamente; sistematicamente.
Methodism ['meθədizm], *s.* metodismo, religião dos metodistas.
methodism ['meθədizm], *s.* metodismo, culto do método.
Methodist ['meθədist], *s.* e *adj.* metodista, partidário do metodismo (religião).
methodist ['meθədist], *s.* metodista, pessoa demasiado metódica.
methodize ['meθədaiz], *vt.* metodizar.
methodology [meθə'dɔlədʒi], *s.* metodologia.
Methusalem [-m], *n. p.* ver **Methuselah.**
Methuselah [mi'θju:zələ], *n. p.* (bíbl.) Matusalém.
methil ['mi:θail], *s.* (quím.) metilo.
methyl alcohol — álcool metílico.
methylated ['meθileitid], *adj.* com metilo.
methylated spirit — álcool desnaturado.
methylene ['meθili:n], *s.* (quím.) metileno.
methylic [me'θilik], *adj.* (quím.) metílico.
meticulosity [metikju'lɔsiti], *s.* meticulosidade.
meticulous [mi'tikjuləs], *adj.* meticuloso.
meticulously [-li], *adv.* meticulosamente.
meticulousness [-nis], *s.* meticulosidade.
metonymical [metə'nimikəl], *adj.* metonímico.
metonymy [mi'tɔnimi], *s.* metonímia.
metre ['mi:tə], *s.* metro; medida de verso.
cubic metre — metro cúbico.
square metre — metro quadrado.
linear metre — metro linear.
stackèd cubic metre — estere.
metric ['metrik], *adj.* métrico.
metric measure — medida métrica.
metric system — sistema métrico.
metrical [-əl], *adj.* métrico, relativo ao metro ou à métrica de versos.
metrically [-əli], *adv.* metricamente.
metrics [-s], *s.* métrica.
metrist ['metrist], *s.* versejador.
metrological [metrə'lɔdʒikəl], *adj.* metrológico.
metrology [me'trɔlədʒi], *s.* metrologia.
metronome ['metrounoum], *s.* metrónomo.
metropolis [mi'trɔpəlis], *s.* metrópole; capital.
the metropolis — Londres.
metropolitan [metrə'pɔlitən], 1 — *s.* habitante da capital; arcebispo.
2 — *adj.* metropolitano.
metropolitan church — igreja metropolitana.
mettle [metl], *s.* brio, coragem; fogo, ardor; vigor; vivacidade; temperamento.
to be on one's mettle — caprichar em fazer o melhor possível.
the mettle of youth — o fogo da mocidade.
to show one's mettle — mostrar aquilo de que se é capaz.
mettled [-d], *adj.* brioso, fogoso, vivo, ardente.
high-mettled horse — cavalo fogoso.
mettlesome ['-səm], *adj.* fogoso, vivo, corajoso.
mew [mju:], 1 — *s.* mio; jaula, cercado; gaivota.
2 — *vt.* e *vi.* miar; engaiolar, encarcerar; piar (gaivota).
mewing ['-iŋ], *s.* mio, miada.
mewl [-l], *vi.* choramingar; soltar vagidos; miar.
mewler ['-lə], *s.* choramingas, chorão.
mewling ['-liŋ], 1 — *s.* choro; vagidos; mio; lamúria.
2 — *adj.* que chora; que solta vagidos; que mia.
Mexican ['meksikən], *s.* e *adj.* mexicano.
Mexico ['meksikou], *top.* México.
mezzanine ['mezəni:n], *s.* mezanino, sobreloja; soalho por baixo do palco.
mezza voce ['medzə-'voutʃe], *adv.* (mús.) a meia voz.
mezzo-soprano ['medzou-sə'prɑ:nou], *s.* meio-soprano.
mi [mi:], *s.* (mús.) mi.
Miami [mai'æmi], *top.* Miami (cidade da Florida, E. U.).
miaow [mjau], 1 — *s.* mio, miado.
2 — *vi.* miar.
miasma [mi'æzmə], *s.* (*pl.* **miasmas** ou **miasmata**) miasma.
miasmal [-l], *adj.* cheio de miasmas, miasmático.
miasmatic [miəz'mætik], *adj.* ver **miasmal.**
mica ['maikə], *s.* mica.
mica-schist (mica-slate) — micaxisto.
micaceous [mai'keiʃəs], *adj.* micáceo.
mice [mais], *s. pl.* de **mouse.**
Michael [maikl], *n. p.* Miguel.
Michaelmas ['miklməs], *s.* dia de S. Miguel (29 de Setembro).
Michaelmas daisy — (bot.) margarida-do-outono.
Michelangelo [maikəl'ændʒilou], *n. p.* Miguel Ângelo.
Mick [mik], 1 — *n. p.* diminutivo de **Michael.**
2 — *s.* (col.) irlandês.
micro-balance ['maikrou'bæləns], *s.* (fís.) microbalança.
microbe ['maikroub], *s.* micróbio.
microbial [mai'kroubiəl], *adj.* microbial, microbiano.
microbic [mai'krɔbik], *adj.* micróbico.
microbicide [mai'kroubisaid], *s.* microbicida.
microbism ['maikroubizm], *s.* microbismo.
microcephalic ['maikrouse'fælik], *adj.* microcéfalo.
microcephalous ['maikrou'sefələs], *s.* e *adj.* microcéfalo.
microcephaly ['maikrou'sefəli], *s.* microcefalia.
microcosm ['maikroukɔzm], *s.* microcosmo.
microcosmic [maikrou'kɔsmik], *adj.* microcósmico.
microfilm ['maikroufilm], 1 — *s.* microfilme.
2 — *vt.* microfilmar.
micrology [mai'krɔlədʒi], *s.* micrologia.
micrometer [mai'krɔmitə], *s.* micrómetro.
micrometer gauge — calibre micrométrico.
micrometer marker — indicador de micrómetro.
micrometric [maikrou'metrik], *adj.* micrométrico.
micrometrical [-əl], *adj.* ver **micrometric.**
micrometry [mai'krɔmitri], *s.* micrometria.
micron ['maikrɔn,'maikrən], *s.* mícron.
micro-organism ['maikrou'ɔ:gənizm], *s.* microorganismo.
microphone ['maikrəfoun], *s.* microfone.
microphone amplifier — amplificador para microfone.

microphone transformer (rád.) — transformador do microfone.
microphone voltage — voltagem do microfone.
microphonous [mai'krɔfənəs], *adj.* microfónico.
microphotograph [maikrou'foutəgræf], *s.* microfotografia.
microphotography [maikroufə'tɔgrəfi], *s.* microfotografia, prática da microfotografia.
microscope ['maikrəskoup], *s.* microscópio.
to examine under the microscope — examinar ao microscópio.
microscopic [maikrəs'kɔpik], *adj.* microscópico.
microscopical [-əl], *adj.* ver **microscopic.**
microscopically [-əli], *adv.* microscopicamente.
microscopist [mai'krɔskəpist], *s.* microscopista.
microscopy [mai'krɔskəpi], *s.* microscopia.
microtelephone [maikrou'telifoun], *s.* microtelefone.
microzoa [maikrou'zouə], *s. pl.* microzoários.
microzoan [-n], *adj.* microzoário.
micturate ['miktjureit], *vi.* urinar.
mid [mid], **1** — *adj.* médio, central, do meio.
mid-gut — mesentério; intestino médio.
mid-month — meio do mês.
mid-leg — meio da perna.
mid-Lent — meio da Quaresma.
mid-point — ponto central.
mid ocean — alto mar.
mid-sea — alto mar; Mediterrâneo.
mid afternoon — meio da tarde.
2 — *prep.* (poét.) ver **amid.**
Midas ['maidæs], *n. p.* Midas.
midday ['-dei], *s.* meio-dia.
midden [-n], *s.* (dial.) pilha (de estrume, cinzas, etc.).
kitchen midden (arq.) — restos de cozinha.
midder ['midə], *s.* (cal. esc.) obstetrícia.
middle [midl], **1** — *s.* meio, centro; metade; cintura; coração, cerne.
in the middle of — no meio de.
round her middle — em volta da cintura.
the middle of life — a idade madura.
I was in the middle of writing — estava precisamente a escrever.
2 — *adj.* intermediário, central, do meio, mediano.
middle age — idade madura.
middle-aged — de meia idade.
Middle Ages — Idade Média.
middle class — classe média; burguesia.
middle finger — dedo médio.
middle-sized — de estatura mediana.
middle term — meio termo.
middle C (mús.) — dó central.
middle deck (náut.) — segunda coberta.
middle ear — ouvido médio.
middle weight (box.)— peso médio.
lower middle class — pequena burguesia.
the Middle East — o Médio Oriente.
the Middle Kingdom — a China.
the upper middle-class — a alta burguesia.
2 — *vt.* (fut.) centrar; (náut.) dobrar pelo meio.
middleman ['-mæn], *s.* (com.) intermediário; revendedor.
middlemost ['-moust], *adj.* mais central.
middling ['-iŋ], **1** — *adj.* médio, mediano, regular; medíocre, sofrível.
to be middling (col.) — passar regularmente de saúde.
2 — *adv.* razoavelmente; sofrivelmente.
middlings ['-iŋ(z)], *s. pl.* (com.) artigos de segunda qualidade.
middy ['-i], *s.* aspirante da marinha (contracção de **midshipman**).
midge [midʒ], *s.* mosquito; pessoa muito pequena.
midget ['-it], *s.* anão, pessoa muito pequena; fotografia em ponto pequeno, miniatura; mosquinha.
midland ['midlənd], **1** — *s.* parte central de um país.
the Midlands — os condados centrais da Inglaterra.
2 — *adj.* central, interior; dos condados centrais da Inglaterra.
the Midland Sea — o Mediterrâneo.
midmost ['midmoust], **1** — *s.* centro; âmago.
2 — *superl.* de **mid.**
3 — *adv.* centralmente.
midnight ['midnait], *s.* meia-noite; completa escuridão.
midnight mass — missa da meia-noite.
to burn the midnight oil — trabalhar até tarde.
midnoon ['midnu:n], *s.* ver **midday.**
midriff ['midrif], *s.* (anat.) diafragma.
midship ['midʃip], *s.* (náut.) meia-nau; meio do navio.
midshipman [-mən], *s.* aspirante de marinha.
midships [-s], *adv.* a meia-nau.
midst [midst], **1** — *s.* centro, meio.
in our midst — entre nós.
in the midst of — no meio de.
2 — *prep.* (poét.) entre, no meio de.
3 — *adv.* no meio; em segundo lugar.
first, midst and last — em primeiro, segundo e último lugar.
midstream [mid'stri:m], *s.* corrente do rio.
midsummer ['midsʌmə], *s.* solstício de verão; pleno verão.
Midsummer-day — dia de S. João.
midsummer madness — ponto mais alto da loucura.
"*A Midsummer Night's Dream*" — "Sonho duma Noite de Verão" (comédia de William Shakespeare).
midway ['mid'wei], **1** — *s.* alameda principal de feira ou exposição.
2 — *adv.* a meio caminho, a meia distância.
midwife ['midwaif], *s.* parteira.
midwifery ['midwifəri], *s.* obstetrícia; profissão de parteira.
midwinter ['mid'wintə], *s.* solstício do inverno; pleno inverno.
midwives ['midwaivz], *s. pl.* de **midwife.**
mien [mi:n], *s.* semblante, ar, aspecto, modo.
miff [mif], **1** — *s.* (col.) enfado, mau humor.
to be in a miff — estar de mau humor.
2 — *vt.* e *vi.* irritar-se, zangar-se, ofender-se.
miffy ['mifi], **1** — *s.* (col.) o Diabo.
2 — *adj.* (col.) irritável.
might [mait], **1** — *s.* poder, força.
with all one's might — com todas as forças.
with might and main — com todas as forças.
might is right — a força é que manda.
2 — *pret.* de **may.**
might-have-been ['-həv-bi:n], *s.* coisa que poderia ter acontecido.
to be a might-have-been — ser um falhado.
mightily ['-ili], *adv.* poderosamente, vigorosamente; muitíssimo.
mightiness ['-inis], *s.* poder, força, poderio; grandeza; potência.
mighty ['-i], **1** — *adj.* poderoso, forte; importante; eficaz.
high and mighty (col.) — muito orgulhoso.
2 — *adv.* (col.) extremamente, muitíssimo.
mignonette [minjə'net], *s.* (bot.) reseda; minhonete.
migraine [mi'grein], *s.* enxaqueca.

migrant ['maigrənt], **1** — *s.* migrador; ave de arribação; emigrante.
2 — *adj.* migrador.
migrant birds — aves de arribação.
migrate [mai'greit], *vi.* migrar, emigrar.
migration [mai'greiʃən], *s.* migração; (quím.) transposição.
migrator [mai'greitə], *s.* o que emigra, emigrante.
migratory ['maigrətəri], *adj.* migratório; errante; de arribação (ave); migrador.
Mikado [mi'kɑ:dou], *s.* micado, título do imperador do Japão.
mike [maik], *s.* (cal.) vagabundagem, vadiice; (col.) micro(fone).
Mike [maik], *n. p.* dim. de **Michael.**
for the love of Mike — por amor de Deus.
milage ['mailidʒ], *s.* milhas percorridas; despesas por milha.
Milan [mi'læn], *top.* Milão.
Milanese [milə'ni:z], *s.* e *adj.* milanês, de Milão.
the Milanese — o território milanês; o antigo ducado milanês.
milch [miltʃ], *adj.* leiteiro, de leite, que dá leite.
milch-cow — vaca leiteira; (fig.) pessoa a quem se apanha dinheiro com facilidade, "pato".
milch-goat — cabra que dá leite.
milcher ['milʃə], *s.* vaca leiteira; animal que produz leite.
mild [maild], *adj.* suave, brando, pacífico, meigo, doce; benigno, indulgente; ameno; macio; moderado; leve. (*Sin.* gentle, meek, tender, placid, soft. *Ant.* savage.)
mild-tempered — de temperamento meigo.
mild tobacco — tabaco brando.
mild steel — aço macio.
mild ale — cerveja não amarga.
mild-eyed — de olhar suave.
mild punishment — castigo leve.
mild-flavoured — de paladar suave.
mild weather — tempo suave, bom tempo.
as mild as a dove (as mild as milk) — brando como uma pomba.
milden ['maildən], *vt.* e *vi.* abrandar, suavizar; abrandar-se, acalmar-se.
mildew ['mildju:], **1** — *s.* míldio, mangra; bolor.
mildew specks — flor (no vinho).
2 — *vt.* e *vi.* atacar de míldio; atacar de bolor.
mildewed [-d], *adj.* atacado pelo míldio ou pelo bolor; bolorento.
mildewy [-i], *adj.* com míldio; bolorento, cheio de bolor.
mildly ['maildli], *adv.* brandamente, suavemente; com indulgência.
to put it mildly... — para não exagerar....
mildness ['maildnis], *s.* suavidade, amenidade; doçura; mansidão; indulgência; benignidade (de doença).
mile [mail], *s.* milha (1600 metros).
square mile — milha quadrada.
geographical mile (nautical mile, sea mile) — milha marítima (1855 metros).
English mile — milha terrestre (1600 metros).
to be miles from doing something — estar muito longe de fazer alguma coisa.
it's miles better — é muitíssimo melhor.
mileage ['mailidʒ], *s.* distância expressa em milhas; preço por milha; quilometragem; (av.) raio de acção.
car with small mileage — carro com pouca quilometragem.
mileage rate — tarifa por milhas.
miler ['mail(ə)], *s.* (col.) homem ou cavalo especializado na corrida da milha.
milestone ['mailstoun], **1** — *s.* marco miliário; acontecimento importante.
2 — *vt.* assinalar (como marco miliário).
Miletus [mi'li:təs], *top.* Mileto.
milfoil ['milfɔil], *s.* (bot.) mil-folhas.
milieu ['mi:ljə:], *s.* meio social; ambiente.
militancy ['militənsi], *s.* militância; combate.
militant ['militənt], **1** — *s.* militante, combatente.
2 — *adj.* militante.
the Church militant — a Igreja militante.
militarily ['militərili], *adv.* militarmente.
militarism ['militərizm], *s.* militarismo.
militarist ['militərist], *s.* militarista.
militarization ['militərai'zeiʃən], *s.* militarização.
militarize ['militəraiz], *vt.* militarizar.
military ['militəri], **1** — *s.* exército, tropa, militares.
military had been seen in the vicinity — viram-se tropas nas proximidades.
2 — *adj.* militar, marcial, guerreiro.
military aircraft — aviação militar.
military court — tribunal militar.
military chest — verbas militares.
military fever — febre tifóide.
military police — polícia militar.
military man — militar.
military service — serviço militar.
of military age — em idade militar.
militate ['militeit], *vi.* militar; combater, lutar.
militia [mi'liʃə], *s.* milícia; guarda nacional.
militiaman [-mən], *s.* miliciano; membro da guarda nacional.
milk [milk], **1** — *s.* leite; látex, suco leitoso de certas plantas.
condensed milk — leite condensado.
milk and water — insípido.
milk diet — regime lácteo.
milk fever — febre do leite.
milk food — lacticínio.
milk-white — branco leitoso.
a land of milk and honey — uma região de grande abundância.
it is no use crying over spilt milk — o que não tem remédio, remediado está.
milk-tooth — dente de leite.
milk for babes — "literatura cor-de-rosa".
milk-livered — cobarde.
milk of lime — leite de cal.
milk pap — seio de mulher.
milk porridge (milk pottage) — papa de aveia com leite.
milk of magnesia — leite de magnésia.
milk thistle (bot.) — cardo-leiteiro.
milk punch — licor de leite.
milk quartz — quartzo leitoso.
milk-walk — caminho que o leiteiro percorre ao entregar o leite diariamente.
the milk of human kindness — a bondade humana.
2 — *vt.* e *vi.* mungir, ordenhar; mamar; dar leite; sangrar (árvore); (col.) explorar (alguém).
to milk sap from a tree — sangrar uma árvore.
to milk the bull (to milk the ram) (col.) — pretender fazer o impossível.
milker ['-ə], *s.* ordenhador; vaca leiteira.
good milker — vaca que dá muito leite.
bad milker — vaca que dá pouco leite.
mechanical milker — ordenhadeira mecânica.
milkily ['-ili], *adv.* com aspecto leitoso; opacamente; efeminadamente.
milkiness ['-inis], *s.* qualidade ou natureza láctea; doçura, brandura.
milking ['-iŋ], *s.* mungidura, ordenha.
milking-machine — máquina de ordenhar.

milkmaid ['-meid], *s.* leiteira; mulher encarregada de ordenhar as vacas; mulher empregada em leitaria.
milkman ['-mən], *s.* leiteiro; encarregado da venda do leite.
milksop ['-sɔp], *s.* e *adj.* maricas; cobarde; indivíduo efeminado.
milkweed ['-wi:d], *s.* (bot.) serralha.
milkwort ['-wə:t], *s.* (bot.) eufórbio, erva-leiteira.
sea milkwort (bot.) — gláucia.
milky ['-i], *adj.* lácteo, leitoso; terno, doce; efeminado.
the Milky Way — a Via Láctea.
mill [mil], **1** — *s.* moinho; fábrica; manufactura; oficina; fiação; serrilha; laminador; milésimo do dólar; pugilato; máquina de estirar; engenho de mandrilar.
flour-mill — fábrica de moagem.
coffee-mill — moinho de café.
paper-mill — fábrica de papel.
water-mill — azenha.
wind-mill — moinho de vento; aeromotor.
mill-dam — açude.
mill-pond — reservatório de água (para fazer andar um moinho).
mill-wheel — roda de moinho.
to go through the mill (col.) — passar maus bocados; ganhar experiência.
to bring grist to the mill (col.) — levar a água ao seu moinho.
mill-race — calha que conduz a água ao moinho.
like a mill-pond — sereno como um lago.
the Mill-pond (col.) — o oceano Atlântico.
saw-mill — oficina de serração.
silk mill — fábrica de seda.
spinning mill — fábrica de fiação.
2 — *vt.* e *vi.* triturar, moer; esmagar; serrilhar; pisoar, pisar; andar em círculo; (cal.) agredir. (*Sin.* to powder, to pulverize, to grind, to triturate.)
to mill around — mover-se impacientemente.
to mill steel — cortar o aço em barras.
millboard ['-bɔ:d], *s.* cartão (para cartonar livros).
milled [mild], *adj.* moído; lustrado, brunido; pisoado (o pano).
milled chocolate — "mousse" de chocolate.
a coin with a milled edge — uma moeda com borda serrilhada.
millenarian [mili'nεəriən], **1** — *s.* milenário; milenariano.
2 — *adj.* milenário.
millenary ['milinəri], **1** — *s.* milénio.
2 — *adj.* milenário.
millenial [mi'lenjəl], **1** — *s.* milésimo aniversário.
2 — *adj.* milenar, milenário (que dura mil anos).
millenium [mi'leniəm], *s.* milénio.
millepede ['milipi:d], *s.* centopeia, piolho-de-cobra.
miller ['milə], *s.* moleiro; fresadora; mariposa branca.
miller's thumb (zool.) — caboz.
millesimal [mi'lesiməl], **1** — *s.* milésimo.
2 — *adj.* milésima (parte).
millet ['milit], *s.* milho miúdo, painço.
milliammeter [mili'æmitə], *s.* (elect.) miliamperímetro.
milliard ['miljɑ:d], *s.* mil milhões.
milliary ['miliəri], *adj.* miliário, que marca a distância.
milliary column — marco miliário.
milligram ['miligræm], *s.* miligrama.
milligramme ['miligræm], *s.* ver **miligram.**
millilitre ['milili:tə], *s.* mililitro.
millimetre ['milimi:tə], *s.* milímetro.
millimetre scale — escala milimétrica.
milliner ['milinə], *s.* modista de chapéus.
milliner's shop — loja de chapéus de senhora.
man milliner (fig.) — homem ocupado em coisas sem importância.
millinery [-ri], *s.* artigos para chapéus de senhora; estabelecimento de modas e chapéus de senhora.
milling ['miliŋ], *s.* moagem; acção de serrilhar a moeda; apisoamento (de tecido); (col.) tareia.
million ['miljən], *num.* milhão; um milhão de libras; um milhão de dólares.
a million times — um milhão de vezes.
to be worth millions — ser muito rico.
millionaire [miljə'nεə], *s.* e *adj.* milionário.
millionth ['miljənθ], *num.* milionésimo.
millstone ['milstoun], *s.* mó de moinho.
to see far into a millstone (col.) — ter muita perspicácia.
to be as hard as the nether millstone — ter um coração de pedra.
nether millstone — mó de baixo.
upper millstone — mó de cima.
to be between the upper and the nether millstone (col.) — estar entre a espada e a parede.
millwright ['milrait], *s.* construtor de moinhos.
Milo ['mailou], *top.* Milo.
the Venus of Milo — a Vénus de Milo.
milt [milt], **1** — *s.* baço; ovas dos peixes; líquido seminal dos peixes.
2 — *vt.* fecundar ovas com láctea.
Miltiades [mil'taiədi:z], *n. p.* Milcíades.
miltwaste ['miltweist], *s.* (bot.) douradinha.
mime [maim], **1** — *s.* pantomima, farsa, mimo; bobo.
2 — *vt.* e *vi.* mimar, representar por meio de mímica.
mimesis [mai'mi:sis], *s.* mimetismo; mimese.
mimetic [mi'metik], *adj.* mímico; mimético; imitativo.
mimetically [-əli], *adv.* por meio de mímica.
mimetism ['maimetizm], *s.* mimetismo.
mimic ['mimik], **1** — *s.* mímico; simulador; bobo.
2 — *adj.* mímico, burlesco; simulado.
mimic virtue — falsa virtude.
3 — *vt.* (*pret.* e *pp.* **mimicked**) mimar, parodiar; imitar; fingir, dissimular; plagiar.
mimicker [-ə], *s.* imitador; "macaco de imitação".
mimicry ['mimikri], *s.* mímica, pantomima; bobice.
miminy-piminy ['mimini-'pimini], *adj.* (col.) amaneirado, afectado.
mimosa [mi'mouzə], *s.* (bot.) mimosa.
mimulus ['mimjuləs], *s.* (bot.) mímulo.
mina ['mainə], *s.* (*pl.* **minæ**) mina (moeda grega); nome de ave.
minaceous [mi'neiʃəs], *adj.* ameaçador.
minaceously [-li], *adv.* ameaçadoramente.
minae ['maini:], *s. pl.* de **mina.**
minar [mi'nɑ:], *s.* torre, torreão; farol.
minaret ['minəret], *s.* minarete.
minatory ['minətəri,'mainətəri], *adj.* ameaçador.
mince [mins], **1** — *s.* picado de carne; picado.
mince-pie — pastel folhado recheado de frutas e carne picada.
2 — *vt.* e *vi.* cortar muito miúdo, picar; paliar, atenuar; andar ou falar com afectação.
not to mince matters — ir direito ao fim, dizer a verdade nua e crua.
minced [-t], *adj.* picado.
minced meat — carne picada.

mincemeat ['-mi:t], *s.* picado de carne com passas, corintos, maçãs, frutas cobertas, etc., para servir como recheio de pastéis.
to make mincemeat of — destruir, despedaçar, arrasar.
mincer ['-ə], *s.* máquina de picar carne.
mincing ['-iŋ], *adj.* e *s.* afectado, pretencioso; afectação, pretenciosismo; acção de picar (carne, etc.).
mincingly ['-iŋli], *adv.* com afectação.
mind [maind], **1** — *s.* mente, inteligência, entendimento; memória; espírito; ânimo; disposição; propensão; desígnio, resolução; vontade, desejo, gosto; opinião, parecer; intenção; inclinação.
to bear in mind — lembrar-se, ter presente.
to call to mind — trazer à lembrança.
to be out of one's mind — estar fora de si; estar doido.
to have in mind — ter em consideração.
to give somebody a piece of one's mind — admoestar alguém.
to have a single track mind — ver as coisas a seu modo.
to be easy in one's mind — ter o espírito tranquilo.
to have half a mind to — ter quase a intenção de.
to have a great mind to — ter vontade de.
absence of mind — distracção.
presence of mind — presença de espírito.
of the same mind — da mesma opinião.
time out of mind — tempo imemorial.
to change one's mind — mudar de opinião.
with one mind — unanimemente.
of sound mind — de juízo perfeito.
to open one's mind to — abrir o seu coração a.
lofty mind — espírito elevado.
to speak one's mind — falar francamente.
to make up one's mind — decidir-se; resolver-se.
to be in good frame of mind — estar bem disposto.
to one's mind — a seu gosto.
to follow one's mind — seguir a sua opinião.
mind and matter — o espírito e a matéria.
mind-healing — psiquiatria.
mind-cure — psicoterapia.
mind-picture — representação mental.
mind-reader — adivinhador do pensamento.
out of sight, out of mind — longe da vista, longe do coração.
peace of mind — paz de espírito.
to be out of one's right mind — estar louco.
strength of mind — força de carácter.
to be in two minds about doing something — hesitar em fazer uma coisa.
to bring to mind — lembrar-se.
to disclose one's mind — dar a sua opinião.
to have a good mind for figures — ter boa cabeça para contas.
to keep an open mind — discutir sem chegar a uma conclusão.
to pass out of one's mind — esquecer.
to take one's mind off — desviar a atenção de.
to put one in mind of — lembrar alguma coisa a alguém.
to put something out of one's mind — não pensar mais em qualquer coisa.
great minds think alike — os grandes espíritos encontram-se (sempre).
to set one's mind on doing something — resolver firmemente fazer qualquer coisa.
my mind misgives me — pressinto.
2 — *vt.* e *vi.* notar, considerar; observar; cuidar, vigiar; importar-se; fazer questão; lembrar-se; atender, prestar atenção; estar alerta; pôr-se em guarda; ter vontade de; estar disposto a; tomar sentido; fazer caso de; obedecer.
never mind! — não importa, não faz mal!
to mind one's p's and q's — ter muito cuidado com o que se faz ou se diz; medir as palavras.
mind you! — ora veja!
mind your own business! — trata da tua vida!
I should not mind a cup of tea, if you don't mind — eu gostava de tomar uma chávena de chá, se você não se importasse.
I don't mind — não me importo.
mind the car! — tenha cuidado com o carro!
mind what you are about! — tenha cuidado com o que faz!
do you mind my smoking? — incomoda-o o fumo?
to mind a child — cuidar duma criança.
to mind the house — governar a casa.
to mind one's book — ser estudioso.
mind you send the money — não te esqueças de mandar o dinheiro!
never mind what she is saying! — não faça caso do que ela está a dizer!
mind that fellow! — cuidado com esse indivíduo!
mind your eye! (cal.) — vê lá o que fazes!
nobody minds me — ninguém me liga importância.
minded ['-id], *adj.* inclinado, disposto, propenso.
absent-minded — distraído.
high-minded — altivo, arrogante.
weak-minded — fraco de espírito; pusilânime.
evil-minded — mal-intencionado.
fair-minded — leal.
like-minded — da mesma opinião.
narrow-minded — mesquinho.
broad-minded — liberal.
acute-minded — sagaz.
base-minded — de espírito mesquinho.
simple-minded — simplório.
food-minded — gastrónomo.
strong-minded — teimoso.
mindedness ['-idnis], *s.* disposição, inclinação.
fair-mindedness — lealdade.
simple-mindedness — simplicidade de espírito.
mindful ['-ful], *adj.* atento, cuidadoso.
mindful of the law — obediente à lei.
mindfully ['-fuli], *adv.* atentamente, cuidadosamente.
mindfulness ['-fulnis], *s.* atenção, cuidado.
mindless ['-lis], *adj.* descuidado; estúpido; desatento.
mine [main], **1** — *s.* mina; torpedo; manancial de riquezas; preciosidade; grandes vantagens.
mine-layer — navio lança-minas.
mine-sweeper — caça-minas.
mine-field — campo de minas.
mine-dredger — draga-minas; caça-minas.
mine-detector (mil.) — detector de minas.
to lay a mine — lançar uma mina.
2 — *vt.* e *vi.* minar; lançar minas; explorar uma mina; fazer uma mina; extrair mineral; fazer trabalhos de sapa; destruir.
3 — *pron. pos.* meu, minha, meus, minhas.
it's mine — é meu (minha).
I have lost mine — perdi o meu (minha, meus, minhas).
he is a friend of mine — é um amigo meu.
me and mine — eu e os meus (as pessoas da minha família).
4 — *adj. pos.* (arc. antes de h ou vogal).
mine eyes — os meus olhos.
mineable ['-əbl], *adj.* que pode minar-se; que pode explorar-se por meio de minas.
miner ['-ə], *s.* mineiro; sapador.
miner's lamp — lâmpada de mineiro.

mineral ['minərəl], **1** — *s.* mineral; minério; hulha; *pl.* minerais, águas gasificadas.
2 — *adj.* mineral.
mineral water — água mineral.
mineral carbon — carvão mineral.
mineral charcoal — carvão fóssil.
mineral coal — carvão de pedra.
mineral jelly — vaselina.
mineral chemistry — química inorgânica.
mineral pitch — asfalto.
the mineral kingdom — o reino mineral.
mineral salt — sal-gema.
mineralization [minərəlai'zeiʃən], *s.* mineralização.
mineralize ['minərəlaiz], *vt.* mineralizar.
mineralized [-d], *adj.* mineralizado.
mineralizer [-ə], *s.* mineralizador.
mineralizing [-iŋ], *adj.* mineralizador.
mineralogical [minərə'lɔdʒikəl], *adj.* mineralógico.
mineralogist [minə'rælədʒist], *s.* mineralogista.
mineralogy [minə'rælədʒi], *s.* mineralogia.
Minerva [mi'nə:və], *n. p.* (mit.) Minerva.
minever ['minivə], *s.* esquilo; pele de esquilo.
mingle [miŋgl], *vt.* e *vi.* misturar, juntar; entremear; confundir; juntar-se, misturar-se.
to mingle colours — matizar as cores.
they mingled their tears — choraram juntos.
to mingle in the crowd (to mingle with the crowd) — misturar-se com a multidão.
mingle-mangle [-'mæŋgl], *s.* trapalhada, confusão, baralhada.
mingled ['-d], *adj.* misturado, confuso.
mingling ['-iŋ], *s.* mistura; acção de juntar.
mingy ['mindʒi], *adj.* (col.) forreta, sovina, avarento.
miniature ['minjətʃə], **1** — *s.* miniatura; desenho ou manuscrito com iluminuras.
2 — *adj.* em miniatura.
miniature model — maqueta.
a miniature railway — um comboio miniatura (brinquedo).
3 — *vt.* representar em miniatura.
miniaturist [-rist], *s.* miniaturista.
minification [minifi'keiʃən], *s.* redução, diminuição.
minify ['minifai], *vt.* diminuir, reduzir.
minikin ['minikin], **1** — *s.* alfinetinho; (tip.) corpo 3 1/2; pessoa muito pequena.
2 — *adj.* favorito; muito pequeno, diminuto.
minim ['minim], *s.* (mús.) mínima; gota; coisa sem valor; pessoa muito pequena; pessoa insignificante; insignificância; religioso da Ordem de S. Francisco de Paula.
minimal [-l], *adj.* muito pequeno, minúsculo.
minimize [-aiz], *vt.* minimizar, reduzir ao mínimo; atribuir importância mínima a.
minimum [-əm], *s.* (*pl.* **minima**) mínimo.
to reduce to a minimum — reduzir ao mínimo.
minimus ['minimәs], *s.* e *adj.* dedo mínimo; homem muito pequeno; o mais novo.
mining ['mainiŋ], *s.* exploração de minas; indústria mineira.
mining industry — indústria mineira.
mining center — distrito mineiro.
mining engineer — engenheiro de minas.
minion ['minjən], *s.* (pej.) criança; favorito; amante; (tip.) corpo 6; lacaio, escravo; vendido; agente, informador.
minister ['ministə], **1** — *s.* ministro; sacerdote.
Prime Minister — primeiro-ministro.
Minister of Education — ministro da Educação.
Minister of Health — ministro da Saúde.
Minister of War (Minister for War) — ministro da Guerra.
Minister of Production — ministro da Economia.
Minister of Transport — ministro das Comunicações.
Minister of Defence — ministro da Defesa.
2 — *vt.* e *vi.* ministrar, dar; administrar; contribuir; oficiar. (*Sin.* to administer, to serve, to attend, to officiate.)
to minister occasion — dar ocasião.
to minister to somebody — socorrer alguém.
ministerial [minis'tjəriəl], *adj.* ministerial; sacerdotal; executivo; auxiliar; governamental.
ministerialism [-izm], *s.* ministerialismo.
ministerialist [-ist], *s.* ministerialista.
ministerially [-i], *adv.* ministerialmente.
ministering ['ministəriŋ], *adj.* e *s.* que auxilia; auxílio, assistência.
ministrant ['ministrənt], *s.* e *adj.* ministrante; oficiante; que auxilia; coadjutor.
ministration [minis'treiʃən], *s.* administração; agência; ministério, funções eclesiásticas.
ministry ['ministri], *s.* ministério; gabinete; conselho de ministros; clero; incumbência, cargo, ofício.
the Air Ministry — o Ministério do Ar.
to form a ministry — constituir ministério; formar governo.
minium ['miniəm], *s.* mínio, cinábrio, zarcão.
mink [miŋk], *s.* (zool.) espécie de marta; pele de marta.
Minni ['mini], **1** — *n. p.* diminutivo de **Wilhelmina.**
2 — *top.* (E. U.) forma abreviada de *Minneapolis.*
minnow ['minou], *s.* (zool.) vairão (pequeno peixe de rio).
minor ['mainə], **1** — *s.* frade franciscano.
the Minors — os Franciscanos.
2 — *adj.* menor, mais pequeno, inferior; de menoridade; (esc.) o mais novo de dois alunos com o mesmo nome de família.
minor diameter — diâmetro interno.
minor orders (ecl.) — ordens menores.
minor term (lóg.) — termo menor.
minor premiss (lóg.) — premissa menor.
in B minor (mús.) — em si menor.
to be of minor importance — ser de importância secundária.
minority [mai'nɔriti], *s.* menoridade; minoria.
to be in the minority — estar em minoria.
Minotaur ['mainətɔ:], *s.* (mit.) Minotauro.
minster ['minstə], *s.* mosteiro; basílica; catedral; abadia.
minstrel ['minstrəl], *s.* menestrel, trovador, bardo; cantor.
minstrelsy [-si], *s.* classe dos menestréis; arte de menestrel; trovas.
mint [mint], **1** — *s.* casa da moeda; invenção; mina, tesouro; hortelã; fonte, manancial.
mint sauce — *(cul.)* molho de hortelã, açúcar e vinagre.
mint-master — director da casa da moeda.
a mint of money — um dinheirão.
the Mint — a Casa da Moeda.
2 — *vt.* cunhar (moeda); fabricar, forjar, inventar.
to mint money — cunhar moeda.
mintaje ['-idʒ], *s.* cunhagem de moeda; moeda cunhada.
minter ['-ə], *s.* moedeiro; inventor, forjador.
minuend ['minjuend], *s.* (mat.) diminuendo, aditivo.
minuet [minju'et], *s.* minuete (tipo de dança).
minus ['mainəs], **1** — *adj.* negativo; de subtracção.
minus charge (elect.) — carga negativa.
minus sign (mat.) — sinal menos.
2 — *prep.* menos, sem.
eight minus two leaves six — oito menos dois são seis.

minuscule [mi'nʌskju:l], **1** — *s.* letra minúscula.
2 — *adj.* minúsculo.
minute **1** — ['minit], *s.* minuto, momento, instante; minuta, nota, apontamento; *pl.* minutas, actas; memória autêntica.
minute-book — agenda; livro de actas.
minute-hand — ponteiro dos minutos.
minutes of the meeting — acta da sessão.
to be punctual to a minute — ser absolutamente pontual.
to make a minute of — tomar nota de.
2 — *vt.* minutar, anotar; fazer acta de; (desp.) cronometrar.
to minute a meeting — fazer a acta duma reunião.
3 — [mai'nju:t], *adj.* diminuto, pequeno, minucioso; precioso, exacto; minúsculo, mínimo.
a minute examination — um exame pormenorizado.
minutely [mai'njutli], *adv.* minuciosamente, circunstanciadamente.
minutely ['minitli], *adv.* de minuto a minuto; todos os minutos.
minuteness [mai'nju:tnis], *s.* minuciosidade; pequenez; miudeza.
minutia [mi'nju:ʃiə], *s.* (*pl.* **minutiae**) minúcia, particularidade.
minx [miŋks], *s.* rapariga atrevida, serigaita.
miocene ['maiəsi:n], **1** — *s.* mioceno.
2 — *adj.* miocénico, mioceno.
miracle ['mirəkl], *s.* milagre, prodígio, maravilha.
to work a miracle — operar um milagre.
miracle play — "milagre" (representação medieval).
by a miracle — por milagre.
miraculous [mi'rækjuləs], *adj.* miraculoso, milagroso, maravilhoso.
miraculously [-li], *adv.* milagrosamente, por milagre.
miraculousness [-nis], *s.* (o) maravilhoso, (o) extraordinário; carácter sobrenatural.
mirador [mirə'dɔ:], *s.* miradouro; mirante.
mirage ['mi(r)ɑ:ʒ], *s.* miragem.
mire ['maiə], **1** — *s.* lodo, lama, lamaçal, atoleiro.
to find oneself in the mire — achar-se em dificuldades.
2 — *vt.* e *vi.* enlamear, atolar-se no lodo.
miriness [-rinis], *s.* estado lamacento; sujidade, lameiro.
mirror ['mirə], **1** — *s.* espelho; modelo; exemplo.
hand-mirror — espelho de mão.
mirror maker — fabricante de espelhos.
mirror wardrobe — guarda-fatos com espelho.
driving mirror (aut.) — retrovisor.
2 — *vt.* espelhar, retratar, reflectir.
mirth [mɔ:θ], *s.* alegria, regozijo, contentamento, júbilo.
mirthful ['-ful], *adj.* alegre, jovial, contente, divertido.
mirthfully ['-fuli], *adv.* alegremente, jovialmente.
mirthfulness ['-fulnis], *s.* alegria, júbilo, jovialidade.
mirthless ['-lis], *adj.* triste, melancólico, sem alegria.
mirthlessly ['-lisli], *adv.* tristemente, desconsoladamente.
mirthlessness ['-lisnis], *s.* tristeza, melancolia, falta de alegria, descontentamento.
miry ['maiəri], *adj.* lamacento, lodoso, enlameado.
misadjustment [misə'dʒʌstmənt], *s.* ajustamento deficiente; (mec.) falta de afinação.
misadventure ['misəd'ventʃə], *s.* desventura, desgraça, infortúnio.
homicide by misadventure — homicídio acidental.
misadvise [misəd'vaiz], *vt.* aconselhar mal.
misalignment [misə'lainmənt], *s.* alinhamento deficiente.
misalliance ['misə'laiəns], *s.* casamento desigual.
misanthrope ['mizənθroup], *s.* misantropo.
misanthropic [mizən'θrɔpik], *adj.* misantrópico.
misanthropical [-əl], *adj.* ver **misanthropic.**
misanthropist [mi'zænθrəpist], *s.* misantropo.
misanthropy [mi'zænθrəpi], *s.* misantropia, misantropismo.
misapplication ['misæpli'keiʃən], *s.* má aplicação, mau emprego; desvio (de dinheiro).
misapply ['misə'plai], *vt.* aplicar mal; fazer mau uso de; desviar (dinheiro).
misapprehend ['misæpri'hend], *vt.* compreender mal, apreender mal; equivocar-se.
misapprehension ['misæpri'henʃən], *s.* má compreensão, apreensão deficiente; equívoco.
misappropriate ['misə'prouprieit], *vt.* prevaricar; administrar mal; desviar (dinheiro); apropriar-se indevidamente de.
misappropriation ['misəproupri'eiʃən], *s.* má apropriação; (jur.) abuso de confiança; desvio (de dinheiro); apropriação indevida.
misbecome [misbi'kʌm], *vt.* ficar mal a, não se ajustar a.
misbegotten [misbi'gɔtən], *adj.* ilegítimo, bastardo; disparatado; miserável; mal concebido, sem pés nem cabeça.
misbehave ['misbi'heiv], *vt.* e *vi.* portar-se mal, comportar-se mal.
misbehaved [-d], *adj.* mal comportado; descortês.
misbehaving [-iŋ], *s.* acto de se comportar mal.
misbehaviour [-jə], *s.* mau comportamento.
misbelief ['misbi'li:f], *s.* crença falsa; heresia; opinião errada.
misbelieve ['misbi'li:v], *vt.* estar em erro, ter falsas opiniões; desconfiar; descrer.
misbeliever [-ə], *s.* incrédulo, descrente; herege.
misbeseem [misbi'si:m], *vt.* ficar mal, parecer mal.
miscalculate ['mis'kælkjuleit], *vt.* e *vi.* calcular mal; enganar-se.
miscalculation ['miskælkju'leiʃən], *s.* cálculo errado, erro de conta; engano; erro de cálculo.
miscall [mis'kɔ:l], *vt.* dar um nome errado, chamar por um nome errado; injuriar, chamar nomes.
miscarriage [mis'kæridʒ], *s.* extravio; insucesso; aborto espontâneo.
to have a miscarriage — abortar.
miscarriage of a letter — extravio de uma carta.
miscarry [mis'kæri], *vi.* malograr-se, falhar; extraviar-se; abortar.
miscasting [mis'kɑ:stiŋ], *s.* soma errada (de contas).
miscegenation [misidʒi'neiʃən], *s.* miscigenação; cruzamento de raças (especialmente de brancos e negros).
miscellanea [misi'leinjə], *s.* (lit.) miscelânea.
miscellaneous [misi'leinjəs], *adj.* misto, misturado, diverso, heterogéneo.
miscellaneously [-li], *adv.* de maneira variada, heterogeneamente.
miscellany [mi'seləni,'misiləni], *s.* miscelânea, mistura; volume com vários assuntos.
mischance [mis'tʃɑ:ns], **1** — *s.* pouca sorte, desgraça, contratempo.

2 — *vi.* ter pouca sorte, sofrer um contratempo.
mischief ['mistʃif], *s.* mal, dano, perda, prejuízo; agravo; travessura; criança traquina.
mischief-maker — promotor de desordens; desordeiro; díscolo.
mischief-making — prejudicial.
to do mischief — fazer mal.
the children are up to mischief — as crianças estão a preparar qualquer partida.
to make mischief between — fazer a discórdia entre.
eyes full of mischief — olhos maliciosos.
to get into mischief — fazer tropelias.
to mean mischief — premeditar o mal.
he is a regular mischief — ele está sempre a fazer travessuras.
Satan finds some mischief still for idle hands to do — a ociosidade é a mãe de todos os vícios.
mischievous ['mistʃivəs], *adj.* malévolo, maldoso, nocivo; travesso, traquinas.
as mischievous as a monkey — mau como as cobras.
mischievously [-li], *adv.* prejudicialmente, perniciosamente; travessamente.
mischievousness [-nis], *s.* maldade, malícia; travessura.
mischoice [mis'tʃɔis], *s.* escolha errada.
mischoose [mis'tʃu:z], *vt.* (*pret.* **mischose,** *pp.* **mischosen**) escolher mal.
miscible ['misibl], *adj.* miscível.
miscolour [mis'kʌlə], *vt.* dar uma cor falsa; apresentar sob um aspecto falso.
miscompute [miskəm'pju:t], *vt.* errar, calcular mal.
misconceive [miskən'si:v], *vt.* e *vi.* compreender mal; julgar mal.
to misconceive of somebody — enganar-se a respeito de alguém.
misconceived [-d], *adj.* errado; mal compreendido.
misconception ['miskən'sepʃən], *s.* opinião errada, falsa noção.
misconduct [mis'kɔndəkt], **1** — *s.* mau procedimento; (jur.) adultério.
2 — *vt.* e *vi.* conduzir mal, administrar mal; portar-se mal.
misconstruction ['miskəns'trʌkʃən], *s.* má interpretação.
it is open to misconstruction — está sujeito a ser mal interpretado.
misconstrue ['miskən'stru:], *vt.* interpretar mal; dar mau sentido a, adulterar o verdadeiro significado de.
miscount ['mis'kaunt], **1** — *s.* erro de cálculo; soma errada.
2 — *vt.* contar mal; enganar-se na soma.
miscreant ['miskriənt], **1** — *s.* (arc.) herético; patife.
2 — *adj.* miserável, infame, malvado, perverso; herético.
miscreated [miskri'eitid], *adj.* disforme.
miscue ['mis'kju:], **1** — *s.* tacada em falso (bilhar).
2 — *vi.* falhar a tacada (bilhar).
misdate [mis'deit], *vt.* errar a data, datar mal.
misdating [-iŋ], *s.* erro de data.
misdeal ['mis'di:l], **1** — *s.* acto de dar mal as cartas ao jogo; carta mal dada (ao jogo).
2 — *vt.* (*pret.* e *pp.* **misdealt**) dar mal as cartas ao jogo; passar as cartas (ao jogo).
misdeed ['mis'di:d], *s.* acção má, crime, delito.
misdeem [mis'di:m], *vt.* e *vi.* (arc. e poét.) julgar mal, fazer má ideia de.
misdelivery [misdi'livəri], *s.* erro de entrega ou distribuição.
misdemeanant [misdi'mi:nənt], *s.* culpado de pequeno delito; delinquente.
misdemeanour [misdi'mi:nə], *s.* mau procedimento, ofensa, delito; crime de pouca importância.
high misdemeanour — delito grave.
misdirect ['misdi'rekt], *vt.* dirigir mal; pôr direcção errada; calcular mal (soco, etc.).
to misdirect a letter — endereçar mal uma carta.
misdirected [-id], *adj.* mal endereçado; mal orientado; mal dirigido.
misdirection ['misdi'rekʃən,'misdai'rekʃən], *s.* má direcção; endereço errado; direcção errada; má orientação; informação errada.
misdoer [mis'duə], *s.* delinquente; indivíduo malcomportado.
misdoing ['mis'du(:)iŋ], *s.* acção má; ofensa; erro, culpa, delito.
misdoubting [mis'dautiŋ], *s.* e *adj.* dúvida, suspeita; que duvida de.
mise [mi:z], *s.* pacto, acordo, convénio.
misemploy [misem'plɔi], *vt.* empregar mal, malbaratar.
mise-en-scène ['mi:zɑ̃:'sein], *s.* encenação.
misentry [mis'entri], *s.* registo errado.
miser ['maizə], *s.* avaro; mísero; avarento, sovina.
miserable ['mizərəbl], *adj.* miserável, infeliz, desditoso, lastimoso.
to feel miserable — sentir-se muito infeliz.
to have a miserable life — levar vida de cão.
miserableness [-nis], *s.* miséria, estado miserável; avareza.
miserably [-i], *adv.* miseravelmente; desgraçadamente; pobremente.
misericord [mi'zerikɔ:d,'mizərikɔ:d], *s.* misericórdia.
miserliness ['maizəlinis], *s.* avareza; sovinice.
miserly ['maizəli], *adj.* avarento; miserável.
a miserly person — (col.) um unhas de fome.
misery ['mizəri], *s.* miséria, desgraça; sofrimento; infortúnio; suplício; pessoa pessimista; choramingas.
to put out of one's misery — dar o golpe de misericórdia a.
misesteem [misis'ti:m], **1** — *s.* desafeição, desafecto.
2 — *vt.* desprezar, subestimar, ter desafecto por.
misexplain [misiks'plein], *vt.* explicar erradamente.
misfaith [mis'feiθ], *s.* descrença, desconfiança.
misfeasance [mis'fi:zəns], *s.* transgressão, infracção.
misfeature [mis'fi:tʃə], **1** — *s.* deformação; desfiguração.
2 — *vt.* desfigurar; deformar.
misfire ['mis'faiə], *s.* tiro que falhou; má carburação.
misfit ['misfit], **1** — *s.* roupa que não assenta bem; (fig.) pessoa que não consegue adaptar-se.
2 — *vt.* (*pret.* e *pp.* **misfitted**) assentar mal, ficar mal a.
misfortune [mis'fɔ:tʃən], *s.* desgraça, calamidade, infortúnio; contratempo.
misfortunes never come singly — uma desgraça nunca vem só.
to fall into misfortune — cair na desgraça.
misgive [mis'giv], *vt.* e *vi.* (*pret.* **misgave,** *pp.* **misgiven**) inspirar receios, causar apreensão; estar receoso; ter pressentimentos.
my heart misgives me that — diz-me o coração que.
misgiving [-iŋ], **1** — *s.* receio, pressentimento, dúvida, temor, desconfiança.
2 — *adj.* receoso, cheio de pressentimentos.

misgovern [ˈmisˈgʌvən], *vt.* desgovernar, governar mal, administrar mal.
misgovernment [-mənt], *s.* desgoverno, mau governo, má administração.
misguidance [misˈgaidəns], *s.* direcção errada; má orientação, maus conselhos.
misguide [misˈgaid], *vt.* guiar mal, extraviar, desencaminhar; aconselhar mal; informar mal.
misguided [-id], *adj.* desencaminhado, mal orientado; disparatado, desorientado; mal avisado.
mishandle [ˈmisˈhændl], *vt.* manejar mal; maltratar.
mishap [ˈmishæp], *s.* desgraça, infortúnio, revés, contratempo; desastre; (aut.) avaria mecânica.
mishear [misˈhiə], *vt.* (*pret.* e *pp.* **misheard**) ouvir mal; compreeender mal.
mishmash [ˈmiʃmæʃ], *s.* confusão; trapalhada.
misinform [ˈmisinfɔːm], *vt.* informar mal, dar informações erradas a.
misinformation [misinfəˈmeiʃən], *s.* informação falsa, informação errada.
misinformed [ˈmisinˈfɔːmd], *adj.* mal informado.
misinterpret [ˈmisinˈtəːprit], *vt.* interpretar mal, adulterar o sentido verdadeiro, interpretar erradamente.
misinterpretation [ˈmisintəːpriˈteiʃən], *s.* interpretação errada; adulteração do sentido verdadeiro.
misjudge [ˈmisˈdʒʌdʒ], *vt.* julgar mal, fazer mau juízo de; equivocar-se.
misjudgement [-mənt], *s.* juízo falso; opinião errónea, equívoco.
mislay [misˈlei], *vt.* (*pret.* e *pp.* **mislaid**) pôr fora do seu lugar; deslocar; extraviar.
mislead [misˈliːd], *vt.* (*pret.* e *pp.* **misled**) guiar mal, induzir em erro; extraviar, desencaminhar; enganar; dar uma impressão errada. (*Sin.* to deceive, to delude, to misguide, to misdirect. *Ant.* to guide.)
misleading [-iŋ], *adj.* ilusório, enganador, que engana.
misled [misˈled], *adj.* desencaminhado, extraviado; enganado, iludido.
he was misled by his bad companions — ele foi desencaminhado pelas más companhias.
mislike [misˈlaik], *vt.* (arc.) ver **dislike.**
mismanage [ˈmisˈmænidʒ], *vt.* administrar mal, desgovernar, governar mal.
mismanagement [-mənt], *s.* desgoverno, má administração.
mismarriage [misˈmæridʒ], *s.* mau casamento, casamento infeliz.
mismarry [misˈmæri], *vt.* casar mal.
misnomer [ˈmisˈnoumə], *s.* nome errado, erro de nome; emprego errado de nome.
misogamist [miˈsɔgəmist], *s.* misógamo.
misogamy [miˈsɔgəmi], *s.* misogamia.
misplace [ˈmisˈpleis], *vt.* colocar mal ou fora do seu lugar; empregar mal.
misplaced [-t], *adj.* deslocado; inoportuno; fora do lugar; fora de propósito.
misplacement [-mənt], *s.* colocação fora do lugar próprio; extravio; deslocação.
misprint [ˈmisˈprint], **1** — *s.* erro tipográfico, "gralha".
2 — *vt.* cometer erros de impressão; imprimir com erros.
misprision [misˈpriʒən], *s.* (jur.) crime por omissão; (arc.) desprezo.
misprize [misˈpraiz], *vt.* desprezar; depreciar.
mispronounce [ˈmisprəˈnauns], *vt.* e *vi.* pronunciar mal.
mispronounciation [ˈmisprənʌnsiˈeiʃən], *s.* pronúncia errada.
misproportioned [misprəˈpɔːʃənd], *adj.* mal proporcionado.
misquotation [ˈmiskwouˈteiʃən], *s.* citação errada.
misquote [ˈmisˈkwout], *vt.* citar ou alegar falsamente; citar erradamente.
misread [ˈmisˈriːd], *vt.* ler ou interpretar mal; compreender mal.
misreport [ˈmisriˈpɔːt], **1** — *s.* informação errada.
2 — *vt.* informar erradamente; referir inexactamente.
misrepresent [ˈmisrepriˈzent], *vt.* deturpar, adulterar, falsear.
misrepresentation [ˈmisreprizenˈteiʃən], *s.* falsidade; narração falsa; exposição errónea; informação errada.
wilful misrepresentation (jur.) — dolo.
misrule [ˈmisˈruːl], **1** — *s.* desgoverno; desordem; tumulto; confusão; má administração.
2 — *vt.* governar mal, administrar mal.
miss [mis], **1** — *s.* perda, falta; engano, erro; título dado a senhora solteira.
2 — *vt.* e *vi.* falhar, errar; faltar; não acertar; passar sem; perder (o comboio); sentir a falta de; omitir; deixar de fazer; malograr-se, frustrar-se.
to miss an opportunity — perder uma oportunidade.
to miss one's mark — não acertar no alvo.
to miss out — passar por alto, omitir.
to be missing — faltar; estar extraviado ou perdido.
to miss a line — saltar uma linha.
to miss someone — sentir a falta de alguém.
to miss a lesson — faltar a uma lição.
you can't miss it — não tem que errar.
I just missed the train — perdi o comboio por uns segundos.
to miss stays (náut.) — falhar em virar de bordo.
to miss a joke — não perceber o sentido de uma anedota.
to miss an accident — escapar a um desastre.
to miss one's way — enganar-se no caminho.
missal [ˈ-əl], *s.* missal, livro de missa; livro de orações.
missel [ˈmisəl], *s.* (zool.) tordo-visqueiro.
missel-thrush [-θrʌʃ], *s.* (zool.) ver **missel.**
misshapen [ˈmisˈʃeipən], *adj.* disforme, deformado.
missile [ˈmisail], **1** — *s.* míssil; arma de arremesso; projéctil.
2 — *adj.* míssil; missivo.
missing [ˈmisiŋ], **1** — *s.* ausência; perda; incapacidade; malogro.
the missing — os que faltam; (mil.) os desaparecidos.
2 — *adj.* que falta; ausente; extraviado, perdido, desaparecido.
there is a page missing — falta uma página.
mission [ˈmiʃən], **1** — *s.* missão; embaixada, missão diplomática; missão religiosa; incumbência.
2 — *vt.* e *vi.* encarregar de; missionar, dirigir uma missão.
missionary [ˈmiʃnəri], **1** — *s.* missionário.
2 — *adj.* missionário, relativo às missões; das missões.
missioner [ˈmiʃnə], *s.* missionário; emissário.
missis [ˈmisiz], *s.* (corrupção de **mistress**) minha senhora.
my missis (the missis) — (col.) a minha mulher; a minha patroa.
Mississipian [misiˈsipiən], *s.* e *adj.* mississipiano, do Mississípi.

missive ['misiv], **1** — *s.* missiva; carta.
2 — *adj.* missivo.
misspell ['mis'spel], *vt.* (*pret.* e *pp.* **misspelt**) soletrar mal; dar erros de ortografia.
misspelling [-iŋ], *s.* erro de ortografia; cacografia.
misspend [mis'spend], *vt.* (*pret.* e *pp.* **misspent**) gastar mal, desperdiçar.
misstate ['mis'steit], *vt.* expor mal, relatar falsamente; deturpar.
misstatement [-mənt], *s.* informação errada; relato falso; deturpação.
missuit ['mis'sju:t], *vt.* ficar mal, não convir.
missus ['misəs], *s.* (col.) ver **missis.**
missy ['misi], *s.* menina (diminutivo de **miss**).
mist [mist], **1** — *s.* névoa, bruma, neblina, nevoeiro.
to cast a mist before somebody's eyes (col.) — lançar poeira aos olhos de alguém.
to have a mist before one's eyes — ter uma névoa à frente dos olhos.
2 — *vt.* e *vi.* enevoar, obscurecer.
to mist over — cobrir-se de névoa.
it is misting — está muito nevoeiro.
mistakable [mis'teikəbl], *adj.* susceptível de erro, que se pode enganar.
mistake [mis'teik], **1** — *s.* erro, engano, equívoco.
to make a mistake — enganar-se, dar um erro.
a great mistake — um grande erro.
grammatical mistakes — erros de gramática.
spelling mistakes — erros de ortografia.
by mistake — por engano.
a bad mistake — um erro grave.
2 — *vt.* e *vi.* (*pret.* **mistook,** *pp.* **mistaken**) compreender mal, tomar uma coisa por outra; trocar, errar, equivocar-se, enganar-se.
to mistake one's way — enganar-se no caminho.
mistaken [-n], *adj.* erróneo, errado, enganado; incorrecto.
mistaken kindness — bondade mal compreendida.
mistaken ideas — ideias falsas.
mistakenly [-ənli], *adv.* erradamente, erroneamente; por lapso.
mistakenness [-ənnis], *s.* erro, engano; confusão; falsidade; equívoco.
mistaking [-iŋ], *s.* erro, confusão, equívoco.
mister ['mistə], **1** — *s.* senhor (título usado antes de nome de homem ou do cargo que ocupa; *abrev.* **Mr.**); pessoa vulgar.
Mr. Lee — o Sr. Lee.
Mr. Chairman — (o) Senhor presidente.
2 — *vt.* tratar por senhor.
don't mister me! — não me trate por senhor!
mistily ['mistili], *adv.* nubladamente; indistintamente.
mistime ['mis'taim], *vt.* calcular mal (no tempo); não fazer na altura própria.
mistimed [-d], *adj.* inoportuno, intempestivo; mal calculado.
mistiness ['mistinis], *s.* cerração; tempo nebuloso; névoa, bruma.
mistletoe ['misltou], *s.* visco (planta).
red-berried mistletoe — azevinho.
mistook [mis'tuk], *pret.* de **to mistake.**
mistral ['mistrəl,mis'tra:l], *s.* mistral (vento frio e seco).
mistranslate ['mistra:ns'leit], *vt.* traduzir erradamente.
mistranslation ['mistra:ns'leiʃən], *s.* tradução incorrecta; erro de tradução.
mistress ['mistris], *s.* ama, patroa, dona de casa; senhora, mestra; amante; título usado antes do nome de senhora casada ou viúva (*abrev.* **Mrs.** ['misiz]).
to be one's own mistress — ser senhora de si própria.
music-mistress — professora de música.
you are mistress of the situation — estás senhora da situação.
Mistress of the Robes — camareira-mor de rainha ou princesa.
my mistress is not at home — a senhora não está em casa.
mistrial [mis'traiəl], *s.* erro judiciário, erro judicial.
mistrust ['mis'trʌst], **1** — *s.* desconfiança, receio, suspeita, dúvida.
mistrust in (mistrust of) — desconfiança de.
2 — *vt.* desconfiar, suspeitar, recear.
to mistrust a person — desconfiar de uma pessoa.
mistrustful [-ful], *adj.* desconfiado, receoso.
to be mistrustful of someone — (col.) estar de pé atrás com alguém.
mistrustfully [-fuli], *adv.* desconfiadamente; suspeitosamente.
mistrustfulness [-fulnis], *s.* desconfiança, suspeita; receio.
misty ['misti], *adj.* enevoado, nebuloso; obscuro; indistinto.
a misty idea — uma vida vaga.
misty eyes — olhos turvos pelas lágrimas.
misunderstand ['misʌndə'stænd], *vt.* (*pret.* e *pp.* **misunderstood**) compreender mal; equivocar-se.
to misunderstand somebody — não compreender o que alguém diz.
misunderstanding [-iŋ], *s.* mal-entendido; má compreensão; equívoco; discordância; desinteligência; má interpretação.
to clear up a misunderstanding — esclarecer um mal-entendido.
the error proceeds from a misunderstanding — o erro provém de um mal-entendido.
misusage [mis'ju:zidʒ], *s.* mau tratamento, maus tratos; mau emprego; abuso.
misuse **1** — ['mis'ju:s], *s.* abuso; mau tratamento; aplicação errónea; uso ilegítimo.
misuse of authority — abuso de autoridade.
2 — ['mis'ju:z], *vt.* abusar de; empregar mal; maltratar; fazer mau uso de; malbaratar.
to misuse a word — empregar uma palavra indevidamente.
misused [-d], *adj.* maltratado; empregado indevidamente.
misuser [-ə], *s.* excesso; abuso.
miswrite [mis'rait], *vt.* (*pret.* **miswrote,** *pp.* **miswritten**) escrever mal, escrever incorrectamente; escrever com erros.
mite [mait], *s.* nada, quase nada; criancinha; bocadinho, migalha; gorgulho; gusano; pequeno óbolo.
the widow's mite — pequeno óbolo.
mitigable ['mitigəbl], *adj.* mitigável; que pode suavizar-se.
mitigant ['mitigənt], *adj.* mitigador, mitigativo, calmante, lenitivo.
mitigate ['mitigeit], *vt.* mitigar, suavizar, acalmar, abrandar; atenuar.
mitigating [-iŋ], *adj.* atenuante; que mitiga.
mitigating circumstances — circunstâncias atenuantes.
mitigation [miti'geiʃən], *s.* mitigação, alívio, lenitivo, suavização.
mitral ['maitrəl], **1** — *s.* válvula mitral.
2 — *adj.* (anat.) mitral.
mitral valve — válvula mitral.
mitre ['maitə], **1** — *s.* mitra; meia esquadria; ângulo de 45 graus.
mitre bevel — meia-esquadria.
mitre-wort (bot.) — mitela, mitréola.
mitre rule — esquadro de pedreiro.

2 — *vt.* mitrar; adornar com mitra; unir a um ângulo de 45 graus.
mitred [-d], *adj.* mitrado; talhado em ângulo de 45 graus.
mitt [mit], *s.* mitene; luva de basebol; (col.) luva de boxe.
mitten [-n], *s.* mitene; (pl.) luvas de boxe.
to get the mitten (col.) — ser despedido.
to give the mitten (col.) — mandar embora (namorado).
mittimus ['mitiməs], *s.* mandado de prisão; (col.) demissão de um cargo.
to get one's mittimus — ser despedido.
mity ['maiti], *adj.* coberto de gorgulho; com bichos (queijo).
mix [miks], **1** — *s.* mistura; (col.) trapalhada.
mix-in — zaragata.
2 — *vt.* e *vi.* misturar, confundir; embaralhar; unir, juntar, associar; amassar; misturar-se; confundir-se; tomar parte; cruzar (raças diferentes).
to mix up — confundir, atrapalhar.
to be mixed up — estar envolvido.
they do not mix well — eles não se dão bem.
to mix in society — frequentar a sociedade.
to mix with somebody — andar com alguém.
mixed [-t], *adj.* misturado; unido; ligado; confuso; misto.
mixed school — escola mista.
mixed cloth — mescla (tecido).
mixed number (mat.) — número fraccionário.
mixed gas — gás pobre.
mixed sweets — doces sortidos.
mixedly ['-tli], *adv.* de maneira confusa; de maneira mista.
mixedness ['-tnis], *s.* (dial.) monte de estrume.
mixer ['-ə], *s.* misturador; batedeira; (col.) pessoa sociável.
to be a bad mixer — não gostar de conviver.
to be a good mixer — gostar de conviver.
mixing ['-iŋ], *s.* mistura; preparação por mistura.
mixing-mill — triturador-misturador.
mixing-panel (rád.) — quadro misturador de sons.
mixture ['mikstʃə], *s.* mistura, misto; mescla, (tecido); preparado farmacêutico.
cough mixture — preparado para a tosse.
mizen [mizn], *s.* (náut.) mezena.
mizen-mast — mastro de mezena.
mizen royal sail — sobregatinha.
mizen staysail — rabeca.
mizen topmast — mastaréu da gata.
mizen trysail — mezena.
mizzen [mizn], *s.* ver **mizen.**
mizzle [mizl], **1** — *s.* chuvisco.
2 — *vi.* chuviscar; (cal.) "pôr-se a andar".
mizzly ['-i], *adj.* com chuvisco.
mnemonic [(m)ni(:)'mɔnik], *adj.* mnemónico.
mnemonics [-s], *s.* mnemónica.
mnemotechny [ni:mə'tekni], *s.* mnemotecnia.
mo [mou], *s.* (col.) momento.
Moabite ['mouəbait], *s.* e *adj.* (bíbl.) moabita.
moan [moun], **1** — *s.* choro, lamento, queixume, lamento.
the moan of the wind — os gemidos do vento.
2 — *vt.* e *vi.* chorar, deplorar, lamentar; afligir-se; queixar-se; lamentar-se.
moanful ['-ful], *adj.* lamentável, triste, deplorável; choroso, queixoso.
moanfully ['-fuli], *adv.* lamentavelmente, lastimosamente, tristemente.
moaning ['-iŋ], **1** — *s.* gemido, lamento, choro.
2 — *adj.* que geme, que se lamenta.
moat [mout], **1** — *s.* fosso.
2 — *vt.* cercar de fossos.
moated ['-id], *adj.* com um fosso.
mob [mɔb], **1** — *s.* populaça, ajuntamento, multidão, turba; tumulto, motim.
riotous mob — ajuntamento tumultuoso.
mob psychology — psicologia das multidões.
the swell mob — gatunos elegantes.
2 — *vt.* (*pret.* e *pp.* **mobbed**) levantar um motim; atacar (alguém); reunir-se em grupo.
mobile ['moubail,'moubi:l], **1** — *s.* móbil.
the primum mobile — o primeiro móbil.
2 — *adj.* móvel; movediço; inconstante. (*Sin.* movable, changeable. *Ant.* stationary.)
mobile defense — defesa móvel.
mobile artillery — artilharia móvel.
mobile transmissor — transmissor portátil.
mobility [mou'biliti], *s.* mobilidade; instabilidade; volubilidade.
mobilization [moubilai'zeiʃən, moubili'zeiʃən], *s.* mobilização.
mobilize ['moubilaiz], *vt.* e *vi.* mobilizar; preparar-se; decretar a mobilização.
mobocracy [mɔ'bɔkrəsi], *s.* oclocracia, governo da plebe.
mobsman ['mɔbsmən], *s.* gatuno elegante.
moccasin ['mɔkəsin], *s.* calçado especial feito de pele de gamo.
mocha ['moukə], *s.* (min.) ágata; café Moca.
Mocha ['moukə,mɔkə], *top.* Moca (cidade árabe).
mock [mɔk], **1** — *s.* imitação, cópia; escárnio.
to make a mock of — zombar de.
2 — *adj.* falso, fingido; burlesco.
mock-heroic — herói-cómico.
mock prophete — falso profeta.
mock-turtle soup — falsa sopa de tartaruga feita com cabeça de bezerro.
mock modesty — falsa modéstia.
mock-up — maqueta.
3 — *vt.* e *vi.* escarnecer, troçar, zombar, ridicularizar; imitar; enganar.
to mock at something — escarnecer de alguma coisa.
to mock somebody — escarnecer de alguém.
mocker ['-ə], *s.* escarnecedor, trocista.
mockery ['-əri], *s.* escárnio, troça; fingimento.
a mere mockery of — uma péssima imitação de, uma péssima cópia de.
mocking ['-iŋ], **1** — *s.* zombaria, troça, chacota, escárnio.
2 — *adj.* escarnecedor; imitador; trocista.
mocking-bird — ave americana que imita o canto de outras aves.
mockingly ['-iŋli], *adv.* em tom de mofa, zombeteiramente.
Mod [moud], *s.* (Esc.) jogos florais.
modal [moudl], *adj.* modal, formal.
modality [mou'dæliti], *s.* modalidade.
mode [moud], *s.* modo, forma, maneira; costume; método; modo (do verbo).
mode of life — maneira de viver.
major mode (mús.) — modo maior.
minor mode (mús.) — modo menor.
model [mɔdl], **1** — *s.* modelo, exemplar; molde; desenho; amostra; forma; pauta; norma; figurino, manequim (pessoa). (*Sin.* pattern, example, type, standard, mould).
model wife — esposa modelo.
sports model — carro de desporto.
model aeroplane (model aircraft) — modelo de aeroplano.
to make a model of — fazer uma maqueta de.
2 — *vt.* (*pret.* e *pp.* **modelled**) modelar, moldar; formar; fazer um molde; esboçar; dar forma a; tirar o modelo de; formular; redigir (documento).
modeller ['-ə], *s.* modelador; desenhador; debuxador.
modelling ['-iŋ], *s.* modelagem, modelação.
modelling clay — barro de modelar.

modena ['mɔdinə], *s.* cor de púrpura carregada.
moderate 1 — ['mɔdərit], *s.* (pop.) moderado, pessoa moderada.
2 — *adj.* moderado, módico; pacato; regular; medíocre; mediano; razoável; bonançoso (vento); sóbrio; pacífico.
moderate prices — preços módicos.
moderate capacities — inteligência média.
moderate-sized — de tamanho médio.
moderate meal — refeição sóbria.
moderate ['mɔdəreit], *vt.* e *vi.* moderar, reprimir; acalmar; reprimir-se; conter-se; acalmar-se; (Esc.) presidir a uma reunião.
moderately ['mɔdəritli], *adv.* moderadamente; razoàvelmente; modicamente; sobriamente.
moderateness ['mɔdəritnis], *s.* moderação; modicidade; comedimento, sobriedade.
moderating ['mɔdəreitiŋ], *adj.* moderador.
moderation [mɔdə'reiʃən], *s.* moderação; circunspecção; calma; temperança, frugalidade, economia; *pl.* primeiro exame público para o grau de "Bachelor of Arts" (Oxónia).
in moderation — moderadamente; comedidamente.
moderator ['mɔdəreitə], *s.* moderador; árbitro; presidente dos júris de exames para graus nas Universidades.
moderatorship [-ʃip], *s.* dignidade ou funções de presidente.
modern ['mɔdən], **1** — *s.* moderno; modernista.
2 — *adj.* moderno; novo; recente.
modernism ['mɔdə(:)nizm], *s.* modernismo; neologismo; gosto pelas coisas modernas.
modernist ['mɔdə(:)nist], *s.* modernista; partidário do modernismo.
modernistic [mɔdə'nistik], *adj.* modernista.
modernity [mɔ'də:niti], *s.* modernidade; novidade.
modernization [mɔdə(:)nai'zeiʃən], *s.* modernização; actualização.
modernize ['mɔdə(:)naiz], *vt.* modernizar; actualizar; renovar.
modernly ['mɔdə(:)nli], *adj.* modernamente.
modernness ['mɔdə(:)nnis], *s.* modernidade.
modest ['mɔdist], *adj.* modesto, recatado; simples; casto, pudico; humilde. (*Sin.* unassuming, meek, bashful, retiring, unpretentious. *Ant.* arrogant.)
modestly [-li], *adv.* modestamente; moderadamente; recatadamente; humildemente, simplesmente; pudicamente.
modesty [-i], *s.* modéstia; recato; honestidade; humildade; decência; castidade; reserva; simplicidade; pudor.
modicum ['mɔdikəm], *s.* ração; pequena quantidade.
to live on a very small modicum — viver frugalmente.
modifiable ['mɔdifaiəbl], *adj.* modificável; transformável.
modification [mɔdifi'keiʃən], *s.* modificação; variação; transformação.
modificative ['mɔdifikətiv], *adj.* modificativo.
modificatory ['mɔdifikeitəri], *adj.* modificador.
modified ['mɔdifaid], *adj.* modificado, transformado; atenuado.
modifier ['mɔdifaiə], *s.* modificador; atenuador.
modify ['mɔdifai], *vt.* modificar; variar; transformar; atenuar; qualificar.
modifying [-iŋ], **1** — *s.* acção de modificar.
2 — *adj.* que modifica; calmante; que atenua.
modish ['moudiʃ], *adj.* à moda, de acordo com a moda; que segue a moda.
modishly [-li], *adv.* à moda.
modishness [-nis], *s.* gosto pela moda, paixão afectada pela moda.
modiste [mou'di:st], *s.* modista.
Mods [mɔdz], *s. pl.* (col.) primeiro exame público para o grau de "Bachelor of Arts" na Universidade de Oxónia.
modulate ['mɔdjuleit], *vt.* e *vi.* modular, variar de tom. (*Sin.* to attune, to tune, to harmonize.)
modulated [-id], *adj.* modulado.
modulated output power — potência modulada.
modulated (radio) frequency — frequência modulada.
modulated wave — onda modulada.
modulating [-iŋ], *s.* acção de modular; modulação.
modulating frequency — frequência de modulação.
modulation [mɔdju'leiʃən], *s.* modulação.
modulation frequency — frequência de modulação.
modulation transformer — transformador de modulação.
modulator ['mɔdjuleitə], *s.* modulador.
modulator tube — válvula electrónica moduladora.
modulus ['mɔdjuləs], *s.* (*pl.* **moduli**) (mat. e fís.) módulo.
modulus of resistance — módulo de resistência.
Young's modulus — módulo de Young, módulo de elasticidade.
modus ['mɔdəs], *s.* modo, maneira.
modus operandi — técnica de realização.
modus vivendi — modo de viver; (jur.) convénio, acordo, convenção.
Moeso-Goth ['mi:sou'gɔθ], *s.* mesogodo.
Moeso-Gothic [-ik], *s.* e *adj.* mesogótico.
mofussil [mou'fʌsil], *s.* parte rural de uma província (na Índia).
mog [mɔg], *s.* (cal.) gato.
Mograbin ['mɔ:grəbin], *s.* e *adj.* mograbino; do Mogreb ou Magreb.
Mogul [mou'gʌl], *s.* e *adj.* mongol, mogol.
the Great Mogul (the Grand Mogul) — o Grão-Mogol.
mohair ['mouhɛə], *s.* pêlo de cabra; tecido de pêlo de cabra.
Mohammed [mou'hæmed], *n.p.* Maomé.
Mohammedan [mou'hæmidən], *s.* e *adj.* maometano.
Mohammedanism [-izm], *s.* maometanismo.
Mohawk ['mouhɔ:k], *s.* língua ou membro de uma tribo de índios dos E. U.
Mohican ['mouikən], *s.* e *adj.* moicano (índio dos E. U.).
mohur ['mouhə], *s.* moeda indiana que equivale a quinze rupias.
moider ['mɔidə], *vt.* confundir; aborrecer; perturbar.
moiety ['mɔiəti], *s.* metade.
moil [mɔil], *vi.* cansar-se, fatigar-se, mourejar.
to toil and moil — mourejar.
moiler ['-ə], *s.* aquele que trabalha muito, que moureja.
moire [mwɑ:,mwɔ:], *s.* tecido de seda ondeada.
moiré ['mwɑ:rei,'mwɔ:rei], **1** — *s.* aspecto ondeado e sedoso.
2 — *adj.* ondeada e lustrosa (seda); com aspecto ondeado e lustroso (metais).
3 — *vt.* dar um aspecto ondeado e lustroso (especialmente a metais ou a seda).
moist [mɔist], *adj.* húmido; orvalhado; purulento.
to grow moist — ficar húmido.
moist colours — cores viscosas.
moist steam — vapor húmido.
eyes moist with tears — olhos turvos de lágrimas.

moisten [mɔisn], *vt.* e *vi.* humedecer, molhar levemente; molhar-se; humidificar(-se).
to moisten the lips — humedecer os lábios.
moistener ['-ə], *s.* o que humedece.
moistening ['-iŋ], *s.* acção de humedecer.
moistness ['mɔistnis], *s.* humidade; orvalho; transpiração.
moisture ['mɔistʃə], *s.* humidade; orvalho.
moisture content — percentagem de humidade.
moisture content of the air — humidade absoluta do ar.
moisture of plants — seiva das plantas.
moisture-resistant — à prova de humidade.
moke [mouk], *s.* (fam.) burro, estúpido.
molar ['moulə], **1** — *s.* molar, dente molar, dente queixal.
2 — *adj.* molar (dente); respeitante a molécula-grama.
molar physics — física molar.
molasses [mou'læsiz], *s.* melaço.
mold [mould], *s.* e *vt.* ver **mould.**
Moldavia [mɔl'deivjə], *top.* Moldávia.
Moldavian [-n], *s.* e *adj.* moldávio, da Moldávia; moldávico.
molder ['mouldə], *vi.* ver **moulder.**
molding ['mouldiŋ], *s.* ver **moulding.**
moldy ['mouldi], *adj.* ver **mouldy.**
mole [moul], *s.* mancha (na pele); molhe, dique; toupeira; massa carnosa que se forma no útero.
mole-hill — montículo de terra que a toupeira levanta.
to make a mountain out of mole-hills — (col.) fazer de um argueiro um cavaleiro; exagerar.
mole-skin — pele de toupeira; espécie de fustão.
mole-cricket (zool.) — ralo.
mole-eyed — de visão muito deficiente.
molecular [mou'lekjulə], *adj.* molecular; relativo às moléculas.
molecular force — força molecular.
molecular energy — energia molecular.
molecular weight — peso molecular.
molecular volume — volume molecular.
molecularity [moulekju'læriti], *s.* força molecular.
molecule ['mɔlikju:l,'moulikju:l], *s.* molécula, partícula.
molest [mou'lest,mə'lest], *vt.* molestar, incomodar, atormentar, vexar, oprimir, perseguir. (*Sin.* to vex, to harass, to worry, to pester, to torment, to tease, to annoy. *Ant.* to soothe.)
molestation [moules'teiʃən], *s.* incómodo, vexação; estorvo; importunação; perseguição.
moline [mou'lain], *s.* anilha.
Moll [mɔl], *n. p.* diminutivo de **Mary.**
moll [mɔl], *s.* (cal.) prostituta.
mollifiable ['mɔlifaiəbl], *adj.* molificável, que pode abrandar, que pode acalmar.
mollification [mɔlifi'keiʃən], *s.* molificação, amolecimento; mitigação.
mollifier ['mɔlifaiə], *s.* calmante, emoliente, mitigador.
mollify ['mɔlifai], *vt.* amolecer; abrandar; aliviar, mitigar, suavizar; aplacar (cólera).
mollifying [-iŋ], *adj.* apaziguador; suavizante; aplacador.
mollusc ['mɔləsk], *s.* (zool.) molusco.
mollusca [mɔ'lʌskə], *s. pl.* moluscos.
molluscan [-n], *adj.* dos moluscos, relativo aos moluscos.
molluscoid [mɔ'lʌskɔid], *adj.* moluscóide.
molluscous [mɔ'lʌskəs], *adj.* dos moluscos.
Molly ['mɔli], *n. p. dim.* ver **Moll.**
molly ['mɔli], *s.* homem efeminado, "maricas".
molly-coddle [-kɔdl], **1** — *s.* homem efeminado, maricas.
2 — *vt.* amimar, ter demasiado cuidado com a saúde.
mollygrub [-grʌb], *s.* depressão nervosa; abatimento.
Moloch ['moulɔk], *n. p.* (bíbl.) Moloc, Moloch, divindade adorada pelos Moabitas e Amonitas.
molossi [mou'lɔsai], *s. pl.* de **molossus.**
Molossian [mou'lɔsiən], *s.* e *adj.* molosso.
Molossian hound — molosso (cão de fila).
molossus [mou'lɔsəs], *s.* (*pl.* **molossi**) molosso (pé de verso latino formado de três sílabas longas); molosso (cão de fila).
Molotov ['mɔlətɔf], *n. p.* nome de estadista russo.
Molotov cocktail — granada incendiária que consiste numa garrafa cheia de líquido inflamável (conhecida por "cocktail Molotov").
molt [moult], *vt.* e *vi.* ver **moult.**
molten ['moultən], **1** — *pp.* de **to melt.**
2 — *adj.* derretido, fundido.
molten gold — ouro em fusão.
molten metal — metal fundido.
Molucca [mə'lʌkə], *top.*
the Molucca Islands — as ilhas Molucas.
the Moluccas — as Molucas.
moly ['mouli], *s.* (bot.) alho bravo; moli.
Mombasa [mɔm'bæsə], *top.* Mombaça.
moment ['moumənt], *s.* momento, minuto, instante; importância; peso; gravidade; consequência; força; causa, princípio, origem.
at this moment — neste momento.
from this moment — desde este momento.
at any moment — a todo o momento.
at the last moment — à última hora.
this very moment — já; imediatamente.
one moment! (half a moment!)—um instante!
of great moment — de muita importância.
moment of inertia — momento de inércia.
of little moment — de pouca importância.
not for a moment — nunca em caso algum.
come this moment! — vem já!
the man of the moment — o homem do dia.
momentarily [-ərili], *adv.* momentaneamente, dum momento para o outro.
momentary [-əri], *adj.* momentâneo; de todos os momentos.
momentary short-circuit current — corrente instantânea de curto-circuito.
momentary power — potência momentânea.
momently [-li], *adj.* por momentos; a todos os momentos.
momentous [mou'mentəs], *adj.* momentoso, importante, grave. (*Sin.* important, weighty, significant, grave, serious. *Ant.* trivial.)
momentously [-li], *adv.* com gravidade, com importância.
momentousness [-nis], *s.* gravidade, importância.
momentum [mou'mentəm], *s.* (*pl.* **momentums, momenta**) momento; ímpeto; (mec.) quantidade de movimento; aceleração.
to gain momentum — aumentar a velocidade.
to gather momentum — ganhar velocidade.
monacal ['mɔnəkəl], *adj.* monástico.
monachal ['mɔnəkəl], *adj.* ver **monacal.**
monachism ['mɔnəkizm], *s.* monaquismo; monacato.
Monaco ['mɔnəkou], *top.* Mónaco.
monad ['mɔnæd,'mounæd], *s.* e *adj.* mónada, que se refere a mónada.
monadic [mɔ'nædik], *adj.* (quím.) monovalente; monoatómico; (fil.) monadista.
monadism ['mɔnədizm], *s.* (fil.) monadismo.
monandry [mɔ'nændri], *s.* sistema segundo o qual a mulher só tem um marido.
monarch ['mɔnək], *s.* monarca, rei; rainha; (zool.) grande borboleta vermelha e branca.

monarchal [-əl], *adj.* monárquico.
monarchic [mɔ'nɑ:kik], *adj.* monárquico, próprio de monarca.
monarchical [-əl], *adj.* ver **monarchic.**
monarchism ['mɔnəkizm], *s.* monarquismo.
monarchist ['mɔnəkist], *s.* monarquista, monárquico.
monarchize ['mɔnəkaiz], *vt.* e *vi.* monarquizar.
monarchy ['mɔnəki], *s.* monarquia.
monastery ['mɔnəst(ə)ri], *s.* mosteiro, convento.
monastic [mə'næstik], *adj.* monástico, claustral, conventual.
monastically [-əli], *adv.* monasticamente.
monasticism [mə'næstisizm], *s.* monasticismo, vida monástica; monaquismo.
Monday ['mʌndi,'mʌndei], *s.* segunda-feira.
Black Monday — o primeiro dia de aulas depois de férias (calão escolar).
on Monday — na segunda-feira.
mondayish ['mʌndeiiʃ], *adj.* cansado por causa do feriado de domingo.
Monegasque ['mɔnigæsk], *s.* e *adj.* monegasco, de Mónaco.
monetary ['mʌnitəri], *adj.* monetário.
monetization [mʌnitai'zeiʃən], *s.* lançamento de moeda em circulação; transformação em moeda.
monetize ['mʌnitaiz], *vt.* amoedar, cunhar moeda.
money ['mʌni], *s.* dinheiro; moeda; papel moeda; valores; fundos; sistema monetário.
money-belt — cinto com porta-moedas.
money-bill — lei de meios.
money-box — mealheiro.
money-changer — cambista.
money-grubber — avarento.
money-lender — prestamista; agiota.
money-making — ganância; lucro; ganancioso; lucrativo.
money is a good servant but a bad master — o dinheiro é bom companheiro, mas mau conselheiro.
to coin money — ganhar dinheiro rapidamente.
money-broker — corretor de câmbios.
to be hard up for money — ter grande necessidade de dinheiro.
money-bag — bolsa para dinheiro.
small money — dinheiro miúdo.
money is no object — a dificuldade não é o dinheiro.
time is money — o tempo é dinheiro.
money is the source of all evils — o dinheiro é a origem de todos os males.
money makes the mare go — o dinheiro é a mola real.
money lent is money spent — dinheiro emprestado é dinheiro perdido.
money does not grow on trees — o dinheiro não nasce na algibeira.
earnest money — prenda; sinal.
hard money — moeda sonante.
ready money — dinheiro de contado; fundos disponíveis.
paper money — papel moeda.
money in hand — dinheiro em caixa.
odd money — trocos; dinheiro miúdo.
to put out money — pôr dinheiro a render.
money order — ordem postal.
to make money — ganhar dinheiro.
to have money on one — trazer dinheiro consigo.
to roll in money (col.) — nadar em dinheiro.
to take up money — levantar fundos.
to go through one's money in no time — esbanjar dinheiro.
to have plenty of money — ter muito dinheiro.
money makes money — dinheiro faz dinheiro.
money is a cure for all ills — o dinheiro remedeia todos os males.
money makes the world go round — o dinheiro faz girar o mundo.
to have many roads for one's money — ter muito onde gastar o dinheiro.
money at call — depósito à ordem (em bancos).
money-market — mercado financeiro, Bolsa.
money-proof — insubornável.
money-spinner — aranha pequena que, segundo se diz, anuncia dinheiro.
a money bags (col.) — um ricaço.
bad money (base money, counterfeit money) — dinheiro falso.
soft money — notas.
to be short of money — estar sem dinheiro.
to come into money — herdar uma fortuna.
to take money of — tirar lucro de.
to keep out of money — adiar o pagamento.
to marry money — casar com uma pessoa muito rica.
money talks — o dinheiro consegue convencer.
moneyed [-d], *adj.* endinheirado, rico, abastado.
moneyed resources — recursos financeiros.
a moneyed man — um homem endinheirado.
moneyless [-lis], *adj.* sem dinheiro.
monger ['mʌŋgə], *s.* negociante, vendedor; traficante.
fish-monger — negociante de peixe.
iron-monger — ferrageiro, negociante de ferragens.
scandal-monger — boateiro.
strike-monger — organizador de greves.
slander-monger — (col.) "má-língua"; caluniador; difamador.
Mongol ['mɔŋgɔl], *s.* e *adj.* mongol, idioma mongólico.
Mongolia [mɔŋ'gouljə], *top.* Mongólia.
Mongolian [-n], **1** — *s.* mongol, mongólico; mongolóide (que sofre de mongolismo).
2 — *adj.* mongol, mongólico; mongolóide (relativo ao mongolismo).
Mongolic [mɔŋ'gɔlik], **1** — *s.* mongólico, língua mongol.
2 — *adj.* mongólico.
Mongoloid ['mɔŋgəlɔid], *s.* e *adj.* mongolóide.
mongoose ['mɔŋgu:s], *s.* (zool.) mangusto.
mongrel ['mʌŋgrəl], **1** — *s.* cão de raça atravessada; mestiço, mestiça; híbrido.
2 — *adj.* cruzado, mestiço, híbrido.
Monica ['mɔnikə], *n. p.* Mónica.
monism ['mɔnizm], *s.* monismo.
monist ['mɔnist], *s.* monista.
monistic [mɔ'nistik], *adj.* monístico.
monition [mou'niʃən], *s.* aviso, advertência; admoestação, exortação; (jur.) intimação.
monitor ['mɔnitə], **1** — *s.* monitor, orientador, chefe; (zool.) monitor (réptil sáurio).
monitor man — encarregado do som.
monitor room — posto de escuta.
2 — *vt.* verificar o registo sonoro da emissão radiofónica.
monitorial [mɔni'tɔ:riəl], *adj.* monitorial.
monitorship ['mɔnitəʃip], *s.* cargo de monitor.
monitory ['mɔnitəri], **1** — *s.* monitório, advertência, aviso.
2 — *adj.* monitório, monitorial.
monitress ['mɔnitris], *s.* monitora.
monk [mʌŋk], *s.* monge, frade.
monk fish — (zool.) anjo (peixe).
monk's hood — acónito (planta).
monk's cloth — estamenha.
monkery ['-əri], *s.* fradaria; vida monástica; convento.

monkey ['mʌŋki], **1** — *s.* macaco, bugio; bate-estacas; bilha de barro para água; (cal.) quinhentas libras; criança endiabrada.
monkey-nut — amendoim.
to get one's monkey up — encolerizar-se; (col.) ir à serra; ir à parede.
to play the monkey — fazer macaquices.
monkey-wrench (monkey-spanner) — chave inglesa.
monkey-jacket — jaqueta de marinheiro.
young monkey — fedelho.
monkey-puzzle — araucária do Chile.
monkey-boat (náut.) — chata.
monkey business — intriga; traição.
monkey-flower (bot.) — mímula.
monkey-like — simiesco.
she-monkey — macaca.
2 — *vt.* e *vi.* imitar, macaquear; fazer travessuras.
to monkey with — intrometer-se.
monkeyish [-iʃ], *adj.* próprio de macaco; amacacado.
monkhood ['mʌŋkhud], *s.* monaquismo; vida monástica.
monkish ['mʌŋkiʃ], *adj.* monacal, monástico; relativo a monge.
monobloc ['mɔnəblɔk], *adj.* monobloco (motor).
monocarp ['mɔnəkɑ:p], *s.* planta monocárpica.
monocarpellary [mɔnou'kɑ:piləri], *adj.* (bot.) monocarpelar.
monocarpic [mɔnou'kɑ:pik], *adj.* (bot.) monocárpico.
monocarpous [mɔnou'kɑ:pəs], *adj.* (bot.) monocárpico.
monocephalous [mɔnou'sefələs], *adj.* (bot.) monocéfalo.
Monoceros [mɔ'nɔsərəs], *s. p.* (astr.) Monócero (constelação).
monochord ['mɔnoukɔ:d], *s.* (mús.) monocórdio, monocordo.
monochromatic [mɔnoukrou'mætik], *adj.* monocromático.
monochromatic lamp — lâmpada monocromática.
monochrome ['mɔnəkroum], **1** — *s.* monocromo, desenho de uma só cor.
2 — *adj.* monocromo, de uma só cor.
monochromic [mɔnou'krɔmik], *adj.* monocrómico.
monochromous [mɔnou'kroumə s], *adj.* ver **monochromic.**
monocle ['mɔnɔkl,'mɔnəkl], *s.* monóculo.
monocotyledonous [mɔnoukɔti'li:dənəs], *adj.* monocotiledóneo.
monocular [mɔ'nɔkjulə], *adj.* monocular.
monocular microscope — microscópio monocular.
monocycle ['mɔnousaikl], *s.* monociclo, velocípede de uma só roda.
monodactylous [mɔnou'dæktiləs], *adj.* (zool.) monodáctilo.
monodic [mɔ'nɔdik], *adj.* (mús.) monódico.
monody ['mɔnədi], *s.* monódia, monólogo lírico nas antigas tragédias gregas.
monogamic [mɔnou'gæmik], *adj.* monogâmico.
monogamist [mɔ'nɔgəmist], *s.* monogamista, monógamo.
monogamous [mɔ'nɔgəməs], *adj.* monógamo.
monogamy [mɔ'nɔgəmi], *s.* monogamia.
monogenesis [mɔnou'dʒenisis], *s.* (biol.) monogénese.
monogenetic [mɔnoudʒi'netik], *adj.* (biol.) monogenético; (geol.) monogénico.
monogenic [mɔnou'dʒenik], *adj.* (biol.) monogenésico; (geol.) monogénico; (mat.) monógena (função).
monogenism [mɔ'nɔdʒinizm], *s.* (biol.) monogenismo.
monoglot ['mɔnəglɔt], *adj.* que fala uma só língua.
monogram ['mɔnəgræm], *s.* monograma.
monograph ['mɔnəgrɑ:f], *s.* monógrafo, monografia.
monographer [-ə], *s.* monógrafo.
monographist [-ist], *s.* monografista.
monogynous [mɔ'nɔdʒinəs], *adj.* (bot.) monógino; (homem) monógamo.
monogyny [mɔ'nɔdʒini], *s.* (bot.) monoginia; monogamia.
monohydrate [mɔnou'haidrit], *s.* (quím.) mono-hidrato.
monolith ['mɔnouliθ], *s.* monólito.
monolithic [mɔnou'liθik], *adj.* monolítico.
monolithical [-əl], *adj.* ver **monolithic.**
monologist [mɔ'nɔlədʒist], *s.* monologador.
monologize [mɔ'nɔlədʒaiz], *vi.* monologar.
monologue ['mɔnəlɔg], **1** — *s.* monólogo.
2 — *vi.* monologar.
monologuist [mɔ'nɔlədʒist], *s.* ver **monologist.**
monomania ['mɔnou'meinjə], *s.* monomania.
monomaniac ['mɔnou'meiniæk], *s.* monomaníaco.
monomaniacal [mɔnoumə'naiəkəl], *adj.* monomaníaco.
monometallic [mɔnoumi'tælik], *adj.* monometálico.
monometallism [mɔnou'metəlizm], *s.* monometalismo (sistema económico).
monometallist [mɔnou'metəlist], *s.* monometalista, partidário do monometalismo.
monometer [mɔ'nɔmitə], *s.* monómetro, poema só com uma espécie de versos.
monometric [mɔnou'metrik], *adj.* monométrico.
monometrical [-əl], *adj.* ver **monometric.**
monomial [mɔ'noumiəl], *s.* e *adj.* (mat.) monómio.
monomorphic [mɔnou'mɔ:fik], *adj.* monomórfico; (zool.) que não passa por metamorfoses.
monomorphous [mɔnou'mɔ:fəs], *adj.* ver **monomorphic.**
mononuclear [mɔnou'nju:kliə], *adj.* (biol.) mononuclear.
monopetalous [mɔnou'petələs], *adj.* monopétalo.
monophase ['mɔnəfeiz], *adj.* (elect.) monofásico.
monophase current — corrente monofásica.
monophasic [mɔnou'fæzik], *adj.* ver **monophase.**
monophthong ['mɔnəfθɔŋ], *s.* monotongo.
monophthongal [mɔnəf'θɔŋgəl], *adj.* monotongal.
monophysite [mɔ'nɔfizait], **1** — *s.* monofisita, partidário do monofisismo.
2 — *adj.* monofisita.
monoplane ['mɔnəplein], *s.* monoplano (avião).
monoplast ['mɔnouplæst], *s.* (biol.) monoplastídeo.
monoplastid [-id], *s.* ver **monoplast.**
monopodus [mɔ'nɔpədəs], *adj.* monópode.
monopolist [mə'nɔpəlist], *s.* monopolizador, açambarcador, monopolista.
monopolistic [mənɔpə'listik], *adj.* monopolístico; monopolizador.
monopolization [mənɔpəlai'zeiʃən], *s.* monopolização, açambarcamento.
monopolize [mə'nɔpəlaiz], *vt.* monopolizar, açambarcar. (*Sin.* to engross, to appropriate, to forestall).

monopolizer [-ə], *s.* monopolizador, açambarcador.
monopolizing [-iŋ], *s.* monopolização, açambarcamento.
monopoly [mə'nɔpəli], *s.* monopólio; pessoa ou coisa monopolizada.
government monopoly — monopólio do Governo.
to have the monopoly of (on) — ter o monopólio de.
monopteral [mɔ'nɔptərəl], *adj.* (zool.) monóptero; (arq.) monóptero.
monorail ['mɔnoureil], *s.* e *adj.* monocarril.
monorhyme ['mɔnəraim], *s.* e *adj.* ver **monorime.**
monorhymed [-d], *adj.* ver **monorimed.**
monorime ['mɔnəraim], *s.* e *adj.* monorrimo.
monorimed [-d], *adj.* monorrimo.
monosepalous [mɔnou'sepələs], *adj.* (bot.) monossépalo.
monospermous [mɔnou'spə:məs], *adj.* (bot.) monospérmico, monospermo.
monostich ['mɔnəstik], **1** — *s.* monóstico, epigrama só com um verso.
2 — *adj.* monóstico, que só tem um verso; epigrama de um só verso.
monostichous [mɔ'nɔstikəs], *adj.* monóstico (cristal).
monosyllabic ['mɔnəsi'læbik], *adj.* monossilábico.
monosyllabism [mɔnou'siləbizm], *s.* monossilabismo.
monosyllable ['mɔnəsiləbl], *s.* monossílabo.
monotheism ['mɔnouθi:izəm], *s.* **monoteísmo.**
monotheist ['mɔnouθi:ist], *s.* monoteísta.
monotint ['mɔnoutint], *s.* monocromo, de uma só cor.
monotone ['mɔnətoun], **1** — *s.* monotonia.
2 — *adj.* monótono; maçador, enfadonho.
to read in a monotone — ler sempre no mesmo tom.
3 — *vt.* entoar; cantar num só tom.
monotonous [mə'nɔt(ə)nəs], *adj.* monótono; enfadonho.
monotonous voice — voz monótona.
monotonously [-li], *adv.* monotonamente.
monotony [mə'nɔt(ə)ni], *s.* monotonia. (*Sin.* regularity, uniformity, tedium, sameness. *Ant.* relief.)
monotremata [mɔnə'tri:mətə], *s. pl.* (zool.) monotrématos.
monotreme ['mɔnətri:m], **1** — *s.* monotrémato.
2 — *adj.* (zool.) monotremo.
monotype ['mɔnətaip], *s.* (tip.) monótipo; (biol.) espécie única, monótipo.
monotypic [mɔnou'tipik], *adj.* (biol.) relativo à espécie única.
monotypical [-əl], *adj.* ver **monotypic.**
monotypous [mɔ'nɔtipəs], *adj.* ver **monotypic.**
monovalence ['mɔnouveiləns], *s.* (quím.) monovalente.
monovalent ['mɔnouveilənt], *adj.* (quím.) monovalente.
monoxide [mɔ'nɔksaid], *s.* (quím.) monóxido.
lead monoxide — monóxido de chumbo.
Monroeism [mən'rouizm,'mʌnrouizm], *s.* doutrina de James Monroe, quinto presidente dos Estados Unidos.
Monroeist [mən'rouist,'mʌnrouist], *s.* partidário da doutrina de James Monroe, quinto presidente dos Estados Unidos.
mons [mɔnz], *s.* (*pl.* **montes**) (anat.) monte.
mons veneris — monte-de-vénus.
mons pubis — púbis.
monsignor [mɔn'si:njə:], *s.* (*pl.* **monsignori**) monsenhor.

30

monsoon [mɔn'su:n], *s.* monção.
dry monsoon — monção de Inverno.
rainy monsoon (wet monsoon) — monção de Verão.
monster ['mɔnstə], **1** — *s.* monstro; aborto; pasmo, prodígio; pessoa muito má.
sea monster — monstro marinho.
2 — *adj.* monstruoso; enorme; espantoso.
monstrance ['mɔnstrəns], *s.* ostensório, custódia (Igreja).
monstrosity [mɔns'trɔsiti], *s.* monstruosidade; enormidade; maldade.
monstrous ['mɔnstrəs], **1** — *adj.* monstruoso, descomunal; disforme, horrendo; desumano.
2 — *adv.* (arc.) extremamente; prodigiosamente.
monstrously [-li], *adv.* monstruosamente; incrivelmente.
monstrousness [-nis], *s.* monstruosidade; enormidade.
montes ['mɔnti:z], *s. pl.* de **mons.**
month [mʌnθ], *s.* mês.
a month of Sundays (col.) — um período muito longo; uma eternidade.
this day month — de hoje a um mês.
month's mind — missa do trigésimo dia.
lunar month — mês lunar.
the Month of Mary — o mês de Maria.
this day a month ago — faz hoje um mês.
monthly ['-li], **1** — *s.* publicação mensal; *pl.* menstruação.
2 — *adj.* mensal.
monthly instalment — prestação mensal; mensalidade.
monthly return ticket — bilhete de ida e volta mensal.
monthly rose (bot.) — rosa-da-china.
3 — *adv.* mensalmente; uma vez por mês; todos os meses.
monticule ['mɔntikjul], *s.* montículo; pequena elevação resultante de erupção vulcânica.
monument ['mɔnjumənt], *s.* monumento; memória; lápide sepulcral, jazigo; padrão; obra literária ou científica imorredoira.
the Monument — coluna que comemora o incêndio de Londres de 1666.
monumental [mɔnju'mentl], *adj.* monumental; grandioso; imponente; descomunal.
monumental inscription — inscrição comemorativa.
monumental mason — marmorista; homem que faz túmulos.
monumental ignorance — ignorância crassa.
monumentalize [mɔnju'mentəlaiz], *vt.* comemorar, tornar imortal por meio de um monumento.
monumentally [mɔnju'mentəli], *adv.* monumentalmente.
moo [mu:], **1** — *s.* mugido.
2 — *vi.* mugir.
mooch [mu:tʃ], **1** — *s.* vadiagem.
2 — *vt.* e *vi.* (cal.) andar na vadiagem; roubar.
moocher ['-ə], *s.* vadio; (E. U.) ladrão.
mood [mu:d], *s.* modo (gram., lóg.); humor, disposição; génio, temperamento; capricho; *pl.* mau humor.
in a cheerful mood — de bom humor.
indicative mood — modo indicativo.
in no mood for — sem disposição para.
in the mood for — com disposição para.
to be a person of moods — ser lunático.
to be in a bad mood — estar de mau humor.
moodily ['-ili], *adv.* pensativamente; tristemente, taciturnamente.
moodiness ['-inis], *s.* mau humor; tristeza, taciturnidade, melancolia; rabugice.

moody [ˈ-i], *adj.* de mau humor; melancólico, triste, taciturno; zangado; rabugento; caprichoso. (*Sin.* **sullen, gloomy, sulky, fretful, sad.** *Ant.* **gay.**)
moon [mu:n], **1** — *s.* lua; satélite; (poét.) mês.
full moon — lua cheia.
new moon — lua nova.
moon-calf — cretino, pateta.
moon-flower (bot.) — margarida-dos-campos.
moon-shaped — em forma de lua.
there is no moon — não há luar.
full-moon face — cara de lua cheia.
to cast beyond the moon — fazer projectos impossíveis de realizar.
half moon — quarto crescente; meia-lua.
to cry for the moon — pedir impossíveis.
once in a blue moon — uma vez na vida.
2 — *vt.* e *vi.* "andar na lua"; passar (tempo) quase sem se notar.
to moon about — "andar na lua".
moonbeam [ˈ-bi:m], *s.* raio de lua, raio lunar.
moonless [ˈ-lis], *adj.* sem lua, sem luar.
moonlight [ˈ-lait], *s.* e *adj.* luar; de luar.
a moonlight night — uma noite de luar.
by moonlight — ao luar.
moonlight flit — mudança de casa durante a noite para evitar pagar a renda.
moonlighter [ˈ-laitə], *s.* (Irl.) homem que de noite atacava os proprietários que não se comportavam de acordo com a Liga Agrária.
moonlit [ˈ-lit], *adj.* iluminado pela lua.
moonrise [ˈ-raiz], *s.* o nascer da lua.
moonset [ˈ-set], *s.* o desaparecer da lua.
moonshine [ˈ-ʃain], *s.* luar; tolice, disparate, desatino; ilusão. (*Sin.* **nonsense, rubbish, sentiment.** *Ant.* **sense.**)
moonshiny [ˈ-ʃaini], *adj.* iluminado pela lua; quimérico.
moonstone [ˈ-stoun], *s.* selenito.
moonstruck [ˈ-strʌk], *adj.* lunático, louco.
moonwort [ˈ-wə:t], *s.* (bot.) lunária.
moony [ˈ-i], *adj.* em forma de lua; lunar; claro como a lua; visionário; distraído.
moor [muə,mɔ:], **1** — *s.* terreno pantanoso; baldio coberto de urze; charneca; descampado; matagal; terreno elevado onde se cria caça; terra inculta; (náut.) ancoragem.
moor game — galo das urzes.
moor-buzard — busardo dos charcos.
2 — *vt.* e *vi.* (náut.) amarrar, atracar, ancorar, estar ancorado.
to moor against ebb and flow — ancorar à enchente e à vazante.
to moor head and tail — acostar dois navios um ao outro.
Moor [muə,mɔ:], *s.* mouro; africano; negro.
moorage [ˈmuəridʒ], *s.* (náut.) ancoragem; ancoradouro.
moored [muəd,mɔ:d], *adj.* ancorado.
moorhen [ˈmuəhen], *s.* galinhola.
mooring [ˈmuəriŋ], *s.* (náut.) amarra, amarração, atracação, ancoragem; *pl.* amarras, ancoradouro.
mooring buoy — bóia de amarração.
mooring pipe — escovém.
mooring dues — imposto de ancoragem.
mooring mast (av.) — torre de amarração.
mooring tackle — amarras.
mooring ring — argola da âncora a que se prende a amarra.
moorish [ˈmuəriʃ], *adj.* pantanoso; próprio de charneca; próprio de matagal.
Moorish [ˈmuəriʃ], *adj.* mouro, mourisco.
moorland [ˈmuələnd], *s.* terra coberta de urze; terra inculta.
moorsman [ˈmu:əzmən], *s.* habitante da charneca.
moorstone [ˈmu:əstoun], *s.* variedade de granito.
moose [mu:s], *s.* (zool.) alce.
moot [mu:t], **1** — *s.* discussão, debate; processo simulado (para treino dos estudantes de Direito).
moot court — sala onde se realizam os julgamentos simulados para treino dos estudantes de Direito.
2 — *adj.* discutível; sujeito a debate.
moot point — objecto de discussão.
3 — *vt.* debater, discutir.
mop [mɔp], **1** — *s.* rodilha, esfregão, pano do pó; lambaz, vassoura usada a bordo; grenha; careta.
mop-head — cabelo hirsuto; vassoura de lavar.
baker's oven-mop — vassoura de varrer o forno.
mops and mows — caretas; carantonhas.
dish-mop — esfregão da louça.
2 — *vt.* e *vi.* (*pret.* e *pp.* **mopped**) limpar (com um esfregão ou com um lambaz); fazer caretas.
to mop up — liquidar; beber com rapidez.
to mop one's brow — limpar a testa com um lenço.
mope [moup], **1** — *s.* pessoa aparvalhada, pessoa estúpida, pessoa triste; *pl.* desânimo, tristeza.
to have the mopes (col.) — estar muito triste.
2 — *vt.* e *vi.* atordoar; aparvalhar; abater; esmorecer; aborrecer-se, enfadar-se.
to mope oneself to death — morrer de tédio.
moped [-t], *adj.* aborrecido, triste; aparvalhado, estúpido.
moper [ˈ-ə], *s.* pessoa entediada; pessoa aparvalhada.
mopey [ˈ-i], *adj.* ver **mopish.**
moping [ˈ-iŋ], *adj.* neurasténico; parvo; triste, deprimido.
mopish [ˈ-iʃ], *adj.* aborrecido, triste, desgostoso; parvo, estúpido.
mopishly [ˈ-iʃli], *adv.* tristemente; estupidamente, como um parvo.
mopishness [ˈ-iʃnis], *s.* tristeza, aborrecimento, enfado; parvoíce, estupidez.
moppet [ˈmɔpit], *s.* (col.) boneca de trapo; fedelho.
mopping [ˈmɔpiŋ], *s.* limpeza.
mopping up — limpeza.
mopping-up operations (mil.) — operações de limpeza.
mopy [ˈmoupi], *adj.* ver **mopish.**
moquette [mɔˈket], *s.* moqueta, alcatifa.
moraine [mɔˈrein], *s.* (geol.) moraina, morena.
moral [ˈmɔrəl], **1** — *s.* moral, moralidade, ciência moral; *pl.* costumes.
man without morals — homem sem moral.
man of loose morals — homem de moral duvidosa.
to draw the moral of — tirar a conclusão moral de.
2 — *adj.* moral, virtuoso, recto; muito provável.
moral courage — coragem moral.
moral law — lei moral.
to give somebody moral support — dar apoio moral a alguém.
to live a moral life — levar uma vida virtuosa.
morale [mɔˈrɑ:l,məˈrɑ:l], *s.* (o) moral; disposição; ânimo.
loss of morale — falta de auto-confiança; perda ou falta de ânimo.
moralism [ˈmɔrəlizm], *s.* moralismo.
moralist [ˈmɔrəlist], *s.* moralista, ético.
moralistic [-ik], *adj.* moralista.

morality [mə'ræliti,mɔ'ræliti], *s.* moralidade; virtude; rectidão, honestidade; justiça; (teat.) moralidade (representação da Idade Média em que as personagens personificavam virtudes e vícios).
moralization [mɔrəlai'zeiʃən], *s.* moralização; lição moral; reflexão moral.
moralize ['mɔrəlaiz], *vt.* e *vi.* moralizar; dizer o significado moral de.
moralizer [-ə], *s.* moralizador.
moralizing [-iŋ], **1** — *s.* acção de moralizar; lição moral; moralização.
2 — *adj.* moralizador, moralizante.
morally ['mɔrəli], *adv.* moralmente.
morass [mə'ræs,mɔ'ræs], *s.* pântano, paul, lamaçal, atoleiro.
morassic [mɔ'ræsik], *adj.* pantanoso, alagadiço, lamacento.
morassy [mɔ'ræsi], *adj.* ver **morassic.**
moratorium [mɔrə'tɔ:riəm], *s.* (*pl.* **moratoria**) (fin.) moratória.
Moravia [mə'reivjə,mɔ'reivjə], *top.* Morávia.
moray ['mʌri], *s.* (zool.) moreia (peixe).
morbid ['mɔ:bid], *adj.* mórbido, enfermo, doentio. (*Sin.* unhealthy, unsound, sickly, diseased, pathological. *Ant.* healthy.)
morbid imagination — imaginação doentia.
morbid anatomy — anatomia patológica.
morbidity [mɔ:'biditi], *s.* morbidez; morbidade.
morbidly ['mɔ:bidli], *adv.* morbidamente; doentiamente.
morbidness ['mɔ:bidnis], *s.* estado mórbido; morbidez.
mordacity [mɔ:'dæsiti], *s.* mordacidade.
mordancy ['mɔ:dənsi], *s.* ver **mordacity.**
mordant ['mɔ:dənt], **1** — *s.* (quím.) mordente.
2 — *adj.* mordente, sarcástico; corrosivo; pungente.
a mordant criticism — uma crítica mordente.
3 — *vt.* (quím.) aplicar mordente a.
mordent ['mɔ:dənt], *s.* (mús.) mordente.
more [mɔ:], **1** — *s.* e *adj.* (comp. de **much** e **many**) mais, maior quantidade, maior; adicional; em maior quantidade.
neither more nor less — nem mais nem menos.
I needn't say more — não preciso de dizer mais nada.
she is fifty and more — ela passa dos cinquenta.
that is more than enough — isso chega e sobra.
to want to see more of somebody — querer ver alguém mais vezes.
the more I study, the less I know — quanto mais estudo, menos sei.
I have no more wine — já não tenho vinho.
one more — mais um.
what more does she want? — que é que ela quer mais?
what is more — o mais importante.
2 — *adv.* mais; em maior grau.
more intelligent than — mais inteligente do que.
more and more — cada vez mais.
once more — mais uma vez.
more or less — mais ou menos.
twice more — duas vezes mais.
that is far more interesting — isso é muitíssimo mais interessante.
to be no more — morrer.
the more fool you are to have done it — tanto mais parvo és por teres feito isso.
Morea [mɔ'riə], *top.* Moreia.
moreen [mɔ'ri:n], *s.* tecido próprio para cortinas.
morel [mɔ'rel], *s.* (bot.) erva-moira; cogumelo comestível.
great morel — beladona.
morelle [mɔ'rel], *s.* cogumelo comestível.
morello [mə'relou], *s.* variedade de ginja.
moreover [mɔ:'rouvə], *adv.* demais, além disso; além de que; aliás.
Moresque [mɔ'resk], **1** — *s.* moura, moira.
2 — *adj.* mourisco, mouresco; em estilo mourisco.
morganatic [mɔ:gə'nætik], *adj.* morganático.
morganatic marriage — casamento morganático.
morganatically [-əli], *adv.* morganaticamente.
morgue [mɔ:g], *s.* morgue, necrotério; orgulho, arrogância, altivez.
moribund ['mɔribənd], *s.* e *adj.* moribundo.
Morisco [mɔ'riskou], **1** — *s.* mouro (especialmente mouro espanhol); mourisca (dança).
2 — *adj.* mourisco.
Mormon ['mɔ:mən], **1** — *s.* mórmon, partidário da seita do mormonismo; (col.) polígamo.
2 — *adj.* mórmon, mormão.
Mormonism [-izm], *s.* mormonismo, seita religiosa fundada em 1830, no estado de Nova Iorque, por Joseph Smith.
morn [mɔ:n], *s.* (poét.) manhã, alvorada, aurora.
morning ['mɔ:niŋ], *s.* manhã; alvorada; (fig.) começo; (Esc.) o primeiro copo de uísque que se bebe no dia.
good morning! — bom dia!
in the morning — de manhã.
early in the morning — de manhã cedo.
every morning — todas as manhãs.
morning call — visita feita de tarde.
morning dress — trajo de manhã.
morning star — estrela de alva.
morning watch (náut.) — quarto da alvorada.
morning performance — "matinée".
a cold, crisp morning — uma manhã fria e seca.
morning reveille (náut.) — alvorada.
morning draught — "mata-bicho".
morning-glory (bot.) — campainha.
morning gown — roupão.
morning prayers — matinas.
morning off — feriado de manhã.
tomorrow morning — amanhã de manhã.
Moroccan [mə'rɔkən], *s.* e *adj.* marroquino, de Marrocos.
Morocco [mə'rɔkou], *top.* Marrocos.
morocco [mə'rɔkou], *s.* marroquim (tipo de pele curtida).
morocco leather — marroquim.
in morocco — em marroquim.
morocco bound — encadernado a marroquim.
moron ['mɔ:rɔn], *s.* atrasado mental; anormal.
morose [mə'rous], *adj.* rabugento; áspero; triste, taciturno; impertinente; arisco, insociável.
morosely [-li], *adv.* asperamente; com impertinência; tristemente.
moroseness [-nis], *s.* enfado; impertinência; mau humor, aborrecimento.
Morpheus ['mɔ:fju:s,'mɔ:fjəs], *n. p.* (mit.) Morfeu.
in the arms of Morpheus — (fig.) nos braços de Morfeu; a dormir.
morphia ['mɔ:fiə], *s.* morfina.
morphine ['mɔ:fi:n], *s.* ver **morphia.**
morphine addict — morfinómano.
morphinism ['mɔ:finizm], *s.* morfinismo.
morphinomania [mɔ:finou'meiniə], *s.* morfinomania.
morphinomaniac [mɔ:finou'meiniæk], *s.* e *adj.* morfinómano, morfinomaníaco.
morphological [mɔ:fə'lɔdʒikəl], *adj.* morfológico.
morphologically [-i], *adv.* morfologicamente.
morphologist [mɔ:'fɔlədʒist], *s.* morfologista.

morphology [mɔ:'fɔlədʒi], *s.* morfologia.
morphosis [mɔ:'fousis], *s.* morfose.
morris-dance ['mɔris-'dɑ:ns], *s.* mourisca (tipo de dança).
morris chair ['mɔris'tʃɛə], *s.* cadeira com encosto regulável.
morrow ['mɔrou], *s.* (arc.) manhã; (lit.) dia seguinte, amanhã.
on the morrow — no dia seguinte.
good morrow! (arc.) — bom dia!
morse [mɔ:s], *s.* (zool.) morsa, elefante marinho.
Morse [mɔ:s], **1** — *n. p.* (Samuel) Morse, inventor americano.
Morse code — alfabeto Morse.
Morse telegraph — telégrafo Morse.
Morse telegraphy — telegrafia Morse.
2 — *vi.* telegrafar em Morse.
morsel ['mɔ:s(ə)l], **1** — *s.* bocado, pedaço, porção, parte. (*Sin.* bit, piece, slice, bite.)
a morsel of bread — um pedaço de pão.
2 — *vt.* (*pret.* e *pp.* **morselled**) partir aos bocados.
mort [mɔ:t], *s.* salmão de três anos; toque de trombeta de caça anunciando a morte de um veado; (dial.) grande quantidade de.
a mort of things — uma grande quantidade de coisas.
a mort of money — uma grande quantidade de dinheiro.
mortal [mɔ:tl], **1** — *s.* mortal, ser humano.
2 — *adj.* mortal; fatal; violento; extremo; humano.
in a mortal hurry — com muita pressa.
for two mortal hours (fam.) — durante duas horas longas e fastidiosas.
mortal disease — doença mortal.
mortal enemy — inimigo figadal.
mortal remains — restos mortais.
mortal sin — pecado mortal.
3 — *adv.* (col.) terrivelmente, muitíssimo.
I am mortal hungry — estou com uma fome terrível.
mortality [mɔ:'tæliti], *s.* mortalidade; mortandade.
mortality tables — tabelas de mortalidade.
mortally ['mɔ:təli], *adv.* mortalmente; fatalmente; (fam.) sumamente, extremamente.
mortally wounded — mortalmente ferido.
mortar ['mɔ:tə], **1** — *s.* argamassa; almofariz, gral; (mil.) morteiro; gorro (dos estudantes).
mortar board — cocho de pedreiro.
pestle and mortar — pilão e almofariz.
cement mortar — argamassa de cimento.
lime mortar — argamassa vulgar.
hydraulic mortar — argamassa hidráulica.
2 — *vt.* ligar com argamassa.
mortgage ['mɔ:gidʒ], **1** — *s.* hipoteca, documento de hipoteca.
to pay off a mortgage — remir uma hipoteca.
mortgage bonds — obrigações hipotecárias.
blanket mortgage — hipoteca geral.
to be in mortgage — estar hipotecado.
loan on mortgage — empréstimo sobre hipoteca.
to raise a mortgage — levantar uma hipoteca.
2 — *vt.* hipotecar; comprometer-se a.
to mortgage one's reputation — arriscar a reputação.
mortgageable [-əbl], *adj.* que se pode hipotecar, hipotecável.
mortgaged [-d], *adj.* hipotecado.
mortgaged estate — propriedade hipotecada.
mortgagee [mɔ:gə'dʒi:], *s.* credor hipotecário.
mortgager ['mɔ:gidʒə], *s.* devedor hipotecário.
mortgaging ['mɔ:gidʒiŋ], *s.* acção de hipotecar, hipoteca.
mortgagor ['mɔ:gə-dʒɔ:], *s.* ver **mortgager.**
mortice ['mɔ:tis], **1** — *s.* (carp.) encaixe, entalhe, escatel.
2 — *vt.* entalhar, encaixar, malhetar.
mortician [mɔ:'tiʃiən], *s.* armador fúnebre.
mortiferous [mɔ:'tifərəs], *adj.* mortífero.
mortification [mɔ:tifi'keiʃən], *s.* mortificação; humilhação; penitência, flagelação; gangrena. (*Sin.* humiliation, shame, disappointment, vexation, gangrene. *Ant.* delight.)
mortified ['mɔ:tifaid], *adj.* mortificado; envergonhado; gangrenado.
mortify ['mɔ:tifai], *vt.* e *vi.* mortificar; humilhar; dominar as paixões; gangrenar, gangrenar-se. (*Sin.* to humble, to humiliate, to shame, to degrade.)
mortifying [-iŋ], **1** — *s.* acção de mortificar; maceração.
2 — *adj.* mortificante; ofensivo; humilhante.
mortise ['mɔ:tis], *s.* e *adj.* ver **mortice.**
mortised [-t], *adj.* (carp.) malhetado.
mortising [-iŋ], *s.* (carp.) união de espiga; acção de entalhar.
mortuary ['mɔ:tjuəri], **1** — *s.* necrotério, morgue, casa mortuária.
2 — *adj.* mortuário, fúnebre.
mosaic [mə'zeiik], **1** — *s.* mosaico, trabalho em mosaico.
worker in mosaic — mosaicista.
2 — *adj.* de mosaico; embutido.
mosaic gold — ouropel.
mosaic work — obra de mosaico.
3 — *vt.* (*pret.* e *pp.* **mosaicked**) decorar com mosaico.
Mosaic [mə'zeiik], *adj.* mosaico (de Moisés).
the Mosaic Law — a lei de Moisés.
mosaicist [mə'zeiisist], *s.* mosaicista.
Mosaism ['mouzeiizəm], *s.* **mosaísmo, lei de** Moisés.
Moscow ['mɔskou], *top.* Moscovo.
moselle [mə'zel], *s.* vinho branco da região do Mosela.
Moses ['mouziz], *n. p.* (bíbl.) Moisés; nome dado a usurários judeus.
Moses basket — alcofa portátil para bebés.
Moslem ['mɔzlem], **1** — *s.* maometano, muçulmano; mosleme.
2 — *adj.* muçulmano, maometano.
Moslemism [-izm], *s.* maometanismo.
mosque [mɔsk], *s.* mesquita, templo muçulmano.
mosquito [məs'ki:tou], *s.* mosquito; vedeta-torpedeira; avião de caça.
mosquito-boat — vedeta-torpedeira.
mosquito-net (*mosquito-curtain*) — mosquiteiro.
mosquito-netting — tule para mosquiteiro.
moss [mɔs], **1** — *s.* musgo; lagoa; paul.
moss-green — verde-musgo, verde-escuro.
moss-covered — musgoso; coberto de musgo.
moss-rose — rosa-musgo.
moss-back (cal.) — pessoa reaccionária.
moss-land — turfeira.
moss trooper — (*hist.*) salteador da fronteira da Escócia (séc. XVII).
the mosses (bot.) — as briófitas.
a rolling stone gathers no moss — pedra movediça não cria bolor.
2 — *vt.* cobrir de musgo.
mossed [-t], *adj.* musgoso; coberto de musgo.
mossiness ['-inis], *s.* abundância de musgo.
mossy ['-i], *adj.* musgoso.
most [moust], **1** — *s.* a maioria, a maior parte.
at the most — quando muito.
to make the most of — tirar o maior proveito de.
most of them — a maior parte deles.
most of the time — a maior parte do tempo.

the most somebody can do — o máximo que alguém pode fazer.
2 — *adj.* (*superl.* de **much** e **many**) o maior; o maior número de; mais.
for the most part — na sua maior parte; principalmente.
most men — a maior parte dos homens.
the most beautiful birds — as mais belas aves.
in most cases — na maior parte dos casos.
3 — *adv.* muitíssimo, no mais alto grau; o mais; (E. U. dial.) quase.
she is most beautiful — ela é lindíssima.
the most interesting book — o livro mais interessante.
most likely — muito provavelmente.
what most annoys him — o que mais o aborrece.
mostly ['-li], *adv.* na sua maior parte; a maior parte das vezes; principalmente; geralmente; sobretudo.
he drinks mostly whisky — ele bebe sobretudo uísque.
mot [mou], *s.* dito de espírito, palavra espirituosa.
mote [mout], **1** — *s.* átomo, partícula; argueiro; ponto; (arc.) outeiro.
the mote in another's eye — o argueiro no olho do vizinho.
2 — *vi.* (col.) andar de automóvel.
motel ['moutəl], *s.* motel, estalagem para automobilistas.
motet [mou'tet], *s.* (mús.) motete.
moth [mɔθ], *s.* traça; borboleta nocturna.
moth-eaten — roído da traça; antiquado.
moth-ball — bola de naftalina.
moth-hole — buraco feito pela traça.
wood-moth — bicho da madeira; caruncho.
clothes-moth — traça da roupa.
moth wort (bot.) — artemísia.
mother ['mʌðə], **1** — *s.* mãe; origem, causa; abadessa, superiora de um convento, madre; borra (do vinho, do vinagre, etc.); tiazinha; chocadeira artificial; abcesso; (arc.) histeria.
mother of pearl — madrepérola.
mother-in-law — sogra; (cal.) cerveja.
mother of vinegar — borra de vinagre.
mother-cell — célula-mãe.
Mother Church — a Santa Madre Igreja.
mother-country — pátria.
mother-ship — navio base.
mother-craft — puericultura.
mother earth — a terra-mãe.
mother goat — cabra.
Mother Hubbard — personagem de canção infantil; roupão largo.
mother-of-millions (bot.) — cimbalária.
mother of a family — mãe de família.
Mother's Day — dia da Mãe.
mother-sick — histérica.
Mother Superior — madre superiora.
mother tongue — língua materna; língua donde derivaram outras.
mother-wit — senso comum.
mother-water (quím.) — água-mãe.
reverend mother — irmã superiora.
foster-mother — mãe adoptiva; ama de leite.
step-mother — madrasta.
2 — *vt.* e *vi.* servir de mãe; proteger como uma mãe; perfilhar; criar; dar origem a; criar borra.
motherhood [-hud], *s.* maternidade.
motherless [-lis], *adj.* órfão de mãe.
motherliness [-linis], *s.* maternidade; carinhos ou cuidados maternais.
motherly [-li], **1** — *adj.* maternal, materno.
2 — *adv.* maternalmente.
mothership [-ʃip], *s.* maternidade; cuidados maternais; puericultura.
mothery [-i], *adj.* com borra (vinho ou vinagre).
mothy ['mɔθi], *adj.* roído da traça; com traça.
motif [mou'ti:f], *s.* (lit., art., mús.) motivo; tema, assunto; aplicação de renda a vestido.
motility [mou'tiliti], *s.* (biol.) mobilidade.
motion ['mouʃən], **1** — *s.* movimento; transmissão de movimento; mudança; gesto, sinal, meneio; maneira de andar; tendência; moção, proposta; (med.) evacuação.
to put in motion — pôr em movimento.
to make a motion — apresentar uma moção.
to second a motion — defender uma proposta.
forward motion — movimento para diante.
backward motion — movimento para trás.
motion of rotation — movimento de rotação.
motion of translation — movimento de translação.
motion picture — filme cinematográfico.
motion picture camera — máquina de filmar.
motion-picture cartoon — desenhos animados.
motion picture projector — projector cinematográfico.
to have a motion — evacuar.
to have no motion — ter prisão do ventre.
2 — *vt.* e *vi.* fazer sinais; propor.
she motioned them away — ela fez-lhes sinal para saírem.
motional [-əl], *adj.* relativo a movimento.
motionless [-lis], *adj.* imóvel, sem movimento.
motivate ['moutiveit], *vt.* motivar, causar.
motivation [mouti'veiʃən], *s.* motivação.
motive ['moutiv], **1** — *s.* motivo, causa; estímulo; tema, assunto; desígnio.
from a religious motive — por uma razão de ordem religiosa.
2 — *adj.* motor, motriz.
motive power — força motriz.
motive cycle — ciclomotor.
3 — *vt.* ver **to motivate.**
motivity [mou'tiviti], *s.* potência motriz; motricidade.
motley ['mɔtli], **1** — *s.* mistura heterogénea; (fig.) traje de palhaço de cores variadas.
to wear the motley — fazer de bobo.
2 — *adj.* mosqueado, matizado; variegado.
a motley crowd — uma multidão heterogénea.
motograph [mou'tɔgræf], *s.* película cinematográfica.
motometer [mou'tɔmitə], *s.* taxímetro; motómetro.
motor ['moutə], **1** — *s.* motor, móvel; máquina motriz; automóvel.
motor-car — automóvel.
motor-lorry — camião.
motor bicycle — motocicleta.
motor boat — gasolina; barco a motor.
motor bus — autocarro.
motor coach — camioneta de passageiros.
motor tour — passeio de automóvel.
motor caravan — reboque de automóvel.
motor carriage — automotora.
motor generator — dínamo gerador.
motor road — auto-estrada.
motor launch — lancha motora.
motor show — salão automóvel.
motor-cyclist — motociclista.
motor transmitter — motor eléctrico.
2 — *adj.* motor, motriz.
motor nerves — nervos motores.
motor muscles — músculos motores.
motor bar — barra motora.
3 — *vt.* e *vi.* andar de automóvel; levar de carro.
to motor somebody home — levar alguém a casa de automóvel.
motorable ['moutərəbl], *adj.* que pode ser utilizado por automóvel (estrada).

motordrome ['moutədroum], *s.* autódromo; pista para automobilismo.
motorial [mou'tɔ:riəl], *adj.* (fisiol.) motor, motriz.
motoring ['moutəriŋ], *s.* automobilismo.
school of motoring — escola de condução.
to go in for motoring — praticar automobilismo.
motorist ['moutərist], *s.* motorista; automobilista.
motorization [moutərai'zeiʃən], *s.* motorização.
motorize ['moutəraiz], *vt.* motorizar.
motorized [-d], *adj.* motorizado, com motor.
motory ['moutəri], *adj.* (anat.) motor.
mottle [mɔtl], **1** — *s.* mancha de várias cores; fio de lã mosqueada.
2 — *vt.* sarapintar, mosquear.
mottled [-d], *adj.* mosqueado, sarapintado, pintalgado.
motto ['mɔtou], *s.* moto, epígrafe, divisa, legenda.
mouch [mu:tʃ], *s.* e *vi.* ver **mooch.**
moucher ['-ə], *s.* ver **moocher.**
moujik ['mu:ʒik], *s.* mujique, camponês russo.
mould [mould], **1** — *s.* terra vegetal; molde; modelo; forma; bolor, mofo; maneira de ser; (arq.) moldura; (anat.) fontanela.
mould-loft — sala de risco.
mould-board — aiveca (de arado).
iron-mould — mancha de ferrugem ou tinta em roupa.
jelly-mould — forma de compota.
man of mould — homem mortal.
person cast in a simple mould — pessoa feita de uma só peça.
rice-mould — bolo de arroz.
2 — *vt.* e *vi.* moldar, modelar, formar; amassar; riscar (desenho); criar bolor; (fig.) modificar.
to mould a person's character — modelar o carácter de uma pessoa.
to mould in clay — modelar em barro.
to mould a gramophone record — gravar um disco.
mouldable ['-əbl], *adj.* modelável, moldável.
moulded ['-id], *adj.* modelado, moldado; com bolor.
easily moulded character — carácter facilmente influenciável.
moulder ['-ə], **1** — *s.* moldador; carpinteiro de moldes.
2 — *vt.* e *vi.* reduzir a pó, consumir; desfazer-se em pó; apodrecer.
mouldered ['-əd], *adj.* desfeito em pó; desmoronado.
mouldering ['-əriŋ], **1** — *s.* desmoronamento.
2 — *adj.* que se reduz em pó, a desfazer-se em pó.
mouldiness ['-inis], *s.* bolor, mofo.
moulding ['-iŋ], *s.* modelação; moldura; ornato; cornija.
moulding-box — caixa de fundição.
moulding-board — tábua de amassar.
moulding shop — oficina de moldação.
moulding clay — argila para moldar.
mouldwarp ['-wɔ:p], *s.* (zool.) toupeira.
mouldy ['-i], **1** — *s.* (cal. náut.) torpedo.
2 — *adj.* bolorento; (fig.) antiquado; (cal.) maçador; ébrio.
mouldy bread — pão bolorento.
to go mouldy — encher-se de bolor.
moulinet [muli'net], *s.* (esgr.) molinete; golpe em redondo.
moult [moult], **1** — *s.* muda (de penas).
in the moult — na muda.
2 — *vt.* e *vi.* mudar as penas.
moulter ['-ə], *s.* ave que anda na muda.
moulting ['-iŋ], **1** — *s.* muda das penas.
2 — *adj.* que anda na muda (das penas).
mound [maund], **1** — *s.* montão de terra, montículo; barreira; muralha; trincheira; túmulo.
sepulchral mound — elevação tumular, túmulo.
2 — *vt.* fortificar, entrincheirar; amontoar.
mount [maunt], **1** — *s.* monte, montanha; cavalaria; monta (toque de clarim); cartão (onde se colocam desenhos); terraplano; instalação, montagem.
cut mount — suporte para aguarelas.
Mount Everest — o Monte Evereste.
the Sermon on the Mount — o Sermão da Montanha.
2 — *vt.* e *vi.* subir, elevar; trepar; montar; importar em, somar (uma conta, etc.); fazer uma remonta; engastar (pedras preciosas); pôr em cena (tetro); aparelhar, montar (uma máquina); montar a cavalo; armar, ir equipado; copular com.
to mount a diamond — engastar um diamante.
to mount a battery — montar uma bateria.
to mount up — subir, elevar-se; aumentar, crescer.
to mount an offensive (mil.) — tomar a ofensiva.
to mount a person on a horse — pôr uma pessoa a cavalo; pôr um cavalo à disposição de uma pessoa.
to mount (on) a bicycle — montar numa bicicleta.
to mount (on) a horse (to mount on horseback) — montar a cavalo.
to mount (on) the scaffold — subir ao cadafalso.
to mount the throne — subir ao trono.
mountable ['-əbl], *adj.* que se pode subir ou montar.
mountain ['mauntin], *s.* montanha, serra; massa enorme; variedade de vinho de Málaga.
mountain chain — cordilheira.
mountain ash — sorveira.
mountain sickness — mal da montanha; mal do aviador.
mountain-blue — azul-acobreado; carbonato de cobre azul.
mountain cock — galo silvestre.
mountain-high — altíssimo.
mountain crystal — cristal-de-rocha (variedade de quartzo).
mountain lion (zool.) — puma.
mountain oak — azinheira.
mountain pine — pinheiro bravo.
mountain-pass — desfiladeiro de montanha.
mountain railway — montanha-russa; caminho-de-ferro das montanhas.
mountain range — cordilheira.
mountain wormwood (bot.) — artemísia-dos--alpes.
mountain system — sistema de montanhas.
mountain-yellow **(min.) — ocre.**
mountaineer [maunti'niə], 1 — *s.* montanhês, serrano; alpinista; montanhista.
2 — *vi.* praticar alpinismo ou montanhismo.
mountaineering [-riŋ], *s.* vida nas montanhas; alpinismo; montanhismo.
mountainous ['mauntinəs], *adj.* montanhoso; enorme.
mountainous seas — vagas enormes.
mountant ['mauntənt], *s.* cola para provas fotográficas.
mountebank ['mauntibæŋk], **1** — *s.* saltimbanco; charlatão.
2 — *vi.* proceder como charlatão.
mountebankery [-əri], *s.* charlatanismo.

mounted ['mauntid], *adj.* montado; guarnecido.
mounted police — polícia montada.
mounter ['mauntə], *s.* montador; indivíduo que faz uma montagem.
mounting ['mauntiŋ], *s.* acção de subir, de montar; montagem; engaste; suporte; armação.
mountings [-s], *s. pl.* acessórios.
mourn [mɔ:n], *vt.* e *vi.* chorar, deplorar; andar de luto; afligir-se; lamentar-se. (*Sin.* to lament, to bewail, to deplore, to moan, to grieve. *Ant.* to enjoy, to rejoice.)
blessed are they that mourn — bem-aventurados os que choram.
to mourn for someone — chorar a morte de alguém.
to mourn for something (to mourn over something) — deplorar alguma coisa.
mourner ['-ə], *s.* dorido; anojado.
the mourners — o cortejo fúnebre.
mournful ['-ful], *adj.* **choroso; triste, melancólico; desgostoso; deplorável; lutuoso; fúnebre.**
mournfully ['-fuli], *adv.* tristemente, deploravelmente; lutuosamente.
mournfulness ['-fulnis], *s.* luto; tristeza, aflição; dó; sentimento, pesar.
mourning ['mɔ:niŋ], **1** — *s.* lamento, pranto; dor, aflição, desolação; luto; trajo preto usado como luto.
to be in mourning — estar de luto.
to put on mourning — pôr luto.
deep mourning — luto carregado.
half mourning — luto aliviado.
to leave off mourning — deixar o luto.
mourning-paper — papel de carta tarjado de preto.
national mourning — luto nacional.
mourning band — crepe em volta do braço, fumo.
finger nails in mourning (col.) — unhas de luto; unhas negras.
2 — *adj.* **pesaroso, melancólico, triste; desolado; lutuoso; enlutado, coberto de luto.**
***mourning-bride* — (bot.) flor-de-viúva.**
***mourning-cloak* — (zool.) vanessa (variedade de borboleta).**
mouse 1 — [maus], *s.* (*pl.* **mice**) rato; pessoa acanhada; (náut.) nó na ponta dum cabo; (cal.) olho pisado.
mouse-colour — cor de rato.
mouse-coloured (mouse-dun) — cinzento cor de rato.
mouse-ear (bot.) — orelha de rato.
meadow mouse — rato de campo.
2 — [mauz], *vt.* e *vi.* caçar ratos, apanhar ratos; (náut.) amarrar.
mouser ['mauzə], *s.* caçador de ratos; cão ou gato rateiro.
mousetrap ['maustræp], *s.* ratoeira; armadilha para ratos.
mousing ['mauziŋ], **1** — *s.* caça aos ratos; (náut.) acto de amarrar um gancho.
2 — *adj.* caçador de ratos; bisbilhoteiro.
mousse [mus], *s.* "mousse" (doce).
chocolate mousse — "mousse" de chocolate.
mousseline ['mu:sli:n], *s.* musselina (espécie de tecido).
moustache [məs'tɑ:ʃ], *s.* bigode (de homem ou animal).
to wear a moustache — usar bigode.
moustached [-t], *adj.* com bigode.
mousy ['mausi], *adj.* infestado pelos ratos; como o rato; da cor do rato; tímido.
mouth 1 — [mauθ], *s.* boca; guela; abertura; entrada; orifício; careta; embocadura; foz de rio; boca de arma de fogo; insolência.
to make somebody's mouth water — fazer crescer água na boca.
by word of mouth — de viva voz.
that sounds strange in your mouth — estou a estranhar-te.
to take the word out of somebody's mouth — tirar a palavra da boca a alguém.
to make a wry mouth — fazer uma careta.
down in the mouth — cabisbaixo, desalentado.
to put words into a person's mouth — ensinar o recado a alguém.
to laugh on the wrong side of one's mouth — amargar o riso.
mouth-filling — sonoro.
mouth friend — amigo falso.
mouth organ — harmónica.
to be ready to creep in someone's mouth — estar apaixonado por alguém.
the mouth of the stomach — a boca do estômago.
to be born with a silver spoon in one's mouth (col.) — nascer num fole, nascer para ser feliz.
to give mouth to — expressar.
to have a big mouth — ser indiscreto.
***to live from hand to mouth* — viver do dia-a-dia.**
to stand with open mouth — ficar de boca aberta.
to take the bread out of one's mouth — tirar o pão da boca a alguém.
2 — [mauð], *vt.* e *vi.* pronunciar; falar alto; mastigar, comer; vociferar; declamar; fazer caretas; abocanhar.
to mouth it — tomar maneiras de orador.
mouthed [-d], *adj.* que tem boca, com boca.
wide-mouthed — de boca grande.
***mealy-mouthed* — de falinhas doces, melífluo.**
***foul-mouthed* — má-língua.**
wry-mouthed — de boca torta.
mouthful ['mauθful], *s.* bocado, pedaço; sorvo, gole.
to say a mouthful (cal.) — dizer alguma coisa importante.
to swallow at one mouthful — engolir duma só vez.
mouthing ['mauðiŋ], *s.* declamação afectada; careta, trejeito, esgar.
mouthpiece ['mauθpi:s], *s.* bocal, palheta; boquilha; embocadura (de instrumento de sopro); intérprete.
mouthy ['mauði], *adj.* bombástico; maledicente.
movability [mu:və'biliti], *s.* mobilidade.
movable ['mu:vəbl], *adj.* mudável, móvel, movediço; desmontável, amovível.
movable bridge — ponte móvel.
movable feast — festa móvel.
movable property — bens móveis.
movableness [-nis], *s.* ver **movability.**
movables ['mu:vəblz], *s. pl.* bens móveis.
movably ['mu:vəbli], *adv.* com mobilidade.
move [mu:v], **1** — *s.* movimento; mudança; proposição, proposta; vez de jogar; acção, feito; passo.
on the move — em movimento, de viagem.
to get a move on — aviar-se, despachar-se.
lucky move — boa jogada.
masterly move — golpe de mestre.
unlucky move — pedra mal jogada.
to make a move — dar algum passo; fazer um lanço (ao jogo).
wise move — passo acertado; boa jogada.
whose move is it? — quem joga primeiro? (xadrez, damas).
to know a move or two (fam.) — perceber da coisa.
to make the first move — dar o primeiro passo, tomar a iniciativa.
2 — *vt.* e *vi.* mover; transportar; remover; comover, enternecer; excitar, incitar; persuadir; sacudir; menear; impelir; fazer uma proposta; mover-se; pôr-se em marcha;

pôr-se em andamento; partir; avançar, andar, girar; mexer-se; mudar de residência; entrar em acção; agitar-se; transportar-se; viver; conviver; (med.) estimular.
to move along — avançar.
to move away — mudar de casa; afastar-se.
to move in — entrar para a nova casa.
to move off — fugir; pôr-se em andamento.
to move forward — avançar.
to move to tears — fazer chorar.
to move to laughter — fazer rir.
to move all hearts — enternecer todos os corações.
the train moves off — o comboio põe-se em andamento.
to move a person to do something — convencer uma pessoa a fazer alguma coisa.
to move a piece — deslocar uma pedra (no xadrez).
to move heaven and earth — remover o céu e a terra.
to move a resolution — apresentar uma proposta.
to move in high society — frequentar a alta sociedade.
to move somebody to pity — despertar a piedade de alguém.
to move the bowels — fazer funcionar os intestinos.
moveability [-ə'biliti], *s.* ver **movability.**
moveable [-əbl], *adj.* ver **movable.**
moveableness [-əblnis], *s.* ver **movability.**
moveably [-əbli], *adv.* ver **movably.**
moveless [-lis], *adj.* imóvel, sem movimento; parado, quieto.
movement [-mənt], *s.* movimento; marcha, evolução; manobra; impulso; circulação; actividade; agitação; incidente; acção; excitação; mecanismo; (mús.) compasso ou tempo; (mil.) manobra; (med.) evacuação.
movement of freight — transporte de mercadorias.
clockwork movement — mecanismo de relojoaria.
symphony in four movements — sinfonia em quatro andamentos.
mover [-ə], *s.* motor; autor de uma proposta; causa, motivo, móbil.
prime mover — motor primário, gerador.
moviegoer ['mu:vigouə], *s.* frequentador assíduo de cinema.
movie-man ['mu:vi-mæn], *s.* operador de cinema.
movies ['mu:viz], *s. pl.* (col.) cinema.
to go to the movies — ir ao cinema.
movie-star ['mu:vi-stɑ:], *s.* estrela de cinema.
movietone ['mu:vitoun], *s.* cinema sonoro.
moving ['mu:viŋ], **1** — *s.* movimento; mudança de residência; moção; afastamento; deslocação.
moving van — camião de mudanças.
moving back — recuo.
moving forward — avanço.
2 — *adj.* móvel, motor, motriz; patético, comovente, tocante, comovedor.
moving staircase — escada rolante.
moving body — corpo em movimento.
moving force — força motora.
moving pictures — cinema.
movingly [-li], *adv.* de modo enternecedor, pateticamente.
mow [mau], *s.* meda de feno, trigo, etc.; palheiro.
mow [mau, mou], **1** — *s.* careta, esgar, trejeito.
2 — *vi.* fazer caretas, fazer esgares, fazer trejeitos.
mow [mou], *vt.* (*pret.* **mowed,** *pp.* **mown**) segar, ceifar, cortar; enceleirar; dizimar.
to mow the lawn — aparar a relva.
to mow a field — ceifar um campo.
mowburn ['-bə:n], *vi.* fermentar.
mower ['-ə], *s.* segador, ceifeiro; segadora mecânica.
lawn-mower — máquina de aparar relva.
mowing ['-iŋ], *s.* ceifa, sega.
mowing-machine — ceifeira mecânica.
mown [moun], *pp.* de **to mow.**
Mozambique [mouzəm'bi:k], *top.* Moçambique.
Mozarab [mou'zærəb], *s.* moçárabe.
Mozarabic [-ik], *adj.* moçarábico.
much [mʌtʃ], **1** — *s.* muito, muita coisa; grande quantidade.
as much as — tanto como.
as much again — outro tanto.
much too much — demasiado.
so much the less — tanto menos.
so much the better — tanto melhor.
so much the more — **tanto mais.**
so much the worse — tanto pior.
to make much of a thing — ligar demasiada importância a uma coisa.
quite as much — outro tanto.
to make much of somebody — ligar muita importância a alguém.
to think too much of oneself — ter-se em grande conta.
he is not much of a teacher — ele não é grande professor.
much as he tried — por mais que ele tentasse.
very much — muitíssimo.
far too much — demasiado, excessivo.
this is much the wisest thing to do — é certamente o melhor critério a seguir.
2 — *adj.* muito (usado com substantivos no singular).
too much noise — barulho demasiado.
much water — muita água.
much ado about nothing — muito barulho para nada.
3 — *adv.* muito, grandemente; quase, pouco mais ou menos; muitas vezes.
much about the same — quase a mesma coisa.
much annoyed — muito incomodado.
much better — muito melhor.
much prettier — muito mais bonito.
thank you very much — muitíssimo obrigado.
they are much of a size — são quase do mesmo tamanho.
muchness ['-nis], *s.* quantidade, grandeza; magnitude.
much of a muchness — quase o mesmo.
muciform ['mju:sifɔ:m], *adj.* muciforme.
mucilage ['mju:silidʒ], *s.* mucilagem; (E. U.) goma-arábica.
mucilaginous [mju:si'lædʒinəs], *adj.* mucilaginoso; viscoso; gomoso.
muck [mʌk], **1** — *s.* estrume, porcaria; (col.) barafunda.
muck-fork — forquilha.
muck fly — mosca varejeira.
muck-heap — pilha de esterco.
to read muck — ler porcarias.
to be in a muck of a sweat — suar as estopinhas.
2 — *vt.* e *vi.* estrumar; sujar; estragar.
to muck in with somebody (col.) — viver no mesmo quarto com alguém.
to muck out — limpar.
to muck up (cal.) — estragar; pôr tudo em barafunda.
mucker ['-ə], *s.* pessoa grosseira.
muckiness ['-inis], *s.* porcaria, imundície.
muckraker ['mʌkreikə], *s.* denunciador de escândalos.
muckworm ['-wə:m], *s.* verme que vive no estrume; (fig.) pessoa avarenta.

mucky ['-i], *adj.* imundo, sujo; sórdido; repelente, repugnante.
mucosity [mju'kɔsiti], *s.* mucosidade; muco.
mucous ['mju:kəs], *adj.* mucoso.
mucus ['mju:kəs], *s.* muco; mucosidade.
mud [mʌd], **1** — *s.* lama, lodo; limo; vasa; porcaria.
mud-bath (med.) — banho de lama.
mud-guard — guarda-lamas.
to stick in the mud — enterrar-se na lama.
to fling (throw) mud at a person — lançar um labéu a alguém.
mud-slinging — maledicência.
mud-boots — botas de água.
mud-crusher (col.) — soldado de infantaria.
mud-headed — pateta.
mud-lighter — chata de draga.
mud-hook — âncora.
mud-pie — bolo de lama feito por crianças.
mud-pipes (col.) — botas de borracha.
river mud — limo, lodo.
to drag in the mud — caluniar.
to throw mud at — atirar lama a; caluniar.
2 — *vt.* (*pret.* e *pp.* **mudded**) enlamear, atolar no lodo.
mudded ['-id], *adj.* enlameado, cheio de lama; sujo de lama.
muddied ['mʌdid], *adj.* enlameado; lodoso; lamacento.
muddily ['mʌdili], *adv.* com lodo; de modo turvo.
muddiness ['mʌdinis], *s.* perturbação de espírito; sujidade de lama.
muddiness of mind — turvação do espírito.
muddle [mʌdl], **1** — *s.* lodo; confusão.
to make a muddle of — fazer uma salgalhada.
all in a muddle — tudo embrulhado.
muddle-headed — embrutecido, estúpido.
2 — *vt.* e *vi.* turvar; misturar; embotar; entontecer; estar confuso; estar entontecido.
to muddle on — avançar aos tropeções.
to muddle away — esbanjar, gastar.
to muddle through — desembaraçar-se de qualquer maneira.
muddled [-d], *adj.* desordenado, confuso; perturbado; em desordem; embriagado.
muddler ['-ə], *s.* vara para mexer líquidos; pessoa atabalhoada; desordenado, trapalhão.
muddy ['mʌdi], **1** — *adj.* lodoso, lamacento; turvo; toldado; perturbado de espírito; tonto; pastosa (voz).
muddy coffee — café mal coado.
the Big Muddy — o Mississipi ou o Missuri.
2 — *vt.* turvar, sujar; entontecer; confundir.
mudlark ['mʌdlɑ:k], **1** — *s.* garoto das ruas.
2 — *vi.* (col.) brincar na lama.
muff [mʌf], **1** — *s.* regalo (de senhora); pessoa desastrada; falta ou falha (no críquete).
to make a muff of a catch (desp.) — falhar uma bola.
2 — *vt.* fazer alguma coisa com pouca habilidade; deixar escapar a bola (no basebol, críquete, etc.).
to muff a chance — perder uma oportunidade.
to muff a stroke — falhar uma jogada (no golfe).
muffin ['mʌfin], *s.* bolo muito leve.
muffin-face — rosto sem expressão.
muffle [mʌfl], **1** — *s.* vaso, espécie de crisol; forno de esmaltar; forno de argila; focinho; luva de pugilista.
2 — *vt.* embuçar; cobrir;esconder; tapar; abafar um som; rosnar; resmungar; amordaçar.
muffled noise — ruído surdo.
muffled ['-d], *adj.* cheio de roupa, enroupado, agasalhado; abafado; em surdina.
muffler ['-ə], *s.* cachecol; abafador de som; luva de boxe; (aut.) silencioso.
muffling ['-iŋ], *s.* acção de abafar.
mufti ['mʌfti], *s.* mufti, sumo sacerdote dos maometanos; (mil.) traje à paisana.
in mufti — à paisana.
mug [mʌg], **1** — *s.* caneca; simplório, pacóvio; (fam.) pessoa estudiosa; (cal.) face, boca.
to cut mugs — fazer caretas.
2 — *vt.* e *vi.* (*pret.* e *pp.* **mugged**) estudar muito (para exame); (E. U.) fotografar; apertar o pescoço.
mugful ['-ful], *s.* conteúdo de uma caneca cheia.
mugger ['-ə], *s.* crocodilo.
mugginess ['-inis], *s.* calor húmido; tempo quente e húmido; mormaço; tempo abafado.
muggins ['-ins], *s.* jogo de cartas para crianças; jogo do dominó; (col.) pacóvio, anjinho, "pato".
muggy ['-i], *adj.* húmido, pesado (o tempo); bolorento (o feno).
mugwump ['-wʌmp], *s.* (E. U.) homem importante, magnate; político independente.
mujik ['mu:dʒik], *s.* ver **moujik.**
mulatto [mju(:)'lætou], **1** — *s.* mulato.
2 — *adj.* mulato, amulatado.
mulberry ['mʌlbəri], *s.* amoreira; amora (da amoreira).
mulberry-tree — amoreira.
mulch [mʌltʃ], **1** — *s.* estrume e palha com que se cobrem as plantas.
2 — *vt.* cobrir as plantas com palha e estrume.
mulching ['-iŋ], *s.* acção de cobrir as plantas com palha e estrume.
mulct [mʌlkt], **1** — *s.* multa.
2 — *vt.* multar; privar de; extorquir.
mule [mju:l], **1** — *s.* mula, macho; pessoa teimosa; máquina para fiar algodão; *(E. U.)* tractor eléctrico; aguardente de milho.
pack-mule — azémola.
mule-driver — muleteiro.
as stubborn as a mule — teimoso como um burro.
he-mule — macho.
she-mule — mula.
2 — *vi.* ver **mewl.**
muleteer [mju:li'tiə], *s.* almocreve, arrieiro (de muares).
muliebrity [mju:li'ebriti], *s.* feminilidade, condição de mulher.
mulish ['mju:liʃ], *adj.* teimoso, obstinado.
mulishly [-li], *adv* obstinadamente, teimosamente.
mulishness [-nis], *s.* obstinação, teimosia.
mull [mʌl], **1** — *s.* espécie de musselina; caixa de rapé; promontório; confusão, desordem, atrapalhação.
silk mull — musselina de seda.
2 — *vt.* aquecer e aromatizar as bebidas; confundir, atrapalhar; (desp.) falhar (a bola).
to mull over — magicar sobre.
muller ['-ə], *s.* moleta (pedra de mármore em que se pisam e moem tintas).
mullet ['-it], *s.* mulgem, ruivo, salmonete.
grey mullet — tinta.
mulligatawny [mʌligə'tɔ:ni], *s.* sopa indiana condimentada com caril.
mulligrubs ['mʌligrʌbz], *s. pl.* depressão nervosa; cólica, dor de barriga.
mullion ['mʌliən], **1** — *s.* coluna que divide o vão de uma janela ou travessa que separa as janelas; mainel.
2 — *vt.* dividir por meio de mainéis.
mullock ['mʌlək], *s.* refugo; entulho.
multeity [mʌl'ti:ti], *s.* pluralidade.
multicolour [mʌlti'kʌlə], *adj.* multicor.
multicoloured [-d], *adj.* ver **multicolour.**

multicapsular [mʌlti'kæpsjulə], *adj.* (bot.) multicapsular, com várias cápsulas.
multicapsulate [mʌlti'kæpsjulit], *adj.* ver **multicapsular.**
multicauline [mʌlti'kɔ:lin], *adj.* (bot.) multicaule.
multidigitate [mʌlti'didʒitit], *adj.* (zool.) multidigitado.
multifarious [mʌlti'fɛəriəs], *adj.* vário, diverso; multiplicado. (*Sin.* manifold, various, diverse, multitudinous.)
multifariously [-li], *adv.* com multiplicidade; diversamente.
multifariousness [-nis], *s.* multiplicidade, diversidade, variedade.
multiform ['mʌltifɔ:m], *adj.* multiforme, diverso, variado.
multilateral ['mʌlti'lætərəl], *adj.* multilátero.
multilobate [mʌlti'loubeit], *adj.* multilobado.
multilobated [-id], *adj.* ver **multilobate.**
multimillionaire ['mʌltimiljə'nɛə], *s.* e *adj.* multimilionário.
multinomial [mʌlti'noumiəl], *s.* e *adj.* (mat.) polinómio.
multiparity [mʌlti'pæriti], *s.* (biol.) multiparidade.
multiparous [mʌl'tipərəs], *adj.* multíparo.
multipartite [mʌlti'pɑ:tait], *adj.* multipartido.
multiped ['mʌltipid], *adj.* multípede, com vários pés.
multiphase ['mʌltifeiz], *adj.* (elect.) polifásico.
multiphase current — corrente polifásica.
multiple ['mʌltipl], **1** — *s.* múltiplo; (elect.) ligação em paralelo.
least common multiple (mat.) — menor múltiplo comum.
2 — *adj.* múltiplo, multíplice.
multiple connection (elect.) — ligação em paralelo.
multiple fruit (bot.) — fruto composto.
multiple switch — comutador múltiplo.
multiple personality (psic.) — desdobramento de personalidade.
multiplex [-eks], *adj.* multíplice; polipétalo; múltiplo.
multipliable ['mʌltiplaiəbl], *adj.* multiplicável; que se pode multiplicar.
multiplicable ['mʌltiplikəbl], *adj.* ver **multipliable.**
multiplicand [mʌltipli'kænd], *s.* (mat.) multiplicando.
multiplication [mʌltipli'keiʃən], *s.* multiplicação.
multiplication table — tabuada de multiplicar.
multiplicative [mʌlti'plikətiv], *adj.* multiplicativo.
multiplicity [mʌlti'plisiti], *s.* multiplicidade.
multiplied ['mʌltiplaid], *adj.* multiplicado.
multiplier ['mʌltiplaiə], *s.* (mat.) multiplicador; máquina de multiplicar.
multiply ['mʌltiplai], *vt.* e *vi.* multiplicar, multiplicar-se; reproduzir-se.
to multiply 5 by 4 — multiplicar 5 por 4.
multiplying [-iŋ], **1** — *s.* multiplicação; aumento.
2 — *adj.* multiplicador, multiplicador.
multiplying glass — vidro de aumento, lente.
multipolar [mʌlti'poulə], *adj.* (elect.) multipolar.
multipole [mʌlti'poul], *adj.* ver **multipolar.**
multitude ['mʌltitju:d], *s.* multidão, turbamulta; chusma.
multitudinous [mʌlti'tju:dinəs], *adj.* numeroso; múltiplo, variado.
multitudinously [-li], *adv.* inumeravelmente; multiplamente.
multivalence [mʌlti'veiləns], *s.* (quím.) polivalência.
multivalent [mʌlti'veilənt], *adj.* (quím.) polivalente.
multivocal [mʌlti'voukəl], **1** — *s.* expressão ou palavra multívoca.
2 — *adj.* multívoco, com vários sentidos.
mum [mʌm], **1** — *s.* (col.) mãezinha, mamã; minha senhora; cerveja forte e doce.
2 — *vi.* (*pret.* e *pp.* **mummed**) imitar.
3 — *interj.* caluda!, silêncio!
mum's the word — boca calada!
mumble [mʌmbl], **1** — *s.* resmungo; maneira de falar por entre os dentes.
mumble-chest — pessoa desdentada.
2 — *vt.* e *vi.* resmungar; rosnar; mastigar, mascar.
mumbler ['-ə], *s.* resmungão; aquele que fala por entre os dentes.
mumbling ['-iŋ], **1** — *s.* murmuração; mastigação.
2 — *adj.* resmungão, que pronuncia as palavras por entre os dentes.
mumblingly ['-iŋli], *adv.* resmungando, falando por entre os dentes.
Mumbo-Jumbo ['mʌmbou'dʒʌmbou], *s.* ídolo grotesco, manipanço; coisas sem sentido ditas seriamente.
mummer ['mʌmə], *s.* mascarado; actor de pantomimas.
mummery [-ri], *s.* mascarada, disfarce; pantomima.
mummification [mʌmifi'keiʃən], *s.* mumificação.
mummiform ['mʌmifɔ:m], *adj.* em forma de múmia.
mummify ['mʌmifai], *vt.* e *vi.* mumificar, mumificação.
mumming ['mʌmiŋ], *s.* mascarada; pantomima.
mummy ['mʌmi], **1** — *s.* múmia; polpa; (col.) mãezinha, mamã.
mummy-cloth — ligadura de múmia.
2 — *vt.* mumificar.
mump [mʌmp], *vt.* e *vi.* estar de mau humor; resmungar; mendigar; enganar.
mumper ['-ə], *s.* mendigo.
mumping ['-iŋ], *adj.* de expressão carrancuda.
Mumping Day — o dia de S. Tomás (21 de Dezembro).
mumpish ['-iʃ], *adj.* mal-humorado; taciturno; arisco, intratável; melancólico.
mumpishly ['-iʃli], *adv.* melancolicamente, de mau modo.
mumps [-s], *s. pl.* parotidite, trasorelho, papeira; mau humor, mau modo.
to be in the mumps — estar de mau humor.
to have the mumps — sentir-se neurasténico.
munch [mʌntʃ], *vt.* e *vi.* mastigar com a boca muito cheia, mastigar ruidosamente.
mundane ['mʌndein], *adj.* mundano; mundanal; cósmico.
mundanely [-li], *adv.* mundanamente.
mundaneness [-nis], *s.* mundanidade.
mundanity [mʌn'dæniti], *s.* ver **mundaneness.**
Munich ['mju:nik], *top.* Munique (cidade alemã).
municipal [mju(:)'nisipəl], *adj.* municipal.
municipal undertakings — serviços municipalizados.
municipal administration — administração municipal.
municipalism [-izm], *s.* municipalismo.
municipalist [-ist], *s.* municipalista.
municipality [mju(:)nisi'pæliti], *s.* municipalidade, município.
municipalize [mju(:)'nisipəlaiz], *vt.* municipalizar.

municipally [mju(:)'nisipəli], *adv.* municipalmente.
municipium [mju:ni'sipiəm], *s.* município romano.
munificence [mju(:)'nifisns], *s.* munificência, liberalidade.
munificent [mju(:)'nifisnt], *adj.* munificente, liberal, generoso. (*Sin.* generous, liberal, bountiful. *Ant.* mean.)
munificently [-li], *adv.* munificentemente, liberalmente.
muniment ['mju:nimənt], *s.* (geralm. no *pl.*) documento comprovativo de direitos ou privilégios.
muniment rooms — arquivos.
munition [mju(:)'niʃən], **1** — *s.* (geralm. no *pl.*) munição, equipamento militar; provisões.
munition dump (mil.) — depósito de munições.
munition-factory — fábrica de munições.
munitions of war — munições de guerra.
2 — *vt.* municiar, fornecer munições.
munitioning [-iŋ], *s.* municiamento, abastecimento de munições.
muntjack ['mʌntdzæk], *s.* *(zool.)* pequeno veado da Malásia.
mural ['mjuərəl], **1** — *s.* pintura mural.
2 — *adj.* mural; vertical.
mural decoration — decoração mural artística.
murc [mə:k], *s.* bagaço; depósito (de vinho).
murder ['mə:də], **1** — *s.* assassinato, homicídio.
murder! — socorro!, querem matar-me!
murder in the first degree — assassínio com premeditação.
murder in the second degree — homicídio.
premeditated murder — assassínio premeditado.
to commit a murder — cometer um assassínio.
to do murder — assassinar.
thou shalt do no murder — não matarás.
2 — *vt.* assassinar, matar; (fig.) estragar.
to murder a song — assassinar uma canção, cantar muito mal uma canção.
murderer [-rə], *s.* assassino.
murderess [-ris], *s. fem.* assassina.
murdering [-riŋ], **1** — *s.* assassinato.
2 — *adj.* de assassino, assassino, mortífero.
murderous [-rəs], *adj.* assassino, homicida; cruel, bárbaro, sanguinário.
murderous blow — golpe mortal.
murderous weapons — armas mortíferas.
murderously [-rəsli], *adv.* de maneira assassina; cruelmente, desumanamente.
mure [mjuə], *vt.* fechar, murar, enclausurar, encerrar.
murex ['mjuəreks], *s.* (*pl.* **murices**) *s.* (zool.) múrex, múrice.
muriate ['mjuəriit], *s.* (quím.) muriato, cloreto.
muriated [-t], *adj.* muriatado.
muriatic [mjuəri'ætik], *adj.* muriático.
muriatic acid — ácido muriático, ácido clorídrico.
murk [mə:k], **1** — *s.* escuridão, trevas; névoa.
2 — *adj.* (arc. poét.) escuro, sombrio; enevoado.
murkily ['-ili], *adv.* obscuramente, sombriamente.
murkiness ['-inis], *s.* escuridão, trevas.
murky ['-i], *adj.* obscuro, fusco, sombrio; tenebroso.
murky night — noite escura como breu.
murky past — passado sombrio.
murmur ['mə:mə], **1** — *s.* murmúrio, sussurro; queixa.
2 — *vt.* e *vi.* murmurar, sussurrar; queixar-se; resmungar.
to murmur at (to murmur against) — resmungar contra.
murmurer [-rə], *s.* murmurador; resmungador.
murmuring [-riŋ], **1** — *s.* murmúrio, sussurro.
2 — *adj.* sussurrante, murmurante.
murmuringly [-riŋli], *adv.* murmurando, sussurrando.
murmurous [-rəs], *adj.* murmurejante.
murphy ['mə:fi], *s.* (cal.) batata.
murrain ['mʌrin,'mʌrein], *s.* gafeira, ronha, epizootia; praga; peste.
murrey ['mʌri], *s.* e *adj.* (arc.) vermelho-escuro.
muscadine ['mʌskədain], *s.* *(bot.)* muscadínea; videira americana.
muscat ['mʌskət], *s.* e *adj.* uva ou vinho moscatel.
muscatel [mʌskə'tel], *s.* moscatel (uva, vinho).
muscle [mʌsl], **1** — *s.* músculo; força muscular.
a man of muscle — um homem musculoso.
muscle-bound — com hipertrofia muscular.
to have muscle — ter boa musculatura.
2 — *vi.* (E. U.).
to muscle in — intrometer-se em.
muscled [-d], *adj.* musculado.
muscleless [-is], *adj.* sem músculos.
muscovado [mʌskə'vɑ:də], *s.* açúcar mascavado.
Muscovite ['mʌskəvait], *s.* e *adj.* moscovita.
muscular ['mʌskjulə], *adj.* muscular, musculoso, vigoroso.
muscular rheumatism — reumatismo muscular.
muscular tissue — tecido muscular.
muscularity [mʌskju'læriti], *s.* musculosidade, musculatura.
musculation [mʌskju'leiʃən], *s.* musculatura.
musculature ['mʌskjulətjuə], *s.* ver **musculation.**
muse [mju:z], **1** — *s.* musa; meditação; devaneio.
2 — *vi.* meditar, cismar, pensar; estar absorto.
muser ['-ə], *s.* sonhador, devaneador.
musette [mju(:)'zet], *s.* variedade de gaita-de-foles; dança ao som de gaita-de-foles.
museum [mju(:)'ziəm], *s.* museu.
Natural History museum — museu de história natural.
mush [mʌʃ], **1** — *s.* papas de farinha milha; (cal.) guarda-chuva; (E. U. e Canadá) passeio em trenó puxado por cães; (col.) tolices.
2 — *vi.* (E. U. e Canadá) passear de trenó puxado por cães.
mushroom ['-rum], **1** — *s.* cogumelo; míscaro; (col.) novo-rico; chapéu de palha, de senhora, com a aba descida.
mushroom ventilator — ventilador de cogumelo.
mushroom town — cidade que cresceu rapidamente.
2 — *vi.* apanhar cogumelos; crescer rapidamente.
mushy ['-i], *adj.* mole; lamacento; (fruta) meio podre.
music ['mju:zik], **1** — *s.* música; composição musical; melodia, harmonia.
music hall — salão de concerto, dança e variedades.
music-stand — estrado para orquestra.
music-stool — banco de piano.
music-rack — estante para músicos.
music-book — livro de música.
music paper — papel de música.
music of the spheres — música celestial.
chamber music — música de câmara.
orchestral music — música de orquestra.
to set a poem to music — musicar um poema.

to face the music — encarar uma situação difícil com coragem.
to have an ear for music — ter ouvido musical.
2 — *vt.* e *vi.* (*pret.* e *pp.* **musicked**) musicar; executar música.
musical ['-əl], *adj.* musical, harmonioso, melodioso; que gosta de música; que tem habilidade para a música. (*Sin.* tuneful, melodious, harmonious, sweet, dulcet. *Ant.* discordant.)
musical instrument — instrumento musical.
musical box — caixa de música.
musical composer — compositor musical.
musical comedy — opereta; comédia musical.
musical evening — sarau musical.
musical voice — voz harmoniosa.
musically [-əli], *adv.* musicalmente; harmoniosamente.
musicalness [-əlnis], *s.* musicalidade, melodia, harmonia.
musician [mju(:)'ziʃən], *s.* música; compositor.
musicographer [mju:zi'kɔgrəfə], *s.* musicógrafo.
musing ['mju:ziŋ], **1** — *s.* meditação, abstracção, cogitação.
2 — *adj.* contemplativo, meditabundo, pensativo.
musingly ['mjuziŋli], *adv.* contemplativamente, pensativamente.
musk [mʌsk], *s.* almíscar, cheiro do almíscar; almiscareiro.
musk-rose — rosa almiscarada.
musk melon — melão de cheiro.
musk-ox — boi almiscarado.
musk-deer — almiscareiro.
musk-seed — semente de ambarina.
musk-rat — rato almiscareiro.
musk-apple — maçã camoesa.
musk-pear — pera moscatel.
musket ['mʌskit], *s.* mosquete, arcabuz.
musketeer [mʌski'tiə], *s.* mosqueteiro.
musketry ['mʌskitri], *s.* fuzilaria; companhia de mosqueteiros; mosquetaria.
musky ['mʌski], *adj.* almiscarado; fragrante.
Muslim ['muslim,'mʌzlim], *s.* e *adj.* ver **Moslem.**
muslin ['mʌzlin], *s.* musselina (espécie de tecido).
a bit of muslin — uma rapariga; uma mulher.
musquash ['mʌskwɔʃ], *s.* (zool.) ver **musk-rat.**
muss [mʌs], **1** — *s.* (E. U.) desordem, trapalhada.
2 — *vt.* pôr em desordem.
mussel [mʌsl], *s.* mexilhão.
mussel-bed — viveiro de mexilhões.
Mussulman ['mʌslmən], *s.* e *adj.* muçulmano.
mussy ['mʌsi], *adj.* (E. U.) desordenado, em confusão, sujo.
must [mʌst], **1** — *s.* mosto, sumo de uva; mofo, bolor; dever; fúria (de elefantes e camelos).
2 — *adj.* frenético, furioso (elefante, camelo); necessário, obrigatório.
3 — *v. defect.* (só tem *pres. ind.*; substitui-se por **to have to** ou **to be obliged to** nos outros tempos) tenho de, tens de, tem de, etc.; preciso de, precisas de, etc.; devo, deves, etc.; é preciso, é necessário; convém.
it must be done — é preciso fazê-lo.
we must eat in order to live — temos de comer para viver.
you must be aware of this — deve(s) estar ao facto disto.
mustang ['mʌstæŋ], *s.* cavalo bravo do México e da Califórnia.
mustard ['mʌstəd], *s.* mostarda.
mustard-pot — mostardeiro.
mustard plaster — cataplasma de mostarda.
mustard-paper — sinapismo.
mild mustard — mostarda dos campos.
muster ['mʌstə], **1** — *s.* revista; chamada; rol, lista, resenha.
muster parade — inspecção.
to pass muster — ser considerado aceitável.
2 — *vt.* e *vi.* passar em revista; fazer a chamada; (mil.) juntar-se, reunir-se.
to muster in (E. U.) — assentar praça.
to muster out (E. U.) — dar baixa.
mustily ['mʌstili], *adv.* com mofo; com bafio; bolorentamente.
mustiness ['mʌstinis], *s.* mofo; bolor; bafio; estado bolorento.
musty ['mʌsti], *adj.* bolorento; rançoso; sediço, velho.
a musty smell — um cheiro a bafio.
musty books — livros bafientos.
mutability [mju:tə'biliti], *s.* mutabilidade, instabilidade, inconstância.
mutable ['mju:təbl], *adj.* mutável, volúvel.
mutably [-i], *adv.* instavelmente.
mutant ['mju:tənt], *s.* e *adj.* mutante.
mutation [mju(:)'teiʃən], *s.* variação, mudança; mutação (gram. e biol.).
vowel mutation — metafonia.
mute [mju:t], **1** — *s.* mudo; (mús.) surdina; filme mudo.
2 — *adj.* mudo, silencioso, calado, surdo (vogal ou consoante).
mute consonant — consoante surda.
3 — *vt.* e *vi.* (mús.) abafar o som de um instrumento musical, tocar em surdina; (aves) defecar.
muted ['-id], *adj.* (mús.) em surdina.
mutely [-li], *adv.* mudamente, silenciosamente.
muteness ['-nis], *s.* mudez, mutismo.
mutilate ['mju:tileit], *vt.* mutilar; cortar; truncar; estropiar; decepar.
mutilating [-iŋ], *s.* acção de mutilar, mutilação.
mutilation [mju:ti'leiʃən], *s.* mutilação.
mutilator ['mju:tileitə], *s.* mutilador, (o) que mutila.
mutineer [mju:ti'niə], *s.* amotinador, amotinado.
mutinous ['mju:tinəs], *adj.* amotinador, sedicioso, rebelde.
mutinously [-li], *adv.* amotinadamente, tumultuosamente.
mutinousness [-nis], *s.* amotinação; rebeldia; revolta.
mutiny ['mju:tini], **1** — *s.* motim, rebelião, amotinação.
2 — *vi.* amotinar-se, revoltar-se.
mutism ['mju:tizm], *s.* mutismo.
mutt [mʌt], *s.* (col. E. U.) palerma, pateta, simplório.
mutter ['mʌtə], **1** — *s.* resmungo; palavras entre dentes.
2 — *vt.* e *vi.* resmungar; falar por entre os dentes; murmurar; (fig.) segredar; ribombar (trovão).
mutterer [-rə], *s.* resmungador.
muttering [-riŋ], **1** — *s.* acção de resmungar; murmuração; o ribombar (do trovão).
2 — *adj.* que resmunga.
mutteringly [-riŋli], *adv.* resmungando, murmurando.
mutton [mʌtn], *s.* carne de carneiro.
mutton-chop — costeleta de carneiro.
a shoulder of mutton — uma mão de carneiro.
as dead as mutton — morto e bem morto.

mutton-faced — de rosto vermelho.
mutton-head (col.) — pessoa idiota, estúpida.
let us come back to our muttons (col.) — voltemos à vaca-fria.

muttony ['-i], *adj.* de carneiro, com gosto a carneiro.

mutual ['mju:tjuəl], *adj.* mútuo, recíproco, comum. (*Sin.* reciprocal, interchanged, correlative, common. *Ant.* sole, solitary.)
our mutual friend — o nosso amigo comum.
mutual terms — condições mútuas.
mutual benefit society — sociedade de socorros mútuos.
mutual savings bank — cooperativa bancária.

mutualism [-izm], *s.* mutualismo.

mutualist [-ist], *s.* mutualista.

mutuality [mju:tju'æliti], *s.* mutualidade, reciprocidade.

mutually ['mju:tjuəli], *adv.* mutuamente, reciprocamente.

muvver ['mʌvə], *s.* (cal.) mãe.

muzzily ['mʌzili], *adv.* sombriamente; enevoadamente.

muzzle [mʌzl], **1** — *s.* focinho; açaimo; boca (de arma de fogo); máscara antigás.
muzzle-loader — arma de fogo de carregar pela boca.
2 — *vt.* açaimar; amordaçar; fazer calar; farejar; (náut.) arriar (vela).

muzzling ['-iŋ], *s.* açaimamento; amordaçamento.

muzzy ['-i], *adj.* (fam.) bêbado; embotado; enevoado, sombrio; distraído.

my [mai,mi], **1** — *adj. pos.* (o) meu; (a) minha; (os) meus; (as) minhas.
my friend — o meu amigo.
my dear! — meu caro!
my eye! — caramba!
my goodness! — meu Deus!
my aunt! — essa agora!
2 — *interj.*
oh, my! — c'os diabos!

myalgia [mai'ældʒiə], *s.* mialgia, dor muscular.

mycelium [mai'si:liəm], *s.* (*pl.* **mycelia**) (bot.) micélio.

Mycenae [mai'si:ni(:)], *top.* Micenas.

Mycenian [maisi:'ni:ən], *s.* e *adj.* micénio.

mycoderm ['maikoudə:m], *s.* (bot.) micoderma.

mycology [mai'kɔlədʒi], *s.* (bot.) micetologia, micologia.

myelencephalon ['maiələn'sefələn], *s.* (anat.) mielencéfalo.

myelin ['maiəlin], *s.* mielina.

myeline ['maiəlin], *s.* ver **myelin.**

myelitis [maiə'laitis], *s.* (pat.) mielite.

myeloma [maiə'loumə], *s.* (pat.) mieloma.

myocarditis [maiouka:'daitis], *s.* (pat.) miocardite.

myocardium [maiou'ka:diəm], *s.* (anat.) miocárdio.

myologist [mai'ɔlədʒist], *s.* miólogo, miologista.

myology [mai'ɔlədʒi], *s.* miologia.

myoma [mai'oumə], *s.* (pat.) mioma.

myope ['maioup], *s.* míope.

myopia [mai'oupjə], *s.* (pat.) miopia.

myopic [mai'ɔpik], *adj.* míope.

myopotamus [maiou'pɔtəməs], *s.* miopótamo, género de mamífero roedor.

myosote [mai'ɔsout], *s.* (bot.) miosote, miosótis.

myosotis [maiə'soutis], *s.* (bot.) miosótis.

myriad ['miriəd], **1** — *s.* miríade; quantidade inumerável.
2 — *adj.* (poét.) em quantidade inumerável.

myriagramme ['miriəgræm], *s.* miriagrama.

myriameter ['miriəmi:tə], *s.* miriâmetro.

myriapoda [miri'æpoudə], *s. pl.* (zool.) miriápodes.

myriapodous [-s], *adj.* (zool.) miriápode.

myrica ['mirikə], *s.* (bot.) mírica, tamargueira.

myrmecophagous [mə:mi'kɔfəgəs], *adj.* mirmecófago, que se alimenta de formigas.

myrrh [mə:], *s.* (bot.) mirra.

myrtle [mə:tl], *s.* (bot.) mirto, murta.

myself [mai'self,mi'self], *pron. refl.* e *enf.* eu mesmo, a mim mesmo.
I myself wrote the letter — eu é que escrevi a carta.
I have hurt myself — magoei-me.
today I am not myself — hoje não sou eu (hoje não me sinto bem).
by myself — eu sozinho; sem ajuda de ninguém.

mysterious [mis'tiəriəs], *adj.* misterioso, enigmático; estranho; nublado, obscuro.
***mysterious-looking* — de aspecto misterioso;** de ar enigmático.

mysteriously [-li], *adv.* misteriosamente; enigmaticamente; de modo estranho; obscuramente.

mysteriousness [-nis], *s.* carácter misterioso; mistério; aspecto misterioso.

mystery ['mistəri], *s.* mistério, enigma; dogma religioso; (teat.) mistério, representação teatral da Idade Média; (arc.) mister; *pl.* Eucaristia.
mystery novel — novela policial.
arts and mysteries (arc.) — artes e ofícios.
to make a mystery of — fazer mistério de.
it is wrapped in mystery — está envolto em mistério.

mystic ['mistik], **1** — *s.* místico.
2 — *adj.* místico; misterioso; mágico; simbólico.
mystic rites — ritos misteriosos.

mystical [-əl], *adj.* místico.
mystical theology — mística (ciência).

mystically [-əli], *adv.* misticamente.

mysticism ['mistisizm], *s.* misticismo.

mystification [mistifi'keiʃən], *s.* mistificação; logro, embuste; confusão; perplexidade.

mystifier ['mistifaiə], *s.* mistificador; embusteiro.

mystify ['mistifai], *vt.* mistificar; iludir; confundir.

mystifying [-iŋ], **1** — *s.* mistificação.
2 — *adj.* mistificador.

mystifyingly [-iŋli], *adv.* mistificadoramente.

myth [miθ], *s.* mito, fábula, ficção.

mythic ['miθik], *adj.* mítico; lendário.

mythical [-əl], *adj.* ver **mythic.**

mythically [-əli], *adv.* miticamente.

mythicize ['miθisaiz], *vt.* mitificar.

mythographer [mi'θɔgrəfə], *s.* mitógrafo.

mythography [mi'θɔgrəfi], *s.* mitografia.

mythologic [miθə'lɔdʒik], *adj.* mitológico; lendário.

mythological [-əl], *adj.* ver **mythologic.**

mythologically [-əli], *adv.* mitologicamente.

mythologist [mi'θɔlədʒist], *s.* mitólogo, mitologista.

mythologize [mi'θɔlədʒaiz], *vt.* e *vi.* converter em mito; explicar pela mitologia.

mythology [mi'θɔlədʒi], *s.* mitologia.

mythomania [miθou'meiniə], *s.* mitomania.

mythomaniac [miθou'meiniæk], **1** — *s.* mitómano.
2 — *adj.* mitomaníaco.

mythus ['maiθəs], *s.* mito.

Mytilene [miti'li:ni(:)], *top.* Mitilene, Mitilena.

myxoedema [miksi:'di:mə], *s.* (pat.) mixedema.

myxoedematous [-təs], *adj.* mixedematoso.

N

N, n [en] (*pl.* **N's, n's** [enz]) a letra *n*; (mat.) *n* (quantidade indeterminada).
nab [næb], *vt.* (*pret.* e *pp.* **nabbed**) (col.) prender, apanhar em flagrante; furtar, roubar.
nabob ['neibɔb] *s.* nababo, ricaço.
nacelle [næ'sel], *s.* (*aeron.*) carlinga.
nacre ['neikə] *s.* nácar, madrepérola.
nacreous ['neikriəs] *adj.* nacarado.
nadir ['neidiə], *s.* nadir, ponto da esfera celeste diametralmente oposto ao zénite.
nag [næg], **1** — *s.* garrano, cavalo pequeno. **2** — *vt.* e *vi.* (*pret.* e *pp.* **nagged**) enfadar, incomodar, importunar; armar questiúnculas; criticar permanentemente. (*Sin.* to annoy, to harass, to worry, to plague. *Ant.* to soothe.)
she is always nagging (at) the servant — ela está sempre a pegar com a criada.
nagger [-ə], *s.* pessoa que está sempre a pegar com tudo.
naiad ['naiæd] (*pl.* **naiads, naiades** [-z, -i:z]) (mit.) náiade; (zool.) náiade, família de moluscos de água doce.
nail [neil], **1**—*s.* **unha, garra; prego, cravo, tacha.**
as hard as nails — sem piedade, duro; em boa condição física.
a nail in one's coffin — acontecimento prejudicial ao prolongamento da vida de alguém.
brass-headed nails — pregos com cabeça de latão.
nail-brush — escova das unhas.
nail-file — lima das unhas.
on the nail — já, imediatamente.
to a nail (col.) — na perfeição.
to bite one's nails — roer as unhas.
to drive a nail in one's coffin — tirar anos de vida; apressar a própria morte.
to pay on the nail — pagar imediatamente.
to fight tooth and nail — lutar com unhas e dentes.
to hit the right nail on the head — acertar em cheio; fazer exactamente o que é devido.
2 — *vt.* pregar, cravejar; guarnecer com pregos; segurar; prender a atenção.
to nail a lie to the counter — provar que é mentira.
to nail one's colours to the mast — comprometer-se a ir até ao fim; ser persistente.
to nail a person down to his promise — obrigar uma pessoa a cumprir o que prometeu.
to nail up — pregar; fechar.
nailer [-ə], *s.* fabricante de pregos; (cal.) perito, mestre.
he is a nailer at cricket — ele é um ás no críquete.
nailery [-əri], *s.* pregaria; fábrica de pregos.
naïve [na:'i:v], *adj.* ingénuo, simples; cândido, crédulo, natural. (*Sin.* ingenuous, artless, natural, simple, unaffected. *Ant.* cunning.)
naïvely [-li], *adv.* ingenuamente, candidamente.
naked ['neikid], *adj.* nu, despido; descoberto; indefeso; desembainhado; indigente; puro, simples; claro, manifesto, evidente; desguarnecido; estéril. (*Sin.* nude, bare, uncovered, exposed, unclothed. *Ant.* clothed.)
naked facts — simples factos.
stark naked — nu em pelote.
the naked truth — a verdade nua e crua.
to see with the naked eye — ver a olho nu; ver à vista desarmada.
to ride on a naked horse — montar sem sela; montar em pêlo.
nakedly [-li], *adv.* simplesmente, nuamente, meramente.
nakedness [-nis], *s.* nudez; evidência; carência; falta; simplicidade.
namby-pamby ['næmbi'pæmbi], **1** — *s.* afectação; pieguice; frivolidade; disparate.
2 — *adj.* insípido; afectado, pretensioso; piegas; delambido.
name [neim], **1** — *s.* nome; apelido; título; reputação; autoridade; fama; *pl.* palavras ofensivas.
by name — de nome.
Christian name — nome de baptismo.
full name — nome completo.
in the name of — da parte de.
in God's name — em nome de Deus.
to bequeath a great name — deixar bom nome.
to call names — chamar nomes a; insultar.
to go by (under) the name of — dar pelo nome de.
to take a name in vain — ter pouco respeito por um nome.
to take one's name off the books — deixar de pertencer a clube, agremiação, etc.
to win oneself a name — fazer nome; conquistar fama.
to have nothing to one's name — não possuir nada.
to give a dog a bad name and hang him — condenar uma pessoa só por ouvir dizer mal dela.
what in the name of goodness (fortune) are you writing? — que diabo estás tu a escrever?
2 — *vt.* nomear; chamar; denominar, apelidar; pôr nome a; designar, mencionar; especificar, fixar, marcar.
to name the day — marcar o dia (do casamento).
you were named John after your father — deram-te o nome de João por ser o do teu pai.
nameable [-əbl], *adj.* que pode mencionar-se, que pode receber um nome.
nameless [-lis], *adj.* sem nome, anónimo; desconhecido; indefinível; abominável.
namely [-li], *adv.* nomeadamente, a saber.
namesake [-seik], *s.* homónimo.
naming [-iŋ], *s.* nomeação, designação.
nankeen [næŋ'ki:n], *s.* nanquim, tecido de algodão amarelo que dantes se fabricava na China; cor desse tecido.
nanny ['næni], *s.* ama; criada de meninos.
nanny-goat (col.) — cabra.
nap [næp], **1** — *s.* sono ligeiro, soneca, sesta; lanugem (das plantas, da fruta); pêlo (do pano); um jogo de cartas; (cal.) chapéu.
against the nap — contra o correr do pêlo.
to go nap — arriscar todos os lucros do jogo.
to take a nap — dormir uma sesta (soneca).
2 — *vt.* e *vi.* (*pret.* e *pp.* **napped**) dormitar, passar pelo sono, dormir a sesta; cardar.
to be caught napping — ser apanhado desprevenido.
nape [neip], *s.* nuca.
napery ['neipəri], *s.* guardanapos e toalhas de mesa.
naphtha ['næfθə], *s.* nafta.
naphthalene, naphthaline [-li:n], *s.* naftalina.
napkin ['næpkin], *s.* guardanapo; fralda de criança.
Naples [neiplz], *top.* Nápoles.
napless ['næplis], *adj.* liso, sem pêlo; coçado.

napoleon [nə'pouljən], *s.* napoleão (moeda francesa); variedade de botas de montar; jogo de cartas.
Napoleon [nə'pouljən], *n. p.* Napoleão.
Napoleonic [nəpouli'ɔnik], *adj.* napoleónico.
napper ['næpə], *s.* dorminhoco; cardador.
Narcissus [nɑ:'sisəs], *n. p.* Narciso.
narcissus [nɑ:'sisəs], *s.* (*pl.* **narcissuses, narcissi** [-is,-ɑi]) (bot.) narciso.
narcosis [na:'kousis], *s.* narcose.
narcotic [na:'kɔtik], *s.* e *adj.* narcótico.
narcotine ['nɑ:koutin], *s.* narcotina.
narcotism ['nɑ:kətizm], *s.* narcotismo.
narcotize ['nɑ:kətaiz], *vt.* narcotizar.
nard [nɑ:d], *s.* (bot.) nardo.
narghile ['nɑ:gili], *s.* cachimbo turco.
nark [na:k], **1** — *s.* (*col.*) delator; espião da polícia.
2 — *vt.* irritar; contrariar.
narrate [næ'reit], *vt.* narrar, relatar, contar. (*Sin.* to report, to relate, to recite, to tell.)
narration [næ'reiʃən], *s.* narração, narrativa, relato; história.
narrative ['nærətiv], **1** — *s.* narrativa, relatório.
2 — *adj.* narrativo.
narratively [-li], *adv.* narrativamente.
narrator [næ'reitə], *s.* narrador.
narrow ['nærou], **1** — *s.* estreito, braço de mar; desfiladeiro; estrangulamento, estreitamento.
2 — *adj.* estreito, apertado, limitado; escasso; tacanho; mesquinho; avarento, avaro; acanhado; pormenorizado.
a narrow search — uma busca rigorosa.
a narrow majority — uma maioria insignificante.
narrow-minded — de espírito tacanho.
narrow circumstances — circunstâncias precárias.
narrow escape — fuga (saída) difícil.
in the narrowest sense — no sentido mais restrito.
to have a narrow escape — escapar por um triz.
3 — *vt.* e *vi.* estreitar; contrair; encolher, limitar; reduzir, diminuir; estreitar-se; encolher-se.
narrowing [-iŋ], **1** — *s.* estreitamento; limitação; aperto.
2 — *adj.* limitativo; que restringe.
narrowly [-li], *adv.* estreitamente; atentamente; apertadamente; estritamente; por um pouco; cuidadosamente; mesquinhamente.
narrowness [-nis], *s.* estreiteza; pequenez; pobreza; exiguidade; mesquinhez; limitação; cuidado.
nasal ['neizəl], **1** — *s.* som nasal; osso do nariz.
2 — *adj.* nasal.
nasality [nei'zæliti], *s.* nasalidade.
nasalization [neizəlai'zeiʃən], *s.* nasalação, nasalização.
nasalize ['neizəlaiz], *vt.* e *vi.* nasalizar; falar pelo nariz.
nasally ['neizəli], *adv.* nasalmente; pelo nariz.
nascent [næsnt], *adj.* nascente.
nastily ['nɑ:stili], *adv.* asquerosamente; grosseiramente; duma maneira desagradável.
nastiness ['nɑ:stinis], *s.* imundície, porcaria; grosseria; vilania.
nasturtium [nəs'tə:ʃəm], *s.* (bot.) chagas.
nasty ['nɑ:sti], *adj.* sujo, asqueroso; grosseiro; obsceno; sórdido; desagradável; ofensivo; tempestuoso; intratável; mau, maldoso; sério, perigoso. (*Sin.* dirty, filthy, foul, unpleasant, offensive, disagreeable, disgusting, impure. *Ant.* pure, pleasant.)
a nasty boy — um porcalhão.
nasty weather — tempo desagradável.
to play a nasty trick — fazer uma partida estúpida.
natal [neitl], *adj.* natal; nativo.
natation [nei'teiʃən], *s.* natação.
natatorial, natatory [neitə'tɔ:riəl,'neitətəri], *adj.* natatório.
nation ['neiʃən], *s.* nação, país; povo; (E. U. col.) grande quantidade. (*Sin.* people, race, country, land, state, commonwealth.)
law of nations — direito das gentes.
national ['næʃənl], **1** — *s.* nacional, natural dum país.
2 — *adj.* nacional; público.
national anthem — hino nacional.
nationalism ['næʃnəlizm], *s.* nacionalismo.
nationalist ['næʃnəlist], *s.* nacionalista.
nationality (*pl.* **nationalities**) [næʃə'næliti,-iz], *s.* nacionalidade; patriotismo; naturalidade.
what is his nationality? — de que nacionalidade é ele?
nationalization [næʃnəlai'zeiʃən], *s.* nacionalização.
nationalize ['næʃnəlaiz], *vt.* nacionalizar; naturalizar.
native ['neitiv], **1** — *s.* nativo, natural; indígena.
2 — *adj.* nativo, natural; pátrio; vernáculo; originário; inato, simples.
native place — terra natal.
native forest — floresta virgem.
native simplicity — simplicidade natural.
native gold — ouro nativo.
natively [-li], *adv.* originariamente; naturalmente.
nativity (*pl.* **nativities**) [nə'tiviti,-iz], *s.* natividade, nascimento; horoscópio.
natron ['neitrən], *s.* (min.) natro, natrão.
nattily ['nætili], *adv.* garbosamente; de modo atraente; com habilidade.
nattiness ['nætinis], *s.* garbo, distinção; habilidade.
natty ['næti], *adj.* elegante, garboso, airoso; hábil, habilidoso.
natural ['nætʃrəl], **1** — *s.* **idiota, simplório,** pateta; (mús.) bequadro, nota natural.
2 — *adj.* natural, nativo; genuíno, verdadeiro; ordinário, comum; normal; próprio; ilegítimo, bastardo; espontâneo, simples.
natural child — filho natural.
natural history — história natural.
natural philosophy — física.
the natural world — o mundo real.
naturalism ['nætʃrəlizəm], *s.* naturalismo.
naturalist ['nætʃrəlist], *s.* naturalista.
naturalistic [nætʃrə'listik], *adj.* naturalista.
naturalization [nætʃrəlai'zeiʃən], *s.* naturalização; aclimatação.
naturalize ['nætʃrəlaiz], *vt.* e *vi.* naturalizar; aclimatar; habituar.
naturally ['nætʃrəli], *adv.* naturalmente.
naturalness ['nætʃrəlnis], *s.* naturalidade, simplicidade; ingenuidade.
nature ['neitʃə], *s.* natureza; natural; índole, carácter; génio; constituição; género, espécie, classe. (*Sin.* structure, creation, constitution, disposition, temper, character, humour, mind.)
from nature — do natural.
good-nature — bondade.
in the course of nature — segundo a ordem natural das coisas.
to case nature — evacuar; urinar.
to pay the debt of nature — morrer.
natured [-d], *adj.* de natureza.
good-natured — bonacheirão; de boa índole.
ill-natured — mal-humorado; mau; perverso.

naught [nɔ:t], **1** — *s.* nada; zero.
to bring to naught — fazer fracassar; derrotar.
to set at naught — desprezar, desdenhar.
to care naught for — não ter interesse por; considerar inútil.
2 — *adj.* (arc.) inútil, sem valor algum.
naughtily [-ili], *adv.* com maldade, perversamente.
naughtiness [-inis], *s.* maldade, travessura; inconveniência; perversidade.
naughty [-i], *adj.* mau, travesso; desobediente; perverso; inconveniente.
a naughty child — uma criança travessa.
naughty trick — patifaria, velhacaria.
nausea ['nɔ:sjə], *s.* náusea, enjoo; desgosto; nojo.
nauseate ['nɔ:sieit], *vt.* e *vi.* causar aversão; sentir náuseas; aborrecer; aborrecer-se.
nauseous ['nɔ:sjəs], *adj.* nojento, nauseabundo, repugnante.
nauseously [-li], *adv.* asquerosamente, repugnantemente.
nauseousness [-nis], *s.* náusea; repugnância; aversão.
nautical ['nɔ:tikəl], *adj.* náutico, marítimo.
nautically [-i], *adv.* como em náutica.
nautilus ['nɔ:tiləs], *s.* (zool.) náutilo; argonauta.
naval ['neivəl], *adj.* naval.
naval cadet — cadete naval.
naval officer — oficial de marinha.
naval yard — arsenal de marinha.
naval tactics — táctica naval.
naval force — força naval.
Navarre [nə'vɑ:], *top.* Navarra.
nave [neiv], *s.* nave (de igreja); cubo (de roda).
navel [-əl], *s.* umbigo; centro, meio, parte interior.
navel orange — laranja de umbigo.
navel-string — cordão umbilical.
navicert ['nævisə:t], *s.* navicerte, certificado de navegação (em tempo de guerra).
navicular [næ'vikjulə], *adj.* navicular.
navigability [nævigə'biliti], *s.* navigabilidade.
navigable ['nævigəbl], *adj.* navegável.
in navigable condition — em estado de navegar.
navigable waterway — via navegável.
navigate ['nævigeit], *vt.* e *vi.* navegar; pilotar; dirigir a navegação.
navigation [nævi'geiʃən], *s.* navegação; náutica; pilotagem.
navigation act — código marítimo.
aerial navigation — navegação aérea.
inland navigation — navegação interior.
navigator ['nævigeitə], *s.* navegador, navegante; piloto.
navvy (*pl.* **navvies**) ['nævi,-z], *s.* cabouqueiro, escavador.
navy (*pl.* **navies**) ['neivi,-z], *s.* marinha; armada.
navy blue — azul-marinho.
navy list — anuário da marinha.
the Royal Navy — a Marinha Real.
nay [nei], **1** — *s.* não; recusa; resposta negativa.
2 — *adv.* (arc.) não; mais que isso; ou antes.
Nazarene [næzə'ri:n], *s.* e *adj.* nazareno.
Nazareth ['næzəriθ], *top.* Nazaré.
naze [neiz], *s.* cabo, promontório.
Nazi ['nɑ:tsi], *s.* e *adj.* nazi.
neap [ni:p], **1** — *s.* águas mortas, maré morta.
2 — *adj.* vazante, minguante (maré).
Neapolitan [niə'pɔlitən], *s.* e *adj.* napolitano.
near [niə], **1** — *adj.* perto, próximo; vizinho; directo; mesquinho, avarento; íntimo, exacto, fiel.
a near relation — um parente próximo.
a near friend — um amigo íntimo.
near-sighted — míope.
near-sightedness — miopia.
she is very near with her money — ela é muito agarrada ao dinheiro.
2 — *vt.* e *vi.* aproximar; aproximar-se.
3 — *adv.* e *prep.* perto, próximo; quase; perto de, cerca de, junto a.
near at hand — à mão, muito próximo.
near by — perto.
near dead — quase morto.
near upon — cerca de.
to draw near — aproximar-se.
they came near to crying — por pouco que se punham a chorar.
far and near — em toda a parte.
nearly [-li], *adv.* perto, próximo; intimamente; quase; minuciosamente; mesquinhamente.
not nearly — de modo nenhum.
nearness [-nis], *s.* proximidade, vizinhança; parentesco; intimidade; exactidão; mesquinhez.
neat [ni:t], **1** — *s.* gado bovino; gado vacum.
neat's tongue — língua-de-vaca.
2 — *adj.* limpo, asseado; primoroso; elegante, bonito; esmerado; puro, perfeito; casto, natural; nítido, claro; bem arranjado. (*Sin.* clean, trim, tidy, smart, pure. *Ant.* untidy, clumsy.)
a neat dress — um vestido elegante.
neat-handed — destro, hábil.
neatly [-li], *adv.* primorosamente; asseadamente; singelamente; perfeitamente; elegantemente; com ordem; com cuidado.
neatly dressed — vestido com elegância.
neatness [-nis], *s.* limpeza, asseio; elegância; polidez; primor; singeleza; delicadeza; nitidez.
neb [neb], *s.* ponta, bico, extremidade; nariz.
nebula (*pl.* **nebulae**) ['nebjulə,-i:], *s.* (astr.) nebulosa; névoa (nos olhos).
nebular ['nebjulə], *adj.* nebular.
nebulosity (*pl.* **nebulosities**) [nebju'lɔsiti,-z], *s.* nebulosidade.
nebulous ['nebjuləs], *adj.* nebuloso, nublado; confuso, vago, indistinto. (*Sin.* misty, hazy, obscure, indistinct, cloudy. *Ant.* clear, cloudless.)
necessarily ['nesisərili], *adv.* necessariamente; indispensavelmente.
necessary ['nesisəri], **1** — *s.* (*pl.* **necessaries** [-iz]) o necessário; necessidade.
the necessaries of life — as coisas necessárias à vida.
2 — *adj.* necessário, indispensável, inevitável; forçoso, obrigatório; essencial.
if necessary — se for necessário.
it is necessary that — é necessário que.
necessitate [ni'sesiteit], *vt.* necessitar, precisar; tornar preciso.
necessitous [ni'sesitəs], *adj.* necessitado, pobre, indigente. (*Sin.* poor, needy, indigent. *Ant.* rich.)
necessitously [-li], *adv.* pobremente.
necessitousness [-nis], *s.* necessidade, indigência, pobreza.
necessity (*pl.* **necessities**) [ni'sesiti,-z], *s.* necessidade; precisão, pobreza, indigência; exigência; requisito indispensável; coacção.
necessity is the mother of invention — a necessidade é a mãe da invenção.
neck [nek], **1** — *s.* pescoço; istmo, desfiladeiro, garganta; gargalo; braço (de instrumento musical); colarinho; punho de baioneta.
neck and crop — completamente; violentamente.
neck and neck — com igual rapidez numa corrida; a par.
neck-deep — até ao pescoço.
neck of land — istmo.
low neck — decote grande.

neck or nothing — ou tudo ou nada; caso de vida ou morte.
he is up to his neck in work — ele está cheio de trabalho.
to break one's neck — morrer vítima de uma queda.
to break the neck of anything — concluir a pior parte de alguma coisa.
to get it in the neck (cal.) — receber um castigo severo.
to save one's neck — escapar à forca.
to win by a neck — ganhar por pouco.
2 — *vt.* (col.) engolir, beber; acariciar; abraçar, beijar.
necked [nekt], *adj.* com pescoço; com colarinho.
stiff-necked — teimoso.
high-necked — pouco decotado.
neckerchief ['nekətʃif], *s.* lenço de pescoço.
necklace ['neklis], *s.* colar.
necket ['neklit], *s.* colar pequeno.
necktie ['nektai], *s.* gravata.
necrological [nekrə'lɔdʒikəl], *adj.* necrológico.
necrology (*pl.* **necrologies**) [ne'krɔlədʒi,-z], *s.* necrologia.
necromancer ['nekroumænsə], *s.* nigromante; bruxo, feiticeiro.
necromancy ['nekroumænsi], *s.* necromancia; feitiçaria.
necrosis (*pl.* **necroses**) [ne'krousis,-si:z], *s.* necrose.
nectar ['nektə], *s.* néctar.
nectarine ['nektərin], *s.* pêssego calvo.
nectary (*pl.* **nectaries**) ['nektəri,-iz], *s.* (bot.) nectário.
neddy ['nedi], *s.* burro, jumento.
née [nei], *adj.* nascida; com nome de solteira.
Mrs. Wilson, née Jones — a senhora Wilson, cujo nome de solteira era Jones.
need [ni:d], **1** — *s.* necessidade, falta; carência; coisa necessária; pobreza, miséria, indigência; dificuldade.
a friend in need is a friend indeed — os amigos conhecem-se nas ocasiões.
in case of need — em caso de necessidade.
if need be — se for necessário.
there is no need — não é preciso.
to stand in need of — precisar de; ter precisão de.
what need is there of...? — que necessidade há de...?
2 — *vt.* e *vi.* necessitar, ter necessidade de; precisar, carecer de; fazer falta; exigir.
needful [-ful], *adj.* necessário, indispensável, preciso. (*Sin.* necessary, essential, indispensable, vital. *Ant.* unnecessary.)
needfully [fuli], *adv.* necessariamente.
needfulness [-fulnis], *s.* necessidade, falta; precisão, pobreza.
neediness [-inis], *s.* pobreza, indigência.
needle [ni:dl], **1** — *s.* agulha; agulha de marear; pico; obelisco.
as sharp as a needle — fino como coral; perspicaz.
needle-case — agulheiro.
needle of a balance — fiel de balança.
needle-gun — espingarda de agulha.
needle-shaped — em forma de agulha.
bolt-rope needle (náut.) — agulha de relinga.
needle-fish — peixe-agulha.
crochet needle — agulha de croché.
darning needle — agulha de cerzir.
shepherd's needle (bot.) — agulha-de-pastor.
sewing-needle — agulha de coser.
to get the needle — irritar-se, ofender-se.
to look for a needle in a haystack (in a bundle of hay) — procurar agulha em palheiro.
pins and needles — formigueiro.
2 — *vt.* e *vi.* coser com agulhas; picar, furar com agulha; (col.) irritar, arreliar.

needless ['ni:dlis], *adj.* inútil, supérfluo; desnecessário.
it is needless to say — é escusado dizer.
needlessly [-li], *adv.* debalde, inutilmente.
needlessness [-nis], *s.* inutilidade.
needlewoman (*pl.* **needlewomen**) ['ni:dlwumən,-wimin], *s.* costureira.
needlework ['ni:dlwə:k], *s.* costura; bordado; trabalho feito com agulha(s).
needs [ni:dz], *adv.* necessariamente; de modo indispensável.
if it must needs be — se tem mesmo de ser.
needy ['ni:di], *adj.* indigente, necessitado, pobre.
ne'er-do-well ['nɛədu(:)wel], *s.* pessoa inútil.
nefarious [ni'fɛəriəs], *adj.* nefando, abominável, execrável; ilegal; malvado. (*Sin.* iniquitous, wicked, execrable. *Ant.* admirable.)
nefariously [-li], *adv.* abominavelmente, execravelmente.
nefariousness [-nis], *s.* abominação, perversidade; infâmia.
negate [ni'geit], *vt.* negar; invalidar; anular.
negation [ni'geiʃən], *s.* negação; negativa; ausência, carência.
negative ['negətiv], **1** — *s.* negativa; negação; veto, direito de recusar; (fot.) negativo; (mat.) quantidade negativa.
in the negative — negativamente.
2 — *adj.* negativo.
3 — *vt.* negar; refutar, contradizer; votar contra; opor-se a; tornar inútil.
negatively [-li], *adv.* negativamente.
negativism [-izəm], *s.* negativismo.
neglect [ni'glekt], **1** — *s.* negligência, descuido; omissão; esquecimento; abandono; desprezo; indiferença; falta de cuidado.
2 — *vt.* descuidar, descurar; desprezar, abandonar, não fazer caso; omitir, esquecer-se de. (*Sin.* to disregard, to overlook, to omit, to forget, to despise, to miss, to ignore. *Ant.* to observe, to remember.)
neglecter [-ə], *s.* descuidado, desleixado.
neglectful [-ful], *adj.* negligente, descuidado.
neglectfully [-fuli], *adv.* descuidadamente, negligentemente.
neglectfulness [-fulnis], *s.* negligência, descuido, desleixo.
négligé ['negli:ʒei], *s.* trajo caseiro; trajo despretensioso.
negligence ['neglidʒəns], *s.* negligência, desleixo; desalinho, abandono; indiferença.
negligent ['neglidʒənt], *adj.* negligente, descuidado; desmazelado; indiferente.
negligently [-li], *adv.* negligentemente.
negligible ['neglidʒəbl], *adj.* desprezível; insignificante.
negotiability [nigouʃjə'biliti], *s.* negociabilidade; qualidade do que é negociável.
negotiable [ni'gouʃjəbl], *adj.* negociável; transitável.
negotiate [ni'gouʃieit], *vt.* e *vi.* negociar; comerciar; tratar; levar a cabo uma negociação; vencer, transpor. (*Sin.* to treat, to bargain, to effect, to transact.)
negotiation [nigouʃi'eiʃən], *s.* negociação; transposição de obstáculo.
negotiator [ni'gouʃieitə], *s.* negociador.
negress ['ni:gris], *s. fem.* negra.
negro ['ni:grou], **1** — *s.* (*pl.* **negroes** [-z]) negro, preto.
2 — *adj.* negro; relativo aos negros.
negroid ['ni:grɔid], *adj.* negróide.
negus ['ni:gəs], *s.* espécie de ponche.
neigh [nei], **1** — *s.* relincho, rincho.
2 — *vi.* relinchar, rinchar.

neighbour ['neibə], **1** — *s.* vizinho; o nosso semelhante.
good neighbours — bons vizinhos.
next-door neighbour — vizinho do lado.
2 — *vt.* e *vi.* avizinhar(-se), aproximar(-se); ser vizinho de.
neighbourhood [-hud], *s.* vizinhança; imediações, proximidades; arredores, cercanias; zona.
in the neighbourhood of — perto de.
neighbouring [-riŋ], *adj.* vizinho, da vizinhança; próximo. (*Sin.* near, adjoining, close, nigh, proximate, contiguous. *Ant.* distant.)
neighbourliness [-linis], *s.* qualidade de bom vizinho; boa vizinhança.
neighbourly [-li], *adj.* de bom vizinho; cortês, delicado, atencioso.
neighing ['neiiŋ], *s.* rincho, relincho.
neither ['naiðə], **1** — *adj.* e *pron.* nenhum (de dois), nem um nem outro.
on neither side — nem dum lado nem doutro.
neither of my parents is at home — nenhum dos meus pais está em casa.
2 — *adv.* e *conj.* também não; nem; nem sequer.
to have neither house nor home — não ter eira nem beira.
it is neither cold nor hot — não está frio nem calor.
that's neither here nor there — isso não aquece nem arrefece.
if you do not go, neither shall I — se não fores, eu também não vou.
Nelson [nelsn], *n. p.* Nelson.
nenuphar ['nenjufɑ:], *s.* (bot.) nenúfar, lírio-d'água.
neolithic [ni(:)ou'liθik], *adj.* neolítico.
neologism [ni(:)'ɔlədʒizm], *s.* neologismo.
neologist [ni(:)'ɔlədʒist], *s.* neologista.
neophyte ['ni(:)oufait], *s.* neófito; principiante.
neoplasm ['ni:ouplæzm], *s.* neoplasma.
Nepal [ni'pɔ:l], *top.* Nepal.
nephew ['nevju(:)], *s.* sobrinho.
nephritis [ne'fraitis], *s.* nefrite, doença renal.
Neptune ['neptju:n], *mit.* Neptuno.
nereid ['niəriid], *s. (zool.)* nereida.
nervation [nə'veiʃən], *s.* nervação; distribuição das nervuvas numa folha.
nerve [nə:v], **1** — *s.* nervo; força, vigor; força de alma; fibra; nervura; audácia, coragem; *pl.* nervos (*Sin.* strength, vigour, courage, fortitude, endurance. *Ant.* weakness, fear).
nerve-racking — desesperador; que dá cabo dos nervos.
a fit of nerves — um ataque de nervos.
to get on one's nerves — irritar, contender com os nervos.
to have iron nerves — ter nervos de aço.
to have the nerve to — ter o arrojo de.
to lose one's nerve—tornar-se tímido, irresoluto.
to strain every nerve — fazer todos os esforços possíveis.
to be a bundle of nerves — ser uma pilha de nervos.
2 — *vt.* dar força, dar vigor a; animar, encorajar.
nerved [-d], *adj.* forte, vigoroso.
nerveless [-lis], *adj.* sem nervos; (bot.) sem nervuras; fraco, mole.
nervine ['nə:vi:n], **1** — *s.* remédio nervino.
2 — *adj.* nervino.
nervous ['nə:vəs], *adj.* nervoso, irritável; desassossegado; vigoroso; tímido. (*Sin.* timid, timorous, shaky, sinewy, excitable. *Ant.* calm.)
nervous breakdown — esgotamento nervoso.
nervous prostration — neurastenia.
nervous system — sistema nervoso.
nervously [-li], *adv.* nervosamente; com receio.
nervousness [-nis], *s.* nervosismo; timidez; força, vigor.
nervure ['nə:vjuə], *s.* nervura; veia.
nervy ['nə:vi], *adj.* (poét.) vigoroso; nervoso; descarado, atrevido; enervado.
nescient ['nesiənt], *adj.* e *s.* ignorante; agnóstico.
ness [nes], *s.* cabo, promontório.
nest [nest], **1** — *s.* ninho; ninhada; guarida, retiro; covil; asilo; jogo, série.
a nest of tables — um jogo de mesas.
nest-egg — endez; pecúlio; uma pequena reserva de dinheiro.
to feather one's nest — enriquecer (geralmente por meios pouco honestos).
2 — *vt.* e *vi.* aninhar, aninhar-se; fazer ninho; pôr num ninho; alojar-se; colocar uma série de objectos uns dentro dos outros.
nestle [nesl], *vt.* e *vi.* abrigar; pôr num ninho; aninhar-se; acariciar, afagar; ocultar, esconder-se. (*Sin.* to harbour, to snuggle, to lodge, to rest, to lie, to cherish.)
nestling [-iŋ], *s.* passarinho; pintainho.
Nestor ['nestɔ:,'nestə], *n. p.* Nestor.
Nestorian [nes'tɔ:riən], *s.* e *adj.* nestoriano.
net [net], **1** — *s.* rede; tecido de malha; laço, armadilha; teia de aranha; ramificação; (ténis) bola que bate na rede.
net-cutter (náut.) — corta-redes.
tennis-net — rede de ténis.
to cast a net — lançar uma rede.
2 — *adj.* líquido, sem dedução, sem descontos.
net profit — lucro líquido.
net price — preço fixo.
net weight — peso líquido.
3 — *vt.* e *vi.* (*pret.* e *pp.* **netted**) prender ou colher com rede; lançar a rede; fazer redes; pescar com rede; (com.) tirar o produto líquido.
nether ['neðə], *adj.* mais baixo, inferior.
Netherlander ['neðələndə], *s.* neerlandês.
Netherlands ['neðələndz], *top.* Países Baixos; Holanda.
nethermost ['neðəmoust], *adj.* o mais baixo; o mais inferior.
netted ['netid], *adj.* coberto com rede; colhido por uma rede; reticulado.
netting ['netiŋ], *s.* rede; pesca à rede; obra de rede ou de malha; renda.
wire netting — rede de arame.
nettle [netl], **1** — *s.* (bot.) urtiga.
nettle-rash — urticária.
to grasp the nettle — enfrentar uma dificuldade.
2 — *vt.* urtigar; picar com urtigas; (fig.) irritar, exasperar, provocar. (*Sin.* to provoke, to irritate, to vex, to annoy, to exasperate. *Ant.* to soothe.)
nettled [-d], *adj.* (col.) irritado, exasperado.
nettling [-iŋ], *s.* (col.) irritação, provocação.
network ['netwə:k], *s.* rede, trabalho em rede cruzamento.
neum(e) [nju:m], *s.* mús.) neuma.
neural ['njuərəl], *adj.* neural.
neuralgia [njuə'rældʒə], *s.* nevralgia.
neuralgic [njuə'rældʒik], *adj.* nevrálgico.
neurasthenia [njuərəs'θi:njə], *s.* neurastenia.
neurasthenic [njuərəs'θenik], *s.* e *adj.* neurasténico.
neuritis [njuə'raitis], *s.* nevrite.
neurologist [njuə'rɔlədʒist], *s.* neurologista.
neurology [njuə'rɔlədʒi], *s.* neurologia.
neurosis [njuə'rousis], *s.* neurose; nevrose.
neurotic [njuə'rɔtik], *s.* e *adj.* neurótico.
neuter ['nju:tə], **1** — *s.* neutro, género neutro; animal sem sexo.
2 — *adj.* neutro; assexuado.
to stand neuter — ser neutral, declarar neutralidade.
neutral ['nju:trəl], **1** — *s.* neutro.

2 — *adj.* neutro, neutral; indiferente; imparcial; vago, indefinido; assexuado. (*Sin.* impartial, indifferent, aloof.)
neutral tint — cor neutra.
neutrality [nju(:)'træliti], *s.* neutralidade.
neutralization [nju:trəlai'zeiʃən], *s.* neutralização.
neutralize ['nju:trəlaiz], *vt.* neutralizar.
neutrally ['nju:trəli], *adv.* neutralmente.
neutron ['nju:trɔn], *s. (fís.)* neutrão.
never ['nevə], *adv.* nunca, jamais; nem; de modo nenhum.
never fear! — não tenha medo!
never in my life — nunca na minha vida.
never-ending — contínuo; sem fim; eterno.
never-failing — infalível.
never-to-be-forgotten — que nunca mais esquece; inolvidável.
never-ceasing — contínuo; perpétuo; sem fim.
never-fading — imortal.
never so little — por muito pouco que seja.
never mind! — não se importe!; não faça caso!
now or never — agora ou nunca.
to pay on the never-never (col.) — pagar a prestações.
well, I never! — nunca ouvi tal coisa!
it never rains but pours — uma desgraça nunca vem só.
nevermore ['nevə'mɔ:], *adv.* nunca mais.
nevertheless [nevəðə'les], *adv.* e *conj.* não obstante, contudo, todavia; apesar disso.
new [nju:], **1** — *adj.* novo, recente; fresco; moderno; renovado; desconhecido; inexperiente, novato; não acostumado; outro, diferente, distinto.
new bread — pão fresco.
new-comer — recém-chegado.
new ground — terra virgem.
new moon — lua nova.
New Year — Ano Novo.
New Year's day — dia de Ano Novo.
New Year's gift — presente do Ano Novo.
New Year's eve — véspera do dia de Ano Novo.
new fashion — moda nova.
the new rich — os novos ricos.
the New World — o Novo Mundo (América).
to lead a new life — levar vida nova.
to turn over a new leaf — mudar de vida; corrigir-se.
2 — *adv.* recentemente; de novo, de fresco; de há pouco.
new-fangled — de nova invenção.
new-laid eggs — ovos frescos.
new-born child — recém-nascido.
new-coined word — termo novo; palavra nova; neologismo.
new-made — fresco; acabado de fazer.
newel ['nju:əl], *s.* pilar que sustenta os degraus duma escada de caracol.
Newfoundland [nju:fənd'lænd], *top.* Terra Nova.
Newfoundlander [-ə], *s.* habitante da Terra Nova.
newish ['nju:iʃ], *adv.* quase novo.
newly ['nju:li], *adv.* novamente; recentemente.
newly-arrived — recém-chegado.
newly-married — recém-casado(s).
newly-mownhay — feno segado há pouco.
newly-painted — pintado de fresco.
newness ['nju:nis], *s.* novidade; inovação; início; frescura; falta de prática.
news [nju:z], *s. pl.* notícia; aviso; informação; novidade, nova. (*Sin.* intelligence, tidings, information.)
news-man — ardina; vendedor de jornais
news-reel — documentário cinematográfico.
news-stand — quiosque que vende jornais.
a piece of good news — uma boa notícia.
ill news fly apace — as notícias más correm depressa.
no news is good news — a falta de notícias é indício de boas notícias.
news-agent — vendedor de jornais (em quiosque).
that is no news — isso não é novidade nenhuma.
what is the news? — que há de novo?
what you say is news to me — o que dizes é novidade para mim.
to break the news — dar más notícias.
newsboy ['nju:zbɔi], *s.* vendedor de jornais; ardina.
newsmonger ['nju:zmʌŋgə], *s.* bisbilhoteiro; porta-novas.
newspaper ['nju:speipə], *s.* jornal, diário, gazeta, periódico.
newspaper man — jornalista.
newsy ['nju:zi] *adj.* (col.) cheio de notícias.
newt [nju:t], *s.* (zool.) tritão.
Newtonian [nju(:)'tounjən], *adj.* newtoniano.
New York ['nju:'jɔ:k], *top.* Nova Iorque.
New Yorker [-ə], *s.* noviorquino, nova-iorquino, natural de ou residente em Nova Iorque.
New Zealand [nju:'zi:lənd], *top.* Nova Zelândia.
New Zealander [-ə], *s.* neozelandês.
next [nekst], **1** — *s.* pessoa ou coisa logo a seguir.
2 — *adj.* seguinte, próximo; imediato; contíguo, vizinho; logo a seguir.
next to impossible — quase impossível.
next to nothing — quase nada.
he placed his chair next to hers — ele colocou a cadeira ao lado da dela.
the next day — o dia seguinte.
the next word — a palavra que se segue.
my next neighbour — o meu vizinho do lado.
she lives next door to me — ela mora ao pé de mim.
3 — *adv.* em seguida; proximamente.
what next? — que se segue?
who follows next? — quem se segue?
4 — *prep.* depois de; junto a, ao lado de.
nexus ['neksəs], *s.* nexo; laço, vínculo.
Niagara [nai'ægərə], *top.* Niágara.
to shoot Niagara — correr grandes riscos.
nib [nib], **1** — *s.* ponta; bico, aparo; bico (de pena de ave); (col.) indivíduo elegante; *pl.* fragmentos de sementes de cacau.
2 — *vt.* aguçar, aparar; fazer ponta; consertar.
nibble [nibl], **1** — *s.* acção de morder, de dar uma dentada; pequeno bocado.
2 — *vt.* e *vi.* depenicar, debicar; roer; mordiscar; picar, morder.
to nibble at — criticar; censurar.
niblick ['niblik], *s.* um dos paus do golfe.
Nicaragua [nikə'rægjua] *top.* Nicarágua.
nice [nais], **1** — *adj.* bonito, lindo, belo; bom; amável, gentil; agradável; delicado, fino, agudo; subtil; primoroso, refinado, elegante, esmerado; simpático; justo, exacto; exigente, rigoroso, escrupuloso; meticuloso; cauto, prudente; severo; delicioso; leal. (*Sin.* good, fine, delicate, pleasant, tidy, neat, agreeable, exquisite, refined, precise, exact, accurate, scrupulous, particular. *Ant.* nasty, loose, vague, coarse, unpleasant.)
nice and difficult — muito difícil.
a nice point — uma questão melindrosa.
a nice bit — um bom bocado.
a nice man — um homem simpático.
nice in one's dress — apurado no vestuário.
you've got us into a nice mess! — meteste-nos numa bela embrulhada!
2 — *adv.* bem; bastante.
nice-looking — bonito; simpático.

nicely [-li], *adv.* agradavelmente; delicadamente; primorosamente; apuradamente; escrupulosamente; com cuidado; muito bem.
niceness [-nis], *s.* gentileza, delicadeza; subtileza; requinte; minúcia; amabilidade;
nicety (*pl.* **niceties**) ['naisiti,-z], *s.* subtileza; exactidão; escrúpulo; delicadeza; cuidado escrupuloso; requinte; minúcia; dificuldade.
to a nicety — com a maior precisão.
niceties of honour — pontos de honra.
to stand upon niceties — reparar só em pormenores.
niche [nitʃ], *s.* nicho; (fig.) colocação, emprego.
nick [nik], **1** — *s.* momento crítico; oportunidade; talho, corte, entalhe; fenda; ranhura; bom lanço (jogo dos dados).
in the nick of time — no momento oportuno; a tempo; a propósito.
2 — *vt.* e *vi.* abrir entalhe; chanfrar; fender; acertar, adivinhar; fazer um bom lanço (jogo dos dados); chegar a tempo.
nickel [-l], **1** — *s.* níquel; moeda de níquel; qualquer moeda pequena.
2 — *vt.* (*pret.* e *pp.* **nickelled**) niquelar.
nickname ['nikneim], **1** — *s.* alcunha, sobrenome; forma abreviada do nome de baptismo.
2 — *vt.* alcunhar; cognominar.
nicotine ['nikəti:n], *s.* nicotina.
nictate ['nikteit], *vi.* pestanejar.
niddering ['nidəriŋ], *adj.* e *s.* cobarde; vil; poltrão.
nidificate ['nidifikeit], *vi.* fazer ninho; nidificar.
nidify ['nidifai], *vi. vd.* **nidificate.**
niece [ni:s], *s.* sobrinha.
niello [ni'elou], *s.* nigela.
Nigerian [nai'dʒiəriən], *s.* e *adj.* habitante da Nigéria, nigeriano.
niggard ['nigəd], **1** — *s.* avarento, forreta.
2 — *adj.* avarento, mesquinho; parcimonioso.
niggardliness [-linis], *s.* avareza, mesquinhez.
niggardly [-li], **1** — *adj.* mesquinho; miserável, avarento. (*Sin.* mean, stingy, avaricious. *Ant.* generous.)
2 — *adv.* mesquinhamente; miseravelmente; com avareza.
nigger ['nigə], *s.* negro, negra.
to work like a nigger — trabalhar como um negro.
niggle [nigl], *vi.* desperdiçar o tempo com ninharias; ocupar-se em minúcias.
nigh [nai], *adj.*, *adv.* e *prep.* (arc. e poét.) próximo, chegado; perto de, junto a.
to draw nigh — aproximar-se.
night [nait], *s.* noite; o anoitecer; trevas, obscuridade; (fig.) aflição, ignorância, mistério.
at night — à noite.
tomorrow night — amanhã à noite.
good night! — boas noites!
last night — a noite passada; ontem à noite.
all night long — toda a noite.
by night — de noite.
Monday night — segunda-feira à noite.
I can't sleep o'nights (col.) — não posso dormir durante a noite.
night-dew — relento.
night-bird — ave nocturna; noctívago.
night after night — noite após noite.
night and day — cont uamente; de noite e de dia.
night-club — clube nocturno.
night-dress — camisa de noite.
night-school — escola nocturna.
night-shift — turno da noite.
night-watchman — guarda-nocturno.
night-walker — sonâmbulo.
she is on night-shift — ela trabalha no turno da noite.
have a good night! — passe bem a noite!
to have a night off (out) — passar a noite fora de casa em divertimentos.
to make a night of it — perder a noite numa festa.
to stay out all night — dormir fora de casa.
to sit up all night — trabalhar durante toda a noite.
to turn night into day — fazer da noite dia.
nightfall [-fɔ:l], *s.* o anoitecer, o cair da noite.
at nightfall — à noitinha.
nightingale [-iŋgeil], *s.* (zool.) rouxinol.
nightly [-li], **1** — *adj.* nocturno; (poét.) próprio da noite.
2 — *adv.* de noite, todas as noites.
nightmare [-mεə], *s.* pesadelo.
nightshade [-ʃeid], *s.* (bot.) erva-moura.
deadly nightshade — beladona.
nihilism ['naiilizəm], *s.* anarquismo; niilismo.
nil [nil], *s.* nada; zero.
Nile [nail], *top.* Nilo.
nimble [nimbl], *adj.* ligeiro, vivo, activo; ágil, veloz; esperto. (*Sin.* active, agile, quick, brisk, swift. *Ant.* clumsy.)
nimble-footed — veloz no andar.
nimble-fingered — ligeiro de dedos.
nimble-witted — esperto, vivo.
nimbleness [-nis], *s.* ligeireza; prontidão; agilidade; velocidade; esperteza.
nimbly [-i], *adv.* ligeiramente; agilmente; com vivacidade.
nimbus (*pl.* **nimbuses, nimbi**) ['nimbəs,-iz, -ai], *s.* nimbo, auréola; resplendor.
niminy-piminy ['nimini'pimini], *adj.* afectado; efeminado.
nincompoop ['ninkəmpu:p], *s.* pateta, pacóvio, palerma; toleirão.
nine [nain], **1** — *s.* o número nove; carta com nove pintas.
dressed up to the nines — vestido com apuro requintado.
to cast out the nines — tirar a prova dos nove.
2 — *num.* nove.
a nine days' wonder — novidade sensacional que esquece depressa.
nine times out of ten — geralmente; na maioria dos casos.
ninefold [-fould], *adj.* e *adv.* nónuplo; nove vezes mais.
ninepins [-pinz], *s. pl.* laranjinha, espécie de jogo popular.
nineteen [-'ti:n], *num.* dezanove.
she talks nineteen to the dozen — ela fala pelos cotovelos.
nineteenth [-'ti:nθ], **1** — *s.* décima nona parte.
2 — *num.* décimo nono.
ninetieth ['naintiiθ], **1** — *s.* nonagésima parte.
2 — *num.* nonagésimo.
ninety ['nainti], **1** — *s.* o número noventa.
2 — *num.* noventa.
ninety-nine out of a hundred — quase tudo.
ninny (*pl.* **ninnies**) ['nini,-iz], *s.* imbecil, palerma, simplório.
ninth [nainθ], **1** — *s.* nona parte; (mús.) nona.
2 — *num.* nono.
ninthly [-li], *adv.* em nono lugar.
nip [nip], **1** — *s.* unhada, beliscadura; dentada; alfinetada; pedaço; trago; dano repentino nas plantas; aperto; sarcasmo; frio intenso e cortante.
nip and tuck — a par; renhidamente.
2 — *vt.* e *vi.* (*pret.* e *pp.* **nipped**) picar; beliscar; arranhar; morder; cortar, recortar; queimar (por geada); murchar; mordiscar; (col.) roubar, apanhar; beberricar; (náut.) amichelar. (*Sin.* to squeeze, to pinch, to clip, to bite, to grip, to blast.)

to nip along (col.) — apressar-se.
to nip in — entrar rapidamente; interromper uma conversa.
to nip in the bud — cortar pela raiz; matar à nascença.
to nip off — cortar; afastar-se rapidamente.
he nipped his finger when shutting the door — ele entalou o dedo ao fechar a porta.

nipper ['nipə], *s.* rapaz pequeno; garoto da rua; o que pica; garra de crustáceo; dente incisivo do cavalo; pessoa mordaz; *pl.* turquês, alicate, pinça; (náut.) michelo.

nipping ['nipiŋ], **1** — *s.* arranhão; mordedura; aperto.
2 — *adj.* cortante; picante; penetrante; gelado; mordaz; satírico.

nippingly [-li], *adv.* de modo cortante; sarcasticamente.

nipple ['nipl], *s.* bico do peito, mamilo; teta; bico de borracha de biberão; pequena elevação de creme arredondado; bocal.

nipplewort [-wə:t], *(bot.)* **lampsana, labresto.**

Nipponian [ni'pouniən], *adj.* nipónico, japonês.

nippy ['nipi], *adj.* cortante; picante; frio, penetrante; ágil, activo.

nit [nit], *s.* lêndea.

nitrate ['naitreit], *s.* (quím.) nitrato.

nitre ['naitə], *s.* nitrato de potassa; salitre.

nitric ['naitrik], *adj.* (quím.) nítrico, azótico.

nitrification [naitrifi'keiʃən], *s.* nitrificação.

nitrogen ['naitridʒən], *s.* (quím.) azoto; nitrogénio.

nitrogeneous [nai'trɔdʒinəs], *adj.* **nitrogenoso.**

nitroglycerine ['naitrouglisə'ri:n], *s.* nitroglicerina.

nitrous ['naitrəs], *adj.* nitroso; salitroso.

nitwit ['nitwit], *s.* imbecil; cretino; parvo.

nix [niks], **1** — *s.* génio das águas; (cal.) nada.
2 — *interj.* (cal.) atenção!, cuidado! aí vem o chefe!

no [nou], **1** — *s.* (*pl.* **noes** [-z]) não, negativa; voto negativo.
2 — *adj.* nenhum.
no doubt — sem dúvida.
no end of (col.) — muito; muitos.
no go (col.) — inútil.
no man's land — terra-de-ninguém.
no one — ninguém.
by no means — de modo nenhum.
in no time — rapidamente.
no wonder — não é surpresa nenhuma.
3 — *adv.* não; nada; de modo nenhum.
no more — nada mais.
no sooner said than done — dito e feito.
no sooner did he arrive, than he was caught by the police — logo que ele chegou a polícia deitou-lhe a mão.

nob [nɔb], **1** — *s.* (cal.) cabeça, cachola; pessoa importante.
2 — *vt.* (*pret.* e *pp.* **nobbed**) socar na cabeça.

nobble [nɔbl], *vt.* (cal.) impedir de ganhar (cavalo de corrida); subornar, aliciar; prender (um criminoso).

nobby ['nɔbi], *adj.* (cal.) elegante, vistoso, fino.

nobiliary [nou'biliəri], *adj.* nobiliário.

nobility (*pl.* **nobilities**) [nou'biliti,-z], *s.* nobreza, aristocracia; dignidade. (*Sin.* gentry, aristocracy, lords, rank, greatness, dignity, distinction.)

noble [noubl], **1** — *s.* nobre; fidalgo; aristocrata; moeda antiga.
2 — *adj.* nobre, fidalgo, aristocrático; ilustre, notável; majestoso; grande, elevado, sublime; liberal; esplêndido, óptimo; precioso.
noble-minded — de grande carácter.
noble-mindedness — grandeza de carácter.

nobleman (*pl.* **noblemen**) [-mən,-mən], *s.* fidalgo, nobre, titular do reino.

nobleness [-nis], *s.* nobreza, fidalguia; grandeza; dignidade; esplendor, lustre; excelência.

noblesse [nou'bles], *s.* nobreza.

noblewoman (*pl.* **noblewomen**) ['noublwumən,-wimin], *s. fem.* mulher nobre, fidalga.

nobly ['noubli], *adv.* nobremente; generosamente; magnificamente.

nobody ['noubədi], **1** — *s.* (*pl.* **nobodies** [-z]) pessoa de pouca importância; nulidade.
he is a mere nobody — é um joão-ninguém.
2 — *pron.* ninguém.
nobody else — mais ninguém.
nobody knows it — ninguém o sabe.
there's nobody about — não se vê vivalma.

noctambulism [nɔk'tæmbjulizəm], *s.* sonambulismo.

noctambulist [nɔk'tæmbjulist], *s.* sonâmbulo.

nocturnal [nɔk'tə:nl], *adj.* nocturnal, nocturno; relativo à noite.

nocturne ['nɔktə:n], *s.* (mús.) nocturno; (pint.) cena nocturna.

nocuous ['nɔkjuəs], *adj.* nocivo, pernicioso, prejudicial.

nod [nɔd], **1** — *s.* sinal, inclinação de cabeça; aceno; saudação, cumprimento; reverência; (fig.) dependência, vontade.
the land of nod — o sono.
2 — *vt.* e *vi.* (*pret.* e *pp.* **nodded**) mostrar, indicar (por um sinal de cabeça); cabecear, inclinar a cabeça; dormitar; agitar-se; inclinar-se; ameaçar ruína.
to nod assent — fazer o sinal de «sim».

nodal [noudl], *adj.* nodal; nodoso.

nodding ['nɔdiŋ], **1** — *s.* cabeceamento; saudação com a cabeça.
2 — *adj.* inclinado; oscilante; que ameaça ruína.

noddle [nɔdl], **1** — *s.* (col.) cabeça, cachola.
2 — *vt.* acenar com a cabeça.

noddy (*pl.* **noddies**) ['nɔdi,-z], *s.* alarve, estúpido; simplório; espécie de andorinha-do-mar.

node [noud], *s.* protuberância, bossa; nó; (astr.) nodo; tumor, dureza; nódulo.

nodose [nou'dous], *adj.* nodoso.

nodular ['nɔdjulə], *adj.* nodular.

nodule ['nɔdju:l], *s.* nódulo; nodosidade.

nodulous ['nɔdjuləs], *adj.* nodoso.

nog [nɔg], **1** — *s.* cavilha, taco; variedade de cerveja forte.
2 — *vt.* (*pret.* e *pp.* **nogged**) prender com cavilhas ou tacos.

noggin ['nɔgin], *s.* caneca pequena; medida pequena.

nogging ['nɔgiŋ], *s.* tabique; escora; bilha, jarro.

nohow ['nouhau], *adv.* de modo algum.

noise [nɔiz], **1** — *s.* barulho, ruído; bulha; barafunda; gritaria; zumbido; rumor.
buzzing noise — zumbido.
to make a noise — fazer barulho.
to make a noise in the world — alcançar fama mundial.
2 — *vt.* e *vi.* espalhar, divulgar; fazer barulho; propalar.

noiseless ['nɔizlis], *adj.* sem ruído; sossegado; silencioso.

noiselessly [-li], *adv.* silenciosamente; sem ruídos.

noiselessness [-nis], *s.* silêncio, tranquilidade, sossego.

noisily ['nɔizili], *adv.* ruidosamente, estrondosamente.

noisiness ['nɔizinis], *s.* barafunda, barulho; estrépito, ruído.

noisome ['nɔisəm], *adj.* nocivo; insalubre; com mau cheiro; desagradável; ofensivo.
noisomely [-li], *adv.* de modo repugnante; de modo prejudicial; desagradavelmente.
noisomeness [-nis], *s.* mau cheiro; nojo; nocividade; carácter desagradável.
noisy ['nɔizi], *adj.* ruidoso, estrondoso, barulhento, turbulento; berrante, espalhafatoso.
nolens volens ['noulenz'voulenz], *adv.* ou por bem ou por mal.
nomad ['nɔməd], *s.* e *adj.* nómada.
nomadic [nou'mædik], *adj.* nómada.
nomadically [-əli], *adv.* à maneira de nómada.
nombril ['nɔmbril], *s. (her.)* centro do escudo de armas.
nom de plume ['nɔ̃:mdə'plu:m], *s.* pseudónimo de escritor.
nomenclature [nou'menklətʃə], *s.* nomenclatura.
nominal ['nɔminl], *adj.* nominal; nominativo; irreal.
nominal power — potência nominal.
nominal horse power — potência nominal em cavalos.
nominally ['nɔminəli], *adv.* nominalmente.
nominate ['nɔmineit], *vt.* nomear, eleger; designar; mencionar; chamar pelo nome; propor uma nomeação. (*Sin.* to name, to appoint, to propose, to designate, to present.)
nomination [nɔmi'neiʃən], *s.* nomeação, eleição, proposta.
nominative ['nɔminətiv], **1** — *s.* (gram.) nominativo.
2 — *adj.* nominativo; designado, indicado.
nominator ['nɔmineitə], *s.* nomeador; aquele que nomeia.
nominee [nɔmi'ni:], *s.* nomeado; o escolhido.
non-acceptance [nɔnək'septəns], *s.* recusa.
nonage ['nounidʒ], *s.* menoridade; (fig.) imaturidade.
nonagenarin [nounədʒi'nɛəriən], *s.* e *adj.* nonagenário.
nonce [nɔns], *s.* tempo presente, ocasião.
nonce-word — palavra inventada para a ocasião.
for the nonce — para a ocasião.
nonchalance ['nɔnʃələns], *s.* indiferença; indolência.
nonchalant ['nɔnʃələnt], *adj.* indiferente; indolente.
nonchalantly [-li], *adv.* indiferentemente.
non-combatant ['nɔn'kɔmbətənt], *s.* e *adj.* (mil.) não-combatente.
non-commissioned ['nɔnkə'miʃənd], *adj.* (mil.) subalterno.
non-committal ['nɔnkə'mitl], *adj.* reservado; que evita comprometer-se.
non-compliance ['nɔnkəm'plaiəns], *s.* falta de aquiescência.
non-condensing [nɔnkən'densiŋ], *adj.* sem condensação.
non-conductor ['nɔnkəndʌktə], *s.* isolador.
nonconformist ['nɔnkən'fɔ:mist], *s.* e *adj.* dissidente, não conformista; pessoa que se separou da Igreja Anglicana.
non-content ['nɔnkɔntent], *s.* oponente, voto contrário (Câmara dos Lordes).
non-contentious ['nɔnkən'tenʃəs], *adj.* não contencioso.
non-delivery ['nɔndi'livəri], *s.* falta de entrega.
nondescript ['nɔndiskript], **1** — *s.* pessoa ou coisa indefinível.
2 — *adj.* incaracterístico; indeterminado.
none [nʌn], **1** — *pron.* nenhum; ninguém; nada.
none of that — nada disso.
none of your business — não é nada consigo.
none of this concerns me — nada disso me interessa.
nome of my three brothers came — nenhum dos meus três irmãos veio.
half a loaf is better than none — mais vale pouco que nada.
2 — *adv.* não; de modo nenhum.
none the less — **não** obstante; contudo.
I am none the better for it — nem por isso estou melhor.
nonentity (*pl.* **nonentities**) [nɔ'nentiti,-z], *s.* negação; zero; pessoa ou coisa de nenhum valor; coisa inexistente.
nones [nounz], *s. pl.* nonas.
nonesuch ['nʌnsʌtʃ], *s.* pessoa ou coisa sem igual; modelo; (bot.) espécie de luzerna.
non-existence ['nɔnig'zistəns], *s.* inexistência.
nonpareil ['nɔnpərel], **1** — *s.* pessoa ou coisa de incomparável mérito; (tip.) corpo 6; variedade de maçã.
2 — *adj.* sem par, sem rival; incomparável.
non-payment ['nɔn'peimənt], *s.* falta de pagamento.
non-performance ['nɔnpə'fɔ:məns], *s.* inexecução.
nonplus ['nɔn'plʌs], **1** — *s.* embaraço, perplexidade.
to be at a nonplus — estar confuso, não saber o que fazer.
2 — *vt.* (*pret.* e *pp.* **nonplussed**) atrapalhar, confundir, embaraçar.
to be nonplussed — estar embaraçado.
non-resident ['nɔn'rezidənt], **1** — *s.* pessoa que não reside no lugar onde os seus deveres o chamam.
2 — *adj.* não-residente; externo.
non-return [nɔnri'tə:n], *adj.* (mec.) que não desanda para trás.
non-return valve — válvula de retenção.
nonsense ['nɔnsəns], *s.* disparate, tolice; contra-senso; despropósito; insensatez; absurdo. (*Sin.* trash, foolishness, silliness, absurdity. *Ant.* wisdom.)
nonsense! — que tolice!, deixe-se disso!, disparate!
to talk nonsense — dizer disparates.
nonsensical [nɔn'sensikəl], *adj.* disparatado, absurdo, ridículo.
nonsensically [-i], *adv.* **disparatadamente.**
non-smoker [nɔn'smoukə], *s.* pessoa que não fuma; carruagem de caminho-de-ferro reservada aos que não fumam.
nonsuch ['nʌnsʌtʃ], *s.* ver **nonesuch.**
nonsuit ['nɔn'sju:t], **1** — *s.* desistência; abandono de acção; revelia.
2 — *vt.* declarar uma acção improcedente; julgar à revelia.
noodle [nu:dl], *s.* parvo, pateta; pacóvio.
nook [nuk], *s.* canto, recanto; escaninho; esconderijo.
noon [nu:n], *s.* meio-dia.
at noon — ao meio-dia.
noonday ['nu:ndei], *s.* meio-dia.
noontide ['nu:ntaid], *s.* meio-dia; apogeu.
noose [nu:s], **1** — *s.* nó corredio, laço; prisão; armadilha; corda com que o carrasco enforca os condenados.
2 — *vt.* dar um nó corredio; apanhar no laço ou com armadilha.
nor [nɔ:], *conj.* nem; não; nem tão-pouco.
neither music nor reading please him — nem a música nem a leitura o satisfazem.
Nordic [nɔ:dik], *adj.* nórdico.
norm [nɔ:m], *s.* norma, regra; modelo, molde.
normal ['nɔ:məl], **1** — *s.* normalidade; (geom.) normal, perpendicular.
2 — *adj.* normal, regular; modelar; natural; típico; (geom.) normal, perpendicular. (*Sin.* typical, model, regular, ordinary, natural, usual. *Ant.* unusual.)

normal school — escola normal.
normality [nɔ:ˈmæliti], *s.* normalidade.
normalization [nɔ:məlaiˈzeiʃən], *s.* normalização.
normalize [ˈnɔ:məlaiz], *vt.* normalizar, regularizar.
normally [ˈnɔ:məli], *adv.* normalmente.
Norman [ˈnɔ:mən], *s.* e *adj.* normando.
Normandy [-di], *top.* Normandia.
Norse [nɔ:s], **1** — *s.* a língua norueguesa; o norueguês.
2 — *adj.* norueguês; nórdico; escandinavo.
Norseman [-mən], *s.* norueguês; escandinavo.
north [nɔ:θ], **1** — *s.* norte, setentrião; o vento norte.
2 — *adj.* setentrional; do lado norte.
north light — aurora boreal.
north star — Estrela Polar.
north wind — vento norte.
3 — *adv.* em direcção ao norte.
north-east [ˈnɔ:θˈi:st], *s.* e *adj.* nordeste.
north-easter [nɔ:θˈi:stə], *s.* vento de nordeste.
north-easterly [-li], *adv.* que se dirige para nordeste.
north-eastern [nɔ:θˈi:stən], *adj.* do nordeste.
north-eastward [nɔ:θˈi:stwəd], *adv.* em direcção a nordeste, para nordeste.
norther [ˈnɔ:ðə], *s.* (E. U.) vento Norte.
northerly [-li], **1** — *adj.* Norte; do norte.
2 — *adv.* em direcção ao Norte.
northern [ˈnɔ:ðən], *adj.* setentrional, do Norte.
northern light — aurora boreal.
northerner [-ə], *s.* habitante do Norte; (E. U.) natural dum dos estados do Norte.
northernmost [ˈnɔ:ðənmoust], *adj.* mais ao Norte.
northing [ˈnɔ:θiŋ], *s.* distância na direcção do norte, caminho norte.
northward [ˈnɔ:θwəd], *s., adj.* e *adv.* norte; do norte; em direcção ao norte.
northwardly [-li], *adv.* em direcção ao norte, para norte.
northwards [-z], *adv.* em direcção ao norte.
north-west [ˈnɔ:θˈwest], *s., adj.* e *adv.* noroeste; para noroeste.
north-wester [-ə], *s.* vento do noroeste.
north-westerly [-əli], *adv.* que tem direcção de noroeste; de noroeste.
north-western [-ən], *adj.* pertencente ou situado a noroeste.
north-westward [ˈnɔ:θˈwestwəd], *s., adj.* e *adv.* noroeste; do noroeste; em direcção a noroeste.
Norway [ˈnɔ:wei], *top.* Noruega.
Norwegian [nɔ:ˈwidʒən], **1** — *s.* norueguês; a língua norueguesa.
2 — *adj.* norueguês.
nose [nouz], **1** — *s.* nariz; focinho; olfacto; bico; (náut.) bico de proa.
a dog with a good nose — um cão com bom faro.
flat nose — nariz chato.
nose-dive — voo picado.
under one's nose — (col.) nas barbas de alguém.
to bite (snap) a person's nose off — responder desabridamente a alguém.
to cut off one's nose to spite one's face — prejudicar os seus interesses num ataque de fúria.
to follow one's nose — seguir em linha recta, ir sempre a direito.
to keep one's nose to the grindstone — continuar a trabalhar arduamente.
to blow one's nose — assoar-se.
to lead a person by the nose — ter completo domínio sobre alguém.
to pay through the nose — pagar muito caro.
to play with one's nose — fazer pouco de alguém.
to poke (push, thrust) one's nose into — meter o nariz onde não é chamado.
to put one's nose out of joint — suplantar alguém.
to speak through the nose — ser fanhoso, falar pelo nariz.
to turn up one's nose at — desdenhar.
to bleed at the nose — deitar sangue pelo nariz.
as plain as the nose on one's face — claro como água.
2 — *vt.* e *vi.* cheirar, farejar; bater com o nariz ou focinho em; encarar; afrontar; fazer frente; procurar; avançar cuidadosamente; intrometer-se.
to nose out — descobrir, averiguar.
nosebag [ˈnouzbæg], *s.* cevadeira; embornal; *(col.)* bolsa com o almoço.
nosegay [ˈnouzgei], *s.* ramalhete.
nostalgia [nɔsˈtældʒiə], *s.* nostalgia.
nostalgic [nɔsˈtældʒik], *adj.* nostálgico.
nostril [ˈnɔstril], *s.* narina.
nostrum [ˈnɔstrəm], *s.* remédio de charlatão; panaceia.
nosy [ˈnouzi], *adj.* narigudo; com mau cheiro; aromático; (cal.) intrometido, bisbilhoteiro.
not [nɔt], *adv.* não, nem, de maneira alguma.
as likely as not — provavelmente.
not a word — nem uma palavra.
not a few — muitos.
not at all — de modo algum.
not but what (that) — todavia, contudo.
not half (cal.) — muitíssimo.
not even — nem mesmo.
not to speak of — sem falar em.
not to be thought of — nem falar nisso.
not yet — ainda não.
whether or not — seja como for; quer num caso quer noutro.
notability (*pl.* **notabilities**) [noutəˈbiliti,-z], *s.* notabilidade; pessoa notável.
notable [ˈnoutəbl], **1** — *s.* pessoa notável.
2 — *adj.* notável, memorável; digno de menção; hábil, competente; sensível; ilustre.
notably [-i], *adv.* notavelmente; especialmente.
notarial [nouˈtɛəriəl], *adj.* (jur.) notarial, de notário; feito perante o notário.
notary (*pl.* **notaries**) [ˈnoutəri,-z], *s.* notário, tabelião.
notary public — notário.
notation [nouˈteiʃən], *s.* notação; anotação; numeração escrita; notificação.
notch [nɔtʃ], **1** — *s.* entalhe; corte; chanfradura; mossa; brecha; boca; (E. U.) desfiladeiro. (*Sin.* dent, indentation, incision, cut.)
2 — *vt.* entalhar; abrir cortes; cortar em forma de bocas ou mossas.
note [nout], **1** — *s.* nota, sinal, marca; apontamento; carta, bilhete; nota diplomática; comunicação; aviso; observação; conhecimento; vale, ordem de pagamento; fama, reputação; reparo; tom; nota musical.
bank-note — nota de banco.
foot-note — nota de rodapé.
note-book — agenda.
note-pad — bloco de papel de carta; bloco de apontamentos.
note-paper — papel de carta.
note of interrogation — ponto de interrogação.
to change one's note — mudar de tom; mudar de atitude.
to compare notes — trocar impressões.
to strike the right note — falar de modo a captar a simpatia do auditório.
to take a note of — tomar nota de; registar.
to take note of — prestar atenção a.
2 — *vt.* notar, marcar; observar; tomar nota

de, apontar; reparar; registar; distinguir; prestar atenção a.
it must be noted that — é preciso notar que.
to note down — assentar, tomar nota de.
noted [-id], *adj.* notável, distinto, insigne, célebre. (*Sin.* famous, renowned, distinguished, eminent, illustrious. *Ant.* obscure.
noteworthy ['noutwə:ði], *adj.* digno de nota; digno de atenção.
nothing ['nʌθiŋ], **1** — *s.* e *pron.* nada; bagatela; zero.
for nothing — de graça; por nada; gratuitamente.
next to nothing — quase nada.
nothing else — nada mais.
nothing venture, nothing have — quem não se aventurou, nem perdeu nem ganhou.
nothing new — nada de novo.
all to nothing — sem dúvida; decididamente.
that is nothing to me — isso não é comigo; não me interessa.
nothing doing (col.) — nada feito.
nothing much — pouca coisa.
to amount to nothing — não dar resultado algum; não significar coisa alguma.
to come to nothing — dar em nada; não dar resultado algum.
to make nothing of — importar-se pouco com; não tirar proveito de; não compreender.
to hear nothing of — não ter notícias de.
to think nothing of — tomar de ânimo leve.
2 — *adv.* de modo nenhum; nada.
it is nothing like what it used to — não é nada do que costumava ser.
nothingness [-nis], *s.* nada; não-existência; ninharia, bagatela.
notice ['noutis], **1** — *s.* nota, observação; aviso, advertência; notícia; atenção; reparo; notificação; informe; anúncio; comunicação; menção; consideração; letreiro, cartaz; cortesia.
at the shortest notice — imediatamente; tão depressa quanto possível.
at a moment's notice — sem aviso prévio.
notice-board — quadro para afixar anúncios, avisos, etc.
notice of receipt — aviso de recepção.
worthy of notice — digno de atenção ou menção.
you must give a month's notice — deve despedir-se com um mês de antecedência.
to give notice — avisar; fazer saber; informar.
to take notice of — tomar conhecimento de; fazer caso de; tomar nota de.
to sit up and take notice — mostrar sinais de melhoras após uma doença.
to bring to one's notice — trazer ao conhecimento de.
2 — *vt.* e *vi.* observar, notar, reparar; olhar; aperceber-se de; dar por; fazer menção; cuidar de; tratar com atenção; despedir; intimar. (*Sin.* to observe, to see, to remark, to perceive. *Ant.* to miss.)
noticeable ['noutisəbl], *adj.* digno de atenção, notável; perceptível, visível.
noticeably [-i], *adv.* notavelmente; perceptivelmente.
notifiable ['noutifaiəbl], *adj.* que deve ser notificado.
notification [noutifi'keiʃən], *s.* notificação; aviso; participação; (jur.) citação.
notify ['noutifai], *vt.* notificar, avisar, participar, informar. (*Sin.* to warn, to inform, to advertise, to acquaint.)
notion ['nouʃən], *s.* noção, concepção, percepção, ideia; pensamento, opinião; parecer; intenção, desejo; capricho; sentido; *pl.* (E. U.) miudezas.
he has no notion of discipline — ele não tem noção alguma de disciplina.
to have (take) a notion that — ter a ideia de (que).
notional ['nouʃənl], *adj.* imaginário; ideal; fantástico; especulativo.
notionally ['nouʃənəli], *adv.* imaginariamente, idealmente.
notoriety (*pl.* **notorieties**) [noutə'raiəti,-z], *s.* notoriedade, fama; evidência; publicidade; pessoa notável.
notorious [nou'tɔ:riəs], *adj.* notório, público, manifesto; conhecido; desacreditado. (*Sin.* known, noted, conspicuous, open, admitted, obvious, ill-famed. *Ant.* unknown, obscure.)
notoriously [-li], *adv.* notoriamente.
notoriousness [-nis], *s.* notoriedade; publicidade.
notwithstanding [nɔtwiθ'stændiŋ], **1** — *adv.* não obstante, mesmo assim.
2 — *prep.* apesar de, a despeito de.
3 — *conj.* se bem que, conquanto, embora.
nougat ['nu:gɑ:], *s.* nogado.
nought [nɔ:t], *s.* ver **naught.**
noun [naun], *s.* nome, substantivo.
nourish ['nʌriʃ], *vt.* nutrir, alimentar, sustentar; manter; criar; acalentar; fomentar; adubar (o solo).
nourishing [-iŋ], *adj.* substancial; nutritivo. (*Sin.* nutritive, strengthening, wholesome, invigorating. *Ant.* weakning.)
nourishment [-mənt], *s.* alimento; alimentação; sustento; nutrição.
nous [naus], *s.* mente, inteligência; (col.) bom-senso.
novel ['nɔvəl], **1** — *s.* romance; novela.
2 — *adj.* novo, recente, moderno; original.
novelette [nɔvə'let], *s.* pequena novela.
novelist ['nɔvəlist], *s.* romancista, novelista.
novelty (*pl.* **novelties**) ['nɔvəlti,-z], *s.* novidade; inovação; *pl.* (com.) novidades.
November [nou'vembə], *s.* Novembro.
novice ['nɔvis], *s.* noviço; novato, principiante.
noviciate [nou'viʃiit], *s.* noviciado; aprendizagem, iniciação.
now [nau], **1** — *s.* o presente, o momento presente.
before now — já anteriormente; dantes.
from now on — de agora em diante.
till (until) now — até agora.
2 — *adv.* agora, neste momento; presentemente; actualmente; então, naquele tempo; imediatamente.
just now — agora mesmo.
now and again (now and then) — de vez em quando.
now ... now — ora ... ora.
now or never — agora ou nunca.
now then — pois bem.
now that — já que; uma vez que.
by now — agora, presentemente.
now! what do you mean by it? — vamos! que quer dizer com isso?
3 — *conj.* desde que, agora que, uma vez que.
nowadays ['nawədeiz], *adv.* hoje em dia; na actualidade; presentemente
nowhere ['nouwεə], *adv.* em parte alguma; nenhures.
nowhere near — de modo nenhum.
nowhere else — em nenhuma outra parte.
nowise ['nouwaiz], *adv.* de modo nenhum.
noxious ['nɔkʃəs], *adj.* nocivo, insalubre, prejudicial, daninho; pernicioso. (*Sin.* harmful, injurious, pernicious, poisonous, destructive. *Ant.* beneficial.)
noxiously [-li], *adv.* nocivamente, perniciosamente.

noxiousness [-nis], *s.* nocividade.
nozzle [nɔzl], *s.* bico, extremidade; embocadura; focinho; tubo de descarga; agulheta de mangueira; bocal.
nuance [nju(:)'ɑ̃:ns], *s.* matiz, cambiante; gradação leve.
nub, nubble [nʌb,-l], *s.* protuberância; bocado pequeno (esp. de carvão).
nubbly ['nʌbli], *adv.* com protuberâncias; aos bocados (carvão).
nubile — ['nju:bil], *adj.* núbil; casadoiro; apto a casar.
nuclear ['nju:kliə], *adj.* nuclear.
nucleus (*pl.* **nuclei**) ['nju:kliəs,'njukliai], *s.* núcleo; ponto central; essência; miolo.
nude [nju:d], **1** — *s.* nu, figura nua (arte).
2 — *adj.* nu, despido; nulo.
nudge [nʌdʒ], **1** — *s.* toque ligeiro com o cotovelo para chamar a atenção.
2 — *vt.* tocar com o cotovelo, acotovelar.
nudism ['nju:dizəm], *s.* nudismo.
nudist ['nju:dist], *s.* nudista.
nudity ['nju:diti], *s.* nudez; nu, figura nua (arte).
nugatory ['nju:gətəri], *adj.* nulo, inválido, fútil; ineficaz.
nugget ['nʌgit], *s.* pepita, grão ou palheta de ouro que se encontra na areia.
nuisance ['nju:sns], *s.* incómodo, maçada; dano; moléstia; prejuízo; infracção; aborrecimento; imundície; (col.) praga. (*Sin.* annoyance, bother, plague, bore, pest, trouble. *Ant.* pleasure.)
commit no nuisance! — é proibido verter águas ou depositar imundícies.
what a nuisance! — que aborrecimento!
null [nʌl], **1** — *s.* coisa sem valor; zero.
2 — *adj.* nulo, inválido, sem qualquer efeito.
nullification [nʌlifi'keiʃən], *s.* anulação; invalidade.
nullify ['nʌlifai], *vt.* anular, invalidar. (*Sin.* to annul, to abrogate, to cancel, to invalidate, to rescind. *Ant.* to establish.)
nullity ['nʌliti], *s.* nulidade; documento sem valor.
numb [nʌm], **1** — *adj.* entorpecido, paralisado, tolhido, trôpego; estupidificado. (*Sin.* insensible, paralyzed, torpid. *Ant.* sensitive.)
numb-fish — (zool.) torpedo.
2 — *vt.* entorpecer, paralisar, tolher.
number ['nʌmbə], **1** — *s.* número, algarismo; quantidade; colecção; multidão; número ou exemplar de periódico; *pl.* verso, aritmética, harmonia, cadência.
back number — número atrasado de um periódico; pessoa antiquada.
fractional number — número fraccionário.
even number — número par.
odd number — número ímpar.
few in number — pouco numeroso.
cardinal number — numeral cardinal.
ordinal number — numeral ordinal.
times without number — vezes sem conta.
whole number — número inteiro.
***to the number of* — em número de.**
to look after number one (col.) — olhar pelos seus próprios interesses.
2 — *vt.* numerar; contar; incluir.
his days are numbered — ele tem os dias contados.
numberer [-rə], *s.* numerador, contador.
numbering [-riŋ], *s.* numeração; contagem.
numberless [-lis], *adj.* inumerável; sem número.
numbly ['nʌmli], *adv.* com entorpecimento.
numbness ['nʌmnis], *s.* torpor, entorpecimento; adormecimento.
numerable ['nju:mərəbl], *adj.* numerável; que pode contar-se.
numeral ['nju:mərəl], **1** — *s.* número; algarismo; numeral.
cardinal numeral — numeral cardinal.
ordinal numeral — numeral ordinal.
Roman numerals — numeração romana.
2 — *adj.* numérico, numeral.
numeration [nju:mə'reiʃən], *s.* numeração.
numerator ['nju:məreitə], *s.* numerador; contador.
numerical [nju(:)'merikəl], *adj.* numérico.
numerically [-i], *adv.* numericamente.
numerous ['nju:mərəs], *adj.* numeroso, abundante; harmonioso.
a numerous family — uma família numerosa.
numerously [-li], *adv.* em grande número; harmoniosamente.
numismatic [nju:miz'mætik], *adj.* numismático.
numismatics [-s], *s.* numismática.
numskull ['nʌmskʌl], *s.* pacóvio, basbaque, parvo, estúpido.
nun [nʌn], *s.* monja, freira, religiosa.
nunciature ['nʌnʃiətʃə], *s.* nunciatura.
nuncio ['nʌnʃiou], *s.* núncio, embaixador papal junto de governo estrangeiro.
nuncupation [nʌnkju'peiʃən], *s.* (*jur.*) **nuncupação; indicação oral de herdeiros.**
nunnery (*pl.* **nunneries**) ['nʌnəri,-iz], *s.* convento de freiras.
nuptial ['nʌpʃəl], *adj.* nupcial, conjugal.
nuptial song — epitalâmio.
nuptials [-z], *s. pl.* núpcias.
nurse [nə:s], 1 — *s.* aia; ama; enfermeira; organização, país, etc. que protege ou promove o desenvolvimento de certas qualidades, méritos, etc.; obreira (abelha).
male nurse — enfermeiro.
nurse-maid — aia de crianças.
nurse-pond — viveiro de peixes.
trained nurse — enfermeira diplomada.
wet-nurse — ama de leite.
2 — *vt.* e *vi.* amamentar; criar uma criança; alimentar, nutrir; embalar nos braços; tratar de um doente; servir como enfermeira; promover, fomentar; acalentar; abrigar; cultivar. (*Sin.* to rear, to tend, to nourish, to cherish, to promote. *Ant.* to neglect, to banish.)
to nurse a cold — tratar uma constipação, não saindo de casa.
nurseling [-liŋ], *s.* criança de peito; criação, fruto.
nursery (*pl.* **nurseries**) ['nə:sri,-z], *s.* aposento de crianças; infantário; viveiro (de peixes); plantação; lugar onde se promove a criação de qualquer coisa.
night-nursery — dormitório infantil.
nursery-garden — viveiro de plantas.
nursery school — escola infantil.
nursery rhyme — poesia ou canção infantil.
day-nursery — sala onde as crianças comem e brincam durante o dia; creche.
nursing ['nə:siŋ], **1** — *s.* aleitamento; enfermagem; administração; cultivo.
nursing-home — casa de saúde.
2 — *adj.* que alimenta; que serve de enfermeira.
nurture ['nətʃə], **1** — *s.* criação, alimentação; educação; treino; cuidados.
2 — *vt.* criar, alimentar; nutrir; treinar; educar; albergar; estimular.
nut [nʌt], **1** — *s.* noz; avelã; qualquer fruto de casca parecido com a noz; porca de parafuso; (cal.) cabeça, cachola; (cal.) tipo, sujeito, janota.
nut-brown — castanho; cor de noz.
nut-crackers — quebra-nozes.

a hard nut to crack — um bico-de-obra; um problema difícil de resolver.
hazel nut — avelã.
to be dead nuts on — estar apaixonado por.
to be off one's nut (cal.) — ter perdido o juízo; estar ébrio.
to go nuts (col.) — ficar maluco.
he can't do it for nuts — não pode fazer isso de maneira nenhuma.
2 — *vi.* apanhar nozes.
nutation [nju:teiʃən], *s.* nutação, oscilação.
nuthatch [ˈnʌthætʃ], *s.* (zool.) pica-pau.
nutmeg [ˈnʌtmeg], *s.* noz-moscada.
nutrient [ˈnju:triənt], *adj.* nutriente, nutritivo.
nutriment [ˈnju:trimənt], *s.* alimento, sustento.
nutrition [nju(:)ˈtriʃən], *s.* nutrição.
nutritious [nju(:)ˈtriʃəs], *adj.* nutritivo; substancioso. (*Sin.* wholesome, nourishing, invigorating, strengthening. *Ant.* poor.)
nutritiously [-li], *adv.* de modo nutritivo.
nutritiousness [-nis], *s.* nutrição.
nutritive [ˈnju:tritiv], **1** — *s.* substância nutritiva.
2 — *adj.* nutritivo, alimentar.
nutshell [ˈnʌtʃel], *s.* casca de noz ou avelã.
in a nutshell — em poucas palavras, resumindo.
nutty [ˈnʌti], *adj.* que tem sabor a nozes ou avelãs; abundante em nozes ou avelãs; (cal.) apaixonado por; (E. U. col.) amalucado.
nux vomica [ˈnʌksˈvɔmikə], *s.* noz-vómica.
nuzzle [nʌzl], *vt.* e *vi.* encostar o nariz a; aconchegar-se a; fossar com a tromba.
Nyassa [ˈnjæsə], *top.* Niassa (lago).
Nyassaland [-lænd], *top.* Niassalândia.
nymph [nimf], *s.* (mit.) ninfa; mulher nova e formosa; (zool.) crisálida.
nymphal [-əl], *adj.* das ninfas.
nymphlike [-laik], *adj.* como uma ninfa.

O

O, o [ou], *(pl.* **O's, o's** [-z]), O, o (décima quinta letra do alfabeto inglês); zero; círculo.
O [ou], *interj.* oh!
O me! — pobre de mim!, ai de mim!
o' [ə], *prep.* forma abreviada de **of.**
oaf [ouf], *s.* (*pl.* **oafs, oaves**) idiota, parvo, imbecil; (arc.) criança trocada pelas fadas.
oafish [ˈoufiʃ], *adj.* idiota, parvo, imbecil; papalvo.
oafishly [-li], *adv.* idiotamente, parvamente.
oafishness [-nis], *s.* imbecilidade, parvoíce, idiotice.
oak [ouk], *s.* carvalho; roble; madeira de carvalho ou roble; coroa de folhas de carvalho.
the Oaks — uma das três grandes corridas de cavalos em Epsom.
oak-tree — carvalho.
oak-grove — carvalhal.
oak-wood — madeira de carvalho.
oak-apple (oak-gall) — bugalho.
oak-bark — casca de carvalho.
scarlet-oak — azinheira.
oak evergreen — azinheira.
oak-mast — bolota.
cork oak — sobreiro.
to sport one's oak (cal. univ.) — fechar as portas para não receber visitas.
oaken [-n], *adj.* de carvalho, feito de carvalho.
oaklet [ˈ-lit], *s.* carvalho novo.
oakling [ˈ-liŋ], *s.* ver **oaklet.**
oakum [ˈoukəm], *s.* estopa para calafetar.
oakum of hemp — estopa de cânhamo.
oakum of flax — estopa de linho.
oar [ɔ: , ɔə], **1** — *s.* remo; remador.
oar-footed — palmípede.
pair-oar — barco de dois remos.
four-oar — barco de quatro remos.
to put in one's oars — intrometer-se na vida alheia; meter-se numa conversa que não lhe diz respeito.
to lie (rest) on one's oars — descansar do trabalho.
to bend to the oars — remar com força.
to pull a good oar — ser bom remador.
to have an oar in every man's boat — meter o nariz na vida de cada um.
to ship oars — armar os remos.
to unship the oars — desarmar os remos.
to be chained to the oar — ter de trabalhar arduamente.
2 — *vt.* e *vi.* remar.
to oar one's arms — servir-se dos braços como se fossem remos; agitar os braços.
oared [-d], *adj.* a remos, com remos.
oarsman [ˈɔ:zmən], *s.* remador.
oarsmanship [-ʃip], *s.* arte de remar.
oasal [ouˈeisəl], *adj.* oásico.
oases [ouˈeisi:z], *s. pl.* de **oasis.**
oasitic [oueiˈsitik], *adj.* ver **oasal.**
oasis [ouˈeisis], *s.* (*pl.* **oases**) oásis.
oast [oust], *s.* forno para secar lúpulo.
oat [out], *s.* (quase sempre no *pl.*) aveia; flauta de pastor.
oat cake — bolo de aveia.
wild oat — aveia silvestre.
to sow one's wild oats — pagar o tributo da mocidade.
oat-bread — pão de aveia.
a field of oats — um campo de aveia.
to feel one's oats (col.) — sentir-se bem disposto.
oaten [-n], *adj.* de aveia.
oath [ouθ], *s.* juramento, jura; praga. (*Sin.* vow, pledge, curse, imprecation.)
oath-breaker — perjuro.
oath-breaking — perjúrio.
by oath (on oath) — sob juramento.
to take an oath — prestar juramento.
to put upon oath — fazer prestar juramento.
to declare on oath — declarar sob juramento.
oatmeal [ˈoutmi:l], *s.* flocos de aveia, papa de aveia.
oaves [ouvz], *s. pl.* de **oaf.**
obbligato [ɔbliˈgɑ:tou], **1** — *s.* (mús.) acompanhamento obrigatório.
2 — *adj.* (mús.) inseparável do resto da composição.
obconic [ɔbˈkɔnik], *adj.* obcónico, do feitio de um cone invertido.
obconical [-əl], *adj.* ver **obconic.**
obduracy [ˈɔbdjurəsi], *s.* obstinação; impenitência; perversidade.
obdurate [ˈɔbdjurit], *adj.* obstinado, inexorável, endurecido, impenitente. (*Sin.* hard, hardened, callous, insensible, stubborn. *Ant.* docile, yielding.)

obdurately [-li], *adv.* obstinadamente, inflexivelmente.
obdurateness [-nis], *s.* ver **obduracy.**
obedience [ə'bi:djəns, ou'bi:djəns], *s.* obediência; sujeição, submissão.
in obedience to — em conformidade com.
the Roman obedience — a submissão a Roma; a jurisdição de Roma.
obedient [ə'bi:djənt, ou'bi:djənt], *adj.* obediente, submisso, dócil. (*Sin.* dutiful, regardful, observant. *Ant.* disobedient.)
your obedient servant — com a maior consideração e respeito (fórmula de fim de cartas oficiais).
obediently [-li], *adv.* obedientemente.
yours obediently — esperando as vossas estimadas ordens (fórmula de fim de carta comercial).
obeisance [ou'beisəns], *s.* homenagem; vénia.
to make obeisance — fazer vénia.
obeli ['ɔbilai], *s. pl.* de **obelus.**
obelisk ['ɔbilisk], *s.* obelisco; (tip.) óbelo, cruz.
obelize ['ɔbilaiz], *vt.* marcar com óbelo.
obelus ['ɔbiləs], *s.* (*pl.* **obeli**) (tip.) óbelo, cruz.
obese [ou'bi:s], *adj.* obeso, gordo.
obeseness [-nis], *s.* obesidade.
obesity [ou'bi:siti], *s.* ver **obeseness.**
obey [ə'bei, ou'bei], *vt.* e *vi.* obedecer, acatar; submeter-se; estar sujeito a; observar.
to obey the helm (náut.) — obedecer ao leme.
obeyer [-ə], *s.* aquele que obedece; sujeito a ordens.
obfuscate ['ɔbfʌskeit], *vt.* ofuscar; obscurecer; confundir; desnortear.
obfuscated [-id], *adj.* embriagado; toldado.
obfuscation [ɔbfʌs'keiʃən], *s.* escuridão; ofuscação; confusão; desnorteamento.
Obi ['oubi], *top.* Obi (rio).
obiter ['ɔbitə], *adv.* a propósito.
obituarist [ə'bitjuərist], *s.* registador dos óbitos.
obituary [ə'bitjuəri], **1** — *s.* obituário; necrologia.
obituary column — necrologia (nos jornais).
2 — *adj.* obituário, mortuário.
object 1 — ['ɔbdʒikt], *s.* objecto, coisa, artigo; matéria; fim; intento, desígnio, objectivo; (gram.) complemento.
object lesson — lição de coisas.
direct (indirect) object — complemento directo (indirecto).
object-glass (object-lens) — objectiva.
object-chart — quadro para lições de coisas.
to attain one's object — atingir o objectivo.
to have no object in life — não ter nenhum objectivo na vida.
2 — [əb'dʒekt], *vt.* e *vi.* objectar, opor; imputar; arguir; antipatizar.
they object to my going there — eles opõem-se a que eu vá lá.
to object something against somebody — alegar alguma coisa contra alguém.
to object to witness (jur.) — recusar uma testemunha.
objectification [ɔbdʒektifi'keiʃən], *s.* (fil.) objectivação.
objectify [ɔb'dʒektifai], *vt.* (fil.) objectivar.
objection [əb'dʒekʃ(ə)n], *s.* objecção; oposição; reparo; dificuldade; dúvida; réplica.
to raise objections — criar dificuldades.
to have no objections to — não se opor a; não fazer objecções a.
not to see any objection to something — não ver inconveniente em alguma coisa.
objection to a witness (jur.) — impugnação de uma testemunha.
objectionable [-əbl], *adj.* censurável, repreensível, sujeito a objecções.
objectionable language — linguagem inconveniente.
objectionableness [-əblnis], *s.* inconveniência; grosseria; atitude censurável.
objectionably [-əbli], *adv.* de um modo censurável.
objectivate [ɔb'dʒektiveit], *vt.* objectivar.
objectivation [ɔbdʒekti'veiʃən], *s.* objectivação.
objective [ɔb'dʒektiv], **1** — *s.* objectivo; acusativo; objectiva (lente).
2 — *adj.* objectivo.
objective point (mil.) — objectivo.
objectively [-li], *adv.* objectivamente, com objectividade.
objectiveness [-nis], *s.* objectividade; carácter objectivo.
objectivity [ɔbdʒek'tiviti], *s.* ver **objectiveness.**
objectless ['ɔbdʒiktlis], *adj.* sem objectivo, sem fim.
objector [əb'dʒektə], *s.* objectador; impugnador; opositor.
objurgate ['ɔbdʒə:geit], *vt.* repreender, increpar, censurar, objurgar.
objurgation [ɔbdʒə:'geiʃən], *s.* repreensão, exprobração, censura, objurgação.
objurgatory [ɔb'dʒə:gətəri], *adj.* objurgatório.
oblate ['ɔbleit, ɔ'bleit], **1** — *s.* hóstia; pessoa dedicada ao culto.
2 — *adj.* (geom.) achatado nos pólos.
oblateness [-nis], *s.* (geom.) achatamento nos pólos.
oblation [ou'bleiʃən], *s.* oblação, oferenda.
the great oblation — a Eucaristia.
obligate ['ɔbligeit], **1** — *vt.* obrigar, constranger.
2 — *adj.* obrigado; (biol.) permanente.
obligation [ɔbli'geiʃən], *s.* obrigação, dever; compromisso, incumbência; favor, obséquio; agradecimento; promessa; contrato, vínculo.
to be under an obligation to somebody — dever favores a alguém.
to lay a person under an obligation — tornar alguém devedor de um favor.
imperfect obligation — obrigação moral.
perfect obligation — obrigação legal.
obligator ['ɔbligeitə], *s.* devedor; obrigado.
obligatorily [ɔ'bligətərili], *adv.* obrigatoriamente.
obligatoriness [ɔ'bligətərinis], *s.* obrigatoriedade; carácter obrigatório.
obligatory [ɔ'bligətəri], *adj.* obrigatório, forçoso.
oblige [ə'blaidʒ], *vt.* obrigar, forçar, constranger; obsequiar; servir; condescender com; agradar; fazer um favor.
I am much obliged to you — estou-lhe muito reconhecido.
will you oblige me with a match? — dá-me lume, se faz favor?
obligee [ɔbli'dʒi:], *s.* credor; pessoa a quem se deve um favor.
obliging [ə'blaidʒiŋ], *adj.* obsequiador; cortês; serviçal.
that is very obliging of you — é muita amabilidade da sua parte.
obligingly [-li], *adv.* obsequiosamente; cortesmente
obligingness [-nis], *s.* obrigação; delicadeza, urbanidade, cortesia.
obligor [ɔbli'gɔ:], *s.* (jur.) devedor.
oblique [ə'bli:k], **1** — *s.* movimento oblíquo; (geom.) figura oblíqua.
2 — *adj.* oblíquo, em diagonal; indirecto; tortuoso; evasivo; insidioso; (descendência) colateral.
an oblique line — uma linha oblíqua.
oblique glance — olhar de través.

oblique oration — discurso indirecto.
oblique speech — discurso indirecto.
3 — *vi.* executar um movimento oblíquo.
obliquely [-li], *adv.* obliquamente, diagonalmente; indirectamente, por rodeios.
obliqueness [-nis], *s.* obliquidade.
obliquity [ə'blikwiti], *s.* obliquidade; dissimulação, desonestidade.
obliterate [ə'blitəreit], *vt.* obliterar, apagar; anular; destruir; consumir, suprimir. (*Sin.* to cancel, to efface, to erase, to destroy, to expunge.)
obliterating [-iŋ], *adj.* obliterador; que oblitera; destruidor; anulador.
obliteration [əblitə'reiʃən], *s.* obliteração; cancelamento; extinção.
obliterator [ə'blitəreitə], *s.* obliterador.
oblivion [ə'bliviən], *s.* esquecimento; anulação; omissão.
Act of Oblivion (Bill of Oblivion) — amnistia.
to fall into oblivion — cair no esquecimento.
oblivious [ə'bliviəs], *adj.* esquecido, desmemoriado; absorto; que causa esquecimento. (*Sin.* forgetful, neglectful, heedless. *Ant.* mindful.)
obliviously [-li], *adv.* desmemoriadamente; de maneira absorta.
obliviousness [-nis], *s.* esquecimento.
oblong ['ɔblɔŋ], **1** — *s.* (geom.) rectângulo; (E. U.) nota de banco.
2 — *adj.* oblongo, rectangular.
obloquy ['ɔbləkwi], *s.* calúnia, difamação, maledicência; desonra.
obnoxious [əb'nɔkʃəs], *adj.* obnóxio; odioso, detestável; ofensivo.
obnoxiously [-li], *adv.* detestavelmente, odiosamente.
obnoxiousness [-nis], *s.* odiosidade; aspecto censurável.
obnubilation [əbnjubi'leiʃən], *s.* obnubilação, obscurecimento.
oboe ['oubou, 'oubɔi], *s.* (mús.) oboé.
oboist ['oubouist], *s.* oboísta, tocador de oboé.
obol ['ɔbɔl,'ɔbəl], *s.* óbolo, antiga moeda grega.
oboli ['ɔbəlai], *s. pl.* de **obolus.**
obolus ['ɔbələs], *s.* (*pl.* **oboli**) ver **obol.**
obpyramidal [ɔbpi'ræmidəl], *adj.* obpiramidal, com forma de pirâmide invertida.
obscene [ɔb'si:n], *adj.* obsceno, imoral, indecente, indecoroso.
obscenely [-li], *adv.* obscenamente, indecentemente, indecorosamente.
obscenity [ɔb'si:niti], *s.* obscenidade; indecência.
obscurant [ɔbs'kjuərənt], *s.* obscurantista.
obscurantism [-izm], *s.* obscurantismo.
obscurantist [-ist], *s.* e *adj.* obscurantista.
obscuration [ɔbskjuə'reiʃən], *s.* obscurecimento; eclipse; turvação.
obscure [əb'skjuə], **1** — *adj.* obscuro; tenebroso; vago; indistinto; ininteligível; enigmático; confuso; humilde; desconhecido.
obscure birth — nascimento humilde.
2 — *vt.* e *vi.* obscurecer, escurecer; ofuscar; ocultar-se (luz); eclipsar; esconder.
obscurely [-li], *adv.* obscuramente, confusamente, às escuras.
obscureness [-nis], *s.* obscuridade; confusão.
obscuring [-riŋ], *s.* obscurecimento; turvação; escurecimento.
obscurity [əb'skjuəriti], *s.* obscuridade, escuridão, trevas; confusão; humildade.
obsecration [ɔbsi'kreiʃən], *s.* obsecração, súplica.
obsequial [ɔb'si:kwiəl], *adj.* fúnebre; relativo a exéquias.
obsequies ['ɔbsikwiz], *s. pl.* funeral; exéquias.
obsequious [əb'si:kwiəs], *adj.* servil, adulador; (arc.) amável; obsequioso.
obsequiously [-li], *adv.* servilmente; obsequiosamente.
obsequiousness [-nis], *s.* servilismo, adulação; obsequiosidade.
observable [əb'zə:vəbl], *adj.* observável, notável, perceptível; apreciável, digno de atenção; visível.
observably [-i], *adv.* notavelmente, conspicuamente; nitidamente.
observance [əb'zə:vəns], *s.* observância, cumprimento; acatamento; rito; prática, costume, uso. (*Sin.* discharge, fulfilment, performance, rite, ceremony, custom, practice. *Ant.* neglect.)
strict observance — observância rigorosa.
religious observances — práticas religiosas.
observant [əb'zə:vənt], **1** — *s.* observante (frade franciscano).
2 — *adj.* observador; vigilante; atento; observante; obediente.
observantly [-li], *adv.* atentamente; vigilantemente.
observation [ɔbzə(:)'veiʃən], *s.* observação, exame; reflexão; reparo crítico, admoestação; atenção; observância.
observation post — posto de observação.
observation balloon — balão de observação.
observation station — observatório.
observation ward — sala de observações (em hospital).
to keep under observation — ter sob observação.
observatory [əb'zə:vətəri], *s.* observatório; mirante; miradouro.
observe [əb'zə:v], *vt.* e *vi.* observar, ver, olhar; examinar; estar atento; notar; cumprir (um preceito), reparar, vigiar, velar; advertir; expressar (uma opinião, etc.); celebrar; estudar.
to observe silence — guardar silêncio.
to observe the regulations — cumprir os regulamentos.
to observe Christmas — festejar o Natal.
observer [-ə], *s.* observador; guarda, vigia; pessoa que cumpre.
observing]-iŋ], **1** — *s.* observação; acção de vigiar; acção de cumprir.
2 — *adj.* observador; cumpridor; atento, vigilante.
observingly [-iŋli], *adv.* atentamente, cuidadosamente.
obsess [əb'ses, ɔb'ses], *vt.* obcecar; preocupar, atormentar.
to be obsessed with — estar obcecado por.
obsessing [-iŋ], *adj.* obcecante, obsessivo, atormentador.
obsession [əb'seʃən], *s.* obsessão, obcecação, preocupação constante.
obsessional [-əl], *adj.* obsessivo; torturante, atormentador.
obsessionist [əb'seʃənist], *s.* obcecado, obsessionado.
obsessive [əb'sesiv], *adj.* obsessivo, obcecante, atormentador.
obsidian [ɔb'sidiən], *s.* obsidiana, lava de vulcão com aparência vítrea.
obsolescence [ɔbsə'lesns], *s.* atrofia esclerósica dos tecidos; tendência para cair em desuso.
obsolescent [ɔbsə'lesnt], *adj.* atacado de atrofia esclerósica dos tecidos; com tendência para cair em desuso.
obsolete ['ɔbsəli:t], *adj.* obsoleto; antiquado; desusado.
to become obsolete — cair em desuso.
obsoletely [-li], *adv.* de modo obsoleto; antiquadamente.
obsoleteness [-nis], *s.* obsoletismo, desuso; carácter obsoleto.

obstacle ['ɔbstəkl], *s.* obstáculo, embaraço, impedimento, estorvo, contrariedade.
obstacle race — corrida de obstáculos.
to surmount an obstacle — vencer um obstáculo.
insurmountable obstacle — obstáculo invencível.
obstetric [ɔb'stetrik], *adj.* obstétrico, relativo à obstetrícia.
obstetrical [-əl], *adj.* ver **obstetric.**
obstetrician [ɔbste'triʃən], *s.* obstetra, médico parteiro.
obstetrics [ɔb'stetriks], *s.* obstetrícia.
obstinacy ['ɔbstinəsi], *s.* obstinação, pertinácia, persistência.
obstinate ['ɔbstinit], *adj.* obstinado, pertinaz, teimoso; contumaz.
obstinate as a mule — teimoso como um burro.
obstinately [-li], *adv.* obstinadamente, teimosamente.
obstreperous [əb'strepərəs], *adj.* estrepitoso, ruidoso, turbulento; desenfreado.
obstreperously [-li], *adv.* ruidosamente, estrondosamente, turbulentamente.
obstreperousness [-nis], *s.* estrondo, bulha, clamor, estrépito; barafunda; turbulência.
obstruct [əb'strʌkt], *vt.* e *vi.* obstruir, tapar; impedir; estorvar; retardar; dificultar; interromper.
to obstruct the view — tapar a vista.
obstruction [əb'strʌkʃən], *s.* obstrução, estorvo, impedimento, obstáculo; dificuldade.
beware of obstructions! (sinalização nas estradas) — atenção aos trabalhos.
obstruction of the bowels (med.) — oclusão intestinal.
obstructionism [əb'strʌkʃənizm], *s.* (pol.) obstrucionismo.
obstructionist [əb'strʌkʃənist], *s.* (pol.) obstrucionista.
obstructive [əb'strʌktiv], **1** — *s.* impedimento. **2** — *adj.* obstrutivo.
obstructively [-li], *adv.* obstrutivamente.
obstructiveness [-nis], *s.* obstrução, impedimento.
obstructor [əb'strʌktə], *s.* aquele que impede.
obstruent ['ɔbstruənt], **1** — *s.* medicamento obstruente.
2 — *adj.* obstruente.
obtain [əb'tein], *vt.* e *vi.* obter, adquirir, lograr, alcançar, conseguir; prevalecer; estar em uso.
to obtain a position — arranjar um emprego.
to obtain the victory — alcançar a vitória.
to obtain first place — ficar em primeiro lugar (num concurso).
obtainable [-əbl], *adj.* que se pode conseguir, que se pode obter.
obtainer [-ə], *s.* obtentor.
obtainment [-mənt], *s.* obtenção; aquisição.
obtention [əb'tenʃən], *s.* ver **obtainment.**
obtrude [əb'tru:d], *vt.* e *vi.* impor, introduzir à força; impor-se; intrometer-se.
to obtrude oneself — intrometer-se.
obtruncate [ɔb'trʌŋkeit], *vt.* decapitar.
obtrusion [əb'tru:ʒən], *s.* intrusão, intrometimento; intromissão.
obtrusive [əb'tru:siv], *adj.* intruso, importuno, intrometido. (*Sin.* intruding, interfering, forward. *Ant.* retiring.)
obtrusively [-li], *adv.* inoportunamente, intrometidamente.
obtrusiveness [-nis], *s.* intrusão, intromissão.
obtund [oub'tʌnd], *vt.* (med.) obtundir, embotar.
obturate ['ɔbtjuəreit], *vt.* obturar, tapar.
obturating [-iŋ], *adj.* obturador.
obturation [ɔbtjuə'reiʃən], *s.* obturação.
obturator ['ɔbtjuəreitə], *s.* obturador.
obtuse [əb'tju:s], *adj.* obtuso, rombo; bronco; embotado.
obtuse angle — ângulo obtuso.
obtuse-angled triangle — triângulo obtusângulo.
obtusely [-li], *adv.* obtusamente.
obtuseness [-nis], *s.* obtusão, embotamento; estupidez.
obverse ['ɔbvə:s], **1** — *s.* obverso; contrário. **2** — *adj.* (bot.) obverso, mais largo em cima do que em baixo.
obversion [ɔb'və:ʃən], *s.* (lóg.) conversão; obversão.
obvert [ɔb'və:t], *vt.* (lóg.) converter uma proposição; voltar ou dirigir para.
obviate ['ɔbvieit], *vt.* obviar, evitar, precaver.
obvious ['ɔbviəs], *adj.* óbvio, evidente, manifesto, claro. (*Sin.* clear, evident, undeniable, manifest, distinct. *Ant.* obscure.)
to be obvious — ser evidente.
an obvious fact — um facto evidente.
obvious to the eye — que salta aos olhos.
obviously [-li], *adv.* obviamente, evidentemente, claramente.
obviousness [-nis], *s.* clareza, evidência.
ocarina [ɔkə'ri:nə], *s.* (mús.) ocarina.
occasion [ə'keiʒən], **1** — *s.* ocasião; caso; casualidade; ocorrência; acontecimento; oportunidade, falta; necessidade; causa, motivo; *pl.* negócios, ocupações.
to take occasion — aproveitar a oportunidade.
to rise to the occasion — estar à altura da situação.
on occasion — em seu devido tempo; às vezes.
as occasion may require — quando as circunstâncias o exigirem.
to celebrate the occasion — celebrar o acontecimento.
on all occasions — em todas as ocasiões.
to give occasion to — dar lugar a.
to choose one's occasion — escolher a ocasião própria.
on the first occasion — na primeira oportunidade.
on the occasion of — por ocasião de.
2 — *vt.* ocasionar, causar; produzir; dar lugar a; mover; excitar.
occasional [-l], *adj.* ocasional, casual, acidental; contingente.
occasional cause — causa secundária.
occasionally [-li], *adv.* ocasionalmente, de vez em quando.
occasioner [-ə], *s.* ocasionador, causador.
occident ['ɔksidənt], *s.* ocidente.
occidental [ɔksi'dentl], **1** — *s.* (um) ocidental. **2** — *adj.* ocidental.
occidentalism [ɔksi'dentəlizm], *s.* ocidentalismo.
occidentalist [ɔksi'dentəlist], *s.* ocidentalista.
occidentalize [ɔksi'dentəlaiz], *vt.* ocidentalizar.
occipital [ɔk'sipitl], **1** — *s.* occipício.
2 — *adj.* occipital.
occlude [ɔ'klu:d], *vt.* e *vi.* fechar, tapar; (quím.) absorver.
occlusion [ɔ'klu:ʒən], *s.* oclusão; absorção de gases.
occlusive [ɔ'klu:siv], *adj.* oclusivo.
occult [ɔ'kʌlt], **1** — *adj.* oculto, secreto, invisível; misterioso; ignorado; sobrenatural.
the occult sciences — as ciências ocultas.
2 — *vt.* e *vi.* ocultar; ocultar-se, eclipsar-se.
occultation [ɔkəl'teiʃən], *s.* ocultação; desaparecimento.
occultism ['ɔkəltizm], *s.* ocultismo, ciências ocultas.
occultist ['ɔkəltist], *s.* ocultista.
occultly [ɔ'kʌltli], *adv.* ocultamente.

occultness [ɔ'kʌltnis], *s.* ocultação, segredo, mistério.
occupancy ['ɔkjupənsi], *s.* ocupação, posse (de imóvel).
occupant ['ɔkjupənt], *s.* ocupante; inquilino; habitante; possuidor.
occupation [ɔkju'peiʃən], *s.* ocupação, posse; trabalho, tarefa; emprego, ofício, profissão.
to be in occupation of — ocupar.
occupation disease — doença profissional.
occupation troops (army of occupation) — exército de ocupação.
occupational [ɔkju(:)'peiʃənl], *adj.* profissional.
occupational disease — doença profissional.
occupier ['ɔkjupaiə], *s.* ver **occupant.**
occupy ['ɔkjupai], *vt.* ocupar; empregar o tempo; tomar posse; apoderar-se de; tratar de; estar instalado; dar trabalho a; morar em; preocupar.
to occupy oneself with — ocupar-se de.
to occupy a post (to occupy a position) — ocupar um cargo.
occur [ə'kə:], *vi.* (*pret.* e *pp.* **occurred**) ocorrer, acontecer; vir à ideia; suceder; sobrevir; apresentar-se; aparecer; encontrar-se.
no accident occurred to him — não lhe aconteceu desastre algum.
a thought occurs to me — ocorre-me uma ideia.
occurrence [ə'kʌrəns], *s.* ocorrência, acontecimento, incidente, caso.
occurrent [ə'kʌrənt], *adj.* ocorrente; acidental, casual.
ocean ['ouʃən], *s.* oceano, mar; imensidade, grande quantidade.
the Atlantic Ocean — o oceano Atlântico.
ocean chart — carta geral.
oceans of time — muitíssimo tempo.
ocean bottom — fundo do mar.
ocean-going steamer — vapor de longo curso.
ocean-river — rio grande navegável.
ocean liner — transatlântico.
the German Ocean — o mar do Norte.
ocean tramp — navio de carga.
Oceania [ouʃi'einjə], *top.* Oceânia.
Oceanian [-n], *s.* e *adj.* da Oceânia, oceânico; relativo à Oceânia.
oceanic [ouʃi'ænik], *adj.* oceânico (relativo ao oceano ou à Oceânia.
oceanographer [ouʃjə'nɔgrəfə], *s.* oceanógrafo.
oceanographic [ouʃjənou'græfik], *adj.* oceanográfico.
oceanographical [-əl], *adj.* ver **oceanographic.**
oceanography [ouʃjə'nɔgrəfi], *s.* oceanografia.
Oceanus [ou'siənəs, ou'ʃiənəs], *n. p.* (mit.) Oceano.
ocelli [ou'selai], *s. pl.* de **ocellus.**
ocellus [ou'seləs], *s.* (*pl.* **ocelli**) ocelo.
ocelot ['ousilɔt,'ousələt], *s.* (zool.) ocelote.
ochlocracy [ɔk'lɔkrəsi], *s.* oclocracia.
ochlocrat ['ɔkloukræt], *s.* oclocrata.
ochlocratic [-ik], *adj.* oclocrático.
ochlocratical [-ikəl], *adj.* ver **ochlocratic.**
ochre ['oukə], **1** — *s.* ocre, ocra.
2 — *vt.* pintar de ocre.
ochreous ['oukriəs,'oukərəs], *adj.* de ocre; ocreoso.
ochring ['oukəriŋ], *s.* acto de pintar de ocre.
ochrious ['oukriəs,'oukərəs], *adj.* ver **ochreous.**
o'clock [ə'klɔk], *abrev.* de **of the clock.**
what o'clock is it? — que horas são?
it's four o'clock — são quatro horas.
five o'clock tea — chá das cinco; merenda.
octachord ['ɔktəkɔ:d], **1** — *s.* (mús.) octacordo; escala diatónica.
2 — *adj.* (mús.) octacordo.
octad ['ɔktæd], *s.* grupo de oito.
octagon ['ɔktəgən], *s.* octógono.
octagonal [ɔk'tægənl], *adj.* octogonal.
octahedral [ɔktə'hedrəl], *adj.* octaédrico.
octahedron [ɔktə'hedrən], *s.* (*pl.* **octahedrons, octahedra**) octaedro.
octameter [ɔk'tæmitə], **1** — *s.* verso com oito pés.
2 — *adj.* com oito pés (verso).
octangular [ɔk'tængjulə], *adj.* octangular, octogonal.
octant ['ɔktənt], *s.* oitante (instrumento náutico para avaliar as alturas e distâncias).
octavalent [ɔktə'veilənt], *adj.* (quím.) octovalente.
octave ['ɔkteiv], *s.* (mús.) oitava; (tip.) formato em oitavo; (esgr.) oitava parada.
octave flute — flautim.
Octavia [ɔk'teivjə], *n. p.* Octávia.
Octavius [ɔk'teivjəs], *n. p.* Octávio.
octavo [ɔk'teivou], *s.* e *adj.* livro ou página em oitavo; em oitavo.
octennial [ɔk'tenjəl], *adj.* que dura oito anos.
octilion [ɔk'tiljən], *s.* octilião.
October [ɔk'toubə], *s.* Outubro.
octodecimo ['ɔktou'desimou], *s.* e *adj.* (tip.) dobrado dezoito vezes; livro em décimo oitavo.
octogenarian [ɔktoudʒi'nɛəriən], *s.* e *adj.* octogenário.
octopetalous [ɔktə'petələs], *adj.* (bot.) octopétalo.
octopod ['ɔktəpɔd], *s.* (*pl.* **octopods, octopoda**) (zool.) octópode.
octopus ['ɔktəpəs], *s.* (zool.) polvo.
octoroon [ɔktə'ru:n], *s.* mulato muito claro, «cabrito».
octosyllabic ['ɔktousi'læbik], **1** — *s.* verso octossilábico.
2 — *adj.* octossilábico, octossílabo.
octosyllable ['ɔktousiləbl], *s.* e *adj.* octossílabo; octossilábico.
octovalent [ɔktou'veilənt], *adj.* (quím.) octovalente.
octuple ['ɔktju(:)pl], **1** — *adj.* óctuplo.
2 — *vt.* octuplicar.
ocular ['ɔkjulə], **1** — *s.* ocular.
2 — *adj.* ocular.
ocular witness — testemunha ocular.
ocularly [-li], *adv.* ocularmente.
oculist ['ɔkjulist], *s.* oculista; médico oftalmologista.
odalisque ['oudəlisk], *s.* odalisca.
odd [ɔd], **1** — *s.* pontos dados de vantagem, no golfe, a um adversário mais fraco, partido; demasia.
2 — *adj.* ímpar; excedente; casual, acidental; excêntrico, singular, raro, estranho; original; curioso; fantástico; estrambólico; ridículo; só; único; desirmanado; avulso.
an odd man — um homem excêntrico.
do it at odd moments — fá-lo nos momentos livres.
at odd times — de vez em quando.
an odd glove — uma luva desirmanada.
an odd number — um número ímpar.
odd-looking — que tem figura excêntrica.
forty odd — quarenta e pouco, quarenta e picos.
twenty pounds odd — vinte e tantas libras.
an odd card — uma carta de sobra.
it sounds odd! — é fantástico!
odd-come-short — resto, retalho.
odd-come-shortly — num dos próximos dias.
odd fish — pessoa estranha.
odd size (com.) — tamanho fora do normal.
to play at even and odd — jogar ao par ou pernão.
oddish ['-iʃ], *adj.* um tanto estranho.

oddity [ˈ-iti], *s.* singularidade, particularidade; excentricidade; pessoa excêntrica, original; objecto fantástico; acontecimento estranho; despropósito.
oddly [ˈ-li], *adv.* estranhamente, excentricamente; por acaso.
oddments [ˈ-mənts], *s. pl.* sobras, restos, retalhos; bagatelas, ninharias, refugo.
oddness [ˈ-nis], *s.* desigualdade; excentricidade, extravagância.
odds [-s], *s. pl.* desigualdade, disparidade; diferença; vantagem, superioridade; rixa, disputa; aposta desigual.
odds and ends — restos, fragmentos, bagatelas.
to be at odds — altercar.
to fight against odds — lutar contra uma força superior.
to lay the odds — apostar.
what's the odds? — que importa?, que diferença faz?
the odds were all against me — tive a fortuna contra mim.
by long odds — por grande diferença.
to give odds — (ao jogo ou aposta) dar partido.
to take odds of — tirar vantagem de.
it is odds that — é provável que.
ode [oud], *s.* ode.
odea [ouˈdi(:)ə], *s. pl.* de **odeum.**
odeum [ouˈdi(:)əm], *s.* (*pl.* **odeums, odea**) odeão, espécie de teatro da antiga Grécia.
odious [ˈoudjəs], *adj.* odioso, abominável, repulsivo.
odiously [-li], *adv.* odiosamente, detestavelmente.
odiousness [-nis], *s.* ódio, odiosidade, abominação.
odium [ˈoudjəm], *s.* ódio; odiosidade; repulsa.
odometer [ɔˈdɔmitə], *s.* odómetro.
odometric [ɔdɔˈmetrik], *adj.* odométrico.
odometrical [-əl], *adj.* ver **odometric.**
odometry [ɔˈdɔmitri], *s.* odometria.
odontalgia [ɔdɔnˈtældʒjə], *s.* odontalgia, dor de dentes.
odontoid [ɔˈdɔntɔid], *adj.* odontóide, odontoídeo.
odontological [ɔdɔntəˈlɔdʒikəl], *adj.* odontológico.
odontologist [ɔdɔnˈtɔlədʒist], *s.* odontologista.
odontology [ɔdɔnˈtɔlədʒi], *s.* odontologia.
odoriferous [oudəˈrifərəs], *adj.* odorífero, perfumado.
odoriferously [-li], *adv.* aromaticamente, de modo perfumado.
odoriferousness [-nis], *s.* fragrância, perfume, aroma.
odorous [ˈoudərəs], *adj.* perfumado, aromático, fragrante, odorífero.
odour [ˈoudə], *s.* odor, aroma, perfume. (*Sin.* smell, scent, perfume, fragrance.)
odour of sanctity — odor de santidade.
odour absorver — absorvedor de cheiros.
odourless [-lis], *adj.* sem cheiro; sem perfume; inodoro.
Odysseus [əˈdisju:s], *n. p. gr.* Ulisses.
Odyssey [ˈɔdisi], *s.* Odisseia.
odyssey [ˈɔdisi], *s.* odisseia, grande viagem com grandes aventuras.
oecological [i:kəˈlɔdʒikəl], *adj.* ecológico.
oecology [i:ˈkɔlədʒi], *s.* ecologia.
oecumenical [i:kju(:)ˈmenikəl], *adj.* ecuménico; universal.
oedema [i(:)ˈdi:mə], *s.* edema.
oedematous [i(:)ˈdemətəs], *adj.* edematoso.
Oedipus [ˈi:dipəs], *n. p.* (mit. gr.) Édipo.
Oedipus complex — complexo de Édipo.
oenometer [i:ˈnɔmitə], *s.* enómetro; pesa-vinho.
oesophageal [i:souˈfædʒjəl], *adj.* esofágico.
oesophagus [i:ˈsɔfəgəs], *s.* (*pl.* **oesophagi, oesophaguses**) esófago.
oestrum [ˈi:strəm], *s.* tavão, moscardo; cio.
oestrus [ˈi:strəs], *s.* ver **oestrum.**
of [ɔv,əv], *prep.* de; sobre; por; devido a; entre; durante; da parte de.
of late — ultimamente.
it is very kind of you — é muita amabilidade da sua parte.
of course — naturalmente; é claro; evidentemente; bem entendido.
there were five of us — éramos cinco.
to think of — pensar em.
we of the middle class — nós, os da classe média.
the best of men — o melhor dos homens.
I never heard of it — nunca ouvi tal.
it smells of roses — cheira a rosas.
of old — noutro tempo, antigamente.
of necessity — por necessidade.
of oneself (of one's own accord) — espontaneamente.
a friend of mine — um amigo meu.
all of a sudden — subitamente; de repente.
a man of thousand — um homem entre mil.
all of a tremble — todo a tremer.
all of us — todos nós.
my scoundrel of a friend — o malandro do meu amigo.
to approve of — concordar com; aprovar.
first of all — antes de mais nada.
to be glad of — estar contente com.
to be of age — ser de maioridade.
to be quick of eye and nimble of foot — ter olho vivo e pé ligeiro.
to buy a thing of somebody — comprar uma coisa a alguém.
to taste of — saber a.
to die of grief — morrer de dor.
no more of that! — não me venham mais com isso!
that's of no account — isso não tem importância.
what has become of her? — que é feito dela?
it admits of no doubt — isso não admite dúvidas.
off [ɔ:f,ɔf], **1** — *s.* (críquete) o lado de fora do campo.
2 — *adj.* desocupado, livre; adoentado; secundário; (alimento) que não é fresco; do lado mais distante; do lado direito; improvável.
an off day — um dia livre.
the off front wheel — a roda dianteira direita.
an off street — uma rua lateral.
the off hind wheel — a roda traseira direita.
the off side of a road — o lado direito duma estrada.
3 — *adv.* distante, afastado; ao largo; completamente; sem trabalhar; desligado.
off with you! — rua!, põe-te a andar!
a great way off — muito longe.
off and on — de vez em quando.
far off — muito longe.
hands off! — tire as mãos!
hats off! — descubram-se!
take your coat off — tira o casaco.
to be well off — estar bem de finanças.
to be off and on — ser inconstante.
to see someone off — ir despedir-se de alguém.
Saturday is my day off — sábado é o meu dia livre.
to kick off — expulsar a pontapé; (fut.) dar o pontapé de saída.
Christmas is not off — o Natal não tarda muito.
to go off — ir-se embora; adormecer.
where are you off to? — onde vais?
the engagement is broken off — desmanchou-se o casamento.
the affair is off — o negócio frustrou-se.

the gilt is off — veio a desilusão.
the rain is off — a chuva parou.
4 — *prep.* longe de, fora de; em frente de; livre de, sem.
off duty — sem estar ao serviço.
off one's head — sem o juízo todo.
off the map (col.) — que não existe.
off the nail — embriagado.
to buy clothes off the peg (col.) — comprar roupas feitas.
off-white — quase branco.
off-black — quase preto.
keep off the grass — é proibido pisar a relva.
that's off the point — isso não vem a propósito.
the two fleets met off Gibraltar — as duas esquadras encontraram-se nas imediações de Gibraltar.
off the beaten track — fora da rotina vulgar.
5 — *vt.* e *vi.* (col.) desistir de; anular; (náut.) fazer-se ao largo.
offal ['ɔfəl], *s.* sobras, restos; refugo; despojos de animais mortos; farelo.
offence [ə'fens], *s.* ofensa, injúria, afronta; culpa; pecado; agravo; delito; crime; ataque; agressão; desgosto.
to take offence — ofender-se; escandalizar-se.
no offence! — sem ofensa!
no offence was meant — não havia intenção de ofender.
serious offence — crime grave.
unnatural offence — crime contra a natureza.
offenceless [-lis], *adj.* inofensivo; que não praticou nenhum acto censurável.
offend [ə'fend], *vt.* e *vi* ofender, ultrajar, injuriar; molestar; transgredir, delinquir; desagradar, desgostar; (bíbl.) escandalizar. (*Sin.* to annoy, to injure, to vex, to affront, to transgress, to shock, to molest. *Ant.* to please.)
to offend against the law — violar a lei.
to be offended with somebody — estar zangado com alguém.
to be easily offended — ser muito susceptível.
to offend morals — ser uma ofensa à moral.
offended [-id], *adj.* ofendido.
the offended party (jur.) — a parte queixosa.
offender [-ə], *s.* ofensor; delinquente, transgressor.
offending [-iŋ], *adj.* ofensivo.
offense [ə'fens], *s.* (E. U.) ver **offence.**
offensive [-iv], **1** — *s.* ofensiva, ataque.
to take the offensive — tomar a ofensiva.
to abandon the offensive — abandonar a ofensiva.
2 — *adj.* ofensivo, injurioso; prejudicial; desagradável; agressivo.
offensive language — linguagem ofensiva.
offensive smell — cheiro desagradável.
offensive weapons — armas ofensivas.
offensively [-ivli], *adv.* ofensivamente, injuriosamente.
offensiveness [-ivnis], *s.* ofensa, afronta; carácter ofensivo.
offer ['ɔfə], **1** — *s.* oferecimento, oferta; promessa; convite; proposta (de casamento); proposta; lanço (em leilão).
to decline an offer — recusar uma oferta.
offer of marriage — proposta de casamento.
on offer — à venda.
verbal offer — oferta verbal.
to close with an offer — aceitar uma oferta.
2 — *vt.* e *vi.* oferecer; apresentar; prometer; tentar; intentar; propor; imolar, sacrificar; oferecer-se; fazer uma oferta; propor casamento.
to offer no apology — não pedir desculpa.
he offered to strike me — ele tentou bater-me.
to offer an opinion — apresentar uma opinião.
to offer one's hand — propor casamento.
to offer resisance — oferecer resistência.
to offer oneself for a post — oferecer-se para um lugar.
to offer up a sacrifice — oferecer um sacrifício (religião).
offerer [-rə], *s.* oferente, oferecedor; licitante.
offering [-riŋ], *s.* oferta, oferecimento, oferenda; sacrifício; oblação, tributo; donativo.
thank-offering — acção de graças.
peace-offering — ofício propiciatório.
burnt-offering — holocausto.
offeror [-rə], *s.* ver **offerer.**
offertory ['ɔfətəri], *s.* ofertório, oferecimento, oferenda; ofertório (da missa).
off-hand ['ɔ:f'hænd], **1** — *adj.* improvisado, sem preparação; sem cerimónias.
2 — *adv.* imediatamente, sem preparação.
to speak off-hand — falar de improviso.
to play off-hand (mús.) — tocar de improviso.
off-handed [-id], *adj.* e *adv.* ver **off-hand.**
off-handedly [-idli], *adv.* sem cerimónias; bruscamente.
off-handedness [-idnis], *s.* sem-cerimónia; rudeza.
office ['ɔfis], *s.* emprego, cargo, ofício, exercício, ocupação, mister; função; destino; escritório; repartição, agência, departamento; ofício divino; (cal.) senha, sinal; *pl.* serviços, favores; bons ofícios; ofícios (religião); parte da casa onde se fazem os serviços domésticos.
Post Office — Repartição do Correio; estação dos correios.
booking-office — ecritório; bilheteira (cam. fer.).
Audit Office — Tribunal de Contas.
War Office — Ministério da Guerra.
Education Office — Ministério da Educação.
the Foreign Office — o Ministério dos Negócios Estrangeiros.
the Home Office — o Ministério do Interior.
to come into office — entrar no poder.
to retire from office — pedir a demissão.
to be in office — ter um emprego; estar no poder.
office-hours — horas de escritório, de clínica ou de consultas.
the Holy Office — o Santo Ofício.
owing to the good offices of — graças aos bons ofícios de.
to do the office of — fazer o ofício de; servir de.
office-boy — paquete (rapaz)
office-building — edifício para escritórios.
office for the dead (relig.) — ofício de defuntos.
box-office — bilheteira (de teatro, cinema, etc.).
office-work — trabalho de escritório.
Divine Office — Ofício Divino.
head office — sede.
our Cambridge office (com.) — a nossa filial em Cantabrígia.
high office — alto cargo.
public office — funções públicas.
the Complaints Office — a secção de reclamações.
officer [-ə], **1** — *s.* oficial; funcionário público; empregado; agente da polícia.
army officer — oficial do exército.
naval officer — oficial da Armada.
non-commissioned officer — oficial inferior.
staff officer — oficial do estado-maior.
flag officer — oficial-general da Armada.
officer on duty — oficial de serviço.
officer of the watch — oficial de quarto.
customs-house officer — oficial da alfândega.
Air Force officer — oficial da aviação.
flying officer — oficial aviador.

warrant officer — oficial diplomado (da marinha).
officer of state — ministro.
court officer — oficial de diligências.
High Officer of an Order — grande oficial duma Ordem.
half-pay officer — oficial reformado.
2 — *vt.* (mil.) nomear oficiais; comandar; mandar (como oficial).
official [ə'fiʃəl], **1** — *s.* funcionário; provisor; juiz eclesiástico.
railway official — empregado dos caminhos-de-ferro.
2 — *adj.* oficial; autorizado; administrativo.
official log-book — diário de navegação.
official quotation — câmbio oficial.
officialdom [-dəm], *s.* burocracia, costumes oficiais, formalismo.
officialism [-izm], *s.* ver **officialdom.**
officiant [ə'fiʃənt], *s.* oficiante, celebrante.
officiate [ə'fiʃieit], *vi.* oficiar; exercer funções oficiais; celebrar ofícios divinos; fazer as vezes de.
to officiate at a marriage — celebrar um casamento.
officional [ɔfi'sainl,ɔ'fisinl], *adj.* oficinal; medicinal.
officious [ə'fiʃəs], *adj.* oficioso; obsequioso; intrometido.
officiously [-li], *adv.* oficiosamente.
officiousness [-nis], *s.* oficiosidade; demasiada solicitude.
offing ['ɔfiŋ,'ɔ:fiŋ], *s.* alto mar, mar largo; vizinhança.
in the offing — ao largo.
to make an offing (náut.) — fazer-se ao largo.
offish ['ɔfiʃ,'ɔ:fiʃ], *adj.* (col.) arisco, esquivo, reservado.
offishness [-nis], *s.* reserva; carácter esquivo; frieza.
offlet ['ɔ:flet], *s.* tubo para desaguar um canal.
off-load ['ɔ:f-loud], *vt.* desembarcar (passageiros).
off-print ['ɔ:f-print], *s.* reprodução (de um artigo, etc.).
offsaddle ['ɔ:fsædl], *vt.* desmontar; tirar a sela (a um cavalo).
offscourings ['ɔ:fskauəriŋz], *s. pl.* ralé, escória; fezes.
offset ['ɔ:fset], **1** — *s.* renovo, vergôntea; equivalência; equivalente; compensação; ordenada (em agrimensura); enfeite; desvio, desalinhamento; «off-set», impressão litográfica sobre folha de zinco ou alumínio.
offset printing — impressão em «off-set».
2 — *adj.* deslocado; não alinhado.
offset key — chaveta deslocada.
3 — *vt.* e *vi.* lançar rebentos; descentrar; equilibrar; compensar.
offshoot ['ɔ:fʃu:t], *s.* ramo vergôntea, renovo.
off-shore ['ɔ:f-ʃɔə], **1** — *adj.* pouco distante da praia; que vai da praia para o mar.
off-shore wind — vento de terra.
2 — *adv.* no mar alto, para o mar alto.
to fish off-shore — pescar no mar alto.
offside ['ɔ:fsaid], **1** — *s.* deslocação.
2 — *adv.* à direita; (fut.) deslocado.
offspring [ɔ:fspriŋ], *s.* descendência; prole; geração; linhagem, casta; produto; fruto.
offward ['ɔfwəd], **1** — *s.* mar alto.
2 — *adv.* em direcção ao alto mar.
oft [ɔ:ft,ɔft], *adv.* (poét.) ver **often.**
many a time and oft — muitas e muitas vezes.
often [ɔ:fn,'ɔftən], **1** — *adj.* (arc.) frequente.
2 — *adv.* muitas vezes, frequentemente, repetidas vezes, amiúde.
how often? — quantas vezes?
as often as — tantas vezes quantas.

so often — tantas vezes.
too often — vezes de mais.
often and often — repetidas vezes.
not often — raras vezes.
ogdoad ['ɔgdouæd], *s.* grupo de oito.
ogee ['oudʒi:], *s.* cimácio, moldura de cornija.
ogee arch — arco em ogiva.
ogival [ou'dʒaivəl], *adj.* ogival.
ogive ['oudʒaiv], *s.* ogiva.
ogle [ougl], **1** — *s.* olhadela de soslaio; olhar amoroso.
2 — *vt.* e *vi.* olhar de soslaio; catrapiscar.
ogler ['-ə], *s.* pessoa que olha de soslaio; pessoa que olha amorosamente.
ogling ['-iŋ], **1** — *s.* acção de olhar de soslaio; o que lança olhares meigos.
2 — *adj.* que olha de soslaio; que lança olhares meigos.
ogre ['ougə], *s.* ogre; papão (com que se mete medo às crianças).
ogreish ['ougəriʃ], *adj.* próprio de ogre; semelhante a ogre.
ogress ['ougris,'ougres], *s. fem.* ogra.
ogrish ['ougriʃ], *adj.* ver **ogreish.**
oh [ou], *interj.* oh!
ohm [oum], *s.* (fís.) ohm, ómio, unidade de resistência eléctrica.
ohmic ['-ik], *adj.* (fís.) ómico.
ohmmeter ['oumitə], *s.* (fís.) omímetro.
oidium [ou'idiəm], *s.* oídio.
oil [ɔil], **1** — *s.* óleo; azeite; petróleo.
oil-cloth — oleado.
oil-fuel — óleo para combustão; combustível líquido.
oil-man — manufactor ou negociante de óleos.
oil-painting — pintura a óleo; arte de pintar a óleo.
oil-skin — oleado envernizado.
oil-spring — nascente de petróleo.
oil-well — poço de petróleo.
castor oil — óleo de rícino.
cod-liver oil — óleo de fígado de bacalhau.
olive-oil — azeite.
Holy Oil — Santos Óleos.
to pour oil on troubled waters (col.) — deitar água na fervura.
to strike oil — encontrar uma mina de petróleo; enriquecer de repente.
oil of almonds — óleo de amêndoa.
oil-can — almotolia.
oil-gauge — oleómetro.
linseed oil — óleo de linhaça.
oil-groove — canal de lubrificação.
essential oil — óleo volátil.
oil-field — campo petrolífero.
oil-box — caixa de lubrificação.
oil-pipe — tubo de lubrificação.
oil circuit breaker (elect.) — interruptor a óleo.
oil-colours — tintas de óleo.
oil cracking plant — refinaria de petróleo.
oil-cruet — galheteiro.
oil-fired — aquecido a óleo.
oil film — camada muito fina de óleo.
oil heater — aquecedor a óleo.
oil lubrication — lubrificação a óleo.
oil level line — linha do nível de óleo.
oil of bitter almonds — essência de amêndoas amargas.
oil of vitriol — ácido sulfúrico.
oil pipeline (oil piping) — oleoduto.
oil-producing — oleaginoso.
oil refinery — refinaria de petróleo; refinaria de óleo.
oil ship — petroleiro (navio).
oil-sheet — lençol petrolífero.
oil spot — nódoa de óleo; nódoa de gordura.
oil-silk — seda impermeabilizada.

oil-stove — máquina de petróleo.
oil-tree (bot.) — rícino, mamona.
cooking oil — óleo de cozinha.
animal oil — óleo animal.
engine oil — óleo para motores.
heavy oil engine — motor a óleos pesados.
to burn the midnight oil (col.) — trabalhar até tarde.
to throw oil into the fire (fig.) — atiçar o fogo.
2 — *vt.* e *vi.* untar com óleo, olear, lubrificar; encher de petróleo; derreter-se.
to oil someone's hand — subornar alguém.
to oil the wheels of life — amenizar a vida.
to oil a lock — untar uma fechadura.

oiled [ɔild], *adj.* oleado; em azeite.
oiled paper — papel encerado.
oiled sardines — sardinhas de conserva em azeite.
to be well oiled (col.) — estar com um grão na asa.

oiler ['ɔilə], *s.* navio empregado no transporte de óleos; almotolia; aquele que unta a lã nas fábricas; oleadeira; pessoa untuosa.

oiliness ['ɔilinis], *s.* oleosidade; untuosidade.

oiling ['ɔiliŋ], *s.* lubrificação.

oil-stone ['ɔil-stoun], **1** — *s.* pedra de afiar. **2** — *vt.* passar pela pedra de afiar.

oily ['ɔili], *adj.* oleoso, oleaginoso, gordurento.

ointment ['ɔintmənt], *s.* unguento, pomada.
zinc ointment — pomada de óxido de zinco.

O. K. ['ou'kei], **1** — *adj.* exacto, correcto. **2** — *vt.* aprovar, concordar com. **3** — *interj.* muito bem!

old [ould], **1** — *s.* os velhos; os tempos antigos.
old and young — velhos e novos.
of old — dos tempos antigos.
2 — *adj.* velho, idoso, de idade; antigo; antiquado; familiar; (cal.) bastante, muito.
old hand — pessoa de experiência.
old age — velhice.
old-looking — envelhecido.
old style — moda antiga.
to grow old — envelhecer.
how old are you? — que idade tens?
I am ten years old — tenho dez anos.
the old folks — os velhos da família.
any old thing! (fam.) — qualquer coisa serve!
old boy! (old fellow! old chap!) — meu velho!; amigalhote!
old-fashioned — à moda antiga; antiquado.
the Old Lady of Threadneedle Street — o Banco de Inglaterra.
old maid — solteirona.
old man — o pai, o velhote.
my old man (col.) — o meu marido.
old-clothes man — farrapeiro.
old stager — homem de experiência.
old bachelor — solteirão.
old Harry (old Nick, old Scratch) — o Demónio.
old year — o ano que passou ou que está prestes a terminar.
old-woman (col.) — a esposa; a cara-metade.
old maid — velha solteirona.
as old as the hills (col.) — velho como a Sé de Braga.
old-acquainted — conhecidos de há muito tempo.
old age insurance — seguro para a velhice.
old battle-axe — mulher dominadora.
old bird — pessoa matreira, com experiência.
Old English — o Velho Inglês, o Anglo-Saxão.
old bread — pão duro; pão seco.
old-fashioned look — olhar de desaprovação.
Old Glory (cal. E. U.) — a bandeira americana.
old masters — grandes artistas do passado; quadros antigos valiosos.
old-time songs — canções antigas.
old salt — marinheiro velho e cheio de experiência.
old trout — criado de confiança; amigo verdadeiro.
the old country — a Europa.
the old gentleman — o Diabo.
the old one — o Diabo.
the Old Testament — o Velho Testamento.
the Old World — o Velho Mundo.
to live to be old — chegar até velho.
to look old — parecer velho.

old-and-bitter ['ould-ənd-'bitə], *s.* (col.) sogra.

olden ['ouldən], **1** — *adj.* (arc. e lit.) velho, antigo, passado. **2** — *vt.* e *vi.* envelhecer.

oldish ['ouldiʃ], *adj.* avelhado, velhote.

oldster ['ouldstə], *s.* pessoa de certa idade.

oleaginous [ouli'ædʒinəs], *adj.* oleaginoso, oleoso; untuoso.

oleaginously [-li], *adv.* oleosamente; untuosamente.

oleander [ouli'ændə], *s.* (bot.) loendro.

oleaster [ouli'æstə], *s.* (bot.) oleastro, zambujeiro.

oleic [ou'li:ik], *adj.* (quím.) oleico.
oleic acid — ácido oleico.

oleiferous [ouli'ifərəs], *adj.* oleáceo, oleífero.

oleograph ['ouliougrɑ:f], *s.* oleografia (quadro).

oleographic [ouliɔ'græfik], *adj.* oleográfico.

oleography [ouli'ɔgrəfi], *s.* oleografia.

oleometer [ouli'ɔmitə], *s.* oleómetro.

olfactive [ɔl'fæktiv], *adj.* olfactivo.

olfactory [ɔl'fæktəri], **1** — *s.* órgão do olfacto. **2** — *adj.* olfactivo.

Olga ['ɔlgə], *n. p.* Olga.

oligarch ['ɔligɑ:k], *s.* oligarca.

oligarchic [ɔli'gɑ:kik], *adj.* oligárquico.

oligarchical [-əl], *adj.* ver **oligarchic.**

oligarchy ['ɔligɑ:ki], *s.* oligarquia.

olio ['ouliou], *s.* guisado feito com várias carnes e hortaliças; mistura; miscelânia.

oliphant ['ɔlifənt], *s.* olifante, trompa curva usada na Idade Média.

olivaceous [ɔli'veiʃəs], *adj.* azeitonado; oliváceo.

olive ['ɔliv], **1** — *s.* azeitona; oliva; oliveira; folha de oliveira; ramo de oliveira; (zool.) oliva; torta de carne com recheio.
olive-tree — oliveira.
olive-branch — ramo de oliveira.
olive-press — lagar de azeite.
olive-oil — azeite.
to hold out the olive branch — querer fazer as pazes.
olive-grove — olival.
olive-coloured — azeitonado; cor-de-azeitona.
olive-green — verde-azeitona, verde-negro.
olive-season — época da apanha da azeitona.
olive-yard — olival.
the Mount of Olives — o monte das Oliveiras.
2 — *adj.* cor de azeitona, azeitonado.

Oliver ['ɔlivə], *n. p.* Olivério; Oliveiros.

olivet ['ɔlivet,'ɔlivit], *s.* pérola falsa.

Oliveto [ɔli've:tou], *top.* Olivete (monte perto de Jerusalém).

olivette ['ɔlivet,'ɔlivit], *s.* ver **olivet.**

Olivia [ɔ'liviə], *n. p.* Olívia.

olivin [ɔli'vi:n], *s.* (min.) olivina.

olivine [ɔli'vi:n], *s.* ver **olivin.**

olympiad [ou'limpjæd], *s.* olimpíada.

Olympian [ou'limpjən], **1** — *s.* ser olímpico; pessoa muito calma. **2** — *adj.* olímpico; majestoso.
the Olympian gods — os deuses do Olimpo.

Olympic [ou'limpik], *adj.* olímpico.
Olympic games — jogos olímpicos.

Olympus [ou'limpəs], *s.* e *top.* (mit.) Olimpo.

Olynthiac [ou'linθiæk], *s.* e *adj.* olíntico.

Olynthian [ou'linθiən], *s.* e *adj.* olíntico; de Olinto.
Olynthus [ou'linθəs], *top.* Olinto (cidade da antiga Grécia).
Omar ['oumɑ:], *n. p.* Omar.
ombre ['ɔmbə], *s.* antigo jogo de cartas.
ombrology [ɔm'brɔlədʒi], *s.* ombrologia.
ombrometer [ɔm'brɔmitə], *s.* pluviómetro.
omega ['oumigə,'oumegə], *s.* ómega.
omelet ['ɔmlit,'ɔmlet], *s.* omeleta.
omelette ['ɔmlit,'ɔmlet], *s.* ver **omelet.**
you cannot make omelettes without breaking eggs — não se fazem filhós sem ovos.
omen ['oumen], **1** — *s.* agoiro, presságio, prognóstico.
it is of good omen — é de bom agoiro.
birds of ill omen — aves agoirentas.
2 — *vt.* agourar, pressagiar.
omened [-d], *adj.* fatídico.
well-omened — de bom agouro.
ill-omened — de mau agouro.
omicron [ou'maikrən], *s.* ómicron.
ominous ['ɔminəs,'ouminəs], *adj.* ominoso, agoirento, sinistro, fatal. (*Sin.* foreboding, inauspicious, threatening.)
ominously [-li], *adv.* de mau agoiro; fatalmente; ameaçadoramente.
ominousness [-nis], *s.* qualidade ominosa; mau agoiro.
omissible [ou'misibl], *adj.* que pode omitir-se.
omission [ou'miʃən], *s.* omissão, exclusão; descuido. (*Sin.* exclusion, failure, neglect, oversight.)
errors and omissions excepted — salvo erro ou omissão.
omissive [ou'misiv], *adj.* omisso.
omit [ou'mit], *vt.* (*pret.* e *pp.* **omitted**) omitir, excluir, suprimir; passar por alto; deixar escapar; descuidar. (*Sin.* to miss, to disregard, to exclude, to neglect. *Ant.* to insert.)
to omit doing something — deixar de fazer alguma coisa.
omnibus ['ɔmnibəs], **1** — *s.* ónibus; autocarro; diligência. Ver **bus.**
2 — *adj.* que compreende vários assuntos; que serve para várias coisas.
omnibus bill — projecto de lei múltipla.
omnibus train — comboio ónibus.
omnifarious [ɔmni'fɛəriəs], *adj.* de todas as espécies ou géneros; variado.
omnipotence [ɔm'nipətəns], *s.* omnipotência.
omnipotent [ɔm'nipətənt], **1** — *s.* omnipotente.
the Omnipotent — o Omnipotente.
2 — *adj.* omnipotente, todo-poderoso.
omnipotently [-li], *adv.* omnipotentemente.
omnipresence ['ɔmni'prezəns], *s.* omnipresença.
omnipresent ['ɔmni'prezənt], *adj.* omnipresente; ubíquo.
omniscience [ɔm'nisiəns], *s.* omnisciência.
omniscient [ɔm'nisiənt], *adj.* omnisciente.
omnium gatherum ['ɔmniəm'gæðərəm], *s.* miscelânia, mistura; recepção com pessoas de várias classes.
omnivrous [ɔm'nivərəs], *adj.* omnívoro; voraz; ávido.
omnivorously [-li], *adv.* vorazmente; avidamente.
omnivorousness [-nis], *s.* voracidade; omnivoridade.
omophagia [oumou'feidʒiə], *s.* omofagia (hábito de comer carne crua).
omophagic [oumou'fædʒik], *adj.* omofágico, relativo à omofagia.
omophagist [ou'mɔfədʒist], *s.* omófago, que come carne crua.
omophagy [ou'mɔfədʒi], *s.* ver **omophagia.**
omoplate ['oumoupleit], *s.* omoplata.
omphalos ['ɔmfəlɔs], *s.* ônfalo; centro, coração, ponto central.
on [ɔn], **1** — *s.* o lado esquerdo (em campo de críquete).
2 — *vi.* (col.) vestir, pôr.
3 — *prep.* em, sobre, em cima, perto, junto a; em direcção a, para cima de; sobre, acerca de; em (com dias da semana ou do mês).
on arriving at — ao chegar a.
on condition that — contanto que.
on this condition — com esta condição.
on high — ao alto.
on my part — pela minha parte.
on record — registado.
on a sudden — num repente.
on the contrary — pelo contrário.
on pain of death — sob pena de morte.
on second thoughts — depois de reflectir.
on time — pontualmente.
to be on one's best behaviour — portar-se o melhor possível.
on horseback — a cavalo.
on foot — a pé.
on the alert — alerta.
on no account — por nada; de modo nenhum.
based on facts — baseado em factos.
on purpose — de propósito.
to be on time — ser pontual.
on the next day — no dia seguinte.
to be on duty — estar de serviço.
on a bicycle — de bicicleta.
on account of — por causa de.
on all fours — de gatas.
on approval — à condição (comércio).
on business — em negócios.
on both sides — de ambos os lados.
on holiday — de férias.
on Sunday — na segunda-feira.
on the twentieth of June — no dia 20 de Junho.
on my word — sob a minha palavra.
on one's own — independente.
on page ten — na página dez.
on sale — à venda.
on the frontier — junto da fronteira.
on the south — a sul; do lado sul.
on the spot — imediatamente.
on the way — a caminho.
on what ground? — por que motivo?
payable on sight (com.) — pagável à vista.
a curse on him! — diabos o levem!
to be keen on — gostar muito de.
on the high seas — no alto mar.
to be mad on — ser louco por; gostar muito de.
on fire — a arder.
to be on one's guard — ter cuidado.
to buy on the cheap — comprar barato.
to float on the water — flutuar na água.
to hang on a wall — estar suspenso de uma parede.
on the instant — imediatamente.
to condole with a person on — apresentar condolências por.
to congratulate a person on — dar os parabéns a alguém por.
to draw a knife on somebody — puxar de uma faca contra alguém.
to have pity on somebody — ter piedade de alguém.
to lay the blame on somebody — deitar as culpas sobre alguém.
on the left — à esquerda.
to leave one's card on somebody — deixar o cartão-de-visita em casa de alguém.
on the minute — pontualmente.
to live on — viver de.

to put money on a horse — apostar dinheiro num cavalo.
to play on the violin — tocar violino.
to swear on the Bible — jurar sobre a Bíblia.
have you any money on you? — trazes dinheiro contigo?
to look on — dar para.
he turned his back on me — ele voltou-me as costas.
a house on the river — uma casa junto do rio.
a book on Dickens — um livro sobre Dickens.
4 — *adv.* mais para diante; em andamento; progressivamente; sucessivamente; (teat.) em representação.
on and on — sem cessar.
and so on — e assim por diante; etc.
later on — mais tarde.
to go on — continuar.
further on — mais adiante.
from that day on — desse dia em diante.
well on in years — de idade avançada.
to be on — estar em cena (actor).
to have nothing on — estar nu.
to drink on — continuar a beber.
to put on — pôr; vestir; calçar.
carry on! — continua!
to run on the water tap — abrir a torneira da água.
to turn the light on — acender a luz.
to be neither on nor off — estar irresoluto.
the police are on them — a polícia está-lhes na pista.
the wireless is on — o rádio está ligado.
what is on this evening? — que espectáculos há esta noite?; que é que há esta noite?
Pygmalion is on — está em cena o Pigmalião.
far on in the night — a altas horas.
come on! — vamos!

onager ['ɔnəgə], *s.* (*pl.* **onagers, onagri**) (zool.) onagro.

onagri ['ɔnəgrai], *s. pl.* de **onager.**

onanism ['ɔnənizm], *s.* onanismo.

onanist ['ɔnənist], *s.* onanista.

onanistic [ɔnə'nistik], *adj.* onanístico.

once [wʌns], **1** — *s.* ocasião; uma vez.
this once — desta vez.
2 — *adv.* uma vez; outrora, antigamente, noutro tempo.
at once — imediatamente; ao mesmo tempo.
once for all — de uma vez para sempre.
all at once — de repente.
once upon a time — uma vez (princípio dos contos infantis).
once in a while — muito raramente; uma vez por outra.
once again — outra vez.
I have not seen him once — não o vi uma só vez.
once is enough for me — para mim basta uma vez.
once a day — uma vez por dia.
once a fortnight — de quinze em quinze dias.
once more — mais uma vez.
3 — *conj.* desde que, se.
once you stop, everything will be all right — se parares, tudo se compõe.

oncer ['wʌnsə], *s.* (col.) pessoa que só vai à igreja ao domingo.

oncology [ɔn'kɔlədʒi], *s.* oncologia.

one [wʌn], *s., adj., pron., num.* um, uma; só, único; um só; um tal; certo; igual, do mesmo; unidade; uma pessoa; algum; alguém, aquele, aquela; se.
one by one — um a um.
all one — o mesmo; de nenhuma importância.
every one of them — todos.
it is all one to me — é-me indiferente.
like one o'clock — muito depressa.
one-way street — rua de sentido único.
all in one direction — sempre na mesma direcção.
one another — uns aos outros.
one man's meat is another man's poison — o que a um cura a outro mata.
one and the same — o mesmo.
his one care — o seu único cuidado.
the larger one — o maior (de dois).
this one — este
one should say — dir-se-ia
the little ones — os petizes.
the Evil One — o Diabo.
one or two people — algumas pessoas.
one and undivided — uno e indivisível.
one at a time — um de cada vez.
one Mr. Lee — um tal Sr. Lee.
book one — primeiro livro.
by ones and twos — isoladamente e aos pares.
my own one! — meu único amor!
number one — número um.
never a one — ninguém.
the Holy One — Deus.
the Thousand and One Nights — as Mil e Uma Noites.
one of these days — um dos próximos dias.
it's all one — vem a dar o mesmo.
to be made one — casar.
a one — um um (algarismo).
that's a good one! — boa piada!; essa é boa!
one-armed — maneta; só com um braço.
one-eyed — cego dum olho; zarolho.
one-footed — que só tem um pé.
one-legged — que tem só uma perna.
one-handed — que só tem uma mão; feito só com uma mão.

onefold ['wʌnfould], *adj.* simples.

oneirocritic [ounaiərou'kritik], **1** — *s.* oniró-crita, pessoa que interpreta os sonhos.
2 — *adj.* onirocrítico.

oneirocriticism [ounaiərou'kritisism], *s.* onirocrisia.

oneiromancer [ou'naiəroumænsə], *s.* oniromante.

oneiromancy [ou'naiəroumænsi], *s.* oniromancia, onirocrisia.

oneness ['wʌnnis], *s.* unidade, singularidade; acordo.

one-phase ['wʌn-'feis], *adj.* (elect.) monofásico.
one-phase current — corrente monofásica.

one-piece ['wʌn-'pi:s], *adj.* duma só peça.
one-piece bathing suit — fato de banho de uma só peça.

oner ['wʌnə], *s.* pessoa ou coisa invulgar, de grande valor; (fam.) grande mentira.
to be a oner at — ser perito em.
he gave him a oner — deu-lhe uma sova mestra.

onerous ['ɔnərəs,'ounərəs], *adj.* oneroso, pesado, opressivo. (*Sin.* heavy, oppressive, weighty, responsible; burdensome. *Ant.* light.)
onerous contract (jur.) — contrato oneroso.

onerously [-li], *adv.* onerosamente; opressivamente.

onerousness [-nis], *s.* onerosidade; peso, opressão.

oneself [wʌn'self], *pron.* (forma reflexa ou enfática de **one**) se, a si mesmo, a si próprio.
by oneself — só, sozinho.
to come to oneself — tornar a si.
to amuse oneself — divertir-se.
to oneself — de si para si.
to be beside oneself with anger — estar fora de si.

one-sided ['wʌn-'saidid], *adj.* parcial, injusto; desigual; de um só lado.
a one-sided street — uma rua com casas só dum lado.

one-sidedly [-li], *adv.* parcialmente, injustamente.
one-sidedness [-nis], *s.* parcialidade, injustiça.
one-step [ˈwʌnstep], *s.* dança especial.
one-storied [ˈwʌnstɔrid], *adj.* só com rés-do--chão.
one-way [ˈwʌnwei], *adj.* de sentido único, só com uma direcção.
one-way street — rua com sentido único.
one-way ticket — bilhete de ida.
onfall [ˈɔnfɔːl], *s.* ataque, assalto.
onflow [ˈɔnflou], *s.* deslocação, curso.
on-goings [ˈɔngouiŋz], *s. pl.* avanço; conduta, comportamento.
onion [ˈʌnjən], **1** — *s.* cebola.
onion-skin — casca de cebola.
a string of onions—**um cabo (réstia) de cebolas.**
2 — *vt.* plantar com cebolas; esfregar os olhos com cebola.
oniony [-i], *adj.* semelhante a cebola; com cheiro ou sabor a cebola.
onlooker [ˈɔnlukə], *s.* espectador.
onlookers see most of the game — os que estão de fora observam melhor.
only [ˈounli], **1** — *adj.* único, só, singular, raro.
an only child — um filho único.
my one and only hope — a minha única esperança.
2 — *adv.* só, somente, unicamente.
he came only yesterday — ele só veio ontem.
only I sent him a letter — só eu é que lhe mandei uma carta.
I sent him only a letter — foi só uma carta que lhe mandei.
I sent a letter to him only — foi só a ele que mandei uma carta.
not only ... but also — não só ... mas também.
if only I were rich! — **quem me dera ser rico!**
3 — *conj.* portanto; todavia, mas; simplesmente.
he is a nice man, only that he is too nervous — ele é boa pessoa, mas é demasiado nervoso.
only-begotten [ˈounli-biˈgɔtn], *adj.* unigénito.
onomastic [ɔnouˈmæstik], *adj.* onomástico.
onomatologist [ɔnouməˈtɔlədʒist], *s.* onomatólogo.
onomatology [ɔnouməˈtɔlədʒi], *s.* onomatologia.
onomatop [ˈɔnoumætɔp], *s.* palavra onomatopaica.
onomatope [ˈɔnoumætoup], *s.* ver **onomatop.**
onomatopoeia [ɔnoumætouˈpiːə], *s.* onomatopeia.
onomatopoeic [ɔnoumætouˈpiːik], *adj.* onomatopaico.
onomatopoeically [-əli], *adv.* onomatopaicamente.
onomatopoetic [ɔnoumætoupouˈetik], *adj.* ver **onomatopoeic.**
onomatopoetically [-əli], *adv.* **onomatopoetically.**
onrush [ˈɔnrʌʃ], *s.* arremetida, investida; ataque; acesso, arranco.
onset [ˈɔnset], *s.* ataque violento, assalto; arremetida, investida. (*Sin.* assault, attack, storming, storm. *Ant.* retreat.)
at the first onset — ao primeiro ataque.
from the onset — desde o princípio.
onshore [ˈɔnʃɔː], *adj.* em direcção a terra.
onslaught [ˈɔnslɔːt], *s.* ataque furioso, assalto.
Ontario [ɔnˈtɛəriou], *top.* Ontário.
onto [ˈɔntu,ˈɔntə], *prep.* para, para cima de.
ontogenesis [ɔntouˈdʒenisis], *s.* ontogénese.
ontogenetic [ɔntoudʒiˈnetik], *adj.* ontogénico.
ontogeny [ɔnˈtɔdʒini], *s.* ontogenia.
ontological [ɔntəˈlɔdʒikəl], *adj.* ontológico.
ontologist [ɔnˈtɔlədʒist], *s.* ontologista.
ontology [ɔnˈtɔlədʒi], *s.* ontologia.
onus [ˈounəs], *s.* (sem *pl.*) ónus, carga, peso, responsabilidade.
onward [ˈɔnwəd], **1** — *adj.* progressivo, avançado; para diante.
2 — *adv.* ver **onwards.**
onwards [-z], *adv.* para diante, progressivamente; avante, para a frente.
from this time onwards — daqui em diante.
onyx [ˈɔniks,ˈouniks], *s.* ónix.
oodles [ˈuːdlz], *s. pl.* **grande quantidade; superabundância; montes (de coisas).**
oof [uːf], *s.* (cal.) dinheiro, «massa».
oof-bird — pessoa endinheirada.
oofy [ˈuːfi], *adj.* (cal.) endinheirado, ricaço.
oolite [ˈouəlait], *s.* (min.) oólito.
oolitic [ouəˈlitik], *adj.* (min.) oolítico.
oology [ouˈɔlədʒi], *s.* oologia.
oospore [ˈouəspɔː], *s.* (bot.) oósporo.
ooze [uːz], **1** — *s.* destilação; lama, lodo, limo; infusão tânica para curtir couros.
2 — *vt.* e *vi.* **suar; destilar; manar, fluir.**
the secret oozed out — o segredo transpirou cá fora.
to ooze through the ground — infiltrar-se na terra.
ooziness [ˈ-inis], *s.* destilação, filtração; limo, lodo, lama; propriedade taninosa.
oozing [ˈ-iŋ], **1** — *s.* destilação; ressumação.
2 — *adj.* que mana, que goteja.
oozy [ˈ-i], *adj.* lodoso, limoso, lamacento, que destila; gotejante.
op [ɔp], *s.* (coloq. med.) operação; (E. U. col.) operador telegrafista.
opacity [ouˈpæsiti], *s.* opacidade; tacanhez (de espírito).
opal [ˈoupəl], *s.* opala.
opal-glass — vidro opalino.
common opal — opala comum.
opalescence [oupəˈlesns], *s.* opalescência
opalescent [oupəˈlesnt], *adj.* opalescente.
opalesque [oupəˈlesk], *adj.* opalesco.
opaline **1** — [ˈoupəliːn], *s.* vidro opalino.
2 — [ˈoupəlain], *adj.* opalino.
opaque [ouˈpeik], **1** — *s.* escuridão.
2 — *adj.* opaco, sem brilho; escuro; mate; **obscuro; estúpido.** (*Sin.* **turbid, thick, dark, stupid.** *Ant.* **bright, transparent**).
opaquely [-li], *adv.* opacamente.
opaqueness [-nis], *s.* ver **opacity.**
open [ˈoupən], **1** — *s.* campo raso; clareira; lugar aberto, ar livre.
to come into the open — mostrar as suas intenções.
2 — *adj.* aberto, exposto, patente; claro, evidente; declarado; descampado; raso; destapado, desembrulhado; franqueado; franco, sincero; ingénuo; directo; aberta (vogal); suave; suspenso, pendente; disposto a; susceptível de; pronto.
open-handed — generoso.
open-hearted — franco, sincero, ingénuo.
open-minded — razoável, imparcial.
open sea — mar largo.
open boat — embarcação de boca aberta.
open winter — Inverno macio.
in the open country (field) — em campo raso
open question — questão pendente.
open-eyed — vigilante.
in the open air — ao ar livre.
to throw open — abrir.
wide open — aberto de par em par.
a little open — entreaberto.
to lay open — pôr a descoberto.
to be open with someone — ser franco com alguém.
open-mouthed — boquiaberto; sôfrego.
in open Court — em pleno tribunal.
in the open street — no meio da rua.

open letter — carta aberta.
to receive with open arms — receber cordialmente; receber de braços abertos.
open-work — trabalho de bainha aberta.
open-air restaurant — restaurante ao ar livre.
open-minded — de espírito aberto.
open pores — poros dilatados.
open spaces — jardins públicos.
open sale — leilão.
open water — curso de água navegável.
to be open to advice — estar pronto a ouvir conselhos.
to bite open — abrir com os dentes.
to fling wide open — abrir de par em par.
to keep a house open — ter mesa franca.
to lay oneself open to — expor-se a.
to stand with open mouth — ficar de boca aberta.
the exhibition is open — está aberta a exposição.
3 — *vt.* e *vi.* abrir, destapar; rachar, fender; desfazer; despegar; franquear; abrir caminho; abrir ao público; iniciar; inaugurar; expor; manifestar, revelar; explicar; abrir-se; mostrar-se; entreabrir-se; dar para (janela ou porta).
to open fire — abrir fogo.
to open up — explorar; descobrir; tornar acessível.
the door opens into the passage — a porta dá para o corredor.
to open a credit — abrir um crédito.
to open to the public — abrir ao público.
to open the debate — começar o debate.
to open out — abrir-se; desenrolar-se; expandir; desenvolver.
to open the sitting — abrir a sessão.
to open a competition for a situation — abrir um concurso para um emprego.
to open a door wide — abrir uma porta de par em par.
to open a road — abrir uma estrada.
to open an account at a bank — abrir uma conta num banco.
to open fire at (to open fire on) — abrir fogo contra.
to open oneself to someone — abrir-se com alguém.
to open the case (jur.) — começar o julgamento dum caso.
to open the ranks (mil.) — abrir fileiras.

openable [-əbl], *adj.* que pode abrir-se.

opener [-ə], *s.* abridor; o que abre.
tin-opener — abre-latas.
eye-opener — surpresa; revelação.
bale opener — abridor de fardos.

opening [-iŋ], 1 — *s.* abertura; brecha; entrada; galeria (de mina); buraco; campo aberto; começo, princípio; inauguração; prelúdio; oportunidade; estreia; quebrada (na costa); clareira.
opening of credit — abertura de crédito.
opening ceremony — cerimónia de abertura.
formal opening — inauguração.
to wait for an opening — esperar por uma oportunidade.
the opening of the courts — a abertura dos tribunais.
2 — *adj.* que abre; que se alarga, que se estende; que se manifesta; que começa; inicial.
opening night (teat.) — noite de estreia.
opening medicine — laxativo.

openly [-li], *adv.* abertamente; publicamente; claramente; sem rodeios, francamente.

openness [-nis], *s.* abertura; nudez; franqueza; sinceridade; clareza; publicidade.
openness of temper — franqueza de carácter.

opera [ˈɔpərə], *s.* ópera.
opera-glass — binóculo.
opera-hat — claque; chapéu de molas.
opera-house — teatro de ópera; ópera.
grand opera — ópera; drama lírico.
opera singer — cantor de ópera.
comic opera (opera comique) — ópera cómica.
opera season — temporada de ópera.
light opera — opereta.

operable [ˈɔpərəbl], *adj.* (med.) operável, que se pode operar.

operant [ˈɔpərənt], *s.* e *adj.* operante.

operate [ˈɔpəreit], *vt.* e *vi.* operar; obrar; fazer uma operação; fazer funcionar; efectuar, levar a cabo; produzir efeito; manejar; especular na Bolsa.
to operate a machine — pôr uma máquina a funcionar.
to operate the brakes — aplicar os travões.

operatic [ɔpəˈrætik], *adj.* lírico, da ópera.
operatic singer — cantor de ópera.

operatics [-s], *s. pl.* (col.) ópera de amadores.

operating [ˈɔpəreitiŋ], 1 — *s.* accionamento; funcionamento; manobra; (med.) acção de operar.
operating of a car — manejo de um carro.
operating-room — sala de operações; (cin.) cabina de projecção.
operating-table (med.) — mesa de operações.
2 — *adj.* operante, que opera.
operating surgeon — cirurgião.

operation [ɔpəˈreiʃən], *s.* operação; função; movimento; manipulação; acção, efeito; *pl.* (mil.) operações.
to perform a surgical operation — fazer uma operação cirúrgica.
to undergo an operation — sofrer uma operação.
operation of motor — funcionamento de motor.
emergency operation (med.) — operação de urgência.
illegal operation — aborto provocado.
to be in operation — funcionar.
to bring a law into operation — aplicar uma lei.
in full operation — em plena actividade.

operational [-əl], *adj.* operacional, relativo a operações militares.

operative [ˈɔpərətiv], 1 — *s.* operário, artífice; maquinista.
2 — *adj.* operativo; eficaz; activo.
the operative classes — as classes operárias.
operative field (med.) — campo operatório.
operative part (jur.) — cláusula essencial.

operatively [-li], *adv.* duma maneira prática, duma maneira eficaz.

operativeness [-nis], *s.* eficácia, eficiência; viabilidade.

operator [ˈɔpəreitə], *s.* operário; telegrafista; maquinista; médico operador; agente da Bolsa; telefonista; empresário; (cin.) operador.

opercula [ouˈpə:kjulə], *s. pl.* de **operculum**.

opercular [ouˈpə:kjulə], 1 — *s.* opérculo.
2 — *adj.* opercular.

operculate [ouˈpə:kjulit], *adj.* operculado.

operculated [ouˈpə:kjuleitid], *adj.* ver **operculate.**

operculum [ouˈpə:kjuləm], *s.* (*pl.* **opercula**) opérculo.

operetta [ɔpəˈretə], *s.* opereta.

Ophelia [ɔˈfi:ljə,ouˈfi:liə], *n. p.* Ofélia.

ophidia [ɔˈfidiə,ouˈfidiə], *s. pl.* (zool.) ofídios.

ophidian [-n], 1 — *s.* ofídio.
2 — *adj.* ofídio, ofídico.

ophidium [-m], *s.* ofídio.

Ophir [ˈoufə], *top.* Ofir.

Ophiuchus [ɔˈfju:kəs], *s.* (astr.) Ofiúco, Sagitário.

ophthalmia [ɔfˈθælmiə], *s.* oftalmia.

ophthalmic [ɔfˈθælmik], *s.* e *adj.* oftálmico.

ophthalmologic [ɔfθælmə'lɔdʒik], *adj.* oftalmológico.
ophthalmological [-əl], *adj.* ver **ophthalmologic.**
ophthalmology [ɔfθæl'mɔlədʒi], *s.* oftalmologia.
ophthalmoscope [ɔf'θælməskoup], *s.* oftalmoscópio.
ophthalmoscopy [ɔfθæl'mɔskəpi], *s.* oftalmoscopia.
opiate ['oupiit], **1** — *s.* narcótico, opiato. **2** — *adj.* (arc.) narcótico, soporífico.
opiate ['oupieit], *vt.* administrar ópio a.
opiated ['oupieitid], *adj.* com ópio.
opine [ou'pain], *vt.* opinar, ser de opinião, julgar.
opinion [ə'pinjən], *s.* opinião, parecer; juízo, conceito; pensamento; ideia; acordo; fama; estimação; reputação.
in my opinion — na minha opinião.
to be of opinion — ser de parecer.
the public opinion — a opinião pública.
to state one's opinion — emitir a sua opinião.
to have a very high opinion of somebody — ter alguém em grande apreço.
it is a matter of opinion — é uma questão de opinião.
to form a low opinion of somebody — fazer um mau conceito de alguém.
to take counsel's opinion — consultar um advogado.
opinionated [ə'pinjəneitid], *adj.* opiniático; obstinado, teimoso, pertinaz.
opinionative [ə'pinjəneitiv], *adj.* ver **opinionated.**
opium ['oupjəm], *s.* ópio.
opium-den — antro de fumadores de ópio.
opium-eater — opiófago.
opium-friend — opiómano.
opium poppy — papoila dormideira.
opodeldoc [ɔpou'deldɔk], *s.* opodeldoque (linimento).
Oporto [ou'pɔ:tou], *top.* Porto.
opossum [ə'pɔsəm], *s.* (zool.) sarigueia.
opotheraphy [ɔpou'θerəpi], *s.* (med.) opoterapia.
oppidan ['ɔpidən], **1** — *s.* aluno externo do colégio de Eton; (arc.) habitante dum ópido. **2** — *adj.* (arc.) que vive num ópido.
opponens [ɔ'pounəns], **1** — *s.* (anat.) músculo oponente. **2** — *adj.* (anat.) oponente.
opponens muscle — músculo oponente.
opponent [ə'pounənt], **1** — *s.* antagonista, adversário. **2** — *adj.* antagonista, oponente; contrário, oposto, antagónico.
opportune ['ɔpətju:n], *adj.* oportuno, conveniente; a tempo.
opportunely [-li], *adv.* oportunamente, a tempo, a propósito.
opportuneness [-nis], *s.* conveniência.
opportunism [-izm], *s.* oportunismo.
opportunist [-ist], *s.* oportunista.
opportunity [ɔpə'tju:niti], *s.* oportunidade, ocasião; conveniência; conjuntura.
to seize (take) an opportunity — aproveitar uma oportunidade.
to let an opportunity slip — deixar escapar uma boa ocasião.
to avail oneself of an opportunity — aproveitar-se de uma ocasião favorável.
opportunity makes the thief — a ocasião faz o ladrão.
at the earliest opportunity — na primeira ocasião.
opposability [əpouzə'biliti], *s.* oponibilidade.
opposable [ə'pouzəbl], *adj.* oponível; que pode sofrer oposição.
oppose [ə'pouz], *vt.* e *vi.* opor; combater, fazer frente a, lutar contra; contrastar; impedir; contrariar; impugnar; opor-se, fazer oposição, resistir; obstar.
to oppose a bill — opor-se a um projecto de lei.
to oppose a marriage — contrariar um casamento.
opposed [-d], *adj.* oposto, contrário; antagónico; desafecto; divergente.
opposeless [-lis], *adj.* irresistível.
opposer [-ə], *s.* adversário, antagonista; rival.
opposing [-iŋ], *adj.* oposto; adverso.
opposite ['ɔpəzit], **1** — *s.* oposto, pessoa ou coisa contrária de outra.
the very opposite — exactamente o contrário.
2 — *adj.* oposto, contrário, adverso; antagónico.
opposite poles (elect.) — pólos opostos.
opposite angles — ângulos opostos.
they went in opposite directions — seguiram direcções opostas.
3 — *prep.* em frente de, diante de.
4 — *adv.* em frente, defronte.
oppositely [-li], *adv.* em frente, defronte; contrariamente; em sentido contrário.
oppositeness [-nis], *s.* oposição; contrariedade.
opposition [ɔpə'ziʃən], *s.* oposição; contrariedade; objecção; resistência; contraste; impugnação; contradição; impedimento.
the leader of the opposition — o chefe da oposição.
in opposition to public opinion — em oposição à opinião pública.
oppositional [-əl], *adj.* da oposição (em política).
oppositionist [-ist], *s.* oposicionista.
oppress [ə'pres,ɔ'pres], *vt.* oprimir; tiranizar; afligir-se; sobrecarregar; vexar; comprimir.
oppressed [-t], *adj.* oprimido; perseguido.
the oppressed — os oprimidos.
oppression [ə'preʃən], *s.* opressão, tirania, crueldade; vexame; calamidade; fadiga.
oppressive [ə'presiv], *adj.* opressivo, duro, cruel, sufocante; tirânico; abafado (o tempo).
oppressively [-li], *adv.* opressivamente; duramente; de maneira sufocante.
oppressiveness [-nis], *s.* opressão; tirania; aspecto sufocante.
oppressor [ə'presə], *s.* opressor, tirano.
opprobrious [ə'proubriəs], *adj.* ignominioso, infamante, injurioso, ofensivo.
opprobriously [-li], *adv.* ignominiosamente, vituperiosamente.
opprobriousness [-nis], *s.* opróbrio, ignomínia, desonra, afronta.
opprobrium [ə'proubriəm], *s.* opróbrio, ignomínia; vergonha; afronta.
oppugn [ɔ'pju:n], *vt.* atacar, combater, pugnar contra.
oppugner [-ə], *s.* opugnador; adversário; oponente.
optative ['ɔptətiv,ɔp'teitiv], *s.* e *adj.* optativo.
optative mood — (gram.) modo optativo.
optic ['ɔptik], **1** — *s.* (joc.) olho. **2** — *adj.* (anat.) óptico, da vista.
optic nerve — nervo óptico.
optical [-əl], *adj.* óptico, relativo à óptica.
optical flat — plano óptico.
optical apparatus — instrumento óptico.
optical focus — foco óptico.
optical illusion — ilusão óptica.
optical unit — unidade óptica.
optical prism — prisma óptico.
optically [-əli], *adv.* opticamente.
optician [ɔp'tiʃən], *s.* oculista.
optics ['ɔptiks], *s.* óptica.

optimism ['ɔptimizm], *s.* optimismo.
optimist ['ɔptimist], *s.* optimista.
optimistic [-ik], *adj.* optimista.
optimistically [-ikəli], *adv.* de modo optimista.
option ['ɔpʃən], *s.* opção; preferência; escolha.
to make one's option — optar; dar preferência.
to leave to the option of — deixar à escolha de.
optional [-l], *adj.* facultativo, de livre escolha.
optional subject — disciplina de opção.
optionally [-əli], *adv.* facultativamente.
optophone ['ɔptəfoun], *s.* optofone.
opulence ['ɔpjuləns], *s.* opulência, abundância.
opulent ['ɔpjulənt], *adj.* opulento, rico, abundante, copioso. (*Sin.* rich, moneyed, wealthy. *Ant.* poor.)
opulent vegetation — vegetação luxuriante.
opulently [-li], *adv.* opulentamente, ricamente.
opus ['oupəs], *s.* composição literária ou musical.
magnum opus — o principal trabalho literário dum autor.
opuscula [ɔ'pʌskju:lə], *s. pl.* de **opusculum.**
opuscule [ɔ'pʌskju:l], *s.* opúsculo.
opusculum [-əm], *s.* (*pl.* **opuscula**) ver **opuscule.**
or [ɔ:], 1 — *s.* (her.) ouro.
2 — *prep.* (arc.) antes de, antes que.
3 — *conj.* ou; quer; quando não; senão;
either Tom or Peter — ou Tomás ou Pedro.
or else — senão; ou então.
whether ... or — quer ... quer.
oracle ['ɔrəkl], *s.* oráculo.
to work the oracle — operar o milagre.
um oráculo.
oracular [ɔ'rækjulə], *adj.* oracular; dogmático; fatídico; ambíguo; sentencioso.
oracularly [-li], *adv.* à maneira de oráculo, como um oráculo.
oral ['ɔ:rəl], 1 — *s.* (col.) exame oral.
2 — *adj.* oral, verbal, falado; bucal.
oral administration (med.) — por via oral.
oral examination — exame oral.
oral cavity — cavidade bucal.
orally [-i], *adv.* oralmente, verbalmente.
orange ['ɔrindʒ], 1 — *s.* laranja; laranjeira.
orange-coloured — cor de laranja.
orange blossom — flores de laranjeira.
orange grove — pomar de laranjeiras, laranjal.
orange-tree — laranjeira.
to squeeze an orange — espremer uma laranja.
squeezed orange (col.) — assunto esgotado, chão que deu uvas.
navel orange — laranja da Baía.
orange musk — pêra alaranjada.
orange marmalade — compota de laranja.
orange flower — flor de laranjeira.
orange-flower water — água de flor de laranjeira.
orange peel — casca de laranja.
China orange — laranja doce.
2 — *adj.* cor de laranja, alaranjado.
orangeade ['ɔrindʒ'eid], *s.* laranjada (bebida).
Orangeman ['ɔrindʒmən], *s.* orangista; partidário dos protestantes da Irlanda do Norte.
orangery ['ɔrindʒəri], *s.* laranjal; espécie de abrigo para laranjeiras, em climas frios.
orang-outang ['ɔ:rəŋ-'u:tæŋ], *s.* orangotango.
orang-utan ['ɔ:ræŋ-'u:tæn], *s.* ver **orang-outang.**
oration [ɔ:'reiʃən], *s.* oração, alocução, discurso oratório.
funeral oration — discurso fúnebre.
direct oration (gram.) — discurso directo.
indirect (oblique) oration — discurso indirecto.
orator ['ɔrətə], *s.* orador.
oratorian [ɔrə'tɔ:riən], *s.* e *adj.* oratoriano; membro da congregação do Oratório.
oratorical [ɔrə'tɔrikəl], *adj.* oratório; retórico.
oratorically [-i], *adv.* oratoriamente; retoricamente.
oratorio [ɔrə'tɔ:riou], *s.* oratório (drama sacro; concerto de música sacra).
oratory ['ɔrətəri], *s.* oratória, eloquência; oratório, capela.
oratress ['ɔrətris], *s. fem.* oradora.
orb [ɔ:b], 1 — *s.* orbe, esfera, globo; órbita; astro; círculo; (poét.) olho. (*Sin.* circle, sphere, ring, globe, disk.)
2 — *vt.* e *vi.* cercar, rodear, formar círculo, englobar.
orbed [-d], *adj.* redondo, esférico.
orbicular [ɔ:'bikjulə], *adj.* orbicular; redondo; esférico.
orbicular muscle — esfíncter.
orbicularity [ɔ:bikju'læriti], *s.* esfericidade.
orbicularly [ɔ:'bikjuləli], *adv.* orbicularmente; esfericamente.
orbiculate ['ɔ:bikjulit], *adj.* ver **orbicular.**
orbit ['ɔ:bit], *s.* (anat. e astr.) órbita.
the Earth's orbit — a órbita da Terra.
orbital [-l], *adj.* (anat.) orbitário; (astr.) orbital.
orchard ['ɔ:tʃəd], *s.* pomar.
orchardist [-ist], *s.* pomicultor, fruticultor.
orchestra ['ɔ:kistrə], *s.* (mús.) orquestra; (teat. grego) orquestra.
orchestra conductor — regente de orquestra.
orchestral [-l], *adj.* orquestral, instrumental.
orchestrally [-li], *adv.* orquestralmente.
orchestrate ['ɔ:kistreit], *vt.* orquestrar, instrumentar.
orchestration [ɔ:kes'treiʃən], *s.* orquestração, instrumentação.
orchid ['ɔ:kid], *s.* orquídea.
orchidaceous [ɔ:ki'deiʃəs], *adj.* orquidáceo.
orchideous [ɔ:'kidiəs], *adj.* orquídeo.
orchil ['ɔ:tʃil], *s.* (bot.) urzela.
orchis ['ɔ:kis], *s.* ver **orchid.**
orchitis [ɔ:'kaitis], *s.* (pat.) orquite.
ordain [ɔ:'dein], *vt.* (ecl.) ordenar; mandar; prescrever; decretar; instituir.
ordainer [-ə], *s.* ordenante (bispo); instituidor.
ordaining [-iŋ], *s.* (ecl.) ordenação.
ordeal [ɔ:'di:l,ɔ:'di:əl], *s.* prova, exame, ensaio. (*Sin.* test, probation, proof, experiment.)
ordeal by fire — ordálio, prova de fogo.
order ['ɔ:də], 1 — *s.* ordem; método, regra; disposição; regularidade; regulamento; mandato; série, classe; estado; pedido; encomenda; uso; sistema; sociedade; associação; disciplina; ordem religiosa; condecoração honorífica; (mil.) uniforme; livre-trânsito; *pl.* ordem sacerdotal.
in order to — com o fim de.
in good order — em boas condições.
out of order — em desordem.
till further orders — até novas ordens.
Order of the Garter — Ordem da Jarreteira.
sealed orders — instruções seladas; carta-de-prego.
to put in order — pôr em ordem.
to call to order — chamar à ordem.
to confer holy orders — conferir ordens sacras.
the order of the day — a ordem do dia.
to keep in good order — ter em boa ordem; estar bem arranjado.
money order (postal order) — vale do correio.
to take an order for — receber uma ordem para.
in order that — para que.
by order and on account of — por ordem e por conta de.
substantial orders — encomendas importantes.
trial order — encomenda de ensaio.
according to your orders — conforme suas ordens.
to cancel an order — anular uma encomenda.

a winding-up order — um mandado de liquidação.
to follow the order of events — seguir a marcha dos acontecimentos.
order-book (com.) — livro de encomendas.
to go for orders — ir receber ordens.
orders have been pouring in — chovem as encomendas.
Order in Council — decreto-lei.
order sheet — nota de encomenda.
orders in brief — memorando.
departmental order — decisão ministerial.
in gala order — em grande uniforme.
in alphabetical order — por ordem alfabética.
in chronological order — por ordem cronológica.
made to order — feito por medida.
standing orders — ordens permanentes.
the higher orders — as classes superiores da sociedade.
the lower orders — as classes inferiores da sociedade.
to fill an order — satisfazer uma encomenda.
2 — *vt.* ordenar, mandar; governar, dirigir; encomendar, mandar vir; arranjar, regularizar; dispor; (med.) receitar; (ecl.) dar ordens sacras.
I ordered three pair of shoes — encomendei três pares de sapatos.
to order out — mandar sair; mandar levar.
to order in — mandar entrar; mandar trazer.
to order off — mandar retirar (alguém).
to order away — mandar embora.
to order arms — descansar armas.
to order in supplies — abastecer-se de provisões.
to be ordered to pay costs (jur.) — ser condenado nas custas.

orderer [-rə], *s.* chefe, aquele que manda.
ordering [-riŋ], *s.* ordem, disposição; arranjo.
orderless [-lis], *adj.* desordenado, em confusão.
orderliness [-linis], *s.* ordem, regularidade; método; calma.
orderly [-li], **1** — *s.* impedido, ordenança; plantão, sentinela; enfermeiro militar.
hospital orderly — enfermeiro em hospital militar.
street orderly — varredor das ruas.
2 — *adj.* ordenado, metódico; regular; bem arranjado; pacífico; tranquilo; (mil.) de serviço.
orderly officer — oficial de dia.
orderly book (mil.) — livro de ordenanças.
orderly bin — lata do lixo (nas ruas).
ordinal [ˈɔ:dinl], **1** — *s.* numeral ordinal; rito (igreja).
2 — *adj.* ordinal.
ordinal number — numeral ordinal.
ordinance [ˈɔ:d(i)nəns], *s.* ordenança, lei, mandado, estatuto; rito (igreja).
the Ordinance — a Eucaristia.
ordinarily [ˈɔ:dn(ə)rili], *adv.* ordinariamente; vulgarmente, geralmente, habitualmente.
ordinariness [ˈɔ:dn(ə)rinis], *s.* banalidade, vulgaridade.
ordinary [ˈɔ:dn(ə)ri], **1** — *s.* ordinário (autoridade eclesiástica); ordem da missa; preço da comida; mesa redonda (hotel).
ship in ordinary — navio em meio armamento.
something out of the ordinary — qualquer coisa fora do vulgar.
the Ordinary — o bispo, o arcebispo.
2 — *adj.* ordinário, comum, vulgar, usual, corrrente, metódico.
in an ordinary way — de ordinário.
ordinate [ˈɔ:dnit], **1** — *s.* (mat.) ordenada.
2 — *adj.* ordenado, metódico.

ordination [ɔ:diˈneiʃən], *s.* arranjo, boa ordem; (ecl.) ordenação.
ordnance [ˈɔ:dnəns], *s.* artilharia, canhões.
ordnance factory — fábrica de material de artilharia.
ordnance office — arsenal.
piece of ordnance — peça de artilharia.
ordure [ˈɔ:djuə], *s.* porcaria, imundície, excremento; obscenidade.
ore [ɔ:,ɔə], *s.* minério; (poét.) ouro, metal.
iron ore — minério de ferro.
ore bearing — metalífero.
oread [ˈɔ:riæd], *s.* (mit.) ninfa dos bosques.
organ [ˈɔ:gən], *s.* (mús.) órgão, realejo; (biol.) órgão; instrumento, agente.
organ-grinder — tocador de realejo.
organ-loft — tribuna do órgão.
organ-pipe — canudo do órgão.
organ-builder — organeiro.
organ-stop — clave, tom do órgão.
mouth organ — harmónica de boca.
the organs of speech — o aparelho fonador.
to play the organ — tocar órgão.
organdie [ˈɔ:gəndi,ɔ:ˈgændi], *s.* organdi (espécie de tecido).
organic [ɔ:ˈgænik], *adj.* orgânico; fundamental; (quím.) constitutivo orgânico.
organic disease — doença orgânica.
organic chemistry — química orgânica.
organic life — vida orgânica.
organically [-əli], *adv.* organicamente.
organism [ˈɔ:gənizm], *s.* organismo, órgão, estrutura orgânica.
organist [ˈɔ:gənist], *s.* organista.
organization [ɔ:gənaiˈzeiʃən], *s.* organização; organismo; sociedade.
charity organization — obra de caridade.
International Labour Organization — Organização Internacional do Trabalho.
organize [ˈɔ:gənaiz], *vt.* e *vi.* organizar, constituir; dispor; organizar-se, constituir-se.
organized [-d], *adj.* organizado; arranjado; com órgãos.
organizer [-ə], *s.* organizador.
organizing [-iŋ], *s.* acção de organizar; arranjo.
orgasm [ˈɔ:gæzm], *s.* orgasmo; excitação violenta, raiva; paroxismo.
orgiac [ˈɔ:dʒiæk], *adj.* orgíaco.
orgy [ˈɔ:dʒi], *s.* orgia; devassidão.
oriel [ˈɔ:riəl], *s.* janela saliente.
orient [ˈɔ:riənt], **1** — *s.* (poét.) oriente; pérola oriental.
2 — *adj.* (poét.) oriental; precioso; brilhante.
orient [ˈɔ:rient], *vt.* e *vi.* orientar, orientar-se.
oriental [ɔ:riˈentl], **1** — *s.* oriental, natural do oriente.
2 — *adj.* oriental.
oriental languages — línguas orientais.
orientalism [ɔ:riˈentəlizm], *s.* orientalismo.
orientalist [ɔ:riˈentəlist], *s.* orientalista.
orientalize [ɔriˈentəlaiz], *vt.* e *vi.* orientalizar.
orientate [ˈɔ:rienteit], *vt.* e *vi.* ver **orient.**
orientation [ɔ:rienˈteiʃən], *s.* orientação.
orifice **[ˈɔrifis]**, *s.* orifício; **abertura, boca, buraco.**
oriflamme [ˈɔrifiæm], *s.* auriflama; flâmula de seda vermelha; mancha colorida.
origan [ˈɔrigən], *s.* (bot.) orégão, ourégão.
origanum [ɔˈrigənəm], *s.* (bot.) orégão, ourégão.
origin [ˈɔridʒin], *s.* origem, princípio; causa; fundamento; nascimento; descendência.
country of origin — país de origem.
original [ɔˈridʒənl], **1** — *s.* original; origem, modelo; protótipo; pessoa original.
to copy from the original — copiar do original.
2 — *adj.* original, primitivo; primeiro; novo.
original sin — pecado original.

originality [əridʒi'næliti], *s.* originalidade; excentricidade.
originally [ə'ridʒnəli], *adv.* originariamente, primitivamente.
originate [ə'ridʒineit], *vt.* e *vi.* originar, causar, produzir, ocasionar; criar; inventar; originar-se; nascer, surgir; criar-se.
origination [əridʒi'neiʃən], *s.* origem, causa; princípio; produção.
originative [ə'ridʒineitiv], *adj.* originativo, causativo; criador; causador.
originator [ə'ridʒineitə], *s.* originador, causador.
oriole ['ɔ:rioul], *s.* (zool.) oriolo, eivão.
Orion [ə'raiən], *s.* (astr.) Oríon, Orião.
Orion's hound — Sírio.
Orkney(s) ['ɔ:kni(z)], *top.* Órcade(s).
Orlando [ɔ:'lændou], *n. p.* Orlando.
orle [ɔ:l], *s.* (her.) orla.
Orleans **1** — [ɔ:'liənz], *top.* Orleães (cidade francesa).
2 — ['ɔ:liənz], *top.* Orleães (cidade americana).
orlop ['ɔ:lɔp], *s.* (náut.) bailéu.
ormer ['ɔ:mə], *s.* (zool.) orelha-marinha.
ormolu ['ɔ:məlu:], *s.* ouropel, bronze dourado; ouro moído para dourar.
ornament **1** — **['ɔ:nəmənt]**, *s.* **ornamento, adorno, ornato, enfeite; paramento.**
rich in ornament — rico de ornamentos.
the altar ornaments — os paramentos do altar.
2 — ['ɔ:nəment], *vt.* ornamentar, ornar, embelezar, adornar, enfeitar; paramentar.
ornamental [ɔ:nə'mentl], *adj.* ornamental, decorativo.
ornamentalist [ɔ:nə'mentəlist], *s.* decorador; ornamentista.
ornamentally [ɔ:nə'mentəli], *adv.* decorativamente.
ornamentation [ɔ:nəmen'teiʃən], *s.* ornamentação, decoração.
ornamenter ['ɔ:nəmentə], *s.* decorador, pessoa que ornamenta.
ornamentist [ɔ:nə'mentist], *s.* ver **ornamentalist.**
ornate [ɔ:'neit,'ɔ:neit], *adj.* ornado, adornado, enfeitado; floreado (estilo).
ornately [-li], *adv.* com ornatos; com enfeites; com floreados (estilo).
ornateness [-nis], *s.* adorno, ornamentação, aparato.
ornithological [ɔ:niθə'lɔdʒikl], *adj.* ornitológico.
ornithologist [ɔ:ni'θɔlədʒist], *s.* ornitologista.
ornithology [ɔ:ni'θɔlədʒi], *s.* ornitologia.
ornithorhynchus [ɔ:niθou'riŋkəs], *s.* (zool.) ornitorrinco.
orogenesis [ɔrou'dʒənisis], *s.* orogénese, orogenia.
orogeny [ou'rɔdʒini], *s.* orogénese, orogenia.
orographic [ɔrou'græfik], *adj.* orográfico.
orographical [-əl], *adj.* ver **orographic.**
orography [ɔ'rɔgrəfi], *s.* orografia, orologia.
orological [ɔrə'lɔdʒikəl], *adj.* orológico.
orologist [ɔ'rɔlədʒist], *s.* orógrafo.
orology [ɔ'rɔlədʒi], *s.* orologia, orografia.
orometer [ɔ'rɔmitə], *s.* orómetro.
orometry [ɔ'rɔmitri], *s.* orometria.
orphan ['ɔ:fən], **1** — *s.* e *adj.* órfão.
orphan asylum — orfanato.
orfan home — orfanato.
2 — *vt.* deixar alguém órfão.
orphanage [-idʒ], *s.* orfandade; orfanato, casa para órfãos.
orphaned [-d], *adj.* órfão, que ficou órfão.
orphaned both of father and mother — órfão de pai e de mãe.
orphanhood [-hud], *s.* orfandade.
orphanize [-aiz], *vt.* tornar órfão.
Orphean [ɔ:'fi(:)ən], *adj.* órfico; orfeico; relativo a Orfeu.
Orpheus ['ɔ:fju:s], *n. p.* (mit.) Orfeu.
Orphic ['ɔ:fik], *adj.* órfico; harmonioso; misterioso.
Orpington ['ɔ:piŋtən], *s.* nome de uma raça de galinhas.
orrery ['ɔrəri], *s.* planetário.
orris ['ɔris], *s.* galão prateado ou dourado; lírio florentino.
orthocentre [ɔ:θou'sentə], *s.* (geom.) ortocentro.
orthocentric [ɔ:θou'sentrik], *adj.* (geom.) ortocêntrico.
orthochromatic ['ɔ:θoukrou'mætik], *adj.* ortocromático.
orthochromatism ['ɔ:θou'kroumətizm], *s.* ortocromatismo.
orthoclase ['ɔ:θoukleis], *s.* (min.) ortóclase, ortoclásio.
orthodontics [ɔ:θou'dɔntiks], *s.* (med.) ortodontia.
orthodox ['ɔ:θədɔks], *adj.* ortodoxo.
the Orthodox Church — a Igreja Ortodoxa.
orthodoxly [-li], *adv.* ortodoxamente, de modo ortodoxo.
orthodoxy [-i], *s.* ortodoxia.
orthoepic [ɔ:θou'epik], *adj.* ortoépico.
orthoepical [-əl], *adj.* ver **orthoepic.**
orthoepy ['ɔ:θouepi], *s.* ortoépia.
orthogenesis [ɔ:θou'dʒenisis], *s.* (biol.) ortogénese.
orthogenetic [ɔ:θoudʒi'netik], *adj.* (biol.) ortogenético.
orthogonal [ɔ:'θɔgənl], *adj.* ortogonal.
orthogonally [-i], *adv.* ortogonalmente.
orthographer [ɔ:'θɔgrəfə], *s.* ortógrafo.
orthographic [ɔ:θou'græfik], *adj.* ortográfico.
orthographical [-əl], *adj.* ver **orthographic.**
orthographically [-əli], *adv.* ortograficamente.
orthography [ɔ:'θɔgrəfi], *s.* ortografia.
orthopaedic [ɔ:θou'pi:dik], *adj.* ortopédico.
orthopaedics [-s], *s.* ortopedia.
orthopaedist [ɔ:θou'pi:dist], *s.* ortopedista.
orthopaedy ['ɔ:θoupi:di], *s.* ortopedia.
orthorhombic [ɔ:θou'rɔmbik], *adj.* ortorrômbico.
orval ['ɔ:vəl], *s.* (bot.) salva.
oryx ['ɔriks], *s.* (zool.) órix (antílope da Ásia).
Oscar ['ɔskə], *n. p.* Óscar.
oscillate ['ɔsileit], *vt.* e *vi.* oscilar, balançar; hesitar; vibrar; flutuar. (*Sin.* to sway, to swing, to vary, to hesitate, to vibrate.)
oscillating [-iŋ], **1** — *s.* oscilação.
2 — *adj.* oscilante.
oscillating engine — máquina de cilindros oscilantes.
oscillating current (elect.) — corrente oscilante.
oscillating motion (oscillating movement) — movimento oscilatório.
oscillation [ɔsil'leiʃən], *s.* oscilação, vibração; balanço; flutuação.
oscillator ['ɔsileitə], *s.* oscilador.
oscillatory ['ɔsilətəri], *adj.* oscilatório, oscilante, vibratório.
oscula ['ɔskjulə], *s. pl.* de **osculum.**
osculate ['ɔskjuleit], *vt.* e *vi.* (rar.) beijar-se, oscular-se; (geom.) tocar por osculação; (biol.) ter caracteres comuns.
osculum ['ɔkjuləm], *s.* (*pl.* **oscula**) (zool.) ósculo, orifício das esponjas.
osier ['ouʒ(j)ə], *s.* (bot.) vimeiro, vime.
osier ground — vimieiro.
osier tie — vime.
osiery [-ri], *s.* vimieiro, vimeiro, vimial.
Osmanli [ɔz'mænli], *adj.* e *s.* Otomano.
osmium ['ɔzmiəm], *s.* (quím.) ósmio.
osmograph ['ɔsmougræf], *s.* ver **osmometer.**
osmometer [ɔs'mɔmitə], *s.* osmómetro.

osmose ['ɔzmous], *s.* osmose.
osmosis [ɔz'mousis], *s.* ver **osmose.**
osmund ['ɔzmənd], *s.* (bot.) osmonda, género de fetos.
osprey ['ɔspri], *s.* xofrango (águia-marinha).
ossature ['ɔsətʃə], *s.* ossatura.
osseous ['ɔsiəs], *adj.* ósseo; ossificado.
Ossianic [ɔsi'ænik], *adj.* ossiânico, relativo a Ossian.
ossicle ['ɔsikl], *s.* ossículo.
ossification [ɔsifi'keiʃən], *s.* ossificação.
ossifrage ['ɔsifridʒ], *s.* ver **osprey.**
ossify ['ɔsifai], *vt.* e *vi.* ossificar, ossificar-se.
ossuary ['ɔsjuəri], *s.* ossário, ossuário; ossaria.
ostensibility [ɔstensə'biliti], *s.* ostensibilidade.
ostensible [ɔs'tensəbl], *adj.* ostensivo; exterior.
ostensibly [-i], *adv.* ostensivamente; aparentemente; manifestamente.
ostensive [ɔs'tensiv], *adj.* ostensivo; evidente; nítido, claro; manifesto.
ostensively [-li], *adv.* ostensivamente; manifestamente.
ostentation [ɔsten'teiʃən], *s.* ostentação; gala; alarde; fausto, pompa; jactância. (*Sin.* show, display, pomp, flourish. *Ant.* retirement.)
ostentatious [ɔsten'teiʃəs], *adj.* ostentoso, magnificente, faustoso, pomposo.
ostentatiously [-li], *adv.* com ostentação, pomposamente, faustosamente.
ostentatiousness [-nis], *s.* ostentação, fausto, jactância.
osteologic [ɔstiə'lɔdʒik], *adj.* osteológico.
osteological [-əl], *adj.* ver **osteologic.**
osteologically [-əli], *adv.* osteologicamente.
osteologist [ɔsti'ɔlədʒist], *s.* osteólogo.
osteology [ɔsti'ɔlədʒi], *s.* osteologia.
osteoma [ɔsti'oumə], *s.* (pat.) osteoma.
osteomyelitis [ɔstioumaiə'laitis], *s.* (pat.) osteomielite.
osteopathy [ɔsti'ɔpəθi], *s.* osteopatia.
osteoplasty [ɔstiə'plæsti], *s.* osteoplastia.
osteosarcoma [ɔstiousɑ:'koumə], *s.* osteossarcoma.
osteotomy [ɔsti'ɔtəmi], *s.* osteotomia.
ostler ['ɔslə], *s.* moço de estrebaria.
ostracism ['ɔstrəsizm], *s.* ostracismo. (*Sin.* banishment, separation, rejection.)
ostracize ['ɔstrəsaiz], *vt.* condenar ao ostracismo.
ostreiculture ['ɔtriikʌltʃə], *s.* ostreicultura.
ostrich ['ɔstritʃ,'ɔstridʒ], *s.* avestruz.
ostrich-plume — pena de avestruz.
ostrich-farming — criação de avestruzes.
ostrich-policy — ilusão.
to have the digestion of an ostrich — ter um estômago de ferro; comer seja o que for.
Ostrogoth ['ɔtrəgɔθ,'ɔstrougɔθ], *s.* e *adj.* ostrogodo.
Oswald ['ɔzwəld], *n. p.* Osvaldo.
otalgia [ou'tældʒiə], *s.* otalgia, dor nos ouvidos.
otalgic [ou'tældʒik], *adj.* otálgico.
Othello [ou'θelou], *n. p.* Otelo.
other ['ʌðə], **1** — *adj.* outro(s), outra(s), diferente.
the other day — há dias, no outro dia.
every other day — dia sim, dia não.
other days, other ways — novos tempos, novas modas.
on the other hand — por outro lado.
the other one — o outro.
the other world — o outro mundo.
it was none other than my sister — não era senão a minha irmã.
to have other fish to fry — ter outras coisas a fazer.
2 — *pron.* o outro, a outra; outra pessoa, outra coisa.
each other — um ao outro; mutuamente.
some time or other — numa ocasião qualquer.
any other — qualquer outro.
somehow or other — desta ou daquela maneira.
no other than him — ele próprio.
this day of all others — e logo este dia.
3 — *adv.* de outro modo; (seguido de *than*) senão.
otherwise [-waiz], *adv.* doutro modo; aliás.
he could not have acted otherwise — ele não podia ter procedido de outro modo.
seize the chance, otherwise you will regret it — aproveita a aportunidade, senão arrepende-des-te.
I think otherwise — penso doutro modo.
Otho ['ouθou], *n. p.* Otão.
otic ['outik,'ɔtik], *adj.* ótico, relativo ao ouvido.
otiose ['ouʃious], *adj.* ocioso, preguiçoso; supérfluo; desnecessário; estéril.
otiosely [-li], *adv.* ociosamente; superfluamente.
otitis [ou'taitis], *s.* (pat.) otite.
otology [ou'tɔlədʒi], *s.* otologia.
otoscope ['outəskoup], *s.* otoscópio.
Ottawa ['ɔtəwə], *top.* Otava (cidade do Canadá).
otter ['ɔtə], *s.* lontra, lontra do mar.
otter-skin — pele de lontra.
otter-hound — cão de lontras.
otter-hunting — caça às lontras.
otto ['ɔtou], *s.* essência (de rosas). Ver **attar.**
otto of roses — essência de rosas.
Otto ['ɔtou], *n. p.* Otão.
Ottoman ['ɔtəmən,'ɔtoumən], *s.* e *adj.* otomano, turco.
ottoman ['ɔtəmən,'ɔtoumən], *s.* otomana, espécie de divã.
ought [ɔ:t], **1** — *s.* (col.) nada, zero.
2 — *s.* ver **aught.**
3 — *v. defect.* (só tem esta forma, que se usa para todas as pessoas do presente do indicativo e é sempre seguida de *to*) devo, deves, deve, etc.; é necessário; convém, é conveniente; é provável; tenho, tens, tem obrigação (moral) de; é aconselhável que.
you ought to know better — devias saber melhor.
we ought to help one another — devemos ajudar-nos uns aos outros.
ouija-board ['wi:dʒɑ:bɔ:d], *s.* mesa de espiritismo.
ounce [auns], *s.* onça (28, 35 gramas); onça (animal).
an ounce of practice is worth a pound of theory — um pouco mais de prática vale mais do que muita teoria.
our ['auə], *adj. pos.* nosso(s), nossa(s).
Our Father — Deus.
Our Lady — Nossa Senhora.
ours [-z], *pron. pos.* nosso(s); nossa(s).
look at this garden of ours! — veja o nosso jardim!
a friend of ours — um amigo nosso.
ourself [-'self], *pron. refl.* e *enf.* nós mesmo (plural majestático).
ourselves [-'selvz], *pron. refl.* e *enf.* nós mesmos, a nós mesmos, para nós mesmos; nos.
let us do it ourselves — façamo-lo nós próprios.
all by ourselves — (nós) sozinhos.
we wash ourselves — nós lavamo-nos.
ousel [u:zl], *s.* ver **ouzel.**
oust [aust], *vt.* tirar; desapossar; desalojar; esbulhar; expulsar; despedir; deitar fora.
ouster ['-ə], *s.* (jur.) despejo legal; o que expulsa.
out [aut], **1** — *s.* (tip.) salto de palavra ou frase.
2 — *adj.* deslocado; exterior; distante; fora do vulgar; zangado.
my arm is out — o meu braço está deslocado.
out dweller — habitante dos arrabaldes.
out match — *(desp.)* jogo fora de casa.
out size — tamanho fora do vulgar.
3 — *vt.* e *vi.* expulsar; desalojar; privar;

deitar fora; ser descoberto.
4 — *adv.* fora, para fora, de fora; fora de casa.
out and out — franco; completo; completamente.
out of breath — sem alento.
out of danger — a salvo; livre de perigo.
out of fashion — fora de moda.
out of his mind — fora de si; doido.
out of work — sem trabalho; desempregado.
out of print — edição esgotada.
out of sight — fora do alcance da vista.
out of sorts — indisposto; descontente.
out of stock — esgotado.
out of temper — irritável.
out of the common — fora do vulgar.
out of the way — extraviado; inacessível; fora do costume.
out at the heels — com os sapatos cambados.
out of tune — desafinado.
out of humour — aborrecido; mal-humorado.
out of use — obsoleto.
out of generosity — por generosidade.
out of joint — deslocado.
out of one's wits — fora de si.
out of trim — de mau humor; (náut.) mal estivado.
out of business — retirado nos negócios.
out of spite — por despique.
out of hearing — fora do alcance do ouvido.
before the week is out — antes do fim da semana.
out of the frying-pan into the fire — de mal a pior.
to speak out — falar claro.
to read out — ler em voz alta.
to laugh out — rir às gargalhadas.
to be out — estar fora de casa; estar ausente; publicar-se; apagar-se.
to be tired out — estar muito cansado.
out of house and home — sem eira nem beira.
out of order — desarranjado, desordenado.
to go out — sair.
please hear me out — por favor ouça-me até ao fim.
out of sight, out of mind — longe da vista, longe do coração.
the fire is out — o fogo apagou-se.
to dine out — jantar fora de casa.
out-and-home voyage — viagem de ida e volta.
out in the cold — ignorado; isolado.
out of design — de propósito.
out of doors — fora de casa.
out of doubt — sem dúvida.
out of hand — imediatamente.
out of heart — deprimido.
out of shape — deformado; (desp.) em baixo de forma.
day out — dia de saída (criada.)
to be out with somebody — andar zangado com alguém.
way out — saída.
the tide is out — a maré baixou.
all out — a toda a velocidade.
to make out — explicar.
5 — *interj.* fora!, rua!
out with you! — rua!, fora!
out with it! — diga lá!

out-act [aut-'ækt], *vt.* ultrapassar.
outbade [aut'beid], *pret.* de **to outbid.**
outbalance [aut'bæləns], *vt.* exceder em peso; preponderar, imperar.
outbid [aut'bid], *vt.* (*pret.* **outbade, outbid,** *pp.* **outbid, outbidden**) cobrir o lanço (em leilão); ultrapassar.
outbidder [-ə], *s.* aquele que cobre um lanço (em leilão).
outbidding [-iŋ], *s.* lanço maior (em leilão).
outboard ['autbɔ:d], **1** — *adj.* (náut.) de borda fora, fora do navio.
2 — *adv.* para o exterior; para fora do barco.
outbound [aut'baund], *adj.* com destino a um porto estrangeiro (navio).
outbrave [aut'breiv], *vt.* ultrapassar em bravura; arrostar perigos.
outbreak ['autbreik], *s.* erupção; paixão; ataque violento; tumulto, distúrbio; explosão.
outbreak of epidemics — surto epidémico.
outbuilding ['autbildiŋ], *s.* edifício exterior; anexo; dependência.
outburst ['autbə:st], *s.* explosão; erupção; acesso.
an outburst of tears — um ataque de choro.
outcast ['autkɑ:st], **1** — *s.* proscrito, pária; desamparado.
2 — *adj.* desterrado, proscrito, expulso.
outclass [aut'klɑ:s], *vt.* exceder, sobrepujar, ultrapassar.
outcome ['autkʌm], *s.* resultado, consequência.
outcrop ['autkrɔp], **1** — *s.* (min.) extremo do veio, afloramento (de filão).
2 — *vt.* (*pret.* e *pp.* **outcropped**) (min.) aflorar.
outcry ['autkrai], *s.* clamor, grito; pregão; alarido, algazarra.
outdare [aut'dɛə], *vt.* afrontar, arrostar, atrever-se; exceder em audácia.
outdid [aut'did], *pret.* de **to outdo.**
outdo [aut'du:], *vt.* (*pret.* **outdid,** *pp.* **outdone**) exceder, sobrepujar, vencer; eclipsar; avantajar-se. (*Sin.* to exceed, to eclipse, to surpass, to beat.)
to outdo oneself — exceder-se a si próprio.
outdone [aut'dʌn], *pp.* de **to outdo.**
outdoor ['autdɔ:], *adj.* exterior, externo, fora de casa, ao ar livre.
outdoor games — jogos ao ar livre.
outdoor antenna — antena exterior.
outdoor scenes (cin.) — exteriores.
outdoor relief — assistência hospitalar ao domicílio.
outdoors [-z], *adv.* ao ar livre; fora de casa; na rua.
outer ['autə], **1** — *s.* golpe que lança o adversário ao tapete (no boxe).
2 — *adj.* exterior, externo.
the outer wall — o muro exterior.
outer garments — roupa exterior.
outermost [-moust,-məst], *adj.* extremo; mais de fora; externo.
outface [aut'feis], *vt.* arrostar; obrigar a desviar o olhar.
outfall ['autfɔ:l], *s.* foz; desembocadura (de rio, etc.).
outfield ['autfi:ld], *s.* campo aberto; (críquete e basebol) campo e jogadores colocados fora da demarcação.
outfielder [-ə], *s.* (críquete e basebol) jogador que fica fora da demarcação de um campo.
outfight [aut'fait], *vt.* (*pret.* e *pp.* **outfought**) levar a melhor numa luta.
outfit ['autfit], **1** — *s.* abastecimento; equipamento; armamento; roupas, enxoval (de colegial); despesas de instalação.
2 — *vt.* (*pret.* e *pp.* **outfitted**) prover; fornecer; equipar; armar.
outfitter [-ə], *s.* fornecedor (de roupa, enxovais, etc.); armador; abastecedor; provedor; fornecedor (de navios).
outfitting [-iŋ], *s.* aprovisionamento; abastecimento, fornecimento.
outflank [aut'flæŋk], *vt.* (mil.) flanquear, rodear; (fig.) procurar levar vantagem.
outflew [aut'flu:], *pret.* do verbo **to outfly.**
outflow ['autflou], *s.* fluxo; jorro de água; emanação; emigração.

outflown [aut'floun], *pp.* do verbo **to outfly.**
outfly [aut'flai], *vt.* (*pret.* **outflew,** *pp.* **outflown**) ultrapassar no voo.
outfoot [aut'fut], *vt.* passar à frente de.
outfought [aut'fɔ:t], *pret.* e *pp.* de **to outfight,**
outgeneral [aut'dʒenərəl], *vt.* exceder em táctica militar.
outgo [aut'gou], **1** — *s.* gasto, despesa, desembolso.
2 — *vt.* (*pret.* **outwent,** *pp.* **outgone**) andar mais rapidamente do que; exceder, sobrepujar.
outgoer ['autgouə], *s.* o que sai, o que se ausenta.
outgoing ['autgouiŋ], **1** — *s.* saída, ida, partida; *pl.* gastos.
the outgoings and the incomings — as despesas e as receitas.
2 — *adj.* que sai, que parte.
outgoing tide — maré vazante.
outgone [aut'gɔn], *pp.* do verbo **to outgo.**
outgrow [aut'grou], *vt.* (*pret.* **outgrew,** *pp.* **outgrown**) exceder em crescimento; crescer demasiado; passar da idade.
the children outgrow their clothes — as crianças crescem tanto que os fatos não lhes servem.
outgrowth ['autgrouθ], *s.* crescimento demasiado; excrescência; resultado, consequência.
outguard ['autgɑ:d], *s.* guarda avançada.
outhaul ['authɔ:l], *s.* (náut.) adriça da pena; amura de cutelo.
outhouse ['authaus], *s.* dependência; anexo; alpendre, telheiro.
outing ['autiŋ], *s.* passeio, caminhada; saída; excursão.
outlain [au'lein], *pp.* do verbo **to outlie.**
outland ['autlænd], **1** — *s.* terras estrangeiras.
2 — *adj.* estrangeiro.
outlander [-ə], *s.* e *adj.* estrangeiro.
outlandish [-iʃ], *adj.* estrangeiro; estranho; grotesco; rude, grosseiro.
outlast [aut'lɑ:st], *vt.* exceder em duração; sobreviver a; durar demasiado.
outlaw ['aut-lɔ:], **1** — *s.* proscrito, foragido; exilado; «fora-da-lei».
2 — *vt.* banir, expulsar; proscrever.
outlawry [-ri], *s.* proscrição; exílio; expulsão.
outlay ['autlei], **1** — *s.* desembolso, gasto, despesas.
2 — *vt.* desembolsar, gastar.
3 — *pret.* do verbo **to outlie.**
outlet ['autlet,'autlit], *s.* saída, passagem; desaguadoiro; (com.) saída (de mercadorias).
outlet valve — válvula de descarga.
outlet box (elect.) — caixa de tomadas.
outlie [aut'lai], **1** — *vt.* (*pret.* e *pp.* **outlied**) exceder em mentira; mentir mais (que outrem).
2 — *vi.* (*pret.* **outlay,** *pp.* **outlain**) ficar fora de casa; acampar.
outlier ['autlaiə], *s.* pessoa que não reside na localidade onde trabalha; edifício separado do principal; animal que vive só.
outline ['autlain], **1** — *s.* esboço, contorno; desenho; perfil; plano geral, aspecto geral.
in outline — nas suas linhas gerais.
outline drawing — esboço.
2 — *vt.* esboçar, delinear, traçar; descrever.
outlining [-iŋ], *s.* esboço, contorno; plano geral.
outlive [aut'liv], *vt.* sobreviver a; durar mais do que; (fig.) resistir a.
outlook ['autluk], **1** — *s.* vista; perspectiva; aspecto; probabilidades; previsão; vigilância, atalaia, vigia.
to be on the outlook — estar de atalaia.
outlook upon life — concepção de vida.
a black outlook — um futuro incerto.
2 — *vt.* olhar fixamente para alguém; afrontar; ver mais longe do que.
outlying ['autlaiiŋ], *adj.* distante; exterior; afastado.
outlying building — anexo.
outmanoeuvre [autmə'nu:və], *vt.* manobrar melhor; exceder em manobras; vencer em táctica.
outmost ['autmoust], **1** — *s.* máximo.
at the outmost — no máximo; ao máximo.
2 — *adj.* externo; extremo.
outnumber [aut'nʌmbə], *vt.* exceder em número.
outpace [aut'peis], *vt.* passar à frente de, ultrapassar, ganhar a dianteira.
out-patient ['aut-'peiʃənt], *s.* doente externo (de um hospital).
out-pensioner ['aut-'penʃənə], *s.* pensionista externo.
outplay [aut'plei], *vt.* exceder no jogo; jogar melhor do que; derrotar, vencer.
outport ['autpɔ:t], *s.* porto exterior.
outpost ['autpoust], *s.* (mil.) posto avançado.
outpour **1** — ['autpɔ:], *s.* jorro, jacto.
2 — [aut'pɔ:], *vt.* e *vi.* jorrar, derramar.
outpouring [-riŋ], *s.* jorro, emanação; efusão.
output ['autput], *s.* producão, rendimento (fabril); potência (fornecida por uma máquina).
output per hour — potência horária.
maximum output (peak output) — rendimento máximo.
outrage ['autreidʒ], **1** — *s.* ultraje, injúria, afronta; tropelia; violência; violação; rapto. (*Sin.* offence, affront, indignity, abuse, insult.)
2 — *vt.* ultrajar, injuriar; maltratar; violar, violentar; raptar.
outrageous [aut'reidʒəs], *adj.* afrontoso, injurioso, ultrajante, ofensivo; atroz; enorme, excessivo.
outrageously [-li], *adv.* ultrajosamente; atrozmente.
outrageousness [-nis], *s.* atrocidade; fúria; violência; enormidade.
outran [aut'ræn], *pret.* de **to outrun.**
outride [aut'raid], *vt.* e *vi.* (*pret.* **outrode,** *pp.* **outridden**) deixar atrás numa corrida ou num passeio a cavalo; cavalgar à estribeira; (náut.) escapar a uma tempestade (navio).
outrider ['autraidə], *s.* picador; batedor.
outrigger ['autrigə], *s.* (náut.) aranha de remo; guiga; forquilha de brandal.
outright [aut'rait], *adv.* logo, imediatamente; em termos claros, abertamente; completamente; sinceramente.
outrival [aut'raivəl], *vt.* ultrapassar um rival; ganhar, vencer, superar.
outrode [aut'roud], *pret.* de **to outride.**
outrun [aut'rʌn], *vt.* e *vi.* (*pret.* **outran,** *pp.* **outrun**) correr mais do que; passar adiante, ultrapassar; exceder.
outrush ['autrʌʃ], *s.* saída precipitada; saída repentina; fuga (de gás, de água, etc.).
outsail [aut'seil], *vt.* ser mais veleiro, velejar ou navegar mais rapidamente.
outsell [aut'sel], *vt.* (*pret.* e *pp.* **outsold**) vender mais ou mais caro.
outset ['autset], *s.* princípio, início.
from the outset — desde o princípio.
in the outset — no princípio.
outshine [aut'ʃain], *vt.* e *vi.* (*pret.* e *pp.* **outshone**) exceder em brilho; eclipsar; resplandecer.
outshone [aut'ʃɔn], *pret.* e *pp.* de **to outshine.**
outshoot ['autʃu:t], *s.* descarga.
outshoot [aut'ʃu:t], *vt.* (*pret.* e *pp.* **outshot**) ultrapassar na pontaria.

outshot [aut'ʃɔt], *pret.* e *pp.* de **to outshoot.**
outside ['aut'said], **1** — *s.* a parte de fora; superfície; aparência; limite máximo; (fut.) ponta, extremo.
outside left (fut.) — extremo-esquerdo.
outside right (fut.) — extremo-direito.
to turn outside in — virar de fora para dentro.
2 — *adj.* exterior, externo; superficial; de fora; aparente; estranho.
outside diameter — diâmetro externo.
outside antenna (rád.) — antena exterior.
outside porter — carregador.
outside measurements — dimensões exteriores.
outside radius — raio externo.
3 — *prep.* sem; além de, para além de, fora de.
that's outside the question — isso está fora da questão.
outside the town — fora da cidade.
4 — *adv.* fora, lá fora, para fora; ao ar livre.
from outside — de fora, do exterior.
to get outside of (cal.) — comer ou beber.
outsider [-ə], *s.* intruso, intrometido; estranho; leigo; homem grosseiro.
outskirts ['autskə:ts], *s. pl.* cercanias, arredores, arrabaldes, imediações.
outsold [aut'sould], *pret.* e *pp.* de **to outsell.**
outsole ['autsoul], *s.* sola exterior (de calçado).
outspoken [aut'spoukən], *adj.* franco, sincero, aberto, sem rodeios.
outspokenly [-li], *adv.* francamente, sinceramente, sem rodeios, abertamente.
outspokenness [-nis], *s.* franqueza, sinceridade.
outspread ['aut'spred], **1** — *s.* extensão; acção de estender.
2 — *adj.* estendido, aberto.
with outspread arms — de braços abertos.
3 — *vt.* espalhar, difundir.
outstand [aut'stænd], *vt.* e *vi.* (*pret.* e *pp.* **outstood**) suportar, aguentar; sobressair.
outstanding [-iŋ], *adj.* saliente; pendente; notável; conspícuo; a liquidar.
outstanding debts — dívidas pendentes.
outstanding bills — obrigações pendentes.
outstanding example — exemplo edificante.
outstanding person — pessoa ilustre.
outstandingly [-iŋli], *adv.* invulgarmente; eminentemente.
outstare [aut'stɛə], *vt.* olhar fixamente; fazer baixar os olhos.
outstay [aut'stei], *vt.* demorar-se mais tempo do que.
to outstay one's welcome — abusar da hospitalidade de alguém, demorando demasiado.
outstood [aut'stu:d], *pret.* e *pp.* de **to outstand.**
outstretch [aut'stretʃ], *vt.* estender, alargar.
outstrip [aut'strip], *vt.* (*pret.* e *pp.* **outstripped**) passar adiante, ganhar a dianteira, ultrapassar; exceder.
outvalue [aut'vælju:], *vt.* exceder em valor.
outvie [aut'vai], *vt.* ultrapassar; sobressair, sobrepujar.
outvote [aut'vout], *vt.* alcançar a maioria de votos, ter mais votos do que.
outwalk [aut'wɔ:lk], *vt.* andar mais depressa do que; passar à frente.
outward ['autwəd], **1** — *s.* exterior, aparência, mundo exterior.
2 — *adj.* exterior, externo; extrínseco; visível, aparente; superficial; material; estranho; estrangeiro.
for outward application — para uso externo (rótulo de medicamentos).
the outward journey — a viagem de ida.
3 — *adv.* para o exterior, para fora.
outward-bound (náut.) — com rumo a um porto estrangeiro.
outwardly [-li], *adv.* exteriormente; superficialmente.
outwardness [-nis], *s.* exterioridade, objectividade.
outwards [-z], *adv.* ver **outward 3**.
outweigh [aut'wei], *vt.* pesar mais; valer mais; sobrepujar.
outwent [aut'went], *pret.* de **to outgo.**
outwit [aut'wit], *vt.* (*pret.* e *pp.* **outwitted**) exceder em astúcia.
outwork ['autwə:k], *s.* obra exterior de fortificação; trabalho feito ao domicílio.
outwork [aut'wə:k], *vt.* trabalhar mais do que.
ouzel [u:zl], *s.* (zool.) melro aquático. Ver **ousel.**
ova ['ouvə], *s. pl.* de **ovum.**
oval ['ouvəl], **1** — *s.* oval; objecto com forma oval.
2 — *adj.* oval.
oval-shaped — de forma oval, ovaliforme.
ovally [-i], *adv.* em oval.
ovariotomy [ouvɛəri'ɔtəmi], *s.* ovariotomia.
ovarium [ou'vɛəriəm], *s.* (*pl.* **ovaria**) ovário.
ovary ['ouvəri], *s.* ver **ovarium.**
ovate ['ouveit], *adj.* ovado, oval.
ovation [ou'veiʃən], *s.* ovação; aplauso.
oven [ʌvn], *s.* forno; fornalha.
oven-peel — pá de forno.
oven's mouth — boca de forno.
drying oven — estufa.
in a slow oven — a fogo lento.
in a quick oven — a fogo vivo.
over ['ouvə], **1** — *s.* (críquete) série de bolas; (mil.) tiro longo.
2 — *prep.* sobre, em cima de, por cima de, acima de; por junto a; acerca de; além de; durante.
over the door — sobre a porta.
over the way — do outro lado da rua.
over the river — do outro lado do rio.
over our heads (fig.) — para além da nossa compreensão.
the blush spread over her face — o rubor subiu-lhe às faces.
she has no command over herself — ela não tem domínio sobre si.
all over the world — por toda a parte.
over and above — além disso.
over head and ears — completamente; muitíssimo.
over thirty persons — para cima de trinta pessoas.
to laugh over something — rir-se de alguma coisa.
to be all over oneself — não caber em si de contente.
she is over fifty — ela já passa dos cinquenta anos.
3 — *adv.* por cima; dum lado para o outro; completamente; outra vez; cuidadosamente; demasiado; além disso.
over and over (over and over again) — repetidas vezes.
it is all over — acabou-se tudo.
to be over — acabar.
please turn over — queira voltar a folha.
much has been turned over — vendeu-se muito.
to hand over — entregar.
to put over — reenviar; atribuir.
to run over — atropelar; examinar rapidamente.
over there — acolá.
over-tired — muitíssimo cansado.
four times over — quatro vezes seguidas.
to lean over — debruçar-se.
he is Portuguese all over — ele é português dos pés à cabeça.
to read a book over — ler um livro do princípio ao fim.

overabound ['ouvərəbaund], *vi.* superabundar.
overact ['ouvər'ækt], *vt.* e *vi.* exagerar, levar alguma coisa ao extremo.
overall ['ouvərɔ:l], *s.* guarda-pó, bata; *pl.* fato-macaco.
overall [ouvər'ɔ:l], *adj.* total.
overall length — comprimento total.
overate ['ouvər'æt], *pret.* de **to overeat.**
overawe [ouvər'ɔ:], *vt.* intimidar, amedrontar; incutir respeito.
overbalance [ouvə'bæləns], **1** — *s.* superioridade, preponderância, vantagem.
2 — *vt.* e *vi.* preponderar; exceder em peso, valor ou importância; desequilibrar.
overbear [ouvə'bɛə], *vt.* (*pret.* **overbore,** *pp.* **overborne**) subjugar, sujeitar, reprimir, oprimir, dominar; produzir frutos em demasia.
overbearing [-riŋ], *adj.* despótico, dominador; imperioso; arrogante, altivo, insolente. (*Sin.* lordly, overpowering, arrogant, imperious. *Ant.* retiring, submissive.)
overbearingly [-riŋli], *adv.* despoticamente; altivamente.
overbid [ouvə'bid], *vt.* (*pret.* **overbid,** *pp.* **overbidden**) oferecer mais, oferecer demasiado por; cobrir o lance.
overbid ['ouvəbid], *s.* lance mais elevado.
overblew ['ouvə'blu:], *pret.* de **to overblow.**
overblow ['ouvə'blou], *vt.* e *vi.* (*pret.* **overblew,** *pp.* **overblown**) soprar com muita força (vento ou instrumento de sopro); espalhar.
overblown ['ouvə'bloun], *pp.* de **to overblow.**
overboard ['ouvəbɔ:d], *adv.* (náut.) ao mar, pela borda fora, à água; fora da borda.
to throw overboard — deitar ao mar; alijar.
to fall overboard — cair ao mar.
man overboard! — homem ao mar!
overbold ['ouvə'bould], *adj.* temerário, destemido; descarado.
overboldly [-li], *adv.* temerariamente, ousadamente.
overbrim ['ouvə'brim], *vt.* e *vi.* (*pret.* e *pp.* **overbrimmed**) transbordar.
overbuild ['ouvə'bild], *vt.* (*pret.* e *pp.* **overbuilt**) encher de edifícios, sobrecarregar com edifícios.
overburden [ouvə'bə:dn], *vt.* sobrecarregar.
overcame [ouvə'keim], *pret.* de **to overcome.**
overcast ['ouvəkɑ:st], **1** — *adj.* enevoado, cerrado; sombrio; encoberto (tempo); cerzido.
overcast sky — céu carregado de nuvens.
2 — *vt.* e *vi.* (*pret.* e *pp.* **overcast**) escurecer, enevoar-se; dar mais valor que o real; cerzir; atirar mais longe.
overcautious ['ovə'kɔ:ʃəs], *adj.* cauteloso em extremo.
overcharge ['ouvə'tʃɑ:dʒ], **1** — *s.* sobrecarga; imposto excessivo; aumento de preço.
2 — *vt.* e *vi.* carregar no preço; sobrecarregar; lançar impostos muito pesados; exagerar.
overcloud [ouvə'klaud], *vt.* e *vi.* cobrir de nuvens; escurecer; enevoar.
overcoat ['ouvəkout], *s.* sobretudo; casaco comprido de agasalho.
overcome [ouvə'kʌm], *vt.* (*pret.* **overcame,** *pp.* **overcome**) vencer, subjugar; submeter; triunfar; dominar; conquistar.
to overcome an obstacle — vencer um obstáculo.
to overcome a difficulty — vencer uma dificuldade.
overcomer [-ə], *s.* vencedor; dominador.
overconfidence ['ouvə'kɔnfidəns], *s.* presunção, confiança excessiva.
overconfident ['ouvə'kɔnfidənt], *adj.* extremamente confiado, atrevido.
overcrowd [ouvə'kraud], *vt.* apinhar, abarrotar, ter gente a mais.
overcrowded [-id], *adj.* apinhado, abarrotado, «à cunha».
overdevelop ['ouvədi'veləp], *vt.* desenvolver de mais; (fot.) revelar demasiadamente.
overdevelopment [-mənt], *s.* desenvolvimento excessivo; (fot.) revelação demasiada.
overdid [ouvə'did], *pret.* de **to overdo.**
overdo [ouvə'du:], *vt.* (*pret.* **overdid,** *pp.* **overdone**) fazer mais do que o necessário; exceder-se; exagerar; trabalhar demasiadamente; esturrar (alimentos).
overdone ['ouvə'dʌn], **1** — *adj.* exagerado; cozinhado de mais, esturrado; muito passado.
2 — *pp.* de **to overdo.**
overdose ['ouvədous], *s.* dose excessiva.
overdose [ouvə'dous], *vt.* administrar uma dose excessiva.
overdraft ['ouvədrɑ:ft], *s.* cheque sem cobertura.
overdraw ['ouvə'drɔ:], *vt.* e *vi.* (*pret.* **overdrew,** *pp.* **overdrawn**) sacar a descoberto; exagerar.
overdrawn [-n], **1** — *adj.* sem cobertura; exagerado.
2 — *pp.* de **to overdraw.**
overdress ['ouvə'dres], *vt.* e *vi.* vestir com esmero, enfeitar-se em excesso.
overdrew ['ouvə'dru:], *pret.* de **to overdraw.**
overdrive ['ouvədraiv], **1** — *s.* (*aut.*) superprise.
2 — *vt.* (*prt.* **overdrove,** *pp.* **overdriven**) fatigar; extenuar.
overdue ['ouvə'dju:], *adj.* que passou o dia do vencimento (letra); em atraso (navio ou comboio).
overeat ['ouvər'i:t], *vt.* e *vi.* (*pret.* **overate,** *pp.* **overeaten**) comer em excesso.
overeaten [-n], *pp.* de **to overeat.**
overestimate ['ouvər'estimit], *s.* avaliação excessiva.
overestimate ['ouvər'estimeit], *vt.* dar demasiado apreço a; avaliar em mais.
overestimation ['ouvəresti'meiʃən], *s.* cálculo exagerado.
over-excite ['ouvərik'sait], *vt.* superexcitar.
over-excited [-id], *adj.* superexcitado.
over-excitement [-mənt], *s.* sobreexcitação, superexcitação.
overexert ['ouvərig'zə:t], *vt.* e *vi.* forçar demasiado, esforçar-se demasiado.
overexertion ['ouvərig'zə:ʃən], *s.* esforço demasiado; esgotamento.
over-expose ['ouvəriks'pouz], *vt.* (fot.) expor demasiadamente.
over-exposure ['ouvəriks'pouzə], *s.* (fot.) exposição demasiado longa.
overfall ['ouvəfɔ:l], *s.* queda de água; escoadouro; catarata; cascata.
over-fatigue ['ouvəfə'ti:g], **1**—*s.* fadiga excessiva.
2 — *vt.* estafar, fatigar demasiado.
over-fatigued [-d], *adj.* demasiado cansado; esgotado, esfalfado.
overfed ['ouvə'fed], **1** — *adj.* superalimentado, barrigudo, muito gordo.
2 — *pret.* e *pp.* de **to overfeed.**
overfeed ['ouvə'fi:d], *vt.* e *vi.* (*pret.* e *pp.* **overfed**) alimentar em excesso.
overfeeding [-iŋ], *s.* superalimentação.
overflew [ouvə'flu:], *pret.* de **to overfly.**
overflow ['ouvəflou], *s.* inundação, cheia; derramento; superabundância; descarga acidental. (*Sin.* exuberance, profusion, inundation, copiousness. *Ant.* deficiency.)
overflow [ouvə'flou], *vt.* e *vi.* transbordar; inundar; galgar; derramar-se; expandir-se.
to overflow with riches — nadar em riqueza.
overflowing [-iŋ], **1** — *s.* superabundância; derramamento; inundação.

2 — *adj.* a transbordar; exuberante; superabundante.
overflown [ouvə'floun], *pp.* de **to overfly.**
overfly [ouvə'flai], *vt.* (*pret.* **overflew,** *pp.* **overflown**) sobrevoar; ultrapassar no voo.
overfull ['ouvə'ful], *adj.* demasiado cheio.
overgrew ['ouvə'gru:], *pret.* de **to overgrow.**
overgrow ['ouvə'grou], *vt.* (*pret.* **overgrew,** *pp.* **overgrown**) crescer desmedidamente; elevar-se a grande altura; cobrir com vegetação.
overgrown ['ouvə'groun], **1** — *adj.* coberto, cheio; que cresceu depressa de mais.
overgrowth [ouvə'grouθ], *s.* crescimento; vegetação exuberante; grande desenvolvimento.
overgrowth ['ouvəgrouθ], *s.* superabundância.
overhand ['ouvəhænd], **1** — *adj.* executado com o braço lançado acima do ombro.
2 — *adv.* com o braço lançado acima do ombro.
overhang ['ouvəhæŋ], *s.* saliência, projectura; aba do telhado.
overhang [ouvə'hæŋ], *vt.* e *vi.* (*pret.* e *pp.* **overhung**) sobressair; pender sobre; estar suspenso ou pendente; dar para; cair sobre; ameaçar, estar iminente.
overhanging [-iŋ], **1** — *s.* suspensão; inclinação.
2 — *adj.* suspenso sobre; saliente; iminente.
overhappy ['ouvə'hæpi], *adj.* muitíssimo feliz; rejubilante.
overhasty ['ouvə'heisti], *adj.* precipitado, impulsivo, arrebatado; extremamente apressado.
overhaul ['ouvəhɔ:l], *s.* inspecção, vistoria, revisão.
overhaul [ouvə'hɔ:l], *vt.* rever; examinar, inspeccionar, vistoriar; alcançar, ganhar dianteira sobre outro navio; beneficiar.
overhauling [-iŋ], *s.* exame; vistoria, inspecção; visita; revisão.
overhead [ouvə'hed], **1** — *adj.* suspenso; elevado; aéreo.
overhead charges (com.) — despesas gerais.
overhead railway — via-férrea aérea.
overhead line — linha aérea.
2 — *adv.* em cima, por cima; sobre a cabeça; no alto; no zénite.
overhear [ouvə'hiə], *vt.* (*pret.* e *pp.* **overheard**) ouvir casualmente; ouvir intencionalmente mas sem ser visto.
overheard [ouvə'hə:d], *pret.* e *pp.* de **to overhear.**
overheat ['ouvə'hi:t], *vt.* e *vi.* aquecer demasiado.
overheated [-id], *adj.* demasiado aquecido.
overheated steam — vapor sobreaquecido.
overheating [-iŋ], *s.* aquecimento excessivo.
overhour ['ouvə'auə], *s.* hora extraordinária (de trabalho).
overhung [ouvə'hʌŋ], *pret.* e *pp.* de **to overhang.**
over-indulge ['ouvərin'dʌldʒ], *vt.* e *vi.* ser demasiado indulgente; dar mimos a mais; abusar de.
to over-indulge in drink — beber demasiado.
to over-indulge one's children — dar mimos de mais aos filhos.
over-indulgence [-əns], *s.* abuso; benevolência demasiada.
over-indulgent [-ənt], *adj.* demasiado indulgente; que se entrega a excessos.
overjoy **1** — ['ouvədʒɔi], *s.* grande alegria; êxtase; arrebatamento.
2 — [ouvə'dʒɔi], *vt.* transportar de alegria; arrebatar.
overjoyed [-d], *adj.* cheio de alegria.
overkind ['ouvə'kaind], *adj.* muito carinhoso, muito bondoso.
overlade ['ouvə'leid], *vt.* carregar exageradamente; sobrecarregar.
overladen [-n], *adj.* sobrecarregado.
overlaid [ouvə'leid], *pret.* e *pp.* de **to overlay.**
overlain [ouvə'lein], *pp.* de **to overlie.**
overland ['ouvəlænd], *adj.* terrestre, por terra.
overland route — caminho por terra.
overland [ouvə'lænd], *adv.* por terra.
overland and overseas — por terra e por mar.
to travel overland — viajar por terra.
overlap **1** — ['ouvəlæp], *s.* sobreposição.
overlap of latch — sobreposição de trinco.
2 — [ouvə'læp], *vt.* e *vi.* (*pret.* e *pp.* **overlapped**) sobrepor, cobrir; enrolar, envolver; sobrepor-se; coincidir.
overlapping [-iŋ], **1** — *s.* sobreposição.
2 — *adj.* sobreposto.
overlay **1** — ['ouvəlei], *s.* cobertura; capa; acção de cobrir; colcha de cama; toalha de mesa pequena.
2 — [ouvə'lei], *vt.* (*pret.* e *pp.* **overlaid**) cobrir; dar uma camada de tinta; oprimir, sufocar; abafar; obscurecer; sobrecarregar.
3 — *pret.* de **to overlie.**
overlaying [-iŋ], *s.* cobertura, camada, capa, revestimento.
overleaf ['ouvə'li:f], *adv.* no verso (da folha).
see overleaf — ver no verso.
overleap ['ouvə'li:p], *vt.* (*pret.* e *pp.* **overleaped** ou **overleapt**) transpor de um salto; saltar muito longe; galgar; omitir; deixar passar.
overlie ['ouvə'lai], *vt.* (*pret.* **overlay,** *pp.* **overlain**) cobrir; sufocar com o peso.
overlive [ouvə'liv], *vt.* sobreviver a.
overload ['ouvəloud], *s.* sobrecarga; carga excessiva.
overload [ouvə'loud], *vt.* sobrecarregar; abarrotar.
overlook [ouvə'luk], *vt.* ver de alto; dominar; vigiar; inspeccionar; examinar; cuidar de; passar por alto; rever; perdoar; fazer vista grossa; não reparar; não fazer caso de; dar para; dominar (com a vista).
to overlook the faults of others — ser indulgente para com as faltas dos outros.
the tower overlooks the town — a torre domina a cidade.
I overlooked this — isto escapou-me; não reparei nisto.
overlooker [-ə], *s.* superintendente; inspector; superintendência; contramestre.
overlord ['ouvəlɔ:d], *s.* suserano.
overlordship [ouvə'lɔ:dʃip], *s.* suserania.
overlying [ouvə'laiiŋ], **1** — *s.* revestimento, cobertura; sufocamento devido a peso do corpo deitado por cima.
2 — *adj.* deitado sobre, sobrejacente.
overman ['ouvəmæn], *s.* contramestre; inspector de minas.
overman [ouvə'mæn], *vt.* (*pret.* e *pp.* **overmanned**) prover com um número excessivo de empregados.
overmantel ['ouvəmæntl], *s.* prateleira de fogão de sala.
overmaster [ouvə'mɑ:stə], *vt.* dominar, subjugar, submeter.
overmatch [ouvə'mætʃ], *vt.* sobrepujar, vencer, superar, dominar.
overmeasure ['ouvəmeʒə], **1** — *s.* excesso; medida grande de mais; cúmulo.
2 — *vt.* dar valor excessivo a; avaliar demasiadamente.
overmuch ['ouvə'mʌtʃ], **1** — *s.* excesso, demasia.
2 — *adj.* demasiado, excessivo.
3 — *adv.* excessivamente, demasiadamente.
overnice ['ouvə'nais], *adj.* demasiado delicado; fastidioso; escrupuloso; muito difícil.

overniceness [-nis], *s.* afectação; subtileza.
overnight 1 — ['ouvənait], *s.* a véspera, a tarde do dia anterior.
2 — *adj.* nocturno; da véspera; que fica dum dia para o outro.
an overnight journey — uma viagem nocturna.
3 — [ouvə'nait], *adv.* de noite, dum dia para o outro.
to stay overnight — pernoitar.
overpaid [ouvə'peid], *pret.* e *pp.* de **to overpay.**
overpass [ouvə'pɑ:s], *vt.* passar através de, atravessar, transpor; dominar, vencer; ultrapassar, exceder.
overpast ['ouvə'pɑ:st], *adj.* passado, remoto, afastado; omitido; desprezado.
overpay 1 — ['ouvəpei], *s.* pagamento excessivo.
2 — [ouvə'pei], *vt.* (*pret.* e *pp.* **overpaid**) pagar mais que o devido.
overpayment [-mənt], *s.* ver **overpay.**
overpeople [ouvə'pi:pl], *vt.* sobrepovoar.
overpitch [ouvə'pitʃ], *vt.* exagerar.
overplay [ouvə'plei], *vt.* vencer ao jogo, jogar melhor do que; exagerar.
overplus ['ouvəplʌs], *s.* sobra, resto; saldo.
overpower [ouvə'pauə], *vt.* vencer; predominar; superar; subjugar, esmagar, oprimir; acabrunhar; deslumbrar.
overpowering [-riŋ], *adj.* opressor; esmagador, irresistível; excessivo.
overpoweringly [-riŋli], *adv.* opressivamente; avassaladoramente.
overpraise [ouvə'preiz], *vt.* elogiar excessivamente.
overpress 1 — ['ouvəpres], *s.* defeito no fabrico do vidro que consiste numa saliência.
2 — [ouvə'pres], *vt.* oprimir; perseguir muito; instar vivamente.
overpressure [ouvə'preʃə], *s.* pressão excessiva.
overprint ['ouvəprint], **1** — *s.* impressão sobreposta.
2 — *vt.* imprimir sobre coisa já impressa; imprimir em número excessivo.
overprize ['ouvəpraiz], *vt.* exagerar o valor ou o merecimento de.
overproduce ['ouvəprə'dju:s], *vt.* produzir excessivamente.
overproduction ['ouvəprə'dʌkʃən], *s.* excesso de produção.
overproud ['ouvə'praud], *adj.* muito altivo, de um orgulho excessivo.
overran [ouvə'ræn], *pret.* de **to overrun.**
overrate ['ouvə'reit], *vt.* exagerar o valor de.
overreach [ouvə'ri:tʃ], *vt.* e *vi.* ir mais além, ultrapassar; alcançar; exceder em astúcia; elevar-se mais; puxar ou estender demasiado; enganar, lograr; alcançar-se (o cavalo).
overreacher [-ə], *s.* intrujão; cavalo que se magoa ao bater com a pata dianteira na pata de trás.
overrefine ['ouvəri'fain], *vt.* purificar; refinar em excesso; aperfeiçoar.
overrefinement [-mənt], *s.* refinação excessiva; aperfeiçoamento.
overridden [ouvə'ridn], *pp.* de **to override.**
override [ouvə'raid], *vt.* e *vi.* (*pret.* **overrode,** *pp.* **overridden**) passar por cima; vencer; pôr de lado; obrigar a ceder; repelir arbitrariamente; exceder; fatigar um cavalo.
to override one's commission — exceder-se nas suas funções.
overriding [-iŋ], *adj.* primordial; que tem a primazia.
overrigid ['ouvə'ridʒid], *adj.* demasiado rígido.
overripe ['ouvə'raip], *adj.* demasiado maduro, amadurecido em excesso.
overripen [-n], *vt.* e *vi.* amadurecer demasiado.
overripeness [-nis], *s.* maturidade excessiva.
overrode [ouvə'roud], *pret.* de **to override.**
overrule [ouvə'ru:l], *vt.* dominar; predominar; governar, reger, dirigir; ganhar, vencer; (jur.) rejeitar.
overrun ['ouvərʌn], *vt.* e *vi.* (*pret.* **overran,** *pp.* **overrun**) invadir, infestar; passar os limites; exceder-se; adiantar-se; percorrer; calcar, espezinhar; cobrir inteiramente; transbordar; (tip.) recorrer.
to overrun a country — invadir um país.
to overrun the constable — gastar mais do que as suas posses.
overrunner [-ə], *s.* invasor; assaltante; devastador.
overrunning [-iŋ], *s.* invasão, assalto; inundação; (tip.) acção de recorrer.
oversaw ['ouvəsɔ:], *pret.* de **to oversee.**
oversea ['ouvə'si:], **1** — *adj.* ultramarino; estrangeiro; externo.
oversea trade — comércio externo.
2 — *adv.* no ultramar; em país estrangeiro.
to go oversea — ir para o estrangeiro; ir para o ultramar.
overseas [-z], *adv.* ver **oversea.**
oversee ['ouvə'si:], *vt.* (*pret.* **oversaw,** *pp.* **overseen**) superintender; inspeccionar, vigiar; rever; não reparar em, passar por alto; omitir.
overseen ['ouvə'si:n], *pp.* de **to oversee.**
overseer ['ouvə'siə], *s.* superintendente, inspector; capataz; fiscal.
oversell [ouvə'sel], *vt.* (*pret.* e *pp.* **oversold**) vender por preço alto de mais; vender em quantidades maiores do que as que se podem fornecer.
overset [ouvə'set], *vt.* e *vi.* (*pret.* e *pp.* **overset**) voltar, inverter; tombar, virar-se; derribar, deitar por terra; estragar.
oversew [ouvə'sou], *vt.* (*pret.* **oversewed,** *pp.* **oversewn**) coser a ponto de luva.
overshade [ouvə'ʃeid], *vt.* escurecer; dar sombra; sombrear.
overshadow [ouvə'ʃædou], *vt.* obscurecer, sombrear; ofuscar, eclipsar; proteger.
overshoe ['ouvəʃu:], *s.* galocha.
overshoot ['ouvə'ʃu:t], *vt.* (*pret.* e *pp.* **overshot**) ultrapassar os limites, exceder o alvo; passar ràpidamente por cima; ser melhor atirador do que.
to overshoot oneself — aventurar-se demasiado.
overshot ['ouvə'ʃɔt], **1** — *adj.* excedido; com alcatruzes.
2 — *pret.* e *pp.* de **to overshoot.**
overshot wheel — roda hidráulica de alcatruzes.
oversight ['ouvəsait], *s.* descuido, inadvertência; equívoco, engano, erro; vigilância; guarda; inspecção; atenção; cuidado.
by oversight — por inadvertência.
to have the oversight of — ter a seu cargo.
oversize ['ouvəsaiz], **1** — *s.* tamanho fora do vulgar.
2 — *vi.* ser excessivamente grande.
oversized [-d], *adj.* desproporcionado, excessivamente grande.
oversleep ['ouvə'sli:p], *vt.* e *vi.* (*pret.* e *pp.* **overslept**) dormir de mais; acordar tarde.
to oversleep oneself — não acordar à hora devida.
oversold [ouvə'sould], *pret.* e *pp.* de **to oversell.**
overspeed ['ouvəspi:d], *s.* velocidade excessiva, excesso de velocidade.
overspread [ouvə'spred], *vt.* (*pret.* e *pp.* **overspread**) espalhar, estender.
overstate ['ouvə'steit], *vt.* exagerar; fazer declarações exageradas.
overstatement [-ment], *s.* exagero.
overstay ['ouvə'stei], *vt.* ficar mais tempo do que o conveniente.

overstep ['ouvə'step], *vt.* (*pret.* e *pp.* **overstepped**) ultrapassar, transpor; exceder.
overstimulation [ouvəstimju'leiʃən], *s.* sobreexcitação.
overstock ['ouvəstɔk], *s.* sortido excessivo; superabundância.
overstock [ouvə'stɔk], *vt.* fazer um sortido excessivo; abarrotar.
overstrain ['ouvəstrein], *s.* tensão; esforço excessivo.
overstrain [ouvə'strein], *vt.* e *vi.* apertar; forçar; esforçar-se demasiado; esgotar.
to overstrain oneself — fazer um esforço demasiado violento.
overstrung ['ouvə'strʌŋ], *adj.* demasiado sensível; enervado; demasiado esticado.
overstrung piano — piano de cordas cruzadas.
oversupply ['ouvəsə'plai], *s.* superabundância.
overswollen [ouvə'swɔlən], *adj.* inchado; vaidoso.
overt ['ouvə:t], *adj.* público, patente; claro, manifesto.
overtake [ouvə'teik], *vt.* (*pret.* **overtook,** *pp.* **overtaken**) alcançar, apanhar; ultrapassar; apanhar em flagrante; surpreender; dominar.
the night overtook us — a noite surpreendeu-nos.
overtaken by the storm — apanhados pela tempestade.
overtaken in drink — embriagado.
overtaken [-n], *pp.* de **to overtake.**
overtaking [-iŋ], *s.* ultrapassagem.
no overtaking — é proibido ultrapassar.
overtask ['ouvə'tɑ:sk], *vt.* sobrecarregar com trabalho.
overtax ['ouvə'tæks], *vt.* sobrecarregar de impostos.
to overtax someone's patience — abusar da paciência de alguém.
overtaxation [ouvətæk'seiʃən], *s.* imposto excessivo.
overthrew [ouvə'θru:], *pret.* de **to overthrow.**
overthrow [ouvə'θrou], *vt.* (*pret.* **overthrew,** *pp.* **overthrown**) deitar abaixo, tombar, derribar; derrotar; malograr; desfazer; arruinar.
overthrowal [-əl], *s.* derrubamento; destruição.
overthrower [-ə], *s.* destruidor; vencedor.
overthrown [-n], *pp.* de **to overthrow.**
overthrust ['ouvəθrʌst], *s.* impulso excessivo; (geol.) acavalamento.
overthrust [ouvə'θrʌst], *vi.* (*pret.* e *pp.* **overthrust**) (geog.) acavalar-se.
overthrusting [-iŋ], *s.* (geol.) acavalamento.
overtime ['ouvətaim], **1** — *s.* horas extraordinárias de trabalho; remuneração por horas extraordinárias de trabalho.
to be on overtime — trabalhar horas extraordinárias.
2 — *adv.* fora do tempo marcado.
to work overtime — trabalhar horas extraordinárias.
overtire ['ouvə'taiə], *vt.* fatigar excessivamente, cansar demasiado.
overtly ['ouvə:tli], *adv.* abertamente, manifestamente.
overtness ['ouvə:tnis], *s.* franqueza.
overtone ['ouvətoun], *s.* som harmónico.
overtook [ouvə'tuk], *pret.* de **to overtake.**
overtop ['ouvə'tɔp], *vt.* (*pret.* e *pp.* **overtopped**) ultrapassar, elevar-se acima de; sobressair; exceder; dominar.
overtrade ['ouvə'treid], *vi.* entrar em transacções arriscadas.
overtrump ['ouvə'trʌmp], *vt.* cortar com trunfo mais alto (jogo de cartas).
overtrumping [-iŋ], *s.* acção de cortar com trunfo mais alto (jogo de cartas).
overture ['ouvətjuə], **1** — *s.* proposta, oferta; (mús.) abertura.
2 — *vt.* propor, fazer a oferta de; (mús.) fazer uma abertura.
overturn 1 — ['ouvətə:n], *s.* reviravolta; queda; ruína.
2 — [ouvə'tə:n], *vt.* e *vi.* voltar, deitar abaixo; subverter; destruir; transtornar.
overvaluation [ouvəvælju'eiʃən], *s.* avaliação exagerada.
overvalue ['ouvə'vælju:], **1** — *s.* valor superior ao real.
2 — *vt.* encarecer; exagerar o valor.
overwear ['ouvəwɛə], *vt.* (*pret.* **overwore,** *pp.* **overworn**) usar demasiado (vestuário).
overweary [ouvə'wiəri], **1** — *adj.* exausto.
2 — *vt.* extenuar.
overweening [ovə'wi:niŋ], *adj.* presunçoso, vaidoso, arrogante.
overweeningly [-li], *adv.* presunçosamente, com arrogância.
overweight ['ouvəweit], **1** — *s.* peso excessivo; preponderância; superioridade.
2 — *adj.* com peso excessivo; preponderante.
overweight [ouvə'weit], *vt.* exceder em peso; sobrecarregar.
overwhelm [ouvə'welm], *vt.* oprimir, abater, esmagar; submergir; subjugar; afligir; confundir; dominar.
to overwhelm with kindness — cumular de atenções.
to be overwhelmed with grief — estar acabrunhado pela dor.
overwhelming [-iŋ], **1** — *s.* esmagamento; submersão; aniquilamento; abatimento.
2 — *adj.* opressivo, esmagador; dominante; preponderante; irresistível; estrondoso.
overwhelmingly [-li], *adv.* opressivamente; irresistìvelmente.
overwore ['ouvəwɔ:], *pret.* de **to overwear.**
overwork 1 — ['ouvəwə:k], *s.* trabalho excessivo; trabalho extra.
2 — [ouvə'wə:k], *vt.* e *vi.* trabalhar em excesso; impor demasiado trabalho.
to overwork oneself — esgotar-se com trabalho.
overworn ['ouvəwɔ:n], *pp.* de **to overwear.**
overwrought ['ouvə'rɔ:t], *adj.* muito agitado; muito elaborado; extenuado.
Ovid ['ɔvid], *n. p.* Ovídio (poeta latino).
oviduct ['ouvidʌkt], *s.* (arc.) oviduto.
oviform ['ouvifɔ:m], *adj.* oviforme, oval.
ovine ['ouvain], *adj.* ovino.
oviparity [ouvi'pæriti], *s.* oviparidade.
oviparous [ou'vipərəs], *adj.* ovíparo.
oviposit [ouvi'pɔzit], *vt.* pôr ovos (insectos).
ovoid ['ouvɔid], **1** — *s.* figura ovóide.
2 — *adj.* ovóide.
ovoidal [ou'vɔidəl], *adj.* ovoidal, ovóide, oval.
ovoviviparous [ouvouvi'vipərəs], *adj.* ovovivíparo.
ovular ['ouvjulə], *adj.* ovular.
ovulation [ouvju'leiʃən], *s.* ovulação.
ovule ['ouvju:l], *s.* óvulo.
ovum ['ouvəm], *s.* (*pl.* **ova**) óvulo; ovo.
owe [ou], *vt.* e *vi.* dever, ser devedor; estar obrigado a; estar endividado.
to owe money — dever dinheiro.
I owe you many favours — devo-lhe muitos favores.
to owe someone a grudge — querer mal a alguém.
owing ['ouiŋ], *adj.* devido.
owing to ill luck — devido a pouca sorte.
owl [aul], *s.* mocho, coruja.
barn-owl — coruja das torres.
owl-light — crepúsculo.
horn owl — mocho.

to make an owl of somebody — fazer troça de alguém.
owlery ['-əri], *s.* ninho de coruja; lugar onde vivem as corujas.
owlet ['aulit,'aulet], *s.* coruja pequena; mocho pequeno.
owlet-moth — mariposa nocturna.
owlish ['auliʃ], *adj.* semelhante ou próprio de coruja ou mocho.
own [oun], **1** — *adj.* próprio, particular; peculiar, individual; verdadeiro, real; mesmo.
on one's own — independentemente; por conta própria.
with my own hand — com o meu próprio punho.
of his own accord — de moto próprio.
I saw it with my own eyes — vi-o com os meus próprios olhos.
to hold one's own — resistir a.
to be one's own man — ser livre, independente.
I am my own master — sou senhor de mim mesmo.
have it your own way! — faz como entenderes!
own-cousin — primo direito.
my own — os meus; a minha família.
to have nothing of one's own — não ter nada de seu.
to hold one's own — manter-se firme.
2 — *vt.* e *vi.* possuir, ter, ser dono de; reconhecer, confessar.
to own an estate — possuir uma herdade.
he owns his deficiencies — ele reconhece os seus defeitos.
to own a fault — reconhecer um erro.
he owns himself indebted — confessa-se reconhecido, individado.
to own a child — reconhecer uma criança como filho.
to own receipt — acusar a recepção duma carta.
owner ['-ə], *s.* dono, possuidor, proprietário, senhor.
sole owner — único proprietário.
the owners of a ship — os armadores dum navio.
rightful owner — possuidor legítimo.
ownerless ['-əlis], *adj.* sem dono.
ownership ['-əʃip], *s.* posse, domínio; direito de propriedade.
ox [ɔks], *s.* (*pl.* **oxen**) boi.
ox-cart — carro de bois.
ox-eye (bot.) — olho-de-boi.
ox-driver — boieiro.
ox-goad — aguilhão.
ox-yoke — jugo, canga.
ox-fence — vedação para prender o gado.
oxen [ɔksn], *s. pl.* de **ox.**
oxer ['ɔksə], *s.* ver **ox-fence.**
Oxford ['ɔksfəd], *top.* Oxónia.
Oxford bags — calças muito largas.
Oxford man — homem educado em Oxónia.
Oxford blue — azul de Oxónia.
Oxford mixture — tecido azul-escuro.
oxherd ['ɔkshə:d], *s.* ver **ox-driver.**
oxhide ['ɔkshaid], *s.* coiro de boi.
oxhorn ['ɔkshɔ:n], *s.* chifre de boi.
oxidant ['ɔksidənt], *s.* (quím.) oxidante.
oxidate ['ɔksideit], *vt.* e *vi.* oxidar, oxidar-se.
oxidation [ɔksi'deiʃən], *s.* oxidação.
oxide ['ɔksaid], *s.* (quím.) óxido.
oxide-coated — oxidado.
oxide of copper — óxido de cobre.
oxide of calcium — óxido de cálcio.
oxide of iron — óxido de ferro.
oxide of zinc — óxido de zinco.
oxidizable ['ɔksidaizəbl], *adj.* oxidável.
oxidize ['ɔksidaiz], *vt.* e *vi.* oxidar, oxidar-se.
oxidized [-d], *adj.* oxidado.
oxidizer [-ə], *s.* (quím.) oxidante.
oxidizing [-iŋ], **1** — *s.* oxidação.
2 — *adj.* oxidante.
oxlip ['ɔkslip], *s.* (bot.) primavera-dos-jardins.
Oxonian [ɔk'sounian], **1** — *s.* pessoa educada em Oxónia; aluno da Universidade de Oxónia.
2 — *adj.* relativo a Oxónia.
oxtail ['ɔksteil], *s.* rabo de boi.
oxtail soup — sopa de rabo de boi.
oxi-calcium [ɔksi'kælsiəm], *adj.* (quím.) oxídrico.
oxygen ['ɔksidʒen], *s.* oxigénio.
oxygen generator — gerador de oxigénio.
oxygen mask — máscara de oxigénio.
oxygen bottle — garrafa de oxigénio.
oxygenate [ɔk'sidʒineit], *vt.* oxigenar, oxidar.
oxygenated [-id], *adj.* oxigenado.
oxygenation [ɔksidʒi'neiʃən], *s.* oxigenação.
oxyhydrogen ['ɔksi'haidridʒin], **1** — *s.* gás oxídrico.
2 — *adj.* oxídrico.
oxyhydrogen light — luz oxídrica.
oxymoron [ɔksi'mɔ:rɔn], *s.* oximoro.
oxysulphide [ɔksi'sʌlfaid], *s.* (quím.) oxissulfureto.
oxyton ['ɔksitoun], *s.* (gram.) oxítono.
oyster ['oistə], *s.* ostra.
oyster-bed — viveiro de ostras.
oyster-breeder — ostreicultor.
oyster-breeding — ostreicultura.
ox-yoke — jugo; canga.
ox-fence — vedação para recolher o gado.
oyster-man — vendedor de ostras.
oyster-wench (oyster-woman) — vendedeira de ostras.
pearl oyster — ostra perlífera.
to be as close as an oyster — guardar segredo.
to be a regular oyster — ser calado, macambúzio.
ozone ['ouzoun], *s.* (quím.) ozono, ozónio.
ozonid [-id], *s.* (quím.) ozónio.
ozostomia ['ouzɔstoumiə], *s.* ozostomia; mau hálito.

P

P, p [pi:], (*pl.* **P's p's** [pi:z], P, p (décima sexta letra do alfabeto inglês).
to mind one's p's and q's — ter cuidado com o que se faz ou diz.
pabulum ['pæbjuləm] *s.* pábulo, alimento, sustento, pasto.
pace [peis], **1** — *s.* passo; marcha; modo de andar; passo (medida de distância); velocidade; estrado.
to keep pace with somebody — acertar o passo com alguém.
to go the pace — andar depressa; esbanjar dinheiro.
to put a person through his paces — pôr uma pessoa à prova.
to pace up and down — passear para cá e para lá.
at a great pace — a passos largos.

to hurry one's pace — apressar o passo.
to slacken one's pace — afrouxar o passo.
at a slow pace — a passos lentos.
pace-maker — marcador de passo (em corrida)
pace for pace — passo a passo.
to put a horse through its pace — exibir um cavalo.
to gather pace — ganhar velocidade.
to set the pace — regular o andamento.
2 — *vt.* e *vi.* andar a passo, andar, passear; medir a passos; marcar o passo.
to pace along — andar a passos lentos.
to pace off (out) a distance — medir uma distância a passo.
pace ['peisi], *prep.* com o devido respeito por.
pacer ['peisə], *s.* marcador de passo (em provas desportivas); cavalo que anda a passo.
pacha [pæ'ʃɑ-,'pɑʃə], *s.* ver **pasha.**
pachyderm ['pækidə:m], *s.* paquiderme.
pachydermata [pæki'də:mətə], *s. pl.* paquidermes.
pachydermatous [-s], *adj.* paquiderme; paquidérmico.
pachydermia [pæki'də:miə], *s.* (pat.) elefantíase; paquidermia.
pacific [pə'sifik], **1** — *s.* (sempre com letra maiúscula e referido ao oceano Pacífico).
the Pacific — o oceano Pacífico.
2 — *adj.* pacífico, pacato, sossegado.
the Pacific Ocean — o oceano Pacífico.
pacifically [-əli], *adv.* pacificamente.
pacification [pæsifi'keiʃən], *s.* pacificação, apaziguamento.
pacificator [pə'sifikeitə], *s.* pacificador, medianeiro.
pacificatory [-ri], *adj.* pacificador, apaziguador.
pacificism [pə'sifisizm], *s.* pacifismo.
pacificist [pə'sifisist], *s.* pacifista.
pacifier ['pæsifaiə], *s.* pacificador.
pacifism ['pæsifizm], *s.* pacifismo.
pacifist ['pæsifist], *s.* pacifista.
pacify ['pæsifai], *vt.* pacificar, acalmar, apaziguar, sossegar; aplacar, fazer a paz.
pacifying [-iŋ], **1** — *s.* pacificação.
2 — *adj.* pacificador.
pacing ['peisiŋ], *s.* passo, andar.
pack [pæk], **1** — *s.* pacote, embrulho, fardo; acondicionamento; mochila; baralho (de cartas); matilha, bando, alcateia; banco de gelo; colheita (de fruta).
a pack of cards — um baralho de cartas.
pack- horse — cavalo de carga.
pack-saddle — albarda.
a pack of wolves — uma alcateia de lobos.
a pack of hounds — uma matilha de galgos.
a pack of nonsense — um chorrilho de disparates.
pack-cloth — serapilheira.
a pack of cigarettes — um maço de cigarros.
pack-needle — agulha de coser fardos.
a pack of thieves — uma quadrilha de ladrões.
2 — *vt.* e *vi.* empacotar, enfardar; embrulhar; acondicionar, embalar; despachar, enviar; acumular; ir-se embora; carregar uma azémola; pôr em latas (carne, fruta, etc.); emalar. (*Sin.* to compact, to compress, to store, to stow.)
to pack off — despachar.
to send somebody packing — pôr alguém no olho da rua.
to pack up — empacotar, enfardar; arrumar.
to pack one's things — fazer as malas.
to pack in a case — encaixotar, acondicionar.
pack it in! (packc it up!) (col.) — acaba lá com isso!
package ['-idʒ] *s.* fardo, pacote, embrulho; embalagem; empacotamento.
packed [-t], *adj.* cheio, «à cunha».
a packed house (teat.) — uma casa cheia.
packed in like herrings (packed like sardines) in a box — apinhados como sardinha em lata.
packer ['-ə] *s.* enfardador, acondicionador, empacotador.
packet ['-it], *s.* pacote, embrulho, fardo pequeno; paquete, vapor de carreira; mala, correio; grandes dificuldades.
packet-boat — paquete.
a packet of letters — um maço de cartas.
to get a packet—estar em grandes dificuldades.
postal packet — encomenda postal.
packing ['-iŋ] *s.* enfardamento; embalagem; recheio; empanque; (cal.) alimento; (náut.) guarnição (de junta, de êmbolo).
packing-case — caixote; caixa para embalagem.
packing-needle — agulha de coser fardos.
packing-cloth — serapilheira.
packing paper — papel de embrulho.
packing machine — máquina de empacotar.
packman ['-mən], *s.* vendedor ambulante.
packsack ['-sæk], *s.* saco de viagem.
pact [pækt], *s.* pacto, tratado, acordo. (*Sin.* agreement, treaty, convention, alliance, compact, league.)
to make a pact with — fazer um pacto com.
pad [pæd], **1** — *s.* almofada, coxim; calço; postiço; xairel; caneleira; (fám.) caminho, vereda; bloco (de apontamentos).
writing-pad — bloco de papel de carta.
inking-pad — almofada para carimbos.
knight of the pad (fam.) — salteador de estrada.
pad-saddle — albarda.
note-pad — bloco de notas; pasta de secretária.
to stand pad — mendigar à beira da estrada.
2 — *vt.* e *vi.* (*pret.* e *pp.* **padded**) acolchoar, almofadar; viajar a pé, caminhar com custo; encher (um livro) com matéria supérflua.
to pad the road — seguir o caminho a pé.
padded ['-id], *adj.* almofadado, acolchoado.
padding ['-iŋ], *s.* pasta de algodão para enchumaçar; chumaço; acolchoamento.
paddle [pædl], **1** — *s.* remo de pá; conduto; pá (de roda propulsora); pena do rodízio (dos moinhos); pata de pato.
paddle-boat — barco com rodas propulsoras.
paddle-wheel — roda propulsora.
2 — *vt.* e *vi.* impelir com remos de pá; vogar; remar; patinhar, chapinhar; brincar com os dedos; (náut.) pagaiar.
paddler ['-ə], *s.* remador com remo de pá.
paddling ['-iŋ], *s.* acção de remar com remo de pá; acção de chapinhar na água.
paddock ['pædək], *s.* tapada, cerca; parque; campo pequeno onde se guardam cavalos antes das corridas; (arc.) sapo, rã.
paddy ['pædi], *s.* arroz com casca; (col.) acesso de cólera.
paddy-field — arrozal.
to be in a paddy — estar encolerizado.
paddy's lantern (col.) — lua.
padlock ['pædlɔk], **1** — *s.* cadeado, aloquete.
2 — *vt.* fechar a cadeado.
Padua ['pædjuə,'pɑ:duə], *top.* Pádua (cidade italiana).
paean ['pi:ən], *s.* péan, canto de triunfo na antiga Grécia.
paederast ['pi:diræst], *s.* pederasta.
paederastic [pidi'ræstik], *adj.* pederástico.
paederasty ['pi:diræsti], *s.* pederastia.
paeon ['pi:ən], *s.* pé métrico de quatro sílabas.
pagan ['peigən], *s.* e *adj.* pagão; infiel.
paganism [-izm], *s.* paganismo.
paganize [-aiz], *vt.* e *vi.* paganizar, paganizar-se.
page [peidʒ], **1** — *s.* página; pajem, escudeiro, paquete, mandarete.

blank page — página em branco.
on page 17 — na página 17.
page-boy — paquete de hotel.
2 — *vt.* paginar; servir como pajem; chamar alguém em voz alta para dar recado (hotel, etc.)
pageant ['pædʒənt], *s.* pompa, fausto; espectáculo; aparato cénico; cortejo cívico; manifestação pública; representação ao ar livre em cima de carro (teatro da Idade Média).
pageantry ['pædʒəntri], *s.* espectáculo magnificente; pompa, fausto, aparato, ostentação. (*Sin.* display, pomp, splendour, magnificence, state.)
paginal ['pædʒinl,'peidʒinl], *adj.* composto de páginas; paginal.
paginate ['pædʒineit], *vt.* paginar.
pagination [pædʒi'neiʃən], *s.* paginação.
paging [peidʒiŋ], *s.* paginação.
pagoda, [pə'goudə], *s.* pagode, templo chinês.
pagoda-tree — sófora; (col.) árvore das patacas.
to shake the ***pagoda-tree*** — (col.) abanar a árvore das patacas.
pah [pɑ:], *interj.* que exprime aborrecimento ou enfado.
paid [peid], **1** — *adj.*
paid up — realizado (capital); liberada (acção).
2 — *pret.* e *pp.* de **to pay.**
pail [peil], *s.* balde.
pailful ['-ful], *s.* balde cheio.
paillasse [pæl'jæs], *s.* enxergão.
paillette [pæl'jet], *s.* lentejoula.
pailliasse ['pæljæs], *s.* ver **paillasse.**
pain [pein], **1** — *s.* pena, dor, tormento; castigo; *pl.* trabalho, incómodo; dores de parto.
to take great pains — esmerar-se; afadigar-se.
to be at the pains of — dar-se ao trabalho de.
no gains without pains — não se pescam trutas a bragas enxutas.
to cry with pain — chorar com dores.
on pain of death — sob pena de morte.
pain-killer — analgésico; calmante.
shooting pains — dores horríveis.
a pain in the head — uma dor na cabeça.
to be in pain — sofrer.
to cause pain — fazer sofrer.
to spare no pains — não poupar esforços.
2 — *vt.* e *vi.* afligir, atormentar; doer, fazer sofrer; penar.
it pains me to talk to you like that — custa-me falar-te assim.
pained [-d], *adj.* aflito, doloroso, dorido.
painful ['-ful], *adj.* doloroso, aflitivo; penoso, difícil; laborioso, trabalhoso.
it's awfully painful — dói imenso.
painfully ['-fuli], *adv.* dolorosamente; laboriosamente.
painfulness ['-fulnis], *s.* dor, aflição; trabalho, fadiga.
painless, ['-lis], *adj.* sem dor; sem custo, fácil.
painlessly ['lisli], *adv.* facilmente; sem dor.
painlessness ['-lisnis], *s.* ausência de dor.
painstaking ['peinzteikiŋ], **1** — *s.* esforço, trabalho.
2 — *adj.* cuidadoso; trabalhador, activo; consciencioso. (*Sin.* industrious, diligent, laborious, careful. *Ant.* lazy.)
paint [peint], **1** — *s.* pintura, tinta, cor.
to lay on a coat of paint — dar uma demão de tinta.
paint-box — caixa de tintas.
paint-brush — pincel para pintar.
wet paint! — pintado de fresco.
as fresh as paint (col.) — fresco como uma alface.
2 — *vt.* e *vi.* pintar, colorir; dedicar-se à pintura; retratar; pintar-se; descrever, representar.
to paint the lily (col.) — fazer uma coisa supérflua.
to paint the town red (col.) — andar em grandes pândegas; pintar a manta.
to paint with water colours — pintar a aguarela.
to paint in oil-colours — pintar a óleo.
he is not as black as he is painted (col.) — não é tão mau como o pintam.
painter ['-ə], *s.* pintor; (náut.) cabo, amarra, boça.
landscape painter — paisagista.
house-painter — pintor de casas.
painting ['-iŋ], *s.* pintura (arte e ofício), quadro ou pintura; descrição.
oil-painting — pintura a óleo.
to study painting — estudar pintura.
paintress ['-tris], *s.* pintora.
painty ['-i], *adj.* com muita tinta; sujo de tinta.
pair [pɛə], **1** — *s.* par, parelha; junta; casal.
in pairs — aos pares.
a pair of scissors — uma tesoura.
a pair of shoes — um par de sapatos.
the bridal pair — os noivos.
a pair of kicks (col.) — sapatos ou botas.
a pair of stairs — um lanço de escadas.
a pair of bellows — um fole.
a pair of oxen — uma junta de bois.
a pair of scales — uma balança.
where is the pair to this sock? — onde está o par desta peúga?
2 — *vt.* e *vi.* emparelhar; juntar; casar; igualar; emparelhar-se; casar-se; estar aos pares.
to pair off — pôr dois a dois; sair da câmara antes da votação (dois deputados de opiniões contrárias).
paired [-d], *adj.* aos pares.
pajamas [pə'dʒɑ:məz], *s.* ver **pyjamas.**
pal [pæl], **1** — *s.* (fam.) companheiro, amigalhote.
2 — *vi.* (*pret.* e *pp.* **palled**) acamaradar.
palace ['pælis], *s.* palácio.
palace car (caminho-de-ferro) — carruagem de luxo.
picture-palace — cinema monumental.
Bishop's palace — paço episcopal.
paladin ['pælədin], *s.* paladino.
palaeographer [pæli'ɔgrəfə], *s.* paleógrafo.
palaeographic [pæliou'græfik], *adj.* paleográfico.
palaeographical [-əl], *adj.* ver **palaeographic.**
palaeography [pæli'ɔgrəfi], *s.* paleografia.
palaeolithic [pæliou'liθik], *adj.* paleolítico.
palaeologist [pæli'ɔlədʒist], *s.* paleólogo.
palaentological ['pæliɔntə'lɔdʒikəl], *adj.* paleontológico.
palaeontologist ['pæliɔn'tɔlədʒist], *s.* paleontologista.
palaeontology [pæliɔn'tɔlədʒi], *s.* paleontologia.
palaeozoic [pæliou'zouik], *adj.* paleozóico.
palafitte ['pæləfit], *s.* palafita.
palankeen [pælæŋ'ki:n], *s.* palanquim.
palanquin [pælæŋ'ki:n], *s.* ver **palankeen.**
palatability [pælətə'biliti], *s.* paladar agradável.
palatable ['pælətəbl,'pælitəbl], *adj.* saboroso, gostoso, agradável.
palatableness [-nis], *s.* sabor agradável.
palatably [-i], *adv.* agradavelmente, saborosamente.
palatal ['pælətl,pə'leitl], **1** — *s.* fonema palatal.
2 — *adj.* palatal.
palatalization ['pælətəlai'zeiʃən], *s.* palatalização.

palatalize ['pælətəlaiz], *vt.* palatalizar.
palate ['pælit,'pælət], *s.* palato, céu-da-boca; paladar.
bony palate (hard palate) — palato duro.
soft palate — palato mole.
palatial [pə'leiʃ(j)əl], *adj.* palacial; sumptuoso, majestoso.
palatinate [pə'lætinit], *s.* palatinado, domínios de conde palatino.
palatine ['pælətain] **1** — *s.* palatina; *pl.* ossos palatinos.
2 — *adj.* palatino (referente ao palatinado ou ao palato).
palaver [pə'lɑ:və], **1** — *s.* palavreado; conferência, discussão; adulação.
2 — *vt.* e *vi.* palavrear; adular, lisonjear.
pale [peil], **1** — *s.* estaca, paliçada; limite; espaço cercado; pala do escudo.
within the pale — dentro do que é razoável.
beyond the pale (outside the pale) (fig.) — para além do que é considerado razoável.
the English Pale — a parte da Irlanda ligada à Inglaterra.
2 — *adj.* pálido, descorado; claro.
to grow pale (to turn pale) — empalidecer.
to look pale — estar pálido.
pale as ashes (pale as death) — pálido como um defunto.
pale-faced — de rosto pálido.
pale-face — rosto-pálido (como os peles-vermelhas chamam aos brancos).
pale green — verde pálido.
deadly pale (ghastly pale) — com uma palidez mortal.
pale red wine — vinho palhete.
3 — *vt.* e *vi.* empalidecer, pôr-se pálido; guarnecer de paliçadas, cercar.
palely ['-li], *adv.* palidamente.
paleness ['-nis], *s.* palidez.
paleographer [pæli'ɔgrəfə], *s.* ver **palaeographer.**
paleographic [pæliou'græfik], *adj.* ver **palaeographic.**
paleography [pæli'ɔgrəfi], *s.* ver **palaeography.**
paleolithic [pæliou'liθik], *adj.* ver **palaeolithic.**
paleontological ['pæliɔntə'lɔdʒikəl], *s.* ver **palaeontological.**
paleontologist [pæliɔn'tɔlədʒist], *s.* ver **palaeontologist.**
paleontology [pæliɔn'tɔlədʒi], *s.* ver **palaeontology.**
paleozoic ['pæliouzouik], *adj.* ver **palaeozoic.**
Palestine ['pælistain,'pæləstain], *top.* Palestina.
paletot ['pæltou], *s.* paletó.
palette ['pælit], *s.* paleta.
palette-knife — espátula (de pintor).
palimpsest ['pælimpsest], **1** — *s.* palimpsesto.
2 — *adj.* palimpséstico.
palindrome ['pælindroum], **1** — *s.* e *adj.* palíndromo.
palindromic [pælin'drɔmik], *adj.* palíndromo.
palinode ['pælinoud], *s.* palinódia; retractação.
palisade [pæli'seid], **1** — *s.* paliçada, estacada.
2 — *vt.* cercar com paliçada.
palish ['peiliʃ], *adj.* um tanto pálido, macilento.
pall [pɔ:l], **1** — *s.* pano mortuário; manto; pálio (de arcebispo ou papa).
pall-bearer — aquele que pega nas borlas de um caixão.
2 — *vt.* e *vi.* tornar-se insípido; embotar os sentidos; fartar, saciar.
palladium [pə'leidjəm], paládio; salvaguarda.
pallet ['pælit], *s.* cama paquena; enxerga; paleta (de pintura); fiador (de roda); instrumento para dourar ou fazer inscrições nas capas dos livros.
palliasse [pæl'jæs], *s.* ver **paillasse.**
palliate ['pælieit], *vt.* paliar, aliviar; desculpar, encobrir. (*Sin.* to extenuate, to relieve, to excuse, to hide.)
palliation [pæli'eiʃən], *s.* paliação, alívio, mitigação; disfarce.
palliative ['pæliətiv], *s.* e *adj.* paliativo.
pallid ['pælid], *adj.* pálido, descorado.
pallidly [-li], *adv.* palidamente.
pallidness [-nis], *s.* palidez.
pallium ['pælium], *s.* (*pl.* **pallia**) pálio; manto.
pall-mall ['pel'mel], *s.* palamalhar (jogo).
Pall-Mall — nome de uma artéria de Londres.
pallor ['pælə], *s.* palidez.
pally ['pæli], *adj.* camarada.
palm [pɑ:m], **1** — *s.* palma, palmeira; palma da mão; palmo (medida); (náut.) pata do ferro; repuxo; vitória, triunfo.
palm-tree — palmeira.
to bear the palm (to carry away the palm, to carry off the palm) — levar a palma.
to grease somebody's palm — subornar alguém; (col.) untar as mãos a alguém.
palm-cabbage — palmito.
palm-oil — óleo de palma; óleo de coco.
palm wine — vinho de palmeira.
palm-house — jardim de Inverno.
to have an itching palm — prestar-se a suborno.
palm-oil soap — sabão de óleo de coco.
Palm Sunday — Domingo de Ramos.
2 — *vt.* empalmar, esconder na mão; enganar, trapacear; subornar; cobrir com palmas.
to palm off a thing — impingir uma coisa.
Palma Christi [pælmə'kristi], *s.* (bot.) rícino.
palmar ['pælmə], *adj.* palmar; relativo à palma da mão.
palmary [-ri], *adj.* que leva a palma, muito bom.
palmate ['pælmit], *adj.* espalmado; palmado.
palmer ['pɑ:mə], *s.* palmeiro, peregrino, romeiro; empalmador (no jogo de cartas); prestidigitador; mosca artificial para isca.
palmetto [pæl'metou], *s.* (bot.) palmeto, palmito.
palmiform ['pælmifɔ:m], *adj.* (bot.) palmiforme.
palmiped ['pælmiped], *s.* e *adj.* (zool.) palmípede.
palmist ['pɑ:mist], *s.* quiromante.
palmistry ['pɑ:mistri], *s.* quiromancia.
palmy ['pɑ:mi], *adj.* coberto de palmeiras, relativo a palmeira; florescente, próspero.
palmy days — tempos áureos.
palmyra [pæl'maiərə], *s.* palmeira da Índia, palmira.
palp [pælp], *s.* (zool.) palpo.
palpability [pælpə'biliti], *s.* palpabilidade, evidência.
palpable ['pælpəbl], *adj.* palpável, manifesto, óbvio, evidente.
palpableness [-nis), *s.* ver **palpability.**
palpably [-i], *adv.* palpàvelmente, evidentemente, manifestamente.
palpate ['pælpeit], *vt.* (med.) palpar, apalpar.
palpation [pæl'peiʃən], *s.* (med.) palpação, apalpação, toque.
palpitate ['pælpiteit] *vt.* palpitar, bater, latejar. (*Sin.* to throb, to beat, to pulsate, to pant, to tremble.)
palpitating [-iŋ], *adj.* palpitante.
palpitation [pælpi'teiʃən], *s.* palpitação, pulsação; agitação.
palpus ['pælpəs], *s.* (*pl.* **palpi**) ver **palp.**
palsied [pɔ:lzid], *adj.* paralítico.
palsy ['pɔ:lzi], **1** — *s.* paralisia; ineficácia; apatia.
2 — *vt.* paralisar; inutilizar.
palter ['pɔ:ltə], *vi.* simular, enganar; pregar partidas; desperdiçar.
palterer [-rə], *s.* trapaceiro, velhaco.

paltering [-riŋ], **1** — *s.* acção de dissimular. **2** — *adj.* simulador.
paltrily [ˈpɔːltrili], *adv.* mesquinhamente, desprezivelmente.
paltriness [ˈpɔːltrinis], *s.* mesquinhez, vileza, baixeza.
paltry [ˈpɔːltri], *adj.* vil, mesquinho, miserável.
paludism [ˈpæljudizm], *s.* paludismo.
palustral [pæˈlʌstrəl], *adj.* palustre.
pam [pæm], *s.* valete de paus.
pampa(s) [ˈpæmpə(s)], *s.* pampa(s).
pampas-grass — plumas (planta).
pamper [ˈpæmpə], *vt.* tratar com mimo; regular; acariciar; (arc.) engordar, fartar. (*Sin.* to indulge, to spoil, to fondle, to feed.)
pampered [-d], *adj.* amimado.
pamphlet [ˈpænflit], *s.* panfleto, folheto, impresso.
pamphleteer [pæmfliˈtiə], **1** — *s.* panfletário; autor de panfletos.
2 — *vi.* escrever panfletos.
pan [pæn], **1** — *s.* panela, caçarola, marmita, frigideira; prato de balança.
frying-pan — frigideira.
baking-pan — torteira.
stew-pan — caçarola.
knee-pan — rótula.
earthen-pan — alguidar.
pan-closet — bacia de instalação sanitária.
bed-pan — bacio.
oven-pan — travessa de ir ao forno.
meat-pan — assadeira.
out of the frying-pan into the fire — de mal a pior.
salt-pan — salina.
2 — *vt.* e *vi.* (*pret.* e *pp.* **panned**) fritar; extrair sal; (min.) separar o ouro; rebaixar.
to pan out — dar ouro (a terra ou a areia); dar bom resultado.
Pan [pæn], *n. p.* (mit.) Pã (deus).
panacea [pænəˈsiə], *s.* panaceia.
panache [pəˈnæʃ], *s.* penacho, topete.
Pan-African [pæn-ˈæfrikən], *adj.* pan-africano.
Panama [pænəˈmɑ], **1** — *s.* panamá (chapéu).
2 — *top.* Panamá.
Pan-American [ˈpæn-əˈmerikən], *adj.* pan--americano.
pancake [ˈpænkeik], *s.* sonho, filhó; (bras.) panqueca.
flat as a pancake — chato como um prato.
pancake Day — Terça-Feira de Entrudo.
panchromatic [ˈpænkrouˈmætik], *adj.* pancromático.
panchromatization [ˈpænkroumətaiˈzeiʃən], *s.* pancromatização.
Pancras [ˈpæŋkrəs], *n. p.* Pancrácio.
pancratium [pænˈkreiʃiəm], *s.* pancrácio, espécie de luta greco-romana.
pancreas [ˈpæŋkriəs], *s.* pâncreas.
pancreatic [pæŋkriˈætik], *adj.* pancreático.
panda [ˈpændə], *s.* (zool.) panda, urso-gato.
pandemia [pænˈdiːmiə], *s.* pandemia; epidemia.
pandemic [pænˈdæmik], **1** — *s.* pandemia; epidemia.
2 — *adj.* epidémico; geral, comum.
pandemonium [pændiˈmounjəm], *s.* pandemónio, inferno, barafunda.
pander [ˈpændə], **1** — *s.* alcoviteiro.
2 — *vt.* e *vi.* alcovitar; favorecer (um vício).
panderess [-ris], *s.* alcoviteira.
Pandora [pænˈdɔːrə], *n. p.* (mit.) Pandora.
Pandora's box — boceta de Pandora.
pandora [pænˈdɔːrə], *s.* (mús.) pandora (instrumento de cordas).
pandore [pænˈdɔː], *s.* ver **pandora.**
pane [pein], **1** — *s.* vidro (de vidraça); quadrado de madeira; crista (de malho); pena (de martelo).
a pane of glass — um vidro da janela.
2 — *vt.* dividir (tecido) em quadrados ou tiras de cores diferentes.
paned [-d], *adj.* com vidros; composto de quadrados pequenos.
panegyric [pæniˈdʒirik], *s.* e *adj.* panegírico. (*Sin.* praise, encomium, commendation.)
panegyrical [pæniˈdʒirikəl], *adj.* panegírico.
panegyrically [-i], *adv.* laudatoriamente.
panegyrist [pæniˈdʒirist], *s.* panegirista.
panegyrize [ˈpænidʒiraiz], *vt.* fazer o panegírico de.
panel [pænl], **1** — *s.* painel; almofada (de porta, janela, etc.); xairel; face de uma pedra lavrada; pano (de vestido); lista de jurados; júri; quadro de instrumentos.
panel-doctor — médico dos Serviços Sociais.
instrument panel — quadro de instrumentos (automóvel).
2 — *vt.* (*pret.* e *pp.* **panelled**) almofadar (portas, janelas, etc.); apainelar.
paneless [ˈpeinlis], *adj.* sem vidraças.
panelling [ˈpænliŋ], *s.* revestimento com almofadas ou lambrins.
panful [ˈpænful], *s.* caçarola ou panela cheia.
pang [pæŋ], *s.* angústia, dor, agonia, transe, tormento.
Pan-German [ˈpæn-ˈdʒəːmən], *adj.* pangermanista; pangermânico.
panic [ˈpænik], **1** — *s.* pânico, terror, medo; (bot.) pânico.
panic-struck (*panic-stricken*) — espavorido; possuído de terror.
panic-monger — terrorista.
2 — *adj.* pânico, que inspira terror.
3 — *vt.* e *vi.* ficar apavorado, perder a cabeça, desorientar-se; encher de pânico; (teat. col.) levar a assistência a interromper em grandes aplausos.
whatever happens, don't panic — nada de perder a cabeça, aconteça o que acontecer.
panicky [ˈpæniki], *adj.* (col.) que produz pânico.
panification [pænifiˈkeiʃən], *s.* panificação.
panjandrum [pənˈdʒændrum], *s.* (fam.) alta personalidade.
pannage [ˈpænidʒ], *s.* colheita de bolotas; sustento de porcos; direito que se paga por meter porcos em montado.
pannier [ˈpæniə], *s.* cabaz, cesto grande.
pannikin [ˈpænikin], *s.* pequeno copo de metal, ou bebida que o mesmo contém.
panoply [ˈpænəpli], *s.* panóplia, armadura completa de cavaleiro.
panorama, [pænəˈrɑːmə], *s.* panorama.
panoramic [pænəˈræmik], *adj.* panorâmico.
panoramically [-əli], *adv.* panoramicamente.
panoramist [pænəˈræmist], *s.* panoramista.
pansy [ˈpænzi], *s.* amor-perfeito; (cal.) homossexual.
pant [pænt], **1** — *s.* palpitação; arquejo.
2 — *vi.* arquejar, arfar; palpitar; anelar; suspirar por.
to pant for (*to pant after*) — suspirar por.
to pant for breath — arfar.
pantagraph [ˈpæntəgrɑːf], *s.* ver **pantograph.**
pantagruelian [pæntəgruˈæliən], *adj.* pantagruélico.
pantagruelic [pæntəgruˈelik], *adj.* ver **pantagruelian.**
pantagruelism [pæntəˈgruelizm], *s.* pantagruelismo.
pantagruelist [pæntəˈgruelist], *s.* pantagruelista.
pantaloon [pæntəˈluːn], *s.* arlequim, bobo; pantalão; *pl.* pantalonas, calças.
pantechnicon [pænˈteknikən], *s.* armazém de mobílias.

pantechnicon van — camião para mudança de mobílias.
panter ['pæntə], *s.* pessoa ofegante; pessoa que anseia.
pantheism ['pænθi(:)izm], *s.* panteísmo.
pantheist ['pænθi(:)ist], *s.* panteísta.
pantheistic [pænθi(:)'istik], *adj.* panteísta.
pantheistical [-əl], *adj.* ver **pantheistic.**
pantheistically [-əli], *adv.* de modo panteísta.
pantheon [pæn'θi:ən], *s.* panteão.
panther ['pænθə], *s.* pantera.
pantheress [-ris], *s.* pantera (fêmea).
panties ['pæntiz], *s.* (fam.) cuecas (de senhora ou criança).
pantile ['pæntail], *s.* goteira.
panting ['pæntiŋ], **1** — *s.* palpitação; arquejo. **2** — *adj.* palpitante; ofegante.
pantingly [-li], *adv.* com palpitações; ofegantemente.
pantograph ['pæntəgrɑf], *s.* pantógrafo.
pantographic [-ik] *adj.* pantográfico.
pantographical [-ikəl], *adj.* ver **pantographic.**
pantographically [-ikəli], *adv.* pantograficamente.
pantomime ['pæntəmaim], **1** — *s.* pantomima; pantomimo.
2 — *vt.* e *vi.* exprimir por meio de pantomima.
pantomimic [pæntə'mimik], *adj.* pantomímico.
pantomimically [-əli], *adv.* à maneira de pantomima.
pantomimist ['pæntəmaimist], *s.* pantomimo.
pantry ['pæntri], *s.* despensa, copa.
pantryman [-mən], *s.* despenseiro.
pants [pænts], *s. pl.* cuecas; (E. U.) calças.
pap [pæp], **1** — *s.* papa; polpa (dos frutos); borbulha.
2 — *vt.* alimentar com papas.
papa [pə'pɑ:], *s.* papá.
papacy ['peipəsi] *s.* papado, pontificado.
papal ['peipəl], *adj.* papal, pontifical.
papalism ['peipəlizm], *s.* papismo.
papalist ['peipəlist], *s.* papista.
papalize ['peipəlaiz], *vt.* e *vi.* adoptar a doutrina papal.
papaverous [pə'peivərəs], *adj.* papaveráceo.
papaw [pə'pɔ:], *s.* (bot.) papaia; mamão; papaieira; mamoeiro.
paper ['peipə], **1** — *s.* papel, folha de papel; jornal; papel de crédito; ponto de exame; valor; vale, letra ou ordem de pagamento; documento; ensaio literário; nota de banco; (teat. fam.) entrada à borla, portador de entrada à borla; *pl.* documentos.
a sheet of paper — uma folha de papel.
paper currency — papel-moeda
paper-knife — faca para cortar papel.
paper-making — fabrico de papel.
paper money — papel-moeda.
paper-mill — fábrica de papel.
wall-paper — papel de parede.
paper-pulp — polpa (pasta) para fabrico de papel.
paper-pulp — polpa para fabricar papel.
brown paper — papel pardo.
emery-paper — lixa de esmeril.
filter-paper — papel de filtro.
tissue-paper — papel de seda.
stamped-paper — papel selado.
waste-paper — papel de embrulho.
drawing-paper — papel de desenho.
writing-paper — papel de escrever.
paper poplar — choupo macio.
paper-reed — papiro.
paper-test — aparelho para avaliar a resistência do papel.
accomodation-paper — capital fictício.
printing-paper — papel de impressão.
embossed-paper — papel estampado.
examination-paper — ponto de exame.
short paper — letra a menos de 30 dias.
daily paper — diário (jornal).
weekly paper — jornal semanal, semanário.
fly-paper — papel para caçar moscas.
note-paper — papel de carta.
to commit to paper — assentar, escrever.
to put pen to paper — começar a escrever.
to send in one's papers — desistir das provas escritas (num exame).
paper-back — brochura.
paper-backed — brochado.
paper-boy — vendedor de jornais.
paper-bag — saco de papel.
paper-box — caixa de cartão.
paper-clamp — mola para segurar papéis.
paper-cutter — máquina de cortar papel.
paper-case — papeleira.
paper-folding machine — máquina de dobrar papel.
paper of pins — carta de alfinetes.
paper sack — cartucho de papel.
paper in roll — papel em rolos.
paper-weight — pisa-papéis.
a quire of paper — uma mão de papel.
a ream of paper — uma resma de papel.
paper shavings — aparas de papel.
blotting-paper — mata-borrão.
carbon paper — papel químico.
black-edged paper — papel de luto.
curl-papers — papelotes (rolos) (para frisar o cabelo).
glass paper — folha de lixa.
cigarette paper — mortalha (de cigarro).
marbled paper — papel jaspeado.
glossy paper — papel de lustro.
ruled paper — papel pautado.
typewriting paper — papel de máquina (de escrever).
wrapping-paper — papel de embrulho.
to explain on paper — explicar por escrito.
on paper — no papel, em teoria.
paper kite — papagaio de papel.
toilet paper — papel higiénico.
to read a paper — fazer uma conferência.
2 — *vt.* forrar de papel; dar muitos bilhetes de favor (no teatro).
papery [-ri], *adj.* como papel; fino como papel.
papier mâché ['pæpjei'mɑ:ʃei], *s.* massa de papel (para bandeiras, caixas, etc.).
papilla [pə'pilə], *s.* (*pl.* **papillae**) papila.
papillary [-ri], *adj.* da papila; semelhante a papilas; coberto de papilas.
papillate ['pæpilit], *adj.* papilar.
papism [peipizm], *s.* papismo.
papist ['peipist], *s.* papista.
papistic [pə'pistik], *adj.* papista.
papistical [-əl], *adj.* ver **papistic.**
papoose [pə'pu:s], *s.* criança índia norte-americana.
pappus ['pæpəs], *s.* (*pl.* **pappi**) (bot.) papo, plúmula.
Papua ['pæpjuə], *top.* Papuásia, Nova Guiné.
papyraceous [pæpi'reiʃəs], *adj.* papiráceo.
papyri [pə'paiərai], *s. pl.* de **papyrus.**
papyrus [pə'paiərəs], *s.* (*pl.* **papyri**) papiro.
par [pɑ-], *s.* equivalência, igualdade; nível; (col.) parágrafo.
at par — ao par.
to be on a par with — estar ao par de; ser igual a.
below par — abaixo do par; fora do normal; maldisposto.
above par — a prémio.
par value — valor nominal.
parabasis [pə'ræbəsis], *s.* (*pl.* **parabases**) parábase.
parable ['pærəbl], *s.* parábola; alegoria (*Sin.* allegory, fable.)
parabola [pə'ræbələ], *s.* (geom.) parábola.

parabolic [pærə'bɔlik], *adj.* parabólico.
parabolic curve — curva parabólica.
parabolical [-əl], *adj.* ver **parabolic.**
parabolically [-əli], *adv.* parabolicamente.
paraboloid [pə'ræbəlɔid], *s.* parabolóide.
Paracelsus [pærə'selsəs], *n. p.* Paracelso.
parachute ['pærəʃu:t], **1** — *s.* pára-quedas.
parachute jump — salto em pára-quedas.
2 — *vi.* descer em pára-quedas.
parachutist [-ist], *s.* pára-quedista.
parade [pə'reid], **1** — *s.* parada; revista de tropas; ostentação, pompa, aparato; passeio público; cavalgada; procissão. (*Sin.* show, display, pomp, ostentation, review.)
to make a parade of — fazer alarde de.
mannequin parade — passagem de modelos.
2 — *vt.* e *vi.* dispor em parada; passar revista; passear; cavalgar; alardear, fazer gala.
to parade one's knowledge — exibir os seus conhecimentos.
parader [-ə], *s.* aquele que gosta de se mostrar.
paradigm ['pærədaim], *s.* paradigma, modelo, exemplo.
paradigmatic [pærədig'mætik], *adj.* paradigmático, exemplar.
paradigmatical [-əl], *adj.* paradigmático, exemplar.
paradisaic [pærədi'zeik], *adj.* paradisíaco.
paradisaical [-əl], *adj.* ver **paradisaic.**
paradisaically [-əli], *adv.* paradisìacamente.
paradise ['pærədais], *s.* paraíso, céu, éden; (teat.) geral.
to live in a fool's paradise — ignorar o perigo em que se está.
bird of paradise — ave-do-paraíso.
paradisiac [pærə'disiæk], *adj.* paradisíaco.
paradisiacal ['pærədi'saiəkəl], *adj.* ver **paradisiac.**
paradox ['pærədɔks], *s.* paradoxo.
paradoxical [-ikəl], *adj.* paradoxal.
paradoxically [-ikəli], *adj.* paradoxalmente.
paraffin ['pærəfin], **1** — *s.* parafina; petróleo.
paraffin oil — petróleo.
paraffin paper — papel parafinado.
liquid paraffin — parafina líquida.
paraffin wax — parafina sólida.
to coat with paraffin — parafinar.
2 — *vt.* parafinar.
paraffine ['pærəfi:n], *s.* e *vt.* ver **paraffin.**
paragoge [pærə'goudʒi], *s.* (gram.) paragoge.
paragogic [pærə'gɔdʒik], *adj.* paragógico.
paragon ['pærəgən], *s.* parangona; modelo, exemplar; protótipo.
paragraph ['pærəgrɑ:f], **1** — *s.* parágrafo; alínea; notícia de jornal.
paragraph (a new paragraph)! — parágrafo! (em ditado).
2 — *vt.* dispor em parágrafos, dividir em parágrafos.
Paraguay ['pærəgwai, pærəgwei], *top.* Paraguai.
parakeet ['pærəki:t], *s.* periquito.
paraldehyde [pə'rældihaid], *s.* *(quím.)* paraldeído.
paralipsis [pærə'lipsis], *s.* paralipse (figura de retórica).
parallax ['pærəlæks], *s.* paralaxe.
parallel ['pærəlel], **1** — *s.* linha paralela; paralelo; comparação; semelhança; cópia.
parallel of latitude — paralelo, grau de latitude.
to draw a parallel — traçar uma linha paralela.
to put oneself on a parallel with — igualar-se a.
to be without a parallel — não ter igual.
2 — *adj.* paralelo; igual, semelhante, análogo.
parallel bars — barras paralelas (ginásio).
parallel motion — paralelogramo articulado; movimento de paralelogramo.
parallel line — linha paralela.
3 — *vt.* pôr em paralelo; comparar; ser paralelo ou igual a; corresponder a.
parallelepiped [pærəle'lepiped, 'pærələlə'paiped], *s.* paralelepípedo.
parallelism ['pærəlelizm], *s.* paralelismo.
parallelogram [pærə'leləgræm], *s.* paralelogramo.
parallelopiped [pærəle'lɔpiped], *s.* ver **parallelepiped.**
paralogism [pə'ræloudʒizm], *s.* paralogismo.
paralogize [pə'ræloudʒaiz], *vi.* paralogizar.
paralysation [pærəlai'zeiʃən], *s.* paralisação; interrupção.
paralyse ['pærəlaiz], *vt.* paralisar; imobilizar; suspender.
paralysed in one arm — paralítico dum braço.
paralyser [-ə], *s.* o que faz paralisar.
paralysing [-iŋ], *adj.* paralisador.
paralysis [pə'rælisis], *s.* (*pl:* **paralyses**) paralisia; paralisação.
paralytic [pærə'litik], *s.* e *adj.* paralítico.
paralytic stroke — ataque de paralisia.
paramagnetic [pærəmæg'netik], *adj.* (fís.) paramagnético.
paramagnetism [pærə'mægnətizm], *s.* (fís.) paramagnetismo.
paramecium [pærə'mi:siəm], *s.* (*pl.* **paramecia**) paramécia.
parameter [pə'ræmitə], *s.* (mat.) parâmetro.
parametric [pærə'metrik], *adj.* paramétrico.
paramount ['pærəmaunt], *adj.* superior, supremo.
of paramount importance — da maior importância.
paramount authority — autoridade soberana.
paramountcy [-si], *s.* proeminência.
paramountly [-li], *adv.* superiormente.
paramour ['pærəmuə], *s.* amante.
paranoea [pærə'ni:ə], *s.* paranóia.
paranoia [pærə'nɔiə], *s.* ver **paranoea.**
paranoiac [pærə'nɔiæk], *adj.* paranóico.
parapet ['pærəpit], *s.* parapeito, peitoril; varanda.
parapeted [-id], *adj.* com parapeito.
paraphernal [pærə'fə:nəl], *adj.* (jur.) parafernal.
paraphernalia [pærəfə'neiljə], *s. pl.* (jur.) parafernais, haveres pessoais; acessórios mecânicos; objectos de adorno.
paraphrase ['pærəfreiz], **1** — *s.* paráfrase.
2 — *vt.* parafrasear.
paraphrastic [pærə'fræstik], *adj.* parafrástico.
paraphrastically [-əli], *adv.* parafrasticamente.
paraplegia [pærə'pli:dʒiə], *s.* paraplegia.
paraplegic [pærə'pledʒik], *adj.* paraplégico.
parasite ['pærəsait], *s.* parasita; planta trepadeira.
parasitic [pærə'sitik], *adj.* parasítico, parasita.
parasitic noise — interferência radiofónica.
parasitical [-əl], *adj.* ver **parasitic.**
parasitically [-əli], *adv.* à maneira de parasita.
parasitism ['pærəsaitizm], *s.* parasitismo.
parasitology [pærəsai'tɔlədʒi], *s.* parasitologia.
parasol [pærə'sɔl], *s.* sombrinha; chapéu-de-sol.
parasynthetic [pærəsin'θetik], *adj.* (gram.) parassintético.
paravane ['pærəvein], *s.* (náut.) instrumento para cortar minas (minas).
parboil ['pɑ:bɔil], *vt.* cozer ligeiramente, dar uma fervura a, encalir.
parbuckle ['pɑ:bʌkl], **1** — *s.* virador.
2 — *vt.* levantar ou baixar por meio de um virador.
Parcae ['pɑ:si:], *n. p. pl.* (mit.) Parcas.
parcel [pɑ:sl], **1** — *s.* pacote, embrulho; encomenda, porção, quantidade; lote (de terreno).
parcel post — serviço de encomendas postais.

bill of parcels — factura; nota dos artigos comprados.
parcel of ground — lote de terreno.
to collect a parcel from the post — levantar uma encomenda postal.
it goes by parcel post — vai como encomenda postal.
parcel of goods — lote de mercadorias.
post parcel — encomenda postal.
2 — *vt.* (*pret.* e *pp.* **parcelled**) dividir, distribuir, repartir; empacotar; (náut.) precintar, vedar uma costura.
to parcel out — repartir.
parcellary [pɑ:'seləri], *adj.* parcelar.
parcelling ['pɑ:sliŋ], *s.* (náut.) precinta; acção de dividir em lotes ou partes.
parcenary ['pɑ:sənəri], *s.* herança indivisa.
parcener ['pɑ:sənə], *s.* co-herdeiro.
parch [pɑ:tʃ], *vt.* e *vi.* queimar, tostar; ressecar, secar; abrasar; tostar-se, queimar-se.
to be parched with thirst — morrer de sede.
the sun has parched the corn — o sol secou o trigo.
parched [-t], *adj.* seco, ressequido.
parchement ['mənt], *s.* pergaminho.
parching ['-iŋ], 1 — *s.* acção de secar ou ressecar.
2 — *adj.* abrasador, ardente.
parchingly ['iŋli], *adv.* abrasadoramente.
pard [pɑ:d], *s.* (arc.) leopardo; (E. U.) companheiro, parceiro.
pardon [pɑ:dn], 1 — *s.* perdão; indulto; absolvição; desculpa.
(I beg your) pardon? — como?, que disse?
general pardon — amnistia geral.
2 — *vt.* perdoar; desculpar; absolver.
pardon me! — perdão!
a thousand pardons! — mil perdões!; mil desculpas!
pardonable ['-əbl], *adj.* perdoável, desculpável.
pardonableness ['-əblnis], *s.* venialidade.
pardonably ['-əbli], *adv.* desculpavelmente.
pardoner ['-ə], *s.* aquele que perdoa.
pardoning ['-iŋ], *adj.* indulgente, clemente.
pare [pɛə], *vt.* aparar, cortar, desbastar; descascar (fruta); cercear, diminuir; aparelhar madeira; raspar.
to pare the nails to the quick — cortar as unhas até ao sabugo.
to pare down one's expenses — reduzir as despesas.
paregoric [pære'gɔrik], 1 — *s.* elixir paregórico.
2 — *adj.* paregórico.
parencephalon [pærən'sefəlɔn], *s.* parencéfalo, cerebelo.
parenchyma [pə'reŋkimə], *s.* parênquima.
parent ['pɛərənt], *s.* pai ou mãe; antepassado; causa, origem; *pl.* pais.
our first parents — Adão e Eva.
parent ship — navio-apoio.
parent state — mãe-pátria.
parentage [-idʒ], *s.* ascendência; parentela; família; origem. (*Sin.* pedigree, line, lineage, family.)
parental [pə'rentl], *adj.* paternal.
parentally [pə'rentəli], *adv.* paternalmente.
parenteral [pə'rentərəl], *adj.* parentérico.
parenthesis [pə'renθisis], *s.* (*pl.* **parentheses**) parêntesis, parêntese.
in parentheses — entre parênteses.
parenthetic [pærən'θetik], *adj.* parentético.
parenthetical [-əl], *adj.* ver **parenthetic.**
parenthetically [-əli], *adv.* parenteticamente.
parenthood ['pɛərənthud], *s.* paternidade, maternidade.
parentless ['pɛərəntlis], *adj.* órfão, sem pais.
parer ['pɛərə], *s.* aquele que corta ou apara; raspadeira; podador.
parget ['pɑ:dʒit], 1 — *s.* argamassa, gesso; reboco.
2 — *vt.* cobrir com argamassa; rebocar.
parhelic [pɑ:'hi:lik], *adj.* parélico.
parhelion [pɑ:'hi:ljən], *s.* (*pl.* **parhelia**) falso sol.
pariah ['pæriə], *s.* pária; homem desprezado.
parietal [pə'raiitl], *adj.* parietal.
parietal bones — parietais.
paring ['pɛəriŋ], *s.* acção de aparar; *pl.* raspas, aparas; pele, casca; refugo.
pari passu [pɛərai'pæsju:], *adv.* ao mesmo tempo.
paripinnate [pæri'pinit], *adj.* (bot.) paripinulada.
parish ['pæriʃ], *s.* e *adj.* paróquia; freguesia; paroquial.
parish council — junta de paróquia; junta de freguesia.
parish register — registo paroquial.
parish clerk — escrivão da paróquia; sacristão.
parish priest — pároco.
parishioner [pə'riʃənə], *s.* paroquiano.
Parisian [Pə'rizjən], *s.* e *adj.* parisiense.
Parisianism [-izm], *s.* parisianismo.
parity ['pæriti], *s.* paridade, igualdade, semelhança.
park [pɑ:k], 1 — parque; jardim; campo aberto; parque de artilharia; viveiro de ostras; parque de automóveis; tapada.
car-park — parque de estacionamento (para automóveis).
park-keeper — guarda do parque.
oyster-park — viveiro de ostras; ostreira.
amusement park — parque de diversões.
2 — *vt.* transformar em parque; meter em parque ou tapada; arrumar carros num parque de estacionamento.
parked [-t], *adj.* estacionado (em parque de estacionamento).
parkin ['pɑ:kin], *s.* bolo feito com farinha de aveia e melaço.
parking ['pɑ:kiŋ], *s.* estacionamento de veículos.
parking light — luz de estacionamento.
no parking here (parking prohibited) — estacionamento proibido.
parky ['pɑ:ki], *adj.* (cal.) frio, fresco.
parlance ['pɑ:ləns], *s.* conversação; linguagem; conferência.
in common parlance — em linguagem vulgar.
parley ['pɑ:li], 1 — *s.* conferência; (mil.) negociação.
2 — *vt.* e *vi.* parlamentar, conferenciar.
parliament ['pɑ:ləmənt], *s.* parlamento; corpo legislativo.
act of Parliament — lei.
to summon a Parliament — convocar o Parlamento.
in open Parliament — em pleno Parlamento.
member of Parliament (abrev. M. P.) — deputado.
parliamentarian [pɑ:ləmen'tɛəriən], 1 — *s.* parlamentar; deputado.
2 — *adj.* parlamentário.
parlamentarily [pɑ:lə'mentərili], *adv.* parlamentarmente.
parlamentary [pɑ:lə'mentəri], *adj.* parlamentar, do parlamento; usada no parlamento (linguagem); educado, cortês.
parlamentary candidate — candidato a deputado.
parlamentary language — linguagem cortês, educada.
parlamentary agent — agente parlamentar.
parlamentary train — comboio com bilhetes mais baratos do que o normal.
parlour ['pɑ:lə], *s.* saleta; gabinete.

parlour-maid — criada de sala.
parlour boarder — aluno que vive em casa do director do colégio que frequenta.
parlour car (E. U.) — carruagem de caminho-de-ferro luxuosa.
parlous ['pɑːləs], **1** — *adj.* (arc.) terrível; perigoso; muito esperto, muito manhoso.
2 — *adv.* muitíssimo, extremamente.
parlously [-li], *adv.* extremamente; perigosamente.
Parma [pɑːmə], *top.* Parma.
Parmesan [pɑːmi'zæn], *s.* e *adj.* parmesão.
Parmesan cheese — queijo parmesão.
Parnassian [pɑː'næsiən], *s.* e *adj.* parnasiano; do Parnaso; adepto do parnasianismo.
Parnassus [pɑː'næsəs], *top.* Parnaso.
parochial [pə'roukjəl], *adj.* paroquial, da paróquia; (fig.) provinciano; estreito.
a parochial point of view — um ponto de vista limitado.
a parochial spirit — um espírito acanhado.
parochialism [-izm], *s.* administração da paróquia; provincianismo; espírito tacanho.
parochialize [-aiz], *vt.* transformar em paróquia.
parochially [-i], *adv.* por paróquias ou freguesias; provincianamente; tacanhamente.
parodist ['pærədist], *s.* parodista.
parody ['pærədi], **1** — *s.* paródia; imitação burlesca de uma obra literária.
2 — *vt.* parodiar, imitar de maneira burlesca.
parol ['pæroul], **1** — *s.* (jur.) palavra, alegação.
by parol — verbalmente.
2 — *adj.* (jur.) verbal.
parol contract — (jur.) contrato verbal.
parole [pə'roul], **1**—*s.* (mil.) promessa de honra de um prisioneiro de guerra; santo e senha.
prisoner on parole — preso liberto condicionalmente.
2 — *vt.* libertar condicionalmente; afiançar.
paronomasia [pərɔnou'meiziə], *s.* paronomásia.
paronym ['pærənim], *s.* parónimo, palavra parónima.
paronymous [pə'rɔniməs], *adj.* paronímico, parónimo.
paronymy [pə'rɔnimi], *s.* paronímia.
paroquet ['pærəkei], *s.* periquito.
parotic [pə'rɔtik], *adj.* parótico.
parotid [pə'rɔtid], **1** — *s.* parótida.
2 — *adj.* parotídeo, parotidiano.
parotidean [pærɔti'diən], *adj.* parotídeo, parotidiano.
parotitis [pærou'taitis], *s.* parotidite; papeira.
paroxysm ['pærəksizm], *s.* paroxismo; acesso; agonia. (*Sin.* fit, twinge, convulsion, attack.)
paroxysmal [pærək'sizməl], *adj.* paroxístico.
paroxysmic [pærək'sizmik], *adj.* ver **paroxysmal.**
paroxytone [pə'rɔksitoun], **1** — *s.* paroxítono, palavra paroxítona.
2 — *adj.* paroxítono, grave.
parquet ['pɑːkei,'pɑːki(t)], **1** — *s.* parquete, soalho formado por peças ou tacos de madeira de forma geométrica.
2 — *vt.* pôr um sobrado em parquete.
parqueted [-id], *adj.* com soalho em parquete.
parquetry [-tri], *s.* assoalhamento em parquete.
par(r) [pɑː], *s.* salmão pequeno.
parrakeet [pærə'kiːt], *s.* periquito.
parral ['pærəl], *s.* (náut.) troça.
a truss parral — uma troça de cabo.
parral tackle — talha da troça.
parrel ['pærəl], *s.* ver **parral.**
parricidal [pæri'saidl], *adj.* parricida.
parricide ['pærisaid], *s.* parricida; parricídio.
parrot ['pærət], **1** — *s.* papagaio.
parrot-fish — carpa dourada.
parrot-fashion — como um papagaio.
parrot fever (parrot disease) — psitacose.
she is a mere parrot — fala como um papagaio.
2 — *vt.* papaguear; repetir mecanicamente.
parrotry [-ri], *s.* psitacismo.
parry ['pæri], **1**—*s.* parada (esgrima, boxe, etc.).
2 — *vt.* parar o golpe; desviar (um assunto incómodo).
parrying [-iŋ], *s.* parada (esgrima, boxe, etc.).
parse [pɑːs], *vt.* (gram.) analisar morfologicamente.
parsec [pɑː'sek], *s.* parsec, unidade de distância em astronomia.
Parsifal ['pɑːsifəl], *n. p.* Parsifal, Percival.
parsimonious [pɑːsi'mounjəs], *adj.* parcimonioso, parco, frugal; económico, poupado. (*Sin.* frugal, sparing, niggardly, stingy. *Ant.* generous.)
parsimoniously [-li], *adv.* com parcimónia, frugalmente; economicamente.
parsimoniousness [-nis], *s.* parcimónia; economia; frugalidade.
parsimony ['pɑːsiməni], *s.* parcimónia, economia; frugalidade.
parsing ['pɑːsiŋ], *s.* análise gramatical ou lógica.
Parsival ['pɑːsival], *n. p.* ver **Parsifal.**
parsley ['pɑːsli], *s.* salsa.
parsley frog (zool.) — pelodites.
parsley piert (bot.) — pimpinela branca.
parsley fern (bot.) — feto real.
parsnip ['pɑːsnip], *s.* cenoura branca, cherivia.
fine words butter no parsnips — palavras leva-as o vento.
parson [pɑːsn], *s.* clérigo (protestante); reitor.
parson's week — treze dias de férias.
parson's nose (col.) — uropígio.
parsonage ['-idʒ], *s.* curato, presbitério.
part [pɑːt], **1** — *s.* parte, porção, quinhão; pedaço, fragmento; membro; região, lugar, sítio; (teat.) papel; ofício, dever, função; fascículo; interesse, cuidado; *pl.* região, terra; *pl.* (arc.) qualidades, dotes.
for the most part — geralmente.
for my part (on my part) — quanto a mim; pela minha parte.
part and parcel — parte integrante.
to play a part — representar um papel.
to take part in — tomar parte em.
to take the part of — tomar o partido de.
to do one's part — cumprir a sua obrigação.
in good or ill part — em boa ou má parte.
on the part of — da parte de.
there was no objection on my part — não houve objecção da minha parte.
it was not my part to interfere — não estava no meu papel intervir.
to take in good part — levar a bem; não se ofender.
to take in bad part — levar a mal; ofender-se.
the greater part — a maior parte.
the book was published in parts — o livro foi publicado em fascículos.
from all parts — de todos os lados.
part-music — música para várias vozes.
part-song — canção a várias vozes.
part-owner — co-proprietário.
part-time **— trabalho de horário incompleto.**
in foreign parts — no estrangeiro.
in large part — em grande parte.
part by part — parte por parte.
a person of parts—uma pessoa com qualidades.
the spare parts of a machine — os acessórios de uma máquina.
he always takes his wife's part — toma sempre o partido da mulher.
in part — em parte.

in part payment — por conta.
on the one part ... on the other part — duma parte ... da outra parte.
to have neither part nor lot in — não ter interesse em.
what part of speech is that word? — como se classifica morfologicamente essa palavra?
2 — *vt.* e *vi.* partir, dividir, separar; apartar; despedir-se; separar-se, desprender-se, desunir-se; desfazer-se; ceder; abandonar; (náut.) rebentar cabo, amarra.
to part the hair — apartar o cabelo.
to part from somebody — despedir-se de alguém.
to part company with — cortar relações com; ter opinião diversa de.
to part with something — separar-se de alguma coisa; desfazer-se de alguma coisa.
the crowd parted — a multidão abriu alas.
the policeman is parting the two men — o polícia está a separar os dois homens.
3 — *adv.* parcialmente, em parte.
part true — parcialmente verdadeiro.

partake [pɑ:'teik], *vt.* e *vi.* (*pret.* **partook**, *pp.* **partaken**) participar, partilhar; tomar parte em.
to partake in — tomar parte em.
to partake of — ter características de; comer; beber.

partaken [pɑ:'teikn], *pp.* de **to partake.**

partaker [pɑ:'teikə], *s.* participante; cúmplice.

partaking [pɑ:'teikiŋ], *s.* participação, comparticipação.

parterre [pɑ:'tɛə], *s.* canteiro de jardim; maciço de flores; (teat.) plateia.

parthenogenesis ['pɑ:θinou'dʒenisis], *s.* partenogénese.

Parthenon ['pɑ:θinən], *s.* Pártenon, monumento principal da Acrópole de Atenas.

Parthenope [pɑ:'θenəpi], *top.* Nápoles.

Parthenopean [pɑ:θinə'piən], *s.* e *adj.* de Nápoles, napolitano.

Parthia ['pɑ:θjə], *top.* Pártia.

Parthian [-n], *s.* e *adj.* pártico, parto, da Pártia.
Parthian glance — olhar rápido de despedida lançado para trás.

partial ['pɑ:ʃəl], *adj.* parcial; faccioso; apreciador.
partial eclipse — eclipse parcial.
partial board — meia pensão.
partial combustion — combustão parcial.
partial eclipse — eclipse parcial.
partial cargo — carga parcial.
partial motion — movimento parcial.
partial view — vista parcial.
partial product (mat.) — produto parcial.
to be partial to somebody — gostar de alguém.

partiality [pɑ:ʃi'æliti], *s.* parcialidade; predilecção; simpatia, afeição.

partially ['pɑ:ʃəli], *adv.* parcialmente, em parte; com parcialidade.

partible ['pɑ:tibl], *adj.* divisível.

participant [pɑ:'tisipənt], *s.* e *adj.* participante; partícipe.

participate [pɑ:'tisipeit], *vt.* e *vi.* participar, tomar parte em; partilhar.
to participate in — tomar parte em.
to participate a thing with somebody — partilhar uma coisa com alguém.

participation [pɑ:tisi'peiʃən], *s.* participação, comparticipação.

participative [pɑ:'tisipeitiv], *adj.* que participa de.

participator [pɑ:'tisipeitə], *s.* participante.
to be a participator in — participar em.

participial [pɑ:ti'sipiəl], *adj.* participial, da natureza do particípio; formado do particípio.

participially [-i], *adv.* no sentido de um particípio.

participle ['pɑ:tsipl], *s.* particípio.
present participle — particípio presente.
past participle — particípio passado.

particle ['pɑ:tikl], *s.* partícula; átomo; (gram.) partícula, afixo. (*Sin.* grain, bit, atom, speck, fragment, scrap.)
not a particle of — nem vestígios de.
a particle of dust — uma partícula de poeira, um grão de poeira.

particoloured ['pɑ:tikʌləd], *adj.* de muitas cores.

particular [pə'tikjulə], **1** — *s.* pormenor; circunstância; (col.) nevoeiro de Londres; *pl.* informações; pormenores.
to go into particulars — narrar pormenorizadamente; entrar em pormenores.
for further particulars apply to — para informações completas, dirija-se a.
to ask for full particulars — pedir informações pormenorizadas.
2 — *adj.* particular, privado; individual; peculiar, especial; extravagante, raro; extraordinário, notável; exacto, preciso; circunstanciado; predilecto; pormenorizado; estranho; escrupuloso; esquisito; exigente.
in particular — particularmente.
particular in the details — minucioso nos pormenores.
for no particular reason — sem motivo especial.
to be particular about one's food — ser esquisito na alimentação.
particular average — avaria simples ou particular.
particular election (teol.) — graça particular.
a particular custom — um costume local.
a particular reason — uma razão especial.
a particular friend — um amigo íntimo.
a particular case — um caso particular.

particularism [-rizm], *s.* particularismo; individualismo.

particularist [-rist], *s.* e *adj.* particularista.

particularistic [-ristik], *adj.* particularista.

particularity [pɑtikju'læriti], *s.* particularidade; exigência; exactidão.

particularization [pɑtikjulərai'zeiʃən], *s.* particularização.

particularize [pɑ'tikjuləraiz], *vt.* particularizar, pomenorizar, especificar. (*Sin.* to detail, to specify. *Ant.* to generalize.)

particularly [pə'tikjuləli], *adv.* particularmente, em particular.
not to be particularly interested — não estar particularmente interessado.
particularly as — tanto mais que.

parting ['pɑ:tiŋ], **1** — *s.* separação, divisão; linha divisória; bifurcação; despedida, adeus; risca (do cabelo); rompimento.
parting of the ways — bifurcação da estrada.
to come to the parting of the ways — chegar a uma encruzilhada; (fig.) optar por um de dois caminhos à escolha.
parting words — palavras de despedida.
parting kiss — beijo de despedida.
parting look — olhar de despedida.
at parting — à despedida.
2 — *adj.* divisório; que separa.
the parting day (*poét.*) — o dia que morre.
parting line — linha divisória.

partisan [pɑ:ti'zæn], *s.* partidário, sequaz; guerrilheiro.

partisanship [-ʃip], *s.* adesão a um partido; partidarismo.

partite ['pɑ:tait], *adj.* (bot.) partido.
three partite (bot.) — tripartido.

partition [pɑ:'tiʃən], **1** — *s.* divisão, separação;

partição; partilha; divisória, tabique; (mús. arc.) partitura.
partition wall — tabique; parede-meia.
partition of average — repartição de avarias.
internal partition — parede de separação.
2 — *vt.* dividir, separar; repartir.
to partition off — separar por meio de divisória.
partitioned [-d], *adj.* dividido em compartimentos por meio de divisórias.
partitioning [-iŋ], *s.* acção de separar por meio de divisórias.
partitive ['pɑ:titiv], *s.* e *adj.* partitivo.
partitively [-li], *adv.* partitivamente.
partizan [pɑ:ti'zæn], *s.* ver **partisan.**
Partlet ['pɑ:tlit], *s.* nome que se atribui à galinha.
Dame Partlet — a Senhora Galinha.
partly ['pɑ:tli], *adv.* em parte; de certo modo.
wholly or partly — completamente ou em parte.
partner ['pɑ:tnə], **1** — *s.* sócio, associado; companheiro; par (na dança); parceiro; consorte, cônjuge; interessado.
sleeping partner (silent partner) — sócio comanditário.
managing partner — sócio-gerente.
senior partner — sócio-chefe.
head partner — sócio principal.
working partner — sócio industrial.
junior partner — consócio.
we are partners — somos parceiros ao jogo.
2 — *vt.* associar, associar-se; ser parceiro de (no jogo).
partnership [-ʃip], *s.* sociedade, associação; interesse social.
to take into partnership — dar sociedade a.
to enter into partnership with — associar-se com.
to dissolve a partnership — dissolver uma sociedade.
to admit somebody to partnership — admitir alguém como sócio.
rule of partnership (arit.) — regra de companhia.
sleeping partnership — sociedade em comandita.
to give a partnership in the business — dar interesse no negócio.
to charge somebody with partnership in — acusar uma pessoa de cumplicidade em.
partook [pɑ:'tuk], *pret.* de **to partake.**
partridge ['pɑ:tridʒ], *s.* perdiz.
partridge poult — perdigoto.
partridge-net — rede para apanhar perdizes.
a brace of partridges — um casal de perdizes.
male partridge — perdigão.
French partridge — perdiz vermelha.
parturient [pɑ:'tjuəriənt], *adj.* parturiente.
parturition [pɑ:tjuə'riʃən], *s.* parto.
party ['pɑ:ti], **1** — *s.* partido, facção; parte litigante; bando; parte interessada; partida de caça; partida, função; reunião; festa; destacamento.
to give a party — dar uma festa.
a party of guests — uma reunião de convidados.
several parties — vários grupos.
third parties — terceiros.
it was a very lively party — a reunião esteve muito animada.
riding-party — cavalgada.
hunting-party — caçada.
fishing-party — pescaria.
to join a party — filiar-se num partido.
musical party — concerto; sessão musical.
evening-party — sarau.
pleasure-party — folguedo.
interested party — parte interessada.
tea-party — chá de visitas.
charter-party — carta de fretamento.
party-coloured — de cores variegadas.
party wall — parede-meia.
party-man — partidário.
party dress — trajo de cerimónia.
party politics — política partidária.
party leader — chefe de partido político.
party-spirit — espírito partidário.
dancing party — reunião dançante.
garden party — festa ao ar livre.
private party — reunião íntima.
landing party (mil.) — grupo de desembarque.
the Labour Party — o partido trabalhista.
the Conservative Party — o partido conservador.
the Liberal Party — o partido liberal.
third party insurance — seguro contra terceiros.
to become party to an agreement — assinar um acordo.
to desert a party — abandonar um partido.
the parties concerned — as partes interessadas.
the parties entitled — as partes autorizadas.
the parties to the case — as partes em questão.
to put public interest before party — pôr o interesse público acima do partidário.
to make one's party good — defender-se bem.
2 — *adj.* (her.) dividido em duas partes iguais (escudo).
parvenu ['pɑ:vənju:], *s.* novo-rico.
parvis ['pɑ:vis], *s.* adro.
pas [pɑ:], *s.* passo de dança, dança; precedência.
pas de deux — dança para duas pessoas.
Pasch [pɑ:sk], *s.* (arc.) Páscoa.
Pasch-egg — ovo de Páscoa.
paschal ['-əl], *adj.* pascal.
Paschal candle — círio pascal.
pash [pæʃ], *s.* (col.) paixão; simpatia.
to have a pash for — ter paixão por; ter um fraco por.
pasha ['pɑ:ʃə], *s.* paxá, título de alguns altos dignitários turcos.
pasha of seven tails — sultão.
pashalic [-lik], *s.* paxalique, província governada por paxá.
pasque-flower ['pɑ:skflauə], *s.* (bot.) pulsatila.
pasquinade [pæskwi'neid], *s.* pasquinada, pasquim.
pass [pɑ:s], **1** — *s.* passagem, caminho, desfiladeiro; passe, licença; estado, condição; passagem sem distinção (em exame); estocada (esgrima); curso de água; passaporte; salvo-conduto; bilhete de favor; desembocadura; canal navegável entre baixios; transe; escamoteação, movimento de mãos em hipnotismo, prestidigitação, etc.; falecimento.
pass-book — caderneta de Banco.
pass-key — chave-mestra; gazua.
pass-parole — santo-e-senha.
pass-degree — formatura sem distinção.
free pass — livre-trânsito.
soldier on pass — soldado de licença.
to come to a pretty pass — meter-se em dificuldades.
to be at a fine pass — estar em má situação.
to make a pass at a woman — tentar conquistar uma mulher.
to hold the pass (fig.) — manter-se firme.
to sell the pass (fig.) — trair uma causa.
2 — *vt.* e *vi.* passar; exceder; atravessar; transportar; levar de um lado a outro; passar, caminhar, andar; ir além; decorrer; omitir; transpor; transferir; trasladar; acontecer; deixar de fazer uma jogada; sobrepujar, superar, exceder; consentir, tolerar; aprovar um projecto de lei; passar, ser aprovado sem distinção; passar por alto; acabar; passar (o tempo); (náut.) passar um cabo; proferir;

fazer circular, circular; dizer, ser dito; fazer movimentos com as mãos (hipnotismo, prestidigitação, etc.); evacuar.
to pass away — morrer.
to pass along — passar para diante.
to pass it along — passar (alguma coisa) de um a outro.
to pass by — passar perto de; omitir; perdoar.
to pass off — passar; seguir o seu curso; decorrer.
to pass over — atravessar; passar por alto; omitir.
to pass through — passar por.
to pass on — passar adiante; prosseguir; entregar ao próximo; passar-se; não parar; formar juízo sobre.
to pass alongside (náut.) — passar borda com borda.
to pass in sight — passar à vista.
to pass by in silence — passar em silêncio.
to pass over a page — passar uma página por alto.
to pass for — passar por; ser considerado como.
to pass up — subir.
to pass upon — impingir; enganar.
to pass round — fazer circular; passar à roda.
to let pass — deixar passar, não fazer caso, perdoar.
to pass muster — ser inspeccionado sem merecer censura.
to pass one's hand across one's forehead — passar a mão pela testa.
to pass the time — passar o tempo.
the storm has passed away — a tempestade passou.
his remarks passed unnoticed — as suas observações passaram despercebidas.
it passes my comprehension — vai além da minha compreensão.
I'll pass it over this time — perdoo-te desta vez.
you can't pass this way — não pode passar por aqui.
it will pass — isso há-de passar.
to pass a business — passar um negócio.
to pass a law — decretar uma lei; aprovar uma lei.
to pass an examination — passar num exame.
to pass an opinion on — emitir uma opinião sobre.
to pass by the name of — ser conhecido pelo nome de.
to pass a criticism on — criticar.
to pass in — entrar.
to pass judgement on — emitir uma opinião sobre.
to pass off — abrandar; suceder.
to pass a station — não parar numa estação (comboio).
to pass one's word — empenhar a palavra.
to pass out — sair; (cal.) desmaiar.
to pass over to the enemy — passar-se para o inimigo.
to pass blood — urinar sangue.
to pass somebody — passar por alguém.
to pass the ball (desp.) — passar a bola.
to pass the baby (to pass the bucket) — fugir a uma responsabilidade.
to pass hence — morrer.
to pass in review — passar em revista.
to pass the censor — ser aprovado pela censura.
to pass water — urinar.
be it said in passing — diga-se de passagem.
it passes belief — é inacreditável.
to bring to pass — realizar.
to come to pass — acontecer.
what was passing? — o que se estava a passar?
she has passed the sixty mark — ela já passa dos sessenta.
let this cup pass from me! (bíbl.) — afastai de mim este cálix!

passable ['pɑ:səbl], **1** — *adj.* aceitável, tolerável; admissível; transitável; navegável; praticável.
2 — *adv.* razoavelmente, bastante.

passableness [-nis], *s.* praticabilidade; qualidade de transitável, navegável.

passably [-i], *adv.* sofrivelmente, toleravelmente.

passage ['pæsidʒ], **1** — *s.* passagem; preço de passagem; trânsito; caminho; viagem, travessia; corredor; trecho; acontecimento; entrada, passagem; episódio; lance; desafio; migração das aves; conduto (de vapor, etc.); ratificação; evacuação; *pl.* combate; conversa.
bird of passage — ave de arribação.
passage days — dias de viagem.
on passage — em trânsito.
passage at arms (passage of arms) — combate; (fig.) discussão.
passage-way — corredor; passagem.
passage of the urine — uréter.
to book one's passage — marcar (reservar) a sua passagem.
love-passage — aventura amorosa.
to force a passage — abrir caminho à força.
to have a bad passage — ter uma má travessia.
2 — *vt.* e *vi.* andar de lado (cavalo); fazer o cavalo andar de lado.

passant ['pæsənt], *adj.* (her.) passante, animal que, no escudo, aparece na atitude de andar.

passenger ['pæsindʒə], *s.* passageiro; caminhante.
passenger train — comboio de passageiros.
passenger airplane — avião para transporte de passageiros.
passenger coach — diligência; carruagem de passageiros (caminho-de-ferro).
passenger vessel — barco de passageiros.
cabin passenger — passageiro de primeira classe.
passenger list — lista de passageiros.
foot-passenger — caminhante.
steerage passenger — passageiro de terceira classe.
to forward by passenger-train — enviar (encomenda) em grande velocidade.

passe-partout ['pæspɑ:tu:, pɑ:spɑ:tu:], *s.* moldura, caixilho; gazua.

passer ['pɑ:sə], *s.* pessoa que passa; perfurador (em cutelaria).

passer-by [-'bai], *s.* transeunte (*pl.* **passers-by**)

passerine ['pæsərain], **1** — *s.* animal da ordem dos passeriformes.
2 — *adj.* de pardal; de pássaro.

passibility [pæsi'biliti], *s.* passibilidade.

passible ['pæsibl], *adj.* passível.

passiflora [pæsi'flɔ:rə], *s.* (bot.) passiflora.

passing ['pɑ:siŋ], **1** — *s.* passagem, passo; passada; trânsito, curso; morte; aprovação de um projecto; passagem em exame; (desp.) passagem de bola.
passing on — transmissão (de ordens, etc.).
passing-bell — dobre a finados.
passing away — falecimento.
in passing — de passagem.
the passing of the old year — a passagem do ano.
passing! (náut.) — largo!
2 — *adj.* que passa; fugitivo, transitório, momentâneo; precipitado.
passing events — actualidades.
passing-note (mús.) — mordente.
passing-place — via suplementar (caminho-de--ferro).

3 — *adv.* extraordinàriamente, **muitíssimo.**
passing rich — extraordinàriamente rico.
passion [ˈpæʃən], **1** — *s.* paixão; ira, cólera, furor.
passion-flower (bot.) — martírio.
to fly into a passion — encolerizar-se; ir aos arames.
a fit of passion — um ataque de cólera.
passion-ridden — apaixonado.
to be in a great passion — estar furioso.
to have a passion for — ter paixão por.
to put somebody into a passion — enfurecer alguém.
2 — *vi.* (poét.) estar dominado pela paixão.
Passion [ˈpæʃən], *s.* Paixão de Cristo.
Passion Week — Semana Santa.
Passion Sunday — domingo da Paixão.
Passion sermon — sermão sobre a Paixão.
Passion-play — drama da Paixão.
passional [-əl], **1** — *s.* passionário, livro sobre os sofrimentos de santos e mártires.
2 — *adj.* passional.
passionary [-əri], *s.* *ver* **passional 1.**
passionate [ˈpæʃənit], *adj.* apaixonado, vivo, ardente, impetuoso, arrebatado.
passionately [-li], *adv.* apaixonadamente, impetuosamente; colèricamente.
to become passionately fond of — apaixonar-se por.
passionateness [-nis], *s.* impetuosidade, arrebatamento, veemência; cólera; paixão.
passionless [ˈpæʃənlis], *adj.* impassível, frio, insensível, indiferente, sem paixão.
passionlessly [-li], *adv.* impassìvelmente, de maneira indiferente; calmamente.
passive [ˈpæsiv], **1** — *s.* (gram.) voz passiva.
in the passive — na (voz) passiva.
2 — *adj.* passivo, inactivo, quieto; sofredor; submisso. (*Sin.* submissive, quiet, inert, enduring, resigned, inactive. *Ant.* vehement, active.)
passive resistance — resistência passiva.
passive voice — voz passiva.
passive debt — dívida passiva.
passive obedience — obediência passiva.
to remain passive — não reagir.
passive trade — comércio de importação.
passively [-li], *adv.* passivamente, submissamente.
passiveness [-nis], *s.* passibilidade.
passivity [pæˈsiviti pəˈsiviti], *s.* passibilidade, paciência, calma.
pass-key [ˈpɑ:s-ki:], *s.* gazua.
passman [ˈpɑ:smæn], *s.* o que passa no exame sem distinção.
passover [ˈpɑ:souvə], *s.* Páscoa dos Judeus; cordeiro pascal.
passport [ˈpɑ:spɔ:t], *s.* passaporte; salvo-conduto.
password [ˈpɑ:swə:d], *s.* palavra de passe, santo-e-senha.
past [pɑ:st], **1** — *s.* passado; antecedentes; (gram.) pretérito.
we cannot undo the past — o que está feito feito está.
in the past — no passado.
a woman with a past — uma mulher com um passado duvidoso.
2 — *adj.* passado; último; concluído, terminado, consumado.
past participle (gram.) — particípio passado.
past perfect — pretérito perfeito composto.
past president — ex-presidente.
past tense — pretérito.
in past time — antigamente; noutras eras.
past-master — grande conhecedor; ex-mestre de corporação ou loja maçónica.
for the past few days — nos últimos dias.
in ages past and gone — em tempos que já lá vão.
in times past — noutros tempos; outrora.
the past week — a semana passada.
his prime is past — ele já passou a flor da idade.
for some time past — há já algum tempo.
3 — *prep.* fora de; mais de; além de; sem.
past a doubt — fora de dúvida.
a quarter past three — três (horas) e um quarto.
past mending — sem conserto.
past bearing — insuportável.
past hope — sem esperança.
past recovery — incurável; incorrigível.
past help — sem remédio.
past all belief — inacreditável.
past all shame — sem vergonha.
past all understanding — incompreensível.
past cure — incurável; irremediável.
past dispute — indiscutível.
past endurance — insuportável.
past marrying — demasiado idoso para se casar.
past saving — perdido.
she is past fifty — ela já passa dos cinquenta.
past the corner — ao dobrar a esquina.
past praying for — sem esperanças; desesperado.
I was now past the house — agora já tinha ultrapassado a casa.
she is a past child — ela já não é criança.
4 — *adv.* além, perto, junto.
to march past — desfilar.
marching past — desfile.
to run past — passar a correr.
paste [peist], **1** — *s.* massa, pasta; grude, cola; massa para imitação de pedras preciosas· (cal.) bofetada, soco.
sweet yellow paste — ovos moles.
puff paste — massa folhada.
paste-diamond — diamante artificial.
paste-pot — frasco de cola.
paste-brush — pincel de cola.
paste-cutter — carretilha.
anchovy paste — pasta de anchovas.
paste-up — artigos ordenados e colados em álbum ou caderno.
dental paste — pasta dentífrica.
tooth-paste — pasta dentífrica.
to make into paste — transformar em massa.
2 — *vt.* colar, pegar; cobrir de massa; (cal.) espancar, dar uma bofetada ou um soco.
to paste up a playbill — afixar um cartaz.
to paste up — colar artigos de jornais ou revistas em álbum ou caderno.
to paste with paper — forrar de papel.
pasteboard [ˈpeistbɔ:d], **1** — *s.* cartão, papelão; tábua para estender massa; (cal.) bilhete de caminho-de-ferro, cartão-de-visita.
pasteboard binding — encadernação de cartão.
2 — *adj.* frágil, inconsistente.
pastel [pæsˈtel], *s.* pastel (pintura ou desenho); lírio-dos-tintureiros.
pastel drawing — desenho a pastel.
to draw in pastel — desenhar a pastel.
pastelist [-ist], *s.* pastelista, pintor ou desenhador que trabalha a pastel.
pastellist [-ist], *s.* ver **pastelist.**
paster [ˈpeistə], *s.* pessoa que cola; fita-cola, fita de papel gomado.
pastern [ˈpæstə:n], *s.* quartela.
Pasteurian [pæsˈtə:riən], *adj.* pasteuriano, relativo a Pasteur.
Pasteurism [ˈpæstə:rizm], *s.* sistema de Pasteur para a prevenção ou cura de algumas doenças por meio de vacinação.
pasteurization [pæstəraiˈzeiʃən], *s.* pasteurização, esterilização.

pasteurize ['pæstəraiz], *vt.* pasteurizar, esterilizar.
pasteurized milk — leite pasteurizado.
pasteurizer [-ə], *s.* pasteurizador.
pasticcio [pæs'titʃou], *s.* pasticho, pastiche, cópia de obra literária ou artística alheia, plágio.
pastiche [pæs'ti:ʃ], *s.* ver **pasticcio.**
pastil [pæs'ti:l], *s.* pastilha.
pastille [pæs'ti:l], *s.* ver **pastil.**
pastily ['peistili], *adv.* de modo pastoso.
pastime ['pɑ:staim], *s.* passatempo, divertimento, recreio. (*Sin.* recreation, amusement, diversion, game, sport, entertainment, hobby. *Ant.* work.)
by way of pastime — por passatempo.
pastiness ['peistinis], *s.* pastosidade; palidez.
pasting ['peistiŋ], *s.* acção de colar, colagem; (cal.) tareia.
pastor ['pɑ:stə], *s.* pastor espiritual, clérigo; estorninho.
pastoral ['pɑ:stərəl], **1** — *s.* pastoral, pastorela, bucólica; idílio; carta pastoral.
2 — *adj.* pastoral, pastoril.
pastoral letter — carta pastoral.
pastoral poem — poema pastoril.
pastoral epistles — epístolas pastoris (de S. Paulo a Tito e Timóteo).
pastoral staff — báculo episcopal.
pastoral ring — anel episcopal.
pastorale [pæstə'rɑ:li], *s.* (*pl.* **pastorali**) pastoral (composição musical).
pastoralism ['pɑ:stərəlizm], *s.* pastoralismo; género pastoril.
pastoralist ['pɑ:stərəlist], *s.* aquele que cultiva o género pastoril ou bucólico.
pastorally ['pɑ:stərəli], *adv.* como pastor espiritual.
pastorate ['pɑ:stərit], *s.* cargo, jurisdição, dignidade de pastor espiritual.
pastorship ['pɑ:stəʃip], *s.* ver **pastorate.**
pastry ['peistri], *s.* massas, folhados; pastelaria; pastel.
pastry-making — pastelaria.
pastry-cook — pasteleiro.
pasturable ['pɑ:stjurəbl], *adj.* próprio para pasto.
pasturage ['pɑ:stjuridʒ,'pɑ:stʃəridʒ], *s.* pastagem, pasto; direito de pastagem.
pasture ['pɑ:stʃə], **1** — *s.* pasto, pastagem.
pasture-land (pasture-ground) — pastagem, terra de pasto.
to take out to pasture — levar a pastar.
2 — *vt.* e *vi.* pastar; apascentar, pastorear.
pasturer [-rə], *s.* aquele que apascenta, aquele que leva a pastar.
pasturing [-riŋ], *s.* pastagem, apascentamento.
pasty ['peisti], **1** — *s.* empada de carne.
2 — *adj.* pastoso, da consistência da massa; pálido.
a pasty skin — uma pele pálida, macilenta.
pasty-faced — de cara pálida, macilenta.
pat [pæt], **1** — *s.* carícia, pancadinha, palmadinha; pequena bola de manteiga; ruído surdo de objecto que bate levemente.
to give somebody a pat on the back (fig.) — animar alguém.
2 — *adj.* próprio, oportuno, a propósito.
he has an excuse pat — ele tem uma desculpa preparada.
a pat answer — uma resposta a propósito, oportuna.
3 — *adv.* oportunamente, convenientemente, a propósito.
the story came pat to his purpose — a história veio mesmo a calhar para o fim em vista.
he had it all pat — tinha tudo preparado.
to know a lesson off pat — ter uma lição bem preparada.
to stand pat — manter-se firme; não alterar os seus planos.
4 — *vt.* e *vi.* (*pret.* e *pp.* **patted**) afagar, acariciar, dar pancadinhas; passar a mão.
to pat somebody on the back (fig.) — animar alguém.
to pat down — alisar batendo levemente.
Pat [pæt], *n. p.* dim. de **Patrick.**
patagium [pætə'dʒaiəm], *s.* (*pl.* **patagia**) patágio, franja larga para guarnecer vestidos; (zool.) patágio, membrana alar do morcego.
Patagonia [pætə'gounjə], *top.* Patagónia.
Patagonian [-n], *s.* e *adj.* patagão, patagónio.
patch [pætʃ], **1** — *s.* remendo; pedaço, bocado; pedaço de terra, talhão; emplastro; sinal de beleza usado pelas senhoras; entalhe; bucho, excerto; restos.
a patch of beans — um talhão de feijoeiros.
not to be a patch on another person — não ter comparação alguma com outrem.
patch pocket — bolso sobrecosido.
to put a patch on — remendar; pôr um remendo em.
the book was good in patches — o livro tinha partes boas.
to strike a bad patch (col.) — ter pouca sorte.
2 — *vt.* remendar, deitar remendos; trabalhar em retalhos; (col.) improvisar; usar como remendo; manchar; pôr um sinal de beleza na cara. (*Sin.* to cobble, to mend, to piece, to botch.)
to patch up — remendar.
to patch up a quarrel — conciliar uma contenda.
patchable ['-əbl], *adj.* remendável, que pode remendar-se.
patcher ['-ə], *s.* remendão.
patcher up — remendão, mau artífice.
patchery ['-əri], *s.* serviço mal feito.
patchily ['-ili], *adv.* com remendos.
patchiness ['-inis], *s.* aspecto de coisa remendada à pressa; desarmonia; má disposição.
patching ['-iŋ], *s.* acção de remendar.
patchouli ['pætʃuli(:)], *s.* pachuli, planta aromática; perfume extraído de pachuli.
patchwork ['pætʃwə:k], *s.* obra feita de retalhos, obra mal acabada; obra de fancaria.
patchwork peace — tratado de paz sem unidade, feito à pressa.
patchy ['pætʃi], *adj.* com muitos remendos; sem unidade.
pate [peit], *s.* (col.) cabeça.
a bald pate — uma cabeça calva.
pated ['-id], *adj.* (col.) com cabeça.
curly-pated — de cabelo encaracolado.
bald-pated — careca.
empty-pated — desmiolado.
patella [pə'telə], *s.* (anat. e zool.) patela, rótula do joelho; prato usado na Roma antiga.
patellar [pə'telə], *adj.* (anat.) patelar.
patellate ['pætilit], *adj.* com patela.
paten ['pætən], *s.* patena (do cálice).
patency ['peitənsi], *s.* evidência; impedimento.
patent ['peitənt,'pætənt], **1** — *s.* patente (de invenção); diploma; exclusivo; título.
patent for invention — patente de invenção.
patent holder — titular de patente.
patent-rights — propriedade industrial.
patent of nobility — carta de nobreza.
patent rolls — registo de patentes.
to grant a patent — conceder uma patente.
to take out a patent for — tirar patente de.
Patent Office — repartição de registo de patentes.
2 — *adj.* patente, claro, manifesto; privile-

giado; visível, público; desabrochado; protegido por patente de invenção.
patent leather — verniz.
patent right — direito de privilégio; monopólio.
patent anchor — âncora de braços articulados.
patent and established crime — crime evidente.
patent fuel — carvão aglomerado.
patent dropping bottle — frasco conta-gotas.
patent yellow — amarelo mineral.
patent medicines — especialidades farmacêuticas.
letters patent — carta patente; patente de invenção.
3 — *vt.* obter uma patente de invenção; conceder um privilégio.
patentable [-əbl], *adj.* que pode ser objecto de privilégio exclusivo.
patented [-id], *adj.* privilegiado; com patente.
patentee [peitən'ti:], *s.* pessoa que obteve um privilégio; privilegiado.
patenting ['peitəntiŋ,'pætəntiŋ], *s.* acção de patentear.
patently ['peitəntli], *adv.* evidentemente, manifestamente.
pater ['peitə], *s.* (fam.) pai.
patera ['pætərə], *s.* pátera (arqueologia).
paterfamilias ['peitəfə'miliəs], *s.* pater-famílias.
paternal [pə'tə:nl], *adj.* paternal, paterno.
paternal house — casa paterna.
paternal legislation — legislação paternal.
paternal grandmother — avó paterna.
paternal government — governo paternal.
paternalism [pə'tə:nəlizm], *s.* paternalismo.
paternalist [pə'tə:nəlist], *adj.* paternalista.
paternalistic [pətə:nə'listik], *adj.* ver **paternalist.**
paternally [pə'tə:nəli], *adv.* paternalmente.
paternity [pə'tə:niti], *s.* paternidade; ascendência paterna.
paternoster ['pætə'nɔstə], *s.* pai-nosso; espinhel, espinel.
paternoster while — tempo de dizer um pai-nosso.
paternoster bead — conta de rosário ou terço que indica um pai-nosso.
paternoster pump — nora (engenho de tirar água).
path [pɑ:θ], *s.* caminho, vereda, atalho, senda; curso; passo; conduta; órbita.
beaten path — caminho trilhado; rota batida.
the path of duty — o caminho do dever.
path-breaker — pioneiro.
path-finder — batedor.
the path of glory — o caminho da glória.
path-racing — corridas de bicicleta sobre pista.
path of flow — curso da corrente.
path of magnetic flow — trajectória do fluxo magnético.
to break a path — abrir um caminho.
to follow the path of honour — seguir o caminho da honra.
pathetic [pə'θetik], *adj.* patético, comovente; (anat.) patético. (*Sin.* sad, moving, affecting, touching, emotional.)
pathetic muscle — músculo patético.
pathetic nerve — nervo patético.
pathetical [-əl], *adj.* ver **pathetic.**
pathetically [-əli], *adv.* patèticamente.
pathetics [-s], *s.* patética.
pathless ['pɑ:θlis], *adj.* intransitável; inexplorado.
pathogen ['pæθoudʒen], *s.* elemento ou micróbio patogénico.
pathogenesis [pæθou'dʒenisis], *s.* patogénese, patogenia.
pathogenetic [pæθoudʒi'netik], *adj.* patogenético.
pathogenic [pæθou'dʒenik], *adj.* patogénico.
pathogeny [pæ'θɔdʒini], *s.* patogenia, patogénese.
pathological [pæθə'lɔdʒikəl], *adj.* patológico.
pathologically [-i], *adv.* patologicamente.
pathologist [pə'θɔlədʒist], *s.* patologista.
pathology [pə'θɔlədʒi], *s.* patologia.
pathos ['peiθɔs], *s.* patético; comoção.
pathway ['pɑ:θwei], *s.* senda, vereda, caminho.
patience ['peiʃəns], *s.* paciência, resignação, tolerância; paciência (jogo de cartas).
to lose patience — perder a paciência.
to try a person's patience — pôr à prova a paciência de alguém; esgotar a paciência a alguém.
to have no patience with — não ter paciência para.
to wear out patience — abusar da paciência.
the patience of Job — paciência de Job.
to be out of patience with — perder a paciência com.
patience-dock (bot.) — labaça.
out of all patience — sem paciência nenhuma.
to get out of patience — perder a paciência.
to play patience — fazer paciências (jogo de cartas).
to exercise patience — encher-se de paciência.
patient ['peiʃənt], **1** — *s.* paciente, enfermo, doente.
2 — *adj.* paciente, resignado.
to be patient with somebody — ter paciência com alguém.
patient of — susceptível de.
patiently [-li], *adv.* pacientemente.
patina ['pætinə], *s.* pátina.
patinated ['pætineitid], *adj.* coberto de pátina, patinado.
patly ['pætli], *adv.* a propósito.
patness ['pætnis], *s.* ocasião oportuna.
patois ['pætwɑ:], *s.* patoá, dialecto duma região.
patriarch ['peitriɑ:k], *s.* patriarca, ancião venerável.
patriarchal [peitri'ɑ:kəl], *adj.* patriarcal.
patriarchally [-i], *adv.* patriarcalmente.
patriarchate ['peitriɑ:kit], *s.* patriarcado, dignidade de patriarca.
patriarchism ['peitriɑ:kizm], *s.* patriarquismo.
patriarchy ['peitriɑ:ki], *s.* patriarquia, patriarcalismo.
patrician [pə'triʃən], **1** — *s.* patrício, nobre, aristocrata.
2 — *adj.* patrício, nobre.
patriciate [pə'triʃiit], *s.* patriciado, aristocracia; dignidade ou qualidade de patrício.
Patrick ['pætrik], *n. p.* Patrício.
patrilineal [pætri'liniəl], *adj.* patrilinear, por via paterna.
patrilinear [pətri'liniə], *adj.* ver **patrilineal.**
patrimonial [pætri'mounjəl], *adj.* patrimonial.
patrimonially [-i], *adv.* patrimonialmente, como património.
patrimony ['pætriməni], *s.* património, propriedade, herança.
patriot ['peitriət,'pætriət], *s.* patriota.
patriotic [pætri'ɔtik], *adj.* patriota, patriótico.
patriotically [-əli], *adv.* patrioticamente.
patriotism ['pætriətizm], *s.* patriotismo.
from patriotism — por patriotismo.
patristic [pə'tristik], *adj.* patrístico, relativo à patrística; relativo aos Papas.
patristics [-s], *s.* patrística.
patrol [pə'troul], **1** — *s.* patrulha; ronda; pequeno grupo de soldados ou polícias encarregado de patrulhar; navios ou aviões de patrulha.
patrol-bomber — bombardeiro-patrulha.
patrol-boat — barco-patrulha.
patrol-leader — chefe de ronda.

anti-submarine patrol — patrulha anti-submarina.
to be on patrol — estar de ronda.
2 — *vt.* e *vi.* (*pret.* e *pp.* **patrolled**) patrulhar, rondar.
patrolman [-mæn], *s.* polícia; soldado ou polícia encarregado de ronda.
patrology [pəˈtrɔlədʒi], *s.* patrologia.
patron [ˈpeitrən,ˈpætrən], *s.* patrono, protector; defensor; padroeiro; cliente habitual de estabelecimento.
patron of the arts — protector das artes.
patronage [ˈpætrənidʒ], *s.* patrocínio, protecção, amparo; patronato, padroado; ar de superioridade, ar protector; clientela.
to confer one's patronage upon an undertaking —dar a sua protecção a um empreendimento.
under the patronage of — sob o patrocínio de.
patronal [pəˈtrounl], *adj.* relativo a padroeiro.
the patronal festival — a festa do padroeiro.
patronate [ˈpætrənit], *s.* patronato.
patroness [ˈpeitrənis,ˈpætrənis], *s.* protectora; padroeira, advogada.
patronize [ˈpætrənaiz], *vt.* patrocinar, proteger, apadrinhar; amparar; defender; condescender com arrogância; ser freguês de; auxiliar no negócio. (*Sin.* to support, to befriend, to assist, to defend, to favour. *Ant.* to oppose.)
patronizer [-ə], *s.* protector; patrocinador.
patronizing [-iŋ], *adj.* protector; condescendente; superior.
a patronizing look — um ar protector e condescendente.
a patronizing air — um ar protector; um ar de superioridade.
a patronizing tone — um tom de superioridade.
to become patronizing — tomar um ar de superioridade.
patronizingly [-iŋli], *adv.* condescendentemente.
patronless [ˈpætrənlis], *adj.* sem protecção; desamparado.
patronymic [pætrəˈnimik], *s.* e *adj.* patronímico.
patten [pætn], *s.* soco, tamanco; base, pedestal.
patter [ˈpætə], **1** — *s.* sucessão de palmadinhas; tagarelice; gíria própria de classe ou profissão; ruído de chuva a cair; ruído surdo de passos; palavras muito rápidas duma canção.
the patter of the rain on the window panes — o açoutar da chuva nas vidraças.
a patter song — uma canção com letra cantada muito ràpidamente.
2 — *vt.* e *vi.* fazer ruído compassado; tamborilar; andar com passos curtos e apressados; repetir as orações mecànicamente.
to patter out — murmurar, falar por entre os dentes.
to patter along — sapatear.
patterer [-rə], *s.* resmungão, murmurador.
pattering [-riŋ], *s.* sucessão rápida de ruídos surdos.
pattern [ˈpætən], **1** — *s.* modelo, exemplar; amostra, molde; risco; padrão; desenho; espécime; feitio; marca feita no alvo pelo projéctil.
a handsome pattern — um bonito padrão.
she is a pattern of domestic virtues — ela é um modelo de virtudes domésticas.
pattern-book — livro de amostras; figurino.
pattern-card — cartão de amostras.
pattern-designer — desenhador de modelos.
a pattern son — um filho exemplar.
according to pattern — conforme modelo.
pattern-shop — oficina de carpinteiro de moldes.
pattern husband — um marido exemplar.
by pattern post — como amostra sem valor.
to cut a dress on a pattern — talhar um vestido por um molde.
casting-pattern — molde de fundição.
pattern plate — chapa de modelo.
to make to pattern — fazer conforme modelo.
to take somebody as a pattern (to take pattern by somebody) — tomar alguém como modelo.
2 — *vt.* imitar, copiar; servir de exemplo; modelar; decorar.
to pattern something after (upon) — imitar; copiar.
patty [ˈpæti], *s.* pastelinho, torta, empada, rissol.
Patty [ˈpæti], *n. p.* (dim.) Matildinha; Martazinha.
pattypan [ˈpætipæn], *s.* forma pequena para pastéis.
patulous [ˈpætjuləs], *adj.* aberto, estendido, espalhado.
patulously [-li], *adv.* de maneira aberta, espalhada.
patulousness [-nis], *s.* característica de ser aberto, espalhado, estendido.
pauciflorous [pɔːsiˈflɔːrəs], *adj.* (bot.) paucifloro, com poucas flores.
paucity [ˈpɔːsiti], *s.* escassez, exiguidade. (*Sin.* scantiness, shortage, exiguity, poverty. *Ant.* abundance.)
Paul [pɔːl], *n. p.* Paulo.
Paula [ˈpɔːlə], *n. p.* Paula.
Paulina [pɔːˈliːnə], *n. p.* Paulina.
Pauline 1 — [ˈpɔːlain], *s.* e *adj.* estudante da escola de S. Paulo em Londres; referente a S. Paulo.
the Pauline Epistles — as epístolas de S. Paulo.
2 — [pɔːˈlin,ˈpɔːliːn], *n. p.* Paulina.
Paul Pry [ˈpɔːl-prai], *s.* pessoa curiosa e intrometida.
paulo-post-future [ˈpɔːloupoustˈfjuːtʃə], *s.* (gram. grega) futuro anterior; (joc.) futuro próximo.
Paulus [ˈpɔːləs], *n. p.* Paulo.
paunch [pɔːntʃ], **1** — *s.* barriga (esp. de pessoa gorda); pança dos ruminantes; (náut.) tecido para as amarras.
2 — *vt.* estripar.
paunched [-t], *adj.* barrigudo; gordo.
paunchiness [ˈ-inis], *s.* obesidade, gordura.
paunchy [ˈ-i], *adj.* ver **paunched.**
pauper [ˈpɔːpə], *s.* pobre, indigente; pedinte.
a pauper's grave — a vala comum.
pauper asylum — asilo para pobres.
pauper children — crianças auxiliadas pela assistência.
pauperdom [-dəm], *s.* pobreza, indigência.
paupered [-d], *adj.* empobrecido, reduzido à miséria.
pauperism [-rizm], *s.* pauperismo, pobreza, indigência.
pauperization [pɔːpəraiˈzeiʃən], *s.* pauperização, empobrecimento.
pauperize [ˈpɔːpəraiz], *vt.* empobrecer, reduzir à miséria.
pause [pɔːz], **1** — *s.* pausa, suspensão, intervalo; hesitação; interrupção; dúvida; (mús.) pausa.
to make a pause — fazer uma pausa.
to give pause to — provocar hesitação em.
to stand in pause — hesitar.
2 — *vi.* pausar, fazer uma pausa; cessar, parar, interromper; hesitar; esperar; deter-se; aguardar; sustentar (nota musical). (*Sin.* to halt, to cease, to hesitate, to wait, to stop, to linger. *Ant.* to proceed.)
to make somebody pause — fazer alguém hesitar, obrigar alguém a reflectir.
pausing [ˈ-iŋ], **1** — *s.* pausa, meditação, reflexão.
2 — *adj.* pausado.

pausingly ['-iŋli], *adv.* pausadamente.
pavage ['peividʒ], *s.* calcetamento, pavimentação.
pavan ['pævən], *s.* pavana (dança ou música).
pave [peiv], *vt.* calçar, pavimentar; empedrar, ladrilhar; preparar, facilitar.
to pave the way for (to pave the way to) — preparar, facilitar os meios para.
paved with good intentions — cheio de boas intenções.
paved with flowers — juncado de flores.
pavement ['-mənt], *s.* pavimento, piso; passeio da rua; soalho.
a brick pavement — um pavimento ladrilhado.
pavement-artist — artista que ganha a vida fazendo desenhos nos passeios das ruas.
pavement beater (cal.) — vadio.
crazy pavement — pavimentação com pedras lisas usada em jardins e parques.
cobble-stone pavement — pavimentação com pedras arredondadas.
to hit the pavement (cal.) — ser despedido.
to be on the pavement — não ter asilo.
paver ['-ə], *s.* calceteiro, ladrilhador; paralelepípedo de pavimentação.
pavia [pə'vi:ə], *s.* (bot.) pavia.
Pavia [pə'vi:ə], *top.* Pavia.
pavilion [pə'viljən], **1** — *s.* pavilhão, tenda, barraca; torre pequena.
2 — *vt.* fornecer tendas; abrigar numa barraca.
paving ['peiviŋ], *s.* pavimentação, pavimento, piso; obra de calceteiro; pedra de calcetar.
paving-stone — pedra de calçada.
paving-brick — tijolo; ladrilho.
paving-beetle — maço de calceteiro.
paving-tile — ladrilho.
paviour ['peivjə], *s.* calceteiro.
pavonazzo [pɑ:vou'nætsou], **1** — *s.* pavonazo, variedade de mármore antigo vermelho e branco.
2 — *adj.* matizado de vermelho e branco (mármore antigo).
pavonine ['pævounain], *adj.* relativo ou semelhante a pavão.
paw [pɔ:], **1** — *s.* pata, garra; (col.) mão; caligrafia (de alguém).
cat's paw — joguete; pau-mandado; (náut.) brisa.
2 — *vt.* e *vi.* dar patadas; escarvar a terra (o cavalo); arranhar; maltratar; (cal.) apalpar.
pawed [-d], *adj.* que tem patas ou garras.
sharp-pawed — de unhas muito afiadas.
pawkily ['pɔ:kili], *adv.* (Esc.) astutamente, manhosamente.
pawkiness ['pɔ:kinis], *s.* (Esc.) astúcia, manha.
pawky ['pɔ:ki], *adj.* (Esc.) astuto, manhoso, velhaco.
pawl [pɔ:l], **1** — *s.* (náut.) linguete; garra.
pawl arm — braço do linguete.
pawl screw — parafuso do linguete.
pawl lever — alavanca do linguete.
to let fall the pawl — levantar o linguete.
2 — *vt.* (náut.) virar o linguete.
pawn [pɔ:n], **1** — *s.* penhor; situação de empenhado; peão (xadrez); títere. (*Sin.* pledge, security, surety, gage.)
to put in pawn — empenhar.
to take out of pawn — desempenhar.
to be a pawn in the game — servir de instrumento nas mãos de alguém.
pawn-ticket — cautela de penhor.
pawn-office — casa de penhores.
2 — *vt.* empenhar; dar como garantia; arriscar.
to pawn one's word — empenhar a palavra.
to pawn one's honour — comprometer a sua honra.
pawnable ['-əbl], *adj.* empenhável, que pode empenhar-se.
pawnbroker ['-broukə], *s.* penhorista, prestamista.
pawnbroking ['-broukiŋ], **1** — *s.* empréstimo sobre penhores.
2 — *adj.* que empresta sobre penhores.
pawnee [pɔ:'ni:], *s.* penhorista, prestamista.
pawner ['pɔ:nə], *s.* aquele que pede dinheiro sobre penhor.
pawning ['pɔ:niŋ], *s.* acção de empenhar; compromisso.
pawnshop ['pɔ:nʃɔp], *s.* casa de penhores.
pax [pæks], *s.* porta-paz; ósculo da paz nas missas solenes.
pax romana — a paz romana.
pax britannica — a paz britânica.
paxwax ['pækswæks], *s.* tendão cervical.
pay [pei], **1** — *s.* paga, soldo, ordenado, vencimento, salário; estipêndio; recompensa, compensação; pessoa que paga.
full pay — soldo por inteiro.
half pay — meio soldo.
pay-day — dia de pagamento.
pay-sheet (pay-bill) — folha de pagamento.
pay-clerk — pagador.
pay list (pay roll) — relação, lista (para pagamentos).
pay-bed — cama, em hospital, para doentes que pagam.
pay-office — pagadoria.
back pay — soldo já vencido.
pay-school — escola não gratuita.
a soldier's pay — pré de um soldado.
in pay — assalariado.
holidays with pay — férias pagas.
in the pay of — a soldo de.
leave pay — reforma; pensão de aposentação.
she is a good pay — ela é boa pagadora.
2 — *vt.* (*pret.* e *pp.* **paid**) pagar, saldar; satisfazer; custear, abonar; remunerar; compensar; desembolsar; gastar; liquidar; corresponder; sofrer uma pena ou castigo; pagar uma dívida; recompensar; ser proveitoso; alcatroar (cabos, fundo); brear costuras.
to pay away — pagar largas somas.
to pay a call — fazer uma visita.
to pay down — pagar à vista; pagar em moeda corrente.
to pay compliments — cumprimentar.
to pay attention — prestar atenção.
to pay in cash — pagar à vista; pagar em dinheiro.
to pay off — pagar e despedir um empregado; pagar na mesma moeda; (náut.) desembarcar pessoal; desarmar; deixar arribar.
to pay up — saldar uma dívida.
to pay by instalments — pagar em prestações.
to pay one's way — fazer face às despesas sem contrair dívidas.
it doesn't pay — não compensa; não dá lucro.
to pay to the order of — pagar à ordem de.
to pay for a thing — pagar uma coisa.
to pay two pounds — pagar duas libras.
to pay on account — pagar à «boa conta».
to pay for overtime — pagar as horas extraordinárias.
to pay no regard to — não prestar atenção a; não ter respeito por.
to pay back — pagar; restituir; vingar-se.
to pay a visit — fazer uma visita.
to pay one's respects — apresentar os seus respeitos.
to pay in full — saldar.

to pay the doctor — pagar ao médico.
to pay him in his own coin — pagar-lhe na mesma moeda.
to pay on demand — pagar à vista.
to pay out a cable (náut.) — arrear um cabo; tocar (cabos, amarras).
the devil to pay — dificuldade séria a vencer.
this business pays very well — este negócio dá muito lucro.
to rob Peter to pay Paul — pagar com dinheiro emprestado.
to pay a bill — pagar uma conta.
to pay a woman a compliment — dizer um galanteio a uma mulher.
to pay an account — pagar uma conta.
to pay due honour to a bill — honrar uma letra de câmbio.
to pay dearly for one's happiness — pagar caro a sua felicidade.
to pay lip service — cumprir só aparentemente.
to pay on the never-never (col.) — pagar a prestações.
to pay in advance — pagar adiantadamente.
to pay somebody out — vingar-se de alguém.
to pay the debt of nature — morrer.
to pay the penalty — ser castigado.
to pay the shot — pagar a sua parte (de bebidas, etc.).
to pay one's addresses to a lady (to pay one's attentions to a woman) — fazer a corte a uma mulher.
to pay the duty on something — pagar direitos alfandegários sobre alguma coisa.
to pay the piper (cal.) — pagar as favas.
to put paid to somebody's account — liquidar as contas com alguém.
to pay through the nose — pagar um preço demasiado elevado.
to pay up — **pagar; liquidar dívidas.**
I'll make you pay for this! — hás-de pagar-mas
3 — *vt.* (*pret.* e *pp.* **payed**) (náut.) cobrir de breu.

payable [ˈ-əbl], *adj.* pagável, amortizável.
payable to the bearer — pagável ao portador.
payable at sight — pagável à vista.
payable on delivery — pagável contra entrega.

payee [peiˈiː], *s.* pessoa a quem se paga; sacador, portador de uma letra ou cheque.

payer [ˈpeiə], *s.* pagador; sacado.
tax payer — contribuinte.

paying [ˈpeiiŋ], **1** — *s.* pagamento; liquidação (de dívida); (náut.) alcatroamento.
paying in — acção de pagar; pagamento.
paying-in slip — talão de pagamento.
paying off — liquidação de dívida; despedimento (de empregado).
paying out — pagamento.
2 — *adj.* que paga; remunerador, lucrativo, **proveitoso.** (*Sin.* **lucrative, remunerative.**)
paying off pendant — flâmula grande.

paymaster [ˈpeimɑːstə], *s.* pagador; contador; comissário (de marinha de guerra); oficial da administração naval.
assistant paymaster — subcomissário de bordo.

paymastership [-ʃip], *s.* funções de tesoureiro ou comissário de marinha de guerra.

payment [ˈpeimənt], *s.* paga, pagamento; recompensa; prémio; galardão.
payment in full — saldo.
on the payment of — mediante o pagamento de.
to stop payment — suspender pagamentos.
payment on account (payment in part) — pagamento por conta.
ready payment — pagamento a pronto.
to demand payment — exigir o pagamento.
cash payment — pagamento a dinheiro.
payment at sight — pagamento à vista.
heavy payments — grandes pagamentos.
payment by instalments — pagamento a prestações.
payment in advance — pagamento adiantado.
prompt payment — pagamento a pronto.
payment received — liquidado (em contas ou recibos).
without payment — grátis.
subject to payment — a título oneroso.
to transgress payment — não cumprir o prazo marcado para pagamento.

paynim [ˈpeinim], *s.* (arc.) pagão (esp. muçulmano).

pea [piː], *s.* ervilha; (náut.) unha de âncora.
chick-pea — grão-de-bico.
sweet pea — ervilha de cheiro.
pea-pod — casca de ervilha; vagem de ervilha.
to shell peas — descascar ervilhas.
pea soup fog (pea-souper) (col.) — nevoeiro espesso e amarelado.
pea-weevil — gorgulho das ervilhas.
as like as two peas — parecidas como duas gotas de água.
the pea-flowers — as papilionáceas.
canned peas — ervilhas enlatadas.

peace [piːs], *s.* paz; tranquilidade; repouso; sossego; calma; harmonia, concórdia; silêncio; descanso eterno.
to be at peace — estar em paz.
to hold one's peace — estar calado.
to keep the peace — não perturbar a paz pública; velar pela ordem pública.
to make one's peace with — reconciliar-se com.
to disturb the peace of the household — perturbar o sossego da casa.
Justice of the Peace — juiz de paz.
peace of mind — paz de espírito.
peace to his ashes! — paz à sua alma!
peace-offering — sacrifício propiciatório.
peace! — silêncio!
peace officer — agente da polícia de segurança pública.
peace pipe — cachimbo da paz (Peles-Vermelhas).
peace-breaker — perturbador da ordem pública.
in times of peace — em tempo de paz.
the king's peace — a ordem pública garantida pela lei.
peace with honour — paz honrosa.
breach of peace — perturbação da ordem pública.
disturber of the peace — perturbador da ordem pública.
to be sworn of the peace — ser nomeado juiz de paz.
to live in peace and quietness — viver em paz.
treaty of peace — tratado de paz.
to make one's peace with somebody — fazer as pazes com alguém.
hold your peace! — quieto!
to give somebody no peace — não dar a alguém um momento de paz.
peace be with you! — a paz seja convosco.
if you want peace, prepare for war — quem quer paz prepara-se para a guerra.

peaceable [ˈ-əbl], *adj.* tranquilo, sossegado, pacífico.

peaceableness [ˈ-əblnis], *s.* tranquilidade, sossego, quietação.

peaceably [ˈ-əbli], *adv.* pacificamente, em sossego, em paz.

peaceful [ˈ-ful], *adj.* pacífico, sereno, quieto, sossegado. (*Sin.* serene, still, kindly, gentle, pacific, quiet. *Ant.* warlike.)

peacefully ['-fuli], *adv.* pacificamente, tranquilamente.
peacefulness ['-fulnis], *s.* tranquilidade, calma, quietação, sossego.
peaceless ['-lis], *adj.* inquieto, desassossegado; sem paz.
peacemaker ['-meikə], *s.* pacificador, medianeiro, (fig.) navio de guerra; revólver.
peach [pi:tʃ], **1** — *s.* pêssego; pessegueiro; qualquer coisa muito bonita; (cal.) lasca, pêssega (rapariga muito bonita).
peach-tree — pessegueiro.
peach-coloured — cor de pêssego.
my sister has a peach of a baby — a minha irmã tem um lindo bebé.
peach-blossom — flor de pessegueiro.
peach-down — pele aveludada de pêssego.
clingstone peach — alperche.
2 — *vi.* (cal.) delatar um cúmplice; espiar.
to peach against somebody (to peach upon somebody) — denunciar alguém (um cúmplice).
peacher ['-ə], *s.* delator, acusador.
peachery ['-əri], *s.* pomar de pessegueiros.
pea-chick ['pi:-tʃik], *s.* pavão novo.
peachiness ['pi:tʃinis], *s.* aspecto aveludado (como o de um pêssego).
peachwort ['pi:tʃwət], *s.* (bot.) erva-pessegueira.
peachy ['pi:tʃi], *adj.* como um pêssego (na cor e no aveludado).
peacock ['pi:kɔk], **1** — *s.* pavão.
peacock-blue — azul-pavão.
peacock-fish (zool.) — bodião.
peacock coal — carvão furta-cores.
proud as a peacock — vaidoso como um pavão.
2 — *vi.* pavonear-se, exibir-se.
peacockery [-əri], *s.* exibicionismo; grande vaidade.
peacocky [-i], *adj.* exibicionista; vaidoso como um pavão.
peafowl ['pi:faul], *s.* pavão (macho ou fêmea).
peahen ['pi:'hen], *s.* pavoa.
pea-jacket ['pi:dʒækit], *s.* jaqueta de tecido grosso usado por marinheiros.
peak [pi:k], **1** — *s.* pico, cume, cimo; cúspide; pala (de boné); pico de proa ou pòpa; pena de vela; unha de âncora; alvaçuz; pique; penol de carangueja; ponto máximo.
the peak hour of traffic — a hora de maior trânsito.
peak brail (náut.) — carregadeira da pena.
peak halliard (náut.) — adriça do pique.
peak achievement — realização máxima.
peak capacity — capacidade máxima.
peak current (elect.) — corrente máxima.
peak-arch — arco em ogiva.
peak value — valor máximo.
peak load — carga máxima.
peak power — potência máxima.
green peak — picanço verde.
to ride a peak (náut.) — estar a pique (âncora).
peak voltage — voltagem máxima.
peak year — ano de produção máxima.
2 — *vt.* e *vi.* definhar, enfraquecer; (náut.) repicar (a carangueja); desamantilhar; levantar a cauda ao mergulhar verticalmente (baleia); atingir o cume, atingir o ponto máximo; pôr ao alto (remos).
to peak and pine — definhar.
to peak the oars — pôr os remos ao alto.
to peak up the yards — amantilhar as vergas.
peaked [-t], *adj.* pontiagudo; (fam.) adoentado, com aspecto de doente; com pala (boné).
peaked beard — barba em ponta.
peaked cap — boné com pala.
peaked features — feições com aspecto de doença.

peakiness ['pi:kinis], *s.* aspecto doentio.
peaking ['pi:kiŋ], *s.* e *adj.* enfermo, adoentado; (náut.) repique.
peaky ['pi:ki], *adj.* pontiagudo; a pique; um tanto adoentado, com cara de doente.
peal [pi:l], **1** — *s.* repique de sinos; bulha, estrépito, estrondo. (*Sin.* roar, boom, blast.)
peals of laughter — gargalhadas, risota.
the peal of thunder — o ribombar do trovão.
the peal of bells — o repicar dos sinos.
peals of applause — grande salva de palmas.
to ring a peal — repicar um carrilhão.
2 — *vt.* e *vi.* retinir, ressoar; ribombar; aturdir.
peanut ['pi:nʌt], *s.* amendoim (planta e fruto).
peanut oil — óleo de amendoim.
pear [pɛə], *s.* pêra.
pear-tree — pereira.
pear-shaped — em forma de pêra.
melting pear — pêra sumarenta.
prickly pear — cacto.
pear-switch — pêra (interruptor em forma de pêra).
pearl [pə:l], **1** — *s.* pérola, aljôfar; qualquer coisa parecida com uma pérola; (tip.) tipo miúdo; belida (nos olhos).
mother-of-pearl — madrepérola.
pearl-barley — cevadinha.
pearl-oyster — ostra perlífera.
pearl-fisher — pescador de pérolas.
pearl-fishery — pesca de pérolas.
to cast pearls before swine — deitar pérolas a porcos.
a string of pearls — um fio de pérolas.
pearl-eyed — com belida num olho.
seed-pearl — aljôfar; pérola muito pequena.
pearl-shell — madrepérola.
pearl-ash — potassa purificada.
pearl-powder (pearl-white) — produto para branquear a pele.
pearl of the finest water — pérola do mais fino quilate.
pearl button — botão de madrepérola.
pearl-coloured — cor de pérola.
pearl-spar — espato nacarado.
pearl-grey — cinzento-pérola.
to bring sugar to the pearl — levar o açúcar a ponto de pérola.
she is a pearl of a girl — é um amor de rapariga.
2 — *vt.* e *vi.* enfeitar com pérolas; assemelhar-se a pérolas; pescar pérolas; fazer ficar com o aspecto de pérolas.
pearled [-d], *adj.* parecido com pérola; ornado de pérolas.
pearler ['-ə], *s.* pescador de pérolas.
pearlies ['-iz], *s. pl.* trajo com muitos botões de madrepérola (usado por vendedores ambulantes em Londres).
pearliness ['-inis], *s.* aspecto de pérola.
pearling ['-iŋ], *s.* acção de pescar pérolas.
pearlite ['-lait], *s.* (min.) perlite.
pearlweed ['-wi:d], *s.* (bot.) sagina.
pearlwort ['-wə:t], *s.* ver **pearlweed.**
pearly ['-i], *adj.* com o aspecto de pérola; feito de pérolas; ornamentado de pérolas.
pearly nautilus (zool.) — náutilo.
pearmain ['pɛəmein], *s.* malápia, maçã pequena.
peasant ['pezənt], *s.* aldeão, camponês, rústico.
peasant woman — camponesa.
peasantry ['pezəntri], *s.* os camponeses, a gente do campo.
pease [pi:z], *s.* (arc. e dial.) ervilhas.
pease-pudding — puré de ervilhas.
peat [pi:t], *s.* turfa; (arc.) mulher bonita.
peat-moss (peat-bog) — turfeira.
peat-charcoal — carvão de turfa.

peat-reek — fumo da queima da turfa; (fam.) uísque com gosto a fumo.
peat-spade — pá estreita.
peat-land — terra de turfa.
to dig peat (to cut peat) — extrair turfa.
peatery ['-əri], *s.* turfeira.
peaty ['pi:ti], *adj.* de turfa; com gosto ou cheiro a fumo de turfa.
pebble [pebl], **1** — *s.* seixo, calhau; (min.) cristal de rocha; variedade de ágata; couro granulado.
pebble-crystal — cristal de rocha.
pebble-stone — seixo.
pebble-beach — praia cheia de seixos.
pebble-leather — couro granulado.
pebble-paving — calcetamento com seixos.
pebble-powder — pólvora grossa.
she is not the only pebble on the beach (col.) — há mais Marias na terra.
2 — *vt.* marroquinar; granular (couro).
pebbling ['-iŋ], *s.* acção de granular ou marroquinar.
pebbly ['-i], *adj.* pedregoso, seixoso.
pec [pek], *s.* (cal.) dinheiro.
peccability [pekə'biliti], *s.* pecabilidade.
peccable ['pekəbl], *adj.* pecável.
peccadillo [pekə'dilou], *s.* pecadilho, falta leve.
peccancy ['pekənsi], *s.* pecado, ofensa; estado de pecado; vício; defeito, imperfeição.
peccant ['pekənt], *adj.* pecador, culpável; (med.) mórbido, pecante.
peccant humours (med.) — humores pecantes.
peccavi [pe'kɑ:vi], *s.* pequei.
to cry peccavi — confessar-se culpado.
peck [pek], **1** — *s.* medida de dois galões; recipiente com essa medida; grande quantidade, grande número; bicada; (cal.) comida; beijo leve dado por obrigação.
a peck of troubles — inúmeros desgostos.
peck and perch (col.) — cama e mesa.
2 — *vt.* e *vi.* picar; espicaçar; debicar.
to peck at (col.) — comer pouco, debicar; arreliar.
to peck at one's food (col.) — debicar; comer pouco.
to peck out — tirar com o bico; furar com o bico.
to peck up — levantar com o bico.
to peck to death — matar às bicadas.
pecker ['-ə], *s.* (zool.) picanço; pica-pau; (col.) coragem; apetite; (col.) nariz, bicanca; picareta, alvião.
pick your pecker up! — coragem!
to keep one's pecker up (col.) — conservar a coragem.
peckish ['-iʃ], *adj.* (col.) esfomeado.
to be (to feel) peckish — estar esfomeado.
Pecksniff ['peksnif], *s.* pessoa cheia de falsa bondade e falsa devoção (do romance «Martin Chuzzlewit», de Dickens).
Pecksniffery [pek'snifəri], *s.* hipocrisia; falsa bondade e falsa devoção.
Pecksniffian ['peksnifjən], *adj.* hipócrita, fingido.
pectase ['pekteis], *s.* (quím.) pectase.
pectate ['pekteit], *s.* (quím.) pectato.
pectic ['pektik], *adj.* (quím.) péctico.
pectic acid — ácido péctico.
pectinate ['pektinit], *adj.* (zool.) pectinado.
pectoral ['pektərəl], **1** — *s.* peitoral, ornamento usado no peito por sumo-sacerdote judeu; (anat.) músculo peitoral; (med.) peitoral.
2 — *adj.* peitoral; fortificante; usado sobre o peito; relativo ao peito.
pectoral fins — barbatanas peitorais.
pectoral muscle — músculo peitoral.
pectoral cross — cruz peitoral (dos bispos).
pectoral lozenges — rebuçados peitorais.
pectose ['pektous], *s.* (quím.) pectose.
peculate ['pekjuleit], *vt.* e *vi.* desfalcar; praticar o crime de peculato; roubar; defraudar; desviar dinheiros públicos.
peculation [pekju'leiʃən], *s.* peculato; desfalque; desvio de dinheiros públicos.
peculator ['pekjuleitə], *s.* peculador, pessoa que desvia dinheiros públicos.
peculiar [pi'kju:ljə], **1** — *s.* propriedade exclusiva; capela, ermida; paróquia independente.
Peculiar — membro da seita religiosa «Peculiar People».
2 — *adj.* peculiar, particular, singular; próprio; privativo; especial; individual; raro, extraordinário.
a peculiar style — um estilo próprio.
a peculiar flavour — um sabor especial.
that usage is peculiar to France — esse costume é característico da França.
a peculiar case — um caso especial.
she is rather peculiar in her clothes — ela veste-se de maneira bastante extravagante; ela gosta de vestir bem.
he is peculiar — ele é extravagante, esquisito.
peculiarity [pikju:li'æriti], *s.* peculiaridade; particularidade; especialidade; individualidade.
special peculiarities — sinais particulares (em bilhete de identidade).
peculiarize [pi'kju:liəraiz], *vt.* tornar peculiar, individualizar.
peculiarly [pi'kju:ljəli], *adv.* peculiarmente, particularmente, singularmente.
peculiarly annoying — especialmente aborrecido.
to affect somebody peculiarly — atingir alguém de maneira especial.
peculium [pi'kju:ljəm], *s.* pecúlio.
pecuniarily [pi'kju:njərili], *adv.* pecuniariamente.
pecuniary [pi'kju:njəri], *adj.* pecuniário; relativo a dinheiro; que provoca pena pecuniária.
pecuniary aid — auxílio pecuniário.
pecuniary difficulties — dificuldades monetárias.
for pecuniary gain (jur.) — com fins lucrativos.
pedagogic [pedə'gɔdʒik], *adj.* pedagógico.
pedagogical [-əl], *adj.* ver **pedagogic.**
pedagogically [-əli], *adv.* pedagògicamente.
pedagogics [-s], *s.* pedagogia.
pedagogism ['pedəgɔdʒizm], *s.* pedagogismo.
pedagogist ['pedəgɔdʒist], *s.* pedagogo.
pedagogue ['pedəgɔg], *s.* professor pedante e com a mania da pedagogia.
pedagogy ['pedəgɔgi, 'pedəgɔdʒi], *s.* ver **pedagogics.**
pedal [pedl], **1** — *s.* pedal.
pedal-driven — movido a pedais.
pedal-lathe — torno a pedal.
pedal-brake — travão de pé.
pedal lever — alavanca accionada a pedal.
pedal starting — arranque por pedal.
clutch pedal — pedal da embraiagem.
brake pedal — pedal do travão.
soft pedal — abafador (piano).
loud pedal — pedal forte (piano).
to depress the pedal — carregar no pedal.
2 — *vt.* e *vi.* (*pret.* e *pp.* **pedalled**) pedalar; andar de bicicleta; carregar no pedal.
pedalist ['pedəlist], *s.* (col.) ciclista.
pedant ['pedənt], *s.* pedante.
pedantic [pi'dæntik], *adj.* pedante.
pedantically [-əli], *adv.* pedantescamente.
pedantism ['pedəntizm], *s.* pedantismo.
pedantize ['pedəntaiz], *vt.* e *vi.* tornar pedante.
pedantocracy [pedən'tɔkrəsi], *s.* pedantocracia.
pedantry ['pedəntri], *s.* pedantismo, pedantice.

peddle [pedl], *vt.* e *vi.* revender, ser bufarinheiro; ocupar-se de ninharias.
to peddle about — ocupar-se de ninharias.
to peddle scandals — fazer mexericos.
to peddle away one's time — desperdiçar o tempo.
peddler ['-ə], *s.* bufarinheiro, vendedor ambulante; mexeriqueiro, bisbilhoteiro.
peddling ['iŋ], **1** — *s.* ocupação de bufarinheiro; ninharias.
2 — *adj.* que vende pelas ruas; mesquinho; que se preocupa com coisas sem importância.
pederast ['pediræst], *s.* ver **paederast.**
pederastic [pedi'ræstik], *adj.* ver **paederastic.**
pederasty ['pediræsti], *s.* ver **paederasty.**
pedestal ['pedistl], **1** — *s.* pedestal; peanha, suporte; mesinha-de-cabeceira; fundamento.
pedestal table — mesa de pé-de-galo.
pedestal lamp — candeeiro de pé.
to set somebody on a pedestal — pôr alguém num pedestal; elogiar muito alguém.
2 — *vt.* (*pret.* e *pp.* **pedestalled**) pôr num pedestal; enaltecer.
pedestalled [-d], *adj.* com pedestal, com peanha.
pedestrian [pi'destriən], **1** — *s.* peão, pessoa que anda a pé; (desp.) pedestrianista.
2 — *adj.* pedestre; vulgar, prosaico.
pedestrianism [-izm], *s.* (desp.) pedestrianismo; vulgaridade.
pedestrianize [-aiz], *vi.* praticar pedestrianismo.
pediatric [pi:di'ætrik], *adj.* pediátrico.
pediatrician [pi:diə'triʃən], *s.* pediatra.
pediatrics [pi:di'ætriks], *s.* pediatria.
pediatrist [pi:di'ætrist], *s.* ver **pediatrician.**
pedicel ['pedisel], *s.* pedicelo; pedículo; pedúnculo.
pedicellate ['pedisileit], *adj.* pedicelado, pediculado.
pedicle ['pedikl], *s.* ver **pedicel.**
pedicular [pe'dikjulə], *adj.* pedicular, relativo a piolho; (doença) que faz criar muitos piolhos.
pediculate [pe'dikjulit], *adj.* pediculado.
pediculated [pe'dikjuleitid], *adj.* ver **pediculate.**
pediculosis [pedikju'lousis], *s.* (med.) pediculoso, doença que faz criar muitos piolhos.
pediculous [pe'dikjuləs], *adj.* ver **pedicular.**
pedicure ['pedikjuə], *s.* pedicuro, pedicura.
pedigree ['pedigri:], *s.* genealogia, linhagem, árvore genealógica; derivação (de palavra, de raça). (*Sin.* lineage, genealogy, family, line, extraction.)
a person of pedigree (col.) — uma pessoa de alta linhagem.
pedigree cattle — gado de raça pura.
pedigreed [-d], *adj.* de alta linhagem; de raça pura (animal).
pediment ['pedimənt], *s.* (arq.) frontão triangular na parte superior de portas e janelas ou no cimo da fachada principal.
pedimental [pedi'mentl], *adj.* (arq.) relativo ao frontão.
pedimented ['pedimentid], *adj.* (arq.) com frontão.
pedipalp ['pedipælp], *s.* (zool.) pedipalpo (aracnídeo).
pedipalpous [pedi'pælpəs], *adj.* (zool.) pedipalpo.
pedlar ['pedlə], *s.* ver **peddler.**
pedlary [-ri], *s.* ocupação de vendedor ambulante; mercadoria de pouco valor.
pedology [pe'dɔlədʒi], *s.* pedologia (estudo dos solos).
pedometer [pi'dɔmitə], *s.* pedómetro; conta--passos.
Pedro ['peidrou, 'pedrou], *n. p.* Pedro.
peduncle [pi'dʌŋkl], *s.* (bot.) pedúnculo; (zool.) pedículo.
peduncular [pi'dʌŋkjulə], *adj.* peduncular.
pedunculate [pi'dʌŋkjulit], *adj.* pedunculado.
pee [pi:], *vi.* (col.) urinar.
peek [pi:k], *vi.* espreitar, espiar; (náut.) desaparelhar as vergas.
peel [pi:l], **1** — *s.* casca, pele; pá de forno; pá de remo; (dial.) salmonete.
orange-peel — casca de laranja.
candied peel — casca de laranja (ou limão) cristalizada.
2 — *vt.* e *vi.* descascar, pelar; mondar (a cevada); pelar-se; descascar-se; (col.) despir-se para praticar exercícios físicos.
peeler ['-ə], *s.* pelador, descascador; (col.) polícia.
peeling ['-iŋ], *s.* peladura, descascamento; *pl.* cascas.
peeling-machine — máquina de descascar.
peen [pi:n], *s.* pena (de martelo).
peen-hammer — martelo com pena.
peep [pi:p], **1** — *s.* olhadela; espreitadela; aparição; relance; pio (de ave); chama fraca; vista parcial; primeira luz (do dia).
at the peep of day (at the peep of dawn) — ao despontar do dia.
peep-hole — buraco para espreitar; rótulo (da porta).
to take a peep at — dar uma espreitadela a.
peep-sight — mira.
peep-show — estereoscópio.
peep-window — postigo.
2 — *vi.* espreitar; apontar; despontar; romper; aparecer; mostrar-se; piar, pipilar (ave).
to peep through the keyhole — espreitar pelo buraco da fechadura.
to peep in — espreitar para dentro.
to peep out — espreitar para fora.
to peep forth — aparecer, sair.
don't peep out of the window! — não espreites pela janela!
to peep at — olhar furtivamente para.
to peep over the fence (cal.) — morrer.
peeper ['-ə], *s.* pessoa que espreita; (col.) olho; pintainho.
peeping ['-iŋ], **1** — *s.* acção de espreitar, espreitadela; primeira luz (do dia); acção de começar a aparecer; pio (de ave).
2 — *adj.* que espreita; que começa a nascer; que começa a surgir.
peeping Tom — pessoa bisbilhoteira, que anda sempre a espreitar para dentro de casa, quartos, etc.
peer [piə], **1** — *s.* par, igual; companheiro; par, grande, nobre.
you will not easily find his peer — não encontrará fàcilmente outro como ele.
without peer — sem par; sem rival.
the peers of the realm — os pares do reino.
to be the peer of — ser igual a.
2 — *vt.* e *vi.* elevar à categoria de par do reino; rivalizar com; espreitar; assomar, aparecer; despontar; sair.
to peer out — surgir.
to peer with — rivalizar com.
to peer at — examinar.
peerage ['-ridʒ], *s.* pariato; dignidade de par; nobreza.
the peerage — os pares, a nobreza.
to raise somebody to the peerage — elevar alguém ao pariato.
peeress ['-ris], *s.* esposa de um par do reino.
peering ['-riŋ], *adj.* perscrutador.
peerless ['-lis], *adj.* sem par, incomparável, sem igual. (*Sin.* matchless, unequalled, unrivalled. *Ant.* ordinary.)

peerlessly ['-lisli], *adv.* incomparavelmente; sem par, sem igual.
peerlessness ['-lisnis], *s.* excelência incomparável; superioridade sem igual.
peeve [pi:v], *vt.* (cal.) irritar, fazer zangar; aborrecer.
peeved [-d], *adj.* (cal.) irritado, zangado.
peevish ['-iʃ], *adj.* mal-humorado, impertinente, rabugento, impaciente; petulante.
peevishly ['pi:viʃli], *adv.* com mau humor, com rabugice.
peevishness ['pi:viʃnis], *s.* mau humor, rabugice, impertinência; mau génio.
peewit ['pi:wit], *s.* (zool.) pavoncinho, galispo.
peg [peg], **1** — *s.* cavilha; escápula; taco; mola para segurar a roupa; estaca; cabide; bojão; chavelha; (fig.) pretexto para fazer qualquer coisa; (col.) posição social; (cal.) perna de pau; uísque ou brande com soda.
peg-ladder — escada de mão simples.
peg-leg — perna de pau; pessoa que usa perna de pau.
peg-house — taberna.
peg wood — cavilha de madeira.
hat peg — cabide para chapéu.
peg-stake — estaca.
peg-top — pião com bico de metal; *pl.* calças largas nas ancas e estreitas para baixo.
to come down a peg — deixar de estar autoritário.
to be a square peg in a round hole — não estar no seu elemento.
to get a peg to hang things on (fig.) — arranjar um bode expiatório.
2 — *vt.* e *vi.* (*pret.* e *pp.* **pegged**) cavilhar, segurar com cavilhas; agredir com uma estaca de madeira; fixar preços na Bolsa comprando ou vendendo a determinada cotação; limitar por meio de estacas; (cal.) atirar pedras.
to peg away — trabalhar com persistência.
to peg out — demarcar, delimitar; morrer.
to peg at — agredir com uma estaca.
to be pegged down to one's work — estar a trabalhar muito.
Peg [peg], *n. p.* dim. de **Margaret** e abrev. de **Peggy.**
pegamoid ['pegəmɔid], *s.* pergamóide.
Pegasus ['pegəsəs], *n. p.* (mit.) Pégaso.
pegging ['pegiŋ], *s.* acção de prender com estacas ou cavilhas de madeira.
Peggy ['pegi], *n. p.* ver **Peg.**
pegmatite ['pegmətait], *s.* (min.) pegmatite.
pegmatoid ['pegmətɔid], *adj.* (min.) pegmatóide.
peignoir ['peinwɑ], *s.* penteador.
pejorative ['pi:dʒərətiv], **1** — *s.* termo pejorativo.
2 — *adj.* pejorativo.
pejoratively [-li], *adv.* pejorativamente.
peke [pi:k], *s.* (zool.) pequinês, cão-sol.
pekin [pi:'kin], *s.* tecido de seda.
Pekin [pi:'kin], *top.* Pequim.
Pekinese [pi:ki'ni:z], **1** — *s.* habitante ou natural de Pequim; (zool.) pequinês.
2 — *adj.* pequinês, de Pequim.
Peking [pi:'kiŋ], *top.* ver **Pekin.**
Pekingese [pi:kiŋ'i:z], *s.* e *adj.* ver **Pekinese.**
pekoe ['pi:kou], *s.* variedade de chá preto.
pelada [pi'lɑ:də], *s.* (med.) pelada.
pelage ['pelidʒ], *s.* pelagem.
pelagian [pe'leidʒiən], **1** — *s.* ser que vive no mar alto.
2 — *adj.* que vive no mar alto; oceânico.
Pelagianism [-izm], *s.* pelagianismo.
pelagic [pe'lædʒik], *adj.* pelágico, oceânico.
Pelagius [pe'leidʒiəs], *n. p.* Pelágio.
pelargonium [pelə'gounjəm], *s.* (bot.) pelargónio.
Pelasgi [pe'læzgai], *s. pl.* Pelasgos, primitivos habitantes da Grécia e Itália.
Pelasgian [pe'læzgiən], **1** — *s.* pelasgo.
2 — *adj.* pelasgiano, pelásgico.
pelasgic [pe'læzgik], *adj.* pelásgico.
pelerine ['peləri:n], *s.* pelerine, romeira.
pelf [pelf], *s.* (depr.) dinheiro, bens, riquezas mal adquiridas.
pelican ['pelikən], *s.* pelicano; alambique com dois canos.
pelisse [pe'li:s], *s.* peliça.
hussar pelisse — peliça de militar.
pellagra [pe'lægrə], *s.* (med.) pelagra.
pellagrin [pe'lægrin], *s.* (med.) pelagroso, pessoa que sofre de pelagra.
pellagrous [pe'lægrəs], *adj.* (med.) pelagroso.
pellet ['pelit], **1** — *s.* pelota, péla; bola; bala; bolinha (de papel, etc.); pastilha; grão miúdo de chumbo.
aromatic pellet — pastilha de fumigação.
airgun pellets — chumbo para espingardas de pressão.
2 — *vt.* atirar bolinhas de papel.
pellicle ['pelikl], *s.* película, pele muito fina.
pellicular [pe'likjulə], *adj.* pelicular.
pellicule ['pelikju:l], *s.* ver **pellicle.**
pell-mell ['pel'mel], **1** — *s.* confusão.
2 — *adj.* confuso.
3 — *adv.* em confusão, misturadamente, a trouxe-mouxe.
pellucid [pe'lju:sid], *adj.* diáfano, transparente, claro; lúcido. (*Sin.* lucid, transparent, clear, diaphanous. *Ant.* opaque.)
pellucidity [pelju'siditi], *s.* transparência, diafaneidade; lucidez.
pellucidly [pe'lju:sidli], *adv.* transparentemente; com clareza.
pellucidness [pe'lju:sidnis], *s.* ver **pellucidity.**
pelmet ['pelmit], *s.* sanefa.
Peloponnese ['peləpəni:s], *top.* Peloponeso.
Peloponnesian [peləpə'ni:ʃən], *s.* e *adj.* habitante ou natural do Peloponeso; referente ao Peloponeso.
the Peloponnesian war — a guerra do Peloponeso.
Peloponnesus [peləpə'ni:səs], *top.* ver **Peloponnese.**
pelota [pə'loutə], *s.* pelota basca.
pelt [pelt], **1** — *s.* pele, coiro; golpe, cacetada; (joc.) pele humana; chuvada; cólera.
pelt-wool — lã de animal morto.
a shepherd's pelt — samarra de pastor.
in a pelt — encolerizado.
at full pelt — a toda a velocidade.
2 — *vt.* e *vi.* apedrejar; arremessar, atirar; cair com força; malhar; (col.) correr a toda a velocidade; bater com força (chuva).
it is pelting with rain — está a chover com toda a força.
to pelt somebody with insults — insultar alguém.
to pelt and chafe — encolerizar-se.
to pelt away — fugir o mais possível.
pelter ['peltə], *s.* aquele que lança pedras; aguaceiro.
pelting ['peltiŋ], **1** — *s.* acção de bater; chuvada.
2 — *adj.* que bate, que cai.
peltry ['peltri], *s.* couro; pelaria.
pelves ['pelvi:z], *s. pl.* de **pelvis.**
pelvic ['pelvik], *adj.* (anat.) pélvico.
pelvic girdle (pelvic arch) — cintura pélvica.
pelvimeter [pel'vimitə], *s.* pelvímetro.
pelvis ['pelvis], *s.* (*pl.* **pelves**) (anat.) pelve; bacia.

pemmican ['pemikən], *s.* bolo feito de carne seca usado pelos índios norte-americanos; (fig.) matéria literária condensada.
pen [pen], **1** — *s.* caneta; bico; estilo; escrita; redil; baia (lugar onde vai o gado a bordo); curral; pocilga; parque para crianças; (zool.) cisne-fêmea; concha interna da lula; *pl.* rémiges.
fountain-pen — caneta de tinta permanente.
quill-pen — pena de pato.
pen-name — pseudónimo.
slip of the pen — lapso de pena.
steel pen — bico de aço.
dash of the pen (stroke of the pen) — risco feito com a pena; penada.
drawing-pen — tira-linhas; caneta de desenho.
to live by one's pen — viver da pena.
pen-and-ink drawing — desenho feito à pena.
pen-compass — compasso tira-linhas.
pen-feather — rémige.
pen-nib — aparo de caneta.
pen-driver — jornalista profissional.
pen-wiper — limpa-canetas.
pen-pusher — plumitivo.
chicken pen — galinheiro.
geometrical pen — tira-linhas.
submarine pen — abrigo para submarinos.
to let the cattle out of the pen — soltar o gado.
to take pen in hand — lançar mão da pena.
2 — *vt.* (*pret.* e *pp.* **penned**) escrever, redigir; encerrar, engaiolar; fechar.
to pen up (to pen in) — encerrar, encurralar.
penal [pi:nl], **1** — *s.* (col.) trabalhos forçados.
to get a penal — ser condenado a trabalhos forçados.
2 — *adj.* penal; punível.
penal servitude — trabalhos forçados.
a penal colony — uma colónia penal.
penal code (penal laws) — código penal.
penal sum — multa.
penalization [pi:nəlai'zeiʃən], *s.* imposição duma pena; (desp.) penalização.
penalize ['pi:nəlaiz], *vt.* declarar penal; (desp.) penalizar.
penally ['pi:nəli], *adv.* penalmente, de modo penal.
penalty ['penlti], *s.* penalidade, pena; castigo; multa; desvantagem.
penalty kick (fut.) — grande penalidade.
penalty area (desp.) — área de grande penalidade.
to pay the penalty of one's foolishness — sofrer as consequências da sua loucura.
on penalty of (under penalty of) — sob pena de.
the death penalty (the ultimate penalty, the extreme penalty) — a pena de morte.
to be under penalty of death — ser condenado à morte.
penance ['penəns], **1** — *s.* pena, castigo, penitência.
to do penance for — fazer penitência por.
the sacrament of penance — o sacramento da penitência.
2 — *vt.* castigar, impor penitência a.
Penates [pe'neiti:z], *s. pl.* penates.
pence [pens], *s. pl.* de **penny.**
pencil [pensl], **1** — *s.* lápis; feixe luminoso; (geom.) feixe de linhas convergentes; (arc.) pincel de pintor.
pencil-case — lapiseira.
drawing-pencil — lápis de desenho.
propelling-pencil — lapiseira automática.
pencil-box — caixa de lápis.
pencil-cloth — pano para limpar pincéis.
pencil eraser — borracha de lápis.
pencil of rays — feixe de raios.
pencil-rack — descanso para os lápis.
pencil-mark — traço a lápis.
pencil-protector — cabeça protectora da ponta do lápis.
black-lead pencil — lápis preto.
coloured pencil — lápis de cor.
pencil-sharpener — afiadeira.
hair-pencil — pincel fino.
red-lead pencil — lápis vermelho.
slate pencil — ponteiro; lápis de lousa.
eyebrow pencil — lápis para as sobrancelhas.
written in pencil — escrito a lápis.
to mark with a pencil (to mark in pencil) — marcar a lápis.
stroke of the pencil — pincelada.
2 — *vt.* (*pret.* e *pp.* **pencilled**) escrever ou desenhar a lápis; registar (nome de cavalo) no livro de apostas.
to pencil down a note — tomar uma nota a lápis.
pencilled [-d], *adj.* escrito a lápis; marcado a lápis.
pencilling ['-iŋ], *s.* acção de escrever ou marcar a lápis.
pencraft ['penkrɑ:ft], *s.* arte de escrever; caligrafia.
pendant ['pendənt], **1** — *s.* pendente, pingente; brinco; galhardete; coroa (de mastro); pêndulo; flâmula; adorno suspenso no tecto; andorinho; amantilho (de carangueja, pau de carga); guardim.
ear pendant — brinco.
brace pendants (náut.) — braçalotes.
action pendant — pendão de batalha.
electric pendant — lustre eléctrico.
gas pendant — candelabro a gás.
yard tackle pendant (náut.) — vergueiro da talha do lais.
main tackle pendant (náut.) — coroa da talha grande.
to make a pendant — emparelhar com.
2 — *adj.* pendente, à espera de solução; pendurado; (gram.) incompleto.
pendency ['pendənsi], *s.* pendência; indecisão; (jur.) processo.
pendent ['pendənt], *s.* e *adj.* ver **pendant.**
pendentive [pen'dentiv], *s.* (arq.) pendículo.
pending ['pendiŋ], **1** — *adj.* pendente, suspenso; inclinado; indeciso.
2 — *prep.* durante, entretanto.
pending these negotiations — durante estas negociações.
pending his return — até que ele volte.
pendular ['pendjulə], *adj.* pendular.
pendulate ['pendjuleit], *vi.* mover-se como um pêndulo; (fig.) oscilar, vacilar.
penduline ['pendjulain], *adj.* suspenso (ninho); (ave) que faz o ninho suspenso.
pendulous ['pendjuləs], *adj.* pendente, suspenso; indeciso; com movimento semelhante ao de um pêndulo.
pendulous motion — movimento pendular.
pendulously [-li], *adv.* de maneira oscilante, de maneira pendente.
pendulum ['pendjuləm], *s.* pêndulo.
pendulum bearing — mancal oscilante.
pendulum bob — prumo do pêndulo.
pendulum gear — suspensão pendular.
pendulum-clock — relógio de pêndulo.
pendulum saw — serra oscilante.
pendulum stick — haste de pêndulo.
pendulum lever — alavanca oscilante.
the swing of the pendulum — o movimento pendular.
pendulum wheel — volante de relógio.
Penelope [pi'neləpi], *n. p.* Penélope.
peneplain ['pi:niplein], *s.* peneplanície.
penetrability [penitrə'biliti], *s.* penetrabilidade.

penetrable ['penitrəbl], *adj.* penetrável.
penetrably [-i], *adv.* penetràvelmente, com penetrabilidade.
penetralia [peni'treiljə], *s. pl.* a parte interior de templo, etc.; santuário.
penetrate ['penitreit], *vt.* e *vi.* penetrar, entrar; profundar; compreender, perceber; furar; brocar; atravessar; introduzir-se.
to penetrate a person's mind — penetrar no espírito de uma pessoa.
penetrating [-iŋ], *adj.* penetrante; agudo; subtil, perspicaz. (*Sin.* piercing, sharp, keen, subtle, acute, discerning. *Ant.* dull.)
a penetrating cry — um grito penetrante.
penetrating agent — agente de penetração.
a penetrating eye — um olhar agudo, perspicaz.
penetratingly [-iŋli], *adv.* penetrantemente.
penetration [peni'treiʃən], *s.* penetração; perspicácia, agudeza de espírito, discernimento, sagacidade.
penetrative ['penitrətiv], *adj.* penetrativo, penetrante, agudo.
penetratively [-li], *adv.* de um modo penetrante.
penetrativeness [-nis], *s.* penetração.
penful ['penful], *s.* penada (de tinta).
penguin ['peŋgwin], *s.* pinguim; avião especial para aprendizagem.
penguin rockery — colónia de pinguins.
penholder ['penhouldə], *s.* caneta.
penial ['pi:niəl], *adj.* peniano, referente ao pénis.
penicillate ['penisilit], *adj.* penicilado, peniciliforme.
penicilliform [peni'silifɔ:m], *adj.* peniciliforme.
penicillin [peni'silin], *s.* penicilina.
peninsula [pi'ninsjulə], *s.* península.
the Peninsula — a Península Ibérica.
peninsular, *adj.* peninsular.
the Peninsular war — a Guerra Peninsular.
penis ['pi:nis,'pi:niz], *s.* (*pl.* **penes**) (anat.) pénis.
penitence ['penitəns], *s.* penitência; arrependimento, contrição. (*Sin.* remorse, contrition, repentance. *Ant.* satisfaction.)
penitent ['penitənt), **1** — *s.* penitente; arrependido.
2 — *adj.* penitente, arrependido, contrito.
penitential [peni'tenʃəl], **1** — *s.* penitencial.
2 — *adj.* penitencial.
penitential psalms — salmos penitenciais.
penitentially [-i], *adv.* penitencialmente.
penitentiary [peni'tenʃəri], **1** — *s.* penitenciária, presídio; casa de correcção para prostitutas; penitenciário (igreja).
Grand Penitentiary (High Penitentiary, Chief Penitentiary) — Cardeal Penitenciário-Mor.
2 — *adj.* penitenciário, penal.
penitentiary priest — padre penitenciário.
penitently ['penitəntli], *adv.* arrependidamente, com penitência.
penknife ['pennaif], *s.* canivete.
penman ['penmən], *s.* escritor, autor; calígrafo; copista.
penmanship ['ʃip], *s.* caligrafia, escrita.
pennant ['penənt], *s.* pendão, galhardete, flâmula, bandeirola.
pennate ['penit], *adj.* emplumado; em forma de pena.
penner ['penə], *s.* pessoa que escreve.
penniform ['penifɔ:m], *adj.* peniforme.
penniless ['penilis], *adj.* sem dinheiro, pobre.
to be penniless — estar sem vintém.
pennon ['penən], *s.* bandeirola, flâmula, galhardete.
pennoned [-d], *adj.* com bandeirola, com flâmula, com galhardete.
penn'orth ['penəθ], *s.* ver **pennyworth.**
Pennsylvania [pensil'veinjə], *top.* Pensilvânia.
Pennsylvanian [-n], *s.* e *adj.* referente à Pensilvânia.
penny ['peni], *s.* péni (moeda); moeda de um péni (*pl.* **pennies**); um péni (*pl.* **pence**); (col.) quantia insignificante; soma de dinheiro.
a pretty penny — uma soma considerável.
Penny Bank — Caixa Económica.
to turn an honest penny — ganhar dinheiro honestamente, fazendo serviços extraordinários.
penny wise and pound foolish — económico em gastos pequenos e desperdiçador de grandes somas; que poupa no farelo e gasta na farinha.
to take care of the pence — ser poupado nas despesas miúdas.
a penny for your thoughts! — em que pensas?
in for a penny, in for a pound — perdido por um, perdido por mil.
penny dreadful — romance ou folhetim «barato».
penny-piece — moeda de um dinheiro.
penny father — avarento.
pen-in-the-slot machine — máquina para vendas que funciona introduzindo uma moeda numa ranhura.
penny wedding — festa de casamento paga pelos convidados.
to be a bad penny (col.) — ser fraco traste.
no penny, no paternoster — sem dinheiro nada se consegue.
penny-post — correio com a franquia de um dinheiro.
to make a pretty penny out of something — ganhar bom dinheiro com alguma coisa.
to neglect the odd pence — não ligar importância a dinheiro miúdo.
in penny numbers (col.) — a pouco e pouco.
to look twice at every penny — ser muito poupado.
a penny saved is a penny earned — vintém poupado é vintém ganhado.
I haven't got a penny in my pocket — não trago um real comigo.
not to have a penny to his name (not to have a penny to bless himself with) — não ter nada de seu.
nobody was a penny the worse — ninguém se prejudicou com isso.
nobody was a penny the better — ninguém ganhou nada com isso.
penny-a-line ['peniə'lain], **1** — *adj.* barato, de tostão a linha (obra literária, escritor); ordinário.
2 — *vi.* escrever mal.
penny-a-liner [-ə], *s.* aquele que escreve mal; aquele que escreve para periódicos.
pennyroyal ['peni'rɔiəl], *s.* (bot.) poejo.
pennyweight ['peniweit], *s.* vigésima parte da onça.
pennywort ['peniwə:t], *s.* (bot.) conchelo.
pennyworth ['penəθ, 'peniwə(:)θ], *s.* valor de um péni; quantidade pequena; o que se pode comprar com um péni; negócio.
a good pennyworth — um bom negócio.
a bad pennyworth — um mau negócio.
not a pennyworth — absolutamente nada.
to buy a pennyworth of chocolates — comprar um péni de chocolates.
penological [pi:nə'lɔdʒikəl], *adj.* penológico.
penologist [pi:'nɔlədʒist], *s.* penologista.
penology [pi:'nɔlədʒi], *s.* penologia.
pensile ['pensil], *adj.* pênsil; suspenso; (ave) que faz o ninho suspenso.
pensile gardens — jardins suspensos.

pension ['penʃən], **1** — *s.* pensão; reforma; casa de hóspedes; dinheiro pago por certos serviços.
to retire on a pension — reformar-se, aposentar-se.
old-age pension — pensão de aposentação; subsídio de velhice.
not for a pension — por nada deste mundo.
pension fund — caixa de pensões.
to live on a pension — viver duma pensão.
retiring pension — subsídio de reforma.
2 — *vt.* dar uma pensão; pagar para que certos serviços sejam prestados.
to be pensioned (mil.) — estar reformado.
to pension off — aposentar, reformar.
pensionable [-əbl], *adj.* aposentável; que faz pagar uma pensão.
pensionable age — idade da aposentação.
pensionary [-əri], **1** — *s.* pensionista.
2 — *adj.* pensionário; aposentado.
pensioner [-ə], *s.* pensionista; reformado, aposentado; aluno da Universidade de Cantabrígia que tem de pagar os estudos.
State pensioner — pensionista do Estado.
to be somebody's pensioner — estar a soldo de alguém.
pensive ['pensiv], *adj.* pensativo; triste, cabisbaixo.
pensively [-li], *adv.* pensativamente; melancolicamente, tristemente.
pensiveness [-nis], *s.* meditação; tristeza, melancolia.
penstock ['penstɔk], *s.* represa de moinho; comporta.
pent [pent], *adj.* fechado, encerrado.
pent up — enjaulado, encerrado, fechado.
pent up fury — fúria incontida.
pentachord ['pentəkɔ:d], *s.* (mús.) pentacorde.
pentacle ['pentəkl], *s.* pentagrama.
pentad ['pentæd], *s.* número cinco; grupo de cinco coisas; lustro; (quím.) elemento pentavalente.
pentagon ['pentəgən], *s.* (geom.) pentágono.
Pentagon ['pentəgən], *s.* *(E.U.)* Ministério da Defesa dos E.U.A., em Washington.
pentagonal [pen'tægənl], *adj.* pentagonal.
pentagonal pyramid — pirâmide pentagonal.
pentagonal prism — prisma pentagonal.
pentagonally [-i], *adv.* pentagonalmente.
pentagram ['pentəgræm], *s.* pentagrama.
pentagynous [pen'tædʒinəs], *adj.* (bot.) pentagínico.
pentahedral [pentə'hi:drəl], *adj.* (geom.) pentaédrico.
pentahedron [pentə'hi:drən], *s.* (geom.) pentaedro.
pentalpha [pen'tælfə], *s.* pentalfa, pentagrama.
pentameter [pen'tæmitə], *s.* pentâmetro, verso de cinco pés.
pentandria [pen'tændriə], *s.* (bot.) pentândria.
pentandrous [pen'tændrəs], *adj.* (bot.) pentândrico.
pentane ['pentein], *s.* (quím.) pentano.
pentapetalous [pentə'petələs], *adj.* (bot.) pentapétalo.
pentarchy ['pentɑ:ki], *s.* pentarquia, governo formado por cinco chefes.
pentasulphide [pentə'sʌlfaid], *s.* (quím.) pentassulfureto.
pentasyllabic [pentəsi'læbik], *adj.* pentassílabo, pentassilábico.
Pentateuch ['pentətju:k], *s.* Pentateuco, conjunto dos primeiros cinco livros da Bíblia.
pentathlon [pen'tæθlɔn], *s.* (desp.) pentatlo.
pentatomic [pentə'tɔmik], *adj.* (quím.) pentatómico, formado de cinco átomos.
pentavalence [pen'tævələns], *s.* (quím.) pentavalência.
pentavalent [pen'tævələnt], *adj.* (quím.) pentavalente.
Pentecost ['pentikɔst], *s.* Pentecostes.
pentecostal [penti'kɔstl], *adj.* do Pentecostes.
penthouse ['penthaus], *s.* alpendre, telheiro; barracão; galeria envidraçada; toldo; casa construída sobre um telhado (E. U.).
pentice ['pentis], *s.* (arc.) ver **penthouse.**
pentode ['pentoud], *s.* (elect.) pêntodo, válvula termiónica de cinco elementos.
pentode television amplifier — pêntodo amplificador de televisão.
pentode radio-frequency amplifier — pêntodo amplificador de radiofrequência.
pentoxide [pen'tɔksaid], *s.* (quím.) pentóxido.
pent-roof ['pentru:f], *s.* telhado em alpendre.
penult [pi'nʌlt, pe'nʌlt], **1** — *s.* penúltima sílaba.
2 — *adj.* penúltimo.
penultimate [-imit], *s.* e *adj.* ver **penult.**
penumbra [pi'nʌmbrə], *s.* penumbra.
penumbral [-l], *adj.* penumbroso.
penurious [pi'njuəriəs], *adj.* penurioso; indigente, miserável; avaro; escasso.
penuriously [-li], *adv.* escassamente; miseravelmente; pobremente.
penuriousness [-nis], *s.* sordidez; escassez; avareza; miséria, pobreza. (*Sin.* poverty, need, destitution, privation, want. *Ant.* affluence.)
penury ['penjuri], *s.* penúria, miséria, indigência, pobreza.
to live in penury — viver na miséria.
peon [pju:n,'pi:ən], *s.* criado indiano; jornaleiro; peão.
peony ['piəni], *s.* (bot.) peonia.
people [pi:pl], **1** — *s.* (*pl.* **peoples**) povo, nação, raça; (com significado colectivo e predicado no plural) gente, pessoas; populaça, vulgo; mundo; (col.) família, parentes.
country people — gente do campo.
common people — plebe; gentalha.
young people — os novos; a mocidade.
people say — dizem, diz-se.
the English people — o povo inglês.
the English-speaking peoples — os povos que falam inglês.
the people here are furious — a gente daqui está furiosa.
good people — boa gente.
a crowd of people — uma aglomeração de gente.
a good many people — bastante gente; muita gente.
his people — a família dele.
uncomfortable people — gente impossível.
people's front (pol.) — a frente popular.
a man of the people — um homem do povo.
the people at large — o grande público.
warlike people — povo guerreiro.
we of all people — logo nós; precisamente nós.
2 — *vt.* povoar; colonizar.
a thickly peopled country — uma região muito povoada.
a thinly peopled country — uma região pouco povoada.
pep [pep], **1** — *s.* (E. U. cal.) vigor, energia; iniciativa.
to have pep — ser enérgico.
pep-talk — conversa encorajadora.
2 — *vt.* (*pret.* e *pp.* **pepped**) (E. U. cal.) animar, dar vigor.
to pep up — animar, dar coragem.
peplis ['peplis], *s.* (bot.) péplida.
pepper ['pepə], **1** — *s.* pimenta; pimentão; pimenteira; (fig.) coisa picante.

pepper-and-salt — acinzentado, salpimenta (cor).
pepper-box — pimenteiro.
ground pepper — pimenta em pó.
whole pepper — pimenta em grão.
to take the pepper in the nose (fig.) — encolerizar-se; agastar-se.
pepper bush — pimenteiro (árvore).
pepper-mill — moinho para moer pimenta.
pepper grass — pibulária.
pepper-pot — pimenteiro; guisado de carne com pimenta.
black pepper — pimenta preta.
beaten pepper — pimenta pisada.
white pepper — pimenta branca.
Cayenne pepper — pimenta de Caiena.
2 — *vt.* apimentar; temperar com pimenta; desancar; crivar de balas.
peppercorn [-kɔ:n], *s.* grão de pimenta; coisa insignificante.
pepperiness [-rinis], *s.* sabor a pimenta; irritabilidade.
peppering [-riŋ], *s.* e *adj.* picante; colérico, irado; tunda, sova.
peppermint [-mint], *s.* hortelã-pimenta; pastilha de hortelã-pimenta.
peppermint camphor — mentol.
peppery [-ri], *adj.* apimentado; pungente; violento, irascível.
peppy [ˈpepi], *adj.* (E. U. cal.) enérgico, activo, dinâmico.
pepsin [ˈpepsin], *s.* (quím.) pepsina.
peptic [ˈpeptik], **1** — *s. pl.* (joc.) órgãos digestivos.
2 — *adj.* péptico; gástrico.
peptic glands — glândulas gástricas.
peptone [ˈpeptoun], *s.* peptona.
peptonization [peptənaiˈzeiʃən], *s.* peptonização.
peptonize [ˈpeptənaiz], *vt.* peptonizar.
per [pə:], *prep.* por, através de; de acordo com.
per cent — por cento.
per annum — por ano.
per mile — por milha.
per se — por si mesmo; intrinsecamente.
as per agreement — conforme o contrato.
per hour — à hora.
per post — pelo correio.
per bearer — pelo portador.
per saltum — de súbito.
per procurationem (jur.) — por procuração.
as per sample — conforme amostra.
per week — por semana.
per ship — de barco.
peradventure [pərədˈventʃə], **1** — *s.* incerteza, dúvida; possibilidade.
without (all) peradventure — sem dúvida alguma.
2 — *adv.* (arc.) talvez, por acaso, porventura.
if peradventure — se por acaso.
perambulate [pəˈræmbjuleit], *vt.* e *vi.* percorrer a pé; andar, passear; examinar, inspeccionar; determinar os limites de um território.
perambulating [-iŋ], *adj.* ambulante.
perambulation [pəræmbjuˈleiʃən], *s.* visita de inspecção; jornada; passeio; determinação dos limites de um território.
perambulator [ˈpræmbjuleitə], *s.* carrinho de criança (abrev. **pram**).
percale [pə:ˈkeil], *s.* percal, tecido fino de algodão.
percaline [ˈpə:kəlin], *s.* percalina.
perceivable [pəˈsi:vəbl], *adj.* perceptível; compreensível. (*Sin.* discernible, visible, perceptible, palpable. *Ant.* imperceptible.)
perceivably [-i], *adv.* perceptivelmente; compreensivelmente.
perceive [pəˈsi:v], *vt.* perceber, compreender; notar, observar; distinguir; conhecer; sentir. (*Sin.* to distinguish, to discern, to notice, to see, to understand, to observe, to feel. *Ant.* to overlook.)
perceiver [pəˈsi:və], *s.* aquele que percebe, aquele que compreende.
perceiving [pəˈsi:viŋ], *adj.* que percebe, que compreende, perceptível.
percentage [pəˈsentidʒ], *s.* percentagem.
only a small percentage — só uma pequena percentagem.
percentage by volume — percentagem em volume.
percentage by weight — percentagem em peso.
percentage of moisture — percentagem de humidade.
percentage of efficiency — proporção de rendimento.
to allow a percentage on — dar uma percentagem sobre.
percentage of profit — percentagem de lucros.
percept [ˈpə:sept], *s.* (fil.) objecto da percepção; imagem mental da percepção.
perceptibility [pəseptəˈbiliti], *s.* perceptibilidade.
perceptible [pəˈseptəbl], *adj.* perceptível, sensível, visível, palpável.
perceptibly [-i], *adv.* perceptivelmente, visivelmente, sensivelmente.
perception [pəˈsepʃən], *s.* percepção; conhecimento; ideia, noção; (jur.) recebimento (de rendas, impostos, etc.).
organs of perception — órgãos da percepção.
perceptive [pəˈseptiv], *adj.* perceptivo.
perceptively [-li], *adv.* perceptivelmente.
perceptiveness [-nis], *s.* perceptividade, faculdade de perceber; prontidão em perceber.
perceptivity [pə:sepˈtiviti], *s.* ver **perceptiveness.**
Perceval [ˈpə:sivəl], *n. p.* Perceval, Parsifal.
perch [pə:tʃ], **1** — *s.* perca (peixe); poleiro; (fig.) posição elevada; medida de cerca de cinco metros.
to take its perch — empoleirar-se (ave).
to hop the perch (col.) — morrer.
to knock a person off his perch — deitar uma pessoa do poleiro abaixo; fazer «baixar a proa» a uma pessoa.
2 — *vt.* e *vi.* empoleirar; poisar; encarrapitar-se; sentar-se; empoleirar-se.
a town perched on a hill — uma cidade empoleirada num monte.
perchance [pəˈtʃɑ:ns], *adv.* (arc.) possivelmente, talvez.
percher [ˈpə:tʃə], *s.* círio; pássaro que se empoleira.
perchglue [ˈpə:tʃglu:], *s.* cola fina de perca.
perching [ˈpə:tʃiŋ], *adj.* que se empoleira.
perchlorate [pəˈklɔ:rit], *s.* (quím.) perclorato.
perchloric [pəˈklɔrik], *adj.* (quím.) perclórico.
perchloride [pəˈklɔraid], *s.* (quím.) percloreto.
perchloride of tin — percloreto de estanho.
percipience [pə(:)ˈsipiəns], *s.* percepção.
percipient [pə(:)ˈsipiənt], **1** — *s.* o que é dotado de percepção.
2 — *adj.* perceptivo, que percebe.
Percival [ˈpə:sivəl], *n. p.* ver **Perceval.**
percolate [ˈpə:kəleit], *vt.* e *vi.* filtrar, coar; filtrar-se. (*Sin.* to drain, to drip, to filter, to exude, to ooze.)
to percolate the coffee — coar o café.
percolating [-iŋ], *adj.* que se infiltra.
percolating water — água de infiltração.
percolation [pə:kəˈleiʃən], *s.* filtração; infiltração.
percolator [ˈpə:kəleitə], *s.* filtro, coador.
coffee-percolator — máquina de fazer café.

percuss [pə:'kʌs], *vt.* (med.) examinar fazendo percussão.
percussion [pə:'kʌʃən], *s.* percussão, choque; (med.) percussão.
percussion bullet — bala explosiva.
percussion cap — fulminante.
percussion composition — composto detonante.
percussion powder — pólvora de fulminante.
percussion shell — granada de percussão.
percussion gun — arma de percussão.
percussion instrument (instrument of percussion) (mús.) — instrumento de percussão.
percussive [pə:'kʌsiv], *adj.* percuciente; de percussão.
percussive force — força de percussão.
percutaneous [pə:kju(:)'teinjəs], *adj.* percutâneo, subcutâneo, hipodérmico.
percutaneously [-li], *adv.* percutaneamente, subcutâneamente.
percucient [pə'kju:ʃənt], *adj.* percuciente.
perdition [pə:'diʃən], *s.* perdição, ruína, perda.
go to perdition! — vai para o diabo!
perdu [pə:'dju:], *adj.* (mil.) perdido de vista, escondido, emboscado.
perdue [pə:'dju:], *adj.* ver **perdu.**
perdurability [pədjuərə'biliti], *s.* perdurabilidade, perduração.
perdurable [pə'djuərəbl], *adj.* perdurável.
perdurably [-i], *adv.* perduravelmente, duradoiramente.
peregrin ['perigrin], *s.* peregrino; (arc.) estrangeiro.
peregrin falcon — falcão-real.
peregrinate ['perigrineit], *vi.* (joc.) viajar.
peregrination [perigri'neiʃən], *s.* peregrinação; viagem.
peregrinator ['perigrineitə], *s.* peregrino; viajante.
peregrine ['perigrin], *s.* ver **peregrin.**
peremptorily [pə'remptərili], *adv.* peremptòriamente.
peremptoriness [pə'remptərinis], *s.* qualidade do que é peremptório, tom decisivo, dogmático.
peremptory [pə'remptəri], *adj.* peremptório, decisivo, formal, dogmático; absoluto.
peremptory sale — venda forçada.
peremptory orders — ordens terminantes.
peremptory exception of jurymen (jur.) — recusa dos jurados.
perennial [pə'renjəl], **1** — *s.* planta vivaz. **2** — *adj.* perene, perpétuo, contínuo; (bot.) vivaz.
perenniality [pəreni'æliti], *s.* perenidade.
perennially [pə'reniəli], *adv.* perenemente, perpètuamente.
perfect ['pə:fikt], **1** — *s.* (gram.) perfeito; tempo composto.
present perfect — pretérito perfeito composto.
past perfect — pretérito mais-que-perfeito.
2 — *adj.* perfeito; completo, acabado, inteiro; cabal; consumado; (gram.) perfeito, composto; exacto, preciso. (*Sin.* consummate, finished, complete, whole, faultless, sound, full. *Ant.* incomplete, deficient, imperfect.)
a perfect nonsense — um perfeito disparate.
perfect balance — equilíbrio perfeito.
perfect flower (bot.) — flor completa.
perfect concord (mús.) — acorde perfeito.
perfect participle (gram.) — particípio perfeito.
perfect circle — círculo perfeito.
present perfect tense (gram.) — pretérito perfeito composto.
past perfect tense (gram.) — pretérito mais-que-perfeito.
practice makes perfect — pratica e serás mestre.
to have something perfect — saber qualquer coisa muito bem.
to be a perfect fool — ser um tolo chapado.
perfect [pə'fekt], *vt.* aperfeiçoar; completar, acabar, consumar.
to perfect oneself in — aperfeiçoar-se em.
perfecter [pə:'fektə], *s.* aperfeiçoador; aparelho que serve para arrematar um trabalho.
perfectibility [pəfekti'biliti], *s.* perfectibilidade.
perfectible [pə'fektəbl], *adj.* perfectível, aperfeiçoável.
perfecting [pə'fektiŋ], *s.* acção de aperfeiçoar; aperfeiçoamento.
perfection [pə'fekʃən], *s.* perfeição, requinte; ponto mais alto; mestria, habilidade extrema.
the pink of perfection — o auge da perfeição.
to bring to perfection — levar à perfeição.
perfection of detail — perfeição de pormenores.
to be the perfection of kindness — ser a bondade personificada.
to attain perfection — alcançar a perfeição.
perfectionism [-izm], *s.* perfeccionismo, possibilidade de alcançar a perfeição.
perfectionist [-ist], *s.* perfeccionista, o que é partidário do perfeccionismo.
perfective [pə'fektiv], *adj.* (gram.) referente ao perfeito.
perfectly ['pə:fiktli], *adv.* perfeitamente; completamente; inteiramente; optimamente.
to know perfectly well — saber perfeitamente bem.
perfectness ['pə:fiktnis], *s.* perfeição, excelência, primor.
perfervid [pə:'fə:vid], *adj.* muito fogoso; excessivamente arrebatado.
perfervidly [-li], *adv.* fogosamente; arrebatadamente.
perfidious [pə:'fidiəs], *adj.* pérfido, traiçoeiro, desleal, traidor. (*Sin.* false, treacherous, disloyal, deceitful. *Ant.* faithful.)
perfidiously [-li], *adv.* perfidamente, traidoramente.
perfidiousness [-nis], *s.* perfídia, traição, deslealdade.
perfidy ['pə:fidi], *s.* ver **perfidiousness.**
perforable ['pə:fərəbl], *adj.* perfurável.
perforate ['pə:fəreit], *vt.* e *vi.* perfurar, furar, esburacar; picotar.
to perforate into (to perforate through) — penetrar em.
perforated [-id], *adj.* perfurado; picotado.
perforated stamp — selo picotado.
perforated brick — tijolo furado.
perforating [-iŋ], **1** — *s.* perfuração, acção de perfurar, de picotar.
perforating machine — máquina de picotar.
2 — *adj.* perfurante.
perforation [pə:fə'reiʃən], *s.* perfuração; furo; recorte dentado.
perforation board — molde de perfuração.
perforative ['pə:fərətiv], *adj.* perfurativo, perfurante.
perforator ['pə:fəreitə], *s.* perfurador; trado; broca; (med.) trépano.
perforce [pə'fɔ:s], **1** — *s.* necessidade.
by perforce (of perforce) — necessàriamente, forçosamente.
2 — *adv.* por força, necessariamente, forçosamente.
perform [pə'fɔ:m], *vt.* e *vi.* executar; desempenhar, cumprir; fazer; efectuar; exercer; actuar; desempenhar (um papel numa peça de teatro); tocar (um instrumento de música); cantar; executar (evoluções, etc.).
to perform one's duty — cumprir o seu dever.

to perform a part in a play — desempenhar um papel numa peça teatral.
to perform the duties of an office — desempenhar as funções dum cargo.
to perform a task — desempenhar uma tarefa.
the play performs well — a peça é boa para ser posta em cena.
performable [-əbl], *adj.* executável, realizável, praticável; (teat.) que pode representar-se.
performance [-əns], *s.* execução; desempenho; cumprimento; realização; composição; obra, acção; função; representação; feito notável; peça teatral; actuação (de artista); espectáculo de cinema, teatro, música, etc. (*Sin.* execution, play, deed, exhibition.)
there are two performances a day — há dois espectáculos por dia.
no performance tonight — esta noite não há espectáculo.
performance rights (teat.) — direitos de representação.
performance curve — curva de rendimento (de máquina).
afternoon performance — sessão da tarde.
best performance (mec.) — rendimento máximo.
conjuring performance — sessão de prestidigitação.
continuous performance (cin.) — sessão contínua.
charity performance — festa de caridade.
evening performance — sessão da noite.
the performance of a character (teat.) — o desempenho dum papel.
farewell performance — récita de despedida.
performer [-ə], *s.* artista, executante; executor; actor; realizador; músico; acrobata; ginasta.
performing [-iŋ], **1** — *s.* acção de realizar; (teat.) representação.
performing rights — direitos de representação.
2 — *adj.* que representa; executante; que faz habilidades (animais).
performing-fleas — pulgas amestradas.
perfume 1 — ['pə:fju:m], *s.* perfume, fragrância, aroma.
perfume sprayer — pulverizador de perfume.
bottle of perfume — frasco de perfume.
2 — [pə'fju:m], *vt.* aromatizar, perfumar.
perfumeless ['pə:fjumlis], *adj.* sem perfume.
perfumer [pə'fju:mə], *s.* perfumista, fabricante ou vendedor de perfumes.
perfumery [pə'fju:məri], *s.* perfumaria.
perfunctorily [pə'fʌŋktərili], *adv.* perfunctoriamente; negligentemente, superficialmente.
perfunctoriness [pə'fʌŋktərinis], *s.* negligência, descuido, indolência.
perfunctory [pə'fʌŋktəri], *adj.* perfunctório, negligente, descuidado; feito a correr; superficial.
in a perfunctory manner — de uma maneira superficial.
a perfunctory inspection — um exame superficial.
perfuse [pə'fju:z], *vt.* borrifar; orvalhar; encher.
to perfuse with water — borrifar com água.
perfusion [pə'fju:ʒən], *s.* perfusão; aspergimento.
pergameneous [pə:gə'mi:niəs], *adj.* pergamináceo.
Pergamum ['pə:gəməm], *top.* Pérgamo.
Pergamus ['pə:gəməs], *top.* ver **Pergamum.**
pergola ['pə:gələ], *s.* pérgula; caramanchão.
perhaps [pə'hæps, præps], *adv.* talvez, acaso, porventura, possivelmente.
perhaps so — talvez seja assim.
perhaps not — talvez não.
perhaps you would like to see it — talvez gostasse de o ver.
peri ['piəri], *s.* génio fabuloso segundo a mitologia persa.
perianth ['periænθ], *s.* (bot.) perianto.
periapt ['periæpt], *s.* periapto, amuleto.
periblast ['periblæst], *s.* (biol.) periblasto.
pericardial [peri'ka:diəl], *adj.* pericárdico.
pericarditis [perika:'daitis], *s.* (med.) pericardite.
pericardium [peri'ka:djəm], *s.* pericárdio.
pericarp ['perika:p], *s.* (bot.) pericarpo.
pericarpial [peri'ka:piəl], *adj.* (bot.) pericárpico.
perichondritis [perikɔn'draitis], *s.* (med.) pericondrite.
perichondrium [peri'kɔndriəm], *s.* (anat.) pericôndrio, pericondro, bainha que envolve as cartilagens.
periclase ['perikleis], *s.* (min.) periclase; periclasite.
periclasite [peri'kleisait], *s.* ver **periclase.**
Pericles ['perikli:z], *n. p.* (grego) Péricles.
pericline ['periklain], *s.* (min.) periclina.
periderm ['peridə:m], *s.* (bot.) periderme.
perigee ['peridʒi:], *s.* perigeu, ponto da órbita dum planeta em que é mínima a sua distância à Terra.
to be in perigee — estar no perigeu.
perihelion [peri'hi:ljən], *s.* periélio, ponto da órbita dum planeta em que é mínima a sua distância ao Sol.
to be in perihelion — estar no periélio.
peril, 1 — *s.* perigo, risco.
in peril of one's life — com perigo de vida.
to be in peril — estar em perigo.
2 — *vt.* (*pret.* e *pp.* **perilled**) expor ao perigo, arriscar.
perilous ['periləs], *adj.* perigoso, arriscado, exposto. (*Sin.* dangerous, risky, uncertain, hazardous, unsafe. *Ant.* safe.)
perilously [-li], *adv.* perigosamente, arriscadamente.
perilousness [-nis], *s.* situação arriscada; perigo, risco.
perimeter [pə'rimitə], *s.* (geom.) perímetro; perímetro, campímetro (óptica).
perimetric [peri'metrik], *adj.* perimétrico.
perimorph ['perimɔ:f], *s.* cristal ou minério que contém outro de natureza diferente.
perimorphic [peri'mɔ:fik], *adj.* perimórfico.
perineal [peri'niəl], *adj.* perineal, referente ao perineu ou períneo.
perineum [peri'niəm], *s.* (anat.) perineu, períneo.
period ['piəriəd], *s.* período, círculo, revolução, época, tempo, duração; era, idade; termo, fim; período (gramatical); tempo lectivo; *pl.* mênstruo; frases retóricas. (*Sin.* age, time, date, cycle, continuation, duration, complete sentence.)
to put a period to — pôr termo a.
at a later period — mais tarde.
period novel — novela de costumes.
period of availability — período de validade.
periods of a disease — fases duma doença.
period of incubation (med.) — período de incubação.
period of compression (mec.) — tempo de compressão.
period of expansion (mec.) — tempo de expansão.
period of oscillation — período de oscilação.
for a period of — por um período de.
period of planet's revolution — ciclo de revolução de planeta.
half-period — meio período.

glacial period — época glaciária.
within the agreed period — dentro do prazo estabelecido.
the period — a época actual.
periodic [piəri'ɔdik], *adj.* periódico; intermitente; retórico; (mat., gram.) periódico.
periodic current (elect.) — corrente intermitente.
periodic discharge — descarga intermitente.
periodic acid (quím.) — ácido periódico.
periodic motion — movimento periódico.
periodic function (mat.) — função periódica.
periodic table (quím.) — tabela periódica.
periodic style — estilo empolado.
periodical [-əl], **1** — *s.* publicação periódica. **2** — *adj.* periódico; intermitente.
periodical current (elect.) — corrente intermitente.
periodical survey — vistoria periódica.
periodical lubrification — lubrificação intermitente.
periodicalism [-əlizm], *s.* periodismo.
periodically [-əli], *adv.* periodicamente.
periodicity [piəriə'disiti], *s.* periodicidade.
periosteal [peri'ɔstiəl], *adj.* periosteal, periostal.
periosteum [peri'ɔstiəm], *s.* (anat.) perióstео, membrana que reveste os ossos.
periostitis [periɔs'taitis], *s.* (med.) periostite, periosteíte.
periostosis [periɔs'tousis], *s.* (med.) periostose, periosteose.
peripatetic [peripə'tetik], **1** — *s.* partidário do peripatetismo; (col.) vendedor ambulante. **2** — *adj.* peripatético; aristotélico; (col.) ambulante, que vai de terra em terra.
peripatetically [-əli], *adv.* peripateticamente.
peripateticism [peripə'tetisizm], *s.* peripatetismo.
peripheral [pə'rifərəl], *adj.* que se refere à periferia; periférico.
peripheral force (mec.) — força tangencial.
peripheral speed — velocidade periférica.
peripheral resistance — resistência periférica.
peripheric [peri'ferik], *adj.* ver **peripheral.**
peripherical [-əl], *adj.* ver **peripheral.**
peripherically [-əli], *adv.* perifericamente.
periphery [pə'rifəri], *s.* periferia; perímetro.
periphery of circle — periferia de círculo.
periphery grinding (mec.) — rectificação periférica.
periphrase ['perifreiz], **1** — *s.* perífrase, circunlóquio. **2** — *vt.* e *vi.* empregar perífrases.
periphrasis [pə'rifrəsis], *s.* (*pl.* **periphrases**) ver **periphrase.**
periphrastic [peri'fræstik], *adj.* perifrástico.
periphrastically [-əli], *adv.* perifrasticamente.
periplus ['periplʌs], *s.* périplo, viagem de circum-navegação.
perique [pə'rik], *s.* qualidade de tabaco americano.
periscope ['periskoup], *s.* periscópio.
periscopic [peri'skɔpik], *adj.* periscópico.
periscopical [-əl], *adj.* ver **periscopic.**
perish ['periʃ], *vt.* e *vi.* perecer, morrer; murchar; fenecer, acabar; estragar-se, estragar; fazer sofrer muito.
to perish with (from) cold (hunger, etc.) — morrer de frio (fome, etc.).
the heat perished all vegetation — o calor matou toda a vegetação.
to perish by drowning — morrer afogado.
to perish by the sword — morrer à espada.
perished steel — aço desnaturado.
to perish from starvation — morrer de fome.
the rope is perished — a corda está podre.
perishable [-əbl], *adj.* sujeito a perecer, a perder-se; frágil; de fácil deterioração.
perishable goods — géneros sujeitos a deterioração.
perishableness [-əblnis], *s.* fragilidade; qualidade do que é perecível, do que é efémero.
perishables [-əblz], *s. pl.* géneros sujeitos a deterioração.
perishing [-iŋ], **1** — *s.* deterioração; alteração. **2** — *adj.* perecível; efémero; que faz sofrer.
perisperm ['perispə:m], *s.* (bot.) perisperma.
perispome ['perispoum], *s.* perispómeno, vocábulo com acento circunflexo na última sílaba.
perispomenon [peri'spouminən], *s.* ver **perispome.**
peristalsis [peri'stælsis], *s.* (*pl.* **peristalses**) (fisiol.) peristalse, peristaltismo.
peristaltic [peri'stæltik], *adj.* peristáltico.
peristaltically [-əli], *adv.* peristalticamente.
peristeronic [peristə'rɔnik], *adv.* peristerónico, columbófilo.
peristole ['peristoul], *s.* (fisiol.) perístole.
peristome ['peristoum], *s.* (bot., zool.) perístoma.
peristylar [peri'stailə], *adj.* (arq.) com peristilo; referente ao peristilo.
peristyle ['peristail], *s.* (arq.) peristilo.
peritonaeum [peritou'ni:əm], *s.* (*pl.* **peritonea**) (anat.) peritoneu, peritónio.
peritoneal [peritou'ni:əl], *adj.* referente ao peritoneu.
peritoneum [peritou'ni:əm], *s.* (*pl.* **peritonea**) peritoneu.
peritonitis [peritə'naitis], *s.* (med.) peritonite.
periwig ['periwig], *s.* peruca, chinó, cabeleira postiça.
periwigged [-d], *adj.* com cabeleira postiça.
periwinkle ['periwiŋkl], *s.* (zool.) caramujo; (bot.) pervinca.
perjure ['pə:dʒə], *v. refl.* perjurar, jurar falso; prestar falso testemunho.
perjured [-d], *adj.* que cometeu perjúrio; perjurado.
perjurer [-rə], *s.* perjuro.
perjurious [pə'dʒuəriəs], *adj.* perjuro; mentiroso.
perjury ['pə:dʒəri], *s.* perjúrio; falso testemunho.
subornation of perjury — suborno de testemunha.
to commit perjury — cometer perjúrio; jurar falso.
perk [pə:k], **1** — *adj.* (raro) vivo; atrevido; galhardo; alegre. **2** — *vt.* e *vi.* adornar; enfeitar-se; empertigar-se, levantar a cabeça; melhorar depois de uma doença.
to perk oneself — empertigar-se.
to perk up the ears — arrebitar as orelhas.
the patient perked up when he saw the doctor — o doente animou-se ao ver o médico.
perked [-t], *adj.* embriagado.
perkily ['-ili], *adv.* galhardamente, garbosamente; empertigadamente.
perkiness ['-inis], *s.* garbo, galhardia, aprumo; vivacidade, alegria.
perky ['i], *adj.* galhardo; alegre, vivo; altivo; atrevido.
perlite [pə:lait], *s.* (min.) perlite.
perm [pə:m], **1** — *s.* (col.) permanente, ondulação permanente (abrev. de **permanent wave**). **2** — *vt.* (col.) fazer uma ondulação permanente.
she had her hair permed — ela fez uma permanente.
permanence ['pə:mənəns], *s.* permanência; estabilidade; duração.

permanency [-i], *s.* permanência; estabilidade; emprego permanente.
permanent ['pə:mənənt], *adj.* permanente; durável; estável.
permanent wave — ondulação permanente, permanente.
permanent assets — capitais imobilizados.
permanent address (permanent abode) — endereço permanente; residência permanente.
permanent joint — união permanente.
permanent load (elect.) — carga constante.
permanent coat — pintura definitiva.
permanent magnet — íman permanente.
permanent position — emprego permanente; emprego vitalício.
permanent-way man — cantoneiro.
permanent set — deformação permanente.
permanent wiring — ligação definitiva.
permanently [-li], *adv.* permanentemente; vitaliciamente; definitivamente.
permanganate [pə:'mæŋgənit], *s.* permanganato.
potassium permanganate — permanganato de potássio.
permanganic [pə:mæŋ'gænik], *adj.* (quím.) permangânico.
permanganic acid — ácido permangânico.
permeability [pə:mjə'biliti], *s.* permeabilidade.
permeability curve — curva de permeabilidade.
permeability of vacuum — permeabilidade do vácuo.
permeable ['pə:mjəbl], *adj.* permeável. (*Sin.* penetrable, pervious, percolable. *Ant.* impermeable.)
permeameter [pəmi'æmitə], *s.* permeâmetro, aparelho para medir a permeabilidade de certos metais.
permeance ['pə:miəns], *s.* permeação; permeância magnética.
permeate ['pə:mieit], *vt.* e *vi.* penetrar, atravessar, passar, permear.
to be permeated with — estar impregnado de.
to permeate through — passar através de.
permeation [pə:mi'eiʃən], *s.* permeação, penetração, infiltração.
permissible [pə'misəbl), *adj.* permissível; admissível.
permissible motion — movimento admissível.
permissible stress — limite de fadiga.
permissible load — carga admissível.
permissibleness [-nis], *s.* tolerância.
permissibly [-i], *adv.* toleravelmente; permissivelmente.
permission [pə'miʃən], *s.* permissão, licença. (*Sin.* allowance, leave, authority, consent. *Ant.* prohibition.)
to grant permission — conceder licença.
by your permission — com sua licença.
I beg permission — peço licença.
written permission — autorização escrita.
to give permission to — dar licença para.
permissive [pə'misiv], *adj.* permissivo, permitido, consentido, tolerado.
permissively [-li], *adv.* com permissão; permissivamente.
permissiveness [-nis], *s.* legalidade.
permit **1** — ['pə:mit], *s.* permissão, licença; guia; passe; salvo-conduto.
to take out a permit — tirar uma licença.
export permit — licença de exportação.
residence permit — autorização de residência (para estrangeiros).
2 — [pə'mɪt], *vt.* e *vi.* (*pret.* e *pp.* **permitted**) permitir, consentir, deixar, autorizar; tolerar.
to be permitted to — ter licença para.
as circumstances permit — assim que as circunstâncias o permitirem.
it is not permitted — é proibido.
weather permitting — se o tempo o permitir.
permit me to remind you to — permita-me que lhe lembre.
so far as health permits — até onde a saúde o permitir.
to permit somebody to do something — permitir a alguém fazer alguma coisa.
permittance ['pə:mitəns], *s.* capacidade electrostática.
permittivity [pə:mi'tiviti], *s.* (elect.) capacidade indutiva específica.
permutability [pə:mjutə'biliti], *s.* permutabilidade.
permutable [pə'mju:təbl), *adj.* permutável.
permutably [-i], *adv.* por meio de permutação.
permutation [pə:mju(:)'teiʃən], *s.* permutação, troca, permuta; (mat.) permutação.
permute [pə'mju:t], *vt.* permutar, trocar.
pern [pə:n], *s.* (zool.) tartaranhão.
Pernambuco [pə:næm'bu:kou], *top.* Pernambuco.
Pernambuco wood — pau-brasil.
pernicious [pə:'niʃəs], *adj.* pernicioso, nocivo, prejudicial, funesto; mortal, fatal. (*Sin.* harmful, baneful, injurious, unhealthful, fatal, noxious. *Ant.* beneficial.)
pernicious habits — hábitos perniciosos.
perniciously [-li], *adv.* perniciosamente, prejudicialmente.
perniciousness [-nis], *s.* perniciosidade, malignidade.
pernickety [pə'nikiti], *adj.* (col.) fastidioso; melindroso, susceptível; difícil de contentar.
a pernickety matter — um assunto melindroso.
pernoctation [pə:nɔk'teiʃən], *s.* acto de passar a noite em oração.
perorate ['perəreit], *vi.* perorar; falar durante muito tempo.
peroration [perə'reiʃən], *s.* peroração, parte final dum discurso; (cal.) discurso.
peroxide [pə'rɔksaid], **1** — *s.* peróxido.
peroxide of hydrogen — água oxigenada.
peroxide of lead — peróxido de chumbo.
manganese peroxide — peróxido de manganésio.
peroxide blonde — loira oxigenada.
2 — *vt.* (col.) oxigenar (cabelo).
peroxidize [pə'rɔksidaiz], *vt.* (quím.) peroxidar.
perpend [pə:'pend], **1** — *s.* perpianho; pedra de construção aparelhada de ambas as faces da largura da parede onde entra.
2 — *vt.* (arc.) ponderar; meditar em.
perpendicular [pə:pən'dikjulə], **1** — *s.* linha perpendicular; vertical; plano vertical; fio-de-prumo; (cal.) festa em que os convidados estão de pé; (fig.) rectidão.
out of (the) perpendicular — torto; não perpendicular; fora da perpendicular.
perpendicular of right-angled triangle — cateto.
the perpendicular — perpendicular; direcção perpendicular.
2 — *adj.* perpendicular; vertical; a prumo; a pique.
perpendicular line — linha perpendicular.
perpendicular bisector — bissector perpendicular.
perpendicular tangent — tangente perpendicular.
to be perpendicular to — ser perpendicular a.
perpendicularity ['pə:pəndikju'læriti], *s.* perpendicularidade.
perpendicularly [pə:pən'dikjuləli], *adv.* perpendicularmente.
perpetrate ['pə:pitreit], *vt.* perpetrar, cometer.
to perpetrate a crime — perpetrar um crime.
perpetration [pə:pi'treiʃən], *s.* perpetração; crime.

perpetrator ['pə:pitreitə], *s.* perpetrador; criminoso.
perpetual [pə'petjuəl], *adj.* perpétuo, contínuo, incessante, vitalício; (bot.) vivaz; (col.) frequente.
perpetual motion — movimento contínuo.
perpetual calendar — calendário perpétuo.
perpetual screw — parafuso sem-fim.
perpetual inventory — inventário.
perpetually [-i], *adv.* perpetuamente, continuamente.
perpetuance [pə'petjuəns], *s.* perpetuação.
perpetuate [pə'petjueit], *vt.* perpetuar, imortalizar; eternizar.
perpetuation [pəpetju'eiʃən], *s.* ver **perpetuance.**
perpetuator [pə'petjueitə], *s.* perpetuador; aquele que perpetua.
perpetuity [pə:pi'tju(:)iti], *s.* perpetuidade; renda perpétua; posse perpétua.
in (for, to) perpetuity — perpetuamente; para sempre.
perplex [pə'pleks], *vt.* confundir, perturbar, tornar perplexo; intrincar; aturdir; enredar.
to perplex somebody — desorientar alguém.
perplexed [-t], *adj.* perplexo, embaraçado, irresoluto; confuso; intrincado; enredado.
a perplexed question — um problema complicado.
perplexedly [-idli], *adv.* perplexamente, confusamente.
perplexing [-iŋ], *adj.* complicado, embaraçoso, desorientador.
perplexingly [-iŋli], *adv.* embaraçosamente, complicadamente.
perplexity [-iti], *s.* perplexidade; confusão; embaraço; complicação.
perquisite ['pə:kwizit], *s.* emolumento; lucro ou provento para além do ordenado; *pl.* emolumentos, lucros eventuais; gratificação.
perquisition [pə:kwi'ziʃən], *s.* perquisição.
perron ['perən], *s.* patamar no cimo de escada ou à porta de grande edifício.
perry ['peri], *s.* vinho de peras.
persecute ['pə:sikju:t], *vt.* perseguir; acossar; atormentar; importunar; vexar.
to persecute with questions — importunar com perguntas.
persecuting [-iŋ], *adj.* perseguidor; que atormenta.
persecution [pə:si'kju:ʃən], *s.* perseguição; acossamento.
to suffer persecution — sofrer perseguição.
persecution mania — mania da perseguição.
persecutor['pə:sikjutə],*s.* perseguidor; opressor.
Persephone [pə:'sefəni], *n. p.* (mit.) Perséfone, Prosérpina.
Perseus ['pə:sju:s], *n. p.* Perseu.
perseverance [pə:si'viərəns], *s.* perseverança, persistência, constância.
perseverate [pə:'sevəreit], *vi.* surgir no espírito de vez em quando.
perseveration [pə:sevə'reiʃən], *s.* persistência de imagem ou ideia.
persevere [pə:si'viə], *vi.* perseverar, persistir; manter-se firme.
to persevere in (to persevere with) — perseverar em.
persevering [-riŋ], *adj.* perseverante, persistente, constante.
perseveringly [-riŋli], *adv.* perseverantemente, persistentemente.
Persia ['pə:ʃə], *top.* Pérsia.
Persian [-n], **1** — *s.* persa; a língua persa. **2** — *adj.* persa, pérsico.
Persian carpet — tapete persa.
Persian Gulf — golfo Pérsico.
Persian blinds — persianas.
Persian bed — divã.
Persian cat — gato angorá.
Persian wheel — nora; roda com alcatruzes.
persicaria [pəsi'kɛəriə], *s.* (bot.) persicária, erva-pessegueira.
persiennes [pə:zi'enz], *s. pl.* persianas.
persiflage [pɛəsi'flɑ:ʒ], *s.* troça, escárnio, ironia.
persimmon [pə:'simən], *s.* (bot.) dióspiro.
persist [pə'sist], *vi.* persistir, insistir, perseverar; permanecer.
to persist in doing something — insistir em fazer alguma coisa.
to persist in one's opinion — persistir na sua opinião.
persistence [-əns], *s.* persistência, insistência, perseverança, constância; permanência; duração; continuação.
persistency [-ənsi], *s.* ver **persistence.**
persistent [-ənt], *adj.* persistente, perseverante; firme; insistente; permanente, contínuo; (bot.) persistente. (*Sin.* persevering, tenacious, steadfast, constant. *Ant.* volatile, changeful, irregular.)
persistent beat — oscilação persistente.
persistent leaves (bot.) — folhas persistentes.
to be persistent in one's intentions — ser firme nas suas intenções.
persistently [-əntli], *adv.* persistentemente; com firmeza.
person [pə:sn], *s.* pessoa; personagem; indivíduo; personalidade; um qualquer; pessoa gramatical.
in person — pessoalmente.
in the person of — na pessoa de.
to take a fancy to a person — ter simpatia por uma pessoa.
I am the person — sou o próprio.
a person with plenty of go — uma pessoa de rasgo.
a person of distinction — uma pessoa distinta.
artificial person — pessoa jurídica.
for our persons — quanto a nós.
natural person (jur.) — pessoa física.
the said persons (jur.) — as ditas pessoas.
to be hard on a person — ser severo para com uma pessoa.
he has a fine person — ele tem um aspecto distinto.
the three persons of the Trinity — as três pessoas da Santíssima Trindade.
who is the person? (col.) — quem é essa pessoa?
first, second, third person (gram.) — primeira, segunda, terceira pessoa.
persona [pə:'souŋə], *s.* (*pl.* **personae**) pessoa, indivíduo.
personable ['pə:snəbl], *adj.* airoso, esbelto, de boa figura.
personage ['pə:snidʒ], *s.* personagem; pessoa de distinção; exterior, figura, estatura.
personal [pə:snl], *adj.* pessoal, em pessoa; particular, privado; exterior; (gram.) pessoal; (jur.) pessoal, móvel.
personal property — bens móveis.
personal feeling — sentimento pessoal.
personal appearance — aspecto; porte; comparência.
personal acquaintance — conhecimento pessoal.
personal share — acção averbada.
personal points — cartas de racionamento (de chocolates).
personal business — assunto pessoal.
personal effects — objectos de uso pessoal.
personal charms — encantos pessoais.
personal friend — amigo pessoal.
personal pronoun — pronome pessoal.
personal interview — entrevista pessoal.

personal rights — direitos de cidadão.
not to be personal — não se mostrar ofensivo.
personalia [pə:sə'neiljə], *s. pl.* objectos pessoais.
personality [pə:sə'næliti], *s.* personalidade, individualidade; personagem; alusão pessoal ofensiva; (rar.) bens móveis.
multiple personality — desdobramento de personalidade.
to lack in personality — não ter personalidade.
a strong personality — uma personalidade forte.
to indulge in personalities — fazer alusões pessoais ofensivas.
personalization [pə:sənəlai'zeiʃən], *s.* personalização; personificação.
personalize ['pə:sənəlaiz], *vt.* personalizar; personificar.
personally ['pə:snli], *adv.* pessoalmente.
to be delivered personally — para entregar pessoalmente
I wish to see Mr. Wilson personally — desejo falar pessoalmente ao Sr. Wilson.
not to take it personally — não considerar alguma coisa como uma alusão pessoal.
personals ['pə:snlz], *s. pl.* crónica mundana.
personalty ['pə:snlti], *s.* bens móveis.
personate **1** — ['pə:səneit], *vt.* representar, fazer o papel de; ser actor; arremedar, imitar; arrogar; usurpar a identidade de outra pessoa.
2 — ['pə:sənit], *adj.* (bot.) personado; fingido.
personation [pə:sə'neiʃən], *s.* personificação; usurpação do nome de outra pessoa.
personator ['pə:səneitə], *s.* pessoa que faz o papel de outra; actor.
personification [pə:sɔnifi'keiʃən], *s.* personificação; prosopopeia.
personified [pə:'sɔnifaid], *adj.* personificado.
personify [pə:'sɔnifai], *vt.* personificar; representar, simbolizar.
personnel ['pə:sənel], *s.* pessoal, conjunto de empregados.
perspective [pə'spektiv], **1** — *s.* perspectiva; aspecto; vista; desenho feito em perspectiva; aparência.
in perspective — em perspectiva.
linear perspective — perspectiva linear.
oblique perspective (angular perspective) — perspectiva em oblíquo.
to be out of perspective — não ter perspectiva.
2 — *adj.* perspectivo, em perspectiva; óptico.
perspective drawing — desenho em perspectiva.
perspectively [-li], *adv.* perspectivamente, em perspectiva.
perspicacious [pə:spi'keiʃəs], *adj.* perspicaz, penetrante, sagaz, evidente.
perspicaciously [-li], *adv.* perspicazmente; duma maneira evidente.
perspicaciousness [-nis], *s.* perspicácia.
perspicacity [pə:spi'kæsiti], *s.* perspicácia, penetração, agudeza, sagacidade. (*Sin.* keenness, acuteness, perspicaciousness, insight. *Ant.* dullness.)
perspicuity [pə:spi'kju(:)iti], *s.* perspicuidade, lucidez; clareza, nitidez.
perspicuous [pə:'spikjuəs], *adj.* perspícuo, evidente, claro, manifesto.
perspicuously [-li], *adv.* claramente; com perspicuidade.
perspicuousness [-nis], *s.* perspicuidade, clareza, nitidez.
perspirable [pə'spaiərəbl], *adj.* que deixa passar a transpiração; que pode ser eliminado pela transpiração.
perspiration [pə:spə'reiʃən], *s.* transpiração, suor.
copious perspiration — transpiração abundante.
I am covered with perspiration — estou alagado em suor.
to bring on perspiration — fazer suar.
streaming with perspiration (bathed in perspiration) — alagado em suor.
perspiratory [pə'spaiərətəri], *adj.* sudorífico; sudoríparo.
perspire [pəs'paiə], *vt.* e *vi.* transpirar, suar.
perspiring [-riŋ], *adj.* a transpirar, a suar.
persuadable [pə'sweidəbl], *adj.* que pode ser persuadido.
persuade [pə'sweid], *vt.* persuadir, induzir, convencer, mover.
to persuade oneself — persuadir-se.
to persuade somebody into doing something — persuadir alguém a fazer alguma coisa.
to persuade somebody from — dissuadir alguém de.
persuader [-ə], *s.* persuasor; *pl.* (cal.) esporas.
persuasibility [pəsweisi'biliti], *s.* capacidade de ser persuadido.
persuasible [pə'sweisibl], *adj.* persuadível, capaz de ser persuadido.
persuasion [pə'sweiʒən], *s.* persuasão, convicção; crença, credo; persuasiva; (joc.) raça; nacionalidade; sexo.
the male persuasion — o sexo masculino.
a person of English persuasion — uma pessoa de nacionalidade inglesa.
Roman Catholic persuasion — religião católica.
persuasive [pə'sweisiv], **1** — *s.* persuasiva, estímulo.
2 — *adj.* persuasivo, convincente.
persuasively [-li], *adv.* persuasivamente.
persuasiveness [-nis], *s.* persuasão, capacidade de persuasão.
persulphate [pə'sʌlfit], *s.* (quím.) persulfato.
pert [pə:t], *adj.* atrevido, descarado, insolente; petulante; vivo, esperto.
a pert hussy — uma rapariga espevitada de mais.
a pert answer — uma resposta atrevida.
pertain [pə:'tein], *vi.* pertencer; tocar, concernir.
the infirmities pertaining to old age — as doenças próprias da velhice.
pertinacious [pə:ti'neiʃəs], *adj.* pertinaz, teimoso, obstinado; perseverante, firme, tenaz.
pertinaciously [-li], *adv.* pertinazmente, obstinadamente.
pertinaciousness [-nis], *s.* pertinácia, tenacidade; perseverança, firmeza.
pertinacity [pə:ti'næsiti], *s.* ver **pertinaciousness.**
pertinence ['pə:tinəns], *s.* pertinência; conexão; justeza.
pertinency [-i], *s.* ver **pertinence.**
pertinent ['pə:tinənt], *adj.* pertinente; relativo a, referente a, concernente; a propósito.
a pertinent question — uma pergunta a propósito; uma pergunta pertinente.
the point is not pertinent to the matter in hand — isso não diz respeito ao assunto em questão.
pertinently [-li], *adv.* oportunamente; convenientemente, a propósito.
pertinents [-s], *s. pl.* pertences; dependências.
pertly ['pə:tli], *adv.* insolentemente, descaradamente; petulantemente.
pertness ['pə:tnis], *s.* petulância, insolência, audácia, desfaçatez; vivacidade, destreza.
perturb [pə'tə:b], *vt.* perturbar; confundir; inquietar; agitar; alterar. (*Sin.* to disturb, to upset, to embarrass, to agitate, to trouble. *Ant.* to compose.)
perturbable [-əbl], *adj.* perturbável.

perturbation [pə:tə:'beiʃən], *s.* perturbação, agitação; desordem, confusão; inquietação.
perturbed [pə'tə:bd], *adj.* perturbado, agitado; desordenado.
Peru [pə'ru:], *top*
peruke [pə'ru:k, pi'ru:k], *s.* peruca, chinó.
perusal [pə'ru:zəl], *s.* leitura atenta; exame cuidadoso.
for perusal — para exame.
peruse [pə'ru:z, pi'ru:z], *vt.* ler com atenção; examinar detidamente; estudar.
Peruvian [pə'ru:vjən], *s.* e *adj.* peruviano, peruano, do Peru.
Peruvian bark — quina; quinino.
pervade [pə:'veid], *vt.* penetrar; espalhar; saturar; predominar; encher.
to pervade the mind — apoderar-se do espírito.
pervading [-iŋ], *adj.* dominante, predominante.
pervasion [pə:'veiʒən], *s.* penetração, infiltração.
pervasive [pə:'veisiv], *adj.* penetrante; que se infiltra; subtil.
pervasively [-li], *adv.* penetrantemente.
perverse [pə'və:s], *adj.* perverso, depravado, mau, malvado; intratável; refractário; petulante; contumaz.
perversely [-li], *adv.* perversamente.
perverseness [-nis], *s.* perversidade, maldade; malícia; contumácia; obstinação.
perversion [pə'və:ʃən], *s.* perversão, corrupção.
perversity [pə'və:siti], *s.* ver **perverseness.**
perversive [pə'və:siv], *adj.* perversor, que perverte.
pervert **1** — ['pə:və:t], *s.* pessoa perversa; renegado, apóstata.
sexual pervert — invertido sexual.
2 — [pə'və:t], *vt.* perverter, corromper, desencaminhar; falsear; renegar, apostatar.
perverted [pə'və:tid], *adj.* pervertido; falseado, desvirtuado.
perverter [pə'və:tə], *s.* perversor, corruptor.
perverting [pə'və:tiŋ], *adj.* pervertedor.
pervious ['pə:vjəs], *adj.* permeável, penetrável; sensível; acessível.
pervious to — acessível a.
perviousness [-nis], *s.* permeabilidade, penetrabilidade; sensibilidade.
peseta [pə'setə, pi'setə], *s.* peseta (moeda espanhola).
pesky ['peski], *adj.* (E. U. fam.) molesto, enfadonho, incómodo.
peso ['peisou], *s.* peso (moeda).
pessary ['pesəri], *s.* pessário.
pessimism ['pesimizm], *s.* pessimismo.
pessimist ['pesimist], *s.* pessimista.
pessimistic [pesi'mistik], *adj.* pessimista.
to feel pessimistic about something — estar pessimista em relação a qualquer coisa.
pessimistical [pesi'mistikəl], *adj.* ver **pessimistic.**
pessimistically [-i], *adv.* de modo pessimista.
pest [pest], *s.* peste, praga, pestilência; pessoa, animal ou coisa que incomoda.
pest-house — lazareto; hospital de leprosos; leprosaria.
pester ['pestə], *vt.* incomodar, inquietar; atormentar; importunar, maçar.
to pester somebody with something — maçar alguém com alguma coisa.
pesterer [-rə], *s.* maçador, importuno.
pestering [-riŋ], *adj.* importuno, incómodo, enfadonho.
pesteringly [-riŋli], *adv.* importunamente.
pestiferous [pes'tifərəs], *adj.* pestífero, pestilento; prejudicial.
pestiferously [-li], *adv.* pestiferamente; de maneira prejudicial.
pestilence ['pestiləns], *s.* pestilência, peste, epidemia. (*Sin.* plague, pest, scourge.)
pestilent ['pestilənt], *adj.* pestilento, pestífero; nocivo, pernicioso; contagioso; (col.) maçador.
pestilent doctrines — doutrinas perniciosas.
a pestilent fellow — um indivíduo maçador.
pestilential [pesti'lenʃəl], *adj.* pestilencial, pestífero; contagioso; pernicioso.
pestilentially [-i], *adv.* pestilencialmente; perniciosamente.
pestilently ['pestiləntli], *adv.* pestilencialmente, pestiferamente; perniciosamente.
pestle [pes(t)l], **1** — *s.* pilão; mão de almofariz.
2 — *vt.* triturar, moer, pilar.
pet [pet], **1** — *s.* mimalho; menino mimado; carinho; animal doméstico muito estimado; enfado, despeito.
to get into a pet — enfadar-se.
to be in a pet — encolerizar-se; amuar.
pet name — nome familiar.
to be a great pet — ser o favorito.
pet-cock — torneira de prova.
pet subject — tema favorito.
pet-valve — válvula de prova.
to take the pet — subir a mostarda ao nariz.
2 — *vt.* (*pret.* e *pp.* **petted**) amimar; acariciar, afagar; estragar com mimos.
petal [petl], *s.* pétala.
petaled [-d], *adj.* petalado, com pétalas.
petaline ['petəlain], *adj.* (bot.) petalino.
petalled [petld], *adj.* ver **petaled.**
petaloid ['petələid], *adj.* petalóide; semelhante a pétala.
petard [pe'tɑ:d], *s.* petardo.
hoisted with his own petard — batido com as suas próprias armas.
petasus ['petəsəs], *s.* pétaso, chapéu especial, de aba larga, usado na Grécia antiga.
petechiae [pi'tikii:], *s. pl.* petéquias, manchas vermelhas que aparecem no corpo por doença.
Peter ['pi:tə], *n. p.* Pedro.
Peter's penny (Peter penny) — dinheiro de S. Pedro; pagamento anual feito voluntariamente à Santa Sé.
Peter-man (fam.) — pescador.
to rob Peter to pay Paul — tirar a um para dar a outro.
blue Peter (náut.) — sinal de partida, pavilhão de partida.
peter ['pi:tə], *vi.* (cal.).
to peter out — diminuir, desaparecer (uma veia ou filão); desaparecer a pouco e pouco; parar por falta de gasolina (automóvel).
Peterkin [-kin], *n. p.* Pedrinho, Pedrito.
petersham ['pi:təʃəm], *s.* ratina (tecido grosso).
petiolar ['petioulə], *adj.* (bot.) peciolar.
petiolate ['petiouleit], *adj.* (bot.) peciolado.
petiolated [-id], *adj.* ver **petiolate.**
petiole ['petioul], *s.* (bot.) pecíolo.
petite [pə'ti:t], *adj.* pequena (mulher).
petitio principii [pe'tiʃiou prin'sipiai], *s.* (lóg.) petição de princípio.
petition [pi'tiʃən], **1** — *s.* petição, súplica; memorial, pedido; instância; requerimento; oração. (*Sin.* entreaty, prayer, request, supplication.)
to draw up a petition — fazer um requerimento.
petition for clemency — pedido de clemência.
the Petition of Right — a Petição dos Direitos (1628).
to grant a petition — satisfazer uma petição
2 — *vt.* e *vi.* peticionar, suplicar, rogar; dirigir um memorial; requerer.
to petition somebody for something — pedir alguma coisa a alguém.

to petition somebody to do something — pedir a alguém que faça alguma coisa.
to petition the court for something — requerer alguma coisa ao tribunal.
petitionarily [pi'tiʃənərili], *adv.* por meio de petição, de requerimento.
petitionary [pi'tiʃənəri], *adj.* suplicante; que faz uma petição; referente a petição.
petitioner [pi'tiʃənə], *s.* peticionário; suplicante; requerente.
petitioning [pi'tiʃəniŋ], *s.* acção de requerer; direito de petição.
petitory ['petitəri], *adj.* (jur.) petitório.
petitory suit (jur.) — acção petitória.
Petrarch ['pi:trɑ:k], *n. p.* Petrarca.
petrel ['petrəl], *s.* (zool.) petrel, procelária.
petrifaction [petri'fækʃən], *s.* petrificação; fossilização.
petrifactive [petri'fæktiv], *adj.* petrificador, petrificante.
petrification [petrifi'keiʃən], *s.* petrificação.
petrified ['petrifaid], *adj.* petrificado; paralisado (pelo terror, espanto, etc.).
petrify ['petrifai], *vt.* e *vi.* petrificar; petrificar-se, fossilizar-se; causar espanto.
I was petrified with fear — eu estava petrificado de medo.
petrifying [-iŋ], *adj.* petrificante.
Petrine ['pi:train], *adj.* referente a S. Pedro.
petrographic [petrou'græfik], *adj.* petrográfico.
petrographical [-əl], *adj.* ver **petrographic.**
petrography [pi'trɔgrəfi], *s.* petrografia.
petrol ['petrəl,'petrɔl], **1** — *s.* gasolina.
petrol-boat — gasolina (barco).
petrol-can — bidão de gasolina.
petrol atomizer — pulverizador de gasolina.
petrol engine — motor a gasolina.
petrol tap — torneira de gasolina.
petrol gauge — indicador do nível de gasolina.
petrol pump — bomba de gasolina.
petrol tank — depósito de gasolina.
2 — *vt.* fornecer gasolina (a um motor, etc.).
petrolatum [petrou'leitəm], *s.* petrolato, nome de várias misturas de hidrocarbonetos pastosos e líquidos.
petroleum [pi'trouljəm], *s.* petróleo; óleo mineral.
petroleum-ether — nafta; benzina.
petroleum-bearing — petrolífero.
petroleum distillation — destilação de petróleo.
petroleum derivative — derivado de petróleo.
petroleum jelly — vaselina.
petroleum oil — óleo de petróleo.
petroleum lamp — candeeiro a querosene.
petroleum residue — resíduo de petróleo.
petroleum stove — forno de petróleo.
petroleur [petrou'lə], *s.* petroleiro, incendiário que usa petróleo.
petroleuse [petrou'lə:z], *s.* (fem. de **petroleur**) petroleira.
petrolic [pe'trɔlik], *adj.* referente a petróleo.
petroliferous [petrou'lifərəs], *adj.* petrolífero.
petrolization [petroulai'zeiʃən], *s.* petrolização, tratamento da água dos pântanos por meio de petróleo.
petrolize ['petroulaiz], *vt.* petrolizar, tratar a água dos pântanos por meio de petróleo.
petrologist [pi'trɔlədʒist], *s.* petrologista.
petrology [pi'trɔlədʒi], *s.* petrologia.
Petronius [pi'trouniəs], *n. p.* Petrónio.
petrosal [pi'trousəl], *adj.* (anat.) petroso, referente ao rochedo.
petrosilex [petrou'saileks], *s.* petrossílex.
etrous ['petrəs], *adj.* (anat.) petroso; pétreo.
etticoat ['petikout], *s.* saia branca, saiote; combinação; rapariga, mulher; (col.) sexo feminino; (elect.) campânula de isolador.
petticoat affair (col.) — negócio de saias; caso amoroso.
petticoat insulator (elect.) — isolador de campânula.
petticoat government — governo das mulheres.
to be under petticoat government — ser governado pela mulher.
I have known him since he was in petticoats — conheço-o desde criança.
she is a Cromwell in petticoats — ela é um Cromwell de saias.
petticoated [-id], *adj.* com saia branca, com combinação.
petties ['petiz], *s. pl.* despesas miúdas.
pettifog ['petifɔg], *vi.* (*pret.* e *pp.* **pettifogged**) chicanar; advogar mal.
pettifogger [-ə], *s.* chicaneiro; advogado inferior; charlatão; pessoa que levanta questões sem razões fortes.
pettifoggery [-əri], *s.* chicanice.
pettifogging [-iŋ], **1** — *s.* chicana.
2 — *adj.* chicaneiro, velhaco, trapaceiro.
pettily ['petili], *adv.* insignificantemente; mesquinhamente.
pettiness ['petinis], *s.* insignificância; pequenês; mesquinhice.
petting ['petiŋ], *s.* acção de amimar ou de acarinhar; carícia, afago.
petting party — festa íntima entre rapazes e raparigas.
pettish ['petiʃ], *adj.* rabugento, impertinente; áspero; impulsivo.
pettishly [-li], *adv.* caprichosamente; impertinentemente, com rabugice.
pettishness [-nis], *s.* rabugice, impertinência; capricho.
pettitoes ['petitouz], *s. pl.* mãos ou pés de porco, chispe.
petty ['peti], **1** — *s.* (col.) saia branca, saiote.
2 — *adj.* insignificante, pequeno, mesquinho; de ordem inferior, inferior; subalterno.
petty expenses — despesas miúdas.
petty officer — oficial inferior; contramestre.
petty-cash (com.) — gastos menores de caixa.
petty larcenery — furto de coisas de pouco valor.
petty wares — géneros miúdos.
petty chap (zool.) — papa-figos.
petty jury — júri ordinário.
petty annoyances — pequenos aborrecimentos.
petty-minded — de espírito mesquinho.
petty-mindedness — mesquinhice.
petulance ['pətjuləns], *s.* petulância, insolência; irritabilidade; impaciência.
petulant ['petjulənt], *adj.* petulante, insolente; impaciente; irritável.
petulantly [-li], *adv.* com petulância, insolentemente.
petunia [pi'tju:njə], *s.* (bot.) petúnia.
pew [pju:] **1** — *s.* banco reservado (na igreja).
pew-rent — aluguer de lugar na igreja.
pew holder — pessoa com banco reservado na igreja.
2 — *vt.* prover de bancos (igreja).
pewage [-idʒ], *s.* quantia paga pelo aluguer de banco na igreja; bancos.
pewit ['pi:wit], *s.* (zool.) pavoncinho, pavoncino.
pewless ['pju:lis], *adj.* sem bancos (igreja).
pewter ['pju:tə], *s.* peltre, estanho; (fam.) prémio pecuniário; *pl.* utensílios de peltre.
pewter pot — vasilha de estanho.
pewterer [-rə], *s.* picheleiro.
peyote [pei oute], *s.* variedade de cacto mexicano.
pfennig ['(p)fenig], *s.* pfénigue, moeda alemã que vale a centésima parte de um marco.
Phaedo ['fi:dou], *n. p.* Fedo (filósofo grego).
Phaedra ['fi:drə], *n. p.* (mit.) Fedra, mulher de Teseu.

Phaedrus [-s], *n. p.* Fedro, fabulista romano.
Phaethon ['feiəθən], *n. p.* (mit.) Faetonte.
phaethon [feitn], *s.* faetonte, carruagem aberta, de quatro rodas, puxada por cavalos.
phagocite ['fægəsait], *s.* (biol.) fagócito.
phagocytosis [fægəsai'tousis], *s.* (biol.) fagocitose.
phalaena [fə'li:nə], *s.* (zool.) falena.
phalange ['fælændʒ], *s.* falange.
phalangeal [fə'lændʒjəl], *adj.* falangeal, falângico.
phalanger [fə'lændʒə], *s.* (zool.) filandra.
phalanges [fæ'lændʒi:z], *s. pl.* de **phalange** e **phalanx.**
phalansterian [fælæn'sti:əriən], *s.* e *adj.* falansteriano.
phalanstery ['fælənstəri], *s.* falanstério, habitação de falanges.
phalanx ['fælæŋks], *s.* (*pl.* **phalanxes, phalanges**) falange, linha de batalha, grupo de pessoas unidas para determinado fim (*pl.* geralm. **phalanxes**); (anat.) falange (*pl.* geralm. **phalanges**).
phalarope ['fæləroup], *s.* (zool.) falaropo.
phalera ['fælərə], *s.* (zool.) fálera.
phallic ['fælik], *adj.* fálico.
phallicism ['fælisizm], *s.* falicismo, culto do falo.
phallism ['fælizm], *s.* ver **phallicism.**
phallus ['fæləs], *s.* (pl. **phalli**) falo.
phanerogam ['fænərougæm], *s.* (bot.) fanerógama, fanerogâmica.
phanerogamia [fænərou'geimiə], *s. pl.* (bot.) fanerógamas, fanerogâmicas.
phanerogamic [fænərou'gæmik], *adj.* (bot.) fanerogâmico.
phanerogamous [fænə'rɔgəməs], *adj.* (bot.) fanerogâmico.
phantasm ['fæntæzm], *s.* fantasma, espectro; ilusão, fantasia.
phantasmagoria [fæntæzmə'gɔriə], *s.* fantasmagoria.
phantasmagoric [fæntæzmə'gɔrik], *adj.* fantasmagórico.
phantasmagory [fæn'tæzməgəri], *s.* fantasmagoria.
phantasmal [fæn'tæzməl], *adj.* fantasmal; irreal.
phantasmally [-i], *adv.* dum modo fantasmal.
phantasmic [fæn'tæzmik], *adj.* próprio de fantasmas; irreal.
phantastic [fæn'tæstik], *adj.* fantástico.
phantom ['fæntəm], *s.* fantasma, espectro; ilusão.
phantom ship — navio fantasma.
phantom antenna — antena fantasma.
phantom circuit — circuito fantasma (telegrafia).
Pharaoh ['fɛərou], *s.* faraó, antigo rei do Egipto.
Pharaoh's mouse (zool.) — mangusto.
Pharaoh's ant — formiga-argentina.
Pharisaic [færi'seiik], *adj.* farisaico.
Pharisaical [-əl], *adj.* ver **Pharisaic.**
Pharisaically [-əli], *adv.* farisaicamente.
Pharisaism ['færiseiizm], *s.* farisaísmo, hipocrisia.
Pharisee ['færisi:], *s.* fariseu.
Phariseeism [-izm], *s.* farisaísmo, hipocrisia.
Pharmaceutic [fɑ:mə'sju:tik], *adj.* farmacêutico.
pharmaceutical [-əl], *adj.* ver **pharmaceutic.**
pharmaceutically [-əli], *adv.* farmaceuticamente, segundo as regras farmacêuticas.
pharmaceutics [-s], *s.* farmácia, ciência farmacêutica.
pharmaceutist [fɑ:mə'sju:tist], *s.* farmacêutico.
pharmacist ['fɑ:məsist], *s.* ver **pharmaceutist.**
pharmacological [fɑ:məkou'lɔdʒikəl], *adj.* farmacológico.
pharmacologist [fɑ:mə'kɔlədʒist], *s.* farmacologista.
pharmacology [fɑ:mə'kɔlədʒi], *s.* farmacologia.
pharmacopoeia [fɑ:məkə'pi:ə], *s.* farmacopeia.
pharmacy ['fɑ:məsi], *s.* farmácia; drogaria; arte de preparar medicamentos.
pharos ['fɛərɔs], *s.* farol.
Pharsalia [fɑ:'seiljə], *top.* Farsália.
the Battle of Pharsalia — a batalha de Farsália.
pharyngeal [færin'dʒi:əl], *adj.* (anat.) faríngeo, faríngico.
pharyngitis [færin'dʒaitis], *s.* faringite.
pharyngobranchial [færiŋgou'bræŋkiəl], *adj.* faringobranquial.
pharyngo-laryngitis [fæ'riŋgoulærin'dʒaitis], *s.* faringolaringite.
pharyngoscope [fæ'riŋgouskoup], *s.* faringoscópio.
pharyngotomy [færiŋ'gɔtəmi], *s.* faringotomia.
pharynx ['færiŋks], *s.* (*pl.* **pharynxes, pharynges**) faringe.
phase [feiz], **1** — *s.* fase, aspecto; (astr.) fase; período; modificação; (elect.) fase. (*Sin.* period, stage, aspect, appearance.)
phase balance — compensação de fase.
phase changer — conversor polifásico.
phase advancer — compensador de fase.
phase indicator — indicador da fase.
phase displacement — desfasamento.
phase of generator — fase de gerador.
phase transformer — transformador de fases.
phase inversion circuit — circuito de inversão da fase.
phase voltage — voltagem da fase.
out of phase — desfasado.
single-phase current — corrente monofásica.
three-phase current — corrente trifásica.
two-phase current — corrente bifásica.
2 — *vt.* pôr em fase.
phased [-d], *adj.* (elect.) em fase.
phasemeter [-'mi:tə], *s.* (elect.) fasímetro.
phases ['feisi:z], *s. pl.* de **phasis.**
phasic ['feizik], *adj.* (elect.) referente a fase.
phasing ['feiziŋ], *s.* (elect.) acção ou efeito de pôr em fase.
phasis ['feisis], *s.* (*pl.* **phases**) fase; aspecto.
pheasant [feznt], *s.* faisão.
pheasantry ['-ri], *s.* criação de faisões.
Phebe ['fi:bi], *n. p.* (mit.) Febe.
phelloderm ['feloudə:m], *s.* (bot.) feloderme, feloderma.
phellogen ['feloudʒən], *s.* (bot.) felogénio.
phellogenetic [feloudʒi'netik], *adj.* (bot.) felogenético.
phellogenic [felou'dʒenik], *adj.* (bot.) felogénico.
phenacetin [fi'næsitin], *s.* (quím.) fenacetina.
phenic ['fi:nik,'fenik], *adj.* (quím.) fénico.
Phenicia [fi'niʃiə], *top.* Fenícia.
Phenician [-n], *s.* fenício.
phenol ['fi:nɔl], *s.* fenol, ácido fénico.
phenol solvent — dissolvente do fenol.
phenol-phthalein — fenolftaleína.
phenolic [fi'nɔlik], *adj.* (quím.) fenólico.
phenolic insulator — isolador de baquelite.
phenolic guard — tampa de baquelite.
phenological [finə'lɔdʒikəl], *adj.* fenológico.
phenology [fi'nɔlədʒi], *s.* fenologia.
phenomena [fi'nɔmənə], *s. pl.* de **phenomenon.**
phenomenal [fi'nɔminl], *adj.* fenomenal; apreendido pelos sentidos; extraordinário.

phenomenalism [fi'nɔminəlizm], *s.* fenomenalismo.
phenomenally [fi'nɔminəli], *adv.* fenomenalmente; extraordinariamente.
phenomenon [fi'nɔminən], *s.* (*pl.* **phenomena**) fenómeno; o que é apreendido pelos sentidos; prodígio.
infant phenomenon — menino-prodígio.
atmospheric phenomenon — fenómeno atmosférico.
phenyl ['fi:nil], *s.* (quím.) fenilo.
phenylamide ['fi:nilə'maid], *s.* (quím.) fenilamida.
phenylamine ['fi:nilə'main], *s.* (quím.) fenilamina.
phenylene ['fi:nili:n], *s.* (quím.) fenileno.
phew [fju:], *interj.* credo! (impaciência, aborrecimento).
phi [fai], *s.* fi (nome de letra grega).
phial ['faiəl], *s.* redoma; frasco de vidro.
Phidias ['fidiæs], *n. p.* Fídias (grego).
Phil [fil], *n. p. dim.* de **Phyllis** e **Philip.**
Philadelphia [filə'delfiə], *top.* Filadélfia.
Philadelphia lawyer — advogado astuto.
Philadelphian [-n], *s.* e *adj.* filadelfiense.
philander [fi'lændə], **1** — *s.* namoro, namorico. **2** — *vi.* galantear; namorar.
philanderer [-rə], *s.* galanteador; namoriscador.
philanthrope ['filənθroup], *s.* filantropo.
philanthropic [filən'θrɔpik], *adj.* filantrópico, filantropo.
philanthropical [-əl], *adj.* ver **philanthropic.**
philanthropically [-əli], *adv.* filantropicamente.
philanthropism [fi'lænθrəpizm], *s.* filantropismo.
philanthropist [fi'lænθrəpist], *s.* filantropo.
philanthropize [fi'lænθrəpaiz], *vt.* e *vi.* ser filantropo; tornar filantropo.
philanthropy [fi'lænθrəpi], *s.* filantropia.
philatelic [filə'telik, failə'telik], *adj.* filatélico.
philatelist [fi'lætəlist], *s.* filatelista.
philately [fi'lætəli], *s.* filatelia.
philharmonic [filɑ:'mɔnik], *adj.* filarmónico.
philhellene ['filheli:n], *s.* e *adj.* fileleno (pessoa dedicada à causa dos gregos modernos).
philhellenic [filhe'lenik], *adj.* fileleno.
philhellenism [fil'helinizm], *s.* filelenismo.
philhellenist [fil'helinist], *s.* filelenista, fileleno.
Philip ['filip], *n. p.* Filipe.
Philip the Handsome — Filipe, o Formoso (de Espanha).
Philip the Fair — Filipe, o Belo (de França).
Philippa ['filipə], *n. p.* Filipa.
Philippi [fi'lipai], *top.* Filipos, antiga cidade da Macedónia.
Philippian [fi'lipiən], *s.* e *adj.* filipense, de Filipos.
philippic [fi'lipik], *s.* filípica, discurso de Demóstenes contra Filipe da Macedónia; discurso violento.
Philippine ['filipi:n], *adj.* filipino.
the Philippine Islands — as Filipinas.
Philistine ['filistain], *s.* e *adj.* filistino; filisteu; pessoa inculta.
Philistinism ['filistinizm], *s.* espírito tacanho.
Philoctetes [filək'ti:ti:z], *n. p.* (mit.) Filoctetes.
philologer [fi'lɔlədʒə], *s.* (arc.) filólogo.
philological [filə'lɔdʒikəl], *adj.* filológico.
philologically [-i], *adv.* filologicamente.
philologist [fi'lɔlədʒist], *s.* filólogo, filologista.
philology [fi'lɔlədʒi], *s.* filologia.
Philomel ['filəmel], *s.* (poét.) filomela, rouxinol.
Philomela [filou'mi:lə], **1** — *n. p.* (mit.) Filomela, rapariga que foi transformada em rouxinol.
2 — *s.* (poét.) filomela, rouxinol.
philopoena [filou'pi:nə], *s.* filipina, jogo com uma amêndoa de dois caroços, segundo o qual se recebe ou paga uma prenda.
philosopher [fi'lɔsəfə], *s.* filósofo.
philosophers' stone — pedra filosofal.
philosophic [filə'sɔfik], *adj.* filosófico, filósofo; calmo. (*Sin.* calm, wise, temperate, reasonable. *Ant.* unreasonable.)
philosophical ['əl], *adj.* ver **philosophic.**
philosophically [-əli], *adv.* filosoficamente.
philosophism [fi'lɔsəfizm], *s.* filosofismo.
philosophist [fi'lɔsəfist], *s.* filosofista.
philosophize [fi'lɔsəfaiz], *vt.* e *vi.* filosofar; tratar filosoficamente; moralizar.
philosophy [fi'lɔsəfi], *s.* filosofia.
natural philosophy — física.
moral philosophy — moral.
Philostratus [fi'lɔstrətəs], *n. p.* (grego) Filóstrato.
philotechnic [filou'teknik], *adj.* filotécnico.
philter ['filtə], *s.* filtro amoroso.
philtre ['filtə], *s.* ver **philter.**
phiz [fiz], *s.* (col.) face, rosto, cara; expressão fisionómica.
phlebitic [fli'bitik, fle'bitik], *adj.* flebítico.
phlebitis [fli'baitis], *s.* (pat.) flebite.
phlebosclerosis [flibouskle'rousis], *s.* (pat.) flebosclerose.
phlebotomize [fli'bɔtəmaiz], *vt.* flebotomizar; sangrar.
phlebotomy [fli'bɔtəmi], *s.* flebotomia.
phlegm [flem], *s.* fleuma, flegma, mucosidade; apatia, serenidade.
phlegmasia [fleg'meiziə], *s.* (pat.) flegmásia.
phlegmatic [fleg'mætik], *adj.* flegmático, fleumático, impassível.
phlegmatically [-əli], *adv.* fleumaticamente.
phlegmon ['flegmɔn], *s.* (pat.) flegmão, fleimão.
phlegmy ['flemi], *adj.* fleumático, mucoso.
phleum ['fli:əm], *s.* (bot.) fleo.
phloem ['flouem], *s.* (bot.) floema.
phlogistic [flɔ'dʒistik], *adj.* flogístico.
phlogiston [flɔ'dʒistən], *s.* flogisto.
phobia ['foubiə], *s.* fobia.
Phocis ['fousis], *top.* Fócida.
Phoebe ['fi:bi], *n. p.* (mit.) ver **Phebe.**
Phoebus ['fi:bəs], *n. p.* (mit.) Febo.
Phoenicia [fi'niʃiə], *top.* Fenícia.
Phoenician [-n], *s.* e *adj.* fenício, língua fenícia.
phoenix ['fi:niks], *s.* fénix.
pholades ['fouLədi:z], *s. pl.* de **pholas.**
pholas ['foulæs], *s.* (*pl.* **pholades**) (zool.) folas.
phonation [fou'neiʃən], *s.* fonação.
phonautograph [fou'nɔtougrɑ:f], *s.* (fís.) fonautógrafo, aparelho para registar as vibrações sonoras.
phone [foun], **1** — (fam.) telefone; fonema; auscultador.
to be on the phone — estar ao telefone.
to answer the phone — atender ao telefone.
2 — *vt.* e *vi.* (fam.) telefonar.
to phone somebody — telefonar a alguém.
phoneme ['founi:m], *s.* fonema.
phonetic [fou'netik], *adj.* fonético.
phonetic spelling — grafia sónica.
phonetically [-əli], *adv.* foneticamente.
phonetician [founi'tiʃən], *s.* foneticista, fonetista.
phoneticist [fou'netisist], *s.* ver **phonetician.**
phonetics [fou'netiks], *s.* fonética.
phoney ['founi] **1** — *s.* (E. U. col.) imitação; mentira; impostor.
2 — *adj.* (E. U. col.) falso, de imitação.
phonic ['fo(u)nik], *adj.* fónico.
phonofilm ['founoufilm], *s.* filme sonoro.
phonogram ['founəgræm], *s.* registo de som feito por aparelho de gravar, fonograma.

phonograph ['founəgrɑ:f], **1** — *s.* fonógrafo.
phonograph needle — agulha de fonógrafo ou gramofone.
2 — *vt.* reproduzir por meio de fonógrafo.
phonographer [fou'nɔgrəfə], *s.* taquígrafo, estenógrafo.
phonographic [founou'græfik], *adj.* fonográfico.
phonography [fou'nɔgrəfi], *s.* fonografia; representação gráfica dos sons.
phonolite ['founoulait], *s.* (min.) fonólito.
phonolitic [founou'litik], *adj.* fonolítico, que ressoa quando se bate (rocha).
phonologic [founə'lɔdʒik], *adj.* fonológico.
phonological [-əl], *adj.* ver **phonologic.**
phonologically [-əli], *adv.* fonologicamente.
phonologist [fou'nɔlədʒist], *s.* fonólogo.
phonology [fou'nɔlədʒi], *s.* fonologia.
phonometer [fou'nɔmitə], *s.* (fís.) fonómetro.
phonoscope ['founəskoup], *s.* (fís.) fonidoscópio.
phonotype ['founoutaip], *s.* fonótipo.
phony ['founi], *s.* e *adj.* ver **phoney.**
phosgene ['fɔzdʒi:n], *s.* (quím.) fosgénio.
phosgenite ['fɔzdʒi:nait], *s.* (min.) fosgenite.
phosphate ['fɔsfeit,'fɔsfit], *s.* (quím.) fosfato.
phosphate of lime — fosfato de cal.
phosphate of iron — fosfato de ferro.
phosphate of magnesia — fosfato de magnésio.
phosphate treatment — fosfatagem.
phosphated [-id], *adj.* fosfatado.
phosphatic [fɔs'fætik], *adj.* fosfático; fosfatado.
phosphatization [fɔsfətai'zeiʃən], *s.* fosfatização.
phosphatize ['fɔsfətaiz], *vt.* fosfatar; transformar em fosfato.
phosphene ['fɔsfi:n], *s.* fosfena, fosfeno.
phosphide ['fɔsfaid], *s.* (quím.) fosfeto, fosfamina.
phosphine ['fɔsfi:n], *s.* (quím.) fosfina.
phosphite ['fɔsfait], *s.* (quím.) fosfito.
phosphor ['fɔsfə], *s.* (quím.) fósforo.
phosphor tin — estanho fosforoso.
phosphor copper — cobre fosforoso.
phosphorate ['fɔsfəreit], *vt.* fosforar.
phosphorated [-id], *adj.* fosforado.
phosphoresce [fɔsfə'res], *vi.* fosforescer.
phosphorescense [-əns], *s.* fosforescência.
phosphorescent [-ənt], *adj.* fosforescente.
phosphorescent screen — tela fosforescente.
phosphoric [fɔs'fɔrik], *adj.* fosfórico.
phosphoric light — luz fosfórica.
phosphorism ['fɔsfərizm], *s.* fosforismo, intoxicação pelo fósforo.
phosphorite ['fɔsfərait], *s.* (min.) fosforite.
phosphorize ['fɔsfəraiz], *vt.* fosforizar.
phosphoroscope ['fɔsfərouskoup], *s.* fosforoscópio.
phosphorous ['fɔsfərəs], *adj.* fosforoso.
phosphorous acid — ácido fosforoso.
phosphorus ['fɔsfərəs], *s.* (quím.) fósforo.
phosphorus matches — fósforos.
yellow phosphorus — fósforo branco.
red phosphorus — fósforo vermelho.
phosphuretted ['fɔsfjuretid], *adj.* (quím.) fosforado.
photism ['foutizm], *s.* fotismo, audição colorida.
photo ['foutou], *s.* e *vt.* ver **photograph.**
photo-cell [-sel], *s.* célula fotoeléctrica.
photo-cell transformer — transformador de célula fotoeléctrica.
photo-cell photometer — fotómetro fotoeléctrico.
photo-ceramic [-si'ræmik], *adj.* fotocerâmico.
photo-engraver [-in'greivə], *s.* fotogravador.
photo-engraving [-in'greiviŋ], *s.* fotogravura.
photo-enlargement [-in'lɑ:dʒmənt], *s.* ampliação fotográfica.
photo-finish [-'finiʃ], *s.* fim de corrida em que é preciso analisar a fotografia de chegada para se saber qual é o vencedor.
that horse won in a photo-finish — aquele cavalo ganhou por um triz.
photogenetic [-dʒi'netik], *adj.* fotogénico.
photogenic [-'dʒenik], *adj.* ver **photogenetic.**
photogrammetric [-græ'metrik], *adj.* fotogramétrico.
photogrammetrical [-græ'metrikəl], *adj.* ver **photogrammetric.**
photogrammetry [-'græmitri], *s.* fotogrametria.
photograph ['foutəgrɑ:f] **1** — *s.* fotografia.
to take a photograph — tirar uma fotografia.
2 — *vt.* fotografar, tirar uma fotografia.
to photograph well — ficar bem em fotografias.
to photograph badly — ficar mal em fotografias.
photographer [fə'tɔgrəfə], *s.* fotógrafo.
photographic [foutə'græfik], *adj.* fotográfico.
photographic camera (photographic apparatus) — máquina fotográfica.
photographic developer — revelador para fotografia.
photographic description — descrição minuciosa.
photographic exposure — exposição (fotografia).
photographic floodlamp — projector para fotografia.
photographic picture — fotografia.
photographic lens — lente para fotografia.
photographic sharpness — nitidez fotográfica.
photographic plate — chapa fotográfica.
photographical [-əl], *adj.* fotográfico; referente a fotografia.
photographically [-əli], *adv.* fotograficamente.
photography [fə'tɔgrəfi], *s.* fotografia, arte de fotografar.
colour photography — fotografia a cores.
air photography — fotografia aérea.
photogravure [foutəgrə'vjuə], *s.* fotogravura.
photogravurist [-rist], *s.* fotogravador.
photolithograph [foutə'liθougrɑ:f], **1** — *s.* fotolitografia.
2 — *vt.* fotolitografar.
photolithographer [foutəli'θɔgrəfə], *s.* litógrafo que trabalha usando os processos da fotolitografia.
photolithographic [foutəliθou'græfik], *adj.* fotolitográfico.
photolithographical [-əl], *adj.* ver **photolithographic.**
photolithographically [-əli], *adv.* fotolitograficamente.
photolithography [foutəli'θɔgrəfi], *s.* fotolitografia.
to reproduce by photolithography — reproduzir por fotolitografia.
photolysis [fou'tɔlisis], *s.* fotólise, decomposição molecular por meio da luz.
photolytic [foutou'litik], *adj.* fotolítico.
photolytic cell — pilha fotolítica.
photomechanical [foutoumi'kænikəl], *adj.* fotomecânico.
photometer [fou'tɔmitə], *s.* fotómetro.
shadow photometer — fotómetro de Rumford.
grease-spot photometer — fotómetro de Bunsen.
photometer bench — banco fotométrico.
photometric [foutou'metrik], *adj.* fotométrico.
photometric unit — unidade fotométrica.
photometric test — prova fotométrica.
photometric measurement — avaliação fotométrica.
photometrical [-əl], *adj.* ver **photometric.**
photometry [fou'tɔmitri], *s.* fotometria.

photomicrograph [foutə'maikrougrɑ:f], *s.* microfotografia, fotomicrografia.
photomicrographic [foutəmaikrou'græfik], *adj.* fotomicrográfico.
photomicrography [foutəmai'krɔgrəfi], *s.* fotomicrografia, arte de fotomicrografar.
photon ['foutɔn], *s.* (fís.) fotão.
photophone ['foutoufoun], *s.* fotofónio.
photophore ['foutoufɔ:], *s.* (quím.) fotóforo.
photoplay ['foutouplei], *s.* filme baseado em peça teatral.
photoprint ['foutouprint], *s.* impressão por fotografia; fotocópia.
photoradiogram [foutou'reidiougræm], *s.* fotografia transmitida pela telegrafia sem fios.
photosensitive [foutou'sensitiv], *adj.* fotossensível.
photosensitive plate — chapa fotossensível.
photosensitive film — filme fotossensível.
photosphere ['foutousfiə], *s.* (astr.) fotosfera.
photostat ['foutoustæt], *s.* aparelho que reproduz documentos fotogràficamente.
photosynthesis [foutou'sinθisis], *s.* fotossíntese.
phototelegraph [foutou'teligrɑ:f], *s.* fototelegrafia; fototelégrafo.
phototelegraphic [foutouteli'græfik], *adj.* fototelegráfico.
phototelegraphy [foutouti'legrəfi], *s.* fototelegrafia.
phototherapeutic [foutouθerə'pju:tik], *adj.* fototerápico.
phototherapy [foutou'θerəpi], *s.* fototerapia.
phototopography [foutoutə'pɔgrəfi], *s.* fototopografia.
phototropic [foutou'trɔpik], *adj.* (bot.) fototrópico.
phototropism [fou'tɔtrəpizm], *s.* (bot.) fototropismo, heliotropismo.
phototype ['foutoutaip], *s.* fotótipo.
phototypographic [foutoutaipə'græfik], *adj.* fototipográfico.
phototypography [foutoutai'pɔgrəfi], *s.* fototipografia.
phototypogravure [foutoutaipɔgrə'vjuə], *s.* fototipogravura.
phototypy ['foutoutipi], *s.* fototipia.
photozincography [foutəziŋ'kɔgrəfi], *s.* fotozincografia.
phrase [freiz], **1** — *s.* frase, expressão; expressão idiomática; locução; (mús.) frase.
as the phrase goes — como é costume dizer-se.
a settled phrase — uma frase estabelecida.
in the phrase of — segundo a expressão de.
to speak in simple phrases — falar de maneira simples.
2 — *vt.* expressar; exprimir por meio de palavras; (mús.) frasear.
phraseogram ['freiziougræm], *s.* símbolo taquigráfico representativo de locução ou expressão.
phraseograph ['freiziougræf], *s.* locução ou expressão que pode exprimir-se por meio de símbolo taquigráfico.
phraseological [freiziə'lɔdʒikəl], *adj.* fraseológico.
phraseologically [-i], *adv.* fraseologicamente.
phraseology [freizi'ɔlədʒi], *s.* fraseologia.
phrasing ['freiziŋ], *s.* fraseologia; linguagem; (mús.) fraseado.
phrenetic [fri'netik, fre'netik], *adj.* frenético.
phrenetically [-əli], *adv.* freneticamente.
phrenic ['frenik], *adj.* frénico, relativo ao diafragma.
phrenological [frenə'lɔdʒikəl], *adj.* frenológico.
phrenologist [fri'nɔlədʒist], *s.* frenologista, frenólogo.
phrenology [fri'nɔlədʒi], *s.* frenologia.
phrontistery ['frɔntistəri], *s.* (joc.) lugar onde uma pessoa pode pensar.
phryganea [fri'geiniə], *s.* (zool.) frigânea.
Phrygia ['fridʒiə], *top.* Frígia.
Phrygian [-n], *s.* e *adj.* frígio.
Phrygian cap — barrete frígio.
phthalate ['fθæleit], *s.* (quím.) ftalato.
phthalein ['fθæliin], *s.* (quím.) ftaleína.
phthalic ['fθælik], *adj.* (quím.) ftálico.
phthalic resin — resina ftálica.
phthiriasis [(f)θaiəri'eisis], *s.* ftiríase, dermatose provocada por parasitas.
phthisical ['(f)θaisikəl], *adj.* tísico, tuberculoso.
phthisiotherapy [fθiziou'θerəpi], *s.* tisioterapia.
phthisis ['(f)θaisis], *s.* tísica, tuberculose.
phut [fʌt], **1** — *s.* barulho de bola a esvaziar-se, bala, etc.
2 — *adv.* em nada.
to go phut — dar em nada; avariar-se.
phycology [fai'kɔlədʒi], *s.* (bot.) ficologia, ciência que estuda as algas.
phylactery [fi'læktəri], *s.* filactério, filactera; talismã, amuleto; farisaísmo; tira de pergaminho com textos da Lei usada pelos Judeus.
to make broad one's phylactery — fazer exibicionismo da sua religiosidade ou justiça.
phylarch ['failɑ:k], *s.* filarco (chefe de tribo em Atenas).
phyllite ['filait], *s.* (min.) filite (rocha xistosa).
phylloid ['filɔid], *adj.* (bot.) filóide.
phyllophagan [fi'lɔfəgən], *s.* filófago, insecto que se alimenta de folhas.
phyllophagous [fi'lɔfəgəs], *adj.* filófago, que se alimenta de folhas.
phyllopod ['filoupɔd], *s.* (zool.) filópode.
phyllopodous [fi'lɔpədəs], *adj.* filópode.
phyllotaxis [filou'tæksis], *s.* (bot.) filotaxia, estudo da disposição das folhas nos eixos caulinares.
phylloxera [filɔk'siərə], *s.* filoxera.
phylloxerized [fi'lɔksəraizd], *adj.* atacado pela filoxera.
phylogenesis [failou'dʒenisis], *s.* (biol.) filogénese.
phylogeny [fai'lɔdʒəni], *s.* (biol.) filogenia.
phylum ['failəm], *s.* (pl. **phyla**) (biol.) filo, sub-reino.
physalia [fai'seiliə], *s.* (zool.) fisália.
physic ['fizik], **1** — *s.* medicina; arte de curar; (col.) **remédio, purgante**; *pl.* **física.**
2 — *vt.* (*pret.* e *pp.* **physicked**) medicar; administrar um purgante.
physical [-əl], *adj.* físico; corporal.
physical exercise — exercício físico.
physical culture (physical training) — educação física.
physical apparatus — aparelho de física.
physical condition — condição física.
physical education — educação física.
physical disability benefit — auxílio por invalidez.
physical geography — geografia física.
physical form — forma física.
physical jerks (cal.) — exercícios físicos.
physical property — propriedade física.
physical reaction — reacção física.
physical mechanics — mecânica física.
physical strength — energia física.
physically [-əli], *adv.* fisicamente, materialmente.
physician [fi'ziʃən], *s.* médico, facultativo.
physicist ['fizisist], *s.* físico; estudioso de física; adepto do fisicismo.
physico-chemical ['fizikou-'kemikəl], *adj.* físico-químico.
physico-mathematical ['fizikou-mæθi'mætikəl], *adj.* físico-matemático.

physico-mechanical ['fizikou-mi'kænikəl], *adj.* físico-mecânico.
physicotherapeutic ['fizikouθerə'pju:tik], *adj.* fisicoterápico.
physicotherapy [fizikou'θerəpi], *s.* fisicoterapia.
physiocrat ['fizioukræt], *s.* fisiocrata.
physiognomical [fiziə'nɔmikəl], *adj.* fisionómico.
physiognomist [fizi'ɔnəmist], *s.* fisionomista.
physiognomy [fizi'ɔnəmi], *s.* fisionomia.
physiographer [fizi'ɔgrəfə], *s.* fisiógrafo.
physiographical [fiziou'græfikəl], *adj.* fisiográfico.
physiography [fizi'ɔgrəfi], *s.* fisiografia.
physiologic [fiziə'lɔdʒik], *adj.* fisiológico.
physiological [-əl], *adj.* ver **physiologic.**
physiologically [-əli], *adv.* fisiològicamente.
physiologist [fizi'ɔlədʒist], *s.* fisiologista, fisiólogo.
physiology [fizi'ɔlədʒi], *s.* fisiologia.
physiotherapeutic [fiziouθerə'pju:tik], *adj.* fisioterápico.
physiotherapy [fiziou'θerəpi], *s.* fisioterapia.
physique [fi'zi:k], *s.* físico, figura, estrutura física de uma pessoa.
a person of strong physique — uma pessoa com um físico forte.
physostigma [faisou'stigmə], *s.* (bot.) fisostigma.
physostigmine [faisou'stigmi:n], *s.* fisostigmina.
phytobiology [faitoubai'ɔlədʒi], *s.* fitobiologia.
phytochemistry [faitou'kem.stri], *s.* química vegetal, fotoquímica.
phytogenic [faitou'dʒenik], *adj.* fitogénico.
phytogeography [faitoudʒi'ɔgrəfi], *s.* fitogeografia.
phytography [fai'tɔgrəfi], *s.* (bot.) fitografia.
phytology [fai'tɔlədʒi], *s.* fitologia; botânica.
phytophaga [fai'tɔfəgə], *s. pl.* (zool.) fitófagos.
phytophagous [-s], *adj.* (zool.) fitófago.
phytosociology [faitousousi'ɔlədʒi], *s.* fitossociologia.
phytozoon [faitou'zouɔn], *s.* (*pl.* **phytozoa**) (zool.) fitozoário.
piacular [pai'ækjulə], *adj.* expiatório.
piaffe [pi'æf], *vi.* piafar, bater com as patas no chão (cavalo).
piaffer [-ə], *s.* piafé, acção de bater com as patas no chão (cavalo).
pia mater ['paiə'meitə], *s.* (anat.) pia-máter.
pianette [piæ'net], *s.* (mús.) pianino baixo.
pianino [piæ'ni:nou], *s.* pianino, piano vertical pequeno.
pianissimo [pjæ'nisimou], *s.* e *adj.* (mús.) pianíssimo.
pianist ['pjænist], *s.* pianista.
pianiste [piæ'ni:st], *s. fem.* pianista.
piano 1 — ['pjænou], *s.* piano (instrumento).
grand piano — piano de cauda.
baby-grand piano — piano de meia cauda.
upright piano — piano vertical.
piano stool — banco de piano.
to play the piano — tocar piano.
to tune a piano — afinar um piano.
the piano is out of tune — o piano está desafinado.
piano action — mecanismo de um piano.
piano-tuner — afinador de pianos.
piano wire — corda de piano.
cottage piano — pequeno piano vertical.
overstrung piano — piano de cordas cruzadas.
2 — ['pja:nou], *adv.* (mús.) piano, pausadamente, com pouca força.
pianoforte [pjænou'fɔ:ti], *s.* piano; piano-forte.
pianola [pjæ'noulə], *s.* pianola.
piassaba [piə'sa:bə], *s.* piaçaba, piaçá.
piassaba broom — vassoura de piaçá.
piaster [pi'æstə], *s.* piastra (moeda usada em vários países).
piastre [pi'æstə], *s.* ver **piaster.**
piazza [pi'ædzə], *s.* praça pública em Itália; (E. U.) varanda.
pibroch ['pi:brɔk, 'pi:brɔx], *s.* gaita-de-foles escocesa; música marcial tocada com gaita-de-foles.
pica ['paikə], *s.* (tip.) corpo 12.
small pica (tip.) — corpo 11.
double pica (tip.) — corpo 22.
picaninny ['pikənini], *s.* e *adj.* criança (de negros); pequenino.
Picardy ['pikədi], *top.* Picardia.
picaresque [pikə'resk], *adj.* picaresco.
picaroon [pikə'ru:n], **1** — *s.* ladrão, rapinante; pirata; navio pirata.
2 — *vi.* roubar, piratear.
piccalilli ['pikəlili], *s.* picles de legumes partidos em bocados muito pequenos.
piccaninny ['pikənini], *s.* e *adj.* ver **picaninny.**
piccolo ['pikəlou], *s.* (mús.) flautim.
piccoloist [-ist], *s.* tocador de flautim.
pick [pik], **1** — *s.* picareta, picão; gazua; mancha de uma folha impressa; escolha, selecção, flor, nata, (o) melhor; (col.) palito; fio dum tecido; lançadeira (em tecelagem).
pick-me-up! — bebida estimulante.
the pick of the bunch — o que há de melhor no mundo.
pick and shovel man — cabouqueiro.
ice-pick — punção para quebrar gelo.
tooth-pick — palito.
2 — *vt.* e *vi.* picar, furar; depenicar; espicaçar; roubar, furtar; escolher; colher; apanhar; limpar, separar; mondar; abrir com gazua; arrancar; comer um bocado; arranjar, conseguir; descarnar; apanhar com o bico; dedilhar (instrumento de corda); esburacar.
to pick flowers — colher flores.
to pick a bone — descarnar um osso.
to pick a fowl — depenar uma ave.
to pick a quarrel — buscar motivo para questões; meter-se com alguém.
to pick off — arrancar; tirar; atirar, ferindo ou matando.
to pick out — apanhar, escolher, separar.
to pick up — levantar do chão; colher; recolher (náufragos, etc.); recobrar a saúde.
to pick and choose — escolher minuciosamente.
the train stops to pick up passengers — o comboio pára para receber passageiros.
to pick to pieces — arrancar; separar com violência; criticar àsperamente.
to pick a lock — abrir uma fechadura com gazua.
I picked up New York last night — consegui ouvir Nova Iorque a noite passada (telefonia).
to pick up strength — ganhar forças.
to pick holes in — criticar.
to pick a pimple — coçar uma borbulha com as unhas.
to pick on — perseguir, atormentar.
to pick one's teeth — palitar os dentes.
to pick one's words — escolher as palavras.
to pick one's way (to pick one's steps) — caminhar com muito cuidado.
to pick out the good from the bad — separar o bom do mau.
to pick over — examinar.
to pick oneself up — levantar-se.
to pick somebody's brains — apropriar-se das ideias de alguém.

to pick up a child in one's arms — pegar numa criança ao colo.
to pick sides (desp.) — escolher o campo.
to pick up health — recuperar a saúde.
to pick up new friends — arranjar novos amigos.
to pick up a language — aprender uma língua facilmente.
to pick up a living (to pick up a livelihood)—ganhar a vida com muito sacrifício.
to pick up on — agarrar; (desp.) ultrapassar.
to have a bone to pick with (to have a crow to pick with) — ter contas a ajustar com alguém.
pick-a-back ['pikəbæk], **1** — *s.*
to give a pick-a-back — levar às cavalitas.
2 — *adv.* às cavalitas, aos ombros, às costas.
to ride pick-a-back — ir às cavalitas; ir aos ombros.
pickaninny ['pikənini], *s.* ver **picaninny.**
pickaxe ['pikæks], **1** — *s.* picareta, picão.
2 — *vt.* e *vi.* trabalhar com picareta.
picked [pikt], *adj.* pontiagudo; escolhido.
picked men — homens de elite.
picker ['pikə], *s.* pessoa que colhe, apanha ou separa; picareta, sacho, ancinho; máquina de limpar algodão ou lã; descascadora; carteirista, ladrão.
grape-picker — vindimador.
pickers of quarrels — pessoas desordeiras.
pickers and stealers — gatunos.
hop-picker — colhedor de lúpulo.
pickerel ['pikərəl], *s.* (zool.) lúcio.
picket ['pikit], **1** — *s.* estaca pontiaguda; (mil.) piquete; baliza; *pl.* piquete de grevistas.
picket-guard — sentinela avançada; vedeta.
outlying picket — posto avançado de vigilância.
inlying picket — pequenas forças de prevenção dentro dos quartéis.
picket-boat — vedeta.
picket-fence — paliçada.
police picket — patrulha de polícia.
to be on picket — estar de piquete.
2 — *vt.* (*pret.* e *pp.* **picketted**) rodear com estacas; piquetar; impedir de trabalhar (os operários); pôr de guarda; atar um cavalo a uma estaca.
picketing [-iŋ], *s.* paliçada, estacada; acção de prender a uma estaca (animal); estabelecimento de piquetes de grevistas para impedir o trabalho.
picking ['pikiŋ], *s.* colheita; arrancada; monda; picada; escolha, selecção; furto; roedura; *pl.* desperdícios; alimpadura; resíduos; acção de abrir com gazua.
picking-season — colheita.
picking up — acção de apanhar ou levantar; captação de corrente eléctrica, etc.
picking off — acção de levar; acção de arrancar.
pickle [pikl], **1** — *s.* salmoura; escabeche; conserva de vinagre; criança endiabrada; (fam.) apuro; *pl.* conserva de vegetais em vinagre para serem usados como aperitivo ou condimento.
to be in a fine pickle — estar em maus lençóis.
mixed pickles — conserva de vários legumes.
pickle-cured — conservado em vinagre ou salmoura.
to have a rod in pickle for somebody — ter contas a ajustar com alguém.
2 — *vt.* pôr de escabeche; pôr em salmoura; decapar (o metal).
pickled [-d], *adj.* em vinagre, em salmoura; (col.) bêbedo.
pickled cucumbers — pepinos de conserva.
pickling [-iŋ], *s.* acção de conservar vegetais em vinagre ou salmoura; decapagem (do metal).
pickling bath — banho de decapagem.
pickling tank — tanque de decapagem.
pickling acid — ácido decapante.
picklock ['piklɔk], *s.* gazua; chave falsa; ladrão nocturno; lã seleccionada.
pickpocket ['pikpɔkit], *s.* carteirista, gatuno.
beware of pickpockets! — cautela com os carteiristas!
picksome ['piksəm], *adj.* rabugento; difícil de contentar.
pick-up ['pikʌp], *s.* captador sonoro (em gira-discos); captador de imagens (televisão); pechincha; aceleração (motor); (desp.) escolha do campo; acção de apanhar a bola (críquete); pessoa que conhecemos casualmente.
pick-up circuit — circuito de magnetização.
pick-up head — captador fonográfico.
pickwick ['pikwik], *s.* charuto barato.
Pickwick ['pikwik], *n. p.* nome de personagem criada por Charles Dickens.
Pickwickian [pik'wikiən], *adj.* (joc.) especial; relativo a Mr. Pickwick, personagem criada por Charles Dickens.
picnic ['piknik], **1** — *s.* piquenique.
picnic basket — cesto com tudo o que é preciso para um piquenique.
2 — *vi.* (*pret.* e *pp.* **picnicked**) tomar parte num piquenique, fazer um piquenique.
picnicker [-ə], *s.* aquele que toma parte num piquenique.
picot ['pi:kou], **1** — *s.* picote; espiguilha.
2 — *vt.* rematar com picote; pôr uma espiguilha.
picotee [pikə'ti:], *s.* cravo mosqueado.
picotite ['pikoutait], *s.* (min.) picotite.
picrate ['pikreit], *s.* (quím.) picrato.
picrate of potash — picrato de potassa.
picric ['pikrik], *adj.* (quím.) pícrico.
picric acid — ácido pícrico.
picrite ['pikrait], *s.* (min.) picrite, picrito.
picrotoxin [pikrou'tɔksin], *s.* (quím.) picrotoxina.
Pict [pikt], *s.* picto, antigo habitante da Escócia.
Pictish ['-iʃ], *adj.* píctico, referente aos pictos.
pictograph ['piktougrɑ:f], *s.* ideograma; símbolo gráfico que representa uma ideia.
pictographic [piktou'græfik], *adj.* pictográfico.
pictography [pik'tɔgrəfi], *s.* pictografia.
pictorial [pik'tɔ:riəl], **1** — *s.* jornal ilustrado ou revista.
2 — *adj.* da pintura; de pintor; ilustrado com gravuras; pictórico.
pictorially [-i], *adv.* com ilustrações; à maneira de pintor.
picture ['piktʃə], **1** — *s.* pintura; desenho, estampa, gravura; retrato; imagem; quadro; ilustração; fotografia; descrição; semelhança; protótipo; recordação; ocorrência; *pl.* filme.
picture frame — moldura de quadro.
picture-book — livro de estampas.
picture-gallery — museu de pinturas.
picture postcard — postal ilustrado.
she looks the very picture of health — ela é a saúde personificada.
picture-like — semelhante a uma pintura.
to come into the picture — entrar no assunto.
moving pictures — filmes; projecções móveis.
the other side of the picture — o reverso da medalha.
picture diagram — ideograma.
picture-story — história em imagens.
picture-goer — frequentador de cinema.
picture-palace — cinema muito grande.
a picture of a child — uma linda criança.
picture-writing — ideografia.
talking picture — fonofilme.
sound picture — filme sonoro.
to paint a picture — pintar um quadro.
to draw a picture of — traçar um quadro de.

to be out of the picture — não vir a propósito.
2 — *vt.* pintar, desenhar; descrever; imaginar.
I can't picture him — não posso imaginá-lo.
picturesque [piktʃə'resk], *adj.* pitoresco.
picturesquely [-li], *adv.* pitorescamente.
picturesqueness [-nis], *s.* pitoresco.
picturization [piktʃərai'zeiʃən], *s.* adaptação ao cinema.
picturize ['piktʃəraiz], *vt.* adaptar ao cinema.
piddle [pidl], *vi.* (arc.) ocupar-se de coisas insignificantes; (inf. ou col.) urinar.
piddling ['-iŋ], *adj.* (arc.) insignificante, fútil.
pidgin ['pidʒin], **1** — *s.* (col.) tarefa.
that's not my pidgin — isso não me compete.
2 — *adj.* estropiado, adulterado.
pidgin English — inglês incorrecto falado pelos Chineses.
pie [pai], **1** — *s.* pastel, torta, empada, empadão; (zool.) pega; (tip.) pastel, caracteres tipográficos misturados; (fig.) confusão, balbúrdia.
meat-pie — empada de carne.
fruit-pie — torta de fruta.
pie-dish — travessa para tortas ou empadas.
plum-pie — torta de ameixa.
shepherd's pie — empadão de carne.
to be a pie in the sky (col.) — ser uma coisa muito boa que não se sabe se se realizará.
pie-can (col.) — pateta.
that's pie (cal. E. U.) — é fácil; é bom; «é canja».
to make pie (tip.) — empastelar.
2 — *vt.* (tip.) empastelar.
piebald ['paibɔ:ld], **1** — *s.* animal malhado, cavalo malhado.
2 — *adj.* malhado; heterogéneo.
piece [pi:s], **1** — *s.* pedaço, bocado; porção, parte; peça; remendo; fragmento; moeda; estilha, estilhaço; obra, composição; trecho; peça (de teatro); quadro; peça (de canhão); rolo (de papel para forrar paredes); peça (de fazenda); pistola, espingarda; pedra no jogo das damas, xadrez, etc.; (cal.) mulher.
a piece of one's mind — uma repreensão.
a piece of news — uma notícia.
to break to pieces — fazer em pedaços; despedaçar.
to fly to pieces — fazer-se em estilhas.
to tear to pieces — rasgar; despedaçar.
a piece of furniture — um móvel.
a piece of advice — um conselho.
a piece of paper — um pedaço de papel.
by the piece — por peça (de obra).
of a piece — da mesma qualidade ou classe.
centre-piece — centro de mesa.
piece-goods — mercadorias vendidas à peça.
piece of ordnance — peça de artilharia.
a piece of ground — um talhão.
a piece of bread — um bocado de pão.
piece by piece — uma coisa de cada vez.
piece-work — trabalho à peça; trabalho por empreitada.
a fowling-piece — uma espingarda para pássaros.
a piece of injustice — uma injustiça.
a piece of candle — um coto de vela.
a piece of nonsense — um disparate.
allegorical piece — quadro alegórico.
a piece of wit — uma graça; um dito de espírito.
a pretty piece — uma bela mulher.
in pieces — aos bocados.
to go all to pieces — desorientar-se; ficar muito nervoso; perder.
to know something all to pieces — conhecer alguma coisa muito bem.
to go to pieces — desfazer-se.
to take a machine to pieces — desmontar uma máquina.
to be a bossy piece — ser um indivíduo autoritário.
to pull somebody to pieces — fazer uma crítica severa a alguém.
to be of a piece with — condizer com.
2 — *vt.* remendar, consertar com pedaços; acrescentar; unir, juntar; prolongar.
to piece all over — remendar.
to piece out — completar com pedacinhos.
to piece a quilt — fazer uma manta de retalhos.
to piece down — acrescentar.
to piece on — juntar; juntar-se.
to piece one thing on to another — juntar uma coisa a outra.
to piece together — unir; ligar.
piecemeal ['-mi:l], **1** — *s.* pedaço, fragmento.
by piecemeal — aos bocados; pouco a pouco.
2 — *adj.* retalhado, remendado.
3 — *adv.* em pedaços; pouco a pouco.
work done piecemeal — trabalho feito pouco a pouco.
piecener ['-nə], *s.* operário que, nas fábricas de fiação, liga os fios partidos.
piecer ['-ə], *s.* ver **piecener.**
piecing ['-iŋ], *s.* acção de juntar peças; remendo; conserto; ligação de fios partidos (em tecelagem).
piecing together — união; coordenação.
piecing on — acrescentamento.
piecing up — conserto; (col.) reconciliação
piecrust ['paikrʌst], *s.* códea, crosta de pastel, empada ou torta.
pied [paid], *adj.* variegado, de várias cores.
Piedmont ['pi:dmənt], *top.* Piemonte.
Piedmontese [pi:dmən'ti:z], *s.* e *adj.* piemontês.
piedness ['paidnis], *s.* diversidade de cores.
piedouche [pjə'du:ʃ], *s.* peanha.
piedroit ['pjeidrwɑ:], *s.* pé-direito, altura entre o tecto e o soalho dum compartimento.
pieman ['paimən], *s.* vendedor de pastéis, empadas ou tortas.
pier [piə], *s.* molhe; ponte-cais; pilar; dique; pegão (de ponte); pano de uma parede entre duas janelas.
pier-glass — tremó (espelho).
pier head — testa de molhe.
pier-table — tremó (mesa).
landing pier — cais de embarque e desembarque.
floating pier — embarcadoiro flutuante.
pierage ['piəridʒ], *s.* direitos de cais; acostagem.
pierce [piəs], *vt.* e *vi.* penetrar, furar, atravessar; perfurar; abrir passagem; cravar; entrar à força; comover; espichar (pipo); perceber.
to pierce through — furar de lado a lado.
pierced with sorrow — trespassado pela dor.
pierced with holes — crivado de buracos.
to pierce a cask — espichar uma pipa.
to pierce out — brotar do solo (planta).
to have one's ears pierced — furar as orelhas.
pierceable ['-əbl], *adj.* penetrável.
piercer ['-ə], *s.* furador; trado, broca.
piercing ['-iŋ], **1** — *s.* acção de furar, de penetrar, de trespassar.
piercing saw — serrote de ponta.
2 — *adj.* penetrante, agudo; lancinante; comovente; perfurante.
piercing sound — som agudo.
piercing cry — grito lancinante.
piercing wind — vento cortante.
piercing look — olhar penetrante.
piercingly ['-iŋli], *adv.* de modo penetrante, agudamente.
Pierian [pai'eriən], *adj.* piério, referente às musas ou à poesia.
pieridae [pai'eridi:], *s. pl.* (zool.) pierídeos.
Pierides [-z], *n. p.* (mit.) musas.
pierrette [piə'ret], *s. fem.* de **pierrot.**

pierrot ['piərou], *s.* personagem de pantomimas francesas; palhaço de fato solto e cara pintada de branco.
pietism ['paiətizm], *s.* pietismo; falsa devoção; hipocrisia.
pietist ['paiətist], *s.* pietista; indivíduo com falsa devoção; hipócrita.
pietistic [paiə'tistik], *adj.* pietista, com falsa devoção.
piety ['paiəti], *s.* piedade, devoção; santidade.
piezoelectric ['paiəzoui'lektrik], *adj.* piezeléctrico.
piezoelectric action — acção piezeléctrica.
piezoelectric microphone — microfone piezeléctrico.
piezoelectric crystal — cristal piezeléctrico.
piezoelectricity ['paiəzouilek'trisiti], *s.* piezelectricidade.
piezometer [paiə'zɔmitə], *s.* (fís.) piezómetro.
piffle [pifl], **1** — *s.* (cal.) tolice, disparate; palratório; ninharia.
to talk piffle — dizer parvoíces.
2 — *vi.* (cal.) dizer tolices, palrar; ocupar-se de ninharias.
piffler ['-ə], *s.* (cal.) pessoa que só diz baboseiras.
piffling ['-iŋ], *adj.* (cal.) disparatado; fútil, oco.
pig [pig], **1** — *s.* porco; barra de metal, lingote; porcalhão; glutão; pessoa obstinada.
pig-iron — ferro em lingotes.
to buy a pig in a poke — comprar gato por lebre.
pigs might fly — podia dar-se um milagre.
sucking-pig — leitão.
pig breeding — indústria porcina.
pig-like — semelhante a porco.
pig-pen — pocilga.
pig's whisper — grunhido; segredo que todos ouviram.
pig-pail — balde de lavagem para porcos.
pig-skin — pele de porco curtida; objecto feito de pele de porco.
pig's wash — lavagem para porcos.
pig-trough — pia dos porcos; gamela.
in pig — prenhe (porca).
in a pig's whisper — enquanto o diabo esfrega um olho.
wild pig — javali.
to bleed like a pig — sangrar muito.
to bring one's pigs to the wrong market — fazer mau negócio.
to eat like a pig — comer muito.
to make a pig of oneself — sujar-se todo a comer.
to be an obstinate pig — ser teimoso como um burro.
pigs love to lie together — cada qual com seu igual.
to sleep like a pig — dormir como um porco.
when the pigs begin to fly — quando as galinhas tiverem dentes; nunca.
2 — *vt.* e *vi.* (*pret.* e *pp.* **pigged**) viver na porcaria; parir (porca).
to pig it — viver na porcaria.
pigeon ['pidʒən], **1** — *s.* pombo, pomba, borracho; simplório, tolo; prato usado no tiro aos pratos.
pigeon-breasted — com o peito saliente devido a raquitismo.
pigeon-house (pigeon-loft) — pombal.
carrier-pigeon — pombo-correio.
pigeon pair — gémeos (rapaz e rapariga); filhos únicos (rapaz e rapariga).
ring-pigeon — pombo torcaz.
pigeon-fancy — columbofilia.
pigeon-hearted — medroso; tímido; cobarde.
pigeon club — clube de columbofilia.
pigeon-livered — dócil, meigo.
pigeon fancier — criador de pombos.
pigeon-post — transmissão de mensagens por meio de pombos-correios.
domestic pigeon — pombo doméstico.
pigeon-toed — com os pés metidos para dentro.
cock-pigeon — pombo.
hen-pigeon — pomba.
stool-pigeon — **espião; informador policial.**
wood-pigeon — pombo bravo.
that's my pigeon **(col.) — isso é cá comigo.**
2 — *vt.* intrujar, enganar.
pigeongram [-græm], *s.* mensagem levada por pombo-correio.
pigeonhole [-houl], **1** — *s.* buraco de pombal; escaninho de papeleira; abertura de armário para pôr papéis, correspondência, etc.
set of pigeonholes — ficheiro.
2 — *vt.* arquivar, guardar (documentos) em pequenos compartimentos; arrumar.
pigeonry ['pidʒənri], *s.* pombal.
piggery ['pigəri], *s.* chiqueiro; estabelecimento de criação de porcos; lugar sujo; avareza.
piggin ['pigin], *s.* selha.
piggish ['pigiʃ], *adj.* porco, sujo; voraz; teimoso. (*Sin.* hoggish, dirty, greedy, low.)
piggishly [-li], *adv.* porcamente.
piggishness [-nis], *s.* porcaria, sujidade; voracidade; teimosia.
piggy ['pigi], *s.* leitão, bacorinho.
piggy-wiggy — porquinho; leitão; criança suja.
pigheaded ['pig'hedid], *adj.* teimoso; estúpido.
pigheadedness [-nis], *s.* teimosia, obstinação.
piglet ['piglit], *s.* porquinho, leitão.
pigling ['pigliŋ], *s.* ver **piglet.**
pigman ['pigmən], *s.* porqueiro.
pigment ['pigmənt], **1** — *s.* pigmento; substância corante, pintura.
pigment grinding — pulverização de pigmento.
ground pigment — tinta em pó.
pigment-cell — célula pigmentar.
2 — *vt.* pigmentar; colorir.
pigmentary [-əri], *adj.* pigmentar, pigmentário.
pigmentation [pigmən'teiʃən], *s.* pigmentação.
pigmented ['pigməntid], *adj.* pigmentado.
pigmentous ['pigməntəs], *adj.* pigmentário.
pigmy ['pigmi], *s.* pigmeu.
pignoration [pignə'reiʃən], *s.* (jur.) penhora.
pignut ['pignʌt], *s.* (bot.) variedade de nogueira americana; o fruto da mesma.
pigskin ['pigskin], *s.* coiro de porco.
pigsticker ['pigstikə], *s.* caçador de javali; matador de porcos; chuço de caça.
pigsticking ['pigstikiŋ], *s.* montaria ao javali; matança de porcos.
pigsty ['pigstai], *s.* chiqueiro; lugar muito sujo.
pigtail ['pigteil], *s.* tabaco torcido; trança.
pigtailed [-d], *adj.* com cauda de porco; com rabicho, com trança.
pigwash ['pigwɔʃ], *s.* lavagem para porcos.
pigweed ['pigwi:d], *s.* (bot.) anserina, fedegosa.
pi-jaw [pi'dʒɔ:], *s.* (*col.*) exortação moral ou religiosa; lição de moral.
pike [paik], **1** — *s.* chuço, pique; (zool.) lúcio.
2 — *vt.* matar com um pique.
piked [-t], *adj.* pontiagudo, aguçado.
pikeman ['-mən], *s.* mineiro que usa picareta; soldado armado de pique ou chuço; indivíduo encarregado de cobrar portagem.
piker ['-ə], *s.* jogador que não se arrisca; (cal.) vagabundo, pessoa que não presta para nada.
pikestaff ['-stɑ:f], *s.* chuço de pau.
as plain as a pikestaff — claro como a água.
pilaster [pi'læstə], *s.* pilastra.
pilastered [-d], *adj.* com pilastras.
Pilate ['pailət], *n. p.* Pilatos.
pilch [piltʃ], *s.* faixa de bebé.
pilchard ['piltʃəd], *s.* sardinha.
pilcorn ['pilkɔ:n], *s.* variedade de aveia.

pile [pail], **1** — *s.* pilha, monte, montão; estaca; pilha eléctrica; edifício grande; bateria eléctrica; pêlo, penugem; sarilho (de espingardas); pira (para a cremação de cadáveres); (col.) fortuna; (arc.) reverso de moeda; hemorróida; *pl.* hemorróidas.
pile-driver — bate-estacas.
pile-work — estacaria.
pile-drawer — aparelho para arrancar estacas.
a pile of logs — uma pilha de achas.
to make one's pile — fazer fortuna; enriquecer.
pile clamp — pinça para hemorróidas.
pile-dwelling — habitação lacustre.
pile foundations — alicerces sobre estacaria.
pile fabrics — tecidos com pêlo.
bleeding of piles — fluxo hemorroidal.
pile plank — ensecadeira.
funeral pile — pilha funerária.
voltaic pile (elect.) — pilha voltaica.
galvanic pile (elect.) — pilha galvânica.
to drive in a pile — cravar uma estaca.
2 — *vt.* e *vi.* amontoar, empilhar; meter estacas; ensarilhar (armas); fazer uma rima de. (*Sin.* to heap, to amass, to store, to gather. *Ant.* to dissipate.)
to pile up — amontoar, acumular.
to pile arms — ensarilhar armas.
to pile it on (col.) — exagerar.
to pile on (up) the agony (col.) — exagerar; dramatizar.
pileate ['pailiit], *adj.* em forma de crista, em forma de chapéu.
pileated ['pailieitid], *adj.* ver **pileate.**
piled [paild], *adj.* amontoado; macio; com pêlos.
pilewort ['pailwə:t], *s.* (bot.) ficária; erva-das-escaldadelas.
pilfer ['pilfə], *vt.* e *vi.* surripiar (coisas de pouco valor).
pilferage [-ridʒ], *s.* gatunice, roubo pequeno.
pilferer [-rə], *s.* gatuno.
pilfering [-riŋ], *s.* gatunice.
pilgrim ['pilgrim], **1** — *s.* peregrino, romeiro; viajante.
the Pilgrim Fathers — o grupo de Puritanos ingleses que fundaram a colónia de Plymouth, em 1620.
pilgrim bottle — cantil de peregrino.
2 — *vi.* peregrinar.
pilgrimage [-idʒ], **1** — *s.* peregrinação; romaria; viagem longa.
to go on (a) pilgrimage — ir em peregrinação.
2 — *vi.* ir em peregrinação.
piliferous [pai'lifərəs], *adj.* pilífero.
piliform ['pailifɔ:m], *adj.* piliforme.
piling ['pailiŋ], *s.* acumulação, pilha, monte; estacaria; acção de cravar estacas.
pill [pil], **1** — *s.* pílula; coisa desagradável; sensaboria; (cal.) bola usada para jogar; pessoa aborrecida; bala de canhão; *pl.* bilhar.
to gild the pill — dourar a pílula.
to swallow the pill — engolir a pílula.
pill-box — caixa de pílulas.
to sugar the pill — adoçar a pílula.
a pill to cure an earthquake — remédio insuficiente; meias medidas.
2 — *vt.* fazer pílulas, dosear com pílulas; (cal.) derrotar, recusar; (dial.) descascar.
pillage ['pilidʒ], **1** — *s.* pilhagem, saque, rapina. (*Sin.* plunder, spoil, loot, waste, depredation.)
2 — *vt.* e *vi.* roubar, saquear, pilhar.
pillager [-ə], *s.* saqueador.
pillaging [-iŋ], *adj.* que pilha, que saqueia.
pillar ['pilə], **1** — *s.* coluna, pilar, pilastra, pontal; (náut.) pé de carneiro; sustentáculo, apoio; coluna de carvão para segurar tecto de mina.
pillar-box — marco do correio.
pillar buoy — bóia-pilar.
pillar of fire — coluna de fogo.
the Pillars of Hercules — as Colunas de Hércules.
Corinthian pillar — coluna coríntia.
Doric pillar — coluna dórica.
Ionian pillar — coluna jónica.
to be driven from pillar to post — andar de Herodes para Pilatos.
2 — *vt.* sustentar com colunas ou pilares.
pillared [-d], *adj.* com pilares, com colunas; semelhante a pilar ou coluna.
pillaring [-riŋ], *s.* acção de colocar colunas ou pilares; (náut.) colocação dos pés de carneiro.
pillion ['piljən], *s.* assento para passageiro atrás do motociclista; assento, colocado atrás do selim, para um segundo cavaleiro.
to ride pillion — cavalgar no assento de trás.
pillioned [-d], *adj.* montado no assento de trás.
pillory ['piləri], **1** — *s.* pelourinho.
to put somebody in the pillory — sentar alguém no pelourinho; (fig.) expor à troça pública.
2 — *vt.* expor no pelourinho; (fig.) expor à troça pública.
pillow ['pilou], **1** — *s.* almofada, almofadão, travesseiro; (mec.) descanso, suporte.
pillow-case (pillow-slip) — fronha.
pillow-block — chumaceira.
to take counsel of one's pillow — aconselhar-se com o travesseiro.
pillow lace — renda de bilros.
pillow-mate — esposa; marido.
2 — *vt.* e *vi.* descansar sobre o travesseiro ou almofada.
to pillow up — sustentar com almofadas ou travesseiras.
pillowy [-i], *adj.* macio, mole, como uma almofada.
pillwort ['pilwə:t], *s.* (bot.) pilulária.
pilose ['pailous], *adj.* peludo; piloso.
pilosity [pai'lɔsiti], *s.* pilosidade.
pilot ['pailət], **1** — *s.* piloto; roteiro, guia; prático; limpa-trilhos de locomotiva; (fig.) guia.
harbour pilot — piloto da barra.
pilot-boat — barco dos pilotos.
to drop the pilot — abandonar o chefe; (fig.) deixar partir o piloto.
pilot-chart — carta de navegação.
pilot flag — bandeira de pedir piloto.
pilot-bridge — ponte do comando; ponte superior.
pilot-master — piloto-mor.
pilot-station (pilot-office) — estação de pilotos.
coasting-pilot — prático (piloto).
pilot balloon — balão-piloto.
pilot-bulb — lâmpada-piloto.
pilot biscuit — bolacha de bordo.
pilot cable — cabo-piloto.
pilot fish (zool.) — piloto.
pilot cloth — tecido de lã azul.
pilot office — estação de pilotos.
pilot officer — segundo-tenente aviador.
pilot locomotive — locomotiva guia.
pilot school — escola de pilotagem.
pilot's licence — carta de piloto.
pilot plant — fábrica experimental.
dock pilot — piloto de porto.
coast pilot — piloto costeiro.
deep sea pilot — piloto do alto mar.
2 — *vt.* pilotar; ajudar; guiar. (*Sin.* to guide, to direct, to govern, to rule.)
pilotage [-idʒ], *s.* pilotagem.
book of pilotage — roteiro.
rates of pilotage — direitos de pilotagem.
pilous ['pailəs], *adj.* piloso, peludo.
pilular ['piljulə], *adj.* pilular.
pilule ['pilju:l], *s.* pílula.

pilum ['pailəm], *s.* pilo, dardo antigo.
pimaric [pi'mærik], *adj.* (quím.) pimárico
pimelic [pi'melik], *adj.* (quím.) pimélico
pimelite ['piməlait], *s.* (min.) pimelite.
pimento [pi'mentou], *s.* pimenta da Jamaica; pimento.
to season with pimento — temperar com pimenta.
pimp [pimp], **1** — *s.* alcoviteiro, proxeneta. **2** — *vi.* alcovitar.
pimpernel ['pimpənel], *s.* (bot.) anagálide.
pimpinella [pimpi'nelə], *s.* (bot.) pimpinela.
pimping ['pimpiŋ], **1** — *s.* ofício de alcoviteiro, alcovitice.
2 — *adj.* mesquinho, pequeno, de pouco valor; achatado.
pimple [pimpl], *s.* empola, borbulha, espinha.
pimpled [-d], *adj.* empolado, com borbulhas.
pimply ['pimpli], *adj.* ver **pimpled.**
pin [pin], **1** — *s.* alfinete; broche; cavilha; prego; eixo de roldana; cravo; chaveta; perno (de moitão); pião; malagueta; munhão (de manivela); (mús.) cravelha (de instrumento de corda); bilro; belida; (náut.) setrosso; pequeno pipo; bandeirinha que indica buraco (golfe); *pl.* (fam.) pernas delgadas, varetas, canetas; insignificância.
pin-money — dinheiro para os alfinetes.
pin-head — cabeça de alfinete; objecto muito pequeno.
pin-point — ponta de alfinete; chama mínima (de gás).
hair-pin — gancho de cabelo.
steady pin — cavilha fixa.
pin-cushion — pregadeira de alfinetes; alfineteira.
pins and needles — **formigueiro (nos braços).**
pin-maker — alfineteiro.
pin-wheel — molinete.
pin-feather — penugem.
pin-case — caixa de alfinetes.
pin box — caixa de pinos.
pin holder — porta-cavilhas.
pin jack (elect.) — pega.
pin of center crank — pino de manivela.
pin plug (elect.) — ficha com pinos.
pin-prick — **picada de alfinete; contrariedade.**
pin-type insulator — isolador de suporte.
pin spanner — chave de forqueta.
clothes pin — mola para a roupa.
safety-pin — alfinete de segurança.
hat-pin — alfinete para o chapéu.
tie-pin — alfinete de gravata.
knitting pin — agulha de malha.
rolling pin — rolo da massa.
neat as a new pin — muito limpo.
to be in a merry pin — estar bem-disposto; estar «num sino».
to be in a peevish pin — estar maldisposto.
quick to the pins — ágil; ligeiro.
not to care a pin — não se importar nada.
we can hear a pin drop — reina profundo silêncio.
to be on pins and needles — estar sobre brasas.
he who will steal a pin will steal a pound — cesteiro que faz um cesto, faz um cento.
there isn't a pin to choose between them — são exactamente iguais.
2 — *vt.* (*pret.* e *pp.* **pinned**) pregar com alfinetes; prender, ligar; fixar, cravar; cavilhar, enchavetar; sujeitar; imobilizar (pedra no xadrez).
to pin up — segurar com alfinetes.
to pin one's faith on—confiar absolutamente em.
to pin down — prender; segurar.
to pin on — segurar com alfinetes.
to pin one's opinion on another person's sleeve — fazer depender a sua opinião da opinião de outra pessoa.
to pin up a notice — afixar (pregar) um aviso.
to pin somebody down to a promise — obrigar alguém a cumprir uma promessa.
to pin somebody down to his word — obrigar alguém a cumprir o prometido.
to pin somebody's ears back — fazer baixar as orelhas a alguém; chegar para alguém; ser melhor do que alguém.
pinacoid ['pinəkɔid], **1** — *s.* pinacóide (forma cristalográfica limitada por dois planos paralelos).
2 — *adj.* pinacóide.
pinacoidal [pinə'kɔidəl], *adj.* pinacóide.
pinacol ['pinəkɔl], *s.* (quím.) pinacol.
pinafore ['pinəfɔ:], *s.* bibe.
pinafored [-d], *adj.* de bibe.
pinacothek [pinəkou'teik], *s.* pinacoteca.
pinaster [pai'nestə], *s.* pinheiro bravo.
pince-nez ['pɛ:nsnei], *s.* lunetas.
pincers ['pinsəz], *s. pl.* pinça; tenaz; alicate; torquês; (zool.) pinça.
pinch [pintʃ], **1** — *s.* **beliscão; apertão; aperto, apuro, dificuldade; extrema necessidade.**
to give somebody a pinch — dar um beliscão a alguém.
a pinch of salt — uma pitada de sal.
pinch-bar (náut.) — pé de cabra.
pinch-cock — chave de pinça.
to feel the pinch — sentir-se em dificuldades.
in a pinch (at a pinch) — em caso de emergência.
if it comes to the pinch — se for de necessidade absoluta.
2 — *vt.* beliscar; apertar; contrair; oprimir; prender; economizar, limitar muito os gastos; estar em apuros; (cal.) furtar; (náut.) cingir ao vento; prender com tenaz.
to pinch oneself — privar-se do necessário.
to know where the shoe pinches—saber onde está o busílis; saber as linhas com que se cose.
to be pinched for — ter escassez de.
to pinch out — fazer sair por meio de pressão.
to pinch off — cortar com as pontas dos dedos.
to pinch the belly — não comer para poupar.
to pinch something out of (from) somebody — extorquir alguma coisa a alguém.
he pinched his finger in the door — ele trilhou o dedo na porta.
pinchbeck ['-bek], **1** — *s.* pechisbeque, ouropel.
2 — *adj.* falso, de imitação.
pinched [-t], *adj.* beliscado; oprimido; sem dinheiro.
to be pinched for money — estar sem dinheiro.
pinched features — rosto chupado.
pincher ['-ə], *s.* beliscador.
pinching ['-iŋ], **1** — *s.* beliscadura, beliscão; opressão; dor; tormento; avareza.
2 — *adj.* que belisca; penetrante; urgente;
pinching cold — frio penetrante.
pincushion ['pinkuʃin], *s.* almofada para alfinetes.
Pindar ['pində], *n. p.* Píndaro.
Pindaric [pin'dærik], **1** — *s.* ode pindárica.
Pindarics—versos pindáricos; odes pindáricas.
2 — *adj.* pindárico.
Pindaric ode — ode pindárica.
pine [pain], **1** — *s.* pinheiro; madeira de pinho.
pine-cone — pinha.
seaside pine — pinheiro marítimo.
pine-grove (pine-wood) — pinhal.
pine-nut — pinhão.
pine-tree — pinheiro.
stone-pine — pinheiro manso.
pine-apple — ananás.
pine blister — míldio do pinheiro.
pine-resin — resina de pinheiro.

pine needle — agulha de pinheiro.
Aleppo pine — pinheiro-de-alepo; pinheiro--francês.
pine-tar — alcatrão.
Chile pine — araucária.
black pine — pinheiro-negro; pinheiro-da--áustria.
Norway pine — pinheiro-silvestre; pinheiro--de-riga.
mountain pine — pinheiro montanhês.
parasol pine — pinheiro manso.
umbrella pine — pinheiro manso.
2 — *vi.* desfalecer; consumir-se, definhar; estiolar; (poét.) lastimar, lamentar. (*Sin.* to droop, to languish, to fade, to wither, to waste. *Ant.* to revive.)
to pine away — definhar.
to pine for — suspirar por.
to pine after — ansiar por.
to pine oneself to death — morrer de dor.
to pine with grief — consumir-se de dor.
pineal ['piniəl], *adj.* pineal.
pineal gland (anat.) — glândula pineal.
pineal body (anat.) — corpo pineal.
pinene ['paini:n], *s.* (quím.) pineno.
pinery ['painəri], *s.* estufa para criar ananases; plantação de ananases; pinheiral, plantação de pinheiros, pinhal.
pinetum [pai'ni:təm], *s.* (*pl.* **pineta**) plantação de pinheiros.
pinfold ['pinfould], **1** — *s.* cercado para gado; curral.
2 — *vt.* prender (gado) em cercado; encurralar.
ping [piŋ], **1** — *s.* silvo, sibilo (de bala); detonação.
2 — *vi.* sibilar, silvar (bala).
ping-pong ['piŋpɔŋ], *s.* (desp.) pingue-pongue, ténis de mesa.
pinguid ['piŋgwid], *adj.* gordo, oleoso, untuoso.
pinicolous [pai'nikələs], *adj.* pinícola, que vive nos pinheiros.
piniform ['painifɔ:m], *adj.* piniforme, em forma de pinha.
pining ['painiŋ], **1** — *s.* languidez, desfalecimento; estiolamento.
2 — *adj.* abatido, lânguido.
pinion ['pinjən], **1** — *s.* asa de ave; rémige; coto de asa; roda dentada, carreto, pinhão.
driving-pinion — roda de movimento; pinhão de ataque (mec.).
pinion clutch — engate de pinhão.
pinion shaft — eixo do pinhão.
spider pinion (mec.) — planetário.
2 — *vt.* atar as asas; cortar as asas; manietar; prender, amarrar; algemar.
pinioned [-d], *adj.* que tem asas; que tem rodas dentadas; algemado; amarrado.
pinite ['pinait], *s.* (min.) pinite.
pink [piŋk], **1** — *s.* cravo, craveiro; cor-de-rosa, cor de cravo; modelo, perfeição; supra-sumo; salmão novo; casaco vermelho de caçador de raposas; (náut.) **pinque**; (col.) **simpatizante** do comunismo.
the pink of elegance — o supra-sumo da elegância.
the pink of politeness — o supra-sumo da cortesia.
pink-eyed — com os olhos vermelhos.
sea pink — cravo da beira-mar.
the pink of perfection — o supra-sumo da perfeição.
garden pink — cravo bordado.
clove pink — cravo vermelho.
to be in the ***pink*** (col.) — **estar de perfeita** saúde.
2 — *adj.* cor-de-rosa, rosado; escarlate; (col.) simpatizante **do** comunismo.
pink tea — **chá elegante.**
salmon pink — cor de salmão.
the pink limit — o cúmulo.
3 — *vt.* furar; abrir ilhós; picar; trespassar (com punhal, espada, etc.); ornamentar; recortar; bater (motor de explosão).
pinked [-t], *adj.* pontilhado; recortado.
pinker ['-ə], *s.* aquele que recorta, pontilha ou picota.
pinkie ['-i], **1** — *s.* (náut.) pinque; (anat.) dedo mínimo.
2 — *adj.* (Esc. col.) **pequeno.**
pinking ['-iŋ], *s.* picadura de costura; bater de motor.
pinking-iron — ferro de recortar em festões.
pinkish ['-iʃ], *adj.* rosado.
pinkness ['-nis], *s.* qualidade de ser cor-de-rosa.
pinkroot ['-ru:t], *s.* (bot.) espigélio.
pinkwood ['-wud], *s.* (bot.) pau-rosa.
pinky ['-i], *adj.* (col.) **rosado.**
pinnace ['pinis], *s.* lancha; primeiro escaler (marinha de guerra).
pinnacle ['pinəkl], **1** — *s.* pináculo; cume; torre; ameia; cume; auge. (*Sin.* peak, apex, culmination, height. *Ant.* base.)
the pinnacle of glory — o auge da glória.
2 — *vt.* guarnecer com torres; elevar ao auge.
pinnacled **[-d],** ***adj.*** **com pináculo; (col.) posto** no auge.
pinnate ['pin(e)it], *adj.* (bot.) pinulado; (zool.) em forma de pena.
pinnated [-id], *adj.* ver **pinnate.**
pinnately [-li], *adv.* de forma pinulada.
pinnatiped [pi'nætiped], *s.* e *adj.* palmípede.
pinner ['pinə], *s.* pregador de alfinetes; touca antiga de grandes abas.
pinning ['piniŋ], *s.* acção de pregar com alfinetes; colocação de pinos ou cavilhas.
pinning up — acção de puxar para cima e fixar com alfinetes ou pregos.
pinning on — acção de fixar por meio de alfinetes ou pregos.
pinniped ['piniped], *s.* e *adj.* pinípede.
pinnipedian [pini'pi:diən], *s.* e *adj.* ver **pinniped.**
pinnula ['pinjulə], *s.* pínula.
pinnulate ['pinjuleit], *adj.* pinulado.
pinnulated [-id], *adj.* ver **pinnulate.**
pinnule ['pinjul], *s.* ver **pinnula.**
pinny ['pini], *s.* bibe (abrev. de **pinafore**).
Pinocchio [pi'nɔkiou], *n. p.* Pinóquio.
pint [paint], *s.* pinto, medida de capacidade (56,825 centilitros).
a pint of beer — uma caneca de cerveja.
pintado [pin'tɑ:dou], *s.* pintada; galinha-da--índia; galinha-de-angola.
pintado bird (pintado petrel) — petrel-do-cabo.
pintail ['pinteil], *s.* (zool.) arrabio, rabijunco.
pintailed [-d], *adj.* de rabo pintiagudo.
pintailed ganga (zool.) — ganga; cortiçó.
pintle [pintl], *s.* gonzo; cavilha; (náut.) gancho do leme; engate de canhão.
pin-up ['pinʌp], *adj.* que tem o retrato pendurado por toda a parte; conhecido, bonito, atraente.
pin-up girl — rapariga bonita que tem o retrato pendurado por toda a parte.
piny ['paini], *adj.* de pinheiro; cheio de pinheiros.
piolet ['pi:oulei], *s.* pau ferrado de montanhista ou alpinista.
pioneer [paiə'niə], **1** — *s.* pioneiro; explorador; descobridor de caminhos; sapador.
2 — *vt.* e *vi.* explorar, abrir caminhos; guiar.
pious ['paiəs], *adj.* pio, piedoso, devoto; (arc.) cumpridor. (*Sin.* devout, religious, saintly. *Ant.* impious.)
pious deeds — obras de piedade; obras piedosas; obras de caridade.

piously [-li], *adv.* devotamente, piedosamente.
piousness [-nis], *s.* devoção, piedade.
pip [pip], **1** — *s.* gosma; semente, pevide (de laranja, maçã, etc.); ponto (nas cartas de jogar, no dominó ou nos dados); (cal.) má disposição; cólera; estrela em uniforme de oficial; sinal horário; (tip.) a letra P; botão do centro de inflorescência.
to have the pip — estar indisposto.
at the fourth pip it will be eight o'clock — ao quarto sinal serão oito horas.
2 — *vt.* (*pret.* e *pp.* **pipped**) piar, chilrear; rejeitar; votar contra; derrotar; furar a casca (pintainho); atingir com uma bala; matar; (col.) morrer.
pipe [paip], **1** — *s.* tubo, canudo; encanamento; gaita-de-foles; flauta pastoril; cachimbo; órgão vocal; apito (sinal de manobra); garganta; pipa, barril, tonel, casco; (náut.) manga de escovém; veio cilíndrico de minério; chaminé de vulcão; *pl.* tubagem; traqueia; vias respiratórias.
pipe staves — aduelas.
wind-pipe — traqueia.
gas-pipe — tubo da canalização de gás.
pipe-laying — instalação de canos.
gauge pipe — tubo de manómetro.
main pipe — cano principal.
water-pipe — canalização; conduta de água.
discharging-pipe — cano de despejo.
suction-pipe — tubo de aspiração.
to smoke a pipe — fumar uma cachimbada; fumar cachimbo.
feed-pipe — tubo de alimentação.
blow-pipe — maçarico.
pipe-wrench — chave de tubos.
jet pipe — agulheta de mangueira.
pipe-clay — gesso para cachimbos e empregado por soldados para limpar cintos, etc.
pipe bend — curva de tubo ou de canalização.
pipe bending tool — instrumento para encurvar canos.
pipe cleaner — limpador de canos; limpador de cachimbos.
pipe cutter — aparelho para cortar canos ou tubos.
pipe cutting machine — máquina para cortar canos ou tubos.
pipe branching — bifurcação de canos.
pipe dream — sonho irreal; coisa irrealizável.
pipe hook — grampo para tubo.
pipe joint — junta de tubo.
pipe burst — rotura de canalização.
pipe-light — lume para acender cachimbos.
pipe of ore — veio de minério.
pipe spanner — chave de tubos.
pipe maker — fabricante de tubos ou cachimbos.
pipe clip — braçadeira para tubos ou canos.
pipe fitter — assentador de canos.
pipe fitting — colocação de canos.
pipe with ball joint — tubo articulado.
pipe coil — serpentina.
pipe flange — manilha de tubo.
pipe coupling — junção de tubos.
pipe stem — tubo de cachimbo.
pipe vice — torno para tubos.
pipe organ — órgão grande com tubos.
down pipe — cano descendente.
pipe stop — brecha de cano.
pipe straightening machine — máquina de endireitar canos.
pipe scraper — raspador para cachimbos.
line of pipes — canalização.
pipe socket — base de cano ou tubo.
bag-pipe — gaita-de-foles.
organ-pipe — tubo de orgão.
peace-pipe — cachimbo da paz.
Pan's pipes — a flauta de Pã.
tobacco-pipe — cachimbo.
to have a fine pipe — ter boa garganta; cantar bem.
let's put on a pipe! (col.) — vamos lá a uma cachimbada!
voice-pipe (náut.) — porta-voz.
put that in your pipe and smoke it! — fique sabendo que é assim!
to lay pipes — montar canalização.
2 — *vt.* e *vi.* tocar flauta ou qualquer instrumento de sopro; cantar com voz aguda; apitar; chamar por meio de assobio; canalizar, conduzir por meio de canos ou tubos; enfeitar (vestidos, bolos, etc.) em forma de cordão; falar ou cantar em voz afiautada; embarrilar; (col.) chorar; arquejar; fumar cachimbo; (bot.) reproduzir por estaca.
to pipe away — apitar (para o barco partir).
to pipe the men down — apitar para acabar a faina.
to pipe the side (náut.) — apitar a cabos.
to pipe dinner — apitar para jantar.
to pipe one's eyes — chorar.
to pipe down (cal.) — «meter a viola no saco».
to pipe up — começar a tocar; falar.
to pipe the oil to the refinery — canalizar o petróleo para a refinaria.
piped [-t], *adj.* canalizado; (roupa) guarnecida com vivos.
pipeful ['-ful], *s.* cachimbada, cachimbo cheio de tabaco.
pipe-line ['-lain], **1** — *s.* oleoduto.
2 — *vt.* transportar em oleoduto.
piper ['-ə], *s.* flautista, gaiteiro; cavalo atacado de pulmoeira.
to pay the piper (and call the tune) — fazer as despesas da festa.
piperaceae [pipə'reisii:], *s. pl.* (bot.) piperáceas.
piperaceous [pipə'reiʃəs], *adj.* piperáceo.
piperazine ['pipərəzain], *s.* (quím.) piperazina.
piperine ['pipərain], *s.* (quím.) piperina.
pipette [pi'pet], *s.* pipeta, proveta; conta-gotas.
graduated pipette — pipeta graduada.
piping ['paipiŋ], **1** — *s.* som de flauta; acção de tocar flauta ou gaita-de-foles; canalização, tubagem; enfeite de vestido com cordão em relevo; voz aflautada; enfeite de bolos com cordões feitos de açúcar; (bot.) reprodução por estaca.
mouth of the piping — bocal de tubo.
2 — *adj.* que toca flauta ou gaita-de-foles; pastoril; fervente, ardente; sibilante; tranquilo.
piping hot — a escaldar; a ferver em cachão.
piping hot news — notícias da última hora.
pipistrel [pipi'strel], *s.* (zool.) pipistrela (variedade de morcego).
pipistrelle [pipi'strel], *s.* ver **pipistrel.**
pipit ['pipit], *s.* (zool.) espécie de calhandra.
pipkin ['pipkin], *s.* escudela; pequeno pote de barro.
pipped [pipt], *adj.* triste, deprimido; reprovado (em exame).
pippin ['pipin], *s.* maçã reineta; (cal.) coisa ou pessoa muito apreciada.
he is a pippin (cal.) — é um tipo colossal!
pip-pip ['pip'pip], *interj.* (col.) adeus!
pipy ['paipi], *adj.* com canos ou tubos; em forma de cano ou tubo; aflautado.
piquancy ['pi:kənsi], *s.* acrimónia; sabor picante.
piquant ['pi:kənt], *adj.* picante, apimentado; mordaz, áspero, pungente.
piquantly [-li], *adv.* asperamente, mordazmente.
pique [pi:k], **1** — *s.* má vontade; melindre; ressentimento; altercação; pique ou vaza (em certos jogos de cartas).

to take a pique against somebody — estar ressentido com alguém.
pique of honour — ponto de honra.
2 — *vt.* e *vi.* ofender, escandalizar, irritar, «picar-se»; provocar a curiosidade; estimular; fazer pique ou vaza (em certos jogos de cartas). (*Sin.* to wound, to offend, to irritate, to vex. *Ant.* to pacify.)
to pique somebody's pride — ofender o orgulho de alguém.
to pique oneself on — vangloriar-se de.
piqué ['pi:kei], *s.* piqué (tecido).
piquet 1 — ['pikit], *s.* ver **picket.**
2 — [pi'ket], *s.* piquete (jogo de cartas).
piracy ['paiərəsi], *s.* pirataria; roubo literário ou científico; plágio (de livro).
Piraeus [pai'ri(:)əs], *top.* Pireu.
piragua [pi'rægwə], *s.* piroga, canoa comprida e estreita feita de um tronco de árvore.
pirate ['paiərit], **1** — *s.* pirata, corsário; plagiário; falsificador; autocarro que faz concorrência desleal a outros.
2 — *vt.* e *vi.* piratear, pilhar; plagiar; falsificar.
piratical [pai(ə)'retikəl], *adj.* pirático, próprio de pirata; plágico, próprio de plagiário.
piratically [-i], *adv.* à maneira de pirata ou de plagiário.
piratinera [pairæti'ni:ərə], *s.* (bot.) piratinero.
pirating ['paiəritiŋ], *s.* pirataria, piratagem; plágio.
pirn [pə:n], *s.* carretel, bobina de carro de linhas.
pirogue [pi'roug], *s.* ver **piragua.**
pirouette [piru'et], **1** — *s.* pirueta, passo em bailado que consiste em andar à volta na ponta de um pé.
2 — *vi.* fazer piruetas; andar à volta na ponta de um pé.
Pirquet ['pi:əkei], *n. p.*
Pirquet('s) reaction (med.) — cutirreacção.
Pisa ['pi:zə], *top.* Pisa.
pis aller ['pi:z'ælei], *s.* atitude ou solução por não haver outra possível.
Pisan ['pi:zən], *s.* e *adj.* referente a Pisa, de Pisa.
piscary ['piskəri], *s.* pesca.
common of piscary (jur.) — direito de pescaria em águas alheias.
piscatorial [piskə'tɔ:riəl], *adj.* piscatório.
piscatory ['piskətəri], *adj.* ver **piscatorial.**
Pisces ['pisi:z, 'piski:z], *s.* (astr.) Peixe (signo).
piscicultural [pisi'kʌltʃərəl], *adj.* referente à piscicultura.
pisciculture ['pisikʌltʃə], *s.* piscicultura.
pisciculturist [pisi'kʌltʃərist], *s.* piscicultor.
pisciform ['pisifɔ:m], *adj.* pisciforme.
piscina [pi'si:nə, pi'sainə], *s.* (*pl.* **piscinae**) viveiro de peixes; baptistério; recipiente onde, antigamente, o sacerdote lavava o cálice depois da comunhão.
piscine 1 — ['pisi:n], *s.* piscina (para banhos).
2 — ['pisain], *adj.* de peixe, referente a peixe.
piscivorous [pi'sivərəs], *adj.* piscívoro.
pisé ['pi:zei], *s.* barro ou terra batida usada como material de construção.
pish [piʃ, pʃ], **1** — *s.* (cal.) bebida alcoólica.
2 — *vt.* e *vi.* ter uma exclamação de desprezo ou nojo.
3 — *interj.* pf! (indica desprezo ou nojo).
pisiform ['paisifɔ:m], **1** — *s.* (anat.) osso pisiforme.
2 — *adj.* pisiforme, semelhante a ervilha.
Pisistratus [pai'sistrətəs], *n. p.* (grego) Pisístrato.
pismire ['pismaiə], *s.* formiga.
pisolite ['paisoulait], *s.* (min.) pisolite, pisólito.
piss [pis], **1** — *s.* (cal.) mijo.
2 — *vt.* e *vi.* (cal.) mijar.
to piss down somebody's back (cal.) — adular alguém.
pissasphalt ['pisæsfælt], *s.* (min.) pissasfalto.
pissed [pist], *adj.* (cal.) bêbedo, «grosso».
pissing ['pisiŋ], *s.* (cal.) mijadela.
pistachio [pis'tɑ:ʃiou], *s.* (bot.) pistácia, pistacho.
pistachio-tree — pistaceira, almecegueira.
pistil ['pistil], *s.* (bot.) pistilo.
pistillate ['pistilit], *adj.* (bot.) pistilífero, com pistilo.
pistol [pistl], **1** — *s.* pistola; instrumento em forma de pistola usado em pulverizações, pintura, etc.
pistol shot — tiro de pistola.
within pistol shot — ao alcance da pistola.
pocket-pistol — pistola de algibeira.
to fire off a pistol — dar um tiro de pistola; disparar uma pistola.
pistol-butt — coronha de pistola.
a brace of pistols — um par de pistolas.
pistol grip — cabo de pistola.
pistol barrel — cano de pistola.
beyond pistol shot — para além do alcance duma pistola.
to hold a pistol to somebody's head — encostar uma pistola à cabeça de alguém.
2 — *vt.* (*pret.* e *pp.* **pistolled**) matar com um tiro de pistola.
pistole [pis'toul], *s.* pistola (antiga moeda de ouro usada nalguns países).
pistolgraph ['pistlgræf], *s.* máquina antiga para instantâneos.
piston ['pistən, 'pistin], *s.* êmbolo, pistão.
piston-rod — haste, vara do êmbolo.
piston-stroke — curso do êmbolo.
piston-valve — distribuidor cilíndrico.
piston-ring — aro do êmbolo.
piston-spring — mola do êmbolo.
piston acceleration — aceleração do êmbolo.
piston clearance — folga do êmbolo.
piston body — corpo do êmbolo.
piston friction — atrito do êmbolo.
piston displacement — cilindrada.
piston head — cabeça do êmbolo.
piston pump — bomba do êmbolo.
piston rod — biela.
piston screw — parafuso do êmbolo.
piston speed — velocidade do êmbolo.
pit [pit], **1** — *s.* cova, buraco, fosso, mina; abismo; poço; plateia (do teatro); arena; sinal; marca; poço de elevador; sepultura; marca deixada pela varíola; (E. U.) pevide.
coal-pit — mina de carvão de pedra.
pit-man — mineiro.
pit of the stomach — boca do estômago.
to sink a pit — abrir um poço nas minas.
pit-head — poço de mina.
pit stall (teat.) — cadeira de plateia; cadeira de orquestra.
pit pony — cavalo empregado nas minas.
chalk pit — mina para extracção de cal.
pit saw — serra braçal.
gravel pit — saibreira.
concrete pit — fosso cimentado.
saw-pit — local de serração de madeiras.
tan pit — cuba de curtimento de peles.
machine-gun pit — instalação de metralhadora.
orchestra pit — lugar reservado à orquestra nos teatros.
arm-pit — sovaco.
store pit — silo.
the pit — o Inferno.
the wheat-pit (E. U.) — a Bolsa do Trigo.
to dig a pit for somebody (col.) — preparar uma armadilha a alguém.

to fly the pit — abandonar o campo de batalha.
to be at the pit's brink — estar quase arruinado; estar a morrer.
2 — *vt.* e *vi.* (*pret.* e *pp.* **pitted**) escavar; pôr num buraco; marcar com sinais de varíola; picar (ferrugem); opor-se; guardar em tulha; fazer competir; obrigar (animal) a lutar contra outro.
to pit one's strength against — opor-se a.

pita ['pi:tə], *s.* (bot.) pita, fibra das folhas de piteira; piteira.

pit-(a)-pat ['pit(ə)'pæt], **1** — *s.* tiquetaque; palpitação.
2 — *vi.* andar com passinhos saltitantes.
3 — *adv.* a palpitar; com passinho saltitante.
her heart went pit-a-pat — o coração dela começou a palpitar.

pitch [pitʃ], **1** — *s.* breu; alcatrão; resina; descida, declive; grau de elevação ou inclinação; tom (na música); ponto extremo, o mais alto grau; distância (entre os centros de dois objectos contíguos); passo (de rosca, roda dentada, hélice); lançamento; campo de críquete; modo de bolar no críquete; cume; intensidade; lote de mercadoria à venda; lugar de venda (no mercado, rua, etc.). (*Sin.* extent, height, degree, range.)
pitch black (pitch dark) — escuro como breu.
highest pitch — cume, pináculo.
pitch-wheel — roda dentada que engata noutra.
pitch-pipe — diapasão de voz.
concert-pitch — diapasão normal.
pitch and tar — pez com alcatrão.
pitch-apple — cebola brava.
pitch barrel — barrica de breu.
pitch circle — circunferência primitiva.
pitch angle — ângulo de passo.
pitch chain — corrente calibrada.
pitch line — círculo de engrenamento de roda dentada.
pitch mop — estopeiro.
pitch coal — azeviche, âmbar-negro.
pitch kettle — caldeira de breu.
pitch diameter — diâmetro divisor.
pitch of a roof — inclinação dum telhado.
pitch of propeller — passo de hélice.
mineral pitch — asfalto mineral.
pitch note (mús.) — nota tónica.
pitch-pine — pinheiro que produz resina de que se extrai o pez.
pitch of winding (elect.) — passo do enrolamento.
pitch ladle — colher de breu.
pitch of an arch — altura de um arco.
pitch of rivets — passo de rebitagem.
pitch of holes — distância de furos.
pitch of glory — cume da glória.
pitch testing machine — máquina de medição do passo.
to queer somebody's pitch — atravessar-se nos planos de alguém.
it came full pitch at his head — veio mesmo direito à cabeça dele.
pitch oil — óleo de pez.
navy pitch — alcatrão de calafetar.
you can't touch pitch without being defiled — não se pode tocar no carvão sem se enfarruscar.
pitch polishing — polimento com breu.
at the pitch of one's voice — o mais alto que se pode.
highest pitch — ponto mais alto.
to water the pitch — regar o terreno; (fig.) preparar o tempo.
to fly a high pitch — subir muito alto.
to give the orchestra the pitch — dar o tom à orquestra.
2 — *vt.* e *vi.* lançar, atirar, arrojar; alcatroar; fixar, firmar; graduar o tom, dar o diapasão; mergulhar; abismar; precipitar-se; cair de cabeça; instalar-se, estabelecer-se; jogar de popa a proa (navio); colocar; plantar ou fixar estacas na terra; calçar, empedrar; arfar, galear; (náut.) brear; acampar; (desp.) bolar; indicar a clave; afinar instrumento musical; inclinar-se; calcular; expor à venda; (col.) contar, relatar.
to pitch in (into) — arremeter, investir.
to pitch a tent — armar uma barraca.
to pitch into a person—atacar alguém com vigor.
to pitch and pay — pagar à vista.
to pitch it strong — exagerar.
to pitch one's voice higher — elevar a voz.
to pitch a net — armar uma rede.
to pitch a tale — contar uma história com muita expressão.
to pitch astern (náut.) — arfar à ré.
to pitch at anchor (náut.) — arfar sobre as amarras.
to pitch into the work — lançar-se ao trabalho.
to pitch it straight to somebody — confessar a verdade a alguém.
to pitch upon — optar por.
to pitch a ladder against a wall — encostar uma escada à parede.
to pitch one's aspirations too high — aspirar demasiado alto.

pitch-and-toss ['pitʃəntɔs], *s.* cara ou coroa (quando se atira uma moeda ao ar).

pitchblende ['pitʃblend], *s.* (min.) uranite.

pitched [pitʃt], *adj.* pavimentado; alcatroado.
high-pitched voice — tom de voz muito elevado.
low-pitched voice — tom de voz muito baixo.
pitched battle — batalha campal.

pitcher ['pitʃə], *s.* bilha, cântaro, jarro; arrojador; pedra para calcetar; aquele que atira a bola ao «batsman» no basebol; (bot.) folha em forma de jarro.
little pitchers have long ears — as crianças ouvem tudo, as crianças percebem tudo.
pitcher-plant — aroídea.
the pitcher that goes too often to the well comes home broken at last (the pitcher goes so often to the well that at last it breaks) — tantas vezes vai o cântaro à fonte que alguma lá deixa a asa.

pitcherful [-ful], *s.* cântaro cheio.

pitchfork ['pitʃfɔ:k], **1** — *s.* forcado, forquilha; (mús.) diapasão.
2 — *vt.* deslocar com um forcado; atirar com o forcado; (fig.) instalar à força, colocar à força num cargo.

pitchforkful [-ful], *s.* forcado cheio.

pitchiness ['pitʃinis], *s.* escuridão, obscuridade, negrura, cor de pez.

pitching ['pitʃiŋ], **1** — *s.* arfagem; breagem, aplicação de breu; acção de montar ou armar; colocação de mercadorias à venda; pavimentação; inclinação.
pitching about — balanço.
2 — *adj.* em declive, inclinado; que balança da popa à proa (navio).

pitchy ['pitʃi], *adj.* embreado; escuro, sombrio, tenebroso; negro como breu.

piteous ['pitiəs], *adj.* lastimoso; compassivo; pesaroso.

piteously [-li], *adv.* lastimosamente; tristemente.

piteousness [-nis], *s.* piedade, compaixão, dó; estado lamentável.

pitfall ['pitfɔ:l], *s.* armadilha, cilada, engodo; perigo latente. (*Sin.* snare, catch, trap.)

pith [piθ], **1** — *s.* seiva; medula; sumo, substância; energia, vigor; parte essencial; alcance, significado.
the pith and marrow of — a parte essencial de.

pith-rays (bot.) — raio medular.
2 — *vt.* matar (animal) cortando a medula espinal; tirar a seiva a uma planta.
pithecanthrope [piθi'kænθroup], *s.* pitecantropo.
pithecanthropus [piθikæn'θroupəs], *s.* ver **pithecanthrope.**
pithecoid ['piθikɔid], *adj.* pitecóide, referente ao macaco.
pithily ['piθili], *adv.* energicamente, vigorosamente.
pithily expressed — expresso com energia.
pithiness ['piθinis], *s.* força, energia, vigor.
pithing ['piθiŋ], *s.* morte (de animal) por meio de corte da medula espinal.
pithless ['piθlis], *adj.* sem seiva; sem energia, sem vigor.
pithy ['piθi], *adj.* enérgico, eficaz, forte; expressivo; cheio de seiva; resumido, condensado.
pitiable ['pitiəbl], *adj.* lastimoso, lamentável; insignificante.
to be in a pitiable state — estar num estado lastimoso.
pitiableness [-nis], *s.* estado lastimoso, lástima.
pitiably [-i], *adv.* lastimosamente, lamentavelmente.
pitiful ['pitiful], *adj.* lastimoso, lamentável, que mete dó; compassivo; condoído; desprezível, detestável.
a pitiful sight — um espectáculo lamentável.
pitifully [-i], *adv.* lastimosamente; miseravelmente.
pitifulness [-nis], *s.* compaixão, misericórdia, piedade; estado lamentável.
pitiless ['pitilis], *adj.* desapiedado, desumano, cruel.
pitilessly [-li], *adv.* desapiedadamente, cruelmente.
pitilessness [-nis], *s.* desumanidade, crueldade, dureza de coração.
pitman ['pitmən], *s.* mineiro.
pitpan ['pitpæn], *s.* canoa usada na América Central, feita de um tronco de árvore escavado.
pittance ['pitəns], *s.* pitança; pequena porção; remuneração ou dádiva insuficiente; legado a casa religiosa para alimentação.
to earn a mere pittance — ganhar uma miséria.
pitted ['pitid], *adj.* corroído, picado; bexigoso.
pitter-patter ['pitəpætə], 1 — *s.* sucessão rápida de pequenos ruídos; ruído surdo de passos.
2 — *vi.* tamborilar; produzir pequenos e rápidos ruídos.
pitticite ['pitisait], *s.* ver **pittizite.**
pitting ['pitiŋ], *s.* corrosão; sinais deixados pela varíola.
pittite ['pitait], *s.* espectador da plateia.
pittizite ['pitizait], *s.* (min.) pitizite.
pituitary [pi'tju(:)itəri], *adj.* pituitário; mucoso.
pituitary gland — glândula pituitária.
pituitous [pi'tjuitəs], *adj.* pituitoso.
pity ['piti], 1 — *s.* piedade, dó, compaixão, lástima, comiseração.
what a pity! — que pena!
for pity's sake! — por piedade!
that's a pity — é uma pena.
to take pity on — ter compaixão de.
out of pity — por dó.
deserving of pity — digno de dó.
to arouse pity — fazer dó; causar pena.
to be filled with pity — estar cheio de compaixão.
have pity on me! — tem piedade de mim!
to have pity on somebody — ter pena de alguém.
more's the pity — tanto pior.
2 — *vt.* ter piedade, ter pena, condoer-se, compadecer-se.
it is to be pitied — é para lastimar.
pitying [-iŋ], *adj.* lamentável; compadecido, apiedado.
pityingly [-iŋli], *adv.* lamentavelmente; compadecidamente.
pivot ['pivət], 1 — *s.* espigão, gonzo, eixo; espiga; pião (de peça, agulha, etc.); (fig.) ponto central.
to turn on a pivot — girar sobre um eixo.
pivot-arm — braço de eixo ou perno.
pivot nut — porca da articulação.
pivot-bridge — ponte giratória.
pivot point — ponto de articulação.
pivot of a compass — pião de agulha (magnética).
pivot shaft — eixo central.
ball pivot — articulação esférica.
2 — *vt.* e *vi.* colocar sobre um eixo; prover de espigão; girar sobre um eixo; (mil.) manobrar sem deixar a posição; (náut.) colocar um pião.
pivotal [-l], *adj.* giratório; provido de eixo central; referente a espigão ou eixo; principal.
pivotal connection — ligação articulada.
pivotal point — ponto de articulação.
pivotal question — questão principal.
pivotally [-li], *adv.* de maneira giratória; articuladamente; principalmente.
pivoted [-id], *adj.* articulado; com articulação ou eixo.
pivoted lever — alavanca articulada.
pivoting [-iŋ], 1 — *s.* articulação; acção de girar em volta de um eixo ou centro.
2 — *adj.* que gira à volta de.
pixie ['piksi], *s.* fada, duende.
pixilated ['piksileitid], *adj.* (E. U. cal.) amalucado.
pixy ['piksi], *s.* ver **pixie.**
pizzicato [pitsi'kɑ:tou], *s.*, *adj.* e *adv.* (mús.) pizicato.
pizzle ['pizl], *s.* *(vulg.)* vergalho de touro.
placability [plækə'biliti, pleikə'biliti], *s.* placabilidade; indulgência, clemência; doçura.
placable ['plækəbl,'pleikəbl], *adj.* placável; aplacável; indulgente; calmo.
placableness [-nis], *s.* ver **placability.**
placably [-i], *adv.* com clemência; calmamente.
placard ['plækɑ:d], 1 — *s.* cartaz; letreiro; anúncio; édito; quadro.
2 — *vt.* publicar por meio de cartazes; afixar cartazes ou anúncios.
placate [plə'keit, plei'keit], *vt.* aplacar, apaziguar, conciliar.
placating [-iŋ], *adj.* que aplaca, que apazigua, que concilia.
placatingly [-iŋli], *adv.* conciliadoramente.
placation [plə'keiʃən], *s.* conciliação, apaziguamento.
placatory ['plækətəri], *adj.* apaziguador, conciliador.
place [pleis], 1 — *s.* lugar, sítio, local; espaço; ponto; parte; ordem; precedência; posto militar; situação, colocação, posição; lugar (teatro, meio de transporte, etc.); passo de um livro; função, emprego; motivo; solar, herdade, casa rural e quinta; praça, largo; *(mat.)* casa decimal; *(col.)* restaurante.
in the first place — em primeiro lugar.
in place of — em vez de.
in the next place — logo depois, a seguir.
to take place — efectuar-se; realizar-se; ter lugar.
to take the place of — substituir.
to change places — mudar de lugar.
to give place to — dar lugar a.
to hold a place — ocupar um lugar.
watering-place — estância balnear; balneário; bebedouro.
out of place — fora de lugar ou de propósito; intempestivo.

place of refuge — asilo.
in my place — no meu lugar.
there is no place for doubt — não há lugar para dúvidas.
to keep to one's place — pôr-se no seu lugar.
a place for everything, and everything in its place — um lugar para cada coisa e cada coisa no seu lugar.
the right man in the right place — o homem no lugar que lhe compete.
all over the place — por toda a parte.
busy place — lugar onde há muito que fazer.
a place in the sun — um lugar ao sol.
place-hunter — pessoa que anda sempre à procura de empregos.
place brick — tijolo mal cozido.
place of arrival — lugar de chegada.
place of call (náut.) — porto de escala.
place of loading (náut.) — local de embarque.
place-name — topónimo.
place of residence — residência, morada.
place of delivery — local de entrega.
place of amusement — local de diversões.
place of worship — templo.
a low place — um local mal frequentado.
bathing-place — balneário.
from place to place — de lugar em lugar.
anchoring place — ancoradouro.
in place — no lugar próprio.
market-place — mercado.
to fill somebody's place — substituir alguém.
fortified place — praça forte.
out of place — fora de propósito; deslocado.
she knows her place — ela sabe pôr-se no seu lugar.
to go places — andar por locais de diversão.
your place is to do that — compete-te a ti fazer isso.
if I were in your place — se eu fosse tu.
to lay a place at table — pôr um talher na mesa.
to put somebody in his place — pôr alguém no seu lugar.
to put one's finger on the bad place (col.) — «pôr o dedo na ferida».
to lose one's place — perder-se (ao ler um livro).
it is not my place to do that — não é a mim que compete fazer isso.
not to be quite in place — não vir muito a propósito.
2 — *vt.* pôr, colocar; fixar; estabelecer; assestar; designar; dar colocação ou emprego; emprestar ou pôr dinheiro a juros; aplicar (dinheiro); classificar; nomear para um cargo; classificar-se entre os três primeiros (em hipismo).
to place under arrest — prender.
to place in the right order — pôr na ordem devida.
to place out — pôr a juros.
he was placed second — ficou em segundo lugar (hipismo).
to place a cannon — assestar um canhão.
to place confidence in somebody — depositar confiança em alguém.
to place shares — colocar acções no mercado.
the goods are difficult to place — as mercadorias são difíceis de colocar (de vender).
those books were placed with a publisher — aqueles livros encontraram editor.
placeman ['-mən], *s.* funcionário público.
placenta [plə'sentə], *s.* (*pl.* **placentas, placentae**) (anat., bot.) placenta.
placental [plə'sentəl], *adj.* placentário.
placentalia [plæsen'teiliə], *s. pl.* (zool.) placentários.
placentary [plə'sentəri], **1** — *s.* placentário. **2** — *adj.* placentário.
placentation [plæsen'teiʃən], *s.* (bot., biol.) placentação.
placer ['pleisə], *s.* agente; promotor de venda de mercadorias; (geol., min.) plácer, terra de aluvião com ouro e estanho.
placet ['pleiset], *s.* permissão; voto de assentimento.
placid ['plæsid], *adj.* plácido, sossegado, calmo, tranquilo. (*Sin.* calm, quiet, serene, composed. *Ant.* ruffled.)
placidity [plæ'siditi], *s.* placidez, serenidade; afabilidade; paz de espírito.
placidly ['plæsidli], *adv.* placidamente, pacificamente, serenamente.
placidness ['plæsidnis], *s.* ver **placidity.**
placing ['pleisiŋ], *s.* acção de pôr, encomendar, vender, etc.
placket ['plækit], *s.* abertura na parte superior de uma saia; algibeira da saia.
placoid ['plækɔid], **1** — *s.* (zool.) placóide. **2** — *adj.* placóide, em forma de placa (escamas).
plagal ['pleigəl], *adj.* (mús.) plagal.
plagal mode — modo plagal.
plagal cadence — cadência plagal.
plagiarism ['pleidʒjərizm], *s.* plagiato, plágio.
plagiarist ['pleidʒjərist], *s.* plagiário, plagiador.
plagiarize ['pleidʒjəraiz], *vt.* plagiar.
plagiary ['pleidʒjəri], *s.* plágio, plagiato; plagiário, plagiador.
plagiocephalic [pleidʒiousi'fælik], *adj.* plagiocefálico.
plagiocephalous [pleidʒiou'sefələs], *adj.* plagiocefálico.
plagiocephaly [pleidʒiou'sefəli], *s.* plagiocefalia (assimetria horizontal do crânio).
plagioclase [pleidʒiou'kleiz], *s.* (min.) plagióclase.
plagiostome ['pleidʒioustoum], *s.* (zool.) plagióstomo.
plague [pleig], **1** — *s.* peste, pestilência; flagelo; praga, calamidade; tormento.
the plague — a peste bubónica.
cattle plague — peste bovina.
the plague on him! — que vá para o diabo que o carregue!
the ten plagues of Egypt — as dez pragas do Egipto.
2 — *vt.* importunar, atormentar, flagelar, empestar.
to plague somebody to death — atormentar alguém.
plaguer ['-ə], *s.* importuno; flagelador.
plaguesome ['-səm], *adj.* importuno, maçador.
plaguily ['-ili], *adv.* de maneira maçadora; muitíssimo.
plaguy ['-i], **1** — *adj.* importuno, maçador, molesto, maligno.
a plaguy nuisance (col.) — uma grande maçada.
2 — *adv.* de maneira importuna; muitíssimo.
plaice [pleis], *s.* (zool.) solha.
plaid [plæd], *s.* manta escocesa em xadrez; fazenda escocesa para essas mantas.
plaided ['-id], *adj.* embrulhado em manta escocesa em xadrez.
plain [plein], **1** — *s.* planície, planura, campina. **2** — *adj.* plano, liso, raso, igual; fácil, simples; singelo; franco; ingénuo; claro, evidente, manifesto; puro; feio; ordinário, grosseiro, comum; bom; recto, verdadeiro. (*Sin.* open, manifest, evident, artless, clear.)
it is as plain as plain can be — é claro como água.
to be plain with somebody — falar claro a alguém.
a plain girl — uma rapariga sem atractivos.
in plain terms — em termos claros.

plain people — gente simples, boa, sincera.
the plain truth — a verdade pura.
plain living — viver modesto.
a plain diet — uma comida simples.
plain dealing — sinceridade, boa-fé.
plain sailing — coisa fácil de fazer.
plain clothes — traje vulgar, ordinário.
plain-song — cantochão.
plain work — costura simples.
a plain man — um homem simples, lhano.
plain clothes men — agentes à paisana.
plain furnace — fornalha lisa.
plain angle — ângulo diedro.
plain dealer — pessoa simples; pessoa honesta.
plain area — área plana.
plain speaking — franqueza.
plain bearing — mancal liso.
plain water — água pura.
plain drawing — desenho não colorido.
plain cotton — tecido de algodão liso.
plain-Jane — rapariga sem beleza.
plain stitch — malha simples.
plain English — bom inglês.
plain country-folk — gente simples da aldeia.
plain fabric — tecido liso.
plain-hearted — sincero, simples.
plain-heartedness — sinceridade, simplicidade.
to be as plain as daylight (to be as plain as a pikestaff, to be as plain as the nose on your face) — ser claro como água.
to make plain — explicar.
to use plain language — falar sem rodeios.
a plain card — uma carta em branco.
3 — *adv.* claramente; francamente.
to speak plain — falar claramente.
to write plain — escrever de maneira clara.
4 — *vi.* (arc., poét.) lamentar, lamentar-se.

plainly ['-li], *adv.* simplesmente, claramente, francamente.
to speak plainly and clearly — falar alto e bom som.

plainness ['-nis], *s.* superfície plana; simplicidade; franqueza; evidência; sinceridade.

plainsman ['-zmən], *s.* homem da planície.

plaint [pleint], *s.* (poét.) queixa, lamentação; (jur.) querela, queixa.

plaintful ['-ful], *adj.* queixoso, choroso.

plaintiff ['-if], *s.* (jur.) querelante; queixoso; parte.

plaintive ['-iv], *adj.* triste, lamentoso, dorido, choroso.

plaintively ['-ivli], *adv.* lastimosamente, doridamente.

plaintiveness ['-ivnis], *s.* lamentação, queixa.

plait [plæt], **1** — *s.* trança (de cabelo); prega, dobra; entrançado.
plait of hair — trança de cabelo.
2 — *vt.* fazer pregas; franzir; enrugar; entrançar.

plaited ['-id], *adj.* franzido; entrançado; pregueado; com dobras.

plaiting ['-iŋ], *s.* acção de fazer tranças, franzir ou preguear; trança; franzido; pregas.
plaiting-machine — dobradeira.

plan [plæn], **1** — *s.* plano, projecto; desígnio; desenho; esboço; planta; programa; ideia; projecção; levantamento (de terrenos).
to draw a plan — traçar um plano, planear.
to change one's plan — mudar de plano.
have you any plans for tonight? — que fazes hoje à noite?
to spoil one's plans — transtornar os planos.
plan of campaign — plano de campanha.
general plan — plano de conjunto.
plan of a machine — desenho de uma máquina.
in plan — em projecto.
sketch-plan — esboço.
plan of site — planta geral.
to upset somebody's plans — estragar os planos de alguém.
half-breadth plan — projecção horizontal.
preliminary plan — anteprojecto.
2 — *vt.* (*pret.* e *pp.* **planned**) traçar um plano; riscar; projectar; idear; urdir, tramar; planear. (*Sin.* to contrive, to devise, to design, to scheme, to project.)
to plan ahead — planear para o futuro.
to plan a house — fazer a planta duma casa.
to plan on — contar com.
to plan for the future — pensar no futuro, ser previdente.

planar ['pleinə], *adj.* planar, referente a plano, que existe num plano.

planaria [plə'nɛəriə], *s. pl.* (zool.) planárias.

planarian [-n], *s.* (zool.) planária.

planchet ['plɑ:nʃet], *s.* disco metálico do qual se fazem as moedas.

planchette [plɑ:n'ʃet], *s.* prancheta usada em sessões de espiritismo.

plane [plein], **1** — *s.* superfície plana; plaina; plátano; aeroplano (abrev. de **aeroplane**); asa de aeroplano.
jet-propulsion plane — avião de propulsão de jacto.
inclined plane — plano inclinado.
jack plane — garlopa de alisar, plaina circular.
mitre plane (bench plane) — garlopa.
plane of crank — plano de manivela.
plane iron — ferro de garlopa.
plane of reflection — plano de reflexão.
plane of sight — plano de mira.
plane-stock — cepo de garlopa.
plane of incidence — plano de incidência.
plane of polarization — plano de polarização.
plane-tree — plátano.
plane of the winding — plano de bobinagem.
horizontal plane — plano horizontal.
rabbetting plane — guilherme.
circular plane — plaina circular.
jointer plane — garlopa.
smoothing-plane — cepilho.
upper plane — plano superior.
lower plane — plano inferior.
a social plane — uma classe social.
2 — *adj.* plano, liso; raso.
plane chart — carta plana; carta de marear.
plane figure — figura plana.
plane-table — prancheta.
plane geometry — geometria plana.
plane angle — ângulo plano.
3 — *vt.* e *vi.* aplainar, alisar com a plaina, trabalhar com a plaina; viajar de aeroplano; planar (avião); (arc.) afastar dificuldades.
to plane down — descer em voo planado.
to plane the way — aplanar o caminho.
to plane (down) a form (tip.) — assentar uma forma.
to plane away irregularities (to plane down irregularities) — tirar, com a plaina, irregularidades (da madeira).

planer ['-ə], *s.* plaina mecânica; aplanador; cunha para formas tipográficas; pessoa que trabalha com plaina.

planet ['plænit], *s.* planeta; casula (vestimenta sacerdotal).
planet-struck (planet-stricken) — atónito; confundido.
planet-gear — engrenagem planetária.
planet wheel — roda planetária.
minor planets — planetas menores.
major planets — planetas maiores.
secondary planets — planetas secundários; satélites.
primary planets — planetas primários.

planetarium [plæni'tɛəriəm], *s.* (*pl.* **planetaria**) planetário.

planetary ['plænitəri], *adj.* planetário; referente à Terra; vagabundo.
planetary motions — movimentos dos planetas.
planetary influence — influência planetária.
planetary system — sistema planetário.
planetoid ['plænitɔid], *s.* planetóide, asteróide; pequeno planeta.
plangency ['plændʒənsi], *s.* plangência; intensidade de som.
plangent ['plændʒənt], *adj.* plangente, lastimoso; sonoro.
plangently [-li], *adv.* plangentemente, lastimosamente; de maneira sonora.
planiform ['plænifɔ:m], *adj.* planiforme.
planimeter [plæ'nimitə], *s.* planímetro.
planimetric [plæni'metrik], *adj.* planimétrico.
planimetrical [-əl], *adj.* ver **planimetric.**
planimetry [plə'nimitri], *s.* planimetria.
planing ['pleiniŋ], *s.* acção de aplainar.
planing-table — banco de carpinteiro.
planing machine (planing engine) — plaina mecânica.
planing-mill — oficina de aplainação.
planish ['plæniʃ], *vt.* aplainar (metais); alisar, polir.
planisher [-ə], *s.* aplainador, polidor; martelo de alisar metal.
planishing [-iŋ], *s.* aplainamento de metais; acção de lustrar prova fotográfica.
planishing hammer — martelo de alisar metal.
planisphere ['plænisfiə], *s.* planisfério.
planispheric [plænis'ferik], *adj.* planisférico.
planispherical [-əl], *adj.* ver **planispheric.**
plank [plænk], **1** — *s.* prancha, tábua grossa, pranchão; ponto importante de programa político.
plank bed — cama de tábuas, sem colchão.
planks of the bottom (náut.) — tabuados do fundo.
inner plank (náut.) — escoa.
outside plank (náut.) — bordagem.
plank sheer (náut.) — alcatrate.
2 — *vt.* assoalhar; entabuar; forrar (com tabuado); firmar com pranchas.
to plank oneself down on a seat — atirar-se para uma cadeira.
to plank down (cal.) — pagar imediatamente.
planked [-t], *adj.* com pranchas, com tábuas grossas; assoalhada; mandado para a cadeia; (náut.) com escoas.
planking ['-iŋ], *s.* tabuado, forro; (náut.) bordagem.
plankton ['plæŋktɔn], *s.* plâncton.
planned [plænd], *adj.* planeado.
planner ['plænə], *s.* autor de um plano ou projecto.
to be a planner — ser uma pessoa metódica.
planning ['plæniŋ], *s.* acção de planear; plano, projecto.
plano-concave ['pleinou'kɔnkeiv], *adj.* plano-côncavo.
plano-concave lens — lente plano-côncava.
plano-conic ['pleinou'kɔnik], *adj.* plano-cónico.
plano-conical [-əl], *adj.* ver **plano-conic.**
plano-convex ['pleinou'kɔnveks], *adj.* plano-convexo.
plano-convex lens — lente plano-convexa.
plano-cylindrical ['pleinousi'lindrikəl], *adj.* plano-cilíndrico.
planometer [plə'nɔmitə], *s.* chapa lisa usada como bitola de superfícies planas.
plant [plɑ:nt], **1** — *s.* planta, vegetal; aparelhos, maquinismos; instalação (de máquinas, aparelhos, etc.); planta (do pé); (fam.) engano, evasiva; atitude, posição; (cal.) piquete de detectives, detective.
a young plant — um renovo.
marine plant — planta marinha.
electric-plant — instalação eléctrica.
plant-bed — viveiro de tabaco.
plant-louse — pulgão.
plant load factor — factor de carga das máquinas.
plant-eating — fitófago, que se alimenta de plantas.
heavy plant — maquinaria pesada.
plant-wax — cera vegetal.
garden-plant — planta de jardim.
plant physiology — fisiologia das plantas.
to miss plant — não germinar.
to lose plant — murchar.
2 — *vt.* plantar, semear; fundar; instalar; fixar; assentar; segurar; engendrar; arraigar; estabelecer; colocar; fundear (minas); pôr como espião; enterrar (alguém); (cal.) esconder (mercadorias roubadas); tramar. (*Sin.* to implant, to fix, to establish, to insert, to place, to settle. *Ant.* to uproot, to eradicate.)
to plant oneself — colocar-se.
he planted out six rows of lilies — ele plantou seis carreiras de lírios.
to plant a battery — instalar uma bateria.
to plant a garden — plantar um jardim.
to plant an idea in somebody's mind — meter uma ideia na cabeça de alguém.
Plantagenet [plæn'tædʒinit], *n. p.* Plantageneta.
plantain ['plæntin], *s.* (bot.) tanchagem; banana-de-são-tomé.
water-plantain — tanchagem-d'água.
greater plantain — tanchagem-maior.
plantar ['plæntə], *adj.* plantar; referente à planta do pé.
plantation [plæn'teiʃən], *s.* plantação, plantio; plantação de arvoredo; colónia; fazenda.
coffee plantation — cafezal.
tobacco plantation — veiga (plantação) de tabaco.
rubber-plantation industry — indústria da plantação de borracha.
to send to the plantations — mandar para uma colónia penitenciária.
plantation song — canção de negros que trabalham nas plantações americanas.
planter ['plɑ:ntə], *s.* plantador; cultivador; colono; máquina para plantar; dono de plantação.
cotton-planter — dono duma plantação de algodão.
coffee-planter — dono duma plantação de café.
tobacco-planter — dono duma plantação de tabaco.
plantigrade ['plæntigreid], *s.* e *adj.* (zool.) plantígrado.
planting ['plɑ:ntiŋ], *s.* plantação; acção de plantar; colonização; instalação.
planting out — transplantação.
plantlet ['plɑ:ntlit], *s.* planta pequena.
plantlike ['plɑ:ntlaik], *adj.* semelhante a uma planta.
planula ['plænjulə], *s.* (*pl.* **planulae**) (zool.) plânula.
plaque [plɑ:k], *s.* placa, chapa; prato decorativo; medalha; condecoração; mancha vermelha na pele.
plaquette [plæ'ket], *s.* pequena placa; trombócito.
plash [plæʃ], **1** — *s.* charco; atoleiro; salpico de água ou de lama; mergulho; barulho de objecto ao cair na água.
the plash of oars on water — o bater dos remos na água.
2 — *vt.* e *vi.* chafurdar; patinhar na água; entrelaçar ramos; salpicar.

plashing ['-iŋ], **1** — *s.* entrelaçamento de ramos de árvores; mancha (pintura); salpico; barulho de objecto ao cair na água.
2 — *adj.* que faz barulho ao bater (chuva).
plashy ['plæʃi], *adj.* pantanoso; lamacento; cheio de poças de água.
plasm [plæzm], *s.* (biol.) plasma; protoplasma; molde, matriz.
plasma ['plæzmə], *s.* plasma (do sangue, dos músculos, etc.); (min.) plasma, espécie de quartzo translúcido.
plasmatic [plæs'mætik], *adj.* plasmático.
plasmic ['plæzmik], *adj.* plásmico.
plasmodium [plæz'moudiəm], *s.* (*pl.* **plasmodia**) (biol.) plasmódio.
plasmology [plæz'mɔlədʒi], *s.* plasmologia.
plasmolysis [plæz'mɔlisis], *s.* (biol.) plasmólise.
plaster ['plɑ:stə], **1** — *s.* estuque; gesso; cal; argamassa; emplastro.
plaster-work — obra de gesso.
plaster of Paris — gesso fino.
mustard-plaster — sinapismo.
blister-plaster — cáustico.
plaster-kiln — forno de preparação do gesso.
adhesive plaster — adesivo, fita adesiva.
plaster lime — gesso cozido.
tyre repair plaster — remendo para câmara-de-ar.
dentist's plaster — gesso próprio para dentista.
to lay a plaster — pôr um emplastro.
2 — *vt.* estucar; caiar; rebocar; pôr um emplastro; afixar, colar; tratar (vinho) com sulfato de cálcio para diminuir a acidez.
to plaster up — dissimular imperfeições; tapar.
to plaster down one's hair — encher o cabelo de fixador.
plastered [-d], *adj.* (cal.) bêbedo, ébrio.
plasterer [-rə], *s.* estucador; caiador.
plastering [-riŋ], *s.* estuque; acção de estucar; engessamento; tratamento (de vinho) com sulfato de cálcio; colocação de emplastros.
plastic ['plæstik], **1** — *s.* plástico; matéria plástica; *pl.* plástica; objectos de plástico.
2 — *adj.* plástico; referente à plástica; (biol.) que entra na constituição dos seres vivos; maleável.
plastic surgery — cirurgia plástica.
plastic arts — artes plásticas.
plastic glass — vidro plástico.
plastic body — corpo plástico.
plastic clay — barro de oleiro.
plastic earth — argila.
plastic glue — cola plástica.
plastic coating — revestimento plástico.
plastic material — material plástico.
plastic surgeon — cirurgião plástico.
plastic floor — pavimento de material plástico.
plastic valve — válvula plástica.
plastic nature mind — espírito maleável.
plastically [-əli], *adv.* plasticamente.
plasticine ['plæstisi:n], *s.* plasticina.
plasticity [plæs'tisiti], *s.* plasticidade; maleabilidade.
plastron ['plæstrən], *s.* plastrão, peito engomado de camisa de homem; (zool.) plastrão; plastrão, almofada de couro usada por esgrimistas para proteger o peito dos golpes do adversário.
plat, 1 — [plæt], *s.* pedaço de terra, pequeno terreno; trança; (E. U.) plano, mapa.
2 — *vt.* entrançar; dividir um terreno em parcelas; (E. U.) fazer a planta de.
3 — [plɑ:], *s.* manjar, acepipe.
platan ['plætən], *s.* plátano.
plate [pleit], **1** — *s.* chapa, folha, lâmina (de metal ou vidro); prato; placa; guarda de fechadura; taça de ouro ou prata (prémio nas corridas); chapa de blindagem; cliché, chapa; matriz (em tipografia); placa de dentadura postiça; conteúdo do prato das esmolas (na igreja); baixela rica; couraça, armadura; placa de válvula electrónica; gravura; lugar do batedor de basebol; (biol.) lâmina, lamela.
plate-brass — latão em chapas.
plate-mark — marca de contraste.
plate-layer — assentador de linhas férreas.
plate-iron — ferro em chapas.
silver-plate — baixela de prata, serviço de prata.
plate-printing — impressão feita com chapas gravadas.
plate-keel — chapa-quilha.
number plate — chapa de matrícula (de automóvel).
dinner-plate — prato raso.
soup-plate — prato de sopa.
dessert-plate — prato de sobremesa.
plate-glass — vidro grosso de boa qualidade para montras, etc.
plate-armour — blindagem.
plate bending machine — máquina de curvar chapas.
plate-basket — tabuleiro-faqueiro.
plate condenser (elect.) — condensador da placa.
plate button — botão de prata ou ouro.
plate detector (elect.) — detector da placa.
plate frame — porta-chapas (em fotografia).
plate gauge — calibre para chapas.
plate girder — viga cheia.
plate cam — excêntrico de disco.
plate clutch — embraiagem de disco.
plate chain — cadeia articulada.
plate capacity (elect.) — capacidade de placa.
plate-leather — camurça para limpar metais.
plate-glass door — porta envidraçada.
plate rolling — laminação.
plate-hoist — elevador de pratos (da cozinha para a sala de jantar).
plate meter (elect.) — medidor da corrente da placa.
plate switch (elect.) — comutador da placa.
plate-warmer — aquecedor de pratos.
a plate of strawberries — um prato de morangos.
door-plate — placa colocada em porta (de casa, de consultório, escritório, etc.).
cast iron plate — chapa de ferro fundido.
lantern plate — diapositivo de projecção.
finger plate — disco do telefone.
tin-plate — folha-de-flandres.
accumulator plate (elect.) — placa de acumulador.
hot plate — disco (de fogão).
full-page plate — gravura fora do texto; extratexto.
to win the plate — ganhar o prémio (nas corridas de cavalos).
2 — *vt.* chapear, forrar com chapa; dourar; pratear; niquelar; bater folha; (tip.) estereotipar.
to plate with silver — pratear.
to plate with gold — dourar.
plateau ['plætou], *s.* (*pl.* **plateaus, plateaux**) planalto; bandeja; centro de mesa (peça de baixela); chapéu de senhora com a parte superior da copa lisa.
plated ['pleitid], *adj.* chapeado; coberto de uma camada fina de metal.
plated-ware — casquinha.
gold-plated — dourado.
silver-plated — prateado.
nickel-plated — niquelado.
plateful ['pleitful], *s.* prato cheio, pratada.
platen ['plætən], *s.* (tip.) platina; rolo (de máquina de escrever); mesa de prensa.

platen gear — engrenagem do rolo.
platen shaft — eixo do rolo.
platen press — máquina de impressão plana.
plater ['pleitə], *s.* homem que doura, prateia, etc.; chapeador; cavalo de corrida pouco bom.
gold-plater — dourador.
silver-plater — prateador.
platform ['plætfɔ:m], *s.* plataforma; tablado; estrado; tribuna; terraço; gare, cais (caminho-de-ferro); programa essencial de partido político, declaração desse programa.
platform deck — plataforma, estrado.
platform ticket — bilhete de gare.
arrival platform — cais de chegada; cais de desembarque.
platform scale — báscula para carros.
departure platform — cais de partida; cais de embarque.
swinging platform — ponte levadiça.
loading platform — cais de carregamento.
plating ['pleitiŋ], *s.* chapas, chapeado, acção de chapear; revestimento com chapas de metal; galvanização; (tip.) estereotipia.
gold plating — niquelagem.
plating bath — banho de galvanização.
plating tank — tanque de galvanização.
platinic [plə'tinik], *adj.* (quím.) platínico.
platiniferous [plæti'nifərəs], *adj.* platinífero.
platiniridium [plætinai'ridiəm], *s.* (min.) platinirídio, platinoirídio.
platinization [plætinai'zeiʃən], *s.* platinização.
platinize ['plætinaiz], *vt.* platinar.
platinocyanide [plætinou'saiənaid], *s.* (quím.) platinocianeto.
platinode ['plætinoud], *s.* pólo negativo de pilha.
platinoid ['plætinɔid], *s.* platinóide (liga metálica).
platino-iridium ['plætinouai'ridiəm], *s.* ver **platiniridium.**
platinotype ['plætinoutaip], *s.* platinotipia.
platinous ['plætinəs], *adj.* (quím.) platinoso.
platinum ['plætinəm], *s.* platina.
platinum blonde — loira platinada.
platinum black (quím.) — negro de platina.
platinum sheet — lâmina de platina.
platinum metals — platinóides.
platinum foil — folha de platina.
platinum electrode — eléctrodo de platina.
platinum chloride — cloreto de platina.
platitude ['plætitju:d], *s.* trivialidade; lugar comum, vulgaridade, insipidez. (*Sin.* commonplaceness, flatness, insipidity, generality.)
platitudinarian ['plætitju:di'nɛriən], **1** — *s.* maçador, pessoa que só diz vulgaridades. **2** — *adj.* platitudinário, banal, trivial.
platitudinize [plæti'tju:dinaiz], *vi.* dizer trivialidades, banalidades com ar solene.
platitudinous [plæti'tju:dinəs], *adj.* vulgar, trivial, insípido, enfadonho.
Plato ['pleitou], *n. p.* Platão.
Platonic [plə'tɔnik, plei'tɔnik], *adj.* platónico; referente a Platão; que partilha das doutrinas de Platão.
Platonic love — amor platónico.
Platonic year (astr.) — período platónico.
platonically [-əli], *adv.* platonicamente.
Platonics [-s], *s. pl.* (col.) amor platónico.
Platonism ['pleitənizm], *s.* platonismo.
Platonist ['pleitənist], *s.* platónico, filósofo da escola de Platão.
platonize ['pleitənaiz], *vt.* e *vi.* platonizar.
platoon [plə'tu:n], *s.* pelotão.
in platoons (by platoons) — em pelotões.
platten ['plætən], *s.* ver **platen.**
platycephalic [plætisi'fælik], *adj.* platicefálico.
platycephalous [plæti'sefələs], *adj.* platicéfalo.
platypetalous [plæti'petələs], *adj.* (bot.) platipétalo, com pétalas largas.
platypus ['plætipəs], *s.* (zool.) plátipo.
platyrhine ['plætirain], *s.* e *adj.* (zool.) platirríneo.
platyrrhine ['plætirain], *s.* e *adj.* ver **platyrrhine.**
plaudit ['plɔ:dit], *s.* (geralm. *pl.*) aplauso, aclamação, louvor.
plausibility [plɔ:zə'biliti], *s.* plausibilidade; aspecto razoável; aspecto enganador.
plausible ['plɔ:zəbl], *adj.* plausível; verosímil; enganador. (*Sin.* passable, specious, superficial. *Ant.* unconvincing, hollow.)
a plausible excuse — uma desculpa aceitável.
plausibly [-i], *adv.* plausivelmente; enganadoramente.
Plautus ['plɔ:təs], *n. p.* Plauto.
play [plei], **1** — *s.* jogo, brincadeira, divertimento; representação teatral, peça, comédia, drama; recreio; jogada; execução num instrumento musical; (mec.) funcionamento; reflexo de cores ou de luzes; movimento livre, folga.
fair play — jogo lícito; honestidade.
foul play — traição, trapaça.
play-actor — actor de teatro.
play-actress — actriz de teatro.
play-book — peça de teatro impressa; livro com peças de teatro.
play-off — jogo de desempate.
play-debt — dívida de jogo.
play-pen — parque para bebés.
play-room (E. U.) — quarto de recreio (das crianças).
child's play — coisa muito simples.
high play — jogo forte; jogo em que se arrisca muito dinheiro.
play-box — caixa de brinquedos.
play-bill — cartaz de teatro.
play-boy — estroina.
in play — a brincar; não a sério.
play-field — campo de jogos.
play-day — dia de folga; feriado.
play of piston — jogo do êmbolo.
play-word — mundo infantil.
full of play — brincalhão.
play of features — jogo fisionómico (em teatro).
play in the gear (mec.) — folga na engrenagem.
play of fancy — fantasia.
play of light — jogo de luz.
a play of words — um jogo de palavras.
a play on words — um trocadilho.
in full play — em plena actividade.
out of play (desp.) — fora de jogo.
to allow full play to something — dar livre curso a alguma coisa.
to be at play — estar a brincar.
to call into play (to bring into play) — pôr em jogo.
to come into play — entrar em jogo; pôr-se em acção.
to give free play to one's emotions — dar livre curso às suas emoções.
to give somebody fair play — ser leal para alguém.
to give a rope more play — dar mais folga a uma corda.
to bring a question into play — debater uma questão.
to give a play — representar uma peça.
to go to the play — ir ao teatro.
to have play (mec.) — girar.
it's your play! — é a tua vez (de jogar)!
2 — *vt.* e *vi.* jogar; brincar; gracejar; tocar (um instrumento); representar; executar; pregar uma peça; desempenhar um papel; divertir-se; fazer travessuras; arrojar, lançar;

(mec.) ter folga; galear (navio); manipular, manejar; agir descuidadamente; fingir; saltar dum lado para o outro; realizar.
to play one's part — fazer o seu papel.
to play at cards — jogar as cartas.
to play first — ser o primeiro a jogar.
to play a trick on a person — pregar uma partida a uma pessoa.
to play the fool — fazer de parvo.
to play the truant — faltar à escola.
to play a game — jogar uma partida.
to play fair — proceder honestamente, de boa fé.
to play foul — proceder falsamente; proceder com deslealdade.
to play one person off against another — meter duas pessoas à bulha para conseguir os seus fins.
to play into a person's hands — beneficiar alguém à sua custa.
a smile played on her lips — nos lábios dela brincava um sorriso.
to play false — enganar.
to play double game — «jogar com pau de dois bicos».
to play a fish — cansar um peixe (na pesca).
to play a joke on somebody — dizer uma piada a alguém; pregar uma partida a alguém.
to play around with — estar sempre a pensar em.
to play a good knife (col.) — ser um «bom garfo».
to play at — brincar a.
to play down — não ligar importância a.
to play a match (desp.) — jogar uma partida.
to play for money — jogar a dinheiro.
to play gooseberry (col.) — fazer de «pau-de-cabeleira».
to play away — perder ao jogo.
to play along with — cooperar com.
to play down to the crowd — jogar para a assistência.
to play horse with (E. U. col.) — «fazer gato-sapato» de.
to play fast and loose with somebody — agir sem consideração por.
to play low — jogar a pouco dinheiro.
to play possum — fingir que se está a dormir.
to play in a film — entrar num filme.
to play out time — prolongar a partida até haver jogo nulo (críquete).
to play somebody false — atraiçoar alguém.
to play up with — desorganizar, desarranjar.
to play safe — jogar pelo seguro.
to play somebody for a championship — disputar um campeonato com alguém.
to play tennis — jogar ténis.
to play the piano — tocar piano.
to play the game — jogar obedecendo a regras; agir lealmente.
to play second fiddle to — estar sujeito a.
to play the knave — portar-se como um patife.
to play up to — encorajar; contracenar; lisonjear.
to play somebody dirt — ser desleal para alguém.
to play the devil (col.) — «pintar o diabo».
to play the horses — apostar nas corridas de cavalos.
to play the races — apostar nas corridas.
the theory is played out — a teoria está posta de parte.
to play with fire (fig.) — «brincar com o fogo».
to play with one's health — não ter cuidado com a saúde; brincar com a saúde.
he is not a person to be played with — ele não é pessoa com quem se brinque.
play up! — joga o mais que puderes!
that lawn plays well — joga-se bem nesse relvado.
to play a losing game — jogar um jogo sem esperanças.

player ['-ə], *s.* jogador; actor; músico, executante; comediante.
a first-rate player — um jogador de primeira categoria.
strolling player — cómico ambulante.

playfellow ['-felou], *s.* companheiro de jogos, companheiro de folguedos.

playful ['-ful], *adj.* brincalhão, travesso. (*Sin.* frolicsome, buoyant, sportive, jocular, humorous, jolly, gay. *Ant.* sedate.)

playfully ['-fuli], *adv.* divertidamente, por brincadeira.

playfulness ['-fulnis], *s.* jovialidade, bom humor, brincadeira.

playgoer ['-gouə], *s.* frequentador de espectáculos; frequentador de teatro.

playground ['-graund], *s.* recreio, pátio de recreio.
the playground of Europe — a Suíça.

playhouse ['-haus], *s.* casa de espectáculos.

playing ['-iŋ], *s.* (teat.) representação, interpretação; brincadeira; execução de trecho musical.
playing-field — campo de jogos.
playing-cards — cartas de jogar.

playlet ['-lit], *s.* pequena peça de teatro.

playmate ['-meit], *s.* ver **playfellow.**

play-off ['-ɔf], *s.* jogo de desempate.

plaything ['-θiŋ], *s.* brinquedo; ninharia.

playtime ['-taim], *s.* hora de recreio (na escola).

playwright ['-rait], *s.* dramaturgo, autor dramático.

plea [pli:], *s.* causa, processo; argumento; instância; rogo, súplica; pretexto; alegação, defesa; litígio; desculpa; (jur.) articulado. (*Sin.* excuse, pleading, argument, justification allegation. *Ant.* accusation.)
Court of Common Pleas — tribunal do Cível.
plea of the crown — causa criminal.
plea of necessity — defesa por necessidade.
plea dilatory — excepção dilatória.
incidental plea (jur.) — excepção.
defendant's plea (jur.) — primeira excepção.
plea for mercy — apelo de clemência.
plea in abatement — petição de anulação de sentença.
on the plea of (under the plea of) — sob pretexto de.
to put in a plea — opor excepção.
special plea — excepção peremptória.

pleach [pli:tʃ], *vt.* entretecer (ramos).

plead [pli:d], *vt.* e *vi.* (*pret.* e *pp.* **pleaded;** E. U. **plead, pled**) pleitear; advogar; acusar ou defender; defender-se; alegar; arguir; desculpar; escusar; interceder; rogar, suplicar.
to plead guilty — confessar-se culpado.
to plead not guilty — negar a acusação.
to plead for — advogar por.
I can only plead inexperience — só posso alegar inexperiência.
to plead for mercy — implorar misericórdia.
to plead ignorance — pretextar ignorância.
to plead with somebody to — rogar a alguém que.
to plead the cause of — pugnar pela causa de.

pleadable ['-əbl], *adj.* alegável; que pode justificar-se.

pleader ['-ə], *s.* advogado de defesa; defensor; litigante.

pleading ['-iŋ], **1** — *s.* alegação, defesa; processo, auto; *pl.* debates, razões.
2 — *adj.* suplicante, implorativo.

pleadingly ['-iŋli], *adv.* suplicantemente.

pleasance ['plezəns], *s.* (arc.) prazer, deleite; jardim de recreio.
pleasant ['plez(ə)nt], **1** — *s.* coisa agradável.
to combine the pleasant with the useful — juntar o útil ao agradável.
2 — *adj.* agradável, deleitável, delicioso, ameno; divertido; alegre, prazenteiro; grato.
to have a pleasant manner — ter maneiras agradáveis.
to spend a pleasant evening — passar uma noite agradável.
a pleasant breeze — uma brisa suave.
to make oneself pleasant to somebody — ser amável para com alguém.
pleasantly [-li], *adv.* agradavelmente, deliciosamente; alegremente.
pleasantness [-nis], *s.* agrado, deleite, prazer, gosto, satisfação, alegria.
pleasantry [-ri], *s.* gracejo, graça; brincadeira; zombaria.
a coarse pleasantry — uma brincadeira de mau gosto.
please [pli:z], *vt.* e *vi.* agradar, deleitar; contentar, satisfazer; obsequiar; encantar; comprazer; ter gosto em, gostar de, querer.
please — se faz favor.
please yourself — faça a seu modo.
do as you please — faça como quiser.
take as many as you please — tire os que quiser.
would you please tell me — queira dizer-me, por favor.
please God! — se Deus quiser; praza a Deus!
if it so pleases you — se assim o desejar.
please not to interrupt! — é favor não interromper!
please the pigs (cal.) — se puder ser.
if you please — se faz favor.
when you please — quando quiseres.
you can't please everybody — não se pode agradar a toda a gente.
pleased [-d], *adj.* contente, satisfeito.
I am not pleased with it — não estou satisfeito com isso.
hard to be pleased — difícil de contentar.
pleased smile — sorriso de contentamento.
the king was pleased to — o rei dignou-se.
to be as pleased as Punch (col.) — estar muito contente.
to be anything but pleased — estar tudo menos satisfeito.
pleasing ['-iŋ], **1** — *s.* acção de agradar.
there's no pleasing her — não há maneira de a contentar.
2 — *adj.* agradável, amável; grato; alegre; complacente.
a pleasing memory — uma boa recordação.
pleasingly ['-iŋli], *adv.* agradavelmente.
pleasingness ['-iŋnis], *s.* agradabilidade; encanto.
pleasurable ['pleʒ(ə)rəbl], *adj.* agradável, aprazível, deleitável; divertido; festivo.
pleasurableness [-nis], *s.* agrado, prazer; encanto, atractivo; deleite.
pleasure ['pleʒə], **1** — *s.* prazer, agrado, deleite, gosto, satisfação; alegria, contentamento; vontade.
pleasure-boat — barco de recreio.
pleasure-ground — parque, jardim de recreio.
at one's pleasure — à vontade, à escolha, ao gosto de cada um.
a great pleasure — um grande prazer.
no pleasure without pain — não há gosto sem desgosto.
to take pleasure in — sentir prazer em.
to give pleasure — dar prazer.
give me the pleasure of dining with me — dê-me o prazer de jantar comigo.
pleasure-seeker — indivíduo que só quer prazeres.
pleasure trip — viagem de recreio.
during your pleasure — enquanto lhe agradar.
man of pleasure — devasso.
at pleasure — à vontade.
with great pleasure — com grande prazer.
with the greatest pleasure — com o maior prazer.
sensual pleasure — prazer sensual.
to take one's pleasure — divertir-se.
to be fond of pleasure — gostar de se divertir.
to travel for pleasure — viajar por prazer.
to be at somebody's pleasure — estar às ordens de alguém.
what's your pleasure, madam? — que deseja, minha senhora?
to wait somebody's pleasure — esperar as ordens de alguém.
to derive pleasure from something — tirar prazer de alguma coisa.
2 — *vt.* e *vi.* ter o prazer de; causar prazer a.
pleat [pli:t], **1** — *s.* prega; dobra; franzido; plissado.
knife-pleats — pregas.
box-pleats — machos (em saias).
2 — *vt.* preguear; plissar.
pleated ['-id], *adj.* pregueado; plissado.
pleater ['-ə], *s.* o que faz pregueados ou plissados.
pleating ['-iŋ], *s.* acção de preguear ou plissar; pregueado; franzido; plissado.
pleb [pleb], *s.* (col.) plebeu.
plebeian [pli'bi(:)ən], **1** — *s.* plebeu; homem de baixa condição social.
2 — *adj.* plebeu, do povo; popular; vulgar.
plebeianism [-izm], *s.* plebeísmo.
plebeianize [-aiz], *vt.* plebeizar, tornar plebeu; vulgarizar.
plebeianness [-nis], *s.* plebeidade.
plebiscitary [ple'bisitəri], *adj.* plebiscitário.
plebiscite ['plebisit,'plebisait], *s.* plebiscito.
plectrum ['plektrəm], *s.* (mús.) plectro, pequena vara usada para fazer vibrar as cordas da lira.
pledge [pledʒ], **1** — *s.* penhor, sinal; fiança; brinde, saúde; promessa; garantia, caução; promessa pública, feita por chefe político, de cumprir determinadas normas; promessa de abstenção de bebidas alcoólicas.
to hold in pledge — ter como penhor.
pledge of friendship — prova de amizade.
under pledge of secrecy — sob compromisso de guardar segredo.
to put something in pledge — empenhar alguma coisa.
in pledge — empenhado, (col.) no prego.
to take out of pledge — desempenhar, (col.) tirar do prego.
to take the pledge (to sign the pledge) — comprometer-se por escrito a abster-se de bebidas alcoólicas.
2 — *vt.* empenhar; hipotecar; afiançar; beber à saúde de alguém, brindar; prometer; comprometer-se.
to pledge a toast — fazer um brinde.
to pledge one's word — empenhar a palavra.
to pledge one's honour — comprometer-se solenemente; dar a palavra de honra.
to pledge one's allegiance to the king — jurar vassalagem ao rei.
to pledge one's property — hipotecar a propriedade.
pledgee [ple'dʒi:], *s.* depositário de um penhor; penhorista.
pledger ['pledʒə], *s.* aquele que dá como penhor; o que empenha; fiador; pessoa que corresponde a um brinde.
pledget ['pledʒit], *s.* cabo de estopa para calafetar; pequena compressa.

pledging ['pledʒiŋ], *s.* penhor; acção de empenhar; garantia.
Pleiad ['plaiəd], *s.* (*pl.* **Pleiads, Pleiades**) plêiade, cada uma das estrelas da constelação das Plêiades; reunião de pessoas ilustres (geralm. sete).
pleistocene ['pli:stousi:n], **1** — *s.* (geol.) plistoceno.
2 — *adj.* (geol.) plistocénico.
plenarily ['pli:nərili], *adv.* plenariamente; plenamente, completamente.
plenary ['pli:nəri], *adj.* plenário; pleno, inteiro, total.
plenary sitting — sessão plenária.
plenary powers — plenos poderes.
plenary assembly — assembleia plenária.
plenipotentiary [plenipə'tenʃəri], *s.* e *adj.* plenipotenciário.
minister plenipotentiary — ministro plenipotenciário.
plenish ['pleniʃ], *vt.* encher; preencher; mobilar; prover, abastecer.
plenishing [-iŋ], *s.* mobiliário (de casa); aprestos (de quinta).
plenitude ['plenitju:d], *s.* plenitude; abundância.
plenteous ['plentjəs], *adj.* (poét.) abundante, copioso, farto; fértil.
plenteously [-li], *adv.* (poét.) abundantemente, copiosamente.
plenteousness [-nis], *s.* abundância, fartura; fertilidade.
plentiful ['plentiful], *adj.* abundante, copioso, farto; fértil, profuso.
plentifully [-i], *adv.* abundantemente, copiosamente.
plentifulness [-nis], *s.* abundância, fartura; fertilidade.
plenty ['plenti], **1** — *s.* abundância, fartura; fertilidade. (*Sin.* abundance, profusion, exuberance, fruitfulness, overflow. *Ant.* scarcity.)
horn of plenty — cornucópia.
plenty of — muito, muitos.
plenty of time — muito tempo.
plenty more — muito mais.
a year of plenty — um ano de abundância.
in plenty — em grande quantidade.
to live in peace and plenty — viver na paz e na abundância.
2 — *adj.* abundante.
3 — *adv.* (col.) completamente; muito; bastante.
plenum ['pli:nəm], *s.* (*pl.* **plenums, plena**) plenitude; espaço pleno; sessão plenária.
pleochroic [pli:ou'krouik], *adj.* pleocróico.
pleochroism [pli:'ɔkrouizm], *s.* (min.) pleocroísmo.
pleomorphic [pli:ou'mɔ:fik], *adj.* pleomórfico.
pleomorphism [pli:ou'mɔ:fizm], *s.* pleomorfismo.
pleonasm ['pli(:)ənæzm], *s.* pleonasmo.
pleonastic [pliə'næstik], *adj.* pleonástico.
pleonastically [-əli], *adv.* pleonasticamente.
plerome ['pliəroum], *s.* (bot.) pleroma.
plesiosaurus [pli:siə'sɔ:rəs], *s.* (*pl.* **plesiosauri**) plesiossauro.
plethora ['pleθərə], *s.* pletora, fartura, superabundância de corpúsculos vermelhos no sangue; (fig.) superabundância.
plethoric [ple'θɔrik], *adj.* pletórico, cheio, repleto.
pleura ['pluərə], *s.* (*pl.* **pleurae**) pleura.
pleural [-l], *adj.* pleural, referente à pleura.
pleurisy ['pluərisi], *s.* pleurisia, pleurite.
dry pleurisy — pleurisia seca.
wet pleurisy — pleurisia purulenta; pleurisia húmida.
pleuritic [pluə'ritik], *adj.* pleurítico.
pleurodynia [pluərou'diniə], *s.* (pat.) pleurodinia.
pleuronect ['pluərounekt], *s.* (zool.) pleuronecto.
pleuropericarditis [pluərouperika:'daitis], *s.* (pat.) pleuropericardite.
pleuro-pneumonia ['pluərounju(:)'mounjə], *s.* (pat.) pleuropneumonia.
pleuro-pneumonic ['pluərounju(:)'mɔnik], *adj.* pleuropneumónico.
plexiform ['pleksifɔ:m], *adj.* plexiforme.
pleximeter [plek'simitə], *s.* (med.) plessímetro (instrumento que servia para praticar a percussão mediata).
plexor ['pleksɔ:], *s.* (med.) percutor (martelo usado com o plessímetro).
plexus ['pleksəs], *s.* (anat.) plexo; entrelaçamento, rede.
pliability [plaiə'biliti], *s.* flexibilidade; docilidade; condescendência.
pliable ['plaiəbl], *adj.* flexível; dócil, brando, domável. (*Sin.* flexible, supple, soft, facile. *Ant.* stiff, brittle.)
pliableness [-nis], *s.* ver **pliability.**
pliably [-i], *adv.* flexivelmente; brandamente.
pliancy ['plaiənsi], *s.* ver **pliability.**
pliant ['plaiənt], *adj.* ver **pliable.**
pliantly [-li], *adv.* ver **pliably.**
plica ['plikə,'plaikə], *s.* (*pl.* **plicae**) plica, ruga; (med.) plica.
plicate ['plikit,'plaikit], *adj.* dobrado; (bot.) plicado.
plicated [pli'keitid,plai'keitid], *adj.* ver **plicate.**
plicateness ['plikitinis,'plaikitnis], *s.* situação de pregueado ou plicado.
plication [pli'keiʃən,plai'keiʃən], *s.* plicação.
plicature ['plikətʃə], *s.* plicatura, prega.
pliers ['plaiəz], *s. pl.* alicate, tenaz.
sharp-pointed pliers — alicate de ponta.
round-nose pliers — alicate de pontas redondas.
insulated pliers — alicate de electricista.
plight [plait], **1** — *s.* estado, condição; promessa, compromisso solene; apuro; aperto; penhor.
sad plight — triste estado.
plight of faith — promessa de casamento.
2 — *vt.* empenhar; dar a palavra; prometer casamento; fazer uma promessa formal.
to plight one's troth — prometer casamento.
to plight oneself to — jurar fidelidade a.
plighted ['-id], *adj.* comprometido; com a palavra empenhada.
plighted lovers — noivos.
one's plighted word — a palavra dada.
plimsoll-line ['plimsəllain], *s.* linha de flutuação.
plimsolls ['plimsəlz], *s. pl.* sapatos de lona com sola de borracha.
plinth [plinθ], *s.* plinto, ábaco.
Pliny ['plini], *n. p.* Plínio.
pliocene ['plaiəsi:n], **1** — *s.* plioceno.
2 — *adj.* plioceno, pliocénico.
plod [plɔd], **1** — *s.* marcha ou trabalho difícil.
2 — *vt.* e *vi.* (*pret.* e *pp.* **plodded**) afadigar-se; labutar, trabalhar com perseverança; andar vagarosamente; estudar com afinco.
to plod along — caminhar devagar e a custo.
to plod one's way — caminhar pesadamente.
to plod away at one's lessons — estudar as lições com afinco.
plodder ['-ə], *s.* aquele que se aplica com afinco a qualquer coisa (trabalho, estudo, etc.).
plodding ['-iŋ], **1** — *s.* trabalho aturado, labuta; acção de caminhar penosamente.
2 — *adj.* laborioso, trabalhador; que caminha penosamente. (*Sin.* painstaking, persevering, laborious, industrious. *Ant.* fitful.)
ploddingly ['-iŋli], *adv.* laboriosamente, perseverantemente; penosamente.

plop [plɔp], **1** — *s.* som de coisa a cair na água; som produzido por rolha ao ser tirada duma garrafa.
2 — *adv.* com ruído semelhante ao de rolha ao ser tirada duma garrafa ou de corpo ao cair na água.
3 — *vt.* e *vi.* cair de repente (na água); cair com um som semelhante ao de qualquer coisa ao cair na água.
plosive ['plousiv], **1** — *s.* consoante explosiva.
2 — *adj.* explosivo.
plot [plɔt], **1** — *s.* pedaço de terreno; parcela; plano, projecto; delineamento; estratagema; enredo (de peça de teatro, novela, etc.); conspiração; trama.
grass-plot — tabuleiro de relva.
garden-plot — canteiro.
ground-plot — terreno de um edifício.
building plot — terreno para construção.
to lay a plot — tramar uma conspiração.
2 — *vt.* e *vi.* (*pret.* e *pp.* **plotted**) delinear, traçar, planear; tramar, urdir, conspirar; dividir em parcelas; representar gràficamente.
to hatch a plot — tramar uma conspiração.
to plot a graph — traçar um gráfico.
plotful ['-full], *adj.* cheio de maquinações, cheio de intrigas; intrigante.
plotless ['-lis], *adj.* sem enredo, simples.
plottage ['plɔtidʒ], *s.* divisão em pequenas parcelas; pequena extensão de terreno.
plotter ['plɔtə], *s.* delineador; conspirador, pessoa que entra em conspirações.
plotting ['plɔtiŋ], *s.* traçado de um plano; conspiração, trama; parcelamento (terreno).
plotting-paper — papel milimétrico; papel para gráficos.
plough [plau], **1** — *s.* arado, charrua; reprovação (em exame); máquina para desobstruir terrenos da neve; terreno lavrado; guilhotina para aparar as folhas dos livros.
to return to the plough — voltar à vida de trabalho.
to put one's hand to the plough — dar princípio a uma empresa.
plough-land — terra de lavoura.
plough-tail — rabiça do arado.
plough-boy — moço de lavoura.
plough-beam — varal do arado.
plough-knife — guilhotina para aparar as folhas dos livros.
plough-horse — cavalo de trabalho.
to drive the plough — guiar o arado.
to follow the plough — ser lavrador.
snow-plough — tractor limpa-neve.
heavy plough — charrua de lavrar fundo.
ice-plough — tractor para cortar gelo.
the Plough (astr.) — a Ursa Maior.
to take a plough (col.) — «apanhar um chumbo».
to put the plough over a field — passar o arado de leve por um terreno.
2 — *vt.* e *vi.* lavrar, arar; sulcar, cortar a vaga; (col.) reprovar em exame; aparar o papel em encadernação; trabalhar com o guilherme (carpintaria); abrir caminho.
to plough the sands — trabalhar em vão.
the boy has been ploughed (col.) — o rapaz ficou «chumbado»; o rapaz ficou reprovado.
to plough the main (poét.) — sulcar os mares.
to plough a lonely furrow — trabalhar sem ajuda de ninguém.
to plough in—enterrar (sementes) com o arado.
to plough down — arrancar com a charrua.
to plough through — penetrar.
to plough the watery way — sulcar os mares.
the land ploughs well — a terra lavra-se bem.
to plough up — tirar com a charrua; atravessar com a charrua.
to plough through a book — ler um livro muito devagar.
ploughable ['-əbl], *adj.* arável, cultivável.
plougher ['-ə], *s.* lavrador.
ploughing ['-iŋ], *s.* lavra, lavrada; sulco feito com o arado; lavoura; trabalho feito com o guilherme (carpintaria); reprovação em exame.
ploughman ['-mən], *s.* lavrador, campónio; homem que trabalha com o arado.
ploughshare ['-ʃɛə], *s.* relha do arado.
ploughshare bone (anat.) — vómer.
ploughwright ['-rait], *s.* fabricante de charruas.
plover ['plʌvə], *s.* (zool.) tarambola.
plow [plau], *s.*, *vt.* e *vi.* (E. U.) ver **plough.**
ploy [plɔi], *s.* ocupação; ofício.
pluck [plʌk], **1** — *s.* coragem, ânimo, valor; puxão, sacudidela; fressura; (col.) reprovação em exame, «chumbo».
to have pluck — ser corajoso.
to lack pluck — não ser corajoso.
to give a pluck at — dar um puxão a.
2 — *vt.* e *vi.* tirar, puxar, arrancar; desarraigar; dar um safanão; colher, apanhar; depenar; (col.) reprovar em exame, «chumbar»; tocar (instrumento de corda); despojar (alguém) do seu dinheiro.
to pluck up one's heart (spirits, courage) — ganhar coragem.
to be plucked in an examination (col.) — ser reprovado num exame; apanhar uma «raposa».
to pluck up — arrancar; desarraigar.
to pluck a guitar — tocar violão.
to pluck fruit — colher fruta.
to pluck out — arrancar.
to pluck a person by the sleeve (to pluck a person's sleeve) — puxar pela manga de alguém.
to pluck the eyebrows — depilar as sobrancelhas.
to pluck up the weeds from a garden — arrancar as ervas ruins dum jardim.
plucked [-t], *adj.* decidido, resoluto, corajoso; depenado; (col.) «chumbado», reprovado em exame.
a good-plucked person (a well-plucked person) — uma pessoa corajosa.
plucker ['-ə], *s.* pessoa que depena aves.
pluckily ['-ili], *adv.* corajosamente, valorosamente.
pluckiness ['-inis], *s.* coragem, valentia, valor.
plucky ['-i], *adj.* valente, corajoso, valoroso.
plug [plʌg], **1** — *s.* rolha, batoque, tampão, bucha; válvula de banheira; êmbolo; torneira; registo; anilha; obturador; (elect.) ficha, tomada; boca-de-incêndio; (cal.) chapéu alto, cartola; descarga de água (de autoclismo); vela de ignição (automóvel); (cal.) murro; obturação dentária; cavalo velho; tabaco de mascar; abertura num fruto para ver se é bom ou se está maduro; livro que se vende mal.
fire-plug — boca-de-incêndio.
plug-tobacco — tabaco curado e torcido.
plug-board — contador de cavilhas.
plug-hole — bueira (de embarcação).
sparking-plug — vela (automóvel).
plug and collar gauge — calibre macho e fêmea.
plug cap — tampa de bujão.
plug-key — chave de obturação.
plug fuse — fusível de rosca.
plug of a shell — bucha de granada.
plug of a cock — macho de torneira.
plug-screw — parafuso-tampão.
plug socket (elect.) — tomada.
plug of paraffin-wax — tampão de parafina.
to pull the plug — puxar o autoclismo.

plug telephone — telefone de tomada.
to put the plug in the socket (elect.) — meter a ficha na tomada.
to give somebody a plug (cal.) — dar um soco a alguém.
2 — *vt.* e *vi.* (*pret.* e *pp.* **plugged**) rolhar, tapar, meter um bujão; obturar (dente); (cal.) dar um soco; (cal.) dar um tiro, atingir com um tiro; labutar; meter uma cavilha de conexão; fazer uma abertura em fruta para ver se está madura ou boa.
to plug a song — repetir uma canção incessantemente.
to plug in (elect.) — meter a ficha na tomada.
to plug up — pôr um tampão.
to get plugged — entupir-se.
to plug somebody (to plug somebody's plans) — contrariar os planos de alguém.
plugboard ['-bɔ:d], *s.* (elect.) quadro de ligações.
plugging ['-iŋ], *s.* acção de tapar, de pôr um tampão.
plum [plʌm], *s.* ameixa; as coisas boas da vida; a peça melhor duma colecção; (col.) cem mil libras esterlinas; (col.) a melhor parte, a «parte de leão»; emprego muito bem remunerado.
plum-tree — ameixeira.
plum-pudding — pudim de passas, frutas secas, etc.
sugar-plum — rebuçado.
dried plum — ameixa seca.
plum-pudding dog — cão da Dalmácia.
plum-cake — bolo com frutas secas.
plum jam — compota de ameixas.
plum-pudding stone (geol.) — pudim.
the plums — os melhores empregos.
to get the plum — ficar com a melhor parte.
plumage ['plu:midʒ], *s.* plumagem.
plumaged [-d], *adj.* com plumagem.
plumb [plʌm], **1** — *s.* prumo; bola ou pedaço de chumbo; (náut.) sonda; direcção vertical.
plumb-line — sonda; fio-de-prumo.
plumb bod — prumo.
out of plumb — fora da vertical.
2 — *adj.* recto; vertical; completo; perfeito; leal, honesto; perpendicular.
a plumb person — uma pessoa honesta.
3 — *adv.* perpendicularmente; a prumo; completamente; com exactidão.
plumb crazy (cal. E. U.) — completamente doido.
4—*vt.* sondar; aprumar; soldar; compreender.
to plumb the depths of a mystery — penetrar no âmago dum mistério.
plumbaginous [plʌm'bædʒinəs], *adj.* plumbaginoso; relativo à plumbagina.
plumbago [plʌm'beigou], *s.* plumbagina, grafite; (bot.) plumbago, bela-emília.
plumbate ['plʌmbit], *s.* (quím.) plumbato.
plumbeous ['plʌmbiəs], *adj.* plúmbeo.
plumber ['plʌmə], *s.* picheleiro, funileiro.
plumbery [-ri], *s.* oficina ou trabalho de picheleiro ou funileiro.
plumbic ['plʌmbik], *adj.* (quím.) plúmbico.
plumbic poisoning — envenenamento pelo chumbo.
plumbic acid — ácido plúmbico.
plumbiferous [plʌm'bifərəs], *adj.* plumbífero.
plumbing ['plʌmiŋ], *s.* obra de funileiro; sondagem.
plumbism ['plʌmbizm], *s.* saturnismo, intoxicação pelo chumbo.
plumbless ['plʌmlis], *adj.* insondável; incomensurável.
plumbous ['plʌmbəs], *adj.* (quím.) plumboso.
plume [plu:m], **1** — *s.* pluma, pena grande, penacho; prémio.
borrowed plumes — coisas que não nos pertencem exibidas como sendo nossas.
plume-like — semelhante a pluma.
2 — *vt.* e *vi.* alisar as penas; ornamentar com plumas ou penas; jactar-se, vangloriar-se.
to plume oneself on — vangloriar-se de.
plumed [-d], *adj.* plumoso; empenachado.
plumelet ['-lit], *s.* (bot.) plúmula.
plummer-block ['plu:məblɔk], *s.* suporte dos veios do túnel; chumaceira de veio.
plummer-block keep bolt nut — porca do parafuso da chumaceira dos veios do túnel.
plummer-block keep — capa de chumaceira do veio do túnel.
plummer-box ['plu:mə-bɔks], *s.* ver **plummer-block.**
plummet ['plʌmit], *s.* sonda; prumo, fio-de-prumo; (fig.) dificuldade.
plummet level — nível de madeira.
plummy ['plʌmi], *adj.* abundante em ameixas; rico; bom, apetecível.
plumose ['plumous], *adj.* plumoso, que tem plumas.
plump [plʌmp], **1** — *s.* queda pesada, baque; (arc.) grupo; ruído causado por queda.
to fall with a plump — cair com um baque.
2 — *adj.* roliço, gordo, rechonchudo; rude, brusco; sem rodeios, directo. (*Sin.* stout, chubby, fleshed, rounded, brawny, fat. *Ant.* lean.)
he answered with a plump No — respondeu redondamente que não.
plump cheeks — cara rechonchuda.
plump-cheeked — bochechudo.
plump little hands — mãos pequenas e papudas.
plump denial — recusa terminante.
3 — *adv.* pesadamente, surdamente; categoricamente; de repente.
to lie plump — mentir descaradamente.
4 — *vt.* e *vi.* cair repentina e pesadamente; cair a prumo; soltar, deixar cair; votar só num candidato, quando se pode votar em dois; engordar.
to plump out — engordar.
to plump for — votar por.
to plump up — engordar.
plumper ['-ə], *s.* mentira descarada; queda pesada e brusca; voto dado a um só candidato; pessoa que vota só num candidato.
plumping ['-iŋ], **1** — *s.* acção de engordar.
2 — *adj.* (col.) muito grande.
plumply ['-li], *adv.* repentinamente; directamente; redondamente; claramente.
plumpness ['-nis], *s.* gordura, corpulência; rudeza.
plumule ['plu:mju:l], *s.* (bot.) plúmula, gémula.
plumy ['plu:mi], *adj.* plumoso; coberto de plumas.
plunder ['plʌndə], **1** — *s.* pilhagem, saque, roubo; presa; ganância.
to live by plunder — viver do saque.
2 — *vt.* despojar, saquear, pilhar, roubar, espoliar.
plunderage [-ridʒ], *s.* saque, roubo, pilhagem; furto por abuso de confiança; (náut.) desvio de mercadorias a bordo.
plunderer [-rə], *s.* saqueador, espoliador.
plundering [-riŋ], *s.* pilhagem, saque.
plunderous [-rəs], *adj.* saqueador, espoliador.
plunge [plʌndʒ], **1** — *s.* mergulho; submersão; arrojo; salto; dificuldade, aflição; passo decisivo.
to take the plunge — dar um passo sério na vida.
plunge-bath — piscina.
plunge-board — prancha de saltos.
2 — *vt.* e *vi.* mergulhar; submergir; enterrar; precipitar; saltar; cravar; precipitar-se; lan-

çar-se; afocinhar; introduzir em; forçar; (náut.) mergulhar a proa; meter-se em especulações arriscadas; (col.) jogar arriscando grandes quantias. (*Sin.* to dip, to dive, to sink, to immerse, to submerge. *Ant.* to emerge.)
to plunge forward — lançar-se para a frente.
to plunge into the sea — mergulhar no mar.
to plunge into debt — ter muitas dívidas.
to plunge a country into war — lançar um país na guerra.
plunger ['-ə], *s.* mergulhador; êmbolo mergulhante; (fam.) jogador; detonador de arma de fogo.
plunging ['-iŋ], **1** — *s.* mergulho, acção de mergulhar; (náut.) balanço de popa à proa; jogo arriscando grandes quantias.
2 — *adj.* que mergulha; com mergulhos; mergulhante.
plunging fire — fogo mergulhante (artilharia).
plunk [plʌŋk], **1** — *s.* (E. U.) pancada; som estrídulo (de instrumento de corda); dólar.
2 — *vt.* e *vi.* (E. U.) cair pesadamente; produzir um som seco.
pluperfect ['plu:'pəfikt], *s.* e *adj.* (gram.) mais-que-perfeito.
plural ['pluərəl], *s.* e *adj.* plural; múltiplo.
in the plural — no plural.
pluralism [-izm], *s.* pluralidade; acumulação de benefícios eclesiásticos; (fil.) pluralismo.
pluralist [-ist], *s.* eclesiástico que goza de mais de um benefício; pluralista, partidário do pluralismo.
pluralistic [pluərə'listik], *adj.* pluralístico; (fil.) pluralista.
pluralistically [-əli], *adv.* cumulativamente.
plurality [pluə'ræliti], *s.* pluralidade; maioria; (E. U.) maioria de votos; acumulação de benefícios eclesiásticos.
to hold a plurality of offices — acumular funções.
pluralize ['pluərəlaiz], *vt.* e *vi.* pôr no plural; acumular benefícios eclesiásticos.
plurally ['pluərəli], *adv.* no plural; cumulativamente.
plurilocular [pluəri'lɔkjulə], *adj.* (bot.) plurilocular.
plus [plʌs], **1**—*s.* quantidade positiva; o sinal +.
2 — *adj.* (mat., elect.) positivo; adicional; extra.
the plus signal — o sinal +.
plus potential (elect.) — potencial positivo.
3 — *prep.* mais, adicionado a.
two plus one — dois e um; dois mais um.
plus-fours ['plʌs'fɔ:z], *s.* calças de golfe.
plush [plʌʃ], *s.* pelúcia; calções de pelúcia usados pelos lacaios.
plushy ['-i], *adj.* felpudo, como pelúcia.
Plutarch ['plu:tɑ:k], *n. p.* Plutarco.
plutarchy [-i], *s.* plutocracia.
Pluto ['plu:tou], *s.* (astr.) Plutão.
plutocracy [plu:'tɔkrəsi], *s.* ver **plutarchy.**
plutocrat ['plu:təkræt], *s.* plutocrata.
plutocratic [plu:tə'krætik], *adj.* plutocrático.
Plutonian [plu:'tounjən], *adj.* ver **Plutonic.**
Plutonic [plu:'tɔnik], **1** — *s.* rocha plutónica.
2 — *adj.* plutónico, ígneo; referente a Plutão.
Plutonic theory — plutonismo.
Plutonic rocks — rochas plutónicas.
Plutonism ['plu:tounizm], *s.* (geol.) plutonismo.
Plutonist ['plu:tənist], *s.* (geol.) plutonista.
plutonomy [plu'tɔnəmi], *s.* plutonomia; economia política.
pluvial ['plu:vjəl], **1** — *s.* pluvial.
2 — *adj.* pluvial; chuvoso.
pluviograph ['plu:viougrɑ:f], *s.* pluviógrafo.
pluviometer [plu:vi'ɔmitə], *s.* pluviómetro; udómetro.
pluviometric [plu:viou'metrik], *adj.* pluviométrico.
pluviometrical [-əl], *adj.* ver **pluviometric.**
pluviometry [plu:vi'ɔmitri], *s.* pluviometria; udometria.
pluvious ['plu:viəs], *adj.* pluvioso, chuvoso.
ply [plai], **1** — *s.* prega, dobra; ruga; propensão, tendência; cordão, fio, fibra.
three-ply wool — lã de três fios.
three-ply wood — madeira contraplacada.
to take a ply to — ter inclinação para.
2 — *vt.* e *vi.* aplicar-se a; trabalhar com afinco, labutar; importunar; atacar; manejar; acossar; ocupar-se de, exercer; praticar; ir e vir, fazer viagens; fazer carreira (navio, autocarro); ir depressa; (náut.) bordejar, barlaventar; pegar (num remo).
to ply a trade — exercer um ofício.
to ply one's books — estudar com afinco.
to ply one's needle — trabalhar muito com a agulha.
to ply the oars — remar com força.
to ply the bottle — beber demasiado.
to ply all means — servir-se de todos os meios.
to ply to the north (náut.) — navegar para o norte.
to ply a person with questions — encher uma pessoa de perguntas.
car plying for hire — táxi; carro de aluguer.
plyers ['plaiəz], *s.* ver **pliers.**
Plymouth ['pliməθ], *top.* nome de cidade inglesa.
Plymouth Rock — raça de galinhas americanas.
Plymouth Brethren — plymouthistas, darbistas (membros de seita religiosa).
Plymouthism [-izm], *s.* plymouthismo, darbismo (seita religiosa).
Plymouthist [-ist], *s.* plymouthista; darbista (partidário do plymouthismo ou darbismo).
plywood ['plaiwud], *s.* contraplacado (de madeira).
pneometer [(p)ni'ɔmitə], *s.* pneómetro, aparelho para medir a quantidade de ar que entra e sai dos pulmões em cada respiração.
pneuma ['(p)nju:mə], *s.* (fil.) pneuma.
pneumatic [nju(:)'mætik], **1** — *s.* pneumático, pneu; bicicleta com pneumáticos.
2 — *adj.* pneumático; com pneumáticos.
pneumatic caulking — encalque pneumático.
pneumatic engine — máquina pneumática.
pneumatic chisel — perfuradora a ar comprimido.
pneumatic drill — perfuradora pneumática.
pneumatic jack — macaco pneumático.
pneumatic hammer — martelo pneumático.
pneumatic pic — picão pneumático.
pneumatic piston — êmbolo pneumático.
pneumatic pile driver — bate-estacas pneumático.
pneumatic lift — monta-cargas pneumático.
pneumatic tyre — pneumático, pneu.
pneumatical [-əl], *adj.* ver **pneumatic.**
pneumatically [-əli], *adv.* pneumaticamente; por meio de ar comprimido.
pneumaticity [nju:mæ'tisiti], *s.* pneumaticidade.
pneumatics [nju:'mætiks], *s.* (fís.) pneumática.
pneumatocele ['(p)nju:mətousi:l], *s.* (pat.) pneumatocele.
pneumatocyst ['(p)nju:mətousist], *s.* (zool.) pneumatóforo.
pneumatograph ['(p)nju:mətougrɑ:f], *s.* pneumatógrafo, aparelho para registar os movimentos do tórax.
pneumatology [nju:mə'tɔlədʒi], *s.* (med.) pneumatologia.
pneumatolysis [(p)nju:mə'tɔlisis], *s.* (min.) pneumatólise.

pneumatometer [(p)nju:mə'tɔmitə], *s.* pneumatómetro, aparelho para medir a força de inspiração e expiração pulmonar.
pneumatophore ['(p)nju:mətoufɔ:], *s.* ver **pneumatocyst.**
pneumobacillus [(p)nju:moubə'siləs], *s.* (*pl.* **pneumobacilli**) pneumobacilo.
pneumococcus [(p)nju:mou'kɔkəs], *s.* (*pl.* **pneumococci**) pneumococo.
pneumogastric [(p)nju:mou'gæstrik], **1** — *s.* nervo pneumogástrico, pneumogástrico. **2** — *adj.* pneumogástrico.
pneumogastric nerve — nervo pneumogástrico.
pneumograph ['(p)nju:mougra:f], *s.* pneumógrafo.
pneumonia [nju(:)'mouniə], *s.* pneumonia.
double pneumonia — pneumonia dupla.
septic pneumonia — pneumococemia.
lobular pneumonia — pneumonia lobar.
pneumonic [nju(:)'mɔnik], *adj.* pneumónico.
pneumonitic [nju:mou'nitik], *adj.* pneumónico.
pneumonitis [(p)nju:mou'naitis], *s.* pneumonia, pneumonite.
pneumorhagia [(p)nju:mou'reidʒiə], *s.* (pat.) pneumorragia; hemoptise.
pneumorrhagia [(p)nju:mou'reidʒiə], *s.* ver **pneumorhagia.**
pneumothorax [(p)nju:mou'θɔ:ræks], *s.* (med.) pneumotórax.
po [pou], *s.* (col.) bacio; pote.
poa ['pouə], *s.* (bot.) poa, relva.
poach [poutʃ], *vt.* e *vi.* dar uma fervura a; escalfar (ovos); atolar; roubar caça em terreno vedado; pescar ou caçar em sítio vedado; invadir; espezinhar; bater a bola no campo de outro jogador (ténis).
to poach on a person's rights — usurpar os direitos de alguém.
to poach eggs — escalfar ovos.
to poach on a person's preserves — invadir, violar a propriedade alheia.
to poach up the ground — pisar o solo com os cascos (cavalos, bois, etc.).
poacher ['-ə], *s.* caçador furtivo; ladrão de caça.
poachiness ['-inis], *s.* estado lamacento do solo.
poachy ['-i], *adj.* lamacento.
pochard ['poutʃəd], *s.* (zool.) larro, catulo.
pock [pɔk], *s.* bexigas, varíola; bolha de varíola; pústula.
pock-marked — picado das bexigas.
pock-marked face — cara picada das bexigas.
pocket ['pɔkit], **1** — *s.* algibeira, bolso; receptáculo; cavidade; dinheiro; poço de ar (aviação); ventana (bilhar); cavidade no solo cheia de minério.
in pocket — com ganho.
out of pocket — com perda.
pocket-book — carteira; livro pequeno de apontamentos; livro de bolso.
to have a person in one's pocket — ter uma pessoa na mão.
pocket handkerchief — lenço de algibeira.
pocket dictionary — dicionário de bolso.
pocket-flap — portinhola de algibeira.
he paid it out of his pocket — pagou-o do seu bolso.
to pick a pocket — furtar (tirar do bolso).
be prepared to put your hand in your pocket — prepara-te para gastares dinheiro.
pocket expenses — despesas miúdas pessoais.
pocket-money — dinheiro para despesas miúdas.
to dip into one's pocket — «puxar os cordões à bolsa».
air-pocket — poço de ar (aviação).
pocket-knife — canivete.
pocket battleship — couraçado de algibeira.
pocket camera — máquina fotográfica portátil.
pocket-edition — edição (de livros) de pequeno formato.
pocket magnifier — lupa.
pocket-submarine — submarino de algibeira.
pocket-size — formato de bolso.
empty pocket — pessoa sem dinheiro.
to put one's pride in one's pocket — pôr de parte o orgulho.
pocket voltmeter — voltímetro portátil.
trouser pocket — bolso das calças.
waistcoat pocket — bolso de colete.
to spare one's pocket — poupar o dinheiro.
to be able to put somebody in one's pocket (col.) — ser capaz de «meter alguém bolso».
to line one's pockets — juntar algum dinheiro.
2 — *vt.* meter ao bolso; embolsar; apropriar-se; subtrair; engolir (uma afronta); dominar círculo eleitoral; fazer entrar (a bola) numa ventana (bilhar); prejudicar (um adversário) numa corrida; reprimir (sentimentos).
to pocket one's pride — pôr de parte o orgulho; sofrer uma afronta.
to pocket an insult — engolir um insulto.
pocketable [-əbl], *adj.* que pode meter-se no bolso, que cabe no bolso.
pocketful [-ful], *adj.* bolso cheio, o que cabe num bolso.
pocketing [-iŋ], *s.* acção de meter ao bolso; acção de fazer entrar (a bola) numa ventana (bilhar); repressão (de sentimentos); acção de se apropriar de.
pockety [-i], *adj.* com cavidade; com poços de ar (aviação).
pockwood [-wud], *s.* (bot.) pau-santo; gaiaco.
pococurante ['poukoukjuə'rænti], **1** — *s.* pessoa indiferente.
2 — *adj.* indiferente.
pococuranteism [-zm], *s.* indiferentismo.
pococurantism [-zm], *s.* ver **pococuranteism.**
pod [pɔd], **1** — *s.* vagem, casca; casulo; pequeno grupo de baleias ou focas; rede para pescar enguias.
2 — *vt.* e *vi.* criar vagem ou casca; encher-se, inchar; juntar (focas ou baleias) em grupo; descascar (ervilhas, etc.).
podagra [pə'dægrə], *s.* podagra, doença de gota nos pés.
podagral [-l], *adj.* podágrico.
podagric [pə'dægrik], *adj.* ver **podagral.**
podagrous ['pɔdəgrəs], *adj.* ver **podagral.**
podded ['pɔdid], *adj.* que tem vagens; (fig.) rico.
podge [pɔdʒ], *s.* lamaçal, charco; pessoa atarracada.
podgily ['-ili], *adv.* com gordura.
podginess ['-inis], *s.* gordura; aspecto atarracado.
podgy ['-i], *adj.* gordo, atarracado.
podium ['poudiəm], *s.* (*pl.* **podia**) pódio.
podobranch ['pɔdoubræŋk], *s.* (zool.) podobrânquios.
podobranchia [-iə], *s.* (*pl.* **podobranchiae**) ver **podobranch.**
podobranchial [-iəl], *adj.* podobrânquio.
podobranchiate [-iit], *adj.* ver **podobranchial.**
poem ['pouim], *s.* poema, poesia.
poesy ['pouizi], *s.* (arc.) poesia; arte poética.
poet ['pouit], *s.* poeta.
Poets' Corner — parte da Abadia de Westminster onde estão túmulos e monumentos de muitos poetas ingleses; (joc.) secção poética de jornal.
poetaster [poui'tæstə], *s.* poetastro.

poetess ['pouitis], *s.* poetisa.
poetic [pou'etik], *adj.* poético.
poetic genius — génio poético.
poetical [-əl], *adj.* poético.
poetical works — obras poéticas.
poetically [-əli], *adv.* poeticamente.
poeticize [pou'etisaiz], *vt.* poetizar.
poeticizing [-iŋ], *s.* poetização.
poetics [pou'etiks], *s.* poética, arte poética.
poetize ['pouitaiz], *vt.* e *vi.* poetar, fazer versos, poetizar.
poetry ['pouitri], *s.* poesia; poética.
prose poetry — prosa poética.
piece of poetry — poesia; composição poética; poema.
poh [pou], *interj.* ora bolas! (indica desprezo, desapontamento ou impaciência).
poignancy ['pɔi(g)nənsi], *s.* acrimónia, aspereza; sabor picante, sabor estimulante (em comida).
poignant ['pɔi(g)nənt], *adj.* áspero; estimulante; picante; pungente, lancinante; agudo, acerbo. (*Sin.* piercing, pungent, sharp, bitter, piquant, caustic. *Ant.* dull.)
poignant sorrow — tristeza pungente.
poignant sauce — molho picante.
poignantly [-li], *adv.* acremente, mordazmente; acerbamente; de modo lancinante.
poinciana [pɔinsi'ɑ:nə], *s.* (bot.) poinciana.
point [pɔint], **1** — *s.* ponta, bico; ponto; objecto; situação, lugar; grau, elevação; agudeza; chiste; cabo, promontório; agulha (de caminho-de-ferro); rasgo característico; peculiaridade; pundonor; assunto; capítulo, artigo; tom, nota, acento; circunstância; pormenor; momento crítico; tento, ponto (em jogos); (gram.) qualquer sinal de pontuação; (com.) inteiro, na flutuação dos valores; ferramenta pontiaguda; agulheta; (náut.) rabicho de cabo; sinal correspondente à vírgula nos números decimais portugueses; agulha de gira-discos; (elect.) contacto; acção de apontar com o dedo; jogar parado à entrada para apanhar a bola (críquete); corpo ou ponto tipográfico.
at the point of death — à hora da morte.
music is not his strong point — a música não é o forte dele.
personal points — senhas de racionamento de chocolates e rebuçados.
point of departure — ponto de partida.
knotty point — questão intrincada.
the sore point — o ponto fraco.
starting-point — ponto inicial.
in point — a propósito.
on the point of — a ponto de.
in point of — quanto a; com respeito a.
at all points — por todos os lados.
to stretch a point — fazer uma excepção a favor de alguém.
fusing-point — ponto de fusão.
main point — ponto capital.
to speak to the point — deixar-se de rodeios.
to carry one's point — conseguir o seu intento.
to come to the point — vir ao caso.
to gain one's point — conseguir o seu fim.
that is just the point — aí é que bate o ponto.
to make a point of — ter por princípio.
to make it a point to — ter por dever.
to miss the point — não ver bem a questão; não atingir o ponto capital.
not to put too fine a point upon it — falar claramente.
point of honour — ponto de honra.
boiling point — ponto de ebulição.
point of view — ponto de vista.
this is not the point — não é essa a questão.
the point at issue (the point in question) — o ponto em causa.
beside the point — despropositado; inconveniente.
let us come to the point — vamos ao caso.
a case in point — um caso oportuno.
a point-blank assertion — uma afirmação categórica.
from this point of view — deste ponto de vista.
point of sailing — mareação (do pano).
to go straight to the point — falar sem rodeios; ir direito ao caso.
to reach the breaking point — atingir o auge,
to maintain one's point — ficar na sua.
point consonant — consoante dental.
point by point — ponto por ponto.
point of compasses — ponta de compasso.
point of application — ponto de aplicação.
point of contact — ponto de contacto.
point of connection — ponto de ligação.
points from letters — extractos de cartas recebidas na redacção de jornais.
point of incidence — ponto de incidência.
point of tangency — ponto de tangência (geometria).
point of fall — ponto de queda.
points of the compass — rumo da rosa-dos--ventos.
full point — ponto final.
at all points — completamente.
point of reference — ponto de referência.
in point of fact — de facto.
a point of conscience — uma questão de consciência.
at the point of the sword — a ponta de espada.
the cardinal points — os pontos cardeais.
the point of a pin — a ponta de um alfinete.
to wander from the point — afastar-se do assunto.
freezing-point — ponto de congelação.
melting-point — ponto de fusão.
to win on points (boxe) — ganhar aos pontos.
to end in a point — terminar em ponta.
to give points to — conceder vantagem a.
to stand on the point of one's toes — pôr-se nas pontas dos pés.
that is very much to the point — isso vem mesmo a propósito.
2 — *vt.* e *vi.* aguçar, fazer ponta; adelgaçar; indicar, apontar; assestar (uma peça); aparar (um lápis); assinalar; dirigir; mostrar a caça; (náut.) abicar mastaréu, cordear (verga); (gram.) pontuar; salientar; (med.) supurar; revolver o chão com a ponta duma pá.
to point out — designar; indicar.
to point a pencil — afiar um lápis.
to point at — apontar para; mostrar.
to point a telescope — assestar um telescópio.
to point out a fact — chamar a atenção para um facto.
the evidence points to his guilt — as provas indicam que é culpado.
to point off (aritm.) — separar por vírgulas.
to point the way — mostrar o caminho.
to point one's finger at — apontar com o dedo para.
to point to (to point towards) — apontar para; estar virado para.
to point a gun at somebody's head — apontar uma arma à cabeça de alguém.
point-blank ['pɔint'blæŋk], **1** — *s.* directo, claro, categórico; horizontal; à queima-roupa.
a point-blank refusal — uma recusa categórica.
2 — *adv.* directamente; positivamente; categoricamente; sem rodeios; formalmente.
he refused it point-blank — ele recusou-o categoricamente.
point-device ['pɔintdi'vais], **1** — *adj.* (arc.) perfeito, impecável, exacto.
2 — *adv.* com precisão; impecavelmente.

pointed ['pɔintid], *adj.* pontiagudo; agudo, aguçado; picante; directo; satírico, mordaz; acentuado; (arq.) ogival, gótico; severo. (*Sin.* peaked, sharp, direct, telling, personal, emphasized, cutting. *Ant.* blunt, vague.)
pointed arch — arco ogival; ogiva.
pointed style — estilo gótico.
pointed reproof — reprimenda severa.

pointedly [-li], *adv.* subtilmente; categoricamente, formalmente; explicitamente; severamente; sem rodeios.

pointedness [-nis], *s.* aspereza, acrimónia, azedume; subtileza, agudeza; clareza.

pointer ['pɔintə], *s.* indicador, índex; ponteiro; cão perdigueiro; agulha (de caminho-de-ferro); *pl.* as duas estrelas da Ursa Maior pelas quais determinamos a Polar; ponteiro de relógio; fiel (de balança); agulha (de gravador).
pointer knob — botão indicador.
pointer adjuster — regulador de ponteiro.

pointful ['pɔintful], *adj.* a propósito.

pointillism ['pɔintilizm], *s.* pontilhismo (processo de pintura).

pointing ['pɔintiŋ], *s.* pontuação; aguçadura; pontaria; indicação; (med.) supuração; (náut.) rabo de raposa.

point-lace ['pɔint-leis], *s.* renda feita à mão.

pointless ['pɔintlis], *adj.* obtuso; sem ponta; insubstancial, sem sentido; (desp.) sem ter marcado nenhum ponto.
a pointless draw (desp.) — um empate 0-0.

pointlessly [-li], *adv.* despropositadamente; sem graça, insipidamente.

pointlessness [-nis], *s.* obtusidade; insipidez.

pointsman ['pɔintsmən], *s.* agulheiro (no caminho-de-ferro); polícia sinaleiro.

poise [pɔiz], **1** — *s.* equilíbrio; peso; contrapeso; suspensão; hesitação; atitude; aprumo; importância. (*Sin.* balance, equipoise, equilibrium).
at poise — em equilíbrio.
to have poise — ter bom aspecto, ter um aspecto distinto.
a person of poise — uma pessoa equilibrada.
2 — *vt.* e *vi.* equilibrar, balancear; estar suspenso; sopesar; equiparar; hesitar; examinar; ponderar; pairar.
to poise in the air — pairar no ar.
to poise oneself on one's toes — equilibrar-se nos bicos dos pés.

poised [-d], *adj.* ponderado; equilibrado.

poiser ['-ə], *s.* (zool.) balanceiro.

poison [pɔizn], **1** — *s.* veneno, tóxico; peçonha; qualquer coisa que prejudica.
poison-fang — dente de serpente venenosa.
slow poison — veneno lento.
poison-gas — gás tóxico.
poison-nut — noz-vómica.
poison pen — pessoa que escreve cartas anónimas.
to die of poison — morrer envenenado.
rank poison — veneno violento.
one man's meat is another man's poison — o que a uns mata a outros cura.
to hate somebody like poison — ter um ódio de morte a alguém.
2 — *vt.* envenenar, intoxicar; corromper; prejudicar.

poisoner ['-ə], *s.* envenenador; corruptor.

poisoning ['-iŋ], *s.* envenenamento; corrupção.
occupational poisoning — intoxicação profissional.
blood-poisoning — envenenamento do sangue.

poisonous ['-əs], *adj.* venenoso, tóxico; peçonhento; deletério; corruptor. (*Sin.* pestiferous, deletèrious, noxious, insalubrious, venomous. *Ant.* wholesome.)
poisonous water — água envenenada.
poisonous doctrine — doutrina perniciosa.
to have a poisonous tongue — ter uma língua viperina.

poisonously ['-əsli], *adv.* venenosamente; perniciosamente.

poisonousness ['-əsnis], *s.* venenosidade, toxicidade.

poke [pouk], **1** — *s.* impulso, empurrão; bolsa, saco; pala de chapéu de senhora; chapéu de pala.
to buy a pig in a poke — comprar nabos em saco.
poke-bonnet — chapéu de senhora com pala, como os usados no Exército de Salvação.
2 — *vt.* e *vi.* empurrar, impelir; picar; bater; ferir; atiçar; apalpar; tentear; esquadrinhar; intrometer-se; ocupar-se com futilidades.
to poke the fire — atiçar o lume.
to poke fun at — escarnecer de, zombar de.
to poke and pry — ser curioso, ser perguntador.
to poke about — esquadrinhar.
to poke a hole into something — fazer um buraco em qualquer coisa.
to poke into somebody's private affairs — intrometer-se na vida de alguém.
to poke rubbish into a corner — deitar lixo para um canto.
to poke one's nose into — meter o nariz em.

poker ['-ə], **1** — *s.* atiçador (do lume); esborralhador (do forno); jogo de cartas; bedel, vara de bedel (nas Universidades de Oxónia e Cantabrígia).
poker-work — pirogravura.
poker-face — rosto impenetrável; pessoa de rosto impenetrável.
poker-faced — de rosto impenetrável.
red-hot poker — atiçador em brasa; planta com flores amarelas ou vermelhas.
poker plant — planta de flores amarelas ou vermelhas.
to look as if one has swallowed a poker — andar como se tivesse engolido um pau de vassoura.
as stiff as a poker — muito hirto.
2 — *vt.* pirogravar.

pokey ['-i], *adj.* vagaroso, lento.

poking ['-iŋ], *s.* acção de atiçar (o lume); intromissão.

poky ['-i], *adj.* apertado, pequeno, acanhado; abafado; gasto; insignificante; triste; estúpido.
a poky room — um quarto pequeno, apertado.

polacca [pou'lækə], *s.* polaca (barco).

Polack ['poulæk], *s.* cavaleiro polaco.

polacre [pou'leikə], *s.* ver **polacca.**

Poland ['poulənd], *top.* Polónia.

polar ['poulə], **1** — *s.* (geom.) coordenada polar.
2 — *adj.* polar, relativo a pólo, próximo do pólo; magnético; com polaridade; (fig.) antípoda, oposto.
polar bear — urso polar.
polar axis — eixo polar.
polar flux — fluxo polar.
polar lights — aurora boreal.
polar distance — afastamento polar.
polar coordinates — coordenadas polares.
the polar regions — as regiões polares.
a polar principle — um princípio orientador.
polar projection — projecção polar.

polarimeter [poulə'rimitə], *s.* (fís.) polarímetro.

polarimetric [poulæri'metrik], *adj.* polarimétrico.

Polaris [pou'læris], *s.* (astr.) Estrela Polar.

polariscope [-koup], *s.* (fís.) polariscópio.

polarity [pou'læriti], *s.* polaridade; atracção para um objecto.
polarity of magnet — polaridade de íman.
polarity of electric current — polaridade da corrente eléctrica.
polarity test — ensaio de polaridade.

polarizable ['poulərraizəbl], *adj.* polarizável.

polarization [poulərai'zeiʃən], *s.* polarização.
polarization of light — polarização da luz.
polarization cell — vaso de polarização.
polarization of the electrodes — polarização dos eléctrodos.
polarize ['pouləraiz], *vt.* polarizar; polarizar-se.
polarized [-d], *adj.* polarizado.
polarized plug — tomada eléctrica polarizada.
polarized rays — raios polarizados.
polarized headlight**—farol dianteiro polarizado.**
polarizer [-ə], *s.* polarizador.
polarizing [-iŋ], *s.* e *adj.* polarização; acção de polarizar; polarizador.
polarizing plate (elect.) — chapa polarizadora.
polarizing current (elect.) — corrente polarizadora.
polatouche [pɔlə'tu:ʃ], *s.* (zool.) esquilo voador.
pole [poul], **1** — *s.* (fís., biol., astr., elect., geom.) pólo; viga; pau, varapau; vergôntea; estaca; poste; lança de carro; grimpa de mastro; vara de medir; baliza; barrote que separa os cavalos nas cavalariças; medida de cerca de cinco metros.
under bare poles (náut.) — em árvore seca.
North Pole — pólo norte.
South Pole — pólo sul.
pole-jump **— salto à vara.**
pole mast — mastro inteiriço.
pole star — Estrela Polar.
pole pitch — distância dos pólos.
to be up the pole (fam.) — estar em apuros.
pole boat — barco manejado à vara.
pole-vault (desp.) — salto à vara.
pole-finder (elect.) — busca-pólos.
pole-changer (elect.) — comutador de pólos.
pole of a magnet — pólo dum magneto.
pole strength — intensidade dos pólos.
pole compass — pequena bússola de bordo.
telegraph pole — poste telegráfico.
pole switch (elect.) — comutador do pólo.
negative pole — eléctrodo negativo, cátodo.
positive pole — eléctrodo positivo, ânodo.
similar poles — pólos do mesmo nome.
the arctic pole — o polo Árctico.
the antarctic pole — o pólo Antárctico.
2 — *vt.* empurrar com um pau; transportar sobre varas; impelir um barco com uma vara; agitar com uma vara; escorar com varas.
Pole [poul], *s.* polaco.
pole-axe ['poulæks], **1** — *s.* acha-de-armas; (náut.) machado de abordagem; machado de carniceiro ou magarefe.
2 — *vt.* matar (animal) com machado de magarefe.
pole-axing [-iŋ], *s.* acção de matar (animal) com machado de magarefe.
polecat ['poulkæt], *s.* doninha.
poled [pould], *adj.* com postes, varas ou mastros.
polemarch ['pɔlimɑ:k], *s.* polemarco (chefe militar da antiga Atenas).
polemic [pɔ'lemik], **1** — *s.* polémica, discussão; polemista.
2 — *adj.* polémico, controverso. (*Sin.* controversial, **debatable, doubtful.** ***Ant.*** **certain.)**
polemical [-əl], *adj.* polémico, controverso.
polemically [-əli], *adv.* polemicamente.
polemics [-s], *s.* polémica.
polemist ['pɔlimist], *s.* polemista.
polemize ['pɔlimaiz], *vi.* polemizar.
polemonium [pɔli'mouniəm], *s.* (bot.) polemónio.
polianthes [pɔli'ænθi:z], *s.* (bot.) polianto.
police [pə'li:s, pou'li:s], **1** — *s.* (a) polícia; polícias.
police-court **— tribunal de pequenos delitos; tribunal de polícia.**
police-inspector **— comissário da polícia.**
the police are on his track **— a polícia vai-lhe** no encalce.
police-officer — agente da polícia; polícia.
police-office — comissariado da polícia.
police-station — esquadra da polícia.
police constable — agente da polícia.
police dog — cão-polícia.
police state — estado totalitário.
police van — carro celular; carro da polícia.
police form — ficha policial.
river police — polícia fluvial.
motorized police — polícia motorizada.
2 — *vt.* policiar; (fig.) controlar.
policeman [-mən], *s.* polícia, agente de polícia.
traffic policeman — polícia de trânsito.
mounted policeman — polícia a cavalo.
policeman on point-duty — polícia sinaleiro.
rural policeman — polícia rural.
river-policeman — guarda-rios.
police-woman [-'wumən], *s.* mulher-polícia.
policing [-iŋ], *s.* acção de policiar.
policlinic [pɔli'klinik], *s.* policlínica.
policy ['pɔlisi,'pɔləsi], *s.* política; programa político; plano de acção; prudência; sagacidade; astúcia; direcção de negócios públicos; apólice (de seguro).
bad policy — má política; falta de diplomacia.
insurance policy — apólice de seguro.
policy holder — segurado.
floating policy — apólice flutuante.
fire-insurance policy — apólice de seguro contra incêndio.
public policy — interesse público.
foreign policy — política externa.
honesty is the best policy — a honestidade é a melhor política.
to adopt a policy — adoptar uma política; seguir uma linha de conduta.
poliencephalitis [pɔliensefə'laitis], *s.* (pat.) poliencefalite.
polio ['pouliou], *s.* forma abreviada de **poliomyelitis.**
poliomyelitis ['poulioumaiə'laitis], *s.* (pat.) poliomielite, paralisia infantil.
polish ['pɔliʃ], **1** — *s.* polimento, lustro; verniz; graça, elegância; urbanidade, cortesia; substância para polir.
to lack polish — não ter boas maneiras.
boot polish (shoe polish) — pomada do calçado.
metal polish — limpa-metais.
floor polish — cera para o soalho.
nail polish — verniz das unhas.
to lose its polish **— (fig.) perder o verniz.**
2 — *vt.* e *vi.* polir, brunir, acetinar; dar lustro (ao calçado); educar; civilizar; aperfeiçoar-se, adquirir boas maneiras.
to polish off — acabar apressadamente; despachar.
to polish off work (col.) — acabar um trabalho rapidamente.
to polish up — polir; lustrar.
to polish furniture — polir mobília.
to polish apples (fig.) — bajular.
to polish up one's French — aperfeiçoar o seu francês.
Polish ['pouliʃ], *s.* e *adj.* polaco.
polished ['pɔliʃt], *adj.* polido, brunido; ilustrado, culto; refinado.
polished manners **— maneiras distintas.**
polished stone — pedra polida.
polished marble — mármore polido.
polisher ['pɔliʃə], *s.* polidor, alisador; engraxador.
polishing ['pɔliʃiŋ], *s.* acção de polir; enceramento; melhoramento, aperfeiçoamento.
polishing bed — mesa de polir.
polishing brush — escova de polir.
polishing-iron — ferro de abrilhantar.

polishing-powder — pó para polir.
polishing-machine — máquina de polir.
polite [pəˈlait,pouˈlait], *adj.* delicado, bem-educado, polido; fino, cortês. (*Sin.* refined, polished, courteous, affable, civil, cultivated, elegant. *Ant.* rude.)
to be polite — ser bem-educado.
polite learning — belas-letras.
politely [-li], *adv.* delicadamente, cortesmente, polidamente.
politeness [-nis], *s.* delicadeza, cortesia, urbanidade.
politic [ˈpɔlitik, ˈpɔlətik], *adj.* político; prudente; sagaz, fino, astuto; hábil.
the body politic — o corpo político, o Estado.
political [pəˈlitikəl, pouˈlitikəl], **1** — *s.* agente político.
2 — *adj.* político, referente à política.
political geography — geografia política.
political party — partido político.
political liberty — liberdade política.
political prisoner — preso político.
political economy — economia política.
politically [-i], *adv.* politicamente.
politicaster [pouˈlitikæstə], *s.* politiqueiro.
politician [pɔliˈtiʃən, pɔləˈtiʃən], *s.* estadista, político.
politicize [pouˈlitisaiz], *vi.* fazer política; falar sobre política.
politicly [ˈpɔlitikli], *adv.* astuciosamente; prudentemente.
politico-economical [pouˈlitikou-i:kəˈnɔmikel], *adj.* político-económico.
politico-geographical [pouˈlitikou-dʒiəˈgræfikəl], *adj.* político-geográfico.
politicomania [poulitikouˈmeiniə], *s.* politicomania.
politico-religious [pouˈlitikouriˈlidʒəs], *adj.* político-religioso.
politico-social [pouˈlitikouˈsouʃəl], *adj.* político-social.
politics [ˈpɔlitiks], *s.* política; interesses de partido; discussões políticas.
internal politics — política interna.
foreign politics — política externa.
party politics — política de partido.
local politics — política local.
to go into politics — dedicar-se à política.
to talk politics — falar de política.
what are your politics? — quais são as tuas opiniões políticas?
not to be practical politics — não ser viável.
polity [ˈpɔliti], *s.* constituição política; comunidade política.
polk [poulk], *vi.* dançar a polca.
polka [ˈpɔlkə], *s.* polca; casaco justo de mulher.
polka-dot tie — gravata às pintas.
poll [poul], **1** — *s.* (dial. joc.) cabeça; lista eleitoral; recenseamento, escrutínio; eleição; matrícula; animal de chifres cortados; *pl.* colégios eleitorais.
heavy poll — grande votação.
poll-tax — imposto por cabeça.
poll-book — caderno eleitoral.
to head the poll — obter o maior número de votos numa eleição.
to demand a poll — pedir voto por escrutínio.
a grey poll — uma cabeça grisalha.
per poll — por pessoa; por cabeça.
to be successful at the poll — conseguir a maioria dos votos.
to go to the poll — ir votar.
2 — *adj.* sem chifres.
3 — *vt.* e *vi.* recensear; votar; registar, matricular, votar (nas eleições); decotar as árvores; cortar o cabelo a; cortar chifres de animal.
to poll a vote for — votar a favor de.

Poll [pɔl], *s.* (fam.) papagaio, loiro.
the Poll — os estudantes sofríveis (calão universitário).
to go out in the Poll — passar num exame com uma classificação sofrível (calão universitário).
pollack [ˈpɔlək], *s.* (zool.) peixe-cabra.
pollard [ˈpɔləd], **1** — *s.* árvore decotada; animal sem chifres; farelo fino.
2 — *vt.* decotar uma árvore.
pollarding [-iŋ], *s.* acção de decotar uma árvore.
polled [pould], *adj.* (animal) sem chifres.
pollen [ˈpɔlin], *s.* (bot.) pólen.
pollicitation [pɔlisiˈteiʃən], *s.* (jur.) policitação.
pollinate [ˈpɔlineit], *vt.* polinizar.
pollination [pɔliˈneiʃən], *s.* polinização.
pollinic [pɔˈlinik], *adj.* polínico.
polliniferous [pɔliˈnifərəs], *adj.* polinífero.
pollinization [pɔlinaiˈzeiʃən], *s.* polinização.
polling [ˈpouliŋ], *s.* votação, escrutínio; acção de decotar uma árvore.
polling-station (polling-district) — secção de voto.
polling-booth — compartimento de voto.
polling place — assembleia eleitoral.
pollute [pəˈl(j)u:t], *vt.* poluir, manchar; corromper; violar; profanar. (*Sin.* to corrupt, to taint, to tarnish, to stain, to violate, to defile. *Ant.* to purify.)
polluted water — água não potável.
polluter [-ə], *s.* corruptor; contaminador; profanador.
pollution [pəˈl(j)u:ʃən], *s.* poluição; corrupção; violação.
Pollux [ˈpɔləks], *n. p.* (mit. greg.) Pólux.
polo [ˈpoulou], *s.* jogo do pólo.
water polo — pólo aquático.
polo stick — pau (taco, macete) de jogar o pólo.
polonaise [pɔləˈneiz], *s.* polaca (música e dança).
polonium [pəˈlouniəm], *s.* (quím.) polónio.
polony [pəˈlouni], *s.* chouriça, salpicão.
polony sausage — salpicão.
poltroon [pɔlˈtru:n], *s.* poltrão, cobarde. (*Sin.* coward, scoundrel. *Ant.* hero.)
poltroonery [-əri], *s.* cobardia, poltronaria.
polyandria [pɔliˈændriə], *s.* (bot.) poliândria.
polyandrous [pɔliˈændrəs], *adj.* (bot.) poliandro; (mulher) poliandra, que tem mais de um marido.
polyandry [ˈpɔliændri], *s.* poliandria, tipo de organização familiar em que a mulher tem mais de um marido.
polyanthous [pɔliˈænθəs], *adj.* (bot.) polianto.
polyanthus [pɔliˈænθəs], *s.* (bot.) primavera-dos-jardins.
polyarchy [ˈpɔliɑ:ki], *s.* poliarquia.
polyatomic [pɔliəˈtɔmik], *adj.* (quím.) poliatómico.
polybasic [pɔliˈbeisik], *adj.* (quím.) polibásico.
polybasite [pɔliˈbeisait], *s.* (min.) polibasite.
Polybius [pɔˈlibiəs], *n. p.* Políbio.
Polycarp [ˈpɔlikɑ:p], *n. p.* Policarpo.
polycarpellary [pɔliˈkɑ:piləri], *adj.* (bot.) policarpelado.
polycellular [pɔliˈseljulə], *adj.* policelular, pluricelular.
polychroic [ˈpɔlikrouik], *adj.* policróico, com cores diferentes conforme o lugar de onde se observa.
polychroism [pɔliˈkrouizm], *s.* policroísmo.
polychromatic [pɔlikrouˈmætik], *adj.* policromático.
polychrome [ˈpɔlikroum], *adj.* policromo.
polychromic [pɔliˈkroumik], *adj.* policrómico.
polychromy [ˈpɔlikroumi], *s.* policromia.
polyclinic [pɔliˈklinik], *s.* policlínica.

polycondensation [pɔlikɔnden'seiʃən], *s.* policondensação.
polycotyledonous [pɔlikɔti'li:dənəs], *adj.* (bot.) policotiledóneo.
Polycrates [pɔ'likrəti:z], *n. p.* (grego) Polícrates.
polydactyl [pɔli'dæktil], *s.* e *adj.* polidáctilo.
polygamia [pɔli'geimiə], *s.* (bot.) poligamia.
polygamian [-n], *adj.* (bot.) poligâmico.
polygamist [pɔ'ligəmist], *s.* polígamo.
polygamous [pɔ'ligəməs], *adj.* polígamo.
polygamy [pɔ'ligəmi], *s.* poligamia.
polygenist [pə'lidʒənist], *s.* poligenista, partidário do poligenismo.
polygeny [pə'lidʒəni], *s.* poligenia.
polyglot ['pɔliglɔt], **1** — *s.* poliglota; pessoa que sabe muitas línguas; livro escrito em muitas línguas.
2 — *adj.* poliglota; referente a muitas línguas; que conhece muitas línguas.
polygon ['pɔligən], *s.* polígono.
polygon of motion — polígono de movimento.
polygonal [pɔ'ligənl], *adj.* poligonal.
polygonum [pou'ligənəm], *s.* (bot.) sempre-noiva.
polygraph ['pɔligrɑ:f], *s.* polígrafo; multiplicador de cópias; colecção de diversas obras.
polyhalite [pɔli'hælait], *s.* (min.) polialite.
polyhedral ['pɔli'hedrəl], *adj.* (geom.) poliédrico.
polyhedral angle — ângulo poliédrico.
polyhedric [pɔli'hedrik], *adj.* (geom.) ver **polyhedral.**
polyhedron ['pɔli'hedrən], *s.* (geom.) poliedro.
polyhistor [pɔli'histə], *s.* polímato; homem muito sabedor.
Polyhymnia [pɔli'himniə], *n. p.* (mit.) Polímnia ou Poliímnia, uma das nove musas.
polymath ['pɔlimæθ], *s.* polímato.
polymathy [pou'liməθi], *s.* polimatia.
polymeric [pɔli'merik], *adj.* polímere, referente à polimeria.
polymerism [pou'limərizm], *s.* (quím.) polimeria.
polymerization [pɔliməri'zeiʃən], *s.* (quím.) polimerização.
polymorphic [pɔli'mɔ:fik], *adj.* polimórfico.
polymorphism [pɔli'mɔ:fizm], *s.* polimorfismo, polimorfia.
polymorphous [pɔli'mɔ:fəs], *adj.* polimorfo.
Polynesia [pɔli'ni:zjə], *top.* Polinésia.
Polynesian [-n], *s.* e *adj.* polinésio.
polynomial [pɔli'noumjəl], **1** — *s.* polinómio.
2 — *adj.* polinomial.
polynuclear [pɔli'nju:kliə], *adj.* polinuclear.
polynucleate [pɔli'nju:kliit], *adj.* polinucleado.
polyp ['pɔlip], *s.* (zool.) pólipo, animal fitozoário.
polype ['pɔlip], *s.* ver **polyp.**
polypetalous [pɔli'petələs], *adj.* (bot.) polipétalo.
polyphagous [pou'lifəgəs], *adj.* polífago.
polyphase ['pɔlifeiz], *adj.* (elect.) polifásico.
polyphase dynamo — dínamo polifásico.
polyphase circuit — circuito polifásico.
polyphase motor — motor polifásico.
polyphase transformer — transformador polifásico.
polyphase current — corrente polifásica.
Polyphemus [pɔli'fi:məs], *n. p.* (mit.) Polifemo.
polyphonic [pɔli'fɔnik], *adj.* polifónico.
polyphony [pə'lifəni], *s.* polifonia.
polypod ['pɔlipɔd], *s.* e *adj.* (zool.) polípode.
polypodium [pɔli'poudjəm], *s.* (bot.) polipódio.
polypody ['pɔlipədi], *s.* (bot.) polipódio, variedade de fetos.
polypoid ['pɔlipɔid], *adj.* polipóide.
polyporus [pɔli'pɔ:rəs], *s.* (bot.) políporo.
polypous ['pɔlipəs], *adj.* poliposo.
polypus ['pɔlipəs], *s.* (med.) pólipo.
polysepalous [pɔli'sepələs], *adj.* (bot.) polissépalo.
polystyle ['pɔlistail], **1** — *s.* polistilo; colunata.
2 — *adj.* polistilo; com muitas colunas.
polysyllabic ['pɔlisi'læbik], *adj.* polissilábico.
polysyllabically [-əli], *adv.* polissilabicamente.
polysyllable ['pɔlisiləbl], *s.* polissílabo.
polysyllogism [pɔli'siloudʒizm], *s.* (lóg.) polissilogismo.
polysynthetic [pɔlisin'θetik], *adj.* polissintético.
polytechnic [pɔli'teknik], **1** — *s.* escola politécnica.
2 — *adj.* politécnico.
polytechnic school — escola politécnica.
polytheism ['pɔliθi(:)izm], *s.* politeísmo.
polytheist ['pɔliθi(:)ist], *s.* e *adj.* politeísta.
polytheistic [pɔliθi(:)'istik], *adj.* politeísta.
polythene ['pɔliθi:n], *s.* (quím.) politeno.
polythropic ['pɔliθrɔpik], *adj.* politrópico.
polythropic change — mudança politrópica.
polyvalency [pɔli'veilənsi], *s.* (quím.) polivalência.
polyvalent [pou'livələnt], *adj.* (quím.) polivalente.
polyzoa [pɔli'zouə], *s. pl.* (zool.) polizoários.
pom [pɔm], *s.* ver **Pomeranian dog.**
pomace ['pʌmis], *s.* polpa (das maçãs utilizadas no fabrico de cidra ou de outros frutos); resíduos de peixe depois de extraído o óleo.
pomaceous [pə'meiʃəs], *adj.* (bot.) pomáceo.
pomade [pə'mɑ:d], **1** — *s.* pomada, brilhantina para o cabelo.
2 — *vt.* deitar brilhantina em.
pomatum [pə'meitəm], *s.* ver **pomade.**
pome [poum], *s.* (bot.) pomo; (poét.) pomo, maçã; esfera metálica.
pomegranate ['pɔmgrænit], *s.* romã, romãzeira.
pomegranate-tree — romãzeira.
pomelo ['pɔmilou], *s.* (bot.) toranja.
Pomerania [pɔmə'reinjə], *top.* Pomerânia.
Pomeranian [-n], *s.* e *adj.* pomerano.
Pomeranian (Pomeranian dog) — lulu da Pomerânia.
pomfret ['pɔmfrit], *s.* (zool.) xaputa, freira.
pomiculture ['pɔmikʌltʃə], *s.* pomicultura.
pomiferous [pou'mifərəs], *adj.* (bot.) pomífero.
pommel [pʌml], **1** — *s.* botão do punho da espada; cepilho (da sela).
2 — *vt.* (*pret.* e *pp.* **pommelled**) zurzir, bater, espancar.
pomological [pɔmə'lɔdʒikəl], *adj.* pomológico.
pomologist [pə'mɔlədʒist], *s.* pomologista.
pomology [pə'mɔlədʒi], *s.* pomologia.
pomp [pɔmp], *s.* pompa, esplendor, grandeza, ostentação.
pomp and circumstance — grande aparato.
Pompeian [pɔm'pi(:)ən], *adj.* pompeiano, referente a Pompeios.
Pompeii [pɔm'pi:ai, pɔm'peii], *top.* Pompeios.
Pompey ['pɔmpi], *n. p.* (romano) Pompeio.
pom-pom ['pɔm'pɔm], *s.* canhão de pequeno calibre.
pompon ['pɔ̃:mpɔ̃:ŋ], *s.* pompom, borla (costura); (bot.) variedade de crisântemo.
pomposity [pɔm'pɔsiti], *s.* pompa, ostentação; afectação.
pompous ['pɔmpəs], *adj.* pomposo, sumptuoso, ostentoso, aparatoso; (linguagem) afectada. (*Sin.* ostentatious, magnificent, sumptuous, gorgeous, showy. *Ant.* modest.)
pompously [-li], *adv.* pomposamente, sumptuosamente; afectadamente.
pompousness [-nis], *s.* pompa, ostentação, esplendor, fausto.
ponceau ['pɔnsou], *s.* vermelho-vivo.
poncho ['pɔn(t)ʃou], *s.* poncho, capa curta com muita roda.

pond [pɔnd], **1** — *s.* tanque; pequeno lago, geralmente artificial; viveiro (de peixes); (joc.) mar.
mill-pond — represa de moinho.
fish-pond — viveiro de peixes.
to drag a pond — dragar um tanque.
horse-pond — pia onde os cavalos bebem.
pond-lily (bot.) — nenúfar.
the big pond — o oceano Atlântico.
2 — *vt.* e *vi.* formar um lago; represar.
pondage [ˈ-idʒ], *s.* acumulação de água; capacidade de água num tanque, lago ou represa.
ponder [ˈpɔndə], *vt.* e *vi.* ponderar, meditar; estudar; reflectir; considerar.
to ponder over (to ponder on) — meditar sobre.
ponderability [pɔndərəˈbiliti], *s.* ponderabilidade.
ponderable [ˈpɔndərəbl], *adj.* ponderável.
the ponderables — aquilo que se deve tomar em linha de conta.
ponderableness [-nis], *s.* ver **ponderability.**
ponderal [ˈpɔndərəl], *adj.* ponderal.
ponderation [pɔndəˈreiʃən], *s.* ponderação.
pondering [ˈpɔndəriŋ], **1** — *s.* ponderação.
2 — *adj.* ponderado; pensativo.
ponderingly [-li], *adv.* ponderadamente; de modo pensativo.
ponderosity [pɔndəˈrɔsiti], *s.* peso; importância.
ponderous [ˈpɔndərəs], *adj.* pesado; grave; ponderoso; importante; pesado (estilo); lento; tedioso.
ponderously [-li], *adv.* ponderadamente; pesadamente.
ponderousness [-nis], *s.* ver **ponderosity.**
pone [poun,ˈpouni], *s.* pão de leite; pão de milho; o primeiro a jogar em determinados jogos de cartas; jogador que corta; parceiro daquele que corta.
pong [pɔŋ], *vi.* (col.) cheirar mal.
pongee [pɔnˈdʒiː, pʌnˈdʒiː], *s.* pongé (seda chinesa).
pongo [ˈpɔngou], *s.* pongo, grande macaco africano.
poniard [ˈpɔnjəd], **1** — *s.* punhal.
2 — *vt.* apunhalar.
Pontic [ˈpɔntik], *adj.* pôntico, referente ao Ponto Euxino.
the Pontic Sea — o Ponto Euxino.
ponticello [pɔntiˈtʃelou], *s.* (mús.) ponte de instrumento de arco.
pontifex [ˈpɔntifeks], *s.* (*pl.* **pontifices**) pontífice, na antiga Roma.
Pontifex Maximus — pontífice máximo.
pontiff [ˈpɔntif], *s.* pontífice; papa; bispo.
sovereign pontiff — pontífice soberano, papa.
pontifical [pɔnˈtifikəl], **1** — *s.* pontifical, ritual do papa e dos bispos; *pl.* capa e insígnias de bispo; traje de gala.
2 — *adj.* pontifical, pontifício.
pontifically [-i], *adv.* pontificalmente.
pontificate **1** — [pɔnˈtifikit], *s.* pontificado.
2 — [pɔnˈtifikeit], *vi.* pontificar; celebrar missa com pontifical.
pontify [ˈpɔntifai], *vi.* pontificar; fazer-se importante.
Pontius Pilate [ˈpɔntjəsˈpailət], *n. p.* (romano) Pôncio Pilatos.
pontoneer [pɔntəˈniə], *s.* (mil.) pontoneiro.
pontoon [pɔnˈtuːn], **1** — *s.* **pontão; barcaça; doca flutuante; vinte-e-um (jogo de cartas).**
pontoon corps (mil.) — corpo de pontoneiros.
pontoon-bridge — ponte de barcas.
2 — *vt.* atravessar um rio por meio de uma ponte de barcas.
pony [ˈpouni], *s.* garrano, pónei; (fam.) vinte e cinco libras.
Jerusalem pony — jumento.
pony-engine — motor auxiliar de arranque.

poodle [puːdl], **1** — *s.* cão-d'água.
2 — *vt.* cortar o pêlo a um cão de maneira que ele fica semelhante a um cão-d'água.
pooh [puː], *interj.* ora bolas!; basta!
Pooh-Bah [ˈpuːˈbɑː], *s.* pessoa que tem muitos cargos ao mesmo tempo, topa-a-tudo.
pooh-pooh [ˈpuːˈpuː], *vt.* desprezar; ridicularizar; rir-se de.
he pooh-poohed the idea — ele manifestou desprezo pela ideia.
pooka [ˈpuːkə], *s.* duende.
pool [puːl], **1** — *s.* charco, lagoa, lago; fusão de interesses ou de empresas; bolo (em certos jogos); combinação para especular em fundos ou valores públicos. (*Sin.* pond, lake, puddle.)
a pool of blood — um charco de sangue.
pool cathode (elect.) — cátodo de mercúrio.
football pool — totobola; concurso de prognósticos desportivos.
swimming-pool — piscina.
2 — *vt.* mancomunar interesses; formar um bolo (em certos jogos); formar um charco; minar.
pooling [ˈ-iŋ], *s.* associação para excluir concorrência prejudicial; exploração comum; junção (de lucros ou fundos).
poon [puːn], *s.* (bot.) puna.
poop [puːp], **1** — *s.* (náut.) popa, tombadilho da ré; (col.) pateta.
poop deck — tombadilho.
poop ladder — escada do tombadilho.
poop lantern — farol da popa.
2 — *vt.* e *vi.* (náut.) meter mar pela popa; abalroar de popa; troar (canhão).
to poop a ship — varrer a popa dum navio (vaga).
pooped [-t], *adj.* (náut.) com popa.
pooping [ˈ-iŋ], *s.* vaga da popa; abalroamento pela popa.
poor [puə, pɔə, pɔː], **1** — *s. pl.* (sempre precedido de art. def.).
the poor — os pobres.
the poor in spirit — os pobres de espírito.
2 — *adj.* pobre, necessitado; escasso; falto; de pouco valor, de pouco mérito; mau, de má qualidade; infeliz, desditoso, desgraçado; humilde; abatido; inútil; indisposto, enfermiço. (*Sin.* needy, indigent, barren, sterile. *Ant.* rich, fertile.)
as poor as a church mouse — pobre como Job.
poor thing! — pobrezito!
poor-box — caixa de esmolas para os pobres (nas igrejas).
poor-rate — esmolas para os pobres; imposto para a assistência pública.
poor-spirited — tímido; cobarde.
poor-spiritedness — cobardia; pusilanimidade.
poor fellow! — coitado!
in my poor opinion — na minha fraca opinião.
the crop was poor — a colheita foi escassa.
he is a poor creature — ele é um pobre diabo.
poor conducting material — material mau condutor.
poor farm (E. U.) — casa dos pobres.
poor health — saúde fraca.
poor-house — casa dos pobres.
poor gas — gás pobre.
poor me! — ai de mim!
poor lime — cal magra.
poor-law — leis de assistência pública.
poor quality — qualidade inferior.
to be poor at Geography — saber pouco de Geografia.
to cut a poor figure — fazer uma figura triste.
the poorer classes — as classes pobres.
there was a poor house (teat.) — estava uma casa fraca.
to make but a poor shift — viver pobremente.

to have a poor opinion of somebody — ter má opinião de alguém.
to be poor in merit — ter pouco mérito.
poorly ['-li], **1** — *adj.* indisposto, doente.
to look poorly — estar com mau aspecto.
he is very poorly — ele está muito doente.
2 — *adv.* pobremente; tristemente; deficientemente.
to think poorly of somebody — ter má opinião de alguém.
poorly-gifted — pouco dotado.
poorness ['-nis], *s.* pobreza, indigência, miséria; necessidade, falta; carência, deficiência; má qualidade.
pop [pɔp], **1** — *s.* estalo, estoiro, ruído seco; **detonação; (col.) concerto popular; (col.) bebida gasosa; (E. U.) papá, paizinho; (col.) querida. (*Sin.* burst, detonation,** explosion, bang, report.)
pop corn — milho assado.
pop-shop — casa de penhores.
in pop (fam.) — empenhado, no prego.
pop-gun — espingarda de ar comprimido.
to have a pop at something — dar um tiro a alguma coisa.
Saturday pops (mús.) — concertos populares de sábado.
2 — *vt.* e *vi.* disparar; soltar; estalar; fazer **estoirar; dar um tiro; (col.) empenhar,** pôr no prego; assar milho; fazer saltar uma rolha; entrar ou sair precipitadamente.
to pop in — entrar precipitadamente.
to pop out — sair precipitadamente.
to pop off — desaparecer, morrer.
to pop the question — propor casamento.
to pop up — aparecer de repente.
to pop a gun — disparar uma espingarda.
to pop at — disparar contra.
to pop corn — assar milho.
to pop off the hooks (cal.) — morrer; «bater a bota».
to pop on one's coat — vestir o casaco.
to pop round — ir dar uma volta; aparecer.
to pop into bed — meter-se na cama.
3 — *interj.* pum!
to go pop — saltar (rolha).
pope [poup], *s.* papa, pontífice; pope (igreja ortodoxa); (zool.) pequena perca fluvial.
Pope Joan — papisa Joana; jogo de cartas.
popedom ['-dəm], *s.* papado.
popery ['-əri], *s.* (depr.) papismo, catolicismo.
popinjay ['pɔpindʒei], *s.* (arc.) papagaio; picanço, peto-real; peralta, peralvilho.
popish ['poupiʃ], *adj.* (depr.) papista, papal, católico.
popishly [-li], *adv.* (depr.) como os papistas ou como os papas.
popishness [-nis], *s.* (depr.) papismo.
poplar ['pɔplə], *s.* (bot.) choupo, álamo.
white poplar (silver poplar) — choupo-branco; faia-branca; olmo-branco.
trembling poplar — choupo-tremedor.
black poplar — choupo-negro; álamo-negro.
Poplarism **[-rizm], *s.* (col.) má administração municipal.**
poplin ['pɔplin], *s.* popelina (tecido).
popliteal [pɔ'plitiəl], *adj.* (anat.) poplíteo, referente à curva da perna.
popliteal artery — artéria poplítea.
poppa ['pɔpə], *s.* (E. U.) papá.
poppet ['pɔpit], *s.* pessoa pequena; (mec.) cabeçote de torno.
poppet-valve — válvula de engate.
poppet-head — cabeçote móvel.
poppied ['pɔpid], *adj.* coberto de papoilas; sonolento; sonífero.
popping ['pɔpiŋ], *s.* barulho feito por uma rolha ao saltar; tiro.
***popping of the question* (col.) — proposta de casamento.**
popple [pɔpl], **1** — *s.* ondulação (da superfície da água).
2 — *vi.* rolar, mexer-se; deslisar (água); ondular (água).
popply ['-i], *adj.* agitado (água).
poppy ['pɔpi], *s.* (bot.) papoila.
opium poppy — dormideira.
field poppy — papoila dos prados.
corn poppy — papoila rubra.
poppy-coloured — cor de papoila.
poppy-cock [-kɔk], *s.* tolices; disparates.
populace ['pɔpjuləs], *s.* populaça, plebe.
popular ['pɔpjulə], *adj.* popular; estimado pelo povo; querido; (jur.) público. (*Sin.* favourite, admired, familiar, common, current. *Ant.* detested.)
in popular language — em linguagem popular.
at popular prices — a preços populares.
he is popular with his men — ele é muito estimado pelo seu pessoal.
popular disease — doença endémica.
popular government — governo democrático.
popularity [pɔpju'læriti], *s.* popularidade.
popularization [pɔpjulərai'zeiʃən], *s.* popularização.
popularize ['pɔpjuləraiz], *vt.* popularizar, vulgarizar, divulgar.
popularizer [-ə], *s.* popularizador, vulgarizador.
popularly ['pɔpjuləli], *adv.* popularmente, vulgarmente.
populate ['pɔpjuleit], *vt.* e *vi.* povoar; multiplicar-se, propagar-se.
populated [-id], *adj.* povoado.
to become populated — povoar-se.
population [pɔpju'leiʃən], *s.* população; (rar. acção de povoar.
an increase in population — um aumento de população.
a fall in population — um decréscimo de população.
populism ['pɔpjulizm], *s.* (popular) populismo.
populist ['pɔpjulist], *s.* (popular) populista.
populistic [pɔpju'listik], *adj.* populista.
populous ['pɔpjuləs], *adj.* populoso, muito povoado.
populousness [-nis], *s.* povoação; abundância de população.
poral ['pɔrəl], *adj.* dos poros.
porbeagle ['pɔ:bi:gl], *s.* (zool.) sardo.
porcelain ['pɔ:slin], *s.* porcelana, louça fina.
porcelain-shell — concha-de-vénus (marisco).
porcelain clay — caulino.
porcelain insulator (elect.) — isolador de porcelana.
porcelain-enamelled — esmaltado.
porcelainize [-aiz], *vt.* transformar em porcelana.
porcellaneous [pɔ:sə'leinjəs], *adj.* porcelânico.
porcellanic [pɔ:sə'lenik], *adj.* ver **porcellaneous.**
porcellanite ['pɔ:slənait], *s.* (min.) porcelanite.
porch [pɔ:tʃ], *s.* pórtico; átrio, vestíbulo, entrada; (E. U.) varanda, sacada.
porched [-t], *adj.* com pórtico; com átrio; (E. U.) com varanda ou sacada.
porcine ['pɔ:sain], *adj.* porcino; suíno.
porcupine ['pɔ:kjupain], *s.* (zool.) porco-espinho.
porcupine fish — ouriço-do-mar.
porcupine disease — ictiose.
pore [pɔ:, pɔə], **1** — *s.* poro.
2 — *vi.* esquadrinhar; meditar; ler atentamente. (*Sin.* to brood, to study, to read.)
to pore over a book — embeber-se na leitura dum livro.

to pore upon — meditar profundamente sobre.
to pore one's eyes out — cansar os olhos de tanto ler.
porgy ['pɔ:dʒi], *s.* (zool.) pargo.
porifer ['pɔ:rifə], *s.* (zool.) espongiário.
porifera [pɔ:'rifərə], *s. pl.* (zool.) espongiários.
porism ['pɔ:rizm], *s.* (mat.) porisma.
porismatic [pɔ:riz'mætik], *adj.* porismático.
poristic [pɔ'ristik], *adj.* porístico.
pork [pɔ:k], *s.* carne de porco.
pork-chop — costeleta de porco.
corned-pork — carne de porco salgada.
pork pie — pastelão de carne de porco.
pork-pie hat — chapéu de feltro chato e redondo.
pork barrel — salgadeira.
pork-butcher — matador de porcos.
porker ['-ə], *s.* porco de engorda, cevado.
porket ['-it], *s.* bácoro gordo.
porkling ['-liŋ], *s.* bácoro, porco pequeno.
porky ['-i], *adj.* porcino, semelhante a porco; (col.) gordo.
pornocracy [pɔ:'nɔkrəsi], *s.* pornocracia.
pornographer [pɔ:'nɔgrəfə], *s.* pornógrafo.
pornographic [pɔ:nə'græfik], *adj.* pornográfico.
pornographically [-əli], *adv.* pornograficamente.
pornography [pɔ:'nɔgrəfi], *s.* pornografia.
poroplastic [pɔ:rɔ'plæstik], *adj.* poroplástico.
poroscopy [pɔ:'rɔskəpi], *s.* poroscopia.
porosity [pɔ:'rɔsiti], *s.* porosidade.
porous ['pɔ:rəs], *adj.* poroso.
porous cell — vaso poroso.
porous wood — madeira porosa.
porous material — material poroso.
porously [-li], *adv.* porosamente, com poros.
porousness [-nis], *s.* porosidade.
porphyrite ['pɔ:firait], *s.* (min.) porfirite.
porphyritic [pɔ:fi'ritik], *adj.* (min.) porfirítico.
porphyrization [pɔ:firi'zeiʃən], *s.* porfirização.
porphyry ['pɔ:firi, 'pɔ:fəri], *s.* pórfiro.
porpoise ['pɔ:pəs], **1** — *s.* porco-marinho; golfinho; balanço de popa a proa (avião). **2** — *vi.* balançar de popa a proa (avião).
porraceous [pɔ'reiʃəs], *adj.* porráceo; com a cor de porro.
porridge ['pɔridʒ], *s.* papa de aveia.
keep your breath to cool your porridge! — guarde o conselho para quem lho pedir!
porriginous [pɔ'ridʒinəs], *adj.* (med.) porriginoso; que tem porrigem ou porrigo.
porrigo [pɔ'raigou], *s.* (pat.) porrigo, porrigem.
porringer ['pɔrindʒə], *s.* tigela.
port [pɔ:t], **1** — *s.* porto; baía; angra; bombordo; vinho do Porto; porte, ar, garbo; portinhola, orifício; canal; (mil.) espingarda atravessada em frente do corpo (quando há inspecção); lugar de refúgio.
port of call — porto de escala.
port-side — costado de bombordo.
port of destination — porto de destino.
any port in a storm — qualquer tábua de salvação.
port charges — direitos de porto.
port admiral — capitão do porto.
port of clearing — porto com alfândega.
port-flap (port-lid) — portinhola.
port of sailing — porto de partida.
port of distress — porto de arribada.
coaling-port — porto carvoeiro.
entering port (gangway port) — portaló.
close port — porto interior.
home port — porto nacional.
free port — porto franco.
port-light — farol de bombordo.
safe port — porto seguro.
port wing — ala esquerda (de uma esquadra).
port anchor — âncora de bombordo.
port-hole — vigia.
port of delivery — porto de descarga.
port-town — porto de mar.
port of refuge — porto de salvamento.
commercial port — porto comercial.
river port — porto fluvial.
naval port — porto militar.
sea port — porto marítimo.
to port — a bombordo.
valve port — orifício de válvula.
trading port — porto comercial.
to clear the port — sair do porto.
to enter port — entrar no porto.
to touch at a port — fazer escala num porto.
to heel to port — dar a bombordo.
to get safe into port — chegar a bom porto.
land to port! — terra a bombordo!
to put the helm a-port — virar o leme para bombordo.
2 — *vt.* e *vi.* levar a espingarda a tiracolo; levar, conduzir; passar a bombordo; pôr o leme a bombordo, guinar para bombordo.
port! port the helm! — a bombordo!
portability [pɔ:tə'biliti], *s.* portabilidade.
portable ['pɔ:təbl], *adj.* portátil; desmontável. volante; suportável.
portable building — casa desmontável.
portable engine — motor portátil.
portable lamp — lâmpada portátil.
portable pump — bomba portátil.
portable-boiler — caldeira móvel.
portable radio — rádio portátil.
portable saw — serra manual.
portable typewriter — máquina de escrever portátil.
portable transmitter — transmissor portátil.
portableness [-nis], *s.* portabilidade.
portage ['pɔ:tidʒ], **1** — *s.* portagem; despesas de porto; carreto; transporte, porte; condução; espaço entre dois rios ou canais.
mariner's portage — pacotilha de marinheiro.
2—*vt.* transportar por terra dum rio para outro.
portal [pɔ:tl], **1** — *s.* portal; portada; vestíbulo. **2** — *adj.* (anat.) porta.
portal vein — veia porta.
portamento [pɔ:tə'mentou], *s.* (*pl.* **portamenti**) (mús.) portamento.
portative ['pɔ:tətiv], *adj.* portátil; que serve de apoio; que serve para transportar.
portcullis [pɔ:t'kʌlis], *s.* ponte levadiça; porta levadiça.
portcullised [-t], *adj.* protegido por gradeado móvel de ferro, com porta levadiça; com ponte levadiça.
Porte [pɔ:t], *s.* Porta Otomana.
the Sublime Porte (the Ottoman Port) — a Porta Otomana.
ported ['-id], *adj.* com orifícios.
portend [pɔ:'tend], *vt.* predizer, prognosticar; agoirar.
portent ['pɔ:tent], *s.* presságio; mau agoiro; portento. (*Sin.* token, omen, presage, premonition.)
portentous [pɔ:'tentəs], *adj.* portentoso, prodigioso; ominoso; monstruoso.
portentously [-li], *adv.* portentosamente, prodigiosamente; agoirentamente.
porter ['pɔ:tə], *s.* portador, moço de fretes, carregador (de estação de caminho-de-ferro); porteiro; guarda-portão; variedade de cerveja preta.
porter's lodge — casa do porteiro.
porter-house — cervejaria-restaurante.
luggage porter — bagageiro.
porter-house steak — lombo de vaca.
porterage [-ridʒ], *s.* ofício de carregador; transporte.

portfire ['pɔ:tfaiə], *s.* bota-fogo, morrão.
portfolio [pɔ:t'fouljou], *s.* pasta (para folhas soltas de papel, desenhos, etc.); (col.) ministério.
minister without portfolio — ministro sem pasta.
portico ['pɔ:tikou], *s.* pórtico, átrio.
portion ['pɔ:ʃən], **1** — *s.* porção, parte; quinhão; dote; fracção (de bilhete); comboio.
marriage portion — dote de casamento.
2 — *vt.* repartir, dividir em porções, distribuir; dar dote a.
portioner [-ə], *s.* partidor, repartidor; beneficiário.
portionless [-lis], *adj.* que não tem dote; que não comparticipa numa propriedade.
Portland ['pɔ:tlənd], *top.* cidade norte-americana; península na Inglaterra.
Portland stone — variedade de pedra calcária.
Portland cement — portlande (cimento hidráulico).
Portlandian [pɔ:t'lændiən], *adj.* (geol.) portlandiano, portlândico.
portliness ['pɔ:tlinis], *s.* imponência física; corpulência.
portly ['pɔ:tli], *adj.* com imponência física; corpulento.
portmanteau [pɔ:t'mæntou], *s.* (*pl.* **portmanteaus, portmanteaux**) mala de mão, mala para roupa.
portmanteau word — palavra formada por elementos de outras duas (ex. smog).
portoise ['pɔ:tɔiz], *s.* (náut.) alcatrate.
portrait ['pɔ:trit], *s.* retrato, fotografia (de pessoa ou animal); descrição; semelhança.
full-length portrait — retrato de corpo inteiro.
half-length portrait — retrato a meio corpo.
portrait-painter — retratista.
to take somebody's portrait — tirar a fotografia a alguém.
to have one's portrait taken (to sit for one's portrait) — tirar uma fotografia, mandar tirar uma fotografia.
portraitist [-ist], *s.* retratista.
portraiture ['pɔ:tritʃə], *s.* retrato; acto de tirar uma fotografia; colecção de fotografias; descrição ao vivo.
portray [pɔ:'trei], *vt.* retratar; representar; (E. U.) representar (uma personagem) no palco.
portrayal [-əl], *s.* retrato, pintura; representação.
portrayal of manners — pintura de costumes.
portrayer [-ər], *s.* pintor, retratista; pessoa que representa, descreve.
portreeve ['pɔ:tri:v], *s.* burgomestre (em tempos antigos); funcionário dependente do burgomestre.
portress ['pɔ:tris], *s. fem.* porteira.
Portugal ['pɔ:tjugəl], *top.* Portugal.
Portuguese [pɔ:tju'gi:z], **1** — *s.* português, natural de Portugal, língua portuguesa.
2 — *adj.* português.
pose [pouz], **1** — *s.* pose (atitude de afectação ou posição para fotografia ou quadro); falta de sinceridade.
without pose — sem afectação.
2 — *vt.* e *vi.* pôr em determinada posição; agir com afectação; posar; atrapalhar, embaraçar; pôr (uma questão).
to pose a question — pôr uma questão.

poser ['pouzə], *s.* enigma; problema difícil.
poseur [pou'zə], *s.* pessoa afectada; pessoa que gosta de dar nas vistas.
posh [pɔʃ], **1** — *adj.* (cal.) elegante.
2 — *vt.* embelezar.
to posh oneself up — enfeitar-se; ataviar-se; pôr-se todo elegante.
posit ['pɔzit], *vt.* colocar; anunciar como postulado; pressupor como certo.
position [pə'ziʃən], **1** — *s.* posição; situação; atitude; posição social; maneira de pensar; emprego público; (mil.) situação estratégica; (fil.) asserção.
in position — na devida posição.
position-artillery — artilharia pesada de campanha.
position of rest — posição de descanso.
out of position — deslocado.
position indicator — indicador de posição.
to storm a position (mil.) — atacar uma posição.
financial position — situação financeira.
position of dead centre — posição de ponto morto.
to sit in a comfortable position — sentar-se confortavelmente.
reference position — ponto de referência.
to take up a position on a question — tomar posição perante um problema.
to get a position — alcançar uma ocupação oficial.
to keep up one's position — manter a sua posição social.
persons of position — pessoas de alta posição social.
a low position in society — uma baixa posição social.
a high position in society — uma alta posição social.
if you were in my position — se estivesses no meu lugar.
to hold a position — ocupar um cargo.
2 — *vt.* pôr em posição; localizar.
positional [-l], *adj.* referente a posição.
positioned [-d], *adj.* colocado; situado.
positioning [-iŋ], *s.* acção de colocar em posição; acção de determinar a posição.
positive ['pɔzətiv, 'pɔzitiv], **1** — *s.* quantidade positiva; (gram.) positivo; pólo positivo.
2 — *adj.* positivo; certo; seguro; categórico, terminante; concreto, real; (mat., gram., elect., fís., fot.) positivo; definido.
positive electrode — ânodo, anódio.
positive theology — teologia dogmática.
positive degree (gram.) — grau positivo.
positive carbon (elect.) — carvão positivo.
positive charge (elect.) — carga positiva.
positive angle — ângulo positivo.
positive pole (elect.) — pólo positivo.
positive nucleous — núcleo positivo.
positive quantity (mat.) — quantidade positiva.
positive catalist (quím.) — catalisador positivo.
positive polarity — polaridade positiva.
positive knowledge — conhecimento positivo.
positive potential (elect.) — potencial positivo.
positive electricity — electricidade positiva.
a positive fact — um facto verdadeiro.
positive drive — accionamento mecânico.
positive maximum (elect.) — máximo positivo.
positive proof — prova positiva; prova evidente.
positive number (mat.) — número positivo.
positive philosophy — filosofia positiva.
a positive turn of mind — um espírito prático.
don't be so positive! — não sejas tão categórico!
to give somebody positive orders — dar ordens terminantes a alguém.
it's a positive fact — é um facto verídico.
positively [-li], *adv.* positivamente, categòricamente, absolutamente; certamente, seguramente.
to refuse positively — recusar terminantemente.
positiveness [-nis], *s.* positividade; certeza; segurança; exactidão; realidade; contumácia, teimosia.

positivism ['pɔzitivizm], *s.* positivismo.
positivist ['pɔzitivist], *s.* e *adj.* positivista.
positivistic [pɔziti'vistik], *adj.* positivista.
positivity [pɔzi'tiviti], *s.* positividade.
posological [pɔsə'lɔdʒikəl], *adj.* (med.) posológico.
posology [pə'sɔlədʒi], *s.* (med.) posologia.
posse ['pɔsi], *s.* milícia; pelotão; destacamento policial.
posse comitatus — força civil para segurança pública.
possess [pə'zes], *vt.* possuir, estar de posse; gozar; ter; apoderar-se; ocupar; dominar. (*Sin.* to have, to own, to hold, to control, to occupy, to enjoy. *Ant.* to lose.)
to possess oneself of — apoderar-se de.
to be possessed of — possuir; ser senhor de.
to possess a woman — possuir uma mulher.
to be possessed with an idea — estar dominado por uma ideia.
possessed [-t], *adj.* possuído; possesso.
possession [pə'zeʃən], *s.* possessão; posse; poder, domínio; *pl.* riquezas, bens, posses, propriedades, património.
to take possession of — tomar posse de; apoderar-se de.
in possession of — de posse de.
to have great possessions — ter muitas posses.
in full possession of his faculties — em plena posse das suas faculdades.
to have in one's possession — ter na sua posse.
right of possession — direito de posse.
possessive [pə'zesiv], **1** — *s.* (gram.) caso possessivo; pronome possessivo.
2 — *adj.* possessivo.
possessive pronoun — pronome possessivo.
possessive adjective — adjectivo possessivo.
possessive case — caso possessivo.
possessor [pə'zesə], *s.* possuidor.
possessorship [-ʃip], *s.* posse, acção de possuir.
possessory [-ri], *adj.* (jur.) possessório.
possessory action (jur.) — acção possessória.
posset ['pɔsit], *s.* bebida feita de leite coalhado, açúcar, cerveja, vinho, etc.
possibilist [pɔ'sibilist], *s.* possibilista, partidário do possibilismo (doutrina política).
possibility [pɔsə'biliti, pɔsi'biliti], *s.* possibilidade; contingência, eventualidade; *pl.* possibilidade.
there is no possibility of his coming — não há possibilidade de ele vir.
it is beyond the range of possibility — é absolutamente impossível.
to foresee all the possibilities — prever todas as eventualidades.
to consider the possibility of — considerar a possibilidade de.
possible ['pɔsəbl, 'pɔsibl], **1** — *s.* possível; o máximo possível; *pl.* (desp.) possíveis.
to do one's possible — fazer o possível.
a game between possibles and probables (desp.) — um jogo entre possíveis e prováveis.
2 — *adj.* possível; razoável, aceitável. (*Sin.* practicable, likely, potential. *Ant.* impossible.)
as soon as possible — logo que possível.
as much as possible — tanto quanto possível.
if possible — se for possível.
that is quite possible — é muito possível.
as far as possible — na medida do possível.
as well as possible — o melhor possível.
to be scarcely possible to say — mal se poder dizer.
to insure against possible accidents — segurar contra riscos eventuais.
possibly [-i], *adv.* possivelmente; provavelmente; talvez.
I cannot possibly do it — talvez não possa fazê-lo.
as soon as I possibly can — o mais cedo que eu puder.
possum ['pɔsəm], *s.* (col.) ver **opossum.**
to play possum — fazer de doente.
post [poust], **1** — *s.* poste, pilar; baliza; posto; emprego; cargo; posta, correio, mala; estafeta; guarnição; (desp.) poste de chegada ou partida; lugar fortificado guarnecido de soldados ou polícias; estação dos correios; (elect.) posto de ligação.
post-free — franco de porte.
by return of post — na volta do correio.
***post-paid* — franco de porte, com porte pago.**
to send something by post — mandar alguma coisa pelo correio.
detached post — posto isolado.
post-bag — mala do correio.
by today's post — no correio de hoje.
post day — dia de correio.
post mistress — empregada de correio.
by next post — no próximo correio.
post-entry — declaração adicional (na alfândega).
post service — serviço do correio.
post-boat — barco correio.
post-boy — estafeta; postilhão.
post-horse — cavalo de posta.
post-chaise — mala-posta.
post-town — cidade com estação central dos correios.
trading post — posto comercial.
frontier post (mil.) — posto fronteiriço.
advanced post (mil.) — posto avançado.
post-office directory — anuário dos correios.
air-post — correio aéreo.
finger-post — poste indicador de direcção.
parcel post — encomenda postal.
connecting post (mil.) — posto de ligação.
the first post — o primeiro toque de recolher.
the last post — o último toque de recolher.
the General Post Office — o Correio-Geral.
to take post (mil.) — ocupar uma posição.
to win on the post (desp.) — ganhar sobre a linha de chegada.
to have a heavy post — receber muito correio.
to be on post — estar de sentinela.
to be tossed from pillar to post — ser mandado de Herodes para Pilatos.
to open one's post — abrir a correspondência que se recebeu.
2 — *adv.* pelo correio; com rapidez, depressa.
to travel post — viajar em mala-posta.
3 — *vt.* e *vi.* postar; afixar cartazes; anunciar; colocar; deitar correspondência no correio; lançar (em livros); afixar lista de estudantes reprovados (universidade); viajar depressa;
to post up — afixar.
to post up a letter — deitar uma carta no correio.
post no bills! — afixação proibida!
to post a sentry — postar uma sentinela.
to post a wall — afixar cartazes numa parede, cobrindo-a completamente.
to be well posted up (col.) — estar bem informado.
postage ['-idʒ], *s.* porte, franquia, despesas postais.
postage stamp — selo postal.
postage-free — isento de franquia.
rates of postage — taxas postais.
additional postage — sobretaxa postal.
postal ['-əl], *adj.* postal.
postal order — vale do correio.
postal convention — convénio postal.

postal authorities — administração dos correios.
postal charges — despesas de franquia.
Postal Union — União Postal.
the Postal and Telegraph Services — os Correios e Telégrafos.
postal wrapper — cinta para impressos.
postcard ['-kɑ:d], *s.* bilhete postal.
picture postcard — bilhete postal ilustrado.
post-classical [-'klæsikəl], *adj.* pós-clássico.
postdate, 1 — ['poustdeit], *s.* pós-data.
2 — [poust'deit], *vt.* pós-datar.
post-diluvial [poustdi'lju:viəl], *adj.* pós-diluviano.
post-diluvian [poustdi'lju:viən], *adj.* ver **post-diluvial.**
posted ['poustid], *adj.* com pilares, com colunas.
poster ['poustə], *s.* cartaz, anúncio; edital; pessoa que afixa cartazes, anúncios, editais.
to stick up a poster — afixar um cartaz.
bill-poster — afixador de cartazes.
postered [-d], *adj.* coberto de cartazes.
poste restante ['poust'restɑ̃:nt], *s.* posta-restante.
posterior [pɔs'tiəriə], **1** — *s.* nádegas, (col.) traseiro.
2 — *adj.* posterior, ulterior.
posteriority [pɔstiəri'ɔriti], *s.* posterioridade.
posteriorly [pɔs'tiəriəli], *adv.* posteriormente.
posterity [pɔs'teriti], *s.* posteridade; descendentes.
postern ['poustə:n], *s.* porta traseira; porta pequena; poterna.
postface ['poustfeis], *s.* posfácio.
postfix, 1 — ['poustfiks], *s.* sufixo.
2 — [poust'fiks], *vt.* acrescentar um sufixo a.
post-glacial ['poust'gleisiəl], *adj.* (geol.) pós-glaciário.
post-graduate [poust'grædjuit], *adj.* (esc.) depois da formatura; para aperfeiçoamento.
posthaste ['poustheist], **1** — *s.* (arc.) grande velocidade.
2 — *adv.* à pressa, velozmente, com grande velocidade.
posthumous ['pɔstjuməs], *adj.* póstumo.
posthumously [-li], *adv.* postumamente.
posticous [pɔs'ti:kəs], *adj.* (bot.) postico, que está atrás.
postil ['pɔstil], *s.* apostila, comentário marginal a texto da Escritura.
postillion [pəs'tiljən, pɔs'tiljən], *s.* postilhão.
post-impressionism ['poust-im'preʃnizm], *s.* neo-impressionismo, pós-impressionismo.
post-impressionist ['poust-im'preʃnist], *s.* neo-impressionista, pós-impressionista.
postlude ['poustlju:d], *s.* (mús.) poslúdio.
post-luminescence ['poustljumi'nesəns], *s.* (elect.) luminescência residual.
postman ['poustmən], *s.* carteiro.
postmark ['poustmɑ:k], **1** — *s.* carimbo do correio.
2 — *vt.* carimbar.
to be postmarked Paris — trazer o carimbo de Paris (carta).
postmaster ['poustmɑ:stə], *s.* administrador do correio, chefe dos correios.
The Postmaster General — o correio-mor.
postmastership [-ʃip], *s.* cargo de chefe dos correios.
postmeridian [poustmə'ridiən], *adj.* pós-meridiano; depois do meio-dia (*abrev.* **p. m.**).
post meridiem [poustme'ridiem], *adv.* depois do meio-dia (*abrev.* **p. m.**).
at 5 o'clock p. m. — às cinco horas da tarde.
postmistress ['poustmistris], *s. fem.* chefe dos correios (mulher).
post-mortem ['poust-'mɔ:tem], **1** — *s.* autópsia.
2 — *adj.* depois da morte.
a post-mortem examination — uma autópsia.
3 — *adv.* depois da morte.
postnatal ['poust'neitl], *adj.* pós-natal.
postnuptial [poust'nʌpʃəl], *adj.* pós-nupcial.
post-obit [poust'ɔbit, poust'oubit], **1** — *s.* dinheiro pagável após a morte de terceiro de quem o devedor espera receber herança.
2 — *adj.* que produz efeito depois da morte.
post-obit bond — ver **post-obit.**
post office ['poust 'ɔfis], *s.* correio, estação de correio, repartição postal.
General Post Office — Correio-Geral.
post office order — vale postal.
Post-Office Savings Bank — Caixa Económica.
post-office box — caixa postal.
post-office clerk — empregado do correio.
postpalatal [poust'pælətəl], *adj.* pós-palatal.
post-partum [poust'pɑ:təm], *adj.* pós-puerperal.
post-partum fever — febre puerperal.
postponable [poust'pounəbl], *adj.* adiável.
postpone [poust'poun, pəs'poun], *vt.* e *vi.* adiar; transferir; pospor; demorar.
postponement [-mənt], *s.* adiamento; transferência; demora.
postponer [-ə], *s.* pessoa que adia; pessoa que transfere.
postposition ['poustpə'ziʃən], *s.* (gram.) posposição; partícula ou palavra posposta.
postprandial [poust'prændiəl], *adj.* pós-prandial, após uma refeição.
postprandial nap — sesta depois do almoço.
post-primary [poust'praiməri], *adj.* (esc.) depois da escola primária.
post-scoring ['poust'skɔ:riŋ], *s.* sonorização (de filme mudo).
postscript ['pousskript], *s.* pós-escrito.
postulant ['pɔstjulənt], *s.* postulante, requerente, suplicante; noviço.
postulate 1 — ['pɔstjulit, 'pɔstjuleit], *s.* postulado.
Euclid's postulate — o postulado de Euclides.
2 — ['pɔstjuleit], *vt.* e *vi.* postular, requerer, reclamar; considerar como postulado.
postulation [pɔstju'leiʃən], *s.* postulação; requerimento; postulado.
postulator ['pɔstjuleitə], *s.* postulador; postulante.
postural ['pɔstjurəl], *adj.* referente a postura do corpo, aspecto físico, etc.
posture ['pɔstʃə, 'pɔstjuə], **1** — *s.* postura, atitude, posição; estado, condição.
posture-master — professor de ginástica rítmica.
posture-maker — acrobata.
2 — *vt.* e *vi.* pôr ou pôr-se em determinada posição; posar (modelo); tomar uma atitude afectada, fazer pose.
posturer [-rə], *s.* pessoa que toma determinada atitude.
posturing [-riŋ], *s.* acção de tomar determinada atitude.
posturize ['pɔstʃuraiz], *vi.* tomar determinada atitude; tomar uma atitude afectada.
post-war ['poust'wɔ:], *adj.* do após-guerra.
posy ['pouzi], *s.* ramalhete de flores; (arc.) frase ou verso inscrito dentro dum anel.
pot [pɔt], **1** — *s.* panela; vaso; pote; jarro; quantidade contida numa panela, vaso, etc.; aposta (no jogo); tubo de chaminé; (col.) taça de prata dada como prémio; covo para apanhar enguias; rede lagosteira; pessoa muito importante; bacio.
tea-pot — bule.
pot-belly — barrigudo.

pot-bellied — barrigudo, pançudo.
to take pot luck — comer do que houver.
pot-herbs — hortaliças.
to keep the pot boiling (fig.) — não esmorecer.
pot-lid — tampa de panela; testo.
a watched pot never boils (fig.) — quem espera desespera.
pot-boiler — obra literária ou artística feita à pressa para ganhar a vida.
big pot (fam.) — pessoa de importância.
***pot-boy* — rapaz que trabalha em taberna.**
pot-ear — asa de púcaro.
pot hat — chapéu de coco.
pot-garden — quintal, horta.
pot-house — taberna.
pot-house manners — modos grosseiros.
***pot-hunter* — desportista que se interessa só pelo prémio.**
***pot-valiant* — valente por ter bebido.**
beer-pot — caneca de cerveja.
pots and pans — trem de cozinha.
***pot-shot* — tiro sem cuidado na pontaria.**
coffee-pot — cafeteira.
chamber-pot — bacio.
glue-pot — frasco de cola.
***to go to pot* (col.) — arruinar-se.**
flower-pot — vaso de flores, jarra de flores.
to keep the pot boiling — ganhar para viver.
jam-pot — frasco de compota.
***the pot calls the kettle black* (col.) —** o roto do esfarrapado.
***to have pots of money* — ser muito rico.**
2 — *vt.* (*pret.* e *pp.* **potted**) meter ou conservar em jarros ou panelas; plantar em vasos; conseguir; atirar de perto.

potability [poutə'biliti], *s.* potabilidade.
potable ['poutəbl], *adj.* potável.
potables [-z], *s. pl.* bebidas.
potamic [pɔ'tæmik], *adj.* fluvial.
potamology [poutə'mɔlədʒi], *s.* potamologia.
potash ['pɔtæʃ], *s.* potassa; carbonato de potassa.
potash lye — lixívia de potassa.
caustic potash — potassa cáustica.
potash-water — água gasosa bicarbonatada.
potash soap — sabão de potassa.
potash feldspar — feldspato potássico.
permanganate of potash — permanganato de potassa.

potassic [pə'tæsik], *adj.* potássico.
potassic fertilizer — adubo potássico.

potassium [pə'tæsjəm], *s.* potássio.
potassium bicarbonate — bicarbonato de potássio.
potassium carbonate — carbonato de potássio.
potassium cyanide — cianeto de potássio.
potassium feldspar — feldspato potássico.
potassium salt — sal de potássio.
potassium perchlorate — perclorato de potássio.
potassium phosphate — fosfato de potássio.

potation [pou'teiʃən], *s.* bebida; *pl.* libações.
potato [pə'teitou], *s.* batata.
sweet potato — batata doce.
new potatoes — batatas novas.
***mashed potatoes* — puré de batata.**
potato-blight (potato-rot) — doença das batatas.
potato box (cal.) — boca.
potato-bug (potato-beetle) — escaravelho da **bateteira.**
potato-ball — croquete de batata.
potato flour — fécula de batata.
potatoes boiled in their jackets — batatas cozidas com a casca.
boiled potatoes — batatas cozidas.
chip potatoes — batatas fritas.
potato spirit — álcool amílico.
white potato (Irish potato) — batata.
to think no small potatoes of oneself — ter-se em grande conta.

poteen [pɔ'ti:n], *s.* uísque irlandês feito clandestinamente.
potence ['poutəns], *s.* potência, força; poder, autoridade; energia.
potency [-i], *s.* ver **potence.**
potent ['poutənt], *adj.* potente, poderoso; forte; eficaz; influente. (*Sin.* powerful, efficacious, strong, mighty, influential. *Ant.* weak.)
potentate [-eit, -it], *s.* potentado; soberano.
potential [pə'tenʃəl, pou'tenʃəl], **1** — *s.* (gram., elect., fís.) potencial; potência motriz; possibilidade.
potential drop — queda de potencial.
potential change — mudança de potencial.
potential energy — energia potencial.
potential charging — potencial de carga.
potential transformer — transformador de tensão.
2 — *adj.* potencial; possível; virtual; latente.
potential energy — energia potencial.
potential mood (gram.) — modo potencial.
potential wealth — riqueza potencial.

potentiality [pətənʃi'æliti], *s.* potencialidade; virtualidade; *pl.* possibilidades.
potentialize [pou'tenʃəlaiz], *vt.* tornar potencial; transformar (energia) numa potencialidade.
potentiate [pou'tenʃieit], *vt.* dotar de força; tornar possível.
potentilla [poutən'tilə], *s.* (bot.) potentila.
potentiometer [poutenʃi'ɔmitə], *s.* (elect.) potenciómetro.
potentiometer coil — bobina do potenciómetro.
potentiometric [poutenʃiɔ'metrik], *adj.* potenciométrico.
potently ['poutəntli], *adv.* potentemente, poderosamente; eficazmente; convincentemente.
potheen [pou'θi:n], *s.* ver **poteen.**
pother ['pɔðə], **1** — *s.* bulha, algazarra; barafunda; espalhafato; tormento; nuvem de pó; nuvem de fumo.
2 — *vt.* e *vi.* atormentar; alvoroçar; importunar; fazer espalhafato; aturdir.
potion ['pouʃən], *s.* poção; dose.
love-potion (amatory potion) — filtro amoroso.
Potiphar ['pɔtifə,'pɔtifa:], *n. p.* (bíbl.) Putifar.
potsherd ['pɔt-ʃə:d], *s.* (arc.) caco.
potstone ['pɔtstoun], *s.* (min.) variedade de esteatite.
Pott [pɔt], *n. p.* nome de um cirurgião inglês que viveu no séc. XVI — Percival Pott.
Pott's disease (pat.) — mal de Pott.
pottage ['pɔtidʒ], *s.* (arc.) caldo de carne e legumes.
potted ['pɔtid], *adj.* dentro de um recipiente.
potted foods — conservas.
potter ['pɔtə], **1** — *s.* oleiro; vendedor de louça de barro.
potter's ware — olaria.
potter's wheel — torno de oleiro.
potter's clay — barro de oleiro.
2 — *vt.* e *vi.* gastar tempo com ninharias; trabalhar sem se esforçar muito.
to potter about — flanar, perder o tempo na ociosidade.
to potter away one's time — gastar o tempo em ninharias.

potterer [-rə], *s.* vagaroso, preguiçoso.
pottering [-riŋ], **1** — *s.* desperdício de tempo, acção de passar tempo em ninharias.
2 — *adj.* fútil; que passa o tempo em ninharias.
pottery [-ri], *s.* olaria; louça de barro; fábrica de louça de barro.
the Potteries — região oleira em Staffordshire.

potting ['pɔtiŋ], *s.* plantação em vasos; acção de meter carne, peixe, etc., em recipiente; acção de beber.
pottle [pɔtl], *s.* (arc.) medida equivalente a meio galão; cestinho (para morangos, etc.).
potto ['pɔtou], *s.* (zool.) poto, espécie de lémure.
potty ['pɔti], *adj.* (col.) insignificante, trivial; excêntrico.
potty questions — perguntas fáceis (em exames).
to be a potty on somebody (col.) — ter uma paixoneta por alguém.
pouch [pautʃ], **1** — *s.* saco; algibeira; cartucheira; (mil.) bolsa de couro para munições; (zool.) bolsa (de marsupiais).
tobacco-pouch — bolsa de tabaco.
ammunition-pouch — bolsa para munições.
2 — *vt.* e *vi.* meter no bolso ou em saco; (fam.) dar uma gorjeta.
pouched [-t], *adj.* com forma de saco.
poudrette [pu'dret], *s.* excremento misturado com carvão.
pouf [pu:f], *s.* puxo (penteado); banquinho estofado; chumaço para vestidos de senhoras.
poulp [pu:lp], *s.* (zool.) cefalópode.
poulpe [pu:lp], *s.* ver **poulp.**
poult [poult], *s.* pinto, frango; peru jovem.
poult-de-soie [pu:də'swɑ:], *s.* tecido de seda.
poulterer ['poultərə], *s.* galinheiro, vendedor de galinhas e outras aves domésticas.
poultice ['poultis], **1**—*s.* cataplasma, emplastro.
2 — *vt.* aplicar uma cataplasma a.
poultry ['poultri], *s.* aves domésticas, criação.
poultry-farm — aviário.
poultry-farmer — avicultor.
poultry-yard — pátio de criação.
poultry-show — concurso de avicultura.
poultry-house — capoeira.
pounce [pauns], **1** — *s.* garra de ave de rapina; salto dado por ave de rapina sobre a presa; pó empregado para secar tinta; pó de pedra-pomes.
pounce-bag — boneca de carvão (para desenho).
to make a pounce on — precipitar-se sobre.
2 — *vt.* e *vi.* cair sobre; lançar as garras a; precipitar-se; polvilhar; polir com pedra-pomes; decalcar.
the hawk pounced on its prey — o falcão caiu sobre a presa.
pouncet-box ['paunsit-bɔks], *s. (arc.)* caixinha do perfume.
pound [paund], **1** — *s.* libra, arrátel (unidade de peso equivalente a 453,6 gramas); libra, libra esterlina (abrev. £); curral, tapada; depósito de mercadorias perdidas; (fig.) prisão; ruído forte, estrondo; golpe, pancada.
pound weight — o peso de um arrátel.
by the pound — aos arráteis.
half a pound — meio arrátel.
five-pound note — nota de cinco libras.
pound-cake — bolo em que entra um arrátel de cada um dos ingredientes principais.
pound net — cesto de rede para pescar.
pound sterling — libra esterlina.
pound Scots — importância de 1 xelim e 8 dinheiros.
in for a penny, in for a pound (col.) — perdido por cem perdido por mil.
to pay twenty shillings in the pound — pagar completamente.
seven pounds eight — sete libras e oito xelins.
to be a question of pounds, shillings and pence — ser uma questão de dinheiro.
2 — *vt.* e *vi.* triturar, moer, reduzir a pó; pisar em almofariz; encurralar (o gado); bater, espancar; bombardear; verificar o peso das moedas (na Casa da Moeda).
to pound about — mover-se pesadamente.
to pound something into somebody's head — meter qualquer coisa à força na cabeça de alguém.
to pound something to pieces — reduzir qualquer coisa a bocados.
to pound on a piano — martelar no piano; tocar mal piano.
to pound at the door — bater com força à porta.
poundage ['-idʒ], *s.* comissão ou percentagem de tanto por libra; preço de encurralamento de gado em cercado comum.
pounder ['-ə], *s.* mão de gral, pilão; coisa que pesa um arrátel; unidade de calibre (peso do projéctil).
twenty-three pounder — **peça de 23 libras.**
thousand-pounder — nota de mil libras; pessoa com o rendimento de mil libras.
pounding ['-iŋ], *s.* pancadaria; acção de caminhar pesadamente; (mil.) batimento (de posição).
hard pounding — pancadaria grossa.
pour [pɔ:], **1** — *s.* chuva torrencial; quantidade de metal fundente deitado de cada vez (nas fundições).
2 — *vt.* e *vi.* derramar, verter, vazar; deitar, lançar, arremessar; dissipar; sair aos borbotões, fluir; correr; chover copiosamente.
to pour fourth — espalhar; verter; derramar.
to pour out the tea — deitar o chá nas chávenas.
to pour oil on troubled waters — «deitar água na fervura».
it never rains but it pours (fig.) — uma desgraça nunca vem só.
the rain poured down all day long — choveu torrencialmente todo o dia.
the letters poured in from all quarters — as cartas choviam de todos os cantos.
they poured in on all sides — entravam em chusma por todos os lados.
to pour with rain — chover a cântaros.
to pour cold water on — desanimar; «deitar água fria sobre».
to pour water into a sieve (fig.) — fazer um trabalho inútil.
to pour off — decantar.
to pour oil on the flames (fig.) — espicaçar os ânimos; «deitar lenha (achas) na fogueira».
to pour one's sorrows into somebody's heart — desabafar com alguém, contar com as mágoas de alguém.
it is pouring (with rain) — está a chover a cântaros.
rivers pour themselves into the sea — os rios correm para o mar.
pourer ['-rə], *s.* vazador; funil.
pouring ['-riŋ], **1** — *s.* acção de derramar; vazamento (de metal em fusão).
pouring off — decantação.
2 — *adj.* torrencial, que cai em torrentes.
pourpoint ['puəpɔint], *s. (arc.)* **gibão acolchoado.**
pout [paut], **1** — *s.* amuo, mau humor, enfado; beicinho; nome de vários peixes.
to be in the pouts — estar mal-humorado.
2 — *vt.* e *vi.* amuar, mostrar má cara; enfadar-se; estar aborrecido; fazer beicinho.
pouter ['-ə], *s.* o que está amuado; pomba de papo.
pouting ['-iŋ], **1** — *s.* mau humor; beicinho.
2 — *adj.* mal-humorado; saliente (lábio). (*Sin.* sullen, cross, sulky, disagreeable. *Ant.* pleasant.)
poutingly ['-iŋli], *adv.* com mau humor; a fazer beicinho.
pouty ['-i], *adj.* mal-humorado, maldisposto.
poverty ['pɔvəti], *s.* pobreza, indigência, miséria; necessidade, falta, escassez.

poverty-stricken — muito pobre.
to come to poverty — cair na miséria.
a poverty-stricken language — uma língua pobre.
to be in the depths of poverty — estar reduzido à miséria extrema.
to live in poverty — viver pobremente.

powder ['paudə], **1** — *s.* pó; pólvora; pó-de--arroz.
powder-flask — polvorinho.
powder-magazine — armazém de pólvora, paiol.
powder-mill — fábrica de pólvora.
smokeless powder — pólvora sem fumo.
it is not worth powder and shot (fig.) — não vale o trabalho nem a despesa.
tooth-powder — pó dentifrico.
powder-puff — borla (esponja) de pó-de-arroz.
blasting-powder — pólvora de mina.
keep your powder dry (fig.) — não te canses antes do tempo.
powder blue — azul de esmalte.
powder explosive — pólvora.
powder ink — tinta em pó.
bath powder — pó para depois do banho.
box of powder — caixa de pó-de-arroz.
face-powder — pó-de-arroz.
talc-powder — pó de talco.
toilet powder — pó-de-arroz.
sporting powder — pólvora de caça.
to take a powder (cal.) — desaparecer; ir-se embora de repente e sem fazer cerimónia.
to reduce to powder — reduzir a pó.
to smell powder for the first time — receber o baptismo do fogo.
2 — *vt.* e *vi.* polvilhar, pulverizar; salpicar de sal; empoar-se; mosquear; triturar.
to powder one's face — empoar a cara.

powdered [-d], *adj.* pulverizado; empoado; mosqueado; triturado.
powdered coal — pó de carvão.
powdered asphalt — asfalto em pó.
powdered milk — leite em pó.
powdered iron — limalha de ferro.
powdered sulphur — enxofre em pó.

powderiness ['rinis], *s.* pulverulência.

powdering [-riŋ], *s.* pulverização; acção de reduzir a pó; empoamento.

powdery [-ri], *adj.* pulveroso; pulverulento; cheio de pó; empoado.
a powdery face — uma cara empoada.

power ['pauə], **1** — *s.* poder; faculdade; força; influência; autoridade; potência; propriedade; poderio, domínio, mando; força motriz; energia; jurisdição; potência de uma lente; nação poderosa; (mat.) potência; (mec.) potencial, potência; energia eléctrica; (col.) grande quantidade; divindade. (*Sin.* authority, force, strength, dominion. *Ant.* subjection, weakness.)
power of attorney (jur.) — procuração.
full power — carta-branca; plenos poderes.
propelling power (moving power) — força motriz; força propulsora.
horse-power (mec.) — cavalo-vapor.
steam-power — potência de vapor.
power-station — central eléctrica.
power consumption — consumo de energia.
power efficiency — rendimento de potência.
power control — comando mecânico.
power gas — gás combustível; gás motriz.
power generating device — gerador de energia.
power-lathe — torno mecânico.
power curve — curva de força.
power factor (elect.) — factor de potência.
power-load (elect.) — consumo industrial.
power-operated — mecânico.
power distribution — distribuição de energia.
power feeder — alimentador mecânico.
power hammer — martelo mecânico.
power-loom — tear mecânico.
power dive — mergulho vertical (avião).
power house — central eléctrica.
power press — prensa mecânica.
power politics — política de força.
power shovel — escavadeira mecânica.
power saw — serra mecânica.
power in watts — potência eléctrica em watts.
power level indicator (elect.) — indicador de nível de energia.
power output — rendimento de energia.
power plant — central eléctrica.
power of absortion — poder de absorção.
power of life and death — poder de vida e de morte.
power source — fonte de energia eléctrica.
absolute power (pol.) — poder absoluto.
executive power (pol.) — poder executivo.
power transformer — transformador de energia.
reasoning power — poder de raciocínio.
the powers above — os deuses.
power washing (aut.) — lavagem automática.
power unit — unidade motriz.
mental powers — faculdades mentais.
square power (mat.) — segunda potência.
a power of people — uma quantidade de pessoas.
merciful powers! — ó céus!
the party in power (pol.) — o partido que está no poder.
the powers of evil — as forças do mal.
I will do all in my power — farei tudo o que depender de mim.
to the utmost of one's power — até ao máximo das nossas capacidades.
to come into power — assumir o poder.
to be losing one's powers — estar a enfraquecer.
to act with full powers — agir com plenos poderes.
to have somebody in one's power — dominar alguém.
more power to your elbow! — coragem!; felicidades!
to furnish somebody with full powers — dar plenos poderes a alguém.
to be beyond one's powers — estar para além da nossa capacidade.
to be a person of varied powers — ser uma pessoa com muitas aptidões.
2 — *vt.* dar energia, fornecer de energia.

powered [-d], *adj.* com energia; com força; com motor.

powerful [-ful], *adj.* poderoso; forte; eficaz; potente; convincente.
a powerful blow — uma pancada forte.

powerfully [-fuli], *adv.* poderosamente; vigorosamente.

powerfulness [-fulnis], *s.* poder; força; energia; eficácia.

powerless [-lis], *adj.* impotente, ineficaz; sem energia.

powerlessly [-lisli], *adv.* impotentemente; ineficazmente; sem energia, sem autoridade.

powerlessness [-lisnis], *s.* impotência; ineficácia; falta de energia; falta de autoridade.

pow-wow ['pauwau], **1** — *s.* curandeiro índio; reza dos índios; (E. U.) comício político; congresso.
2 — *vt.* e *vi.* conjurar as enfermidades com rezas (entre os índios); (E. U.) tomar parte numa reunião política; discutir, deliberar.

pox [pɔks], *s.* pústula; enfermidade que causa pústulas; sífilis; varicela; varíola.
small-pox (cow-pox) — varíola; (col.) bexigas.
to get the pox — apanhar a sífilis.

poxed [-t], *adj.* sifilítico.
praam [prɑ:m], *s.* prama, barco antigo de fundo chato.
practicability [præktikə'biliti], *s.* praticabilidade, viabilidade.
practicable ['præktikəbl], *adj.* praticável, exequível, factível, viável, possível; transitável; (teat.) real, que pode utilizar-se (janela, porta, etc.).
practicableness [-nis], *s.* ver **practicability.**
practicably [-i], *adv.* praticavelmente, de modo praticável.
practical ['præktikəl], *adj.* prático; perito, versado; viável; útil. (*Sin.* actual, working, skilled, versed. *Ant.* theoretical, inexperienced.)
practical chemistry — química aplicada.
practical efficiency — rendimento prático.
practical dimension — dimensão real.
practical man — artífice.
practical joke — graça para divertimento à custa de alguém.
practical examination — provas práticas de exame.
with practical unanimity — quase por unanimidade.
practical philosophy — filosofia prática.
practicality [prækti'kæliti], *s.* praticalidade; espírito prático.
practically ['præktikəli], *adv.* praticamente, de um modo prático; por assim dizer.
practicalness ['præktikəlnis], *s.* ver **practicality.**
practice ['præktis], *s.* prática; costume, uso, praxe; exercício; método, modo, regra; experiência; profissão; clientela; clínica; exercício de tiro; (arc.) artimanha.
to put into practice — pôr em prática.
practice makes perfect — pratica e serás mestre.
practice-firing (mil.) — exercícios de tiro.
foul practices — práticas condenáveis.
practice flight — voo de treino (avião).
out of practice — destreinado.
practice match (desp.) — desafio de treino.
most approved practice — prática corrente.
to be in practice — estar em forma; estar treinado.
to get out of practice — destreinar-se.
that doctor has a large practice — aquele médico tem muita clientela.
to retire from practice — deixar de exercer a sua profissão (advogado, médico).
to do something for practice — fazer alguma coisa para praticar.
practician [præk'tiʃən], *s.* trabalhador; médico.
practise ['præktis], *vt.* e *vi.* praticar; exercer (uma profissão); estudar (piano); experimentar; (arc.) maquinar.
to practise the piano — estudar piano.
to practise medicine — exercer clínica.
to practise on — tirar proveito de.
to practise deceit on somebody — intrujar alguém.
to practise on somebody's credulity — abusar da credulidade de alguém.
practised [-t], *adj.* hábil; com experiência.
to be practised in something — ter prática em qualquer coisa.
practiser [-ə], *s.* praticante, prático; pessoa hábil; aquele que exerce uma profissão.
practising [-iŋ], **1** — *s.* prática; treino.
2 — *adj.* praticante, que pratica; que exerce (profissão).
practitioner [præk'tiʃnə], *s.* profissional (principalmente médico ou advogado).
medical practitioner — médico.
general practitioner — médico-cirurgião; médico de clínica geral.
local practitioner — médico de bairro.
praenomen [pri:'noumen], *s.* prenome, nome que precede o de família (na Roma antiga).
praepostor [pri:'pɔstə], *s.* (esc.) chefe de turma; monitor.
praetexta [pri:'tekstə], *s.* pretexta, toga branca orlada de púrpura (na Roma antiga).
praetor ['pri:tə,'pri:tɔ], *s.* pretor, magistrado da Roma antiga.
praetorial [pri(:)'tɔ:riəl], *adj.* pretorial.
praetorian [pri(:)'tɔ:riən], *s.* e *adj.* pretoriano.
praetorium [pri(:)'tɔ:riəm], *s.* pretório.
praetorship ['pri:təʃip], *s.* pretoria; dignidade de pretor.
pragmatic [præg'mætik], *adj.* pragmático; comum, corrente; prático.
pragmatical [-əl], *adj.* impertinente; intrometido; oficioso; importuno; pragmático.
pragmatically [-əli], *adv.* pragmaticamente; dogmaticamente; impertinentemente; intrometidamente.
pragmatism ['prægmətizm], *s.* pragmatismo; dogmatismo; presunção.
pragmatist ['prægmətist], *s.* pragmatista; pessoa importuna, metediça.
pragmatize ['prægmətaiz], *vt.* representar como real.
Prague [prɑ:g], *top.* Praga.
prairie ['prɛəri], *s.* pradaria; campina; grande planície com prados; savana.
prairie-hen — galinha-das-pradarias.
prairie wolf — coiote.
prairie schooner — carro grande, coberto de lona, usado pelos primeiros colonos norte-americanos.
prairie oyster — ovo cru comido com molho inglês.
praisable ['preizəbl], *adj.* digno de ser louvado.
praise [preiz], **1** — *s.* louvor, elogio; glorificação, celebridade; reputação, fama.
he was loud in his praises — não regateou louvores.
worthy of praise — digno de louvor.
praise be! (praise be to God!) — graças a Deus!
to sound one's own praises — elogiar-se a si mesmo.
to win high praise — ser muito louvado.
in praise of — em louvor de.
to be given to praise — ter inclinação para a lisonja.
2 — *vt.* louvar, elogiar, exaltar; preconizar; aplaudir; glorificar, bendizer. (*Sin.* to extol, to commend, to exalt, to laud. *Ant.* to censure.)
praiseful ['-ful], *adj.* laudatício; com louvor.
praisefully ['-fuli], *adv.* laudatoriamente.
praisefulness ['-fulnis], *s.* carácter laudatório.
praiseless ['-lis], *adj.* que não merece louvor; sem louvor.
praiser ['-ə], *s.* louvador; admirador.
praiseworthily [-wə:ðili], *adv.* de modo louvável.
praiseworthiness [-wə:ðinis], *s.* aspecto louvável; acção de ser louvável.
praline ['prɑ:li:n], *s.* amêndoa torrada.
pram **1** — [prɑ:m], *s.* ver **praam.**
2 — [præm], *s.* abreviatura de **perambulator.**
prance [prɑ:ns], **1** — *s.* curveta, cabriola; acção de andar emproado.
2 — *vt.* e *vi.* curvetear, cabriolar; saltar; pavonear-se, emproar-se; empinar-se (cavalo); obrigar (cavalo) a empinar-se.
prancer ['-ə], *s.* cavalo que se empina.
prancing ['-iŋ], **1** — *s.* acção de se empinar; acção de curvetear; maneira emproada de andar.

2 — *adj.* que faz cabriolas; que se empina; que caminha emproado.
prandial ['prændiəl], *adj.* (joc.) prandial, referente ao jantar.
prandial invitation — convite para jantar.
prank [præŋk], 1 — *s.* travessura, partida; logro.
to play pranks — fazer partidas.
to play pranks on somebody — fazer partidas a alguém.
2 — *vt.* e *vi.* enfeitar, aformosear; ataviar-se garridamente; pavonear-se.
prankish ['-iʃ], *adj.* travesso, brincalhão, folgazão.
prankishly ['-iʃli], *adv.* travessamente, de modo brincalhão.
prankishness ['-iʃnis], *s.* espírito travesso, brincalhão.
prase [preiz], *s.* (min.) prásio, variedade de quartzo.
praseodymium [preiziə'dimiəm], *s.* (quím.) prasiodímio.
prate [preit], 1 — *s.* tagarelice, loquacidade.
2 — *vt.* e *vi.* tagarelar, dar à língua; dizer disparates; gabar-se. (*Sin.* to babble, to chatter, to tattle.)
prater ['-ə], *s.* palrador, tagarela.
praties ['-iz], *s. pl.* (col. Irl.) batatas.
pratincole ['prætiŋkoul], *s.* (zool.) andorinha dos brejos.
prating ['preitiŋ], 1 — *s.* tagarelice; disparates.
2 — *adj.* tagarela, palrador.
pratique ['præti:k], *s.* (náut.) prática, licença para um navio comunicar com terra depois de quarentena.
prattle [prætl], 1 — *s.* tagarelice, garrulice; conversa fútil.
2 — *vt.* e *vi.* balbuciar; palrar, tagarelar; murmurar.
prattler ['-ə], *s.* palrador, tagarela.
prattling ['-iŋ], 1 — *s.* tagarelice; acção de palrar; murmúrio.
2 — *adj.* tagarela, palrador; murmurante (curso de água).
prawn [prɔ:n], 1 — *s.* camarão grande.
2 — *vi.* andar à pesca de camarões grandes.
prawning ['-iŋ], *s.* pesca do salmão usando lagostins como isca.
praxinoscope ['præksinəskoup], *s.* praxinoscópio.
praxis ['præksis], *s.* praxe, costume, prática; exercício; exemplo ou série de exemplos (para exercício).
Praxiteles [præk'sitəli:z], *n. p.* (grego) Praxíteles.
pray [prei], *vt.* e *vi.* pedir, rogar, implorar; rezar, orar.
to pray for something — rezar e pedir alguma coisa.
to pray for somebody — rezar por alguém.
to pray to God for — rezar a Deus por.
pray! — por favor!, diga!
she is past praying for — ela é um caso perdido.
prayer 1 — ['preiə], *s.* aquele que reza.
2 — [prɛə], *s.* oração, reza; súplica, rogo.
prayer-book — livro de orações.
the Lord's Prayer — o padre-nosso.
Book of Common Prayer — ritual da seita episcopal.
prayer-rug (prayer-mat) — almofada para rezar ajoelhado.
prayer for the dead — oração pelos defuntos.
prayer-stool — genuflexório.
to be at one's prayers — estar a fazer as suas orações.
family prayers — orações em família.
to say one's prayers — rezar.
prayerful ['-ful], *adj.* piedoso, devoto.
prayerfully ['-fuli], *adv.* devotamente; com súplicas.
prayerfulness ['-fulnis], *s.* devoção, piedade.
praying ['preiiŋ], 1 — *s.* oração; acção de rezar.
praying-desk — genuflexório.
2 — *adj.* que reza, que está a rezar.
praying-insect (praying mantis) (zool.) — louva-a-deus.
preach [pri:tʃ], 1 — *s.* (col.) sermão, reprimenda.
2 — *vt.* e *vi.* pregar; fazer sermões; discursar; rezar; ralhar.
to preach down — censurar.
to preach against — pregar contra.
to preach up — elogiar.
to preach the gospel — pregar o Evangelho.
to preach to somebody — pregar um sermão a alguém.
preachable ['-əbl], *adj.* que pode pregar-se; que pode aconselhar-se.
preacher ['-ə], *s.* pregador, aquele que prega.
preachify ['-ifai], *vi.* (col.) arengar, discursar de modo maçador; estar sempre a pregar sermões.
preachifying ['-ifaiiŋ], *s.* (col.) acção de estar sempre a pregar sermões; acção de arengar.
preaching ['-iŋ], 1 — *s.* pregação; sermão.
preaching-house — templo.
2 — *adj.* pregador, que prega.
preaching friar — frade dominicano.
preachment ['-mənt], *s.* (col.) acção de «pregar sermões»; conselhos maçadores.
preachy ['-i], *adj.* (col.) maçador; que gosta de «pregar sermões».
pre-acquaint [pri:ə'kweint], *vt.* informar antecipadamente.
pre-acquaintance [-əns], *s.* conhecimento antecipado.
pre-acquainted [-id], *adj.* com conhecimento antecipado.
pre-adamic [pri:ə'dæmik], *adj.* pré-adamita.
pre-adamite ['pri:'ædəmait], *adj.* ver **pre-adamic.**
pre-adamitic [pri:ædə'mitik], *adj.* ver **pre-adamic.**
pre-admission [pri:əd'miʃən], *s.* admissão antecipada (de vapor, etc.).
preadmonish [pri:əd'mɔniʃ], *vt.* prevenir.
preadmonition [pri:ædmə'niʃən], *s.* aviso feito com antecedência.
preamble [pri:'æmbl], 1 — *s.* preâmbulo, prólogo, prefácio.
2 — *vt.* e *vi.* dirigir o preâmbulo de; prefaciar.
preamplifier [pri:'æmplifaiə], *s.* (rád.) pré-amplificador.
preamplifying [pri:'æmplifaiiŋ], *s.* (rád.) pré-amplificação.
preannounce [pri:ə'nauns], *vt.* anunciar antecipadamente.
preappoint [pri:ə'pɔint], *vt.* designar antecipadamente.
preapprehension [pri:æpri'henʃən], *s.* pressentimento; ideia preconcebida.
prearrange ['pri:ə'reindʒ], *vt.* predispor, combinar previamente.
preassurance [pri:ə'ʃuərəns], *s.* garantia prévia.
prebend ['prebənd], *s.* prebenda; prebendado; benefício eclesiástico.
prebendal [pri'bendəl], *adj.* referente a prebenda.
prebendary ['prebəndəri], *s.* prebendário.
precarious [pri'kɛəriəs], *adj.* precário; incerto; perigoso. (*Sin.* uncertain, risky, shaky, insecure. *Ant.* safe.)
a precarious life — uma vida arriscada.

to make a precarious living — mal ganhar para viver.
a precarious conclusion — uma conclusão insegura.
precariously [-li], *adv.* precariamente; incertamente.
precariousness [-nis], *s.* qualidade do que é precário; incerteza.
precast [pri:'kɑ:st], *adj.* pré-fundido.
precative ['prekətiv], *adj.* (gram.) precativo.
precatory ['prekətəri], *adj.* precatório, suplicante.
precaution [pri'kɔ:ʃən], *s.* precaução; cautela; reserva. (*Sin.* provision, care, foresight, forethought. *Ant.* improvidence.)
by way of precaution — por precaução.
to take precautions — tomar precauções; precaver-se.
to take precautions against — tomar precauções contra.
precautionary [pri'kɔ:ʃnəri], *adj.* preventivo, de precaução.
precautious [pri'kɔ:ʃəs], *adj.* precavido; cauteloso.
precede [pri(:)'si:d], *vt.* e *vi.* preceder, anteceder, ir adiante; acontecer primeiramente; antepor.
the week preceding that day — a semana anterior àquele dia.
the words that precede — as palavras precedentes.
precedence [-əns,'presidəns], *s.* precedência, prioridade; superioridade; preferência; primazia. (*Sin.* pre-eminence, antecedence.)
he takes precedence of all others — ele é superior a todos os outros.
to have precedence of somebody — ter precedência sobre alguém.
the order of precedence — a ordem de precedência.
to yield precedence to — ceder a precedência a.
to take precedence of — ter primazia sobre.
precedency [-i], *s.* (rar.) ver **precedence.**
precedent 1 — ['presidənt], *s.* precedente, antecedente, anterior; exemplar; (jur.) decisão judiciária que abre precedente.
precedent-book — protocolo; livro de notas de tabelião.
do not take this as a precedent — não tome isto como exemplo.
to create a precedent — criar um precedente.
to become a precedent — constituir um precedente.
2 — [pri'si:dənt], *adj.* (rar.) precedente, antecedente.
precedented ['presidəntid], *adj.* que tem um precedente; justificado por precedentes.
precedential [presi'denʃəl], *adj.* que serve de precedente.
precedently [pri'si:dəntli], *adv.* antecedentemente, precedentemente, anteriormente.
preceding [pri(:)'si:diŋ], *adj.* precedente, anterior.
precent [pri'sent], *vt.* e *vi.* entoar (salmo); dirigir o coro.
precentor [-ə], *s.* chantre; (arc.) precentor.
precentorial [pri:sen'tɔ:riəl], *adj.* referente a chantre.
precentorship [pri'sentəʃip], *s.* chantria.
precept ['pri:sept], *s.* preceito, mandamento, ordem; mandado judicial.
preceptive [pri'septiv], *adj.* preceptivo, didáctico.
preceptor [pri'septə], *s.* preceptor, mestre, mentor.
preceptorial [pri:sep'tɔ:riəl], *adj.* referente a preceptor.
preceptorship [pri'septəʃip], *s.* preceptorado.
preceptory [pri'septəri], *s.* (hist.) preceptoria, pequena comunidade de Templários.
preceptress [pri'septris], *s. fem.* preceptora.
precession [pri'seʃən], *s.* precedência; (astr.) precessão.
precession of the equinoxes — precessão dos equinócios.
precessional [-əl], *adj.* (astr.) referente a precessão.
pre-Christian [pri:'kristjən], *adj.* pré-cristão.
precinct ['pri:siŋkt], *s.* distrito; limite, raia; jurisdição; *pl.* arredores, limites.
preciosity [preʃi'ɔsiti], *s.* preciosismo (de linguagem); afectação.
precious ['preʃəs], 1 — *s.* amor.
my precious — meu amor.
2 — *adj.* precioso, valioso; raro; custoso; amado, querido. (*Sin.* dear, valuable, treasured, costly, beloved, cherished. *Ant.* worthless.)
precious stone — pedra preciosa.
precious metals — metais preciosos (prata, ouro e platina).
precious blood of Christ — precioso sangue de Cristo.
to be a precious rascal — ser um bom malandro.
3 — *adv.* muito, muitíssimo.
to have precious little money — ter muitíssimo pouco dinheiro.
preciously [-li], *adv.* preciosamente; afectadamente; (col.) muitíssimo.
preciousness [-nis], *s.* preciosidade, valia, alto preço.
precipice ['presipis], *s.* precipício, despenhadeiro, abismo.
to fall over a precipice — cair num precipício.
precipitability [pri'sipitə'biliti], *s.* (fís., quím.) grau de precipitação.
precipitable [pri'sipitəbl], *adj.* (fís., quím.) precipitável.
precipitance [pri'sipitəns], *s.* precipitação; pressa demasiada.
precipitancy [pri'sipitənsi], *s.* ver **precipitance.**
precipitant [pri'sipitənt], 1 — *s.* (quím.) precipitante.
2 — *adj.* precipitado, feito à pressa.
precipitate 1 — [pri'sipitit], *s.* (quím.) precipitado; água de condensação.
to form a precipitate — formar um precipitado.
electrolytic precipitate — precipitado electrolítico.
2 — *adj.* precipitado; imprudente; arrebatado; súbito; prematuro.
a precipitate flight — uma fuga precipitada.
to be precipitate — ser precipitado.
3 — [pri'sipiteit], *vt.* e *vi.* precipitar; despenhar; acelerar; derrubar; apressar; precipitar-se; despenhar-se; (quím.) precipitar.
to precipitate out (quím.) — separar-se po precipitação.
precipitated [-id], *adj.* (quím.) precipitado.
precipitately [pri'sipititli], *adv.* precipitadamente; sem reflectir.
precipitating [pri'sipiteitiŋ], 1 — *s.* acção de precipitar; precipitação.
2 — *adj.* (quím.) que causa precipitação, precipitador.
precipitating agent — agente precipitador.
precipitation [prisipi'teiʃən], *s.* precipitação; índice pluviométrico; acto irreflectido; (quím.) precipitação.
to act with precipitation — actuar precipitadamente.
precipitation tank — recipiente de precipitação.
precipitator [pri'sipiteitə], *s.* precipitante; recipiente de precipitação.
precipitin [pri'sipitin], *s.* (biol., quím.) precipitina.

precipitous [pri'sipitəs], *adj.* íngreme, escarpado, em grande declive; (rar.) irreflectido.
precipitously [-li], *adv.* abruptamente, em grande declive; (rar.) precipitadamente, irreflectidamente.
precipitousness [-nis], *s.* precipitação; escabrosidade; pressa excessiva.
précis ['preisi:,'presi], **1** — *s.* **sumário, resumo,** epítome.
2 — *vt.* resumir.
precise [pri'sais, prə'sais], *adj.* preciso, exacto; pontual; escrupuloso; rigoroso; terminante; formal, cerimonioso; justo; peremptório; estrito; próprio; idêntico. (*Sin.* exact, scrupulous, correct, strict, punctilious, definite. *Ant.* **vague.**)
the precise moment — o momento próprio.
precise instrument — instrumento de precisão.
to be very precise — ser muito «miudinho».
precise measurements — medidas exactas.
precisely [-li], *adv.* precisamente, exactamente; cabalmente; justamente; formalmente.
precisely so! — exactamente!
at four o'clock precisely — às quatro horas em ponto.
preciseness [-nis], *s.* precisão, exactidão, rigor; escrúpulo; pontualidade, afectação.
precisian [pri'siʒən,prə'siʒən], *s.* puritano, formalista.
precisianism [-izm], *s.* puritanismo, formalismo.
precision [pri'siʒən,prə'siʒən], *s.* precisão, exactidão; justeza.
precision filter — filtro de precisão.
precision balance — balança de precisão.
precision instrument — instrumento de precisão.
precision ruler — régua de precisão.
precision meter — medidor de precisão.
lack of precision — falta de precisão.
precisionist [-ist], *s.* formalista.
pre-cited [pri:'saitid], *adj.* pré-citado.
preclude [pri'klu:d], *vt.* evitar, impedir, obstar; excluir.
preclusion [pri'klu:ʒən], *s.* exclusão; impedimento.
preclusive [pri'klu:siv], *adj.* que impede, impeditivo.
preclusive of something — que impede alguma coisa.
precocious [pri'kouʃəs], *adj.* precoce, prematuro; adiantado.
precociously [-li], *adv.* precocemente, prematuramente.
precociousness [-nis], *s.* precocidade.
precocity [pri'kɔsiti], *s.* ver **precociousness.**
precognition [pri:kɔg'niʃən], *s.* precognição; conhecimento prévio; (Esc.) interrogatório das testemunhas antes do julgamento.
precognosce [pri:kɔg'nɔs], *vt.* (Esc.) interrogar as testemunhas antes do julgamento.
pre-combustion [pri:kəm'bʌstʃən], *s.* pré-combustão.
preconceive ['pri:kən'si:v], *vt.* preconceber, planear ou idear com antecipação.
preconceived ideas — ideias preconcebidas.
preconception ['pri:kən'sepʃən], *s.* preconceito; opinião antecipada, ideia preconcebida.
preconcert ['pri:kən'sə:t], *vt.* combinar previamente.
preconcerted [-id], *adj.* combinado previamente.
pre-condemn [pri:kən'dem], *vt.* pré-condenar.
preconization [pri:kounai'zeiʃən], *s.* (relig.) preconização; anúncio público.
preconize ['pri:kounaiz], *vt.* fazer a preconização de; convocar; elogiar em público.
preconizer [-ə], *s.* preconizador.
preconizing [-iŋ], *s.* preconização.

38

pre-contract **1** — [pri:'kɔntrækt], *s.* contrato prévio.
2 — [pri:kən'trækt], *vt.* contratar previamente.
precordial [pri:'kɔ:diəl], *adj.* (anat.) precordial.
precordial pain — precordialgia.
precursive [pri'kə:siv], *adj.* precursor; preliminar.
precursor [pri:'kə:sə], *s.* precursor; pioneiro; antecessor.
precursory [-ri], *adj.* ver **precursive.**
predacious [prə'deiʃəs], *adj.* rapinante; próprio de ave de rapina.
predacity [pri'dæsiti], *s.* rapinagem.
predate [pri:'deit], *vt.* antedatar; preceder.
predator ['predətə], *s.* o que pratica depredações, pilhagens.
predatorily ['predətərili], *adv.* depredatoriamente.
predatoriness ['predətərinis], *s.* depredação; voracidade.
predatory ['predətəri], *adj.* depredatório, predatório; de rapina; voraz.
predecease ['pri:di'si:s], *vi.* morrer antes.
predecessor ['pri:disesə], *s.* predecessor, antecessor; antepassado.
predestinate **1** — [pri:'destinit], *s.* e *adj.* predestinado.
2 — [pri:'destineit], *vt.* predestinar.
predestination [pri:desti'neiʃən], *s.* predestinação.
predestine [pri:'destin], *vt.* predestinar; destinar antecipadamente.
predeterminate [pri:di'tə:minit], *adj.* predeterminado.
predetermination ['pri:ditə:mi'neiʃən], *s.* predeterminação.
predetermine ['pri:di'tə:min], *vt.* determinar previamente; predispor a.
predetermined [-d], *adj.* determinado previamente; predeterminado.
predetermining [-iŋ], *adj.* predeterminante.
predial ['pri:diəl], **1** — *s.* servo da gleba.
2 — *adj.* rural; (escravo) ligado à terra.
predicable ['predikəbl], **1** — *s.* coisa predicável; predicado.
2 — *adj.* predicável.
predicament [pri'dikəmənt], *s.* predicamento, apuro, transe, compromisso; categoria; condição, estado; posição. (*Sin.* difficulty, dilemma, plight, situation, position.)
to be in an awkward predicament — estar em apuros.
predicant ['predikənt], **1** — *s.* frade pregador; dominicano.
2 — *adj.* predicante, pregador.
predicate **1** — ['predikit], *s.* (lóg. e gram.) predicado; qualidade.
2 — ['predikeit], *vt.* afirmar um predicado; dar por atributo; implicar.
to predicate on — basear em; fundamentar em.
to predicate goodness (badness) of something — asseverar que uma coisa é boa (má).
predication [predi'keiʃən], *s.* afirmação; asserção.
verbs of incomplete predication — verbos de significação indefinida.
predicative [pri'dikətiv], *adj.* predicativo; atributivo.
predicative adjective—adjectivo predicativo.
predicatively [-li], *adv.* predicativamente; afirmativamente.
predicatory [predi'keitəri], *adj.* referente a prédica.
predict [pri'dikt], *vt.* predizer; profetizar; prognosticar. (*Sin.* to prophesy, to foretell, to augur, to presage.)

predictable [-əbl], *adj.* profetizável; prognosticável.
prediction [pri'dikʃən], *s.* predição, profecia, vaticínio, prognóstico.
predictive [pri'diktiv], *adj.* profético, que prediz, que vaticina.
predictively [-li], *adv.* profèticamente.
predictor [pri'diktə], *s.* profeta, o que profetiza ou prognostica.
predilection ['pri:di'lekʃən], *s.* predilecção, preferência, inclinação.
to have a predilection for — ter predilecção por.
prediscovery [pri:dis'kʌvəri], *s.* pré-descoberta.
predispose ['pri:dis'pouz], *vt.* predispor; preparar para.
predisposed [-d], *adj.* predisposto; com inclinação para.
predisposition ['pri:dispə'ziʃən], *s.* predisposição, tendência, propensão, inclinação.
predominance [pri'dɔminəns], *s.* predomínio, influência, superioridade, ascendente.
predominant [pri'dɔminənt], *adj.* predominante; prepotente.
predominantly [-li], *adv.* predominantemente.
predominate [pri'dɔmineit], *vi.* predominar, prevalecer.
predominating [-iŋ], *adj.* predominante.
predomination [pridɔmi'neiʃən], *s.* predomínio, preponderância.
pre-election [pri:i'lekʃən], *adj.* antes da eleição, pré-eleitoral.
pre-eminence [pri:'eminəns], *s.* preeminência; supremacia, superioridade.
pre-eminent [pri:'eminənt], *adj.* preeminente, supremo, superior; notável; distinto; extraordinário. (*Sin.* distinguished, superior, consummate, excelling, peerless. *Ant.* inferior.)
pre-eminently [-li], *adv.* preeminentemente, com superioridade.
pre-empt [pri:'empt], *vt.* apropriar-se de terreno por direito de propriedade; (E. U.) garantir o direito de propriedade na compra de terrenos públicos.
pre-emption [pri:'empʃən], *s.* (jur.) preempção.
pre-emptor [pri'emptə], *s.* o que compra por direito de preempção.
preen [pri:n], *vt.* (ave) limpar e compor as penas; enfeitar-se, arranjar-se.
pre-engage [pri:in'geidʒ], *vt.* (aut.) engatar imediatamente (velocidade).
to be pre-engaged — estar já comprometido.
pre-establish [pri:is'tæbliʃ], *vt.* preestabelecer.
pre-established [-t], *adj.* preestabelecido.
pre-examination [pri:igzæmi'neiʃən], *s.* exame prévio.
pre-exist ['pri:ig'zist], *vi.* preexistir.
pre-existence [-əns], *s.* preexistência.
pre-existent [-ənt], *adj.* preexistente.
to be pre-existent to — existir antes de.
prefab ['pri:'fæb], **1** — *s.* (E. U. col.) casa pré-fabricada.
2 — *vt.* (E. U. col.) pré-fabricar.
prefabricate ['pri:'fæbrikeit], *vt.* pré-fabricar.
prefabrication ['pri:fæbri'keiʃən], *s.* pré-fabricação.
preface ['prefis], **1** — *s.* prefácio, preâmbulo; (ecl.) prefácio (parte da missa antes do cânone). (*Sin.* prelude, foreword, prologue, introduction. *Ant.* epilogue.)
to write a preface to (to write a preface for) — escrever um prefácio para; prefaciar.
2 — *vt.* prefaciar; apresentar; preceder.
prefatory ['prefətəri], *adj.* preliminar, preambular; referente a prefácio.
prefect ['pri:fekt], *s.* prefeito; chefe de departamento (França); chefe de prefeitura na Roma antiga; (esc.) chefe de turma.
prefect of police — chefe da polícia (Paris).
prefectoral [pri'fektərəl], *adj.* prefeitoral.
prefectorial [pri:fek'tɔ:riəl], *adj.* ver **prefectoral.**
prefectship ['pri:fektʃip], *s.* prefeitura, cargo de prefeito.
prefecture ['pri:fektjuə], *s.* prefeitura (residência oficial do prefeito, divisão administrativa governada por prefeito, duração do cargo de prefeito).
prefer [pri'fə:], *vt.* (*pret.* e *pp.* **preferred**) preferir, escolher, eleger; apresentar; propor; elevar, exaltar; dar preferência (a um credor); prestar (informação); intentar (acção judicial).
to prefer the town to the country — preferir a cidade ao campo.
do you prefer tea or coffee? — prefere chá ou café?
to prefer a charge against somebody — intentar uma acção judicial contra alguém.
they prefer to swim rather than read — preferem nadar a ler.
preferable ['prefərəbl], *adj.* preferível.
preferableness [-nis], *s.* acção de ser preferível.
preferably [-i], *adv.* preferivelmente, com preferência.
preference ['prefərəns], *s.* preferência; primazia; predilecção; direito de prioridade.
in preference — de preferência.
to give the preference to — dar a preferência a.
to have a preference for — ter preferência por.
what is your preference? — qual prefere?
to give something the preference over — dar a alguma coisa a preferência sobre.
preferential [prefə'renʃəl], *adj.* preferencial, que implica preferência, privilegiado.
preferential right — privilégio.
preferential duties — tarifas preferenciais.
preferential creditor — credor privilegiado.
preferentially [-i], *adv.* preferencialmente.
preferment [pri'fə:mənt], *s.* promoção por escolha; cargo superior.
preferred [pri'fə:d], *adj.* preferido; privilegiado.
preferred stock (fin.) — acções privilegiadas.
prefiguration [prifigju'reiʃən], *s.* prefiguração.
prefigure [pri'figə], *vt.* prefigurar; pressupor o que vai acontecer.
prefigurement [-mənt], *s.* prefiguração.
prefix, **1** — ['pri:fiks], *s.* prefixo; título usado antes dum nome próprio.
the prefix of Dr. — o título de Dr.
2 — [pri:'fiks], *vt.* prefixar; fazer preceder de; juntar (parágrafo, capítulo, etc.) como introdução.
prefixed [-t], *adj.* com prefixo.
prefixion [pri:'fikʃən], *s.* (gram.) prefixação.
prefixture [pri:'fikstʃə], *s.* prefixação, emprego de prefixos.
prefloration [pri:flɔ:'reiʃən], *s.* (bot.) prefloração, preflorescência.
prefoliation [pri:fouli'eiʃən], *s.* (bot.) prefoliação.
preform [pri:'fɔ:m], *vt.* preformar.
preformation [pri:fɔ:'meiʃən], *s.* (biol.) preformação.
preformative [pri:'fɔ:mətiv], *adj.* (biol.) preformativo; preformante.
preglacial [pri:'gleiʃəl], *adj.* (geol.) pré-glacial, pré-glaciário.
pregnability [pregnə'biliti], *s.* expugnabilidade.
pregnable ['pregnəbl], *adj.* expugnável; vencível.
pregnancy ['pregnənsi], *s.* gravidez; fertilidade, abundância; (fig.) riqueza, significado; importância.

pregnant ['pregnənt], *adj.* grávida; fecundo, fértil; repleto; cheio de significado; importante.
she has been pregnant for three months — está grávida de três meses.
pregnant construction — frase com muito significado; frase com muito alcance.
pregnantly [-li], *adv.* de uma maneira cheia de significado; sugestivamente.
preheat [pri:'hi:t], *vt.* aquecer previamente.
preheater [-ə], *s.* aquecedor.
prehensible [pri'hensəbl], *adj.* preensível.
prehensile [pri'hensail], *adj.* (zool.) preênsil.
prehensility [prihen'siliti], *s.* preensilidade.
prehension [pri'henʃən], *s.* preensão, acto de segurar ou apanhar; compreensão.
prehensive [pri'hensiv], *adj.* preênsil.
prehensorial [pri'hen'sɔ:riəl], *adj.* ver **prehensive.**
prehensory [pri'hensəri], *adj.* ver **prehensive.**
prehistoric ['pri:his'tɔrik], *adj.* pré-histórico.
prehistorical [-əl], *adj.* ver **prehistoric.**
prehistorically [-əli], *adv.* de modo pré--histórico.
prehistory ['pri:'histəri], *s.* pré-história.
prehnite ['preinait], *s.* (min.) prenite.
pre-ignition [pri:ig'niʃən], *s.* pré-ignição.
prejudge ['pri:'dʒʌdʒ], *vt.* julgar antecipadamente; conjecturar.
prejudgement [-mənt], *s.* julgamento antecipado, julgamento prematuro; preconceito.
prejudice ['predʒudis], **1** — *s.* preconceito; parcialidade; prevenção; preocupação; prejuízo, dano, perda. (*Sin.* bias, partiality, preconception, prejudgement. *Ant.* impartiality.)
without prejudice — sem prejuízo.
free from prejudices — livre de preconceitos.
without prejudice to — sem prejuízo de.
to have a prejudice against — ter um preconceito contra.
to the prejudice of — com prejuízo de.
2 — *vt.* prejudicar, causar dano; preocupar; prevenir; predispor.
to prejudice somebody against somebody — predispor alguém contra alguém.
to prejudice somebody's rights — prejudicar os direitos de alguém.
prejudiced [-t], *adj.* com preconceitos; com prejuízo.
to be prejudiced in favour of — ter ideias preconcebidas a favor de.
to be prejudiced against — ter ideias preconcebidas contra.
prejudicial [predʒu'diʃəl], *adj.* prejudicial, nocivo.
to be prejudicial to — ser prejudicial a.
pre-judicial [pri:dʒu'diʃəl], *adj.* (jur.) pré--judicial.
prejudicially [predʒu'diʃəli], *adv.* prejudicialmente, nocivamente.
pre-knowledge [pri:'nɔlidʒ], *s.* (fil.) pré-conhecimento.
prelacy ['preləsi], *s.* prelazia, episcopado.
prelate ['prelit], *s.* prelado; abade, prior.
prelateship [-ʃip], *s.* prelazia, prelatura.
prelatess [-is], *s. fem.* prelada, abadessa, superiora de convento.
prelatic [pri'lætik], *adj.* prelacial; referente a prelado ou a prelazia.
prelatical [-əl], *adj.* ver **prelatic.**
prelatize ['prelətaiz], *vt.* hierarquizar (a Igreja).
prelature ['prelətjuə], *s.* prelatura.
prelect [pri'lekt], *vi.* preleccionar.
to prelect upon — preleccionar sobre.
prelection [pri'lɔkʃən], *s.* prelecção; aula (na Universidade).
prelector [pri'lɔktə], *s.* prelector; professor universitário.
prelibation [pri:lai'beiʃən], *s.* prelibação, antegosto.
prelim [pri'lim], *s.* (col.) exame de admissão, exame de aptidão.
preliminarily [pri'liminərili], *adv.* preliminarmente.
preliminary [pri'liminəri], **1** — *s.* preliminar, prelúdio; *pl.* exames de aptidão, exames de admissão.
by way of preliminary — como preâmbulo.
2 — *adj.* preliminar, introdutório.
preliminary examination — exame de admissão; exame de aptidão.
preliminary investigation (jur.) — investigação preparatória.
preliminary round (desp.) — prova eliminatória.
without preliminary advice — sem avisar previamente.
preliminary dressing — curativo de emergência.
prelude ['prelju:d], **1** — *s.* prelúdio, prólogo; (mús.) prelúdio.
2 — *vt.* e *vi.* preludiar, preceder; prefaciar; pressagiar.
preludial [pri'lju:diəl], *adj.* referente a prelúdio, referente a prólogo.
preludize ['prelju:daiz], *vi.* (mús.) tocar um prelúdio.
prelusion [pri'lju:ʒən], *s.* prelúdio; prefácio.
prelusive [pri'lju:siv], *adj.* introdutório.
prelusively [-li], *adv.* como introdução, preliminarmente.
prelusorily [pri'lju:sərili], *adv.* ver **prelusively.**
prelusory [pri'lju:səri], *adj.* ver **prelusive.**
premature [premə'tjuə], *adj.* prematuro, temporão, precoce, extemporâneo. (*Sin.* untimely, early, unseasonable, precipitate. *Ant.* late).
prematurely [-li], *adv.* prematuramente; extemporaneamente.
prematureness [-nis], *s.* carácter prematuro.
prematurity [primə'tjuəriti], *s.* prematuridade.
premeditate [pri:'mediteit], *vt.* e *vi.* premeditar; pensar antecipadamente.
premeditated [-id], *adj.* premeditado.
a premeditated murder — um homicídio premeditado.
premeditation [pri:medi'teiʃən], *s.* premeditação.
premier ['premjə], **1** — *s.* primeiro-ministro; presidente do conselho de ministros.
2 — *adj.* primeiro, principal, primacial.
première ['prəmjɛə], *s.* (teat.) primeira representação.
premiership ['premjəʃip], *s.* cargo de primeiro--ministro.
premise **1** — ['premis], *s.* (lóg.) premissa; *pl.* premissas; afirmações anteriores; terras, propriedades; local; casa, prédio (rústico ou urbano).
large premises — vasto local.
premises for sale — propriedade para venda.
on the premises — no local; no prédio; no estabelecimento.
suitable premises — local próprio.
minor premise (lóg.) — premissa menor.
major premise (lóg.) — premissa maior.
2.— [pri'maiz, 'premis], *vt.* explicar; expor de antemão; estabelecer como premissa.
premiss ['premis], *s.* (lóg.) premissa.
premium ['pri:mjəm], *s.* prémio, recompensa; bónus; gratidão; (com.) juros; ágio.
at a premium — com prémio; com valor superior ao nominal.

premium of insurance — prémio de seguro.
premium on gold — ágio de ouro.
to put a premium on — encorajar; dar um prémio por.
return of premium — restituição de prémio de seguro.

premolar [pri:'moulə], *s.* e *adj.* premolar; dente premolar.

premonish [pri'mɔniʃ], *vt.* premunir, avisar.

premonition [pri:mə'niʃən], *s.* premunição, aviso; pressentimento.

premonitorily [pri'mɔnitərili], *adv.* premonitòriamente.

premonitory [pri'mɔnitəri], *adj.* premonitório, que serve de aviso.

prenatal ['pri:'neitl], *adj.* pré-natal.

prenotion [pri:'nouʃən], *s.* prenoção; preconceito.

prentice ['prentis], *s.* e *vt.* (arc.) ver **apprentice.**

prenticeship [-ʃip], *s.* (arc.) ver **apprenticeship.**

preoccupancy [pri:'ɔkjupənsi], *s.* pré-ocupação; ocupação prévia; direito de ocupação antes de outro.

preoccupant [pri:'ɔkjupənt], *s.* aquele que ocupa antes de outro.

preoccupation [pri:'ɔkju'peiʃən], *s.* preocupação, inquietação; preconceito; posse anterior.

preoccupied [pri:'ɔkjupaid], *adj.* preocupado; absorto; ocupado anteriormente. (*Sin.* lost, wandering, unobservant, absent. *Ant.* attentive.)
to be preoccupied with — estar preocupado com.

preoccupiedly [-li], *adv.* preocupadamente; de modo absorto.

preoccupy [pri:'ɔkjupai], *vt.* preocupar; ocupar antes de outro.

pre-ordain ['pri:ɔ:'dein], *vt.* preordenar, predeterminar.

pre-ordained [-d], *adj.* preordenado, predeterminado.

prep [prep], **1** — *s.* (esc. col.) estudo, preparação das lições.
to do one's prep — preparar as lições; estudar as lições.
prep room — sala de estudo.
2 — *adj.* (esc.) ver **preparatory.**

prepaid ['pri:'peid], *adj.* com porte pago (correio).
answer prepaid — resposta paga.

preparation [prepə'reiʃən], *s.* preparação, preparativo, preliminar; precaução; disposição; adaptação; manipulação; fabricação; confecção; composto; (esc.) preparação de lições.
to make preparations for — fazer preparativos para.
preparations for war — preparativos de guerra.
pharmaceutical preparation — preparado farmacêutico.
to be in preparation — estar em preparação.

preparative [pri'pærətiv], **1** — *s.* preparativo; apresto; sinal de preparar.
2 — *adj.* preparatório.

preparatively [li], *adv.* preparatoriamente; antecipadamente.

preparator [pri'pærətə], *s.* preparador.

preparatorily [pri'pærətərili], *adv.* preparatoriamente; antecipadamente.

preparatory [pri'pærətəri], **1** — *s.* escola preparatória.
2 — *adj.* preparatório, prévio, preliminar.
preparatory school — escola preparatória.
preparatory training — instrução pré-militar.
3 — *adv.* antes; pronto a.
preparatory to — antes de.

prepare [pri'pɛə], *vt.* e *vi.* preparar; aprontar; prevenir; dispor; fazer preparativos; preparar-se; fabricar; equipar.
to prepare for examination — preparar-se para o exame.
to prepare one's lessons — preparar as lições.
to prepare a surprise — preparar uma surpresa.
to prepare somebody for — preparar alguém para.

prepared [-d], *adj.* preparado; pronto; em condições de.
we must be prepared for the worst — devemos estar preparados para o pior.
to be prepared to do something — estar preparado para fazer alguma coisa.

preparedly [-dli], *adv.* com preparação; previamente, preventivamente.

preparedness [-dnis], *s.* preparação; prevenção; estado de preparação.

preparer [-rə], *s.* preparador, aquele que prepara.

prepay ['pri:'pei], *vt.* pagar adiantadamente; franquiar (correio).

prepayable [-əbl], *adj.* pagável adiantadamente; franquiável (correio).

prepayment [-mənt], *s.* pagamento adiantado; franquia (correio).

prepense [pri'pens], *adj.* premeditado, intencional, com intenção.

prepensely [-li], *adv.* premeditadamente, com premeditação.

preponderance [pri'pɔndərəns], *s.* preponderância; supremacia; prepotência.
preponderance over — preponderância sobre.

preponderant [pri'pɔndərənt], *adj.* preponderante, predominante.

preponderantly [-li], *adv.* preponderantemente, predominantemente.

preponderate [pri'pɔndəreit], *vi.* preponderar; prevalecer; pesar mais; predominar; exceder (em número). (*Sin.* to predominate, to prevail, to outweigh.)

preponderating [-iŋ], *adj.* preponderante.

preposition [prepə'ziʃn], *s.* preposição.

prepositional [prepə'ziʃənl], *adj.* preposicional, prepositivo.
prepositional phrase — locução prepositiva.

prepositionally [-i], *adv.* preposicionalmente; prepositivamente.

prepositive [pri'pɔzitiv], *adj.* prepositivo, que se põe antes.

prepossess [pri:pə'zes], *vt.* predispor; impressionar favoràvelmente; tomar posse antes de outro.
to prepossess somebody with an idea — fazer com que uma ideia se apodere de uma pessoa.

prepossessed [-t], *adj.* predisposto; influenciado.
to be prepossessed in somebody's favour — estar inclinado a favor de alguém.

prepossessing [-iŋ], *adj.* simpático, afável, atraente, agradável, que causa uma impressão favorável.

prepossessingly [-iŋli], *adv.* agradàvelmente, simpàticamente, atraentemente, afàvelmente.

prepossessingness [-iŋnis], *s.* aspecto simpático, atraente; simpatia.

prepossession [pri:pə'zeʃən], *s.* preconceito; predisposição; prevenção.

preposterous [pri'pɔstərəs], *adj.* absurdo, despropositado; desordenado; desarrazoado; prepóstero. (*Sin.* absurd, ridiculous, ludicrous, foolish, unreasonable. *Ant.* reasonable.)

preposterously [-li], *adv.* absurdamente, despropositadamente, disparatadamente.

preposterousness [-nis], *s.* despropósito, absurdo.
prepotence [pri'poutəns], *s.* prepotência, superioridade, supremacia.
prepotency [-i], *s.* ver **prepotence.**
prepotent [pri'poutənt], *adj.* prepotente, muito poderoso; dominante; (biol.) com maior poder criador.
prepuce ['pri:pju:s], *s.* (anat.) prepúcio.
preputial [pri'pju:ʃəl], *adj.* (anat.) prepucial.
Pre-Raphaelite ['pri:'ræfəlait], *s.* pré-rafaelita, pintor que toma como modelos os pintores que viveram antes de Rafael.
Pre-Raphaelite Brotherhood — Irmãos Pré-Rafaelitas (grupo de artistas ingleses).
Pre-Raphaelitism [-izm], *s.* pré-rafaelismo, escola dos pré-rafaelitas.
pre-release [pri:ri'li:s], *adj.* (cin.) antes da estreia.
pre-release showing of a film — antestreia dum filme.
prerequisite ['pri:'rekwizit], **1** — *s.* requisito prévio.
2 — *adj.* necessário como requisito prévio.
prerogative [pri'rɔgətiv], **1** — *s.* prerrogativa, privilégio; distinção.
the royal prerogative — a prerrogativa real.
the prerogative of pardon — o direito de perdão.
2 — *adj.* com prerrogativas, privilegiado; com a prerrogativa de ser o primeiro a voltar (Roma antiga).
presage **1** — ['presidʒ], *s.* presságio, pressentimento; prognóstico.
2 — ['presidʒ,pri'seidʒ], *vt.* pressagiar; pressentir, prever; prognosticar.
presageful [-ful], *adj.* cheio de presságios; pressagioso.
presaging [-iŋ], *adj.* pressago, que pressagia.
presbyopia [prezbi'oupjə], *s.* (pat.) presbiopia, presbitia, presbitismo.
presbyopic [prezbi'ɔpik], *adj.* (pat.) presbiópico; presbita.
presbyter ['prezbitə], *s.* presbítero.
presbyteral [prez'bitərəl], *adj.* presbiterial, referente a presbítero.
presbyterial [prezbi'tiəriəl], *adj.* presbiteriano; referente aos antigos presbíteros; referente ao presbiterianismo.
Presbyterian [prezbi'tiəriən], *s.* e *adj.* presbiteriano; membro de Igreja presbiteriana; referente ao presbiterianismo.
Presbyterianism [-izm], *s.* presbiterianismo.
presbyterianize [-aiz], *vt.* converter ao presbiterianismo.
presbytery ['prezbitəri], *s.* presbitério; capela-mor; santuário; residência paroquial; parte das basílicas latinas onde ficavam os presbíteros e o bispo; conjunto de sacerdotes que, na Igreja primitiva, existia junto do bispo.
prescience ['presiəns,'preʃiəns], *s.* presciência. (*Sin.* prevision, foresight, foreknowledge, precognition.)
prescient ['presiənt,'preʃjənt], *adj.* presciente.
prescientific [pri:saiən'tifik], *adj.* anterior à ciência.
presciently ['presiəntli,'preʃjəntli], *adv.* prescientemente.
prescind [pri'sind], *vt.* e *vi.* separar abruptamente; prescindir.
to prescind from — prescindir de.
prescribe [pris'kraib], *vt.* e *vi.* prescrever, receitar; ordenar, determinar; caducar; (jur.) prescrever, impor.
to prescribe a penalty (jur.) — impor uma penalidade.
to prescribe for somebody (med.) — passar uma receita a alguém.
to prescribe a medicine, receitar um medicamento.
to prescribe regulations — impor regras, impor regulamentos.
prescribed [-d], *adj.* prescrito; (med.) receitado.
the subjects prescribed (esc.) — os assuntos do programa.
prescript ['pri:skript], *s.* prescrição, preceito, regra.
prescriptible [pri'skriptibl], *adj.* prescriptível.
prescription [pris'kripʃən], *s.* prescrição; preceito; (med.) receita.
to make up a prescription — aviar uma receita.
to make out a prescription, to write (out, down) a prescription for somebody (med.) — passar uma receita a alguém.
positive prescription (jur.) — prescrição positiva.
negative prescription (jur.) — prescrição negativa.
prescriptive [pris'kriptiv], *adj.* prescritivo; prescrito, sancionado; autorizado por costume.
pre-selector [pri-si'lektə], *s.* (rád., aut.) pré-selector.
presence [prezns], *s.* presença; assistência; auditório; porte, aspecto; comparência; aparição; influência misteriosa.
your presence is requested — reclama-se a sua presença.
presence of mind — presença de espírito.
she has a fine presence — ela tem um aspecto agradável.
in the presence of a large company — na presença de muita gente.
presence-chamber (presence-room) — sala das audiências.
to be admitted to the presence — ser recebido em audiência.
his presence of mind failed him — faltou-lhe a presença de espírito.
to retain one's presence of mind — conservar a presença de espírito.
present ['preznt,'prezənt], **1** — *s.* presente, actualidade; dádiva; obséquio; (gram.) presente; *pl.* (jur.) documento.
at present—agora; presentemente.
for the present—entretanto; por agora.
Christmas present — presente de Natal.
good-bye for the present — até logo.
as a present—como presente; como dádiva.
birthday present — prenda de anos.
until the present (up to the present) — até ao presente.
by these presents (jur.) — por este documento.
wedding-present — prenda de casamento.
to make a present to — dar um presente a.
as things are at present — tal como as coisas estão agora.
to make somebody a present of a thing — oferecer uma coisa a alguém.
2 — *adj.* presente, actual; pronto; atento; disposto; em questão, em discussão; (arc.) prestável; útil.
in the present instance — no caso presente.
to be present — estar presente.
the present company — as pessoas que aqui estão agora.
present participle (gram.)—particípio presente.
present perfect (gram.) — pretérito perfeito composto.
present tense (gram.)—(tempo) presente.
present fashion — moda actual.
at the present time — presentemente.
the present worth—o valor actual; o valor real.
the present government — o governo actual.
in the present case — no caso presente.

to be present at — assistir a.
up to the present time — até à época presente; até agora.
present [pri'zent,prə'zent], **1** — *s.* posição da arma no apresentar armas.
at the present — com a arma na posição de apresentar armas.
2 — *vt.* e *vi.* apresentar; introduzir; dar, presentear, oferecer; mostrar, expor; indicar; nomear; sugerir; apontar, assestar (uma arma); manifestar; (jur.) denunciar, acusar; apresentar (armas); apresentar (eclesiástico) para determinado cargo; apresentar (alguém) na corte.
to present oneself — apresentar-se.
we shall present the money to the hospital — vamos oferecer o dinheiro ao hospital.
to present a bill for acceptance — apresentar uma letra a aceite.
to present a person to another — apresentar uma pessoa a outra.
to present a case — apresentar um caso.
to present a plea (jur.) — apresentar uma acção.
to present oneself at somebody's house — apresentar-se em casa de alguém.
to present arms! (mil.) — apresentar armas!
to present a play (teat.) — apresentar uma peça.
to present one's apologies — apresentar as suas desculpas.
to present oneself for an examination — apresentar-se a exame.
to present a petition — apresentar uma petição.
to present somebody with a thing — presentear alguém com uma coisa.
presentability [pri'zentəbiliti], *s.* qualidade de ser apresentável; apresentação.
presentable [pri'zentəbl], *adj.* apresentável, com boa aparência; que pode oferecer-se.
presentableness [-nis], *s.* ver **presentability**.
presentably [pri'zentəbli], *adv.* de modo apresentável.
presentation [prezen'teiʃən], *s.* apresentação; introdução; exibição, representação; entrega de um presente; apresentação (na corte); (fil.) objecto de conhecimento. (*Sin.* offering, gift, donation, exhibition, introduction, representation.)
on presentation (com.) — a apresentação; à vista.
presentation copy of a book — exemplar de um livro destinado a oferta.
upon presentation of the invoice — contra apresentação da factura.
the Presentation — a Apresentação da Virgem.
presentative [pri'zentətiv], *adj.* que tem o direito de apresentar (a benefício eclesiástico); intuitivo.
presentee [prezən'ti:], *s.* beneficiado; pessoa apresentada na corte; pessoa a quem se oferece alguma coisa.
presenter [pri'zentə], *s.* aquele que apresenta; pessoa que propõe para benefício eclesiástico; pessoa que faz uma oferta.
presentient [pri'zenʃiənt], *adj.* que tem um pressentimento; pressago.
presentiment [pri'zentimənt], *s.* pressentimento.
presentive [pri'zentiv], *adj.* (palavra) representativa.
presently ['prezntli], *adv.* presentemente; no mesmo instante; daqui a pouco; (arc.) necessariamente; já, imediatamente.
presentment [pri'zentmənt], *s.* apresentação; introdução; representação; retrato; (jur.) denúncia, acusação.
presentment of a bill (com.) — apresentação de uma letra.
preservability [prizə:və'biliti], *s.* possibilidade de conservação.
preservable [pri'zə:vəbl], *adj.* que se pode guardar ou preservar.
preservation [prezə(:)'veiʃən], *s.* preservação; conservação; resguardo, defesa.
the preservation of health — a conservação da saúde.
preservation of peace — manutenção da paz.
in a good state of preservation — em bom estado de conservação.
preservative [pri'zə:vətiv], **1** — *s.* preservativo; salvaguarda; acto ou substância que preserva.
2 — *adj.* preservativo; profiláctico.
preservative skin — camada protectora.
preservatize [pri'zə:vətaiz], *vt.* conservar juntando substâncias que evitam a putrefacção.
preserve [pri'zə:v], **1** — *s.* conserva; fruta de conserva; compota; coutada; reserva de caça ou pesca; *pl.* óculos de protecção.
game preserve — reserva de caça.
salmon preserve — **viveiro de salmões.**
to poach on somebody's preserves — (col.) meter a foice em seara alheia.
2 — *vt.* preservar, conservar, guardar; proteger; manter; reservar; pôr de conserva; curar; fazer conserva de frutas; criar (caça, peixes) em viveiro. (*Sin.* to conserve, to protect, to maintain, to guard, to defend. *Ant.* to destroy.)
to preserve from danger — livrar do perigo.
to preserve from rust — **preservar da ferrugem.**
to preserve fruit — pôr fruta de conserva.
God preserve us! — Deus nos livre do mal!
to preserve appearances — **manter (salvar) as aparências.**
preserved [-d], *adj.* de conserva (frutas, carne, etc.); conservado.
preserved meat — carne de conserva.
to be a well preserved person — ser uma pessoa bem conservada.
preserver [-ə], *s.* preservador, conservador; pessoa que se dedica à indústria de conservas; dono de viveiro de pesca ou reserva de caça.
life-preserver — salva-vidas.
preserving [-iŋ], *s.* acção de preservar ou conservar; conserva (de carne, frutos, etc.).
preside [pri'zaid], *vi.* presidir; dirigir; ocupar lugar importante; (fig.) desempenhar uma função.
to preside over (at) a meeting — presidir a uma reunião.
presidency ['prezidənsi], *s.* presidência, direcção; divisão administrativa governada por um presidente, principalmente nos antigos territórios da Companhia da Índia; (esc.) direcção de escola ou colégio.
to assume the presidency — tomar a presidência.
president ['prezidənt], *s.* presidente; director; governador; chefe.
President of the Board of Education — ministro da Educação.
President of the Board of Trade — ministro do Comércio.
presidentess [-is], *s. fem.* presidente; esposa do presidente.
presidential [prezi'denʃəl], *adj.* presidencial.
presidential year (E. U.) — ano em que há eleições presidenciais.
presidentially [-i], *adv.* presidencialmente.
presidentship [prezi'denʃip], *s.* presidência, cargo de presidente.

presider [pri'zaidə], *s.* presidente; aquele que preside.
presider at — presidente de.
presidial [pri'sidiəl], *adj.* presidiário, referente a presídio.
presidiary [pri'sidjəri], *adj.* referente a força ou guarnição militar.
presiding [pri'zaidiŋ], *adj.* que preside.
presiding officer — presidente de escrutínio eleitoral.
presidio [pri'sidiou], *s.* presídio, praça de guerra (Espanha e América Espanhola).
presidium [pri'sidiəm,pri'zidiəm], *s.* presídio, junta governativa (União Soviética).
press [pres], **1** — *s.* turba, multidão; apertão; pressa; urgência; imprensa; prensa; prelo; armário; jornais, revistas, etc.; vinco (das calças); pressão.
oil-press — lagar de azeite.
in the press — no prelo.
press-proof — prova tipográfica.
freedom of the press — liberdade de imprensa.
to come from the press — sair do prelo.
leading press — principais jornais.
press of sail (náut.) — força de vela.
press-reader — corrector de provas tipográficas.
the press of modern life — a intensidade da vida moderna.
press-roll — cilindro.
wine press — prensa de lagar.
hot press — prensa para acetinar a quente.
cold press — prensa para acetinar a frio.
press-agency — agência de publicidade.
press-agent — agente de publicidade.
press-clipping — recortes de imprensa.
press forward — acto de avançar.
press-bed — cama dobrável.
press-gallery — galeria da imprensa (na Câmara dos Comuns).
press photographer — fotógrafo de imprensa.
press-law — lei da imprensa.
press-button — botão de pressão.
press-button tuning (rád.) — sintonização por meio de botões de pressão.
cider-press — espremedeira para cidra.
press-switch (elect.) — comutador de pressão.
hydraulic press — prensa hidráulica.
press-lever — alavanca de pressão.
kitchen press — armário de cozinha.
printing-press — máquina de imprimir.
to correct the press — corrigir as provas tipográficas.
to write for the press — escrever para os jornais.
rotary press — máquina de impressão rotativa.
to get lost in the press — perder-se no meio da multidão.
to have a good press — ser bem recebido pela crítica.
2 — *vt.* e *vi.* comprimir, apertar; espremer; estreitar; recalcar; oprimir, angustiar, afligir; acetinar; calandrar; apressar-se; dar pressa, apressar; impelir; perseguir; fatigar; ajustar; exercer pressão; insistir, instar; acossar; constranger; apinhar-se; afluir; urgir; influir no ânimo; avançar, adiantar-se; tornar-se enfadonho; importunar; investir, arremeter; (mil.) recrutar à força; passar a ferro, engomar; abraçar.
to press forward — avançar; investir; impelir.
to press on — apressar, fazer avançar.
to press down — apertar, comprimir; acabrunhar, oprimir.
time presses — o tempo urge.
to be pressed for time — não dispor de tempo.
to press out — espremer.
to press hard — apertar com força.
to press a button — carregar num botão; (fig.) pôr a funcionar.
I pressed on him to come — instei com ele para que viesse.
hard pressed — oprimido; aflito.
we are very much pressed and need money—estamos em apuros e precisamos de dinheiro.
to press somebody hard — (col.) pôr alguém entre a espada e a parede.
to press an attack — atacar com força.
to press back — recalcar; reprimir.
to press clothes — passar roupa a ferro.
to press for — insistir muito.
to press the question — insistir na questão.
to press somebody's hand — apertar a mão de alguém.
to press with the forging machine — forjar na prensa.
to press the trigger of a gun — puxar o gatilho duma arma.
pressed [-t], *adj.* apertado, comprimido; atrapalhado; impresso; prensado; apoiado (em).
pressed glass — vidro comprimido.
pressed pasteboard — papelão prensado.
to be pressed for money — estar com falta de dinheiro.
pressed steel — aço estampado.
pressed meat — carne cozida e comprimida para ser enlatada.
presser [-ə], *s.* prensador; lagareiro; lustrador; espremedeira.
presser-foot — calcador (de máquina de costura).
pressful ['ful], *adj.* comprimido, prensado.
press-gang ['-gæŋ], *s.* grupo de homens encarregados de alistar à força soldados ou marinheiros.
pressing ['-iŋ], **1** — *s.* acção de comprimir, de esmagar; compressão; espremedura (no lagar); acção de prensar; insistência; acção de reclamar; impressão.
pressing machine — prensa.
pressing down — acção de alisar calcando.
pressing back — acção de conter, de reprimir.
2 — *adj.* urgente, importante; importuno; insistente.
a pressing need — uma necessidade urgente.
to be very pressing — ser muito urgente.
pressingly ['-iŋli], *adv.* urgentemente; apertadamente; com força; insistentemente.
pressingness ['-iŋnis], *s.* urgência, premência.
pressurage ['preʃəridʒ], *s.* prensagem (no lagar); mosto que resulta do bagaço prensado.
pressure ['preʃə], *s.* pressão; opressão; apertão; pressa; urgência; impulso, ímpeto; (elect.) tensão eléctrica, voltagem, potencial; (fig.) situação difícil.
high-pressure — alta pressão.
low-pressure — baixa pressão.
blood-pressure — tensão arterial.
mean pressure — pressão média.
test pressure — prova de pressão.
water pressure — pressão hidráulica.
pressure governor — regulador de pressão.
over pressure — excesso de pressão.
pressure above atmosphere — pressão efectiva.
pressure area — área de pressão.
pressure altimeter — altímetro de pressão.
pressure-cooker — panela de pressão.
pressure chamber — câmara de pressão.
pressure fluid — líquido comprimido.
pressure-feed — alimentação sob pressão.
pressure-feed lubrication — lubrificação sob pressão.
pressure in volts (elect.) — pressão em volts.
pressure for money — falta de dinheiro.
pressure line — linha de pressão.

pressure pipe — cano de pressão.
pressure port — canal de compressão.
pressure gauge — manómetro de pressão, manómetro.
pressure spring — mola de pressão.
pressure pump — bomba de pressão.
pressure water — água sob pressão.
pressure resistant — resistente à pressão.
atmospheric pressure — pressão atmosférica.
elastic pressure of gases — força elástica dos gases.
pressure stage — grau de pressão.
back pressure — contrapressão.
under the pressure of — sob a pressão de.
wind pressure — força do vento.
financial pressure — dificuldades financeiras.
high blood-pressure — hipertensão.
low blood-pressure — hipotensão.
to suffer from high blood-pressure — sofrer de hipertensão.
to suffer from low blood-pressure — sofrer de hipotensão.
to work at high pressure — trabalhar a alta pressão; (fig.) trabalhar muito rapidamente.

prestation [pres'teiʃən], *s.* prestação (de dinheiro).

Prester John ['prestə'dʒɔn], *n. p.* Preste João.

prestidigitation ['prestididʒi'teiʃən], *s.* prestidigitação.

prestidigitator [presti'didʒiteitə], *s.* prestidigitador.

prestige [pres'ti:ʒ], *s.* prestígio; influência; reputação.
loss of prestige — perda de prestígio.

prestissimo [pres'tisimou], *s., adj.* e *adv.* (mús.) prestíssimo; trecho musical prestíssimo.

presto ['prestou], **1** — *s., adj.* e *adv.* (mús.) presto; trecho musical presto.
2 — *adj.* e *adv.* rápido, rapidamente (termo usado por prestidigitadores).

presumable [pri'zju:məbl], *adj.* presumível, conjecturável; provável.

presumably [-i], *adv.* presumivelmente; provavelmente.

presume [pri'zju:m, prə'zju:m], *vt.* e *vi.* presumir, supor, conjecturar; tomar a liberdade de; atrever-se; ter-se em grande conta, ter vaidade.
to presume on (to presume upon) — contar com; abusar de.
to presume on one's merits — encarecer muito o seu merecimento.
to presume to — tomar a liberdade de.

presumed [-d], *adj.* suposto; conjecturado.

presumedly [-dli], *adv.* presumivelmente.

presumer [-ə], *s.* pessoa presunçosa.

presuming [-iŋ], **1** — *s.* presunção; vaidade.
2 — *adj.* presunçoso; presumido.

presumingly [-iŋli], *adv.* presumidamente; presunçosamente.

presumption [pri'zʌmpʃən], *s.* presunção, conjectura, suposição; suspeita; vaidade, arrogância; (jur.) presunção. (*Sin.* assumption, arrogance, assurance, boldness. *Ant.* knowledge, modesty.)
this is a mere presumption — isto é uma mera suposição.
presumption of law (jur.) — presunção legal.
presumption of fact (jur.) — presunção judicial; presunção de facto.

presumptive [pri'zʌmptiv], *adj.* presuntivo, presumível.

presumptively [-li], *adv.* presuntivamente, presumivelmente.

presumptuous [pri'zʌmptjuəs], *adj.* presunçoso, orgulhoso; arrogante, atrevido; presumido; insolente.

presumptuously [-li], *adv.* presunçosamente, presumidamente.

presumptuousness [-nis], *s.* presunção, vaidade, arrogância, altivez; temeridade.

presuppose [pri:sə'pouz], *vt.* pressupor; fazer supor, fazer pressupor.
effects presuppose causes — os efeitos fazem pressupor as causas.

presupposition [pri:sʌpə'ziʃən], *s.* pressuposição, conjectura.

pretence [pri'tens], *s.* pretexto; escusa; pretensão; simulação, fingimento; intenção; capa, véu, máscara; ficção; afectação; desígnio; ambição; vaidade.
under false pretences — por meios fraudulentos.
on pretence of (under pretence of) — sob pretexto de.
devoid of all pretence — despido de toda a pretensão.
under the pretence of helping — sob o pretexto de auxiliar.
to make pretences — dissimular.
his illness was all pretence — a doença dele não passava de fingimento.
to be a person without pretence — ser uma pessoa sem pretensões.

pretend [pri'tend], **1** — *s.* fingimento, simulação.
2 — *vt.* e *vi.* pretextar; fingir, aparentar; fazer de; simular; intentar; alegar ou afirmar falsamente; pretender.
to pretend to be rich — fazer de rico.
he pretends not to hear — finge que não ouve.
I do not pretend to — não tenho a pretensão de.
to pretend to the throne — ser pretendente ao trono.
he pretends to her hand — ele pretende casar com ela; ele é pretendente à mão dela.

pretended [-id], *adj.* falso, simulado; pretenso, suposto.

pretendedly [-idli], *adv.* falsamente; pretensamente.

pretender [-ə], *s.* pretendente; simulador.
pretender to the throne — pretendente ao trono.

pretension [pri'tenʃən], *s.* pretensão; pretexto; fingimento, simulação; aspiração; afirmação gratuita; presunção.
of great pretensions — cheio de pretensões.
your pretensions are extravagant — as suas pretensões são exageradas.

pretensionless [-lis], *adj.* sem pretensões.

pretentious [pri'tenʃəs], *adj.* pretensioso, presunçoso, vaidoso, afectado, presumido. (*Sin.* presuming, conceited, vain, ostentatious. *Ant.* modest.)

pretentiously [-li], *adv.* pretensiosamente, presumidamente.

pretentiousness [-nis], *s.* carácter pretensioso, arrogante.

preterhuman ['pri:tə'hju:mən], *adj.* sobre-humano.

preterit ['pretərit], *s.* e *adj.* (gram.) pretérito; (joc.) passado.

preterite ['pretərit], *s.* e *adj.* ver **preterit.**

preteriteness [-nis], *s.* passado.

preterition [pri:tə'riʃən], *s.* preterição; omissão.

pretermission [pri:tə'miʃən], *s.* omissão, pretermissão, preterição.

pretermit [pritə:'mit], *vt.* (*p. et.* e *pp.* **pretermitted**) pretermitir; omitir; preterir; passar por alto; deixar de.

preternatural [pri:tə'nætʃrəl], *adj.* sobrenatural, extraordinário, preternatural.

preternaturalism [-izm], *s.* preternaturalismo, doutrina filosófica ou religiosa que explica muitos fenómenos a partir dum princípio preternatural.
preternaturally [-i], *s.* sobrenaturalmente.
pretext 1 — ['pri:tekst], *s.* pretexto; escusa, desculpa.
under the pretext of — sob o pretexto de.
to find a pretext for doing something — encontrar um pretexto para fazer alguma coisa.
to have some pretext or another — ter um pretexto qualquer.
to give as a pretext that — alegar como pretexto que.
2 — [pri'tekst], *vt.* pretextar, alegar.
pretone ['pri:toun], *s.* sílaba ou vogal pretónica.
pretonic ['pri:tɔnik], *adj.* pretónico.
Pretoria [pri'tɔ:riə], *top.* Pretória.
prettification [pritifi'keiʃən], *s.* adorno, embelezamento.
prettify ['pritifai], *vt.* alindar, embelezar, enfeitar.
prettifying [-iŋ], *s.* acção de alindar, de embelezar.
prettily ['pritili], *adv.* lindamente, belamente; gentilmente; agradavelmente; graciosamente.
to behave prettily — portar-se lindamente (criança).
prettily dressed — lindamente vestido.
prettiness ['pritinis], *s.* beleza; graça; elegância; gentileza; garbo; estilo afectado.
pretty ['priti], 1 — *s.* coisa bonita; enfeite, ornamento; pessoa bonita.
the pretty — a parte talhada de copo ou cálice.
2 — *adj.* lindo, bonito, belo; elegante, gracioso; gentil; galhardo; bom, perfeito; (col.) bastante, regular. (*Sin.* fair, beautiful, handsome, pleasing. *Ant.* ugly.)
pretty difficult — bastante difícil.
pretty ways — modos agradáveis.
a pretty kettle of fish — uma situação que causa embaraços.
a pretty penny — muito dinheiro.
pretty fellow (arc.) — belo rapaz.
she is sweetly pretty — ela é muito gentil.
to make pretty speeches to a girl — dizer amabilidades (coisas bonitas) a uma rapariga
this is a pretty how-d'ye-do! (col.) — agora é que vão ser elas!; temo-la bonita!
a pretty mess you have made! — fizeste-a bonita!
3 — *adv.* algum tanto, bastante, assaz.
pretty near — bastante perto; com pouca diferença.
pretty well — razoavelmente.
pretty much the same — quase o mesmo.
prettyish [-iʃ], *adj.* um tanto bonito.
pretty-pretties ['pritipritis], *s. pl.* enfeites, ornamentos, bugigangas.
prevail [pri'veil], *vi.* prevalecer, predominar; estar em voga; vencer; triunfar de; induzir; conseguir; sobressair; persuadir, convencer; reinar (vento, corrente, etc.); existir; acontecer.
to prevail on (to prevail upon) — persuadir, convencer; conseguir; ser superior a.
to prevail over (to prevail against) — vencer, dominar.
force prevails against right — a força prevalece contra o direito.
truth will prevail — a verdade há-de prevalecer.
prevailing [-iŋ], *adj.* predominante; dominante; reinante; geral; eficaz; actual.
prevailing passion — paixão dominante.
prevailing wind — vento predominante.
prevailingly [-iŋli], *adv.* predominantemente.
prevalence ['prevələns], *s.* predomínio; preponderância; eficácia.
prevalent ['prevələnt], *adj.* predominante; eficaz; geral; vitorioso.
prevalently [-li], *adv.* predominantemente; eficazmente; geralmente.
prevaricate [pri'værikəit], *vi.* prevaricar; tergiversar; faltar à verdade; falar ou actuar evasivamente. (*Sin.* to equivocate, to quibble, to shuffle, to cavil.)
prevaricating [-iŋ], 1 — *s.* acção de prevaricar; acção de proceder usando evasivas.
2 — *adj.* prevaricante; que falta à verdade; que procede usando evasivas.
prevarication [priværi'keiʃən], *s.* prevaricação; subterfúgio, evasiva; falsidade; dolo.
prevaricator [pri'værikeitə], *s.* prevaricador; pessoa que procede usando evasivas.
prevenient [pri'vi:njənt], *adj.* (teol.) preveniente; preventivo; precedente; prévio.
prevent [pri'vent], *vt.* prevenir; evitar; impedir, obstar; frustrar; estorvar; (arc.) antecipar, tratar de; (teol.) guiar.
to prevent somebody from doing something — impedir alguém de fazer alguma coisa.
I wish to prevent all dispute — desejo evitar discussões.
God prevents us with His grace — Deus guia-nos com a Sua graça.
preventable [-əbl], *adj.* que se pode prevenir, evitável.
preventative [pri'ventətiv], *s.* e *adj.* ver **preventive.**
preventer [pri'ventə], *s.* o que impede, o que obsta; (náut.) cadeira ou eixo auxiliar.
preventer rope (náut.) — cabo de reforço.
preventer bolts (náut.) — contrabatoques.
preventer plates (náut.) — chapas dos batoques.
preventible [pri'ventibl], *adj.* ver **preventable.**
prevention [pri'venʃən], *s.* prevenção, cautela; impedimento, estorvo.
prevention is better than cure — vale mais prevenir que remediar.
prevention of accidents — prevenção de acidentes.
society for the prevention of cruelty to animals — sociedade protectora dos animais.
preventive [pri'ventiv], 1 — *s.* impedimento; medida preventiva; medicamento tomado como preventivo.
2 — *adj.* impeditivo, preventivo, preservativo; profiláctico.
preventive measures — medidas preventivas.
preventive medicine — profilaxia.
preventive detention — prisão preventiva.
preventive officer — funcionário da alfândega.
preventively [-li], *adv.* preventivamente, como preventivo.
preventorium [priven'tɔ:riəm], *s.* preventório antituberculoso.
preview ['pri:'vju:], 1 — *s.* (cin.) antestreia.
2 — *vt.* (cin.) apresentar ou ver em antestreia.
previous ['pri:vjəs], 1 — *adj.* prévio, anterior; antecipado; (fam.) apressado, precipitado.
you have been a little too previous — foste um pouco apressado.
previous examination — exame de admissão à Universidade de Cantabrígia.
previous engagement — compromisso anterior.
without previous notice — sem aviso prévio.
2 — *adv.* anteriormente.
previous to — anteriormente a.
previously [-li], *adv.* previamente, antecipadamente.
previousness [-nis], *s.* anterioridade; prioridade; grande pressa, precipitação.

previse [pri'vaiz], *vt.* prever; prevenir.
prevision [pri(:)'viʒən], *s.* previsão.
previsional [-əl], *adj.* referente a previsão.
previsionally [-əli], *adv.* de maneira própria de previsão.
pre-war ['pri:'wɔ:], **1** — *adj.* antes da guerra. **2** — *adv.* anteriormente à guerra.
prey [prei], **1** — *s.* presa; pilhagem; roubo; rapina; vítima.
bird of prey — ave de rapina.
to fall a prey to — ser vítima de.
beast of prey — animal feroz.
2 — *vt.* pilhar, roubar; devorar; consumir; ralar; corroer.
to prey upon the mind — ralar o espírito.
to prey on (upon) — cair sobre (ave de rapina).
preyer [-ə], *s.* rapinante; saqueador; espoliador.
preying [-iŋ], *adj.* feroz; saqueador; carniceiro; que pratica a rapina.
Priam ['praiəm], *n.p.* Príamo, rei de Tróia.
priapism ['praiəpizm], *s.* libertinagem; (med.) priapismo.
price [prais], **1** — *s.* preço, custo, valor, valia; prémio; (fig.) preço (para atingir determinado fim).
cost price — preço de custo.
market price — preço do mercado; preço corrente.
sale price — preço de venda.
net price — preço líquido.
reduced price — preço reduzido.
average price — preço médio.
at any price — a todo o preço; custe o que custar.
fixed price — preço fixo.
to set a price — fixar o preço.
price-list — lista de preços.
current price — tabela dos preços correntes.
full price (selling price) — preço de venda (por miúdo).
to sell at the standard price — vender ao preço da tabela.
controlled prices — preços tabelados.
the prices are looking up — os preços vão subindo.
all-round price —preço excluindo extras.
fair price — preço justo.
invoice price — preço de factura.
under cost price — por preço inferior ao do custo.
closing price — preço de encerramento.
manufacturer's price — preço de fábrica.
opening price — preço de abertura.
ruling price — preço corrente.
purchase price — preço de compra.
to fetch a price — obter um preço.
the lowest price — o mínimo preço.
high price — preço elevado.
to keep up a price — manter um preço.
to set a price on a person's head — pôr a preço (prémio) a cabeça de alguém.
to raise the price — subir o preço.
to lower the price — baixar o preço.
above price — de valor inestimável.
cash price — preço a pronto pagamento.
long price — preço com taxas incluídas.
not at any price — por nada deste mundo.
wholesale price — preço por junto.
one-price store — armazém de preço único.
to pay top price — pagar muito dinheiro.
to quote a price — indicar um preço.
what is the price of this? — quanto custa isto?
to set a high price on — ligar muita importância a.
2 — *vt.* avaliar; fixar o preço; valorizar; estimar; apreciar; perguntar o preço de.
to be priced at — vender-se ao preço de.
to price something very high — atribuir um preço alto a alguma coisa; ter alguma coisa em grande conta.
to price something very low — atribuir um preço baixo a alguma coisa; considerar alguma coisa como pouco importante.
priced [-t], *adj.* com determinado preço.
high-priced — com preço elevado; de muita valia.
low-priced — de pouco preço; de pouca valia.
priced catalogue — catálogo de preços.
priceless [-lis], *adj.* inestimável, inapreciável; sem preço; (col.) muito engraçado, impagável.
pricelessness [-lisnis], *s.* valor incalculável.
pricing [-iŋ], *s.* avaliação; atribuição de preço a.
prick [prik], **1** — *s.* instrumento agudo; aguilhão, ferrão; picada; alfinetada; dor pungente; remorso; (cal.) pénis.
prick of a needle — picada de agulha.
prick-eared — (cão) de orelhas pontiagudas; (pessoa) finório; (hist.) Cabeça-Redonda.
to kick against the pricks — remar contra a maré.
prick-punch — punção; marca de punção.
to get a prick in one's hand — picar-se numa mão.
the prick of conscience — os remorsos da consciência.
2 — *vt.* e *vi.* picar; furar; perfurar; cravar; marcar; apontar; esburacar; aguilhoar; excitar; levantar; atormentar; avivar, estimular; picar, causar a sensação de uma picada; (náut.) pôr o ponto na carta; levantar as orelhas; granir (desenho); (arc.) espicaçar; ir a galope.
to prick up one's ears — apurar os ouvidos, prestar atenção.
to prick one's conscience — roer a consciência.
to prick the bubble (fig.) — descobrir o logro.
to prick oneself — picar-se.
to prick a blister — picar uma bolha.
to prick in — transplantar.
to prick a hare — seguir o rasto duma lebre.
to prick out seedlings — transplantar plantas novas.
to prick one's hand — picar uma mão.
to prick the seams (náut.) — recoser as costuras.
it pricks my foot — tenho um formigueiro num pé.
pricker [-ə], *s.* ponta, bico; espinho; furador, sovela; picador; picadeira; passador (de marinheiro).
pricker bar — barra de grelha.
pricket [-it], *s.* veado de um ano (com chifres sem ramificações); braço de castiçal.
pricket's sister — corça de um ano.
pricking [-iŋ], **1** — *s.* picada; formigueiro; comichão; encravadura; (náut.) marcação da rota por meio de picadas na carta.
pricking out — transplantação.
2 — *adj.* que pica; penetrante.
prickle [-l], **1** — *s.* bico, ferrão; espinho; pua; comichão; (bot.) acúleo.
prickle-back (zool.) — peixe-espinho.
2 — *vt.* e *vi.* picar, furar; causar sensação de formigueiro.
prickled [-ld], *adj.* com espinhos.
prickliness [-linis], *s.* abundância de espinhos ou pontas agudas.
prickling ['-liŋ], **1** — *s.* formigueiro, comichão.
2 — *adj.* que dá sensação de formigueiro.
prickly ['-li], *adj.* cheio de espinhos, espinhoso; que causa formigueiros.

prickly pear — figo-do-inferno.
prickly heat (med.) — brotoeja.
prickwood ['prikwud], *s.* (bot.) fusano.
pride [praid], **1** — *s.* orgulho; presunção, vaidade, altivez; motivo de orgulho; soberba; causa de satisfação; insolência; ostentação, pompa; brio, dignidade; fogosidade (cavalo); grupo (de certos animais).
to take pride in — orgulhar-se de.
he is his mother's pride — ele é o orgulho da mãe.
to be puffed up with pride — encher-se de orgulho; ensoberbecer-se.
pride of place — arrogância por ocupar uma alta posição.
pride of birth — orgulho de nascimento.
a pride of lions — um grupo de leões.
false pride — falso orgulho; vaidade.
pride of the morning — neblina matinal.
to bring down somebody's pride — abater o orgulho de alguém.
proper pride — amor-próprio.
peacock in his pride — pavão todo armado.
pride goes before a fall — quem ao mais alto sobe ao mais baixo vem cair.
2 — *v. refl.*
to pride oneself on (upon) — orgulhar-se de.
prideful ['-ful], *adj.* orgulhoso, altivo.
pridefully ['-fuli], *adv.* orgulhosamente, altivamente.
pridefulness ['-fulnis], *s.* orgulho, altivez.
prier ['praiə], *s.* pessoa bisbilhoteira; perscrutador.
priest [pri:st], **1** — *s.* padre, sacerdote; clérigo.
high priest — pontífice.
priest in charge — capelão.
to become a priest — ordenar-se.
2 — *vt.* ordenar (alguém).
priestcraft ['-krɑ:ft], *s.* (pej.) clericalismo, intrigas dos padres.
priestess ['-is], *s. fem.* sacerdotisa.
priesthood ['-hud] *s.* clero; sacerdócio.
to enter the priesthood — ordenar-se.
priestlike ['-laik], *adj.* sacerdotal; próprio de padre.
priestliness ['-linis], *s.* ar, maneiras de padre.
priestly ['-li], *adj.* sacerdotal, eclesiástico.
prig [prig], **1** — *s.* pedante; (col.) ladrão.
2 — *vt.* (*pret.* e *pp.* **prigged**) (col.) roubar.
priggery [-əri], *s.* pedantismo, afectação.
priggish [-iʃ], *adj.* pedante, presumido, afectado; pretensioso, amaneirado.
priggishly [-iʃli], *adv.* afectadamente; pretensiosamente; com presunção.
priggishness [-iʃnis], *s.* presunção; pedantismo.
prim [prim], **1** — *adj.* afectado, presumido; empertigado. (*Sin.* demure, formal, stiff, cold, precise. *Ant.* genial.)
2 — *vt.* (*pret.* e *pp.* **primmed**) ser afectado, requebrar-se; exibir modos afectados; enfeitar; pôr-se de ponto em branco.
to prim oneself up — ataviar-se.
primacy (*pl.* **primacies**) ['praiməsi,-iz], *s.* dignidade de primaz; primazia; preeminência; supremacia; prioridade.
primage ['praimidʒ], *s.* (náut.) primagem, percentagem sobre o frete que se paga, às vezes, ao capitão de um navio.
primal ['praiməl], *adj.* primitivo, primeiro; principal, fundamental.
primarily ['praimərili], *adv.* em primeiro lugar; primitivamente, originariamente; principalmente.
primary ['praiməri], **1** — *s.* (*pl.* **primaries** [-iz]) reunião prévia para escolher os candidatos a uma eleição; cor primária; planeta primário; (elect.) circuito indutor.
2 — *adj.* primário, primeiro; primitivo; elementar, rudimentar; fundamental, principal.
primary cause — causa fundamental.
primary school — escola primária.
primary wire (elect.) — fio indutor.
primate ['praimit], *s.* primaz, arcebispo.
primates [prai'meiti:z], *s. pl.* (zool.) primatas.
primateship ['praimitʃip], *s.* primazia, dignidade de primaz.
prime [praim], **1** — *s.* primavera da vida; aurora, alvor; plenitude de vigor; a parte melhor; número primo; hora de prima (liturgia); princípio, origem; (mús.) tom fundamental.
to be in one's prime — estar na flor da idade.
to sing the prime — cantar à hora de prima.
2 — *adj.* primeiro; principal, fundamental; primoroso, excelente; de primeira qualidade; (arit.) primo.
prime figure — número primo.
prime minister — primeiro-ministro.
prime cost — custo; preço de fábrica.
of prime importance — de importância primordial.
3 — *vt.* e *vi.* dar a primeira demão a; aparelhar; informar, dar instruções; prevenir; preparar; escorvar (uma arma de fogo); deitar água numa bomba antes de a accionar.
primer [-ə], *s.* fulminante; espoleta; cápsula de cartucho; cartilha; livro elementar.
primer ['primə], *s.* determinado tipo tipográfico.
primeval [prai'mi:vəl], *adj.* primitivo, primordial; primeiro, original, primevo.
primevally [-i], *adv.* primitivamente.
priming ['praimiŋ], *s.* preparação; escorva; rastilho; a primeira demão (em pintura); fermentação; projecção de água; transmissão apressada de conhecimentos.
priming valve — válvula de segurança.
primitive ['primitiv], **1** — *s.* primitivo, pintor ou escultor do período anterior à Renascença; quadro ou escultura de um desses pintores ou escultores.
2 — *adj.* primitivo, originário; antiquado; simples, rudimentar. (*Sin.* quaint, original, old, archaic. *Ant.* modern.)
primitively [-li], *adv.* primitivamente; originalmente.
primitiveness [-nis], *s.* antiguidade; carácter primitivo.
primly ['primli], *adv.* afectadamente; meticulosamente; com pedantismo.
primness ['primnis], *s.* afectação; meticulosidade.
primogenitor [primou'dʒenitə], *s.* primogenitor; antepassado.
primogeniture [praimou'dʒenitʃə], *s.* primogenitura.
right of primogeniture — direito de primogenitura.
primordial [prai'mɔ:djəl], *adj.* primordial; primitivo; original; fundamental, essencial.
primrose ['primrouz], *s.* (bot.) primavera; amarelo-pálido.
the primrose path — vida de prazer.
evening primrose (bot.) — ónagra.
primula ['primjulə], *s.* (bot.) prímula, primavera.
primus ['praiməs], **1** — *s.* bispo-presidente na Igreja Episcopal Escocesa; fogão a petróleo.
2 — *adj.* primeiro.
prince [prins], *s.* príncipe; soberano; monarca.
Prince of Wales — príncipe de Gales.

the Prince of Darkness — Satanás.
the Prince of Peace — Jesus Cristo.
princedom [-dəm], *s.* principado.
princelike [-laik], **1** — *adj.* principesco; de príncipe.
2 — *adv.* principescamente.
princeliness [-linis], *s.* dignidade de príncipe; magnificência, grandeza, nobreza.
princely [-li], *adj.* principesco; nobre, régio, magnífico; muito generoso.
he gave her a princely gift — ele deu-lhe um presente principesco.
princess [prin'ses], *s. fem.* princesa.
princess of the blood — princesa de sangue.
princess royal — princesa real.
principal ['prinsəpəl], **1** — *s.* sócio-gerente; chefe; director de um colégio; reitor de liceu; autor principal de crime; outorgante; trave mestra de telhado; capital posto a juros; pessoa para quem se trabalha como agente; cada um dos comparticipantes num duelo.
2 — *adj.* principal; capital, fundamental, essencial; o mais importante. (*Sin.* main, leading, first, chief. *Ant.* minor, subordinate.)
principal clause (gram.) — oração principal.
the principal cause of his failure — o principal motivo do seu fracasso.
principality (*pl.* **principalities**) [prinsi'pæliti,-iz], *s.* principado; soberania.
principally ['prinsəpli], *adv.* principalmente.
principalship ['prinsəpəlʃip], *s.* cargo de principal ou de chefe; reitoria de liceu.
principate ['prinsipit], *s.* principado.
principle ['prinsəpl], *s.* princípio; causa, origem; motivo; fundamento; base; máxima, axioma; (fís.) lei geral; norma de conduta; propriedade; (quím.) princípio activo.
a man of no principles — um homem sem princípios.
on principle — por princípio.
to lay down as a principle — estabelecer como princípio.
to live up to one's principles — seguir a sua norma de conduta.
to refuse on principle — recusar por princípio.
principled [-d], *adj.* que tem princípios.
high-principled — de muito bons princípios.
low-principled — de maus princípios.
prink [priŋk], *vt.* e *vi.* enfeitar-se, ataviar-se; dar-se ares; arranjar com cuidado.
print [print], **1** — *s.* impressão; estampa, imagem; tipo de imprensa; impresso; gravura; marca, sinal; cópia fotográfica; (E. U.) jornal ou revista; tecido estampado.
in print — impresso; publicado.
out of print — edição esgotada.
print-seller — vendedor de estampas.
print-works — fábrica de estampados.
coloured-print — estampa colorida.
finger-prints — impressões digitais.
foot-print — pegada.
print-shop — loja de estampas.
to rush into print — publicar apressadamente.
2 — *vt.* e *vi.* imprimir; estampar; publicar; escrever em tipo de imprensa; gravar; (fot.) tirar cópias; ficar impresso; ser impressor.
to print off a book — imprimir um livro.
to print on the memory — gravar na memória.
printed ['-id], *adj.* impresso; gravado; estampado.
printed goods — estampados.
printed matter — impressos.
printer [-ə], *s.* tipógrafo, impressor; pessoa que tira provas fotográficas.
printer's devil — aprendiz de tipógrafo; moço de recados de uma tipografia.
printer's ink — tinta própria para impressão.
printer's pie — mistura de tipos; (fig.) confusão.
printer's reader — revisor de provas tipográficas.
printing [-iŋ], *s.* impressão; imprensa; tipografia; impresso; estampagem; (fot.) tiragem de cópias; gravação.
printing-machine — máquina de imprimir.
printing office — tipografia.
printing-press — prelo.
printing types — tipos de impressão.
prior ['praiə], **1** — *s.* prior; superior de convento ou ordem religiosa.
2 — *adj.* anterior, antecedente, precedente, prévio; mais importante.
3 — *adv.* anteriormente.
prior to — anteriormente a.
prioress [-ris], *s. fem.* prioresa.
priority (*pl.* **priorities**) [prai'ɔriti,-iz], *s.* prioridade; anterioridade; precedência; primazia.
to have priority over — ter prioridade sobre.
priory (*pl.* **priories**) ['praiəri,-iz], *s.* priorado (convento).
prism ['prizəm], *s.* prisma; espectro produzido por prisma; *pl.* cores prismáticas.
prismatic [priz'mætik], *adj.* prismático; (fig.) com cores vivas, brilhante.
prismatically [-əli], *adv.* em forma de prisma.
prison ['prizn], **1** — *s.* prisão; cárcere; cadeia; clausura; sujeição.
in prison — preso.
prison-bird — cadastrado; malfeitor.
prison-breaker — aquele que foge da cadeia.
prison-van — carro celular.
prison warden — director de prisão.
to be in prison — estar preso.
to be sent to prison — ser mandado para a cadeia.
to put into prison — prender; meter na cadeia.
2 — *vt.* (poét.) encarcerar, prender.
prisoner [-ə], *s.* preso; prisioneiro; acusado; réu.
prisoner's base — jogo da barra.
prisoner at the bar — acusado; réu.
to take prisoner — aprisionar.
pristine ['pristain], *adj.* pristino; primitivo; antigo.
privacy (*pl.* **privacies**) ['praivasi,-iz], *s.* retiro, solidão; reserva; retraimento; segredo; isolamento; intimidade.
in privacy — em particular.
the privacy of my home — a intimidade de minha casa.
to live in privacy — viver só, afastado do convívio.
in such matters privacy is impossible — nestes assuntos o segredo é impossível.
private ['praivit], **1** — *s.* soldado raso; *pl.* partes sexuais.
in private — em particular; na intimidade.
2 — *adj.* só, solitário, retirado; secreto, clandestino; oculto, reservado, calado; particular, privado; pessoal; confidencial; íntimo. (*Sin.* retired, solitary, secret, personal, particular. *Ant.* public.)
private bus — autocarro reservado.
private business — negócio particular.
private ball — baile particular.
private letter — carta particular.
private life — vida privada.
private soldier — soldado raso.
private audience — audiência particular.
at my private expenses — à minha própria custa.

this is for your private ear — isto é confidencial.
strictly private — estritamente reservado.
to keep something private — fazer segredo de alguma coisa.
he had private reasons — tinha razões particulares.
privateer [praivə'tiə], **1** — *s.* corsário; *pl.* tripulantes de navio corsário.
2 — *vi.* (náut.) fazer a guerra de corso.
privateering [-riŋ], *s.* guerra de corso.
privately ['praivitli], *adv.* secretamente, às escondidas; em particular; confidencialmente; na intimidade.
privateness ['praivitnis], *s.* segredo; recolhimento; retiro; intimidade; carácter confidencial.
privation [prai'veiʃən], *s.* privação; falta; carência; falta de bem-estar; abnegação.
to suffer many privations — sofrer muitas privações.
privative ['privətiv], *adj.* privativo; negativo; que indica ausência de.
privatively [-li], *adv.* privativamente; negativamente.
privet ['privit], *s.* (bot.) alfeneiro; alfena.
privilege ['privilidʒ], **1** — *s.* privilégio, regalia; prerrogativa; imunidade, isenção; patente; monopólio. (*Sin.* right, prerogative, immunity, claim.)
to enjoy the privilege of — gozar do privilégio de.
to hear them was a privilege — ouvi-los era um prazer.
2 — *vt.* privilegiar; exceptuar, eximir.
privileged [-d], *adj.* privilegiado; livre, isento.
privily ['privili], *adv.* secretamente; privadamente.
privity (*pl.* **privities**) ['priviti,-iz], *s.* confidência; informe reservado; (jur.) participação de direitos.
privy ['privi], **1** — *s.* (*pl.* **privies** [-iz]) (jur.) parte interessada em assunto ou acção; cúmplice; latrina.
2 — *adj.* privado, confidencial; secreto, clandestino; oculto.
Privy Council — Conselho Privado do Rei.
privy seal — selo privado para assuntos de menor importância.
prize [praiz], **1** — *s.* prémio, recompensa, galardão; presa, captura, navio apresado; sorte; ponto de apoio de alavanca. (*Sin.* reward, recompense, trophy, laurels.)
prize-court — tribunal que julga os casos de navios apresados ao inimigo.
prize-fight — combate de boxe entre profissionais.
prize-money — dinheiro das vendas de presas ou despojos de guerra.
prize-scholarship — bolsa de estudo concedida como prémio.
prize-fighter — pugilista profissional.
prize-idiot — supremo idiota.
to draw a prize — ganhar um prémio.
2 — *vt.* apreciar, avaliar, estimar; (náut.) apresar; forçar; abrir por meio de alavanca.
to prize open a box — arrombar uma caixa.
we prize liberty more than life — prezamos mais a liberdade do que a vida.
prizeman (*pl.* **prizemen**) [-mən,-mən], *s.* indivíduo premiado.
pro [prou], **1** — *s.* (col.) profissional.
2 — *prep.* pró.
pro-forma — pró-forma, simulado.
pro and con ['prouəndkɔn], **1** — *s.*
the pros and the cons — os prós e os contras.
2 — *adv.* a favor e contra.

probability (*pl.* **probabilities**) [prɔbə'biliti,-iz], *s.* probalidade; possibilidade.
in all probability — com todas as probabilidades.
the probabilities are against us — as probabilidades são contra nós.
probable ['prɔbəbl], *adj.* provável; verosímil. (*Sin.* likely, reasonable, possible, credible. *Ant.* unlikely.)
it is probable that he forgot — é provável que ele se tenha esquecido.
probably [-i], *adv.* provàvelmente.
probate ['proubit], *s.* (jur.) aprovação de testamento; cópia de um testamento.
probate-duty — imposto sucessório.
probation [prə'beiʃən], *s.* (jur.) liberdade condicional; suspensão condicional de uma pena; prova, exame, experiência; ensaio; noviciado; estágio; provação.
probation-officer — (*jur.*) funcionário que vigia pessoas em liberdade condicional.
to be on probation — fazer um estágio.
probationary [prə'beiʃnəri], *adj.* probatório; relativo a estágio.
probationer [prə'beiʃnə], *s.* candidato, concorrente; noviço; principiante, aprendiz; enfermeiro estagiário; pessoa que se encontra em regime de liberdade vigiada.
probative ['proubətiv], *adj.* probatório; comprovativo.
probe [proub], **1** — *s.* sonda; tenta; (fig.) investigação.
2 — *vt.* sondar, examinar; investigar, esquadrinhar; penetrar em.
to probe a wound — sondar uma ferida.
probity ['proubiti], *s.* probidade, honradez. (*Sin.* honesty, integrity, uprightness, rectitude. *Ant.* dishonesty.)
problem ['prɔbləm], *s.* problema; situação difícil.
a problem novel — romance de tese.
to solve a problem — resolver um problema.
problematic(al) [prɔbli'mætik (əl)], *adj.* problemático; incerto, duvidoso; discutível.
problematically [-əli], *adv.* problemàticamente.
proboscis (*pl.* **proboscides, proboscises**) [prə'bɔsis,prə'bɔsidi:z,prə'bɔsiz], *s.* probóscide, tromba de elefante; órgão sugador de alguns vermes; órgão nasal dos insectos dípteros; (joc.) nariz.
procedure [prə'si:dʒə], *s.* procedimento, conduta; (jur.) processo; funcionamento, operação.
proceed [prə'si:d], *vi.* prosseguir, continuar; ir, dirigir-se; proceder, agir; avançar, fazer progressos; provir, dimanar, ter origem em; recorrer; tratar de.
to proceed against (jur.) — proceder contra.
to proceed cautiously — proceder com cautela.
to proceed to business — ir ao que importa.
to proceed from one subject to another — passar de um assunto para outro.
they proceeded to ask further questions — continuaram a fazer mais perguntas.
to proceed to the degree of M. A. (univ.) — tirar o grau de M. A. (Master of Arts = licenciado em Letras.)
proceeding [-iŋ], *s.* procedimento, proceder, conduta; *pl.* (jur.) procedimento judicial; acta, minuta.
to take legal proceedings — lançar mão de meios legais.
proceeds [-z], *s. pl.* produto; resultado; rendimento. (*Sin.* profit, gain, result. *Ant.* expenses.)
net proceeds — produto líquido.

the proceeds will be devoted to charity — o produto reverterá a favor de obras de caridade.
process [ˈprouses], **1** — *s.* processo; causa; procedimento; curso; marcha; série; operação; tratamento; manipulação; continuação, progresso; método, sistema; (jur.) acção judicial; excrescência.
in process of time — com o decorrer do tempo.
process-engraving — fotogravura.
2 — *vt.* (jur.) processar; preparar por meio de processo especial.
process [prəˈses], *vi.* (col.) caminhar em procissão.
procession [prəˈseʃən], **1** — *s.* procissão; cortejo; desfile; comitiva.
funeral procession — cortejo fúnebre.
to walk in procession — desfilar; seguir em procissão.
2 — *vt.* e *vi.* desfilar em cortejo; caminhar em procissão.
processional [prəˈseʃənl], **1** — *s.* processionário, livro de orações e cânticos, usado nas procissões.
2 — *adj.* processional.
proclaim [prəˈkleim], *vt.* proclamar; promulgar; publicar; anunciar; proibir; interditar; mostrar, manifestar.
to proclaim a meeting — proibir uma reunião.
to proclaim war — declarar guerra.
proclamation [prɔkləˈmeiʃən], *s.* proclamação; promulgação; decreto; interdição, proibição.
proclitic [prouˈklitik], **1** — *s.* (gram.) proclítica.
2 — *adj.* (gram.) proclítico.
proclivity (*pl.* **proclivities**) [prəˈkliviti,-iz], *s.* tendência, propensão, inclinação.
proconsul [prouˈkɔnsəl], *s.* procônsul.
proconsular [prouˈkɔnsjulə], *adj.* proconsular.
proconsulate [prouˈkɔnsjulit], *s.* proconsulado; cargo de procônsul.
proconsulship [prouˈkɔnsəlʃip], *s.* proconsulado.
procrastinate [prouˈkræstineit], *vt.* e *vi.* procrastinar; retardar; adiar; demorar. (*Sin.* to delay, to wait, to lag, to loiter. *Ant.* to hurry.)
procrastination [proukræstiˈneiʃən], *s.* procrastinação; demora; delonga; adiamento.
procrastination is the thief of time — não deixes para amanhã o que podes fazer hoje.
procrastinator [prouˈkræstineitə], *s.* procrastinador; homem moroso.
procreate [ˈproukrieit], *vt.* procriar, criar, gerar; produzir.
procreation [proukriˈeiʃən], *s.* procriação; geração; produção; germinação.
procreative [ˈproukrieitiv], *adj.* procriador; produtivo.
proctor [ˈprɔktə], *s.* procurador, solicitador; director de disciplina (em colégio ou universidade); procurador nos tribunais eclesiásticos.
proctorial [prɔkˈtɔ:riəl], *adj.* que se refere ao director de disciplina (num colégio ou numa universidade); relativo aos procuradores em tribunais eclesiásticos.
procumbent [prouˈkʌmbənt], *adj.* pendente, inclinado; deitado.
procurable [prəˈkjuərəbl], *adj.* fácil de obter, alcançável.
procuration [prɔkjuəˈreiʃən], *s.* (jur.) procuração; plenos poderes; procura, obtenção; alcovitice.
to give procuration — passar procuração.
procurator [ˈprɔkjuəreitə], *s.* procurador, delegado; funcionário encarregado do tesouro (história de Roma).
procure [prəˈkjuə], *vt.* e *vi.* obter, alcançar, adquirir; procurar; alcovitar; (arc.) causar, dar origem a.
to procure a man's death — causar a morte de alguém.
procurer [-rə], *s.* pessoa que procura, que obtém; alcoviteiro.
procuress [-ris], *s. fem.* alcoviteira.
prod [prɔd], **1** — *s.* aguilhão; picada; aguilhoada; cotovelada; (fig.) estímulo.
2 — *vt.* (*pret.* e *pp.* **prodded**) picar, aguilhoar; (fig.) incitar.
prodigal [ˈprɔdigal], **1** — *s.* gastador, pródigo.
2 — *adj.* pródigo, esbanjador; perdulário; profuso, abundante.
the prodigal son — o filho pródigo.
prodigality (*pl.* **prodigalities**) [prɔdiˈgæliti, -iz], *s.* prodigalidade, esbanjamento; profusão; desperdício.
prodigalize [ˈprɔdigəlaiz], *vt.* prodigalizar; dissipar; desperdiçar.
prodigally [ˈprɔdigəli], *adv.* prodigamente; profusamente.
prodigious [prəˈdidʒəs], *adj.* prodigioso; maravilhoso, portentoso; enorme; extraordinário. (*Sin.* huge, enormous, amazing, wonderful, extraordinary, marvellous. *Ant.* ordinary.)
prodigiously [-li], *adv.* prodigiosamente; maravilhosamente; enormemente.
prodigiousness [-nis], *s.* natureza prodigiosa; enormidade.
prodigy (*pl.* **prodigies**) [ˈprɔdidʒi,-iz], *s.* prodígio, portento, maravilha.
an infant prodigy — um menino-prodígio.
produce **1** — [ˈprɔdju:s], *s.* produto; produção; provisões; resultado.
colonial produce — géneros coloniais.
raw produce — matérias-primas.
2 — [prəˈdju:s], *vt.* produzir; apresentar, expor; gerar, criar; engendrar; ocasionar; manufacturar, fabricar; publicar; editar; escrever; (geom.) prolongar uma linha; render.
to produce a play — levar uma peça à cena.
to produce an actress — lançar uma actriz.
to produce reasons — apresentar razões.
please, produce your ticket! — faça favor, mostre o seu bilhete.
producer [-ə], *s.* produtor; industrial; (cin.) realizador.
producible [prəˈdju:səbl], *adj.* produtível; (geom.) prolongável.
product [ˈprɔdəkt], *s.* produto, produção; provento; resultado; rendimento; fruto; consequência.
the product of his labours — o produto do seu trabalho.
literary product — produção literária.
production [prəˈdʌkʃən], *s.* produção; produto; fabrico, manufactura; apresentação; publicação; representação de uma peça teatral; (geom.) prolongamento de linha.
productive [prəˈdʌktiv], *adj.* produtivo; fértil, fecundo; gerador; causador. (*Sin.* fruitful, prolific, fertile, full. *Ant.* barren, fruitless.)
a productive soil — terreno fértil.
productively [-li], *adv.* produtivamente.
productiveness, productivity [-nis, prɔdʌkˈtiviti], *s.* produtividade; fecundidade, fertilidade; produção.
proem [ˈprouem], *s.* proémio; prefácio; preâmbulo; princípio; exórdio.
profanation [prɔfəˈneiʃən], *s.* profanação, sacrilégio, desacato.
profane [prəˈfein], **1** — *adj.* profano, ímpio, irreverente; leigo; secular. (*Sin.* blasphemous,

irreligious, impious, irreverent. *Ant.* reverent.)
2 — *vt.* profanar, violar; contaminar, poluir; macular.
profanely [-li], *adv.* profanamente; irreverentemente.
profaneness [-nis], *s.* carácter profano; irreverência.
profaner [-ə], *s.* profanador, sacrílego.
profanity [*pl.* **profanities**) [prə'fæniti,-iz], *s.* profanidade; impiedade; desacato; blasfémia; irreverência.
profess [prə'fes], *vt.* e *vi.* professar; manifestar, declarar; exercer uma profissão; fazer profissão de; ensinar; tomar o hábito de ordem religiosa; fingir, simular, pretender.
they profess themselves quite content — declaram-se muito satisfeitos.
they profess extreme regret — manifestam grande pesar.
professed [-t], *adj.* professo; declarado; manifesto; falso; profissional.
professed foe — inimigo declarado.
professed monk — monge professo.
professedly [-idli], *adv.* declaradamente, abertamente, manifestamente; pretensamente.
profession [prə'feʃən], *s.* profissão, carreira; emprego, ocupação; arte; confissão pública; declaração formal; protesto; a arte dramática; profissão de fé.
the learned professions — as profissões liberais.
the military profession — a carreira militar.
to enter the profession — entrar para o teatro.
professional [-l], **1** — *s.* profissional; perito em alguma arte ou ofício.
to turn (become) professional (desp. — passar a profissional.
2 — *adj.* profissional; relativo a profissão.
professional gambler — jogador de profissão.
professional men — os profissionais.
professionally [prə'feʃnəli], *adv.* profissionalmente; artisticamente.
professor [prə'fesə], *s.* professor universitário; partidário, adepto; aquele que professa determinada doutrina.
professorate [-rit], *s.* professorado; disciplina universitária.
professorial [prɔfe'sɔ:riəl], *adj.* professoral; de professor.
professorially [-i], *adv.* como um professor.
professorship [prə'fesəʃip], *s.* disciplina universitária; cargo de professor universitário.
proffer ['prɔfə], **1** — *s.* oferta, oferecimento, proposta.
2 — *vt.* (*pret.* e *pp.* **profferred**) propor, oferecer, ofertar; apresentar.
profferer [-rə], *s.* oferente, proponente.
proficiency (*pl.* **proficiencies**) [prə'fiʃənsi,-iz], *s.* proficiência; perícia; capacidade.
proficient [prə'fiʃənt], **1** — *s.* perito, pessoa conhecedora.
2 — *adj.* proficiente, hábil, perito, conhecedor. (*Sin.* qualified, competent, expert, versed. *Ant.* incompetent.)
proficiently [-li], *adv.* proficientemente.
profile ['proufail], **1** — *s.* perfil; contorno, recorte; silhueta.
in profile — de perfil.
2 — *vt.* desenhar de perfil; recortar; emoldurar.
profit ['prɔfit], **1** — *s.* proveito, vantagem; benefício, utilidade; ganho, lucro; *pl.* rendimento.
profit and loss — lucros e perdas.
profit and loss account — conta de lucros e perdas.
gross profit — lucro bruto.
net profit — lucro líquido.
to leave a profit — dar lucro.
profit-sharing — participação nos lucros.
to sell at a profit — vender com lucro.
2 — *vt.* e *vi.* aproveitar; servir; ganhar, lucrar; tirar proveito de; adiantar, melhorar; beneficiar.
to profit by — tirar partido ou proveito de.
I hope to profit by your advice — espero tirar proveito do seu conselho.
profitable [-əbl], *adj.* proveitoso, útil, vantajoso; lucrativo, produtivo. (*Sin.* beneficial, useful, advantageous, lucrative. *Ant.* unremunerative.)
profitable speculation — especulação lucrativa.
profitableness [-əblnis], *s.* lucro, ganho; vantagem, proveito; utilidade.
profitably [-əbli], *adv.* proveitosamente; vantajosamente; ùtilmente.
profiteer [prɔfi'tiə], **1** — *s.* aquele que tira lucros excessivos; o que enriquece à custa de situações anormais; especulador.
2 — *vi.* tirar lucros excessivos; especular; explorar.
profitless ['prɔfitlis], *adj.* sem proveito; sem lucro; infrutuoso; inútil.
profligacy ['prɔfligəsi], *s.* libertinagem; depravação; orgia; prodigalidade excessiva.
profligate ['prɔfligit], **1** — *s.* pessoa depravada; dissoluto.
2 — *adj.* libertino, devasso; imoral; muito extravagante.
profligately [-li], *adv.* dissolutamente; duma maneira depravada.
profound [prə'faund], **1** — *s.* (poét.) profundo; o mar profundo.
2 — *adj.* profundo; cavado; recôndito; intenso, extremo; perspicaz; com grandes conhecimentos. (*Sin.* deep, abysmal, fathomless, sagacious, penetrating. *Ant.* shallow.)
a profound statesman — um grande estadista.
to fall into a profound sleep — adormecer profundamente.
to take a profound interest in — ter um profundo interesse por.
profoundly [-li], *adv.* profundamente.
profoundness [-nis], *s.* penetração, profundidade.
profundity (*pl.* **profundities**) [prə'fʌnditi,-iz], *s.* profundidade, profundeza.
profuse [prə'fju:s], *adj.* profuso, abundante; exuberante; excessivo; gastador; pródigo.
to be profuse in compliments — desfazer-se em cumprimentos.
profusely [-li], *adv.* profusamente; prodigamente; abundantemente.
profuseness [-nis], *s.* profusão; prodigalidade, excesso.
profusion [prə'fju:ʒən], *s.* profusão; exuberância; superabundância; excesso.
prog [prɔg], **1** — *s.* (col.) provisões, mantimentos para viagem ou excursão.
2 — *vt.* mendigar; roubar para comer; viver de trapaças.
progenitor [prou'dʒenitə], *s.* progenitor; antepassado; (fig.) predecessor; original (de obra).
progeny ['prɔdʒini], *s.* progénie; prole; linhagem; descendência; (fig.) resultado, consequência.
prognathic [prɔg'næθik], *adj.* prognático.
prognathous [prɔg'neiθəs], *adj.* prógnato.
prognosis (*pl.* **prognoses**) [prɔg'nousis, -ousi:z], *s.* (med.) prognóstico, prognose.
prognostic [prɔg'nɔstik], **1** — *s.* prognóstico; presságio, prenúncio; vaticínio; sintoma determinante de uma doença.
2 — *adj.* prognóstico; prenunciador.
prognosticate [prɔg'nɔstikeit], *vt.* prognosticar; vaticinar; pressagiar; agourar.

prognostication [prəgnɔsti'keiʃən], *s.* prognóstico, prognosticação; presságio; augúrio.
prognosticator [prɔg'nɔstikeitə], *s.* prognosticador; profeta.
program(me) ['prougræm], **1** — *s.* programa; plano; prospecto.
a full programme — um programa completo.
to draw up a programme — estabelecer um programa.
what is the programme for today? — que vamos fazer hoje?; qual é o programa do dia?
2 — *vt.* programar; planear.
progress 1 — ['prougres], *s.* progresso; desenvolvimento, melhoramento; aproveitamento; adiantamento; curso, marcha, avanço; (arc.) viagem oficial de alta personalidade. (*Sin.* advancement, improvement, development, progression. *Ant.* retrogression.)
an inquiry is now in progress — está em curso um inquérito.
he made no progress in his studies — não progrediu nos estudos.
the progress of civilization — o progresso da civilização.
the disease made rapid progress — a doença progrediu rapidamente.
to make great progress — fazer grandes progressos.
2 — [prə'gres], *vi.* progredir; adiantar; marchar, avançar; levar adiante; adiantar-se; fazer progressos, desenvolver-se.
he is progressing favourably — faz progressos razoáveis.
progression [prə'greʃən], *s.* progressão.
arithmetical progression : progressão aritmética.
geometrical progression — progressão geométrica.
progressional [-l], *adj.* progressivo; relativo a progressão.
progressionist [prə'greʃnist], *s.* progressista; evolucionista.
progressist [prə'gresist], *s.* progressista.
progressive [prə'gresiv], **1** — *s.* progressista; aquele que defende uma política de progresso.
2 — *adj.* progressivo; contínuo; gradual.
to be progressive — gostar do progresso; ser progressivo.
progressively [-li], *adv.* progressivamente.
progressiveness [-nis], *s.* marcha progressiva.
prohibit [prə'hibit], *vt.* proibir, obstar, impedir; vedar. (*Sin.* to forbid, to interdict, to prevent, to hinder. *Ant.* to permit.)
he was prohibited from voting — proibiram-no de votar.
prohibited goods — mercadorias de contrabando.
prohibition [proui'biʃən], *s.* proibição; interdição; (E. U.) proibicionismo, lei seca; proibição legal da venda de bebidas alcoólicas.
prohibitionist [proui'biʃnist], *s.* proibicionista.
prohibitive [prə'hibitiv], *adj.* proibitivo; preço demasiado elevado que impede a compra.
prohibitively [-li], *adv.* proibitivamente.
prohibitor [prə'hibitə], *s.* proibidor.
prohibitory [-ri], *adj.* proibitório, proibitivo.
project 1 — ['prɔdʒekt], *s.* projecto; plano; desenho; desígnio. (*Sin.* plan, idea, design, scheme.)
to form idle projects — fazer projectos no ar.
2 — [prə'dʒekt], *vt.* e *vi.* projectar; planear; delinear; lançar, atirar, arrojar; fazer a projecção de; sobressair, ressaltar; estar saliente; aparecer sob a forma de espectro.
to project a picture on—projectar um filme em.
projectile ['prɔdʒiktail], **1** — *s.* projéctil.
2 — *adj.* que projecta; que pode ser projectado.
projecting [prə'dʒektiŋ], **1** — *s.* projecção, lançamento.
2 — *adj.* saliente; que ressalta.
projection [prə'dʒekʃən], *s.* projecção; saliência; plano, projecto; lançamento; prolongamento.
projection drawing — desenho de projecção.
projection machine — projector.
projective [prə'dʒektiv], *adj.* projectivo.
projector [prə'dʒektə], *s.* projector; holofote; lâmpada de projecção; pessoa que faz projectos; especulador.
projecture [prou'dʒektʃə], *s.* saliência; ressalto; projectura.
prolapse ['proulæps], **1** — *s.* (med.) prolapso, deslocação de um órgão ou parte dele para fora do seu lugar normal.
2 — *vi.* cair; descer; sair fora.
prolate ['prouleit], *adj.* achatado (nos pólos).
prolepsis [prou'lepsis], *s.* prolepse; antecipação.
proleptic [prou'leptik], *adj.* proléptico, antecipado, prévio; de prolepse.
proleptically [-əli], *adv.* previamente, antecipadamente.
proletarian [proule'tɛəriən], *s.* e *adj.* proletário.
proletarianism [-izəm], *s.* proletarianismo.
proletariat(e) [proule'tɛəriət], *s.* proletariado.
proliferate [prou'lifəreit], *vt.* e *vi.* proliferar; multiplicar-se.
proliferous [prə'lifərəs], *adj.* prolífero.
prolific [prə'lifik], *adj.* prolífico; prolífero; fecundo, fértil; produtivo; abundante.
prolificness [-nis], *s.* fertilidade, fecundidade.
prolix ['prouliks], *adj.* prolixo; verboso; difuso; fastidioso, enfadonho. (*Sin.* verbose, wordy, lengthy, diffuse.)
prolix speech — discurso prolixo.
prolixity [prou'liksiti], *s.* prolixidade, difusão.
prolixly [prou'liksli], *adv.* prolixamente; difusamente.
prolocutor [prou'lɔkjutə], *s.* presidente de uma assembleia (do clero).
prologue ['proulɔg], **1** — prólogo; preâmbulo.
2 — *vt.* prologar, prefaciar.
prolong [prə'lɔŋ], *vt.* prolongar; estender; retardar; prorrogar; dilatar.
prolongation [proulɔn'geiʃən], *s.* prolongação, dilação; prolongamento; continuação; prorrogação.
in prolongation of — no prolongamento de.
prolonged [prə'lɔŋd], *adj.* prolongado; prorrogado; demorado.
promenade [prɔmi'nɑ:d], **1** — *s.* passeio; passeio público; esplanada; (E. U.) baile de estudantes.
promenade deck (náut.) — tombadilho de passeio.
promenade concert — concerto durante o qual se passeia.
2 — *vt.* e *vi.* passear (a pé, a cavalo, de carro); exibir-se.
promenader [-ə], *s.* passeante; aquele que passeia.
prominence, prominency ['prɔminəns,-i], *s.* proeminência; distinção; importância; protuberância, saliência; eminência.
a prominence in the middle of the plain — uma elevação no meio da planície.
to bring into prominence — realçar.
prominent ['prɔminənt], *adj.* proeminente; saliente; conspícuo, eminente, notável. (*Sin.* conspicuous, famous, distinguished, eminent. *Ant.* obscure.)
to play a prominent part in — desempenhar um papel de relevo em.

prominently [-li], *adv.* proeminentemente; notavelmente; bem à vista.
promiscuity [prɔmis'kju:iti], *s.* promiscuidade.
promiscuous [prə'miskjuəs], *adj.* promíscuo, misturado; indistinto, confuso; irregular; ocasional.
to take a promiscuous stroll — dar um passeio ao acaso.
promiscuously [-li], *adv.* promiscuamente; confusamente; ao acaso.
promiscuousness [-nis], *s.* promiscuidade; confusão.
promise ['prɔmis], **1** — *s.* promessa, prometimento; palavra dada; esperança; compromisso; expectativa; sinal.
land of promise — terra da promissão.
empty promises — promessas vãs.
of great promise — que promete muito, prometedor.
to break one's promise — faltar à palavra.
to keep a promise — cumprir a palavra.
to make a promise — dar a sua palavra.
2 — *vt.* e *vi.* prometer; dar esperanças de; comprometer-se a; garantir; anunciar.
I will try to do what you want, but I can't promise — procurarei fazer o que deseja, mas não prometo.
it is one thing to promise and another to perform — uma coisa é prometer e outra coisa é fazer.
the day promises well; we shall have no rain — o dia promete estar bom; não teremos chuva.
promising [-iŋ], *adj.* prometedor; esperançoso. (*Sin.* hopeful, encouraging, inspiring. *Ant.* unpromising.)
a promising boy — um rapaz prometedor.
promisingly [-iŋli], *adv.* prometedoramente.
promissory ['prɔmisəri], *adj.* promissório, que promete.
promissory-note — promissória.
promontory (*pl.* **promontories**) ['prɔməntri,-iz], *s.* promontório, cabo.
promote [prə'mout], *vt.* promover; fomentar; suscitar; favorecer; estimular; aumentar; animar; elevar a; desenvolver; capitalizar e organizar uma empresa.
he was promoted captain — foi promovido a capitão.
to promote hatred — fomentar o ódio.
promoter [-ə], *s.* promotor; autor; fundador.
promotion [prə'mouʃən], *s.* promoção; progresso, desenvolvimento; adiantamento.
promotive [prə'moutiv], *adj.* promovedor; protector; animador.
prompt [prɔmpt], **1** — *s.* prazo, limite (para pagamento); (teat.) indicação dada pelo ponto; dia de vencimento.
prompt book (teat.) — livro do ponto.
prompt-box (teat.) — caixa do ponto.
prompt side of stage — lugar do palco à esquerda dos actores.
2 — *adj.* pronto; expedito; vivo, esperto; desembaraçado; pontual, exacto; activo; resoluto.
prompt reply — resposta imediata.
prompt payment — pronto pagamento.
for prompt cash — a pronto pagamento.
3 — *vt.* incitar, instigar; impelir, mover; sugerir; inspirar; apontar; (teat.) servir de ponto.
that remark of yours prompts me to make another — essa tua observação sugere-me outra.
prompter [-ə], *s.* ponto de teatro; instigador, causador.
prompting [-iŋ], *s.* instigação, insinuação; sugestão; (teat.) actuação do ponto.
the promptings of conscience — os incitamentos da consciência.
promptitude ['prɔmptitju:d], *s.* prontidão, presteza; celeridade; pontualidade; diligência.
promptly ['prɔmptli], *adv.* prontamente; depressa; com presteza; pontualmente.
as promptly as possible — o mais breve possível.
promptness ['prɔmptnis], *s.* prontidão, presteza; diligência, actividade.
promulgate ['prɔməlgeit], *vt.* promulgar; publicar; anunciar; espalhar, propagar.
promulgation [prɔməl'geiʃən], *s.* promulgação; publicação; propagação.
promulgator ['prɔməlgeitə], *s.* promulgador; propagador.
prone [proun], *adj.* prostrado; curvado; inclinado; pendente; disposto, propenso a.
prone on the ground — deitado de borco no solo.
prone to anger — irascível.
pronely [-li], *adv.* inclinadamente; dobrado para diante.
proneness [-nis], *s.* prostração, posição inclinada; declive; propensão, tendência, inclinação.
prong [prɔŋ], **1** — *s.* forcado; forquilha; gadanho; dente de garfo; bico, ponta.
prong-hoe — ancinho.
2 — *vt.* levantar com o gadanho; perfurar.
pronged [-d], *adj.* dentado; que tem dentes (de ferro).
a three pronged fork — garfo com três dentes.
pronominal [prə'nɔminl], *adj.* (gram.) pronominal.
pronominally [prə'nɔminəli], *adv.* pronominalmente.
pronoun ['prounaun], *s.* (gram.) pronome.
pronounce [prə'nauns], *vt.* e *vi.* pronunciar; articular; proferir; recitar; declarar, afirmar; dar sentença (nos tribunais); pronunciar-se, declarar-se; falar magistralmente. (*Sin.* to utter, to declare, to affirm, to articulate, to say.)
how do you pronounce this word? — como pronuncia esta palavra?
I cannot pronounce him out of danger — não posso afirmar que ele esteja livre de perigo.
to pronounce on a proposal — pronunciar-se sobre uma proposta.
to pronounce oneself — declarar-se.
pronounceable [-əbl], *adj.* pronunciável.
pronounced [-t], *adj.* pronunciado; marcado; acentuado, vincado; decidido; positivo.
pronounced tendency — tendência acentuada.
pronouncedly [-tli], *adv.* pronunciadamente; acentuadamente.
pronouncement [-mənt], *s.* acção de pronunciar; declaração; proclamação.
pronouncer [-ə], *s.* o que pronuncia, recitador.
pronouncing [-iŋ], *s.* acto de pronunciar; pronúncia, articulação.
pronouncing dictionary — dicionário de pronúncia.
pronunciamento [prənʌnsiə'mentou], *s.* proclamação, manifesto.
pronunciation [prənʌnsi'eiʃən], *s.* pronunciação, pronúncia, articulação.
his pronunciation is often faulty — a pronúncia dele é muitas vezes defeituosa.
to teach English pronunciation — ensinar a pronúncia inglesa.
proof [pru:f], **1** — *s.* (*pl.* **proofs** [-s]) prova, demonstração; ensaio; evidência; prova tipográfica; testemunho; graduação normal de licores alcoólicos; exame; (arc.) impene-

trabilidade (de armadura); (quím.) tubo de ensaio.
proof-correcting (tip.) — correcção de provas.
proof-reader (tip.) — revisor de provas.
proof-sheet — prova tipográfica.
as a proof of — como prova de.
in proof of my assertion — como prova da minha asserção.
this requires no proof — isto constitui prova suficiente; isto dispensa qualquer prova.
the proof of the pudding is in the eating — o melhor certificado é dado pela experiência.
under proof — abaixo da graduação normal.
to give proof of — dar prova de.
to put to the proof — pôr à prova.
to stand the proof — resistir à prova.
2 — *adj.* resistente, à prova de; invulnerável; de graduação alcoólica normal.
bomb-proof — à prova de bomba.
fire-proof — à prova de fogo.
water-proof coat — casaco impermeável.
to be proof against — estar à prova de.
3 — *vt.* pôr à prova de; impermeabilizar; (tip.) tirar provas.

proofless [-lis], *adj.* sem provas, sem fundamento.

prop [prɔp], 1 — *s.* apoio; suporte, escora; amparo, arrimo; sustentáculo.
a clothes-prop — escora do arame ou corda da roupa a secar.
2 — *vt.* e *vi.* (*pret.* e *pp.* **propped**) suster; apoiar; escorar; manter; (cavalo) estacar.

propaedeutic(al) [proupi:'dju:tik(əl)], *adj.* propedêutico.

propaedeutics [-s], *s.* propedêutica.

propaganda [prɔpə'gændə], *s.* propaganda.

propagandist [-ist], *s.* propagandista.

propagate ['prɔpəgeit], *vt.* e *vi.* propagar, espalhar, propalar, divulgar; disseminar; reproduzir, procriar; tornar conhecido; propagar-se; multiplicar-se; reproduzir-se.
to propagate heat — transmitir calor.

propagation [prɔpə'geiʃən], *s.* propagação, disseminação; transmissão; difusão; multiplicação, reprodução.

propagator ['prɔpəgeitə], *s.* propagador.

proparoxytone [proupə'rɔksitoun], 1 — *s.* (gram.) palavra proparoxítona.
2 — *adj.* (gram.) proparoxítono.

propel [prə'pel], *vt.* (*pret.* e *pp.* **propelled**) impelir; impulsionar; animar, mover.

propellent [-ənt], 1 — *s.* propulsor; explosivo que projecta a bala para fora da arma.
2 — *adj.* propulsor, motor.

propeller [-ə], *s.* propulsor; hélice.
propeller shaft — veio propulsor.

propelling [-iŋ], 1 — *s.* propulsão.
2 — *adj.* propulsor, impulsionador.

propense [prə'pens], *adj.* inclinado, propenso.

propensity (*pl.* **propensities**) [prə'pensiti, -iz], *s.* propensão, tendência, inclinação; predilecção.
she has a propensity to exaggerate — ela tem propensão para o exagero.

proper ['prɔpə], 1 — *adj.* próprio; conveniente, apropriado; idóneo; apto; decoroso, decente; respeitável; correcto; justo, exacto; natural; real, genuíno; adequado; peculiar; oportuno; (col.) completo; (arc.) belo, fino.
proper fraction (mat.) — fracção própria.
proper noun — substantivo próprio.
proper to — próprio de.
in the proper sense of the word — no sentido literal da palavra.
do it the proper way! — faça-o como deve ser!
do as you think proper — faça como melhor entender.
he was given a proper licking — deram-lhe uma grande sova.
proper behaviour — comportamento correcto.
proper book — livro decente.
you have come at the proper time — veio à hora própria.
2 — *adv.* devidamente, em termos.

properly ['prɔpəli], *adv.* propriamente, correctamente, convenientemente; oportunamente; (col.) completamente; (jur.) de boa fé.
properly speaking — rigorosamente falando.
properly so called — propriamente dito.
do it properly! — faça isso convenientemente!
the children behaved properly — as crianças portaram-se correctamente.
she was properly dressed — ela estava decentemente vestida.

properness ['prɔpənis], *s.* conveniência; decoro.

property (*pl.* **properties**) ['prɔpəti,-iz], *s.* propriedade; peculiaridade; qualidade especial; atributo; direito de posse; bens, fazenda, posses; peça de mobiliário ou de vestuário; adereços de teatro.
a property-man — homem que tem a seu cargo o guarda-roupa dum teatro.
a man of property — um homem que tem bens de fortuna.
personal property — bens móveis.
real property — bens imóveis.
property sale — venda de imóveis.
the properties of soda — as propriedades da soda.
that is your property — isso pertence-te.

prophecy (*pl.* **prophecies**) ['prɔfisi, -iz], *s.* profecia, vaticínio, augúrio.
the gift of prophecy — o condão de adivinhar.

prophesier ['prɔfisaiə], *s.* profetizador; profeta.

prophesy ['prɔfisai], *vt.* e *vi.* profetizar; predizer, vaticinar; (arc.) comentar as Escrituras.
he prophesied right — mostrou-se bom profeta.

prophet ['prɔfit], *s.* profeta; adivinho; vaticinador; porta-voz, intérprete.
no man is a prophet in his own country — ninguém é profeta na sua terra.

prophetess [-is], *s. fem.* profetisa.

prophetic(al) [prə'fetik(əl)], *adj.* profético.

prophetically [-əli], *adv.* profeticamente.

prophylactic [prɔfi'læktik], 1 — *s.* tratamento ou medicamento profiláctico.
2 — *adj.* profiláctico; preventivo.

prophylaxis [prɔfi'læksis], *s.* profilaxia.

propinquity [prə'piŋkwiti], *s.* propinquidade; proximidade; vizinhança; parentesco; afinidade. (*Sin.* proximity, nearness, adjacency. *Ant.* distance.)

propitiate [prə'piʃieit], *vt.* propiciar; aplacar, apaziguar, conciliar; tornar propício.

propitiation [prəpiʃi'eiʃən], *s.* propiciação; apaziguamento; expiação.

propitiator [prə'piʃieitə], *s.* propiciador.

propitiatory [prə'piʃiətəri], 1 — *s.* propiciatório; intercessão.
2 — *adj.* propiciatório, conciliador.

propitious [prə'piʃəs], *adj.* propício; favorável; benigno; oportuno; feliz. (*Sin.* favourable, felicitous, opportune, lucky, benign, friendly, clement. *Ant.* unfavourable.)
propitious weather — tempo favorável.

propitiously [-li], *adv.* propiciamente, favoravelmente.

propitiousness [-nis], *s.* bondade, benignidade; disposição favorável.

proponent [prə'pounənt], *s.* e *adj.* proponente.

proportion [prə'pɔ:ʃən], **1** — *s.* proporção; relação, razão; comparação; parte, porção; *pl.* dimensões.
a building of majestic proportions — um edifício de proporções majestosas.
in due proportion — na devida proporção.
in proportion to — em proporção com; em comparação com.
out of proportion — desproporcionado.
a certain proportion of — determinada proporção de.
to be out of proportion with — estar em desarmonia com.
to do one's proportion of work — fazer a parte do trabalho que nos compete.
2 — *vt.* proporcionar, tornar proporcional; ajustar, adaptar.
to proportion the means to the end — adaptar os meios aos fins.
proportionable [prə'pɔ:ʃnəbl], *adj.* proporcional; em proporção.
proportionably [-i], *adv.* proporcionadamente.
proportional [prə'pɔ:ʃənl], **1** — *s.* (mat.) termo duma proporção.
2 — *adj.* proporcional; proporcionado.
a proportional increase in the expense — um aumento proporcional de despesa.
proportionality [prəpɔ:ʃə'næliti], *s.* proporcionalidade.
proportionally [prə'pɔ:ʃnəli], *adv.* proporcionalmente.
proportionate [prə'pɔ:ʃnit], *adj.* proporcionado, harmónico, simétrico.
proportionately [-li], *adv.* proporcionadamente, harmonicamente.
proportionateness [-nis], *s.* proporcionalidade.
proposal [prə'pouzəl], *s.* proposta; oferta, oferecimento; sugestão; proposta de casamento. (*Sin.* proposition, offer, proffer, scheme.)
***proposal of marriage* — proposta de casamento.**
to accept proposals — aceitar propostas.
to make a proposal — fazer uma proposta.
to decline a proposal — rejeitar uma proposta.
propose [prə'pouz], *vt.* e *vi.* propor; apresentar; oferecer; tencionar, planear; propor casamento; propor-se a; declarar-se.
Jones proposed to Miss Smith and she accepted him — Jones fez proposta de casamento à Sr.ª Smith e ela aceitou.
to propose a toast — propor um brinde.
to propose to oneself — propor-se a.
we propose leaving at 8.30 tomorrow morning — tencionamos partir amanhã de manhã às 8,30.
we proposed that a change should be made — propusemos que se fizesse uma mudança.
man proposes, God disposes — o homem põe e Deus dispõe.
proposer [-ə], *s.* proponente; aquele que propõe.
proposition [prɔpə'ziʃən], *s.* proposição; proposta; oferta; plano; afirmação, asserção; (E. U. col.) assunto, problema; (mat.) problema, teorema, proposição.
propound [prə'paund], *vt.* propor; expor; oferecer à consideração; defender uma opinião.
propounder [-ə], *s.* proponente; o que propõe ou apresenta uma opinião.
proprietary [prə'praiətəri], **1** — *s.* (*pl.* **proprietaries** [-iz]) dono, proprietário; propriedade.
landed proprietary — proprietário de terras.
2 — *adj.* proprietário; relativo à propriedade ou proprietário; com posses; registado.
proprietary rights — direitos de propriedade.
proprietor [prə'praiətə], *s.* proprietário, dono.
proprietorship [-ʃip], *s.* propriedade; direito de proprietário.
proprietress [prə'praiətris], *s. fem.* proprietária, dona.
propriety (*pl.* **proprieties**) [prə'praiəti, -iz], *s.* propriedade; correcção; decoro, decência, conveniência; exactidão.
breach of propriety — procedimento incorrecto.
to observe the proprieties — guardar as conveniências.
to speak with propriety — falar com propriedade.
props [prɔps], *s. pl.* (teat. col.) **adereços,** acessórios.
propulsion [prə'pʌlʃən], *s.* propulsão; impulso.
propulsive [prə'pʌlsiv], *adj.* propulsivo, propulsor.
prorogation [prourə'geiʃən], *s.* prorrogação, prolongação; suspensão dos trabalhos parlamentares.
prorogue [prə'roug], *vt.* e *vi.* prorrogar, adiar; suspender as sessões do Parlamento.
prosaic [prou'zeiik], *adj.* prosaico; relativo a prosa; vulgar, banal. (*Sin.* prosy, dull, commonplace, tedious. *Ant.* lively.)
a prosaic life — uma vida prosaica.
prosaically [-əli], *adv.* prosaicamente.
prosaicness [-nis], *s.* estilo prosaico; banalidade.
prosaist ['prouzeiist], *s.* prosador; pessoa prosaica.
proscenium [*pl.* **proscenia**) [prou'si:njəm, -ə], *s.* proscénio, palco; cena.
proscribe [prous'kraib], *vt.* proscrever; condenar, expulsar; proibir; reprovar.
proscriber [-ə], *s.* proscritor.
proscription [prous'kripʃən], *s.* proscrição; proibição; exílio; banimento.
proscriptive [prous'kriptiv], *adj.* proscritivo; proibitivo.
prose [prouz], **1** — *s.* prosa; prosaísmo; discurso aborrecido; conversa familiar.
prose writer — prosador.
2 — *vt.* e *vi.* escrever em prosa; falar de maneira fastidiosa.
prosecute ['prɔsikju:t], *vt.* e *vi.* prosseguir, continuar; proceder; querelar; seguir um pleito; acusar; processar; exercer.
to prosecute an action against a person — intentar uma acção contra uma pessoa.
trespassers will be prosecuted — é proibido passar, sob pena de multa.
prosecution [prɔsi'kju:ʃən], *s.* prossecução, prosseguimento; realização; exercício (de profissão); (jur.) querela; acusação; libelo.
witness for the prosecution — testemunha de acusação.
the prosecution of the war — o prosseguimento da guerra.
to carry on a prosecution — intentar uma acção; querelar.
prosecutor ['prɔsikju:tə], *s.* prosseguidor; (jur.) querelante; promotor de justiça.
Public Prosecutor — procurador da República; Delegado do Ministério Público.
prosecutrix ['prɔsikju:triks], *s. fem.* querelante, acusadora.
proselyte ['prɔsilait], *s.* prosélito, adepto; convertido.
proselytism ['prɔsilitizəm], *s.* proselitismo.
proselytize ['prɔsilitaiz], *vt.* e *vi.* converter; fazer prosélitos.
proser ['prouzə], *s.* prosador; narrador enfadonho; maçador.
prosily ['prouzili], *adv.* prosaicamente; fastidiosamente.

prosiness ['prouzinis], *s.* prosaísmo; insipidez; banalidade.
prosit ['prousit], *interj.* à sua saúde!
prosodic(al) [prə'sɔdik(-əl)], *adj.* prosódico.
prosodist ['prɔsədist], *s.* prosodista.
prosody ['prɔsədi], *s.* prosódia.
prospect 1 — ['prɔspəkt], *s.* perspectiva, vista, paisagem, aspecto, panorama; esperança, promessa; situação; futuro; sinal de veio de minério; probabilidade, expectativa; (E. U.) possível freguês ou cliente. (*Sin.* landscape, view, spectacle, chance, probability, expectation, outlook.)
fine prospect — linda vista.
no prospect of success — nenhumas probabilidades de êxito.
prospects of a good sale — esperanças de uma boa venda.
prospect-glass — binóculo.
to have nothing in prospect — não ter nada em perspectiva.
what are your prospects as regards promotion? — que esperanças tem a respeito de promoção?
2 — [prəs'pekt], *vt.* e *vi.* explorar; pesquisar (minério); ter boas perspectivas.
to prospect a region for gold — fazer pesquisas de ouro numa região.
prospecting [-iŋ], *s.* pesquisa; prospecção.
prospective [-iv], *adj.* prospectivo; antecipado; em expectativa; provável; futuro.
prospective profit — um lucro futuro.
prospective customer — freguês em perspectiva.
prospective doctor — futuro médico.
prospectively [-ivli], *adv.* em perspectiva.
prospector [-ə], *s.* prospector; explorador; operador (nas minas).
prospectus (*pl.* **prospectuses**) [-əs, -iz], *s.* prospecto; programa.
prosper ['prɔspə], *vt.* e *vi.* prosperar; fazer medrar; progredir, florescer; proteger.
prosperity (*pl.* **prosperities**) [prɔs'periti, -iz], *s.* prosperidade; felicidade, ventura; riqueza.
prosperous ['prɔspərəs], *adj.* próspero, florescente; feliz, venturoso; propício; prometedor. (*Sin.* thriving, flourishing, lucky, successful. *Ant.* unsuccessful.)
a prosperous enterprise — uma empresa florescente.
prosperously [-li], *adv.* prosperamente, felizmente; prometedoramente; propiciamente.
prosperousness [-nis], *s.* prosperidade; felicidade; êxito.
prostate ['prɔsteit], *s.* (*anat.*) próstata.
prosthesis ['prɔθisis], *s.* prótese.
dental prosthesis — prótese dentária.
prostitute ['prɔstitju:t], 1 — *s.* prostituta.
2 — *vt.* prostituir; degradar, aviltar.
prostitution [prɔsti'tju:ʃən], *s.* prostituição.
prostrate 1 — ['prɔstreit], *adj.* prostrado; humilhado; abatido; deitado; prosternado.
2 — [prɔs'treit], *vt.* prostrar, deitar por terra; demolir, abater; debilitar; humilhar.
to prostrate oneself — prostrar-se.
prostration [prɔs'treiʃən], *s.* prostração; humilhação; abatimento.
nervous prostration — neurastenia.
prosy ['prouzi], *adj.* prosaico; insípido; enfadonho; banal.
a prosy talk — uma conversa enfadonha.
protagonist [prou'tægənist], *s.* protagonista; figura principal.
protasis (*pl.* **protases**) ['prɔtəsis, -əsi:z], *s.* prótase.
protean [prou'ti:ən], *adj.* volúvel, versátil; multiforme.
protect [prə'tekt], *vt.* proteger; amparar; defender; patrocinar, favorecer; livrar.
to protect one's eyes from the sun — proteger os olhos do sol.
his throat was protected by a scarf from the night air — protegeu a garganta do ar da noite com um cachecol.
protecting [-iŋ], 1 — *s.* protecção; acção de proteger.
2 — *adj.* protector.
protectingly [-iŋli], *adv.* de modo protector.
protection [prə'tekʃən], *s.* protecção; amparo; patrocínio; defesa; resguardo; abrigo; salvo-conduto; (E. U.) certificado de cidadania americana. (*Sin.* defence, guard, safeguard, refuge, shelter, security. *Ant.* exposure.)
he is safe under your protection — está seguro debaixo da sua protecção.
a dog is a great protection against burglars — um cão é uma grande defesa contra os ladrões.
under someone's protection — debaixo da protecção de alguém.
he claimed the protection of the law — ele requereu a protecção da lei.
protectionism [-izəm], *s.* proteccionismo.
protectionist [-ist], *s.* proteccionista.
protective [prə'tektiv], *adj.* protector; preventivo.
protective duties — direitos de protecção.
protectively [-li], *adv.* protectoramente.
protectiveness [-nis], *s.* protecção, apoio.
protector [prə'tektə], *s.* protector, defensor; patrocinador; tutor; regente; revestimento protector.
boot-protector — protector para calçado.
protectorate [prə'tektərit], *s.* protectorado.
protectress [prə'tektris], *s. fem.* protectora, defensora.
protein ['prouti:n], *s.* (quím.) proteína.
protest 1 — ['proutest], *s.* protesto; reclamação; (com.) protesto de letra.
under protest — contra a vontade.
to give rise to protests — levantar protestos.
to make (set up) a protest — protestar.
2 — [prə'test], *vt.* e *vi.* protestar; afirmar; assegurar; protestar (uma letra).
to protest a bill — protestar uma letra.
to protest for non-payment — protestar por falta de pagamento.
protestant ['prɔtistənt], *s.* e *adj.* protestante; aquele que protesta.
protestantism [-izəm], *s.* protestantismo.
protestantize [-aiz] *vt.* e *vi.* protestantizar; converter ao protestantismo.
protestation [proutes'teiʃən], *s.* protestação; protesto; juramento.
protester [prə'testə], *s.* protestador; portador de letra que a apresenta a protesto.
prothesis ['prɔθisis], *s.* (gram.) prótese; colocação dos elementos eucarísticos em credência.
protocol ['proutəkɔl], 1 — *s.* protocolo; acta.
2 — *vt.* e *vi.* (*pret.* e *pp.* **protocolled**) registar em actas; protocolizar.
protoplasm ['proutəplæzəm], *s.* protoplasma.
prototype ['proutətaip], *s.* protótipo, modelo.
protozoa [proutə'zouə], *s. pl.* (zool.) protozoários.
protozoan [-n], *s.* e *adj.* protozoário.
protract [prə'trækt], *vt.* prolongar, protelar; adiar; levantar a planta de um terreno. (*Sin.* to prolong, to lengthen, to extend, to defer. *Ant.* to curtail.)
he protracted his stay for some weeks — prolongou a sua estadia por mais algumas semanas.
protracted [-id], *adj.* prolongado; demorado.

protractedly [-dli], *adv.* prolongadamente; demoradamente.
protractile [-ail], *adj.* protraível, prolongável.
protraction [prəˈtrækʃən], *s.* demora, delonga; protraimento; levantamento da planta de um terreno.
protractor [prəˈtræktə], *s.* (geom.) transferidor; o que prolonga ou dilata; músculo extensor.
protrude [prəˈtru:d], *vt.* e *vi.* impelir, empurrar para diante; estender-se; sair; ser proeminente; sobressair, ressaltar.
protrusion [prəˈtru:ʒən], *s.* acção de impelir ou de empurrar; saliência.
protrusive [prəˈtru:siv], *adj.* protruso; que impele; que faz sair; proeminente.
protuberance [prəˈtju:bərəns], *s.* protuberância; bossa; proeminência. (*Sin.* bulge, prominence, excrescence, swelling. *Ant.* cavity, depression.)
protuberant [prəˈtju:bərənt], *adj.* protuberante; proeminente, saliente.
protuberantly [-li], *adv.* protuberantemente.
proud [praud], **1** — *adj.* orgulhoso, altivo, soberbo, arrogante; presunçoso; esplêndido, magnífico, maravilhoso; sumptuoso. (*Sin.* arrogant, haughty, imperious, imposing, splendid, grand. *Ant.* humble, mean.)
proud flesh — carne esponjosa.
proud as punch — vaidoso como um pavão.
as proud as a peacock — vaidoso como um pavão.
he is too proud to complain — é demasiado orgulhoso para se queixar.
I am proud of knowing him — tenho orgulho em conhecê-lo.
it was a proud day for us — foi um dia maravilhoso para nós.
2 — *adv.* (col.) grandemente; magnificamente.
it does me proud — dá-me muita satisfação.
proudly [-li], *adv.* orgulhosamente, altivamente, soberbamente; sumptuosamente.
provable [ˈpru:vəbl], *adj.* provável; que se pode demonstrar.
provableness [-nis], *s.* probabilidade, qualidade de poder ser provado.
provably [-i], *adv.* de modo que se pode provar.
prove [pru:v], *vt.* e *vi.* (*pp.* arc. **proven** [pru:vən]) provar, demonstrar; experimentar; ensaiar; resultar; vir a ser, tornar-se; examinar; evidenciar; justificar; sair-se (bem ou mal); abrir e tornar público um testamento; (tip.) tirar uma prova; verificar.
so it proved — assim aconteceu.
the charge was proved against the thief — provou-se a acusação contra o ladrão.
he proved to be unworthy — mostrou ser indigno.
the will was proved last week — o testamento foi aberto a semana passada.
that remains to be proved — resta saber se é verdade.
to prove true — confirmar-se.
not proven (jur. Esc.) — não provado.
provection [prəˈvekʃən], *s.* juncão de um consoante final ao começo da palavra seguinte.
provenance [ˈprɔvinəns], *s.* proveniência, origem; procedência.
Provence [prɔˈvɑ̃:ns], *top.* Provença.
provender [ˈprɔvində], *s.* forragem; (joc.) alimento, mantimentos.
prover [ˈpru:və], *s.* provador; demonstrador.
proverb [ˈprɔvəb], *s.* provérbio; adágio, ditado
proverbs are the wisdom of the ages — os provérbios são a sabedoria das gerações.
proverbial [prəˈvə:bjəl], *adj.* proverbial; notório, conhecido. (*Sin.* acknowledged, notorious, current, unquestioned. *Ant.* obscure.)
proverbially [-i], *adv.* proverbialmente; notoriamente.
provide [prəˈvaid], *vt.* e *vi.* prover, fornecer, abastecer, sortir, munir; preparar; providenciar; estabelecer; nomear; acautelar-se; precaver-se; preparar-se; dar, habilitar; estipular.
to provide against — precaver, prevenir de algum perigo.
to provide for — prover-se, abastecer-se.
to provide oneself with provisions — prover-se de mantimentos.
this enables us to provide for all emergencies — isto habilita-nos a precavermo-nos para todas as emergências.
they are well provided with food for the journey — estão bem fornecidos de alimentos para a viagem.
the sailors provided against the coming storm by furling all sails — os marinheiros tomaram precauções contra a tempestade que se aproximava, ferrando todas as velas.
provided [-id], **1** — *adj.* provido; abastecido, fornecido.
2 — *conj.* contanto que, desde que.
provided (that) he keeps his word — contanto que não falte à sua palavra.
providence [ˈprɔvidəns], *s.* previdência, providência; previsão; prudência; economia; circunspecção. (*Sin.* care, prudence, economy, foresight. *Ant.* recklessness.)
to tempt providence — desafiar a Providência.
Providence [ˈprɔvidəns], *s.* Deus; a Providência.
provident [ˈprɔvidənt], *adj.* previdente, prudente; providente; económico, poupado.
provident society — associação de socorros mútuos.
providential [prɔviˈdenʃəl], *adj.* providencial; oportuno.
providentially [-i], *adv.* providencialmente.
providently [ˈprɔvidəntli], *adv.* previdentemente, prudentemente; frugalmente.
provider [prəˈvaidə], *s.* fornecedor; provisor, abastecedor.
providing [prəˈvaidiŋ], *conj.* contanto que, desde que.
province [ˈprɔvins], *s.* província; competência; alçada; cargo; ocupação.
that is not within my province — isso não é da minha competência.
provincial [prəˈvinʃəl], **1** — *s.* provinciano; provincial (igreja).
2 — *adj.* provincial; rústico.
provincialism [prəˈvinʃəlizəm], *s.* provincialismo; regionalismo; estreiteza de espírito.
provinciality [prəvinʃiˈæliti], *s.* carácter provinciano.
provincialize [prəˈvinʃəlaiz], *vt.* tornar provincial; provincializar.
provincially [prəˈvinʃəli], *adv.* de modo provinciano.
proving [ˈpru:viŋ], *s.* prova, ensaio; verificação; (tip.) prova.
provision [prəˈviʒən], **1** — *s.* provisão, abastecimento, fornecimento; medida; estipulação; cláusula, disposição; precaução; *pl.* provisões, géneros, víveres. (*Sin.* stock, supply, store, stipulation, arrangement, condition.)
general provisions — disposições gerais.
provision warehouse — armazém de víveres.
provision dealer — negociante de géneros alimentícios.
provision has been made to prevent the rise of prices — tomaram-se providencias para evitar o aumento dos preços.
2 — *vt.* aprovisionar, abastecer.

provisional [-l], *adj.* provisório, temporário; interino; provisional.
provisional government — governo provisório.
provisional measures — medidas provisórias.
provisionally [-li], *adv.* provisoriamente; interinamente; provisionalmente.
proviso (*pl.* **provisoes**) [prə'vaizou, -iz], *s.* cláusula, condição; disposição.
with this proviso — com esta condição.
provisorily [prə'vaizərili], *adv.* temporariamente, condicionalmente; interinamente.
provisory [prə'vaizəri], *adj.* provisório, temporário; condicional; interino.
provocation [prɔvə'keiʃən], *s.* provocação; estímulo, instigação; irritação.
he did it under severe provocation — fê-lo sob forte provocação.
provocative [prə'vɔkətiv], **1** — *s.* estimulante, excitante.
2 — *adj.* provocante, provocativo; irritante.
provoke [prə'vouk], *vt.* provocar; irritar; excitar, instigar; impacientar; causar, promover, motivar. (*Sin.* to incite, to rouse, to irritate, to instigate, to tempt, to exasperate, to stir. *Ant.* to appease.)
to provoke a riot — provocar um tumulto.
provoking [-iŋ], *adj.* provocante, provocador; irritante; insultuoso.
provokingly [-iŋli], *adv.* provocantemente, insolentemente, insultuosamente.
provost ['prɔvəst], *s.* preboste; director de colégio; chefe de comunidade religiosa.
provost marshal — chefe da polícia militar.
prow [prau], **1** — *s.* (náut.) proa.
2 — *adj.* (arc.) corajoso, valoroso.
prowess [-is], *s.* proeza, façanha; valor, valentia, coragem.
prowl [-l], **1** — *s.* roubo, pilhagem, ladroeira.
on the prowl — na pilhagem; na ladroeira.
2 — *vt.* e *vi.* errar, vaguear; rondar; deambular.
to prowl about — vaguear de um lado para o outro.
prowler [-lə], *s.* ladrão; vagabundo.
proximal ['prɔksiməl], *adj.* proximal.
proximally [-i], *adv.* proximalmente.
proximate ['prɔksimit], *adj.* próximo; imediato, seguinte.
proximately [-li], *adv.* proximamente, imediatamente.
proximity (*pl.* **proximities**) [prɔk'simiti, -iz], *s.* proximidade, imediação; vizinhança.
proximity of blood — parentesco.
proximo ['prɔksimou], *adv.* do ou no próximo mês.
proxy (*pl.* **proxies**) ['prɔksi, -iz], *s.* procurador; delegado; agente; mandatário; procuração; mandato. (*Sin.* delegate, representative, deputy, substitute. *Ant.* person.)
by proxy — por procuração.
he made me his proxy — constituiu-me seu procurador.
to marry by proxy — casar por procuração.
to stand proxy for — ser procurador de.
prude [pru:d], *s.* mulher presumida que afecta gravidade e modéstia.
prudence ['pru:dəns], *s.* prudência, circunspecção, discrição; sensatez.
prudent ['pru:dənt], *adj.* prudente, circunspecto, discreto; sensato. (*Sin.* wise, judicious, circumspect, cautious, sagacious. *Ant.* rash.)
prudential [pru(:)denʃəl], *adj.* prudente, prudencial.
prudentially [-i], *adv.* prudencialmente.
prudently ['pru:dəntli], *adv.* prudentemente; cautelosamente.
prudery ['pru:dəri], *s.* falsa modéstia.
prudish ['pru:diʃ], *adj.* modesto com afectação, presumido.
prudishly [-li], *adv.* com modéstia fingida.
prune [pru:n], **1** — *s.* ameixa passada; cor vermelho-escura do sumo da ameixa.
2 — *vt.* podar, cortar, decotar; suprimir.
prunella [pru(:)'nelə], *s.* setim de lã; (bot.) prunela.
pruner ['pru:nə], *s.* podador, aquele que poda árvores.
pruning ['pru:niŋ], *s.* poda, corte, decote; ramos cortados.
pruning-hook — podão; podadeira.
pruning-shears (scissors) — tesoura de podar.
prurience, pruriency ['pruəriəns, -si], *s.* lascívia, luxúria.
prurient ['pruəriənt], *adj.* lascivo, lúbrico.
prurigo [pru'raigou], *s.* (med.) prurido.
Prussia ['prʌʃə], *top.* Prússia.
Prussian ['prʌʃən], *s.* e *adj.* prussiano.
Prussian blue — azul-da-prússia; azul-ferrete.
prussiate ['prʌʃiit], *s.* (quím.) prussiato.
prussic ['prʌsik], *adj.* (quím.) prússico.
pry [prai], **1** — *s.* inspecção; exame rigoroso; pessoa curiosa.
Paul Pry — pessoa muito curiosa.
2 — *vt.* e *vi.* espreitar, espiar; rondar; meter o nariz em; pesquisar; observar; indagar; levantar por meio de alavanca. (*Sin.* to peep, to inquire, to examine, to peer.)
to pry into — intrometer-se em.
to pry out a secret — arrancar um segredo.
to pry open a box — forçar a fechadura duma mala.
prying [-iŋ], *adj.* que espreita, que espia; curioso, indiscreto, intrometido.
prying eyes — olhos indiscretos.
pryingly [-iŋli], *adv.* curiosamente, indiscretamente.
psalm [sɑ:m], *s.* salmo.
psalm-book — livro de salmos.
psalmist [-ist], *s.* salmista.
the Psalmist — o rei David.
psalmodic [sæl'mɔdik], *adj.* sálmico.
psalmodist ['sælmədist], *s.* cantor de salmos.
psalmody ['sælmədi], *s.* salmodia.
psalter ['sɔ:ltə], *s.* saltério, livro de salmos.
psaltery [-ri], *s.* saltério, antigo instrumento de música.
pseudo ['psju:dou], *adj.* pseudo.
pseudonym ['psju:dənim], *s.* pseudónimo.
pshaw [pʃɔ:], **1** — *interj.* ora!, ora essa!
2 — *vt.* e *vi.* mostrar desprezo.
psittacosis [psitə'kousis], *s. (pat.)* **psitacose.**
psychiater [sai'kaiətə], *s.* psiquiatra.
psychiatry [sai'kaiətri], *s.* psiquiatria.
psychic ['psaikik], **1** — *s.* médium.
2 — *adj.* psíquico.
psychical [-əl], *adj.* psíquico.
psychically [-əli], *adv.* psiquicamente.
psychoanalysis [saikouə'næləsis], *s.* psicanálise.
psychoanalyst [saikou'ænəlist], *s.* psicanalista.
psychological [saikə'lɔdʒikəl], *adj.* **psicológico.**
psychologically [-i], *adv.* psicologicamente.
psychologist [sai'kɔlədʒist], *s.* psicólogo, psicologista.
psychology [sai'kɔlədʒi], *s.* psicologia.
psychometry [sai'kɔmitri], *s.* psicometria.
psychopathic [saikou'pæθik], *adj.* psicopático.
psychosis (*pl.* **psychoses**) [sai'kousis, ousi:z], *s.* psicose.
ptarmigan ['tɑ:migən], *s.* (zool.) ptarmigão, ave da família do galo silvestre.
ptomaine ['toumaine], *s. (quim.)* **ptomaína; ptomatina.**
pub [pʌb], *s.* (col.) espécie de bar, casa de vinhos, cervejaria.

puberty ['pju:bəti], *s.* puberdade, adolescência.
age of puberty — idade da puberdade.
pubescence [pju:'besns], *s.* **pubescência.**
public ['pʌblik], **1** — *s.* o público, o povo.
in public — publicamente; em público.
2 — *adj.* público, comum, geral; patente, manifesto; nacional.
by public auction — em hasta pública.
public building — edifício público.
public holiday — feriado nacional.
public-house (col.) — cervejaria, taberna.
public library — biblioteca pública.
public lecture — conferência pública.
public school — **escola pública ou colégio (Inglaterra);** qualquer estabelecimento de ensino oficial aberto a todas as classes sociais.
public spirit — patriotismo.
public-spirited — patriótico.
public speaker — orador.
to make a public protest — fazer um protesto público.
publican [-ən], *s.* publicano, cobrador de impostos na antiga Roma; dono de uma «public-house» (Inglaterra).
publication [pʌbli'keiʃən], *s.* publicação; promulgação; livro; obra publicada; periódico. (*Sin.* promulgation, proclamation, pamphlet, book, periodical, magazine. *Ant.* suppression.)
publicist ['pʌblisist], *s.* publicista, jornalista; pessoa versada em direito internacional.
publicity [pʌb'lisiti], *s.* publicidade; notoriedade; propaganda.
publicity agent — agente publicitário.
to seek publicity — **procurar dar** nas vistas; procurar publicidade.
publicly ['pʌblikli], *adv.* publicamente.
publish ['pʌbliʃ], *vt.* publicar, editar; tornar público; promulgar; propalar, divulgar.
to publish a book — publicar um livro.
to publish the banns — ler os banhos (para um casamento).
publisher [-ə], *s.* **editor; divulgador.**
puce [pju:s], *s.* e *adj.* cor de pulga; da cor da pulga.
puck [pʌk], *s.* fantasma; duende; fada; (fig.) diabrete, criança endiabrada; doença do gado; disco de borracha utilizado no hóquei sobre o gelo.
pucka ['pʌkə], *adj.* substancial; real, genuíno; **permanente; bem construído; superior.**
pucker ['pʌkə], **1** — *s.* prega, ruga, vinco; (col.) perplexidade.
2 — *vt.* e *vi.* enrugar; preguear; vincar; amarrotar. (*Sin.* to crease, to wrinkle, to furrow, to gather, to contract. *Ant.* to straighten.)
to pucker up the brows — franzir a testa.
puckish ['pʌkiʃ], *adj.* **endiabrado; travesso como um duende.**
puddening ['pudəniŋ], *s.* (náut.) defensa, guirlanda, coxim.
pudding ['pudiŋ], *s.* pudim; chouriço de sangue; (náut.) coxim, defensa; (cal.) carne envenenada para matar cães.
pudding face — cara grande e cheia.
pudding-head — palerma, parvo.
pudding-heart — covarde.
pudding pie — torta de carne.
black pudding — morcela.
rice pudding — arroz-doce.
puddle ['pʌdl], **1** — *s.* charco; poça; lamaçal; **cimento hidráulico; *(col.)* trapalhada, confusão.**
he is in a pretty puddle — ele está em maus lençóis.
2 — *vt.* e *vi.* cimentar; pudlar; converter (o ferro fundido) em ferro maleável; enlamear; patinhar, chafurdar.
to puddle the iron — pudlar o ferro.
puddler [-ə], *s.* operário que converte o ferro fundido em ferro maleável; pudlador.
puddling [-iŋ], *s.* conversão do ferro fundido em ferro maleável; pudlagem.
puddly [-i], *adj.* lodoso, enlameado, turvo, lamacento.
pudgy ['pʌdʒi], *adj.* rechonchudo; atarracado.
puerile ['pjuərail], *adj.* pueril, infantil; trivial.
puerilely [-li], *adv.* puerilmente.
puerility (*pl.* **puerilities**) [pjuə'riliti, -iz], *s.* puerilidade.
puerperal [pju:'ə:pərəl], *adj.* (med.) puerperal.
puff [pʌf], **1** — *s.* sopro, baforada; lufada; cachimbada; borla para pó-de-arroz; reclamo; anúncio pomposo; elogio exagerado; tufos (de vestido, cabelo, etc.); rajada de vento, rabanada; bolo; pastel folhado; (col.) respiração; pequena quantidade de vapor ou fumo expelida de cada vez.
cream puff — bolo de creme.
powder-puff — **borla (esponja) de pó-de-arroz.**
puff past — **massa folhada.**
puff-adder — **víbora venenosa de África, que** dilata a parte superior do corpo quando ataca.
puff-box — caixa de pó-de-arroz.
out of puff (col.) — ofegante.
he took a puff at his pipe — ele fumou uma cachimbada.
2 — *vt.* e *vi.* soprar; entumecer, inchar; louvar exageradamente; fazer anúncios pomposos; bufar, deitar baforadas; arquejar, arfar; ofegar; tirar uma cachimbada; licitar para elevar o preço (em leilão).
to puff away — soprar constantemente.
to puff and blow — arfar; arquejar.
he puffed away at his pipe while we talked — dava cachimbadas, enquanto conversávamos.
the toothache puffed out one side of the face — a dor de dentes inchou-lhe a cara de um lado.
the engine puffed away into the valley — a máquina, resfolgando e fumegando, partiu em direcção ao vale.
to be puffed up with pride — estar inchado de tanto orgulho.
puffer [-ə], *s.* aquele que sopra; o que faz anúncios pomposos; indivíduo que louva demasiadamente; aquele que licita para provocar a subida de preços (em leilão); nome infantil da máquina a vapor.
puffery [-əri], *s.* anúncio pomposo; tufos; louvor exagerado; inchação.
puffily [-ili], *adv.* inchadamente; ofegando.
puffin [-in], *s.* (zool.) mergulhão.
puffiness [-inis], *s.* intumescência, inchação.
puffing [-iŋ], **1** — *s.* inchação; orgulho, vaidade; acto de soprar; arquejo; reclamo excessivo.
2 — *adj.* arquejante.
puffing advertisement — reclamo pomposo.
puffy [-i], *adj.* inchado; empolado; gordo; sem fôlego, ofegante; às rajadas; entufado.
puffy style — estilo empolado.
pug [pʌg], **1** — *s.* taipa; argamassa; cão pequeno de focinho chato e de cauda curta enrolada; (cal.) pugilista; macaquinho.
pug nose — **nariz chato; nariz achatado.**
2 — *vt.* cobrir com argamassa; fazer barro; seguir as pegadas de um animal.
puggaree [-əri], *s.* turbante indiano.
pugilism ['pju:dʒilizəm], *s.* pugilismo, pugilato.
pugilist ['pju:dʒilist], *s.* pugilista.

pugilistic [pju:dʒi'listik], *adj.* pugilístico, de pugilato.
pugnacious [pʌg'neiʃəs], *adj.* pugnaz; belicoso; brigão, bulhento. (*Sin.* quarrelsome, contentious, fighting, bellicose. *Ant.* peaceable.)
pugnaciously [-li], *adv.* de modo pugnaz; belicosamente.
pugnacity [pʌg'næsiti], *s.* pugnacidade; génio bulhento; carácter belicoso.
puisne ['pju:ni], *adj.* (jur.) mais novo; inferior em graduação; subalterno.
puissant ['pju(:)isnt], *adj.* (arc.) poderoso.
puke [pju:k], **1** — *s.* vómito.
2 — *vt.* e *vi.* vomitar.
pukka(h) ['pʌkə], *adj.* ver **pucka.**
pule [pju:l], *vi.* piar; choramingar; gemer.
puling [-iŋ], **1** — *s.* pio; gemido, choro.
2 — *adj.* que chora.
pull [pul], **1** — *s.* puxão; repelão; sacudidela; esforço; luta; trabalho violento; influência; abalo; influxo; remada; vantagem; (tip.) impressão feita no prelo; puxador (de porta, de gaveta, etc.); força de tracção; envio da bola da direita para a extrema esquerda (críquete); gole, trago; fumaça.
heavy pull — esforço violento.
dead pull — esforço baldado.
he took a long pull at the bottle — bebeu várias goladas pela garrafa.
they went for a pull on the river — foram remar um bocado no rio.
the pull of the moon — a atracção da Lua.
it's a hard pull up the hill — o monte é de difícil subida.
he took a pull at his pipe — ele tirou uma boa fumaça do cachimbo.
he has a great pull with the minister — tem grande influência sobre o ministro.
2 — *vt.* e *vi.* puxar; arrancar; arrastar; rasgar; colher; pelar; depenar; remar, vogar; erguer, içar; estirar; despedaçar; mover-se; furtar; influenciar; *(col.)* prender, deter; (col.) fazer, realizar; *(tip.)* tirar uma prova no prelo. (*Sin.* to drag, to draw, to pluck, to gather, to tear. *Ant.* to push.)
don't pull my hair! — não me puxes os cabelos!
he pulled through his illness after the doctor had almost given him up — escapou da doença, depois de o médico ter perdido as esperanças de o salvar.
the chimney pulls badly — a chaminé tem pouca tiragem.
the fever has pulled him down — a febre enfraqueceu-o muito.
they are pulling different ways — eles não se entendem.
don't pull that stuff on me! — não me venhas cá com essas coisas!
he was pulled up by his father — ele foi chamado à ordem pelo pai.
pull together! — remar juntos!
to pull asunder — separar com violência.
to pull a face — fazer uma careta.
to pull a person's ears — puxar as orelhas de alguém.
to pull a good oar — saber remar bem.
to pull a boat — fazer andar um barco, remando.
to pullahead — *vi. (desp.)* destacar-se do pelotão numa corrida.
to pull a horse — puxar as rédeas a um cavalo nas corridas para o impedir de ganhar a corrida.
to pull a long face — ficar desanimado.
to pull a person about — tratar uma pessoa sem consideração.
to pull a sanctimonious face — fazer cara de santo.
to pull at one's pipe — fumar uma cachimbada.
to pull back — puxar para trás; fazer recuar.
to pull down — demolir; derrubar; humilhar; abater.
to pull off — tirar, despir.
to pull out — tirar, extrair; arrancar, puxar.
to pull in — apertar, comprimir; puxar as rédeas; prender.
to pull through — sair de uma dificuldade; restabelecer-se de uma doença.
to pull together — estar (ou trabalhar) de acordo; puxar certo.
to pull some one's leg — fazer troça de alguém.
to pull hard — puxar com força.
to pull off one's shoes — descalçar os sapatos.
to pull oneself together — reanimar-se; voltar a si.
to pull one's weight — fazer o que se pode.
to pull on one's stockings — calçar as meias.
to pull round — recobrar forças; reanimar-se.
to pull something off — ser bem sucedido em qualquer coisa.
to pull to pieces — despedaçar; criticar muito severamente.
to pull the wool over someone's eyes — enganar alguém.
to pull up — levantar; extirpar; parar, deter.
to pull up with — alcançar, apanhar.
to pull up a screw — atarraxar um parafuso.
pull-back [-bæk], **1** — *s.* obstáculo, impedimento, dificuldade.
2 — *adj.* de retrocesso.
puller [-ə], *s.* aquele que puxa ou arranca; puxador; instrumento para arrancar pregos; (teat.) peça que dá muita receita; remador.
pullet ['pulit], *s.* franga.
pulley ['puli], *s.* roldana; tambor; moitão; polé; molinete; mola.
driving pulley — roldana motriz.
pulley-door — porta com mola que fecha por si mesma.
pullman car ['pulmən kɑ:], *s.* carruagem-salão de luxo.
pull-over ['pulouvə], *s.* pulôver.
pullulate ['pʌljuleit], *vi.* germinar, brotar; (fig.) desenvolver-se, pulular, espalhar, espalhar-se.
pullulation [pʌlju'leiʃən], *s.* pululação, germinação; desenvolvimento.
pulmonary ['pʌlmənəri], *adj.* pulmonar.
pulmonary disease — doença pulmonar.
pulp [pʌlp], **1** — *s.* polpa; pasta, massa (para papel).
pulp wood — madeira para pasta de papel.
they were reduced to a pulp — deram-lhes uma tareia mestra.
2 — *vt.* e *vi.* reduzir a pasta; tirar a polpa a; descascar; transformar-se em polpa, em pasta.
pulpiness [-inis], *s.* qualidade polposa; natureza mole.
pulpit ['pulpit], *s.* púlpito; os pregadores.
pulpy ['pʌlpi], *adj.* polposo; carnudo; mole; suculento.
pulsate [pʌl'seit], *vt.* e *vi.* pulsar, bater, palpitar; vibrar; agitar (diamantes).
pulsation [pʌl'seiʃən], *s.* pulsação; palpitação; vibração.
pulsatory ['pʌlsətəri], *adj.* pulsativo, pulsatório.
pulse [pʌls], **1** — *s.* pulso; pulsação; vibração; cadência; energia; tendência, disposição; legumes.
low pulse — pulso fraco.
to feel one's pulse — tomar o pulso a alguém.
to stir one's pulses — entusiasmar.
2 — *vt.* e *vi.* pulsar, bater, palpitar; vibrar; sondar.

pulverization [pʌlvərai'zeiʃən], *s.* pulverização; trituração.
pulverize ['pʌlvəraiz], *vt.* e *vi.* pulverizar; (fig.) demolir, esmagar, aniquilar. (*Sin.* to grind, to powder, to triturate, to smash.)
pulverizer [-ə], *s.* pulverizador; vaporizador; triturador.
pulverulent [pʌl'verjulənt], *adj.* pulverulento.
puma ['pju:mə], *s.* (*zool.*) puma; onça.
pumice ['pʌmis], **1** — *s.* pomes, pómice.
pumice stone — pedra-pomes.
2 — *vt.* amaciar ou polir com pedra-pomes.
pummel ['pʌml], *vt.* (*pret.* e *pp.* **pummelled**) espancar, agredir a soco.
pump [pʌmp], **1** — *s.* bomba; acção de dar à bomba; interrogatório, sondagem; sapato de polimento para baile.
bicycle pump — bomba de bicicleta.
petrol pump (aut.) — bomba de gasolina; posto abastecedor de gasolina.
pump gear — mecanismo da bomba.
suction-pump — bomba aspirante.
fire-pump — bomba de incêndio.
to work the pump — dar à bomba.
2 — *vt.* e *vi.* dar à bomba; accionar a bomba; fazer subir ou obter por meio de bomba; lançar, atirar; sondar; perguntar repetidamente; esgotar.
to pump out — esgotar.
to pump up — encher de ar; extrair; fazer subir por meio de bomba.
to pump anything out of someone — arrancar um segredo a alguém.
it's no use your pumping me, I'm empty of all news — é inútil tentares arrancar-me um segredo; não sei de nada.
to pump air into a tyre — encher um pneumático de ar.
pumper [-ə], *s.* o que dá à bomba; indivíduo muito habilidoso a interrogar.
pumpernickel ['pumpənikl], *s.* pão integral.
pumping ['pʌmpiŋ], *s.* acção de dar à bomba; esgoto.
pumping engine — bomba a motor; moto-bomba.
pumpkin ['pʌmpkin], *s.* abóbora-menina.
pun [pʌn], **1** — *s.* calembur, trocadilho; equívoco.
2 — *vt.* e *vi.* (*pret.* e *pp.* **punned**) fazer uso de trocadilhos; calcar, pisar.
punch [pʌntʃ], **1** — *s.* punção; furador; ponche (bebida); pessoa gorda e baixa; palhaço, arlequim; pancada, murro, soco; alicate de furar; (col.) energia, força.
Punch Judy show—espectáculo de marionetas.
punch-bowl — poncheira, recipiente onde se faz e se serve o ponche.
a punch on the head — um murro na cabeça.
punch pliers — alicate de punção.
2 — *vt.* furar com punção; puncionar; bater, dar murros; picar (o gado). (*Sin.* to strike, to hit, to bore, to pierce.)
to punch a person's head — dar murros na cabeça de uma pessoa.
puncheon [-ən], *s.* casco, medida antiga para líquidos; escora; punção; buril.
puncher [-ə], *s.* o que trabalha com punção; pessoa que fura; furador, sovela; (E. U.) vaqueiro.
Punchinello [pʌntʃi'nelou], *s.* polichinelo, personagem no teatro italiano de fantoches; (col.) pessoa atarracada.
punching ['pʌntʃiŋ], *s.* acção de puncionar ou perfurar; pancada.
punching-bag; *punching-ball* — bola cheia de ar ou serrim para exercício de boxe.
punctilio (*pl.* **punctilios**) [pʌŋk'tiliou, -z], *s.* pundonor; demasiado escrúpulo; etiqueta; formalidade.
punctilious [pʌŋk'tiliəs], *adj.* escrupuloso; pontual, exato. (*Sin.* exact, precise, scrupulous, conscientious. *Ant.* negligent.)
punctiliously [-li], *adv.* escrupulosamente; minuciosamente; com grande formalismo.
punctiousness [-nis], *s.* exactidão rigorosa; pontualidade; pundonor; formalismo.
punctual ['pʌŋktjuəl], *adj.* pontual, exacto. (*Sin.* timely, prompt, exact. *Ant.* late.)
punctuality [pʌŋktju'æliti], *s.* pontualidade; prontidão; cuidado.
punctually ['pʌŋktjuəli], *adv.* pontualmente.
punctuate ['pʌŋktjueit], *vt.* pontuar; (fig.) interromper um discurso com exclamações; realçar.
punctuation [pʌnktju'eiʃən], *s.* pontuação.
puncture ['pʌŋktʃə], **1** — *s.* punção; perfuração; picada, furo.
2 — *vt.* e *vi.* puncionar; perfurar; picar, furar; ter um furo; (fig.) arruinar, destruir.
to puncture a tyre — furar um pneu.
pundit ['pʌndit], *s.* pândita; título honorífico dado, na Índia, a um erudito de renome.
pungency ['pʌndʒənsi], *s.* acidez; acrimónia; agrura; mordacidade.
pungent ['pʌŋdʒənt], *adj.* pungente; acre, picante; estimulante; acrimonioso, ácido; mordaz, sarcástico. (*Sin.* sharp, caustic, piquant, acrid, acrimonious, satirical, poignant. *Ant.* unctuous.)
pungent sauce — molho picante.
pungently [-li], *adv.* pungentemente; mordazmente.
Punic ['pju:nik], *s.* e *adj.* púnico.
punic faith — perfídia.
Punic Wars — Guerras Púnicas.
puniness ['pju:ninis], *s.* pequenez, insignificância.
punish ['pʌniʃ], *vt.* castigar, punir, corrigir; consumir, devastar.
to punish a child for disobedience — castigar uma criança por desobediência.
I have been sadly punished for my rashness — tenho sido dolorosamente castigado pela minha leviandade.
they punished the Port Wine — (col.) eles deram cabo do vinho do Porto.
punishable [-əbl], *adj.* punível.
punisher [-ə], *s.* punidor.
punishment [-mənt], *s.* castigo, pena, punição; maus tratos.
capital punishment — pena capital.
for punishment — como castigo.
punitive ['pju:nitiv], *adj.* punitivo.
punitory ['pju:nitəri], *adj.* punitivo.
punk [pʌŋk], **1** — *s.* (E. U.) madeira podre; isca, mecha; prostituta; pessoa sem valor.
2 — *adj.* (cal.) mau; podre; que não presta para nada.
punka(h) [-ə], *s.* pancá; ventarola usada entre os Índios.
punner ['pʌnə], *s.* maço de calceteiro.
punnet ['pʌnit], *s.* cestinha para frutas ou legumes.
punster ['pʌnstə], *s.* calemburista; pessoa que gosta de trocadilhos.
punt [pʌnt], **1** — *s.* barco de fundo chato empurrado à vara; (fut.) pontapé dado na bola antes de ela tocar no chão.
2 — *vt.* e *vi.* impelir um barco com uma vara; (fut.) dar um pontapé na bola antes de tocar no chão; apontar (em jogos de azar); (col.) jogar, apostar.
punter [-ə], *s.* o que impele um barco por meio de vara; (fut.) jogador que pontapeia

a bola antes de ela tocar no chão; ponto (em jogos de azar).
puny ['pju:ni], *adj.* pequeno, insignificante; fraco, débil. (*Sin.* tiny, petty, weak, feeble, insignificant. *Ant.* sturdy, large.)
pup [pʌp], **1** — *s.* cachorro; (col.) rapazola.
in pup — prenhe (cadela).
he sold them a pup — ele vigarizou-os.
2 — *vt.* e *vi.* (*pret.* e *pp.* **pupped**) parir (cadela).
pupa (*pl.* **pupae**) ['pju:pə, -i:], *s.* ninfa, crisálida.
pupal ['pju:pəl], *adj.* de ninfa.
pupil ['pju:pl], *s.* aluno, aluna; discípulo; pupilo; pupila, menina-do-olho; (jur.) tutelado.
a private pupil — um aluno particular.
pupil(l)age ['pju:pilidʒ], *s.* menoridade; pupilagem.
in the period of her pupilage — quando ela era ainda aluna.
pupil(l)ary ['pju:piləri], *adj.* pupilar; relativo a aluno; relativo à menoridade.
puppet ['pʌpit], *s.* fantoche, títere, marioneta; boneco; manequim.
puppet-show — representação de fantoches.
puppet-valve — rosca do torno.
puppy (*pl.* **puppies**) ['pʌpi, -iz], *s.* cachorrinho, cãozinho; bonifrate; peralta.
puppyish [-iʃ], *adj.* pretensioso, presumido.
purblind ['pə:blaind], **1** — *adj.* fraco de vista, míope; (fig.) obtuso, estúpido.
2 — *vt.* tornar míope; (fig.) embrutecer.
purblindness [-nis], *s.* miopia; (fig.) raciocínio lento.
purchasable ['pə:tʃəsəbl], *adj.* comprável, adquirível.
purchase ['pə:tʃəs], **1** — *s.* compra, aquisição; valor, rendimento anual; (fig.) vantagem; aparelho de içar, talha; (náut.) estralheira; ponto de apoio.
by purchase — por compra.
his life is not worth a day's purchase — a vida dele está prestes a terminar.
to make purchases — fazer compras.
to take purchase on — apoiar-se sobre.
2 — *vt.* comprar, adquirir; obter, conseguir; içar.
a dearly purchased victory — vitória conseguida à custa de muito sangue.
purchaser [-ə], *s.* comprador.
pure [pjuə], **1** — *s.* puro.
the pure — os puros.
2 — *adj.* puro; simples; genuíno; inocente; perfeito; sem mancha; casto; claro; sincero; isento; (mús.) mavioso. (*Sin.* clear, unmixed, unadulterated, absolute, sheer, clean, spotless, guileless. *Ant.* mixed, corrupt.)
pure-blooded — de sangue puro; de pura raça.
pure air — ar puro.
pure nonsense — disparate completo.
pure in mind and body — puro de corpo e de espírito.
purely [-li], *adv.* puramente; simplesmente; muito bem; perfeitamente; inocentemente; totalmente.
pureness [-nis], *s.* pureza; inocência; castidade; sinceridade; isenção.
purgation [pə:'geiʃən], *s.* purgação; purificação.
purgative ['pə:gətiv], **1** — *s.* purgante.
2 — *adj.* purgativo; purificador.
purgatorial [pə:gə'tɔ:riəl], *adj.* purgatório; expiatório, purificador.
purgatory ['pə:gətəri], **1** — *s.* Purgatório.
2 — *adj.* purgatório; purificador.
purge [pə:dʒ], **1** — *s.* purga, purgante; expurgação.
2 — *vt.* purgar; limpar; purificar; clarificar; resgatar, remir; justificar, reabilitar-se.
to purge oneself from (of) sin — lavar-se dos seus pecados.
to purge the finances of a country — sanear as finanças dum país.
purging [-iŋ], **1** — *s.* purgação; purificação; expiação; depuração; saneamento.
2 — *adj.* purgativo, laxativo.
purification [pjuərifi'keiʃən], *s.* purificação; saneamento; expiação, depuração.
purificator ['pjuərifikeitə], *s.* (ecl.) purificador, sanguinho; paninho com que o celebrante, na missa, enxuga o cálice.
purificatory [-ri], *adj.* purificatório, purificador, purificativo.
purifier ['pjuərifaiə], *s.* purificador; depurador.
purify ['pjuərifai], *vt.* purificar; depurar; limpar; refinar; expiar; filtrar; depurar.
purifying [-iŋ], **1** — *s.* purificação; depuração; refinação; filtração.
2 — *adj.* purificador, purificante.
purism ['pjuərizəm], *s.* purismo.
purist ['pjuərist], *s.* purista.
puristical [pjuə'ristikəl], *adj.* purista.
Puritan ['pjuəritən], *s.* e *adj.* puritano.
puritanical [pjuəri'tænikəl], *adj.* puritano; rigoroso, severo, austero, rígido.
puritanism ['pjuəritənizəm], *s.* puritanismo; seita dos puritanos.
purity ['pjuəriti], *s.* pureza; integridade, honestidade; castidade; inocência.
purl [pə:l], **1** — *s.* guarnição bordada ou de rendas; murmúrio, sussurro (de águas); cerveja com absinto; ondulação; ponto de espinha «tricot»; (col.) queda, tombo.
2 — *vt.* e *vi.* ornar com guarnição; enfeitar com ponto de espinha; sussurrar, murmurar (águas); cair.
purlieu ['pə:lju:], *s.* raia, limite, confim; viela, bairro pobre e sujo; *pl.* subúrbios, arredores.
purlin ['pə:lin], *s.* caibro; vigamento.
purling ['pə:liŋ], **1** — *s.* sussurro, murmúrio.
2 — *adj.* sussurrante, rumorejante.
purloin [pə:'lɔin], *vt.* furtar, roubar.
purloiner [-ə], *s.* ladrão, gatuno.
purple ['pə:pl], **1** — *s.* púrpura, cor de púrpura; dignidade real ou cardinalícia; peste suína; (zool.) púrpura.
purple fever — escarlatina.
to be raised to the purple — ser elevado ao cardinalato.
to be born in the purple — ter sangue real.
2 — *adj.* purpúreo; (poét.) vermelho, carmesim.
to go purple with rage — estar encolerizado, enraivecido.
3 — *vt.* e *vi.* tornar cor de púrpura; ficar roxo.
purplish [-iʃ], *adj.* purpurino; arroxeado.
purport ['pə:pət], **1** — *s.* significado, sentido; teor; conteúdo; objectivo.
2 — *vt.* significar, querer dizer; implicar; dar a entender; simular. (*Sin.* to mean, to intend, to state, to profess, to convey.)
purpose ['pə:pəs], **1** — *s.* propósito, objectivo, fim; projecto, desígnio; intento; teor; proposição; resolução; vontade; determinação; utilidade; significação.
on purpose — de propósito.
for no purpose — inutilmente; em vão.
for what purpose? — com que fim?, para quê?
to the purpose — a propósito.
of set purpose — deliberadamente.

to little purpose — com pouco resultado.
public purposes — utilidades públicas.
for such a purpose — para tal fim.
for the purpose of — com o fim de.
all that is no purpose — isso não serve para nada.
to answer your purpose — corresponder ao vosso desejo.
to suit one's purpose — convir; fazer conta a alguém.
to speak to the purpose — falar a propósito.
to gain one's purpose — conseguir os seus fins.
2 — *vt.* tencionar, fazer tenção de; projectar, planear; propor-se.
I purpose to arrange an interview — tenciono arranjar uma entrevista.
purposeful [-ful], *adj.* com um fim em vista, intencional; importante.
purposeless [-lis], *adj.* sem objectivo, sem um fim em vista; vago; inútil.
purposelessly [-lisli], *adv.* vagamente.
purposely ['pə:pəsli], *adv.* de propósito; expressamente, deliberadamente.
purposive ['pə:pəsiv], *adj.* intencional; útil, vantajoso; decidido.
purr [pə:], **1** — *s.* rosnadura de gato; ruído surdo produzido por motor.
2 — *vt.* e *vi.* rosnar (gato); produzir um ruído surdo (motor).
purring [-riŋ], **1** — *s.* o rosnar dos gatos; ronrom.
2 — *adj.* que faz ronrom; que produz um ruído surdo.
purse [pə:s], **1** — *s.* bolsa, carteira, porta-moedas; dinheiro; prémio; riqueza; finanças; colecta.
purse-proud — orgulhoso da sua riqueza.
purse-bearer — tesoureiro.
purse-seine — rede de pescar.
empty-purse — bolsa vazia.
to have a long purse — ter a algibeira bem recheada.
to tighten the purse-strings — apertar os cordões à bolsa.
to loosen the purse-strings — alargar os cordões à bolsa.
to hold the purse-strings — controlar as despesas.
2 — *vt.* e *vi.* franzir, enrugar; enrugar-se; embolsar.
purser [-ə], *s.* comissário de bordo.
pursiness [-inis], *s.* dificuldade em respirar; gordura; arrogância.
purslane ['pə:slin], *s.* (bot.) beldroega.
pursuance [pə'sju:əns], *s.* prosseguimento, prossecução; continuação, seguimento; cumprimento; resultado; procura.
in pursuance of — de conformidade com; em consequência de.
pursuant [pə'sju:ənt], **1** — *adj.* perseguidor.
2 — *adv.* em consequência de; conforme a, de acordo.
pursuant to your orders — segundo as suas ordens.
pursue [pə'sju:], *vt.* e *vi.* perseguir; seguir, prosseguir; seguir uma carreira; dedicar-se a; exercer; (jur.) demandar, processar; continuar; importunar; procurar. (*Sin.* to follow, to prosecute, to hunt, to chase, to seek, to continue. *Ant.* to abandon, to leave.)
to pursue close — seguir de perto.
to pursue one's studies — continuar os estudos.
pursuer [-ə], *s.* perseguidor, aquele que persegue.
pursuit [-t], *s.* perseguição; caça; seguimento, prossecução; prosseguimento; continuação; busca; ocupação, profissão; passatempo; estudo, investigação.
commercial pursuits — comércio.
in pursuit of — em busca de; no encalço de.
literary pursuits — carreira literária.
one's daily pursits — ocupações diárias de cada um.
pursuivant ['pə:sivənt], *s.* (her.) passavante; (poét.) servidor, partidário.
pursy ['pə:si], *adj.* corpulento, gordo, obeso; que respira com dificuldade; enrugado.
purulency ['pjuərulənsi], *s.* purulência.
purulent ['pjuərulənt], *adj.* purulento; supurante.
purulently [-li], *adv.* de modo purulento.
purvey [pə:'vei], *vt.* e *vi.* prover; fornecer.
the baker purveys bread to his customers — o padeiro fornece o pão aos seus fregueses.
purveyance [-əns], *s.* fornecimento, abastecimento, provisões.
purveyor [-ə], *s.* fornecedor, abastecedor.
purview ['pə:vju:], *s.* texto de uma lei; limite de uma disposição legal; alcance, extensão, esfera; competência.
pus [pʌs], *s.* pus; purulência.
push [puʃ], **1** — *s.* impulso, empurrão; repelão; encontrão; esforço; investida, ataque; aperto; apuro, situação difícil; energia; (cal.) grupo de desordeiros. (*Sin.* charge, thrust, attack, assault, energy, effort, extremity, pinch, impulse. *Ant.* pull.)
at one push — com um impulso; de um só golpe.
push button — botão eléctrico para chamadas.
at a push — numa dificuldade.
push-cart — carrinho de mão.
push-chair — carrinho de bébé.
push-bike — bicicleta vulgar.
to get the push — (cal.) ser despedido do emprego; levar um empurrão.
to make a push — fazer um esforço grande; atacar em massa.
to bring to the last push — levar ao extremo.
2 — *vt.* e *vi.* empurrar, impelir; impulsionar; desenvolver; apressar; incitar; bater; importunar; forçar, activar; promover; investir, atacar; dar um empurrão; apressar-se; alargar, dilatar; fazer propaganda (de mercadorias); esforçar-se.
to push away — afastar; desviar.
to push back — puxar para trás; fazer recuar.
to push down — descer, baixar; abater, derrubar.
to push forward — fazer avançar; adiantar-se.
to push on — incitar; apressar; fazer andar.
to push in — fazer entrar; introduzir, empurrando.
to push out — expulsar; empurrar para fora.
to push up — fazer subir; levantar.
to push through — abrir caminho; forçar a passagem.
to push off — pôr-se ao largo; desatracar.
to push the sale — promover a venda.
to be pushed for money — ter precisão de dinheiro.
to be pushed for an answer — achar dificuldade em responder.
to push one's way — progredir na vida.
to push oneself forward — abrir caminho; lançar-se na vida.
to push one's demands — reivindicar os seus direitos.
to push one's nose into everything — meter o nariz em tudo.
to push open — abrir com um empurrão.
I am pushed for time — não disponho de tempo.

pusher [-ə], *s.* o que impele; pessoa activa; (mec.) propulsor, impulsor.
pushful [-ful], *adj.* activo; ambicioso.
pushing [-iŋ], **1** — *s.* empurrão; tacada (no bilhar).
2 — *adj.* activo, empreendedor, enérgico, diligente, eficaz; atrevido; indiscreto.
pushingly [-iŋli], *adv.* diligentemente; eficazmente.
pusillanimity [pju:silə'nimiti], *s.* pusilanimidade; timidez; covardia.
pusillanimous [pju:si'læniməs], *adj.* pusilânime; tímido; covarde.
pusillanimously [-li], *adv.* com pusilanimidade; covardemente.
puss [pus], *s.* gato, bichano; palavra usada para chamar um gato; lebre, tigre; (col.) rapariga brincalhona.
puss-in-the-corner — o jogo dos quatro cantinhos.
a sly puss — uma menina astuciosa.
pussy (*pl.* **pussies**) [-i, -iz], *s.* gatinho, bichano; qualquer coisa macia e com penugem.
pussy-cat — gatinho.
pustular ['pʌstjulə], *adj.* pustuloso, pustulento.
pustulate ['pʌstjuleit], *vt.* e *vi.* cobrir de pústulas.
pustule ['pʌstju:l], *s.* pústula.
pustulous ['pʌstjuləs], *adj.* pustulento, pustuloso.
put [put], **1** — *s.* o acto de pôr; emergência; necessidade; opção de venda, na Bolsa; (desp.) lançamento de peso.
2 — *vt.* e *vi.* (*pret.* e *pp.* **put**) pôr, colocar; propor; oferecer; situar; depositar; apresentar; aplicar; lançar, atirar; dedicar-se a; incitar; exprimir; perguntar; fornecer, prover; causar; avaliar, calcular; escrever; submeter a; acasalar (animais). (*Sin.* to place, to insert, to arrange. *Ant.* to withdraw, to take.)
to put a stop to — pôr termo a; impedir, obstar; fazer parar.
to put a question — fazer uma pergunta.
to put a thing out of one's head — esquecer, fazer por esquecer alguma coisa.
to put a spoke on someone's wheel — prejudicar os interesses de alguém.
to put a person in a hole — colocar mal uma pessoa.
to put a good face on — mostrar boa cara.
to put about — virar de rumo; arreliar, incomodar; fazer constar.
to put across — passar para o outro lado; ser bem sucedido.
to put aside — pôr de parte; afastar.
to put away — guardar, pôr de parte; despedir; repudiar; (col.) encarcerar; rejeitar; afastar.
to put a child to school — meter uma criança na escola.
to put a person out of patience — fazer perder a paciência a uma pessoa.
to put all one's eggs in one basket — arriscar tudo.
to put an end to oneself — suicidar-se.
to put back — repor; colocar de novo; recuar; atrasar; regressar; impedir.
to put by — tirar, pôr de parte; rejeitar; economizar.
to put down — suprimir; reprimir; humilhar; conter; fazer calar; pôr por escrito; atribuir; pousar; pôr; considerar.
to put down to — registar na conta de.
to put forth — propor; apresentar; avançar; publicar; produzir, desenvolver; brotar, germinar; exercer.
to put forward — sugerir; invocar um motivo; adiantar (relógio).
to put from — afastar.
to put heads together — trocar impressões.
to put in — meter; pôr entre; interpor; introduzir; inserir; parar; passar (tempo); apresentar; realizar.
to put in a claim — apresentar uma reclamação.
to put in an appearance — aparecer; estar presente.
to put in a word for someone — recomendar alguém.
to put in mind — recordar.
to put in for — concorrer a um lugar; pretender; solicitar.
to put in at a port — fazer escala por um porto.
to put in black and white — reduzir a escrito; pôr o preto no branco.
to put in print — imprimir.
to put in the shade — ser muito melhor do que; ultrapassar.
to put into — verter; traduzir.
to put into port — (náut.) entrar no porto.
to put on — vestir; tomar; assumir; apostar; adiantar; fingir; dissimular; aumentar; (teat.) levar à cena.
to put out — expulsar; lançar fora; desconcertar, atrapalhar; despedir; apagar (luz ou fogo); pôr dinheiro a juros; irritar, incomodar; (náut.) partir; exercer, mostrar.
to put out of joint — deslocar, desmanchar.
to put out to sea — fazer-se ao mar.
to put out of temper — irritar, fazer zangar.
to put out of the way — pôr de lado, arrumar; fazer desaparecer; desembaraçar-se de.
to put on speed — aumentar a velocidade.
to put on side — mostrar-se orgulhoso; armar à importância.
to put on airs — dar-se ares.
to put on flesh — engordar.
to put on the clock — adiantar o relógio.
to put one's cards on the table — pôr as cartas na mesa; fazer jogo franco.
to put out money at 15% — emprestar dinheiro a 15%.
to put out one's hand — estender a mão.
to put off — adiar; despir; despojar, tirar; evitar; convencer a não fazer; pôr de parte; partir, levantar ferro.
to put oneself forward — marcar a sua personalidade; apresentar-se.
to put one to trouble — incomodar alguém.
to put one's shoulders to the wheel — trabalhar com afinco.
to put one's best foot forward — fazer o melhor que se pode.
to put one's foot down — opor-se tenazmente; mostrar-se decidido.
to put one's ear to the door — escutar à porta.
to put one's thoughts into words — exprimir os seus pensamentos.
to put over — reenviar; referir; atribuir; dar o cargo de; (náut.) deslocar-se.
to put somebody's back up — irritar alguém.
to put someone off — anular um compromisso; desculpar-se habilmente.
to put through — completar; pôr em comunicação (telefone).
to put together — acumular; reunir; combinar; montar, armar.
to put two and two together — deduzir; tirar uma conclusão de certas circunstâncias.
to put to the vote — propor à votação.
to put to — juntar, agregar, unir; exercitar;

referir, contar; consignar a; deixar, abandonar; atrelar.
to put to rights — arranjar na devida ordem.
to put to bed — despir e deitar (criança).
to put to a stand — deter; embaraçar.
to put the blame on — deitar a culpa a.
to put the clock back — atrasar o relógio.
to put the cart before the horse — pôr o carro diante dos bois.
to put the weight (desp.) — lançar o peso.
to put the wind up — intimidar; assustar.
to put the last hand to — dar os últimos retoques a.
to put to death — matar.
to put to the sword — passar à espada.
to put up — levantar, erigir; alojar, hospedar, guardar; embalar, empacotar; subir os preços, aumentar; pôr de lado; estabelecer; fechar; esconder; tolerar; acumular; nomear como membro; instalar-se.
to put up a motion — apresentar uma moção.
to put up for sale — pôr à venda.
to put up to — instigar; ensinar; dar instruções a; avançar.
to put up with — tolerar, suportar; sofrer.
to put up one's umbrella — abrir o guarda-chuva.
to put up at a hotel — instalar-se num hotel.
to put up a flag — hastear uma bandeira.
to put up the shutters — fechar a loja ao fim do dia; acabar com o negócio.
to put up a covey of partridges — levantar um bando de perdizes.
to put up a good fight — dar provas de bom lutador.
to put up the sword — embainhar a espada.
to put upon — excitar; infligir; imputar; impor; mover, incitar; tratar deslealmente.
to be hard put to it — estar numa situação difícil.
to be put out — estar zangado.
he puts his mind to that matter — ele dedica toda a atenção àquele assunto.
don't put off till tomorrow what you can do today — não deixes ficar para amanhã o que podes fazer hoje!
he doesn't know how to put it — não sabe como expor o assunto.
put yourself in his place — imagine-se no lugar dele.

putrefaction [pju:tri'fækʃən], *s.* putrefacção; corrupção.

putrefy ['pju:trifai], *vt.* e *vi.* apodrecer; putrefazer; corromper-se.

putrescence [pju:'tresns], *s.* podridão, putrefacção; putrescência, corrupção.

putrescent [pju:'tresnt], *adj.* putrescente; putrefacto; em estado de putrefacção.

putrid ['pju:trid], *adj.* pútrido; corrompido; em putrefacção; nauseabundo; (fig.) muito mau.
putrid weather — tempo muito desagradável.

putridity [pju'triditi], *s.* podridão.

putt [pʌt], **1** — *s.* pancada na bola para a introduzir no buraco (golfe).
2 — *vt.* e *vi.* bater levemente na bola (golfe).

puttee [-i], *s.* (mil.) polaina, greva.

putter ['putə], *s.* aquele que coloca; lançador de peso; o que propõe em problema.

putter ['pʌtə], *s.* aquele que bate a bola para a meter no buraco (golfe).

putting ['putiŋ], *s.* acção de colocar; colocação; proposta; cálculo.
putting in — (náut.) chegada a um porto; apresentação; introdução.
putting out — expulsão; luxação; colocação de dinheiro a juros.

putting ['pʌtiŋ], *s.* batimento da bola para a introduzir no buraco (golfe).

putty ['pʌti], **1** — *s.* (*pl.* **putties**) massa de amassar; massa de vidraceiro; poteia.
glazier's putty — massa de vidraceiro.
2 — *vt.* cobrir com poteia; amassar.

puzzle ['pʌzl], **1** — *s.* adivinha, enigma; perplexidade, atrapalhação; embaraço; problema difícil.
puzzle-headed — de ideias confusas.
puzzle-lock — fechadura de segredo.
cross-word puzzle — palavras cruzadas.
to be in a puzzle — estar atrapalhado; estar perplexo; estar à toa.
2 — *vt.* e *vi.* confundir, embaraçar, atrapalhar, desconcertar; desorientar, atrapalhar; confundir-se, embaraçar-se. (*Sin.* to amaze, to confuse, to embarrass, to confound, to mystify. *Ant.* to enlighten, to explain.)
the question puzzles you I know, but now I will explain — sei que a pergunta o atrapalha, mas vou já explicar-lha.
to puzzle out — pensar; resolver depois de várias tentativas.
to puzzle one's brains about a thing — dar voltas ao miolo por causa de uma coisa.
to puzzle over — matutar, meditar sobre.

puzzledom [-dəm], *s.* perplexidade, atrapalhação.

puzzler [-ə], *s.* embaraçador.

puzzling [-iŋ], **1** — *s.* confusão, perplexidade, atrapalhação.
2 — *adj.* que confunde; difícil, complicado.

pye-dog ['paidɔg], *s.* cão vadio.

pygmaen [pig'mi:ən], *adj.* pigmeu.

pygmy (*pl.* **pygmies**) ['pigmi, -iz], *s.* pigmeu, anão. (*Sin.* dwarf. *Ant.* giant.)

pyjamas [pə'dʒɑ:məz], *s.* pijama.

pylon ['pailən], *s.* pórtico de templo egípcio; torre de iluminação.

pyramid ['pirəmid], *s.* pirâmide.

pyramidal [pi'ræmidl], *adj.* piramidal.

pyramidally [pi'ræmidəli], *adv.* piramidalmente.

pyre ['paiə], *s.* pira, fogueira onde antigamente se queimavam os cadáveres.

Pyrenean [pirə'ni:ən], *adj.* dos Pireneus.

Pyrenees [pirə'ni:z], *top.* Pireneus.

pyrethrum [pai'ri:θrəm], *s.* (*bot.*) piretro.

pyretic [pai'retik], *adj.* pirético, febril.

pyrex ['paireks], *s.* pírex, vidro muito resistente às variações de temperatura.

pyrites [pai'raiti:z], *s.* (min.) pirite.

pyritic [pai'ritik], *adj.* (min.) piritoso.

pyrogallic [pairou'gælik], *adj.* (quím.) pirogálico.

pyrometer [pai'rɔmitə], *s.* pirómetro.

pyrometric(al) [pairou'metrik(al)], *adj.* pirométrico.

pyrometry [pai'rɔmitri], *s.* pirometria.

pyrotechnic(al) [pairou'teknik(əl)], *adj.* pirotécnico.

pyrotechnics [-s], *s.* pirotecnia.

pyrotechnist [pairou'teknist], *s.* pirotécnico.

pyrrhic ['pirik], *s.* e *adj.* pirríquio.

Pythagoras [pai'θægəræs], *n. p.* Pitágoras.

python ['paiθən], *s.* pitão, serpente enorme morta por Apolo próximo de Delfos; gibóia; espírito familiar.

pythoness ['paiθənes], *s. fem.* pitonisa.

pythonic [pai'θɔnik], *adj.* pitónico.

pyx [piks], *s.* píxide, vaso em que se guardam as hóstias ou partículas sagradas; caixa onde se guardam, na Casa da Moeda em Londres, as moedas de ouro e prata que se destinam a ser verificadas.

pyxis (*pl.* **pyxides**) ['piksis, -idi:z], *s.* caixa pequena, estojo.

Q

Q, q [kju:], (*pl.* **Q's, q's** [kju:z]), Q, q (décima sétima letra do alfabeto inglês).
q. boat (q. ship) — barco disfarçado para a luta anti-submarina.
q. t. [-'ti:].
on the q. t. — às escondidas; confidencialmente.
qua [kwei], *conj.* como; enquanto; na quadade de.
he wrote to you qua friend — ele escreveu-te como amigo.
quack [kwæk], **1** — *s.* grasnido de pato; impostor; curandeiro; charlatão.
quack-quack (inf.) — pato.
quack remedy—remédio dado por curandeiro.
2 — *vt.* e *vi.* grasnar, agir como curandeiro; falar sem tom nem som; gabar demasiado, apregoar como charlatão.
quackery ['-əri], *s.* charlatanice; aldrabice.
quackish ['-iʃ], *adj.* próprio de charlatão; próprio de aldrabão.
quadrable ['kwɔdrəbl], *adj.* (mat.) susceptível de quadratura.
quadragenarian [kwɔdrədʒi'nɛəriən], *s.* e *adj.* quadragenário.
Quadragesima [kwɔdrə'dʒesimə], *s.* domingo de Quadragésima; Quaresma.
quadragesimal [-l], *adj.* quadragesimal.
quadrangle ['kwɔdræŋgl], *s.* quadrângulo, quadrilátero; pátio ou relvado quadrangular rodeado por edifícios.
quadrangular [kwɔ'dræŋgjulə], *adj.* quadrangular.
quadrangular prism — prisma quadrangular.
quadrant ['kwɔdrənt], *s.* quadrante; oitante.
quadrat ['kwɔdrət], *s.* (tip.) quadratim.
quadrate **1** — [kwɔdrit, 'kwɔdreit], *s.* e *adj.* quadrado; músculo ou osso quadrado.
2 — [kwɔ'dreit, kwə'dreit], *vt.* e *vi.* tornar quadrado; quadrar (com.)
quadratic [kwɔ'drætik], **1** — *s.* (mat.) equação do segundo grau; *pl.* parte da álgebra que trata das equações do segundo grau.
2 — *adj.* quadrático; quadrado; (mat.) do segundo grau.
quadratic equation (mat.) — equação do segundo grau.
quadratix [kwɔ'dreitriks], *s.* (*pl.* **quadratices**) (geom.) quadratiz.
quadrature ['kwɔdrətʃə], *s.* (mat.) quadratura.
quadrature of the circle — quadratura do círculo.
quadrennial [kwɔ'drenjəl], *adj.* quatrenial.
quadrennially [-i], *adv.* quatrenialmente, de quatro em quatro anos.
quadribasic [kwɔdri'beisik], *adj.* (quím.) quadribásico.
quadric ['kwɔdrik], *adj.* (geom.) quádrico.
quadricuspid [kwɔdri'kʌspid], *adj.* quadricúspide.
quadricuspidate [-it], *adj.* ver **quadricuspid.**
quadridentate [kwɔdri'dentit], *adj.* (bot.) quadridentado.
quadridigitate [kwɔdri'didʒitit], *adj.* (zool.) quadridigitado.
quadrifid ['kwɔdrifid], *adj.* (bot.) quadrífido.
quadrifoliate [kwɔdri'fouliit], *adj.* (bot.) quadrifoliado.
quadriform ['kwɔdrifɔ:m], *adj.* quadriforme.
quadriga [kwɔ'dri:gə], *s.* quadriga, carro de duas rodas puxado por quatro cavalos.
quadrigeminal [kwɔdri'dʒeminəl], *adj.* (anat.) quadrigémeo, quadrigémino.
quadrilateral [kwɔdri'lætərəl], **1** — *s.* quadrilátero.
2 — *adj.* quadrilateral, quadrilátero.
quadrilingual [kwɔdri'liŋgwəl], *adj.* em quatro línguas.
quadrille [kwə'dril], *s.* quadrilha (dança, música); antigo jogo de cartas (séc. XVIII).
quadrillion [kwɔ'driljən], *s.* quatrilião; (E. U.) mil biliões.
quadrilobate [kwɔdri'loubit], *adj.* (bot.) quadrilobado.
quadrinomial [kwɔdri'noumiəl], *adj.* (mat.) referente a quadrinómio.
quadripartite [kwɔdri'pɑ:tait], *adj.* quadripartido, quadrífido.
quadripartition [kwɔdripɑ:'tiʃən], *s.* quadripartição.
quadrisyllabic ['kwɔdrisi'læbik], *adj.* quadrissilábico.
quadrisyllable [kwɔdri'siləbl], *s.* quadrissílabo.
quadrivalence [kwɔdri'veiləns], *s.* quadrivalência, tetravalência.
quadrivalent [kwɔdri'veilənt], *adj.* quadrivalente, tetravalente.
quadrivalve ['kwɔdrivælv], *adj.* quadrivalve.
quadrivalvular [kwɔdri'vælvjulə], *adj.* quadrivalvular.
quadrivium [kwɔ'driviəm], *s.* quadrívio, quadrivium, Aritmética, Geometria, Música e Astronomia (Idade Média).
quadroon [kwɔ'dru:n], *s.* filho de mulato e branco; quarteirão.
quadrumana [kwɔ'dru:mənə], *s. pl.* quadrúmanos, antiga divisão dos mamíferos.
quadrumanous [-s], *adj.* quadrúmano.
quadruped ['kwɔdruped], *s.* e *adj.* quadrúpede.
quadrupedal [kwɔ'dru:pedəl], *adj.* quadrúpede.
quadruplane ['kwɔdruplein], *s.* avião com quatro planos de asas.
quadruple ['kwɔdrupl], **1** — *s.* e *adj.* quádruplo.
quadruple expansion engine — máquina de quádrupla expansão.
2 — *vt.* e *vi.* quadruplicar; quadruplicar-se.
quadruplet [-it, -et], *s.* bicicleta de quatro pessoas; *pl.* grupo de quatro gémeos.
quadruplex [-eks], **1** — *s.* quadrúplex.
2 — *adj.* quádruplo.
quadruplicate **1** — [kwɔ'dru:plikit, kwɔ'dru:plikeit], *adj.* quadruplicado.
2 — [kwɔ'dru:plikeit, kwə'dru:plikeit], *vt.* quadruplicar, multiplicar por quatro; tirar quatro exemplares de.
quadruplication [kwɔdru:pli'keiʃən], *s.* quadruplicação.
quadruplicity [kwɔdru:'plisiti], *s.* quadruplicação.
quadrupling ['kwɔdrupliŋ], *s.* acção de quadruplicar; quadruplicação.
quadruply ['kwɔdrupli], *adv.* quadruplamente.
quads [kwədz], *s. pl.* (col.) ver **quadruplet.**
quaestor ['kwi:stə], *s.* questor (magistrado na Roma antiga).
quaestorial [kwi:s'tɔ:riəl], *adj.* questoriano, referente a questor.

quaestorship ['kwi:stəʃip], *s.* questorado.
quaff [kwɑ:f], **1** — *s.* trago, gole; copo. **2** — *vt.* e *vi.* beber em largos goles, beber copiosamente.
quaffer [-ə], *s.* bebedor, borracho; pessoa que bebe em largos goles.
quag [kwæg], *s.* pântano, paul; barranco.
quagga ['kwægə], *s.* (zool.) quaga, quadrúpede africano.
quaggy ['kwægi], *adj.* pantanoso; lamacento, lodoso.
quagmire ['kwægmaiə], *s.* pântano; lodaçal; tremedal; (fig.) situação muito difícil.
quaich [kweix], *s.* quaigue, copo de madeira usado pelos Escoceses.
quaigh [kweix], *s.* ver **quaich.**
quail [kweil], **1** — *s.* (zool.) codorniz.
quail-net — armadilha para codornizes.
quail-pipe (quail-call) — som imitativo do canto da codorniz utilizado como chamariz de codornizes.
2 — *vi.* desanimar; intimidar-se; recuar.
his heart quailed — faltou-lhe a coragem.
quaint [kweint], *adj.* curioso, raro, singular; fantástico; original; apurado; gentil, delicado; atraente. (*Sin.* curious, odd, strange, singular, fanciful, antique. *Ant.* common, commonplace.)
a quaint fellow — um indivíduo original.
quaint habits — costumes extravagantes.
a quaint style — um estilo original; um estilo afectado.
quaintly [l-li], *adv.* de um modo original; excentricamente, bizarramente; graciosamente; afectadamente.
quaintness [-nis], *s.* raridade, singularidade, originalidade; elegância; delicadeza.
quake [kweik], **1** — *s.* tremor, estremecimento; abalo; tremor de terra, terramoto.
2 — *vi.* tremer; tiritar; oscilar; estremecer; abalar.
to quake with fear — tremer de medo.
to quake with cold — tremer de frio.
the earth is quaking — a terra está a tremer.
quaker [-ə], *s.* pessoa que treme, pessoa medrosa.
Quaker [-ə], *s.* membro de uma seita religiosa fundada no século XVII.
Quaker gun — canhão simulado.
Quaker City — a cidade de Filadélfia.
Quaker Oats — nome comercial de um tipo de aveia.
Quakeress ['-əris], *s. fem.* de **Quaker.**
quakerish ['-əriʃ], *adj.* próprio de Quaker.
quakerism ['-ərizm], *s.* qualidade ou acção própria de Quaker.
quaking ['kweikiŋ], **1** — *s.* tremor, estremecimento; abalo.
2 — *adj.* tremente; que treme.
quaking-brass (bot.) — bule-bule.
quaky ['kweiki], *adj.* que treme; receoso.
qualifiable ['kwɔlifaiəbl], *adj.* qualificável.
qualification [kwɔlifi'keiʃən], *s.* qualificação; habilitação; idoneidade; capacidade, aptidão; requisito; limitação; modificação.
to have the necessary qualifications for — ter os requisitos necessários para.
qualificative ['kwɔlifikətiv], *s.* e *adj.* qualificativo; adjectivo qualificativo.
qualificator ['kwɔlifikeitə], *s.* qualificador, qualificador do Santo Ofício.
qualificatory [-ri], *adj.* qualificativo.
qualified ['kwɔlifaid], *adj.* competente, apto, idóneo; qualificado, habilitado; modificado; restrito, limitado. (*Sin.* competent, fitted, adapted. *Ant.* incompetent.)
qualified person — pessoa competente.
in a qualified sense — em certo sentido.
to be qualified for something (to be qualified to do something) — ter as habilitações necessárias para fazer qualquer coisa.
qualified to (jur.) — capaz de.
qualified acceptance — aceitação condicional.
qualifier ['kwɔlifaiə], *s.* (gram.) qualificativo; limitação; reserva.
qualify ['kwɔlifai], *vt.* e *vi.* qualificar, habilitar; tornar capaz para; autorizar; tirar uma carta; diplomar; modificar; moderar; restringir; preparar-se; habilitar-se; diluir um licor. (*Sin.* to capacitate, to fit, to prepare, to adapt, to restrict, to modify, to moderate, to abate, to soften, to regulate. *Ant.* to incapacitate.)
to be qualified to — estar habilitado para.
to qualify the sense of words — determinar o sentido das palavras.
adjectives qualify nouns — os adjectivos qualificam os substantivos.
to qualify somebody for something — habilitar alguém para alguma coisa.
to qualify oneself for a job — habilitar-se para um emprego.
that needs to be qualified — devem-se-lhe pôr certas reservas.
qualifying [-iŋ], *adj.* qualificativo; qualificador; restrito; de qualificação (exame).
qualifying examination — exame de qualificação.
qualifying round (desp.) — partida ou série eliminatória.
qualitative ['kwɔlitətiv], *adj.* qualitativo.
qualitative analysis (quím.) — análise qualitativa.
qualitatively [-li], *adv.* qualitativamente.
quality ['kwɔliti], *s.* qualidade; categoria, classe; temperamento; virtude; poder; propriedade; disposição natural; natureza; valor, mérito; elegância; (arc.) alta posição social; timbre (de fonema).
of good quality — de boa qualidade.
of poor quality — de má qualidade.
he has many good qualities — ele tem muitas qualidades.
he has the quality of inspiring confidence — tem a virtude de inspirar confiança.
quality meat — carne de primeira qualidade.
of the best quality — da melhor qualidade.
a lady of quality — uma senhora da alta sociedade.
first-quality silk — seda de primeira qualidade.
to have bad qualities — ter defeitos.
give a taste of your quality! — mostre do que é capaz!
the quality (col. arc.) — a nobreza.
to have the defects of one's qualities — ter os defeitos das suas qualidades.
quality will tell in end — acaba sempre por se saber o que é bom.
qualm [kwɔ:m, kwɑ:m], *s.* desmaio, delíquio; náuseas; escrúpulo; pressentimento; dúvida.
qualms of conscience — escrúpulos.
to have no qualms in telling that — não hesitar em dizer que.
qualmish ['-iʃ], *adj.* desfalecido; com náuseas; com escrúpulos; com remorsos, inquieto; apreensivo.
qualmishly ['-li], *adv.* com náuseas; apreensivamente; com escrúpulos; com remorsos.
qualmishness [-nis], *s.* sensação de náuseas; desfalecimento; escrúpulo; remorso.
qualmless ['-lis], *adj.* sem náuseas; sem desfalecimento; sem escrúpulos; sem remorsos.
qualmy ['-i], *adj.* ver **qualmish.**
quandary ['kwɔndəri], *s.* perplexidade, dúvida, incerteza; hesitação; situação difícil. (*Sin.*

dilemma, difficulty, predicament, perplexity.)
to be in a quandary — estar numa situação difícil; estar à toa.

quanta ['kwɔntə], *s. pl.* de **quantum.**

quantic ['kwɔntik], **1** — *s.* (mat.) quântica, forma.
2 — *adj.* quântica.
quantic physics — física quântica.

quantification [kwɔntifi'keiʃən], *s.* quantificação.

quantify ['kwɔntifai], *vt.* (lóg.) quantificar.

quantitative ['kwɔntitətiv], *adj.* quantitativo; baseado na quantidade das vogais.
quantitative measurement — medição quantitativa.
quantitative analysis (quím.) — análise quantitativa.

quantitatively [-li], *adv.* quantitativamente.

quantity ['kwɔntiti], *s.* quantidade; número; soma; montante; volume; massa; agregado; intensidade de uma corrente eléctrica; *pl.* grande quantidade.
to buy in large quantities — comprar em grandes quantidades.
in great quantity — em grande quantidade.
quantity discharged — volume de descarga.
quantity of heat — quantidade de calor.
quantity mark — sinal de quantidade (sobre sílabas).
quantity of electricity — quantidade de electricidade.
quantity production — produção em série.
connected in quantity (elect.) — ligação em paralelo.
an unknown quantity (mat.) — incógnita.
extensive quantity (lóg.) — extensão.
intensive quantity (lóg.) — compreensão.
to prefer quality to quantity — preferir a qualidade à quantidade.

quantum ['kwɔntəm], *s.* (pl. **quanta**) quantidade; parte, fracção; total; (fís.) quanto.
the quantum theory (fís.) — a teoria dos quantos («quanta»).

quaquaversal [[kweikwə'və:səl], *adj.* (geol.) em todos os sentidos.

quarantine ['kwɔrənti:n], **1** — *s.* quarentena; espaço de quarenta dias; tempo durante o qual os viajantes, procedentes de países infectados de doenças epidémicas, têm de ficar incomunicáveis em lugar isolado.
quarantine-station — local onde os navios ficam de quarentena.
to clear the quarantine — fazer a quarentena.
quarantine service — serviços de saúde; serviços de quarentena.
to keep in quarantine — **pôr de quarentena.**
to remain in quarantine (to perform one's quarantine) — ficar de quarentena.
quarantine flag — bandeira de quarentena.
quarantine inspection**—revista de quarentena.**
2 — *vt.* e *vi.* impor quarentena; pôr-se de quarentena.

quarrel ['kwɔrəl], **1** — *s.* questão, altercação, contenda, desavença, rixa; flecha quadrada.
to pick up a quarrel with somebody — provocar uma questão com alguém.
to find quarrel in a straw — andar sempre a questionar; **arranjar uma tempestade num copo de água.**
it takes two to make a quarrel — um teimoso nunca está só.
quarrel picker — **indivíduo brigão, conflituoso.**
quarrel picker — indivíduo brigão.
to make up one's quarrel — fazer as pazes.
to fight in a good quarrel — lutar por uma causa justa.
to take up another's quarrel — tomar o partido de alguém.
not to have quarrel against somebody — não ter motivo de queixa contra alguém.
2 — *vi.* (*pret.* e *pp.* **quarrelled**) altercar, questionar, desavir-se, discutir, contender, disputar; censurar. (*Sin.* to dispute, to contend, to wrangle, to disagree, to argue. *Ant.* to agree.)
to quarrel with one's bread and butter — perder o pão por abandonar o emprego; **proceder contra os próprios interesses.**
to quarrel with somebody about something**—discutir com alguém por causa de alguma coisa.**
never quarrel with Providence — nunca te queixes da Providência.
to quarrel with something — queixar-se de alguma coisa.
to be bent on quarrelling — **ser brigão, conflituoso.**

quarreller [-ə], *s.* altercador; brigão.

quarrelling [-iŋ], **1** — *s.* contenda, questão, disputa.
2 — *adj.* altercador, disputador.

quarrelsome [-sʌm], *adj.* brigão, rixoso, conflituoso.

quarrelsomely [-sʌmli], *adv.* com mau **modo; irascivelmente; de modo conflituoso.**

quarrelsomeness [-sʌmnis], *s.* carácter rixoso; irascibilidade.

quarrier ['kwɔriə], *s.* cabouqueiro, pessoa que trabalha em pedreiras.

quarry ['kwɔri], **1** — *s.* pedreira; caça, presa; despojo; ladrilho; pedra de calçada; (fig.) coisa ou pessoa que é perseguida.
open quarry — pedreira a céu descoberto.
quarry stone — pedra de cantaria.
to become the quarry of — ser perseguido por.
2 — *vt.* e *vi.* extrair pedra de uma pedreira; explorar uma pedreira; fazer investigações com muito trabalho; procurar informações (em livros, documentos antigos, etc.).

quarrying [-iŋ], *s.* exploração de pedreiras; extracção de pedra de pedreiras; investigação (em livros, documentos antigos, etc.).

quarryman [-mən], *s.* ver **quarrier.**

quart **1** — [kwɔ:t], *s.* medida de capacidade (um quarto de galão); vasilha com a capacidade de um quarto de galão.
to put a quart into a pint pot (fig.) — querer **o impossível; tentar o impossível; querer meter o Rossio na Betesga.**
quart bottle — garrafa (de vinho ou licor) de cerca de um sexto de galão.
2 — [kɑ:t], *s.* quarta (esgrima); quatro cartas do mesmo naipe.
quart major — as, rei, valete, dama.
quart and tierce — prática de esgrima.
3 — *vt.* e *vi.* empregar a posição de quarta (esgrima).

quartan ['kwɔ:t(ə)n], **1** — *s.* febre quartã.
2 — *adj.* quartã.
quartan fever — febre quartã.

quartation [kwɔ:'teiʃən], *s.* quartação, liga de três partes de prata e uma parte de ouro.

quarte [kɑ:t], *s.* quarta (esgrima).

quarter ['kwɔ:tə], **1** — *s.* quarto, quarta parte; quarteirão; quarto de hora; trimestre; quarto (de animal morto); medida de capacidade (cerca de 1,136 l); quarta parte de um quintal; quarta parte de uma tonelada; região, comarca, distrito; bairro; sítio, vizinhança; origem, procedência; piedade, clemência, misericórdia; quarto (da Lua); quadrante, direcção; (náut.) quarto da ré; (E. U.) vinte e cinco cêntimos; *pl.* domicílio, alojamento, morada, quartel, postos de combate, paragens.
quarter sessions — tribunal inferior que se reúne em cada trimestre.

quarter-deck — tolda; tombadilho.
to take up quarters at — alojar-se em.
to give quarter (to show quarter) — ser clemente.
to come to close quarters — chegar a vias de facto; lutar corpo a corpo.
quarter days — dias de pagamento trimestral.
quarter pillar (náut.) — pé de carneiro.
fourth quarter — quarto minguante.
on the quarter (náut.) — pela alheta; em retirada.
quarter bend — curva de 90º.
quarter ladder (náut.) — escada de costado.
quarter-hourly — de quarto em quarto de hora.
quarter note (mús.) — semínima.
quarter phase (elect.) — bifásico.
quarter period (elect.) — quarto de ciclo.
at close quartes — muito perto.
a bad quarter of an hour — um mau quarto de hora; um mau bocado.
from all quarters (from every quarter) — de todas as direcções.
fair weather quarter — lado exposto ao Sol.
first quarter — quarto crescente.
the hind quarters — a garupa (de um cavalo).
in responsible quarters — nos meios responsáveis.
to ask for quarter — pedir quartel; pedir misericórdia.
the quarter-deck (náut.) — os oficiais.
the residential quarters of a town — os bairros residenciais de uma cidade.
to pay by the quarter — pagar ao trimestre.
to change one's quarter — mudar de casa.
it's a quarter to five — são cinco horas menos um quarto.
it's a quarter past five — são cinco e um quarto.
what quarter is the wind in? — de que lado sopra o vento?
2 — *vt.* e *vi.* dividir em quartos; esquartejar; aquartelar; acantonar; alojar; estar hospedado; alojar-se; entrar em novo quarto (Lua).
the troops are quarted on the inhabitants — as tropas estão aboletadas em casas particulares.
to quarter an apple — partir uma maçã aos quartos.
to be condemned to be hanged and quartered — ser condenado à forca e a ser esquartejado.

quarterage [-ridʒ], *s.* pagamento, pensão, soldo ou salário trimestral.
quartering [-riŋ], *s.* divisão em quatro partes; aquartelamento; alojamento; esquartejamento (de condenado); (her.) esquarteladura.
quarterly [-li], **1** — *s.* publicação trimestral. **2** — *adj.* trimestral.
quarterly payments — pagamentos trimestrais.
3 — *adv.* trimestralmente; (her.) esquarteladamente.
quartermaster [-mɑ:stə], *s.* (náut.) contramestre; timoneiro.
quartermaster general — quartel-mestre.
quartern [-n], *s.* antiga medida equivalente a um quarto de stone, pinto ou onça; pão com cerca de dois quilos de peso.
quartern-loaf — pão com cerca de dois quilos de peso.
quarterstaff [-stɑ:f], *s.* bordão, pau usado antigamente para defesa ou ataque ou exercícios desportivos.
quarterstaff player — jogador de pau.
quartet [kwɔ:'tet], *s.* (mús.) quarteto; quatro coisas da mesma classe.
quartette [kwɔ:'tet], *s.* ver **quartet.**
quartic ['kwɔ:tik], *s.* (geom.) quártica.
quartile ['kwɔ:til], **1** — *s.* aspecto quartil de dois astros.
2 — *adj.* (astr.) quartil.
quarto ['kwɔ:tou], *s.* in-quarto.
quartz [kwɔ:ts], *s.* quartzo.
quartz dust — quartzo em pó.
quartz lamp — lâmpada de quartzo.
quartz rock — quartzito, quartzite.
rose quartz — quartzo róseo.
smoky quartz — quartzo defumado.
quartz porphyr — pórfiro quartzoso.
quartziferous [kwɔ:t'sifərəs], *adj.* quartzífero, quarcífero.
quartzite ['kwɔ:tsait], *s.* quartzito, quartzite.
quartzose ['kwɔ:tsous], *adj.* quartzoso.
quash [kwɔʃ], *vt.* (jur.) anular, invalidar; subjugar, submeter; sufocar, reprimir; despedaçar; arquivar (processo).
Quashee [-i], *s.* (col.) preto, negro.
quashing ['-iŋ], *s.* (jur.) anulação; repressão; acção de arquivar (processo).
quasi ['kwɑ:zi], *conj.* e *pref.* como se; quase; semi...; praticamente.
quasi public — praticamente público.
quassia ['kwɔʃə], *s.* (bot.) quássia.
quassia-wood — pau de quássia amarga.
quassin ['kwæsin], *s.* (quím.) quassina.
quatercentenary [kwætəsen'ti:nəri], *s.* quarto centenário; quadricentenário.
quaterfoil ['kætəfɔil], *s.* (arq. e her.) quadrifólio.
quaternary [kwə'tə:nəri], **1** — *s.* número quatro; conjunto de quatro coisas.
2 — *adj.* quaternário; (geol.) referente ou pertencente ao período quaternário.
quaternate [kwə'tə:nit], *adj.* (bot.) quaternado.
quaternion [kwə'tə:njən], *s.* (mat.) quaternião; quaternidade; caderno de quatro folhas dobradas ou de dezasseis páginas.
quatorze [kə'tɔ:z], *s.* catorze (em certos jogos de cartas).
quatrain ['kwɔtrein], *s.* quadra.
quatrefoil ['kætrəfɔil], *s.* ver **quaterfoil.**
quattrocentist [kwætrou'tʃentist], **1** — *s.* escritor, poeta, artista, etc. quatrocentista.
2 — *adj.* quatrocentista.
quaver ['kweivə], **1** — *s.* trilo, trinado, gorjeio; (mús.) colcheia; trémulo de voz.
2 — *vt.* e *vi.* trinar, trilar, gorjear; tremer (a voz); cantar com voz trémula.
quaverer [-rə], *s.* pessoa que canta fazendo trilos com a voz.
quavering [-riŋ], **1** — *s.* trinado, trilo, trémulo (de voz).
2 — *adj.* inseguro, trémulo.
a quavering voice — uma voz trémula.
quaveringly [-riŋli], *adv.* com trinados; com voz insegura.
quawk [kwɔ:k], *s.* (zool.) espécie de garça.
quay [ki:], *s.* cais, desembarcadouro, molhe.
legal quay — cais de alfândega.
alongside the quay — ao longo do cais; junto ao cais.
quay frontage — extensão de cais.
quayage ['-idʒ], *s.* despesa de acostagem; taxa portuária.
quean [kwi:n], *s. fem.* rapariga descarada; rapariga de mau porte.
queasiness ['kwi:zinis], *s.* indisposição de estômago, náuseas, enjoo, remorsos.
queasy ['kwi:zi], *adj.* indisposto do estômago, nauseado; repugnante; escrupuloso; delicado. (*Sin.* squeamish, delicate, particular, fastidious, difficult. *Ant.* easy.)
a queasy stomach — um estômago delicado.
Quebec [kwi'bek], *top.* Quebeque.

queen [kwi:n], **1** — *s.* rainha, soberana; mulher que se impõe pela sua beleza; rainha (no jogo do xadrez); dama (no jogo das cartas e das damas); cidade que se distingue entre as outras.
Queen dowager — rainha-viúva.
queen bee — abelha-mestra.
to go to queen — fazer dama.
the queen of watering-places — a rainha das praias.
Venice, the Queen of the Adriatic — Veneza, a rainha do Adriático.
queen apple — maçã raineta.
queen-cake — pequeno bolo com o feitio de um coração.
Quem of Heaven — Rainha do Céu; Nossa Senhora.
Queen-mother — rainha-mãe.
Queen regent — rainha regente.
Queen regnant — rainha reinante.
queen of the night — rainha da noite; Lua.
2 — *vt.* e *vi.* coroar como rainha; fazer o papel de rainha; governar como rainha; fazer rainha (no jogo).
queenhood ['-hud], *s.* funções, dignidade de rainha; majestade.
queenlike ['-laik], *adj.* à maneira de rainha; próprio de rainha.
queenliness ['-linis], *s.* majestade de rainha.
queenly ['-li], *adj.* ver **queenlike.**
queenship ['-ʃip], *s.* ver **queenhood.**
queer [kwiə], **1** — *s.* (E. U. col.) dinheiro falso.
on the queer — por meios ilícitos.
2 — *adj.* original, excêntrico, estranho, raro, singular, extravagante; misterioso; (col.) falso; (cal.) bêbedo; indisposto.
to be a queer fellow — ser um indivíduo original.
to be in Queer Street — estar em situação precária; estar à toa.
I feel a bit queer — não me sinto bem.
queer money (E. U. col.) — dinheiro falso.
to be queer in the head — ser um tanto desequilibrado; ter um parafuso solto.
3 — *vt.* (col.) comprometer; pôr alguém em má situação; estragar.
to queer oneself — prejudicar-se.
queerish ['-riʃ], *adj.* um tanto original, um tanto estranho; um tanto indisposto.
queerly ['-li], *adv.* estranhamente; com excentricidade.
queerness ['-nis], *s.* excentricidade, originalidade, raridade; indisposição.
quell [kwel], *vt.* (poét.) reprimir, sufocar; subjugar; debelar; acalmar, mitigar. (*Sin.* to suppress, to crush, to overcome, to extinguish.)
queller [-ə], *s.* subjugador; opressor; suavizador.
quelling [-iŋ], *s.* acto de subjugar ou reprimir; acto de suavizar.
quench [kwentʃ], *vt.* (poét.) extinguir, apagar; sufocar; temperar ou esfriar (metal); (fig.) destruir; saciar; matar (sede); (col.) obrigar a calar.
to quench one's thirst — matar a sede.
to quench a fire — apagar uma fogueira.
to quench somebody's hope — destruir as esperanças de alguém.
quenchable ['-əbl], *adj.* extinguível, que se pode apagar; mitigável, saciável.
quencher ['-e], *s.* apagador, extintor; (col.) bebida.
quenching ['-iŋ], *s.* acção de apagar, de extinguir, de temperar (metal); mitigação (de sede).
quenching tank — tanque para têmpera ou arrefecimento.
quenching bath — banho de têmpera.
quenchless ['-lis], *adj.* inextinguível, que não pode apagar-se; que não pode mitigar-se.
quenelle [kə'nel, ki'nel], *s.* almôndega (de carne ou peixe).
querist ['kwiərist], *s.* interrogador, inquiridor, perguntador; curioso.
quern [kwə:n], *s.* moinho manual para cereais ou pimenta.
quern-stone — mó.
querulous ['kweruləs], *adj.* queixoso, que está sempre a lamuriar; impertinente.
querulously [-li], *adv.* queixosamente, lastimosamente.
querulousness [-nis], *s.* costume de lamentar-se muitas vezes.
query ['kwiəri], **1** — *s.* pergunta, quesito; ponto de interrogação; dúvida. (*Sin.* question, inquiry, interrogation.)
to make queries — fazer perguntas.
to raise a query — levantar uma objecção.
to look a query at somebody — lançar um olhar interrogador a alguém.
2 — *vt.* e *vi.* perguntar, inquirir, indagar; marcar com um ponto de interrogação; expressar uma dúvida; fazer perguntas.
to query somebody's intentions — averiguar as intenções de alguém.
quest [kwest], **1** — *s.* averiguação, indagação; pesquisa, busca; (jur.) investigação, júri encarregado de uma investigação.
to go in quest of — ir em busca de.
the quest for gold — a procura do ouro.
the Quest of the Golden Fleece — a demanda do velo de ouro.
2 — *vt.* e *vi.* averiguar; investigar; procurar; buscar.
to quest after — ir em busca de.
question ['kwestʃən], **1** — *s.* pergunta, interrogação; questão, assunto; matéria; problema; disputa; controvérsia; debate; dúvida, objecção.
the question is — o caso é.
list of questions — questionário.
past question — fora de dúvida; certamente.
out of the question — fora de discussão.
beyond all question — fora de toda a dúvida.
to ask a question (to put a question) — fazer uma pergunta.
to call somebody into question — chamar alguém a contas.
to call in question — pôr em dúvida.
what is the question? — de que se trata?
that is not the question — não se trata disso.
there can be no question about it — não há dúvidas acerca disso.
to settle a question — resolver uma questão.
to answer a question — responder a uma pergunta.
the person in question — a pessoa em questão.
to ply a person with questions — atormentar uma pessoa com perguntas.
to start a question — fazer nascer uma questão.
a foolish question requires no reply — **a palavras loucas, orelhas moucas.**
a question of life or death — uma questão de vida ou de morte.
question-mark (question-stop) — ponto de interrogação.
what is the question in hand? — de que se trata agora?
look of question — olhar interrogador.
to put somebody to the question — torturar alguém para conseguir uma confissão.
2 — *vt.* e *vi.* perguntar, fazer perguntas, in-

terpelar; pôr em dúvida; objectar; opor-se; desconfiar de; discutir.
to question something — pôr em dúvida alguma coisa.
to question somebody on something — interrogar alguém sobre alguma coisa.
to be questioned — ser interrogado.
questionable [-əbl], *adj.* questionável, duvidoso, contestável, incerto; suspeito, de honestidade duvidosa.
questionable taste — gosto discutível.
questionableness [-nis], *s.* carácter duvidoso; incerteza.
questionably [-li], *adv.* de modo contestável; de modo equívoco; problematicamente.
questionary [-əri], *s.* (rar.) questionário.
questioner [-ə], *s.* perguntador, inquiridor, interrogador.
questioning [-iŋ], **1** — *s.* acção de interrogar ou examinar; interrogatório; interrogação. **2** — *adj.* interrogador, inquiridor.
questioningly [-iŋli], *adv.* interrogativamente.
questionless [-lis], *adj.* indubitavelmente; confiante.
questionlessly [-lisli], *adv.* incontestavelmente, sem dúvida.
questionnaire [kwestiə'nɛə], *s.* questionário escrito.
questor ['kwestə], *s.* questor.
queue [kju:], **1** — *s.* bicha, fila de pessoas; cauda; rabicho.
to stand in a queue (to form a queue) — fazer bicha.
2 — *vt.* e *vi.* formar bicha; estar na bicha; entrançar (o cabelo), fazer um rabicho (de cabelo).
to queue up — pôr-se em bicha.
quibble [kwibl], **1** — *s.* subterfúgio, equívoco; trocadilho; argúcia, subtileza; jogo de palavras; sofisma.
2 — *vi.* sofismar; usar de trocadilhos; usar de evasivas.
quibbler ['-ə], *s.* aquele que faz uso de trocadilhos; sofista.
quibbling ['-iŋ], **1** — *s.* uso de jogos de palavras ou trocadilhos; uso de evasivas.
2 — *adj.* que usa jogos de palavras ou trocadilhos; que usa evasivas.
quica ['ki:kə], *s.* (zool.) sariguê, sarigueia.
quick [kwik], **1** — *s.* carne viva; vivo, âmago; sabugo (de unha); (bot.) espinheiro-alvar.
to cut to the quick (to sting to the quick) — ferir ao vivo.
to draw to the quick — pintar ao vivo.
he bites his nails to the quick — ele rói as unhas até ao sabugo.
2 — *adj.* vivo, fogoso, ardente; esperto, fino; activo; ligeiro, ágil, veloz; penetrante; desembaraçado; rápido, apressado; irritável; petulante.
quick-sighted — de olhar penetrante; de vista aguda.
quick-eared — de ouvido apurado.
quick-eyed — de olhar perspicaz.
quick-tempered — de génio irascível.
quick-scented — com bom olfacto.
quick time (mil.) — passo acelerado.
quick child — criança inteligente, viva.
quick-witted — inteligente; sagaz.
as quick as lightning — rápido como o relâmpago.
to be quick about something (to be quick at something) — fazer qualquer coisa depressa.
to be quick and accurate with figures — calcular com rapidez e com precisão.
quick at accounts — expedito em contas.
you were too quick for me — foste mais ligeiro do que eu.
quick-break switch (elect.) — interruptor instantâneo.
quick fuse — espoleta de acção rápida.
quick-change gear (aut.) — mecanismo de mudanças rápidas.
quick of foot — lesto.
quick-growing — de crescimento rápido.
quick to anger — que se irrita facilmente.
quick pulse — pulso acelerado.
quick train — comboio rápido.
quick with child arc — em estado adiantado de gravidez.
as quick as thought — rápido como o pensamento.
the quick and the dead — os vivos e os mortos.
to be quick to take offense — ofender-se facilmente.
3 — *adv.* vivamente; rapidamente, com presteza, depressa.
as quick as possible — o mais depressa possível.
quicken ['-ən], *vt.* e *vi.* vivificar, dar vida; animar, estimular; acelerar, apressar; reanimar-se; mover-se mais depressa; agitar-se; apressar-se.
to quicken the appetite — excitar o apetite.
quickener ['-ənə], *s.* o que vivifica; o que anima; princípio vivificante.
quickening ['-əniŋ], **1** — *s.* vivificação; aceleração; primeiros movimentos do feto (na gravidez).
2 — *adj.* vivificador; estimulante; vivo, activo; que faz acelerar ou que se acelera.
quick-firing [-'faiəriŋ], *adj.* de tiro rápido.
quick-freeze [-fri:z], *vt.* congelar rapidamente.
quicklime ['-laim], *s.* cal viva.
quickly ['-li], *adv.* rapidamente, prontamente, depressa; vivamente.
quickness ['-nis], *s.* rapidez, celeridade; prontidão; vivacidade; actividade; penetração; sagacidade; irritabilidade.
quickness of imagination — vivacidade de imaginação.
quicksand ['-sænd], *s.* areia movediça; (fig.) situação traiçoeira, perigosa.
quickset ['-set], **1** — *s.* estacas vivas de plantas a formarem sebes; sebe formada por essas plantas.
2 — *adj.* formada por estacas vivas de plantas (sebe).
quickset hedge — sebe viva.
quicksilver ['-silvə], **1** — *s.* mercúrio, azougue; (fig.) vivacidade, esperteza.
2 — *vt.* estanhar (espelho).
quicksilvering ['-silvəriŋ], *s.* acção de estanhar (espelho).
quickstep ['-step], *s.* (mil.) passo acelerado; (mús.) passo dobrado.
quid [kwid], *s.* pedaço de tabaco de mascar; (col.) libra esterlina.
quidam ['kwaidæm], *s.* fulano.
quiddity ['kwiditi], *s.* quididade, essência de uma coisa; sofisma.
quidnunc [kwidnʌŋk], *s.* curioso, bisbilhoteiro.
quid pro quo ['kwidprou'kwou], *s.* engano, equívoco; compensação, retribuição.
quiescence [kwai'esns], *s.* quietude, repouso, descanso, tranquilidade.
quiescent [kwai'esnt], *adj.* quieto, inactivo; muda, que se não pronuncia (letra).
quiescently ['-li], *adv.* quietamente, tranquilamente, sossegadamente.

quiet ['kwaiət], **1** — *s.* sossego, descanso; calma; quietude; paz de espírito.
on the quiet — em segredo; secretamente.
to live in peace and quiet — viver na paz e na tranquilidade.
the quiet of the night — o sossego da noite.
2 — *adj.* quieto, sossegado; sereno, pacífico, manso; tranquilo; inactivo; imóvel; calado; modesto; secreto, oculto; discreto. (*Sin.* still, calm, serene, unruffled, gentle, retired. *Ant.* disturbed, noisy.)
to be quiet — estar quieto, sossegado; calar-se.
keep quiet! — estejam quietos!; calem-se!
as quiet as a mouse — calado como um rato.
to keep quiet — não abrir boca.
quiet dinner — jantar íntimo.
quiet running (mec.) — marcha silenciosa.
quiet mind — espírito calmo.
quiet waters — águas tranquilas.
quiet sea — mar calmo.
a quiet taste — um gosto sóbrio.
to keep something quiet — fazer segredo de alguma coisa.
to grow quiet — acalmar-se (vento).
3 — *vt.* e *vi.* aquietar; apaziguar, tranquilizar, acalmar; sossegar; calar.
quieten [-n], *vt.* e *vi.* (col.) ver **quiet.**
quieting [-iŋ], **1** — *s.* apaziguamento; acção de acalmar ou tranquilizar.
2 — *adj.* que acalma, que tranquiliza.
quietism [-izm], *s.* quietismo; quietação; tranquilidade; paz de espírito.
quietist [-ist], *s.* quietista.
quietly [-li], *adv.* tranquilamente, sossegadamente; em descanso; serenamente; sobriamente.
quietness [-nis], *s.* tranquilidade, paz, calma; repouso; sossego; sobriedade.
quietude ['kwaiitju:d], *s.* quietude.
quietus [kwai'i:təs], *s.* descanso; morte, fim.
to make one's quietus — suicidar-se.
quiff [kwif], *s.* (col.) caracol de cabelo na testa.
quill [kwil], **1** — *s.* pena (de ave); pena para escrever; espinho; pico; cerda; veio oco; lançadeira; pega encanudada; tubo.
quill-driver (joc.) — escriturário; jornalista.
quill-feather — pena de ave.
quill-pen — pena (de ave) de escrever.
2 — *vt.* e *vi.* arrancar as penas, depenar; encanudar; franzir; enrolar em bobina.
quilled [-d], *adj.* franzido; encanudado; em forma de tubo.
quillet ['kwilit], *s.* sofisma; argúcia.
quilling ['kwiliŋ], *s.* franzido; encanudamento; acto de franzir.
quilt [kwilt], **1** — *s.* colcha acolchoada.
2 — *vt.* acolchoar; (col.) espancar compor (livro, artigo) com bocados tirados de outros.
quilted ['-id], *adj.* acolchoado.
quilting ['-iŋ], *s.* acolchoamento.
quilting-cotton — algodão em pasta para acolchoar.
quinacrine ['kwinəkri:n], *s.* (quím.) quinacrina.
quinary ['kwainəri], *adj.* (mat.) quinário.
quinate ['kwainit], *adj.* (lot.) quinado.
quince [kwins], *s.* marmelo; marmeleiro.
quince-tree — marmeleiro.
quince-jelly — geleia de marmelo.
quincentenary [kwinsen't :nəri], **1** — *s.* e *adj.* quingentésimo aniversário.
2 — *adj.* referente a 500 anos; de 500 em 500 anos.
quincuncial [kwin'kʌŋʃəl], *adj.* (bot.) quincuncial.
quincunx ['kwinkʌŋks], *s.* quincôncio, quincócio.
quindecagon [kwin'dekəgən], *s.* (geom.) quindecágono.
quindecennial [kwindi'senjəl], *adj.* referente ao décimo quinto aniversário; referente a quinze anos.
quingentenary ['kwindʒen'ti:nəri], *s.* e *adj.* ver **quincentenary.**
quinia ['kwiniə], *s.* (med.) quinina.
quinic ['kwinik], *adj.* (quím.) quínico.
quinic acid — ácido quínico.
quinidine ['kwinidain], *s.* (quím.) quinidina.
quinine [kwi'ni:n], *s.* (quím.) quinina.
quinine sulphate — sulfato de quinina.
quininism [-izm], *s.* quininismo, intoxicação com sais de quinino.
quinol ['kwinɔl], *s.* (quím.) quinol.
quinoline ['kwinoulain], *s.* (quím.) quinolina, quinoleína.
quinone ['kwinoun], *s.* (quím.) quinona.
quinquagenarian [kwiŋkwədʒi'nɛəriən], *s.* e *adj.* quinquagenário.
Quinquagesima [kwiŋkwə'dʒesimə], *s.* Quinquagésima (liturgia).
quinquangular [kwin'kwæŋgjulə], *adj.* (geom.) quinquangular.
quinquefoliate [kwinkwi'foulit], *adj.* (bot.) quinquefoliado.
quinquelateral [kwinkwi'lætərəl], *adj.* com cinco lados.
quinquennial [kwiŋ'kweniəl], *s.* quinquénio, quinto aniversário.
2 — *adj.* quinquenal.
quinquennium [kwiŋ'kweniəm], *s.* quinquénio, quinto aniversário.
quinquepartite [kwinkwi'pɑ:tait], *adj.* (bot.) quinquepartido.
quinquina [kwiŋ'kwainə], *s.* (bot.) quinquina.
quinquivalence [kwin'kwivələns], *s.* (quím.) pentavalência.
quinquivalent [kwin'kwivələnt], *adj.* (quím.) pentavalente.
quins [kwinz], *s. pl.* cinco gémeos.
quinsy ['-i], *s.* amigdalite; inflamação da garganta.
quint [kwint], *s.* registo de órgão; conjunto de cinco; (mús. e esgrima) quinta; série de cinco cartas do mesmo naipe.
quintain ['-in], *s.* jogo de lança a cavalo; manequim de que se serviam antigamente para exercitamento nas armas.
quintal [-l], *s.* quintal (1000 libras); quintal métrico (100 quilos).
quintan ['-ən], **1** — *s.* febre quintã.
2 — *adj.* (med.) quintã.
quintan fever — febre quintã.
quinte [kwint], *s.* quinta (esgrima).
quintessence [kwin'tesns], *s.* quinta-essência.
quintessential [kwinti'senʃəl], *adj.* levado à quinta-essência.
quintet [kwin'tet], *s.* (mús.) quinteto.
quintette [kwin'tet], *s.* (mús.) ver **quintet.**
Quintilian [kwin'tiljən], *n. p.* Quintiliano.
quintillion [kwin'tiljən], *s.* quintilião; (E. U.) trilião.
quintuple ['kwintjupl], **1** — *s.* e *adj.* quíntuplo.
2 — *vt.* e *vi.* quintuplicar, quintuplicar-se.
quintuplet ['kwintjupl], *s.* grupo de cinco; *pl.* cinco gémeos.
quip [kwip], *s.* sarcasmo, ironia, troça; dito picante.
quire ['kwaiə], **1** — *s.* mão de papel (24 ou

25 folhas), grupo de folhas metidas soltas umas nas outras; coro.
quire of paper — mão de papel.
2 — *vt.* e *vi.* cantar em coro.
Quirinal ['kwirinəl], *s.* (o) Quirinal; (o) Palácio do Quirinal; (o) Governo italiano.
quirk [kwə:k], *s.* astúcia, subtileza; evasiva, rodeio, subterfúgio, artimanha; trocadilho; dito espirituoso; recruta (aviação); curva, desvio (de caminho).
quirky ['-i], *adj.* subtil; com curvas ou desvios (caminho); que diz ditos espirituosos.
quirt [kwə:t], **1** — *s.* chicote de couro entrançado.
2 — *vt.* chicotear com chicote de couro entrançado.
quisling ['kwizliŋ], *s.* traidor.
quit [kwit], **1** — *adj.* quite, livre, desembaraçado.
to be quit of somebody — estar livre de alguém.
2 — *vt.* e *vi.* (*pret.* e *pp.* **quitted,** rar. **quit**) deixar, abandonar; soltar; desocupar; cessar, parar; quitar, dar quitação; desistir de; partir; liquidar, saldar (conta, dívida). (*Sin.* to leave, to abandon.)
to quit office — demitir-se de um cargo.
to quit work — deixar de trabalhar.
quit your nonsense! — deixa-te de tolices!
to quit the siege — levantar o cerco.
to quit hold of — soltar; largar.
to quit oneself like — comportar-se como.
death quits all scores — a morte tudo salda.
to quit scores with somebody — ajustar contas com alguém.
quitch [kwitʃ], *s.* (bot.) grama.
quitch-grass (bot.) — grama.
quitclaim ['kwitkleim], **1** — *s.* (jur.) renúncia a um direito.
2 — *vt.* (jur.) renunciar a um direito.
quite [kwait], *adv.* completamente; perfeitamente; inteiramente; absolutamente; (fam.) muito, bastante.
it is quite the thing — é a moda.
quite so — isso mesmo; exacto; exactamente.
quite true — absolutamente verdadeiro.
quite alike — muito parecido.
are you quite sure? — tens a certeza?
quite close — muito perto.
quite a few — bastantes.
it's quite all right — está muito bem.
quits [kwits], *adj.* igual; quite, pago.
to be quits — estar quite.
to cry quits — dar-se por satisfeito.
quittance ['kwitəns], *s.* (arc. poét.) quitação; recibo; remuneração; recompensa.
quitter ['kwitə], *s.* (E. U. col.) pessoa que não conserva o emprego; vadio; cobarde.
quiver ['kwivə], **1** — *s.* estremecimento, tremor, palpitação; som ou movimento tremente; aljava (para setas).
to have an arrow left in one's quiver — ter ainda alguns recursos.
a quiver full of children — uma família numerosa.
2 — *vt.* e *vi.* tremer, estremecer; palpitar; agitar-se; bater (as asas).
to quiver with fear — tremer de medo.
her lips quivered — tremiam-lhe os lábios.
to quiver with cold — tremer de frio.
the earth quivered — a terra tremeu.
quivered [-d], *adj.* com aljava.
quivering [-riŋ], **1** — *s.* tremor, estremecimento; palpitação.
2 — *adj.* trémulo, tremente; palpitante.
quivering wings — asas trementes.
quiveringly [-riŋli], *adv.* de maneira trémula; a palpitar.
qui vive [ki:'vi:v], *interj.* quem vem lá? (expressão francesa).
to be on the qui vive — estar alerta.
Quixote ['kwiksət], *n. p.* Quixote.
quixotic [kwik'sɔtik], *adj.* quixotesco; de fanfarrão.
quixotically [-əli], *adv.* quixotescamente; ridiculamente.
quixotics [-s], *s. pl.* sentimentos quixotescos.
quixotism ['kwiksoutizm], *s.* quixotismo.
quixotry ['kwiksoutri], *s.* quixotice.
quiz [kwiz], **1** — *s.* (rar.) pessoa excêntrica, pessoa ridícula; partida; embuste; (E. U.) exame oral (na sala de aula).
2 — *vt.* (*pret.* e *pp.* **quizzed**) ridicularizar; olhar através de monóculo; (E. U.) examinar (aluno) oralmente.
quizzable ['-əbl], *adj.* ridículo.
quizzer ['-ə], *s.* pessoa que zomba.
quizzical ['-ikəl], *adj.* zombeteiro; excêntrico, ridículo.
quizzically ['-ikəli], *adv.* zombeteiramente; excentricamente, de maneira ridícula.
quizzing ['-iŋ], **1** — *s.* chacota, zombaria, escárnio, troça.
quizzing-glass — monóculo; lornhão.
2 — *adj.* zombeteiro, escarnecedor, trocista.
quizzingly ['-iŋli], *adv.* zombeteiramente, escarnecedoramente.
quod [kwɔd], **1** — *s.* (cal.) prisão.
out of quod — fora da cadeia.
in quod — na cadeia.
2 — *vt.* (*pret.* e *pp.* **quodded**) (cal.) meter na prisão.
quodded ['-id], *adj.* na cadeia, preso.
quoin [kɔin], **1** — *s.* canto, ângulo, esquina; pedra angular; (tip.) cunha; cunha para regular a culatra da peça para ajustar o tiro; *pl.* (náut.) cunhos de estiva.
rectangular quoin — ângulo recto (de duas paredes).
squint quoin — ângulo agudo (de duas paredes).
obtuse quoin — ângulo obtuso (de duas paredes).
2 — *vt.* meter cunhas em.
quoining ['-iŋ], *s.* acto de meter cunhas ou calços.
quoit [kɔit], *s.* malha (no jogo do chinquilho); *pl.* jogo do chinquilho ou da malha.
to play quoits (to play at quoits) — jogar a malha ou o chinquilho.
quondam ['kwɔndæm], *adj.* de outrora, antigo.
quorum ['kwɔ:rəm], *s.* quórum, número suficiente de membros numa assembleia para que ela possa funcionar legalmente.
quota ['kwoutə], *s.* cota, quota, quota-parte; contingente.
to contribute one's quota — contribuir com a sua quota-parte.
quotable [-bl], *adj.* citável; que se pode quotizar.
quotation [kwou'teiʃən], *s.* citação, trecho citado; cotação no mercado ou na bolsa; (tip.) quadrado.
quotation-marks — aspas.
to put a word in quotation-marks — pôr uma palavra entre aspas.
quote [kwout], **1** — *s.* (col.) citação; *pl.* aspas.
2 — *vt.* citar; quotizar; dar a cotação; pôr entre aspas. (*Sin.* to cite, to mention, to name, to adduce.)
to quote somebody as an example — citar alguém como um exemplo.

to quote a price for something — indicar um preço para alguma coisa.
to quote from a writer — fazer uma citação de um escritor.
quoth [kwouθ], 1.ª e 3.ª *pes. pret.* do verbo desusado **quethe,** disse.
quoth I — disse eu.
quoth he — **disse ele.**
quotha ['kwouθə], *interj.* na verdade!, realmente!

quotidian [kwɔ'tidiən], **1** — *s.* (med.) febre quotidiana.
2 — *adj.* quotidiano, diário; vulgar.
quotient ['kwouʃənt], *s.* quociente.
intelligence quotient — quociente de inteligência.
quoting ['kwoutiŋ], *s.* citação, acção de citar; cotação.
quotity ['kwɔtiti], *s.* cotização; quota-parte.

R

R, r [ɑ:], (*pl.* **R's, r's** [a:z]), R, r (décima oitava letra do alfabeto inglês).
the r months — os meses de r (de Setembro a Abril).
the three R's — ler, escrever e contar (**reading,** (**w**)**riting and** (**a**)**rithmetic**).
Rabat [rə'bɑ:t], *top.* Rabate (cidade de Marrocos).
rabat [rə'bæt], *vt.* (geom.) rebater (um plano).
rabatte [rə'bæt], *vt.* ver **rabat.**
rabbet ['ræbit], **1** — *s.* entalhe, encaixe, ranhura; malhete, sambladura.
rabbet-plane — guilherme, cantil, goivete.
rabbet joint — junta de macho e fêmea.
rabbet iron — ferro de guilherme.
2 — *vt.* emalhetar, encaixar peças de madeira por meio de entalhe longitudinal.
rabbeted [-id], *adj.* com entalhe ou sambladura.
rabbeted joint — junta de macho e fêmea.
rabbeting [-iŋ], *s.* acção de entalhar ou ensamblar; juntura de macho e fêmea.
rabbi ['ræbai], *s.* rabino, rabi.
rabbinical [ræ'binikəl], *adj.* rabínico.
rabbinics [ræ'biniks], *s. pl.* estudo do dialecto dos rabis, estudos rabínicos.
rabbinism ['ræbinizm], *s.* rabinismo.
rabbinist ['ræbinist], *s.* rabinista.
rabbit ['ræbit], **1** — *s.* coelho; pele de coelho; (col.) pessoa sem jeito, especialmente para jogar ténis; (col.) torradas de queijo.
doe-rabbit — coelha.
buck-rabbit — coelho.
rabbit-warren (*rabbit-hutch*) — coelheira.
Welsh rabbit — queijo derretido que se deita numa torrada quente.
rabbit-breeding — cunicultura; criação de coelhos.
rabbit-breeder — cunicultor.
rabbit-burrow — lura de coelho.
rabbit-hearted — cobarde.
stewed rabbit — estufado de coelho com vinho branco.
tame rabbit — coelho manso.
wild rabbit — coelho bravo.
rabbit-punch — soco na nuca (no boxe).
2 — *vt.* e *vi.* (*pret.* e *pp.* **rabitted**) andar à caça do coelho; caçar coelhos.
odd rabbit you! — vai para o diabo!
rabbiter [-ə], *s.* caçador de coelhos.
rabbiting [-iŋ], *s.* caça ao coelho.
to go rabbiting — ir à caça ao coelho.
rabbitry ['ræbitri], *s.* coelheira; recinto para criação de coelhos; (col. desp.) falta de habilidade a jogar.
rabbity ['ræbiti], *adj.* semelhante a coelho, próprio de coelho; (col.) cobarde, poltrão; (desp.) com falta de habilidade a jogar.

rabble [ræbl], **1** — *s.* gentalha, plebe, populaça, ralé, turba; esborralhador para mexer o metal em fusão.
2 — *vt.* mexer o metal em fusão com um esborralhador.
rabbler ['-ə], *s.* esborralhador para mexer o metal em fusão.
rabbling ['-iŋ], *s.* acção de mexer o metal em fusão com um esborralhador.
Rabelaisian [ræbi'leiziən], *adj.* referente a Rabelais.
Rabelaisianism [-izm], *s.* rabelaisianismo.
rabic ['ræbik], *adj.* rábico, referente à raiva.
rabid ['ræbid], *adj.* raivoso, rábido, com raiva, com hidrofobia; furioso; feroz; violento.
rabid hate — ódio mortal.
rabid hunger — fome canina.
rabid dog — cão raivoso.
rabid virus — vírus da raiva.
rabid democrat — democrata ferrenho.
rabidity [rə'biditi], *s.* raiva, hidrofobia; fúria; violência.
rabidly ['ræbidli], *adv.* furiosamente, com raiva, violentamente.
rabidness ['ræbidnis], *s.* ver **rabidity.**
rabies ['reib(i)i:z], *s.* raiva, hidrofobia.
raccoon [ræ'ku:n], *s.* (zool.) mão-pelada, guaxinim.
race [reis], **1** — *s.* raça; casta; geração; prole, descendência; tribo; família; estirpe; género, espécie; linhagem; corrida, carreira; luta; qualquer certame de velocidade; aposta; regata; curso, decurso da vida; levada, corrente de água; canal; escoadoiro; calha de moinho; aroma, sabor do vinho; raiz (de gengibre); corrediça (de rolamento de esferas).
horse-race — corridas de cavalos.
race-course — hipódromo.
boat-race — corrida de barcos; regata.
foot-race — corrida a pé.
the human race — a raça humana.
to run a race — disputar uma corrida.
race-ground — campo de corridas.
Derby races — corridas do Derby.
to have a race against time — ter o tempo limitado para fazer qualquer coisa.
race-card — programa de corridas.
race riot — luta racial.
mill-race — calha de moinho.
of noble race — de raça nobre.
sprint race — corrida de velocidade.
to go to the races — ir às corridas de cavalos.
2 — *vt.* e *vi.* correr; competir; disputar o prémio de uma corrida; correr com velocidade; fazer correr apressadamente; (mec.) mover aceleradamente; ter ou treinar cava-

los de corrida; bater muito depressa (pulso); ir muitas vezes a corridas de cavalos.
he raced his bicycle against a motorcar — ele correu de bicicleta ao desafio com um automóvel.
to race away — perder (dinheiro) nas corridas.
to race along — ir a todo o galope.
to race the engine — embalar o motor.
to race somebody home — ver quem chega primeiro a casa.
race about [-əbaut], **1** — *s.* iate de corrida. **2** — *vi.* ir a toda a velocidade.
raceme [rə'si:m], *s.* (bot.) racimo; cacho.
racemic [rə'semik], *adj.* (quím.) racémico.
racemic acid — ácido racémico.
racemose ['ræsimous], *adj.* (bot.) racemoso.
racer ['reisə], *s.* corredor, cavaleiro (nas corridas); cavalo de corridas; barco de corridas; automóvel de corrida; avião de corrida; (zool.) serpente norte-americana que se move muito depressa.
raceway ['reiswei], *s.* (E. U.) pista de corridas; calha (de moinho); rego.
Rachel ['reitʃəl], *n. p.* Raquel.
rachidian [rə'kidiən], *adj.* raquidiano.
rachis ['reikis], *s.* (*pl.* **rachides**) ráquis, raque; eixo de pena de ave; eixo central da espiga de plantas gramíneas.
rachitic [ræ'kitik], *adj.* raquítico.
rachitis [ræ'kaitis], *s.* (pat.) raquitismo.
racial ['reiʃəl], **1** — *s.* membro de determinada raça.
2 — *adj.* racial, de raça.
racialism [-izm], *s.* racismo.
racialist [-ist], *s.* racista.
racially [-i], *adv.* racialmente.
racily ['reisili], *adv.* com vivacidade; com agulha (vinho).
raciness ['reisinis], *s.* fortaleza; aroma do vinho; espírito e energia de expressão; fantasia.
racing ['reisiŋ], **1** — *s.* acção de correr; corrida; corridas de cavalos.
racing-car — automóvel de corrida.
racing-track — pista de corrida.
racing yacht — iate de corrida.
horse racing — corrida de cavalos.
foot racing — corrida pedestre.
racing bicycle — bicicleta de corrida.
2 — *adj.* de corrida; acelerado; rápido.
rack [ræk] **1** — *s.* instrumento de tortura, potro; tortura, suplício; cabide; prateleira; grade de manjedoura; nuvem ligeira; cremalheira; haste dentada; caniçada; porta-bagagem; araca (bebida alcoólica); passo sacudido de cavalo com as duas patas de cada lado levantadas quase simultaneamente.
hat-rack — cabide para chapéus.
rack-rent — renda exorbitante.
rack and pinion — engrenagem de cremalheira.
to go to rack and ruin — arruinar-se; perder-se.
to be on the rack — estar torturado; estar muito apoquentado, nervoso.
the students are on the rack during the examination time — os estudantes passam grandes aflições durante o tempo dos exames.
rack-bar — cremalheira.
rack-gear — engrenagem com cremalheira.
rack-jack — macaco.
rack-drive — accionação por cremalheira.
rack-punch — araca (bebida alcoólica).
rack-railway — caminho-de-ferro de cremalheira.
rack locomotive — locomotiva de cremalheira.
rack-stick — arrocho; garrote.
rack-wheel — roda dentada.
rack saw — serra de dentes muito afastados.
bomb-rack — lança-bombas.
arm-rack — armeiro.
music rack — estante para músicas.
hat and coat rack — bengaleiro.
letter-rack — porta-cartas.
paper-rack — papeleira.
luggage-rack — porta-bagagem (em comboio).
to put one's brains on the rack — (col.) dar voltas ao miolo.
tool-rack — ferramental.
to live at rack and manger — viver na abundância e sem fazer nada.
2 — *vt.* e *vi.* torturar; atormentar, afligir; estirar, estender; despedaçar; arrancar dinheiro por extorsão; lotar, trasfegar vinho; esganar; torcer; (náut.) amarrar; andar a passo travado; esgotar (o solo); pôr em redes ou grades. (*Sin.* to torture, to excruciate, to agonize, to torment, to harass. *Ant.* to soothe.)
to rack one's brains — dar tratos à imaginação.
to rack off — trasfegar.
to be racked with pain — sofrer dores lancinantes.
to rack up a horse — prender um cavalo à manjedoura; encher a manjedoura de um cavalo.
racker [-ə], *s.* (arc.) carrasco; cavalo que anda a passo sacudido com as duas patas de cada lado levantadas quase simultaneamente.
a brain-racker (col.) — um quebra-cabeças.
racket ['rækit], **1** — *s.* raqueta (de ténis); barafunda, bulha, confusão; sapatos próprios para andar sobre a neve ou sobre o lodo; regabofe, folia; desonestidade; maneiras de extorquir dinheiro; ocupação, profissão.
to go on the racket — andar na folia.
rum-racket — organização para venda fraudulenta de bebidas alcoólicas.
to stand the racket — aguentar com as consequências.
to kick up a racket — fazer muito barulho.
2 — *vi.* fazer algazarra; andar em folias.
racketeer [ræki'tiə], **1** — *s.* (E. U.) escroque, "gangster".
2 — *vi.* (E. U.) fazer vida de escroque.
racketeering [-riŋ], *s.* actividade de escroque.
racketing ['rækitiŋ], **1** — *s.* algazarra; folia; vida de dissolução.
2 — *adj.* barulhento; que anda em folias; que faz uma vida dissoluta; dissoluto.
rackety ['rækiti], *adj.* ruidoso, bulhento, estrondoso; folgazão.
a rackety life — uma vida dissoluta.
racking ['rækiŋ], **1** — *s.* tortura, suplício; lotação, trasfega; (náut.) cruzamento (de dois cabos).
racking-stick — arrocho; garrote.
2 — *adj.* atroz, atormentador; que anda a passo travado; exorbitante.
racking pain — dor atroz.
raconteur [rækɔn'tə:], *s.* homem que sabe contar bem (anedotas, histórias, etc.).
raconteuse [rækɔn'tə:z], *s. fem.* de **raconteur.**
racoon [rə'ku:n], *s.* (zool.) ver **raccoon.**
racquet ['rækit], *s.* raqueta (de ténis).
racy ['reisi], *adj.* forte; espirituoso; picante; vigoroso (estilo); aromático; de raça.
racy flavour — paladar forte.
racy wine — vinho forte.
racy anecdote — anedota picante.
rad [ræd], *s.* (pol. col.) ver **radical.**
radar ['reidə], *s.* rádar.
radar beam — feixe de ondas do radar.
radar antenna — antena de radar.
radar waves — ondas do radar.
radar operator — operador de radar.

radar receiver — receptor de radar.
radar equipment — equipamento de radar.
radarman [-mən], *s.* operador de radar.
raddle [rædl], **1** — *s.* ocre vermelho.
2 — *vt.* pintar a ocre vermelho; pintar de vermelho.
radial ['reidjəl], **1** — *s.* (anat.) nervo ou artéria radial.
2 — *adj.* radial; referente ao rádio (osso); referente ao rádio (metal); disposto em raios.
radial turbine — turbina radial.
radial wires — cabos radiais.
radial truck — rodado de eixo duplo (caminho-de-ferro).
radial saw — serra radial.
radial projection — projecção central.
radial magnification — ampliação radial.
radial spoke — raio (de roda de bicicleta, etc.).
radial paddle wheel — roda de pás fixas.
radial force — força centrífuga.
radial acceleration — aceleração radial.
radial axle — eixo radial.
radial alignment — alinhamento radial.
radial clearance — jogo radial; folga radial.
radial engine — motor em estrela.
radial curves — curvas radiais.
radial arm — braço radial.
radial float — pá fixa.
radialized [-aizd], *adj.* disposto radialmente.
radially [-i], *adv.* radialmente.
radian ['reidjən], *s.* (geom.) radiano.
radiance [-s], *s.* radiação, radiância; brilho, esplendor, fulgor.
radiancy [-si], *s.* ver **radiance.**
radiant [-t], **1** — *s.* (astr.) ponto radiante; ponto luminoso; (geom.) linha radial.
2 — *adj.* radiante; radioso; fulgente; cintilante; contente, jubiloso; radiado; (fís.) transmitido por radiação. (*Sin.* bright, brilliant, shining, resplendent, sparkling. *Ant.* dull.)
radiant with happiness — radiante de felicidade.
radiant body — corpo irradiante.
radiant with youth — irradiando juventude.
radiant energy — energia radiante.
radiant oven — forno de irradiação.
radiant eyes — olhos radiosos.
radiant point — ponto de radiação; (astr.) ponto radiante.
radiantly [-tli], *adv.* radiantemente; jubilosamente, alegremente.
radiary ['reidiəri], *s.* (zool.) radiário, equinoderme.
radiata [reidi'eitə], *s. pl.* (zool.) radiários, fitozoários.
radiate **1** — ['reidiit], *adj.* radiado; radial.
2 — ['reidieit], *vt.* e *vi.* irradiar, radiar, iluminar; brilhar, cintilar; espalhar, espalhar-se.
to radiate happiness — irradiar felicidade.
radiated [-id], *adj.* radiado; cheio de raios de luz; irradiado.
radiated heat — calor irradiado.
radiating [-iŋ], **1** — *s.* acção de irradiar; radiação; irradiação.
radiating heat — calor por irradiação.
radiating system — sistema de irradiação.
2 — *adj.* irradiante; radiado; radiante.
radiating surface — superfície irradiante.
radiation [reidi'eiʃən], *s.* irradiação; radiação; disposição radial; (fig.) influência moral.
radiation constant — constante de irradiação.
radiation coefficient — coeficiente de irradiação.
radiation of electrical energy — irradiação de energia eléctrica.
to emit radiations — emitir radiações.
radiation of light — irradiação de luz.
radiation of heat — irradiação de calor.
radiation resistance — resistência à irradiação.
radiator ['reidieitə], *s.* radiador; irradiador.
radiator cap — tampa do radiador (automóvel).
electric radiator — radiador eléctrico, aquecedor eléctrico.
hot-water radiator — radiador a água quente.
radiator blind — grade do radiador (automóvel).
radical ['rædikəl], **1** — *s.* (mat., quím., gram., pol.) radical; base; princípio fundamental.
2 — *adj.* radical; essencial, fundamental; completo; decisivo; (mat.) referente a radical; (bot.) que brota da raiz; (pol.) partidário do radicalismo; (gram.) referente ao radical duma palavra. (*Sin.* fundamental, organic, constitutional, entire, complete. *Ant.* superficial.)
a radical change — uma mudança radical.
a radical reform — uma reforma radical.
radical sign — sinal de radical.
radical moisture — humor radical.
radical quantity — quantidade radical.
the Radical Party (pol.) — o partido radical.
radical word — palavra primitiva.
to make radical alterations — fazer modificações radicais.
radical truth — verdade fundamental.
radicalism ['rædikəlizm], *s.* radicalismo.
radically ['rædikəli], *adv.* radicalmente, originalmente, primitivamente; fundamentalmente.
radicant ['rædikənt], *adj.* (bot.) radicante.
radicating ['rædikeitiŋ], *adj.* ver **radicant.**
radication [rædi'keiʃən], *s.* radiação; enraizamento.
radices ['reidisi:z], *s. pl.* de **radix.**
radicle ['rædikl], *s.* (bot.) radícula (do embrião); pequena raiz; (quím.) radical; (anat.) subdivisão de veia ou nervo semelhante a raiz.
radicular [rə'dikjulə], *adj.* (bot.) radicular.
radiferous [rə'difərəs], *adj.* radífero.
radio ['reidiou], *s.* rádio; aparelho de rádio; radiograma; (med.) radiografia, radiologia.
radio amateur — radioamador.
radio announcer — locutor.
radio antenna — antena de rádio.
radio beam — feixe de ondas electromagnéticas.
radio amplifier — radioamplificador.
radio beacon — radiofarol.
radio diagnosis — radiodiagnóstico.
radio-electric current — corrente radioeléctrica.
radio-element — radioelemento, radioisótopo.
radio astronomy — radioastronomia.
radio-electricity — radioelectricidade.
radio cabinet — caixa do rádio.
radio altimeter — radioaltímetro.
radio-frequency — radiofrequência.
radio detector — radiodetector.
radio-emitter — posto radioemissor.
radio-frequency cycle — ciclo de radiofrequência.
radio-frequency indicator — frequencímetro.
radio channel — canal de rádio.
radio-frequency transmitter — transmissor de radiofrequência.
radio-frequency amplifier — amplificador de radiofrequência.
radio chemistry — radioquímica.
radio gramophone — radiola.
radio hook-up — programa transmitido em cadeia.
radio necrosis (pat.) — radionecrose.
radio coil — bobina de rádio.
radio-frequency choke — reactor de radiofrequência.

radio interference — interferência radiofónica.
radio-iodine — iodo radioactivo.
radio-communication — radiocomunicação.
radio-listener — radiouvinte.
radio play — peça radiofónica.
radio-compass — rádio-bússola.
radio-conductor — radiocondutor.
radio receiving set — aparelho receptor.
radio-condenser — condensador de rádio.
radio-metallography — radiometalografia.
radio fuse — fusível de receptor radiofónico.
radio control — comando pela rádio.
radio-controlled — comandado pela rádio.
radio-goniometer — radiogoniómetro.
radio-goniometric — radiogoniométrico.
radio-goniometrical — radiogoniométrico.
radio-goniometry — radiogoniometria.
radio-phosphorus — radiofósforo.
radio-sensitive — radiossensível.
radio-sensibility — radiossensibilidade.
radio set — aparelho de rádio.
radio station — emissora radiofónica.
radio-telegram — radiotelegrama, radiograma.
radio-telegraph — aparelho de radiotelegrafia.
radio shop — estabelecimento onde se vendem aparelhos de rádio.
radio stereoscopy — radioestereoscopia.
radio spectator — radiouvinte.
radio-telephony — radiotelefonia.
radio tube — válvula electrónica.
radio wave — onda radiofónica.
radio-therapeutic — radioterapêutico.
radio-therapeutics — radioterapêutica.
radio-therapy — radioterapia.
to hear (something) on the radio — ouvir (alguma coisa) na rádio.
to switch on (to put on) the radio — ligar o rádio.
to switch off (to put off) the radio — desligar o rádio.
to switch out (to put out) the radio — desligar o rádio.
radio fan — entusiasta da rádio, radiófilo.
radio accessories — acessórios para rádio.
radio-active — radioactivo.
radioactivity [-æ'ktiviti], *s.* radioactividade.
radiogene [-dʒi:n], *s.* aparelho radiogéneo.
radiogenic [-'dʒenik], *adj.* radiogénico.
radiogram [-græm], *s.* radiograma; radiola.
radiograph [-grɑ:f], **1** — *s.* radiografia.
2 — radiografar.
radiographer [reidi'ɔgrəfə], *s.* radiógrafo, radiologista.
radiographic [reidiou'græfik], *adj.* radiográfico.
radiography [reidi'ɔgrəfi], *s.* radiografia.
radiolaria [reidiou'lɛəriə], *s. pl.* (zool.) radiolários, fitozoários.
radiolarian [-n], *adj.* (zool.) radiolário, fitozoário.
radiological [reidiou'lɔdʒikəl], *adj.* radiológico.
radiologist [reidi'ɔlədʒist], *s.* radiologista.
radiology [reidi'ɔlədʒi], *s.* radiologia.
radiometer [reidi'ɔmitə], *s.* (fís.) radiómetro.
radiometry [reidi'ɔmitri], *s.* (fís.) radiometria.
radiophare ['reidioufɑ:], *s.* radiofarol.
radiophone ['reidioufoun], *s.* radiofone.
radiophony [reidi'ɔfəni], *s.* radiofonia.
radioscopic [reidiou'skɔpik], *adj.* radioscópico.
radioscopy [reidi'ɔskəpi], *s.* radioscopia.
radio-telephone ['reidiou'telifoun], **1** — *s.* radiotelefone.
2 — *vt.* radiotelefonar.
radish ['rædiʃ], *s.* rabanete, rábano.
horse-radish — cocleária.
radium ['reidjəm], *s.* (quím.) rádio.
radium paint — incrustação de rádio.
radium treatment — radioterapia.
radiumize [-aiz], *vt.* (med.) tratar por meio de radioterapia.
radiumtherapist [-'θerəpist], *s.* (med.) pessoa que aplica radioterapia.
radiumtherapy [-'θerəpi], *s.* (med.) radioterapia.
radius ['reidjəs], *s.* (*pl.* **radii**) (anat.) rádio; (geom.) raio; raio (de roda); (fig.) alcance.
radius of action — raio de acção.
radius of gyration — raio de giração.
radius gauge — calibre para medição de raios.
radius of curvature — raio de curvatura.
radius finder — esquadro de centros.
radius-vector — raio-vector.
within a radius of four miles — num raio de quatro milhas.
steering radius (aut.) — raio de viragem.
radix ['reidiks], *s.* (*pl.* **radices**) (mat.) raiz; raiz, origem.
radon ['reidɔn], *s.* (fís., quím.) radão.
raffia ['ræfiə], *s.* (bot.) ráfia.
raffish ['ræfiʃ], *adj.* (col.) **depravado, libertino.**
raffishly [-li], *adv.* de maneira depravada, libertinamente.
raffishness [-nis], *s.* vida de depravação, aspecto depravado.
raffle [ræfl], **1** — *s.* rifa, sorteio; restos; despojos; fragmentos.
to make a raffle — fazer uma rifa.
raffle ticket — bilhete de rifa.
2 — *vt.* e *vi.* rifar, sortear.
to raffle a picture — rifar um quadro.
raffling ['-iŋ], *s.* acção de rifar; rifa, sorteio.
raft [rɑ:ft], **1** — *s.* jangada, piroga, balsa; grande quantidade de troncos ou gelo flutuante; troncos ou madeira transportada a flutuar na corrente; (E. U.) grande quantidade.
life raft — jangada salva-vidas.
2 — *vt.* e *vi.* construir uma jangada; transportar em jangada; andar de jangada.
rafter ['-ə], **1** — *s.* barrote, viga; pessoa que leva madeira ou troncos de árvore na corrente; pessoa encarregada duma jangada.
2 — *vt.* guarnecer de traves.
raftered ['-əd], *adj.* com traves.
raftering ['-əriŋ], *s.* colocação de vigas ou traves; travejamento.
raftsman ['-smən], *s.* pessoa que leva madeira ou troncos de árvore a flutuar na corrente; pessoa encarregada duma jangada.
rag [ræg], **1** — *s.* **trapo**; pessoa andrajosa; **vela de navio**; **bandeira**; refugo; *(depr.)* lenço, jornal, cortina; nota de banco, etc.; *(col.)* pequena quantidade; pedra granulosa; algazarra; repreensão; *pl.* **farrapos, andrajos.**
rag-baby — boneca de trapos.
rag-bag — saco de farrapos.
rag fair — feira de roupa velha.
rag-doll — boneca de trapos.
rag-time army — exército indisciplinado.
rag-picker — farrapeiro.
in rags — esfarrapado.
in rags and tatters — esfarrapado.
rag-pulp — pasta de farrapo (no fabrico do papel).
rag-time — género de música muito sincopada.
meat boiled to rags — **carne demasiado cozida.**
like red rag to a bull — irritante; como se visse o Diabo.
to lose one's rag (fam.) — irritar-se.
not to have a rag to cover oneself — não ter um trapo para vestir.
2 — *vt.* (*pret.* e *pp.* **ragged**) ralhar, repreender, censurar; atormentar, incomodar; fazer troça de.
ragamuffin ['-əmʌfin], *s.* miserável, farroupilha; criança esfarrapada e suja.

ragamuffinly [-li], *adv.* esfarrapado e sujo.
rage [reidʒ], **1** — *s.* raiva, ira, cólera; violência, fúria; paixão; despeito; veemência, ardor; entusiasmo; intensidade; grande moda.
the rage of the wind — a fúria do vento.
***the rage for gaming* — a paixão do jogo.**
to get into a rage — enfurecer-se.
in a rage — numa fúria.
to fly into a rage — encolerizar-se; exasperar-se.
the rage for money — a ganância do dinheiro.
2 — *vi.* enfurecer-se, encolerizar-se; bramar; grassar, assolar, devastar. (*Sin.* to fume, to rave, to fret, to storm, to ravage.)
to rage at (to rage against) — enfurecer-se contra.
rageful [-ful], *adj.* raivoso, furioso.
ragefully [-fuli], *adv.* raivosamente, furiosamente.
ragged [ˈrægid], *adj.* roto, andrajoso, esfarrapado; escabroso; áspero; desigual; cheio de mossas; rouco.
ragged robin (bot.) — pão-de-leite.
ragged voice — voz rouca, voz rude.
raggedly [-li], *adv.* andrajosamente; escabrosamente; irregularmente.
raggedness [-nis], *s.* escabrosidade; aspereza; desigualdade; estado andrajoso; imperfeição.
ragger [ˈrægə], *s.* (col.) pessoa que faz algazarra; pessoa que se diverte ruidosamente.
ragging [ˈrægiŋ], *s.* troça, escárnio, zombaria.
raging [ˈreidʒiŋ], **1** — *s.* raiva, ira, fúria; arrebatamento.
2 — *adj.* furioso, raivoso, irado. (*Sin.* raving, wrathful, furious, violent. *Ant.* calm.)
raging sea — mar raivoso.
ragingly [-li], *adv.* furiosamente, raivosamente.
raglan [ˈræglən], *s.* raglã, sobretudo largo com a manga pregada da cava até à gola.
ragman [ˈrægmən], *s.* farrapeiro.
ragout [ˈrægu:], **1** — *s.* guisado.
2 — *vt.* fazer um guisado de.
ragstone [ˈrægstoun], *s.* pedra de amolar.
ragtag [ˈrægtæg], *s.* gentalha, ralé, rebotalho.
the ragtag and bobtail — a gentalha; a ralé.
ragwater [ˈrægwɔ:tə], *s.* (col.) uísque.
ragweed [ˈrægwi:d], *s.* (bot.) tasninha.
ragwort [ˈrægwə:t], *s.* (bot.) ver **ragweed.**
raid [reid], **1** — *s.* incursão, invasão; ataque de surpresa.
air-raid — ataque aéreo.
police raid — batida policial.
***to make a raid on* — atacar de surpresa.**
2 — *vt.* e *vi.* invadir; fazer uma incursão; fazer um ataque súbito.
raider [ˈ-ə], *s.* invasor; corsário; aviador ou avião que faz incursão aérea.
rail [reil], **1** — *s.* varão de grade; grade; corrimão; varanda; balaustrada; carril; (náut.) cairel, galão, braçal; francolim (ave); barra para pendurar toalhas, roupa, etc.; *pl.* acções ferroviárias.
rail-cleaner — limpa-vias.
breast-rail — parapeito.
siding-rail — linha de resguardo.
hand-rail — corrimão.
rail bender — máquina para encurvar carris.
rail gauge — bitola de via.
rail-car (cam. fer.) — automotora; vagão.
rail-jack — macaco para carris.
rail chair — coxim; chumaceira.
rail joint — junta de carris.
rail-saw — serra para carris.
rail-motor — automotora.
by rail — por caminho-de-ferro.
hat-rail — cabide para chapéus.
rail track — linha férrea.
to run off the rails — descarrilar; (fig.) ir por mau caminho.
***to send by rail* — enviar por caminho-de-ferro.**
to force the rails (fig.) — tirar vantagem ilícita de adversário.
towel-rail — toalheiro.
2 — *vt.* e *vi.* cercar com grades ou balaústres; assentar carris; cercar com vedação; viajar de caminho-de-ferro; enviar por caminho-de-ferro; assentar via-férrea; censurar.
to rail off — separar por meio de grade ou vedação.
to rail in — cercar por meio de grade ou vedação.
to rail against (to rail at) (col.) — queixar-se de; censurar.
railed [-d], *adj.* com grade ou vedação.
railed-off — separado por meio de grade ou vedação.
railed-in — cercado por meio de grade ou vedação.
double-railed (cam. fer.) — com via dupla.
railer [ˈ-ə], *s.* pessoa que se queixa; pessoa que insulta.
railing [ˈ-iŋ], **1** — *s.* gradeamento; balaustrada; parapeito; grade; cerca, estacada; carris; conjunto de material para uma via-férrea; injúria, maledicência, calúnia; queixa.
2 — *adj.* queixoso; que calunia.
railingly [ˈ-iŋli], *adv.* injuriosamente.
raillery [ˈ-əri], *s.* escárnio, mofa, assuada. (*Sin.* satire, irony, banter, ridicule.)
railless [ˈ-lis], *adj.* sem corrimão; sem caminho-de-ferro.
railophone [ˈ-əfoun], *s.* rádio em comboio.
railroad [ˈroud], **1** — *s.* (E. U.) via-férrea, caminho-de-ferro.
2 — *vt.* e *vi.* (E. U.) viajar de caminho-de-ferro; mandar por caminho-de-ferro; instalar via-férrea em; querer conseguir rapidamente sem analisar convenientemente.
to railroad a bill — fazer votar um projecto de lei à pressa.
railroader [ˈ-roudə], *s.* (E. U.) ferroviário.
railroading [ˈ-roudiŋ], *s.* (E. U.) construção de caminho-de-ferro; manutenção de caminho-de-ferro.
railway [ˈ-wei], **1** — *s.* caminho-de-ferro, via-férrea; (E. U.) linha de eléctricos.
branch-railway — ramal de caminho-de-ferro; entroncamento.
railway-crossing — passagem de nível.
railway-berth — cais com linha férrea.
railway porter — carregador.
railway board directors — conselho de administração dos caminhos-de-ferro.
railway electrification — electrificação de via-férrea.
railway carriage — carruagem de comboio.
railway freight — transporte por caminho-de-ferro.
railway engine — locomotiva.
railway engineer — engenheiro ferroviário.
railway line — linha férrea.
railway guide — guia dos caminhos-de-ferro.
railway equipment — equipamento ferroviário.
railway novel — novela leve própria para ser lida em viagem.
railway rug — manta de viagem.
railway net — rede ferroviária.
railway station — estação de caminho-de-ferro.
railway tariff — tarifa ferroviária.
railway sleeper (cam. fer.) — chulipa.
railway switch (cam. fer.) — agulha.
railway switch level (cam. fer.) — alavanca de agulha.
railway tunnel — túnel ferroviário.
railway traffic — tráfego ferroviário.

railway track — via-férrea.
light railway — linha férrea estreita.
at railway speed — muito rapidamente.
circle railway — linha férrea de cintura.
to work on the railway — trabalhar nos caminhos-de-ferro.
2 — *vi.* viajar nos caminhos-de-ferro.
railwayless ['-weilis], *adj.* sem caminhos-de--ferro.
railwayman ['-weimən], *s.* ferroviário.
raiment ['reimənt], *s.* (poét.) trajo, vestes.
food and raiment — alimentação e vestuário.
rain [rein], **1** — *s.* chuva; deformação da imagem na televisão dando a ideia de chuva.
heavy rain — chuva grossa.
fine rain — chuva miudinha.
rain-storm — tempestade de chuva; pancada de água.
rain-water — água da chuva.
drizzling rain — **chuviscos.**
pouring rain — **(col.) chuva a cântaros.**
settled rain — chuva persistente.
rain bird (zool.) — picapau-verde.
rain chart — mapa pluviométrico.
rain-cloud — nuvem negra que se desfaz em chuva.
rain-cap — cobertura de chaminé.
rain-gauge — pluviómetro.
rain shower — chuvada.
rain-glass — barómetro.
rain-water pipe — tubo de queda.
the rains — estação das chuvas nas zonas tropicais.
soaking rain — chuva penetrante.
rain-worm — minhoca.
to be caught in the rain — apanhar chuva.
to be in the rain — estar à chuva.
to come in out of the rain — recolher-se da chuva.
not to know enough to come in out of the rain — ser estúpido e não ter expediente.
to be out in the rain — andar à chuva.
as right as rain — perfeitamente bem; o melhor possível.
to pour with rain — (col.) chover a cântaros.
it looks like rain — parece que vai chover.
2 — *vt.* e *vi.* chover; derramar copiosamente.
to rain very hard — chover copiosamente.
it's raining — **chove; está a chover.**
it never rains but it pours (fig.) — uma desgraça nunca vem só.
the tears rained down her cheeks — as lágrimas corriam-lhe pela cara abaixo.
it's raining fast — (col.) chove a cântaros.
to rain in torrents — chover torrencialmente.
it has left off raining — parou de chover.
to rain in buckets (fig.) — chover a cântaros.
it's going to rain — vai chover.
to rain icy rain — cair uma chuva gelada.
to rain stair-rods — chover a prumo.
rainbow ['-bou], *s.* arco-íris, arco-da-velha.
rainbow-hued — irisado, com as cores do arco--íris.
raincoat ['-kout], *s.* impermeável.
raindrop ['-drɔp], *s.* gota de chuva.
rainfall ['-fɔ:l], *s.* aguaceiro; chuva; pluviosidade.
rainily ['-ili], *adv.* com chuva.
raininess ['-inis], *s.* estado chuvoso; abundância de chuva; tempo chuvoso.
rainless ['-lis], *adj.* sem chuva; seco.
rainlessness ['-lisnis], *s.* falta de chuva.
rainproof ['-pru:f], *adj.* impermeável; à prova de chuva.
raintight ['-tait], *adj.* impermeável; à prova de chuva.
rainy ['-i], *adj.* chuvoso; de chuva.
rainy weather — tempo chuvoso.
to keep something for a rainy day — economizar alguma coisa para o que der e vier.
rainy season — estação das chuvas.
it is rainy — está tempo de chuva.
raise [reiz], **1** — *s.* (E. U. col.) aumento; subida; aumento de salário.
to get a raise — ter um aumento de ordenado.
2 — *vt.* levantar, alçar, erguer, empinar; elevar; erigir; aumentar, subir, encarecer; exaltar; engrandecer; produzir, criar; ocasionar; promover; fazer brotar; inspirar; dar lugar a; evocar; fundar; construir, edificar; instituir; suspender; recrutar; vivificar; reunir; educar; cultivar; juntar dinheiro; levantar (bloqueio); crescer, subir (no horizonte); invocar (espíritos); armar (tenda); dizer em voz alta; (náut.) aproximar-se mais da terra.
to raise the country — sublevar o país.
to raise pride — excitar o orgulho.
to raise one's glass to — fazer um brinde a.
to raise a point — apresentar uma questão.
to raise the curtain (teat.) — levantar o pano.
to raise the wind (fig.) — arranjar dinheiro.
to raise the land (náut.) — chegar-se a terra.
to raise the dust — levantar o pó.
no one raised his voice — ninguém levantou a voz.
to raise taxes — **subir (agravar) os impostos.**
to raise an outcry — armar um barulho.
to raise bread — levedar a massa (do pão).
to raise money — levantar dinheiro.
to raise a blush — fazer corar.
to raise a dust — esconder a verdade; armar uma zaragata.
to raise a monument — erigir um monumento.
to raise a loan — levantar um empréstimo.
to raise an army — organizar um exército.
to raise an objection — levantar uma objecção.
to raise a song — entoar uma canção.
to raise Cain (to raise hell, to raise the devil, to raise mischief) — **armar uma «bernarda»; armar um motim popular.**
to raise from the dead — ressuscitar.
to raise money on an estate — pedir dinheiro sobre uma propriedade.
to raise camp — levantar o acampamento.
to raise one's eyebrows — mostrar-se arrogante.
to raise one's eyes — levantar os olhos.
to raise game — levantar caça.
to raise sheep — criar carneiros.
to raise somebody's spirits — animar alguém.
to raise one's hand to — erguer a mão contra; bater em.
to raise the temperature — **fazer subir a temperatura.**
to raise up enemies — criar inimigos.
to raise somebody from the dust (fig.) — levantar alguém do nada.
to raise the roof — fazer uma grande barulheira.
raised [-d], *adj.* levantado; em relevo; lêvedo.
raised plate — chapa sobreposta.
raised deck — convés subido à ré.
raised arch — arco ogival sobrelevado.
raised print — impressão em relevo (para cegos).
raised map — mapa em relevo.
raised letter — letra em relevo.
raiser ['-ə], *s.* o que levanta ou eleva; fundador; causador; produtor, cultivador; educador.
curtain-raiser — prólogo de peça teatral.
raiser of cattle — criador de gado.
raisin ['reizn], *s.* passa; uva seca.
raising ['reiziŋ], *s.* acção de levantar, de elevar; levantamento; revolta, sedição; engrandecimento; excitação; produção; cultivo, criação; invocação (de espíritos); organização (de exército).

raising of speed — aumento de velocidade.
raising of water — elevação de água.
rait [reit], *vt.* e *vi.* apodrecer por causa de humidade excessiva; amolecer (linho, cânhamo, etc.).
raja ['rɑ:dʒə], *s.* rajá.
rajah ['rɑ:dʒə], *s.* ver **raja.**
rajahship [-ʃip], *s.* rajado, território ou domímio de rajá.
rake [reik], **1** — *s.* ancinho; rodo; raspadura; inclinação, obliquidade; (náut.) sacada de popa; caimento (de mastro); ferro de remexer as brasas; pessoa imoral.
as lean as a rake (col.) — magro como um pau de virar tripas.
rake of a ship — esteira de um navio.
2 — *vt.* e *vi.* limpar, raspar; juntar; passar a rodo; esquadrinhar; rebuscar, revolver; sondar; atiçar; varrer a tiros de peça; raspar com o ancinho; (fig.) vadiar; varrer, amontoar; ter caimento (mastro); (náut.) inclinar-se; passar com rapidez.
to rake up — juntar, amontoar.
to rake off — tirar, limpar com o ancinho.
to rake out the fire — extinguir o fogo.
to rake a ship fore and aft — varrer um navio a tiro de popa a proa.
to rake in money — ganhar muito dinheiro.
to rake the soil smooth — alisar o solo com o ancinho.
to rake over — passar com o ancinho.
to rake up old things — remexer em coisas antigas.
to rake up the past — remexer no passado.
to rake up hay — juntar feno com o ancinho.
to rake up the ashes of the dead — não deixar os mortos em paz.
rakeful ['-ful], *s.* porção (de feno, etc.) que o ancinho leva de cada vez.
rakehell ['-hel], *s.* (arc.) pessoa imoral.
rakehelly ['-heli], *adj.* (arc.) imoral, dissoluto.
raker ['-əl], *s.* o que trabalha com o ancinho; raspadeira mecânica; investigador de coisas velhas.
raking ['-iŋ], **1** — *s.* acção de raspar ou juntar com o ancinho; censura; *pl.* coisas apanhadas com o ancinho.
2 — *adj.* inclinado; (mil.) de enfiada.
raking fire — fogo de enfiada.
rakish ['-iʃ], *adj.* libertino, devasso; folgazão; (náut.) com os mastros inclinados.
rakishly ['-iʃli], *adv.* libertinamente; de maneira folgazã.
rakishness ['-iʃnis], *s.* libertinagem; (náut.) inclinação dos mastros.
Ralegh ['rɔ:li, 'rɑ:li, 'ræli], *n. p.* apelido de Sir Walter Ralegh (navegador, explorador e escritor dos sécs. XVI e XVII).
Raleigh ['rɔ:li,'rɑ:li,'ræli], *n. p.* ver **Ralegh.**
rallicar ['rælikɑ:], *s.* carro leve de duas rodas para quatro pessoas.
rallicart ['rælikɑ:t], *s.* ver **rallicar.**
rally ['ræli], **1** — *s.* reunião; recuperação de forças (depois de doenças, etc.); ponto obtido por uma série de jogadas (no ténis).
I wonder who will pull this rally off? — quem irá ganhar este ponto?
2 — *vt.* e *vi.* reunir, juntar; refazer; reanimar, recobrar as forças, reanimar-se; zombar, ridicularizar; voltar ao combate. (*Sin.* to collect, to reunite, to reassemble, to deride, to banter, to recover, to revive, to restore. *Ant.* to disperse.)
he rallied his party round him — reuniu o grupo à sua volta.
the patient rallied — o doente reanimou-se.
rallying [-iŋ], **1** — *s.* reunião; restabelecimento, recuperação de forças; zombaria, troça.
2 — *adj.* zombeteiro, trocista.
rallyingly [-iŋli], *adv.* zombeteiramente, de modo trocista.
Ralph [reif, rælf], *n. p.* Rudolfo, Raul.
ram [ræm], **1** — *s.* carneiro (não castrado); aríete; maço de calceteiro; bate-estacas; (mec.) atacador; (náut.) esporão; constelação zodiacal de Áries; elevador de água; ferro de luva; comprimento de navio.
ram guide — guia do aríete.
ram-jam full (col.) — cheiinho.
hydraulic ram — aríete hidráulico.
2 — *vt.* (*pret.* e *pp.* **rammed**) calcar; meter à força; enterrar; bater; assentar; entulhar; cravar; golpear; (náut.) esporoar; comprimir.
to ram down — calcar; bater.
to ram an argument home — marcar bem um argumento.
to ram in stones — calcar pedras com um maço.
to ram up — tapar (um buraco).
to ram something down somebody's throat — dizer muitas vezes a mesma coisa a alguém.
rammed earth — terra calcada com um maço.
to ram one's head against something — bater com a cabeça em alguma coisa.
Ramadan [ræmə'dɑ:n], *s.* Ramadã, Ramadão, nono mês do ano maometano.
ramal ['reiməl], *adj.* (bot.) râmeo, que nasce nos ramos.
ramble [ræmbl], **1** — *s.* passeio, excursão; conversa ou discurso incoerente. (*Sin.* wander, stroll, trip, tour, excursion.)
2 — *vi.* vaguear, passear, girar; dar voltas; divagar; falar ou escrever sem coerência; (bot.) ter rebentos que se vão espalhando pelo chão.
rambler ['-ə], *s.* passeante; vagabundo, vadio; divagador.
rambling ['-iŋ], **1** — *s.* passeio a pé; *pl.* divagações.
2 — *adj.* errante, que vagueia; divagador; com pouca coerência; (bot.) que se espalha pela terra em rebentos.
rambling street — rua tortuosa.
rambling speech — discurso incoerente.
ramblingly ['-iŋli], *adv.* incoerentemente; de modo errante.
rambutan [ræm'bu:tən], *s.* (bot.) rambutã, rambuteira.
ramee ['ræmi], *s.* (bot.) rami, ramie.
ramekin ['ræmkin], *s.* pão ralado, queijo, ovos, etc. cozinhados no forno em formas pequenas.
ramequin ['ræmkin], *s.* ver **ramekin.**
Rameses ['ræmisi:z], *n. p.* Ramsés (faraó egípcio).
ramie ['ræmi], *s.* (bot.) ver **ramee.**
ramification [ræmifi'keiʃən], *s.* ramificação.
ramify ['ræmifai], *vt.* e *vi.* ramificar; ramificar-se.
rammer ['ræmə], *s.* vareta (de espingarda); martelo de bate-estacas; maço; aríete.
pneumatic rammer — maço de ar comprimido.
rammish ['ræmiʃ], *adj.* fétido, nauseabundo.
ramose [ræ'mous], *adj.* (bot.) com ramos, com ramificações.
ramp [ræmp], **1** — *s.* rampa, declive; talude; pulo, salto; (col.) tentativa para extorquir dinheiro ilegalmente; acesso de fúria; preço muito alto.
unloading ramp — rampa de desembarque.
approach-ramp — rampa de acesso.
ramp spring — mola em espiral.
2 — *vt.* e *vi.* trepar (plantas); saltar, pular; erguer as patas dianteiras (leão); exigir preços demasiado altos; tentar extorquir dinheiro

ilegalmente; enfurecer-se; (bot.) espalhar-se de maneira compacta.
rampage [ræm'peidʒ], **1** — *s.* alvoroço; turbulência; violência.
to be on the rampage — enfurecer-se e fazer muito barulho.
2 — *vi.* fazer alvoroço; enfurecer-se e fazer barulho.
rampageous [-əs], *adj.* turbulento; furioso. (*Sin.* rowdy, noisy, unruly, violent. *Ant.* quiet.)
rampageously [-əsli], *adv.* de modo turbulento; furiosamente.
rampageousness [-əsnis], *s.* turbulência; fúria.
rampancy ['ræmpənsi], *s.* exuberância, superabundância; extravagância; predomínio; violência.
rampant ['ræmpənt], *adj.* excessivo; exuberante; desenfreado; ufano; predominante; furioso; (her.) rampante (leão); com as patas dianteiras levantadas; (arq.) inclinado.
rampant vault — abóbada montante.
rampantly [-li], *adv.* exuberantemente; violentamente; furiosamente.
rampart ['ræmpɑ:t], **1** — *s.* muralha; muro; baluarte; terrapleno; protecção.
2 — *vt.* cercar com muralhas; cercar com parapeito.
rampion ['ræmpjən], *s.* (bot.) rapôncio, rapúncio.
ramrod ['ræmrɔd], *s.* vareta (de espingarda); soquete (de peça); atacador.
Ramses ['ræmsi:z], *n. p.* ver **Rameses.**
ramshackle ['ræmʃækl], *adj.* desmoronado, em ruínas.
a ramshackle old house — uma casa em ruínas.
ramson ['ræmsən], *s.* (bot.) variedade de alho.
ran [ræn], *pret.* de **to run.**
rance [ræns], *s.* variedade de mármore vermelho.
ranch [rɑ:ntʃ], **1** — *s.* fazenda, granja (especialmente para criação de gado); rancho (no México).
2 — *vt.* e *vi.* viver ou trabalhar numa fazenda.
rancher ['-ə], *s.* dono de uma fazenda, rancheiro.
ranchman ['-mən], *s.* ver **rancher.**
rancid ['rænsid], *adj.* râncido, rançoso; detestável. (*Sin.* foul, rank, smelling, tainted, fusty. *Ant.* fresh.)
to smell rancid — cheirar a ranço.
rancid oil — óleo rançoso.
rancidity [ræn'siditi], *s.* ranço, rancidez.
rancidness ['rænsidnis], *s.* ver **rancidity.**
rancorous ['ræŋkərəs], *adj.* rancoroso; vingativo; cheio de ódio.
rancorously [-li], *adv.* rancorosamente; odiosamente.
rancour ['rænkə], *s.* rancor; ódio.
rand [rænd], *s.* margem, orla; debrum; margem inculta; unidade monetária da República da África do Sul.
the Rand — cordilheira ao sul do Transval.
randan [ræn'dæn], **1** — *s.* barco com três remadores tendo o do meio dois remos; maneira especial de remar que se usa nestes barcos; pagode, patuscada.
on the randan — no pagode.
2 — *adv.* com três remadores tendo o do meio dois remos.
randem ['rændəm], **1** — *s.* carro puxado por três cavalos em fila; grupo de três cavalos atrelados em fila.
2 — *adv.* com três cavalos atrelados em fila.
Randolph ['rændɔlf,'rændəlf], *n. p.* Rudolfo.
random ['rændəm], **1** — *s.* acaso; desatino; desacerto.
at random — à toa; ao acaso.
to talk at random — falar à toa.
to do things at random — fazer coisas no ar.
2 — *adj.* impensado; fortuito; feito ao acaso.
random shot—tiro dado ao acaso; bala perdida.
randomly [-li], *adv.* à toa; casualmente; fortuitamente; impensadamente.
randomness [-nis], *s.* característica do que é feito ao acaso, à toa.
randy ['rændi], *adj.* lúbrico; lascivo; sensual.
ranee ['rɑ:'ni:], *s. fem.* rani (princesa ou rainha hindu); mulher de rajá.
rang [ræŋ], *pret.* de **to ring.**
range [reindʒ], **1** — *s.* extensão; distância; espaço; alcance; curso; carreira; excursão; estado; raio de acção; fogão de cozinha; linha de tiro (de artilharia); fila, fileira, série, cadeia; serra; classe, ordem; alcance (de peças de artilharia); voo; *(náut.)* cobro de amarra; pastagem natural; alcance (de voz, visão, etc.); *pl. (náut.)* abitas. *(Sin.* line, tier, row, scop, extent, amplitude, class.)
range of mountains — cordilheira; serrania.
long-range fire — tiro de grande alcance.
to give free range to — dar largas a.
at long range — a grande distância.
range-finder — telémetro.
range-taker — telemetrista.
range of action — raio de acção.
range of vision — raio de visão.
range-pole — estaca; bandeirola.
range of the barometer — variação do barómetro.
at close range — à queima-roupa.
beyond one's range — para além do nosso alcance.
in range with — alinhado com.
at a range of — a uma distância de.
to have free range of — ter livre acesso a.
***kitchen-range*:** fogão de cozinha.
gas range — fogão a gás.
the range of somebody's voice — o alcance da voz de alguém.
the annual range of temperature — a variação anual de temperatura.
2 — *vt.* e *vi.* colocar; ordenar; dispor; alinhar, pôr em fila; estar disposto por ordem; classificar; distribuir; vaguear, errar; percorrer, atravessar; ter alcance (um projéctil); (náut.) costear; bater (o monte); estender-se por; estar ao nível de; estar na mesma altura; variar; pôr em linha de batalha; viver; regular o ângulo de tiro.
to range along (náut.) — costear.
the prices range from 10 *s. to* £ 1 — os preços variam de dez xelins a uma libra.
the boys were ranged in a row — os rapazes estavam dispostos em fila.
his mind ranged over the problems set before him — o espírito dele divagava sobre os problemas que tinha diante de si.
to range by (náut.) — passar; deixar atrás.
to range over the country — percorrer o país.
to range the seas — percorrer os mares.
ranger ['-ə], *s.* guarda-florestal; batedor, cão de busca; vagabundo; guarda de parque real.
rangership ['-əʃip], *s.* função de guarda de parque real.
ranging ['-iŋ], *s.* acção de dispor em classes, séries ou filas; (mil.) acção de regular o alcance do tiro.
ranging pole — bandeirola.
rangy ['-i], *adj.* montanhoso; esguio.
rani [rɑ:'ni:], *s. fem.* ver **ranee.**
ranine ['reinain], *adj.* (anat.) ranino.
ranine veins — veias raninas.
rank [ræŋk], **1** — *s.* linha, fila, fileira; grau; ordem, classe; posição; esfera; posto, graduação; dignidade ou emprego honorífico; distinção; linha de soldados; hierarquia; local de estacionamento para táxis.

the rank and file — a soldadesca; praças (até cabo inclusive).
persons of rank — fidalgos.
rank and fashion — sociedade elegante; alta sociedade.
people of all ranks — pessoas de todas as classes.
to take rank with — enfileirar-se ao lado de.
military rank — patente militar.
the rank — a tropa.
to keep rank — manter-se enfileirado.
to break rank — romper as fileiras.
to close the ranks — cerrar fileiras.
to rise from the ranks — chegar a oficial (soldado).
to quit the ranks — desertar.
to reduce to the ranks — castigar, baixando a soldado raso.
to serve in the ranks — ser soldado.
2 — *adj.* luxuriante, fértil, fecundo, abundante; viçoso; grosseiro, ordinário; rançoso; virulento; fétido; espesso, cerrado; consumado, "chapado"; fundo, profundo; repugnante.
rank fool — tolo "chapado".
rank poison — veneno violento.
rank smell — cheiro a ranço; mau cheiro.
rank soil — solo fértil.
rank idolatry — pura idolatria.
rank vegetation — vegetação luxuriante.
3 — *vt.* e *vi.* enfileirar; ordenar, pôr em ordem; arranjar; classificar; ter um determinado grau ou classificação; figurar; ser contado no número de; (mil.) ter um grau superior a; marchar, desfilar.
to rank with illustrious men — ser contado no número dos homens ilustres.
to rank first — ocupar o primeiro lugar.
to rank above somebody — ter categoria superior a alguém.
to rank before somebody — ter categoria inferior a alguém.
to rank with — enfileirar com alguém.
to rank past — desfilar.
to rank below somebody — ter categoria inferior a alguém.
to rank somebody — ter precedência sobre alguém.

ranker ['-ə], *s.* oficial que começou por ser soldado.

rankle [-l], *vi.* inflamar-se; agravar-se; irritar-se; inquietar-se.

rankling ['-liŋ], **1** — *s.* inflamação (de ferida); ressentimento.
2 — *adj.* inflamada (ferida); que faz sofrer.

rankly ['-li], *adv.* grosseiramente; fertilmente; viçosamente; rançosamente.

rankness ['-nis], *s.* fertilidade; ranço; mau cheiro; superabundância; exuberância, viço; virulência.

ransack ['rænsæk], *vt.* esquadrinhar, rebuscar; explorar; roubar, saquear.

ransacking [-iŋ], *s.* acção de esquadrinhar, de rebuscar; saque, roubo.

ransom ['rænsəm], **1** — *s.* resgate; refém; importância paga em troca de certos privilégios.
it is worth a king's ramson — é de valor incalculável.
at ransom prices — a preços exorbitantes.
to pay ransom — pagar resgate.
to exact a ransom from — exigir um resgate de.
to hold somebody to ramson — conservar alguém como refém.
2 — *vt.* resgatar; remir; expiar. (*Sin.* to release, to redeem, to liberate, to deliver.)

ransomable [-əbl], *adj.* resgatável.

ransomer [-ə], *s.* resgatador, libertador.

ransoming [-iŋ], *s.* acto de resgatar; resgate.

ransomless [-lis], *adj.* sem resgate; sem remissão.

rant [rænt], **1** — *s.* linguagem afectada; estilo bombástico.
2 — *vt.* e *vi.* declamar; falar em estilo bombástico; gritar, disparatar. (*Sin.* to declaim, to rave, to recite, to vociferate.)

rantan [ræn'tæn], *s.* (col.) pândega.

ranter ['ræntə], *s.* pedante que fala em estilo empolado.

ranting ['ræntiŋ], **1** — *s.* acção de falar em estilo empolado.
2 — *adj.* afectado; bombástico; ruidoso.

rantingly [-li], *adv.* afectadamente; ruidosamente.

ranula ['rænjulə], *s.* (pat.) rânula.

ranunculus [rə'nʌŋkjuləs], *s.* (*pl.* **ranunculuses, ranunculi**) (bot.) ranúnculo.

rap [ræp], **1** — *s.* pancada rápida; piparote; sopapo; bagatela, ninharia; meada; novelo de cento e vinte jardas de fio; antiga moeda irlandesa de cerca de meio dinheiro.

(como castigo aplicado a crianças); repreensão.
there is a rap at the door — batem à porta.
it is not worth a rap — não vale nada.
I don't care a rap — não me importo nada.
to take the rap — ser censurado.
2 — *vt.* e *vi.* (*pret.* e *pp.* **rapped**) bater com rapidez; dar uma pancada seca; falar vivamente; praguejar.
to rap out — falar asperamente.
to rap out an oath — soltar uma praga.
to rap at the door — bater à porta.

rapacious [rə'peiʃəs], *adj.* rapace; ávido; ganancioso. (*Sin.* greedy, ravenous, grasping.)

rapaciously [-li], *adv.* avidamente; rapacemente.

rapaciousness [-nis], *s.* rapacidade.

rapacity [rə'pæsiti], *s.* ver **rapaciousness.**

rape [reip], **1** — *s.* (poét.) rapto; violação, desfloramento; (bot.) colza, nabo silvestre; bagaço; recipiente usado no fabrico do vinagre.
rape-oil — azeite de colza.
rape-seed — semente de colza.
wild rape (bot.) — mostardeira-dos-campos.
to commit a rape — raptar; violar.
2 — *vt.* (poét.) raptar; violar.

Raphael ['ræfeiəl], *n. p.* Rafael.

Raphaelesque [ræfeiə'lesk], *adj.* rafaelesco, referente ou com o estilo de Rafael.

Raphaelite ['ræfeiəlait], *s.* rafaelista, rafaelita.

raphe ['reifi], *s.* (*pl.* **raphae**) (anat., bot.) rafe.

raphia ['ræfiə], *s.* (bot.) ver **raffia.**

rapid ['ræpid], **1** — *s.* rápido (de rio); declive no leito de um rio.
to shoot the rapids — transpor os rápidos (de barco).
2 — *adj.* rápido, veloz; arrebatado; íngreme.
rapid fire — tiro rápido.
rapid-flowing — de curso rápido (rio).
rapid combustion — combustão viva.

rapidity [rə'piditi], *s.* rapidez, velocidade.

rapidly ['ræpidli], *adv.* rapidamente, velozmente.

rapier ['reipjə], *s.* espadim, florete; estoque.
rapier fish (zool.) — espadarte.

rapine ['ræpain], *s.* rapina, roubo.

rappee [ræ'pi:], *s.* rapé grosseiro.

rapper ['ræpə], *s.* batente, argola de porta;

(à porta, etc.); médium (espiritismo); comprador de antiguidades que vai de terra em terra.

rapping ['ræpiŋ], *s.* acção de bater (à porta, etc.).
spirit-rapping — evocação de espíritos (espiritismo).
rapport [ræ'pɔ:], *s.* comunicação; harmonia.
in rapport with — de harmonia com.
rapporteur [ræpɔ:'tə:], *s.* relator, pessoa que redige um relatório.
rapprochement [ræ'prɔʃmɑ̃:ŋ], *s.* aproximação; reconciliação, especialmente entre nações.
rapscallion [ræp'skæljən], *s.* patife, maroto, velhaco.
rapt [ræpt], *adj.* extasiado, transportado, arrebatado; absorvente.
to listen with rapt attention — ouvir extasiado, com a maior atenção.
to be rapt in some absorbing task — **estar** completamente absorvido com um trabalho.
raptly ['-li], *adv.* arrebatadamente, extasiadamente.
raptness ['-nis], *s.* êxtase, arrebatamento.
raptores [ræp'tɔ:ri:z], *s. pl.* aves de rapina.
raptorial [ræp'tɔ:riəl], **1** — *s.* ave de rapina.
2 — *adj.* (zool.) de rapina.
rapture ['ræptʃə], *s.* êxtase, enlevo, transporte, arrebatamento, exaltação, entusiasmo; rapto. (*Sin.* ecstasy, ravishment, transport, delight. *Ant.* prosaicness.)
to be in raptures — estar enlevado.
to go into raptures — enlevar-se; extasiar-se.
raptured [-d], *adj.* extasiado, enlevado, arrebatado.
rapturous [-rəs], *adj.* encantador, arrebatador; entusiástico.
rapturously [-rəsli], *adv.* extaticamente; arrebatadamente.
rara avis ['rɛərə'eivis], *s.* ávis rara, coisa ou pessoa rara, fora do vulgar.
rare [rɛə], **1** — *adj.* raro, pouco vulgar; precioso; excelente; escasso; pouco denso, rarefeito; muito espalhado; meio cru.
the rare atmosphere of the mountain tops — o ar rarefeito dos cumes da montanha.
rare meat — carne mal passada.
rare earth metals — metais de terras raras.
a rare time (col.) — um tempo óptimo.
to be rare for somebody to do something — fazer uma coisa raramente.
to grow rare — rarificar-se.
rare mineral — minério raro.
rare metal — metal raro.
rare stone — pedra preciosa.
2 — *adv.* muitíssimo.
rarebit ['rɛəbit], *s.* queijo derretido, pão ralado, etc., preparados no forno.
raree-show ['rɛəri:ʃou], *s.* espectáculo ambulante; curiosidade.
rarefaction [rɛəri'fækʃən], *s.* rarefacção.
rarefaction of air — rarefacção de ar.
rarefactive [rɛəri'fæktiv], *adj.* rarefactivo, rarefaciente.
rarefiable ['rɛərifaiəbl], *adj.* rarefactível.
rarefied ['rɛərifaid], *adj.* rarefeito.
rarefied gas — gás rarefeito.
rarefied air — ar rarefeito.
to become rarefied — rarefazer-se.
rarefy ['rɛərifai], *vt.* e *vi.* rarefazer; rarear; rarefazer-se; dilatar-se; espiritualizar.
rarefying [-iŋ], **1** — *s.* rarefacção.
2 — *adj.* rarefaciente.
rarely ['rɛəli], *adv.* raramente; excelentemente.
rareness ['rɛənis], *s.* raridade, singularidade; excelência; escassez; rarefacção.
rarity ['rɛəriti], *s.* raridade; tenuidade; preciosidade; curiosidade; rarefacção.
rasant ['reizənt], *adj.* (mil.) rasante.
rasant fortification — fortificação rasante.

rascal ['rɑ:skəl], **1** — *s.* maroto, velhaco, traste, garoto.
2 — *adj.* (arc.) vil; plebeu.
the rascal rout — a plebe.
rascaldom [-dəm], *s.* patifaria, malandrice; patifes, malandros.
rascalism [-izm], *s.* patifaria, malandrice.
rascality [rɑ:s'kæliti], *s.* ver **rascaldom.**
rascally ['rɑ:skəli], *adj.* ignóbil, vil, baixo.
rase [reiz], *vt.* arrasar, demolir.
to rase to the ground — arrasar completamente.
rash [ræʃ], **1** — *s.* borbulha; erupção.
nettle rashes — urticária.
2 — *adj.* atrevido, temerário; precipitado; irreflectido. (*Sin.* hasty, precipitate, foolhardy, reckless, impetuous. *Ant.* cautious, deliberate.)
a rash person — uma pessoa precipitada.
a rash act — um acto precipitado; uma tentativa de suicídio.
rasher ['ə], *s.* talhada de toucinho ou de fiambre.
rashly ['-li], *adv.* temerariamente; doidamente; precipitadamente.
rashness ['-nis], *s.* temeridade, audácia, arrojo; precipitação; leviandade.
rasp [rɑ:sp], **1** — *s.* grosa; lima; raspador; ruído estridente, áspero; sensação desagradável.
2 — *vt.* e *vi.* grosar, limar (com grosa); raspar; (fig.) irritar; ser áspero; produzir ruído estridente.
to rasp out an order — dar uma ordem com voz estridente.
that rasps my nerves — **isso mexe-me com os** nervos.
raspberry ['rɑ:zbəri], *s.* framboesa; framboeseira, framboeseiro.
raspberry-bush (raspberry-cane) — framboeseira; **framboeseiro.**
to give somebody the raspberry — meter alguém a ridículo.
to blow somebody a raspberry (col.) — mandar alguém «à fava».
rasper ['rɑ:spə], *s.* ralador; raspador; pessoa maçadora, pessoa desagradável.
rasping ['rɑ:spiŋ], **1** — *s.* acção de raspar, ralar ou limar; limalha; ruído estridente, áspero.
2 — *adj.* irritante; áspero; que raspa.
a rasping voice — uma voz áspera.
raspy ['rɑ:spi], *adj.* áspero.
rat [ræt], **1** — *s.* ratazana; renegado; trânsfuga; desertor; operário que se recusa a fazer greve; operário que substitui um grevista; operário que trabalha por salário inferior ao estipulado pelo sindicato; (pol.) vira-casaca.
to smell a rat — ter uma suspeita; pressentir.
rat-trap — ratoeira.
like a drowned rat — **encharcado; a pingar.**
rats! — é incrível!; não acredites!
water-rat — rato-d'água.
rat-catcher — caçador de ratos; trajo de caça fora do vulgar.
as poor as a rat — muito pobre.
rat-gnawed — roído pelos ratos.
rat-tail — cauda de cavalo sem pêlos; cavalo com cauda sem pêlos.
rat-trap pedal — pedal de bicicleta com dentes.
to die like a rat in a hole — morrer como um rato.
sewer rat — rato dos esgotos.
she-rat — ratazana fêmea.
to have rats in the attic (col.) — ter macaquinhos no sótão.
to be caught like a rat in a trap — ser apanhado como um rato.

2 — *vt.* e *vi.* (pret. e pp. **ratted**) caçar ratos; recusar-se a entrar em greve; furar a greve; rebaixar os salários; (pol.) virar a casaca.
rat me if — macacos me mordam se.
rata ['reitə], *s.* (bot.) metrosidero, árvore da Nova Zelândia.
ratability [reitə'biliti], *s.* capacidade de ser avaliado ou taxado.
ratable ['reitəbl], *adj.* que se pode avaliar; tributável.
ratably [-i], *adv.* por avaliação; de modo tributável.
ratafia [rætə'fiə], *s.* ratafia.
ratal ['reitəl], *s.* importância atribuída como tributo individual.
ratan ['reitən], *s.* (bot.) rotim, espécie de cana-da-índia.
rataplan [rætə'plæn], *s.* rataplã, rataplão, toque de tambor.
ratatat ['rætə'tæt], *s.* truz-truz-truz.
to give a ratatat at the door — bater à porta.
ratch [rætʃ], 1 — *s.* cremalheira; tambor (de relógio); dente de engrenagem; roquete; dente de tambor (de relógio); linguete.
2 — *vt.* dotar de engrenagem dentada.
ratchet ['-it], *s.* e *vt.* ver **ratch.**
ratchet-wheel — roda de roquete.
ratchet-drill — broca de roquete.
ratchet-click — lingueta.
ratchet-operated mechanism — mecanismo movido a cremalheira.
ratchet-brace — roquete; arco de pua de roquete.
rate [reit], 1 — *s.* taxa; preço; valor; razão, relação, proporção; marcha, velocidade; ordem; medida, bitola; tarifa; ração; categoria; qualidade; imposto, contribuição local; variação diária de relógio; classe (de navio); modo, maneira; descompostura.
at any rate — de qualquer modo; custe o que custar; seja como for.
at that rate — por esse modo; por esse andar; por esse preço; em todo o caso.
birth-rate — **percentagem da natalidade.**
first-rate — de primeira classe; de primeira ordem; o melhor.
rate of exchange — taxa de câmbio.
death rate — percentagem da mortalidade.
at the rate of — à razão de.
gaining rate (náut.) — avanço.
rate of change of range — variação da distância por minuto.
rate of interest — taxa de juro.
to go at a good rate — ir depressa.
if you go on at that rate you will injure your health — se continuas dessa maneira, arruínas a saúde.
at a high rate — por alto preço.
at through rates — a tarifa inteira.
at the rate of 50 miles an hour — à velocidade de 50 milhas por hora.
pauperism increases at a fearful rate — a pobreza aumenta numa proporção assustadora.
rate-aided — ajudado pela Assistência.
rate-cutting — redução de tarifas.
rate-collector — cobrador de impostos locais.
rate of climb — velocidade ascensional.
rate of discount — taxa de desconto.
rate of heating — ritmo de aquecimento.
rate of fire — cadência de tiro.
rate of combustion — velocidade de combustão.
rate of speed — velocidade.
rate of wages — taxa de salários.
harbour rates — direitos de porto.
rate of oxidation — grau de oxidação.
marriage rate — taxa de nupcialidade.
birth rate — taxa de natalidade.
rate of work — ritmo de trabalho.
freight rate — frete marítimo.
pulse rate — frequência do pulso.
insurance rate — prémio de seguro.
second-rate — de segunda qualidade.
rate of flow — velocidade de circulação.
railway rates — tarifas ferroviárias.
2 — *vt.* taxar, avaliar; impor uma contribuição; fixar ou pôr preço em; classificar; regular; apreciar; estar avaliado em; estar no número de; repreender àsperamente; atribuir determinado posto ou categoria a; regular (relógio, cronómetro).
we are highly rated for education — pagamos a educação por alto preço.
I rate his fortune at £ 500,000 — **avalio a fortuna dele em quinhentas mil libras.**
why are you always rating at me? — porque é que estás sempre a repreender-me àsperamente?
to rate something high — ter alguma coisa em grande conta.
to rate something low — atribuir pouco valor a alguma coisa.
to rate somebody's merits high — achar que alguém tem grandes méritos.
to rate somebody among one's friends — considerar alguém seu amigo.
rateable ['-əbl], *adj.* ver **ratable.**
rated ['-id], *adj.* avaliado, calculado; taxado.
rated capacity — capacidade nominal.
rated frequency (elect.) — frequência nominal.
rated at — avaliado em.
rated speed — velocidade nominal.
rated ship — navio de alto bordo.
ratel ['-(ə)l], *s.* (zool.) ratel.
ratepayer ['-peiə], *s.* contribuinte.
rater ['-ə], *s.* avaliador.
rathe [reið], *adj.* (poét.) matinal; precoce.
rathe-ripe — temporão.
rather ['rɑːðə], *adv.* antes; algum tanto; um pouco; melhor; com mais razão; mais pròpriamente; talvez; por assim dizer; ao contrário; (coloq.) muito.
I would rather go than stay — eu preferia ir a ficar.
I had rather (I would rather) — eu preferia.
I am rather better today — hoje estou bastante melhor.
I rather think that — parece-me que.
the performance was rather a failure — o espectáculo foi, pode dizer-se, um fiasco.
the girl is rather like her aunt — a rapariga parece-se bastante com a tia.
rather too much — demasiado.
the rather that — tanto mais que.
I had rather not — preferia que não.
would you like to go home? — *Rather!* — **queres ir para casa? — Sem dúvida!**
he rather likes that — **ele gosta mas é disso.**
raticide ['rætisaid], *s.* raticida.
ratification [rætifi'keiʃən], *s.* ratificação; confirmação.
ratifier ['rætifaiə], *s.* ratificador; aquele que ratifica.
ratify ['rætifai], *vt.* ratificar; confirmar; **validar; aprovar. (*Sin.* to establish, to confirm, to sanction, to seal. *Ant.* to repudiate.)**
ratifying [-iŋ], 1 — *s.* acção de ratificar, de confirmar, de aprovar.
2 — *adj.* que ratifica, ratificador.
rating ['reitiŋ], *s.* classe; classificação; avaliação; repreensão; fixação de contribuições.
ratio ['reiʃiou], *s.* razão, proporção, relação; taxa.
ratio of dimensions — escala.
arithmetical ratio — razão aritmética.

ratio of pressure — taxa de pressão.
geometrical ratio — razão geométrica.
in direct ratio to — na razão directa de.
in inverse ratio to — na razão inversa de.
ratiocinate [ræti'ɔsineit], *vi.* raciocinar; raciocinar silogisticamente.
ratiocination [rætiɔsi'neiʃən], *s.* raciocínio.
ratiocinative [ræti'ɔsineitiv], *adj.* raciocinativo.
ration ['ræʃən], **1** — *s.* ração; *pl.* provisões, rações.
ration-card — senha de racionamento.
meat ration — ração de carne.
ration bread (mil.) — pão de munição.
ration book — caderneta de racionamento.
to be put on rations — ser posto a ração.
to be on short rations — estar a ração reduzida.
2 — *vt.* racionar; fixar ração a.
to ration out sugar — racionar o açúcar.
rational ['ræʃənl], **1** — *s.* ser racional; quantidade racional; *pl.* vestuário prático.
2 — *adj.* racional; razoável, justo; judicioso. (*Sin.* wise, reasoning, judicious, sensible, reasonable, just, equitable. *Ant.* insane, absurd.)
rational dress — trajo prático.
rational number (mat.) — número racional.
rational quantity (mat.) — quantidade racional.
rational horizon — horizonte racional.
rationale [ræʃiə'nɑ:li], *s.* análise racional; fundamentação lógica; (rar.) explicação com base.
rationalism ['ræʃnəlizm], *s.* racionalismo.
rationalist ['ræʃnəlist], *s.* e *adj.* racionalista.
rationalistic [ræʃnə'listik], *adj.* racionalista, referente ao racionalismo.
rationality [ræʃə'næliti], *s.* racionalidade; raciocínio.
rationalization [ræʃnəlai'zeiʃən], *s.* racionalização.
rationalize ['ræʃnəlaiz], *vt.* e *vi.* racionalizar; praticar o racionalismo; apresentar razões.
rationally ['ræʃnəli], *adv.* racionalmente; racionalisticamente.
rationing ['ræʃ(ə)niŋ], *s.* racionamento; acção de racionar.
Ratisbon ['rætizbɔn], *top.* Ratisbona, Regensburgo.
ratitae ['rætiti:], *s. pl.* ratitas, ratites, aves corredoras.
ratite ['rætait], *adj.* (zool.) ratita, ratite, corredora.
ratite bird — ave corredora.
ratlin ['rætlin], *s.* (náut.) enfrechate.
ratline ['rætliŋ], *s.* (náut.) ver **ratlin.**
ratling ['rætliŋ], *s.* (náut.) ver **ratlin.**
ratoon [rə'tu:n], **1** — *s.* rebento (de cana-de-açúcar depois de cortada).
2 — *vt.* e *vi.* deitar rebentos depois de cortada (cana-de-açúcar); cortar (cana-de-açúcar).
ratsbane ['rætsbein], *s.* raticida.
rattan [rə'tæn], *s.* (bot.) ver **ratan.**
rat-tat ['ræt'tæt], *s.* ver **ratatat.**
rat-tat-tat ['rætə'tæt], *s.* ver **ratatat.**
ratten ['rætən], *vt.* impedir de trabalhar em greve; sabotar maquinaria.
rattener [-ə], *s.* sabotador.
rattening [-iŋ], *s.* sabotagem em maquinaria.
ratter ['rætə], *s.* caçador de ratos; rateiro (cão); operário que não colabora numa greve ou que trabalha por salário inferior ao estipulado pelo sindicato; (pol.) vira-casacas.
ratting ['rætiŋ], *s.* acção de caçar ratos; abandono de partido político.
rattle [rætl], **1** — *s.* estrondo, barulho, algazarra; tagarelice, palavreado; falácia; ralho; matraca; ribombo; cega-rega; pessoa tagarela.
death-rattle — estertor da morte.
rattle-headed (rattle-brained, rattle-pated) — estouvado; leviano; cabeça-de-alho-chocho.
rattle-box — guizo de criança.
the rattle of thunder — o ribombar do trovão.
the rattle of a carriage — o rodar de uma carruagem.
the rattle of the machinery in the workshop — o ruído das máquinas na oficina.
the rattle of a drum — o rufar de um tambor.
2 — *vt.* e *vi.* fazer ressoar; fazer um ruído surdo; fazer algazarra; bater ou sacudir com ruído; ribombar; aturdir; vociferar; tagarelar; ressoar; matraquear; mover com ruído; agitar; excitar; assustar; atrapalhar (alguém); (náut.) enfrechar.
to rattle away — palrar sem cessar.
to rattle at the door — bater ruidosamente à porta.
the hail rattled against the window panes — o granizo batia fortemente nos vidros das janelas.
the cart rattled over the cobbled street — a carroça rodava ruidosamente pela rua calcetada.
to rattle off — partir com barulho (carruagem); dizer à pressa.
to be rattled by something — ficar abalado com qualquer coisa.
to rattle the dice — agitar os dados.
to rattle away (on, along) — continuar a tagarelar.
to get rattled — atrapalhar-se.
rattler [-ə], *s.* palrador; (col.) coisa admirável; pessoa admirável; cobra cascavel; coisa que faz barulho.
rattlesnake ['-sneik], *s.* cobra cascavel.
rattletrap ['-træp], **1** — *s.* coisa velha, traste; calhambeque; *pl.* miudezas, bugigangas.
2 — *adj.* muito velho; pouco firme.
rattling ['-iŋ], **1** — *s.* estrondo; rebuliço; ruído; som rouco.
2 — *adj.* ruidoso, estrondoso; vivo, alegre, animado; vigoroso; surpreendente; (col.) bom.
a rattling pace — um passo vigoroso.
to have a rattling time — divertir-se muitíssimo.
3 — *adv.* muito, extremamente.
a rattling good dinner — um jantar muitíssimo bom.
ratty ['ræti], *adj.* próprio de rato; semelhante a rato; cheio de ratos; esfarrapado; (col.) impertinente.
raucity ['rɔ:siti], *s.* rouquidão.
raucous ['rɔ:kəs], *adj.* rouco, roufenho; com voz rouca.
raucously [-li], *adv.* roucamente, roufenhamente.
raucousness [-nis], *s.* rouquidão, tom roufenho de voz.
raughty ['rɔ:ti], *adj.* (cal.) formidável, "bestial" muito divertido.
to have a raughty time (cal.) — divertir-se "à brava".
ravage ['rævidʒ], **1** — *s.* saque, pilhagem; devastação; destruição; *pl.* estragos.
2 — *vt.* e *vi.* saquear, roubar; assolar, devastar; destruir, arruinar; deteriorar.
ravager [-ə], *s.* saqueador; assolador.
ravaging [-iŋ], **1** — *s.* devastação, assolação.
2 — *adj.* assolador, devastador.
rave [reiv], **1** — *s.* delírio, desvario; frenesi.
2 — *vt.* e *vi.* delirar, tresvariar, disparatar; desesperar-se; encolerizar-se; afligir-se; (col.) gostar muito de; rugir, bramir. (*Sin.* to rage, to fume, to wander, to rant.)
the audience raved when the new violinist

appeared — a assistência delirou de entusiasmo quando o novo violinista apareceu.
to rave and storm — estar furioso.
to rave about — gostar muito de; delirar com.
to rave against (to rave at) — encolerizar-se contra.
ravel ['rævəl], **1** — *s.* enredo, emaranhado; complicação; confusão; fiapo.
2 — *vt.* e *vi.* (*pret.* e *pp.* **ravelled**) enredar, emaranhar; embrulhar; embaraçar; puir; desfazer; esclarecer.
to ravel out — destorcer-se; desmanchar; desfiar-se; desembrulhar-se.
ravelin ['rævlin], *s.* revelim, fortificação de duas faces, a formar ângulo saliente.
ravelled ['rævəld], *adj.* confuso, emaranhado.
the ravelled skein of life — a meada emaranhada da vida.
ravelling ['rævliŋ], *s.* acção de desfiar; fiapo de tecido.
raven 1 — [reivn], *s.* corvo.
raven-black — preto «asa de corvo».
2 — *adj.* negro e lustroso.
raven hair — cabelo preto «asa de corvo».
raven ['rævn], *vt.* e *vi.* apresar, rapinar; devorar; ser voraz.
to raven for — sentir um desejo devorador de.
to raven after — andar à procura de.
ravening [-iŋ], **1** — *s.* rapacidade; voracidade.
2 — *adj.* voraz, esfomeado; rapace; glutão. (*Sin.* voracious, hungry, greedy, gluttonous, rapacious. *Ant.* satiated.)
raveningly [-iŋli], *adv.* com rapacidade; vorazmente; esfomeadamente.
Ravenna [rə'venə], *top.* Ravena.
ravenous ['rævinəs], *adj.* voraz, esfomeado; rapace; glutão; devorador. (*Sin.* voracious, greedy, hungry, rapacious. *Ant.* satiated.)
ravenous hunger — fome devoradora.
ravenously [-li], *adv.* avidamente; vorazmente; sofregamente.
to be ravenously hungry — ter uma fome devoradora.
ravenousness [-nis], *s.* voracidade; rapacidade; glutonaria; fome devoradora.
ravin ['rævin], *s.* (poét.) rapina; presa.
beast of ravin — animal de rapina.
ravine [rə'vi:n], **1** — *s* . ravina; barranco; desfiladeiro.
2 — *vt.* formar uma ravina.
ravined [-d], *adj.* com ravina.
raving ['reiviŋ], **1** — *s.* desvario; devaneio; delírio.
2 — *adj.* delirante; furioso.
a raving lunatic — um doido furioso.
ravish ['rævi∫], *vt.* violar (mulher); encantar, arrebatar.
ravisher [-ə], *s.* violador, violentador (de mulher); aquele que rouba.
ravishing [-iŋ], **1** — *s.* acção de arrebatar, de encantar; violação (de mulher); encanto.
2 — *adj.* encantador, arrebatador.
ravishingly [-iŋli], *adv.* deliciosamente; com arrebatamento.
ravishment [-mənt], *s.* arrebatamento, êxtase, delírio, transporte; violação (de mulher); rapto; roubo.
raw [rɔ:], **1** — *s.* ferida, carne viva; ponto sensível, ponto fraco.
to touch somebody on the raw — tocar no ponto fraco de alguém.
2 — *adj.* cru; verde; esfolado, em carne viva; em bruto, não trabalhado; fresco; puro; novato, bisonho; agreste, frio, desabrido; frio e húmido; nevoento. (*Sin.* uncooked, unprepared, fresh, crude, unripe, unexperienced, unskilled, bare, exposed. *Ant.* cooked, finished.)
raw material — matéria-prima; material em bruto.
raw weather — tempo agreste, desabrido.
raw flesh — carne viva.
raw meat — carne crua.
raw silk — seda crua.
raw spirits — licores puros.
raw-boned — magro; ossudo.
raw coal — carvão em bruto.
raw linen — linho em rama.
raw hemp — cânhamo cru.
raw fish — peixe cru.
raw steel — aço bruto.
raw water — água natural.
raw fruit — fruta crua.
raw hand — novato; noviço.
raw wound — ferida a sangrar.
raw cotton — rama de algodão.
raw oil — óleo bruto.
my nerves are raw today — hoje tenho os nervos à flor da pele.
3 — *vt.* esfolar, pôr em carne viva.
rawhide ['rɔ:haid], *s.* couro verde; chicote feito de couro verde.
rawish ['rɔ:i∫], *adj.* um tanto cru, verde ou húmido; um tanto novato, inexperiente, bisonho.
rawness ['rɔ:nis], *s.* crueza; inexperiência; humidade; frialdade; escoriação.
ray [rei], **1** — *s.* raio (de luz, calor, etc.); linha recta; fila; risca; reflexo; (zool.) arraia, raia.
X-rays — raios X.
a ray of hope — um raio de esperança.
to have an X-Ray — tirar uma radiografia.
heat-rays — raios de calor.
ray of light — raio de luz.
visual ray — raio visual.
cosmic rays — raios cósmicos.
chemical rays — raios químicos.
ray-filter — filtro ortocromático (em fotografia).
spotted-ray — raia pintada.
2 — *vt.* e *vi.* irradiar, emitir raios; cintilar.
rayed [-d], *adj.* raiado, rajado.
rayless ['-lis], *adj.* sem raios.
raylet ['-lit], *s.* pequeno raio, raiozinho.
rayon ['reiɔn], *s.* seda artificial, seda vegetal.
rayonnant ['reiənənt], *adj.* refulgente; radiante.
raze [reiz], *vt.* ver **rase.**
razee [rə'zi:], **1** — *s.* barco ou navio raso.
2 — *vt.* reduzir um navio a menor grandeza ou porte.
razing ['reiziŋ], *s.* acção de arrasar ou demolir.
razor ['reizə], **1** — *s.* navalha de barba.
safety razor — máquina de barbear.
razor edge — fio de navalha.
razor-strop — assentador de navalhas.
to be on a razor-edge — estar à beira de um grande perigo.
2 — *vt.* (rar.) barbear com navalha.
razorbacked [-bækt], *adj.* com dorso em forma de lâmina.
razz [ræz], *vt.* (col.) meter-se com, arreliar.
razzer [-ə], *s.* arreliador.
razzia ['ræziə], *s.* razia; devastação; ataque com o intuito de fazer estragos ou destruir.
razzle-dazzle ['ræzdæzl], *s.* (col.) estonteamento; rebuliço; bródio; carrossel ondulante.
re [ri], **1** — *s.* (mús.) ré.
2 — *prep.* (jur.) com referência a; a respeito de.
reabsorb [riəb'sɔ:b], *vt.* reabsorver.
reabsorption [riəb'sɔ:p∫ən], *s.* reabsorção.
reaccuse [riə'kju:z], *vt.* voltar a acusar.
reaccustom [riə'kʌstəm], *vt.* reacostumar.
reach [ri:t∫], **1** — *s.* alcance; extensão; distância; poder; faculdade, capacidade; troço (de rio); desígnio, intenção; secção de canal

(*Sin.* extent, extension, stretch, expanse, scope, range, grasp.)
within reach — ao alcance.
within reach of one's hand — ao alcance da mão.
beyond the reach of — fora do alcance de.
out of reach — fora de alcance.
wide reach — de grande alcance.
no help was within reach — não havia auxílio possível.
reach of meadow — extensão de campos.
beyond the reach of human intellect — fora do alcance do entendimento humano.
reach of thought — agudeza de pensamento.
to make a reach for — estender a mão para.
it is not in my reach — está fora do meu alcance.
beyond reach of accident — ao abrigo de acidente.
beyond the reach of all suspicion — ao abrigo de toda a suspeita.
to be a person of deep reach — ser uma pessoa com agudeza de espírito.
2 — *vt.* e *vi.* alcançar, atingir, chegar a; tocar; estender; estirar; dar, passar; apanhar; agarrar; colher; conseguir; estender-se, alargar-se; penetrar; fazer esforços para vomitar; subir a.
to reach out one's hand — estender a mão.
to reach home — chegar a casa.
to reach the heart — tocar no coração.
to reach land (náut.) — chegar a terra.
your letter reached me this morning — a sua carta veio parar-me às mãos esta manhã.
my income will not reach to it — isto é superior às minhas posses.
to reach perfection — atingir a perfeição.
to reach one's ears — chegar aos ouvidos.
to reach the largest development — atingir o máximo desenvolvimento.
to reach an agreement — chegar a um acordo.
to reach out — estender.
to reach for something — procurar chegar a alguma coisa.
to reach somebody (E. U. col.) — subornar alguém.
to reach to — chegar a.
reach me the ink please! — por favor passe-me a tinta!
to reach forward — andar em busca de; ansiar por.
to reach (up to) the skies — chegar ao céu.
reachable [-əbl], *adj.* alcançável.
reach-me-down [-midaun], 1 — *s.* fato comprado feito.
2 — *adj.* (col.) já feito, sem ser por medida (fato).
reacquire [ri(:)ə'kwaiə], *vt.* readquirir.
react [ri(:)'ækt], *vi.* reagir; resistir; actuar contra; proceder novamente a; (mil.) contra-atacar.
to react upon — influir em.
to react to — reagir a.
to react against — reagir contra; resistir a.
re-act ['ri:'ækt], *vt.* (teat.) tornar a representar.
reactance [ri(:)'æktəns], *s.* (elect.) reactância.
reactance drop — queda da reactância.
reactance coil — bobina de reactância.
reactance voltage — voltagem de reactância.
reaction [ri(:)'ækʃən], *s.* reacção.
reaction•load — carga de reacção.
skin reaction — reacção cutânea.
reaction motor — motor de reacção.
action and reaction — acção e reacção.
reaction turbine — turbina de reacção.
reactionary [ri(:)'ækʃnəri], *s.* e *adj.* (pol.) reaccionário.
reactionist [ri(:)'ækʃ(ə)nist], *s.* e *adj.* ver **reactionary.**
reactivate [ri(:)'æktiveit], *vt.* reactivar.
reactive [ri(:)'æktiv], *adj.* reactivo; (pol.) reaccionário.
reactive circuit — circuito de reacção.
reactively [-li], *adv.* reactivamente; (pol.) reaccionariamente.
reactivity [ri(:)æk'tiviti], *s.* reactividade.
reactor [ri(:)'æktə], *s.* (elect.) reactor.
read [ri:d], 1 — *s.* acção de ler; leitura; período de leitura; tempo de leitura.
to have a long read — passar muito tempo a ler.
2 — *vt.* e *vi.* (*pret.* e *pp.* **read** [red]) ler; interpretar; compreender; descobrir; decifrar; estudar; aprender; dedicar-se à leitura ou ao estudo; conferenciar em público; saber (música); dizer (estar escrito ou impresso).
(*Sin.* to peruse, to decipher, to understand, to learn.)
to read aloud — ler em voz alta.
to read off hand — ler de corrida.
to read on — continuar a ler.
to read out — ler por alto.
to read over — ler de fio a pavio.
to read Law — estudar Direito.
to read proofs — corrigir provas tipográficas.
to read through — ler do princípio ao fim.
to read fluently — ler correntemente.
to read over again — reler; tornar a ler.
to read to oneself — ler para si.
the text reads thus — o texto diz assim.
how does that passage read? — como está escrito esse trecho?
to read somebody a lesson — admoestar alguém.
to read somebody to sleep — adormecer alguém, lendo.
it reads well — soa bem ao ouvido.
to read a dream — interpretar um sonho.
to read for the Bar — estudar Direito.
to read somebody's thoughts — ler os pensamentos de alguém.
to read between the lines — ler nas entrelinhas.
to read riddles — decifrar adivinhas.
to read oneself into a language — começar a aprender uma língua por meio da leitura.
to read from a book (to read out of a book) — ler de um livro.
to read somebody's hand — ler as linhas da mão de alguém.
to read the sky — (ast.) interpretar os astros; prever o estado do tempo.
to read the future — prever o futuro.
to read to somebody — ler a alguém.
to read up on a subject — estudar um assunto.
to read somebody like a book — ler no espírito de alguém como num livro aberto.
she does not read or write — ela não sabe ler nem escrever.
to read traffic signs — conhecer os sinais de trânsito.
the thermometer reads 30° — o termómetro marca 30°.
the play reads better than it acts — a peça agrada mais lida do que representada.
read [red], *adj.* (*pret.* e *pp.* de **to read**) versado, instruído.
well-read — lido, versado, instruído, culto, erudito.
he is well-read in history — é erudito em história.
readability [ri:də'biliti], *s.* leitura amena; legibilidade.
readable ['ri:dəbl], *adj.* de leitura interessante, amena; legível.
a readable book — um livro interessante.
a readable handwriting — uma caligrafia legível.
readableness [-nis], *s.* ver **readability.**

readdress ['ri:ə'dress], *vt.* pôr novo endereço em.
reader ['ri:də], *s.* leitor; declamador; leitor (em universidade); leitor (igreja); revisor de provas tipográficas; livro de leitura.
to be a great reader — ler muito.
not to be much of a reader — não gostar muito de ler.
proof-reader — revisor de provas tipográficas.
readership [-ʃip], *s.* cargo de leitor de universidade ou de igreja.
readily ['redili], *adv.* prontamente, imediatamente; com prazer, de bom grado, de boa vontade; sem custo.
readiness ['redinis], *s.* prontidão, presteza; boa vontade; disposição; vivacidade; desembaraço; facilidade.
readiness of speech — facilidade em falar.
readiness of wit — viveza, vivacidade de espírito.
all is in readiness — tudo está preparado.
reading ['ri:diŋ], **1** — *s.* leitura; lição; estudo; leitura de um projecto de lei; conferência; legenda; interpretação de um texto; revisão; solução de um enigma; cifra; variante, glosa; interpretação de um papel (em teatro); cultura literária; indicação (dada por instrumento).
a man of wide reading — um homem muito lido.
reading-desk — estante (de coro).
dull reading — leitura maçadora.
reading-room — gabinete de leitura.
reading lamp — candeeiro para ler.
the reading of the facts — a interpretação dos factos.
2 — *adj.* que lê; estudioso; referente a leitura.
the reading public — o público ledor.
a reading person — uma pessoa muito lida.
readjourn [ri(:)ə'dʒə:n], *vt.* adiar de novo.
readjournment [-mənt], *s.* novo adiamento.
readjust ['ri:ə'dʒʌst], *vt.* ajustar de novo; arranjar novamente; compor.
readjustment [-mənt], *s.* novo acordo; nova conciliação.
readmission ['ri:əd'miʃən], *s.* readmissão; reintegração.
readmit ['ri:əd'mit], *vt.* readmitir; reintegrar.
readmittance [-əns], *s.* readmissão.
readopt ['ri:ə'dɔpt], *vt.* readoptar.
readoption ['ri:ə'dɔpʃən], *s.* readopção.
ready ['redi], **1** — *s.* (col.) dinheiro de contado; (mil.) posição de aprontar a espingarda.
the ready — o dinheiro de contado.
at the ready (mil.) — pronto a disparar.
2 — *adj.* pronto; imediato; preparado, prevenido; disposto, inclinado; vivo, lesto; ágil, ligeiro; expedito; à mão, fácil, ao alcance, curto, breve; safo; disponível; útil.
ready money — dinheiro de contado; fundos disponíveis.
ready to find fault — inclinado a apontar faltas.
ready to start a fight — (col.) com duas pedras na mão.
to make ready — preparar; preparar-se.
ready payment — pagamento imediato.
to get ready — preparar-se; estar pronto.
ready at hand — pronto; ao alcance da mão.
ready to please — pronto a agradar.
to be very ready at excuses — desculpar-se prontamente.
to give ready consent — dar consentimento imediato.
ready for action — a postos de combate.
ready for sea (náut.) — pronto a largar.
ready capital — capital circulante.
ready-to-wear — pronto a vestir.
ready-to-eat (E. U.) — pronto a servir.
a ready-speaker — pessoa que tem facilidade em falar.
a ready way to do something — uma maneira fácil de fazer alguma coisa.
ready? go! (desp.) — estão prontos? partir!
to be ready for anything — estar pronto para tudo.
3 — *adv.* prontamente, pronto; previamente.
ready-made clothes — roupas prontas a vestir.
ready-made ideas — ideias sem originalidade.
ready-made shop — loja que vende roupas prontas a vestir.
a ready-built house — uma casa pré-fabricada.
ready-witted — com vivacidade de espírito.
4 — *vt.* preparar, aprontar.
reaffirm ['ri:ə'fə:m], *vt.* reafirmar.
reaffirmation [ri:əfə'meiʃən], *s.* reafirmação.
reafforest [ri:ə'fɔrist], *vt.* repovoar com árvores, rearborizar.
reafforestation [ri:əfɔris'teiʃən], *s.* rearborização.
reagent [ri(:)'eidʒənt], *s.* (quím.) reagente.
real **1** — ['riəl], *s.* realidade, real.
the real and the ideal — o real e o ideal.
2 — *adj.* real, verdadeiro; genuíno; sincero; positivo, efectivo; (fil.) real; (jur.) imobiliário.
real property (real estate) — bens de raiz, bens imobiliários.
real life — a vida real.
who is the real manager? — quem é o verdadeiro gerente?
real flower — flor verdadeira, não artificial.
real silk — seda autêntica, seda natural.
the real world — o mundo real.
he is a real man — ele é um verdadeiro homem.
3 — *adv.* realmente, verdadeiramente.
I should like a real fine day — gostava de um dia bonito a valer.
real [rei'ɑ:l], *s.* real (antiga moeda de prata de alguns países).
realism ['riəlizm], *s.* realismo.
realist ['riəlist], *s.* e *adj.* realista.
realistic [riə'listik], *adj.* realista.
realistically [-əli], *adv.* realisticamente, de modo realista.
reality [ri(:)'æliti], *s.* realidade; objectividade.
in reality — na realidade, na verdade.
realizable ['riəlaizəbl], *adj.* realizável; imaginável; convertível em dinheiro.
realization [riəlai'zeiʃən], *s.* realização; concepção; compreensão; conversão em dinheiro.
realize ['riəlaiz], *vt.* realizar, transformar em realidade; verificar; compreender; efectuar, levar a cabo; cumprir; converter em dinheiro. (*Sin.* to understand, to feel, to conceive, to convert.)
to realize the drift — compreender o sentido (de uma alusão).
these details help to realize the scene — estes pormenores ajudam a dar realidade à cena.
to realize one's hopes — ver as suas esperanças transformadas em realidade.
realizer [-ə], *s.* aquele que realiza capitais.
realizing [-iŋ], *s.* realização; acção de compreender, de realizar (capital).
really ['riəli], *adv.* realmente, efectivamente; verdadeiramente, na verdade, com efeito.
he is coming next week. — Really? — ele vem na próxima semana. — Deveras?
is that really so? — isso é verdade?
did he really come? — é verdade que ele veio?
realm [relm], *s.* (poét., jur.) reino; domínio; região; estado.
the Peers of the Realm — os Pares do Reino.
the realms of fancy — o reino da fantasia.

realty ['riəlti], *s.* (jur.) bens de raiz, bens imobiliários.
ream [ri:m], **1** — *s.* resma (480 ou 500 folhas de papel).
printer's ream — resma de 516 folhas.
ream of paper — resma de papel.
2 — *vt.* mandrilar, alargar um furo; (náut.) alargar costura antes de calafetar.
reamer ['-ə], *s.* mandril, escareador.
reamer shaft — eixo escareador.
reamer holder — porta-mandril; porta-escareador.
reaming ['-iŋ], *s.* acção de escarear.
reanimate [ri:'ænimeit], *vt.* reanimar.
reanimation [ri:æni'meiʃən], *s.* reanimação.
reanneal [ri:ə'ni:l], *vt.* recozer de novo (metal).
reannex ['ri:ə'neks], *vt.* reanexar.
reannexation [ri:ænek'seiʃən], *s.* reanexação.
reap [ri:p], *vt.* e *vi.* segar, ceifar; tirar proveito de; colher, fazer a colheita. (*Sin.* to gather, to obtain, to get, to gain, to receive. *Ant.* to sow.)
to reap the fruits of one's labours — colher o fruto do seu trabalho.
to reap where one has not sown — tirar proveito do trabalho dos outros.
to reap a field — ceifar um campo.
he who sows the wind shall reap the whirlwind — quem semeia ventos colhe tempestades.
we reap as we sow — assim como se semeia assim se colhe.
to reap benefit from — tirar proveito de.
reaper ['-ə], *s.* ceifeiro, segador; segadeira mecânica.
the Reaper — a Morte.
reaping ['-iŋ], *s.* acção de segar; ceifa, colheita.
reaping-hook — foice, foicinha.
reaping-machine — ceifeira mecânica.
reaping-time — tempo de ceifa.
reappear ['ri:ə'piə], *vi.* reaparecer.
reappearance [-rəns], *s.* reaparecimento.
re-apply ['ri:ə'plai], *vt.* tornar a aplicar.
re-appoint ['ri:ə'pɔint], *vt.* nomear de novo; reconduzir.
reappointment [-mənt], *s.* nova nomeação; recondução.
rear [riə], **1** — *s.* retaguarda; parte traseira; fundo; cauda; (col.) retrete.
to bring up the rear — fechar a marcha.
to be in the rear — estar na retaguarda.
rear-rank — última fileira.
on the rear — ao revés.
rear-ship — navio cerra-fila.
rear bumper — pára-choques traseiro.
rear finder — visor posterior.
rear-light (ant.) — farol traseiro.
rear-admiral — contra-almirante.
rear suspension — suspensão traseira.
rear compartment (aut.) — mala de trás.
rear propeller — hélice traseira.
rear view mirror — (espelho) retrovisor.
rear-guard (mil.) — retaguarda.
rear sight — alça de mira.
rear wheel — roda traseira.
to bring up the rear — vir na retaguarda.
to attack in the rear — atacar pela retaguarda.
2 — *vt.* e *vi.* levantar; exaltar; elevar; engrandecer; erigir; construir; criar; educar; empinar-se (cavalo).
to rear a cathedral — erigir uma catedral.
to rear one's head — levantar a cabeça.
to rear one's voice — levantar a voz.
the horse reared suddenly and threw its rider o cavalo empinou-se subitamente e deitou o cavaleiro abaixo.
to rear cattle — criar gado.
we were reared in Scotland — fomos educados na Escócia.

rearer ['-rə], *s.* cavalo que se empina; criador (de animais).
rearing ['-riŋ], *s.* acção de educar, de criar, de cultivar; construção (de edifício, etc.); empinamento (de cavalo).
rearing of children — puericultura.
rearm ['ri:ɑ:m], *vt.* rearmar.
rearmament [ri:'ɑ:məmənt], *s.* rearmamento.
rearmost ['ri:əmoust], *adj.* último, da retaguarda.
re-arrange ['ri:ə'reindʒ], *vt.* tornar a arranjar.
re-arrangement [-mənt], *s.* novo arranjo; acção de arranjar de novo.
rearward ['riəwəd], **1** — *s.* (mil.) retaguarda.
in the rearward — na retaguarda.
2 — *adj.* à retaguarda.
3 — *adv.* pela retaguarda; em direcção à retaguarda.
rearwards [-z], *adv.* pela retaguarda; em direcção à retaguarda.
reascend ['ri:ə'send], *vt.* e *vi.* tornar a subir.
reason [ri:zn], **1** — *s.* razão, entendimento; motivo, causa, justificação; prova, argumento; direito, justiça; intuição; princípio; moderação; sensatez.
for that very reason — por essa mesma razão.
by reason of — por causa de; em razão de.
for no reason — sem motivo.
the reason why — a razão por que.
in reason — com direito; em boa justiça.
for what reason? — por que razão?
to bring to reason — chamar à razão.
to yield to reason — ceder à razão.
to listen to reason — dar ouvidos à razão.
it stands to reason — é justo; é lógico.
neither rhyme nor reason — sem tom nem som.
he complains with reason — ele queixa-se com razão.
he has lost his reason — ele perdeu o juízo.
for some reason or other — por qualquer motivo.
for reasons of State — por razões de Estado.
to bring somebody to reason — chamar alguém à razão.
for the same reason — pelo mesmo motivo.
to have reason (arc.) — ter razão.
to give some reason — apresentar algum motivo.
to stand to reason that — ser evidente que.
a woman's reason — uma razão que não é razão.
to listen to reason — ser razoável.
to cost somebody a sum out of all reason — ser muitíssimo caro.
2 — *vt.* e *vi.* raciocinar; disputar; debater; discorrer; discutir; provar, arguir; deduzir; persuadir; examinar; dissuadir. (*Sin.* to argue, to dispute, to debate, to consider.)
to reason somebody out of something — dissuadir alguém de alguma coisa.
to reason down — fazer calar com razões.
to reason with somebody — discutir com alguém.
to reason in a circle — raciocinar num círculo vicioso.
reasonable ['-əbl], *adj.* razoável; racional; equitativo; moderado, módico; justo; regular; mediano; tolerável.
to be reasonable — ser razoável.
a reasonable price — um preço razoável.
reasonableness ['-əblnis], *s.* racionalidade; equidade; justiça; moderação; razão.
reasonably ['-əbli], *adv.* razoavelmente; racionalmente; moderadamente.
reasoned ['-d], *adj.* razoável; racional; lógico.
reasoner ['-ə], *s.* aquele que raciocina ou argumenta.

reasoning ['-iŋ], 1 — *s.* raciocínio; argumento, argumentação.
2 — *adj.* que raciocina; que argumenta.
reasonless ['-lis], *adj.* sem razão; sem senso comum.
reassemble ['ri:ə'sembl], *vt.* e *vi.* reunir novamente; (mec.) voltar a montar; tornar a juntar.
reassembling [-iŋ], *s.* (mec.) acto de voltar a montar.
reassembly [-i], *s.* reabertura (do Parlamento).
reassert ['ri:ə'sə:t], *vt.* reafirmar.
reassess [ri:ə'ses], *vt.* avaliar novamente; sujeitar a novas taxas, a novos impostos.
reassessment [-mənt], *s.* nova avaliação; nova taxa, novo imposto.
reassume [ri:ə'sju:m], *vt.* reassumir.
reassurance [ri:ə'ʃuərəns], *s.* resseguro (contra riscos); certeza estabelecida; nova garantia.
reassure [ri:ə'ʃuə], *vt.* ressegurar (contra riscos); tranquilizar; reassegurar.
reassuring [-riŋ], *adj.* tranquilizador, animador.
reassuringly [-riŋli], *adv.* tranquilizadoramente, animadoramente.
re-attach ['ri:ə'tætʃ], *vt.* voltar a prender; voltar a unir.
reave [ri:v], *vt.* e *vi.* (arc. poét. *pret.* e *pp.* **reft**) saquear, assaltar, roubar.
reaver ['-ə], *s.* (arc. poét.) saqueador, salteador, ladrão.
reaving ['-iŋ], *s.* saque, roubo.
reawaken [ri:ə'weikən], *vt.* e *vi.* despertar de novo; reanimar-se.
re-bale [ri:'beil], *vt.* enviar em fardos.
rebaptism [ri:'bæptizm], *s.* rebaptismo.
rebaptize [ri:bæp'taiz], *vt.* rebaptizar.
rebaque [ri:'beik], *vt.* recozer.
rebate 1 — ['ri:beit], *s.* desconto, abatimento (de preço); estria.
2 — [ri'beit], *vt.* (arc.) amortecer; reduzir.
3 — ['ræbit], *s.* e *vt.* ver **rabbet.**
rebatement ['ræbitmənt], *s.* estria.
Rebecca [ri'bekə], *n. p.* Rebeca.
rebeck ['ri:bek], *s.* (mús.) rabeca (da Idade Média).
rebel 1 — ['rebl], *s.* rebelde, revoltoso, insurrecto.
the rebel army — as tropas rebeldes.
2 — [ri'bel, rə'bel], *vi.* (*pret.* e *pp.* **rebelled**) revoltar-se, sublevar-se, insurgir-se.
to rebel against — revoltar-se contra.
rebellion [ri'beljən], *s.* rebelião, sublevação, insurreição, revolta.
the Great Rebellion — período da História inglesa de 1642 a 1660.
rebellious [ri'beljəs], *adj.* rebelde; revoltado, sublevado; (med.) que resiste aos tratamentos.
rebellious act — acto de rebelião.
rebelliously [-li], *adv.* com rebeldia, de modo rebelde.
rebelliousness [-nis], *s.* insubordinação, rebelião, sublevação.
rebind ['ri:'baind], *vt.* (*pret.* e *pp.* **rebound**) reencadernar; voltar a atar.
rebinding [-iŋ], *s.* reencadernação; acção de voltar a atar.
rebirth ['ri:'bə:θ], *s.* renascimento.
reboant [ri:'bouənt], *adj.* (poét.) retumbante.
reboil [ri:'bɔil], 1 — *s.* aparecimento de bolhas, no interior da massa fundida do vidro, quando parecia que já não existiriam.
2 — *vt.* e *vi.* recozer, referver.
rebore [ri:'bɔ:], *vt.* voltar a furar, voltar a mandrilar.
reboring ['riŋ], *s.* acção de voltar a furar, de voltar a mandrilar.
rebottle [ri:'bɔtl], *vt.* voltar a engarrafar.
rebound ['ri:'baund], *pret.* e *pp.* de **to rebind.**
rebound 1—[ri'baund], *s.* ressalto, repercussão; reação depois de qualquer estado emocional.
to hit on the rebound — atingir a altura do ressalto.
to take somebody on (at) the rebound — aproveitar-se da reacção de alguém.
2 — *vi.* repercutir, ecoar, ressoar; ressaltar.
rebounding [-iŋ], 1 — *s.* acção de ressaltar.
2 — *adj.* que ressalta.
re-box [ri:'bɔks], *vt.* meter de novo em caixas.
rebuff [ri'bʌf], 1 — *s.* desaire; repulsa; recusa; mau acolhimento; resistência; decepção; dissabor.
to meet with a rebuff — sofrer um dissabor.
2 — *vt.* repelir; rejeitar; recusar.
rebuild [ri'bild], *vt.* (*pret.* e *pp.* **rebuilt**) reconstruir, reedificar; refazer.
rebuilder [-ə], *s.* reconstrutor.
rebuilding [-iŋ], *s.* reconstrução, reedificação.
rebuilt ['ri:bilt], *pret.* e *pp.* de **to rebuild.**
rebuke [ri'bjuk], 1 — *s.* repreenção, censura, descompostura. (*Sin.* reproof, reprimand, remonstrance, chiding.)
to administer a rebuke — dar uma descompostura.
2 — *vt.* increpar; repreender, censurar; exprobrar; reduzir ao silêncio.
alguém por alguma coisa.
alguma coisa a alguém.
rebuker [-ə], *s.* aquele que censura, que repreende.
rebuking [-iŋ], 1 — *s.* acção de censurar, de repreender.
2 — *adj.* repreensivo, de censura.
rebukingly [-iŋli], *adv.* com censura.
reburn [ri:'bə:n], *vt.* recozer.
reburning [-iŋ], *s.* recozimento.
reburnish [-iʃ], *vt.* voltar a polir, repolir.
reburnishing [-iʃiŋ], *s.* acção de repolir, repolimento.
rebury [ri:'beri], *vt.* voltar a enterrar.
rebus ['ri:bəs], *s.* rebus; logogrifo; enigma figurado.
rebut [ri'bʌt], *vt.* (*pret.* e *pp.* **rebutted**) rebater, refutar, contradizer; (jur.) apresentar provas contrárias convincentes.
rebutting evidence — prova contrária.
rebutment [-mənt], *s.* refutação; rejeição.
rebuttal [-l], *s.* ver **rebutment.**
rebutter [-ə], *s.* refutação; (jur.) tréplica.
recalcitrance [ri'kælsitrəns], *s.* recalcitrância, teimosia, obstinação.
recalcitrant [ri'kælsitrənt], *adj.* recalcitrante, teimoso, obstinado; indisciplinado. (*Sin.* refractory, opposing, stubborn. *Ant.* amenable.)
recalcitrate [ri'kælsitreit], *vi.* recalcitrar; desobedecer; ser indisciplinado.
recalculate [ri'kælkjuleit], *vi.* tomar a calcular.
recalculating [-iŋ], *s.* acção de tornar a calcular.
recalculation [rikælkju'leiʃən], *s.* recalculação.
recalesce [ri:kə'les], *vi.* mostrar recalescência (metal).
recalescence [ri:kə'lesns], *s.* recalescência.
recalescent [ri:kə'lesnt], *adj.* recalescente.
recall [ri'kɔ:l], 1 — *s.* novo chamamento; aviso de chamada; toque a reunir; revogação; demissão; sinal a navio para regressar.
beyond recall (past recall) — irrevogável; esquecido.
to sound the recall (mil.) — tocar a reunir.
2 — *vt.* chamar de novo; relembrar; revogar, anular; tocar a reunir; destituir de um cargo; ressuscitar.

to recall an ambassador — retirar um embaixador da sua missão.
to recall one's word — retirar a palavra.
recallable [-əbl], *adj.* que pode ser evocado; revogável, anulável.
recaller [-ə], *s.* aquele que evoca ou recorda.
recalling [-iŋ], *s.* acção de evocar; acção de revogar ou anular.
recant [ri'kænt], *vt.* e *vi.* retractar-se, desdizer-se; renegar, repudiar.
recanting [-iŋ], **1** — *s.* acção de se retractar ou desdizer.
2 — *adj.* que se retracta ou desdiz.
recap [ri:'kæp], **1** — *s.* pneumático rechapado ou recauchutado.
2 — *vt.* (*pret.* e *pp.* **recapped**) rechapar ou recauchutar (pneumático).
recapitulate [ri:kə'pitjuleit], *vt.* recapitular; repetir resumidamente.
recapitulation ['ri:kəpitju'leiʃən], *s.* recapitulação.
recapitulative [ri:kə'pitjulətiv], *adj.* recapitulativo.
recapitulatory [ri:kə'pitjulətəri], *adj.* recapitulatório.
recaption [ri:'kæpʃən], *s.* (jur.) acção de reaver os seus bens.
recapture ['ri:'kæptʃə], **1** — *s.* recaptura.
2 — *vt.* recapturar.
recarry [ri:'kæri], *vt.* tornar a levar.
recast ['ri:'kɑ:st], **1** — *s.* remodelação, reforma; refundição; novo cálculo; (teat.) nova distribuição de papéis.
2—*vt.* (*pret.* e *pp.* **recast**) remodelar, reformar; refundir; tornar a calcular; arremessar de novo; (teat.) fazer nova distribuição de papéis.
recaster [-ə], *s.* aquele que remodela, refunde ou retoca.
recasting [-iŋ], *s.* acção de remodelar, de refundir, de retocar, de fazer nova distribuição de papéis.
recede [ri(:)'si:d], *vt.* e *vi.* retroceder, recuar; retirar-se; desistir; desdizer-se; desviar-se; tornar atrás; apartar-se; esbater-se na memória; diminuir de valor. (*Sin.* to retreat, to withdraw, to ebb. *Ant.* to advance.)
to recede from an agreement — fugir ao combinado.
to recede into the background — passar a segundo plano; perder importância.
receding [-iŋ], **1** — *s.* retrocesso, recuo; afastamento; acção de se desdizer.
2 — *adj.* que se afasta.
receding tide — maré vazante.
receding chin — queixo recolhido (metido para dentro).
receipt [ri'si:t], **2** — *s.* recibo, quitação; recebimento; recepção; receita (culinária, medicina, comercial); fórmula; *pl.* receitas, entradas.
receipts and outgoings — entradas e saídas; receitas e despesas.
receipt stamp — selo de recibo.
to be in receipt (com.) — estar de posse de.
to acknowledge the receipt — acusar a recepção.
to give a receipt for — passar recibo de.
double receipt — recibo em duplicado.
receipt of goods — recepção de mercadorias.
on previous production of the receipt — contra-recibo.
receipt-book — registo de receitas; livro de receitas (culinária).
receipts and expenses — receitas e despesas.
receipt in full — recibo do total.
to pay on receipt — pagar após a recepção.
I am in receipt of your letter — estou de posse da sua carta.
to write out a receipt — passar um recibo.
2 — *vt.* passar recibo de; pôr o sinal de recebido em.
receivable [ri'si:vəbl], *adj.* aceitável; a receber.
bills receivable — contas a receber.
receive [ri'si:v], *vt.* e *vi.* receber; tomar; aceitar; hospedar; acolher; cobrar; admitir; aprovar; conter; compartilhar; admitir.
to receive a person kindly — receber uma pessoa amavelmente.
to receive a letter — receber uma carta.
to receive orders to march — receber ordens para marchar.
to receive a disappointment — apanhar uma desilusão.
to receive a station (rád.) — captar uma estação.
to receive a petition — aceitar uma petição.
to receive two months — apanhar dois meses de cadeia.
to receive a good education — receber uma boa educação.
he that receiveth me receiveth him that sent me — aquele que me recebe, recebe aquele que me enviou (Bíblia).
to receive of the fruits of the earth — compartilhar dos frutos da terra.
to receive one's salary — receber o salário.
to receive the holy communion — receber a sagrada comunhão.
receiver [-ə], *s.* aquele que recebe; destinatário; cobrador; recebedor; recipiente; receptador; depositário; auscultador (de telefone); rádio; tesoureiro.
to hang up the receiver — pôr o auscultador no descanso (telefone).
receiver's office — recebedoria.
receiver telephone — telefone receptor.
to lift the receiver — levantar o auscultador.
receiver antenna — antena de rádio.
receivership [-əʃip], *s.* cargo ou funções de recebedor; recebedoria.
receiving [-iŋ], **1** — *s.* recepção; acção de receber; receptação.
receiving of stolen goods — receptação de coisas roubadas.
2 — *adj.* receptor; que recebe.
receiving set — aparelho receptor (rádio).
receiving station — posto receptor (rádio).
receiving ship — navio-depósito.
recency ['ri:snsi], *s.* novidade; qualidade do que é recente.
recense [ri'sens], *vt.* fazer a recensão de.
recension [ri'senʃən], *s.* revisão, exame; lista, enumeração.
recent ['ri:snt], *adj.* recente; novo; fresco; moderno. (*Sin.* modern, late, new, novel, fresh, latter. *Ant.* ancient.)
recent additions — aquisições recentes.
recent news — notícias recentes.
recently [-li], *adv.* recentemente, há pouco.
as recently as yesterday — ainda ontem.
recentness [-nis], *s.* ver **recency.**
receptacle [ri'septəkl], *s.* receptáculo; recipiente; (bot.) receptáculo; (elect.) porta-lâmpada.
reception [ri'sepʃən], *s.* recepção; recebimento; acolhimento; audiência; captação (rádio). (*Sin.* welcome, entertainment, party, admission, greeting. *Ant.* rejection.)
reception-room — sala de recepção.
warm reception — recepção entusiástica.
the book had a favourable reception — o livro foi muito bem acolhido.
reception office — sala de recepção dos hóspedes (em hotel).
reception order — autorização para internar doente mental.
to hold a reception — dar uma recepção

receptionist [-ist], *s.* funcionário encarregado da recepção de hóspedes (em hotel).
receptive [ri'septiv], *adj.* receptivo; impressionável.
a receptive mind — um espírito receptivo.
receptively [-li], *adv.* receptivamente.
receptiveness [-nis], *s.* receptividade.
receptivity [risep'tiviti], *s.* ver **receptiveness.**
receptor [ri'septə], *s.* receptor; radiorreceptor.
recess [ri'ses], **1** — *s.* nicho, esconderijo; retiro; recesso, reclusão; lugar apartado; retirada; suspensão (de trabalho); férias parlamentares; férias jurídicas; recreio (entre aulas); rebaixo; encaixe.
in the inmost recesses of the heart — no recôndito do coração.
2 — *vt.* pôr em nicho; fazer um nicho na parede; fazer um intervalo para descansar.
recessed [-t], *adj.* colocado em recesso; com recesso.
recessing [-iŋ], *s.* encaixe; acção de abrir recesso em.
recession [ri'seʃən], *s.* recesso; retirada; renúncia; desistência; restituição.
recessional [ri'seʃnəl], **1** — *s.* (ecl.) hino entoado pelo celebrante ao regressar à sacristia.
2 — *adj.* que designa o hino entoado pelo celebrante ao regressar à sacristia; referente a férias parlamentares.
recessive [ri'sesiv], *adj.* (biol.) recessivo; que recua, que retrocede.
recharge [ri:'tʃɑ:dʒ], *vt.* voltar a carregar; voltar a acusar.
rechargeable [-əbl], *adj.* que pode voltar a carregar-se.
rechristen ['ri:'krisn], *vt.* rebaptizar.
recidivism [ri'sidivizm], *s.* reincidência no crime.
recidivist [ri'sidivist], *s.* recidivista, criminoso reincidente.
recipe ['resipi], *s.* receita médica; receita culinária; processo para fazer qualquer coisa.
recipiency [ri'sipiənsi], *s.* receptividade.
recipient [ri'sipiənt], **1** — *s.* beneficiário; recebedor; (quím.) recipiente.
2 — *adj.* que recebe.
reciprocal [ri'siprəkəl], **1** — *s.* recíproca (lógica, etc.).
2 — *adj.* recíproco; mútuo; permutável; alternativo; (mat.) recíproco.
reciprocal table — tabela de recíprocas.
reciprocal pronoun — pronome recíproco.
reciprocal ratio (mat.) — razão inversa.
reciprocal action — acção recíproca.
reciprocally [-i], *adv.* reciprocamente, mutuamente.
reciprocalness [-nis], *s.* reciprocidade; mútua correspondência.
reciprocate [ri'siprəkeit], *vt.* e *vi.* reciprocar; corresponder; alternar; permutar; retribuir; oscilar; produzir movimento de vaivém. (*Sin.* to interchange, to alternate, to requite, to exchange.)
reciprocating [-iŋ], **1** — *s.* acto de reciprocar.
2 — *adj.* recíproco, mútuo; alternativo; de vaivém.
reciprocating motion — movimento de vaivém.
reciprocating saw — serra com movimento de vaivém.
reciprocation [risiprə'keiʃən], *s.* reciprocidade; reciprocação; alternação; correspondência mútua; movimento de vaivém.
reciprocator [ri'siprəkeitə], *s.* motor de duplo efeito.
reciprocity [resi'prɔsiti], *s.* reciprocidade.
recital [ri'saitl], *s.* narração, exposição, relação; récita; recitação; (mús.) recital.
recitation [resi'teiʃən], *s.* recitação, declamação.
recitative [resitə'ti:v], **1** — *s.* (mús.) recitativo; canto recitado.
2 — *vt.* e *vi.* (mús.) executar em recitativo.
recite [ri'sait], *vt.* recitar, declamar; narrar; citar, referir; contar; (jur.) relatar (circunstâncias, factos).
reciter [-ə], *s.* declamador, recitador; narrador; colectânea de recitativos.
reck [rek], *vt.* e *vi.* (poét. só usado na negativa e interrogativa) fazer caso de, importar-se com; inquietar-se; imaginar.
it recks me not — pouco me importa.
what recks me that ...? — que me importa a mim que ...?
reckless [-lis], *adj.* descuidado, negligente; indiferente; doidivanas, estouvado; esbanjador; temerário; precipitado. (*Sin.* careless, regardless, foolhardy, rash, imprudent. *Ant.* cautious.)
reckless of danger — indiferente ao perigo.
recklessly [-lisli], *adv.* indiferentemente; ousadamente; descuidadamente.
recklessness [-lisnis], *s.* indiferença; negligência; incúria; temeridade.
reckon ['rekən], *vt.* e *vi.* contar, numerar; calcular; computar; avaliar, estimar; supor, crer; considerar; (náut.) cartear milhas.
to reckon on (upon) — contar com; confiar em.
to reckon up — adicionar; somar.
to reckon with — ajustar contas com.
to be reckoned a clever person — ser considerado pessoa esperta.
to reckon without one's host — calcular mal as dificuldades.
to have a score to reckon — ter contas a fazer.
he reckoned on being free by 5 o'clock — ele calculava estar livre pelas 5 horas.
to reckon in — incluir.
reckoner [-ə], *s.* calculador, calculista; livro de contas.
to be an accurate reckoner — ser um bom calculador.
ready-reckoner — livro de contas já feitas.
reckoning [-iŋ], *s.* conta, cálculo; conta de gastos; caminho; ponto estimado; ajuste de contas; (náut.) cálculo da derrota. (*Sin.* calculation, estimate, account, bill, charge.)
the day of reckoning — o dia do Juízo Final.
to be out in one's reckoning — enganar-se na conta; errar o cálculo.
we are reckoning upon your valuable help — contamos com o seu valioso auxílio.
reckoning-book — livro de contas.
short reckonings make long friends — as boas contas fazem os bons amigos.
to pay the reckoning — pagar a conta.
to the best of my reckoning — se não me engano.
reclaim [ri'kleim], **1** — *s.* (rar.) correcção, emenda.
past reclaim (beyond reclaim) — incorrigível.
2 — *vt.* e *vi.* reclamar, reivindicar; reformar; moralizar; cultivar, arrotear.
to reclaim lands — arrotear terras.
to reclaim against — reclamar contra.
reclaimed woman — mulher regenerada.
to reclaim colonies — reivindicar colónias.
reclaimable [-əbl], *adj.* reclamável; emendável; reformável; arroteável, cultivável.
reclaimer [-ə], *s.* aquele que reclama, corrige ou reforma; arroteador.
reclaiming [-iŋ], *s.* reforma; cultivo de terras; reivindicação; acção de corrigir.
reclamation [reklə'meiʃən], *s.* reclamação; emenda; reforma; cultivo de terras; reivindicação.
reclinate ['reklinit], *adj.* (bot.) reclinado.

recline [ri'klain], *vt.* e *vi.* inclinar; recostar, reclinar; prender; encostar-se; recostar-se; apoiar, descansar; (fig.) confiar em.
reclose [ri:'klouz], *vt.* e *vi.* encerrar; fechar de novo.
reclothe [ri:'klouð], *vt.* revestir; dar novas roupas a.
recluse [ri'klu:s], **1** — *s.* eremita; monge; asceta; recluso.
2 — *adj.* recluso, encerrado; solitário.
reclusion [ri'kluʒən], *s.* reclusão; isolamento; separação; clausura.
recognition [rekəg'niʃən], *s.* reconhecimento; (jur.) confissão.
in recognition of — em reconhecimento de.
to be altered past recognition (to be altered beyond recognition) — estar irreconhecível.
recognizable ['rekəgnaizəbl], *adj.* reconhecível.
recognizably [-i], *adv.* de modo reconhecível.
recognizance [ri'kɔgnizəns], *s.* reconhecimento; obrigação contraída; (jur.) confissão; caução, fiança.
to enter into recognizances — prestar fiança.
recognizant [ri'kɔgnizənt], *adj.* reconhecido, agradecido; consciente de.
recognize ['rekəgnaiz], *vt.* reconhecer; admitir; confessar; examinar novamente; (jur.) passar uma obrigação; declarar legal; recompensar.
to recognize a new government — reconhecer um novo governo.
to recognize a member (E. U.) — dar a palavra a um membro (de uma assembleia).
recoil [ri'kɔil], **1** — *s.* recuo; coice (de arma de fogo); sensação de repulsa, nojo; repercussão.
recoil spring — mola recuperadora.
recoil brake — travão de recuo.
2 — *vi.* retroceder, recuar; refluir; rechaçar; horrorizar-se; estremecer; dar coice (arma de fogo).
to recoil from — recuar perante; recusar-se a.
recoiling [-iŋ], *s.* acção de recuar; distensão (de mola); horror.
recollect **1** — ['rekəlekt], *s.* recolecto, frade da ordem reformada de S. Francisco.
2 — [rekə'lekt], *vt.* recordar, lembrar-se de.
to recollect somebody's name — lembrar-se do nome de alguém.
recollect ['ri:kə'lekt], *vt.* voltar a reunir; recobrar (força, coragem).
recollected ['ri:kə'lektid], *adj.* tranquilo, calmo; pensativo.
recollection [rekə'lekʃən], *s.* lembrança, recordação, memória, reminiscência.
I have some slight recollection — tenho uma vaga lembrança.
to bring to one's recollections — trazer à memória.
to the best of my recollection — tanto quanto me posso lembrar.
it is in my recollection that—lembro-me de que.
recollective [rekə'lektiv], *adj.* rememorativo; de evocação; retentivo.
recollective memory — memória retentiva.
recommence ['ri:kə'mens], *vt.* e *vi.* recomeçar.
recommencement [-mənt], *s.* recomeço.
recommend [rekə'mend], *vt.* recomendar; encarecer; aconselhar; elogiar; encarregar; encomendar. (*Sin.* to commend, to praise, to advise, to counsel.)
can you recommend me a book? — pode indicar-me um livro?
to recommend one's soul to God — encomendar a alma a Deus.
to recommend somebody for a post — recomendar alguém para um cargo.
ecommendability [rekə'mendəbiliti], *s.* situação de ser recomendável.
recommendable [rekə'mendəbl], *adj.* recomendável, digno de elogio.
recommendableness [-nis], *s.* ver **recommendability.**
recommendably [-i], *adv.* de modo recomendável.
recommendation [rekəmen'deiʃən], *s.* recomendação; encarecimento; elogio.
on the recommendation of — sob recomendação de.
letter of recommendation — carta de recomendação.
recommendatory [rekə'mendətəri], *adj.* de recomendação.
recommendatory letter — carta de recomendação.
recommender [rekə'mendə], *s.* pessoa que recomenda.
recommission [ri:kə'miʃən], *vt.* e *vi.* reintegrar (oficial) nas suas funções; (náut.) entrar novamente em estado de armamento.
recommit [ri:kə'mit], *vt.* (*pret.* e *pp.* **recommitted**) entregar novamente; cometer de novo (delito); tornar a enviar (projecto de lei) a comissão parlamentar.
to recommit to prison — prender novamente.
recommitment [-mənt], *s.* nova prisão; novo envio (de projecto de lei) a comissão parlamentar.
recommittal [-əl], *s.* ver **recommitment.**
recompense ['rekəmpens], **1** — *s.* recompensa; compensação, retribuição; prémio; gratificação, remuneração.
to receive a recompense for — receber uma recompensa por.
to work without recompense — trabalhar sem receber recompensa.
as a recompense for — como recompensa por.
2 — *vt.* recompensar; compensar; indemnizar; remunerar, retribuir.
to recompense somebody for a loss — compensar alguém de um prejuízo.
to recompense good with evil — pagar o bem com o mal.
recompenser [-ə], *s.* pessoa que recompensa ou indemniza.
recompensive [-iv], *adj.* compensador.
recompose ['ri:kəm'pouz], *vt.* recompor; reconciliar; refazer; tranquilizar de novo; (quím.) recombinar.
recomposition [ri:kəmpə'ziʃən], *s.* (quím.) recomposição.
recompound ['ri:kəm'paund], *vt.* (quím.) recompor.
reconcentrate [ri:'kɔnsentreit], *vt.* e *vi.* reconcentrar, reconcentrar-se.
reconcentration [ri:kɔnsen'treiʃən], *s.* reconcentração.
reconcilable ['rekənsailəbl], *adj.* reconciliável; compatível. (*Sin.* forgiving, compatible, consistent, mild. *Ant.* harsh.)
reconcilableness [-nis], *s.* reconciliabilidade.
reconcilably [-i], *adv.* compativelmente; conciliatoriamente.
reconcile ['rekənsail], *vt.* reconciliar; conciliar; congraçar; harmonizar; apaziguar; concordar; acertar; reconciliar-se; ajustar-se; resignar-se, conformar-se.
to reconcile contraries — conciliar os contrários.
to reconcile two enemies — reconciliar dois inimigos.
reconciled [-d], *adj.* reconciliado; harmonizado.
reconcilement [-mənt], *s.* reconciliação, conciliação; harmonização.
reconciler [-ə], *s.* reconciliador; pacificador, conciliador; medianeiro.

reconciliation [rekənsili'eiʃən], *s.* reconciliação.
recondite [ri'kɔndait, 'rekəndait], *adj.* recôndito, secreto, oculto; profundo; abstruso; obscuro (escritor ou estilo).
reconditely [-li], *adv.* reconditamente, secretamente, ocultamente; profundamente; abstrusamente; obscuramente (escritor ou estilo).
reconditeness [-nis], *s.* carácter recôndito, secreto, oculto, misterioso; falta de clareza.
recondition [ri:kən'diʃən], *vt.* restaurar, renovar; consertar.
reconditioning [-iŋ], *s.* restauro, conserto; (mec.) revisão.
reconduct ['ri:kən'dʌkt], *vt.* reconduzir.
reconnaissance [ri'kɔnisəns], *s.* (mil.) reconhecimento; exame preliminar; verificação.
reconnaissance in force — reconhecimento ofensivo.
to go on a reconnaissance — **ir em missão de reconhecimento.**
to go on a reconnaissance — ir em reconhecimento.
reconnoitre [rekə'nɔitə], **1** — *s.* (rar.) ver **reconnaissance.**
2 — *vt.* e *vi.* (mil.) reconhecer, explorar, fazer um reconhecimento; inspeccionar (terrenos).
to reconnoitre the ground — reconhecer o terreno.
reconnoitrer [rekə'nɔitrə], *s.* explorador, batedor, guarda avançada.
reconnoitring [rekə'nɔitriŋ], **1** — *s.* reconhecimento; exploração (de terreno).
2 — *adj.* que vai em missão de reconhecimento.
reconnoitring vessel — explorador.
reconnoitring party — patrulha de reconhecimento.
reconquer ['ri:'kɔŋkə], *vt.* reconquistar.
reconquest ['ri:'kɔŋkwest], *s.* reconquista.
reconsider ['ri:kən'sidə], *vt.* reconsiderar; rever; alterar.
reconsideration ['ri:kənsidə'reiʃən], *s.* reconsideração; novo exame, revisão.
reconsolidate [ri:kən'sɔlideit], *vt.* reconsolidar.
reconstituent [ri:kən'stitjuənt], *s.* e *adj.* (med.) reconstituinte.
reconstitute ['ri:'kɔnstitju:t], *vt.* reconstituir; reorganizar.
reconstitution ['ri:kɔnsti'tju:ʃən], *s.* reconstituição; reorganização.
reconstruct ['ri:kəns'trʌkt], *vt.* reconstruir; reedificar; reconstituir.
to reconstruct a crime — reconstituir um crime.
reconstruction ['ri:kəns'trʌkʃən], *s.* reconstrução; reedificação.
reconstructive [ri:kən'strʌktiv], *s.* e *adj.* (med.) ver **reconstituent.**
reconstructor [ri:kən'strʌktə], *s.* reconstrutor; pessoa que faz uma reconstituição.
reconvalescence [ri:kɔnvə'lesns], *s.* reconvalescência.
reconvalescent [ri:kənvə'lesnt], *adj.* reconvalescente.
reconvert [ri:kən'və:t], *vt.* reconverter.
reconvey ['ri:kən'vei], *vt.* transportar de novo; (jur.) transmitir ao antigo dono.
reconveyance [-əns], *s.* restituição; recondução.
recopy [ri:'kɔpi], *vt.* copiar de novo.
record **1** — ['rekɔ:d], *s.* registo; inscrição; memória; memorial; relação, crónica; anais; folha de serviços; acta; documento; (jur.) testemunho; informe; recordação; monumento; disco de gira-discos; *pl.* arquivos, anais, memórias, factos; (desp.) recorde.
record of service — folha de serviços.
on record (upon record) — registado.
keeper of the records — arquivista.
this is quite a record — isto é um êxito.
public records — arquivos.
he has an honourable record of service — ele tem uma folha de serviços muito limpa.
record-office — repartição dos arquivos.
record of the board proceedings — actas das sessões do conselho de administração.
to break the record — bater o recorde.
record blank — disco ainda não gravado.
record library — discoteca.
automatic record player — gira-discos automático.
record-holder **(desp.) — detentor de recorde.**
keeper of the records — arquivista.
off the record — confidencial.
record output — produção recorde.
criminal record — registo criminal.
police record — registo policial.
world record (desp.) — recorde mundial.
to beat the record (desp.) — bater o recorde.
the Public Records — os Arquivos Nacionais.
to keep to the record — não se afastar do assunto.
to make a record of — registar.
to keep a record of — ter um registo de.
to bear record to (to bear record of) — atestar; testemunhar.
to show a clean record — ter um registo criminal limpo.
2 — [ri'kɔ:d], *vt.* registar; arquivar; inscrever; mencionar; contar; referir; marcar; indicar; lembrar; fixar na memória; gravar (em disco); trautear.
recordable [-əbl], *adj.* registável; que pode gravar-se; digno de menção.
recorder [-ə], *s.* registador; arquivista; oficial do registo; contador; indicador; juiz municipal; espécie de flauta.
sound recorder (cin.) — registador de som.
distance recorder — registador de distâncias.
recordership [-əʃip], *s.* funções ou cargo de arquivista ou juiz municipal.
recording [-iŋ], **1** — *s.* acção de registar ou gravar; registo, gravação.
wax recording — gravação em cera.
recording needle — agulha de gravar.
2 — *adj.* registador.
recording official — funcionário recenseador.
recording camera — máquina fotográfica registadora.
recording pressure gauge — manómetro registador.
recording drum — tambor registador.
recording cutter — gravador de discos.
recount [ri'kaunt], *vt.* contar, relatar; contar com muitos pormenores.
re-count ['ri:'kaunt], **1** — *s.* nova contagem.
2 — *vt.* contar de novo.
recounting [ri'kauntiŋ], *s.* relato com muitos pormenores.
recoup [ri'ku:p], *vt.* e *vi.* (jur.) indemnizar, reparar, compensar, indemnizar-se.
recoupment [-mənt], *s.* (jur.) indemnização, compensação; abatimento, dedução.
recourse [ri'kɔ:s], *s.* recurso; auxílio; (jur.) recurso.
to have recourse to — recorrer a.
recover [ri'kʌvə], **1** — *s.* regresso à posição de guarda (esgrima).
2 — *vt.* e *vi.* recobrar, recuperar; restabelecer; reaver; curar; restabelecer-se, recobrar a saúde; retomar; ganhar uma causa; fazer recuperar os sentidos; libertar; voltar a pôr-se em guarda (esgrima).
to recover one's health — recuperar a saúde.

I am quite recovered from my cold — estou completamente restabelecido da minha constipação.
to recover one's appetite — recuperar o apetite.
to recover from a fright — refazer-se de um susto.
to recover consciousness — vir a si; recuperar os sentidos.
to recover one's balance — recuperar o equilíbrio.
to recover from somebody — fazer-se indemnizar por alguém.
to recover one's legs — pôr-se novamente em pé depois de cair.
to recover lost ground — recuperar terreno perdido.
to recover one's senses — recuperar o bom senso.
to recover somebody to life — fazer alguém regressar à vida.
to recover one's reason — recobrar a razão.
to recover somebody from vice — arrancar alguém ao vício.
to recover sword — voltar à posição de guarda (esgrima).
re-cover [ˈriːˈkʌvə], *vt.* voltar a cobrir.
recoverable [riˈkʌvərəbl], *adj.* curável; recuperável; reparável.
recoverableness [-nis], *s.* qualidade do que é curável, recuperável ou reparável.
recoverer [riˈkʌvərə], *s.* aquele que se cura ou recupera.
recovery [riˈkʌvəri], *s.* recuperação; restabelecimento, cura; convalescença; cobrança; resgate; (jur.) adjudicação; indemnização; regresso à posição de guarda (esgrima).
past recovery — incurável; sem remédio.
on the way to recovery — em via de restabelecimento.
I wish you a speedy recovery — desejo-lhe rápidas melhoras.
industrial recovery — recuperação industrial.
to make a good recovery — restabelecer-se bem.
recreancy [ˈrekriənsi], *s.* traição; infidelidade; cobardia.
recreant [ˈrekriənt], *s.* e *adj.* (poét.) infiel; desleal; cobarde; traidor.
recreantly [-li], *adv.* (poét.) deslealmente; cobardemente.
recreate [ˈrekrieit], *vt.* e *vi.* recrear, deleitar, distrair; distrair-se, deleitar-se, divertir-se.
to recreate oneself with — recrear-se com.
re-create [ˈriːkriˈeit], *vt.* recriar, criar de novo.
recreation 1 — [rekriˈeiʃən], *s.* recreação, entretenimento, recreio; passatempo, divertimento. (*Sin.* diversion, entertainment, pastime. *Ant.* work.)
2 — [ˈriːkriˈeiʃən], *s.* recriação.
recreative 1 — [ˈrekrieitiv], *adj.* recreativo; que diverte.
2 — [ˈriːkriˈeitiv], *adj.* recriativo.
recreatively [ˈrekrieitivli], *adv.* recreativamente.
recriminate [riˈkrimineit], *vt.* recriminar.
recrimination [rikrimiˈneiʃən], *s.* recriminação.
recriminative [riˈkriminətiv], *adj.* recriminativo.
recriminatory [riˈkriminətəri], *adj.* recriminatório.
recross [ˈriːˈkrɔs], *vt.* atravessar de novo; passar novamente.
recrudesce [riːkruːˈdes], *vi.* recrudescer; exacerbar-se.
recrudescense [-ns], *s.* recrudescência; exacerbação.
recrudescent [-nt], *adj.* recrudescente.
recruit [riˈkruːt], **1** — *s.* (mil.) recruta; novato; suprimento, reforço; novo membro.
2 — *vt.* e *vi.* **(mil.) recrutar, alistar; refazer; reparar; refazer-se; reparar as forças; prover-se.**
to recruit one's strength — restaurar as forças.
recruiter [-ə], *s.* recrutador.
recruiting [-iŋ], *s.* recrutamento; restauração; restabelecimento.
recruiting station — posto de recrutamento.
recruiting-sergeant — sargento de recrutamento.
recruitment [-mənt], *s.* recrutamento, alistamento; convalescença.
rectal [ˈrektəl], *adj.* (anat.) rectal, referente ao recto.
rectally [-i], *adv.* pelo recto.
rectangle [ˈræktæŋgl], *s.* rectângulo.
rectangle triangle — triângulo rectângulo.
rectangular [rekˈtæŋgjulə], *adj.* rectangular.
rectangular coil (elect.) — bobina rectangular.
rectangular key — chaveta rectangular; chave rectangular.
rectangular protractor — esquadro-transferidor.
rectangular cross-section — secção rectangular.
rectangular prism — prisma rectangular.
rectangularity [rektæŋgjuˈlæriti], *s.* rectangularidade.
rectangularly [rekˈtæŋgjuləli], *adv.* rectangularmente.
rectifiable [ˈrektifaiəbl], *adj.* rectificável.
rectification [rektifiˈkeiʃən], *s.* rectificação; correcção, emenda.
rectification of a mistake — **emenda de um erro; correcção de um erro.**
rectification of alcohol — rectificação do álcool.
rectified [ˈrektifaid], *adj.* rectificado; corrigido, emendado.
rectified voltage (elect.) — voltagem rectificada.
rectified spirit — álcool rectificado.
rectifier [ˈrektifaiə], *s.* rectificador; purificador.
oil rectifier — purificador de óleo.
rectifier-doubler **(elect.) — rectificador duplicador.**
rectify [ˈrektifai], *vt.* rectificar, corrigir, emendar; reformar; refinar.
to rectify a mistake — **corrigir um erro.**
rectifying [-iŋ], 1 — *s.* acção de rectificar, de reformar, de refinar.
rectifying plant — instalação rectificadora.
2 — *adj.* rectificador; que corrige.
rectilineal [rektiˈliniəl], *adj.* rectilíneo.
rectilineal motion — movimento rectilíneo.
rectilineal angle — ângulo rectilíneo.
rectilinear [rektiˈliniə], *adj.* ver **rectilineal.**
rectilinearly [-li], *adv.* rectilineamente.
rectitude [ˈrektitjuːd], *s.* rectidão; integridade; equidade, justiça. (*Sin.* honesty, integrity, probity, justice, straightforwardness. *Ant.* depravity, dishonesty.)
recto [ˈrektou], *s.* página da direita.
rector [ˈrektə], *s.* reitor; pároco, cura; superior de igreja; reitor de universidade; director de estabelecimento de ensino secundário (na Escócia).
rectorate [-rit], *s.* reitorado; reitoria.
rectorial [rekˈtɔːriəl], *adj.* reitoral; referente a reitor.
rectory [ˈrektəri], *s.* reitoria; presbitério; habitação de reitor.
rectress [ˈrektris], *s. fem.* de **rector.**
rectrix [ˈrektriks], *s.* (*pl.* **rectrices**) rectriz, pena da cauda das aves.
rectum [ˈrektəm], *s.* (anat.) recto.
recumbency [riˈkʌmbənsi], *s.* posição de quem está deitado ou encostado; repouso; inactividade.
recumbent [riˈkʌmbənt], *adj.* reclinado; deitado; encostado; inactivo.

recumbently [-li], *adv.* reclinadamente; ociosamente.
recuperate [ri'kju:pəreit], *vt.* e *vi.* recuperar; recobrar; restabelecer-se; reaver.
to recuperate one's health — recuperar a saúde.
recuperation [rikju:pə'reiʃən], *s.* recuperação; restabelecimento.
recuperative [ri'kju:pərətiv], *adj.* recuperativo; restaurador; tonificante.
recuperator [ri'kju:pəreitə], *s.* recuperador.
recur [ri'kə:], *vi.* (*pret.* e *pp.* **recurred**) referir; ocorrer; vir à ideia; vir de novo (à ideia); apresentar-se de novo; recorrer.
to recur to an expedient — recorrer a um expediente.
to recur to the memory — vir de novo à ideia.
recurrence [ri'kʌrəns], *s.* repetição; reaparecimento; volta; renovação; recurso.
of frequent recurrence — que sucede repetidas vezes.
recurrent [ri'kʌrənt], **1** — *s.* nervo ou artéria recorrente.
2 — *adj.* periódico; (anat.) recorrente.
recurrent nerves (anat.) — nervos recorrentes.
recurrent artery (anat.) — artéria recorrente.
recurrent fever (pat.) — febre recorrente.
recurrently [-li], *adv.* periodicamente.
recurring [ri'kə:riŋ], *adj.* recorrente; periódico.
ever-recurring — que se repete continuamente.
recurring decimal (mat.) — dízima periódica.
recurvate [ri'kə:vit], *adj.* recurvado.
recurvature [ri'kə:vətʃə], *s.* recurvatura.
recurve [ri:'kə:v], *vt.* e *vi.* recurvar; virar-se para trás.
recusant ['rekjuzənt], *adj.* e *s.* pessoa que não obedece à autoridade ou aos regulamentos; dissidente; não-conformista.
recut [ri:'kʌt], *vt.* (*pret.* e *pp.* **recut**) recortar; repicar.
to recut a file — repicar uma lima.
recutting [-iŋ], *s.* acção de recortar ou repicar.
red [red], **1** — *s.* vermelho, cor vermelha; comunista; revolucionário; coisa vermelha.
the Reds — os vermelhos; os comunistas.
the red, white and blue **(col.) — a marinha inglesa.**
2 — *adj.* vermelho, encarnado, rubro, escarlate; revolucionário; barulhento; comunista.
to see red **— (col.) ir aos arames.**
red-haired — de cabelo ruivo.
red-hot — incandescente, em brasa; acérrimo.
red-letter day **— dia santo; dia de festa; dia feliz.**
red-handed — com as mãos vermelhas, ensanguentadas.
red-faced — corado; de cara vermelha.
to turn red — corar; pôr-se vermelho.
as red as a rose — vermelho como um tomate.
red-deer — veado.
red man — índio da América; pele-vermelha.
red light — luz vermelha; sinal de perigo; farol vermelho.
red-ant — formiga argentina.
red as a peony (red as a boiled lobster) — vermelho como um tomate.
red-bearded — com barba ruiva.
red bird (zool.) — tangará-vermelho.
red-blooded — forte; robusto.
red battle — batalha sangrenta.
red-blind — daltónico que não consegue distinguir o vermelho.
red-blindness — daltonismo para o vermelho.
red-eye — (zool.) ruivo (peixe).
red fir — abeto vermelho.
red fish — salmão.
red government — governo comunista.
red book — anuário de nobreza.
Red Cross — Cruz Vermelha; cruz de S. Jorge (emblema da Inglaterra).
red eye — ruivo (peixe); (E. U. cal.) uísque.
red liquor (quím.) — acetato de alumina.
red cap — polícia militar.
red hat **— chapéu cardinalício; (col.) oficial do estado-maior.**
red ochre — almagre; ocre vermelho.
red lead — zarcão; óxido vermelho de chumbo.
red phosphorus — fósforo vermelho.
red ebony — ébano vermelho.
red meat — carne de vaca ou carneiro.
red pepper — pimentão.
red light district — bairro de prostitutas.
red weed — papoila dos campos.
red porgy (zool.) — pargo.
red-shirt **(col.) — bolchevista, anarquista.**
red periwinkle (bot.) — boas-noites.
red snow — neve avermelhada pelas algas nas regiões árcticas.
red-tapist **— burocrata; (col.) manga-de-alpaca.**
red-tapery (red-tapism) — burocracia.
crimson red — carmesim.
the Red Sea — o mar Vermelho.
blood-red — vermelho cor de sangue; vermelho de sangue.
to be caught red-handed — ser apanhado em flagrante.
to become red with anger — ficar vermelho de cólera.
to blush red — corar.
to paint the town red **— (col.) pintar a macaca.**
to become red in the face — corar.
to turn red — corar; dar cor vermelha a.
to see the red light — prever o perigo.
to have red hands — ter as mãos tintas de sangue.
not to care a red cent — não se importar nada.
that's neither fish, nor good red herring **— isso não é nada; (col.) isso não é carne nem peixe.**
redact [ri'dækt], *vt.* redigir; dar forma literária a; rever (trabalho literário); editar.
redaction [ri'dækʃən], *s.* redacção; revisão (de trabalho literário); nova edição.
redactor [ri'dæktə], *s.* redactor; pessoa que revê trabalho literário com vista a publicação; editor.
redbreast ['redbrest], *s.* (zool.) pisco de peito **ruivo; porco-pisco; pisco.**
redcoat ['redkout], *s.* casaca-vermelha (antigo soldado inglês).
redden [-n], *vt.* e *vi.* avermelhar; tornar-se vermelho; ruborizar-se, corar.
reddening [-niŋ], *adj.* que fica vermelho ou avermelhado; que se ruboriza; que cora.
redding [-iŋ], *s.* ver **raddle.**
reddish [-iʃ], *adj.* avermelhado.
reddle [redl], *s.* e *vt.* ver **raddle.**
re-decorate ['ri:'dekəreit], *vt.* decorar novamente (casa, compartimento).
redeem [ri'di:m], *vt.* remir; resgatar; libertar; desempenhar; cumprir (uma promessa); reparar; reaver; recompensar; amortizar; **reintegrar; remir do pecado. (*Sin.* to regain, to retrieve, to deliver, to free, to perform, to fulfil, to save.)**
to redeem an estate — desempenhar uma herdade.
to redeem a mortgage — remir uma hipoteca.
to redeem something from pawn **(col.) — ir buscar uma coisa ao «prego».**
to redeem an obligation — cumprir um dever.
to redeem a debt — amortizar uma dívida.
to redeem a prisoner — resgatar um prisioneiro.
redeemable [-əbl], *adj.* remível; resgatável; amortizável.

redeemer [-ə], *s.* libertador, redentor.
the Redeemer — o Redentor.
redeeming [-iŋ], **1** — *s.* acção de remir, resgatar ou amortizar.
2 — *adj.* que liberta; que resgata; redentor.
redeliver ['ri:di'livə], *vt.* restituir, entregar novamente; repetir; enviar novamente.
redelivery [-ri], *s.* restituição.
redemption [ri'dempʃən], *s.* redenção; libertação; amortização de uma dívida; resgate; remissão; desempenho; compensação.
redemption table — plano de amortização.
a crime without redemption — um crime sem redenção.
redemption before due date — reembolso adiantado.
to be past redemption (to be beyond redemption) — estar irremediavelmente perdido.
redemption fund — caixa de amortização.
in the year of our redemption, 1935 — no ano da graça de 1935.
redemptive [ri'demptiv], *adj.* redentor.
redemptorist [ri'demptərist], *s.* redentorista (membro de algumas ordens religiosas).
redesign ['ri:di'zain], *vt.* voltar a desenhar; retocar (um desenho).
redevelop ['ri:di'veləp], *vt.* revelar de novo (fotografia).
redevelopment [-mənt], *s.* nova revelação (de fotografia).
redhibition [redhi'biʃən], *s.* (jur.) redibição.
redhibitory [red'hibitəri], *adj.* (jur.) redibitório.
redingote ['rediŋgout], *s.* redingote.
redintegrate [re'dintigreit], *vt.* reintegrar; restabelecer, renovar, restaurar.
redintegration [redinti'greiʃən], *s.* reintegração; restauro, restabelecimento, renovação.
redirect ['ri:di'rekt], *vt.* dirigir de novo; pôr novo endereço em.
redirection ['ri:di'rekʃən], *s.* novo endereço; reexpedição (de correio).
rediscover ['ri:dis'kʌvə], *vt.* redescobrir.
rediscovery [-ri], *s.* redescoberta.
redissolve ['ri:di'zɔlv], *vt.* dissolver de novo.
redistribute ['ri:dis'tribju(:)t], *vt.* distribuir de novo.
redistribution ['ri:distri'bju(:)ʃən], *s.* nova distribuição; nova divisão.
redly ['redli], *adv* com tonalidade vermelha.
redness ['rednis], *s.* vermelhidão, cor vermelha.
re-do ['ri:'du:], *vt.* (*pret.* **re-did,** *pp.* **re-done**) fazer de novo.
redolence ['redouləns], *s.* redolência; perfume, aroma.
redolent ['redoulənt], *adj.* redolente; perfumado, aromatizado; (fig.) sugestivo. (*Sin.* fragrant, perfumed, odoriferous, aromatic.)
redolent of tobacco — que cheira a tabaco.
redolent of spring — com perfume de Primavera.
redolently [-li], *adv.* redolentemente; aromaticamente.
redouble [ri'dʌbl], *vt.* e *vi.* redobrar; aumentar; repetir; reiterar; redobrar-se; reduplicar-se.
to redouble one's efforts — redobrar de esforços.
redoubled [-d], *adj.* redobrado; intensificado.
redoubling [-iŋ], *s.* acção de redobrar ou intensificar.
redoubt [ri'daut], *s.* reduto (de fortaleza).
redoubtable [-əbl], *adj.* formidável, terrível; dificílimo.
redoubtably [-əbli], *adv.* de um modo formidável, terrível.
redoubted [-id], *adj.* (arc.) formidável, terrível.
redound [ri'daund], *vi.* redundar em; contribuir para; resultar; concorrer; recair; reflectir; aumentar.
that redounds to his prosperity — isso concorre para a sua prosperidade.
that redounds to his honour — isso redunda em sua honra.
redpoll ['redpoul], *s.* (zool.) pintarroxo.
redraft ['ri:'drɑ:ft], **1** — *s.* novo projecto; novo saque; nova minuta.
redraft account — conta de retorno.
redraft of a bill — nova redacção de um projecto de lei.
2 — *vt.* fazer uma nova redacção de.
redraw ['ri:'drɔ:], *vt.* (*pret.* **redrew,** *pp.* **redrawn**) fazer um novo projecto; sacar de novo; puxar de novo.
redress [ri'dres, rə'dres], **1** — *s.* reforma; emenda; reparação; remédio; compensação.
past redress (beyond redress) — irreparável.
to seek redress at hands of somebody — pedir justiça a alguém.
2 — *vt.* endireitar; arranjar de novo; remediar; compensar; reparar; aliviar; desagravar; reformar.
a fault confessed is half redressed — pecado confessado é meio perdoado.
to redress the balance — restabelecer o equilíbrio.
redress ['ri:'dres], ***vt.*** **tornar a vestir; tornar** a arranjar.
to redress a wound — tratar de novo uma ferida.
to redress a play (teat.) — fazer nova encenação para uma peça; fazer novo guarda-roupa para uma peça.
redressable [ri'dresəbl], *adj.* corrigível; reparável.
redresser [ri'dresə], *s.* pessoa que corrige, repara, desagrava.
redressing 1 — [ri'dresiŋ], *s.* desagravo; reparação; correcção; compensação.
2 — ['ri:dresiŋ], *s.* acção de vestir ou arranjar de novo.
redskin ['redskin], *s.* pele-vermelha.
redstart ['redstɑ:t], *s.* (zool.) pisco-ferreiro.
reduce [ri'dju:s], *vt.* e *vi.* reduzir, diminuir; resumir; abreviar; minorar; subjugar; submeter; rebaixar; sujeitar; fazer regime de emagrecimento; emagrecer; degradar; (med.) reduzir (fracturas); desoxidar (metais).
to reduce to submission — submeter.
to reduce to poverty — reduzir à miséria.
to reduce the expenses — reduzir as despesas.
to reduce a fraction to its lowest (simplest) terms — reduzir uma fracção à sua expressão mais simples.
to reduce a fraction to lower terms — reduzir uma fracção.
to reduce a swelling (med.) — abrir um tumor.
to reduce fractions to the same denominator — reduzir fracções ao mesmo denominador.
to reduce somebody to silence — reduzir alguém ao silêncio.
to reduce one's weight — perder peso, emagrecer.
to reduce a theory to practice — pôr uma teoria em prática.
to reduce syllogisms — converter silogismos.
to reduce to dust — reduzir a pó.
to wish to reduce — querer emagrecer.
to reduce to an absurdity — reduzir ao absurdo.
to reduce water by electrolysis — fazer a electrólise da água.
reduced [-t], *adj.* reduzido; na miséria; magro.
reduced scale — escala reduzida.
reduced price — preço reduzido.
reduced circumstances — situação difícil; pobreza.

reducement [-mənt], *s.* redução.
reducer [-ə], *s.* o que reduz, redutor.
fever reducer — medicamento febrífugo.
tone reducer (mús.) — surdina.
reducibility [ridju:sə'biliti], *s.* reductibilidade.
reducible [ri'djusəbl], *adj.* reduzível, redutível.
reducible to — reduzível a.
reducing [ri'dju:siŋ], **1** — *s.* acção de reduzir, emagrecer; baixa (de preços); desoxidação; baixa de posto ou categoria; (med.) redução (de fractura).
reducing-flame — chama desoxidante.
reducing scale (mat.) — escala redutora.
2 — *adj.* redutor; que faz emagrecer.
reduction [ri'dʌkʃən], *s.* redução; diminuição; conquista, tomada, subjugação; emagrecimento; baixa (de preços); baixa de posto ou categoria; reprodução em escala reduzida (fotografia, gravura); desoxidação; redução (de fractura).
reduction in prices — redução nos preços.
reduction of speed — redução de velocidade.
reduction compasses — compasso de redução.
reduction press — prensa redutora.
reduction to powder — redução a pó.
reduction of a swelling — abertura de um tumor.
reduction scale — escala redutora.
redundance [ri'dʌndəns], *s.* redundância, pleonasmo; superabundância; excesso, superfluidade.
redundancy [-i], *s.* ver **redundance.**
redundant [ri'dʌndənt], *adj.* redundante; excessivo; supérfluo. (*Sin.* superfluous, excessive, pleonastic, copious, diffuse. *Ant.* scanty, terse.)
redundantly [-li], *adv.* redundantemente, pleonasticamente; prolixamente.
reduplicate **1** — [ri'dju:plikit], *adj.* reduplicado; duplo; reduplicativo.
2 — [ri'dju:plikeit], *vt.* reduplicar, repetir.
reduplicated [-id], *adj.* reduplicado.
reduplicated perfect (gram.) — perfeito reduplicado.
reduplicating [-iŋ], *adj.* referente a reduplicação.
reduplicating particle — partícula reduplicativa.
reduplication [ridju:pli'keiʃən], *s.* reduplicação, repetição.
reduplicative [ri'dju:plikətiv], *adj.* reduplicativo.
redwing ['redwiŋ], *s.* (zool.) tordo vermelho.
redwood ['redwud], *s.* (bot.) pau-brasil.
ree [ri:], *s. fem.* ver **reeve.**
re-echo [ri(:)'ekou], **1** — *s.* eco repetido.
2 — *vt.* e *vi.* repetir; repercutir, ressoar; responder.
reed [ri:d], **1** — *s.* junco; cana; haste; palheta; flauta pastoril; bocal de instrumento musical; (poét.) poesia bucólica; colmo; pente de tear.
a broken reed — uma pessoa em quem não se pode confiar; «falso esteio».
to lean on a reed — confiar em «falso esteio».
reed-organ (mús.) — harmónio.
reed-top (mús.) — registo de órgão.
the reeds — os instrumentos de sopro (com palheta) numa orquestra.
reed-pheasant (zool.) — chapim-real.
2 — *vt.* cobrir de colmo; ajustar palhetas a tubo de órgão ou instrumento de sopro.
reedbird ['ri:dbə:d], *s.* (zool.) papa-arroz.
reeded ['ri:did], *adj.* (mús.) com palheta; cheio de juncos ou canas; coberto de colmo.
re-edify ['ri:'edifai], *vt.* reedificar; reconstruir.
re-edifying [-iŋ], *s.* reedificação.
reeding ['ri:diŋ], *s.* acção de cobrir com colmo; cobertura com colmo.
re-edit ['ri:'edit], *vt.* reeditar.
re-editing [-iŋ], *s.* acção de reeditar; reedição.
re-edition ['ri:i'diʃən], *s.* reedição.
reedling ['ri:dliŋ], *s.* (bot.) canavial; (zool.) papa-arroz.
reediness ['ri:dinis], *s.* aspecto esguio; tom de voz aflautado.
reedy ['ri:di], *adj.* cheio de canas ou juncos; feito de cana ou junco; fraco como uma cana; de tom fino e agudo.
reedy voice — voz de cana rachada.
reef [ri:f], **1** — *s.* recife, escolho, baixio; filão, veia metálica; (náut.) rizes.
to take in a reef (náut.) — rizar, meter nos rizes.
reef-knot — nó direito.
reef-line (náut.) — formadouro; cabo de colher os rizes.
reef-band (náut.) — forra de rizes.
reef tackle (náut.) — talhas dos rizes.
coral reef — recife coralino.
to let out a reef (col.) — fazer mais um furo no cinto (diz-se quando se come muito).
2 — *vt.* (náut.) rizar, colher os rizes.
to reef a sail (náut.) — meter a vela nos rizes.
reefed [-t], *adj.* (náut.) com rizes.
double-reefed — com dois rizes.
reefer ['-ə], *s.* (náut.) pessoa que colhe os rizes; jaquetão usado no mar; nó direito.
reefing ['-iŋ], *s.* (náut.) rizadura.
reefing-jacket — jaquetão usado no mar.
reefy ['-i], *adj.* cheio de escolhos, cheio de baixios.
reek [ri:k], **1** — *s.* fumo; vapor; cheiro desagradável.
amid reek and squalor — numa atmosfera viciada.
2 — *vi.* (Esc.) encher de fumo; fumegar (coisas queimadas); emitir vapores; cheirar mal.
to reek of tobacco — cheirar muito a tabaco.
to reek with — lançar fumo; exalar vapores.
reeky ['-i], *adj.* cheio de fumo; enegrecido pelo fumo.
reel [ri:l], **1** — *s.* bobina; dobadoira; sarilho; torniquete; tambor; carretel; carrinho de linhas (para coser); molinete; dança escocesa; movimento cambaleante; tontura.
Scotch reel — dança escocesa muito mexida.
reel of a log (náut.) — carretel.
a reel of black cotton — um carrinho de linha preta.
film reel — bobina cinematográfica.
without a reel or stagger — sem titubear.
paper in reels — papel em rolos.
off the reel — rapidamente.
2 — *vt.* e *vi.* dobrar; bobinar; cambalear; fazer ziguezagues; vacilar; andar à roda; filmar; cantar (grilo); dançar a dança escocesa «Scotch reel» ou «reel». (*Sin.* to stagger, to swing, to spin, to totter.)
my head reels — anda-me a cabeça à roda.
the fisherman is reeling up his line — o pescador está a dobar a linha.
he went reeling down the street — foi a cambalear pela rua abaixo.
to reel off — desenrolar; repetir ininterruptamente.
my brain reeled when he told me the news — senti uma vertigem quando ele me deu a notícia.
to make somebody's senses reel — causar vertigens a alguém.
re-elect ['ri:i'lekt], *vt.* reeleger.
re-election ['ri:i'lekʃən], *s.* reeleição.
re-eligible ['ri:'elidʒəbl], *adj.* reelegível.

reeling ['ri:liŋ], **1** — *s.* dobagem; bobinagem; movimento cambaleante; tontura.
2 — *adj.* cambaleante; tonto; com vertigens; que causa vertigens.
re-embark ['ri:im'bɑ:k], *vt.* e *vi.* reembarcar.
re-embarkation ['ri:embɑ:'keiʃən], *s.* reembarque.
re-embarking ['ri:im'bɑ:kiŋ], *s.* reembarque.
re-enact ['ri:i'nækt], *vt.* ordenar novamente, restabelecer (lei); pôr em vigor de novo; repetir uma acção.
re-enactment [-mənt], *s.* restabelecimento (de lei); reconstituição.
re-enforce [ri:in'fɔ:s], *vt.* reforçar; consolidar.
re-enforcement [-mənt], *s.* reforço; acção de reforçar; armadura (de cimento ou betão).
re-engage ['ri:in'geidʒ], *vt.* e *vi.* alistar novamente; readmitir ao serviço; combater de novo; empenhar-se de novo; engrenar de novo.
re-engagement [-mənt], *s.* readmissão (ao serviço); renovação de contrato; novo combate.
re-enlist ['ri:in'list], *vt.* e *vi.* alistar ou alistar-se novamente.
re-enter ['ri:'entə], *vt.* e *vi.* entrar de novo; reentrar em; (com.) fazer novo lançamento.
to re-enter for an examination — apresentar-se novamente a exame.
re-entering [-riŋ], **1** — *s.* acção de reentrar.
2 — *adj.* que reentra; reentrante.
re-entrance [ri:'entrəns], *s.* reentrada; readmissão.
re-entrant [ri:'entrənt], **1** — *s.* reentrância.
2 — *adj.* reentrante.
re-establish ['ri:is'tæbliʃ], *vt.* restabelecer; restaurar.
to re-establish one's health — restabelecer a saúde.
re-establisher [-ə], *s.* restaurador; o que restabelece.
re-establishing [-iŋ], *s.* restabelecimento; restauração.
re-establishment [-mənt], *s.* restabelecimento; restauração; convalescença.
reeve [ri:v], **1** — *s. fem.* de **ruff 2.**
2 — *s.* corregedor; bailio.
3 — *vt.* (*pret.* e *pp.* **rove** ou **reeved**) (náut.) passar (a cordagem) pelos moutões, gornir.
to reeve a rope — gornir um cabo.
reeving ['-iŋ], *s.* acção de passar (a cordagem) pelos moutões.
re-examination ['ri:igzæmi'neiʃən], *s.* novo exame; (jur.) reinquirição (de testemunha).
re-examine ['ri:ig'zæmin], *vt.* examinar de novo; rever; (jur.) reinquirir (testemunha).
re-export 1 — ['ri:'ekspɔ:t], *s.* reexportação; artigo reexportado.
2 — ['ri:eks'pɔ:t, 'ri:iks'pɔ:t], *vt.* reexportar.
re-exportation [ri:ekspɔ:'teiʃən], *s.* reexportação.
reface [ri:'feis], *vt.* reparar; renovar.
refection [ri'fekʃən], *s.* refeição ligeira.
refectory [ri'fektəri], *s.* refeitório (em convento).
refer [ri'fə:], *vt.* e *vi.* (*pret.* e *pp.* **referred**) referir; remeter; enviar; dirigir; encaminhar; classificar; compreender; atribuir; submeter; aludir; indicar uma pessoa que dê informações ou responda por outra; ter relação com; reportar-se; referir-se; dirigir-se; recorrer; indicar por meio de marcas; localizar. (*Sin.* to relate, to allude, to ascribe, to direct).
to refer a request to somebody — submeter uma petição a alguém.
to refer to a dictionary — recorrer a um dicionário.
referring to your letter — com referência à sua carta.
to refer something to Providence — atribuir alguma coisa à Providência.
to refer to a document — reportar-se a um documento.
to refer oneself to somebody's decision — submeter-se à decisão de alguém.
referable [-rəbl], *adj.* que se pode referir; aplicável.
referee [refə'ri:], **1** — *s.* perito; (desp.) árbitro; juiz, julgador.
2 — *vt.* e *vi.* arbitrar.
refereeing [-iŋ], *s.* arbitragem.
reference ['refrəns], *s.* referência; alusão, menção; relação; nota, marca ou sinal de referência; pessoa a quem se pode recorrer para obter informações ou recomendação; fiador; recomendação; informação comercial; (jur.) decisão por arbitragem; atribuições (de tribunal, etc.); ligação.
reference book — livro de consulta.
with reference to — com referência a, com relação a.
to give good references — dar boas informações, dar boas referências.
reference number — número de ordem.
reference library — biblioteca de livros de consulta.
to have good references — ter boas referências.
reference level — nível de referência.
reference point — ponto de referência.
reference work — obra de consulta.
reference plane (geom.) — plano de referência.
list of references — legendas.
of easy reference — de fácil consulta.
business references — referências comerciais.
without reference to — independentemente de.
to have reference to — ter relação com.
referendum [refə'rendəm], *s.* referendo, plebiscito.
refill 1 — ['ri:fil], *s.* carga (de lapiseira); pilha ou bateria de reserva; carga para novo enchimento.
2 — ['ri:'fil], *vt.* encher de novo; (aut.) encher o depósito; reabastecer.
refilling [-iŋ], *s.* acção de encher de novo.
refilling station (aut.) — posto de abastecimento.
refine [ri'fain], *vt.* e *vi.* refinar, clarificar; purificar; polir; clarificar-se; polir-se; purificar-se; refinar-se; requintar.
to refine sugar — refinar açúcar.
refined [-d], *adj.* refinado, polido; cortês; fino; aperfeiçoado; educado; culto. (*Sin.* pure, purified, polished, polite, elegant, stylish, cultured. *Ant.* crude, boorish.)
refined manners — maneiras distintas.
refined petroleum — petróleo refinado.
refinedly [-dli], *adv.* de maneira polida, fina; requintadamente.
refinedness [-dnis], *s.* requinte; maneiras requintadas, corteses.
refinement [-mənt], *s.* refinação; requinte; cortesia; gentileza; urbanidade; cultura.
all the refinements of luxury — todos os requintes de luxo.
over-refinement — afectação.
refinements of cruelty — requintes de crueldade.
to go into refinements — entrar em subtilezas.
lack of refinement — falta de requinte, vulgaridade.
refiner [-ə], *s.* refinador; afinador (de metais).
refinery [-əri], *s.* fábrica de refinação; refinaria.
refining [-iŋ], *s.* refinação, clarificação; afinação (de metais); requinte.
refining furnace — forno de refinação.
refit 1 — ['ri:'fit, ri:'fit], *s.* reparação, conserto; transformação; reforma.

2 — [ri:'fit], *vt.* e *vi.* (*pret.* e *pp.* **refitted**) consertar, compor, reparar; calafetar; armar, equipar de novo.
refitting [-iŋ], *s.* reparação, conserto; (náut.) embonada.
reflect [ri'flekt], *vt.* e *vi.* reflectir; reverberar; meditar; considerar; ponderar; discorrer; increpar, censurar; deslustrar; recair em; repercutir; prejudicar; retratar; dobrar.
to reflect credit on — dar honra a.
to reflect on (to reflect upon) — censurar; duvidar de.
to reflect light — reflectir a luz.
to reflect on somebody's honour — ter dúvidas sobre a honra de alguém.
to reflect the corner of the paper — dobrar o canto do papel.
reflected [-id], *adj.* reflectido.
reflected rays — raios reflectidos.
reflected light — luz reflectida.
reflecting [-iŋ], **1** — *s.* reflexão; censura.
2 — *adj.* reflectido; pensador; reflector; sensato.
reflecting finder — visor do espelho.
reflection [ri'flekʃən], *s.* reflexão; reflexo; reverberação; consideração; meditação; censura; comentário; acto reflexo. (*Sin.* image, thought, meditation, idea, consideration, censure.)
on reflection (upon reflection) — depois de reflectir.
to leave a person to his reflections — deixar uma pessoa entregue às suas reflexões.
reflection of sound — reflexão do som.
reflection of light — reflexão da luz.
to be lost in reflection — estar perdido em reflexões.
to give cause to reflection — obrigar a reflectir.
angle of reflection — ângulo de reflexão.
to cast reflections on somebody — censurar alguém.
reflective [ri'flektiv], *adj.* que reflecte; (gram.) reflexo, reflexivo; meditativo, pensativo.
reflectively [-li], *adv.* reflectidamente, ponderadamente; com reflexão.
reflectiveness [-nis], *s.* reflexão.
reflector [ri'flektə], *s.* reflector; aparelho reflector; telescópio de espelho.
reflex ['ri:fleks], **1** — *s.* reflexo; imagem reflectida; resultado; acto reflexo.
conditioned reflex — reflexo condicionado.
to test somebody's reflexes — examinar os reflexos de alguém.
2 — *adj.* reflexo; indirecto; introspectivo; (fisiol.) reflexo; (gram.) reflexo, reflexivo; (bot.) recurvado.
reflex action — acto reflexo.
reflexed [ri'flekst], *adj.* reflectido; (bot.) recurvado.
reflexibility [rifleksi'biliti], *s.* reflexibilidade.
reflexible [ri'fleksibl], *adj.* reflexível.
reflexion [ri'flekʃən], *s.* reflexão.
angle of reflexion — ângulo de reflexão.
reflexive [ri'fleksiv], **1** — *s.* pronome ou verbo reflexo.
2 — *adj.* (gram.) reflexo, reflexivo.
reflexive verb — verbo reflexo.
reflexive pronoun — pronome reflexo.
reflexively [-li], *adv.* reflexivamente.
refloat ['ri:'flout], *vt.* pôr a flutuar de novo; desencalhar.
refloating [-iŋ], *s.* acção de pôr a flutuar de novo; desencalhe.
reflux ['ri:flʌks], *s.* refluxo; vazante, baixa-mar.
reform [ri'fɔ:m], **1** — *s.* reforma; melhoria; modificação.
reform school — reformatório para menores.
2 — *vt.* e *vi.* reformar; remodelar; corrigir; melhorar; emendar; reformar-se; corrigir-se.
re-form ['ri:'fɔ:m], *vt.* e *vi.* formar de novo; refazer, reconstruir; (mil.) entrar de novo na forma.
reformable [ri'fɔ:məbl], *adj.* reformável; corrigível.
reformation ['ri:fɔ:'meiʃən], *s.* reforma; remodelação; correcção de costumes.
the Reformation — a Reforma (movimento religioso).
re-formation ['ri:fɔ:'meiʃən], *s.* (mil.) nova formação.
reformational [refɔ:'meiʃənəl], *adj.* referente à Reforma; protestante.
reformative [ri'fɔ:mətiv], *adj.* reformativo.
reformatory [ri'fɔ:mətəri], **1** — *s.* reformatório, casa de correcção.
to send to a reformatory — mandar para um reformatório.
2 — *adj.* reformatório; que procura corrigir, reformar.
reformed [ri'fɔ:md], *adj.* reformado; protestante; corrigido.
reformer [ri'fɔ:mə], *s.* reformador; reformista.
reforming [ri'fɔ:miŋ], **1** — *s.* aperfeiçoamento; acção de reformar.
2 — *adj.* reformador; que corrige.
reformist [ri'fɔ:mist], *s.* e *adj.* reformista; partidário da Reforma.
refract [ri'frækt], *vt.* refractar, refranger.
to be refracted — refractar-se.
refracted [-id], *adj.* refractado.
refracted light — luz refractada.
refracted rays — raios refractados.
refracting [-iŋ], *adj.* refractivo; refrangente.
refracting medium — meio refrangente.
refraction [ri'frækʃən], *s.* refracção.
to suffer refraction — refractar-se.
refraction of light — refracção da luz.
refraction of sound — refracção do som.
refractive [ri'fræktiv], *adj.* refractivo, refrangente.
refractive index — coeficiente de refracção.
refractivity [rifræk'tiviti], *s.* refrangência; refrangibilidade.
refractor [ri'fræktə], *s.* telescópio de refracção; refractor; aquilo que refracta.
refractoriness [-rinis], *s.* contumácia, teimosia, obstinação; porfia; (fís.) refractividade.
refractory [ri'fræktəri], *adj.* refractário; teimoso; contumaz; desobediente; (fís.) refractário. (*Sin.* stubborn, unmanageable, unruly, disobedient. *Ant.* docile.)
refractory brick — tijolo refractário.
refractory material — material refractário.
refractory coating — revestimento refractário.
refrain [ri'frein], **1** — *s.* estribilho, refrão.
2 — *vt.* e *vi.* refrear, conter, reprimir; abster-se; conter-se.
to refrain from doing something — abster-se de fazer alguma coisa.
refrangibility [rifrændʒi'biliti], *s.* refrangibilidade.
refrangible [ri'frændʒibl], *adj.* refrangível.
refresh [ri'freʃ], *vt.* e *vi.* refrescar; refrigerar; descansar; aliviar; restaurar; reanimar; renovar; vivificar; tomar ânimo; cobrar forças; tomar uma leve refeição; relembrar. (*Sin.* to freshen, to revive, to cheer, to brace, to reanimate. *Ant.* to weary.)
to refresh oneself — refrescar-se; reparar as forças; repousar.
to refresh the inner man — alimentar-se.
refresher [-ə], *s.* pessoa ou coisa que refresca ou renova; refresco; refrigerante; refeição leve; (col.) bebida.
refresher course — curso de revisão e aperfeiçoamento.

refreshing [-iŋ], **1** — *s.* descanso; distracção, recreio.
2 — *adj.* refrigerante; reparador; reconfortante; interessante; tonificante.
a refreshing sleep — um sono reparador.
refreshingly [-iŋli], *adv.* reparadoramente; agradavelmente.
refreshment [-mənt], *s.* refresco; leve refeição; refrigério; repouso; alívio; consolação; *pl.* bebidas e comidas variadas.
to take some refreshment — comer ou beber alguma coisa.
refreshment room — bufete; (cam. fer.) sala de jantar.
refreshment Sunday — quarto domingo da Quaresma.
refrigerant [ri'fridʒərənt], **1** — *s.* refrigerante.
2 — *adj.* refrescante; (med.) que faz baixar a temperatura.
refrigerate [ri'fridʒəreit], *vt.* e *vi.* refrigerar; refrescar; gelar; congelar.
refrigerated meat — carne congelada.
refrigerating [-iŋ], **1** — *s.* refrigeração; congelação.
***refrigerating machine* — máquina congeladora (frigorífica).**
2 — *adj.* refrigerante; que faz congelar.
refrigerating chamber — câmara frigorífica.
refrigeration [rifridʒə'reiʃən], *s.* refrigeração.
refrigerative [ri'fridʒərətiv], *adj.* refrigerativo.
refrigerator [ri'fridʒəreitə], *s.* frigorífico; congelador.
refrigerator truck — camião frigorífico.
refrigerator van (refrigerator car) (cam. fer.) — vagão frigorífico.
refrigeratory [ri'fridʒərətəri], **1** — *s.* refrigerante.
2 — *adj.* que refrigera; refrigeratório.
refringency [ri'frindʒənsi], *s.* refringência.
refringent [ri'frindʒənt], *adj.* refringente.
reft [reft], *pret.* e *pp.* de **to reave.**
refuge ['refju:dʒ], **1** — *s.* refúgio;, asilo; guarida; protecção; amparo; recurso; abrigo.
to take refuge — refugiar-se.
to seek refuge — procurar refúgio.
2 — *vt.* e *vi.* dar refúgio a; refugiar-se; abrigar; abrigar-se.
refugee [refju(:)'dʒi:], *s.* refugiado; emigrado.
refulgence [ri'fʌldʒəns], *s.* refulgência, esplendor.
refulgent [ri'fʌldʒənt], *adj.* refulgente, brilhante, resplandecente. (*Sin.* radiant, shining, bright. *Ant.* dull.)
refulgently [-li], *adv.* refulgentemente, resplandecentemente.
refund 1 — ['ri:fʌnd], *s.* reembolso; restituição.
2 — [ri:'fʌnd, 'ri:fʌnd], *vt.* e *vi.* reembolsar; restituir; amortizar.
to refund somebody — reembolsar alguém.
refundable [-əbl], *adj.* reembolsável; restituível.
refunding [-iŋ], *s.* reembolso.
refundment [-mənt], *s.* reembolso.
refurbish ['ri:'fə:biʃ], *vt.* polir de novo, brunir de novo; renovar.
refurnish ['ri:'fə:niʃ], *vt.* abastecer, fornecer de novo.
refusable [ri'fju:zəbl], *adj.* recusável.
refusal [ri'fju:zəl], *s.* escusa; negativa; escolha, opção; desaire.
to give a flat refusal — recusar formalmente.
to have the refusal of — ter direito de opção.
to meet with a refusal — receber uma resposta negativa.
refuse 1 — ['refju:s], *s.* refugo, rebotalho; sobra; resíduo; entulho, lixo.
refuse destructor — incineradora de lixos.
household refuse — lixo de uma casa.
2 — *adj.* de refugo; rejeitado.
refuse material — detritos de materiais.
3 — [ri'fju:z], *vt.* e *vi.* recusar; rejeitar; negar; opor-se; negar-se a; não seguir o naipe jogado. (*Sin.* to deny, to reject, to decline, to repudiate. *Ant.* to grant.)
to refuse a request — negar um pedido.
to refuse an offer — recusar uma oferta.
to refuse obedience — recusar obediência.
re-fuse ['ri:'fju:z], *vt.* refundir; tornar a fundir.
refuser [ri'fju:zə], *s.* aquele que recusa ou nega.
refutability [refjutə'biliti], *s.* refutabilidade.
refutable ['refjutəbl], *adj.* refutável.
refutal [ri'fju:təl], *s.* refutação, contestação; impugnação.
refutation [refju(:)'teiʃən], *s.* ver **refutal.**
refute [ri'fju:t], *vt.* refutar, rebater, contradizer, impugnar. (*Sin.* to disprove, to repel, to deny, to overthrow. *Ant.* to confirm.)
to refute an insinuation — rebater uma insinuação.
to refute somebody — refutar alguém.
refuter [-ə], *s.* aquele que refuta.
regain [ri'gein], *vt.* recuperar; recobrar; tornar a ganhar.
to regain consciousness — recuperar os sentidos.
to regain possession of — recuperar a posse de.
to regain one's balance — retomar o equilíbrio.
regainable [-əbl], *adj.* recuperável.
regainment [-mənt], *s.* recuperação; reaquisição.
regal ['ri:gəl], *adj.* real, régio; realengo; sumptuoso.
he lives in regal splendour — vive num esplendor real.
regal dignity — dignidade real.
regal magnificence — fausto real.
regale [ri'geil], **1** — *s.* banquete, festim.
2 — *vt.* e *vi.* regalar, banquetear; festejar; deleitar; regalar-se.
to regale oneself with — regalar-se com.
regalia [ri'geiljə], *s. pl.* insígnias reais; insígnias, distintivos.
in full regalia — com todo o esplendor.
regality [ri'gæliti], *s.* realeza; (rar.) reino, monarquia.
regally ['ri:gəli], *adv.* regiamente.
regard [ri'gɑ:d], **1** — *s.* atenção, respeito; estima; consideração; veneração; acatamento; relação; referência; olhadela; assunto em questão; *pl.* cumprimentos, lembranças (em fim de carta).
with regard to (in regard to, in regard of) — **relativamente a; quanto a.**
***without any regard to*—sem contemplações por.**
with the kindest regards — com muitos cumprimentos; com a maior consideração.
my kindest regards — com a maior consideração.
to pay regard to — prestar atenção a.
out of regard for — em atenção a.
I have a great regard for him — tenho muita consideração por ele.
in my regard — pelo que me diz respeito.
to hold somebody in high regard — ter grande consideração por alguém.
to hold somebody in low regard — ter pouca consideração por alguém.
2 — *vt.* olhar; considerar; examinar; atender; observar; estimar; respeitar; venerar; julgar; fazer caso de; dizer respeito a; ter relação com; apreciar.
as regards — quanto a, pelo que toca a.
that does not regard me — isso não é comigo.
not to regard somebody's advice — **não fazer caso do conselho de alguém.**

he regards neither God nor man — ele nem teme a Deus nem receia os homens.
not to regard somebody as honest — não considerar alguém pessoa honesta.
regardful [-ful], *adj.* atento, atencioso; respeitoso; cuidadoso.
regardfully [-fuli], *adv.* atenciosamente; respeitosamente; cuidadosamente.
regarding [-iŋ], *prep.* em atenção a, com respeito a, relativamente a.
regardless [-lis], *adj.* indiferente; descuidado; negligente; insignificante.
regardless of the danger — indiferente ao perigo.
regardless of expense — sem olhar a despesas.
regardless of the future — sem se importar com o futuro.
regardlessly [-lisli], *adv.* indiferentemente; descuidadamente.
regardlessness [-lisnis], *s.* descuido; indiferença; falta de atenção.
regatta [ri'gætə], *s.* (desp.) regata.
regelate ['ri:dʒəleit], *vi.* congelar, regelar.
regelation [ri:dʒə'leiʃən], *s.* regelo; gelo que se forma depois do degelo.
regency ['ri:dʒənsi], *s.* regência; cargo de regente; período de regência.
the Regency — a Regência (período da história da Inglaterra de 1810 a 1820).
regenerate **1** — [ri'dʒenərit, rə'dʒenərit], *adj.* regenerado.
2 — [ri'dʒenəreit, rə'dʒenəreit], *vt.* e *vi.* regenerar; reformar; formar-se de novo, reproduzir-se.
regenerated [-id], *adj.* regenerado.
regenerating [-iŋ], *adj.* regenerador.
regeneration [ridʒenə'reiʃən], *s.* regeneração; renascimento; recuperação.
regenerative [ri'dʒenərətiv], *adj.* regenerativo; que recupera.
regenerative furnace — forno de recuperação.
regenerator [ri'dʒenəreitə], *s.* regenerador; recuperador.
regent ['ri:dʒənt], *s.* e *adj.* regente; (rar.) governante.
the Prince regent — o príncipe regente.
regicidal [redʒi'saidəl], *adj.* regicida.
regicide ['redʒisaid], *s.* regicida; regicídio.
regild ['ri:'gild], *vt.* dourar de novo.
regime [re'ʒi:m], *s.* regime, administração; sistema social.
régime [rei'ʒi:m], *s.*, ver **regime.**
regimen ['redʒimen], *s.* (rar.) regime, administração, sistema social; (gram.) regímen; (med.) regímen, dieta.
regiment ['redʒimənt], **1** — *s.* regimento; grande quantidade.
regiments of — grande número de.
2 — *vt.* arregimentar; organizar em grupos.
regimental [redʒi'mentl], *adj.* regimental; referente a regimento.
regimentally [-i], *adv.* por regimentos; em forma de regimento.
regimentals [-z], *s. pl.* farda, uniforme militar.
in full regimentals — de uniforme de grande gala.
regimentation [redʒimen'teiʃən], *s.* arregimentação; ordenação em grupos.
Reginald ['redʒinld], *n. p.* Reginaldo.
region ['ri:dʒən], *s.* região; território; país; comarca; distrito; espaço.
the region beyond the grave — o além-túmulo.
the lower regions — o Inferno.
the abdominal region (anat.) — a região abdominal.
the upper regions — o Céu.
regional ['ri:dʒənl], *adj.* regional, local.
regionalism ['ri:dʒnəlizm], *s.* regionalismo.
regionally ['ri:dʒnəli], *adv.* regionalmente.
regionary ['ri:dʒnəri], *adj.* regional, referente a região.
register ['redʒistə], **1** — *s.* registo, inscrição; contador; rol, lista; registador, indicador; livro de lembranças; protocolo; arquivo; certificado de registo; registo da alfândega; (mús.) registo; registo de órgão; (mec.) contador de rotações, registo.
to keep a register — ter um registo.
register of attendance — livro de ponto.
register tonnage — tonelagem de registo.
register-book — livro de registo.
register of voters — lista eleitoral.
cash register — caixa registadora.
register of seamen (náut.) — registo geral.
to marry at a register office — casar civilmente.
police registers — registos policiais.
parish register — registo paroquial.
Trade Register — registos comerciais.
2 — *vt.* e *vi.* registar; inscrever; matricular; anotar; marcar; indicar; inscrever-se; matricular-se; alistar-se; inscrever-se em lista eleitoral; (fig.) fixar mentalmente.
to register one's luggage — despachar bagagens.
to register a letter — registar uma carta.
to register a birth — declarar um nascimento.
to register with the police — registar-se na polícia.
the thermometer registered 32 °C — o termómetro registava 32 °C.
to register a trade-mark — registar uma marca (comercial).
registered [-d], *adj.* registado; inscrito; matriculado.
registered bond — título nominativo.
registered letter — carta registada.
registered trade-mark — marca registada.
registering ['redʒistəriŋ], **1** — *s.* acção de registar, matricular ou inscrever.
2 — *adj.* que regista; registador.
registering scale — balança registadora.
registering instrument — instrumento registador.
registering apparatus — aparelho registador.
registrable ['redʒistrəbl], *adj.* registável.
registrant ['redʒistrənt], *s.* pessoa que regista, inscreve ou matricula; pessoa que regista ou inscreve o seu nome.
registrar [redʒis'trɑ:], *s.* (jur.) escrivão, conservador do registo civil; funcionário que regista.
to get married before the registrar — casar civilmente.
the registrar's office — a repartição do registo civil.
registrary ['redʒistrəri], *s.* secretário e arquivista da Universidade de Cantabrígia.
registration [redʒis'treiʃən], *s.* registo; inscrição; matrícula; registo (correio); número de pessoas inscritas para eleições; (mús.) registação.
registration form — impresso de registo.
registration fee — prémio de registo (correio).
registration number — número de registo; número de matrícula.
registration of a letter — registo de uma carta (correio).
registry ['redʒistri], *s.* registo; matrícula; arquivo; inscrição; cartório; conservatória do registo civil.
to marry at a registry office — casar civilmente.
registry office — repartição do registo civil; cartório; agência de colocação de criadas.
certificate of registry (náut.) — certificado de matrícula.

servants' registry (office) — agência de colocação de criadas.
regnal ['regnəl], *adj.* referente a reinado.
regnal day — aniversário da subida ao trono.
regnant ['regnənt], *adj.* reinante; dominante.
the Prince Regnant — o príncipe reinante.
regorge [ri:'gɔ:dʒ], *vt.* e *vi.* vomitar; engolir de novo; refluir.
regress 1 — ['ri:gres], *s.* regresso, volta; retrocesso; (jur.) reintegração.
2 — [ri'gres], *vi.* regressar, voltar; retroceder.
regression [ri'greʃən], *s.* regressão; retrocesso.
regressive [ri'gresiv], *adj.* regressivo.
regressively [-li], *adv.* regressivamente.
regressiveness [-nis], *s.* regressividade.
regret [ri'gret], 1 — *s.* pesar, pena, desgosto; tristeza; arrependimento; *pl.* desculpas.
with regret — com pesar.
to refuse with much regret — recusar com muita pena.
to express regret for — exprimir pesar por.
to feel regret — sentir pena, ter pena.
to have no regrets — não sentir arrependimento.
to hear with regret of — ter o desgosto de ser informado de.
to send one's regrets — enviar as suas desculpas.
2 — *vt.* (*pret.* e *pp.* **regretted**) sentir, lamentar, lastimar; arrepender-se de. (*Sin.* to deplore, to lament, to repent, to bewail. *Ant.* to approve.)
regretful [-ful], *adj.* pesaroso; que causa pena; arrependido.
regretfully [-fuli], *adv.* sentidamente, com pesar.
regrettable [ri'gretəbl], *adj.* lamentável; lastimável.
regrettably [-i], *adv.* lamentavelmente; lastimavelmente.
regretting [ri'gretiŋ], *s.* desgosto, pesar; arrependimento.
regrind [ri:'graind], *vt.* (prt. e pp. **reground** [ri'graund], moer de novo; rodar novamente (válvula).
regroup ['ri:'gru:p], *vt.* reagrupar.
regrowth [ri:'grouθ], *s.* novo crescimento; (biol.) regeneração (de tecidos); repovoamento (de floresta).
regulable ['regjuləbl], *adj.* regulável; ajustável.
regular ['regjulə], 1 — *s.* membro do clero regular; soldado das tropas regulares; (col.) freguês assíduo; empregado permanente.
2 — *adj.* regular; normal; exacto; pontual; metódico, ordenado; mediano; formal; autorizado; uniforme; corrente; natural; harmonioso; experiente; (col.) perfeito. (*Sin.* orderly, uniform, customary, ordinary, stated. *Ant.* irregular.)
a regular life — uma vida regrada.
to keep regular hours — deitar-se e levantar-se cedo; vir cedo para casa.
regular pulse — pulso normal.
regular features — feições regulares.
a regular quack (col.) — um perfeito charlatão.
regular trade — navio de carreira.
regular officer — oficial de carreira.
regular polygon — polígono regular.
regular model — tipo corrente.
regular prism — prisma regular.
a regular doctor — um médico competente.
a regular soldier — um soldado das tropas regulares.
the regular clergy — o clero regular.
regular visitor — visitante assíduo.
to make regular — regularizar.
he is a regular brick (col.) é um rapaz às direitas.
3 — *adv.* regularmente; completamente.
regularity [regju'læriti], *s.* regularidade; método, ordem; simetria.
regularization [regjulərai'zeiʃən], *s.* regularização.
regularize ['regjuləraiz], *vt.* regularizar.
regularly ['regjuləli], *adv.* regularmente; completamente.
regulate ['regjuleit], *vt.* regular; ordenar; dirigir, conduzir; normalizar; acertar (relógio).
to regulate the traffic — regular o tráfego.
to regulate a watch — regular um relógio.
regulated [-id], *adj.* regulado.
regulated movement — movimento regulado.
regulating [-iŋ], 1 — *s.* regulação; acção de regular.
2 — *adj.* regulador; de referência.
regulating screw — parafuso de ajustamento.
regulating device — dispositivo regulador.
regulating wheel — volante moderador.
regulation [regju'leiʃən], *s.* regulação; método; regulamento; ordem; regime.
regulation lights (náut.) — luzes regulamentares.
to exceed the regulation speed — exceder a velocidade regulamentar.
regulation nut — porca reguladora.
regulation of output — regulação do rendimento.
contrary to the regulations — contrário aos regulamentos.
hospital regulations — regulamento hospitalar.
regulation uniform — uniforme regulamentar.
the customs regulations — os regulamentos alfandegários.
regulationist [regju'leiʃənist], *adj.* regulamentarista.
regulationist country — país que admite a prostituição regulamentada.
regulative ['regjulətiv], *adj.* regulador.
regulator ['regjuleitə], *s.* regulador; guia; registo de relógio; cronómetro regulador.
regulator valve — válvula reguladora.
regulator lever — alavanca do regulador.
regulus ['regjuləs], *s.* (*pl.* **reguli**) régulo (a parte mais pura e mais pesada de um metal ou mineral); régulo (pequeno rei); (zool.) felosa de poupa, estrelinha.
Regulus ['regjələs], *n. p.* Régulo; (astr.) Régulo, Coração-de-Leão (estrela da constelação do Leão).
regurgitate [ri'gə:dʒiteit], *vt.* e *vi.* regurgitar; vomitar.
regurgitation [rigə:dʒi'teiʃən], *s.* regurgitação.
rehabilitate [ri:ə'biliteit], *vt.* reabilitar; regenerar.
rehabilitating [-iŋ], *adj.* reabilitador; reabilitante.
rehabilitation ['ri:əbili'teiʃən], *s.* reabilitação; regeneração; restauração.
rehearsal [ri'hə:səl], *s.* ensaio (teatral); recitação; narração; repetição.
dress rehearsal — ensaio geral.
play in rehearsal (play under rehearsal) — (teat.) peça que anda a ser ensaiada.
rehearse [ri'hə:s], *vt.* e *vi.* (teat.) ensaiar; recitar; repetir; narrar.
rehearser [-ə], *s.* actor que ensaia.
rehearsing [-iŋ], *s.* (teat.) ensaio.
re-heel ['ri:'hi:l], *vt.* pôr tacões novos (em calçado).
rehouse ['ri:'hauz], *vt.* realojar, alojar em nova casa.
reign [rein], 1 — *s.* reino; soberania; reinado; domínio.
under the reign of — no reinado de.

the mineral reign — o reino mineral.
the vegetable reign — o reino vegetal.
2 — *vi.* reinar; governar; predominar, prevalecer; estar em voga. (*Sin.* to rule, to govern, to command, to prevail.)
silence reigns — reina o silêncio.
to reign over a country — reinar num país.
reigning [-iŋ], *adj.* reinante; predominante.
reigning beauty — beleza suprema.
reimbursable [ri:im'bə:səbl], *adj.* reembolsável.
reimburse [ri:im'bə:s], *vt.* reembolsar; indemnizar.
to reimburse somebody (for) his expenses — reembolsar alguém das suas despesas.
reimbursement [-mənt], *s.* reembolso; indemnização.
reimport **1** — ['ri:'impɔ:t], *s.* reimportação.
2 — ['ri:im'pɔ:t], *vt.* reimportar.
reimportation ['ri:impɔ:'teiʃən], *s.* reimportação.
reimpose ['ri:im'pouz], *vt.* (tip.) fazer nova imposição, reimpor.
reimposing [-iŋ], *s.* (tip.) acção de reimpor.
reimposition ['ri:impou'ziʃən], *s.* (tip.) reimposição.
reimpression ['ri:im'preʃən], *s.* reimpressão.
rein [rein], **1** — *s.* rédea; governo; direcção.
to give rein to — dar largas a.
to take the reins — tomar as rédeas.
to give reins to one's imagination — dar largas à imaginação.
to keep a tight rein on — manter uma disciplina severa sobre.
to assume the reins of government — assumir as rédeas do governo.
to drop the reins of government — largar as rédeas do governo.
with a loose rein (with a slack rein) — com **rédea solta; (fig.) de modo pouco severo.**
to hold the reins — governar.
2 — *vt.* e *vi.* guiar com rédeas; governar; guiar; refrear; conter.
to rein in — manter; reter.
to rein up — fazer parar (o cavalo).
to rein back — obrigar a recuar (o cavalo).
reincorporate [ri:in'kɔ:pəreit], *vt.* reincorporar.
reindeer ['reindiə], *s.* (zool.) rangífer, rena.
buck reindeer — rena-macho.
doe reindeer — rena-fêmea.
reindeer-moss — musgo das renas.
reinforce [ri:in'fɔ:s], **1** — *s.* reforço (de instrumento).
2 — *vt.* reforçar; consolidar. (*Sin.* to support. *Ant.* to weaken.)
reinforced [-t], *adj.* reforçado; consolidado.
reinforced cement — cimento armado.
reinforced concret — betão armado.
reinforcement [-mənt], *s.* reforço; acto de reforçar; armadura (de cimento ou betão).
reinforcing [-iŋ], **1** — *s.* reforço; acção de reforçar.
2 — *adj.* que reforça; que consolida.
reinforcing spring — mola de reforço.
reinless ['reinlis], *adj.* sem rédeas; (fig.) descontrolado.
reins [reinz], *s. pl.* (arc.) rins; região renal.
reinstall ['ri:in'stɔ:l], *vt.* reinstalar; restabelecer.
reinstalment [-mənt], *s.* nova instalação; restabelecimento; reintegração.
reinstate ['ri:in'steit], *vt.* restabelecer; reintegrar; restaurar.
reinstatement [-mənt], *s.* reintegração; restabelecimento.
reinsurance ['ri:in'ʃuərəns], *s.* resseguro.
reinsure ['ri:in'ʃuə], *vt.* ressegurar.
reinsurer [-rə], *s.* ressegurador.
reintegrate ['ri:'intigreit], *vt.* reintegrar.
reintegration ['ri:inti'greiʃən], *s.* reintegração.
reintroduce ['ri:intrə'dju:s], *vt.* tornar a introduzir; apresentar de novo.
reintroducing [-iŋ], *s.* acção de tornar a introduzir ou apresentar.
reintroduction ['ri:intrə'dʌkʃən], *s.* nova introdução; nova apresentação.
reinvest ['ri:in'vest], *vt.* investir novamente, tornar a empregar (fundos); atacar de novo; reintegrar (em cargo).
reinvestment [-mənt], *s.* reinvestimento; novo ataque.
reissue ['ri:'isju:], **1** — *s.* reedição; (fin.) nova emissão (de selos, notas, etc.).
2 — *vt.* reeditar; tornar a sair; dimanar de novo; (fin.) fazer nova emissão.
reiterate [ri:'itəreit], *vt.* reiterar, repetir.
reiterated [-id], *adj.* reiterado.
reiteratedly [-idli], *adv.* reiteradamente, repetidas vezes.
reiteration [ri:itə'reiʃən], *s.* reiteração, repetição.
reiterative [ri:'itərətiv], *adj.* reiterativo.
reive [ri:v], *vt.* e *vi.* ver **to reave.**
reiver ['ri:və], *s.* ver **reaver.**
reject **1** — ['ri:dʒekt], *s.* rejeição; recusa; exclusão; refugo; recruta incapaz para o serviço militar.
2 — [ri'dʒekt, rə'dʒekt], *vt.* rejeitar; recusar; renunciar; pôr de parte; repudiar; excluir; vomitar. (*Sin.* to refuse, to discord, to repel, to decline. *Ant.* to accept.)
to reject food — rejeitar alimentos.
to reject a suitor — rejeitar um pretendente.
to reject an offer — rejeitar uma oferta.
rejectable [-əbl], *adj.* rejeitável.
rejectamenta [ridʒektə'mentə], *s. pl.* restos; excrementos; coisas lançadas pelo mar.
rejected [ri'dʒektid], *adj.* rejeitado; recusado; repudiado.
rejecter [ri'dʒektə], *s.* pessoa que rejeita.
rejection [ri'dʒekʃən], *s.* rejeição; recusa; exclusão; *pl.* restos; excrementos.
rejector [ri'dʒektə], *s.* ver **rejecter.**
rejoice [ri'dʒɔis], *vt.* e *vi.* alegrar; deleitar-se, regozijar-se, congratular-se, alegrar-se; festejar.
the news rejoiced him — as notícias alegraram-no.
I am rejoiced to hear it — regozijo-me de saber isso.
I rejoice at it — regozijo-me com isso.
I rejoice to welcome you — tenho muito prazer em te dar as boas-vindas.
rejoicement [-mənt], *s.* regozijo, alegria.
rejoicer [-ə], *s.* pessoa que se alegra.
rejoicing [-iŋ], **1** — *s.* alegria, regozijo, júbilo; *pl.* festa, comemoração.
2 — *adj.* deleitável; alegre.
rejoicingly [-iŋli], *adv.* alegremente.
rejoin [ri'dʒɔin], *vt.* e *vi.* reunir-se a; tornar a juntar-se a; replicar, retorquir; (jur.) treplicar.
re-join ['ri:'dʒɔin], *vt.* e *vi.* voltar a juntar; reunir.
rejoinder [ri'dʒɔində], *s.* réplica, resposta; (jur.) tréplica.
rejoining ['ri:'dʒɔiniŋ], *s.* reunião; reingresso.
rejuvenate [ri'dʒu:vineit], *vt.* e *vi.* rejuvenescer, remoçar.
rejuvenation [ridʒu:vi'neiʃən], *s.* rejuvenescimento.
rejuvenesce [ri:dʒu:vi'nes], *vt.* e *vi.* rejuvenescer; (biol.) encher de novo vigor.
rejuvenescence [-ns], *s.* rejuvenescência; (biol.) aquisição de novo vigor.

rejuvenescent [-nt], *adj.* rejuvenescente.
rekindle ['ri:'kindl], *vt.* e *vi.* reacender, atear de novo; reacender-se; (fig.) inflamar-se.
to rekindle the fire — voltar a acender o lume.
relapse [ri'læps], **1** — *s.* reincidência; (med.) recidiva, recaída.
a relapse might set in — podia dar-se uma recaída.
relapse into crime — reincidência no crime.
to have a relapse (med.) — ter uma recaída.
2 — *vi.* reincidir; ser relapso; renegar; (med.) recair, recidivar.
to relapse into crime — reincidir no crime.
relapser [-ə], *s.* relapso.
relapsing [-iŋ], **1** — *s.* recaída.
2 — *adj.* que se repete.
relate [ri'leit], *vt.* e *vi.* relatar, contar, narrar; referir; dizer respeito a; referir-se a; ser referente a; relacionar-se com. (*Sin.* to narrate, to tell, to report, to recount.)
it is related that — diz-se que.
strange to relate! — caso estranho!
related [-id], *adj.* relativo a, referente a; conexo; aparentado com; parente de.
related ideas — ideias conexas.
to be distantly related — ser parente afastado.
to be nearly related (to be closely related) — ser aparentado com.
relatedness [-idnis], *s.* ligação; parentesco.
relater [-ə], *s.* relator, narrador.
relating [-iŋ], *adj.* relativo, referente.
relating to — relativo a.
relation [ri'leiʃən], *s.* relação; narração; conexão; comunicação; trato; alusão; afinidade; ligação; parente; correspondência; *pl.* assuntos, negócios.
near relation — parente próximo.
distant relation — parente afastado.
friendly relations — relações de amizade.
is he a relation of yours? — ele é seu parente?
to enter into business relations — encetar relações comerciais.
in relation to — com respeito a; em relação com.
parents and relations — ascendentes directos e colaterais.
what relation is he to you? — que parentesco tem ele contigo?
to bear a relation to — ter relação com.
to bear no relation to — não ter relação com.
to break off all relations with — cortar todas as relações com.
relational [ri'leiʃənl], *adj.* relacionado; ligado; aparentado; conexo.
relationless [ri'leiʃənlis], *adj.* sem relações; sem parentes.
relationship [ri'leiʃənʃip], *s.* parentesco; afinidade; relação; conexão.
to be in relationship with — ter relações com.
near relationship — parentesco próximo.
blood relationship — parentesco de sangue.
relative ['rel(ə)tiv], **1** — *s.* parente; (gram.) pronome relativo, palavra com valor relativo.
2 — *adj.* relativo, referente; correspondente; dependente.
relative pronoun — pronome relativo.
relative adverb — advérbio relativo.
relative clause — oração relativa.
relative error — erro relativo.
relative weight — peso relativo.
relative compression — compressão relativa.
3 — *adv.* em relação, a propósito.
relatively [-li], *adv.* relativamente; comparativamente.
to be relatively rich — ser relativamente rico.
relativeness [-nis], *s.* carácter relativo.
relativism [-izm], *s.* (fil.) relativismo.
relativist [-ist], *s.* (fil.) relativista.
relativity [relə'tiviti], *s.* (fil., fís.) relatividade.
the theory of relativity — a teoria da relatividade.
relax [ri'læks], *vt.* e *vi.* afrouxar; abrandar; relaxar, descontrair-se; diminuir; ceder; alargar; moderar-se; pôr-se à vontade.
you must not relax in your efforts — não deve afrouxar os seus esforços.
to relax the bowels (med.) — limpar os intestinos.
to relax discipline — abrandar a disciplina.
relaxation [ri:læk'seiʃən], *s.* afrouxamento, frouxidão; relaxação; descanso; folga; recreio; distracção; mitigação; brandura; relaxamento (de nervos, músculos, etc.). (*Sin.* slackening, recreation, rest, ease, amusement. *Ant.* work.)
to take some relaxation — distrair-se ou descansar um pouco.
relaxed [ri'lækst], *adj.* descontraído; frouxo.
relaxed throat — garganta inflamada.
relaxing [ri'læksiŋ], **1** — *s.* descontracção; frouxidão; abrandamento.
2 — *adj.* depressivo; enervante; (med.) laxativo.
relay [ri'lei], **1** — *s.* muda (de cavalos); substituição (homens, materiais, etc.); interruptor electromagnético; (desp.) estafetas; (mec.) motor auxiliar.
relay horse — cavalo de muda.
relay race — corrida de estafetas.
to work in relays (to work by relays) — trabalhar por turnos.
relay station — estação retransmissora.
2 — *vt.* e *vi.* mudar (os cavalos); substituir; retransmitir; (elect.) reforçar; revezar; substituir por outro turno.
re-lay ['ri:'lei], *vt.* (*pret.* e *pp.* **re-laid**) colocar de novo, pôr de novo.
relaying ['ri:'leiiŋ], *s.* retransmissão (radiofónica ou telegráfica).
re-laying ['ri:'leiiŋ], *s.* acção de tornar a colocar.
releasable [ri'li:səbl], *adj.* separável.
release [ri'li:s], **1** — *s.* liberdade; desobrigação; exoneração; alívio; recibo; quitação; escape; (elect.) interruptor; remissão (de dívida); transferência de propriedade; autorização para exibir um filme em público; filme autorizado a ser exibido em público; (jur.) cessão de um direito.
deed of release (jur.) — escritura de cessão.
release coil — bobina de desengate.
release motion — desembraiagem.
release button — botão de desengate.
release on bail — liberdade sob fiança.
release of prisoner on ticket of leave — liberdade condicional de preso.
release valve — válvula de segurança.
2 — *vt.* soltar; desprender; libertar; livrar; desobrigar; afrouxar; renovar um arrendamento; perdoar (dívida); autorizar a exibição de um filme em público; transferir direito ou propriedade; lançar no mercado.
to release a prisoner — libertar um prisioneiro.
to release the catch — desengatar.
to release a bomb — lançar uma bomba (de avião).
to release one's right — renunciar ao seu direito.
re-lease ['ri:'li:s], *vt.* arrendar de novo.
releasee [rili:'si:], *s.* cessionário.
releaser [ri'li:sə], *s.* dispositivo de desengate; distribuidor de filmes.
releasing [ri'li:siŋ], *s.* acção de libertar ou desengatar.
releasing lever — alavanca de desengate.
releasor [ri'li:sə], *s.* cedente, pessoa que renuncia a um direito ou a uma propriedade.
relegable ['religəbl], *adj.* relegável.

relegate ['religeit], *vt.* exilar, banir, desterrar; afastar; enviar (para informação ou decisão); relegar.
relegation [reli'geiʃən], *s.* relegação; desterro, exílio, degredo.
relent [ri'lent], *vi.* abrandar; acalmar-se; ceder; compadecer-se, enternecer-se.
relenting [-iŋ], *s.* enternecimento, compaixão; afrouxamento.
relentless [-lis], *adj.* empedernido, inexorável, implacável; inflexível.
relentlessly [-lisli], *adv.* inexoravelmente, implacavelmente; inflexivelmente.
relentlessness [-lisnis], *s.* inexorabilidade; implacabilidade; inflexibilidade.
re-let ['ri:'let], *vt.* (*pret.* e *pp.* **re-let**) sublocar, subarrendar.
reletting [-iŋ], *s.* sublocação, subarrendamento.
relevance ['relivəns], *s.* relação; pertinência; aplicabilidade.
relevancy [-i], *s.* ver **relevance.**
relevant ['relivənt], *adj.* pertinente; aplicável; relativo; a propósito, apropriado. (*Sin.* pertinent, applicable, suitable, proper, fit. *Ant.* pointless, irrelevant.)
a relevant document — um documento importante.
relevantly [-li], *adv.* relevantemente.
reliability [rilaiə'biliti], *s.* confiança; segurança.
reliability trials — provas com automóveis para ver da sua resistência.
reliable [ri'laiəbl], *adj.* seguro; digno de confiança; durável.
reliableness [-nis], *s.* ver **reliability.**
reliably [-i], *adv.* de maneira a inspirar confiança.
reliance [ri'laiəns], *s.* confiança; coisa em que se confia.
to have (to put, to feel, to place) reliance upon (in, on) — ter **confiança em; depositar** confiança em.
reliant [ri'laiənt], *adj.* confiado, confiante.
to be reliant on — ter confiança em.
relic ['relik], *s.* relíquia; *pl.* relíquias; restos mortais; ruínas; restos.
the relics of the past — as relíquias do passado.
a holy relic — uma relíquia de santo.
relict [-t], *s.* viúva; (rar.) relíquia.
relict of — viúva de.
relief [ri'li:f], *s.* alívio; consolo; descanso; auxílio; socorro; remédio; relevo; realce; saliência; acto de render uma sentinela; rendição de serviço; sentinela que rende outra; (jur.) desagravo, satisfação, reparação; desdobramento (camioneta); modificação.
relief fund — fundo de socorro social.
outdoor relief — socorro ao domicílio.
relief-works — trabalho público para pobres em ocasião de crise.
relief-valve — válvula de escape.
high relief — alto-relevo.
bas relief — baixo-relevo.
relief from taxation — redução de imposto.
relief pipe — cano de descarga.
relief troops — tropas de socorro.
relief map — mapa em relevo.
relief train — comboio de socorro.
in relief — em relevo.
to carve into relief — esculpir em relevo.
to go to somebody's relief — ir em socorro de alguém.
to bring relief — aliviar.
to feel relief — sentir alívio.
to provide relief for — fornecer auxílio para.
to heave a sigh of relief — soltar um suspiro de alívio.
relier [ri'laiə], *s.* aquele que confia.
relievable [ri'li:vəbl], *adj.* que se pode socorrer; remediável; que se pode aliviar.
relieve [ri'li:v], *vt.* socorrer; aliviar; consolar; suavizar; isentar; exonerar; remediar; render (a guarda ou sentinela); render (serviço); realçar; pôr em relevo; (jur.) desagravar, reparar.
to relieve one's mind — aliviar o espírito.
to relieve the poor — socorrer os pobres.
to relieve a sentry — render uma sentinela.
to relieve nature — urinar; evacuar.
to relieve the watch (náut.) — render o quarto.
to relieve congestion — descongestionar.
to relieve one's feelings — desabafar.
reliever [-ə], *s.* o que socorre ou alivia; lenitivo.
relieving [-iŋ], **1** — *s.* rendição (de sentinela); socorro; alívio.
relieving of the bowels (med.) — evacuação.
2 — *adj.* consolador, mitigador; que auxilia.
relieving officer — membro de comissão de beneficência.
relieving troops — tropas de socorro.
relievo [ri'li:vou], *s.* relevo.
alto relievo — alto-relevo.
basso relievo — baixo-relevo.
religion [ri'lidʒən], *s.* religião; vida monástica; (rar.) ordem religiosa.
revealed religion — religião revelada.
wars of religion — guerras religiosas.
to enter into religion — professar.
to lead a life of religion — levar uma vida de religião.
the Christian religion — a religião cristã.
established religion — religião oficial.
religioner [-ə], *s.* religioso; membro de ordem religiosa; pessoa muito religiosa.
religionism [-izm], *s.* excessivo zelo religioso, fanatismo.
religionist [-ist], *s.* beato, fanático.
religionize [-aiz], *vt.* e *vi.* mostrar-se muito religioso; converter à religião.
religiose [ri'lidʒious], *adj.* beato, fanático.
religiosity [rilidʒi'ɔsiti], *s.* religiosidade; fanatismo.
religious [ri'lidʒəs], **1** — *adj.* religioso, devoto; escrupuloso, consciencioso; rigoroso.
with religious care — com cuidado escrupuloso.
religious book — livro de devoção.
religious house — convento.
2 — *s.* religioso; membro de ordem religiosa.
a religious — um frade; uma freira; um religioso.
the religious — os religiosos; os frades; as freiras.
religiously [-li], *adv.* religiosamente; escrupulosamente.
religiousness [-nis], *s.* religiosidade; religião, piedade.
reline ['ri:'lain], *vt.* tornar a forrar; tornar a revestir.
relining [-iŋ], *s.* acção de tornar a forrar ou a revestir.
relinquish [ri'liŋkwiʃ], *vt.* abandonar; desistir de; renunciar a; deixar; ceder. (*Sin.* to give up, to leave, to forsake, to abandon, to surrender. *Ant.* to retain.)
to relinquish hope — abandonar a esperança.
relinquisher [-ə], *s.* aquele que abandona, que desiste de, que renuncia a.
relinquishing [-iŋ], *s.* acção de abandonar, de desistir de, de renunciar a.
relinquishment [-mənt], *s.* abandono, renúncia, desistência, cedência.
relinquishment of a right — renúncia a um direito.
reliquary ['relikwəri], *s.* relicário.
reliquiae [ri'likwii:], *s. pl.* restos; (geol.) fósseis.

relish ['reliʃ], **1** — *s.* gosto, sabor agradável; sainete; condimento; gozo; prazer; encanto.
high relish — gosto apetitoso.
to read with great relish — ler com grande prazer.
the relish of novelty — o prazer da novidade.
2 — *vt.* e *vi.* saborear; condimentar; saber a; apreciar, sentir prazer em.
to relish well with — agradar ao paladar de.
relishable [-əbl], *adj.* saboroso, gostoso, agradável.
relive [ri:'liv], *vt.* tornar a viver, reviver, relembrar.
reload ['ri:'loud], *vt.* carregar de novo.
reloading [-iŋ], *s.* nova carga; acção de carregar de novo.
reluct [ri'lʌkt], *vi.* relutar; sentir relutância.
to reluct against (to reluct at) — sentir relutância por.
reluctance [-əns], *s.* relutância, repugnância; (elect.) oposição à passagem do fluxo magnético.
with reluctance — com relutância; contra vontade.
reluctance of magnetic circuit — relutância de circuito magnético.
reluctant [-ənt], *adj.* relutante; hesitante; avesso a. (*Sin.* averse, unwilling, disinclined. *Ant.* eager.)
to be (to feel) reluctant to — sentir relutância em.
reluctate [ri'lʌkteit], *vi.* ver **reluct.**
reluctation [rilʌk'teiʃən], *s.* ver **reluctance.**
rely [ri'lai], *vi.* fiar-se em, confiar em; contar com.
rely on me! — conte comigo!
you can rely upon it — podes contar com isso.
we rely on receiving (com.) — contamos receber.
remain [ri'mein], **1** — *s.* resto; sobra; ruína; *pl.* obras póstumas; restos mortais; ruínas.
mortal remains — restos mortais.
2 — *vi.* ficar; persistir, continuar; sobejar.
there remains a consolation — ainda resta uma consolação.
it remains for me to — resta-me.
***let it remain as it is!* — deixe ficar isso como está!**
that remains to be seen — resta ver isso.
***a doubt still remains in my mind* — ainda subsiste uma dúvida no meu espírito.**
to remain at home — ficar em casa.
to remain in one's memory — permanecer na memória.
one thing remains certain — uma coisa é certa.
remainder [-də], **1** — *s.* resto; resíduo; restante, remanescente; (jur.) reversão.
remainder of an account — saldo de uma conta.
division with no remainder — divisão sem resto.
***the remainder* — as pessoas restantes; os outros.**
remainder sale — saldo de edição.
2 — *vt.* saldar resto de edição.
remaining [-iŋ], *adj.* restante.
remake ['ri:'meik], *vt.* (*pret.* e *pp.* **remade**) refazer, tornar a fazer; arranjar; reconstruir.
remaking [-iŋ], *s.* acção de refazer, de transformar.
reman ['ri:'mæn], *vt.* (*pret.* e *pp.* **remanned**) reequipar, rearmar (navio); dar nova coragem a.
remand [ri'mɑ:nd], **1** — *s.* reencarceramento.
detention under remand — detenção preventiva.
2 — *vt.* reencarcerar; voltar a ordenar a detenção (de preso) até analisar de novo o seu caso; enviar para outro tribunal.
remanence ['remənəns], *s.* remanência; magnetismo residual.

remanent ['remənənt], *adj.* remanente, remanescente; residual.
remanent flux — magnetismo residual.
remark [ri'mɑ:k], **1** — *s.* observação, nota, reparo; advertência; comentário.
opening remarks — palavras prévias.
to make a remark — fazer uma observação.
worthy of remark — digno de nota.
***a pointed remark* — uma observação significativa**
to let fall a remark — fazer uma observação.
to venture a remark — ousar um comentário.
2 — *vt.* e *vi.* observar; reparar, notar; advertir; distinguir; fazer notar; fazer comentários sobre. (*Sin.* to observe, to state, to notice, to express, to say, to regard.)
to remark upon — fazer observações sobre.
re-mark ['ri:'mɑ:k], *vt.* marcar de novo.
remarkable [ri'mɑ:kəbl], *adj.* notável, considerável; extraordinário; insigne; digno de observação. (*Sin.* notable, striking, conspicuous, famous. *Ant.* ordinary.)
remarkableness [-nis], *s.* singularidade; carácter extraordinário.
remarkably [-i], *adv.* notavelmente; invulgarmente.
remarriage ['ri:'mæridʒ], *s.* segundas núpcias.
remarry ['ri:'mæri], *vt.* e *vi.* casar-se de novo.
remast [ri:'mɑ:st], *vt.* (náut.) substituir a mastreação.
remediable [ri'mi:djəbl], *adj.* remediável; reparável.
remedial [ri'mi:djəl], *adj.* remediador; medicinal; reparador.
remediless ['remidilis], *adj.* sem remédio, incurável; irremediável.
remedy ['remidi], **1** — *s.* remédio, medicamento; recurso; solução.
it is past remedy — não tem remédio.
beyond remedy — irremediável.
***there is no remedy but...* — não há remédio senão...**
2 — *vt.* remediar; curar; reparar; prevenir, atalhar.
remedying [-iŋ], *s.* acção de remediar, de dar solução.
remember [ri'membə], *vt.* e *vi.* recordar, lembrar; ter presente; lembrar-se de; saber de cor; dar lembranças; gratificar. (*Sin.* to recollect, to recall, to mind. *Ant.* to forget.)
remember me kindly to your mother — dê lembranças minhas à sua mãe.
do you remember me? — lembra-se de mim?
we hardly remember — mal nos lembramos.
if I remember right — se bem me lembro.
to remember by heart — saber de cor.
I don't remember anything else — não me lembro de mais nada.
***remember the waiter!* — não se esqueça de gratificar o empregado!**
rememberable [-rəbl], *adj.* que pode recordar-se; que pode lembrar-se.
remembrance [ri'membrəns], *s.* lembrança, recordação, memória; sinal, apontamento; presente; *pl.* lembranças, cumprimentos.
it has escaped my remembrance — passou-me da lembrança.
in remembrance of — em memória de.
to call to remembrance — recordar.
to the best of my remembrance — tanto quanto me posso lembrar.
remembrancer [-ə], *s.* agenda de lembranças.
remex ['ri:meks], *s.* (*pl.* **remiges**) rémige, remígio.
remigial [ri'midʒiəl], *adj.* referente às rémiges.
remind [ri'maind], *vt.* fazer lembrar, lembrar, recordar; avisar.
his face reminds me of my brother — a cara dele faz-me lembrar o meu irmão.

will you remind me to write that letter? — lembras-me de escrever aquela carta?
if I forget, remind me of it!—se me esquecer, lembra-mo!
reminder [-ə], *s.* recordação, lembrança; sinal; advertência.
remindful [-ful], *adj.* evocador; lembrado de.
reminiscence [remi'nisəns], *s.* reminiscência; recordação mercê de esforço; *pl.* memórias. (*Sin.* remembrance, retrospect, memory.)
to write one's reminiscences — escrever as suas memórias.
Platonic doctrine of reminiscence — a doutrina platónica das reminiscências.
reminiscent [remi'nisnt], *adj.* que recorda; que faz lembrar coisas do passado; retrospectivo.
reminiscently [-li], *adv.* retrospectivamente; recordando o passado.
remise 1 — [rə'mi:z], *s.* (arc.) carruagem alugada; cocheira para guardar carruagens; estocada em substituição de outra que falhou (esgrima).
2 — *vi.* repetir golpe (esgrima).
3 — [ri'maiz], *vt.* (jur.) ceder, entregar, renunciar a.
remiss [ri'mis], *adj.* remisso, negligente, desleixado, descuidado; tíbio, parado.
to be remiss in — ser desmazelado em.
remissible [-ibl], *adj.* remissível, perdoável, desculpável.
remission [ri'miʃən], *s.* remissão, perdão, indulto; absolvição; moderação; diminuição; mitigação; relevação; (rar.) envio, remessa.
remission of sins — remissão de pecados.
remissly [ri'misli], *adv.* frouxamente, brandamente; negligentemente, desmazeladamente.
remissness [ri'misnis], *s.* negligência, descuido, desleixo; preguiça; remissão.
remit [ri'mit], *vt.* e *vi.* (*pret.* e *pp.* **remitted**) remeter, enviar, mandar; transmitir; afrouxar, diminuir; perdoar, relevar; acalmar; abrandar; exonerar; referir; submeter; debilitar-se; levantar uma pena; adiar.
to remit money — remeter dinheiro.
to remit one's anger — acalmar a ira.
the fever began to remit — a febre começou a baixar.
to remit a debt — perdoar uma dívida.
the enthusiasm begins to remit — o entusiasmo começa a diminuir.
to remit by return post — mandar na volta do correio.
remittal [-l], *s.* cessão; remessa; perdão (de pecado); (jur.) envio a outro tribunal.
remittance [-əns], *s.* remessa (de dinheiro); dinheiro enviado.
to send a remittance — remeter dinheiro.
remittee [rimi'ti:], *s.* destinatário; pessoa a quem se envia dinheiro ou mercadorias.
remittent [ri'mitənt], *adj.* (med.) remitente (febre).
remitter [ri'mitə], *s.* remetente (de dinheiro); tomador (de uma letra de câmbio); pessoa que absolve; (jur.) restituição.
remitting [ri'mitiŋ], *adj.* remetente; (med.) remitente.
remnant ['remnənt], *s.* resto; remanescente; retalho; resíduo; vestígio.
the remnants of a meal — os restos de uma refeição.
remnant sale — saldo de restos.
remodel ['ri:'mɔdl], *vt.* (*pret.* e *pp.* **remodelled**) remodelar; reorganizar; refazer.
remodeller [-ə], *s.* remodelador; reorganizador.
remodelling [-iŋ], *s.* remodelação; reorganização.
remonstrance [ri'mɔnstrəns], *s.* queixa, reclamação; admoestação, repreensão.
remonstrant [ri'mɔnstrənt], 1 — *s.* queixoso; admoestador.
2 — *adj.* que protesta, que se queixa, que reclama.
remonstrate [ri'mɔnstreit], *vt.* e *vi.* queixar-se; protestar; admoestar; objectar. (*Sin.* to protest, to object, to expostulate, to argue. *Ant.* to acquiesce.)
to remonstrate with somebody — argumentar com alguém; queixar-se junto de alguém.
to remonstrate against — protestar contra.
to remonstrate upon something — protestar por causa de alguma coisa.
remonstrating [-iŋ], *adj.* que se queixa, reclama ou protesta.
remonstratingly [-iŋli], *adv.* em tom de queixa, de protesto.
remonstrative [ri'mɔnstrətiv], *adj.* de reclamação, de protesto.
remonstrator [ri'mɔnstreitə], *s.* aquele que reclama, que se queixa, que admoesta.
remontant [ri'mɔntənt], 1 — *s.* roseira que floresce mais de uma vez por ano.
2 — *adj.* que floresce mais de uma vez por ano.
remorse [ri'mɔ:s], *s.* remorso.
twinge of remorse — remorso.
to feel remorse — sentir remorsos.
in a fit of remorse — num acesso de remorsos.
remorseful [-ful], *adj.* cheio de remorsos; arrependido.
remorsefully [-fuli], *adv.* cheio de remorsos.
remorseless [-lis], *adj.* sem remorsos; sem piedade.
remorselessly [-lisli], *adv.* sem remorsos, cruelmente.
remorselessness [-lisnis], *s.* crueldade, desumanidade, barbaridade.
remote [ri'mout], *adj.* remoto, afastado, desviado, distante, longínquo; isolado; estranho, alheio; leve, ligeiro. (*Sin.* distant, far, secluded, indirect, alien. *Ant.* near, direct.)
remote possibility — possibilidade remota.
in a very remote epoch — numa época muito remota.
remote causes — causas remotas.
remote control — comando a distância.
remote control board — quadro de comando a distância.
in a remote future — num futuro distante.
a remote spot — um sítio isolado.
a remote relation — um parente afastado.
I have not the remotest idea — não tenho a menor ideia.
remotely [-li], *adv.* remotamente; longinquamente; ligeiramente; afastadamente.
remoteness [-nis], *s.* afastamento; distância; alheamento.
remould ['ri:'mould], *vt.* remodelar; moldar de novo.
remoulding [-iŋ], *s.* acção de remodelar, de moldar de novo.
remount 1 — ['ri:maunt], *s.* (mil.) remonta.
2 — [ri:'maunt], *vt.* e *vi.* montar de novo; remontar, ter a sua origem em; (mil.) remontar.
to remount a regiment — fornecer novos cavalos a um regimento.
to remount a horse — montar de novo um cavalo.
remounting [-iŋ], *s.* nova montagem; (mil.) remonta.
removability [rimu:və'biliti], *s.* amovibilidade.
removable [ri'mu:vəbl], 1 — *s.* magistrado amovível da Irlanda.

2 — *adj.* amovível; transportável; que se pode desligar; desmontável; separável.
removable shaft — eixo desmontável.
removable cover — tampa separável.
removal [ri'mu:vəl], *s.* mudança; remoção; afastamento; separação; apartamento; demissão; deslocação; trasladação.
removal van — camioneta de mudanças.
removal of furniture — retirada de mobília.
removal expenses — despesas de deslocação.
remove [ri'mu:v], **1** — *s.* entrada (prato); passagem à classe imediata; partida; escalão; grau; ponto; passo; intervalo; grau de parentesco.
to get one's remove — passar de classe.
2 — *vt.* e *vi.* remover; mudar; separar; afastar; tirar, retirar; trasladar; destituir; demitir; transferir; arrancar, extirpar; fazer desaparecer; eliminar; desviar; afastar-se, apartar-se; ausentar-se; mudar-se; mudar de domicílio; mudar de sítio.
to remove mountains (fig.) — fazer milagres.
to remove a teacher from his appointment — exonerar um professor do seu cargo.
to remove all doubts — tirar todas as dúvidas.
to remove a difficulty — tirar uma dificuldade.
to remove one's hat — tirar o chapéu.
we are removing from London to Manchester — estamos a mudar-nos de Londres para Manchester.
to remove a Civil Servant — demitir um funcionário.
to remove one's coat — tirar o casaco.
to remove by poison — envenenar.
removed [-d], *adj.* afastado; separado; afastado (grau de parentesco).
a first cousin once removed — um primo em segundo grau.
removedness [-dnis], *s.* afastamento.
remover [-ə], *s.* aquele ou aquilo que tira, que desloca; pessoa que muda mobílias.
superfluous hair remover — depilatório.
removing [-iŋ], *s.* afastamento; deslocação; acção de remover.
remunerate [ri'mju:nəreit], *vt.* remunerar, recompensar; retribuir; premiar.
to remunerate somebody for something — remunerar alguém por alguma coisa.
remuneration [rimju:nə'reiʃən], *s.* remuneração, recompensa; prémio; retribuição.
remunerative [ri'mju:nərətiv], *adj.* remunerativo; remunerador; lucrativo; proveitoso. (*Sin.* paying, lucrative, profitable.)
remuneratively [-li], *adv.* remunerativamente; remuneradamente.
remunerativeness [-nis], *s.* aspecto remunerador.
remuneratory [ri'mju:nərətəri], *adj.* remuneratório.
Remus ['ri:məs], *n. p.* Remo.
Renaissance [ri'neisəns], *s.* Renascença, Renascimento.
Renaissance art — arte renascentista.
Renaissance painters — pintores renascentistas.
renal ['ri:nəl], *adj.* (anat.) renal, referente a rins.
rename ['ri:'neim], *vt.* nomear novamente; rebaptizar.
renascence [ri'næsns], *s.* renascença; renascimento.
renascent [ri'næsnt], *adj.* renascente, que renasce.
rend [rend], *vt.* e *vi.* (*pret.* e *pp.* **rent**) rasgar; fazer em bocados; tender; arrancar; abrir; dilacerar; separar; desunir; rasgar-se. (*Sin.* to tear, to split, to lacerate, to break. *Ant.* to mend.)
to rend the heart — despedaçar o coração.
to rend asunder — partir em bocados.
to rend apart — rachar em dois.
to rend one's clothes — rasgar os fatos.
to rend one's hair — arrancar o cabelo.
render ['rendə], **1** — *s.* paga; prestação.
2 — *vt.* entregar; devolver, restituir; retribuir; ceder; fazer; ocasionar, causar; dar, prestar; traduzir; interpretar; executar (trecho musical); clarificar; rebocar; tornar; render; (náut.) brandear; estar claro (um cabo); derreter (gordura).
to render assistance — prestar auxílio.
to render thanks — apresentar agradecimentos.
to render accounts — prestar contas.
to render into English — traduzir para inglês.
render to Caesar the things that are Caesar's — a César o que é de César.
age has rendered him peevish — a idade tornou-o rabugento.
to render an account of — apresentar um relatório de.
to render good for evil — pagar o mal com o bem.
to render homage to — prestar homenagem a.
to render help — prestar auxílio.
to render oneself — render-se.
to render (up) a country to the enemy — entregar um país ao inimigo.
to render impossible — tornar impossível.
renderable [-rəbl], *adj.* retribuível; que pode prestar-se; traduzível.
renderer [-rə], *s.* aquele que retribui, que presta (auxílio), que traduz.
rendering [-riŋ], *s.* acção de retribuir, de prestar (auxílio), de traduzir; rendição; interpretação.
rendering of thanks — agradecimento.
rendering of accounts — prestação de contas.
rendezvous ['rɑ̃:ndivu:], **1** — *s.* (*pl.* **rendezvous**) entrevista; encontro; ponto de reunião; reunião; local de reunião de tropas ou navios; reunião de tropas ou navios.
2 — *vt.* encontrar-se em lugar combinado.
renegade ['renigeid], **1** — *s.* renegado, trânsfuga, apóstata.
2 — *vi.* renegar, apostatar.
to renegade from one's religion — renegar a sua religião.
renegado [reni'geidou], *s.* (arc.) ver **renegade.**
renew [ri'nju:], *vt.* e *vi.* renovar; refazer; reavivar; recomeçar; prolongar; rejuvenescer.
to renew one's youth — rejuvenescer.
to renew a bill (com.) — renovar uma letra.
to renew the staff — substituir o pessoal.
to renew a contract — renovar um contrato.
to renew one's attention—redobrar de atenção.
renewable [-əbl], *adj.* renovável.
renewal [-əl], *s.* renovação, renovo; ressurgimento; prolongamento; reforma (de letra comercial).
renewal of a bill — reforma de uma letra comercial.
renewal of youth — rejuvenescimento.
renewed [-d], *adj.* renovado; repetido.
renewed hopes — novas esperanças.
renewedly [-dli], *adv.* novamente.
renewing [-iŋ], *s.* renovação.
reniform ['renifɔ:m], *adj.* reniforme, em forma de rim.
renitency [ri'naitənsi], *s.* (med.) renitência.
renitent [ri'naitənt], *adj.* (med.) renitente.
rennet ['renit], *s.* coalho, coalheira; (bot.) raineta (maçã).
renounce [ri'nauns], **1** — *s.* renúncia (em jogo de cartas).
2 — *vt.* e *vi.* renunciar a; abandonar; renegar; abdicar; rejeitar; baldar-se (a um naipe).

to renounce a friend — abandonar um amigo.
to renounce the world — renunciar ao mundo; abandonar a sociedade.
to renounce one's faith — apostatar.
renouncement [-mənt], *s.* renúncia; abandono.
renouncement of — renúncia a; abandono de.
renouncer [-ə], *s.* aquele que renuncia.
renouncing [-iŋ], *s.* acção de renunciar, de repudiar.
renovate ['renouveit], *vt.* renovar; restaurar; refazer; limpar; regenerar.
renovating [-iŋ], *adj.* renovador; restaurador.
renovation [renou'veiʃən], *s.* renovação; restauração; regeneração.
renovator ['renouveitə], *s.* renovador.
renown [ri'naun], *s.* renome, fama, celebridade; reputação. (*Sin.* fame, celebrity, glory, distinction. *Ant.* insignificance.)
a person of great renown (a person of high renown) — uma pessoa célebre.
renowned [-d], *adj.* afamado, célebre, famoso.
to be renowned for — ser célebre por.
rent [rent], **1** — *s.* renda; aluguer; arrendamento; rasgão; rotura; fenda; greta.
rent-day — dia de pagar a renda.
rent-free — que não paga renda.
high rent — renda elevada.
life-rent — renda vitalícia.
rent-roll — livro dos arrendamentos.
to collect the rents — cobrar as rendas.
to pay the rent — pagar a renda.
2 — *pret.* e *pp.* de **to rend.**
3 — *vt.* e *vi.* alugar; arrendar, dar de arrendamento; tomar de arrendamento.
to rent a tenant high — levar uma renda elevada a um inquilino.
to rent a tenant low — levar uma renda baixa a um inquilino.
rent a car! — alugue um automóvel!
rentable ['-əbl], *adj.* arrendável, alugável.
rental [-l], *s.* renda, arrendamento; aluguer; livro dos arrendamentos.
renter ['-ə], *s.* arrendatário; inquilino; rendeiro.
renting ['-iŋ], *s.* arrendamento.
renunciation [rinʌnsi'eiʃən], *s.* renúncia; desprendimento.
renunciation of — renúncia a.
renunciatory [ri'nʌnʃiətəri], *adj.* renunciatório.
reoccupation ['ri:ɔkju'peiʃən], *s.* reocupação.
reoccupy ['ri:'ɔkjupai], *vt.* reocupar.
reoccupying [-iŋ], *s.* acção de reocupar.
reopen ['ri:'oupən], *vt.* e *vi.* reabrir; recomeçar.
reopening ['ri:'oupniŋ], *s.* reabertura; recomeço.
reorganization ['ri:ɔ:gənai'zeiʃən], *s.* reorganização; reforma.
reorganize ['ri:'ɔ:gənaiz], *vt.* e *vi.* reorganizar; reformar; reorganizar-se.
reorganizer [-ə], *s.* reorganizador; reformador.
reorganizing [-iŋ], **1** — *s.* acção de reorganizar ou reformar.
2 — *adj.* reorganizador; reformador.
rep [rep], *s.* repes, tecido de seda ou de lã (para reposteiros, estofos, etc.); (cal.) depravado; (col. esc.) recitativo.
repack [ri:'pæk], reencaixotar, reacondicionar.
repaid [ri:'peid], *pret.* e *pp.* de **to repay.**
repaint [ri:'peint], *vt.* pintar de novo.
repair [ri'pɛə], **1** — *s.* conserto, reparação; remendo; restauro; *pl.* obras, reparações.
under repairs — em obras.
in good repair — em bom estado.
out of repair — em mau estado; sem conserto.
to make repairs — fazer obras.
extensive repairs — reparações importantes.
to keep in thorough repair — manter em bom estado de conservação.
slight repair — ligeira reparação.
repair ship — navio-oficina.
repair material — material para reparações.
repair shop — oficina de reparações.
repair part — sobresselente.
to undergo repairs — sofrer reparações.
2 — *vt.* e *vi.* reparar, consertar; restaurar; remediar; recompensar; indemnizar; restabelecer; restabelecer-se. (*Sin.* to mend, to renovate, to restore. *Ant.* to injure.)
to repair a loss — reparar uma perda.
to repair a bicycle — consertar uma bicicleta.
I must have these shoes repaired — preciso de mandar consertar estes sapatos.
to repair to somewhere — dirigir-se a algum lugar.
to repair to somebody — recorrer a alguém.
repairer [-rə], *s.* reparador; restaurador; empreiteiro de reparações.
repairing [-riŋ], *s.* reparação; restauração.
repairing shop — oficina de reparações.
reparable ['repərəbl], *adj.* reparável; que pode consertar-se.
reparation [repə'reiʃən], *s.* reparação; satisfação, compensação, indemnização; renovação.
to make reparations — dar satisfações.
reparative [ri'pærətiv], *adj.* reparador.
repartee [repɑ:'ti:], **1** — *s.* réplica; resposta pronta.
to make a repartee — replicar prontamente; ripostar.
to be quick at repartee (to be good at repartee) — saber replicar prontamente; ter resposta pronta.
2 — *vi.* (rar.) replicar prontamente.
repartition [repɑ:'tiʃən], *s.* repartição, partilha, divisão.
repass ['ri:'pɑ:s], *vt.* e *vi.* passar novamente por; repassar.
repast [ri'pɑ:st], *adj.* repasto.
repatriate [ri:'pætrieit], *vt.* repatriar.
repatriation ['ri:pætri'eiʃən], *s.* repatriação.
repay [ri:'pei], *vt.* e *vi.* (*pret.* e *pp.* **repaid**) repagar; reembolsar; restituir; indemnizar; pagar na mesma moeda; recompensar; retribuir; reconhecer; efectuar um pagamento.
to repay with ingratitude — pagar com ingratidão.
to repay evil with good (to repay good for evil) — pagar o mal com o bem.
repayable [-əbl], *adj.* pagável; reembolsável.
repayment [-mənt], *s.* reembolso; novo pagamento.
repeal [ri'pi:l], **1** — *s.* revogação, anulação; cancelamento.
2 — *vt.* revogar, anular; cancelar.
repealable [-əbl], *adj.* revogável, anulável.
repealer [-ə], *s.* pessoa que defende a revogação ou anulação (de lei, etc.); partidário da revogação da união da Inglaterra com a Irlanda.
repeat [ri'pi:t], **1** — *s.* repetição; (com.) encomenda igual à anterior; (mús.) parte destinada a ser repetida.
a repeat order (com.) — uma encomenda repetida.
repeat key — tecla de repetição.
2 — *vt.* e *vi.* repetir; recitar; ensaiar; reiterar; imitar.
History repeats itself — a História repete-se.
you are very good to repeat your kind invitation — é muita amabilidade sua renovar o convite.
to repeat a poem — recitar um poema.
repeatable [-əbl], *adj.* que pode repetir-se
repeated [-id], *adj.* repetido; reiterado.
repeatedly [-idli], *adv.* repetidamente.

repeater [-ə], *s.* repetidor; relógio de repetição; arma de repetição; (mat.) fracção periódica.
repeater watch — relógio de repetição.
repeating [-iŋ], **1** — *s.* repetição; acção de repetir; recitação.
2 — *adj.* repetidor; de repetição.
repeating decimal (mat.) — dízima periódica.
repel [ri'pel], *vt.* (*pret.* e *pp.* **repelled**) repelir; expulsar; resistir; ser repelente. (*Sin.* to repulse, to disgust, to reject, to rebuff, to resist. *Ant.* to attract, to welcome.)
to repel an attack — repelir um ataque.
that repels me — isso repugna-me.
oil and water repel each other — a água e o azeite **não se misturam.**
repellent [-ənt], *adj.* repelente, repulsivo; impermeável.
repellently [-əntli], *adv.* repelentemente, repulsivamente.
repent **1** — ['ri:pənt], *adj.* (bot.) rastejante.
2 — [ri'pent], *vt.* e *vi.* arrepender-se; estar arrependido.
you will repent of your decision — hás-de arrepender-te da tua decisão.
repentance [-əns], *s.* arrependimento; contrição.
repentant [-ənt], *adj.* arrependido; contrito.
repenter [-ə], *s.* penitente; aquele que se arrepende.
repenting [-iŋ], **1** — *s.* arrependimento; acção de se arrepender.
2 — *adj.* arrependido; contrito.
repentingly [-iŋli], *adv.* com arrependimento.
repeople ['ri:'pi:pl], *vt.* repovoar.
repeopling [-iŋ], *s.* repovoamento.
repercussion [ri:pə:'kʌʃən], *s.* repercussão, reverberação.
repercussive [ri:pə:'kʌsiv], *adj.* repercussivo.
repertoire ['repətwɑ:], *s.* (teat.) reportório.
repertory ['repətəri], *s.* repertório; repositório; compilação; lista.
repetend [repi'tend], *s.* (mat.) período de decimais; estribilho.
repetition [repi'tiʃən], *s.* repetição; recapitulação; recitação; imitação.
repetition work — fabricação em série.
repetition clock — relógio de repetição.
repetitious [repi'tiʃəs], *adj.* monótono, que repete muitas vezes.
repetitiously [-li], *adv.* monotonamente, que repete muitas vezes.
repetitive [ri'petitiv], *adj.* de repetição; repetido.
repine [ri'pain], *vi.* lamentar-se, queixar-se; murmurar; amofinar-se, entristecer. (*Sin.* to grumble, to murmur, to complain, to fret. *Ant.* to rejoice.)
he repines at the least thing — aflige-se com a menor coisa.
repiner [-ə], *s.* pessoa que se queixa; murmurador.
repining [-iŋ], **1** — *s.* desgosto, aflição, pesar; queixa, lamentação; apoquentação; murmuração.
2 — *adj.* magoado, descontente, queixoso.
repiningly [-iŋli], *adv.* com lamentações, com queixumes.
repique ['ri:'pi:k], *vt.* e *vi.* repicar, lançar em conta trinta ou mais tentos no jogo do «piquet».
replace [ri'pleis], *vt.* substituir; repor; restituir; restabelecer; suplantar; ocupar o lugar de.
to be replaced by — ser substituído por.
to replace by (to replace with) — substituir por.
replaceable [-əbl], *adj.* renovável; substituível.
replacement [-mənt], *s.* substituição; reposição; *pl.* peças sobresselentes.
replacing [-iŋ], *s.* reposição; substituição; acção de pôr de novo no mesmo lugar.
replacing part — peça sobresselente.
replant ['ri:'plɑ:nt], *vt.* replantar.
replantation ['ri:plɑ:n'teiʃən], *s.* replantação.
replanting ['ri:'plɑ:ntiŋ], *s.* acção de replantar.
replaster [ri:'plɑ:stə], *vt.* rebocar (parede).
replenish [ri'pleniʃ], *vt.* encher de novo; atestar; completar; reabastecer.
to replenish with petrol (aut.) — encher o depósito de gasolina.
replenished [-t], *adj.* repleto; cheio.
replenished with — cheio de.
replenisher [-ə], *s.* (elect.) recarregador.
replenishing [-iŋ], *s.* acção de encher de novo, de atestar, de completar.
replenishment [-mənt], *s.* enchimento; reabastecimento.
replete [ri'pli:t], *adj.* repleto, cheio; saciado.
replete with — cheio de.
repletion [ri'pli:ʃən], *s.* repleção; plenitude; saciedade.
to eat to repletion — comer até ficar saciado.
full to repletion — completamente cheio.
replevin [ri'plevin], *s.* (jur.) reivindicação, auto de desembargo.
replevy [ri'plevi], *vt.* recuperar bens por meio de caução prestada em juízo.
replica ['replikə], *s.* cópia exacta, duplicado; fac-símile; (mús.) repetição.
replication [repli'keiʃən], *s.* réplica; cópia; eco; (rar.) dobra.
replier [ri'plaiə], *s.* aquele que replica ou responde.
reply [ri'plai], **1** — *s.* resposta; (jur.) réplica.
prepaid reply — resposta paga.
early reply — resposta pronta.
to make no reply — não responder nada.
in reply to your letter — em resposta à sua carta.
2 — *vt.* e *vi.* responder, replicar, redarguir, retorquir.
please reply to my letter — é favor responder à minha carta.
for failing to reply — por falta de resposta.
to reply for somebody — responder em vez de alguém.
to reply to a question — responder a uma pergunta.
repopulate ['ri:'pɔpjuleit], *vt.* repovoar.
repopulation ['ri:pɔpju'leiʃən], *s.* repovoamento.
report [ri'pɔ:t], **1** — *s.* relatório; exposição; relação; notícia; boato; voz, rumor; informação; memória; comunicação; descrição; tiro; detonação. (*Sin.* statement, account, rumor, description, narrative, record, communication, fame, noise.)
by report — segundo se diz.
the report goes — corre o boato; diz-se.
to draw up a report — fazer um relatório.
official report — comunicado oficial.
report book — livro de notas; relatório.
the report has no foundation — o boato não tem fundamento.
damage report — relatório de avaria.
a schoolboy's report — boletim escolar com o aproveitamento do aluno.
weather report — boletim meteorológico.
a loud report — um grande estrondo.
favourable report — boas informações.
it's a matter of current report — é voz corrente.
the report of a gun — a detonação de uma arma.
to be of good report — ter boa reputação.
to be of ill report (to be of evil report) — ter má reputação.

2 — *vt.* e *vi.* relatar; informar; referir; dar parte; contar; manifestar; fazer o relatório de; apresentar informes; denunciar; repercutir; ressoar; propalar; servir de repórter; apresentar-se a.
it is reported — diz-se.
to report progress — informar sobre a marcha de um assunto.
he reported himself sick — ele deu parte de doente.
to report for a newspaper — fazer uma reportagem para um jornal.
to report badly of — fazer más referências a.
to report oneself to — apresentar-se a.
to report somebody to the police — denunciar alguém à polícia.
reported speech (gram.) — discurso indirecto.
I shall report you! — vou fazer queixa de ti!
reporter [-ə], *s.* repórter, noticiarista, correspondente (de jornal); relator; estenógrafo.
the Reporters' gallery — a tribuna da imprensa.
reporting [-iŋ], *s.* apresentação de um relatório; reportagem, estenografia.
reposal ['ripouzəl], *s.* confiança, tranquilidade.
reposal of trust in somebody — confiança em alguém.
repose [ri'pouz], **1** — *s.* repouso, descanso; quietação, tranquilidade; harmonia.
to take repose — repousar.
without repose — sem descanso; sem parar.
2 — *vt.* e *vi.* repousar, descansar; reclinar; ter confiança em, confiar em; assentar; basear; recostar-se, reclinar-se; estender-se.
to repose one's head on a pillow — descansar a cabeça numa almofada.
to repose oneself — repousar; descansar.
to repose one's trust in somebody — depositar confiança em alguém.
reposeful [-ful], *adj.* tranquilo, calmo, sossegado.
reposefully [-fuli], *adv.* tranquilamente, sossegadamente.
repository [ri'pɔzitəri], *s.* repositório; armazém, depósito; recipiente; sepulcro; confidente.
to be the repository of somebody's sorrows — ser o confidente das mágoas de alguém.
furniture repository — depósito de mobílias.
repossess [ri:pə'zes], *vt.* reapossar-se; reintegrar na posse de.
to repossess somebody of something — reintegrar alguém na posse de alguma coisa.
to repossess oneself of — recuperar.
repossession [ri:pə'zeʃən], *s.* recuperação.
repp [rep], *s.* ver **rep.**
reprehend [repri'hend], *vt.* repreender, ralhar, increpar, censurar.
reprehensible [repri'hensəbl], *adj.* repreensível; condenável.
reprehensibleness [-nis], *s.* aspecto censurável ou repreensível.
reprehensibly [-i], *adv.* repreensivelmente, censuravelmente.
reprehension [repri'henʃən], *s.* repreensão, admoestação; censura.
represent [repri'zent], *vt.* representar; figurar; descrever, expor; simbolizar; apresentar de novo; fazer as vezes de; manifestar; imaginar.
to represent something to somebody — demonstrar alguma coisa a alguém.
to represent oneself as — apresentar-se como.
that represents nothing to me — isso nada representa para mim.
representable [-əbl], *adj.* representável.
representation [reprizen'teiʃən], *s.* representação; retrato; exposição, reclamação com fundamentos; apresentação.
proportional representation (pol.) — representação proporcional.
representative [repri'zentətiv], **1** — *s.* representante; delegado; deputado; símbolo; imagem; exemplar.
foreign representative — representante no estrangeiro.
district representative — representante regional.
representatives of the press — repórteres; jornalistas; representantes dos órgãos da informação.
2 — *adj.* representativo.
representative agent — representante.
representative government — governo representativo.
representatively [-li], *adv.* representativamente.
representativeness [-nis], *s.* carácter representativo.
repress [ri'pres], *vt.* reprimir, conter, dominar, sufocar; subjugar.
to repress one's tears — reprimir as lágrimas.
to repress a rising — reprimir uma revolta.
repressed [-t], *adj.* reprimido.
repressible [-əbl], *adj.* reprimível, dominável.
repression [ri'preʃən], *s.* repressão; recalque.
reprieve [ri'pri:v], **1** — *s.* suspensão temporária de uma pena; adiamento; moratória.
2 — *vt.* suspender a execução de uma pena; conceder um adiamento.
reprimand ['reprima:nd], **1** — *s.* reprimenda, repreensão, censura, admoestação.
2 — *vt.* repreender, censurar, admoestar.
to be reprimanded for something — ser repreendido por alguma coisa.
reprimander [repri'ma:ndə], *s.* aquele que repreende.
reprint **1** — ['ri:'print,'ri:print], *s.* reimpressão; reedição.
separate reprint — separata.
2 — ['ri:'print, ri:'print], *vt.* reimprimir; reeditar.
reprisal [ri'praizəl], *s.* represália.
to make reprisals — fazer represálias.
reprises [ri'praizis], *s. pl.* encargos anuais de uma propriedade; descontos.
reproach [ri'proutʃ],**1** — *s.* censura, increpação, repreensão; vitupério; opróbrio, vergonha, descrédito.
to be a reproach to — ser a vergonha de.
to bring reproach upon somebody — ser uma vergonha para alguém.
above reproach (beyond reproach) — irrepreensível.
a look of reproach — um olhar de censura.
to live in reproach and ignominy — viver na ignomínia.
to incur reproaches — incorrer em censuras.
2 — *vt.* exprobrar, censurar, increpar; culpar; acusar; vituperar. (*Sin.* to reprimand, to blame, to upbraid. *Ant.* to praise.)
to reproach somebody bitterly — repreender alguém severamente.
to reproach somebody with — acusar alguém de.
to reproach somebody for doing something — censurar alguém por fazer alguma coisa.
reproachable [-əbl], *adj.* censurável, repreensível.
reproachful [-ful], *adj.* vergonhoso; injurioso; ultrajante; reprovador.
a reproachful glance — um olhar reprovador.
reproachfully [-fuli], *adv.* injuriosamente; vergonhosamente; vituperiosamente.
reproachfulness [-fulnis], *s.* opróbrio, ignomínia, vitupério.

reprobate 1 — ['reprəbit,'reproubeit], *s.* e *adj.* réprobo; malvado, perverso; imoral.
2 — ['reproubeit], *vt.* reprovar, condenar.
reprobating [-iŋ], *adj.* reprovador.
reprobation [reprou'beiʃən], *s.* reprovação; condenação.
reprobatory ['reproubətəri], *adj.* reprobatório.
reproduce [ri:prə'dju:s], *vt.* e *vi.* reproduzir, copiar; gerar; reproduzir-se; (biol.) regenerar, regenerar-se. (*Sin.* to propagate, to copy, to represent, to imitate.)
reproducer [-ə], *s.* reprodutor; pessoa ou coisa que reproduz, tira reproduções, etc.
reproducibility [ri:prədju:si'biliti], *s.* reprodutibilidade.
reproducible [ri:prə'dju:sibl], *adj.* reproduzível.
reproducing [ri:prə'dju:siŋ], **1** — *s.* reprodução.
2 — *adj.* que reproduz.
reproduction [ri:prə'dʌkʃən], *s.* reprodução; cópia; reconstituição.
reproduction of a sound film — reprodução de um filme sonoro.
reproduction of sound — reprodução do som.
reproductive [ri:prə'dʌktiv], *adj.* reprodutivo; reprodutor.
the reproductive organs — os órgãos reprodutores.
reproductively [-li], *adv.* reprodutivamente.
reproductiveness [-nis], *s.* reprodutividade.
reproof 1 — [ri'pru:f], *s.* censura; reprovação; repreensão.
a word of reproof — uma censura.
a stern reproof — uma repreensão severa.
to speak in reproof of — falar contra.
2 — [ri:'pru:f], *vt.* reimpermeabilizar.
reproval [ri'pru:vəl], *s.* censura; reprovação.
reprove [ri'pru:v], *vt.* reprovar, censurar, repreender; culpar, acusar; condenar.
to reprove somebody for something — repreender alguém por alguma coisa.
reprover [-ə], *s.* pessoa que repreende, que censura.
reproving [-in], *adj.* reprovador; de censura.
reprovingly [-inli], *adv.* reprovadoramente; com censura.
reps [reps], *s.* ver **rep.**
reptant ['reptənt], *adj.* (bot. e zool.) reptante; rastejante.
reptile ['reptail], **1** — *s.* (zool.) réptil, pessoa vil, abjecta.
2 — *adj.* rastejante, reptante; vil, abjecto, rasteiro.
reptilia [rep'tiliə], *s. pl.* (zool.) répteis.
reptilian [-n], **1** — *s.* réptil.
2 — *adj.* referente aos répteis.
reptiliform [rep'tilifɔ:m], *adj.* reptiliforme.
republic [ri'pʌblik], *s.* república.
the President of the Republic — o Presidente da República.
republican [-ən], *s.* e *adj.* republicano.
republicanism [-ənizm], *s.* republicanismo.
republicanize [-ənaiz], *vt.* republicanizar.
republication ['ri:pʌbli'keiʃən], *s.* nova publicação; reimpressão; nova edição.
republish ['ri:'pʌbliʃ], *vt.* publicar de novo; reeditar.
repudiable [ri'pju:diəbl], *adj.* repudiável.
repudiate [ri'pju:dieit], *vt.* repudiar; renunciar; abandonar; divorciar-se (da mulher); negar. (*Sin.* to disown, to discard, to renounce, to disavow. *Ant.* to acknowledge.)
to repudiate a debt — negar uma dívida.
repudiation [ripju:di'eiʃən], *s.* repúdio; renúncia; divórcio; negação.
repudiator [ri'pju:dieitə], *s.* pessoa que repudia ou nega.
repugnance [ri'pʌgnəns], *s.* repugnância; relutância; aversão; antipatia; oposição.
to feel repugnance to — sentir relutância em.
repugnance against (repugnance to) — repugnância de; relutância em.
repugnant [ri'pʌgnənt], *adj.* repugnante; repulsivo; antipático; contrário; oposto a; incompatível; renitente.
to be repugnant to somebody — repugnar a alguém.
repugnantly [-li], *adv.* com repugnância; de má vontade; contrariamente.
repulse [ri'pʌls], **1** — *s.* repulsa; repulsão; vexame; revés.
to meet with a repulse — sofrer um revés.
2 — *vt.* repelir, rechaçar; recusar; desbaratar.
repulsion [ri'pʌlʃən], *s.* repulsa; aversão; repugnância; (fís.) repulsão.
to feel repulsion for — sentir repulsa por.
repulsion motor — motor de repulsão.
repulsive [ri'pʌlsiv], *adj.* (fís.) repulsivo; repelente, repugnante; antipático; reservado. (*Sin.* repellent, loathsome, odious, disagreeable. *Ant.* attractive.)
a repulsive sight — um espectáculo repelente.
repulsive-looking — de aspecto repelente.
repulsively [-li], *adv.* repulsivamente; repugnantemente, repelentemente.
repulsiveness [-nis], *s.* carácter repulsivo; carácter frio, reservado.
repurchase [ri:'pə:tʃis], *vt.* readiquirir; comprar de novo.
reputability [repjutə'biliti], *s.* respeitabilidade.
reputable ['repjutəbl], *adj.* honroso; honrado; respeitável; considerado.
reputably [-i], *adv.* honrosamente; honradamente.
reputation [repju(:)'teiʃən], *s.* reputação; fama, crédito, nome, consideração, estima; respeitabilidade.
persons of reputation — pessoas de respeitabilidade.
to have a good reputation — gozar de boa reputação.
to know by reputation — conhecer de nome.
to gain reputation — granjear reputação.
to have a bad reputation — ter má reputação.
to ruin somebody's reputation — arruinar a reputação de alguém.
repute [ri'pju:t], **1** — *s.* reputação, fama, crédito; opinião pública.
in good repute — de boa reputação.
in no repute — sem reputação.
in evil repute — de má fama.
a person of repute — pessoa de boa reputação.
a place of ill repute — um lugar de má fama.
2 — *vt.* (rar. na voz activa) reputar, estimar, considerar; julgar, ter na conta de.
he is reputed the best doctor — ele é considerado o melhor médico.
to be well reputed — ter boa reputação.
to be ill reputed — ter má reputação.
reputed [-id], *adj.* reputado; suposto; (jur.) putativo.
reputed father — pai putativo.
reputedly [-idli], *adv.* segundo a opinião pública; reputadamente, supostamente.
request [ri'kwest], **1** — *s.* petição; pedido; solicitação; instância; requisição; requerimento; demanda, procura; reclamação.
to make a request — fazer um pedido.
to comply with a request — aceder a um pedido.
in request — em voga; procurado.
at the request of (by request of) — a pedido de.
to be in great request — ser muito procurado.
request book — livro de reclamações.
request note — licença de desembarque.
a request for help — um pedido de auxílio.

to make a request for something — pedir alguma coisa.
2 — *vt.* solicitar; pedir, rogar; requerer.
as requested (com.) — conforme pedido.
to request something of somebody — solicitar alguma coisa a alguém.
requiem ['rekwiem], *s.* réquiem; missa de réquiem; ofício de defuntos.
require [ri'kwaiə], *vt.* requerer; exigir; pedir; reclamar; necessitar.
to require great care — exigir grande cuidado.
they require of me to appear — eles exigem a minha comparência.
do you still require this? — ainda precisa disto?
if required — se for preciso.
to require assistance — pedir socorro.
desperate diseases require desperate remedies — para grandes males grandes remédios.
as circumstances may require — conforme as necessidades.
required [-d], *adj.* requerido; necessário.
required quantity (mat.) — incógnita.
requirement [-mənt], *s.* pedido; exigência; requerimento; requisito; necessidade; *pl.* qualidades requeridas; exigências.
to meet these requirements — satisfazer estas condições.
requisite ['rekwizit], **1** — *s.* requisito, coisa necessária.
travelling requisites — coisas necessárias para se viajar; artigos de viagem.
2 — *adj.* requerido; necessário; exigido; indispensável.
to take the requisite measures — tomar as medidas necessárias.
requisiteness [-nis], *s.* necessidade, precisão; exigência.
requisition [rekwi'ziʃ(ə)n], **1** — *s.* requisição; pedido; (com.) solicitação; requisito.
to call into requisition (mil.) — requisitar.
requisition number — número de referência.
2 — *vt.* requisitar; recorrer a; exigir.
to requisition somebody's services — recorrer aos serviços de alguém.
to requisition a town for (mil.) — exigir a uma cidade o fornecimento de.
requisitioning [-iŋ], *s.* acção de requisitar, de solicitar, de exigir.
requital [ri'kwitl], *s.* retorno; paga; recompensa; compensação; retribuição; pena de talião.
to get something in requital for one's services — receber alguma coisa de recompensa pelos serviços prestados.
in requital for (in requital of) — como recompensa de.
requite [ri'kwait], *vt.* recompensar; retribuir, devolver; pagar na mesma moeda; corresponder.
to requite like for like — pagar na mesma moeda.
to requite somebody for something — recompensar alguém por alguma coisa.
to requite evil with good — pagar o mal com o bem.
requited [-id], *adj.* recompensado; retribuído.
requiter [-ə], *s.* recompensador; remunerador.
reredos ['riədɔs], *s.* retábulo (de altar).
re-rubber ['ri:'rʌbə], *vt.* recauchutar.
re-rubbering [-riŋ], *s.* recauchutagem.
res [ri:z], *s.* (jur.) coisa; propriedade.
resale ['ri:'seil], *s.* revenda.
rescind [ri'sind], *vt.* rescindir; anular; revogar, abolir. (*Sin.* to annul, to abrogate, to revoke, to cancel. *Ant.* to confirm.)
rescinding [-in], **1** — *s.* acção de rescindir, anular, revogar.
2 — *adj.* anulatório.
rescission [ri'siʒən], *s.* rescisão, anulação, revogação, abolição.
rescissory [ri'sisəri], *adj.* (jur.) rescisório.
rescore [ri:'skɔ:], *vt.* (mús.) reorquestrar.
rescuable ['reskju:əbl], *adj.* que se pode salvar de um perigo.
rescue ['reskju:], **1** — *s.* socorro; resgate; salvação; libertação; ajuda; libertação ilegal.
to go to the rescue — ir em socorro.
rescue corps — grupo de salvamento.
2 — *vt.* salvar; socorrer; livrar; valer a; redimir; libertar; apoiar (em combate); libertar ilegalmente.
to rescue from prison — livrar da prisão.
to rescue from danger — salvar do perigo.
rescued [-d], **1** — *s. pl.*
the rescued — os que foram salvos ou libertos.
2 — *adj.* salvo; resgatado; liberto.
rescuer [-ə], *s.* salvador; libertador.
rescuing [-iŋ], *s.* acção de salvar, de libertar.
research [ri'sə:tʃ], **1** — *s.* investigação; pesquisa; averiguação; inquirição, indagação; estudo científico.
research staff — comissão técnica.
his researches have been fruitful — as investigações dele têm sido proveitosas.
scientific researches — investigações científicas.
research department — secção de investigações.
technical research — investigação técnica.
research with the microscope — investigação microscópica.
research-work — trabalhos de investigação.
research-worker — investigador.
2 — *vi.* investigar; pesquisar; examinar; averiguar.
to research into — fazer investigações sobre.
re-search ['ri:'sə:tʃ], *vt.* procurar de novo.
researcher [-ə], *s.* investigador, pesquisador.
reseat ['ri:'si:t], *vt.* tornar a sentar; pôr novamente; pôr fundilhos novos (em calças); pôr fundo novo (em cadeira).
reseda ['residə], *s.* (bot.) reseda.
resell ['ri:'sel], *vt.* (*pret.* e *pp.* **resold**) revender.
reseller [-ə], *s.* revendedor.
resemblance [ri'zembləns], *s.* semelhança; parecença; analogia; uniformidade; imagem.
to bear a resemblance to — parecer-se com.
resemblance between — semelhança entre.
resemblant [ri'zemblənt], *adj.* semelhante; parecido.
resemblant to — semelhante a; parecido com.
resemble [ri'zembl], *vt.* assemelhar-se a; parecer-se com.
resembling [-iŋ], *adj.* semelhante.
resent [ri'zent], *vt.* ressentir; ressentir-se; ofender-se com. (*Sin.* to dislike, to hate, to detest.)
to resent something — ofender-se com alguma coisa.
resentful [-ful], *adj.* ressentido, melindrado; vingativo.
resentful of — ressentido com.
resentfully [-fuli], *adv.* ressentidamente; vingativamente.
resentfulness [-fulnis], *s.* espírito ressentido ou vingativo.
resentment [-mənt], *s.* ressentimento; enfado; indignação.
to cherish resentment — alimentar ressentimento.
to show resentment — mostrar ressentimento.
reservation [rezə'veiʃən], *s.* reserva, restrição; pensamento reservado; limitação; reserva de pecados; (E. U.) extensão de terreno reservado, reserva.
with this reservation — com esta restrição.

without reservation — sem restrições; sem pensamentos reservados.
to make reservations — formular reservas; reservar lugares.
an Indian reservation — reserva para índios.
reserve [ri'zə:v], **1** — *s.* reserva, restrição; circunspecção, comedimento; cautela; sigilo; excepção; reserva (de caça).
without reserve — sem reserva; totalmente.
to have a great reserve of energy — ter uma grande reserva de energia.
in reserve — de reserva.
reserve fund — fundo de reserva.
reserve list (mil.) — quadro de reserva.
reserve officer (mil.) — oficial de reserva.
game reserve — reserva de caça.
to make reserves — formular reservas.
reserve price — preço mínimo.
2 — *vt.* reservar; pôr de reserva; guardar; conservar; exceptuar; adiar.
to reserve oneself for — reservar-se para.
to reserve a seat for somebody — reservar (guardar) um lugar para alguém.
to reserve rooms at a hotel — reservar quartos num hotel.
to reserve one's decision — guardar para mais tarde a sua decisão.
reserved [-d], *adj.* reservado; discreto; cauteloso; retraído.
all rights reserved — reservados todos os direitos.
a reserved seat — um lugar reservado.
reserved list (mil.) — quadro de reserva.
reservedly [-dli], *adv.* reservadamente; cautelosamente.
reservedness [-dnis], *s.* reserva, discrição, circunspecção.
reserving [ri'zə:viŋ], *s.* acção de reservar.
reservist [ri'zə:vist], *s.* (mil.) reservista.
reservoir ['rezəvwɑ:], *s.* reservatório; depósito; provisão.
reset 1 — ['ri:'set], *vt.* (*pret.* e *pp.* **reset**) engastar de novo (pedras preciosas); fazer nova composição de (tipografia); pôr de novo; arranjar, consertar.
to reset a saw — afiar (limar) uma serra.
2 — [ri'set], *vt.* e *vi.* (*pret.* e *pp.* **resetted**) (arc.) receber coisas roubadas, ser receptador.
resetter [ri'setə], *s.* receptador.
resetting [ri'setiŋ], *s.* acção de receptar, *s.* novo engastamento; nova composição (tipografia); acção de pôr de novo.
resettle [ri:setl], *vt.* e *vi.* restabelecer; pôr outra vez em ordem; instalar-se de novo; assentar (vinho).
reship ['ri:'ʃip], *vt.* (*pret.* e *pp.* **reshipped**) reembarcar; levar mercadorias de um navio para outro.
reshipment [-mənt], *s.* reembarque.
reside [ri'zaid], *vi.* residir, morar, habitar, viver; ser inerente a.
he resides abroad — ele vive no estrangeiro.
residence ['rezidəns], *s.* residência, morada, habitação; domicílio; vivenda; permanência.
to take up one's residence — fixar residência.
resident ['rezidənt], **1** — *s.* residente, habitante; ministro residente (diplomata).
the British residents — a colónia inglesa.
2 — *adj.* residente, habitante; inerente a; (ave) não migradora.
residential [rezi'denʃəl], *adj.* residencial; próprio para residência; inerente.
residential district — zona residencial.
residual [ri'zidjuəl], **1** — *s.* (quím.) resíduo; (mat.) resto (de subtracção).
residual of combustion — resíduo de combustão.
residual of ashes — resíduo de cinzas.
2 — *adj.* residual; restante; (mat.) que fica depois da subtracção.
residual gas (elect.) — gás residual.
residual charge — carga residual.
residuary [ri'zidjuəri], *adj.* residuário; com direito a herdar.
residuary legatee — herdeiro universal.
residue ['residju:], *s.* resto, resíduo; remanescente; montante líquido de herança.
residue of combustion — resíduo de combustão.
residue of ashes — resíduo de cinzas.
residuum [ri'zidjuəm], *s.* (*pl.* **residua**) resíduo, resto; desperdício.
resign [ri'zain], *vt.* e *vi.* renunciar a; ceder, deixar; abandonar; submeter; sujeitar; resignar-se; render-se; demitir-se. (*Sin.* to relinquish, to renounce, to hand over.
to resign to one's fate — resignar-se com a sua sorte.
I resigned myself to the circumstances — submeti-me às circunstâncias.
to resign a claim — desistir de uma reclamação.
to resign from the cabinet — demitir-se de ministro.
to resign one's soul to God — encomendar a alma a Deus.
to resign office — demitir-se do seu cargo.
re-sign ['ri:sain], *vt.* assinar de novo.
resignation [resig'neiʃən], *s.* demissão; renúncia; cessão, resignação; sujeição, submissão.
to give in one's resignation — pedir a demissão.
resigned [ri'zaind], *adj.* resignado, conformado; demissionário.
resignedly [-li], *adv.* resignadamente, conformadamente.
resignedness [-nis], *s.* resignação.
resigner [ri'zainə], *s.* pessoa que se demite de um cargo.
resile [ri'zail], *vi.* recuar; retractar-se.
resilience [ri'ziliəns], *s.* ressalto; elasticidade; mola.
resiliency [-i], *s.* ver **resilience.**
resilient [ri'ziliənt], *adj.* que ressalta; elástico; vivo, alegre.
resin ['rezin], **1** — *s.* resina ou substância semelhante; breu.
resin elastic — goma elástica.
resin content — teor de resina.
resin soap — sabão de resina.
resin tapper — resineiro.
resin tapping — resinagem.
2 — *vt.* resinar; pôr resina em.
resinaceous [rezi'neiʃəs], *adj.* resinoso.
resinate ['rezinit], *s.* (quím.) resinato.
resiniferous [rezi'nifərəs], *adj.* resinífero.
resinification [resinifi'keiʃən], *s.* resinificação.
resinify ['resinifai], *vt.* e *vi.* resinificar; resinificar-se.
resinite ['rezinait], *s.* (min.) resinite (variedade de opala).
resinoid ['rezinɔid], *adj.* resinóide.
resinosis [rezi'nousis], *s.* resinose.
resinous ['rezinəs], *adj.* resinoso.
resinous wood — madeira resinosa.
resist [ri'zist], **1** — *s.* protecção para superfícies para evitar, por exemplo, que sejam pintadas.
2 — *vt.* e *vi.* resistir; repelir; opor-se; impedir; contrariar; aguentar, suportar.
to resist the evidence — não querer aceitar coisas comprovadas.
to resist temptation — resistir à tentação.
to resist the enemy — resistir ao inimigo.
I can't resist a glass of wine — não consigo resisitir a um copo de vinho.
to resist an attack — resistir a um ataque.
resistance [-əns], *s.* resistência, oposição, obstáculo; defesa; força contrária.

to take the line of least resistance — seguir a lei do menor esforço.
resistance flex (elect.) — fio de resistência.
resistance test — prova de resistência.
resistance material — material da resistência.
resistance to breakage — resistência à ruptura.
resistance thermometer — termómetro de resistência eléctrica.
passive resistance — resistência passiva.
to offer resistance — oferecer resistência.
resistant [-ənt], *adj.* resistente.
resistent [-ənt], *adj.* ver **resistant.**
resister [-ə], *s.* pessoa que resiste; corpo não condutor.
resistibility [rizistə'biliti], *s.* resistibilidade.
resistible [ri'zistəbl], *adj.* resistível.
resisting [ri'zistiŋ], **2**—*s.* resistência; oposição.
2 — *adj.* resistente, que resiste a.
acid resisting — resistente aos ácidos.
resistive [ri'zistiv], *adj.* que resiste.
resistivity [rizis'tiviti], *s.* resistividade.
resistless [ri'zistlis], *adj.* sem resistência.
resistlessly [-li], *adv.* irresistivelmente.
resold ['ri:'sould], *pret.* e *pp.* de **to resell.**
resole [ri:'soul], *vt.* solar novamente.
resolubility [rizɔlju'biliti], *s.* resolubilidade.
resoluble [ri'zɔljubl], *adj.* resolúvel; dissolúvel; decomponível.
resolubleness [-nis], *s.* característica do que é resolúvel, dissolúvel ou decomponível.
resolute ['rezəlu:t], *adj.* resoluto, firme, determinado, decidido; constante; denodado. (*Sin.* steadfast, determined, unshaken, bold. *Ant.* weak.)
resolutely [-li], *adv.* resolutamente, determinadamente, deliberadamente.
resoluteness [-nis], *s.* resolução, determinação, deliberação; firmeza, constância; denodo.
resolution [rezə'lu:ʃən], *s.* resolução, decisão; firmeza; determinação; solução; dissolução (de um todo); decomposição; intrepidez, ânimo, valor, brio; propósito; acordo; perseverança; análise (química, mecânica, etc.); substituição de uma sílaba longa por duas breves (em métrica).
to come to a resolution — tomar uma resolução.
good resolutions — boas intenções.
resolution of forces (fís.) — decomposição de forças.
to make a resolution— resolver; tomar uma resolução.
lack of resolution — falta de decisão; falta de firmeza.
resolutory ['rezəlu:təri], *adj.* (jur.) resolutório.
resolvability [rizɔlvə'biliti], *s.* resolubilidade.
resolvable [ri'zɔlvəbl], *adj.* resolúvel, solúvel; decomponível.
resolve [ri'zɔlv], **1** — *s.* resolução, determinação; deliberação; solução; propósito; acordo.
to keep one's resolve — manter a resolução tomada.
2 — *vt.* e *vi.* resolver, decidir; determinar; tratar de; explicar; dissolver; dar solução; reduzir; analisar; dissipar; aprovar por meio de votos; resolver-se, decidir-se.
to resolve into thin air — dissolver-se no ar; esvair-se no ar.
to resolve a difficulty — resolver uma dificuldade.
to resolve on (upon) something — resolver alguma coisa.
resolved [-d], *adj.* resolvido, decidido.
to be resolved to do something — estar resolvido a fazer alguma coisa.
resolvedly [-idli], *adv.* resolutamente, decididamente.
resolvent [-ənt], **1** — *s.* resolvente, medicamento resolutivo.
2 — *adj.* resolvente, resolutivo.
resolver [-ə], *s.* pessoa que resolve; dissolvente.
resonance ['reznəns], *s.* ressonância.
resonance chamber — câmara de ressonância.
resonance box — caixa de ressonância.
resonant ['reznənt], *adj.* ressonante.
resonant voice — voz ressonante.
resonate ['rezəneit], *vi.* ressonar.
resonating [-in], *adj.* ressoante.
resonator [-ə], *s.* (fís.) ressoador.
resorb [ri'sɔ:b], *vt.* reabsorver.
resorption [ri'sɔ:pʃən], *s.* reabsorção.
resort [ri'zɔ:t], **1** — *s.* recurso, expediente; afluência, concorrência, concurso; ponto de reunião; lugar muito frequentado; refúgio; caverna; covil.
in the last resort — em última instância.
seaside resort — estância balnear; praia.
summer resort — estação de veraneio.
place of resort — lugar frequentado.
winter resort — estância de Inverno.
to have resort to — recorrer a.
2 — *vi.* ir, dirigir-se a; frequentar; concorrer; recorrer a, lançar mão a; empregar.
to resort to force — empregar a força.
to resort to a place — frequentar um lugar.
to resort to the seaside — ir para a praia.
re-sort ['ri:'sɔ:t], *vt.* fazer nova classificação.
resorter [ri'zɔ:tə], *s.* frequentador.
resorter to a place — frequentador de um lugar.
resound [ri'zaund], *vt.* e *vi.* repetir; ecoar, ressoar; fazer ecoar; ter ressonância; retumbar; ter fama; celebrar, cantar. (*Sin.* to echo, to respond, to re-echo.)
re-sound ['ri:'saund], *vt.* e *vi.* soar de novo.
resounding [ri'zaundiŋ], *adj.* ressonante; retumbante.
a resounding success — um êxito retumbante.
a resounding slap — uma bofetada tremenda.
resoundingly [-li], *adv.* retumbantemente.
resource [ri'sɔ:s], *s.* recurso, expediente, meio; distracção; *pl.* recursos, meios pecuniários.
to be at the end of one's resources — ter todos os recursos esgotados.
a person of resource — uma pessoa de expediente.
natural resources — recursos naturais.
resourceful [-ful], *adj.* cheio de recursos; cheio de expediente; com muitos meios, rico.
a resourceful country — um país com muitos recursos.
resourcefully [-fuli], *adv.* despachadamente, expeditamente.
resourcefulness [-fulnis], *s.* desenvoltura, expediente.
resourceless [-lis], *adj.* sem expediente; sem recursos.
resourcelessness [-lisnis], *s.* falta de recursos; falta de expediente.
respect [ris'pekt], **1** — *s.* respeito; deferência; consideração; acatamento; referência; cumprimento; homenagem; caso; motivo; relação, proporção; estimação; *pl.* respeitos, cumprimentos.
in other respects — por outro lado.
in every respect — a todos os respeitos; a todos os títulos.
he has won the respect of all — conquistou a estima de todos.
in some respects — nalguns pormenores; nalguns pontos; em certos aspectos.
to pay one's respects — apresentar os seus cumprimentos.
out of respect to — em atenção a.
in no respect — a nenhum respeito.
in some respects — sob alguns aspectos.

with all due respect to — salvo o devido respeito por.
to have respect for somebody — ter respeito por alguém.
to hold somebody in great respect — ter grande consideração por alguém.
to have respect for something — ter em atenção alguma coisa.
2 — *vt.* respeitar; venerar; estimar; observar, acatar; ter consideração por; concernir, referir, dizer respeito a.
to respect old age — respeitar a velhice.
to make oneself respected — fazer-se respeitar.
to respect oneself — respeitar-se a si mesmo.
respectability [rispektə'biliti], *s.* respeitabilidade; decência; pessoa respeitável.
respectable [ris'pektəbl], *adj.* respeitável, digno de respeito; honroso; considerável; acreditado; sofrível; tolerável; decente. (*Sin.* worthy, honourable, estimable, good. *Ant.* mean.)
a respectable man — um homem respeitável.
is it a respectable firm? — é firma acreditada?
a respectable family — uma família respeitável.
respectable weather — tempo razoável; tempo tolerável.
to look respectable — ter um aspecto decente.
respectably [-i], *adv.* respeitàvelmente, sofrìvelmente, razoavelmente; decentemente.
respecter [ris'pektə], *s.* respeitador.
respecter of persons — uma pessoa parcial.
to be no respecter of persons — ser imparcial.
respectful [ris'pektful], *adj.* respeitoso; cortês.
to be at a respectful distance — estar a uma distância respeitosa.
to be respectful of — respeitar.
respectfully [-i], *adv.* respeitosamente.
yours respectfully — respeitosamente; atenciosamente (em fim de carta).
respectfulness [-nis], *s.* respeitabilidade, respeito.
respecting [ris'pektiŋ], *prep.* relativamente a, com respeito a, quanto a.
respective [ris'pektiv], *adj.* respectivo; particular, individual.
go to your respective places! — vão para os vossos respectivos lugares!
respectively [-li], *adv.* respectivamente; relativamente.
respirable ['respirəbl], *adj.* respirável.
respiration [respi'reiʃən], *s.* respiração.
respirator ['respireitə], *s.* respirador, máscara respiratória; (mil.) máscara antigás.
respiratory [ris'paiərətəri], *adj.* respiratório.
the respiratory organs — os órgãos respiratórios.
respire [ris'paiə], *vt.* e *vi.* respirar; tomar fôlego; recobrar ânimo.
respite ['respait], **1** — *s.* folga; espera; pausa; descanso; prazo; mora.
to work without respite — trabalhar sem descanso.
a respite from toil — uma pausa no trabalho.
2 — *vt.* dar folga a; suspender; adiar; prorrogar.
resplendence [ris'plendəns], *s.* resplandência, resplendor; brilho, esplendor.
resplendency [-i], *s.* ver **resplendence.**
resplendent [ris'plendənt], *adj.* resplandecente, brilhante.
resplendently [-li], *adv.* resplandecentemente; com grande esplendor.
respond [ris'pɔnd], **1** — *s.* responso; meia coluna encostada a uma parede para sustentar um arco (em arquitectura).
2 — *vi.* responder; corresponder; responder (os fiéis ao sacerdote durante o ofício religioso).
to respond to a toast — responder a um brinde.
to respond to treatment — reagir ao tratamento.
to respond to a stimulus — responder a um estímulo.
respondent [-ənt], **1** — *s.* pessoa que defende, defensor; (jur.) réu (esp. em acções de divórcio).
2 — *adj.* que responde, respondente; (jur.) na posição de réu.
response [ris'pɔns], *s.* resposta; responso; reacção.
to make no response — não responder.
not to have response — não ter resposta.
in response to — em resposta a.
responsibility [rispɔnsə'biliti], *s.* responsabilidade; obrigação; culpabilidade.
he declines all responsibility — ele declina toda a responsabilidade.
he did it on his own responsibility — fê-lo sob a sua responsabilidade.
to accept responsibility for — assumir a responsabilidades de.
to take the responsibility of — tomar a responsabilidade de.
responsible [ris'pɔnsəbl], *adj.* responsável; respeitável; de responsabilidade (cargo). (*Sin.* answerable, liable, accountable, guilty.)
responsible to somebody — responsável perante alguém.
a responsible government — um governo responsável.
to be responsible for — ser responsável por.
responsibly [-i], *adv.* responsàvelmente; com responsabilidade.
responsive [ris'pɔnsiv], *adj.* que responde; impressionável; sensível; que emprega responsos.
a responsive nature — uma natureza sensível.
responsively [-li], *adv.* de maneira impressionável, sensível.
responsiveness [-nis], *s.* impressionabilidade; reacção.
responsory [ris'pɔnsəri], *s.* responsório, responso.
rest [rest], **1** — *s.* repouso, descanso; pausa; apoio, arrimo; paz, tranquilidade; sono; resto, restante, resíduo; folga, trégua; base, suporte, sustentáculo; (mús.) pausa; saldo; (com.) balanço; trocas de bola sucessivas (ténis).
***for the rest* — de resto; quanto ao resto.**
at rest — em descanso.
a good night's rest — uma boa noite.
day of rest — dia do descanso; Domingo.
to take a short rest — descansar um bocado.
among the rest — entre outros.
to have a rest — descansar.
rest capital — capital de reserva.
rest position — posição de descanso.
rest-cure — cura de repouso.
to come to rest — parar; imobilizar-se.
to get no rest — não descansar.
a rest from work — uma pausa no trabalho.
to lay to rest — sepultar.
rest-house — casa-abrigo; casa de repouso.
to set doubts at rest — dissipar dúvidas.
2 — *vt.* e *vi.* repousar, descansar; folgar; cessar, parar; viver tranquilo; estar em paz; jazer; assentar; apoiar-se; encostar; pôr, colocar; confiar em; fiar-se; descansar em; permanecer; depender de; dormir.
to rest on promises — fiar-se em promessas.
to rest assured — ficar certo.
to rest one's head — encostar a cabeça.
to rest one's arm — apoiar o braço.
to rest on one's oars — deixar de remar temporariamente ou de exercer qualquer outra actividade.
to rest one's weary bones — descansar o corpo.
***let her rest in peace!* — deixa-a em paz!**

it rests with you — depende de ti.
to rest from one's labours — descansar dos seus trabalhos.
rest on your oars! — leva remos!
to rest in the Lord — confiar em Deus.
to rest oneself — descansar.
restart [ri:'stɑ:t], *vt.* e *vi.* recomeçar; reiniciar; por de novo em andamento.
restaurant ['restərɔ̃:ŋ], *s.* restaurante.
restaurant-car (cam. fer.) — carruagem-restaurante.
rested ['restid], *adj.* descansado, tranquilo.
restful ['restful], *adj.* sossegado, tranquilo.
a restful life — uma vida tranquila.
restfully [-i], *adv.* descansadamente, sossegadamente, calmamente.
restfulness [-nis], *s.* tranquilidade, sossego.
resting ['restiŋ], **1** — *s.* descanso; tranquilidade, sossego.
resting-place — lugar de descanso; sepultura; patamar.
2 — *adj.* de descanso, em descanso.
restitution [resti'tju:ʃən], *s.* restituição; restabelecimento; devolução; reparação; indemnização; recuperação.
to make restitution of — restituir.
restive ['restiv], *adj.* teimoso; indomável; impaciente; frenético.
restively [-li], *adv.* impacientemente; intratavelmente; nervosamente.
restiveness [-nis], *s.* impaciência; teimosia; indocilidade; nervosismo.
restless ['restlis], *adj.* inquieto, desassossegado; agitado; impaciente; buliçoso, turbulento; incessante; descontente. (*Sin.* uneasy, agitated, unsteady, changeable. *Ant.* calm.)
a restless child — uma criança buliçosa.
I have had a restless night — passei uma noite agitada.
restlessly [-li], *adv.* impacientemente; agitadamente, inquietamente.
restlessness [-nis], *s.* inquietação, desassossego, impaciência, agitação; insónia; vigília; descontentamento.
restorable [ri'stɔ:rəbl], *adj.* restaurável; restituível.
restoration [restə'reiʃen], *s.* restauração; renovação; reparação; reabilitação; restituição; reintegração; restabelecimento, cura; devolução.
restorative [ris'tɔrətiv], *s.* e *adj.* restaurador; restaurativo; tónico, fortificante.
restoratively [-li], *adv.* de maneira tonificante.
restore [ris'tɔ:], *vt.* restituir, repor, devolver; reintegrar; restaurar, reparar; reconstruir; recobrar; restabelecer; revigorar. (*Sin.* to return, to revive, to renew, to renovate, to repay. *Ant.* to remove, to injure.)
to restore a picture — restaurar um quadro.
to restore one's health — recuperar a saúde.
he restored the umbrella he had taken by mistake — ele restituiu o guarda-chuva que tinha levado por engano.
to restore a king to the throne — repor um rei no trono.
to restore somebody to a post — reintegrar alguém num cargo.
to restore the circulation — reactivar a circulação.
to restore somebody to health — restabelecer a saúde de alguém.
to feel restored — sentir-se revigorado.
re-store ['ri:stɔ:], *vt.* reabastecer.
to re-store with — reabastecer de.
restorer [ris'tɔ:rə], *s.* restituidor; restaurador; aquele que conserta; (med.) tónico.
health restorer — tónico para a saúde.
hair restorer — tónico capilar.
restoring [ris'tɔ:riŋ], **1** — *s.* acção de restaurar; conserto; restituição.
2 — *adj.* restaurador, reparador.
restrain [ris'trein], *vt.* refrear, reprimir; limitar, restringir; deter; impedir; conter; coibir; afastar; prender, encarcerar.
to restrain oneself — coibir-se; abster-se.
to restrain somebody from doing something — impedir alguém de fazer alguma coisa.
restrainable [-əbl], *adj.* restringível; dominável.
restrained [-d], *adj.* dominado; reprimido; moderado.
restrainedly [-dli], *adv.* restritamente; moderadamente.
restrainer [-ə], *s.* repressor; pessoa ou coisa que impede.
restraint [-t], *s.* constrangimento; repressão; restrição; coerção; proibição; sujeição; internamento (de doente mental).
without restraint — sem restrições.
lack of restraint — falta de comedimento.
to be put under restraint — ser internado (doente mental).
to put somebody under illegal restraint — sequestrar alguém.
to cry without restraint — chorar copiosamente; chorar livremente.
restrict [ris'trikt], *vt.* restringir; limitar; reduzir.
to restrict a road — obrigar a limite de velocidade numa estrada.
restricted [-id], *adj.* restringido; limitado, reduzido.
restriction [ris'trikʃən], *s.* restrição; limitação; redução.
restriction of expenditure — redução de despesas.
to place restrictions on — pôr restrições em.
restrictive [ris'triktiv], *adj.* restritivo; limitativo.
restrictively [-li], *adv.* restritivamente.
result [ri'zʌlt], **1** — *s.* resultado, consequência, efeito; conclusão.
without result — em vão.
result clause (gram.) — oração consecutiva.
result of a test — resultado de um ensaio.
in the result — por fim.
to obtain good results — obter bons resultados.
to obtain bad results — obter maus resultados.
2 — *vi.* resultar; provir; seguir-se; inferir-se.
to result in — acabar em.
to result from — resultar de.
to result badly — ter mau resultado.
resultant [-ənt], *s.* e *adj.* resultante; consequência.
resultant acceleration — aceleração resultante.
resultful [-ful], *adj.* com bons resultados.
resulting [-iŋ], *adj.* resultante.
resultless [-lis], *adj.* sem resultado.
resumable [ri'zju:məbl], *adj.* recuperável.
resume [ri'zju:m], *vt.* e *vi.* retomar; recomeçar; continuar; reassumir; recuperar; recobrar; renovar; sumariar. (*Sin.* to renew, to recommence.)
to resume a discourse — reatar o fio de um discurso.
to resume one's seat — retomar o seu lugar.
to resume one's courage — retomar a coragem.
to resume work — retomar o trabalho.
résumé ['rezju(:)mei], *s.* resumo, sumário, recapitulação.
resumption [ri'zʌmpʃən], *s.* ressunção; continuação; recomeço.
resurrect [rezə'rekt], *vt.* (col.) ressuscitar; exumar; fazer ressurgir.
resurrection [rezə'rekʃən], *s.* ressurreição; reaparecimento; exumação.

the Resurrection — a Ressurreição (de Cristo); a festa da Ressurreição.
resurrection fern — rosa-de-jericó.
resurrectionist [rezə'rekʃənist], *s.* ressurreicionista.
resurvey [ri:'sə:vei], *s.* **1** — *s.* nova avaliação; novo exame; novo levantamento topográfico. **2** — *vt.* rever; fazer novo levantamento de (terreno).
resuscitate [ri'sʌsiteit], *vt.* e *vi.* ressuscitar; renascer, reviver; reaparecer.
resuscitation [risʌsi'teiʃən], *s.* ressurreição; renascimento, ressurgimento.
ret [ret], *v. t.* e *v. i.*, (*pret.* e *pp.* **retted**), *vd.* **rait.**
retable [ri'teibl], *s.* retábulo.
retail ['ri:teil], **1** — *s.* venda a retalho; revenda; retalho.
retail business — negócio a retalho.
retail trade — comércio de retalho.
2 — *adv.* a retalho.
to sell retail — vender a retalho.
to buy retail — comprar a retalho.
retail [ri:'teil], *vt.* e *vi.* vender a retalho; ser vendido a retalho; contar minuciosamente.
retailer [ri:'teilə], *s.* retalhista; tendeiro; pessoa que espalha (calúnias, boatos, etc.).
retain [ri'tein], *vt.* reter; guardar; conservar; assalariar; contratar; escorar, amparar; ter advogado avençado; estar alugado ou ajustado; não esquecer.
to retam the power to—reservar-se o direito de.
to retain hold of — segurar.
to retain the use of one's faculties — conservar o uso das suas faculdades.
retainer [-ə], *s.* partidário; retentor; criado, dependente; assistente; pagamento adiantado a um advogado.
retaining [-iŋ], *adj.* que retém; que firma.
retaining dam — represa; barragem.
retaining wall — muro de suporte.
retaining ring — anel retentor.
retake 1 — ['ri:teik], *s.* nova filmagem de cena cinematográfica.
2 — ['ri:'teik], *vt.* (*pret.* **retook,** *pp.* **retaken**) retomar; reconquistar; filmar de novo uma cena cinematográfica.
retaking [-iŋ], *s.* acção de retomar, de reconquistar; nova filmagem (de uma cena).
retaliate [ri'tælieit], *vt.* e *vi.* vingar-se; retaliar. (*Sin.* to revenge, to requite, to repay, to retort. *Ant.* to forgive.)
to retaliate on a person — exercer represálias contra uma pessoa.
retaliation [ritæli'eiʃən], *s.* retaliação; represália; desforra; vingança; desagravo.
law of retaliation — pena de talião.
by way of retaliation—por meio de represálias.
to inflict retaliation (to exercise retaliation) — exercer represálias.
retaliatory [ri'tæliətəri], *adj.* retaliativo, retaliador.
retaliatory measures — medidas de represália.
retard [ri'tɑ:d], **1** — *s.* atraso, demora; retardamento.
retard of high water (retard of tide) — atraso de maré.
2 — *vt.* retardar; demorar; atrasar; adiar; deferir.
retardation [ri:tɑ:'deiʃən], *s.* retardação; demora, atraso; (mús.) retardo.
retardative [ri'tɑ:dətiv], *adj.* retardativo.
retardatory [ri'tɑ:dətəri], *adj.* retardador.
retarded [ri'tɑ:did], *adj.* atrasado; retardado.
retarded motion — movimento retardado.
retarded acceleration — aceleração negativa.
retarder [ri'tɑ:də], *s.* retardador; substância retardadora.
retarding [ri'tɑ:diŋ], **1** — *s.* acção de retardar. **2** — *adj.* retardador.
retarding magnet — íman retardador.
retardment [ri'tɑ:dmənt], *s.* retardamento, retardação.
retch [retʃ], **1** — *s.* esforço para vomitar.
2 — *vi.* fazer esforço para vomitar.
retching [-iŋ], *s.* esforço para vomitar.
retell ['ri:'tel], *vt.* (*pret.* e *pp.* **retold**) redizer, repetir.
retention [ri'tenʃən], *s.* retenção; retentiva; memória.
retentive [ri'tentiv], *adj.* retentivo; fiel; que retém.
a retentive memory — uma boa memória.
to be retentive of — guardar; conservar.
retentively [-li], *adv.* retentivamente.
retentiveness [-nis], *s.* retenção; retentiva.
retest [ri:'test], *s.* contraprova.
retiary ['ri:ʃiəri], *s.* aranha tecedeira.
reticence ['retisəns], *s.* reticência; reserva no que se diz; omissão de facto; taciturnidade.
reticent ['retisənt], *adj.* reticente; reservado; taciturno. (*Sin.* reserved, taciturn, silent, close. *Ant.* garrulous.)
reticently [-li], *adv.* discretamente; com reserva; taciturnamente.
reticle ['retikl], *s.* retículo.
reticular [ri'tikjulə], *adj.* reticular; emaranhado.
reticulate 1 — [ri'tikjulit], *adj.* reticulado.
2 — [ri'tikjuleit], *vt.* e *vi.* dispor em forma de rede.
reticulated [ri'tikjuleitid], *adj.* reticulado; retiforme.
reticulation [ritikju'leiʃən], *s.* reticulação.
reticule ['retikju:l], *s.* retículo; saco de rede; (astr.) nome de constelação.
reticulum [ri'tikjuləm], *s.* (*pl.* **reticula**) segundo estômago dos ruminantes; membrana reticulada.
retiform ['ri:tifɔ:m], *adj.* retiforme.
retile [ri:'tail], *vt.* pôr telhas novas em (telhado); ladrilhar de novo.
retimber [ri:'timbə], *vt.* rearborizar; pôr madeiramentos novos em.
retina ['retinə], *s.* (*pl.* **retinas, retinae**) retina.
detachment of the retina (med.) — descolamento da retina.
retinal [-l], *adj.* retiniano, retínico.
retinite ['retinait], *s.* (min.) retinito, retinite.
retinitis [reti'naitis], *s.* (pat.) retinite.
retinue ['retinju:], *s.* comitiva, séquito; acompanhamento.
retiral [ri'taiərəl], *s.* aposentação; demissão.
retire [ri'taiə], **1** — *s.* (mil.) ordem de retirada, toque de retirada.
to sound the retire — tocar a retirar.
2 — *vt.* e *vi.* retirar; retirar-se, ausentar-se; afastar-se, apartar-se; retrair-se; retroceder; reformar-se; recolher; retirar da circulação; ir dormir.
to retire into oneself — tornar-se pouco sociável.
to retire from business—retirar-se dos negócios.
to retire a bill — retirar uma nota da circulação.
to retire for the night — ir deitar-se.
the army retired in good order — o exército retirou em boa ordem.
to retire on a pension — aposentar-se.
retired [-d], retirado, afastado, apartado; solitário, ermo; retraído; reformado, jubilado, aposentado.
a retired life — uma vida retirada.
a retired officer — um oficial reformado.
to live retired — viver retirado.
retired list — lista de oficiais reformados.
retired pay — pensão de reforma.

a retired village — **uma aldeia afastada,** solitária.
retiredness [-dnis], *s.* solidão, isolamento.
retirement [-mənt], *s.* **retirada**; retiro; isolamento; reforma; retraimento; solidão; lugar retirado.
in retirement — na solidão.
retiring [-iŋ], **1** — *s.* aposentação, **reforma**; retirada; afastamento.
retiring pension — pensão de reforma.
retiring fund — caixa de aposentações.
2 — *adj.* reservado; discreto; retraído; austero; relativo à reforma.
in retiring order — em ordem de retirada.
retiring-room — instalação sanitária.
retiringly [-riŋli], *adv.* retraidamente; apagadamente.
retiringness [-riŋnis], *s.* reserva; carácter retraído.
retold ['ri:'tould], *pret.* e *pp.* de **to retell.**
retort [ri'tɔ:t], **1** — *s.* recriminação; réplica mordaz; retorta, destilador; represália.
gas retort — retorta de gás.
to say in retort — retorquir.
to make an insolent retort — retorquir insolentemente.
2 — *vt.* retorquir, redarguir, replicar; repelir; destilar em retorta.
to retort to somebody — **ripostar a alguém.**
to retort an insult — responder a um insulto com outro insulto.
retorted [-d], *adj.* recurvado; retorcido.
retortion [ri'tɔ:ʃən], *s.* retorção.
retouch ['ri:'tʌtʃ], **1** — *s.* retoque; última demão.
retouch to a picture — retoque num quadro.
2 — *vt.* retocar; aperfeiçoar.
retoucher [-ə], *s.* retocador.
retouching [-iŋ], *s.* retoque.
retrace 1 — ['ri:'treis], *vt.* voltar a traçar.
2 — [ri'treis], *vt.* retroceder, voltar atrás; referir de novo; rever.
to retrace one's steps — retroceder; arrepiar caminho.
to retrace in one's memory — trazer à memória.
retract [ri'trækt], *vt.* e *vi.* retractar-se de; desdizer-se de; abjurar; encolher-se; retirar; recolher.
to retract one's words — desdizer-se.
to retract a statement — retractar-se duma afirmação.
retractability [ritræktə'biliti], *s.* retractabilidade.
retractable [ri'træktəbl], *adj.* retráctil; revogável.
retractation [ri:træk'teiʃən], *s.* retractação; desmentido; contracção.
retractile [ri'træktail], *adj.* retráctil.
retractility [ritræk'tiliti], *s.* retractilidade.
retracting [ri'træktiŋ], *adj.* retráctil.
retraction [ri'trækʃən], *s.* retracção; retractação; contracção.
retractor [ri'træktə], *s.* (anat.) músculo retractor.
retral ['ri:trəl], *adj.* posterior, traseiro.
retranslate ['ri:træns'leit], *vt.* traduzir de novo; trasladar novamente.
retranslation ['ri:træns'leiʃən], *s.* nova tradução; nova trasladação.
retread ['ri:'tred], *vt.* (*pret.* **retrod,** *pp.* **retrodden**) percorrer de novo.
retread 1 — [ri:'tred], *s.* pneu recauchutado ou rechapado.
2 — *vt.* recauchutar, rechapar.
retreading [ri:'trediŋ], *s.* recauchutagem, rechapagem (de pneu).
retreat [ri'tri:t], **1** — *s.* (mil.) retirada, retiro; refúgio; retraimento; asilo; asilo para doentes mentais; toque de retirada.
to beat a retreat — bater em retirada.
to sound a retreat — tocar a retirar.
to make good one's retreat — retirar em boa ordem.
to go into retreat for some days — fazer um retiro de uns dias (religião).
2 — *vt.* e *vi.* retirar-se; bater em retirada; afastar-se; retroceder; refugiar-se; retrair-se; inclinar-se para trás; dar um passo atrás (em esgrima). (*Sin.* to retire, to withdraw, to recede, to retrocede, to leave. *Ant.* to advance.)
retreating [-iŋ], **1** — *s.* acção de retirar; retirada.
2 — *adj.* que retira; em retirada; que se afasta; que retrocede.
retrench [ri'trentʃ], *vt.* e *vi.* **cortar,** cercear; diminuir; suprimir; **reduzir (despesas)**; economizar; abreviar; (mil.) **entrincheirar.**
to retrench one's expenses — **reduzir** as despesas.
re-trench ['ri:'trentʃ], *vt.* escavar de novo; cavar de novo.
retrenched [-t] *adj.* com trincheira de defesa.
retrenchment [-mənt], *s.* cerceamento; diminuição; economia; entrincheiramento, trincheira.
retrial ['ri:'traiəl], *s.* (jur.) novo julgamento; novo teste, novo ensaio.
retribution [retri'bju:ʃən], *s.* retribuição; recompensa; justo castigo.
retribution for (of) a crime — castigo de um crime.
retributive [ri'tribjutiv], *adj.* justiceiro; vingador.
retributively [-li], *adv.* justiceiramente; vingadoramente.
retributor [ri'tribjutə], *s.* vingador.
retributory [-ri] *adj.* ver **retributive.**
retrievable [ri'tri:vəbl], *adj.* recuperável; reparável; restaurável.
retrieval [ri'tri:vəl], *s.* recuperação; salvação; restabelecimento.
lost beyond retrieval — irremediavelmente perdido.
retrieve [ri'tri:v], **1** — *s.* possibilidade de recuperação.
past retrieve (beyond retrieve) — sem possibilidades de recuperação.
2 — *vt.* e *vi.* recuperar; recobrar; reaver, restabelecer; restaurar; reparar; remediar; trazer peça de caça (cão de caça). (*Sin.* to recover, to regain, to rescue, to restore. *Ant.* to lose.)
to retrieve one's fortune — reaver a sua fortuna.
to retrieve a loss — recuperar uma perda.
to retrieve a mistake — reparar um erro.
to retrieve oneself — reabilitar-se.
retriever [ə], *s.* cão de caça que traz a presa ao caçador.
retrim ['ri:'trim], *vt.* (*pret.* e *pp.* **retrimmed**) guarnecer de novo; arranjar de novo.
retroact [retrou'ækt], *vi.* operar em sentido contrário; ter efeito retroactivo; reagir.
to retroact against — reagir contra.
retroaction [retrou'ækʃən] *s.* reacção; retroactividade.
retroactive [retrou'æktiv], *adj.* retroactivo.
retroactively [-li], *adv.* retroactivamente.
retroactivity [retrouæk'tiviti], *s.* retroactividade.
retrocede [retrou'si:d], *vt.* e *vi.* retroceder, recuar; (jur.) ceder a outra pessoa.
retrocession [retrou'seʃən], *s.* retrocesso; (jur., med.) retrocessão.

retrochoir ['ri:troukwaiə], *s.* parte de catedral ou de grande igreja atrás do altar-mor.
retroflected [ri:trou'flektid], *adj.* retroflectido.
retroflex ['retroufleks], *adj.* retroflexo.
retroflexed [-t], *adj.* ver **retroflex.**
retroflexion [retrou'flekʃən], *s.* (pat.) retroflexão.
retrograde ['retrougreid], **1** — *s.* (rar.) tendência retrógrada; indivíduo degenerado.
2 — *adj.* retrógrado; inverso; em declínio.
retrograde motion — movimento retrógrado.
in retrograde order — em ordem inversa.
3 — *vi.* retrogradar; retroceder; declinar; degenerar.
retrogress [retrou'gres], *vi.* retrogradar; retroceder; degenerar.
retrogression [retrou'greʃən], *s.* retrogressão.
retrogressive [retrou'gresiv], *adj.* retrógrado; regressivo.
retrogressively [-li], *adv.* retrogradamente; regressivamente.
retrospect ['retrouspekt], **1** — *s.* retrospecto, exame retrospectivo.
2 — *vi.* considerar retrospectivamente.
retrospection [retrou'spekʃən], *s.* retrospecção; exame retrospectivo.
retrospective [retrou'spektiv], *adj.* retrospectivo; (jur.) retroactivo.
retrospectively [-li], *adv.* retrospectivamente; (jur.) retroactivamente.
retrovaccination [ri:trouvæksi'neiʃən], *s.* retrovacinação.
retrovaccine [ri:trou'væksin], *s.* retrovacina.
retroversion [retrou'və:ʃən], *s.* (pat.) retroversão.
retroverted [retrou'və:tid], *adj.* (pat.) retrovertido (útero).
return [ri'tə:n], **1** — *s.* volta, regresso; vinda; chegada; restituição, devolução; reposição; retribuição; retorno; retrocesso; utilidade, proveito; lucro; paga; relatório; lista; relação; reembolso; troco; troca; recâmbio; resposta, réplica; informe ou participação oficial; mapa; impresso; restabelecimento; eleição; (jur.) diligência; *pl.* tábuas estatísticas; receitas; tabaco especial para cachimbo.
return ticket — bilhete de ida e volta.
in return — em troca, em retribuição.
by return of post — na volta do correio.
election returns — resultado do escrutínio.
on return — à comissão.
to make out a return — fazer um relatório.
to get a small return for one's money — tirar pequeno lucro do capital.
to make good returns — vender ou produzir bem.
return voyage — torna-viagem; viagem de regresso; volta.
many happy returns of the day! — **parabéns! que este dia se repita por muitos anos! (em** aniversário natalício).
return valve — válvula de retorno.
return current (elect.) — contracorrente.
return day (jur.) — dia de audiência.
return of income — declaração de rendimentos.
return match (desp.) — desafio de desforra.
return of payment — reembolso.
return spring — mola de chamada.
return of killed and wounded — lista de mortos e feridos.
Board of Trade returns — estatísticas comerciais.
gross return — rendimento bruto.
to give a thing in return for another — dar uma coisa em troca de outra.
2 — *vt.* e *vi.* devolver, restituir; reenviar; voltar, regressar; apresentar-se de novo; pagar; retribuir; reiterar; corresponder; responder, replicar; recompensar; premiar; dar; repor; agradecer (um favor, etc.); relatar; eleger, nomear; anunciar como eleito; dar uma volta ou dobra; reflectir (luz, som); reenviar; (desp.) rebater.
to return a kindness — corresponder a uma gentileza.
to return a book — restituir um livro.
to return an answer — dar uma resposta.
to return good for evil — pagar o mal com o bem.
to return thanks — agradecer (brinde).
to return home — regressar a casa.
to return a visit — pagar uma visita.
to return a bill — recambiar uma letra.
to return like for like — pagar na mesma moeda.
to return from the dead — ressuscitar dos mortos.
to be returned guilty — ser julgado culpado.
to return to a task — retomar um trabalho.
re-turn ['ri:'tə:n], *vt.* fazer andar à volta, rodar.
returnable [ri'tə:nəbl], *adj.* restituível; devolutivo; reversível; que deve ser reenviado.
returner [ri'tə:nə], *s.* restituidor; pessoa que regressa.
returning [ri'tə:niŋ], **1** — *s.* regresso; eleição (de deputado); restituição.
returning operations — operações de escrutínio.
2 — *adj.* que regressa.
reunion ['ri:'ju:niən], *s.* reunião; tertúlia; conciliação.
reunionism [-izm] *s.* união das igrejas católica e anglicana.
reunionist [-ist], *s.* partidário da união das igrejas católica e anglicana.
reunite ['ri:ju:'nait], *vt.* e *vi.* reunir, juntar; reconciliar; reunir-se; reconciliar-se.
to become reunited — reconciliar-se.
revaccinate [ri:'væksineit], *vt.* revacinar.
revaccionation [ri:væksi'neiʃən], *s.* revacinação.
revalorization [ri:vælərai'zeiʃən], *s.* revalorização.
revalorize [ri:'væləraiz], *vt.* revalorizar.
revaluation [ei:vælju'eiʃən], *s.* nova avaliação.
revamp ['ri:'væmp], *vt.* gaspear de novo; consertar.
reveal [ri'vi:l], *vt.* revelar; divulgar; descobrir. (*Sin.* to disclose, to discover, to divulge.)
to reveal one's identity — revelar a identidade.
to reveal a secret — revelar um segredo.
revealable [-əbl], *adj.* revelável.
revealer [-ə], revelador.
revealing [-iŋ], **1** — *s.* revelação.
2 — *adj.* revelador.
reveille [ri'væli], *s.* (mil.) toque de alvorada.
revel [revl], **1** — *s.* orgia, bacanal; folia, pândega.
2 — *vt.* e *vi.* (*pret. e pp.* **revelled**) folgar, divertir-se; fazer festas estrondosas; divertir-se ruidosamente; deliciar-se.
to revel away the time — gastar o tempo em pândegas.
to revel in — deliciar-se com.
revelation [revi'leiʃən], *s.* revelação; divulgação.
the Revelation (the Revelations) — o Apocalipse.
it was a revelation to me — foi uma revelação para mim.
reveller ['revlə], *s.* folgazão, pândego, boémio; amigo de orgias.
revelling ['revliŋ], *s.* acção de andar na boémia, na pândega, em orgias.
revelry ['revlri], *s.* festa ruidosa; orgia.

revendication [rivendi'keiʃən], *s.* reivindicação.
revenge [ri'vendʒ], **1** — *s.* vingança; desagravo; desforra. (*Sin.* vengeance, retaliation, retribuition. *Ant.* forgiveness.)
to take one's revenge — vingar-se.
out of revenge — por vingança.
2 — *vt.* vingar; vingar-se de; desforrar-se de.
to be revenged — vingar-se.
to revenge oneself for something — vingar-se de alguma coisa.
to revenge oneself on somebody — vingar-se em alguém.
revengeful [-ful], *adj.* vingativo.
revengefully [-fuli], *adv.* vingativamente.
revengefulness [-fulnis], *s.* espírito de vingança.
revenger [-ə], *s.* vingador.
revenue ['revinju:], *s.* rendimento, renda; provento; rendimentos públicos; benefício; recompensa; fisco; direitos de alfândega.
Public Revenue — receita do Estado; Tesouro Público.
revenue officer — empregado aduaneiro.
revenue cutter — guarda-costas (navio).
revenue tax — imposto de rendimento.
loss to the revenue — perda para o Tesouro.
revenue vessel — barco da fiscalização.
Revenue Office — Repartição das Finanças.
revenue stamp — selo fiscal.
inland revenue — impostos internos.
reverberant [ri'və:bərənt], *adj.* reverberante, resplandecente; sonoro.
reverberate [ri'və:bəreit], *vt.* e *vi.* reverberar; retumbar; ecoar; retinir; repercutir; reflectir.
reverberating [-iŋ], *adj.* reverberante; sonoro; resplandecente.
reverberation [rivə:bə'reiʃən], *s.* repercussão; eco; reverberação, reflexão.
reverberative [rivə:bə'reitiv], *adj.* reverberante.
reverberator [ri'və:bəreitə], *s.* reflector, lâmpada reflectora.
reverberatory [ri'və:bərətəri], **1** — *s.* forno de revérbero.
2 — *adj.* reverberatório.
revere [ri'viə], *vt.* reverenciar; respeitar; venerar; honrar.
reverence ['revərəns], **1** — *s.* reverência, respeito, veneração; reverência, vénia.
to pay reverence to — prestar homenagem a.
to regard with reverence — reverenciar; olhar com veneração.
to feel reverence for — sentir respeito por.
to hold in reverence — ter em grande respeito.
2 — *vt.* reverenciar, respeitar, honrar, venerar; acatar.
reverend ['revərənd], **1** — *s.* reverendo, sacerdote.
reverends and right reverends — padres e bispos.
2 — *adj.* venerável, respeitável; reverendo (título usado com sacerdotes; abrev. **rev.**).
Very Reverend — Reverendíssimo (ao deão).
Right Reverend — Reverendíssimo (ao bispo).
Most Reverend — Reverendíssimo (ao arcebispo).
reverent ['revərənt], *adj.* reverente; respeitoso; obediente; submisso.
reverential [revə'renʃəl], *adj.* reverencial; respeitoso.
reverentially [-i], *adv.* reverencialmente; respeitosamente.
reverently ['revərəntli], *adv.* reverentemente; respeitosamente.
reverer [ri'viərə], *s.* venerador.
reverer of — venerador de.

reverie ['revəri], *s.* devaneio, fantasia, divagação. (*Sin.* dream, wandering, vision).
to be lost in (a) reverie — estar mergulhado em meditação profunda.
revers [ri'viəz], *s. pl.* lapela; canhão (de manga).
reversal [ri'və:səl], *s.* inversão, reversão; (jur.) anulação de sentença, (com.) estorno.
reversal of polarity (elect.) — inversão da polaridade.
reversal of motion — inversão de marcha.
reversal of opinion — mudança de opinião.
reverse [ri'və:s], **1** — *s.* reverso; inverso, oposto, contrário; mudança; contratempo, revés, vicissitude; marcha atrás.
quite the reverse — exactamente o contrário.
to do just the reverse — fazer exactamente o contrário.
the reverse of a medal — o reverso da medalha.
on the reverse — em marcha atrás.
the reverse of a coin — o reverso de uma moeda.
to go into reverse (aut.) — **fazer marcha atrás; fazer inversão de marcha.**
to suffer a reverse — sofrer um revés.
2 — *adj.* inverso, invertido; oposto.
reverse fire (mil.) — fogo de revés.
reverse action — marcha atrás.
reverse lamp (aut.) — lâmpada de marcha atrás.
reverse lever (aut.) — alavanca de inversão de marcha.
the reverse side of — o reverso de; o avesso de.
in reverse order — em ordem inversa.
reverse steam — contravapor.
3 — *vt.* e *vi.* inverter; anular; (jur.) abolir; inverter a marcha; voltar ao estado anterior.
to reverse the engine — inverter a marcha de um motor.
to reverse one's car — fazer marcha atrás com o automóvel.
to reverse one's opinions — mudar completamente de opinião.
to reverse steam — fazer contravapor.
reversed [-t] *adj.* inverso; oposto; (jur.) revogado.
reversed-arms — *(mil.)* armas viradas.
reversed image — imagem invertida.
reversed polarity — polaridade inversa.
reversed steam — contravapor.
reversed connection — ligação invertida.
reversely [-li], *adv.* inversamente.
reverser [-ə], *s.* (elect.) inversor de corrente; reversor.
reversibility [rivə:sə'biliti], *s.* reversibilidade.
reversible [ri'və:səbl], *adj.* reversível; versátil; revogável; de vaivém; de duas faces (tecido); recíproco.
reversible machine — máquina reversível.
reversible motor — motor reversível.
reversible motion — movimento recíproco.
reversible propeller — hélice reversível.
reversibly [-i], *adv.* reversivelmente.
reversing [ri'və:siŋ], **1** — *s.* inversão; reversão; (aut.) inversão de marcha.
reversing engine — aparelho de mudança de marcha.
reversing gear — mecanismo de inversão de marcha.
reversing-wheel — volante do aparelho de marcha atrás.
reversing-lever — alavanca de mudança de marcha.
2 — *adj.* reversível; que pode inverter-se.
reversion [ri'və:ʃən], *s.* reversão; atavismo; (jur.) reversão; propriedade reversível.
right of reversion — direito de reversão.
reversional [-l], *adj.* reversível.
reversionally [-əli], *adv.* reversivamente.

reversionary [ri'vəːʃnəri], *adj.* reversível; atávico.
reversionary degeneration — degenerescência atávica.
revert [ri'vəːt], **1** — *s.* pessoa que adopta de novo a sua primeira religião.
2 — *vt.* e *vi.* reverter; voltar; retroceder; (jur.) reverter. (*Sin.* to return, to recur.)
let us revert to our subject! — voltemos ao nosso assunto!
revertibility [rivəːti'biliti], *s.* (jur.) reversibilidade.
revertible [ri'vətibl], *adj.* (jur.) reversível.
revest [riː'vest], *vt.* e *vi.* reverter; reintegrar.
revet [ri'vet], *vt.* (*pret.* e *pp.* **revetted**) revestir (de cal, etc.); fortificar.
revetment [-mənt], *s.* revestimento (com cal, etc.).
revetment wall — muro de revestimento.
revictual ['riː'vitl], *vt.* e *vi.* (*pret.* e *pp.* **revictualled**) reabastecer de géneros alimentícios.
revictualling [-iŋ], *s.* novo abastecimento de géneros alimentícios.
revictualment [-mənt], *s.* reabastecimento de géneros alimentícios.
review [ri'vjuː], **1** — *s.* (teat., mil.) revista; exame; inspecção, análise; crítica; resenha; rememoração; (jur.) revisão de processo.
to pass in review — passar em revista.
review copy — exemplar entregue para crítica.
review of the week — revista dos acontecimentos da semana.
to come under review — ser examinado.
Court of Review — Supremo Tribunal de Justiça.
2 — *vt.* e *vi.* rever; examinar; revisar; criticar; comentar; revistar, passar revista; (jur.) rever (processo); inspeccionar (tropas, esquadra, etc.).
to review the troops — passar revista às tropas.
reviewable [-əbl], *adj.* merecedor de crítica; (jur.) com revisão possível.
reviewal [-əl], *s.* recensão crítica; (jur.) revisão (de processo).
reviewer [-ə], *s.* crítico; comentador; revisor; redactor de uma revista.
reviewing [-iŋ], *s.* acção de examinar, de rever; crítica; (mil.) revista.
revile [ri'vail], *vt.* e *vi.* injuriar, vilipendiar, insultar.
to revile somebody — injuriar alguém.
to revile against somebody — proferir injúrias contra alguém.
revilement [-mənt], *s.* injúria, insulto.
reviler [-ə], *s.* injuriador, insultador.
reviling [-iŋ], **1** — *s.* injúria, insulto.
2 — *adj.* injurioso, insultuoso.
revilingly [-iŋli], *adv.* injuriosamente, insultuosamente, afrontosamente.
revisable [ri'vaizəbl], *adj.* susceptível de revisão.
revisal [ri'vaizəl], *s.* revisão.
revise [ri'vaiz], **1** — *s.* segundas provas (em tipografia).
second revise — terceiras provas (em tipografia).
2 — *vt.* rever; corrigir; fazer a revisão de; corrigir (provas tipográficas); refundir. (*Sin.* to review, to amend, to reconsider, to re-examine.)
revised [-d], *adj.* revisto.
reviser [-ə], *s.* revisor; corrector de provas.
revising [-iŋ], *s.* revisão; correcção.
revision [ri'viʒən], *s.* revisão; correcção (de provas tipográficas).
revisit ['riː'vizit], *vt.* visitar de novo; rever.
revisitation ['riːvizi'teiʃən], *s.* nova visita.
revisor [ri'vaizə], *s.* ver **reviser.**
revisory [-ri], *adj.* revisório.

revitalize ['riː'vaitəlaiz], *vt.* revitalizar, revivificar.
revivable [ri'vaivəbl], *adj.* revivificável; reavivável.
revival [ri'vaivəl], *s.* renascimento; restabelecimento; renovação; restauração; reanimação; (teat.) reposição em cena; renascimento religioso.
the Revival of Learning — a Renascença.
revive [ri'vaiv], *vt.* e *vi.* reviver; renascer; revivificar; restabelecer; avivar; animar; despertar a memória; renovar; restaurar; voltar a si, recobrar os sentidos; florescer de novo; renovar-se.
to revive somebody's memory — refrescar a memória de alguém.
reviver [-ə], *s.* reanimador; restaurador; o que faz reviver; bebida estimulante.
revivification [ri(ː)vivifi'keiʃən], *s.* revivificação.
revivify [ri(ː)'vivifai], *vt.* [revivificar, fazer reviver; reviver; restabelecer-se.
reviving [ri'vaiviŋ], **1** — *s.* renovação; reposição (de peça de teatro); restabelecimento.
2 — *adj.* que ressurge; que renasce; que revive.
reviviscence [revi'visns], *s.* revivescência; revivificação.
reviviscent [revi'visənt], *adj.* revivescente.
revocability [revəkə'biliti], *s.* revogabilidade.
revocable ['revəkəbl], *adj.* revocável, revogável.
revocably [-i], *adv.* de modo revocável ou revogável.
revocation [revə'keiʃən], *s.* revogação, revocação; anulação.
revocation of — anulação de.
revocatory ['revəkətəri], *adj.* revogatório, revocatório.
revoke [ri'vouk], **1** — *s.* renúncia (ao jogo); (rar.) revogação.
2 — *vt.* e *vi.* revogar, abolir; cancelar; anular; baldar-se (ao jogo).
to revoke a promise — anular uma promessa.
revolt [ri'voult], **1** — *s.* revolta, sublevação; rebelião; (arc.) repugnância.
to break out in revolt (to rise in revolt) — revoltar-se.
to raise the standard of revolt — levantar o pendão da revolta.
2 — *vt.* e *vi.* revolucionar; sublevar; irritar; indignar; revoltar-se; amotinar-se; indignar-se; sentir repugnância; causar repugnância.
to revolt against (from, at) — revoltar-se contra.
revolted [-id], *adj.* revoltado, revoltoso.
revolter [-ə], *s.* revoltoso.
revolting [-iŋ], *adj.* revoltante; repugnante; revoltado.
revoltingly [-iŋli], *adv.* de maneira revoltante, de maneira repugnante.
revolution [revə'luːʃən], *s.* (pol., astr.) revolução; revolta; rotação, giro, volta; ciclo; modificação total.
revolutions per second — rotações por segundo.
the French Revolution — a Revolução Francesa.
revolutionary [revə'luːʃnəri], **1** — *s.* revolucionário.
2 — *adj.* revolucionário; (rar.) giratório.
the Revolutionary war — a guerra da independência dos Estados Unidos.
revolutionism [revə'luːʃənizm], *s.* revolucionarismo.
revolutionist [revə'luːʃnist], *s.* revolucionário.
revolutionize [revə'luːʃnaiz], *vt.* revolucionar, sublevar; modificar totalmente.
revolve [ri'vɔlv], *vt.* e *vi.* revolver; fazer girar; discorrer; meditar, reflectir; considerar

sob todos os aspectos; dar voltas, girar, suceder periodicamente.
the earth revolves round the sun — a terra gira em volta do sol.
to revolve on a spindle — girar em volta de um eixo.
he revolved the matter (round) in his mind — ele considerou a questão sob todos os aspectos.
the seasons revolve — as estações repetem-se ciclicamente.
revolver [ri'vɔlvə], *s.* revólver.
revolving [ri'vɔlviŋ], *adj.* giratório; que se repete ciclicamente.
revolving chair — cadeira giratória.
revolving light — farol de rotação; luz rotativa.
revolving top clearer (téc.) — limpador girante.
revolving bookstand — estante giratória.
revolving drum — tambor rotativo.
revolving crane — guindaste giratório.
revolving oil dip ring — anel de lubrificação.
revolving grate — grelha giratória.
revolving switch — comutador rotativo.
revue [ri'vju:], *s.* (teat.) revista.
revuist [-ist], *s.* (teat.) autor de revista.
revulsion [ri'vʌlʃən], *s.* (med.) revulsão; reacção; retrocesso; reviravolta; (rar.) afastamento.
revulsion of public feeling — reviravolta da opinião pública.
revulsion from a person — reacção contra uma pessoa.
revulsive [ri'vʌlsiv], *adj.* (med.) revulsivo.
reward [ri'wɔ:d], **1** — *s.* recompensa; prémio; galardão; gratificação, remuneração. (*Sin.* prize, award, retribution. *Ant.* punishment).
to offer a reward for somebody — pôr a cabeça de alguém a prémio.
no reward without toil — não há paga sem trabalho.
as a reward for — como recompensa por.
2 — *vt.* recompensar, premiar; gratificar; retribuir; pagar.
to reward somebody with something — recompensar alguém com alguma coisa.
to reward somebody for something — recompensar alguém por alguma coisa.
rewardable [-əbl], *adj.* recompensável; remunerável; digno de prémio.
rewardably [-əbli], *adv.* de modo recompensável.
rewarder [-ə], *s.* recompensador, remunerador.
rewarding [-iŋ], **1** — *s.* recompensa; prémio; remuneração.
2 — *adj.* recompensador; remunerador.
rewrite ['ri:'rait], *vt.* (*pret.* **rewrote,** *pp.* **rewritten**) tornar a escrever.
rewritten ['ri:'ritn], *pp.* de **to rewrite.**
rewrote ['ri:'rout], *pret.* de **to rewrite.**
Rex [reks], *s.* o rei (reinante).
Reynaldo [rei'nældou], *n. p.* Reinaldo.
Reynard ['renəd], *s.* (nome próprio para) raposa.
Reynold ['ren(ə)ld], *n. p.* ver **Reynaldo.**
rhabdomancy — ['ræbdəmænsi], *s.* rabdomancia; arte de descobrir veios subterrâneos de água ou de minério por meio de uma vara.
rhapsode ['ræpsoud], *s.* rapsodo (na Grécia).
rhapsodical [ræp'sɔdikəl], *adj.* rapsódico.
rhapsodist ['ræpsədist], *s.* rapsodista; rapsodo.
rhapsodize ['ræpsədaiz], *vt.* e *vi.* escrever ou recitar rapsódias; escrever ou falar à maneira dos rapsodos.
rhapsody ['ræpsədi], *s.* rapsódia (poema épico ou música).
rhea ['ri:ə], *s.* (zool.) nandu, avestruz da América.
Rhea ['ri:ə], *n. p.* (mit.) Reia, esposa de Saturno.
Rhenish ['ri:niʃ], *s.* e *adj.* (arc.) renano; vinho do Reno.
Rhenish wine — vinho do Reno.
rheostat ['ri:oustæt], *s.* (elect.) reóstato.
rheostatic [-ik], *adj.* reostático.
rheostatic control — comando reostático.
rhetoric ['retərik], *s.* retórica; linguagem retórica.
rhetorical [ri'tɔrikəl], *adj.* retórico; empolado.
rhetorically [-i], *adv.* retoricamente; empoladamente.
rhetorician [retə'riʃən], *s.* retórico.
rheumatic [ru(:)'mætik], **1** — *s.* reumático, pessoa que sofre de reumatismo; dores reumáticas.
2 — *adj.* reumático; reumatismal.
rheumatic pains — dores reumáticas.
rheumatic fever — febre reumatismal.
rheumatic patient — pessoa que sofre de reumatismo.
rheumatic joint — articulação atacada pelo reumatismo.
rheumatically [-əli], *adv.* de modo reumático.
rheumatically affected — atacado pelo reumatismo.
rheumaticky [-i], *adj.* (col.) um pouco reumático.
rheumatics [-s], *s. pl.* reumatismo.
rheumatism ['ru:mətizm], *s.* reumatismo.
to suffer from rheumatism — sofrer de reumatismo.
rheumatism in the joints—reumatismo articular.
crippled with rheumatism — tolhido com o reumatismo.
rheumatoid ['ru:mətɔid], *adj.* reumatóide.
rheumatoid arthritis — reumatismo articular crónico.
rhexis ['reksis], *s.* (med.) rotura de vaso sanguíneo.
rhinal ['rainəl], *adj.* rinal, referente ao nariz.
rhinanthus [rai'nænθəs], *s.* (bot.) rinanto.
Rhine [rain], *top.* Reno.
Rhine wine — vinho do Reno.
the Lower Rhine — o Baixo Reno.
the Upper Rhine — o Alto Reno.
rhinitis [ri'naitis], *s.* (pat.) rinite, inflamação da mucosa do nariz.
rhino ['rainou], *s.* (cal.) dinheiro, «bago», «massa»; (col.) rinoceronte.
ready rhino — dinheiro à vista.
rhinoceros [rai'nɔsərəs], *s.* rinoceronte.
rhinologist [rai'nɔlədʒist], *s.* rinologista, rinólogo.
rhinology [rai'nɔlədʒi], *s.* (med.) rinologia.
rhino-pharyngeal [rainəfæ'rindʒiəl], *adj.* (med.) rinofaríngico.
rhinoplastic [rainou'plæstik], *adj.* referente à rinoplastia, rinoplástico.
rhinoplasty ['rainouplæsti], *s.* rinoplastia.
rhinoscope ['rainəskoup], *s.* (med.) rinoscópio.
rhinoscopy [rai'nɔskəpi], *s.* rinoscopia.
rhizocarp ['raizouka:p], *s.* (bot.) rizocarpo.
rhizocarpous [raizou'ka:pəs], *adj.* (bot.) rizocárpico.
rhizome ['raizoum], *s.* (bot.) rizoma.
rhizophagous [rai'zɔfəgəs], *adj.* rizófago.
Rhodes [roudz], *top.* Rodes.
Rhodesia [rou'di:zjə], *top.* Rodésia.
Rhodesian [-n], *s.* e *adj.* rodesiano, da Rodésia.
Rhodian ['roudjən], *s.* e *adj.* ródio, de Rodes.
rhodium ['roudjəm], *s.* (quím.) ródio; (bot.) pau-rosa.
rhododendron [roudə'dendrən], *s.* (*pl.* **rhododendrons, rhododendra**) (bot.) rododendro.
rhomb [rɔm], *s.* (geom.) rombo, losango; romboedro.
rhombic ['rɔmbik], *adj.* rômbico.

rhomboid ['rɔmbɔid], *s.* e *adj.* rombóide.
rhomboid shaped — romboidal.
rhomboid muscle — músculo rombóide.
rhomboidal [rɔm'bɔidəl], *adj.* romboidal.
rhombus ['rɔmbəs], *s.* (*pl.* **rhombuses, rhombi**) (geom.) rombo, losango.
rhonchal ['rɔŋkəl], *adj.* arquejante.
rhonchial ['rɔŋkiəl], *adj.* ver **rhonchal.**
rhonchus ['rɔŋkəs], *s.* (*pl.* **ronchi**) (pat.) ruído bronquial.
Rhone [roun], *top.* Ródano (rio).
rhotacism ['routəsizm], *s.* rotacismo (defeito de pronúncia).
rhubarb ['ru:bɑ:b], *s.* (bot.) ruibarbo.
rhumb [rʌm], *s.* (náut.) rumo.
rhumb line — linha loxodrómica.
rhumb card of a compass — rosa de uma agulha magnética, de uma bússola.
rhyme [raim], **1** — *s.* rima; poema rimado; palavra que rima com outra; *pl.* poesia.
nursery rhyme — canção de crianças.
neither rhyme nor reason — sem tom nem som.
alternate rhymes — rima cruzada.
masculine rhymes — rima masculina.
feminine rhymes — rima feminina.
2 — *vt.* e *vi.* rimar; fazer versos.
to rhyme with (to rhyme to) — rimar com.
to rhyme one word with another — rimar uma palavra com outra.
rhymed [-d], *adj.* rimado.
rhymed verse — verso rimado. (*Ant.* blank verse).
rhymer [-ə], *s.* rimador; versejador.
rhymester [-stə], *s.* poetastro.
rhyming [-iŋ], **1** — *s.* acção de rimar; acção de fazer versos.
2 — *adj.* que rima, rimado; que faz rimas ou versos.
rhymist [-ist], *s.* rimador.
rhysimeter [rai'simitə], *s.* risímetro.
rhythm ['riðəm], *s.* ritmo; cadência; harmonia; compasso; periodicidade.
rhythmic ['riðmik], *adj.* rítmico, cadenciado, harmónico.
rhythmical [-əl], *adj.* ver. **rythmic.**
rhythmically [-əli], *adv.* ritmicamente, compassadamente.
rhythmics [-s] *s.* rítmica.
rhythmless ['riðmlis], *adj.* sem ritmo.
ria ['riə], *s.* (geog.) ria.
rib [rib], **1** — *s.* costela; lista; friso; faixa; travessa, escora; nervura; nervo; vareta (de guarda-chuva); nervura (das folhas); (joc.) cara-metade, esposa.
rib of a ship — cavername de um navio.
ribs of an arched roof — nervuras de uma abóbada.
ribs of beef — entrecosto de vaca.
false ribs (anat.) — costelas falsas.
floating ribs (anat.) — costelas flutuantes.
to smite somebody under the fifth rib — apunhalar alguém (Bíblia).
2 — *vt.* (*pret.* e *pp.* **ribbed**) marcar com riscas, filetes ou listas; fazer estrias; guarnecer de nervuras; fechar, encerrar.
to rib somebody — arreliar alguém.
ribald ['ribəld], **1** — *s.* pessoa indecente; libertino; pessoa grosseira.
2 — *adj.* indecente, pornográfico; libertino; grosseiro.
ribaldry [-ri], *s.* linguagem grosseira, indecente, pornográfica.
riband ['ribənd], *s.* ver **ribbon.**
ribanded [-id], *adj.* ver **ribboned.**
ribband ['ribənd], *s.* vigas usadas na construção de navios; *pl.* (náut.) cintas.
ribbed [ribd], *adj.* com nervuras; estriado.
ribbing ['ribiŋ], *s.* armação, suporte em forma de nervuras ou costelas; (bot.) nervuras.
ribbon ['ribən], **1** — *s.* fita; galão; tira; faixa; banda; *pl.* adornos; rédeas.
ribbon control key — tecla de fita de impressão.
ribbon grass (bot.) — alpista.
inking ribbon — fita de máquina de escrever.
ribbon saw — serra de fita.
ribbon weaving — fabrico de fitas.
ribbon weaver — fabricante de fitas.
to hang in ribbons — estar às tiras.
to tear to ribbons — pôr em tiras.
2 — *vt.* e *vi.* guarnecer com fitas; serpentear.
ribboned [-d], *adj.* feito de fitas; com fitas; em forma de fita.
ribes ['raibi:z], *s.* (bot.) ribes, groselheira.
rice [rais] *s.* arroz.
rice-paper — papel de palha de arroz.
ground-rice — farinha de arroz.
rice-pudding — pudim de arroz.
rice-milk — arroz-doce.
rice-curry — arroz com caril.
rice swamp (rice plantation, rice-field) — arrozal.
rough rice — arroz com casca.
husked rice — arroz sem casca, descascado.
rich [ritʃ], **1** — *s.* ricos.
the new rich (the vulgar rich, the newly rich) — os novos-ricos.
the rich — os ricos.
2 — *adj.* rico, abastado; opulento; valioso; sumptuoso; precioso; magnífico; saboroso, delicioso, excelente; suculento; muito condimentado; fértil, abundante, copioso; profundo, cheio (som, cor); jocoso, divertido; ridículo.
a rich harvest — uma colheita abundante.
rich soil — solo fértil.
rich hues — matizes vivos.
that's rich! — é impagável!
rich flavour — sabor delicioso.
as rich as Croesus — rico como Creso.
rich and poor — ricos e pobres.
rich clay — argila gorda.
rich colouring — coloração rica.
rich lime — cal gorda.
rich pasture — pastagens ricas.
rich in hope — rico de esperanças.
rich tomato sauce — concentrado de sumo de tomate.
Richard ['ritʃəd], *n. p.* Ricardo.
riches ['ritʃiz], *s. pl.* riqueza(s), bens; opulência; haveres. (*Sin.* wealth, opulence, possessions, affluence. *Ant.* poverty.)
to roll in riches (col.) — nadar em dinheiro.
richly ['ritʃli], *adv.* ricamente; sumptuosamente; magnificamente; abundantemente; copiosamente.
richness ['ritʃnis], *s.* riqueza, opulência; primor; sumptuosidade; magnificência; fecundidade; fertilidade; abundância; gosto delicioso; profundidade (de cor, de som).
ricinus ['risinəs], *s.* (bot.) rícino, mamona.
rick [rik], **1** — *s.* pilha, montão; meda.
2 — *vt.* amontoar, pôr em medas.
ricketily ['rikit(i)li], *adv.* raquiticamente.
ricketiness ['rikitinis], *s.* raquitismo; frouxidão das pernas; falta de firmeza.
rickets ['rikits], *s.* raquitismo.
rickety ['rikiti], *adj.* raquítico; enfezado; vacilante; pouco firme.
rickshaw ['rikʃɔ:], *s.* riquexó, pequeno carro de duas rodas, puxado por homens, para transportar pessoas.
ricochet ['rikəʃet], **1** — *s.* ricochete; fogo de ressalto.
ricochet shot — tiro de ricochete.

2 — *vt.* e *vi.* (*pret.* e *pp.* **ricocheted** ou **ricochetted**) fazer fogo de ressalto; ressaltar.
rictus ['riktəs], *s.* ricto.
rid [rid], **1** — *vt.* (*pret.* **ridded** ou **rid,** *pp.* **rid**) desembaraçar; livrar; safar; desocupar.
to rid oneself of — desembaraçar-se de; livrar-se de; desfazer-se de.
to be rid of — estar livre de.
to get rid of — desembaraçar-se de.
2 — *pret.* e *pp.* (arc.) de **to ride.**
riddance ['ridəns], *s.* libertação; alívio.
riddance from — libertação de.
riddel ['rid(ə)l], *s.* cortina de altar.
ridden [ridn], *pp.* de **to ride.**
riddle [ridl], **1** — *s.* adivinha; mistério; coisa ou pessoa misteriosa; crivo, peneira grossa.
to ask somebody a riddle — perguntar uma adivinha a alguém.
to speak in riddles — falar por enigmas.
2 — *vt.* e *vi.* falar por enigmas; decifrar um enigma; peneirar; adivinhar; encher de pequenos buracos.
to riddle a dream — interpretar um sonho.
riddler [-ə], *s.* peneirador; pessoa que fala por enigmas.
riddling [-iŋ], **1** — *s.* acção de peneirar.
2 — *adj.* enigmático, misterioso.
riddlingly [-iŋli], *adv.* enigmaticamente, misteriosamente.
ride [raid], **1** — *s.* passeio (a cavalo, de automóvel, de bicicleta); percurso, trajecto; (mil.) grupo de recrutas montados.
a ride on horseback — um passeio a cavalo.
***a ride on a roundabout*—uma volta no carrossel.**
to go for a ride — ir dar um passeio a cavalo.
to give a child a ride on one's back — levar uma criança às cavalitas.
2 — *vt.* e *vi.* (*pret.* **rode,** *pp.* **ridden**) cavalgar; montar; andar (a cavalo, de automóvel, de bicicleta, de comboio); flutuar; vogar; adestrar um cavalo; (mec.) funcionar; acavalar-se (osso fracturado); levar às cavalitas; dominar, submeter.
to ride at anchor — estar ancorado.
to ride away — partir.
to ride on a donkey — montar um burro.
to ride over — percorrer; dominar; espezinhar; atravessar a cavalo.
to ride out (náut.) — aguentar o tempo.
to ride down — atropelar; lançar o cavalo por cima; tratar insolentemente; (náut.) afrouxar.
to ride out the storm — aguentar a tempestade.
to ride past — passar adiante.
to ride easy — ir muito devagar.
to ride and tie — ir a cavalo e a pé alternadamente.
to ride to the wind — lutar contra o vento.
to ride to hounds — seguir os cães de caça.
***to ride to the tide*—lutar contra a corrente; remar contra a maré.**
to ride on horseback — andar a cavalo.
to ride by — passar por.
***to ride at full speed*— correr a toda a brida.**
to ride roughshod — impor-se com arrogância.
to ride the waves — galgar as ondas.
to ride behind — ir na garupa do cavalo.
to ride in a motor-car — andar de automóvel.
to ride a ford — passar a vau (num cavalo).
to ride a race — tomar parte numa corrida de cavalos.
to ride on a bicycle — andar de bicicleta.
to ride side-saddle — montar à amazona.
to ride astride — andar a cavalo escarranchado.
to ride the shank's mare — ir a pé.
to ride the high horse — dar-se ares.
the moon is riding high in the heavens — a Lua vai alta nos céus.
to ride the whirlwind — aguentar a tempestade.
to ride broomstick — andar a cavalo numa vassoura; **cavalgar numa vassoura.**
rideable ['-əbl], *adj.* que pode cavalgar-se; que serve para andar a cavalo (estrada, etc.).
ridel ['ridəl], *s.* ver **riddel.**
rider ['raidə], *s.* cavaleiro; amazona; picador; pessoa que anda de carro; ciclista; corredor ou amansador de cavalos; caixeiro-viajante; aditamento; codicilo; cláusula adicional a um projecto de lei; corolário; exercício de aplicação; *pl.* (náut.) pródigos, peças para reforçar os porões.
rider beam — viga de suspensão.
rider plate — chapa horizontal.
rider keelson — sobrequilha superior.
motorcycle rider — motociclista.
riderless [-lis], *adj.* sem cavaleiro; selvagem (cavalo).
ridge [ridʒ], **1** — *s.* espinhaço, cume; colina; cordilheira; serrania; sulco; linha de junção; cumeeira; crista (de vaga, de monte, etc.); recife; escolho; ruga; rego; pilha de estrume; prisma triangular.
the ridge of a roof — a cumeeira de um telhado (arquitectura).
ridge-pole (ridge-piece) — cimo; cume (arquitectura).
ridge of the nose — cana do nariz.
ridge of the back — coluna vertebral.
wind-out ridge — aresta viva.
2 — *vt.* e *vi.* abrir regos; sulcar; enrugar; acanelar; enrugar-se, encrespar-se (superfície das águas).
ridged [-d], *adj.* em forma de espinha; em forma de aresta; com arestas.
ridgeless ['-lis], *adj.* sem arestas, sem estrias.
ridging ['-iŋ], *s.* espigão.
ridging-tile — telha de espigão.
ridgy ['-i], *adj.* com arestas; rugoso; estriado; acidentado.
ridicule ['ridikju:l], **1** — *s.* ridículo; extravagância; ridicularia.
to hold up to ridicule — ridicularizar.
to pour ridicule on somebody — encher alguém de ridículo.
to be open to ridicule — prestar-se ao ridículo.
2 — *vt.* ridicularizar, meter a ridículo, escarnecer de.
ridiculer [-ə], *s.* zombador, pessoa que ridiculariza.
ridiculous [ri'dikjuləs], **1** — *s.* ridículo; irrisório.
2 — *adj.* ridículo, grotesco, burlesco.
to become ridiculous — cair no ridículo.
to make ridiculous — meter a ridículo.
to make oneself ridiculous — tornar-se ridículo.
ridiculously [-li], *adv.* ridiculamente.
ridiculousness [-nis], *s.* aspecto ou situação ridícula.
riding ['raidiŋ], **1** — *s.* acção de andar a cavalo ou de carro; cavalgada; equitação; acavalamento de dois ossos (em fractura); (náut.) ancoragem; divisão administrativa do Yorkshire.
riding-school — escola de equitação.
riding-master — mestre de equitação.
riding-lessons — lições de equitação.
riding-breeches — calças de montar.
***riding-whip*—chicote de cavaleiro; pingalim.**
riding light — luz de âncora.
riding-boots — botas de montar.
riding costume — trajo de equitação.
riding horse — cavalo de sela.
Little Red Riding Hood — o Capuchinho Vermelho.

obstacle riding — equitação com obstáculos.
2 — *adj.* a cavalo; de carruagem; (náut.) ancorado.
rife [raif], *adj.* abundante, numeroso; notório; corrente, comum; predominante.
rife with — cheio de.
distress is rife — campeia a miséria.
to grow rife — espalhar-se; existir em grande abundância.
rifely [-li], *adv.* abundantemente; comummente.
rifeness [-nis], *s.* abundância; grande número; frequência.
riff-raff ['rifræf], *s.* plebe, canalha, rebotalho social.
rifle [raifl], 1 — *s.* carabina; espingarda de cano estriado; rifle; *pl.* atiradores, fuzileiros.
magazine-rifle — espingarda de repetição.
rifle shot — tiro de espingarda; atirador.
barrel of a rifle — cano de fusil.
within rifle range — **ao alcance da espingarda; em tiro.**
rifle butt — coronha de espingarda.
rifle corps — corpo de fuzileiros.
rifle oil — óleo para espingardas.
rifle-green — verde-escuro.
to be a good rifle-shot — ser bom atirador.
the King's Royal Rifles — os fuzileiros reais.
2 — *vt.* e *vi.* roubar, pilhar; subtrair; estriar uma arma; fuzilar; despojar.
to rifle a tomb — violar um túmulo.
rifle-bore [-bɔ:], 1 — *s.* cano estriado; arma raiada.
2 — *vt.* raiar, estriar (cano de espingarda).
rifled [-d], *adj.* estriado, raiado.
rifleman [-mən], *s.* (mil.) atirador, fuzileiro, caçador.
rifling [-iŋ], *s.* estrias; acção de abrir estrias em canos de espingardas.
rift [rift], 1 — *s.* fenda, racha, greta. (*Sin.* hole, crevice, gap, chink, fissure.)
a rift in the clouds — uma abertura nas nuvens; *(fig.)* indícios de melhores tempos.
a rift in the lute — (fig.) início de dissensão.
rift saw — serra para cortar toros ao comprido.
2 — *vt.* e *vi.* fender, rachar, abrir; fender-se.
rifted [-id], *adj.* fendido, rachado.
rig [rig], 1 — *s.* (náut.) armação, equipagens de navio; encapeladuras; vestidura; enramamento; aparelho de pesca; vestuário; burla, vigarice.
in full evening rig — em trajo de cerimónia.
rig-up — instalação de emergência.
2 — *vt.* e *vi.* (*pret.* e *pp.* **rigged**) (náut.) aparelhar, armar, equipar (navio); montar, preparar, vestir (mastros, etc.); provocar alta ou baixa de câmbio; (col.) vestir-se.
to rig out — aparelhar um navio.
to rig a ship with — armar um navio com.
to rig oneself out — ataviar-se.
to rig up a dress with — guarnecer um vestido com.
to rig up prices — fazer subir os preços.
Riga ['ri:gə], *top.* Riga.
rigged [rigd], *adj.* (náut.) aparelhado.
rigger ['rigə], *s.* (náut.) armador; navio com armação especial; barco de corridas com suportes exteriores para os remos; indivíduo que provoca, fraudulentamente, alta ou baixa de preços no mercado.
square-rigger — navio de velas redondas.
rigging ['rigiŋ], *s.* (náut.) aparelho de navio; mastreação; aprestos; encapeladuras, vestidura; cordame, cordoaria; especulação.
rigging screw (náut.) — macaco de tesar.
right [rait], 1 — *s.* direito; justiça; rectidão; razão; equidade; propriedade; domínio; regalia, privilégio, prerrogativa; a mão direita; o lado direito; direito (de tecido); (pol.) direita; autoridade legítima.
right and wrong — o bem e o mal.
to put to rights (to set to rights) — pôr em ordem, compor; reconciliar.
to have a right to — ter direito a.
you have no right to it — não tem direito a isso.
keep to the right! — **siga pela direita!**
to turn to the right — voltar à direita.
right of succession — direito de sucessão, direito de herança.
right to vote — direito de voto.
by right (by rights) — legalmente; pelo direito; de direito.
might and right — a força e o direito.
divine right — direito divino.
the Bill of Rights — a Declaração dos Direitos (de 1680).
in one's own right — por direito próprio.
on the right — à direita.
member of the Right (pol.) — **deputado da direita; conservador.**
second turning to the right — a segunda rua à direita.
to be in the right — estar na razão.
to assert one's rights — fazer valer os seus direitos.
to have the right of — ter o direito de.
to do somebody right — fazer justiça a alguém
women's rights — os direitos das mulheres.
to act by right — agir de pleno direito.
to hold somebody to be in the right — dar razão a alguém.
2 — *adj.* recto, justo, equitativo; próprio; idóneo, conveniente; honesto; razoável; genuíno; verdadeiro; certo; legítimo, legal; conveniente; são; sensato; ordenado; ajustado; direito; directo, em linha recta; perpendicular; (pol.) das direitas, conservador.
right hand — **mão direita.**
right angle —**ângulo** recto.
to be right — **ter razão.**
the right man in the right place — cada um no lugar que lhe compete.
the right side — o lado direito.
to find all right — achar tudo em boa ordem.
to do right — fazer bem.
right-and-left shot — tiro com espingarda de dois canos.
right cylinder — cilindro recto.
right-hand drive car — carro de volante à direita.
right-handed — direito; que se serve da mão direita.
right-hander — **não canhoto; pancada dada com a mão direita.**
right-minded — **honrado;** recto.
right-mindedness — honradez; rectidão.
right-angled triangle — triângulo rectângulo.
right line — linha recta.
right winger — ponta-direita; extremo-direito (futebol).
on the right side of forty — perto dos quarenta anos.
to be in one's right mind — estar no seu juízo.
to meet at right angles — cruzar-se perpendicularmente.
to set a watch right — acertar um relógio.
all right! — muito bem!
to err on the right side — errar com boas intenções.
to put an error right — corrigir um erro.
to be one of the right sort — ser uma pessoa às direitas.
to get on the right side of somebody — insinuar-se nas boas graças de alguém.
to get something right — esclarecer alguma coisa.

to put one's right hand to the work — trabalhar muito.
am I right for Oporto? — é esta a estrada para o Porto?
to be somebody's right arm — ser o braço direito de alguém; ajudar muito alguém.
to feel quite right (to feel all right) — sentir-se muito bem.
that's right! — está certo!; é isso mesmo!
the accounts are not right — as contas não estão certas.
not to be right in the head — não ter o juízo todo.
what is the right time, please? — diga-me as horas certas, por favor.
3 — *adv.* correctamente; exactamente; imediatamente; perfeitamente, precisamente; muito, em alto grau; neste instante; justamente; com razão; rectamente, honradamente; a direito; para a direita.
to go right on — continuar a direito; seguir a direito.
right along — sem parar.
right opposite — mesmo em frente.
right ahead — sempre a direito.
right off (right away) — imediatamente.
look right on! — olhe em frente!
right ho! — muito bem!
to spend money right and left — gastar dinheiro a torto e a direito.
if I remember right — se bem me lembro.
to turn right round — dar uma volta completa.
it serves you right! — é bem feito!
eyes right! (mil.) — olhar à direita!
4 — *vt.* fazer justiça; endireitar; corrigir; reabilitar; (náut.) adriçar; pôr a meio leme.
to right a vessel — adriçar um navio.
to right a wrong — corrigir um abuso.
to right an injustice — reparar uma injustiça.
right-about [-'əbaut], **1** — *s.* (mil.) meia volta para a direita.
to send somebody to the right-about (col.) — mandar alguém embora; (cal.) mandar alguém à fava.
to turn to the right-about — virar-se para o lado oposto.
2 — *adj.* oposto.
a right-about turn — meia volta.
3 — *adv.* para a direita, para o lado oposto.
right-about, turn! (mil.) — meia volta, volver!
right-down ['-daun], **1** — *adj.* (col.) completo, perfeito.
to be a right-down thief — ser um perfeito ladrão.
2 — *adv.* completamente, totalmente.
righteous ['raitjəs], *adj.* justo, recto, honrado; direito; justificado.
righteously [-li], *adv.* justamente, rectamente, honradamente; justificadamente.
righteousness [-nis], *s.* rectidão, honradez; justiça.
rightful ['raitful], *adj.* justo, recto, legítimo. (*Sin.* just, legal, legitimate, true, lawful. *Ant.* spurious.)
rightfully [-i], *adv.* justamente, legitimamente, rectamente.
rightfulness [-nis], *s.* legitimidade, rectidão, justiça.
rightly ['raitli], *adv.* justamente, perfeitamente, exactamente; directamente; bem, como deve ser.
rightly or wrongly — com razão ou sem ela.
to judge rightly — julgar com rectidão.
rightly speaking — para falar como deve ser.
rightness ['raitnis], *s.* justiça, rectidão; direcção recta; honestidade.
rightwards ['raitwə:dz], *adv.* para a direita.
rigid ['ridʒid], *adj.* severo, rígido; inflexível; teso, hirto; intransigente.
rigid body — corpo rígido.
rigid contact — contacto fixo.
rigid principles — princípios rígidos.
rigidity [ri'dʒiditi], *s.* severidade, rigidez; inflexibilidade; austeridade.
rigidly ['ridʒidli], *adv.* severamente, rigidamente, inflexivelmente.
rigmarole ['rigmərould], **1** — *s.* algaraviada; história sem nexo.
2 — *adj.* sem nexo, incoerente.
rigor ['raigɔ:], *s.* (pat.) tremura, calafrio; rigidez.
cataleptic rigor — rigidez cataléptica.
rigorism ['rigərizm], *s.* rigorismo.
rigorist ['rigərist], *s.* rigorista.
rigorous ['rigərəs], *adj.* rigoroso, severo, duro, inflexível; minucioso.
rigorous measures — medidas rigorosas.
rigorous climate — clima rigoroso.
rigorous discipline — disciplina rigorosa.
rigorously [-li], *adv.* rigorosamente, severamente; minuciosamente.
rigour ['rigə], *s.* rigor, severidade, dureza, inflexibilidade; inclemência; aspereza; exactidão; *pl.* medidas rigorosas. (*Sin.* stiffness, hardness, firmness, severity, exactness. *Ant.* mildness.)
rile [rail], *vt.* (cal.) irritar, enervar.
rill [ril], **1** — *s.* ribeiro, regato.
2 — *vi.* correr (regato); manar, jorrar.
rillet ['rilit], *s.* ribeirinho.
rim [rim], **1** — *s.* borda, margem, orla, extremidade; rebordo; aro; coroa; arco; (poét.) objecto circular; (náut.) superfície da água; (arc.) peritoneu.
rim of a wheel — pino de uma roda.
rim of the belly (arc.) — peritoneu.
rim of the ear — rebordo da orelha.
spectacle rims — armação para óculos.
rim of the sun — orla do Sol.
the sea's rim (poét.) — o horizonte.
2 — *vt.* (*pret. e pp.* **rimmed**) orlar, marginar; pôr um aro em; pôr um arco.
rime [raim], **1** — *s.* geada; orvalho congelado; rima; poema rimado; *pl.* poesia.
2 — *vt.* cobrir de geada; rimar; versejar.
rimed [-d], *adj.* coberto de geada.
rimer [-ə], *s.* mandril; rimador; versejador.
rimester ['raimstə], *s.* ver **rhymester.**
rimless ['rimlis], *adj.* sem aro; sem borda; sem armação (óculos).
rimmed [rimd], *adj.* com borda.
rimose [rai'mous], *adj.* gretado.
rimous ['raiməs], *adj. vd.* **rimose.**
rimy ['raimi], *adj.* coberto de geada.
rind [raind], **1** — *s.* casca (de árvore, queijo, etc.); pele (de fruto, etc.); crosta; coiro (de toucinho); cortiça; côdea; *(fig.)* aspecto exterior; superfície.
cheese-rind — casca de queijo.
2 — *vt.* descascar; pelar.
rinded [-id], *adj.* com casca; com pele.
rinderpest ['rindəpest], *s.* peste bovina.
ring [riŋ], **1** — *s.* círculo, aro; anel; anilha; argola; circo; pista; roda; virola; som, tinido; toque de campainha; som metálico; carrilhão; zunido; repique de sinos; rumor, clamor; olheira; anete (de âncora); arganéu; (geom.) coroa; recinto para combates de boxe e exibições desportivas; (col.) telefonadela.
to make a ring — fazer uma roda (de pessoas).
ring-finger — dedo anular.
there is a ring at the door — tocam à porta.
wedding-ring — aliança (de casamento).
ring-dove — pombo torcaz.

ring-master — empresário ou director de um circo.
seal-ring — anel com sinete.
ring-fence — propriedade toda murada.
engagement ring — anel de noivado.
to have rings round one's eyes — ter olheiras.
ring-craft — boxe, pugilismo.
ring-like — semelhante a anel.
ring-oiler — anel lubrificador.
ring on the telephone — chamada telefónica.
ring main — conduto circular.
ring-snake — cobra-d'água.
arm-ring — bracelete.
ring-road — estrada de circunvalação.
ear-ring — brinco.
key-ring — argola para chaves.
circus-ring — pista de circo.
napkin ring — argola de guardanapo.
to dance in a ring — dançar de roda.
to make rings round somebody — ser muito superior a alguém.
the Ring — o mercado da Bolsa.
to be sitting in a ring — estar sentado em roda.
2 — *vt.* e *vi.* (*pret.* **rang**, *rar.* **rung**, *pp.* **rung**) tocar (campainha, sino); retinir; tinir; soar; retumbar; ressoar; chamar (por meio de campainha); anunciar; proclamar; zumbir (ouvidos).
to ring for a servant — tocar a campainha para chamar um criado.
to ring the bell — tocar a campainha.
to ring somebody up — telefonar a alguém.
to ring off — desligar (o telefone).
to ring the changes — pôr ou fazer qualquer coisa de formas variadas; transformar.
to ring in one's ears — soar aos ouvidos.
to ring a coin — bater com uma moeda (para verificar o timbre).
the air rang with her cries — o ar ressoou com os gritos dela.
to ring false — soar a falso (moeda, afirmação, etc.).
to ring true — ter bom toque (moeda); parecer verdadeiro.
to ring in the New Year — festejar o Ano Novo com toque de sinos.
3 — *vt.* e *vi.* (*pret.* e *pp.* **ringed**) rodear, circundar; formar círculo; mover-se em círculo; encaracolar; pôr um anel; adornar com anéis; tirar a cortiça; anilhar (pombo); pôr anel em (focinho de animal); cortar em anéis ou rodelas.
to ring a pig — pôr um arganel no focinho de um porco.
to ring about (to ring round) — cercar, rodear.
ringed [-d], *adj.* com anel; rodeado de um círculo; em forma de anel.
ringer ['-ə], *s.* sineiro; corda ou fio de campainha ou sineta; oscilador mecânico.
ringing ['-iŋ], **1** — *s.* repique de sinos; som; zumbido nos ouvidos; acção de pôr argola em.
2 — *adj.* ecoante; sonoro.
ringleader ['-li:də], *s.* cabeça de motim, cabecilha.
ringlet ['riŋlit], *s.* argolinha; círculo; anel pequeno; anel (de cabelo).
ringleted [-id], *adj.* encaracolado.
ringlety [-i], *adj.* encaracolado.
ringworm ['riŋwə:m], *s.* (pat.) impigem; tinha.
rink [riŋk], **1** — *s.* folha de gelo para patinar; recinto para o jogo do «curling»; campo de patinagem.
rink hockey (roller-rink hockey) — hóquei em patins.
2 — *vi.* patinar com patins de rodas.
rinker ['-ə], *s.* patinador (em patins de rodas).
rinse [rins], **1** — *s.* lavagem; enxaguadura.
to have a rinse (col.) — beber uma pinga.
2 — *vt.* lavrar; enxaguar; limpar; (col.) beber para empurrar a comida.
to rinse one's hands — **passar as mãos por água.**
to rinse (out) one's mouth — **lavar a boca.**
rinser ['-ə], *s.* aquele que enxagua.
rinsing ['-iŋ], *s.* lavagem; lavadela; acção de passar por água.
riot ['raiət], **1** — *s.* tumulto; sedição; barulho; revolta; orgia; devassidão; excesso. (*Sin.* uproar, tumult, noise, brawl, revelry. *Ant.* order.)
to run riot — proceder sem governo ou direcção; (bot.) crescer exuberantemente.
to send a riot call — chamar a polícia de choque.
2 — *vt.* e *vi.* armar motins; fazer barulhos; viver na devassidão.
to riot in cruelty — deliciar-se com a crueldade.
to riot away — esbanjar (dinheiro) em orgias.
rioter [-e], *s.* amotinador; libertino.
rioting [-iŋ], **1** — *s.* tumultos, motins.
2 — *adj.* que provoca distúrbios; libertino.
riotous [-əs], *adj.* turbulento, tumultuoso; desenfreado; dissoluto.
to lead a riotous life — levar uma vida de estroina.
riotously [-əsli], *adv.* tumultuosamente; libertinamente; desregradamente.
riotousness [-əsnis], *s.* libertinagem; tumulto, desordem.
rip [rip], **1** — *s.* rasgão; abertura; dilaceração; cavalo pulmoeirado; libertino; patife; rápido provocado pela maré; redemoinho.
rip-saw — serra de fender; serrote.
2 — *vt.* e *vi.* rasgar, romper; partir; rachar; descoser; dilacerar; arrancar; soltar; rasgar-se; fender-se; romper-se; caminhar para a frente; serrar ao comprido; (col.) praguejar.
to rip out — descoser; arrancar.
to rip up — abrir; rasgar de alto a baixo.
to rip off — arrancar, levantar (tabuado, etc.).
to rip a roof — destelhar um telhado.
to rip the cover off a box — arrancar a tampa a uma caixa.
to rip along — caminhar velozmente.
to let things rip — deixar as coisas seguirem o seu curso natural.
riparian [rai'pɛəriən], **1** — *s.* proprietário ribeirinho.
2 — *adj.* ribeirinho, marginal.
ripe [raip], *adj.* maduro, sazonado; pronto; preparado; oportuno; feito, acabado.
ripe age — idade madura.
ripe for mischief — pronto para o mal.
ripe abscess — abcesso maduro.
ripe fruit — fruta madura.
ripe corn — **cereal maduro; cereal seco.**
ripe lips — lábios vermelhos.
to grow ripe — amadurecer.
ripely [-li], *adv.* maduramente; a propósito, oportunamente.
ripen [-ən], *vt.* e *vi.* amadurecer; aperfeiçoar.
to ripen into perfection — chegar à perfeição.
ripeness [-nis], *s.* maturação; maturidade.
ripeness of time — ocasião propícia.
ripening [-niŋ], **1** — *s.* amadurecimento; maturação; aperfeiçoamento.
2 — *adj.* que amadurece.
ripper ['ripə], *s.* pessoa que rasga, que despedaça; serra circular; (col.) coisa ou pessoa encantadora.
Jack the Ripper — Jack, o Estripador.
ripping ['ripiŋ], **1** — *s.* acção de rasgar ou de despedaçar; serração ao comprido.
ripping-saw — serra braçal.
ripping-iron (náut.) — marujo.

2 — *adj.* que rasga ou despedaça; (fam.) esplêndido, magnífico.
3 — *adv.* muitíssimo.
to have a ripping good time — divertir-se muitíssimo.
rippingly [-li], *adv.* esplendidamente, magnificamente.
ripple [ripl], **1** — *s.* ondulação pequena (na superfície da água ou no cabelo); murmúrio das águas; carda, sedeiro; (fís.) série de ondas.
ripple-plate — chapa ondulada.
2 — *vt.* e *vi.* encapelar, ondear, agitar; encapelar-se; encrespar-se (a água); agitar-se; ripar (o linho); sussurrar.
rippled [-d], *adj.* ondulado, encrespado.
rippler [-ə], *s.* sedeiro, ripanço.
rippling [-iŋ], **1** — *s.* ondulação (da superfície da água); murmúrio; o ripar do linho.
2 — *adj.* sussurrante, murmurante.
ripply [-i], *adj.* com pequenas ondulações.
rise [raiz], **1** — *s.* levantamento, elevação; subida (de preços); subida (de barómetro, de maré, etc.); nascimento (de um astro); cheia (de um rio); alta de fundos; regresso; acesso; eminência; adiantamento; causa, origem; fonte, manancial; ressurreição.
to take a rise out of a person — meter alguém a ridículo.
rise and fall — fluxo e refluxo.
to give rise to — dar origem a.
the rise of a hill — a subida de um monte.
rise in prices — subida de preços.
rise in temperature — subida de temperatura.
pressure rise — aumento de pressão.
the rise of the tide — a subida da maré.
rise of a curve — inclinação de uma curva.
prices are on the rise — os preços estão a subir.
rise of half a tone (mús.) — subida de meio tom.
to ask for a rise — pedir um aumento (de vencimentos).
2 — *vt.* e *vi.* (*pret.* **rose,** *pp.* **risen**) levantar-se, erguer-se; subir; ascender, elevar-se; pôr-se em pé; sublevar-se; amotinar-se; nascer (o Sol); nascer; crescer, brotar; inchar; aumentar de volume; levedar; subir de preço; suspender a sessão; suscitar (uma disputa, etc.); subir (barómetro, etc.); levantar-se (vento, navio); vir à superfície; levantar (caça).
to rise to one's feet — pôr-se em pé; levantar-se.
to rise in the world — subir de posição.
the sun rises — o sol nasce.
to rise early — levantar-se cedo.
the river rises after the rain — o rio cresce depois das chuvas.
to rise up — levantar-se.
he fell never to rise — caiu para nunca mais se levantar.
the dough rose in an hour — a massa levedou numa hora.
to rise in the air — elevar-se no ar.
to rise above — estar acima de; mostrar-se superior a.
***to rise for an actor* — levantar-se para aplaudir** um actor.
to rise against — revoltar-se contra.
to rise to it — responder a uma provocação.
to rise to the surface — vir à superfície.
to rise from table — levantar-se da mesa.
to rise up in blisters — empolar (pele).
to rise up against somebody — levantar-se contra alguém.
to rise up to somebody — levantar-se quando alguém passa.
to rise up in arms — pegar em armas.
to rise to the occasion — mostrar-se à altura das circunstâncias.
to rise from the dead — ressurgir dos mortos.
to rise with the lark — levantar-se muito cedo.
***early to bed, early to rise, makes a man healhy and wealthy and wise* — deitar cedo e cedo** erguer dá saúde e faz crescer.
tears rose to my eyes — vieram-me as lágrimas aos olhos.
to rise from nothing — levantar-se do nada.
the wind rose — o vento levantou-se.
my hair rose on my head — pôs-se-me o cabelo em pé.
the House rose — o parlamento encerrou a sessão.
risen [rizn], *pp.* de **to rise.**
riser ['raizə], *s.* pessoa que se levanta; degrau (de escada).
early riser — madrugador.
late riser — pessoa que se levanta tarde.
risibility [rizi'biliti], *s.* disposição ou tendência para rir.
risible ['rizibl], *adj.* com disposição ou tendência para rir; (rar.) irrisório, ridículo.
rising ['raiziŋ], **1** — *s.* subida, ascensão; levantamento, tumulto; encerramento de sessão; enchente; protuberância; proeminência; renascimento; levedura; nascimento (de um astro); subida (de barómetro, maré, etc.); fim de sessão (em assembleia, parlamento, etc.); ressurreição; furunculose; abcesso.
the rising of the tide — a subida da maré.
rising from the dead (rising again) — ressurreição.
2 — *adj.* nascente; crescente; que se eleva, levanta ou sobe; próspero; saliente; novo.
a rising lawyer — um advogado que cria nome.
the rising generation — a nova geração.
3 — *adv., prep.* (E. U. col.) cerca de; acima de.
rising four thousand — cerca de quatro mil.
rising of four thousand — mais de quatro mil.
risk [risk], **1** — *s.* risco, perigo; acaso.
to run a risk — correr um risco.
at the risk of one's life — com perigo de vida.
against all risks — contra todos os riscos.
to incur a risk — expor-se ao perigo.
at one's own risk — por sua conta e risco.
to take no risks — não correr riscos.
2 — *vt.* arriscar, expor, aventurar; arriscar-se, aventurar-se a.
to risk one's own skin — arriscar a própria pele.
to risk one's fortune — arriscar a fortuna.
riskily [-ili], *adv.* arriscadamente; perigosamente.
riskiness [-inis], *s.* imprudência, temeridade; perigo.
risky [-i], *adj.* arriscado, perigoso; imprudente; indecente, escabroso.
risqué [ris'kei], *adj.* indecente, escabroso.
rissole ['risoul], *s.* rissol.
rite [rait], *s.* rito, cerimónia religiosa; etiqueta.
funeral rites — exéquias.
burial rites — ritos funerários.
to die fortified with the rites of the Church — morrer confortado com os Sacramentos da Igreja.
conjugal rites — ritos conjugais.
ritornello [ritɔ:'nelou], *s.* (mús.) ritornelo.
ritual ['ritjuəl], **1** — *s.* ritual, cerimonial.
2 — *adj.* ritual.
ritualism ['ritjuəlizm], *s.* ritualismo; conjunto de ritos.
ritualist ['ritjuəlist], *s.* ritualista.
ritualistic [ritjuə'listik], *adj.* ritualístico, ritualista.
ritualistically [-əli], *adv.* ritualisticamente.
ritually ['ritjuəli], *adv.* ritualmente.

rivage ['raividʒ], *s.* (poét.) praia, costa; margem.
rival ['raivəl], **1** — *s.* e *adj.* rival, competidor, antagonista.
without a rival — sem rival.
2 — *vt.* e *vi.* (*pret.* e *pp.* **rivalled**) competir, rivalizar; pugnar.
to rival with somebody in — rivalizar com alguém em.
rivalize ['raivəlaiz], *vt.* rivalizar.
to rivalize with — rivalizar com.
rivalry ['raivəlri], *s.* rivalidade; concorrência.
political rivalry — rivalidade política.
rive [raiv], *vt.* e *vi.* (*pret.* **rived,** *pp.* **riven** ou **rived**) rachar, fender; rachar-se, fender-se.
to rive somebody's heart — despedaçar o coração de alguém.
riven, 1—[rivən], *adj.* despedaçado; arrancado.
2 — ['raivn], *pp.* de **to rive.**
river, 1—['raivə], *s.* rachador; pessia que despedaça.
2 — ['rivə], *s.* rio; abundância; torrente.
river-bed — leito de rio.
down the river—rio abaixo; a (para) jusante.
up the river—rio acima; a (para) montante.
the source of a river — a nascente de um rio.
the river Thames — o rio Tamisa.
rivers of blood — rios de sangue; torrentes de sangue.
river harbour — porto fluvial.
river-dragon — crocodilo.
river-horse — hipopótamo.
river-watcher — guarda-rios.
diamond extra river — diamante da mais fina água.
river head — nascente do rio.
to cross the river (col.) — morrer.
river-fish — peixe do rio.
river-water — água do rio.
riverain ['rivərein], *vd.* **riverine.**
rivered ['rivəd], *adj.* referente a rio; com rio ou rios.
riverine ['rivərain], *adj.* ribeirinho; fluvial.
riverman ['rivəmən], *s.* barqueiro de rio; marinheiro de rio.
riverside 1 — [rivə'said], margem de rio.
2 — ['rivəsaid], *adj.* na margem de um rio; à beira do rio.
rivet ['rivit], **1** — *s.* cravo, prego revirado; gato (da loiça); rebite.
rivet hole — furo para rebite.
rivet gun — pistola de rebitar.
rivet iron — ferro para rebites.
rivet making machine — máquina de fazer rebites.
to drive a rivet — cravar um rebite.
rivet set tool — rebitador.
2 — *vt.* (*pret. e pp.* **riveted** ou **rivetted**) rebitar, fixar com rebites; segurar; cravar; revirar; fixar no espírito; concentrar (olhar, atenção); prender (atenção).
to rivet one's attention upon—**fixar a atenção em**
riveted [-id], *adj.* rebitado; firme, arreigado.
riveted hatred — ódio arreigado.
riveted bolt — cavilha rebitada.
riveter [-ə], *s.* cravador; rebitador; máquina de rebitar.
riveting [-iŋ], *s.* cravação; acção de cravar; acção de pregar.
riveting-machine — cravadeira.
riveting hammer — martelo de cravação.
riveting pin — rebite, cavilha.
rivetted ['rivitid], *adj.* ver **riveted.**
rivetting ['rivitiŋ], *s.* ver **riveting.**
Riviera [rivi'ɛərə], *top.* Riviera.
rivière [ri'vjɛə], *s.* colar de pedras preciosas, principalmente com duas voltas ou mais.
riving ['raiviŋ], *s.* acção de fender ou fender-se.
rivulet ['rivjulit], *s.* regato, ribeiro, arroio.

riziform ['rizifɔ:m], *adj.* riziforme.
roach [routʃ], *s.* (zool.) ruivo; leucisco; (E. U. col.) barata; (náut.) recorte curvo (em esteira de vela quadrada).
as sound as a roach — **com muita saúde; são como um pêro.**
road [roud], **1** — *s.* estrada, caminho, via; carreira; curso; passagem; viagem; galeria (de mina); (náut.) enseada, ancoradouro; (E. U.) caminho-de-ferro.
in the roads — no ancoradouro.
road-hog — motorista ou ciclista imprevidente.
road-house — estalagem; hotel junto da estrada para automobilistas.
macadamized road — estrada de macadame.
royal road to — meio fácil de vencer dificuldades.
road-book — itinerário; guia das estradas.
cross-road — encruzilhada.
beaten road — caminho trilhado.
all roads lead to Rome — todos os caminhos vão dar a Roma.
road user — automobilista.
road-metal — brita; pedra britada.
road accidents — acidentes na estrada.
Road Board — Junta Autónoma das Estradas.
road-agent (E. U.) — salteador de estrada.
road-labourer — cantoneiro.
road-post — poste indicador das estradas.
road sign — sinal da estrada.
road-bed — leito da estrada.
high road — estrada nacional.
by road — por estrada.
road-leveller — máquina para terraplanagens.
to get in somebody's road — atravessar-se no caminho de alguém.
local road — caminho vicinal.
to hold the road well (aut.) — agarrar-se bem à estrada.
metalled road — estrada empedrada.
the road to crime — a senda do crime.
rule of the road — código da estrada.
to obstruct somebody's road — atravessar-se no caminho de alguém.
2 — *vt.* seguir a caça pelo olfacto (cão).
roadman ['-mən], *s.* calceteiro; cantoneiro.
roadside 1 — [roud'said], *s.* borda da estrada, berma da estrada.
2 — ['roudsaid], *adj.* à beira da estrada.
roadstead ['roudsted], *s.* (náut.) ancoradouro, enseada.
the ship lies in the roadstead — o navio está no ancoradouro.
roadster ['roudstə], *s.* navio ancorado; cavalo bom andador; motociclo; automóvel de turismo.
roadway ['roudwei], *s.* estrada de rodagem, rodovia.
roam [roum], **1** — *s.* deambulação; passeio sem fim determinado.
2 — *vt.* e *vi.* vaguear, errar; cruzar (os mares). (*Sin.* to rove, to wander, to ramble, to stroll.)
to roam the seas — cruzar os mares.
roamer ['-ə], *s.* vagabundo, vadio.
roaming ['-iŋ], **1** — *s.* deambulação; acção de andar sem fim determinado.
2 — *adj.* vagabundo, errante.
roan [roun], **1** — *s.* ruão, ruano; carneira macia empregada em encadernações.
2 — *adj.* ruão, ruano (cavalo).
roar [rɔ:], **1** — *s.* bramido, rugido; estampido; grito, berro; estrondo.
a roar of laughter — uma gargalhada sonora.
the thunder roars — o trovão ribomba.
the roar of the waves — o bramido das ondas.
to set in a roar — fazer rir às gargalhadas.
2 — *vt.* e *vi.* bramar, rugir; berrar; roncar (o mar); troar (o canhão); ribombar.

the lion roars — o leão ruge.
the wind roars — o vento uiva.
to roar out — vociferar.
to roar with laughter — rir estrondosamente.
to roar at somebody — berrar a alguém.
to roar out an order — gritar uma ordem.
to roar with pain — gritar de dor.

roarer [-rə], *s.* berrador; animal que ruge.

roaring [-riŋ], **1** — *s.* bramido, rugido; grito, berro; estrondo.
2 — *adj.* que brama; que ruge; ribombante; que berra; divertidíssimo; extraordinário, esplêndido.
to have a roaring time — divertir-se muitíssimo.
in roaring health — de esplêndida saúde.
a roaring night — uma noite tempestuosa; uma noite de pândega.

roast [roust], **1** — *s.* assado, carne assada.
to rule the roast (col.) — tomar o comando mandar.
2 — *adj.* assado; tostado.
roast meat — carne assada.
3 — *vt.* e *vi.* assar; tostar; torrar; calcinar; (col.) ridicularizar.
to roast coffee-beans — torrar café.

roaster ['-ə], *s.* assador; grelha; pessoa que assa ou tosta; animal próprio para assar; (col.) dia muito quente.

roasting ['-iŋ], **1** — *s.* acção de assar; torrefacção; calcinação (de um metal); troça, zombaria; (col.) reprimenda.
roasting furnace — forno de calcinação.
roasting dish — assadeira.
roasting jack — espeto giratório de assar.
to give somebody a roasting — dar uma reprimenda a alguém.
2 — *adj.* muito quente, abrasador.

rob [rɔb], *vt.* (*pret.* e *pp.* **robbed**) roubar, furtar; pilhar; saquear; privar (de). (*Sin.* to despoil, to deprive, to plunder.)
he was robbed of his watch — roubaram-lhe o relógio.
to rob Peter to pay Paul (col.) — pedir a Pedro para pagar a Paulo.

robalo ['rɔbəlou], *s.* (zool.) robalo.

robber ['rɔbə], *s.* ladrão, salteador.
sea-robber — pirata.
highway robber — salteador de estrada.

robbery ['rɔbəri], *s.* roubo, latrocínio, furto; assalto; pilhagem, saqueio.
highway robbery — assalto na estrada.
robbery under arms — assalto à mão armada.

robbing ['rɔbiŋ], *s.* acção de roubar, de assaltar.

robe [roub], **1** — *s.* manto, túnica; veste, trajo; toga, beca; hábito talar; roupão; (cal.) guarda-fatos.
robe of state — trajo de cerimónia.
master of the robes — chefe do guarda-roupa do rei.
the long robe — o foro.
the gentlemen of the robe — os magistrados.
bath-robe — roupão de banho.
royal robes — trajos reais.
2 — *vt.* e *vi.* vestir de gala; paramentar-se; revestir-se; vestir, ataviar.

Robert ['rɔbət], *n. p.* Roberto.

Roberta [rou'bə:tə], *n. p.* Roberta.

Robin ['rɔbin], *n. p. dim.* de **Robert.**
Robin Hood — Robim dos Bosques.
Robin Goodfellow — duende brincalhão.

robin ['rɔbin], *s.* (zool.) pisco.
robin redbreast (zool.) — pintarroxo; cardeal.

robing ['roubiŋ], *s.* acção de envergar a beca, batina, etc.; trajo de cerimónia.

robinia [rou'biniə], *s.* (bot.) acácia-bastarda.

roborant ['roubərənt], *s.* e *adj.* (med.) tónico.

robot ['roubɔt], *s.* boneco articulado; autómato; pessoa parecida com uma máquina.
robot distributor — distribuidor automático; piloto automático (aviação).
traffic robots — luzes automáticas para o trânsito.
robot bomb — bomba voadora.

robur ['roubə], *s.* (bot.) roble.

robust [rə'bʌst], *adj.* robusto, vigoroso; sadio; rude; áspero; resoluto.

robustious [rə'bʌstjəs], *adj.* ruidoso; turbulento.

robustiously [-li], *adv.* ruidosamente; turbulentamente; rudemente.

robustly [rə'bʌstli], *adv.* vigorosamente, robustamente; violentamente.

robustness [rə'bʌstnis], *s.* robustez, vigor.

rocambole ['rɔkəmboul], *s.* (bot.) alho bravo.

rochet ['rɔtʃit], *s.* roquete (peça de vestuário).

rock [rɔk], **1** — *s.* rocha, penhasco, rochedo, penha; recife; escolho; cachopo; defesa; solidez; dificuldade; (fig.) causa de insucesso.
rock-crystal — cristal de rocha.
rock-garden — jardim ornado com rochas para plantas apropriadas.
***rock-salt* — sal-gema; sal de mina.**
rock-bound — rodeado de penhascos.
rock-cake — rocha (bolo).
to be on the rocks (col.) — estar em apuros.
lurking rock — baixio.
to split upon a rock — dar contra um rochedo.
rock-candi — açúcar cândi.
rock-oil — petróleo natural.
to be built on the rock (col.) — estar firme como uma rocha.
rock island — ilhéu.
in the rock itself — na rocha viva.
rock-bottom — o mais baixo.
rock-bottom price — o preço mais baixo.
rock alum — alúmen; pedra-ume.
rock-bed — leito de rocha.
rock cork — cortiça fóssil.
rock and ore breaker — britador.
rock-fever — febre de Gibraltar.
rock-bird (zool.) — papagaio-do-mar.
rock-gas — gás natural.
rock-plant — planta que se dá entre rochas.
primitive rock — rocha primitiva.
rock English — inglês falado em Gibraltar.
the Rock of Ages — Jesus Cristo.
rock-sucker (zool.) — lampreia do mar.
rock-goat — cabra-montês.
volcanic rock — rocha vulcânica.
to give a baby a rock — embalar um bebé.
2 — *vt.* e *vi.* baloiçar; embalar; acalmar; oscilar; agitar, balançar; abalar-se; tremer; rocar (no jogo do xadrez).
to rock a child to sleep — adormecer uma criança embalando-a.
to be rocked by the waves — ser embalado pelas ondas.
rocked in hopes — acalentado pela esperança.
to rock oneself in a chair — balouçar-se numa cadeira.

rocker ['-ə], *s.* pessoa que embala; oscilador; cadeira de balanço; báscula.
rocker-arm — braço oscilante.

rocket ['rɔkit], **1** — *s.* foguete, foguetão; (bot.) rinchão.
rocket-stick — cana de foguete.
base-rocket — reseda.
rocket apparatus — foguetão porta-cabo.
rocket bomb (mil.) — foguetão.
rocket airplane — avião-foguete.
to fire a rocket — disparar um foguetão.
2 — *vt.* e *vi.* bombardear com foguetões; subir rapidamente como um foguete; voar rapidamente e muito alto (faisão, etc.).

rocketer [-ə], *s.* ave que sobe verticalmente.
Rockies ['rɔkiz], *s. pl.* as Montanhas Rochosas.
rockiness ['rɔkinis], *s.* abundância de rochas; penedia.
rocking ['rɔkiŋ], **1** — *s.* acção de embalar; baloiço, balanço.
2 — *adj.* que embala; que baloiça; bamboleante.
rocking-chair — cadeira de baloiço.
rocking-horse — cavalo de baloiço.
rocking-shaft — veio oscilante.
rocking gait — andar bamboleante.
rockless ['rɔklis], *adj.* sem rochedos.
rocklike ['rɔklaik], *adj.* semelhante a rocha.
rockslide ['rɔkslaid], *s.* queda de rochedos.
rocky ['rɔki], *adj.* cheio de penhascos ou de pedras; de rocha; empedernido; (rar.) pouco firme.
the Rocky Mountains — as Montanhas Rochosas.
rocky soil — solo cheio de pedras.
in a rocky condition — em estado pouco firme.
rococo [rə'koukou], *s.* e *adj.* rococó; antiquado.
the rococo style — o estilo rococó.
rod [rɔd], *s.* vara; bordão; barra; ponteiro; bastão; cana (de pesca); varão (de cortina); vara de medir; disciplinas, açoite; castigo; severidade; autoridade, domínio; medida de comprimento (cinco jardas e meia); (cal.) pénis; raça, linhagem; (E. U. col.) pistola; (anat.) bastonete.
to make a rod for one's own back (col.) — arranjar corda para se enforcar.
curtain-rod — varão de cortina.
cleaning-rod — vareta; saca-trapos.
to kiss the rod (col.) — aceitar um castigo com submissão.
connecting-rod — tirante.
rod slipper — plaina (de tirante).
rod of a pendulum — haste de um pêndulo.
rod-fishing — pesca à linha.
fishing-rod — cana de pesca.
brake rod — tirante de travão.
divining rod — varinha de condão.
to fish with rod and line — pescar à linha.
to have a rod in pickle for somebody — estar pronto para castigar alguém, quando chega a ocasião.
to rule with a rod of iron — (col.) — governar com mão de ferro.
rodded ['-id], *adj.* com varas.
rodding ['-iŋ], *s.* ferro em varetas.
rode [roud], *pret.* de **to ride.**
rodent ['roudənt], **1** — *s.* roedor, animal roedor.
2 — *adj.* roedor.
rodeo [rou'deiou,'roudiou], *s.* (E. U.) rodeio (de gado); concurso de domação de cavalos; reunião de gado para ser marcado ou lugar onde se realiza essa reunião.
Roderick ['rɔdərik], *n. p.* Rodrigo.
rodlet ['rɔdlit], *s.* pequena vara, bastonete.
rodman ['rɔdmən], *s.* pescador; porta-mira.
rodomontade [rɔdəmɔn'teid], **1** — *s.* fanfarronada.
2 — *vi.* fanfarronar.
rodomontader [-ə], *s.* fanfarrão.
rodsman ['rɔdzmən], *s.* ver **rodman.**
roe [rou], *s.* cabrito-montês, cabra-montês; ovas de peixe.
roe-doe — cabra-montês.
roe-stone (geol.) — oólito.
roe-calf — cria de cabrito montês.
roe-corn — ova (de salmão, arenque, etc.).
roebuck ['-bʌk], *s.* cabrito-montês.
roed [roud], *adj.* com ovas (peixe).
rogation [rou'geiʃən], *s.* rogações (liturgia); prece.
rogation-week — semana das rogações.
rogation-flower (bot.) — erva-leiteira.
rogatory ['rɔgətəri], *adj.* rogatório.
Roger ['rɔdʒə], *n. p.* Rogério.
rogue [roug], *s.* velhaco, patife, maroto; folgazão; mariola; trapaceiro; planta de qualidade inferior numa sementeira; cavalo de corrida manhoso; animal que vive afastado da manada e que é perigoso. (*Sin.* knave, rascal, swindler, scoundrel.)
rogue-eyed — de olhos marotos.
to play the rogue — pregar partidas.
roguery ['rougəri], *s.* patifaria, maroteira, velhacaria; partida.
roguish ['rougiʃ], *adj.* velhaco, mau, astucioso; travesso, malicioso.
roguish eyes — olhos maliciosos.
roguishly [-li], *adv.* astuciosamente, velhacamente; travessamente.
roguishness [-nis], *s.* velhacaria, astúcia; brincadeira; jocosidade.
roister ['rɔistə], *vi.* fanfarronar, bazofiar; divertir-se ruidosamente.
roisterer [-rə], *s.* fanfarrão, valentão; estroina.
roistering [-riŋ], **1** — *s.* barulho; fanfarronada; acção de se divertir ruidosamente.
2 — *adj.* barulhento; fanfarrão.
roisteringly [-riŋli], *adv.* barulhentamente; fanfarronamente.
Roland ['roulənd], *n. p.* Rolando.
a Roland for an Oliver (col.) — uma resposta a propósito.
role [roul], *s.* papel (de actor em peça teatral).
to play the role of — desempenhar o papel de.
the leading role (teat.) — o papel principal.
rôle [roul], *s.* ver **role.**
roll [roul], **1** — *s.* rolo; cilindro; lista, rol; catálogo; registo, matrícula; rufo (de tambores); baloiço; balanço (de navio); pãozinho; espécie de linho cru; voluta, espira; *pl.* arquivos, anais.
roll-call — chamada.
Master of the Rolls — **juizo do tribunal do selo e dos arquivos.**
the roll of the ship — o balanço do navio.
French roll — pãozinho francês.
drawing-roll (técn.) — rolo de estiragem.
roll film — película fotográfica em rolo.
roll paper — papel em rolo.
a roll of cloth — fazenda enrolada.
roll machine — máquina de enrolar papel.
on the rolls of fame — nos anais da fama.
a roll of hair — um rolo de cabelo.
roll tobacco — tabaco enrolado.
to call the roll — fazer a chamada
to walk with a roll — andar, bamboleando-se.
to enter somebody on the rolls — inscrever alguém nos registos.
2 — *vt.* e *vi.* rolar; fazer girar; rodar, voltar, dar voltas; revolver; revolver-se; oscilar; enrolar; rebolar; enroscar; cilindrar; aplanar com um rolo; enfaixar; rufar (o tambor); agitar-se; encrespar-se (as ondas); flutuar; balançar, dar balanços (o navio); encarquilhar-se; retumbar, ressoar; pôr os olhos em branco; laminar, estirar; passar (o tempo).
to roll about — andar de cá para lá; divagar.
to roll in — fazer entrar (rolando).
to roll round — enrolar; fazer num rolo; enrolar-se.
***to roll up* — enrolar; fazer girar; (col.) aparecer inesperadamente.**
***to be rolling in money* (col.) — nadar em dinheiro.**
***the ship rolls pitches* — o navio baloiça da popa à proa.**
to roll the masts overboard — desarvorar com o balanço.

he rolled himself up in the blankets — enrolou-se nos cobertores.
the waves roll in — as ondas encrespam-se.
to roll one's rr — fazer vibrar a língua para pronunciar os rr.
to roll cigarettes — enrolar cigarros.
to roll on the grass — rebolar-se na relva.
to roll and fold — folhar a massa (em culinária).
to roll downstairs — rolar pelas escadas abaixo.
to roll up one's sleeves — arregaçar as mangas.
to roll one's eyes — revirar os olhos.
to roll a snowball (to roll snow into a ball) — fazer uma bola de neve.
to roll over in bed — virar-se na cama de um lado para o outro.
roll-up map — mapa de enrolar.
to roll somebody aver — deitar alguém ao chão, fazendo-o rolar.
to roll something in one's fingers — enrolar alguma coisa entre os dedos.

rolled [-d], *adj.* enrolado; laminado; passado com o rolo.
rolled iron — ferro laminado.

roller [-ə], *s.* rolo; cilindro; tambor; calandra; onda alta; calema; maresia; rolete; dançarino (navio); ligadura; faixa; roda de patim; roda em perna de mesa, cadeira, etc.
roller-skate — patim de rodas.
roller pinion — rolete.
roller-bandage — ligadura enrolada.
roller bearing — mancal de roletes.
roller coaster — montanha-russa.
roller chain — corrente de roletes.
roller-towel — toalha rolante.
roller path — pista de rolamento.
impressiom roller — rolo de impressão.
garden-roller — cilindro de jardim.
roller blind — estore com rolo.

rollick ['rɔlik], **1** — *s.* alegria ruidosa; folia.
2 — *vi.* folgar; divertir-se ruidosamente.

rollicker [-ə], *s.* pessoa alegre; estroina.

rollicking [-iŋ], **1** — *s.* folia, pândega.
2 — *adj.* brincalhão, travesso; jovial; muito engraçado.

rolling ['rouliŋ], **1** — *s.* laminação; estiragem; acção de enrolar ou de enfaixar; rotação; ruído; balanço (de navio).
rolling-pin — rolo de pasteleiro.
rollling bearing — rolamento de esferas.
rolling-press — calandra.
rolling-mill — laminador.
rolling-stock — *(cam.-fer.)* material circulante.
2 — *adj.* que roda; rotante; ondulante; ondulado; giratório; ondulado; bamboleante; gorjeado (canto); ressoante; agitado (mar).
rolling country — região ondulada.
rolling load — carga móvel.
rolling bridge — ponte rolante.
a rolling stone gathers no moss — pedra que rola não cria bolor.
to be a rolling stone — não se dedicar a nada.

roly-poly ['rouli'pouli], **1** — *s.* rolo (culinária); espécie de pudim.
roly-poly pudding — pudim em forma de rolo.
2 — *adj.* rechonchudo, gorducho (geralmente usado com crianças).

Romaic [rou'meiik], **1** — *s.* romaico, grego moderno.
2 — *adj.* romaico, referente ao grego moderno.

Roman ['roumən], **1** — *s.* romano; habitante da Roma medieval ou moderna; católico romano; tipo romano (tipografia).
Epistle to the Romans — Epístola aos Romanos.
2 — *adj.* romano; católico romano; romano (tipografia).
Roman Catholic — católico romano.
Roman architecture — arquitectura romana.
Roman nose — nariz aquilino.
Roman balance — balança romana.
Roman fever — paludismo; malária.
Roman numerals — numeração romana.
Roman law — direito romano.
Roman vitriol — sulfato de cobre.
Roman type — tipo romano (tipografia).
the Roman Empire — o Império Romano.
Roman-Catholicism — catolicismo romano.
Roman-Catholically (Roman-Catholicly) — catolicamente.

Romance [rə'mæns], **1** — *s.* romance, romanço; línguas românicas.
2 — *adj.* romanço; românico, novilatino.
the Romance languages — as línguas românicas.

romance [rə'mæns], **1** — *s.* conto medieval de cavalaria (geralm. em verso); romance, novela, conto; aventura amorosa; exagero, descrição exagerada; romantismo; (mús.) romança.
the age of romance — a idade dos sonhos.
romance-novel — romance de cavalaria.
2 — *vi.* inventar; imaginar; forjar; fazer romances.

romancer [-ə], *s.* romancista, novelista; visionário; mentiroso.

romancero [roumæn'sɛərou], *s.* romanceiro.

romancing [rə'mænsiŋ], *s.* fantasia; exagero.

Romanesque [roumə'nesk], **1** — *s.* (estilo) romanesco.
2 — *adj.* romanesco; românico (arquitectura).

Romanic [rou'mænik], **1** — *s.* romance, romanço.
2 — *adj.* românico; romanço; romano.

Romanism ['roumənizm], *s.* romanismo; catolicismo.

Romanist ['roumənist], *s.* romanista; (depr.) católico.

Romanization [roumənai'zeiʃən], *s.* romanização.

Romanize ['roumənaiz], *vt.* e *vi.* romanizar; converter ao catolicismo.

Romanizer [-ə], *s.* romanizador, romanizante.

Romanizing [-iŋ], **1** — *s.* romanização.
2 — *adj.* romanizante.

Romansh [rou'mænʃ], *s.* e *adj.* romanche; rético.

romantic [rə'mæntik], **1** — *s.* romântico; *pl.* ideias românticas, romantismo.
2 — *adj.* romântico; romanesco; sentimental; fantástico, fabuloso; sonhador. (*Sin.* imaginative, dreamy, fantastic, extravagant. *Ant.* ordinary.)
a romantic scene — uma cena romântica.
a romantic person — uma pessoa romântica.
the romantic school — a escola romântica.
the romantic poets — os poetas românticos.

romantically [-əli], *adv.* romanticamente; romanescamente.

romanticism [rə'mæntisizm], *s.* romanticismo; romantismo.

romanticist [rə'mæntisist], *s.* romântico; escritor romântico.

romanticize [rə'mæntisaiz], *vt.* e *vi.* romantizar; escrever com estilo romântico; tratar de maneira romântica.

Romany ['rɔməni], **1** — *s.* cigano; romani, língua dos Ciganos.
2 — *adj.* cigano.

Rome [roum], *top.* Roma; o Império Romano; a Igreja Católica.
Rome was not built in a day — Roma e Pavia não se fizeram num dia.
do in Rome as the Romans do — onde estiveres, farás como vires.
all roads lead to Rome — todos os caminhos vão dar a Roma.

Romeo ['roumiou], *n. p.* Romeu.
Romish ['roumiʃ], *adj.* (depr.) católico.
romp [rɔmp], **1** — *s.* «maria-rapaz»; criança brincalhona; jogo, brincadeira barulhenta.
2 — *vi.* brincar barulhentamente; correr velozmente (corridas de cavalos). (*Sin.* to gambol, to play, to frolic, to sport.)
to romp through an examination — passar facilmente num exame.
to romp past somebody — passar facilmente à frente de outro concorrente.
romper ['-ə], *s.* espécie de fato-macaco (de criança).
rompers (a romper suit, a pair of rompers) — fato-macaco (para criança).
romping ['-iŋ], *s.* brincadeira barulhenta, folguedo.
rompish ['-iʃ], *adj.* brincalhão, folgazão; estouvado, irrequieto, turbulento.
rompishness ['-iʃnis], *s.* estouvamento, traquinice.
rompy ['-i], *adj.* ver **rompish.**
Romulus ['rɔmjuləs], *n. p.* Rómulo.
Roncesvalles [rɔnsə'vælis], *top.* Roncesvales.
rondeau ['rɔndou], *s.* rondó, composição poética com estrofes de dez ou treze versos.
rondel [rɔndl], *s.* rondó.
rondo ['rɔndou], *s.* (mús.) rondó.
Röntgen ['rɔntjən], *n. p.* apelido do físico alemão Wilhelm Konrad von Röntgen.
Röntgen rays — raios X.
rood [ru:d], *s.* (arc.) cruz, crucifixo; medida agrária (cerca de dez ares).
rood-arch — arco entre a nave e o coro.
rood-screen — teia do altar.
rood-tree — Santo Lenho.
the (Holy) Rood — a Santa Cruz.
roof [ru:f], **1** — *s.* telhado; tecto; abóbada; casa, habitação; (poét.) céu; cume.
roof of the mouth — céu-da-boca.
to have a roof over one's head — ter casa sua.
French roof — mansarda.
tile roof — telhado de telha.
roof-tile — telha.
flat roof — terraço.
slate roof — telhado de ardósia.
roof-truss — armação de telhado.
gable roof (gambrel roof) — telhado à holandesa.
roof gutter — goteira de telhado.
roof-tree — viga-mestra.
roof light — luz do tecto.
roof-lamp — lâmpada do tecto (em automóvel).
jutting-out roof — telhado saliente.
thatched roof — telhado de colmo.
without roof — sem abrigo.
lean-to roof — telhado de uma água.
to lift the roof (col.) — «pintar o sete».
the roof of a bus — o tejadilho de um autocarro.
that would put the gilded roof on it! — isso era o cúmulo!
2 — *vt.* telhar, cobrir com telhado; pôr tecto em; abrigar, alojar.
roofage ['-idʒ], *s.* materiais para telhado; disposição do telhado, telhado.
roofed [-t], *adj.* com telhado; protegido, abrigado.
thatch-roofed — com telhado de colmo.
roofer ['-ə], *s.* pessoa que coloca telhados.
roofing ['-iŋ], *s.* telhado; material para telhados; cobertura.
roofing slate — ardósia de telhar.
roofing tile — telha.
roofing felt — cartão alcatroado.
roofless ['-lis], *adj.* sem telhado; sem abrigo.
rook [ruk], **1** — *s.* (zool.) gralha; roque, torre (no jogo de xadrez); trapaceiro, batoteiro.
2 — *vt.* e *vi.* lograr, trapacear; fazer roque no xadrez; ganhar dinheiro fazendo batota ao jogo.
rookery ['-əri], *s.* viveiro de gralhas; bando de gralhas; espelunca; colónia de focas ou pinguins.
rookie ['-i], *s.* (cal. mil.) recruta.
rooking ['-iŋ], *s.* batotice, trapaça.
rooklet ['-lit], *s.* gralha nova.
rooky ['-i], *s.* ver **rookie.**
room [ru(:)m], **1** — *s.* quarto; sala; aposento; câmara; lugar, espaço, sítio; alojamento; camarote; (náut.) paiol; tempo, oportunidade; causa, motivo; *pl.* aposentos, alojamentos.
dark room — câmara escura.
back room — quarto das traseiras.
front room — quarto da frente.
waiting-room — sala de espera.
smoking-room — sala de fumo.
powder-room — paiol da pólvora.
steward's room — despensa.
engine-room — casa das máquinas.
dining-room — sala de jantar.
box-room — quarto de arrumações.
living-room — sala de estar.
drawing-room — sala de visitas.
bath-room — quarto de banho.
room-mate — companheiro de quarto.
to give room — dar lugar; dar caminho; deixar passar.
to make room — abrir caminho.
to take up too much room — ocupar muito espaço.
there is no room for doubt — não há a menor dúvida.
there is room for improvement — podia ser melhor, deixa a desejar.
there is no room in this room — não há espaço neste compartimento.
ward-room (náut.) — câmara principal.
there is plenty of room — há muito espaço.
there is no more room — já não há lugar.
state room — camarote de passageiro; primeira câmara (de paquete).
room and board — cama e mesa; pensão completa.
in the room of — em vez de.
room temperature — temperatura ambiente.
private room — aposentos reservados; sala reservada (hotel, restaurante, etc.).
standing-room only! — só há lugares de pé!
there is no room to swing a cat — não há espaço nenhum.
to live in rooms — viver em quartos mobilados.
2 — *vi.* (E. U.) morar, habitar; hospedar-se; viver em quartos alugados.
roomed [-d], *adj.* com quartos, com aposentos.
a four-roomed flat — um andar com quatro compartimentos.
roomer ['-ə], *s.* (E. U.) hóspede, aquele que aluga.
roomily ['-ili], *adv.* amplamente, espaçosamente.
roominess ['-inis], *s.* grande espaço; amplidão; capacidade.
roomy ['-i], *adj.* amplo, espaçoso, grande. (*Sin.* spacious, ample, wide, capacious. *Ant.* narrow, small.)
roost [ru:st], **1** — *s.* poleiro; galinheiro ou parte do galinheiro onde as aves se recolhem durante a noite; (col.) quarto de dormir, cama.
at roost — empoleirado; a dormir.
to rule the roost — dominar, mandar.
to go to roost — ir para a cama.
curses come home to roost — as pragas caem em cima de quem as roga.
2 — *vt.* e *vi.* empoleirar-se, dormir (aves); albergar; alojar-se para passar a noite.

rooster ['-ə], *s.* (E. U.) galo.
roosting ['-iŋ], *adj.* empoleirado.
root [ru:t], **1** — *s.* raiz (de planta, cabelo, dente, palavra); origem, causa; nota fundamental; (mús.) nota tónica; descendência; *pl.* nabos, cenouras, rabanetes, etc.
square root — raiz quadrada.
cube root — raiz cúbica.
to take root (to strike root) — lançar raízes.
root and branch **(col.) — completamente.**
to pull out by the roots (to pull up by the roots) — arrancar pela raiz.
a root of bitterness — uma fonte de amargura.
to go to the root of a matter — investigar um assunto a fundo.
root-cap (bot.) — coifa (de raiz).
root cause — causa principal.
root-hair (bot.) — pêlo radicular.
root-line — linha de base.
verb-root **— raiz verbal; radical do verbo.**
root-stock (bot) — rizoma.
root-eater **—animal que se alimenta de raízes.**
root-eating — (animal) radicívoro.
to strike at the root of an evil — atacar um mal pela raiz.
edible root — raiz comestível.
root-syllable **— sílaba do radical.**
2 — *vt.* e *vi.* arraigar; enraizar; lançar ou criar raízes; foçar (porco); procurar, esquadrinhar. (*Sin.* to fix, to plant, to implant.)
to root out (to root up) — arrancar pela raiz; extinguir; extirpar.
to be rooted to the ground — ficar pregado ao chão.
rootedly ['-idli], *adv.* radicalmente; profundamente; fixamente.
rootedness ['-idnis], *s.* arreigamento.
rooter ['-ə], *s.* pessoa que esquadrinha.
rooting ['-iŋ], *s.* enraizamento.
rooting up — arrancamento pela raiz.
rootless ['-lis], *adj.* sem raiz.
rootlet ['-lit], *s.* (bot.) radícula.
rooty ['-i], *adj.* cheio de raízes.
rope [roup], **1** — *s.* corda, cordel; cordame, cordoalha; cabo; espia; enfiada; réstia; colar (de pérolas); formação viscosa em certos líquidos.
rope of onions **— réstia de cebolas; cabo de cebolas.**
rope's end **— chicote de cabo (para catigos).**
rope-ladder — escada de corda.
to know the ropes — conhecer um assunto ou lugar por dentro e por fora.
ropes of a ship — cordame, cordagem.
rope-dancer — volatim, dançarino de corda.
rope-work — trabalho feito de corda.
rope-yarn — fio de carrete, filaça.
guest-rope — cabo de reboque.
on the high rope **(col.) — arrogante, altivo.**
to be at the end of one's rope **(col.) — estar sem recursos.**
to give a person rope **(col.) — dar plena liberdade a alguém; dar corda a alguém.**
to have a rope round one's neck **(col.) — estar com a corda na garganta.**
to give somebody rope enough to hang himself **(col.) — dar corda a alguém para se enforcar.**
bell-rope — corda de sino.
rope-house (náut.) — cordoaria.
rope-bands (náut.) — envergues.
rope-maker — fabricante de cordas; cordoeiro.
rope-making — fabricação de cordas.
rope-brake — travão de corda.
rope railway — funicular.
rope-walk — *vd.* **rope-house.**
rope-way — teleférico.
on the rope — ligados pela mesma corda (alpinistas).
rope-sole — sola de corda.
a rope of pearls — um colar de pérolas; uma enfiada de pérolas.
to show the ropes — mostrar o que há a fazer, indicar as regras.
white rope — cabo não alcatroado.
wire rope — cabo metálico.
to know the ropes — saber o que há a fazer.
2 — *vt.* e *vi.* amarrar com uma corda; apanhar com laço; alongar-se em fios; fazer meadas; correr em fio (líquido); (náut.) entralhar; vedar com cordas; tornar-se viscoso (líquido).
to rope in — atrair; engodar; agarrar; vedar com cordas.
to rope to — amarrar a.
to rope off — separar por meio de uma corda.
to rope somebody in — convencer alguém a (fazer alguma coisa).
ropery ['-əri], *s.* cordoaria.
rope's end ['roups end], **1** — *s.* chicote de corda para castigar a bordo.
2 — *vt.* (col.) vergastar (marinheiro).
ropily ['roupili], *adv.* viscosamente.
ropiness ['roupinis], *s.* viscosidade.
roping ['roupiŋ], *s.* cordame; acção de laçar (animal).
ropy ['roupi], *adj.* viscoso; parecido com corda ou fio.
roquet ['rouki], **1** — *s.* choque de bolas (no cróquete).
2 — *vt.* e *vi.* (*pret.* e *pp.* **roquetted**) fazer chocar as bolas (no cróquete).
Rosa ['rouzə], *n. p.* Rosa.
rosaceae [rou'zeisii:], *s. pl.* (bot.) rosáceas.
rosaceous [rou'zeiʃəs], *adj.* rosáceo.
Rosalind ['rɔzəlind], *n. p.* Rosalinda.
Rosaline ['rɔzəlain], *n. p.* Rosalina.
Rosamond ['rɔzəmənd], *n. p.* Rosamunda.
rosarian [rou'zɛəriən], *s.* membro de uma Irmandade do Rosário; pessoa que cultiva rosas.
rosarium [rou'zɛəriəm], *s.* roseiral.
rosary ['rouzəri], *s.* roseiral; rosário.
lesser rosary — terço.
rose [rouz], **1** — *s.* rosa; roseira; roseta; florão; ralo; (náut.) rosa de agulha; ralo de bomba; ralo de regador; cor-de-rosa.
rose-bush — roseira.
rose-bud — botão de rosa.
to speak under the rose **—falar baixo, em segredo.**
no rose without a thorn — não há rosa sem **espinhos; não há bela sem senão.**
life is not a bed of roses — a vida não é um mar de rosas.
rose window — janela circular.
tea-rose — rosa-chá.
cabbage-rose — rosa-de-toucar.
the rose of the party — a flor do rancho.
rose-cheeked — de faces rosadas.
rose-mallow — malva-rosa.
honey of roses — mel rosado.
rose-chafer — escaravelho dourado.
Damask-rose — rosa alexandrina.
sweet-briar rose — rosa brava.
Rose of Jericho — rosa-de-jericó.
Bengal-rose — rosa-da-china.
not all roses — nem tudo são rosas.
to see things through rose-coloured spectacles — ver tudo cor-de-rosa; ser optimista.
rose-apple (bot.) — jambo.
rose-bay (bot.) — aloendro; rododendro.
rose-beetle — escaravelho dourado.
rose-campion (bot.) — candelária-dos-jardins.
rose-bed — canteiro de rosas.
rose-bush : **roseira.**
rose-coloured — cor-de-rosa.

rose-cut — lapidado em rosa (diamante).
rose-lipped — de lábios rosados.
rose compass — rosa-dos-ventos.
rose-diamond — diamante rosa.
rose-rush (pat.) — rubéola.
dog-rose — rosa canina.
rose-laurel — loureiro-rosa.
rose of May — rosa-de-páscoa.
rose-leaf — pétala de rosa.
rose-root — erva espinheira.
rose-quartz — quartzo róseo.
monthly rose — rosa-de-todo-o-ano.
climbing rose — rosa trepadeira.
rose-water — água de rosas.
rose-tree — roseira.
moss rose — rosa de musgo.
strewn with roses — juncado de rosas.
to gather life's roses — gozar a vida.
to see everything in rose-colour — ver tudo cor-de-rosa.
the rose (pat.) — a erisipela.
Wars of the Roses — Guerra das Duas Rosas.
to be like a new-blown rose — ser fresca como uma rosa.
2 — *adj.* rosa-pálido.
rose-pink — cor-de-rosa pálido.
3 — *vt.* tornar rosado; tingir de cor-de-rosa.
4 — *pret.* de **to rise.**

Rose [rouz], *n. p.* Rosa.
roseate ['rouziit], *adj.* róseo, rosado; de rosas, cheio de rosas ou roseiras.
rosed [rouzd], *adj.* rosado; tingido de cor-de--rosa; cheio de rosas.
rosemary ['rouzməri], *s.* (bot.) rosmaninho.
rosery ['rouzəri], *s.* roseiral.
rosette [rou'zet], *s.* roseta, laço ou nó em forma de rosa; (biol.) roseta; diamante-rosa; rosácea (em arquitectura.)
rosewood ['rouzwud], *s.* pau-rosa.
Rosicrucian [rouzi'kru:ʃjən], **1** — *s.* membro da religião rosa-cruz.
2 — *adj.* rosa-cruzista.
rosicrucianism [-izm], *s.* rosa-cruzismo.
Rosie ['rouzi], *n. p.* Rosinha.
rosin ['rɔzin], **1** — *s.* resina; colofónia.
rosin oil — óleo de resina.
2 — *vt.* esfregar com resina.
Rosinante [rɔzi'næ nti], *s.* rocinante, pileca.
rosiness ['rouzinis], *s.* cor rosada; qualidade do que é róseo.
rosiny ['rɔzini], *adj.* resinoso.
rostellum [rɔs'teləm], *s.* (bot., zool.) rostelo.
roster ['roustə], *s.* lista de oficiais e soldados; (mil.) ordem de serviço.
rostrum ['rɔstrəm], *s.* (*pl.* **rostrums, rostra**) tribuna; rostro; bico (de ave); (náut.) esporão; cano de alambique.
rosy ['rouzi], *adj.* róseo, rosado; em forma de rosa; avermelhado; agradável; lisonjeiro; optimista.
rosy complexion — tez rosada.
rose-hued — rosado.
rose-cross — rosa-cruz.
rot [rɔt], **1** — *s.* podridão; putrefacção; caruncho; morrinha; doença das plantas; (cal.) parvoíce, tolice. (*Sin.* decay, putrefaction, decomposition, nonsense.)
what rot! — que tolice!
to talk rot (col.) — dizer parvoíces.
dry-rot — caruncho.
2 — *vt.* e *vi.* (*pret.* e *pp.* **rotted**) apodrecer; estragar-se; decompor; corromper-se; cariar-se; padecer da morrinha (as ovelhas), estiolar; (cal.) dizer tolices; fazer troça de.
to rot about — gastar mal o tempo.
to rot away — apodrecer.
to rot off — apodrecer e cair do tronco (ramo).
3 — *interj.* irra!

rota ['routə], *s.* rota, tribunal pontifício formado por doze juízes.
Rotarian [rou'tɛəriən], *s.* e *adj.* rotário; membro de clube rotário.
rotary ['routəri], **1** — *s.* rotativa; máquina rotativa.
the Rotary — os Rotários (clube).
Rotary Club — clube rotário.
2 — *adj.* giratório, rotativo, rotatório.
rotary press — prensa rotativa.
rotary brush (elect.) — escova giratória.
rotary engine — motor rotativo.
rotary fan — ventilador rotativo.
rotary drill — broca rotativa.
rotary platform — plataforma giratória.
rotary printing press — rotativa, máquina de impressão rotativa.
rotary table — mesa rotativa.
rotate 1 — **['routit],** ***adj.*** **rotáceo, em forma de** roda.
2—[rou'teit], ***vt.*** **e** ***vi.*** **girar, rodar; fazer rodar sobre um eixo; dar voltas; alternar, revezar.**
rotating [rou'teitiŋ], *adj.* rotatório; que gira; alternado.
rotating centre — centro de rotação.
rotating disc — disco rotativo.
rotating crops — culturas alternadas.
rotating mirror — espelho rotativo.
rotation [rou'teiʃən], *s.* rotação; volta; alternativa; turno.
in rotation (by rotation) — sucessivamente; por turnos.
rotation speed — velocidade de rotação.
clockwise rotation — rotação no sentido dos **ponteiros de um relógio; rotação em sentido retrógrado.**
the rotation of the earth — a rotação da terra.
anti-clokwise rotation — rotação no sentido **inverso ao dos ponteiros de um relógio; rotação em sentido directo.**
rotational [rou'teiʃənəl], ***adj.*** **rotativo, rotatório.**
rotative ['routətiv], *adj.* rotativo, giratório; alternado.
rotator [rou'teitə], *s.* hélice de odómetro; rotador; (anat.) músculo que faz rodar um membro.
rotatory ['routətəri], *adj.* rotatório; giratório.
rote [rout], *s.* rotina; o que se aprende mecanicamente.
to learn by rote — aprender de cor; aprender mecanicamente.
to do by rote — fazer maquinalmente.
rot-gut ['rɔgʌt], *s.* zurrapa; bebida reles.
rotor ['routə], *s.* rotor.
rotor circuit (elect.) — circuito do rotor.
rotor-winged plane — helicóptero.
air-cleaner rotor — rotor de purificação do ar.
rotted ['rɔtid], *adj.* podre, apodrecido.
rotten [rɔtn], *adj.* podre, apodrecido; cariado; corrompido; avariado; carunchoso; inútil; (cal.) miserável, ordinário.
to get rotten — apodrecer.
rotten egg — ovo choco.
rotten stone — tijolo para limpeza.
rotten luck — pouca sorte.
to smell rotten — cheirar a podre.
rotten timber — madeira carunchosa; madeira podre.
rotten weather — tempo muito mau.
rottenly [-li], *adv.* desagradavelmente; de modo corrupto; de modo ordinário.
rottenness [-nis], *s.* podridão, putrefacção; cárie; má qualidade.
rotter ['rɔtə *s.* (cal.) patife, canalha.
rotting ['rɔtiŋ], **1** — *s.* acção de apodrecer; putefracção; (cal.) disparate.
2 — *adj.* que apodrece; podre.

rotund [rou'tʌnd], *adj.* rotundo; redondo; esférico; circular; rechonchudo, gordo.
rotunda [-ə], *s.* rotunda (em arquitectura).
rotundity [rou'tʌnditi], *s.* rotundidade; gordura.
rouble [ru:bl], *s.* rublo.
roué [ru:'ei], *adj.* devasso, libertino.
rouge [ru:ʒ], **1** — *s.* carmim (para os lábios ou cara); vermelhão; (pol.) político da extrema esquerda.
2 — *adj.* vermelho, encarnado, rubro.
3 — *vt.* e *vi.* pintar-se com carmim; pintar de vermelho.
rough [rʌf], **1** — *s.* rudeza, grosseria, insolência; terreno acidentado; pessoa rude, pessoa grosseira; desordeiro; dificuldades.
to travel over rough and smooth — viajar por montes e vales.
in the rough — em estado bruto; aproximadamente.
2 — *adj.* tosco; áspero; escabroso; fragoso; desigual; grosseiro; duro; brusco; insolente; desabrido; tempestuoso, borrascoso; encrespado; mal-acabado, malfeito; peludo, cabeludo; eriçado; severo; rígido; rude, inculto; bronco; aproximativo; agitado (mar); em bruto (diamante); discordante.
rough estimate — orçamento aproximado.
rough and tumble — violento, barulhento.
rough and ready — mal acabado; imperfeito; improvisado.
rough temper — génio áspero.
rough calculation — cálculo aproximado.
rough diamond — diamante em bruto; pessoa grosseira mas de bom coração.
rough features — feições grosseiras.
rough draft — bosquejo, esboço; rascunho.
rough-neck — homem grosseiro.
rough passage — má travessia.
rough sea — mar bravo.
rough timber — madeira em bruto.
rough wind — vento proceloso.
rough words — palavras grosseiras e ofensivas.
rough-rider — domador de cavalos.
rough-sketch — esboço.
rough-walling — alvenaria grossa.
rough manners — maneiras grosseiras.
to have a rough time — passar má vida.
rough casting — fundição em bruto.
rough-coated — de pêlo áspero (animal).
rough glass — vidro em bruto.
rough hound (zool.) — cação (peixe).
rough file — lima grossa.
rough justice — justiça sumária.
rough rice — arroz com casca.
rough hair — cabelo hirsuto.
rough skin — pele áspera.
rough house — desordem; luta.
rough road — estrada de mau piso.
at a rough guess — aproximadamente.
rough to the touch — áspero ao tacto.
in the rough state — em estado bruto.
to be rough with somebody — ser rude com alguém.
the rough element of the population — a plebe.
to give somebody a rough handling — tratar alguém grosseiramente.
3 — *adv.* rudemente, grosseiramente; asperamente.
rough-spoken — com linguagem severa; severo.
to treat somebody rough — tratar alguém rudemente.
4 — *vt.* tornar áspero; tornar tosco; domar, domesticar; esboçar, delinear; (col.) irritar.
to roug it (col.) — comer o pão que o Diabo amassou.
to rough in — esboçar levemente.
rough-cast ['-ka:st], **1** — *s.* argamassa, reboco.
2 — *adj.* com revestimento de argamassa (parede); elaborado grosseiramente (plano).
3 — *vt.* (*pret.* e *pp.* **rough-cast**) cobrir com reboco; esboçar (plano).
rough-caster ['-ka:stə], *s.* rebocador.
rough-casting ['-ka:stiŋ], *s.* acção de cobrir com reboco.
rough-dry ['-drai], *vt.* secar (roupa) sem passar a ferro.
roughen [-ən], *vt.* e *vi.* encapelar-se (mar); tornar rugoso; tornar-se rugoso; irritar.
rough-grind ['-graind], *vt.* (*pret.* e *pp.* **rough--ground**) adelgaçar; desbastar.
rough-hew ['-'hju:], *vt.* (*pret.* **rough-hewed,** *pp.* **rough-hewn**) desbastar (madeira ou estátua).
rough-hewn ['-'hju:n], *adj.* desbastado; em esboço.
roughing ['-iŋ], *s.* esboço; desbaste.
roughing down — desbaste.
roughing in — vida difícil.
roughing machine — máquina de desbastar.
roughish ['-iʃ], *adj.* um pouco rugoso ou áspero; um pouco rude; um pouco encapelado (mar).
roughly ['-li], *adv.* asperamente; bruscamente; grosseiramente, rudemente; aproximadamente.
to treat somebody roughly — tratar alguém rudemente.
roughly speaking — falando de um modo geral.
roughness ['-nis], *s.* rudeza, aspereza; escabrosidade; grosseria; severidade, rigor; descortesia; tormenta.
roulade [ru:'la:d], *s.* trilo, trinado.
rouleau [ru'lou], *s.* (*pl.* **rouleaus, rouleaux**) rolo de moedas embrulhadas.
roulette [ru(:)'let], *s.* roleta (jogo); carretilha (para picotar selos); rodízio.
Roumania [ru(:)'meinjə], *top.* Roménia.
Roumanian [-n], *s.* e *adj.* romeno.
round [raund], **1** — *s.* orbe; globo; círculo; esfera; rotação, revolução; volta, rodeio; rodela; sucessão; ronda; salva; tiro; descarga; rotina; rota; circuito; turno; série; degrau (de escada); cartucho com bala; (mús.) rondó; assalto (boxe); dança; rodada (de bebida); actividade rotineira; (mil.) ronda; escultura que pode ver-se por todos os lados.
to go the rounds — andar de ronda.
to take a round — dar um giro.
officer of the round — oficial de ronda.
the daily round — o ramerrão diário.
the doctor goes on his rounds in the morning — o médico faz a sua clínica domiciliária de manhã.
round-house — *(náut.)* tombadilho.
round of ammunition — cartucho; bala.
a round of cheers — uma série de aplausos.
a round of toast — uma fatia de pão torrado.
to dance in a round — dançar de roda.
to stand a round of drinks — pagar uma rodada de bebidas.
the earthly round (poét.) — o orbe terrestre.
to make the round of the country — percorrer todo o país.
to go the round of — passar de boca em boca.
2 — *adj.* redondo, esférico, circular; cilíndrico; arredondado; cheio; sonoro; grande, considerável; amplo; liberal; cabal; franco; claro; positivo; ingénuo; explícito; liso; fluente; rápido, ligeiro, veloz, vivo; acelerado; inteiro, completo; corpulento, gordo.
to go at a good round pace — andar a passo largo.
round assertion — afirmação clara e categórica.
a round sytle — um estilo fluente.
round trip ticket (E. U.) — bilhete de ida e volta.

in round figures — em números redondos.
Round Table — Távola Redonda.
an all-round man — um homem versado em muitos assuntos; um homem completo.
all-round education — educação completa.
round angle — ângulo de 360°; circunferência.
round corner — canto arredondado.
round-cornered — de cantos arredondados.
round arch — arco semicircular.
round dance — dança de roda.
round rope — cabo redondo.
a round table conference — uma conferência de mesa-redonda.
round bar — varão de ferro.
round glass — vidro côncavo.
a round voice — uma voz forte.
round-hand — escrita redonda.
to make round — arredondar.
a round dozen — uma dúzia certa.
round nose — bico redondo.
his eyes were round with astonishment — arregalou os olhos de espanto.
3 — *adv.* em roda, em círculo; de regresso; por toda a parte; de mão em mão.
to ask somebody round — convidar alguém a vir a nossa casa.
all the year round — durante todo o ano.
to look round — olhar para trás.
to hand something round — fazer passar alguma coisa em roda.
to come round — dar uma volta; recobrar os sentidos; convencer-se.
to show somebody round — mostrar a alguém (as vistas, etc.).
five miles round — cinco milhas em redor.
to be a long way round — ser um grande desvio.
to go round — ir de volta.
the earth goes round — a Terra gira.
4 — *prep.* à volta de, em roda de.
to go round the corner — virar à esquina.
round the corner — à esquina.
she diffuses cheerfulness round her — ela espalha alegria à sua volta.
round about four — por volta das quatro (horas).
to travel round the world — viajar à volta do mundo.
to sail round a cape — dobrar um cabo.
to sit round a table — estar sentado em volta de uma mesa.
the Earth goes round the Sun — a Terra gira em volta do sol.
5 — *vt.* e *vi.* arredondar; voltear; andar à roda de; cingir; cercar; dar volta a; aperfeiçoar, acabar; rondar; aperfeiçoar-se; arredondar-se; montar um cabo; forrar (cabo); dobrar (cabo).
to round off — arredondar; acabar.
to round up — juntar, reunir; recolher o gado para o reconhecer ou marcar; alar; serrar (uma tábua).
to round in — rondar; alar.
to round a cape — dobrar um cabo.
to round off the performance — rematar o espectáculo.
to round on one's heels — voltar-se.
roundabout ['-əbaut], 1 — *s.* carrossel; roda de crianças; desvio; rodeio; (E. U.) casaco curto.
what he loses on the swings he makes up on the roundabouts — ganha num lado o que perde no outro.
2 — *adj.* indirecto; vago, indefinido; desviado; de rodeio; com rodeios; gordo.
to take a roundabout way — fazer um desvio.
in a roundabout way — de maneira indirecta.
rounded ['-id], *adj.* curvo; em meia-cana; roliço; esférico; perfeito; pronunciado com os lábios arredondados (vogal).
roundel [-l], *s.* rondó; medalhão.
roundelay ['-ilei], *s.* canção simples com refrão; canto de ave.
rounder ['-ə], *s.* instrumento para arredondar; pessoa que arredonda ou aperfeiçoa; *pl.* jogo de bola parecido com o basebol.
Roundhead ['-hed], *s.* puritano, (col.) cabeça-redonda.
rounding ['-iŋ], *s.* curvatura, arredondamento; (náut.) cabos para forrar.
rounding off (mat.) — arredondamento.
roundish ['-iʃ], *adj.* arredondado.
roundly ['-li], *adv.* redondamente, claramente, francamente; em círculo.
to scold roundly — (col.) chamar a capítulo.
to go roundly to work — pôr-se a trabalhar com vontade.
roundness ['-nis], *s.* redondeza, rotundidade; franqueza, lisura; clareza; sonoridade.
roundsman ['-smən], *s.* (*pl.* **roundsmen**) pessoa que entrega ao domicílio (leite, pão, etc.); (E. U.) agente de polícia em serviço de patrulha.
milk roundsman — distribuidor do leite.
roup [ru:p], *s.* gogo; catarro das galinhas.
rouse [rauz], 1 — *s.* (mil.) alvorada, toque de alvorada; (arc.) copo ou taça a transbordar; orgia, pândega.
to give a rouse — fazer um brinde.
to take a rouse — beber; andar na pândega.
2 — *vt.* e *vi.* despertar, acordar; activar, estimular, incitar, excitar, provocar; levantar (caça); alar à lupa; animar-se; mover-se; salgar (arenque); misturar bem (líquido). (*Sin.* to wake, to stimulate, to excite, to stir, to startle. *Ant.* to soothe.)
to rouse hand over hand — alar de mão em mão.
to rouse up — acordar, despertar.
he roused me up from my dream — ele despertou-me do meu sonho.
to rouse somebody to action — despertar alguém para a acção.
to be roused by the noise — sobressaltar-se com o barulho.
to rouse the masses — agitar as massas.
rouser ['-ə], *s.* aquele que desperta, que anima ou excita; mentira; misturador (de cerveja).
rousing ['-iŋ], *adj.* forte, violento; grande; que desperta; estimulante.
a rousing lie — uma grande mentira.
a rousing cheer — aplausos calorosos.
roussette [ru'set], *s.* (zool.) cação; morcego grande.
roust [raust], *vt.* e *vi.* (E. U.) empurrar, acotovelar; agitar-se.
roustabout ['raustə'baut], *s.* (E. U.) estivador (Austrália); empregado para todo o serviço.
rout [raut], 1 — *s.* turbamulta; tropel; reunião, assembleia; tumulto, alvoroto, confusão; derrota, destroço.
to put to rout — pôr em debandada.
to break into a rout — pôr-se em debandada.
2 — *vt.* e *vi.* derrotar, destroçar, desbaratar; desenterrar; desalojar.
to rout out of bed — arrancar da cama.
route [ru:t], 1 — *s.* caminho, via, rumo; percurso; direcção; marcha, curso; estrada; itinerário; *(mil.)* ordem de marcha.
en route — a caminho.
route-march — marcha de treino.
route-map — mapa itinerário.
overland route — rota terrestre.
bus-route — linha de autocarro.
sea route — rota marítima.
to give the route (mil.) — dar ordem de marcha.
to get the route (mil) — receber ordem de marcha.
2 — *vt.* traçar a rota ou caminho de.

routed [-d], *adj.* destroçado, desbaratado.
router ['-ə], *s.* escavadeira.
routine [ru:'ti:n], *s.* rotina, hábito; prática; serviço corrente.
routine duties — obrigações habituais.
the daily routine — a rotina diária.
routine board — tabela de serviço.
routinish [-iʃ], *adj.* rotineiro.
routinism [-izm], *s.* rotineirismo.
routinist [-ist], *s.* pessoa rotineira.
rove [rouv], **1** — *s.* correria; passeio; vagabundagem; fio esticado e torcido levemente.
to be on the rove — andar na vagabundagem.
2 — *vt.* e *vi.* errar, vaguear, percorrer; torcer o fio antes de o torcer; desfiar; mover; (o olhar) em várias direcções; ser inconstante.
to rove about the seas — piratear.
to rove over sea and land — vaguear por terra e mar.
3 — *pret.* e *pp.* de **to reeve.**
rover [-ə], *s.* vagabundo; ladrão, pirata; alvo para tiro ao alvo; escoteiro-chefe.
roving [-iŋ], **1** — *s.* operação para a primeira tecelagem do algodão; (técn.) mecha; vagabundagem.
2 — *adj.* errante, vagabundo; nómada.
row **1** — [rou], *s.* fileira, fila, fiada; linha; carreira; ordem; passeio de barco; remadura.
in the front row — na fila da frente.
to set in a row — pôr em fila.
row-barge — bateira.
in a row — em fila.
to sit in rows — sentar-se em filas.
to go for a row — ir dar um passeio de barco.
2 — *vt.* e *vi.* conduzir remando, remar; vogar; tomar parte numa regata.
to row amain — picar a vaga.
to row dry — remar enxuto.
row-boat — barco a remos.
to row a race — tomar parte numa regata.
to row in the same boat (col.) — ter a mesma sorte.
to row against the stream — remar contra a maré.
to row together (col.) — estar de acordo.
to be rowed out — estar exausto (remador).
to row over the river — atravessar o rio remando.
to row down the river — descer o rio remando.
to row 30 to the minute — fazer 30 remadas por minuto.
the boat rows eight oars — o barco tem oito remos.
3 — [rau], *s.* (col.) bulha, barulho, algazarra; questão, rixa, disputa, contenda; repreensão, censura.
to make a row — fazer algazarra.
to get into a row for something — ser repreendido por causa de alguma coisa.
what's the row? — que barulheira é essa?
to have a row with somebody — ter uma questão com alguém.
to kick up the devil of a row — fazer uma barulheira dos demónios.
4 — *vt.* e *vi.* (col.) armar um motim; repreender, censurar.
rowan ['rauən,'rouən], *s.* (bot.) sorveira-brava, sorva.
row-de-dow ['raudi'dau], *s.* (col.) tumulto; barulheira.
rowdily ['raudili], *adv.* turbulentamente, amotinadamente.
rowdiness ['raudinis], *s.* turbulência, bulha.
rowdy ['raudi], **1** — *s.* amotinador, arruaceiro; vadio.
2 — *adj.* amotinador, bulhento, alvoroçador, turbulento.
rowdy-dowdy [-daudi], *adj.* (col.) bulhento, arruaceiro.
rowdyism [-izm], *s.* velhacaria; garotice; barulheira.
rowel ['rauəl], **1** — *s.* roseta de espora; sedenho (em cavalos).
2 — *vt.* (*pret.* e *pp.* **rowelled**) esporear (cavalo); aplicar sedenho (em cavalos).
rower ['rouə], *s.* remador.
rowing **1** — ['rouiŋ], *s.* acção de remar: remadura; desporto de remo.
rowing match — corrida de barcos a remos.
rowing-boat — barco a remos.
rowing-barge — bateira.
to go rowing — ir remar.
to go in for rowing — dedicar-se ao remo.
2 — ['rauiŋ], *s.* repreensão, censura.
rowlock ['rɔlək, 'rʌlək], *s.* (náut.) forqueta, toleteira.
royal ['rɔiəl], **1** — *s.* membro da família real; formato de papel para imprensa; veado de doze ou mais pontas; *pl.* regimento de dragões da rainha.
2 — *adj.* real, régio; majestoso, magnífico; ilustre; nobre; excelente, esplêndido; superior.
the Royal Family — a família real.
Princess Royal — a princesa real.
Prince Royal — príncipe real.
Royal Highness — Alteza Real.
we had a royal time (col.) — divertimo-nos à grande.
royal blue — azul-real, azul-forte.
royal standard — pavilhão real.
Royal Navy — Armada Real.
blood royal — família real.
Royal Mail-Steamer — vapor-correio do Estado.
royal mast — mastaréu do sobrejoanete.
royal yard — verga do sobrejoanete.
royal halliard — adriça do sobrejoanete.
Royal Air Force — Real Força Aérea.
royal fern — feto-real.
royal paper — papel de formato especial para impressão.
royal coachman — mosca artificial (usada como isca na pesca).
Royal Exchange — Palácio da Bolsa, em Londres.
royalism [-izm], *s.* (pol.) realismo.
royalist [-ist], *s.* e *adj.* (pol.) realista.
royally [-i], *adj.* regiamente, principescamente.
royalty [-ti], *s.* realeza, soberania; dignidade real; direito de privilégio ou de autor; grandiosidade.
rub [rʌb], **1** — *s.* fricção, atrito; polimento; dificuldade, obstáculo; embaraço; tropeço; sarcasmo; desigualdade de terreno.
there's the rub! — aí é que está o busílis!
the rubs and worries of life — as dificuldades e arrelias da vida.
rubs and jars — contrariedades; disputas.
to give something a good rub — esfregar uma coisa bem esfregada.
2 — *vt.* e *vi.* (*pret. e pp.* **rubbed**) esfregar; friccionar; limar; polir; incomodar; irritar; contrariar; vexar; roçar; deslizar; coçar; ser desagradável ou enfadonho; friccionar-se; coçar-se; viver com dificuldades; (arc.) dificultar. (*Sin.* to chafe, to grate, to scrape, to abrade, to scour.)
to rub the wrong way — incomodar, irritar; esfregar ao contrário.
to rub along (to rub on) — viver em apuros; ir tenteando a vida.

to rub down a horse — limpar um cavalo.
to rub out — riscar; apagar.
to rub up — polir, retocar; refrescar, renovar; aperfeiçoar; esfregar; excitar.
to rub off — tirar, limpar (esfregando).
to rub in — fazer penetrar pelos poros (esfregando).
to rub away — esfregar continuamente.
to rub one's hands — esfregar as mãos de contente.
he rubs on as well as he can — ele faz o que pode para ganhar a vida.
to rub noses with — saudar esfregando os narizes (entre povos selvagens); ser íntimo amigo de.
to rub the rust off — desenferrujar.
your English needs to be rubbed up — precisas de aperfeiçoar (refrescar) o teu inglês.
to rub up one's memory — refrescar a memória.

rub-a-dub ['rʌbə'dʌb], **1** — *s.* rufar de tambor.
2 — *vi.* (*pret.* e *pp.* **rub-a-dubbed**) rufar como um tambor.

rubbed [rʌbd], *adj.* puído, coçado; irritado.

rubber ['rʌbə], **1** — *s.* borracha (de safar); goma elástica; esfregão; polidor; grosa (lima); pedra de afiar; jogada final que decide um empate; massagista; toalha grossa; *pl.* galochas.
rubber gloves — luvas de borracha.
rubber-check — cheque sem cobertura.
rubber cork — rolha de borracha.
rubber boat — barco de borracha.
rubber cord — cordão de borracha.
rubber-neck — (E. U.); mirone; turista.
rubber stamp — carimbo de borracha.
rubber-sulphur compound — borracha vulcanizada.
rubber-tree — árvore da borracha; seringueira.
rubber tape — fita isoladora de borracha.
india-rubber — borracha (de safar).
kitchen rubber — esfregão de cozinha.
2 — *vt.* revestir de borracha.

rubberize [-raiz], *vt.* revestir de borracha.

rubbing ['rʌbiŋ], **1** — *s.* fricção; acção de roçar; polimento; massagem.
rubbing surface — superfície de atrito.
rubbing up — polimento.
rubbing down — polimento; desgaste.
rubbing away — desgaste.
2 — *adj.* que serve para polir ou esfregar.

rubbish ['rʌbiʃ], *s.* lixo, entulho; imundícies; refugo; rebotalho; farrapos; ninharia; coisa sem valor; inutilidade; disparate.
rubbish! — que disparate!.
old rubbish — velharias; cacos; farrapos.
shoot no rubbish — é proibido vazar lixo.
rubbish-cart — carroça do lixo.
rubbish heap — monturo de lixo; depósito de lixo.
rubbish-bin — balde do lixo.
to talk rubbish — dizer disparates.

rubbishing [-iŋ], *adj.* sem valor; de má qualidade.

rubbishy [-i], *adj.* sem valor; cheio de lixo.

rubble [rʌbl], *s.* cascalho, seixos, rípio.
rubble-work — alvenaria de pedra bruta.

rubbly [-i], *adj.* pedregoso, cheio de cascalho.

rubefacient [ru:bi'feiʃjənt], *s.* e *adj.* rubefaciente.

rubefaction [ru:bi'fækʃən], *s.* rubefacção.

rubefy ['ru:bifai], *vt.* rubificar.

rubella [ru'belə], *s.* (pat.) rubéola.

rubescent [ru:'besənt], *adj.* rubescente.

rubicund ['ru:bikənd], *adj.* rubicundo; corado, encarnado, rubro. (*Sin.* ruddy, flushed, blushing, red. *Ant.* pale.)

rubicundity [ru:bi'kənditi], *s.* aspecto rubicundo.

rubidium [ru(:)'bidiəm], *s.* (quím.) rubídio.

rubify ['ru:bifai], *vt.* ver **rubefy.**

rubiginous [ru'bidʒinəs], *adj.* rubiginoso; da cor da ferrugem.

rubious ['ru:biəs], *adj.* (poét.) cor de rubim.

rubric ['ru:brik], *s.* rubrica, título de capítulo ou secção ou frase escrita a vermelho e em tipo de letra diferente; rubrica; rubrica (em breviário ou missal).

rubrical [-əl], *adj.* rubro, referente a rubrica.

rubricate ['ru:brikeit], *vt.* marcar a vermelho.

rubrication [ru:bri'keiʃən], *s.* acção de pôr rubricas eclesiásticas.

rubricator ['ru:brikeitə], *s.* pessoa que põe rubricas eclesiásticas.

rubstone ['rʌbstoun], *s.* pedra de amolar.

ruby ['ru:bi], **1** — *s.* rubi, rubim; sangue; borbulha vermelha na cara.
above rubies — de valor incalculável.
2 — *adj.* da cor do rubi, vermelho-vivo.
3 — *vt.* tingir de rubi.

ruche [ru:ʃ], **1** — *s.* rufo; guarnição de renda franzida.
2 — *vt.* guarnecer com renda franzida.

ruck [rʌk], **1** — *s.* prega, dobra, vinco, ruga; populaça.
2 — *vt.* e *vi.* vincar, dobrar; amarrotar.

ruckle [-l], **1** — *s.* prega, franzido; estertor (de moribundo).
2 — *vt.* e *vi.* vincar, preguear; estertorar.

rucksack ['ruksæk,'rʌksæk], *s.* mochila de alpinista.

ruction ['rʌkʃən], *s.* (col.) tumulto, distúrbio.

rudd [rʌd], *s.* (zool.) peixe semelhante ao ruivo.

rudder ['rʌdə], *s.* leme; governo, direcção.
rudder-chain — varão do leme; corrente do leme.
rudder-head — cabeça do leme; cachola.
main piece of a rudder — madre do leme.
rudder-heel — pé do leme.
rudder-tiller — cana do leme.
rudder balance — leme compensador.
rudder motor — motor do leme.

rudderless [-lis], *adj.* (náut.) sem leme, à deriva.

ruddiness ['rʌdinis], *s.* rubor, vermelhidão.

ruddle [rʌdl], **1** — *s.* almagre; ocre vermelho (para marcar carneiros).
2 — *vt.* marcar a almagre.

ruddy ['rʌdi], **1** — *adj.* vermelho, rubro; rosado; (cal.) maldito.
ruddy-face — rosto rubro; rosto corado.
to grow ruddy — corar.
2 — *vt.* tingir de vermelho, corar.

rude [ru:d], *adj.* rude; brusco; grosseiro; rústico; descortês; violento; severo; tosco, imperfeito; impetuoso; insolente; escabroso; desigual; ignorante. (*Sin.* impolite, saucy, coarse, rough. *Ant.* polite, polished.)
rude behaviour — procedimento grosseiro.
a rude awakening — um despertar brusco.
a rude shock — um choque violento.
to be rude to somebody — tratar alguém grosseiramente.
to say rude things — dizer coisas ofensivas.
rude language — linguagem grosseira.
to be in rude health — ser forte.

rudely ['-li], *adv.* rudemente; asperamente; grosseiramente; toscamente.

rudeness ['-nis], *s.* rudeza; grosseria; aspereza; insolência; crueza; rigor; rusticidade; inclemência.

rudiment ['ru:dimənt], *s.* rudimento; princípio; elemento; *pl.* embrião, germe; rudimentos, conhecimentos rudimentares.

rudimental [ru:di'mentl], *adj.* rudimentar.

rudimentary [ru:di'mentəri], *adj.* ver **rudimental.**

Rudolph ['ru:dɔlf], *n. p.* Rodolfo.
rue [ru:], **1** — *s.* arruda; cozimento de arruda; (arc.) arrependimento, pena.
2 — *vt.* chorar, lastimar; ter pena, deplorar; arrepender-se. (*Sin.* to lament, to regret, to deplore.)
you shall rue it! — hás-de arrepender-te!
rueful ['ru:ful], *adj.* lamentável, lastimável, deplorável.
the knight of the rueful countenance — o cavaleiro da triste figura (D. Quixote de la Mancha).
ruefully [-i], *adv.* lastimavelmente, deploravelmente.
ruefulness [-nis], *s.* compaixão; mágoa.
ruff [rʌf], **1** — *s.* (*fem.* **reeve**) (zool.) pavão-do-mar.
2 — *s.* rufo, gola de tufos engomados; (zool.) perca; rufo de tambor; trunfo.
3 — *vt.* e *vi.* cortar com trunfo (em jogos de cartas); pôr em desordem.
ruffian ['rʌfjən], *s.* rufião, biltre; salteador.
ruffianism [-izm], *s.* vida de bandido; patifaria, velhacaria; barbaridade.
ruffianly [-li], *adj.* brutal; à maneira de bandido; como rufião.
ruffle [rʌfl], **1** — *s.* folho; desordem; agitação; bulha; rufar de tambor; escarcéu da água.
2 — *vt.* e *vi.* franzir, fazer pregas; amarrotar; incomodar; franzir-se; enrugar-se; perturbar-se; aborrecer-se; agitar-se; baralhar (cartas de jogar); bazofiar.
to ruffle one's feathers (col.) — irritar-se.
nothing ever ruffles him — nada o perturba.
to ruffle the mind — perturbar o espírito.
to ruffle somebody — irritar alguém.
ruffled [-d], *adj.* emaranhado (cabelo); com folhos; zangado, irritado.
ruffler ['-ə], *s.* fanfarrão; peça de franzir (em máquina de costura).
Rufinus [ru'fainəs], *n. p.* Rufino.
rufous ['ru:fəs], *adj.* ruivo.
rug [rʌg], *s.* tapete; manta de viagem; cobertura de lã ordinária; alcatifa.
travelling-rug — manta de viagem.
bedside rug — tapete de cama.
Rugbeian [rʌg'bi(:)ən], *s.* aluno ou antigo aluno da escola de Rugby.
Rugby ['rʌgbi], *top.* nome de cidade inglesa no Avon.
Rugby School — escola inglesa, em Rugby.
rugby ['rʌgbi], *s.* (desp.) râguebi.
rugby football — râguebi (jogo).
rugged ['rʌgid], *adj.* áspero; abrupto; escarpado; escabroso; rude, bruto, grosseiro; hirsuto; violento; carrancudo; inculto; inflexível; desabrido; severo; tempestuoso; ríspido; descomedido; dissonante; (E. U.) vigoroso. (*Sin.* rough, craggy, uneven, jagged, harsh, blunt, rude, austere. *Ant.* smooth, polished.)
rugged features — feições grosseiras.
a rugged life — uma vida dura.
rugged manners — maneiras grosseiras.
rugged bark — casca rugosa.
rugged times — tempos difíceis.
rugged coast — costa acidentada.
ruggedly [-li], *adv.* rudemente; asperamente; severamente; escabrosamente.
ruggedness [-nis], *s.* rudeza; aspereza; escabrosidade; severidade; grosseria.
rugger ['rʌgə], *s.* (desp. col.) râguebi.
Ruggiero [rudʒi'ɛrou], *n. p.* Rogério.
rugose ['ru'gous], *adj.* rugoso.
rugosity [ru'gɔsiti], *s.* rugosidade.
rugous ['ru:gəs], *adj.* ver **rugose.**
ruin ['ru(:)in], **1** — *s.* ruína; destruição; decadência; queda; perda; perdição; devastação; *pl.* destroços; restos. (*Sin.* defeat, destruction, perdition, downfall, collapse).
in ruins — em ruínas.
to bring to ruin — causar a ruína.
to lie in ruins — jazer em ruínas.
the ruin of my hopes — a perda das minhas esperanças.
to lay in ruins — destruir, arrasar.
to spell ruin — acarretar ruína.
red ruin — catástrofe.
2 — *vt.* arruinar; destruir; demolir; perder; empobrecer; desbaratar; arruinar-se; decair; desonrar; seduzir.
to ruin oneself — arruinar-se, perder-se.
to ruin a girl — seduzir uma rapariga.
to ruin one's health — arruinar a saúde.
ruination [ru(:)i'neiʃən], *s.* ruína; arruinamento; perdição.
ruined ['ru(:)ind), *adj.* arruinado.
ruinous ['ru(:)inəs], *adj.* ruinoso; desmantelado; funesto; fatal; em ruínas.
ruinous expense — despesa ruinosa.
ruinously [-li], *adv.* ruinosamente.
rule [ru:l], **1** — *s.* regra, norma; método; mando, poder, autoridade, domínio; governo; regime; império; estatuto; regulamento; pauta; guia; régua; modelo; arranjo; regularidade; boa ordem; risco, linha traçada; filete (ornato de livros); hífen; travessão; decisão (de um tribunal).
hard and fast rule — regra fixa.
as a rule — em geral, regra geral.
by rule of thumb — de harmonia com a prática.
the exception proves the rule — a excepção confirma a regra.
standing rule — regra estabelecida.
rule of the road — código da estrada.
rules and regulations — regulamento.
to lay down a rule — estabelecer uma regra.
according to rule — segundo as regras.
the rule of three — a regra de três.
broken rule — infracção do regulamento.
rule of a court — decisão de um tribunal.
rule of an order — regra de uma ordem (religiosa).
folding rule — metro articulado.
to keep the rules — cumprir os regulamentos.
siding rule — régua de cálculo.
rule of conduct — normas de conduta.
as is the rule — conforme é regra.
rule of thumb — método empírico.
the rules of the road — o código da estrada.
to have a rule over somebody — ter autoridade sobre alguém.
2 — *vt.* e *vi.* governar, mandar, reger, dominar, administrar, dirigir; determinar; decidir; disciplinar; riscar, traçar linhas ou riscas; estabelecer uma lei, uma regra; conter, reprimir; guiar; arranjar; ter o mando ou autoridade; reinar; imperar; estar em voga; prevalecer; pautar.
to rule over — governar, dominar; reinar.
to rule out — não receber, não admitir; impedir, estorvar; excluir; riscar, traçar linhas ou riscas.
to rule the roast (col.) — ser o mandão.
to rule a line — traçar uma linha com a régua.
to rule off — separar por uma linha vertical.
to rule a country — governar um país.
to rule by force — governar pela força.
prices ruled high — os preços estavam altos.
ruled [-d], *adj.* regrado; dirigido, regido, governado; conduzido; que tem linhas (papel); (jur.) decidido.
that is a ruled case — é caso arrumado.
ruleless ['-lis], *adj.* sem regra.

ruler ['-ə], *s.* governador; legislador; regente; administrador; primeiro magistrado de uma nação; régua; pautador.
rulership ['-əʃip], *s.* governo, domínio.
ruling ['-iŋ], **1** — *s.* acção de governar; (jur.) decisão, parecer; disposição regulamentar; acção de pautar.
ruling-pen — tira-linhas.
ruling-machine — máquina de pautar.
2 — *adj.* dominante, predominante; actual. (*Sin.* governing, predominant, prevailing.)
ruling passion — paixão dominante.
ruling price — preço predominante; preço corrente.
the ruling classes — as classes dirigentes.
rum [rʌm], **1** — *s.* rum (bebida alcoólica).
rum-runner (E. U.) — contrabandista de bebidas alcoólicas.
2 — *adj.* estranho, original; cómico.
Rumania [ru(:)'meinjə], *top.* Roménia.
Rumanian [-n], *s.* e *adj.* romeno.
Rumansh [ru'mænʃ], *s.* ver **romansh.**
rumble [rʌmbl], **1** — *s.* rumor, ruído surdo e prolongado; estrondo; assento suplementar na parte traseira de carro.
rumble-tumble — solavancos; carro pesado e barulhento.
2 — *vt.* e *vi.* retumbar; ressoar ao longe; roncar; rugir; avançar com estrondo; (col.) adivinhar as intenções.
to rumble forth — pronunciar com voz cavernosa.
rumbler ['-ə], *s.* coisa que ressoa ao longe.
rumbling ['-iŋ], **1** — *s.* estrondo surdo e prolongado.
2 — *adj.* que faz estrondo, que ressoa.
rumbustious [rʌm'bʌstʃəs], *adj.* (col.); turbulento.
rumen ['ru:men], *s.* rúmen, primeiro estômago dos ruminantes.
ruminant ['ru:minənt], **1** — *s.* (zool.) ruminante.
the ruminants — os ruminantes.
2 — *adj.* ruminante; (col.) meditativo.
ruminantly [-li], *adv.* como um ruminante; (col.) meditativamente.
ruminate ['ru:mineit], *vt.* e *vi.* ruminar; (col.) meditar, cogitar, magicar.
to ruminate on (to ruminate over, to ruminate about) — meditar sobre.
ruminating [-iŋ], **1** — *s.* ruminação.
2 — *adj.* ruminante.
rumination [ru:mi'neiʃən], *s.* ruminação; (col.) meditação, reflexão.
ruminative ['ru:minətiv], *adj.* (col.) meditativo.
ruminatively [-li], *adv.* (col.) meditativamente, pensativamente.
rumly ['rʌmli], *adv.* de modo esquisito.
rummage ['rʌmidʒ], **1** — *s.* busca minuciosa; revolta, desordem; coisas miúdas; inspecção feita a navio por funcionários da alfândega; coisas ilegais encontradas em inspecção feita a navio por funcionários da alfândega.
rummage sale — bazar de caridade; venda de objectos não reclamados na alfândega.
2 — *vt.* e *vi.* esquadrinhar; explorar; pesquisar; (náut.) mudar a arrumação da carga; inspeccionar; remexer.
to rummage a ship — inspeccionar um barco (funcionários da alfândega).
to rummage for — esquadrinhar à procura de.
rummaging [-iŋ], *s.* esquadrinhamento.
rummer ['rʌmə], **1** — *s.* copo grande, taça.
2 — *comp.* de **rum.**
rummest ['rʌmist], *superl.* de **rum.**
rummy ['rʌmi], **1** — *s.* variedade de jogo de cartas.
2 — *adj.* estranho, original; cómico.
rumour ['ru:mə], **1** — *s.* boato, rumor. (*Sin.* report, gossip, hearsay, talk.)
to hear a rumour that — ouvir dizer que.
to spread rumours — espalhar boatos.
2 — *vt.* propalar, fazer correr, divulgar.
it is rumoured that — corre o boato de que.
rump [rʌmp], *s.* garupa, anca; traseiro, nádegas; rabadilha ou uropígio (de ave).
rump of beef — alcatra.
rumple [rʌmpl], *vt.* e *vi.* amarrotar, enrugar; amarrotar-se; desgrenhar (cabelo); (col.) irritar.
rumpled [-d], *adj.* amarrotado; desgrenhado (cabelo).
rumpling ['iŋ], *s.* acção de amarrotar ou desgrenhar.
rumpsteak ['rʌmpsteik], *s.* carne da rabada.
rumpus ['rʌmpəs], *s.* (col.); balbúrdia; zaragata.
run [rʌn], **1** — *s.* corrida, carreira; curso; marcha; derrota, viagem; singradura; excursão; (mec.) operação; série de representações seguidas de uma peça de teatro; movimento; série; continuação; duração; fio do discurso; discrição ou liberdade no uso de uma coisa; corrida (aos bancos); aceitação; terreno de pasto; (mús.) escala; migração; arribação; desembarque; baixa súbita; ritmo; manada; cardume; rebanho; malha caída (em meia); número de pontos numa corrida; recinto fechado para coelhos, aves de capoeira, etc.; (E. U.) torrente, regato.
a run of good luck — um período de sorte.
the run of events — a série dos acontecimentos.
a run on the banks — uma corrida aos bancos.
at a run — numa corrida.
a run of bad luck — um período de pouca sorte.
the run of mankind (the common run) — a generalidade dos homens.
this play has had a long run — esta peça está em cena há muito tempo.
in the long run — ao fim de contas; com o correr do tempo.
good (ill) run at play — sorte (pouca sorte) ao jogo.
to be on the run all day — andar numa roda-viva todo o dia.
a day's run (náut.) — singradura.
hen-run (chicken-run) — recinto para aves de capoeira.
run of cannons — série de carambolas (no bilhar).
a run of thirty thousand copies — tiragem de trinta mil exemplares.
run of a lode (min.) — orientação de um filão.
the run of a ship — a esteira de um navio.
first run — primeira apresentação (cinema).
to break into run — pôr-se em fuga.
to have a great run (com.) — **ter boa saída.**
the usual run of a ship — a carreira normal de um barco.
to fall with a run — cair ao comprido.
to put to the run — pôr em fuga.
to have a run of customers — ter muita freguesia.
she was given the run of their house — ela tinha entrada franca em casa deles.
the temperature came down with a run — a temperatura baixou de repente.
***there is a great run on this book* — há grande procura deste livro.**
2 — *vt.* e *vi.* (*pret.* **ran,** *pp.* **run**) correr, fazer uma corrida; percorrer; disputar, competir; fazer correr; voar; expor-se a; dirigir, administrar; continuar; lançar-se, precipi-

tar-se; rolar; estender-se; andar; seguir, caminhar; circular, correr; manar; emitir, deixar sair; arriscar; seguir o seu curso natural; trabalhar; forçar; ter uma inclinação; decorrer; fazer caminho; dirigir-se; atravessar; ser relatado, ser referido; atingir certo preço ou tamanho; pingar, verter; desbotar; acabar (prazo); passar (tempo); estar na moda; (pol.) candidatar-se; vigorar; deixar cair malhas (meias); ter determinado número de edições.
to run about — andar de um lado para o outro.
to run after — suspirar por; perseguir; correr atrás de.
to run across — atravessar a correr; encontrar casualmente.
to run ashore (náut.) — dar em seco.
to run away with — tirar, arrebatar, levar, roubar.
to run before — correr adiante ou em frente de; exceder.
to run down a coast — navegar ao longo de uma costa.
to run foul — **abalroar; chocar com; ir de encontro a.**
to run away — **fugir, escapar-se; desaparecer.**
to run against — chocar; precipitar-se sobre; opor-se a.
to run aground — **encalhar; ir a pique.**
to run ahead — **levar vantagem; adiantar-se.**
to run at — **correr sobre; atacar inesperadamente.**
to run back — retroceder; voltar pelo mesmo caminho.
to run before the wind — correr com o vento.
to run behind — correr atrás de; ficar atrás; não fazer frente às despesas.
to run down — enfraquecer; não ter mais corda (relógio).
to be run down — estar em baixo (de saúde).
to run from — **fugir de; escapar-se cautelosamente a.**
to run in — **entrar apressadamente; fazer uma curta visita.**
to run in connection — corresponder; estar em correspondência (vapor, comboio, etc.).
to run into — correr sobre; entrar correndo; afluir.
to run into debt — contrair dívidas.
the bus runs every ten minutes — o autocarro faz carreiras de dez em dez minutos.
to run mad — enlouquecer.
to run off — **escapar-se; salvar-se; passar rapidamente de uma coisa para outra; esvaziar.**
to run over — atropelar; transbordar; entornar-se; examinar rapidamente, superficialmente; atravessar correndo; passar por cima; percorrer; passar depressa através.
to run out — partir apressadamente; esgotar-se, acabar-se; terminar; vazar-se, verter-se; gastar-se; projectar; estar saliente.
to run races — disputar (corridas, regatas, etc.).
to run through — correr através; percorrer; chegar ao fim de; ler por alto; folhear; dissipar, gastar.
to run to seed — espigar; estragar-se; decair.
to run up — subir (os preços); elevar-se; encher-se; edificar depressa; somar; acumular; subir correndo; montar; elevar; levantar; remendar.
to run up and down — subir e descer correndo.
to run one's fortune — arriscar a sorte.
to run the blockade — forçar o bloqueio.
to run upon — versar sobre; referir-se a; precipitar-se; correr sobre; ridicularizar.
to run dry — correr até esgotar (líquidos); esvaziar.
to run high — enfurecer-se.
to run hard — seguir de perto em concurso ou corrida.
to run to — **acudir a; ir à pressa; correr até;** inclinar-se; tender; somar, montar a.
to run to waste — estragar-se; dissipar-se.
to run by — passar por; ser conhecido por.
to run a hotel — dirigir um hotel.
to run through a book — examinar um livro rapidamente.
to run to meet one's troubles — ralar-se antes de tempo.
to run a sword through the body — atravessar o corpo com uma espada.
to run for one's dear life — pôr-se a salvo.
to run to earth — perseguir até à toca; (fig.) procurar alguém até encontrar.
to run riot — proceder sem governo ou direcção; criar-se com pujança desmedida.
to run a business — dirigir um negócio.
this thought ran through my head — passou-me esta ideia pela cabeça.
the news run like wildfire — as notícias correm velozmente.
you must not run to extremes — não deve ir até aos extremos.
the story runs as follows — a história é relatada como se segue.
how your tongue runs! — que tagarela!
his life runs smoothly — a vida corre-lhe bem.
the sands are running out (col.) — o **prazo** de tolerância está a expirar.
things must run their course — as coisas devem seguir o seu curso natural.
the conversation ran on that subject — a conversação versou sobre esse assunto.
to run into error — cair no erro.
to run a car — ter automóvel.
to run a candidate (pol.) — apoiar um candidato.
to run a temperature — ter febre.
to run around with — andar com.
to run away from the facts — fugir à evidência dos factos.
to run a chance — correr um risco.
to run at a low speed — correr a baixa velocidade.
to run at a high speed — correr a alta velocidade.
to run into three editions — ter três edições (livro).
to run off the rails — descarrilar.
to run out on — abandonar.
to run round to somebody — fazer uma curta visita a alguém.
to run one's head against a wall **(col.) — tentar tudo; tentar o impossível.**
to run rings around somebody **(col.) — fazer** o que se quer de alguém.
to run its course — chegar ao fim.
to run goods into a country — fazer entrar contrabando num país.
to run errands — fazer recados.
to run the car into the garage — meter o carro na garagem.
to run in a race — entrar numa corrida.
to run like anything (to run like blazes, to ***run like a hare)*** **(col.) — correr como uma lebre.**
to run the streets — vadiar pelas ruas.
to run through a fortune — receber uma fortuna.
to run to extremes — recorrer a extremos.
to run up a flag — hastear uma bandeira.
to run wild — desvairar; andar à solta; não ser tratado (terreno).
his eyes are running — ele está a chorar.

to run through one's work — fazer rapidamente o trabalho.
to run with rain — estar encharcado.
to be running with sweat — estar encharcado em suor.
to run to fat — ter tendência para engordar.
to be running at the nose — estar com o nariz a pingar.
to leave the engine of the motor-car running — deixar o motor do carro a trabalhar.
my blood ran cold — o sangue gelou-me nas veias.
this colour runs in the washing — esta cor desbota ao lavar.
the contract runs for ten years — o contrato é válido por dez anos.
it runs in the family — isso é de família.
the tap is running — a torneira está aberta.
runabout ['-əbaut], *s.* pessoa que anda sempre de um lado para o outro à procura de diversões; automóvel ou barco pequeno.
runagate ['-əgeit], *s.* (arc.) desertor; vagabundo.
runaway ['-əwei], **1** — *s.* desertor; fugitivo. **2** — *adj.* fugitivo; desertor; desembestado (cavalo).
a runaway marriage — um casamento clandestino.
a runaway horse — um cavalo desembestado
rung [rʌŋ], **1** — *s.* degrau de escada de mão; caverna; prancha de sobrado dos navios; barrote, varão; raio de roda.
to start at the lowest rung (col.) — **começar do nada, começar pelas ocupações mais humildes.**
2 — *pp.* de **to ring.**
runged [-d], *adj.* com degraus.
rungless ['-lis], *adj.* sem degraus.
runic ['ru:nik], **1** — *s.* inscrição rúnica. **2** — *adj.* rúnico.
run-in ['rʌnin], **1** — *s.* discussão, briga. **2** — *adj.* inserto.
runnel ['rʌn(ə)l], *s.* arroio, ribeirinho; caleira, cano, valeta.
runner ['rʌnə], *s.* corredor; correio, mensageiro; agente, corretor; rebento, vergôntea, haste; oficial da polícia; galga de moinho; (náut.) ostaga, funil; estolho (do morangueiro); (mús.) escala; rodízio; contrabandista; patim de trenó; passadeira, tapete comprido; pano comprido posto ao través na mesa.
runner-up (desp.) — concorrente que fica em segundo lugar na prova final.
blockade runner — forçador de bloqueio.
scarlet runner — tipo de feijão de trepar de grandes flores vermelhas.
runner bean — feijão de trepar.
running ['rʌniŋ], **1** — *s.* carreira, corrida; curso; contrabando; gerência, administração; (med.) supuração; escoamento de águas.
to be in the running — competir ou concorrer com esperança de ser bem sucedido.
to be out of the running — não competir; não ter esperança de se sair bem.
running about — acção de andar de um lado para o outro.
running match — corrida a pé.
running off — fuga.
running of the nose — defluxo nasal.
running aground — **encalhe.**
running out — fuga (de líquido); fim (de prazo).
to have the best of the running (col.) — levar a melhor.
to take up the running — tomar o comando das coisas.
running of goods — contrabando de mercadorias.
2 — *adj.* que corre; corrente; corredio; consecutivo; a vencer, a receber (letra de câmbio); em supuração; vigente; (mil.) em retirada.
three times running — três vezes a fio.
running water — água corrente.
running gear — eixos e rodas de um veículo.
a running knot — um nó corredio.
running account — conta-corrente.
running hand — escrita cursiva.
running metre — metro linear.
running board (aut.) — estribo.
running sore — ferida em supuração.
a running bird — uma ave corredora.
to keep up a running fight — bater em retirada.
running title — título de página.
run-off [rʌn'ɔ:f], *s.* escoamento de águas; (desp.) prova final, corrida final.
run-up [rʌn'ʌp], *s.* bola rolada com vista a aproximar-se do objectivo (golfe); subida de rio (de salmão).
runway ['rʌnwei], *s.* pista (de aviões); leito (de rio); caminho para animais; canal; caminho para veículos com rodas.
rupee [ru:'pi:], *s.* rupia (moeda).
Rupert ['ru:pət], *n. p.* Ruperto.
rupestral [ru'pestrəl], *adj.* (bot.) rupestre.
rupestrine [ru'pestrain], *adj.* (bot.) ver **rupestral.**
rupture ['rʌptʃə], **1** — *s.* rompimento, ruptura; rotura; hérnia; discórdia; desinteligência.
a rupture of relations—uma quebra de relações.
rupture shot — projéctil de rotura.
2 — *vt.* e *vi.* fracturar; romper; quebrar; rebentar; abrir-se; romper-se; provocar hérnia em.
ruptured [-d], *adj.* roto; herniado.
to be ruptured — ter uma hérnia.
rupturewort [-wə:t], *s.* (bot.) herniária.
rupturing [-riŋ], *s.* ruptura, rotura.
rural ['ruərəl], *adj.* rural, campestre; agrícola.
rural police — **polícia rural.**
ruralism [-izm], *s.* ruralismo, vida rural.
rurality [ruə'ræliti], *s.* vida rural; carácter rural.
ruralization [ruərəl(a)i'zeiʃən], *s.* ruralização.
ruralize ['ruərəlaiz], *vt.* e *vi.* ruralizar; ir para o campo.
rurally ['ruərəli], *adv.* ruralmente; no campo.
ruse [ru:z], *s.* ardil, manha, astúcia; fraude. (*Sin.* wile, stratagem, trick, deceit.)
rush [rʌʃ], **1** — *s.* ímpeto, arremetida, investida; precipitação; jacto de vapor; pressa; fúria; correria, corrida, carreira precipitada; torrente; movimento; luta, briga; junco, caniço; ninharia; assalto; (com.) grande procura. (*Sin.* dash, run, sally, course.)
rush-mat — esteira de junco.
rush-bottomed — com assento de verga.
rush hours — horas de ponta; horas de maior movimento (do trânsito).
a rush of people — uma onda de gente.
it is not worth a rush (col.) — não vale um caracol.
a great rush of business — um grande movimento repentino de negócio.
there was a rush for seats — todos correram para apanhar lugar.
to be on the rush (col.) — andar numa lufa-lufa.
flowering rush — junco florido.
rush-work — trabalho urgente.
with a rush — subitamente.
rush order — encomenda urgente.
2 — *vt.* e *vi.* empurrar com violência; despachar com prontidão; activar; precipitar; acelerar; precipitar-se; lançar-se, arrojar-se; correr para; investir; (col.) pedir um preço

exageradamente alto; cobrir de junco; correr (rio); pôr palhinha numa cadeira.
to rush forward — arrojar-se para a frente.
to rush in — entrar de roldão.
to rush out — sair precipitadamente.
to rush in upon — surpreender.
to rush through — executar depressa; atravessar apressadamente.
to rush along — passar rapidamente.
he is always rushing along — anda sempre apressado.
to refuse to be rushed — recusar-se a fazer qualquer coisa apressadamente.
to rush to and fro — andar numa roda-viva.
to rush up the prices — fazer subir rapidamente os preços.
to rush somebody — explorar alguém.
his past life rushed into his memory — o seu passado veio-lhe rapidamente à memória.

rushed [-t], *adj.* feito à pressa; (cadeira) com o fundo de palhinha; coberto de junco.

rusher ['-ə], *s.* aquele que se precipita, que se arremessa; pessoa que não perde tempo.

rushing ['-iŋ], **1** — *s.* correria; ímpeto; carreira precipitada; arremetida.
the rushing of the waters falling over the rocks — o ímpeto das águas lançando-se sobre as rochas.
2 — *adj.* impetuoso; que arremete, que se precipita.

rushy ['-i], *adj.* cheio de junco; feito de junco.

rusk [rʌsk], *s.* rosca; pão torrado; biscoito.

Russ [rʌs], **1** — *s.* russo; natural da Rússia; língua russa.
2 — *adj.* russo.

russet ['rʌsit], **1** — *s.* cor castanho-avermelhada; tecido castanho-avermelhado de que antigamente eram feitos os fatos dos camponeses; couro avermelhado; maçã reineta.
2 — *adj.* castanho-avermelhado; rústico.

russety [-i], *adj.* castanho-avermelhado.

Russia ['rʌʃə], *top.* Rússia.
Russia (leather) — coiro da Rússia.

Russian [-n], **1** — *s.* russo (natural e língua).
2 — *adj.* russo.
Russian leather — coiro da Rússia.
Russian boots — botas de coiro (para mulheres).

Russianism [-nizm], *s.* russianismo.

Russianize [-naiz], *vt.* russianizar.

Russianizing [-iŋ], *s.* acção de russianizar.

Russification [rʌsifi'keiʃən], *s.* russificação.

Russify ['rʌsifai], *vt.* russificar.

Russophobe ['rʌsoufoub], *s.* e *adj.* russófobo.

Russophobia [rʌsou'foubiə], *s.* russofobia.

rust [rʌst], **1** — *s.* ferrugem; mofo; bolor; cascão; ranço; mangra; embotamento de espírito ou memória.
rust-coloured — cor de ferrugem.
rust-red — cor de ferrugem.
rust-proof — inoxidável.
rust-preventive paint — tinta contra a ferrugem.
rust-preventing — antiferruginoso.
to rub the rust off — tirar a ferrugem.
to gather rust — criar ferrugem.
2 — *vt.* e *vi.* enferrujar; embotar, enfraquecer o espírito ou a memória; fazer perder a sensibilidade; enferrujar-se; criar mofo; entorpecer; criar mangra.
better wear out than rust out — é preferível uma pessoa estafar-se a estiolar-se.

rustic ['rʌstik], **1** — *s.* campónio, rústico; (mil.) recruta. (*Sin.* peasant, countryman.)
once a rustic, always a rustic — quem nasce labrego, labrego há-de morrer.
2 — *adj.* rústico, rural, campestre, campesino; grosseiro, rude; simples; inculto. (*Sin.* coarse, rural, pastoral.)

rustically [-əli], *adv.* rusticamente.

rusticate ['rʌstikeit], *vt.* e *vi.* viver no campo; mandar para o campo; expulsar temporariamente da Universidade; tornar rústico.

rustication [rʌsti'keiʃən], *s.* vida campestre; expulsão temporária da Universidade.

rusticity [rʌs'tisiti], *s.* rusticidade, simplicidade rústica; rudeza, grosseria.

rustily ['rʌstili], *adv.* com ferrugem.

rustiness ['rʌstinis], *s.* estado ferrugento; rancidez; falta de uso; aparência de velho.

rusting ['rʌstiŋ], *s.* ferrugem; oxidação.

rustle [rʌsl], **1** — *s.* sussurro, murmúrio; (E. U.) pressa.
the rustle of the leaves in the wind — o rumorejar das folhas com o vento.
2 — *vt.* e *vi.* roubar gado; murmurar, sussurrar; rugir (a seda ou tecido semelhante); ressoar; rumorejar. (*Sin.* to whisper, to murmur.)

rustler ['rʌstlə], *s.* (E. U.); ladrão de gado.

rustless ['rʌstlis], *adj.* inoxidável; sem ferrugem.

rustling ['rʌstliŋ], **1** — *s.* sussurro, murmúrio; ruge-ruge (de seda ou tecido semelhante).
2 — *adj.* susurrante, que faz ruge-ruge.

rusty ['rʌsti], *adj.* ferrugento; rançoso; bolorento; amarelado; entorpecido por falta de prática ou de exercício; áspero; antiquado; bronco; cor de ferrugem.
to get rusty — enferrujar.
to turn rusty (to cut up rusty) — irritar-se.

rut [rʌt], **1** — *s.* sulco deixado pelas rodas de um carro; rotina; (E. U.) ruído (do mar).
to get into a rut — cair na rotina.
to get out of the rut — sair da rotina.
2 — *vt.* e *vi.* abrir sulcos com as rodas; estar com o cio (veado, etc.).

ruth [ru:θ], *s.* (arc.) compaixão, piedade.

Ruth [ru:θ], *n. p.* Rute.

Ruthene [ru'θi:n], *s.* e *adj.* ruteno (natural da Rutênia, referente aos rutenos).

Ruthenia [ru'θi:njə], *top.* Rutênia.

Ruthenian [-n], *s.* e *adj.* ruteno; rutênico; língua falada pelos rutenos.

ruthless ['ru:θlis], *adj.* cruel, implacável, desapiedado.

ruthlessly [-li], *adv.* implacavelmente, cruelmente, desapiedadamente.

ruthlessness [-nis], *s.* crueldade, falta de piedade.

rutilant ['ru:tilənt], *adj.* rutilante.

rutting ['rʌtiŋ], *s.* cio.
rutting season — época do cio.

ruttish ['rʌtiʃ], *adj.* libidinoso, lascivo.

rutty ['rʌti], *adj.* cheio de sulcos (de rodas).

rye [rai], *s.* centeio.
rye-bread — pão de centeio.
rye-straw — palha centeia.

ryot ['raiət], *s.* cultivador, lavrador (na Índia).

S

S, s [es], *(pl.* **S's, s's** ['esiz]*)*, S, s (décima nona letra do alfabeto inglês); curva ou objecto em forma de S. *s-sofa* — sofá em forma de S.
Saar [sɑ:], *top.* Sarre.
Saarbruck ['sɑ:bruk], *top.* Sarrebruque.
Saarlander ['sɑ:lændə], *s.* natural do Sarre.
sabaism ['seibeiizm], *s.* sabeísmo, adoração das estrelas.
Sabaoth [sæ'beiɔθ], *s. pl.* (bíbl.) exércitos, hostes.
Lord of Sabaoth—Senhor, Deus dos Exércitos.
Sabbatarian [sæbə'tɛəriən], *s.* sabatário; judeu que guarda o sábado; cristão que guarda o domingo com tanto rigor como os judeus guardam o sábado.
Sabbatarianism [-izm], *s.* sabatismo.
Sabbath ['sæbəθ], *s.* sábado (entre os judeus); domingo (entre os cristãos).
Sabbath day — sábado (entre os judeus); domingo (entre os cristãos).
a witches' Sabbath — sabat (de feiticeiras).
Sabbath-breaker — pessoa que não guarda o sétimo dia da semana.
to keep the Sabbath — guardar o sábado (entre os judeus); guardar o domingo (entre os cristãos).
to break the Sabbath — não guardar o sábado (entre os judeus); não guardar o domingo (entre os cristãos).
sabbatic [sə'bætik], *adj.* sabático.
sabbatic year — ano sabático.
sabbatical [-əl], *adj.* ver **sabbatic.**
sabbatically [-əli], *adv.* sabaticamente.
sabbatize ['sæbətaiz], *vt.* e *vi.* guardar o domingo (entre os cristãos); sabadejar.
Sabina [sæ'bainə], *n. p.* Sabina.
Sabine ['sæbain], *s.* e *adj.* sabino.
the rape of the Sabines — o rapto das Sabinas.
sable [seibl], **1** — *s.* (zool.) zibelina, marta-zibelina; pele de marta-zibelina; cor negra; *pl.* trajos de luto, crepes.
2 — *adj.* negro; tenebroso; fúnebre.
his sable Majesty — o Diabo.
sabled [-d], *adj.* de negro, de luto.
sably [-i], *adv.* lugubremente; sombriamente.
sabot ['sæbou], *s.* soco, tamanco; (mec.) sapata, perfuradeira.
sabotage ['sæbətɑ:ʒ], **1** — *s.* sabotagem.
acts of sabotage — actos de sabotagem.
2 — *vt.* sabotar.
sabre ['seibə], **1** — *s.* sabre; *pl.* soldados de cavalaria com as suas montadas.
sabre cut — golpe de sabre.
sabre-bayonet — sabre-baioneta.
2 — *vt.* acutilar com sabre.
sabred [-d], *adj.* armado com sabre.
sabretache ['sæbətæʃ], *s.* (mil.) boldrié, sacola usada antigamente pelos oficiais de cavalaria.
sabulous ['sæbjuləs], *adj.* sabuloso, arenoso; (med.) com cálculos (urina).
saburra [sæ'bʌrə], *s.* (med.) saburra.
saburral [-l], *adj.* (med.) saburral.
sac [sæk], *s.* (biol.) saco, bolsa, cavidade; saca; quisto; tumor.
saccate ['sækeit], *adj.* saciforme, em forma de saco.
saccharate ['sækərit], *s.* (quím.) sacarato.
saccharic [sæ'kærik], *adj.* (quím.) sacárico.
saccharic acid — ácido sacárico.
saccaharide ['sækərid], *s.* (quím.) sacárido.
sacchariferous [sækə'rifərəs], *adj.* sacarífero.
saccharifiable [sækəri'faiəbl], *adj.* (quím.) sacarificável.
saccharification [sækərifi'keiʃən], *s.* (quím.) sacarificação.
saccharify [sæ'kærifai], *vt.* (quím.) sacarificar.
saccharifying [-iŋ], *adj.* sacarificante.
saccharin ['sækərin], *s.* sacarina.
saccharine **1** — ['sækərain,'sækərin], *s.* sacarina.
2 — ['sækərain,'sækəri:n], *adj.* sacarino; que contém açúcar.
saccharization [sækərai'zeiʃən], *s.* ver **saccharification.**
saccharoid ['sækərɔid], *adj.* sacaróide.
saccharometer [sækə'rɔmitə], *s.* sacarómetro.
saccharose ['sækərous], *s.* (quím.) sacarose.
sacciform ['sæksifɔ:m], *adj.* saciforme.
saccular ['sækjulə], *adj.* saculiforme.
saccule ['sækju:l], *s.* (anat.) sáculo.
sacerdotal [sæsə'doutl], *adj.* sacerdotal.
sacerdotalism [sæsə'doutəlizm], *s.* sacerdotalismo.
sacerdotally [sæsə'doutəli], *adv.* sacerdotalmente.
sachem ['seitʃəm], *s.* sachém; chefe de tribo índia da América do Norte; (col.); manda-chuva.
sachet ['sæʃei], *s.* saquinho com substâncias aromáticas; perfume sólido para roupa.
sack [sæk], **1** — *s.* saco, saca; saque, pilhagem; variedade de vinho branco generoso; vestido ou casaco solto; cauda de vestido de senhora indo dos ombros até ao chão; (col.) acção de despedir (de emprego).
to get the sack (col.) — ser despedido.
sack-race — corrida de sacos.
to give somebody the sack (col.) — despedir alguém.
Sherry sack — vinho de Xerez.
to put a town to sack — pôr uma cidade a saque.
to hit the sack (cal.) — ir para a cama.
2 — *vt.* ensacar; saquear; (col.) despedir.
sackcloth ['-klɔθ], *s.* serapilheira, linhagem.
sackful ['-ful], *s.* sacada, saco cheio.
sacking ['-iŋ], *s.* ensacamento; saque; serapilheira; (col.) despedimento.
sacral ['seikrəl], *adj.* sacral, ritual; (anat.) sacro, referente ao osso sacro.
sacrament ['sækrəmənt], **1** — *s.* sacramento; símbolo sagrado; juramento solene.
the sacrament of matrimony — o sacramento do matrimónio.
the (Holy, Blessed) Sacrament — a Eucaristia.
to receive the sacrament (to partake of the sacrament) — comungar.
to give the last sacraments to — dar os últimos sacramentos a.
2 — *vt.* ajuramentar.
sacramental [sækrə'mentl], **1** — *s.* sacramental.
the sacramentals — os sacramentais.
2 — *adj.* sacramental.
sacramentalism [sækrə'mentəlizm], *s.* sacramentalismo.
sacramentalist [sækrə'mentəlist], *s.* sacramentalista.
sacramentality [sækrəmen'tæliti], *s.* sacramentalidade.

sacramentally [sækrə'mentəli], *adv.* sacramentalmente.
sacramentarian [sækrəmen'tɛəriən], *s.* sacramentário.
sacramentary [sækrə'mentəri], *s.* ver **sacramentarian.**
Sacramento [sækrə'mentou], *top.* Sacramento.
sacrarium [sæ'krɛəriəm], *s.* (*pl.* **sacraria**) sacrário (de igreja); pia baptismal.
sacred ['seikrid], *adj.* sagrado, santo; inviolável; solene.
sacred music — música sacra.
sacred history — história sagrada.
sacred cancert — concerto de música sacra.
sacred promise — promessa sagrada; promessa
sacred promise — promessa sagrada, promessa solene.
Sacred College — Sacro Colégio.
sacred to — consagrado a.
sacredly [-li], *adv.* sagradamente; inviolavelmente.
sacredness [-nis], *s.* santidade; inviolabilidade.
sacrifice ['sækrifais], **1** — *s.* sacrifício; holocausto; vítima; venda com prejuízo; abandono.
to make sacrifices — fazer sacrifícios.
an act of self-sacrifice — um acto de abnegação.
the Sacrifice of the Mass — o sacrifício da missa.
to make sacrifices to — fazer sacrifícios a.
to do something as a sacrifice — fazer uma coisa como sacrifício; fazer o sacrifício de uma coisa.
the last sacrifice — o último sacrifício, a morte.
sacrifice prices (com.) — preços de venda com prejuízo.
to sell at a sacrifice — vender com prejuízo.
2 — *vt.* e *vi.* sacrificar; fazer o sacrifício de; imolar; renunciar voluntariamente a; oferecer sacrifícios; (com.) vender com prejuízo.
to sacrifice one's life — sacrificar a sua vida.
to sacrifice to the gods — sacrificar aos deuses.
sacrificer [-ə], *s.* aquele que sacrifica; imolador.
sacrificial [sækri'fiʃəl], *adj.* sacrificial; sacrifical; (com.) com prejuízo.
sacrificing ['sækrifaisiŋ], *s.* acção de sacrificar; sacrifício.
sacrilege ['sækrilidʒ], *s.* sacrilégio.
sacrilegious [sækri'lidʒəs], *adj.* sacrílego.
sacrilegiously [-li], *adv.* sacrilegamente.
sacrilegist [sækri'li:dʒist], *s.* pessoa que comete um sacrilégio.
sacring ['seikriŋ], *s.* (arc.) consagração (na missa); sagração; elevação (da hóstia ou do cálice na missa).
sacring-bell — campainha que é tocada à elevação da hóstia na missa.
sacrist ['seikrist], *s.* sacristão.
sacristan ['sækristən], *s.* ver **sacrist.**
sacristine ['sækristin], *s. fem.* sacristã.
sacristy ['sækristi], *s.* sacristia.
sacro-femoral [seikrou'femərəl], *adj.* (anat.) sacrofemoral.
sacroiliac [seikrou'iliæk], *adj.* (anat.) sacroilíaco.
sacro-lumbal [seikrou'lʌmbəl], *adj.* (anat.) sacrolombar.
sacrosanct ['sækrousæŋkt], *adj.* sacrossanto.
sacro-vertebral [seikrou'və:tibrəl], *adj.* (anat.) sacrovertebral.
sacrum ['seikrəm], *s.* (anat.) sacro.
sad [sæd], *adj.* triste; melancólico; pensativo, abatido; sombrio; escuro; calamitoso; desagradável (tempo); sério; vergonhoso; mal cozido (pão, bolo, etc.). (*Sin.* sorrowful, mournful, downcast, grievous, serious. *Ant.* happy, good.)
a sad dog — um vadio, um malvado.
in sad earnest — muito seriamente.
to come to a sad end — ter um fim triste.
a sad slut — uma desmazelada.
sadden [sædn], *vt.* e *vi.* entristecer; contristar; entristecer-se, escurecer.
saddening [-iŋ], *adj.* que entristece, que faz entristecer.
saddle [sædl], **1** — *s.* sela, selim; lombo (de animal) onde geralmente se põe a sela; descanso; (náut.) cunho.
saddle-girth — cilha.
saddle-bow — arção.
saddle-horse — cavalo de sela.
saddle-cloth — xairel, teliz.
saddle-bag — alforge.
saddle roof — telhado de duas águas.
saddle-tree — armação da sela; (bot.) tupileiro.
saddle of the bowsprit — trempe do gurupés.
saddle blanket — manta da sela.
saddle key — chave côncava.
saddle-pin — suporte do selim (de bicicleta).
pack saddle — albarda.
saddle of mutton — lombo de carneiro.
in the saddle — a cavalo; em posição de comando.
hunting saddle — sela inglesa.
saddle-shaped — em forma de sela.
saddle gall — matadura.
hussar saddle — sela de cavalaria ligeira.
to put the saddle on the right horse (col.) — censurar uma pessoa com razão.
to put the saddle on the wrong horse (col.) — acusar um inocente.
to rise in the saddle — levantar-se nos estribos.
2 — *vt.* selar; albardar; sobrecarregar (alguém); dar uma grande responsabilidade a alguém.
to saddle somebody with — sobrecarregar alguém com.
to saddle oneself with — tomar o encargo de.
saddleback ['-bæk], **1** — *s.* colina em forma de sela; gaivota de costas pretas; larva de uma espécie de traça; telhado de duas águas.
2 — *adj.* ver **saddlebacked.**
saddlebacked ['-bækt], *adj.* de dorso curvo; em forma de sela (colina); com sela (cavalo).
saddler ['-ə], *s.* seleiro, albardeiro.
saddlery ['-əri], *s.* selaria, ofício de seleiro; sela, arreios, etc. duma montada.
Sadducean [sædju'si:ən], *adj.* saduceu.
Sadducee ['sædjusi:] *s.* saduceu.
Sadduceeism [-izm], *s.* saduceísmo.
sadism ['sædizm, 'seidizm], *s.* sadismo.
sadist ['sædist, 'seidist], *s.* sádico.
sadistic [sæ'distik], *adj.* sádico.
sadly ['sædli], *adv.* tristemente, lastimosamente; mal.
sadness ['sædnis], *s.* tristeza, pesar, melancolia, abatimento.
safari [sə'fɑ:ri], *s.* safari, caravana de caçadores (em África).
safe [seif], **1** — *s.* cofre; guarda-comida.
steel safe — cofre forte.
safe-blower (E. U.) — arrombador de cofres.
2 — *adj.* seguro, salvo, livre de perigo; sem contratempo; ileso; intacto; guardado; digno de confiança; são; certo. (*Sin.* secure, unharmed, reliable, sure. *Ant.* exposed, dangerous.)
to err on the safe side — proceder com cautela.
safe and sound — são e salvo.
safe conduct — salvo-conduto.
safe-keeping — guarda; segurança, protecção.
a safe place — um lugar seguro.
a safe man — um homem seguro.
with a safe conscience — com a consciência tranquila.
a safe arrival — uma chegada feliz.

safe deposit — cofre de aluguer (nas casas fortes dos Bancos).
it is safe to say — pode dizer-se em boa verdade e sem exagero.
the patient is safe — o doente está livre de perigo.
safe from — livre de; a salvo de.
to play safe — jogar pelo seguro.
that animal is not safe — aquele animal não é de confiança; aquele animal não é seguro.
safeguard ['seifgɑ:d], **1**—*s.* salvaguarda, protecção; passaporte; carta de segurança; guarda.
2 — *vt.* salvaguardar, proteger.
safeguarder [-ə], *s.* protector; defensor.
safeguarding [-iŋ], *s.* protecção; salvaguarda; defesa.
safely ['seifli], *adv.* seguramente; sem perigo.
safeness ['seifnis], *s.* segurança; firmeza.
safety ['seifti], *s.* segurança, salvamento; lugar seguro; isenção de dano; abrigo.
in safety — a salvo.
to keep in safety — ter em lugar seguro.
safety-belt — cinto de salvação.
safety-pin — alfinete de segurança.
safety-match — fósforo amorfo.
safety first! — cautela acima de tudo!
safety-curtain — pano de ferro (no teatro).
safety-valve — válvula de segurança.
safety factor — coeficiente de segurança.
safety glass — vidro inquebrável.
safety hook — gancho de segurança.
safety fuse (elect.) — fusível de segurança.
safety net — rede protectora.
the public safety — a segurança pública.
safety spring — mola de segurança.
safety measures — medidas de segurança.
safety switch — interruptor de segurança.
safety-razor — máquina de barbear; «gilette».
safflower ['sæflauə], *s.* (bot.) açafroa.
saffron ['sæfrən], **1** — *s.* açafrão; cor de açafrão.
bastard saffron (mock saffron) — açafroa.
saffron flower — flor de açafrão.
2 — *adj.* da cor de açafrão.
3 — *vt.* condimentar com açafrão.
sag [sæg], **1** — *s.* inclinação, dobra, curva; descaída; (náut.) descaimento para sotavento; (com.) quebra de preço.
2 — *vt.* e *vi.* (*pret.* e *pp.* **sagged**) vergar, curvar; pender, estar pendente; dar de si; ameaçar; sucumbir; garrar; descair do rumo; contra-alquebrar; descair para sotavento; (com.) baixar (preço).
saga ['sɑ:gə], *s.* saga; conto lendário da antiga literatura escandinava.
sagacious [sə'geiʃəs], *adj.* sagaz, esperto, perspicaz; penetrante; ajuizado. (*Sin.* wise, keen, shrewd, judicious. *Ant.* stupid.)
sagaciously [-li], *adv.* sagazmente, perspicazmente.
sagaciousness [-nis], *s.* sagacidade, perspicácia.
sagacity [sə'gæsiti], *s.* ver **sagaciousness.**
sage [seidʒ], **1** — *s.* sábio; filósofo; (bot.) salva.
sage royal (bot.) — salva dos jardins.
wood sage (bot.) — salva brava.
sage tea — infusão de salva.
the Eastern Sages — os três Reis Magos.
the Seven Sages — os Sete Sábios.
2 — *adj.* prudente, discreto, ajuizado, grave.
sagely ['-li], *adv.* prudentemente, discretamente; sabiamente.
sageness ['-nis], *s.* sabedoria; gravidade, prudência.
sagging ['sægiŋ], **1** — *s.* curvatura; descida (de preço); (náut.) (o) cair a sotavento.
2 — *adj.* curvo; solto; (com.) a descer (preço) (náut.) descaído a sotavento.

Sagitta [sə'gitə], *s.* (astr.) Seta ou Flecha (constelação); Sagitário.
sagittaria [sædʒi'tɛəriə], *s.* (bot.) sagitária.
Sagittarius [sædʒi'tɛəriəs], *s.* (astr.) Sagitário, constelação zodiacal; nono signo do Zodíaco.
sagittate ['sædʒiteit], *adj.* sagitado.
sagittated [-id] *adj.* ver **sagittate.**
sago ['seigou], *s.* sagu.
sago-palm — sagueiro.
sagoin [sə'gɔin], *s.* (zool.) saguim.
Saguntine [sæ'gʌntain], *s.* e *adj.* saguntino, de Sagunto.
Saguntum [sæ'gʌntəm], *top.* Sagunto.
Sahara [sə'hɑ:rə], *top.* Sara.
Saharan [-n], *adj.* sariano.
Saharian [sə'hɑ:riən], *adj.* ver **Saharan.**
Saharic [sə'hɑ:rik], *adj.* sariano.
said [sed], *pret.* e *pp.* do verbo **to say.**
Saigon [sai'gɔn], *top.* Saigão.
sail [seil], **1** — *s.* vela (de barco); vela (de moinho); navio; excursão de barco; (poét.) asa; *pl.* velame.
to set sail — desfraldar as velas; partir (barco).
to get under sail (to make sail) — fazer-se de vela.
to strike sail — arriar a vela.
to take in sail (col.) — moderar as ambições.
to take the wind out of one's sails (col.) — cortar as vazas a alguém; frustrar os intentos a alguém.
to make more sail — largar mais pano.
to go for a sail — fazer uma excursão de barco.
to put the wind in somebody's sails (col.) — ajudar alguém a avançar rapidamente.
to shorten sail — encolher a vela.
to hoist a sail — içar uma vela.
to set up one's sail to every wind (col.) — adaptar-se às circunstâncias.
it's three day's sail — são três dias de viagem de barco.
to trim the sails — marear as velas.
there isn't a sail in sight — não há nem um navio à vista.
sail-arm — asa de moinho.
sail-maker — veleiro; fabricante de velame.
sail-making — arte de fazer velas.
sail-needle — agulha para coser velas.
sail twine — fio de vela.
in full sail — de velas enfunadas.
fore-mast sail — papa-figo pequeno.
mizzen-top sail — vela da gata.
lug-sail — vela ao terço.
main-top sail — vela da gávea grande.
mizzen sail — vela do mastro de mezena.
main-top gallant sail — vela do joanete grande.
lateen sail — vela latina.
head sails — velas da proa.
upper sails — velas altas.
stay-sail — vela de estai.
spare-sails — velas de respeito.
under sail — de vela; sob vela.
up sails! — iça o pano!
sail ho! — navio à vista!
sail-boat — veleiro, barco à vela.
sail-cloth — lona.
sail room — paiol das velas.
after sails — velas de popa.
fore-sail — vela do traquete.
main-sail — vela mestra.
2 — *vt.* e *vi.* fazer-se de vela; velejar; navegar; sair (navio); singrar; sair para o mar; vogar; partir; ir embarcado; deslizar; passar; dirigir um navio; caminhar vaidosamente (mulher).
to sail down — descer (um rio, uma corrente, etc.).
to sail away — partir a todo o pano.

to sail before the wind — navegar com vento de popa.
to sail fine (náut.) — ir a cavalo no vento.
to sail in the wind's eye — navegar contra o vento.
to sail up — subir (corrente, rio, etc.).
to sail with the wind abeam — navegar com o vento de través.
to sail about (náut.) — sulcar, cruzar.
to sail into harbour — entrar no porto.
to sail near the wind (to sail close to the wind)— navegar à bolina cerrada; (fig.) iniciar uma coisa enérgica e confiadamente.
sailed [-d], *adj.* com vela.
full-sailed — a todo o pano.
sailer ['-ə], *s.* navio veleiro.
sailing ['-iŋ], **1** — *s.* navegação; marcha do navio; andamento (do navio); acção de levantar ferro.
sailing-match — regata à vela.
sailing-date — data de saída (de navio).
sailing-ice — gelo flutuante através do qual um navio pode navegar.
sailing list — lista das partidas.
sailing by observation — navegação astronómica.
sailing trim — mareação.
sailing direction — rota.
sailing directions — instruções para a rota a seguir.
plane sailing — navegação loxodrómica.
it is plain sailing (col.) — é coisa fácil de fazer.
2 — *adj.* que navega, veleiro.
sailor ['-ə] *s.* marinheiro; navegador.
sailor hat — chapéu à maruja.
freshwater sailor — marinheiro de água doce.
fast sailor — navio de bom andamento.
sailor's chest — mochila de marinheiro (marinha de guerra).
sailor-fish — peixe-espada.
sailor-suit — fato à marinheiro (para criança).
sailor-man (col.) — marinheiro.
a sailor's blessing — uma praga.
to be a bad sailor — ser mau marinheiro; enjoar com facilidade.
to be a good sailor — ser bom marinheiro; não enjoar a bordo.
not to be much of a sailor — não ser bom marinheiro; enjoar a bordo.
sailoring ['-əriŋ], *s.* marinhagem.
to go sailoring (col.) — fazer-se marinheiro.
sailorly ['-əli], *adj.* próprio de marinheiro.
sailsman ['-zmən], *s.* capitão de veleiro.
sainfoin ['sænfɔin], *s.* (bot.) sanfeno.
saint [seint], **1** — *s.* e *adj.* santo, santa; canonizado; sagrado (*abrev.* **St., S.,** *pl.* **Sts., Ss.**).
St. Anthony's fire — erisipela.
St. Elmo's fire — fogo-de-santelmo.
St. Vitus dance — coreia.
to try the patience of a saint — abusar da paciência de um santo.
patron saint — santo padroeiro.
All Saints' day — dia de Todos os Santos.
St. Bernard dog — cão são-bernardo.
St. Martin's summer — Verão de S. Martinho.
St. Paul's — a catedral de S. Paulo (em Londres).
calendar of Saints — calendário eclesiástico.
St. Thomas's — o hospital de S. Tomás (em Londres).
St. Peter's — a basílica de S. Pedro (em Roma).
St. Peter's chair — a cadeira de S. Pedro; o papado.
the Communion of Saints — a comunhão dos santos.
2 — *vt.* canonizar; santificar; sagrar.

sainted ['-id], *adj.* santo, canonizado; sagrado; virtuoso.
my sainted aunt! (col.) — meu Deus!
sainthood ['-hud], *s.* santidade; conjunto dos santos.
saintliness ['-linis], *s.* santidade.
saintling ['-liŋ], *s.* (joc.) pequeno santo.
saintly ['-li], *adj.* santo, de santo.
saith [seθ], (arc.) *3.ª pes. sing. pres. ind.* de **to say.**
sake [seik], *s.* causa, motivo; fim; amor, respeito, atenção.
for God's sake — pelo amor de Deus.
for your sake — por causa de ti; por quem és.
for justice's sake — por amor da justiça.
for the sake of appearances — para salvar as aparências.
for pity's sake — por piedade.
for mercy's sake — por misericórdia.
for goodness' sake — por amor de Deus.
art for art's sake — arte pela arte.
for my sake — em atenção a mim; por mim.
saker ['-ə], *s.* (zool.) sacre (espécie de falcão).
sakeret ['seikərit], *s.* (zool.) sacre-macho.
sal [sæl], *s.* (quím.) sal; (bot.) nome de árvore indiana.
sal volatile — sal volátil, carbonato de amónio.
sal ammoniac — sal amoníaco.
sal soda — sal soda.
Sal [sæl], *n. p. abrev.* de **Sally.**
salaam [sə'lɑ:m], **1** — *s.* saudação muçulmana ou indiana; salamaleque.
2 — *vt.* e *vi.* saudar com grande reverência; fazer salamaleques.
salability [seilə'biliti], *s.* vendabilidade.
salable ['seiləbl], *adj.* vendível.
salable price — preço vendível.
salacious [sə'leiʃəs], *adj.* salaz, impuro; devasso.
salaciously [-li], *adv.* impuramente; devassamente.
salaciousness [-nis], *s.* salacidade; libertinagem.
salacity [sə'læsiti], *s.* ver **salaciousness.**
salad ['sæləd], *s.* salada.
salad-bowl — saladeira.
salad-dressing — molho para salada.
to dress salad — temperar salada.
salad-days — época da inexperiência juvenil.
to mix the salad — mexer a salada.
salad oil — azeite de mesa.
Russian salad — salada russa.
lobster salad — salada de lagosta.
fruit salad — salada de frutas.
Saladin ['sælədin], *n. p.* Saladino.
Salamanca [sælə'mæŋkə], *top.* Salamanca.
salamander ['sæləmændə], *s.* salamandra; espíritos do fogo; pessoa que aguenta muito calor.
salamander-stove — salamandra; fogão de aquecimento.
salamandrine [sælə'mændrin], *adj.* salamandrino, referente a salamandra.
Salamis ['sæləmis], *top.* Salamina.
salaried ['sælərid], *adj.* assalariado.
salary ['sæləri], **1** — *s.* salário; vencimento, ordenado.
to draw a fixed salary — receber um ordenado fixo.
salary no object — não se faz questão de salário.
2 — *vt.* pagar salário a, pagar ordenado a.
sale [seil], *s.* venda; liquidação; leilão.
sale by auction — venda em leilão.
cheap sale — liquidação.
for sale (on sale) — à venda; vende-se.
to meet with a good sale — ter boa venda.
bill of sale — contrato de venda.
sale of work — venda de artigos feitos para estabelecimentos de beneficência.

to put up for sale — pôr à venda.
to advertise for sale — anunciar a venda.
clearance sale — venda para liquidação.
chance sale — venda de ocasião.
sale warrant — mandado de venda.
winter sales — saldos de Inverno.
sales check — talão de vendas.
sale's note — nota de venda.
sale to the highest bidder — venda em leilão.
sale goods — artigos de saldo.
cash sale — venda a dinheiro.
sales department — secção de vendas.
credit sale — venda a crédito.
sales tax — imposto para as vendas.
exclusive right of sale — direito exclusivo de venda.

saleable ['seiləbl], *adj.* ver **salable.**
saleableness [-nis], *s.* ver **salability.**
Salem ['seilem], *s.* templo dos não-conformistas.
Salerno [sæ'lə:nou], *top.* Salerno.
salesman ['seilzmən], *s.* vendedor; caixeiro--viajante.
salesmanship [-ʃip], *s.* arte de vender.
saleswoman ['seilzwumən], *s. fem.* vendedeira.
Salian ['seiljən], *s.* e *adj.* sálio.
Salic ['sælik], *adj.* sálico.
the Salic law — a lei sálica.
salicyl ['sælisil], *s.* (quím.) salicilo.
salicylate 1 — [sə'lisilit], *s.* (quím.) salicilato.
2 — [sə'lisileit], *vt.* (quím.) salicilar.
salicylic [sæli'silik], *adj.* (quím.) salicílico.
salicylic acid — ácido salicílico.
salience ['seiliəns], *s.* saliência; projecção, importância.
saliency [-i], *s.* projecção, importância, realce.
to give saliency to — realçar.
salient ['seiljənt], **1** — *s.* ângulo saliente (em fortificação).
2 — *adj.* saliente; notável; que salta; (água) que jorra.
salient pole (elect.) — pólo saliente (de *dínamo*).
salient features — características mais importantes.
saliently [-li], *adv.* salientemente; de modo notável.
saliferous [sæ'lifərəs], *adj.* (geol.) salífero.
salifiable ['sælifaiəbl], *adj.* (quím.) salificável.
salification [sælifi'keiʃən], *s.* salificação.
salify ['sælifai], *vt.* salificar.
salina [sə'lainə], *s.* salina, marinha.
saline 1 — ['sælain], *s.* (med.) purgante salino.
2 — [sə'lain], *s.* ver **salina.**
3 — ['seilain, 'sælain, sə'lain], *adj.* salino; salgado.
salinity [sə'liniti], *s.* salinidade.
salinometer [sæli'nɔmitə], *s.* salinómetro.
Salisbury ['sɔ:lzbəri], *top.* Salisbúria.
saliva [sə'laivə], *s.* saliva.
salival [-l], *adj.* salival.
salivary ['sælivəri, sə'laivəri], *adj.* salivar.
salivary glands — glândulas salivares.
salivate ['sæliveit], *vt.* e *vi.* produzir a salivação; salivar.
salivation [sæli'veiʃən], *s.* salivação.
sallow ['sælou], **1** — *s.* variedade de salgueiro; cor lívida.
2 — *adj.* macilento, pálido, descorado, lívido. (*Sin.* yellow, pale, sickly, yellowish. *Ant.* ruddy.)
3 — *vt.* e *vi.* empalidecer, ficar lívido; dar uma cor amarelada a.
sallowness [-nis], *s.* lividez, cor macilenta, palidez.
sally ['sæli], **1** — *s.* saída; arrancada; excursão; ataque, investida; dito de espírito; variedade de salgueiro.
a sally of wit — um dito de espírito.
2 — *vt.* e *vi.* sair; fazer uma sortida; investir, atacar; partir para uma viagem; jorrar.
to sally out (to sally forth) — empreender uma viagem, pôr-se a caminho.
Sally ['sæli], *n. p. dim.* de **Sarah.**
salmagundi [sælmə'gʌndi], *s.* prato de carne picada com anchovas, ovos, cebola, etc.; salgalhada.
salmi ['sælmi(:)], *s.* guisado principalmente de aves de caça.
salmon ['sæmən], **1** — *s.* salmão; cor de salmão.
salmon colour — da cor de salmão.
salmon trout — truta assalmoada.
salmon steak — posta de salmão frita.
salmon-ladder (salmon-stair) — espécie de degraus para o salmão poder subir um rio.
salmon-peel — salmão novo.
young salmon — salmonete.
2 — *adj.* da cor de salmão.
Salome [sə'loumi], *n. p.* Salomé.
Salomonian [səlou'mouniən], *adj.* salomónico, referente a Salomão.
Salomonic [sælou'mɔnik], *adj.* ver **Salomonian.**
salon ['sælɔ̃:ŋ], *s.* salão de exposições.
Salonika [sə'lɔnikə], *top.* Salonica.
saloon [sə'lu:n], *s.* salão, sala grande; câmara principal de vapor; (cam. fer.) carruagem--salão; automóvel coberto; (E. U.) bar, lugar onde se podem beber bebidas alcoólicas.
saloon-car (saloon-carriage) — carruagem de luxo (de comboio).
saloon-steamer — vapor de luxo.
saloon-passenger (náut.) — passageiro de primeira classe.
saloon deck (náut.) — coberta reservada a passageiros de primeira classe.
dancing-saloon — salão de baile.
billiard-saloon — sala de bilhar.
dining-saloon (cam. fer.) — carruagem-restaurante.
saloon bar — sala em hospedaria onde se podem beber bebidas alcoólicas.
shooting saloon — barraca de tiro ao alvo.
shaving-saloon (E. U.) — barbearia.
salpingitis [sælpin'dʒaitis], *s.* inflamação da trompa de Falópio.
salpinx ['sælpiŋks], *s.* (*pl.* **salpinges**) (anat.) salpinge, trompa uterina.
salt [sɔ(:)lt], **1** — *s.* sal; gosto, sabor; graça, finura de espírito; lobo-do-mar; tabuleiro de salina; *pl.* sais voláteis; avanço anormal da água do mar pelo rio acima.
sea-salt — sal marinho.
common salt — sal comum.
table salt — sal refinado.
salt-cellar — saleiro.
salt bath — banho salino.
salt marsh — marinha.
salt free — sem sal.
salt-mine — mina de sal; salina.
salt-pan — salina.
salt-pit — mina de sal.
salt-gauge — halómetro.
salt of lemon — sal oxálico.
salt of soda — carbonato de sódio.
kitchen salt — sal da cozinha.
salt rheum — eczema.
salt spoon — colher para sal.
rock-salt — sal-gema.
salt-water fish — peixe de água salgada.
Epsom salt — sulfato de magnésio.
Attic salt — graça; espírito.
spirit(s) of salt — ácido clorídrico.
white salt — sal refinado.

smelling salts — sais para cheirar.
to share somebody's bread and salt — compartilhar da mesa de alguém.
not to be worth one's salt — não valer o pão que come.
the salt of the earth — as almas de eleição; o sal da terra.
to sit above the salt — estar sentado à cabeceira da mesa.
to sit below the salt — estar sentado ao fundo da mesa.
to be true to one's salt — ser fiel aos superiores.
not to be made of salt — não ter medo à chuva.
2 — *adj.* salgado; picante; pungente; caro; indecente; (bot.) que cresce no mar ou em terrenos salinos.
to weep salt tears — chorar lágrimas amargas.
a salt story — uma história indecente, picante.
3 — *vt.* salgar; temperar com sal; curar com sal; (com.) vender a preços muito elevados; falsificar (escrita) apresentando receitas que não existiram realmente.
to salt an account (col.) — salgar uma conta.
to salt down cod — salgar bacalhau.

saltation [sæl'teiʃən], *s.* salto; dança; (biol.) mutação.

saltatorial [sæltə'tɔ:riəl], *adj.* saltador, saltante; referente a saltos.

saltatory ['sæltətəri], *adj.* ver **saltatorial.**

salted ['sɔ:ltid], *adj.* salgado; temperado com sal; conservado em sal; (col.) esperto, experimentado; imunizado contra doença contagiosa (animal).

salter ['sɔ:ltə], *s.* salgador; salineiro.

saltern ['sɔ:ltən], *s.* salina, marinha.

salting ['sɔ:ltiŋ], *s.* salgadura; acção de salgar; imunização (de animal); falsificação (de escrita); *pl.* terrenos com sal.
salting-tub — salgadeira.

saltish ['sɔ:ltiʃ], *adj.* um tanto salgado.

saltishness [-nis], *s.* gosto salgado.

saltless ['sɔ:ltlis], *adj.* sem sal, insonso; insípido; sem graça.

saltness ['sɔ:ltnis], *s.* salinidade; quantidade de sal; salsugem.

saltpetre ['sɔ:lpi:tə], *s.* salitre; azotato de potássio.
Chili saltpetre — nitrato do Chile.
saltpetre bed — nitreira.

salty ['sɔ:lti], *adj.* salgado; picante; indecente; com graça.

salubrious [sə'lu:briəs], *adj.* salubre, saudável. (*Sin.* wholesome, healthy, healthful, pure. *Ant.* unhealthy.)

salubriously [-li], *adv.* salubremente, saudavelmente.

salubriousness [-nis], *s.* salubridade.

salubrity [sə'lu:briti], *s.* ver **salubriousness.**

salutary ['sæljutəri], *adj.* salutar.

salutation [sælju(:)'teiʃən], *s.* saudação.
to raise one's hat in salutation — tirar o chapéu em cumprimento.

salutatory [sə'lju:tətəri], *adj.* de saudação.

salute [sə'l(j)u:t], 1 — *s.* saudação, cumprimento; (mil.) salva.
to fire a salute — dar uma salva (de tiros).
a salute of 21 guns was fired — deram uma salva de 21 tiros.
to take the salute — receber a continência.
answering salute — retribuição de cumprimento.
to stand at the salute — estar em posição de continência.
to take the salute of the troops — passar revista às tropas.
to acknowledge a salute — corresponder a uma saudação.
2 — *vt.* e *vi.* saudar, cumprimentar; (mil.) salvar, dar salvas; receber, acolher; impressionar (vista, ouvido).
that salutes the eye — isso salta aos olhos.
to salute with a kiss — cumprimentar com um beijo.

saluter [-ə], *s.* pessoa que cumprimenta.

saluting [-iŋ], *s.* saudação; acção de saudar.
saluting of the colours — saudação à bandeira.

salvability [sælvə'biliti], *s.* possibilidades de salvação.

salvable ['sælvəbl], *adj.* que pode salvar-se.

salvableness [-nis], *s.* ver **salvability.**

salvage ['sælvidʒ], 1 — *s.* salvados (restos de um navio naufragado ou de um incêndio); despesas de salvamento; salvamento; recuperação (de coisas).
salvage money — direitos sobre os salvados.
salvage loss — entrega dos salvados ao segurador.
salvage agreement (salvage bond) — contrato de salvamento.
2 — *vt.* salvar (de naufrágio, incêndio, etc.).

salvager [-ə], *s.* aquele que salva mercadorias (de naufrágio, incêndio, etc.).

salvaging [-iŋ], *s.* salvamento; recuperação.

salvation [sæl'veiʃən], *s.* salvação; segurança.
Salvation Army — Exército de Salvação.
there is no hope of salvation — não há esperança de salvação.

salvationism [sæl'veiʃnizm], *s.* salvacionismo, os princípios dos membros do exército da salvação.

salvationist [sæl'veiʃnist], *s.* salvacionista, membro do exército de salvação.

salve [sɑ:v, sælv], 1 — *s.* unguento, pomada; emplastro; calmante.
2 — *vt.* aplicar unguento, pomada ou emplastro; acalmar; aliviar.

salve [sælv], *vt.* ver **salvage.**

Salve ['sælvi], *s.* salve-rainha.

salver ['sælvə], *s.* salva, bandeja; perito de salvamentos, salvador.
silver salver — salva de prata.

salving ['sælviŋ], *s.* salvamento.

salvo ['sælvou], 1 — *s.* (*pl.* **salvos, salvoes**) salva (de palmas, de artilharia).
a salvo of applause — uma salva de palmas.
2 — *s.* (*pl.* **salvos**) restrição mental, excepção; subterfúgio.

salvor ['sælvə] *s.* salvador (dos restos de um navio naufragado, dos restos de um incêndio, etc.).

Salzburg ['sæltsbə:g], *top.* Salzburgo.

Sam [sæm], *n. p. dim.* de **Samuel.**
upon my Sam — palavra de honra.
uncle Sam — os Estados Unidos; o povo americano.

Samaria [sə'mɛəriə], *top.* (bíbl.) Samaria.

Samaritan [sə'mæritn], *s.* e *adj.* samaritano.
the good Samaritan — o bom samaritano.

Samarkand ['sæməkænd], *top.* Samarcanda.

sambo ['sæmbou], *s.* (*pl.* **sambos, samboes**) zambo, mulato; negro.

sambuca [sæm'bju:kə], *s.* (mús.) sambuca.

same [seim], *adj.* e *pron.* mesmo; idêntico; inalterável; monótono; já mencionado; a mesma coisa; o mesmo.
at the same time — ao mesmo tempo; contudo.
the very same man — o próprio homem.
it is not the same thing — não é a mesma coisa.
it comes to the same thing — isso vem a dar no mesmo.
the same old thing — sempre a mesma coisa.
in the same way — do mesmo modo.
one and the same thing — absolutamente o mesmo.

all the same — ainda assim, **apesar** disso; tanto faz.
it's just the same to me — **tanto me faz; é-me** indiferente.
if it is the same to you — se te **é indiferente.**
much the same — quase o mesmo.
the same (good wishes) to you — igualmente.
I am the same as ever — sou sempre o mesmo.
my life is a little same — a minha vida é um tanto monótona.
please return same by return of post — é favor devolver isto na volta do correio.

samel [sæml], *adj.* mal cozido (tijolo, ladrilho).
sameliness ['seimlinis], *s.* (col.) monotonia.
sameness ['seimnis], *s.* monotonia; identidade, semelhança.
samlet ['sæmlit], *s.* salmonete.
Sammy ['sæmi], *n. p. dim.* de **Samuel.**
Samothrace ['sæmouθreis], *top.* Samotrácia.
Samothracian [sæmou'θreiʃjən], *s.* e *adj.* samotrácio.
samovar [sæmou'vɑ:], *s.* samovar.
sampan ['sæmpæn], *s.* sampana, pequena embarcação (China, Japão).
samphire ['sæmfaiə], *s.* (bot.) perrexil; salicórnia.
sample [sɑ:mpl], **1** — *s.* amostra; prova; espécime; modelo.
set of samples — colecção de amostras, mostruário.
to draw a sample of — tirar amostra de.
by sample — por amostra.
sample post — amostra sem valor.
if that is a fair sample of his conduct... — se isso é uma amostra clara do seu procedimento...
representative sample — amostra-tipo.
sample card — cartão de amostra.
2 — *vt.* dar amostra, tirar amostra; experimentar; provar.

sampler ['-ə], *s.* o que dá amostras; provador; modelo.
sampling ['-iŋ], *s.* acção de tirar amostras; acção de fazer ensaios.
sampling-works — laboratório de ensaios.
sampling inspection — verificação de amostras.

Samson ['sæmsn], *n. p.* Sansão.
Samuel ['sæmjuəl], *n. p.* Samuel.
samurai ['sæmurai], *s.* (*pl.* **samurai**) samurai.
san [sæn], *s.* (col. acad.) enfermaria.
sanative ['sænətiv], *adj.* sanativo, curativo.
sanatoria [sænə'tɔ:riə], *s. pl.* de **sanatorium.**
sanatorium [sænə'tɔ:riəm], *s.* (*pl.* **sanatoria**) sanatório; lugar frequentado por pessoas doentes por causa do seu bom clima.
sanatory ['sænət(ə)ri], *adj.* ver **sanative.**
Sancho ['sæŋkou], *n. p.* Sancho.
Sancho Panza — Sancho Pança.

sanctification [sæŋ(k)tifi'keiʃən], *s.* santificação.
sanctified ['sæŋ(k)tifaid], *adj.* santificado; consagrado.
sanctifier ['sæŋ(k)tifaiə], *s.* santificador.
sanctify ['sæŋ(k)tifai], *vt.* santificar; consagrar; justificar.
the end sanctifies the means — os fins justificam os meios.

sanctifying [-iŋ], **1** — *s.* santificação.
2 — *adj.* santificante.

sanctimonious [sæŋ(k)ti'mounjəs], *adj.* santimonial, beato falso.
sanctimoniously [-li], *adv.* com ares de beato falso.
sanctimoniousness [-nis], *s.* santimónia, beatice.
sanctimony ['sæŋ(k)timəni], *s.* ver **sanctimoniousness.**
sanction ['sæŋ(k)ʃən], **1** — *s.* sanção; ratificação, confirmação; decreto.
remuneratory sanction — recompensa.
vindicatory sanction — sanção penal.
to apply sanctions against — aplicar sanções contra.
with the sanction of — com a aprovação de.
2 — *vt.* sancionar; autorizar, ratificar. (*Sin.* to allow, to authorize, to warrant, to support, to approve. *Ant.* to prohibit.)

sanctioned [-d], *adj.* sancionado; aprovado.
sanctity ['sæŋ(k)titi], *s.* santidade; inviolabilidade; *pl.* sentimentos sagrados.
sanctuary ['sæŋ(k)tjuəri], *s.* santuário; asilo sagrado; abrigo; imunidade.
to take sanctuary — meter-se em sagrado.
the right of sanctuary — o direito de asilo (em igreja, junto do altar-mor).
to make sanctuary — procurar asilo.

sanctum ['sæŋ(k)təm], *s.* lugar santo; quarto privado.
Sanctus ['sæŋ(k)təs], *s.* Sanctus (parte da missa, cântico que se segue ao prefácio).
sand [sænd], **1** — *s.* areia; saibro; firmeza de carácter, coragem; *pl.* areias, praia; tempo.
sand-bank — banco de areia.
sand-hill — duna.
sand-pit — areal; saibreira.
sand-spout — tromba de areia.
sand-hopper — pulga-do-mar.
the sands are running out — o tempo vai passando.
quick-sand — areia movediça.
shifting-sand — banco de areia movediça.
small sand — areia fina.
sand-paper — lixa (de vidraceiro).
sand-storm — tempestade de areia.
to plough the sand (sands) (col.) — fazer um serviço inútil.
to build on sand — construir no ar.
sand-drift — monte de areia levantado pelo vento.
sand-crack — fenda no casco de um cavalo.
sand-glass — ampulheta.
sand-pump dredger — draga aspirante.
sand-blind — muito míope.
sand castle — castelo de areia.
sand flea — pulga-do-mar.
sand mould — molde de areia.
sand-star — estrela-do-mar.
sand-man (col.) — joão-pestana.
urinary sand — cálculo nas vias urinárias.
loam sand — argila.
to make ropes of sand — tentar o impossível.
scouring sand (welding sand) — areia fina.
2 — *vt.* e *vi.* arear, esfregar com areia; obstruir-se com areia (porto, foz de rio, etc.).

sandal [sændl], **1** — *s.* sandália; correia de sandália.
sandal-maker — fabricante de sandálias.
2 — *vt.* (*pret.* e *pp.* **sandalled**) calçar sandálias.

sandalled [-d], *adj.* com sandálias, de sandálias.
sandalwood ['-wud], *s.* sândalo, pau de sândalo.
sandbag ['-bæg], **1** — *s.* saco de areia usado como lastro ou em fortificações; saco de areia para proteger frinchas de portas, janelas, etc.
2 — *vt.* (*pret.* e *pp.* **sandbagged**) atacar com saco de areia; proteger com sacos de areia.

sand-blast ['-blɑ:st], **1** — *s.* jacto de areia sob pressão.
sand-blast gun — pistola para jacto de areia.
2 — *vt.* limpar com jacto de areia.

sand-blaster ['-blɑ:stə], *s.* aparelho de limpar com jacto de areia sob pressão.

sand-blasting ['-blɑ:stiŋ], *s.* limpeza com jacto de areia sob pressão.
sanded ['-id], *adj.* com areia; limpo com areia, areado.
sander ['sɑ:ndə], *s.* lixadeira mecânica.
sanders [-z], *s.* ver **sandalwood.**
sandiness ['sændinis], *s.* natureza arenosa.
sanding ['sændiŋ], *s.* areamento; limpeza com areia; assoreamento (de porto, rio).
sandiver ['sændivə], *s.* escuma do vidro na sua primeira fusão.
sandpaper ['sændpeipə], *s.* lixa.
sandpiper ['sændpaipə], *s.* ave semelhante à narceja.
sandstone ['sændstoun], *s.* arenito, grés.
sandwich ['sænwidʒ, 'sænwitʃ], **1** — *s.* sanduíche, sande.
sandwich-man — homem que anda na rua com dois cartazes de reclamo um atrás e outro à frente.
2 — *vt.* meter entre; inserir entre.
Sandwich ['sænwitʃ], *top.* nome de cidade inglesa em Kent.
sandy ['sændi], *adj.* arenoso, saibroso; ruivo (cabelo).
sandy-haired — de cabelo ruivo.
Sandy ['sændi], *s.* alcunha dos escoceses.
sane [sein], *adj.* são (de espírito); sensato. (*Sin.* sound, sensible, lucide, rational. *Ant.* crazy, insane.)
sanely [-li], *adv.* sensatamente.
sang [sæŋ], *pret.* de **to sing.**
sangaree [sæŋgə'ri:], *s.* sangria, refresco de vinho, água e açúcar.
sang-froid ['sɑ̃:ŋfrwɑ:], *s.* sangue-frio, serenidade, calma, imperturbabilidade.
sangrail [sæŋ'greil], *s.* Santo Graal.
sangreal [sæŋ'greil], *s.* ver **sangrail.**
sanguification [sæŋgwifi'keiʃən], *s.* sanguificação, transformação dos alimentos em sangue.
sanguinarily ['sæŋgwinərili], *adv.* sanguinariamente.
sanguinariness ['sæŋgwinərinis], *s.* carácter sanguinário.
sanguinary ['sæŋgwinəri], *adj.* sanguinário, sangrento; (lei) feroz.
a sanguinary battle — uma batalha sangrenta.
sanguine ['sæŋgwin], **1** — *s.* sanguina; lápis vermelho feito com peróxido de ferro; desenho feito com esse lápis.
2 — *adj.* sanguíneo; cor de sangue; vigoroso, activo, vivo; confiado, esperançado; alegre.
sanguinely [-li], *adv.* ardentemente; confiadamente, esperançosamente.
sanguineness [-nis], *s.* carácter sanguíneo; vivacidade; ardor; vermelhidão; confiança.
sanguineous [səŋ'gwiniəs], *adj.* sanguíneo, sanguinolento; enérgico, forte.
sanguinolent [sæŋ'gwinələnt], *adj.* sanguinolento.
sanhedrim ['sænidrim], *s.* sinédrio (na antiga Jerusalém).
sanify ['sænifai], *vt.* sanear; tornar saudável.
sanitarian [sæni'tɛəriən], **1** — *s.* higienista.
2 — *adj.* sanitário.
sanitarium [sæni'tɛəriəm], *s.* (E. U.) ver **sanatorium.**
sanitary ['sænitəri], *adj.* sanitário; salutar; higiénico.
sanitary commission — comissão de sanidade pública.
to render sanitary — higienizar.
sanitary inspector — inspector de saúde pública.
sanitation [sæni'teiʃən], *s.* higiene; adopção de medidas sanitárias.
sanity ['sæniti], *s.* sanidade; saúde mental.
sank [sæŋk], *pret.* de **to sink.**
Sanscrit ['sænskrit], *s.* e *adj.* sânscrito.
Sanskrit ['sænskrit], *s.* e *adj.* ver **Sanscrit.**
Sanskritic [sæns'kritik], *adj.* sanscrítico.
Sanskritist ['sænskritist], *s.* sanscritista.
Santa Claus [sæntə'klɔ:z], *n. p.* Pai Natal.
santal ['sæntəl], *s.* sândalo, madeira de sândalo.
Santo Domingo ['sæntədo(u)miŋgou], *top.* São Domingos.
santon ['sæntɔn], *s.* santão, derviche.
sap [sæp], **1** — *s.* seiva; alburno; sapa; estudante aplicado.
sap-green — tinta verde extraída de um fruto.
the sap of youth — a seiva da mocidade.
sap-work — trabalho de sapa.
2 — *vt.* e *vi.* (*pret.* e *pp.* **sapped**) sapar, minar, avançar minando; proceder ocultamente; estudar afincadamente (calão de estudante); descascar (árvore, etc.). (*Sin.* to undermine, to weaken, to mine. *Ant.* to strengthen.)
sapajou ['sæpədʒu:], *s.* (zool.) sapaju, pequeno macaco.
sapan-wood ['sæpənwud], *s.* sapão, madeira que dá uma tinta vermelha.
saphead ['sæphed], *s.* (col.) simplório, pateta.
sapheaded [-id], *adj.* simplório, pateta.
sapid ['sæpid], *adj.* saboroso, gostoso; interessante.
sapidity [sæ'piditi], *s.* sabor, gosto; sainete.
sapience ['seipjəns], *s.* (joc.) sapiência, sabedoria.
sapient ['seipjənt], *adj.* (joc.) sapiente, sagaz.
sapiently [-li], *adv.* (joc.) sapientemente, sabiamente.
sapless ['sæplis], *adj.* sem seiva; seco; improdutivo; banal.
sapling ['sæpliŋ], *s.* árvore muito nova; renovo; galgo até um ano de idade; (fig.) rapaz, moço.
saponaceous [sæpou'neiʃəs], *adj.* saponáceo.
saponaria [sæpou'nɛəriə], *s.* (bot.) saponária.
saponifiable [sə'pɔnifaiəbl], *adj.* saponificável.
saponification [səpɔnifi'keiʃən], *s.* saponificação.
saponify [sə'pɔnifai], *vt.* e *vi.* saponificar; saponificar-se.
sapper ['sæpə], *s.* (mil.) sapador; (esc.) estudante aplicado.
Sapphic ['sæfik], *adj.* sáfico.
Sapphics [-s], *s. pl.* versos sáficos.
sapphire ['sæfaiə], **1** — *s.* safira; cor de safira; (zool.) espécie de beija-flor.
green sapphire — esmeralda oriental.
red sapphire — rubi oriental.
2 — *adj.* da cor da safira.
Sappho ['sæfou], *n. p.* (grego) Safo.
sappiness ['sæpinis], *s.* abundância de seiva; (fig.) falta de experiência; (cal.) estupidez.
sappy ['sæpi], *adj.* cheio de seiva; suculento; (fig.) sem experiência.
saprophagous [sæ'prɔfəgəs], *adj.* saprófago.
saprophyte ['sæproufait], *s.* (biol.) saprófita.
sar [sɑ:], *s.* (zool.) sargo.
saraband ['særəbænd], *s.* sarabanda (dança dos sécs. XVII e XVIII, e música para essa dança).
Saracen ['særəs(i)n], *s.* e *adj.* sarraceno.
Saracen corn — trigo-mourisco.
Saracenic [særə'senik], *adj.* sarraceno, sarracénico.
Saragossa [særə'gɔsə], *top.* Saragoça.
Sarah ['sɛərə], *n. p.* Sara.
Sarai ['sɛəreiai], *n. p.* (bíbl.) Sara (mulher de Abraão).
sarcasm ['sɑ:kæzm], *s.* sarcasmo. (*Sin.* irony, ridicule, satire, taunt. *Ant.* politeness.)
sarcastic [sɑ:'kæstik], *adj.* sarcástico; irónico.

sarcastically [-əli], *adv.* sarcasticamente.
sarcenet ['sɑ:snit], *s.* variedade de tafetá.
sarcocarp ['sɑ:koukɑ:p], *s.* (bot.) sarcocarpo.
sarcolemma [sɑ:kou'lemə], *s.* (pat.) sarcolema, miolema.
sarcoma [sɑ:'koumə], *s.* (*pl.* **sarcomata**) sarcoma.
sarcomatosis [sɑ:koumə'tousis], *s.* (pat.) sarcomatose.
sarcomatous [sɑ:'koumətəs], *adj.* (pat.) sarcomatoso.
sarcophagus [sɑ:'kɔfəgəs], *s.* (*pl.* **sarcophagi**) sarcófago.
sarcophagy [sɑ:'kɔfədʒi], *s.* sarcofagia.
sarcoplasm ['sa:kouplæzm], *s.* (anat.) sarcoplasma.
sarcoplasma [sa:kou'plæzmə], *s.* (anat.) ver **sarcoplasm.**
sarcosis [sɑ:'kousis], *s.* sarcose.
sard [sɑ:d], *s.* (miner.) sardónica.
sardelle [sɑ:'del], *s.* peixe semelhante à sardinha.
sardine 1 — ['sɑ:dain], *s.* **vd. sard.**
2 — [sɑ:'di:n], *s.* sardinha (de conserva).
tinned sardines — sardinhas de conserva.
packed like sardines — como sardinha em canastra.
Sardinia [sɑ:'dinjə], *top.* Sardenha.
Sardinian [-n], *s.* e *adj.* sardenho, sardo.
sardonic [sɑ:'dɔnik], *adj.* sardónico.
a sardonic laugh — um riso sardónico.
sardonically [-əli], *adv.* sardònicamente.
sardonyx ['sɑ:dəniks], *s.* (min.) ver **sard.**
saree ['sɑ:ri(:)], *s.* sari (peça de vestuário usado pelas indianas).
sargasso [sɑ:'gæsou], *s.* (*pl.* **sargassos, sargassoes**) sargaço.
the Sargasso See — o mar dos Sargaços.
sargo ['sɑ:gou], *s.* (zool.) sargo.
sargus ['sɑ:gəs], *s.* (zool.) ver **sargo.**
sarigue [sæ'ri:g], *s.* (zool.) sarigueia, gambá.
sark [sɑ:k], *s.* (Esc.) camisa de homem ou de mulher.
sarmentose [sɑ:'mentous], *adj.* (bot.) sarmentoso.
sarmentous [sɑ:'mentəs], *adj.* (bot.) ver **sarmentose.**
sarong [sə'rɔŋ], *s.* sarão (peça de vestuário usada pelos indígenas de algumas regiões da Ásia).
sarsaparilla [sɑ:səpə'rilə], *s.* (bot.) salsaparrilha.
sarsenet ['sɑ:snit], *s.* ver **sarcenet.**
sartorial [sɑ:'tɔ:riəl], *adj.* sartório, de alfaiate ou de fato de homem.
sash [sæʃ], *s.* cinto; banda, faixa; cinturão; talim; caixilho de janela; vidraça corrediça, janela de guilhotina.
sash-tool — pincel, brocha.
sash-window — janela de guilhotina.
sash-door — porta envidraçada.
sash saw — serra de vidraceiro.
sash fastener — tranca.
sashed [-t], *adj.* com cinto, faixa ou banda; (janela) de guilhotina.
sassafras ['sæsəfræs], *s.* *(bot.)*; sassafrás.
Sassenach ['sæsənæk], *s.* e *adj.* (Irl., Esc.) inglês.
sat [sæt], *pret.* e *pp.* **de to sit.**
Satan ['seitən], *s.* Satã, Satanás.
satanic [sə'tænik], *adj.* satânico, diabólico.
his Satanic majesty — Satanás.
satanical [-əl], *adj.* (rar.) ver **satanic.**
satanically [-əli], *adv.* satanicamente.
Satanism ['seitənizm], *s.* satanismo.
Satanist ['seitənist], *s.* satanista.
satanize ['seitənaiz], *vt.* satanizar.
satchel ['sætʃəl], *s.* mala de colegial.

sate [seit], **1** — *pret.* e *pp.* (arc.) de **to sit.**
2 — *vt.* saciar, fartar, mitigar.
sated [-id], *adj.* saciado, farto.
to be sated with — estar saciado de.
sateen [sæ'ti:n], *s.* cetineta.
sateless ['seitlis], *adj.* (poét.) insaciável.
satellite ['sætəlait], *s.* satélite; pessoa dependente de outra.
satiable ['seiʃjəbl], *adj.* saciável.
satiate ['seiʃieit], **1** — *adj.* saciado, farto.
2 — *vt.* saciar, fartar, satisfazer. (*Sin.* to satisfy, to surfeit, to overfeed, to cloy.)
satiated [-id], *adj.* farto, cheio, saciado.
satiated with — saturado de; farto de.
satiating [-iŋ], **1** — *s.* saciedade; saturação.
2 — *adj.* que sacia; que satura.
satiation [seiʃi'eiʃən], *s.* saciedade; saturação.
satiety [sə'taiəti], *s.* saciedade; saturação.
to satiety — até à saciedade.
satin ['sætin], **1** — *s.* cetim.
satin-paper — papel acetinado.
satin-wood — pau-cetim.
satin-flower (bot.) — lunária.
2 — *vt.* acetinar.
satinette [sæti'net], *s.* cetineta.
sating ['seitiŋ], *s.* acção de saciar; saturação.
satining ['sætiniŋ], *s.* acção de acetinar.
satiny ['sætini], *adj.* acetinado; de cetim.
satire ['sætaiə], *s.* sátira; ridículo.
satiric [sə'tirik], *adj.* satírico, referente a sátira.
satiric writer — escritor satírico.
satiric poem — poema satírico.
satirical [-əl], *adj.* satírico; irónico, sarcástico.
satirically [-əli], *adv.* satiricamente; ironicamente, sarcasticamente.
satirist ['sætərist], *s.* escritor satírico; pessoa sarcástica.
satirize ['sætəraiz], *vt.* satirizar.
satisfaction [sætis'fækʃən], *s.* satisfação; pagamento (de dívida); expiação; contentamento; compensação.
to give satisfaction — dar uma satisfação.
to one's satisfaction — com satisfação de.
to demand satisfaction — pedir uma satisfação.
to find satisfaction in — ter satisfação em, achar satisfação em.
satisfactorily [sætis'fæktərili], *adv.* satisfatòriamente.
satisfactoriness [sætis'fæktərinis], *s.* carácter satisfatório.
satisfactory [sætis'fæktəri], *adj.* satisfatório.
satisfactory results — resultados satisfatórios.
satisfy ['sætisfai], *vt.* e *vi.* satisfazer, contentar; pagar; convencer, persuadir; indemnizar; saciar; resolver.
to satisfy oneself — satisfazer-se; convencer-se.
nothing satisfies him — nada o satisfaz.
to satisfy somebody of — convencer alguém de.
to satisfy the examiners (esc.) — passar "à recta".
to satisfy one's creditors — pagar aos credores.
to rest satisfied — considerar-se satisfeito.
to be satisfied with — ficar satisfeito com.
satisfying [-iŋ], **1** — *s.* satisfação; esclarecimento.
2 — *adj.* satisfatório; convincente.
satisfyingly [-iŋli], *adv.* satisfatòriamente.
satrap ['sætrəp], *s.* sátrapa (governador da antiga Pérsia).
satrapy [-i], *s.* satrapia (cargo de sátrapa ou território governado por um sátrapa).
saturable ['sætʃərəbl], *adj.* saturável.
saturant ['sætʃərənt], *adj.* saturante.
saturate 1 — ['sætʃərit], *adj.* (poét.) saturado.
2 — ['sətʃəreit], *vt.* saturar; encher.
saturated ['sætʃəreitid], *adj.* saturado; (col.) encharcado.

to be saturated (col.) — estar encharcado.
saturated field — campo magnético saturado.
saturated air — ar saturado.
saturation [sætʃə'reiʃən], *s.* saturação.
magnetic saturation — saturação magnética.
saturation point — ponto de saturação.
Saturday ['sætədi], *s.* sábado.
on Saturday — ao sábado.
Holy Saturday — sábado de Aleluia.
Saturday-to-Monday — fim-de-semana.
Saturn ['sætən], *s.* (mit. rom.) Saturno; (astr.) Saturno, planeta do sistema solar.
Saturnalia [sætə:'neiljə], *s. pl.* Saturnais, festas romanas em honra do deus Saturno.
saturnalian [-n], *adj.* saturnino; referente às Saturnais.
Saturnian [sæ'tə:njən], **1** — *s.* habitante de Saturno.
2 — *adj.* saturnino, satúrnio.
the Saturnian age — a idade do ouro.
Saturnian verse — verso satúrnio.
saturnic [sæ'tə:nik], *adj.* (pat.) saturnino, provocado pelo chumbo.
saturnine ['sætə:nain], *adj.* saturnino; fleumático; triste, taciturno.
saturnine poisoning — saturnismo.
saturnism ['sætə:nizm], *s.* (pat.) saturnismo (intoxicação causada pelo chumbo).
satyr ['sætə], *s.* sátiro; pessoa lúbrica.
satyriasis [sæti'raiəsis], *s.* (pat.) satiríase; priapismo.
satyric [sə'tirik], *adj.* satírico; de sátiro; devasso, torpe.
sauce [sɔ:s], **1** — *s.* molho; tempero; desfaçatez, descaramento.
sauce-boat — molheira.
sauce-box (col.) — pessoa descarada.
rich sauce — molho apurado.
sharp sauce — molho picante.
tomato sauce — molho de tomate.
white sauce — molho branco.
apple sauce — compota de maçã.
what's sauce for the goose is sauce for the gander — o que é justo para um, é também para outro.
none of your sauce! — nada de atrevimentos!
to serve with the same sauce (col.) — tratar da mesma maneira.
2 — *vt.* (rar.) temperar; deitar molho; tratar insolentemente.
sauceless ['-lis], *adj.* sem paladar; desenxabido.
saucepan ['-pən], *s.* caçarola.
saucer ['-ə], *s.* pires; objecto semelhante a pires.
saucer-eyed — de grandes olhos redondos.
flying saucer — disco voador.
saucerful ['-ful], *s.* pires cheio.
saucily ['-ili], *adv.* insolentemente; com graça.
sauciness ['-inis], *s.* descaro, desfaçatez, insolência; (col.) elegância.
saucy ['-i], *adj.* descarado, insolente; com graça; (col.) elegante. (*Sin.* pert, insolent, bold, impudent. *Ant.* civil.)
sauerkraut ['sauəkraut], *s.* couve fermentada.
saunter ['sɔ:ntə], **1** — *s.* passeio lento a pé.
2 — *vi.* passear sem objectivo; vadiar.
to saunter along a street — passear vagarosamente ao longo de uma rua.
saunterer [-rə], *s.* pessoa que anda vagarosamente e sem objectivo.
sauntering [-riŋ], *s.* acção de andar vagarosamente e sem objectivo.
saunteringly [-iŋli], *adv.* vagarosamente, com passos lentos.
sauria ['sɔ:riə], *s. pl.* (zool.) sáurios.
saurian [-n], *s.* e *adj.* (zool.) sáurio.
saury ['sɔ:ri], *s.* (zool.) sáurio.
sausage ['sɔsidʒ], *s.* salsicha; linguiça; chouriço; (mil.) balão de observação.
sausage skin paper — tripa artificial para salsichas.
sauté ['soutei], **1** — *adj.* salteado (em culinária).
2 — *vt.* saltear (em culinária).
Sauterne [sou'tə:n], *s.* vinho de Sauterne.
savable ['seivəbl], *adj.* que pode ser salva (alma).
savage ['sævidʒ], **1** — *s.* selvagem; pessoa cruel.
2 — *adj.* selvagem; cruel; (col.) enraivecido, furioso.
savage tribes — tribos selvagens.
savage revenge — vingança cruel.
3 — *vt.* atacar ferozmente; maltratar.
savagely [-li], *adv.* selvaticamente, barbaramente.
savageness [-nis], *s.* selvajaria, barbaridade, ferocidade.
savagery [-əri], *s.* ver **savageness.**
savanna [sə'vænə], *s.* savana.
savannah [sə'vænə], *s.* ver **savanna.**
save [seiv], **1** — *s.* (dial.) economia; (fut.) defesa (feita pelo guarda-redes).
2 — *vt.* e *vi.* poupar, economizar; salvar; guardar; evitar; (fut.) fazer uma defesa (guarda-redes). (*Sin.* to spare, to hoard, to keep, to deliver, to protect, to guard. *Ant.* to spend, to abandon, to lose.)
to save the situation — salvar a situação.
to save appearances — salvar as aparências.
a stitch in time saves nine — um passo dado a tempo vale por nove.
to save one's face — (col.) salvar a honra do convento.
to save the tide — não perder a maré.
to save one's bacon (col.) — salvar a pele.
to save one's skin (col.) — salvar a pele.
to save time — poupar tempo.
to save one's breath — estar calado.
to have money saved — ter economias.
to save up money — poupar dinheiro.
to save somebody from — salvar alguém de.
God save me from my friends! — Deus me livre dos meus amigos!
a penny saved is a penny gained — tostão poupado é tostão ganhado.
save us! — Deus nos salve!
God save the Queen! — Deus salve a Rainha!
3 — *prep.* e *conj.* (arc.) salvo, excepto; a não ser que.
all save one — todos excepto um.
the last save one — o penúltimo.
saveloy ['sævilɔi], *s.* salsicha muito condimentada.
saver ['səivə], *s.* salvador, libertador; economizador.
savin ['sævin], *s.* (bot.) sabina.
saving ['seiviŋ], **1** — *s.* salvamento, salvação; economia; *pl.* economias.
savings-bank — caixa-económica.
savings-bank book — caderneta da caixa-económica.
Post Office savings-bank — caixa-económica postal.
2 — *adj.* poupado, económico; frugal; compensador; que ressalva.
saving clause — cláusula restritiva.
labour-saving invention — invenção que poupa trabalho.
3 — *prep.* e *conj.* salvo, excepto.
saving your reverence — salvo o devido respeito.
savingly [-li], *adv.* economicamente; frugalmente.
saviour ['seivjə], *s.* salvador.
the Saviour (Our Saviour) — o Salvador (Cristo).

savory ['seivəri], *s.* segurelha (planta utilizada como condimento).
savour ['seivə], **1** — *s.* sabor, gosto; cheiro; propriedade característica; vestígio; graça.
something has some savour — mais vale pouco que nada.
2 — *vt.* e *vi.* (arc.) saborear; provar; apreciar; saber, ter gosto a; cheirar.
to savour of — saber a; sugerir.
savourily [-rili], *adv.* saborosamente, apetitosamente.
savouriness [-rinis], *s.* bom sabor; fragrância.
savourless [-lis], *adj.* sem sabor; insípido; sem fragrância; sem graça.
savoury [-ri], **1** — *s.* prato para estimular o apetite ou ajudar a digestão.
2 — *adj.* saboroso, gostoso, apetitoso. (*Sin.* delicious, tasty. *Ant.* insipid.)
savoy [sə'vɔi], *s.* sabóia (couve).
Savoy [sə'vɔi], *top.* Sabóia.
Savoyard [-ɑ:d], *s.* e *adj.* saboiano.
savvy ['sævi], **1** — *s.* (*cal.*) sensatez; inteligência.
2 — *vt.* (*cal.*) saber; compreender.
saw [sɔ:], **1** — *s.* serra, serrote; rifão, adágio, provérbio; (zool.) órgão serrilhado.
band-saw — serra de fita.
hand-saw — serrote.
saw-mill — fábrica de serração a vapor.
saw-horse — cavalete de serrador.
jig-saw puzzle — jogo das paciências.
hack-saw — serrote para metal.
meat-saw — serrote para cortar osso.
wing-saw — serra mecânica.
circular saw — serra circular.
saw file — lima de três faces.
old saw — história antiga; adágio.
broad saw — serra braçal.
saw-blade — folha de serra.
saw-fish (zool.) — espadarte.
saw-toothed — de feitio de dente de serra.
metal saw — serra para metais.
saw-gate — arco de serra.
wise saw — aforismo.
power saw — serra mecânica.
2 — *vt.* e *vi.* (*pret.* **sawed,** *pp.* **sawn,** (rar.) **sawed**) serrar; ser serrado; mover-se em movimento de vaivém.
to saw up wood — serrar madeira.
to saw a log into planks — serrar um toro em tábuas.
3 — *pret.* de **to see.**
sawbones ['-bounz], *s.* (col.) cirurgião.
sawder ['-də], **1** — *s.* adulação, lisonja.
soft sawder — palavrinhas doces, lisonja.
2 — *vt.* lisonjear, adular.
sawdust ['-dʌst], **1** — *s.* serradura.
to knock the sawdust out of somebody (col.) — dar uma sova a alguém.
2 — *vt.* cobrir com serradura.
sawing ['-iŋ], *s.* acção de serrar; serração.
sawing machine — máquina de serrar.
sawn [sɔ:n], *pp.* de **to saw.**
sawn timber — madeira de serração.
Sawney ['sɔ:ni], *s.* escocês (alcunha); pateta.
sawyer ['sɔ:jə], *s.* serrador; (zool.) larva que ataca a madeira; (E. U.) árvore cortada a boiar no rio.
saxatile ['sæksətail], *adj.* saxátil, que vive entre as pedras.
saxhorn ['sækshɔ:n], *s.* (mús.) saxo.
saxicoline [sæk'sikəlain], *adj.* (zool.) saxícola, saxátil.
saxicolous [sæk'sikələs], *adj.* ver **saxicoline.**
saxifrage ['sæksifridʒ], *s.* (bot.) saxífraga.
Saxon ['sæksn], *s.* e *adj.* saxão; anglo-saxão; teutónico.
Saxondom [-dəm], *s.* domínio anglo-saxónico.
Saxonism [-izm], *s.* característica anglo-saxónica.
Saxonist [-ist], *s.* pessoa versada no anglo-saxão.
Saxonize [-aiz], *vt.* e *vi.* dar características anglo-saxónicas a.
saxony ['sæksəni], *s.* tecido de lã fina.
saxophone ['sæksəfoun], *s.* (mús.) saxofone.
saxophonist [sæk'sɔfənist], *s.* saxofonista, tocador de saxofone.
saxpence ['sækspəns], *s.* (Esc.) ver **sixpence.**
sax-tuba ['sæks'tju:bə], *s.* (mús.) saxotrompa.
say [sei], **1** — *s.* fala; discurso; vez de falar; afirmação.
to have a say in the matter (col.) — meter a sua colherada.
he has had his say — ele disse o que tinha a dizer.
to have one's say out — dizer o que se pensa.
2 — *vt.* e *vi.* dizer; falar; repetir; recitar; afirmar; exprimir; declarar; apresentar como exemplo.
to say a lesson — expor uma lição.
say no more about it! — **não fales mais nisso!**
to say over and over again — repetir várias vezes.
that is to say — isto é; quer dizer.
he is said to sing well — dizem que ele canta bem.
I say! — escute!, olhe!
so say I — **concordo consigo.**
to say one's say — dar o seu parecer.
if I may say so — se me dá licença que o diga.
you don't say so! — é lá possível!
to say out — dizer tudo; dizer abertamente.
to say a good word for — recomendar; desculpar.
say that again! — repita!
I can say no less — não digo menos disso.
to say good-bye — dizer adeus.
to say no — dizer que não.
to say mass — **celebrar missa; rezar missa.**
to say yes — dizer que sim.
as one might say — como se poderia dizer.
sad to say — infelizmente.
to say one's prayers — rezar; dizer as suas orações.
never say die! — coragem!
to say nothing of — para não falar em.
so to say — por assim dizer.
what do you say to another slice of cheese? — que me diz a mais uma fatia de queijo?
whatever you may say — diga o que disser.
be it said incidentally — diga-se de passagem.
sayable ['-əbl], *adj.* que pode dizer-se.
sayer ['-ə], *s.* aquele que diz.
saying ['-iŋ], *s.* acção de dizer; ditado, provérbio, rifão; dito.
as the saying is (as the saying goes) — como diz o rifão.
that goes without saying — isso nem se pergunta.
say-so ['-sou], *s.* permissão.
sbirro ['sbirou], *s.* (*pl.* **sbirri**) esbirro, polícia italiano.
scab [skæb], **1** — *s.* crosta (de ferida); sarna; operário que não adere a uma greve.
2 — *vi.* (*pret.* e *pp.* **scabbed**) formar crosta (ferida); furar uma greve.
scabbard ['-əd], *s.* bainha (de sabre, espada).
scabbed ['-d], *adj.* sarnento; com crosta; vil.
scabbily ['-ili], *adv.* de modo sarnento; de maneira vil.
scabbiness ['-inis], *s.* estado sarnento; estado crostoso (de ferida); aspecto vil, miserável.
scabbing ['-iŋ], *s.* formação de crosta.
scabby ['-i], *adj.* ver **scabbed.**

scabies ['skeibii:z], *s.* (pat.) sarna.
scabious ['skeibjəs], **1** — *s.* (bot.) escabiosa, saudade.
2 — *adj.* sarnento; (bot.) atacado de sarna; com crosta.
scabrous ['skeibrəs], *adj.* escabroso, obsceno; rugoso; escamoso.
scabrousness [-nis], *s.* escabrosidade; rugosidade.
scad [skæd], *s.* (zool.) chicharro, carapau grande.
scaffold ['skæfəld], **1** — *s.* cadafalso, patíbulo; (rar.) tablado, palanque; andaime; (anat.) esqueleto, armação (de órgão, etc.).
to go to the scaffold — subir ao cadafalso.
to die on the scaffold — morrer no cadafalso.
2 — *vt.* construir andaimes, tablados ou cadafalsos; sustentar, escorar.
scaffolder [-ə], *s.* trabalhador que coloca andaimes.
scaffolding [-iŋ], *s.* andaime; materiais para andaimes ou construções idênticas.
scalable ['skeiləbl], *adj.* que pode escalar-se.
scalariform [skə'lærifɔ:m], *adj.* em forma de escada.
scalawag ['skæləwæg], *s.* animal enfezado; mandrião, malandro.
scald [skɔ:ld], **1** — *s.* queimadura, escaldadura; antigo bardo escandinavo.
2 — *vt.* escaldar; queimar; escalfar; limpar com água quente.
to be scalded to death — morrer de queimaduras.
to scald a vessel — escaldar uma vasilha.
scald-head ['-hed], *s.* (pat.) tinha.
scalding ['-iŋ], **1** — *s.* escaldadura; coisas escaldadas.
2 — *adj.* escaldante, a ferver, muito quente; ardente.
scalding hot — a escaldar.
scalding tears — lágrimas ardentes.
scale [skeil], **1** — *s.* escama; cascão ou camada de ferrugem; prato ou concha de balança; lâmina ou folha muito delgada; escala; escada de mão; Libra (signo); proporção; série; alça de pontaria; dragona; crosta de ferida; tártaro (dos dentes); (mús.) escala; régua graduada; tamanho; sistema de numeração; *pl.* balança.
a pair of scales — uma balança.
standard scale — escala oficial.
on a large scale — em grande escala.
to turn the scale — fazer pender a balança; decidir.
on a small scale — em pequena escala.
scale-boom — braço da balança.
scale of a balance — concha de uma balança.
scale-beam — travessão de balança.
scale of hardness — escala de dureza.
scale-coated — com incrustações.
scale pan — prato de balança.
scale stone (min.) — espato laminar.
letter-scales — pesa-cartas.
scale-maker — fabricante de balanças.
drawing to scale — desenho à escala.
scale-paper — papel milimétrico.
platform scales — báscula.
kitchen scales — balança de cozinha.
descending scale — imposto regressivo.
plain scale — tamanho natural (de desenho).
reduced scale — escala reduzida.
the scales of justice — a balança da justiça.
decimal scale — sistema decimal de numeração.
to live on a high scale — viver à grande.
to be high in the social scale — ocupar uma alta posição na escala social.
to hold the scales even — julgar imparcialmente.
to practise scales on the piano — praticar escalas no piano.
to remove the scales from somebody's eyes (col.) — abrir os olhos a alguém.
2 — *vt.* e *vi.* escamar; limpar; picar; raspar; escalar; pesar; subir por degraus; escamar-se; descascar-se; cobrir-se de incrustações; tirar o tártaro (a dentes); ser comensurável; reduzir a escala.
to scale a fish — escamar um peixe.
to scale off — sair às camadas; descascar.
to scale a wall — escalar um muro.
to scale a map — traçar um mapa à escala.
to scale up — aumentar proporcionalmente.
to scale down — reduzir proporcionalmente.
scaled [-d], *adj.* escamoso; esçamado.
scaleless [-lis], *adj.* sem escamas.
scalene ['skeili:n], **1** — *s.* triângulo escaleno; músculo escaleno.
2 — *adj.* escaleno.
scalene triangle — triângulo escaleno.
scalene muscle (anat.) — músculo escaleno.
scaler ['skeilə], *s.* pessoa que escama (peixes); raspadeira; pessoa que escala (montanhas, etc.).
scaling ['skeiliŋ], *s.* escalada; acção de tirar as escamas (a peixe); traçado à escala (desenho); graduação.
scaling-ladder — escada de bombeiro.
scaling-tool — picadeira.
scallawag ['skæləwæg], *s.* ver **scalawag.**
scallion ['skæljən], *s.* cebolinha de França, chalota.
scallop ['skɔləp], **1** — *s.* recorte; ponto de recorte; salmeira (marisco bivalve); concha ou prato pouco fundo (para cozinhar ostras, peixe, etc.).
scallop-shell — concha de vieira.
2 — *vt.* recortar, fazer recortes; cozinhar dentro de concha ou prato pouco fundo.
scalloped oysters — ostras cozinhadas com miolo de pão.
scallywag ['skæliwæg], s. ver **scalawag.**
scalp [skælp], **1** — *s.* escalpo, couro cabeludo que os índios arrancam ao inimigo como troféu; epicrânio; cabeça de baleia sem maxila inferior.
scalp-hunter — caçador de cabeças.
2 — *vt.* tirar o couro cabeludo a, escalpar; criticar severamente; vender por preços inferiores aos oficiais.
scalped ['-t], *adj.* escalpado.
scalpel ['-əl], *s.* escalpelo, bisturi.
scalper ['-ə], *s.* goiva usada pelos gravadores; açambarcador de bilhetes (de teatro, etc.); caçador de cabeças.
scalping ['-iŋ], *s.* acção de escalpar.
scaly ['skeili], *adj.* escamoso; incrustado; (col.) vil.
scamp [skæmp], **1** — *s.* velhaco, patife.
you are a nice scamp! (col.) — **és uma boa rolha!**
2 — *vt.* (col.) trabalhar de maneira desleal; fazer à pressa e sem cuidado.
scamper [-ə], **1** — *s.* fuga apressada; corrida; galope; pessoa que trabalha à pressa e sem cuidado.
2 — *vi.* correr apressadamente; fugir.
to scamper through a book — ler um livro a correr.
scampering ['-əriŋ], *s.* acção de correr muito; galope.
scamping ['-iŋ], *s.* acção de trabalhar à pressa e sem cuidado.
scan [skæn], *vt.* e *vi.* (*pret.* e *pp.* **scanned**) esquadrinhar; examinar cuidadosamente; escandir, medir versos; ter métrica correcta; estudar. (*Sin.* to examine, to search.)

to scan the horizon — perscrutar o horizonte.
to scan somebody from head to foot (col.) — medir alguém dos pés à cabeça.
scandal ['skændl], *s.* escândalo; calúnia; má-língua; (jur.) difamação pública, falta de respeito ao tribunal.
to give rise to a scandal — dar escândalo.
to create a scandal — fazer escândalo.
to talk scandal — caluniar; bisbilhotar.
to listen to scandal — dar ouvidos a mexericos.
scandalize ['skændəlaiz], *vt.* e *vi.* escandalizar; ofender, difamar, caluniar.
scandalizer [-ə], *s.* pessoa escandalosa.
scandalmonger ['skændlmʌngə], *s.* pessoa que propaga boatos difamatórios.
scandalmongering [-riŋ], *s.* acção de propagar boatos difamatórios.
scandalous ['skændələs], *adj.* escandaloso, vergonhoso; difamatório.
scandalously [-li], *adv.* escandalosamente, vergonhosamente; caluniosamente.
scandalousness [-nis], *s.* escândalo, carácter escandaloso.
Scandinavia [skændi'neivjə], *top.* Escandinávia.
Scandinavian [-n], *s.* e *adj.* escandinavo.
scanner ['skænə], *s.* explorador; perscrutador; pessoa que faz a escansão (de versos); (*med.*; *fot.*); aparelho de raios electrónicos para exame minucioso de uma superfície ou de um objecto.
scanning ['skæniŋ], **1** — *s.* acção de perscrutar; escansão (de versos).
2 — *adj.* perscrutador; esquadrinhador.
scanning beam — raio explorador.
scanning antenna — antena exploradora.
scansion ['skænʃən], *s.* escansão, medição de versos.
scansorial [skæn'sɔ:riəl], *adj.* trepador (ave).
scant [skænt], **1** — *adj.* (arc. poét.) escasso, limitado, deficiente.
scant of breath — sem fôlego.
scant of strength — sem força; sem energia.
scant wind (náut.) — vento escasso.
2 — *vt.* escassear; restringir.
scantily ['-ili], *adv.* escassamente, insuficientemente.
scantiness ['-inis], *s.* escassez, insuficiência.
scantling ['-liŋ], *s.* (arc.) amostra; pequena quantidade; sarrafo, ripa; madeira cortada em esquadria.
scantly ['-li], *adv.* ver **scantily.**
scanty ['-i], *adj.* escasso, deficiente, exíguo; pobre. (*Sin.* meagre, insufficient, short, sparing. *Ant.* ample.)
a scanty meal — uma refeição ligeira.
scanty hair — cabelo escasso; cabelo raro.
scape [skeip], **1** — *s.* talo que produz a frutificação sem folhas; fuste de coluna (em arquitectura); cálamo de pena de ave; (arc.) fuga.
scape wheel — roda de escapo de relógio.
2 — *vt.* (arc.) escapar a.
scapegoat [-gout], *s.* bode expiatório.
scapegrace [-greis], *s.* mandrião; patife; criança irrequieta.
scapement [-mənt], *s.* ver **escapement.**
scaphoid ['skæfɔid], **1** — *s.* escafóide.
2 — *adj.* escafóide.
scaphoid bone — osso escafóide.
scapula ['skæpjulə], *s.* (*pl.* **scapulae**) (anat.) omoplata.
scapular ['skæpjulə], **1** — *s.* escapulário; ligadura para a omoplata.
2 — *adj.* escapular, da omoplata.
scapular arch — cintura escapular.
scapulary [-ri], *s.* (ecl.) escapulário.
scar [skɑ:], **1** — *s.* cicratiz, labéu; desfiguração; (zool.) escaro.
to heal to a scar — cicatrizar.
scar-face — rosto marcado por cicatriz.
2 — *vt.* e *vi.* (*pret.* e *pp.* **scarred**) marcar com cicatriz; cicatrizar; cicatrizar-se.
to scar up — fazer cicatrizar (ferida).
scarab ['skærəb], *s.* escaravelho sagrado no antigo Egipto.
scaramouch ['skærəmautʃ], *s.* (arc.) fanfarrão; bobo.
scarce [skɛəs], **1** — *adj.* escasso; raro.
to make oneself scarce (col.) — escapulir-se.
to be scarce of money — ter pouco dinheiro.
2 — *adv.* (arc. poét.) ver **scarcely.**
scarcely [-li], *adv.* apenas, mal; dificilmente.
I scarcely know him — mal o conheço.
scarceness [-nis], *s.* escassez, falta; carestia; raridade; penúria.
scarcity [-iti], *s.* escassez, falta; penúria.
scarcity of labour — falta de mão-de-obra.
scare [skɛə], **1** — *s.* susto, alarme; pânico; sobressalto. (*Sin.* fright, terror, panic.)
to give somebody a scare (col.) — assustar alguém; pregar um susto a alguém.
2 — *vt.* assustar, amedrontar.
to scare away — afugentar; amedrontar.
scarecrow ['-krou], *s.* espantalho, pessoa maltrapilha.
scared ['-d], *adj.* assustado, apavorado.
to be scared to death — estar apavorado.
scaremonger ['-mʌŋgə], *s.* boateiro.
scaremongering ['-mʌŋgəriŋ], *s.* acção de espalhar boatos.
scarf [skɑ:f], **1** — *s.* (*pl.* **scarfs, scarves**) lenço do pescoço; cachecol; faixa; (*pl.* **scarfs**) escarva, união de duas peças de madeira.
scarf-skin — epiderme.
scarf-wise — a tiracolo.
clerical scarf — estola de sacerdote.
2 — *vt.* cobrir ou enfeitar com faixa; abrir escarva; esquartejar (baleia).
scarfed ['-t], *adj.* ligado por chanfradura.
scarfing ['-iŋ], *s.* escarva; acção de biselar ou chanfrar.
scar-fish ['skɑ:fiʃ], *s.* (*zool.*); escaro.
scarification [skɛərifi'keiʃən], *s.* escarificação.
scarificator ['skɛərifikeitə], *s.* escarificador.
scarify ['skɛərifai], *vt.* escarificar; *vt.* (fig.) atormentar com crítica demasiado severa.
scarifying [-iŋ], **1** — *s.* escarificação; crítica severa de mais.
2 — *adj.* cortante.
scarious ['skɛəriəs], *adj.* (bot.) escarioso.
scarlatina [skɑ:lə'ti:nə], *s.* (pat.) escarlatina.
scarlet ['skɑ:lit], **1** — *s.* cor escarlate; trajo escarlate.
to wear the king's scarlet (arc.) — ser soldado.
to be dressed in scarlet — estar vestido de escarlate.
2 — *adj.* escarlate.
scarlet fever — escarlatina.
scarlet hat — chapéu de cardeal.
scarlet runner — variedade de feijão de trepar com flores escarlates.
scarlet-cloth — escarlata.
scarlet oak — espécie de azinheira.
to flush scarlet (to blush scarlet) — ficar vermelho como um tomate.
scarp [skɑ:p], **1** — *s.* escarpa, declive.
2 — *vt.* fazer escarpa; cortar em declive.
scarped ['-t], *adj.* escarpado; cortado em declive.
scarred [skɑ:d], *adj.* com cicatriz ou cicatrizes.
scarred over — cicatrizado.
scarry ['skɑ:ri], *adj.* ver **scarred.**
scary ['skɛəri], *adj.* apavorado, assustado; assustador; assustadiço.
scathe [skeið], **1** — *s.* (rar.) dano, prejuízo; estrago.
to guard from scathe — pôr a salvo.

without scathe — são e salvo.
2 — *vt.* danificar, prejudicar; destruir; criticar muito severamente.
scatheless [′-lis], *adj.* são e salvo, incólume, ileso; intacto.
scathing [′-iŋ], *adj.* nocivo, destruidor; fulminante; mordaz; cruel.
scathing irony — ironia cruel.
scathingly [′-iŋli], *adv.* mordazmente, sarcasticamente; fulminantemente.
scatological [skætou′lɔdʒikəl], *adj.* escatológico.
scatology [skə′tɔlədʒi], *s.* escatologia.
scatophage [′skætoufeidʒ], *s.* (zool.) escatófago.
scatophagous [skə′tɔfəgəs], *adj.* (zool.) escatófago.
scatter [′skætə], *vt.* e *vi.* espalhar, dispersar; dissipar; derramar; semear; dispersar-se; espalhar-se; derrotar; pôr em fuga.
scatter-brain (col.) — pessoa estouvada; cabeça-de-vento.
to scatter blessings — espalhar benefícios.
to scatter about — espalhar; semear.
cottages scattered here and there — casas de campo espalhadas aqui e ali.
scattered [-d], *adj.* disperso, espalhado; difuso.
scattered light — luz difusa.
scattering [-riŋ], **1** — *s.* acção de espalhar, dispersão; pequeno número; difusão (de luz).
2 — *adj.* espalhado, disperso.
scatteringly [-riŋli], *adv.* por aqui e por ali; dispersamente.
scavenge [′skævindʒ], *vt.* e *vi.* limpar, varrer (as ruas); fazer lavagem (em motores).
scavenger [-ə], **1** — *s.* varredor das ruas; animal que se alimenta de carne podre.
scavenger-beetle (zool.) — necróforo.
2 — *vi.* ser varredor das ruas; varrer as ruas.
scavengery [-əri], *s.* acção de varrer as ruas.
scavenging [-iŋ], *s.* lavagem (em motores); acção de varrer as ruas.
scenario [si′nɑːriou], *s.* enredo, distribuição de cenas, etc. em peça teatral.
scene [siːn], *s.* cena; cenário; panorama; episódio; lugar onde se passa qualquer acontecimento.
behind the scenes — atrás dos bastidores.
a change of scene — mudança de ambiente; mudança de cena.
to come on the scene — entrar em cena.
the scene lies — a cena passa-se.
to make a scene — fazer uma cena; zangar-se.
scene-painter — decorador de cenas.
scene-shifter (teat.) — maquinista.
scene-shifting (teat.) — mudança de cena.
the scene closes (teat.) — cai o pano.
to quit the scene — morrer.
scenery [′siːnəri], *s.* cenário; paisagem; perspectiva. (*Sin.* prospect, view, landscape.)
the scenery is imposing — a paisagem é imponente.
scenic [′siːnik], *adj.* cénico; teatral; dramático; pitoresco; exagerado.
scenically [-əli], *adv.* cenicamente; dramaticamente; pitorescamente.
scenographer [si′nɔgrəfə], *s.* cenógrafo.
scenographic [siːnou′græfik], *adj.* cenográfico.
scenographical [-əl], *adj.* ver **scenographic.**
scenographically [-əli], *adv.* cenograficamente.
scenography [siː′nɔgræfi], *s.* cenografia; desenho em perspectiva.
scent [sent], **1** — *s.* cheiro; perfume, fragrância; pista, rasto, faro (na caça).
scent-bottle — frasco de perfume.
on the right scent — na pista.
on the scent of an important discovery — na pista de uma descoberta importante.
to put off the scent — despistar.
to follow up the scent — seguir a pista.
to put somebody on the wrong scent — fazer alguém seguir uma pista errada.
scent-bag — bolsa de almíscar.
scent-spray — vaporizar com perfume.
to get on the scent — encontrar o rasto.
to put scent on one's handkerchief — perfumar o lenço.
2 — *vt.* e *vi.* cheirar; perfumar; suspeitar; empestar.
to scent out — descobrir o rasto.
scented [′-id], *adj.* perfumado; odorífero.
the air was scented with the odour of pinewoods — o ar estava perfumado com o aroma dos pinhais.
scentless [′-lis], *adj.* inodoro; sem cheiro; sem faro.
scepsis [′skepsis], *s.* (fil.) cepticismo.
scepter [′septə], *s.* ceptro; autoridade.
to wield the scepter — ter o ceptro.
sceptic [′skeptik], *adj.* céptico.
sceptical [-əl], *adj.* céptico, desconfiado; que nega a possibilidade de conhecimento.
sceptically [-əli], *adv.* cepticamente.
scepticism [′skeptisizm], *s.* cepticismo.
sceptre [′septə], *s.* ver **scepter.**
sceptred [-d], *adj.* com ceptro.
sceptreless [-lis], *adj.* sem ceptro.
schedule [′ʃedjuːl], **1** — *s.* lista, rol; catálogo; inventário; codicilo; anexo; tabela (de preços); (E. U.) plano (de trabalho); horário (de comboio). (*Sin.* list, catalogue, inventory, table, register.)
schedule time — horário.
to keep schedule time — ter horário.
up to schedule — à tabela.
in schedule time — à tabela, à hora indicada no horário.
2 — *vt.* incluir numa lista ou inventário; planear; catalogar.
it is scheduled for next Sunday — está marcado para o próximo domingo.
scheduled [-d], *adj.* marcado; previsto; organizado.
at the scheduled time — à hora marcada; à hora prevista.
Scheldt [skelt], *s.* Escalda (rio).
schema [′skiːmə], *s.* (*pl.* **schemata**) esquema; plano; diagrama; sinopse; quadro; figura de retórica.
schematic [ski′mætik], *adj.* esquemático.
schematic representation — representação esquemática.
schematically [-əli], *adv.* esquematicamente.
schematize [′skiːmətaiz], *vt.* esquematizar.
scheme [skiːm], **1** — *s.* projecto, plano; esboço; diagrama; esquema; sistema; ardil.
to formulate a scheme — formar um projecto.
a good scheme — um belo projecto.
scheme of colours — combinação de cores.
rhyme scheme — arranjo de rimas.
scheme of work — plano de trabalho.
2 — *vt.* e *vi.* projectar; formar um plano; esboçar; tramar, urdir.
schemer [′-ə], *s.* aquele que faz projectos; maquinador, intrigante.
scheming [′-iŋ], **1** — *s.* acção de projectar; maquinações, intrigas.
2 — *adj.* intrigante.
scherzo [′skɛətsou], *s.* (mús.) «scherzo», parte graciosa de peça musical.
schism [′sizm], *s.* cisma, divisão de comunidade em várias facções; cisão.
schismatic [siz′mætik], **1** — *s.* cismático, pessoa que tomou parte num cisma.
2 — *adj.* cismático, referente a cisma; que tomou parte num cisma.

schismatical [-əl], *adj.* ver **schismatic.**
schismatically [-əli], *adv.* cismaticamente.
schist [ʃist], *s.* (min.) xisto.
schistoid [ˈʃistɔid], *adj.* (min.) xistóide, esquistóide.
schistose [ˈʃistous], *adj.* xistoso, esquistoso.
schistous [ˈʃistəs], *adj.* ver **schistoid.**
schizogenesis [skaizouˈdʒenisis], *s.* cissiparidade, fissiparidade.
schizomycete [skaizoumaiˈsi:t], *s.* (bot.) esquizomicete.
schizophrenia [skitsouˈfri:njə], *s.* esquizofrenia.
schizophrenic [skitsouˈfrenik], *adj.* esquizofrénico.
schizophyte [ˈskaizoufait], *s.* esquizófito.
schizopod [ˈskaizoupɔd], *s.* (zool.) esquizópode.
schnapps [ʃnæps], *s.* espécie de genebra alemã.
schnaps [ʃnæps], *s.* ver **schnapps.**
scholar [ˈskɔlə], *s.* homem erudito; sábio; literato; estudante bolseiro; (arc.) aluno, estudante; pessoa que sabe ler e escrever.
Greek scholar — helenista.
Latin scholar — latinista.
he is a scholar and a gentleman — é um homem culto e educado.
scholarlike [-laik], *adj.* muito instruído, sábio.
scholarly [-li], *adj.* ver **scholarlike.**
scholarship [-ʃip], *s.* erudição, saber; ciência; educação literária; bolsa de estudos. (*Sin.* erudition, learning, knowledge. *Ant.* ignorance.)
to win a scholarship — receber (ganhar) uma bolsa de estudos.
scholastic [skəˈlæstik], **1** — *s.* escolástico; teólogo que segue a filosofia de Aristóteles; professor de uma universidade medieval. **2** — *adj.* escolástico; subtil; de estudante; pedante; escolar.
the scholastic year — o ano escolar.
the scholastic profession — a profissão de professor.
scholastically [-əli], *adv.* escolasticamente.
scholasticism [skəˈlæstisizm], *s.* escolástica; tendências escolásticas.
scholiast [ˈskouliæst], *s.* escoliasta, comentador.
scholium [ˈskouljəm], *s.* (*pl.* **scholia**) escólio, nota marginal (em escritor clássico).
school [sku:l], **1** — *s.* escola; colégio; faculdade (em universidade); cardume de peixes; (mús.) manual.
to keep a school — ter um colégio.
the cock of the school — o "urso" da escola.
boarding-school — internato.
technical school — escola técnica.
high school — escola secundária especial.
secondary school — escola secundária; liceu.
primary school — escola primária.
infant school — escola infantil.
grammar school — liceu.
private school — escola particular.
public school — escola "pública" (nome dado às escolas do tipo da de Eton, Harrow, etc.).
evening school — escola nocturna.
school report — boletim trimestral da escola.
school-board — conselho de instrução de um distrito.
school-hours — horas de escola; horas lectivas.
dancing-school — escola de dança.
school-book — livro escolar.
school-ship — navio-escola.
the jargon of the school — a gíria académica.
girls' school — escola feminina.
school-inspector — inspector escolar.
to be at school — andar na escola.
to go to school — ir à escola; andar na escola.
to leave school — sair da escola.
there will be no school today — hoje não há aulas.
a school of whales — um cardume de baleias.
school fees — propinas escolares.
school of music — conservatório.
school-time — horas lectivas.
school of art — escola de belas-artes.
central school — escola primária superior.
free school — escola gratuita.
the Platonic school (fil.) — a escola platónica.
school doctor — médico escolar.
medical school — escola médica.
summer school — curso de férias.
continuation school — escola complementar.
Sunday school — escola para instrução religiosa (ao domingo).
of the old school — antiquado.
the romantic school — a escola romântica.
school begins at 9 a. m. — as aulas começam às nove horas da manhã.
what school are you attending? (what school are you at?) — que escola frequentas?
to sit for one's schools — apresentar-se a exame (em Oxónia).
in my school-days — quando eu era estudante.
2 — *vt.* e *vi.* ensinar, instruir; disciplinar, educar; juntar-se em cardumes.
to school one's temper — disciplinar o temperamento.
schoolable [ˈ-əbl], *adj.* em idade escolar.
schooled [ˈ-d], *adj.* treinado; habituado.
to be schooled to — estar habituado a.
schoolfellow [ˈ-felou], *s.* condiscípulo.
schoolgirl [ˈ-gə:l], *s.* aluna.
schoolhouse [ˈ-haus], *s.* edifício escolar.
schooling [ˈ-iŋ], *s.* instrução, ensino; educação; disciplina; treino.
schoolmaster [ˈ-mɑ:stə], *s.* mestre-escola; director de escola.
schoolmastering [ˈ-mɑ:stəriŋ], *s.* ensino.
to go in for schoolmastering — dedicar-se ao ensino.
schoolmistress [ˈ-mistris], *s.* professora em escola primária ou secundária; directora de colégio.
schoolroom [ˈ-rum], *s.* sala de aula.
schooner [ˈsku:nə], *s.* (náut.) escuna; caneca grande para cerveja; a medida dessa caneca.
sciaena [saiˈi:nə], *s.* (zool.) corvina.
sciagram [ˈsaiəgræm], *s.* ciografia; radiografia.
sciagraph [ˈsaiəgrɑ:f], *s.* ciografia; radiografia.
sciagraphic [saiəˈgræfik], *adj.* ciográfico.
sciagraphical [-əl], *adj.* ver **sciagraphic.**
sciagraphy [saiˈægrəfi], *s.* ciografia; fotografia por meio de raios X.
sciatic [saiˈætik], **1** — *s.* nervo ciático. **2** — *adj.* ciático.
sciatic nerve — nervo ciático.
a sciatic pain — uma dor ciática.
sciatica [-ə], *s.* ciática.
science [ˈsaiəns], *s.* ciência; habilidade; arte; (arc.) conhecimento.
the dismal science — a economia política.
the exact sciences — as ciências exactas.
the seven liberal sciences — as sete artes liberais.
to study science — estudar ciências.
science-master — professor de ciências.
man of science — cientista; homem de ciência.
physical science — ciências físicas.
natural science — ciências naturais.
social science — ciências sociais.
pure science — ciências puras.
scienter [saiˈentə], *adv.* (jur.) intencionalmente, deliberadamente.
scientific [saiənˈtifik], *adj.* científico; perito.
scientific man — homem de ciência.
scientific method — método científico.

scientifically [-əli], *adv.* cientificamente.
scientist ['saiəntist], *s.* cientista.
scimitar ['simitə], *s.* cimitarra, alfange.
scintilla [sin'tilə], *s.* centelha, chispa; partícula diminuta.
scintillant ['sintilənt], *adj.* cintilante.
scintillate ['sintileit], *vi.* cintilar, brilhar, reluzir. (*Sin.* to sparkle, to gleam, to glitter, to twinkle.)
scintillating [-iŋ], *adj.* cintilante.
scintillation [sinti'leiʃən], *s.* cintilação.
sciolism ['saiəlizm], *s.* conhecimento superficial; charlatanismo.
sciolist ['saiəlist], *s.* pessoa com conhecimentos superficiais; charlatão.
scion ['saiən], *s.* renovo, vergôntea; garfo; enxerto; descendente jovem de família nobre.
Scipio ['sipiou], *n. p.* Cipião.
scirrhoid ['sirɔid], *adj.* cirroso.
scirrhosity [si'rɔsiti], *s.* cirrosidade.
scirrhous ['sirəs], *adj.* cirroso.
scirrhus ['sirəs], *s.* cirro, tumor cirroso.
scissile ['sisil], *adj.* físsil; que pode ser cortado.
scission ['siʒən], *s.* cisão; separação; divisão.
scissiparity [sisi'pæriti], *s.* ver **schizogenesis.**
scissiparous [si'sipərəs], *adj.* físsiparo; cissíparo.
scissor ['sizə], **1** — *s.* (**geralmente usada no *pl.***) tesoura, tesouras.
a pair of scissors — uma tesoura.
scissors and paste — obra literária de pouco valor, coligida de vários autores.
scissor-cut — silhueta cortada em papel negro.
cutting-out scissors — tesoura de costureira.
pruning-scissors — tesoura de podar.
scissor-grinder — amolador de tesouras.
nail-scissors — tesoura de unhas.
2 — *vt.* cortar com tesoura.
to scissor out — recortar (de livro, etc.).
sclera ['skliərə], *s.* (anat.) esclerótica.
sclerenchyma [skliə'reŋkimə], *s.* (bot.) esclerênquima.
scleritis [skliə'raitis], *s.* (pat.) esclerite.
scleroderm ['skliəroudə:m], *s.* (zool.) esclerodermo.
scleroderma [skliərou'də:mə], *s.* (pat.) esclerodermia.
sclerodermatous [skliərou'də:mətəs], *adj.* com esclerodermia.
sclerogenic [skliərou'dʒenik], *adj.* esclerógeno.
scleroma [skliə'roumə], *s.* (med.) escleroma.
sclerophthalmia [skliərɔf'θælmiə], *s.* (pat.) escleroftalmia, xeroftalmia.
scleroscope ['skliərəskoup], *s.* escleroscópio.
sclerosis [skliə'rousis], *s.* (*pl.* **scleroses**) (pat.) esclerose.
sclerotic [skliə'rɔtik], **1** — *s.* esclerótica.
2 — *adj.* esclerótico.
sclerotitis [skliərou'taitis], *s.* (pat.) esclerotite.
sclerous ['skliərəs], *adj.* esclerotical, escleral.
scobs [skɔbz], *s. pl.* raspas de metal; limalha; serradura; escórias; fitas de carpinteiro.
scoff [skɔf], **1** — *s.* escárnio, troça; objecto de escárnio; (col.) comida.
to be the scoff of — servir de objecto de escárnio a.
2 — *vt.* e *vi.* escarnecer, troçar, zombar; (col.) engolir sofregamente (comida).
to scoff at — troçar de.
scoffer ['-ə], *s.* escarnecedor, zombeteiro.
scoffing ['-iŋ], **1** — *s.* escárnio, zombaria, mofa.
2 — *adj.* escarnecedor, zombador.
scoffingly ['-iŋli], *adv.* zombeteiramente, por escárnio.
scold [skould], **1** — *s.* mulher rabugenta.
2 — *vt.* e *vi.* repreender, ralhar; resmungar.
scolder ['-ə], *s.* pessoa que ralha.
scolding ['-iŋ], **1** — *s.* ralhos, repreensão, descompostura.
to give somebody a good scolding — dar uma boa descompostura a alguém.
scolex ['skouleks], *s.* (*pl.* **scoleces**) escólex, cabeça (de ténia).
scoliosis [skɔli'ousis], *s.* (pat.) escoliose.
scoliotic [skɔli'ɔtik], *adj.* (pat.) escoliótico.
scollop ['skɔləp], *s.* e *vt.* ver **scallop.**
scolopendra [skɔlou'pendrə], *s.* (zool.) escolopendra.
scolopendrium [skɔlou'pendriəm], *s.* (bot.) escolopêndrio.
scomber [s'kɔmbə], *s.* (zool.) escômber; cavala, sarda.
sconce [skɔns], **1** — *s.* candelabro; candeeiro com espelho; castiçal; fortim, baluarte; (col.) cabeça, pinha; alto da cabeça; multa por infracção disciplinar (em universidade); icebergue à flor da água.
a crack on the sconce — uma pancada na "pinha".
2 — *vt.* multar por infracção disciplinar (em universidade); multar.
scone [skoun], *s.* bolo próprio para chá.
Scone [sku:n], *top.* nome da aldeia escocesa de onde veio a pedra da coroação.
scoop [sku:p], **1** — *s.* colher grande; pá funda para açúcar, cereal, carvão, etc.; concavidade; escavação; lucro; notícia sensacional publicada com antecipação.
to make a scoop — publicar uma notícia em primeira mão.
scoop-wheel — roda de alcatruzes.
scoop-net — rede de arrasto (para pesca).
2 — *vt.* vazar, despejar; cavar, escavar; (col.) tirar grandes lucros eventuais; publicar notícia importante antes dos outros jornais.
to scoop out — abrir um buraco.
to scoop up — acumular; juntar.
scooped [-t], *adj.* oco, vazio.
scooper ['-ə], *s.* pessoa que esvazia; cinzel, escopro; (zool.) sovela.
scooping ['-iŋ], *s.* acto de esvaziar; escavação.
scoot [sku:t], **1** — *s.* (col.) fuga precipitada.
to do a scoot — fugir a sete pés.
2 — *vi.* correr, fugir apressadamente.
to scoot away (to scoot off) — fugir a toda a pressa.
scooter ['-ə], *s.* "trotinette" (brinquedo de criança); motoreta.
scop ['skɔp], *s.* (arc.) bardo, poeta.
scope [skoup], *s.* propósito, fim, intento; alvo; alcance, campo; raio; esfera de acção; desafogo, liberdade, largas. (*Sin.* purpose, outlook, opportunity, range, space. *Ant.* limitation.)
to give full scope to one's imagination — dar largas à imaginação.
to have free scope — ter completa liberdade.
it is beyond my scope — não está na minha alçada.
to fall within the scope of — cair no âmbito de.
scopiform ['skoupifɔ:m], *adj.* fasciculado.
scorbutic [skɔ:'bju:tik], **1** — *s.* pessoa atacada pelo escorbuto.
2 — *adj.* escorbútico.
scorbutus [skɔ:'bju:təs], *s.* (pat.) escorbuto.
scorch [skɔ:tʃ], **1** — *s.* queimadura superficial; (col.) corrida a toda a velocidade (automóvel, bicicleta).
2 — *vt.* e *vi.* chamuscar, queimar; tostar; tisnar; queimar-se; torrar-se; (col.) andar de automóvel ou bicicleta a toda a velocidade; desbotar devido ao calor.

scorched ['-t], *adj.* chamuscado, ressequido.
scorcher ['-ə], *s.* qualquer coisa que queima ou chamusca; motorista ou ciclista pouco cauteloso, que anda com grande velocidade; dia abrasador.
scorching ['-iŋ], **1** — *s.* acção de crestar ou chamuscar; velocidade excessiva.
2 — *adj.* ardente, abrasador; mordaz.
a scorching day — um dia muito quente.
scorching criticism — crítica mordaz.
3 — *adv.* muitíssimo (quente).
scorching hot — calor de rachar.
scorchingly ['-iŋli], *adv.* ardentemente, abrasadoramente; mordazmente.
score [skɔ:], **1** — *s.* incisão, corte; entalha; marca, risco, linha, traço; conta; partitura; vinte, vintena; número de pontos feitos pelos jogadores em certos jogos; consideração, respeito; causa, motivo; (náut.) cava do leme.
***to pay off old scores* — saldar agravos antigos.**
to keep the score — marcar os pontos.
***to pay one's score* — pagar as suas dívidas; vingar-se.**
what is the score now? — quantos pontos temos agora?
on that score — a esse respeito.
to go off at score — começar animadamente.
three score and ten — setenta.
scores of people — muitíssima gente.
on the score of — fundamentado em.
to quit scores — saldar contas.
five score — um cento.
piano score — partitura para piano.
vocal score — partitura para canto.
death pays all scores — a morte liquida todas as contas.
to pay scores — pagar dívidas.
to make a good score (desp.) — fazer bom resultado.
on what score? — por que motivo?
2 — *vt.* e *vi.* fazer uma incisão; gravar; riscar; imputar; lançar em conta; marcar pontos em jogos; pôr em música; sublinhar; registar; ter sorte; (náut.) entalhar.
to score out words — riscar palavras.
to score a passage in a book — sublinhar um passo num livro.
to score a success — ser bem sucedido.
to score up — registar, tomar nota de.
that's where he scores — aí é que ele leva a melhor.
to score a point — marcar um ponto.
to score for an instrument (mús.) — fazer uma adaptação para um instrumento.
scored ['-d], *adj.* com traços, incisões, etc.; sublinhado; riscado; esfolado.
scorer ['-rə], *s.* marcador (em jogos).
scoria ['skɔ:riə], *s.* (*pl.* **scoriae**) escória.
scoriaceous [skɔ:ri'eiʃəs], *adj.* escoriáceo.
scorification [skɔrifi'keiʃən], *s.* escoriação, escorificação.
scorify ['skɔ:rifai], *vt.* e *vi.* escoriar; escorificar, escorificar-se.
scoring ['skɔ:riŋ], *s.* registo; marcação de pontos (em jogos); arranhão; (mús.) instrumentação; (cin.) sonorização.
to open the scoring (desp.) — abrir o activo.
scorn [skɔ:n], **1** — *s.* desprezo; escárnio, troça; desdém; objecto de escárnio.
to laugh to scorn — rir-se de escárnio.
to think scorn of — desprezar.
to be the scorn of everybody — ser objecto de escárnio de toda a gente.
2 — *vt.* escarnecer, troçar; desprezar; desdenhar; recusar-se a (por achar indigno).
to scorn to do something — recusar-se a fazer qualquer coisa.
scorner ['-ə], *s.* escarnecedor, desprezador.
scornful ['-ful], *adj.* desdenhoso; insolente; zombador.
to be scornful of — desprezar; desdenhar de.
scornfully ['-fuli], *adv.* insolentemente; desdenhosamente.
scornfulness ['-fulnis], *s.* desprezo, desdém; escárnio.
scorning ['-iŋ], *s.* desprezo, desdém.
scorper ['skɔ:pə], *s.* goiva (de carpinteiro); buril (de gravador).
Scorpio ['skɔ:piou], *s.* (astr.) Escorpião, constelação de signo do Zodíaco.
scorpion ['skɔ:pjən], *s.* (zool.) escorpião, lacrau; besta para arremessar balas de chumbo.
***scorpion-fish* (zool.) — peixe-escorpião; peixe-aranha; aranha do mar.**
***orpion-grass* (bot.) — miosótis.**
scorpion-thorn (scorpion-broom) (bot.) — abrunheiro bravo.
scot [skɔt], *s.* escote, quota-parte; taxa, multa.
to get scot-free — receber grátis.
to go scot-free — ir em completa liberdade.
Scot [skɔt], *s.* escocês.
the Scots — nome de um povo gaélico que, cerca do séc. VI, imigrou da Irlanda para a Escócia.
scotch [skɔtʃ], **1** — *s.* calço, escora, cunha; cutilada; golpe.
2 — *vt.* calçar, escorar; dar uma cutilada em.
Scotch [skɔtʃ], **1** — *s.* escocês; língua escocesa; uísque escocês.
***Scotch and soda* (col.) — uísque com soda.**
2 — *adj.* escocês.
Scotch mist — nevoeiro parecido com a cacimba.
***Scotch broth* — caldo de carneiro com legumes variados.**
Scotch whisky — variedade de uísque escocês.
Scotch collops — bife de cebolada.
scotching ['-iŋ], *s.* acção de colocar um calço.
Scotchman ['-mən], *s.* escocês.
the Flying Scotchman — o comboio rápido de Londres a Edimburgo.
Scotchwoman [-wumən], *s. fem.* escocesa.
Scotland ['skɔtlənd], *top.* Escócia.
Scotland Yard — quartel-general da polícia de segurança pública de Londres, principalmente da secção criminal.
Scoto-Irish ['skɔtou'aiəriʃ], *adj.* escoto-irlandês.
Scots [skɔts], *s.* e *adj.* escocês.
***to talk Scots* — falar escocês.**
Scotsman ['-mən], *s.* escocês.
Scotswoman ['-wumən], *s. fem.* escocesa.
Scottice ['skɔtisi], *adv.* em escocês.
Scotticism ['skɔtisizm], *s.* palavra escocesa; idiotismo escocês.
Scottie ['skɔti], *s.* (col.) escocês.
Scottish [-ʃ], *s.* e *adj.* escocês.
the Scottish people — o povo escocês.
scoundrel [s'kaundrəl], *s.* patife, maroto, biltre, miserável.
scoundrelism [-izm], *s.* patifaria, malvadez.
scoundrelly [-i] *adj.* patife, maroto, miserável, canalha.
scour ['skauə], **1** — *s.* limpeza, acção de uma forte corrente num canal estreito; detergente; diarreia (no gado).
2 — *vt.* e *vi.* esfregar, limpar, desencardir; arear; tirar as nódoas; branquear; purgar; percorrer, bater, explorar; vaguear.
to scour the woods — bater a floresta.
to scour after somebody — ir atrás de alguém.
scourer [-rə], *s.* pessoa que limpa; batedor; vagabundo.
scourge [skə:dʒ], **1** — *s.* flagelo; açoite, chicote; calamidade. (*Sin.* plague, calamity, pestilence.)

the white scourge — a tuberculose.
2 — *vt.* castigar; oprimir, afligir, mortificar.
scourger ['-ə], *s.* flagelador; opressor.
scouring [-riŋ], *s.* esfrega, limpeza; branqueamento; diarreia (de gado); exploração, batida.
scouring of a country — invasão de um país.
scouring-brick — tijolo inglês.
scouring-rush (bot.) — cavalinha.
scout [skaut], **1** — *s.* escoteiro; sentinela avançada; espião; explorador; navio de reconhecimento; avião de reconhecimento; criado de colégio (em Oxónia).
boy scout — escoteiro.
scout-master — oficial instrutor de escoteiros.
scouts' rally — reunião de escoteiros.
scout party — grupo de reconhecimento.
scout bomber — bombardeiro de reconhecimento.
to go on the scout — ir em reconhecimento.
2 — *vt.* e *vi.* explorar, reconhecer; fazer de escoteiro; fazer de espião; rejeitar com desdém, repelir.
scouting ['-iŋ], *s.* acção de ir em reconhecimento.
scouting plane — avião de reconhecimento.
scouting party — grupo de reconhecimento.
to go off scouting — partir em reconhecimento.
scow [skau], *s.* barcaça de fundo chato, chata.
scowl [skaul], **1** — *s.* ar carrancudo, sobrolho franzido.
2 — *vt.* e *vi.* franzir o sobrolho, mostrar-se carrancudo; tomar um ar ameaçador.
to scowl at somebody — olhar alguém de sobrolho franzido.
scowling ['-iŋ], *adj.* carrancudo; mal-humorado.
scowlingly ['-iŋli], *adv.* com ar ameaçador.
scrabble ['skræbl], *vt.* e *vi.* garatujar; arranhar, raspar; esgaravatar.
to scrabble out — garatujar.
scrag [skræg], **1** — *s.* pessoa descarnada, (col.) esqueleto; pescoço de carneiro (como alimento); (col.) pescoço (de pessoa).
the scrag of the neck — a nuca.
2 — *vt.* (*pret.* e *pp.* **scragged**) estrangular; (fut.) agarrar pelo pescoço.
scragged ['-d], *adj.* áspero, desigual.
scraggily ['-ili], *adv.* asperamente, com desigualdade.
scragginess ['-inis], *s.* magreza; aspereza.
scraggy ['-i], *adj.* ver **scragged.**
scram [skræm], *vi* (E. U.; *col.*); pôr-se a andar; safar-se.
scramble ['skræmbl], **1** — *s.* esforço, diligência; luta, contenda, porfia; acção de trepar.
the scramble for a living — a luta pela existência.
2 — *vt.* e *vi.* trepar; andar de rastos; correr; esforçar-se por agarrar alguma coisa; mexer (ovos); atirar (moedas, etc.) ao chão para as pessoas se lançarem sobre elas. (*Sin.* to climb, to clamber, to strive, to hurry.)
to scramble through — conseguir com muita dificuldade.
to scramble for one's living — lutar pela existência.
scrambling [-iŋ], **1** — *s.* contenda renhida para a posse de alguma coisa; acção de trepar ou de se arrastar.
2 — *adj.* irregular; disperso; desordenado.
scramblingly [-iŋli], *adv.* desordenadamente.
scran [skræn], *s.* (*cal.*); migalhas; restos.
scrap [skræp], **1** — *s.* bocado, pedaço, fragmento; tira (de papel); sobras; migalhas; gravura recortada de livro ou jornal para ser coleccionada; (col.) questão, briga.
scrap-book — livro para guardar desenhos, gravuras, recortes de jornais, etc.; álbum.
scrap-iron — ferro velho; sucata.
scrap-heap — montão de sucata.
not a scrap (col.) — absolutamente nada.
2 — *vt.* e *vi.* (*pret.* e *pp.* **scrapped**) deitar para o ferro velho; lutar.
scrape [skreip], **1** — *s.* dificuldade, embaraço; raspadura; arranhadela. (*Sin.* difficulty, perplexity, predicament.)
to get into a scrape — meter-se em dificuldades.
to get out of a scrape — sair duma dificuldade.
scrape-penny — sovina, forreta, avarento.
bread and scrape — pão com muito pouca manteiga.
2 — *vt.* e *vi.* raspar; arranhar; esgaravatar; tirar, limpar (esfregando); raspar os pés; amontoar pouco a pouco; tocar mal (um instrumento); economizar.
to scrape through an examination (col.) — passar pela tangente (num exame).
to scrape out — apagar (raspando).
to scrape up — juntar; amontoar pouco a pouco.
to scrape acquaintance with — insinuar-se na amizade de alguém.
to scrape one's shoes — limpar os sapatos (no capacho).
to work and scrape as one may — fazer pela vida.
to scrape a living — ganhar só o indispensável para viver.
to scrape one's chin — fazer a barba.
to scrape the bottom of the barrel (col.) — servir-se dos últimos recursos.
to scrape one's feet — arrastar os pés (em sinal de desagrado ou inquietação).
scraper ['-ə], *s.* raspadeira; raspa; sovina.
door-scraper — raspadeira para calçado.
sky-scraper — **arranha-céus.**
scraping [-iŋ], **1** — *s.* raspadura; acção de arranhar; economias.
bowing and scraping — salamaleques.
scraping knife — faca para raspar.
2 — *adj.* que raspa; que arranha; sovina.
scrapper ['skræpə], *s.* pugilista.
scrappily ['skræpili], *adv.* aos bocados, em fragmentos; desconexamente.
scrappiness ['skræpinis], *s.* desconexão.
scrapping ['skræpiŋ], *s.* combate, luta; abandono.
scrappy ['skræpi], *adj.* fragmentário; desconexo; (col.) brigão.
scrapy ['skreipi], *adj.* inarmónico.
scratch [skrætʃ], **1** — *s.* arranhadura, esfoladura; raspadura; unhada; corte; risca; linha de partida numa corrida; garatuja; (*pl.*) galápago.
Old Scratch — o Diabo.
without a scratch — sem uma arranhadura.
scratch-weed (bot.) — amor-de-hortelão.
scratch-wig — chinó.
scratch brush — escova de aço.
to start from scratch — começar na linha de partida; (fig.) começar do nada.
2—*adj.* **heterogéneo; improvisado; em esboço.**
a scratch map — um mapa em esboço.
3 — *vt.* e *vi.* arranhar; coçar; riscar, apagar; rabiscar; fazer garatujas; esgaravatar; abandonar; fazer uma tacada (no bilhar).
to scratch out — riscar, apagar.
to scratch somebody's face — arranhar a cara a alguém.
to scratch one's head — coçar a cabeça.
to scratch a few lines — rabiscar umas linhas.
to scratch for oneself — tirar-se de apuros.
to scratch oneself — coçar-se.
scratcher ['-ə], *s.* o que raspa ou arranha; raspadeira; ave galinácea.

scratchily ['-ili], *adv.* toscamente; irregularmente.
scratchiness ['-inis], *s.* desarmonia; imperfeição.
scratching ['-iŋ], *s.* acção de arranhar ou coçar; risca.
scratching-post — poste para os animais se coçarem.
scratching out — eliminação; rasura.
scratchy ['-i], *adj.* que arranha; que risca; rugoso; áspero; tosco.
a scratchy pen — uma caneta que arranha ao escrever.
scrawl [skrɔ:l], **1** — *s.* garatuja, sarrabisco. **2** — *vt.* e *vi.* rabiscar, garatujar.
scrawler ['-ə], *s.* rabiscador; aquele que faz garatujas.
scrawly ['-i], *adj.* irregular, desigual.
scray [skrei], *s.* (zool.) andorinha-do-mar.
screak [skri:k], **1** — *s.* guincho; rangido. **2** — *vi.* guinchar; ranger.
scream [skri:m], **1** — *s.* grito, guincho, alarido; (col.) coisa muito cómica.
to give a scream — dar um grito.
screams of laughter — gargalhadas.
2 — *vt.* e *vi.* gritar, dar gritos agudos; esganiçar-se; apitar (locomotiva).
to scream out — gritar, vociferar.
to scream with pain — gritar de dor.
to scream at the top of one's voice — gritar a bom gritar.
to scream for help — gritar por socorro.
to scream oneself hoarse — berrar até enrouquecer.
to scream with laughter — rir às gargalhadas.
to scream in anger — gritar de cólera.
screamer ['-ə], *s.* o que grita; (zool.) anhupoca; coisa muito boa; história muito cómica.
screaming ['-iŋ], **1** — *s.* gritaria; chiada; alarido; silvo (de locomotiva).
2 — *adj.* agudo, penetrante, estridente; muito engraçado; muito bom; (cor) berrante.
screaming farce — farsa muito cómica.
screamingly ['-iŋli], *adv.* agudamente, penetrantemente, estridentemente; de maneira muito engraçada.
scree [skri:], *s.* detritos na base de um penhasco.
screech [skri:tʃ], **1** — *s.* guincho, grito agudo e áspero; pio.
screech-owl — coruja das torres.
2 — *vt.* e *vi.* piar; guinchar; soltar gritos estridentes.
screeching ['-iŋ], *s.* guincho, grito agudo e áspero; pio.
screechy ['-i], *adj.* agudo, estridente.
screed [skri:d], *s.* pedaço, tira; retalho; invectiva; arenga; carta longa e aborrecida; discurso longo e aborrecido.
screen [skri:n], **1** — *s.* biombo; pantalha, tela (de cinema); guarda-vento; guarda-fogo; teia de altar; alvo; crivo, ciranda; defesa, amparo, protecção; quadro para afixação de avisos, etc.; (mil.) tropa de cobertura; filtro (em fotografia).
wind-screen — pára-brisas (em automóvel).
screen-wiper — limpa pára-brisas.
screen-door — porta dupla.
screen-record — reportagens cinematográficas.
screen-fan — pessoa que gosta muito de cinema.
screen-star — estrela de cinema.
fire-screen — pára-fogo.
folding-screen (draught-screen) — pára-vento.
screen rights — direitos de reprodução cinematográfica.
to put on the screen — transformar em filme.
2 — *vt.* abrigar; encobrir; proteger; cobrir; defender; joeirar; filtrar (em fotografia); adaptar ao cinema. (*Sin.* to shroud, to shelter, to hide, to protect. *Ant.* to expose.)
to screen oneself behind — esconder-se atrás de.
to screen well — ser fotogénico.
screened ['-d], *adj.* abrigado; protegido; coberto; filtrado; passado pelo crivo.
screener ['-ə], *s.* crivo, peneira grossa.
screening ['-iŋ], *s.* acção de passar pelo crivo; *pl.* o que fica depois de passar pelo crivo.
screening machine — crivo mecânico.
screening apparatus — aparelho para radioscopia.
screw [skru:], **1** — *s.* parafuso, tarraxa, rosca; hélice; torcedura; pressão; instrumento de tortura para apertar os polegares; sovina, forreta; cavalo pulmoeirado; (col.) salário.
screw-driver — chave de fendas.
screw-eye — parafuso com aselha.
screw wrench — chave de parafusos.
to put the screw on (col.) — vexar, oprimir; forçar o pagamento de uma dívida ou de outra obrigação.
female screw — rosca ou filete interior; porca de parafuso.
male screw — tornilho.
screw plate — tarraxa de palmatória.
screw press — balancim; balancé.
screw steamer — vapor de hélice.
screw-propeller — propulsor.
screw-jack — macaco de rosca.
screw-hook — gancho de parafuso.
screw-key — chave de boca.
a screw loose — qualquer coisa defeituosa.
to have a screw loose — não ter o juízo todo.
to cut screw threads — abrir rosca.
to tighten up a screw — apertar a fundo um parafuso.
screw-ball (col.) — pessoa excêntrica.
screw die — tarraxa.
screw blade — pá de hélice.
screw-driven — movido por hélice.
screw gauge — calibrador de parafusos.
screw-nail — parafuso para madeira.
screw piano-stool — banco giratório de piano.
screw head — cabeça de parafuso.
endless screw — parafuso sem-fim.
screw of paper—cartuxo feito de papel erolado.
capstan screw — parafuso de cabeça furada.
thumb screw — parafuso de asas.
2 — *vt.* e *vi.* aparafusar, atarraxar; apertar, comprimir; retorcer; contrair (feições); ser avarento; deturpar; extorquir.
to screw in — aparafusar.
to screw up—apertar um parafuso a; estimular.
to screw off — desaparafusar.
to screw out — extorquir; arrancar (confissão.)
to screw down — apertar; roscar.
to screw up one's courage — encher-se de coragem.
to have one's head screwed on the right way — ser muito sensato.
to screw money out of somebody — extorquir dinheiro a alguém.
to screw somebody's neck — torcer o pescoço a alguém.
to screw up one's eyes — cerrar um pouco os olhos.
screwed ['-d], *adj.* em forma de parafuso; torcido; aparafusado; (col.) ébrio, embriagado.
screwing ['-iŋ], **1** — *s.* acção de aparafusar.
screwing off — desatarraxamento.
2 — *adj.* apertado; exigente.
screwy ['-i], *adj.* disparatado.
a screwy idea — uma ideia disparatada.
scribble [skribl], **1** — *s.* garatuja, escrita mal feita; (col.) carta só com duas palavras.

2 — *vt.* e *vi.* escrevinhar; garatujar, escrever mal; cardar grosseiramente (lã, algodão).
scribbler [-ə], *s.* escrevinhador; mau escritor; cardador; carda grossa.
scribbling [-iŋ], *s.* acção de escrevinhar; acção de cardar grosseiramente.
scribbling paper — papel de rascunho.
scribe [skraib], **1** — *s.* pessoa que escreve; escrevente; escritor; escriba; copista; riscador. **2** — *vt.* traçar (linhas em tijolo, madeira).
scrim [skrim], *s.* tecido forte para forro (em estofos, etc.).
scrimmage ['skrimidʒ], **1** — *s.* escaramuça, contenda; agrupamento de jogadores no centro do terreno em torno da bola (râguebi). **2** — *vt.* e *vi.* lutar; esforçar-se por alcançar a bola num agrupamento de jogadores (râguebi).
scrimp [skrimp], *vt.* e *vi.* apertar; economizar muito; encurtar, diminuir. (*Sin.* to stint, to pinch, to shorten, to reduce. *Ant.* to lavish.)
scrimpy ['-i], *adj.* curto, escasso; contraído; poupado em excesso.
scrip [skrip], *s.* escrito; certificado provisório (de acções, fundos públicos, etc.); (arc.) bornal.
script ['-t], *s.* escrita, letra redonda; cursivo (em tipografia); (jur.) documento original.
phonetic script — transcrição fonética.
cuneiform script — escrita cuneiforme.
Gothic script — escrita gótica.
scriptorium [skrip'tɔ:riəm], *s.* (*pl.* **scriptoriums, scriptoria**) escritório (de mosteiro).
scriptural ['skriptʃərəl], *adj.* conforme a Sagrada Escritura.
scripture ['skriptʃə], *s.* Sagrada Escritura; bíblia; (arc.) inscrição.
scripture text — texto bíblico.
the Scriptures — as Escrituras, a Sagrada Escritura.
scrivener ['skrivnə], *s.* (arc.) escrivão; notário, tabelião; corretor; agiota.
scrivenery [-ri], *s.* (arc.) ofício de escrivão.
scrofula ['skrɔfjulə], *s.* (med.) escrófula.
scrofulism ['skrɔfjulizm], *s.* (med.) escrofulose.
scrofulous ['skrɔfjuləs], *adj.* (med.) escrofuloso.
scrofulously [-li], *adv.* de modo escrofuloso.
scroll [skroul], **1** — *s.* rolo de papel, pergaminho; voluta, espiral; ornato floreado de letra.
scroll-wheel — roda de espiral.
scroll-bone — osso em espiral.
scroll-work — arabescos.
scroll saw — serrote de relojoeiro.
2 — *vt.* e *vi.* enrolar; ornamentar com arabescos.
scrolled ['-d], *adj.* em espiral, em voluta.
scroop [skru:p], **1** — *s.* rangido (de porta, etc.). **2** — *vi.* ranger.
scrotal ['skroutəl], *adj.* (anat.) escrotal, referente ao escroto.
scrotum ['skroutəm], *s.* (*pl.* **scrota**) (anat.) escroto.
scrounge ['skraundʒ], **1** — *s.* (cal.) gatuno; pessoa que pedincha.
2 — *vt.* e *vi.* roubar; andar na pedinchice; dar-se como convidado.
scrounger [-ə], *s.* pessoa parasita; gatuno; pessoa que pedincha.
scrub [skrʌb], **1** — *s.* coisa ou pessoa sem préstimo; o que trabalha muito e vive parcamente; vassoura gasta; toco; mato; arbusto enfezado; esfrega.
scrub-brush — escova de esfrega.
2 — *adj.* reles, desprezível, vil; insignificante; enfezado.
3 — *vt.* e *vi.* (pret. e pp. **scrubbed**) esfregar; limpar esfregando; trabalhar muito; mourejar e viver na penúria. (*Sin.* to clean, to scour, to rub, to brighten. *Ant.* to soil.)
to scrub for on's living — mourejar para ganhar a vida.
scrubbable ['-əbl], *adj.* que pode lavar-se esfregando.
scrubber ['-ə], *s.* esfregão; escova para esfrega; vassoura rija; aparelho para purificar o gás de carvão; coluna de lavagem.
paint scrubber — broxa para tinta.
scrubbing ['-iŋ], *s.* esfrega; purificador (de gás).
scrubbing-brush — escova de esfrega.
scrubby ['skrʌbi], *adj.* pequeno e desprezível; enfezado; miserável; sujo; (fig.) inarmónico.
scruff [skrʌf], *s.* nuca.
to take by the scruff of the neck — agarrar pela nuca.
scruffy ['-i], *adj.* mal vestido
scrummage ['skrʌmidʒ], *s.* ver **scrimmage.**
scrummy ['skrʌmi], *adj.* ver **scrumptious.**
scrumptious ['skrʌmpʃəs], *adj.* (col.) delicioso; esplêndido; encantador; excelente.
scrunch [skrʌntʃ], *vt.* e *vi.* esmagar; triturar.
scruple ['skru:pl], **1** — *s.* escrúpulo, hesitação; escrópulo (antiga unidade de peso correspondente a vinte grãos).
man of no scruples — homem sem escrúpulos.
to do something without scruple — fazer alguma coisa sem escrúpulos.
2 — *vi.* sentir escrúpulos, ter escrúpulos; hesitar.
to scruple to do something — sentir escrúpulos em fazer alguma coisa.
she would not scruple to tell a lie — ela não hesitaria em dizer uma mentira.
scrupulosity [skru:pju'lɔsiti], *s.* escrupulosidade.
scrupulous ['skru:pjuləs], *adj.* escrupuloso; consciencioso; cuidadoso; meticuloso; delicado; exacto. (*Sin.* punctilious, conscientious, cautious, exact. *Ant.* careless.)
scrupulous care — cuidado meticuloso.
a scrupulous person — uma pessoa escrupulosa.
to be scrupulous in — ser escrupuloso em.
scrupulously [-li], *adv.* escrupulosamente; meticulosamente, cuidadosamente.
scrupulousness [-nis], *s.* escrupulosidade, meticulosidade.
scrutator [skru:'teitə], *s.* escrutador, observador; (pol.) escrutinador.
scrutineer [skru:ti'niə], *s.* escrutinador.
scrutinize ['skru:tinaiz], *vt.* examinar cuidadosamente; investigar; sondar; escrutinar.
to scrutinize votes—verificar os votos; contar os votos.
scrutinizer [-ə], *s.* escrutinador.
scrutinizing [-iŋ], **1** — *s.* acção de examinar minuciosamente; acção de escrutinar.
2 — *adj.* investigador; escrutinador.
scrutinizingly [-iŋli], *adv.* minuciosamente.
scrutinous ['skru:tinəs], *adj.* minucioso.
scrutiny ['skru:tini], *s.* escrutínio, investigação; inquirição, pesquisa.
scry [skrai], *vi.* fingir adivinhar o futuro por meio de uma bola de cristal.
scryer ['-ə], *s.* pessoa que diz adivinhar o futuro por meio de uma bola de cristal.
scud [skʌd], **1** — *s.* carreira rápida; nuvens soltas impelidas pelo vento; espuma batida pelo vento.
2 — *vi.* (pret. e pp. **scudded**) correr apressadamente; deslizar; fugir ao vento.
to scud before the wind — correr com vento em popa.
to scud under bare poles—correr em árvore seca.

scuff [skʌf], 1 — *s.* ver **scruff.**
2 — *vt.* e *vi.* roçar; romper-se; andar arrastando os pés.
scuffed ['-t], *adj.* gasto, roto, coçado.
scuffle ['-l], **1** — *s.* luta, briga desordenada, tumulto; sacho de jardim.
2 — *vt.* e *vi.* lutar, brigar desordenadamente; limpar com o sacho (jardim); arrastar os pés.
scuffling ['-liŋ], *s.* luta, briga desordenada; barulho de pés a arrastarem-se.
scull [skʌl], **1** — *s.* remo pequeno e leve (de concha); ginga.
2 — *vi.* remar a dois remos; gingar um barco.
sculler ['-ə], *s.* o que rema ou ginga um barco; barco pequeno impelido por um só homem; remador de charuto.
scullery ['skʌləri], *s.* copa; compartimento ou parte da cozinha onde se lava a loiça.
scullion ['skʌljən], *s.* (arc.) moço de cozinha.
sculp [skʌlp], *vt.* (col.) ver **sculputre.**
sculptor ['skʌlptə], *s.* escultor.
sculptress ['skʌlptris], *s.* escultora.
sculptural ['skʌlptʃərəl], *adj.* escultural.
sculpturally [-i], *adv.* esculturalmente.
sculpture ['skʌlptʃə], **1** — *s.* escultura.
2 — *vt.* e *vi.* esculpir; talhar, gravar, cinzelar.
to sculpture in stone (to sculpture out of stone) — esculpir em pedra.
sculpturesque [skʌlptʃə'resk], *adj.* escultural; referente à estatuária.
scum [skʌm], **1** — *s.* escuma; escória (dos metais); refugo.
the scum of society — a escória da sociedade.
scum of metal — escórias de metal.
2 — *vt.* e *vi.* (pret e pp. **scummed**) escumar; formar escuma; tirar escuma de.
scumble [skʌmbl], **1** — *s.* esbatimento de cores.
2 — *vt.* esbater as cores (de um quadro) com tinta semitransparente.
scumming ['skʌmiŋ], *s.* escumação; *pl.* escórias.
scummy ['skʌmi], *adj.* escumoso; baixo, reles.
scunner ['skʌnə], **1** — *s.* *(Esc.)*; repugnância; enjoo.
2 — *vt.* e *vi.* chocar sentir repugnância.
scupper ['skʌpə], **1** — *s.* (náut.) embornal.
2 — *vt.* afundar (navio).
scurf [skʌ:f], *s.* caspa; côdea, crosta.
scurfiness ['-inis], *s.* escamosidade.
scurfy ['-i], *adj.* casposo; que se descama.
scurrility [skʌ'riliti], *s.* linguagem grosseira; impropério; insolência; obscenidade.
scurrilous ['skʌriləs], *adj.* obsceno; indecente; injurioso, ofensivo; incivil; vil.
scurrilously [-li], *adv.* desonestamente; grosseiramente; injuriosamente.
scurrilousness [-nis], *s.* ver **scurrility.**
scurry ['skʌri], **1** — *s.* pressa; fuga precipitada; turbilhão de neve; chuva batida pelo vento.
hurry-scurry — pressa desatinada.
2 — *vi.* abalar, fugir precipitadamente; correr precipitadamente. (*Sin.* to run, to fly, to scamper, to hasten. *Aut.* to saunter.)
to scurry through one's work — trabalhar atabalhoadamente.
scurrying [-iŋ], *adj.* que foge precipitadamente.
scurvied ['skə:vid], *adj.* (anat.) atacado de escorbuto.
scurvily ['skə:vili], *adv.* vilmente.
scurvy ['skə:vi], **1** — *s.* (pat.) escorbuto.
2 — *adj.* atacado de escorbuto; vil, baixo.
a scurvy knave — um patife.
scut [skʌt], *s.* cauda curta.
scutage ['skju:tidʒ], *s.* *(hist.)*; taxa paga para isenção do serviço militar.
scutal ['skju:təl], *adj.* em forma de escudo.
scutate ['skju:teit], *adj.* em forma de escudo; com escamas.
scutch [skʌtʃ], **1** — *s.* estopa, tomentos, (bot.) grama.
2 — *vt.* bater (fibras, etc.); separar, limpar (o algodão).
scutcher ['-ə], *s.* gramadeira; espadela; pessoa que espadela.
scutching [-'iŋ], *s.* acção de espadelar.
scutching-sword (scutching-blade) — gramadeira; espadela.
scute [skju:t], *s.* ver **scutum.**
scutellum [skju'teləm], *s.* *(pl.* **scutella**) (bot.) escutelo; (zool.) escutela.
scutter ['skʌtə], *vi.* ver **scurry.**
scuttle ['skʌtl], **1** — *s.* balde ou caixa de metal (para carvão); escotilha; vigia; postigo de vigia; buraco no casco de um navio; passo acelerado, corrida apressada; alçapão; (aut.) parte da frente da carroçaria.
coal-scuttle **— balde do carvão.**
2 — *vt.* e *vi.* abrir buracos num bavio para o afundar; afundar; correr precipitadamente.
to scuttle off — fugir.
scutum ['skju:təm], *s.* *(pl.* **scuta**) (anat.) rótula; escudo dos antigos legionários romanos; (zool.) escutelo.
Scylla ['silə], *s.* (mit.) Cila.
between Scylla and Charybdis — entre Cila e Caríbdis; entre a espada e a parede.
scythe [saið], **1** — *s.* gadanha, foice grande.
2 — *vt.* ceifar com foice grande, cortar com gadanha.
Scythia ['siðiə], *top.* Cítia.
Scythian [-n], **1** — *s.* cita.
2 — *adj.* cítico, referente aos Citas.
Scythic ['siðik], *adj.* cítico.
sea [si:], *s.* mar, oceano; vaga, vagalhão; grande quantidade.
sea-bank — dique; molhe; costa do mar.
sea bear — urso polar.
sea-beaten — açoitado pelo mar.
sea-coast — costa marítima.
sea-gull — gaivota.
sea-weed — alga do mar.
hollow sea — mar cavado.
main sea — oceano; mar alto.
sea-breeze — brisa marítima.
at sea — no mar.
by sea — por mar.
by sea and land — por mar e por terra.
choppy sea — mar picado com ondas cortadas.
sea-dog — lobo do mar; lobo-marinho.
sea-grass — sargaço.
sea-gauge — calado do navio; instrumento para determinar o fundo do mar.
unruffled sea — mar chão.
open sea — mar largo.
sea monster — monstro marinho.
short sea — mar picado.
smooth sea — mar chão.
sugar-loafed sea — mar banzeiro.
swelling sea — mar de leva.
sea-anchor — âncora flutuante.
sea force — força naval.
sea-going — largada; partida (para o mar).
sea letter — passaporte nacional.
sea suction — tomada de água do mar.
a sea — um mar, um golpe de mar.
ground sea — calema.
sea-anemone (zool.) — anémona do mar.
calm sea — mar tranquilo.
beam sea — mar de través.
head sea — mar da proa.
glassy sea — mar de rosas.
sea-chart — carta marítima.
sea-mark — marca; baliza.
sea-lion — foca de juba.
sea-leopard **— foca malhada.**

sea air — ar do mar.
sea-ape — dragão-marinho.
sea-biscuit — bolacha de bordo.
sea-bottom — fundo do mar.
sea-bathing — banhos de mar.
sea-bream (zool.) — pargo.
sea-calf — foca.
sea clam — ostra.
sea cap — barrete de marinheiro.
sea-day — dia astronómico.
sea-battle — batalha naval.
sea-coal — carvão de pedra.
sea-captain — capitão da marinha.
sea boy — grumete.
sea-cable — cabo marítimo.
sea-cucumber — lesma do mar.
sea-eel — congro.
sea-egg (sea-chestnut) — ouriço-marinho.
sea-card — rosa-dos-ventos.
sea-cow — vaca-marinha; morsa.
sea-compass — agulha de marear.
sea-cook — cozinheiro de bordo.
sea fowl — aves marítimas.
sea-hog — porco-marinho.
sea lemon (zool.) — dóris.
sea-front — avenida marginal ao longo do mar.
sea-horse — cavalo-marinho; hipocampo.
sea-fish — peixe do mar.
sea-light — farol.
sea language — linguagem náutica.
sea-green — verde-mar.
sea maid — sereia.
sea-needle — peixe-agulha.
sea-ox — morsa.
sea-level — nível do mar.
sea mile — milha marítima.
sea nymph — nereida.
sea-line — linha do horizonte.
sea panther — atum.
sea-otter — lontra-do-mar.
sea pilot — piloto de longo curso.
sea-raven — corvo marinho.
sea-pig — golfinho.
sea-road — via marítima.
sea-quake — maremoto.
sea-serpent — serpente do mar.
sea sleeve (zool.) — choco.
sea-robber — pirata.
sea-rover — pirata; navio pirata; (col.) arenque.
sea-shell — concha.
sea-shore — costa; praia marítima.
sea-star — estrela-do-mar.
sea trade — comércio marítimo.
sea voyage — viagem por mar.
sea-sunflower — anémona.
sea snail — caramujo.
sea-trip — passeio de barco no mar.
sea war — guerra marítima.
sea-wrack — sargaço.
on the sea — embarcado.
sea-yoke — cana do leme.
sea wolf — robalo.
to go to sea (to follow the sea) — fazer-se marinheiro.
beyond seas — para além-mar.
on the high seas — no mar alto.
the sea runs high — faz muito mar.
heavy sea — mar grosso.
to put to sea — largar para o mar; fazer-se ao mar.
half-seas over — embriagado.
a sea of blood — um mar de sangue.
sea like a looking-glass (sea like a sheet of glass) — mar chão como um espelho.
to be all at sea — estar confuso; ter a cabeça em água.
a sea of troubles — uma imensidade de desgostos.
sea like a mill-pond — mar sereno como um lago.
***before the sea* — com o mar de proa.**
head sea — mar da proa.
between devil and deep sea (fig.) — entre a espada e a parede.
crest of the sea — crista da vaga.
the seven seas — os sete mares.
to sail on the sea — navegar no mar.
out at sea — no alto mar.
the four seas — os mares que rodeiam a Grã-Bretanha.
to be in Portuguese seas — estar em águas portuguesas.
within the four seas — dentro da Grã-Bretanha.

seaboard ['-bɔ:d], *s.* litoral.
seaboard town — cidade do litoral.

seadrome ['-droum], *s.* aeródromo no alto mar.

seafarer ['-fɛərə], *s.* marinheiro, homem do mar.
to be a great seafarer — viajar muito por mar.

seafaring ['fɛəriŋ], **1** — *s.* profissão marítima; viagens por mar.
2 — *adj.* navegador; náutico.
a seafaring man — um marinheiro.
a seafaring nation — uma nação de marinheiros.

seakale ['-keil], *s.* couve-marinha.

seal [si:l], **1** — *s.* selo, sinete, chancela; sigilo; foca; cor castanho-escura; sinal; vedação; confirmação.
under seal — selado.
under the hand and seal of — firmado e selado por.
keeper of the seals — guarda-selos; chanceler-mor.
Fisher's Seal — selo do Pescador ou de S. Pedro; selo privado do Papa.
to set one's seal to — dar o seu assentimento a.
great seal — selo real.
seal-day — dia de confirmação ou ratificação.
to affix a seal — carimbar um selo.
seal-fisher — caçador de focas.
under my hand and seal — por mim selado e assinado.
seal-ring — anel com sinete.
to set one's seal to — confirmar.
Solomon's seal — selo-de-salomão.
to put one's seal to — pôr o selo em.
2 —*vt.* e *vi.* selar, chancelar; confirmar, ratificar; segurar; andar à caça de focas; resolver.
to seal up — cerrar; selar.
to seal a puncture — consertar um furo (num pneu).
his lips are sealed — ele nada pode dizer.
to seal a bargain — confirmar um negócio.

sealed ['-d], *adj.* selado; secreto.
sealed orders — carta de prego.

sealer ['-ə], *s.* aquele que sela ou confirma; inspector de selos; homem ou navio que se dedica à caça de focas.

sealing ['-iŋ], *s.* selagem, confirmação por meio de selo; confirmação; caça à foca; obturação.
sealing-wax — lacre.
sealing up — obturação.
stick of sealing-wax — pau de lacre.

sealskin ['-skin], *s.* pele de foca.

seam [si:m], **1** — *s.* costura; (anat.) sutura; cicatriz; filão, veio de metal; bainha.
French seam — costura dupla.
lapped seam — bainha dobrada.
staggered seam — pesponto.
flat seam — costura rebatida.

2 — *vt.* fazer uma costura, coser; marcar com cicatriz; rachar; fender.
seamed with wounds — marcado de cicatrizes de ferimentos.
seaman ['si:mən], *s.* marinheiro, marujo, marítimo; *pl.* marinhagem.
ordinary seaman — marinheiro de terceira classe.
able-bodied seaman — bom marinheiro; marinheiro de primeira classe.
seamanlike [-laik], **1** — *adj.* de marinheiro, próprio de marinheiro.
2 — *adv.* como bom marinheiro.
seamanship [-ʃip], *s.* arte de marinheiro, náutica.
seamed [si:md], *adj.* cosido; soldado; com costura.
seaming ['si:miŋ], *s.* costura; bainha.
seamless [si:mlis], *adj.* sem costura; inconsútil.
seamless ring — anel inteiriço.
seamless tube — tubo sem soldadura.
seamstress ['semstris], *s.* costureira.
seamy ['si:mi], *adj.* com costura; com emendas.
the seamy side — o lado pior (de uma coisa).
the seamy side of life — o aspecto mau da vida.
seance ['seiã:ns], *s.* sessão; sessão espírita.
séance ['seiã:ns], *s.* ver **seance.**
seaplane ['si:plein], *s.* hidroavião.
seaplane carrier — porta-aviões.
seaport ['si:pɔ:t], *s.* porto de mar.
sear [siə], **1** — *s.* cicatriz de queimadura; fecho de espingarda.
sear-spring — mola de fecho de espingarda.
2 — *adj.* seco, murcho.
3 — *vt.* secar; queimar, crestar, cauterizar; tornar insensível, endurecer.
to sear up — cauterizar.
search [sə:tʃ], **1** — *s.* busca, procura; investigação; pesquisa; visita (a um navio); sindicância. (*Sin.* inquiry, investigation.)
search-coil — bobina de ensaio.
search radar — radar de exploração.
search-party — expedição de socorro.
search-light — holofote.
search-warrant — autorização judicial para busca domiciliária.
to make a search for — procurar; pesquisar.
to be in search of — andar à procura de.
2 — *vt.* e *vi.* buscar, procurar; dar busca; explorar; esquadrinhar; sondar; investigar; inspeccionar.
to search after — procurar, indagar.
to search into — investigar.
to search out — achar à força de procurar.
to search for — procurar.
to search one's pockets—dar busca às algibeiras.
to search into a matter — investigar um assunto.
to search high and low — procurar por toda a parte.
to search a wound — sondar uma ferida.
to search a house — passar busca a uma casa.
to search after truth — andar em busca da verdade.
to search one's memory — rebuscar na memória.
searchable ['-əbl], *adj.* que pode procurar-se ou ser investigado.
searcher ['-ə], *s.* pesquisador, investigador; aquele que procura; verificador (de alfândega); sindicante; (med.) sonda.
searching ['-iŋ], **1** — *s.* busca, pesquisa; investigação.
2 — *adj.* investigador; curioso; penetrante.
a searching look — um olhar penetrante; um olhar curioso.
searchingly ['-iŋli], *adv.* penetrantemente; minuciosamente.
seared ['siəd], *adj.* seco, murcho; queimado; endurecida (consciência).
a seared conscience — uma consciência endurecida.
seascape ['si:skeip], *s.* marinha (em pintura).
seascape painter — pintor de marinhas.
seasick ['si:sik], *adj.* enjoado.
seasickness [-nis], *s.* enjoo provocado pelo mar.
seaside ['si:'said], *s.* litoral, beira-mar, praia.
***seaside resort* — estância balnear; praia.**
to go to the seaside — ir para a praia.
to be at the seaside — estar na praia.
Seaside Home for Children — Colónia Balnear Infantil.
season ['si:zn], **1** — *s.* estação; quadra; época; tempo próprio, oportunidade; tempero.
in season and out of season — em todas as ocasiões.
dull season — estação morta.
open season — época de caça.
close season — tempo defeso para a caça.
to be in season — ser da estação.
in due season — em tempo devido.
strawberries are in season — é o tempo dos morangos.
the London season — temporada de grandes divertimentos em Londres, a estação elegante de Londres.
to send the compliments of the season — mandar as boas-festas.
for a season — durante algum tempo.
season-ticket — passe (de comboio ou autocarro).
theatrical season — época teatral.
a word in season — uma palavra a propósito.
a remark out of season — uma observação fora de propósito.
the four seasons of the year — as quatro estações do ano.
in season — na devida altura; na época própria; a tempo; em voga.
holiday season — época de férias.
the dry season — a estação seca.
the rainy season — a estação das chuvas.
2 — *vt.* e *vi.* temperar; adubar; amadurecer; aclimatar; acostumar-se; secar (madeira); moderar.
a conversation seasoned with humour — uma conversa impregnada de graça; uma conversa bem humorada.
highly seasoned dishes — pratos muito condimentados.
seasonable [-əbl], *adj.* oportuno, tempestivo; favorável, próprio; próprio da época. (*Sin.* opportune, timely, fit, appropriate. *Ant.* untimely.)
seasonable weather — tempo próprio da estação.
seasonableness [-əblnis], *s.* oportunidade; ocasião própria.
seasonably [-i], *adv.* a tempo; oportunamente.
seasonal ['si:zənl], *adj.* pertencente às estações do ano, das estações do ano.
seasonally [-i], *adv.* de acordo com a época ou estação.
seasoned ['si:znd], *adj.* amadurecido; curado (queijo); temperado; aclimatado; seca (madeira).
a seasoned soldier — um soldado experimentado.
seasoning ['si:zniŋ], *s.* condimento, tempero; sainete; aclimatação; secagem (de madeira); treino.
seat [si:t], **1** — *s.* assento, banco; cadeira; sede, lugar, sítio; carlinga; base; residência;

posição; domicílio; sessão; fundilhos; nádegas; selim (de bicicleta); fundo (de cadeira).
to keep a seat — guardar um lugar.
to keep one's seat — ficar sentado, não se levantar.
to rise from one's seat — levantar-se.
cane seat — assento de palhinha.
to take a back seat (col.) — não querer evidenciar-se.
to take a seat — sentar-se.
to take seats — comprar bilhete (de teatro,
country seat — casa de campo; moradia de província.
the seat of government — a sede do governo.
the seat of the trouble — origem do problema.
is this seat taken? — este lugar está ocupado?
is there still a seat to be had? — ainda há algum lugar?
seat attendant — arrumador(a); encarregado de indicar os lugares.
seat-holder — assinante (com lugar certo em casa de espectáculos).
adjustable seat — assento regulável.
to lose a seat — perder um lugar (no Parlamento).
to win a seat — ganhar um lugar (no Parlamento).
2 — *vt.* assentar, fazer sentar; colocar; estabelecer; fixar; marcar o lugar; prover de assentos; ter lugares (sentados) para um certo número de pessoas; instalar; deitar fundilhos; consertar assentos.
to seat oneself on a rock — sentar-se numa rocha.
he took up the child and seated him on the table — ele pegou na criança e sentou-a na mesa.
this room can seat fifty people — esta sala tem lugares para cinquenta pessoas sentadas.
to seat oneself — sentar-se.
to seat a chair — pôr um fundo novo a uma cadeira.
please be seated! — faça o favor de se sentar!
seating ['-iŋ], *s.* assento (mec.); lugares sentados, assentos; sede, base; suporte; montagem (mec.).
additional seating — lugares suplementares.
seatless ['-lis], *adj.* sem lugar; sem assento.
seaward ['si:wəd], **1** — *s.* o lado ou a direcção do mar.
2 — *adj.* e *adv.* voltado para o mar; em direcção ao mar; do lado do mar; para o lado do mar.
seawards [-z], *adv.* em direcção ao mar; para o mar.
seaweed ['si:wi:d], *s.* alga marítima.
seaworthiness ['si:wə:ðinis], *s.* (náut.) navegabilidade de uma embarcação.
seaworthy ['si:wə:ði], *adj.* navegável; apto para navegar; bom para o mar.
sebaceous [si'beiʃəs], *adj.* sebáceo.
Sebastian [si'bæstjən], *n. p.* Sebastião.
Sebastopol [si'bæstəpl], *top.* Sebastopol.
seborrhea [sebou'riə], *s.* seborreia.
sec [sek], **1** — *adj.* seco (em relação a vinhos).
2 — (col.) *abrev.* de **second** ou **secretary.**
secant ['si:kənt], *s.* e *adj.* (mat. e geom.) secante; que divide em duas partes.
secateurs ['sekətə:z], *s.* tesoura de podar.
secede [si'si:d], *vi.* apartar-se; separar-se; abandonar.
seceder [-ə], *s.* o que se aparta ou separa; separatista; dissidente.
seceding [-iŋ], *s.* e *adj.* apartamento, separação; dissidência; dissidente; separatista.
secession [si'seʃən], *s.* secessão; separação; apartamento; dissidência.
the War of Secession — a Guerra da Secessão nos Estados Unidos da América do Norte (1861-1865).
secessionism [-izm], *s.* separatismo; secessionismo.
secessionist [-ist], *s.* separatista; secessionista.
seclude [si'klu:d], *vt.* apartar; afastar; excluir; separar.
to seclude oneself from society — afastar-se da sociedade.
secluded [-id], *adj.* afastado, retirado; solitário. (*Sin.* solitary, retired, isolated, withdrawn.)
a secluded life — uma vida retirada.
a secluded spot — um lugar afastado.
seclusion [si'klu:ʒən], *s.* separação; afastamento; retiro; solidão.
to live in seclusion — viver solitariamente, em retiro.
second ['sekənd], **1** — *s.* e *adj.* segundo (sexagésima parte do minuto); segundo (que vem em segundo lugar); instante, momento; defensor; padrinho (de desafio ou duelo); apoio, ajuda, "braço direito"; segunda (mús.); outro, diferente; adicional, suplementar; inferior, subordinado, secundário; segunda parte; *pl.* género ou mercadorias de segunda (de qualidade inferior).
second mate — segundo-piloto.
second in command — imediato (de navio de guerra).
the second last — o penúltimo.
the second best — o segundo (numa escala de classificação).
second-hand — em segunda mão.
second nature — segunda natureza.
second to none — inigualável; incomparável; único.
second-rate — de segunda ordem; medíocre.
second-rateness — mediocridade; qualidade inferior.
second of Exchange — segunda via de letra.
on second thoughts — pensando melhor; reconsiderando.
second floor — segundo andar.
second-class passenger — passageiro de segunda classe.
every second year — de dois em dois anos; cada dois anos; cada segundo ano.
he was the second to come — ele foi o segundo a chegar.
to play second fiddle — (fig.) desempenhar um papel secundário.
second-sight — presciência; conhecimento do futuro.
second ballot — segundo escrutínio.
second cousin — segundo primo.
seconde degree equation — equação do segundo grau.
second degree murder — homicídio não premeditado.
second lieutenant — alferes.
second teeth — segunda dentição.
second childhood — segunda meninice; senectude; senilidade.
second marriage — segundas núpcias.
in a split second — em menos de um segundo.
I'll be there in a second — estarei aí num instante.
to have no second — não ter rival.
on the second of January (February, etc.) — no dia dois de Janeiro (Fevereiro, etc.).
on the twenty-second of... — no dia vinte e dois de...
thirty-second — trigésimo segundo.
forty-second — quadragésimo segundo.
2 — *vt.* ajudar, auxiliar; apoiar, secundar.
to second a motion — apoiar uma moção.

secondarily [-ərili], *adv.* secundariamente.
secondariness [-ərinis], *s.* qualidade de ser secundário.
secondary [-əri], *s.* e *adj.* secundário; auxiliar; subordinado, subalterno; substituto; planeta secundário; satélite; delgado. (*Sin.* subordinate, minor, inferior, unimportant. *Ant.* primary.)
secondary school — escola secundária.
secondary education — educação secundária.
secondary colour — cor secundária.
secondary current — corrente secundária
secondary cause — (fil.) causa segunda.
secondary epoch — (geol.) era secundária.
second-class [-kla:s], *adj.* e *adv.* de segunda classe; de segunda categoria; em segunda classe.
a second-class ticket — um bilhete de segunda classe.
a second-class passenger — um passageiro de segunda classe.
to travel second-class— viajar em segunda classe.
seconder [-ə], *s.* aquele que apoia ou secunda.
secondly [-li], *adv.* segundo, em segundo lugar.
secrecy ['si:krisi,'si:krəsi], *s.* segredo; sigilo; mistério; reserva; discrição; retiro.
in secrecy — em segredo.
he promised secrecy — ele prometeu guardar segredo.
you can rely on his secrecy — podes confiar na sua discrição.
secrecy of correspondence — sigilo de correspondência.
with great secrecy — em grande segredo.
there can be no secrecy about it — não se pode fazer segredo disso.
under pledge of secrecy — sob compromisso de sigilo.
secret ['si:krit], *s.* e *adj.* segredo; confidência; sigilo; mistério; chave, explicação, solução; secreto; oculto; misterioso; retirado; reservado; calado.
in secret — em segredo, secretamente.
to keep (a) secret — guardar (um) segredo.
to be in the secret — estar no segredo.
the secrets of Nature — os segredos da Natureza.
top-secret — segredo de Estado.
secret agent — agente secreto.
secret door — porta secreta.
secret meeting — reunião secreta.
the secret parts — as partes pudendas; os órgãos genitais.
to betray a secret — trair (revelar) um segredo.
to make no secret of — não fazer segredo de.
to find out a secret — descobrir um segredo.
secretaire [sekri'tɛə],*s.* secretária, escrivaninha.
secretariat [sekrə'tɛəriət], *s.* secretariado; secretaria.
secretary ['sekrətri], *s.* secretário; ministro de governo, secretário de Estado; secretária; (tip.) cursivo.
Home Secretary — Ministro do Interior.
Foreign Secretary — Ministro dos Negócios Estrangeiros.
secretary-bird — *(zool.)*; serpentário; secretário.
Secretary of War — Ministro da Guerra.
Colonial Secretary — Ministro das Colónias.
Secretary of State — Ministro de Estado.
Secretary of Public Works — Ministro das Obras Públicas.
under-secretary — subsecretário.
private secretary — secretário (secretária) particular.
minister's principal private secretary — chefe de gabinete do ministro.
secretary of legation (or embassy) — secretário de legação (ou embaixada).
secretaryship [-ʃip], *s.* secretariado; cargo ou funções de secretário.
secrete [si'kri:t], *vt.* ocultar, encobrir, esconder; segredar.
to secrete oneself — esconder-se; ocultar-se.
secretion [si'kri:ʃən], *s.* secreção; segregação; ocultação; receptação.
secretion of stolen goods — receptação de objectos roubados.
secretive [si'kri:tiv], *adj.* calado, reservado; dissimulado; secretor.
secretively [-li], *adv.* reservadamente.
secretiveness [-nis], *s.* tendência para ocultar; secretividade.
secretly ['si:kritli], *adv.* secretamente, em segredo.
secretory [si'kri:təri], *s.* e *adj.* glândula secretora; secretório, segregativo, secretor.
sect [sekt], *s.* seita, facção.
sectariam [sek'tɛəriən], *s.* e *adj.* sectário; faccioso.
sectarianism [-izm], *s.* sectarismo.
sectary ['sektəri], *s.* (arc.) sectário; dissidente; inconformista.
sectile ['sekt(a)il], *adj.* séctil.
section ['sekʃən], **1** — *s.* secção, divisão; corte; porção, parte; artigo; parágrafo; fatia; sector, zona; região; distrito; perfil; capítulo; alínea; caderno (divisão de livro); gomo (de laranja).
section mark — parágrafo (sinal de pontuação).
section of defense — sector de defesa.
2 — *vt.* seccionar, dividir; cortar.
sectional [-əl], *adj.* seccional; de secção; regional; relativo a uma zona ou secção; desmontável (referente a mobiliário, etc.).
sectionally [-əli], *adv.* de modo seccional; por secções.
sector ['sektə], *s.* sector; compasso de proporção.
sector of circle — sector de círculo.
postal sector — divisão ou secção postal.
secular ['sekjulə], *s.* e *adj.* membro do clero secular; laico, leigo; secular; mundano; profano; civil; durável.
the secular clergy — o clero secular.
secular education — educação secular, laica.
secular bird — fénix.
secularism [-rizm], *s.* secularismo, doutrina dos que separam a educação do elemento religioso; laicização (da instrução).
secularist [-rist], *s.* secularista, partidário da educação sem religião; mundano.
secularity [sekju'læriti], *s.* secularidade; mundanalidade, apego às coisas mundanas; lacidade.
secularization [sekjulərai'zeiʃən], *s.* secularização; laicização.
secularize ['sekjuləraiz], *vt.* secularizar; laicizar.
secularly ['sekjuləli], *adv.* secularmente.
securable [si'kjuərəbl],*adj.* que pode segurar-se.
secure [si'kjuə], **1** — *adj.* seguro, livre de perigo; sossegado; descansado; forte, firme; inexpugnável; certo; fixo; confiante; protegido, resguardado.
to be secure — estar em segurança.
secure from danger — livre de perigo.
secure against — ao abrigo de.
secure from — ao abrigo de.
to feel secure about something — sentir-se seguro em relação a alguma coisa.
2 — *vt.* assegurar; resguardar, proteger, defender; consolidar; pôr em segurança, segurar, pôr no seguro; prender, amarrar;

aguentar; guardar; cerrar, fechar bem (porta ou janela); conseguir; alcançar; arranjar, obter; garantir; asseverar. (*Sin.* to guarantee, to procure, to protect, to guard; *Ant.* to loosen.)
to secure seats — marcar lugares (para um espectáculo, para o comboio, etc.).
to secure a debt — garantir uma dívida.
to secure a door — trancar uma porta.
to secure payment — garantir um pagamento.
to secure arms — preservar armas de fogo (da humidade).
he secured the best room for himself — ele reservou o melhor quarto para si.
to secure room — (náut.) tomar praça (para carga).
to secure by mortgage — garantir por hipoteca.
to secure an appointment — conseguir uma nomeação.
to secure oneself against something — proteger-se de alguma coisa.
to secure from — pôr ao abrigo de.
secured [-d], *adj.* assegurado; garantido; afiançado.
securely [-li], *adv.* seguramente, com segurança, tranquilamente, sossegadamente.
secureness [-nis], *s.* segurança, tranquilidade, sossego; garantia; protecção; resguardo.
security [-riti], *s.* segurança; garantia; protecção, resguardo; defesa; confiança; certeza; penhor, caução, fiança; depósito, título; sossego, tranquilidade; fiador; *pl.* — títulos públicos, obrigações, valores, títulos de crédito.
to stand security — ser fiador; afiançar.
Security Council — Conselho de Segurança (das Nações Unidas).
collective security — segurança colectiva.
to give as a security — dar como fiança ou garantia.
in security — com garantia; com segurança.
registered securities — títulos nominativos.
sedan-chair [si'dæn-tʃεə], *s.* cadeirinha (meio de transporte usado, especialmente, nos sécs. XVII e XVIII).
sedate [si'deit], *adj.* sereno, calmo, tranquilo, sossegado; sério, ponderado, reflectido.
sedately [-li], *adv.* serenamente, calmamente, tranquilamente; ponderadamente, reflectidamente.
sedateness [-nis], *s.* serenidade, calma, tranquilidade, sossego; ponderação, reflexão; seriedade.
sedative ['sedətiv], *s.* e *adj.* sedativo, calmante.
sedentarily ['sedntərili], *adv.* sedentariamente.
sedentariness ['sedntərinis], *s.* sedentariedade, vida sedentária.
sedentary ['sedntəri], *s. adj.* sedentário, pessoa sedentária; que não se move, que não sai de um lugar.
sedentary occupation — ocupação sedentária.
sedentary life — vida sedentária.
sedge [sedʒ], *s.* junça; qualquer planta da família das ciperáceas.
sedge-warbler — espécie de carriça (ave).
sedgy ['-i], *adj.* coberto de junças, junçoso.
sediment ['sedimənt], *s.* sedimento; fezes; borras; depósito, resíduo; sedimentação (geol.).
urinary sediment — sedimento da urina.
sedimentarily [sedi'mentərili], *adv.* sedimentariamente.
sedimentary [sedi'mentəri], *adj.* sedimentário, sedimentar.
sedimentation [sedimen'teiʃən], *s.* sedimentação.
sedition [si'diʃən], *s.* sedição, revolta, tumulto, rebelião.
seditionary [-əri], *adj.* sedicioso, rebelde, insubordinado, revoltado.
seditionist [-ist], *s.* rebelde, sedicioso, revoltoso, amotinado.
seditious [si'diʃəs], *adj.* sedicioso, revoltado, amotinado, revoltoso.
seditiously [-li], *adv.* sediciosamente.
seditiousness [-nis], *s.* carácter sedicioso.
seduce [si'dju:s], *vt.* seduzir; subornar; desencaminhar; perverter, corromper; desonrar. (*Sin.* to tempt, to entice, to corrupt.)
to seduce a woman — seduzir uma mulher.
seducement [-mənt], *s.* sedução.
seducer [-ə] *s.* sedutor.
seducible [-ibl], *adj.* seduzível, susceptível de ser seduzido.
seduction [si'dʌkʃən], *s.* sedução; atracção; encanto; corrupção; perversão; desonra; tentação.
the seductions of a great city — as atracções de uma grande cidade.
seductive [si'dʌktiv], *adj.* sedutor, atraente, tentador.
seductively [-li], *adv.* sedutoramente, de modo sedutor.
seductiveness [-nis], *s.* sedução; encanto, capacidade de seduzir.
sedulity [si'dju:liti], *s.* assiduidade; perseverança; aplicação.
sedulous ['sedjuləs], *adj.* assíduo; perseverante; aplicado, diligente.
sedulously [-li], *adv.* assiduamente; com perseverança; aplicadamente, diligentemente.
sedulousness [-nis], *s.* assiduidade; perseverança; aplicação.
see [si:], **1** — *s.* sé, catedral; sede episcopal; diocese.
the Holy See — a Santa Sé.
2 — *vt.* e *vi.* (*pret.* saw, *pp.* seen) ver; olhar; observar; perceber; reparar; descobrir; distinguir; examinar; notar; investigar; considerar; adivinhar; visitar; informar-se de; aperceber-se de; experimentar; sofrer; entrevistar; encontrar-se com; pensar, reflectir; imaginar; acompanhar; vigiar; deixar, consentir; cuidar.
to see about something — **considerar, olhar por alguma coisa.**
to see to — cuidar de; tratar de.
to see into — examinar pormenorizadamente.
to see through — compreender.
to see somebody off — ir despedir-se de alguém.
let me see — deixe-me (cá) ver; vamos ver.
oh, I see! — ah, já compreendo!
as far as I can see — a meu ver.
to see a thing through — vigiar uma coisa até ao fim.
seeing is believing — ver para crer.
when can you come and see us? — quando pode vir visitar-nos?
to see the doctor — consultar o médico.
to see the sights — visitar os pontos de interesse turístico.
to see after — olhar por; cuidar de.
to see stars — (col.) ver as estrelas ao meio-dia (depois de apanhar uma pancada, especialmente na cabeça).
to see through a brick wall — ver ao longe, ver à distância, ser perspicaz.
to see eye to eye — estar de inteiro acordo.
to see one's way to doing something — ver possibilidades de fazer alguma coisa.
to see the light — (fig.) ver a luz do dia; nascer.
to see a person out — acompanhar uma pessoa à porta (quando sai).
to see into the future — prever o futuro.

he sees everything black — ele vê tudo negro; é pessimista.
to begin to see the light — começar a compreender, começar a ver a solução.
to see out — ver completamente.
to see over — inspeccionar; examinar.
to see fit — decidir; achar aconselhável.
to see red — irritar-se.
to see the back of — ver-se livre de.
from what I see — pelo que vejo.
I'll see about it — hei-de pensar nisso.
I am very glad to see you — tenho muito prazer em vê-lo (encontrá-lo).
to see the last of — ver pela última vez; chegar ao fim de.
to see to everything — cuidar (tratar) de tudo.
I cannot see the joke — não percebo (não vejo onde está) a piada.
to see that... — tratar de..., fazer que...
we don't see much of him — não o vemos muitas vezes.
to see that everything is right — ver se está tudo em ordem.
I don't see any good in him — não lhe reconheço qualquer qualidade.
I don't see the point — não percebo onde quer chegar.
come and see me — venha visitar-me.
worth seeing — notável; digno de se ver.
let us see — vejamos, vamos ver.
we have seen better days — já vivemos melhor; já conhecemos melhores dias.
there is nothing to be seen — não há nada para ver.
what the eyes don't see, the heart does not grieve over — o que os olhos não vêem, o coração não sente; longe da vista, longe do coração.
to see someone through a difficulty — ajudar alguém numa dificuldade.
this remains to be seen — resta ver.
to see a lot of someone — dar-se com alguém.
to see into a matter — investigar um assunto.
if I see my way clear — se eu vir possibilidades.

seeable ['-əbl], *adj.* visível, que pode ver-se.

seed [si:d], **1** — *s.* semente; pevide; grão; grainha; germe; origem; princípio; geração; caroço; sémen, esperma; fonte; causa; descendência.
seed-plot — viveiro de plantas.
seed-bud — botão; germe.
seed-time — tempo das sementeiras.
seed-pearl — aljôfar.
seed-coat — tegumento (de semente).
seed-corn — grão para semear (trigo ou milho).
seed-drill — máquina de semear, semeadora.
seed-lobe — cotilédone.
seed-vessel — pericarpo.
seed-eater — granívoro (em relação a aves).
seed-basket — cesto de semear.
seed-oil — óleo de linhaça.
to sow the seeds of — lançar a semente de; iniciar.
to go (to run) to seed — espigar; procriar.
the seeds of discord — o germe da discórdia.
2 — *vt.* e *vi.* semear, fazer a sementeira; deitar semente; espigar; equilibrar forças (em desporto).

seeded ['-id], *adj.* semeado; espigado.

seeder ['-ə], *s.* semeador; máquina de semear (especialmente cereais); aparelho para tirar grainhas.

seedily ['-ili], *adv.* de modo deprimido, acabrunhadamente.

seediness ['-inis], *s.* miséria; depressão; má disposição; falta de forças.

seeding ['-iŋ], *s.* sementeira; formação de sementes.

seedless ['-lis], *adj.* sem semente.

seedling ['-liŋ], *s.* planta nova que vem da semente; plantazinha.
seedling-nursery — viveiro de plantas (semeadas).

seedsman ['-zmən], *s.* negociante de sementes.

seedsmen ['zmən], *s. pl.* de **seedsman.**

seedswoman ['-zwumən], *s.* mulher que negoceia em sementes.

seedswomen ['-zwimin], *s. pl.* de **seedswoman.**

seedy ['-i], *adj.* cheio de sementes; espigado; ralado; exausto; miserável; gasto, usado; acabrunhado, abatido; mal-disposto; deprimido.
to feel seedy — sentir-se mal-disposto, adoentado.

seeing ['si:iŋ], **1** — *s.* vista, visão.
seeing is believing — ver para crer.
to be worth seeing — ser notável; ser digno de se ver.
2 — *adj.* que vê.
3 — *conj.* visto que, visto como, desde que, já que, uma vez que (geralmente **seeing that**).
seeing that you are here... — uma vez que estás aqui...

seek [si:k], *vt.* e *vi.* (*pret.* e *pp.* **sought**) procurar; indagar; buscar; investigar; pesquisar; inquirir; pretender; solicitar, pedir; recorrer; perguntar; procurar obter; esforçar-se por; tentar. (*Sin.* to search, to enquire, to follow.)
to seek for — esforçar-se por; procurar, buscar.
to seek after — inquirir; procurar; pesquisar.
to seek out — procurar por toda a parte, esquadrinhar; fazer pesquisas.
to seek of — solicitar.
to seek a quarrel — provocar uma disputa.
to seek employment — procurar emprego.
to seek satisfaction — pedir satisfações.
seek and you will find! — quem porfia mata caça; procura e acharás!
she was sought for in marriage — ela foi pedida em casamento.
he is much sought after — ele é muito procurado (solicitado).

seeker ['-ə], *s.* investigador; pesquisador.

seeking ['-iŋ], *s.* investigação; busca; pesquisa.

seem [si:m], *vi.* parecer; parecer-se (com); aparentar, ter o aspecto de, dar a impressão de; aparecer.
it seems — parece; diz-se.
it seems to me that... — parece-me que.
you seem to be tired — pareces (estás com cara de) cansado.
he seems to be a good fellow — ele parece ser boa pessoa.
we seem not to understand each other — parece que não nos entendemos.
he seems an honest man — ele parece (ser) um homem honrado.
I'll do as it seems good to me — farei como entender, como me parecer melhor.

seeming ['-iŋ], **1** — *s.* aparência, aspecto, parecer; semblante.
2 — *adj.* aparente; parecido; suposto, imaginário.

seemingly ['-iŋli], *adv.* aparentemente, na aparência.

seemliness ['-linis], *s.* decoro, decência; graça; propriedade, conveniência.

seemly ['-li], **1** — *adj.* decente, decoroso; próprio, conveniente; gracioso.
2 — *adv.* decentemente, com decoro; convenientemente; graciosamente.

seen [si:n], *pp.* do verbo **to see.**
seep [si:p], *vi.* penetrar, infiltrar-se (líquidos).
seeping ['-iŋ], *s.* infiltração (de líquidos).
seer ['si(:)ə], *s.* vidente; profeta.
seesaw ['si:'sɔ:], **1** — *s.* balouço; balanço; vaivém; vibração; oscilação.
2 — *adj.* de balanço; de vaivém; oscilante.
seesaw motion — movimento de vaivém.
3 — *vi.* andar de balouço; balançar-se; oscilar, vacilar; andar num vaivém.
seethe [si:ð], **1** — *s.* ebulição, fervura; agitação, excitação.
2 — *vt.* e *vi.* ferver; estar agitado; agitar-se, excitar-se.
to seethe with anger — ferver de cólera.
seething ['-iŋ], *adj.* e *s.* fervente, cheio de, a transbordar; fervura, ebulição; agitação, excitação.
segment ['segmənt], **1** — *s.* segmento; gomo (de laranja).
2 — *vt.* e *vi.* segmentar(-se), dividir(-se) em segmentos.
segmentary [-əri], *adj.* segmentário.
Segovia [se'gouviə], *top.* Segóvia.
segregate **1** — ['segrigeit], *vt.* e *vi.* segregar; separar; isolar, apartar; separar-se; isolar-se, apartar-se.
2 — ['segrigit], *adj.* segregado; separado; isolado; apartado; escolhido.
segregation [segri'geiʃən], *s.* segregação; separação; desagregação.
segregative ['segrigeitiv], *adj.* segregativo.
seigneur [sei'njə:], *s.* senhor (feudal).
seignior ['seinjə], *s.* senhor (feudal).
seine [sein], **1** — *s.* rede varredoura, rede de arrasto.
seine-needle — agulha de fazer rede de arrasto.
seine-roller — cilindro para enrolar rede de arrasto.
2 — *vi.* pescar com rede varredoura ou rede de arrasto.
seiner ['-ə], *s.* pescador que utiliza rede varredoura ou rede de arrasto; navio de rede varredoura ou rede de arrasto.
seism [saizm], *s.* sismo.
seismic ['-ik], *adj.* sísmico.
seismograph ['-əgrɑ:f], *s.* sismógrafo.
seismographer [saiz'mɔgrəfə], *s.* sismógrafo.
seismographic [saizmə'græfik], *adj.* sismográfico.
seismographical [-əl], *adj.* sismográfico.
seismography [saiz'mɔgrəfi], *s.* sismografia.
seismological [saizmə'lɔdʒikəl], *adj.* sismológico.
seismological observatory — observatório sismológico.
seismologically [-i], *adv.* sismologicamente.
seismologist [saiz'mɔlədʒist], *s.* sismólogo.
seismology [saiz'mɔlədʒi], *s.* sismologia.
seismometer [saiz'mɔmitə], *s.* sismómetro, sismógrafo.
seizable ['sizəbl], *adj.* que pode agarrar-se; que pode apreender-se; embargável.
seize [si:z], *vt.* e *vi.* agarrar, apanhar; apoderar-se de, apossar-se de; capturar; amarrar, prender, deitar a mão a, lançar mão de; sequestrar; embargar; apreender; confiscar; dominar; compreender, perceber; alcançar; (náut.) trincafiar; (náut.) ferrar; amarrar (cabos). (*Sin.* to catch, to hold, to arrest, to take. *Ant.* to release.)
to seize an opportunity — aproveitar uma oportunidade.
to seize (up)on — apoderar-se de; embargar.
to seize an idea — apreender, compreender uma ideia.
to seize a person by the arm — agarrar alguém pelo braço.
to be seized of — estar de posse de; possuir.
to seize up — (mec.) gripar.
to seize hold of — deitar a mão a, agarrar.
he was seized by apoplexy — ele foi atacado de apoplexia.
seizing ['-iŋ], *s.* apreensão; embargo; confiscação, confisco; acção de agarrar; sequestro; amarração (de cabos); ligadura; (náut.) trinca.
seizure ['si:ʒə], *s.* apreensão; prisão; apresamento, captura; embargo; confiscação, confisco; apoplexia, ataque apopléctico; acesso; (mec.) gripagem.
seldom ['seldəm], *adv.* raramente, raras vezes.
seldom seen, soon forgotten — longe da vista, longe do coração.
seldomness [-nis], *s.* raridade.
select [si'lekt], **1** — *adj.* selecto, seleccionado, de qualidade superior; pretensioso.
2 — *vt.* escolher, seleccionar; apartar, separar.
selected [-id], *adj.* seleccionado, escolhido.
selection [si'lekʃən], *s.* selecção, escolha; sortido, colecção.
choice selection — escolha primorosa.
to make a selection — fazer uma escolha.
selective [si'lektiv], *adj.* selectivo; selector.
selectively [-li], *adv.* selectivamente.
selectivity [silek'tiviti], *s.* selectividade.
selectness [si'lektnis], *s.* selecção, escolha; excelência; exclusivismo.
selector [si'lektə], *s.* selector; seleccionador.
selenite ['selinait], *s.* selenite (min.).
Selenite [si'li:nait], *s.* selenita (suposto habitante da Lua).
seleniun [si'li:njəm], *s.* selénio.
selenographer [seli'nɔgrəfə], *s.* selenógrafo.
selenography [seli'nɔgrəfi], *s.* selenografia.
Seleucidae [si'lju:sidi:], *s.* Selêucidas (hist.)
Seleucus [si'lju:kəs], *n. p.* Seleuco.
self [self], **1** — *s.* e *adj.* o eu; mesmo, próprio; pessoa, personalidade; egoísmo; idêntico; uniforme.
the self — o eu; o ego; a própria pessoa.
Your good self — Vossa Senhoria.
he is my second self — ele é o meu "braço direito".
pay to self — (com.) pague-se ao próprio (cheques).
2 — *pref.* correspondente a *auto*-.
self-abuse — onanismo.
self-adjusting — que se ajusta automaticamente.
self-centred — egoísta.
self-command — autodomínio; domínio sobre si próprio.
self-conceit — vaidade, presunção.
self-confidence — autoconfiança; confiança em si próprio.
self-abased — humilhado; envergonhado; acabrunhado.
self-binder — máquina automática de segar e atar.
self-abasement — vergonha; humilhação.
self-abnegation — renúncia, sacrifício de si próprio.
self-conceited — presumido; presunçoso; vaidoso.
self-conscious — cônscio dos seus próprios actos; embaraçado; atrapalhado.
self-conceitedness — presunção; vaidade.
self-confident — autoconfiante; auto-suficiente; presunçoso.
self-confidently — com confiança em si próprio.
self-acting — automático.

self-admiration — admiração de si próprio; narcisismo.
self-assertion — arrogância; altivez.
self-assertive — arrogante; altivo.
self-assurance — confiança em si próprio, auto-suficiência; presunção.
self-control — autodomínio.
self-contained — moderado; reservado; não impulsivo; independente; autónomo; que se basta a si próprio.
self-contained community — comunidade independente, autónoma.
self-contained machine — máquina independente.
self-criticism — autocrítica; crítica de si próprio.
self-culture — autodidáctica.
self-deception — autodesilusão.
self-defence — legítima defesa; autodefesa.
self-defensive — em legítima defesa.
self-denial — abnegação.
self-denying — desinteressado, abnegado.
self-determination — (*pol.*) autodeterminação.
self-discipline — autodisciplina.
self-condemnation — autocondenação, auto-recriminação.
self-condemned — que se condena a si próprio.
self-education — auto-educação; autodidáctica.
self-educated — autodidacta.
self-destroyer — suicida.
self-destructing — que se destrói a si próprio.
self-destruction — suicídio.
self-distrust — desconfiança de si próprio.
self-examination — exame de consciência.
self-experience — experiência pessoal.
self-esteem — amor-próprio.
self-flattery — louvor próprio.
self-governed — autónomo; independente.
self-governing — autónomo; independente.
self-governement — autonomia; independência.
self-ignition — auto-ignição.
self-importance — presunção; altivez; arrogância; vaidade.
self-important — presunçoso; altivo; arrogante; vaidoso.
self-improvement — auto-aperfeiçoamento.
self-indulgence — comodismo; sensualidade.
self-indulgent — comodista; sensual.
self-instructed — autodidacta.
self-instruction — autodidáctica.
self-interest — interesse pessoal; interesse próprio.
self-knowledge — autoconhecimento; conhecimento de si próprio.
self-love — amor-próprio.
self-lubrication — lubrificação automática.
self-luminous — com luz própria.
self-made man — homem que se fez à sua própria custa.
self-mastery — autodomínio.
self-moving — automático.
self-murder — suicídio.
self-murderer — suicida.
self-neglect — descuido, desmazelo.
self-portrait — auto-retrato.
self-possession — autodomínio; calma; sangue-frio, presença de espírito.
self-preservation — autoconservação.
self-regard — amor-próprio; dignidade.
self-reliance — autoconfiança; confiança em si próprio.
self-reliant — autoconfiante, confiante em si próprio.
self-respect — dignidade; amor-próprio.
self-respecting — com dignidade; com amor-próprio.
self-restrained — com autodomínio.
self-restraint — autodomínio.
self-sacrifice — abnegação.
self-taught — autodidacta.
self-righteous — hipócrita; dissimulado.
self-righteousness — hipocrisia; dissimulação.
self-satisfaction — presunção; vaidade.
self-satisfied — presumido; vaidoso.
self-starter — (mec.) arranque automático.
self-sufficiency — auto-suficiência; presunção; arrogância; independência.
self-sufficient — auto-suficiente; arrogante; independente.
self-sufficing — independente; auto-suficiente.
self-will — obstinação, teimosia; voluntariedade.
self-willed — obstinado; teimoso; voluntarioso.
self-winding — automático (relógio).
self-feeding — de carregamento automático.
self-collected — calmo, tranquilo, sereno.
self-closing valve — válvula semiautomática.
the art of self-defence — o "boxe".
to kill in self-defence — matar em legítima defesa.
self-styled — pretenso; falso.

selfish ['selfiʃ], *adj.* egoísta; interesseiro. (*Sin.* mean, egotistical, ungenerous. *Ant.* generous, unselfish.)

selfishly [-li], *adv.* egoisticamente; interesseiramente; por egoísmo; por interesse.

selfishness [-nis], *s.* egoísmo; amor-próprio.

selfless ['selflis], *adj.* altruísta, generoso, não egoísta.

selfsame ['selfseim], *adj.* idêntico, próprio, exactamente o mesmo.

self-seeking ['selfsi:kiŋ], *s.* e *adj.* egoísmo; egoísta.

sell [sel], **1** — *s.* (col.) logro, engano; desilusão, desapontamento, decepção.
2 — *vt.* e *vi.* (*pret.* e *pp.* **sold**) vender; negociar, comerciar, transaccionar; atraiçoar, trair; enganar, lograr; prostituir; vender-se, ter venda, ter saída (no mercado).
to sell wholesale — vender por junto.
to sell retail — vender a retalho.
to sell by auction — vender em leilão.
to sell for ready money — vender a pronto pagamento.
to sell for cash — vender a pronto pagamento.
to sell back — revender.
to sell off — saldar; liquidar a baixo preço (mercadorias em existência).
to sell upon condition — vender à condição.
to sell on credit — vender a crédito.
to sell out — liquidar; saldar.
to sell to the highest bidder — vender a quem mais der; vender pela maior oferta.
to sell at a loss — vender com prejuízo.
it sells (very) well — vende-se (muito) bem.
it sells badly — vende-se pouco; tem pouca venda; tem pouca saída.
it sells like hot cakes — (col.) vende-se muito bem; vende-se rapidamente.
to sell one's life dearly — vender cara a vida.
to sell one's honour — vender a honra.
to sell one's country — trair a pátria.
to sell on the never-never — (col.) vender a prestações.
we are sold out of this article — temos este artigo esgotado.
sold out — esgotado.

seller ['selə], *s.* vendedor; negociante, comerciante; artigo que se vende (especialmente em relação a livros).
best-seller — êxito de livraria (em relação a um livro).
bad-seller — livro que tem pouca saída.

selling ['seliŋ], *s.* e *adj.* venda; transacção; que se vende, vendável.
selling out — venda forçada.
selling off — liquidação, saldo.
selling price — preço de venda.
seltzer ['seltsə], *s.* água de Seltz.
selvage ['selvidʒ], *s.* orla, ourela.
selvedge ['selvidʒ], *s.* orla, ourela.
selves [selvz], *pl.* de **self.**
your good selves — Vossas Senhorias.
semanteme [si'mænti:m], *s.* semantema.
semantic [si'mæntik], *adj.* semântico.
semantics [-s], *s.* semântica.
semaphore ['seməfɔ:], **1** — *s.* semáforo. **2** — *vt.* e *vi.* fazer sinais com semáforo; transmitir por meio de semáforo.
semaphoric [semə'fɔrik], *adj.* semafórico.
semaphorical [-əl], *adj.* semafórico.
semaphorically ['əli], *adv.* semafòricamente.
semasiological [simeisiə'lɔdʒikəl], *adj.* semasiológico.
semasiologically [-i], *adv.* semasiològicamente.
semasiology [simeisi'ɔlədʒi], *s.* semasiologia.
semblance ['sembləns], *s.* aparência, aspecto; imagem; semelhança, parecença; ficção, ilusão; retrato.
in semblance — aparentemente.
semé ['semei], *adj.* (her.) coberto de pequenas estrelas ou flores; semeado.
semée ['semei], *adj.* ver **semé.**
semeiologist [si:mai'ɔlədʒist], *s.* semiologista, semiólogo.
semeiology [si:mai'ɔlədʒi], *s.* semiologia, semiótica.
Semele ['semili], *n. p.* (mit.) Semele.
semen ['si:men], *s.* sémen.
semester [si'mestə], *s.* semestre escolar (em universidades alemãs).
semi ['semi], *pref.* semi, meio, metade.
semi-automatic — semiautomático.
semi-centenary — cinquentenário.
semi-column — meia coluna (arq.).
semi-conscious — semiconsciente.
semi-cylinder — semicilindro.
semi-detached house — casa geminada.
semi-diameter — semidiâmetro.
semi-final — (desp.) meia final; meias finais.
semi-finalist — (desp.) semifinalista.
semi-lune — meia-lua.
semi-mute — meio mudo.
semi-sum — semi-soma.
semi-transparent — semitransparente.
semi-annual [-'ænjuəl], *adj.* semianual, semestral.
semi-annually [-'ænjuəli], *adv.* semestralmente.
semibreve [-bri:v], *s.* (mús.) semibreve.
semicircle [-'sə:kl], *s.* semicírculo.
semi-circular [-'sə:kjulə], *adj.* semicircular.
semi-circunference [-sə'kʌmfərəns], *s.* semicircunferência.
semicolon [-'koulən], *s.* ponto e vírgula (sinal de pontuação).
semi-double [-dʌbl], *s.* semidúplex.
semilunar [semi'lu:nə], *adj.* semilunar.
semi-monthly ['semi'mʌnθli], *adj.* e *adv.* quinzenal; quinzenalmente.
seminal ['si:minl, 'seminl], *adj.* seminal.
seminal fluid — líquido seminal.
seminally [-i], *adv.* seminalmente.
seminar ['seminɑ:], *s.* seminário (conjunto de estudantes que trabalham numa investigação).
seminarist ['seminərist], *s.* seminarista.
seminary ['seminəri], *s.* seminário (estabelecimento de ensino).
semi-official ['semiə'fiʃəl], *adj.* oficioso.
semiquaver ['semikweivə], *s.* (mús.) semicolcheia.
Semite ['si:mait], *s.* e *adj.* semita.
Semitic [si'mitik], *adj.* semítico.
Semitism ['semitizm], *s.* semitismo.
semitone ['semitoun], *s.* (mús.) meio tom.
semitonic [semi'tɔnik], *adj.* (mús.) de meio tom, semitónico.
semivowel ['semi'vauəl], *s.* semivogal.
semiweekly ['semi'wi:kli], *adj.* e *adv.* bissemanal; bissemanalmente.
semolina [semə'li:nə], *s.* sêmola.
sempiternal [sempi'tə:nl], *adj.* sempiterno.
sempiternally [-i], *adv.* eternamente.
sempstress ['sem(p)stris], *s.* costureira (o mesmo que **seamstress**).
senary ['si:nəri], *adj.* senário, composto de seis, de seis em seis.
senate ['senit], *s.* senado; corpo legislativo; senado universitário.
senator ['senətə], *s.* senador.
senatorial [senə'tɔ:riəl], *adj.* senatorial, senatório.
senatorially [-i], *adv.* senatorialmente.
senatorian [senə'tɔ:riən], *adj.* senatorial, senatório.
senatorship ['senətəʃip], *s.* cargo de senador.
send [send], **1** — *vt.* e *vi.* (*pret.* e *pp.* **sent**) mandar, enviar, remeter; expedir; despachar; transmitir, difundir; espalhar; emitir; lançar, impelir, arremessar; dar; conceder, permitir; despachar; (náut.) caturrar.
to send away — despedir, mandar embora.
to send back — devolver; fazer voltar, recambiar.
to send abroad — mandar para o estrangeiro.
to send down — descer; fazer descer; expulsar (estudante universitário); (náut.) arriar.
to send for — mandar chamar; mandar buscar.
to send for a doctor — mandar chamar um médico.
to send a message — enviar uma mensagem; mandar um recado; mandar um aviso.
to send forth — produzir; lançar; despachar.
to send to Coventry — (fig.) excluir da sociedade; cortar relações com.
to send off — expedir; despachar.
to send out — despedir; expedir; exalar; distribuir.
to send up — mandar para cima; fazer subir; (E. U.) mandar para a prisão.
to send in — mandar entrar; fazer entrar; introduzir; mandar para dentro; enviar, mandar; apresentar.
to send word — passar palavra; mandar dizer; mandar um recado.
to send one to the right-about — (col.) mandar passear; mandar bugiar.
to send on — fazer seguir; transmitir.
to send one about his business — mandar alguém tratar da sua vida.
to send on errands — mandar fazer recados.
to send through — comunicar; transmitir.
to send one packing — (col.) mandar passear; mandar bugiar.
he was sent for — mandaram-no chamar.
2 — *vi.* (*pret.* e *pp.* **sended**) (náut.) ser impelido pelas ondas, arfar.
3 — *s.* (náut.) arfagem.
sender ['-ə], *s.* remetente; expedidor; transmissor.
address of the sender — morada do remetente.
sending ['-iŋ], *s.* envio, remessa, expedição; transmissão.
sending back — devolução.
sending away — envio, despacho, expedição; abandono; demissão.

sending off — envio.
sending station — estação emissora.
sending up — ascensão, subida.
send-off ['-ɔ:f], *s.* partida; despedida afectuosa; festa de despedida.
to give a send-off — festejar uma partida.
a gay send-off — uma despedida alegre.
Seneca ['senikə], *n. p.* Séneca.
Senegal [seni'gɔ:l] *top.* Senegal.
Senegalese ['senigə'li:z], *s.* e *adj.* senegalês.
Senegambia [seni'gæmbiə], *top.* Senegâmbia.
Senegambian [-n], *s.* e *adj.* senegâmbio.
senescense [si'nesəns], *s.* senescência, decrepitude, velhice.
senescent [si'nesənt], *adj.* senescente, decrépito, caduco.
senile ['si:nail], *adj.* senil, decrépito, caduco.
senility [si'niliti], *s.* senilidade, senectude, decrepitude, velhice.
senior ['si:njə], *s.* e *adj.* sénior; mais velho, mais antigo; mais categorizado; ancião; chefe (especialmente de casa comercial); decano; superior hierárquico; finalista (estudante), veterano.
the senior officer — o funcionário ou o oficial mais antigo.
the senior partner — o sócio-chefe; o sócio principal.
senior clerk — chefe de escritório ou de repartição.
the seniors — os mais antigos; os veteranos.
seniority [si:ni'ɔriti], *s.* antiguidade (de cargo); prioridade; veterania; superioridade hierárquica.
promoted by seniority — promovido por antiguidade.
senna ['senə], *s.* (bot.) sene, sena.
sennight ['senait], *s.* (arc.) semana.
sennit ['senit], *s.* (náut.) gacheta.
sensation [sen'seiʃən], *s.* sensação; sensibilidade, excitação; impressão; comoção; espanto.
to cause a sensation — causar sensação; causar espanto; excitar; comover.
to make a great sensation — causar grande sensação.
to have a sensation of pain — ter sensação de dor.
sensation novel — romance de sensação.
sensation monger — boateiro; pessoa que espalha notícias sensacionais.
to create a sensation — causar sensação.
sensational [-əl], *adj.* sensacional; excitante; impressionante; espectacular; sensorial; extraordinário, invulgar.
sensationalism [-əlizm], *s.* sensacionalismo.
sensationalist [-əlist], *s.* sensacionalista.
sensationally [-əli], *adv.* sensacionalmente, de modo sensacional.
sensationism [sen'seiʃənizm], *s.* sensacionalismo.
sensationist [sen'seiʃənist], *s.* sensacionalista; (psic.) sensualista.
sense [sens], **1** — *s.* sentido; senso, bom senso; razão; mente, inteligência, espírito; sensação; sentimento; significado; interpretação; percepção; juízo; sentido, direcção; compreensão, entendimento; consciência.
common sense — senso comum.
the five senses — os cinco sentidos.
sense of humour — sentido do humor.
sense organs — órgãos dos sentidos.
in a sense — em certo sentido.
in the true sense of the word — no verdadeiro sentido da palavra.
in the literal sense — no sentido literal.
this doesn't make sense — isto não faz sentido.
the sixth sense — o sexto sentido.
to talk sense — falar com acerto.
to be out of one's senses — ter perdido o juízo; estar fora da razão.
to drive a person out of his senses — fazer perder a cabeça a uma pessoa.
to recover one's senses — recuperar os sentidos; voltar a si.
to lose one's senses — perder os sentidos; perder o uso da razão.
to bring someone to his senses — fazer alguém voltar à razão; chamar alguém à realidade.
the sense of the word is clear — o sentido da palavra é claro.
to be in one's senses — estar no seu juízo perfeito; estar são de espírito.
to come back to one's senses — voltar a si; recuperar os sentidos.
to take something in the wrong sense — tomar alguma coisa no sentido errado; interpretar mal.
a high sense of duty — um grande sentido do dever.
to make sense — fazer sentido; ser lógico.
to take the sense of somebody — atender à opinião de alguém.
2 — *vt.* sentir, pressentir; entender, perceber, apreender o sentido de.
senseless ['-lis], *adj.* insensível; insensato; inanimado, sem sentidos; néscio; disparatado, sem sentido, absurdo; tolo; inconsciente.
to be senseless — ser insensato; ser inconsciente.
to be knocked senseless — **ficar sem sentidos; fazer desmaiar alguém.**
she fell senseless on the floor — ela caiu no chão sem sentidos.
a senseless idea — uma ideia sem pés nem cabeça.
senselessly ['-lisli], *adv.* insensatamente; de modo disparatado; sem nexo; com falta de senso.
senselessness ['-lisnis], *s.* insensatez; absurdo; tolice; falta de senso; insensibilidade.
sensibility [sensi'biliti], *s.* sensibilidade; susceptibilidade; emotividade.
to outrage someone's ***sensibilities*** — **ferir as susceptibilidades de alguém.**
sensible ['sensibl, sensəbl], *adj.* sensato, cordato, razoável; prudente, cauteloso, judicioso, cuidadoso; convencido; sensível, que pode apreender-se pelos sentidos; conhecedor; consciente, cônscio. (*Sin.* wise, reasonable, conscious.)
a sensible man — um homem sensato.
a sensible difference — uma diferença sensível.
to be sensible of — estar cônscio de.
sensible of kindness — sensível à bondade.
let us be sensible! — sejamos razoáveis!
sensible horizon — horizonte aparente.
it was very sensible of you — fizeste muito bem; agiste com muita sensatez.
sensibleness [-nis], *s.* sensatez; prudência; bom senso; juízo; cautela.
sensibly [-i], *adv.* sensatamente; judiciosamente; prudentemente; sensivelmente.
sensitive ['sensitiv], *adj.* sensível; impressionável; susceptível; sensitivo.
sensitive plant — (bot.) sensitiva; mimosa; (fig.) pessoa demasiado sensível.
sensitive film — película impressionável.
sensitive instrument — instrumento de precisão.
sensitive scales — balança de precisão.
to be sensitive to — ser sensível a; ser impressionável por.
sensitively [-li], *adv.* sensivelmente; com sentimento; de modo sensível.
sensitiveness [-nis], *s.* sensibilidade; impressionabilidade.

sensitivity [sensi'tiviti], *s.* sensibilidade; impressionabilidade.
sensitizable ['sensitaizəbl], *adj.* (fot.) sensibilizável.
sensitization ['sensitai'zeiʃən], *s.* (fot.) sensibilização.
sensitize ['sensitaiz], *vt.* (fot.) sensibilizar.
sensoria [sen'sɔ:riə], *s. pl.* de **sensorium.**
sensorial [sen'sɔ:riəl], *adj.* sensorial, sensório.
sensorial error — erro dos sentidos.
sensorium [sen'sɔ:riəm], *s.* sensório (a sede dos sentidos ou da alma); órgão dos sentidos.
sensory ['sensəri], *adj.* sensório.
sensual ['sensjuəl], *adj.* sensual; voluptuoso, libidinoso; sensualista, partidário do sensualismo.
sensualism [-izm], *s.* sensualismo; sensualidade.
sensualist [-ist], *s.* sensualista, partidário do sensualismo.
sensuality [sensju'æliti], *s.* sensualidade.
sensuous ['sensjuəs], *adj.* sensual; imoral; voluptuoso, libidinoso; apaixonado; sensível.
sensuously [-li], *adv.* sensualmente; voluptuosamente; apaixonadamente; sensivelmente.
sensuousness [-nis], *s.* sensualidade; sensibilidade.
sent [sent], *pret.* e *pp.* do verbo **to send.**
sentence ['sentəns], **1** — *s.* frase; proposição, oração (gram.); sentença (jur.), veredicto; pena; adágio, máxima.
simple sentence — período de uma só oração.
sentence-stress — acento da frase.
complex sentence: período de uma oração principal e uma ou mais orações subordinadas.
compound sentence — período de uma oração principal e uma ou mais orações coordenadas.
to pass sentence — proferir uma sentença.
sentence of death — pena de morte.
to serve a sentence — cumprir uma pena.
2 — *vt.* (jur.) sentenciar, condenar.
sententious [sen'tenʃəs], *adj.* sentencioso; lacónico, breve, conciso; judicioso; formalista; moralizador.
sententiously [-li], *adv.* sentenciosamente; judiciosamente; concisamente.
sententiousness [-nis], *s.* sentenciosidade; estilo sentencioso; laconismo; brevidade; concisão.
sentient ['senʃənt], *adj.* sensível.
sentiently [-li], *adv.* sensivelmente
sentiment ['sentimənt], *s.* sentimento; afecto; simpatia; sentimentalismo; emotividade; sensibilidade; modo de sentir ou de pensar, opinião; dito, conceito; voto; brinde; ponto de vista.
the sentiment of pity—o sentimento de piedade.
he is animated by noble sentiments — ele está animado de sentimentos nobres.
base sentiments — sentimentos baixos.
sentimental [senti'mentl], *adj.* sentimental; romântico; terno; sensível; emotivo. (*Sin.* emotional, tender. *Ant.* prosaic.)
for sentimental reasons — por motivos sentimentais.
sentimentalism [senti'mentəlizm], *s.* sentimentalismo.
sentimentalist [senti'mentəlist], *s.* sentimentalista; sentimental.
sentimentality [sentimen'tæliti], *s.* sentimentalidade.
sentimentally [senti'mentəli], *adv.* sentimentalmente.
sentinel ['sentinl], **1** — *s.* sentinela.
to stand sentinel over — estar de sentinela a.
2 — *vt.* estar de sentinela a.
sentry ['sentri], *s.* sentinela.
sentry-box — guarita.
to be on sentry-go — estar de sentinela.
on sentry-duty — de sentinela.
to relieve a sentry — render uma sentinela.
Seoul [soul], *top.* Seul (capital da Coreia do Sul).
sepal ['sepəl], *s.* sépala.
separability [sepərə'biliti], *s.* separabilidade; divisibilidade.
separable ['sepərəbl], *adj.* separável; divisível.
separableness [-nis], *s.* separabilidade; divisibilidade.
separate 1 — ['sep(ə)rit], *adj.* separado; dividido; desunido; apartado; desligado; distinto, diferente, diverso; independente; particular, privado; pessoal, individual.
separate maintenance — pensão de alimentos.
separate rooms — quartos separados.
2 — *s.* separata.
3 — ['sepəreit], *vt.* e *vi.* separar; dividir; desunir; apartar; desligar; separar-se; desunir-se; apartar-se; desligar-se; soltar-se; desprender.
they separated — eles separaram-se.
separately ['sep(ə)ritli], *adv.* separadamente, em separado; distintamente.
separateness ['sepritnis], *s.* separação.
separating ['sepəreitiŋ], *s.* e *adj.* separação; de separação.
separation [sepə'reiʃən], *s.* separação; desunião; divisão; afastamento.
judicial separation — separação judicial.
separation from bed and board — separação de pessoas e bens.
separatism ['sepərətizm], *s.* separatismo.
separatist ['sepərətist], *s.* separatista.
separative ['sepərətiv], *adj.* separativo.
separator ['sepəreitə], *s.* separador; separadora (mec.); centrifugador.
sepia ['si:pjə], *s.* sépia; desenho ou pintura a sépia.
sepoy ['si:pɔi], *s.* sipaio, sipai, sipal.
sepsis ['sepsis], *s.* sepsina; sepsia.
septangular [sep'tæŋgjulə], *adj.* heptagonal.
septarium [sep'tεəriəm], *s.* septário.
septate ['septeit], *adj.* septado.
September [sep'tembə], *s.* Setembro.
Septembrist [sep'tembrist], *adj.* setembrista.
septenary [sep'tinəri], *s.* e *adj.* septenário.
septennial [sep'tenjəl], *adj.* septenal.
septennially [-i], *adv.* septenalmente.
septentrional [sep'tentriənəl], *adj.* setentrional.
septet [sep'tet], *s.* septeto (conjunto de sete cantores ou músicos).
septette [sep'tet], *s.* ver **septet.**
septic ['septik], *adj.* séptico; putrefactivo; septicémico.
septicaemia [septi'si:miə], *s.* septicemia.
septicaemic [septi'si:mik], *adj.* septicémico.
septiform ['septifɔ:m], *adj.* septiforme.
septillion [sep'tiljən], *s.* septilião.
Septimus ['septiməs], *n. p.* Séptimo.
septuagenarian [septjuədʒi'nεəriən], *s.* e *adj.* septuagenário.
Septuagesima [septjuə'dʒesimə], *s.* Septuagésima.
septum ['septəm], *s.* (anat.) septo.
septuple ['septjupl], *s.* e *adj.* séptuplo.
sepulchral [si'pʌlkrəl], *adj.* sepulcral.
sepulchre ['sepəlkə], **1** — *s.* sepulcro.
the Holy Sepulchre — o Santo Sepulcro.
2 — *vt.* sepultar, enterrar.
sepulture ['sepəltʃə], *s.* sepultura; inumação.
sequel ['si:kwəl], *s.* sequela; sequência; continuação; seguimento; consequência.
in the sequel of things—na sequência das coisas.
sequela [si'kwi:lə], *s.* (*pl.* **sequelae**) (med.) sequela.

sequelae [si'kwi:li:], *s. pl.* de **sequela.**
sequence ['si:kwəns], *s.* sequência, série, continuação; seguimento; ilação; consequência; (mús.) modulação; encadeamento, sucessão; ordem; gradação; cena (de filme).
to follow the sequence of events — **seguir o** curso dos acontecimentos.
in sequence — em série.
sequent ['si:kwənt], *adj.* sequente; consequente; subsequente; sucessivo.
sequential [si'kwenʃəl], *adj.* sequente; consequente; subsequente; sucessivo.
sequentially [-i], *adv.* consequentemente; subsequentemente.
sequester [si'kwestə], *vt.* sequestrar; apartar; isolar; confiscar; apossar-se de; afastar-se, isolar-se.
to sequester oneself from the world — isolar-se, afastar-se da sociedade.
sequestered [-d], *adj.* recôndito; afastado, isolado; calmo, tranquilo, sossegado.
sequestra [si'kwestrə], *s. pl.* de **sequestrum.**
sequestrate [si'kwestreit], *vt.* sequestrar; arrestar, confiscar.
sequestration [si:kwes'treiʃən], *s.* sequestração; embargo; separação; retiro; isolamento, afastamento; confiscação.
sequestrator ['si:kwestreitə], *s.* sequestrador.
sequestrum [si'kwestrəm], *s.* (pl. **sequestra**) (med.) sequestro.
sequoia [si'kwɔiə], *s.* (bot.) sequóia.
serac ['seræk], *s.* **massa de gelo em forma de torre.**
seraglio [se'rɑ:liou], *s.* serralho, harém.
seraph ['serəf], *s.* serafim.
seraphic [se'ræfik], *adj.* seráfico; angélico.
seraphically [-əli], *adv.* seraficamente; angelicamente.
seraphim ['serəfim], *s.* serafim.
seraphina [serə'fi:nə], *s.* serafina.
seraphine ['serəfin], *s.* serafina.
Serb [sə:b], *s.* e *adj.* sérvio, **da Sérvia.**
Serbia ['səbjə], *top.* Sérvia.
Serbian [-n], *s.* e *adj.* sérvio, **da Sérvia.**
Serbo-Croatian [sə:boukrou'eiʃən], *s.* e *adj.* servo-croata.
sere [siə], *adj.* seco, árido.
serenade [seri'neid], **1** — *s.* serenata.
2 — *vt.* fazer serenata a.
serenata [seri'nɑ:tə], *s.* serenata.
serene [si'ri:n], *adj.* sereno, calmo, sossegado, tranquilo; limpo, claro, límpido; sereníssimo (título).
a serene life — uma vida calma.
a serene temper — um temperamento calmo.
Your Serene Highness — Vossa Alteza Sereníssima.
serenely [-li], *adv.* serenamente, calmamente, tranquilamente.
serenity [si'reniti], *s.* serenidade, tranquilidade, sossego; alteza sereníssima (título).
serf sə:f], *s.* servo; escravo; **servo da gleba**; hilota.
serfage ['-idʒ], *s.* servidão; sujeição; escravidão hilotismo.
serfdom ['-dəm], *s.* servidão; sujeição; escravidão; hilotismo.
serge [sə:dʒ], *s.* sarja.
sergeant ['sɑ:dʒənt], *s.* sargento.
sergeant-major — sargento-ajudante; sargento--mor.
sergeant-at-arms — beleguim; bedel.
colour sergeant — primeiro-sargento.
Sergius ['sə:dʒjəs], *n. p.* Sérgio.
serial ['siəriəl], *s.* e *adj.* folhetim, publicação periódica; publicação em fascículos; romance em folhetins; disposto em série; ordenado por séries; relativo a série.
serial number — número de série; número de fabrico.
serial writer — escritor de folhetins; folhetinista.
serialize [-aiz], *vt.* seriar, dispor em séries.
serially [-i], *adv.* em série; em folhetins.
seriate ['siərieit], *vt.* seriar; dispor em séries.
seriatim [siəri'eitim], *adv.* ponto por ponto; um depois do outro, um por um.
seriation [siəri'eiʃən], *s.* seriação, disposição em séries.
sericeous [si'riʃjəs], *adj.* seríceo, sedoso.
sericicultural [serisi'kʌltʃərəl], *adj.* sericícola.
sericiculture [serisi'kʌltʃə], *s.* sericicultura.
sericiculturist [-rist], *s.* sericicultor.
sericultural [seri'kʌltʃərəl], *adj.* sericícola.
sericulture [seri'kʌltʃə], *s.* sericicultura.
sericulturist [-rist], *s.* sericicultor.
series ['siəri:z], *s.* série; sucessão; sequência; conjunto; progressão.
a series of misfortunes — uma série de infelicidades.
series circuit — circuito em série.
series-connected — ligado em série (elect.).
series connection — ligação em série (elect.).
series-parallel connection — ligação em série--paralelo.
series production — produção em série.
serin ['serin], *s.* serzino; espécie de canário; amarelinha (zool.).
seringa [si'riŋgə], *s.* (bot.) seringueira.
serio-comic ['siəriou'kɔmik], *adj.* sério-cómico, herói-cómico.
serio-comically [-əli], *adv.* de maneira sério--cómica.
serious ['siəriəs], *adj.* sério; grave; circunspecto; sisudo; solene; importante; sincero, verdadeiro, autêntico; perigoso.
to have a serious air — ter um ar grave, circunspecto.
a serious illness — uma doença grave.
this is a serious step — isso é um passo sério.
a serious situation — uma situação crítica.
a serious matter — um assunto sério, importante.
are you serious? — (a) sério?, fala(s) a sério?
seriously [-li], *adv.* seriamente, a sério; gravemente; solenemente; circunspectamente; perigosamente.
seriously ill — gravemente doente.
are you speaking seriously? — estás a falar a sério?
seriousness [-nis], *s.* seriedade; gravidade; circunspecção; importância.
serjeant ['sɑ:dʒənt], *s.* ver **sergeant.**
sermon ['sə:mən], **1** — *s.* sermão; admoestação, censura; prédica; reprimenda.
the Sermon of the Mountain — o Sermão da Montanha.
to preach a sermon — pregar um sermão.
2 — *vt.* pregar um sermão a; admoestar, repreender.
sermonize [-aiz], *vt.* e *vi.* pregar (sermões); admoestar, repreender, censurar.
seron ['siərən], *s.* fardo; caixa.
serosity [si'rɔsiti], *s.* serosidade.
serotherapy [siərou'θerəpi], *s.* seroterapia.
serotine ['serout(a)in], *s.* serotino, espécie de morcego.
serous ['siərəs], *adj.* seroso; aquoso.
serpent ['sə:pənt], *s.* serpente.
serpent-charmer — escantador de serpentes.
Serpent ['sə:pənt], *s.* (astr.) Serpentário.
serpentaria [sə:pən'tɛəriə], *s.* (bot.) serpentária.
Serpentarius [-s], *s.* (astr.) Serpentário.

serpentary ['sə:pəntəri], *s.* (bot.) serpentária.
serpentiform [sə:'pentifɔ:m], *adj.* serpentiforme.
serpentine ['sə:pəntain], **1** — *s.* e *adj.* serpentina; pedra serpentina; serpentino, tortuoso, sinuoso; traiçoeiro, falso.
serpentine stone — pedra serpentina.
2 — *vi.* serpentear, colear.
Serpentine (the) ['sə:pəntain], *top.* Serpentina (nome do lago existente no Hyde Park, em Londres).
serpigo [sə:'paigou], *s.* herpes (med.).
serrate ['ser(e)it], **1** — *adj.* dentado (em serra); serrilhado.
2 — *vt.* serrear.
serrated [se'reitid], *adj.* ver **serrate 1.**
serration [se'reiʃən], *s.* recorte dentado ou serreado.
serrature ['serətʃə], *s.* ver **serration.**
serrefile ['serəfail], **1** — *s.* (mil.) cerra-fila.
2 — *adv.* em cerra-fila.
serriform ['serifɔ:m], *adj.* serriforme, dentado (em serra).
serrulate ['serjulit], *adj.* serrilhado, serreado.
serrulated ['serjuleitid], *adj.* ver **serrulate.**
serry ['seri], *vt.* e *vi.* cerrar fileiras.
serum ['siərəm], *s.* soro.
serval ['sə:vəl], *s.* espécie de gato-bravo.
servant ['sə:vənt], *s.* criado; criada; servo; serva; servidor; empregado; funcionário.
a faithful servant — um criado fiel.
servant-maid — empregada doméstica.
servant girl — empregada doméstica.
domestic servant — empregada doméstica.
man-servant — empregado doméstico.
civil servant — funcionário público; servidor do Estado.
general servant — empregada para todo o serviço.
indoor servant — empregada de dentro.
serve [sə:v], **1** — *s.* (desp.) serviço (no ténis).
2 — *vt.* e *vi.* servir; estar ao serviço de; servir à mesa; tratar; prestar; ser de utilidade; satisfazer; bastar; servir de, fazer as vezes de; obsequiar; compensar, pagar; estar empregado em; exercer um cargo; desempenhar uma função; (desp.) servir (no ténis); entregar; apresentar formalmente (jur.); preparar (comida); lidar com; fazer serviço militar; (náut.) forrar um cabo.
to serve up meals — servir refeições.
to serve one's country — servir a pátria.
to serve a sentence — sofrer um castigo.
to serve time — cumprir uma sentença (na prisão).
to serve one's time — cumprir o tempo de serviço.
to serve one's turn — bastar; ser suficiente.
to serve a warrant — executar um mandado de captura.
to serve for — servir para; servir de.
to serve as a lesson — servir de lição.
to serve as an example — servir de exemplo.
to serve oneself of — servir-se de.
to serve out — distribuir.
to serve one's apprenticeship — ser aprendiz.
to serve some private ends — servir os fins em vista.
to serve a purpose — servir um fim.
to serve an office — desempenhar um cargo.
to serve with the same sauce — retaliar, pagar na mesma moeda.
to serve a trick on — pregar uma partida a.
to serve dinner — servir o jantar.
dinner is served — o jantar está na mesa.
it serves you right! — é bem feito!
what way can I serve you? — em que posso ser-lhe útil?
first come, first served — o primeiro que chega é mais bem servido; quem diante vai diante apanha.
to serve God and Mammon — servir a Deus e ao Diabo.
to serve as — servir de; servir para; trabalhar como.
to serve at mass — ajudar à missa.
to serve at table — servir à mesa.
to serve in the army — servir no exército.
to serve on the jury — fazer parte do júri.
as memory serves — conforme vem à memória.
to serve someone badly — tratar mal alguém.
as occasion serves — quando houver ocasião.
server ['-ə], *s.* servidor; criado de mesa; salva, bandeja, travessa; acólito; (desp.) o que serve (no ténis).
Servia ['sə:vjə], *top.* Sérvia.
Servian [-n], *s.* e *adj.* sérvio, da Sérvia.
service ['sə:vis], **1** — *s.* serviço; préstimo; uso; utilidade; vantagem; favor; ajuda; obséquio; ofício divino; serviço militar; serviço público; serviço religioso; homenagem; cumprimentos; serviço de mesa, baixela; (desp.) serviço (no ténis); seviço de carreira (de navios); sorva (fruta); assistência, auxílio; serventia; repartição, secção; utilidade; (jur.) entrega formal (de documento); (náut.) forro (de cabos).
at your service — ao seu dispor, às suas ordens.
service-book — ritual.
service record — folha de serviço(s).
to be of service to — ser útil a.
fit for service — apto para o serviço.
it is of no service — não presta para nada.
Air Service — aeronáutica; serviço aéreo.
Civil Service — funcionalismo civil; funcionalismo público; servico cívico.
Divine Service — ofício divino.
on his (her) Majesty's Service — ao serviço de Sua Majestade; ao serviço do Estado.
military service — serviço militar.
service flat — casa particular com pensão e serviço.
to be in service — andar a servir (como empregada doméstica.
to go out to service — ir servir.
to go into service — ir servir.
to take into one's service — tomar ao (seu) serviço.
to render services to — prestar serviços a.
to be in active service — estar no (serviço) activo.
dinner service — serviço de jantar.
tea service — serviço de chá.
will you do me a service? — quer prestar-me um serviço?, quer fazer-me um favor?
service-tree — (bot.) sorveira.
service afloat — serviço de embarque.
the public services — os serviços públicos.
past services are soon forgotten — de mal-agradecidos está o Inferno cheio.
through service — serviço directo (de navios).
to give up the service — deixar o serviço.
service-boat — escaler de serviço.
ex-service man — desmobilizado.
service brake — (mec.) travão de pé.
service directions — instruções de serviço.
service-line — (desp.) linha de serviço; linha de fundo (no ténis).
service-station — estação de serviço.
service-uniform — uniforme de serviço.
postal service — serviço de correio.
thanks-giving service — serviço de acção de graças.
Communion Service — Sagrada Comunhão.
Consular Service — serviço consular.
Diplomatic Service — serviço diplomático.

Secret Service — serviço secreto.
the three services — as três armas (exército, aviação e marinha).
customs service — serviço alfandegário.
to enter the service — entrar ao serviço.
the service of the Church — o serviço da Igreja.
it is my service — (desp.) sou eu a "bolar" (no ténis).
to be of no service — não servir para nada.
2 — *vt.* assistir, prestar assistência; reparar (especialmente automóveis).
serviceable [-əbl], *adj.* serviçal; prestimoso, útil; oficioso; prestável; vantajoso; durável.
a serviceable person — uma pessoa prestável.
serviceableness [-əblnis], *s.* préstimo, utilidade; oficiosidade; durabilidade.
serviceably [-əbli], *adv.* utilmente; serviçalmente; com préstimo.
servient ['sə:viənt], *adj.* serviente (jur.).
serviette [sə:vi'et], *s.* guardanapo.
servile ['sə:vail], *adj.* servil, baixo, desprezível, abjecto; mesquinho; subserviente. (*Sin.* cringing, abject, fawning. *Ant.* independent.)
servilely [-li], *adv.* servilmente; abjectamente; subservientemente; de modo mesquinho.
servilism ['sə:vilizm], *s.* servilismo.
servility [sə:'viliti], *s.* servilismo, baixeza; servidão; escravidão; subserviência.
serving ['sə:viŋ], *s.* e *adj.* serviço (à mesa); (desp.) serviço (no ténis); comida; distribuição; que serve.
serving man — empregado particular.
servitor ['sə:vitə], *s.* (poét.) servidor, criado, serviçal, servo.
servitude ['sə:vitju:d], *s.* servidão, escravidão; sujeição; trabalho forçado.
penal servitude — trabalhos forçados; prisão celular.
servo-brake ['sə:voubreik], *s.* (mec.) servo-freio.
servo-motor ['sə:voumoutə], *s.* (mec.) servo-motor.
sesame ['sesəmi], *s.* (bot.) sésamo, gergelim.
open sesame! — abre-te, sésamo!
sessile ['sesail], *s* *(bot.; zool.)*; séssil.
session ['seʃən], *s.* sessão; audiência; junta; assembleia, reunião; período (escolar); acção de assentar-se; tribunal.
to defer to a new session — adiar para uma nova sessão.
to be in session — estar em sessão.
the Court of Session — o Supremo Tribunal (na Escócia).
session hall — sala de audiências.
secret session — sessão, reunião secreta.
sessional [-l], *adj.* relativo a uma sessão.
sesterce ['sestə:s], *s.* sestércio (moeda romana).
sestertia [ses'tə:tiə], *s. pl.* de **sestertium.**
sestertii [sestə:ʃiai], *s. pl.* de **sestertius.**
sestertium [ses'tə:tjəm], *s.* (*pl.* **sestertia**) mil sestércios (antiga moeda romana).
sestertius [ses'tə:ʃiəs], *s.* (*pl.* **sestertii**) sestércio (moeda romana).
sestet [ses'tet], *s.* (mús.) sexteto.
sestette [ses'tet], *s.* (mús.) sexteto.
sestina [ses'ti:nə], *s.* sextina, sextilha.
set [set], **1** — *s.* colecção; série; grupo; classe; sortido; conjunto; estojo, jogo; ocaso, pôr do Sol ou da Lua; tendência; (desp.) partida; (teat.) decoração, cenário; adaptação (de vestuário, etc.); bando; companhia; quadrilha; círculo literário ou social; aparelho, maquinismo; atitude, porte; posição; inclinação, propensão; planta nova; pé de árvore; curso, movimento; enxerto; endurecimento (de cimento ou argamassa); desvio; orientação, direcção; série de jogos, partida (no ténis, etc.); serviço de(louça).
a set of books — uma colecção de livros.
set days — dias marcados.
a set of china — um serviço de porcelana.
wireless set — aparelho de telefonia; rádio.
radio set — aparelho de telefonia; rádio.
a tea-set — um serviço de chá.
a dinner set — um serviço de jantar.
a set of jewels — um adereço de jóias.
a set of buttons — uma guarnição de botões.
a set of drawings — um conjunto de desenhos; uma composição decorativa.
drawing set — estojo de desenho.
a set of teeth — uma dentadura.
a set of machines — um conjunto de máquinas; uma bateria de máquinas.
set of thieves — quadrilha de ladrões.
set of tools — jogo de ferramentas.
set of tyres — jogo de pneus.
at set of sun — ao pôr do Sol.
political set — círculo político.
to win a set — (desp.) ganhar uma partida (no ténis, etc.).
2 — *adj.* fixo, imóvel, firme; determinado; resoluto; estabelecido, regulado; montado; colocado, posto; estudado, arranjado; arrumado; feito; trabalhado; duro; obstinado; prefixo, exacto; embutido, engastado.
all set! — tudo pronto!, tudo a postos!
to be all set — estar tudo a postos; estar tudo preparado.
set dinner — jantar de cerimónia.
set price — preço fixo.
set subject — assunto do programa (escolar).
set wages — salários fixos.
a set time — uma hora prefixa.
set eyes — olhar fixo.
3 — *vt.* e *vi.* (*pret.* e *pp.* **set**) pôr, colocar; fixar; estabelecer; designar; regular, determinar; resolver; assentar; montar (máquinas); apresentar; arranjar; preparar; acertar; dispor; plantar; pôr em movimento; levantar, erguer; formar; compor (tip.); reputar; embutir, engastar; endireitar; (náut.) estender; embaraçar, tornar perplexo; pôr para chocar; fixar-se; aplicar-se; firmar-se; assentar bem; convir; adaptar-se; solidificar-se; começar a desenvolver-se ou a crescer; pôr-se (astro); declinar; correr, puxar (corrente); endireitar; afiar; levar a, obrigar a; adornar; ligar; soprar (vento); musicar; consertar; endireitar (ossos).
to set about — principiar; meter mãos à obra.
to set against — opor; opor-se; indispor; pôr em paralelo.
to set aside — pôr de parte; infringir.
to set at defiance — desafiar; provocar.
to set at liberty — pôr em liberdade.
to set at ease — acalmar; sossegar; pôr à vontade.
to set a good example — dar um bom exemplo.
to set at naught — desprezar; não fazer caso de.
to set to work — começar a trabalhar; trabalhar; meter mãos à obra.
to set a time — marcar um prazo.
to set by — estimar; fazer caso de; considerar; ter em consideração; reservar; pôr de lado.
to set down — mencionar; citar; determinar; assentar por escrito; registar; lançar no registo; tomar nota de, apontar; pôr no chão; baixar; descer (de meio de transporte); atribuir; inscrever; estabelecer.
to set at rest — acalmar; sossegar.
to set ashore — desembarcar.
to set back — atrasar (um relógio); pôr para trás; impedir; recuar; fazer recuar.

to set forward — promover; adiantar; ajudar; avançar; fazer avançar.
to set great store by — dar muita importância a; estimar muito.
to set in — pôr a caminho; incitar; começar; reaparecer; levantar-se (o vento); subir (a maré).
to set off — enfeitar; realçar; embelezar; partir; fazer partir; contrabalançar.
to set a paper — dar um ponto escrito (escolar).
to set out — publicar; declarar; expor; demonstrar; fazer conhecer, dar a conhecer; ornar; embelezar; fazer sobressair, realçar; equipar; traçar, marcar; partir (de viagem), meter pés ao caminho, pôr-se a caminho; empreender uma viagem; deitar ao mar, lançar ao mar (embarcações).
to set a hen — pôr uma galinha no choco.
to set right — corrigir; rectificar; emendar; colocar bem; ajustar.
to set to rights — rectificar; emendar.
to set sail — fazer-se ao mar; partir (navio); largar; sair a barra.
to set together — comparar; confrontar; conferir.
to set up — levantar, erigir; construir, edificar; levantar; compor (tip.); plantar; arvorar; montar (mec.); engrandecer; estabelecer-se; começar modo de vida; iniciar um negócio; desenvolver-se; elevar; expor; pronunciar; causar, provocar.
to set up for oneself — estabelecer-se por sua conta.
to set up trade — encetar a vida comercial; iniciar um negócio.
to set upon — atacar.
to set the table — pôr a mesa.
to set one's hopes on — pôr as suas esperanças em.
to set the fashion — lançar a moda; ditar a moda.
to set little by — avaliar em pouco.
to set much by — avaliar em muito.
to set to — iniciar; pôr-se a trabalhar com vigor.
to set to work — começar a trabalhar; pôr-se a trabalhar.
to set free — pôr em liberdade; soltar.
to set one's hand to the task — meter mãos à obra.
to set over — nomear; designar; constituir.
to set flowers in water — pôr flores na água.
to set a day — marcar um dia.
to set a watch (clock) right — acertar um relógio.
to set oneself against — opor-se tenazmente a.
to set one's face against — opor-se terminantemente a.
to set a person at rest — tranquilizar alguém.
to set one's teeth — cerrar os dentes; teimar, obstinar-se.
to set one's house in order (col.) — pôr os negócios em ordem; pôr a escrita em dia; introduzir reformas.
to set up type — (tip.) compor tipo.
to set on foot — iniciar; começar; fundar; pôr a funcionar; pôr em movimento.
to set up the watch — (náut.) render o quarto.
to set a price on a life (head) — pôr a cabeça de alguém a prémio.
he is going to set up as a dentist — ele vai abrir consultório de dentista.
to set down in black and white — (col.) pôr o preto no branco; passar a documento escrito.
to set eyes on — pôr a vista em cima de; lançar o olhar para; ver.
to set something on fire — pôr fogo a alguma coisa.
to set fire to — incendiar; lançar fogo a.
to set an instrument — afinar um instrumento.
to set a tree — plantar uma árvore.
to set afloat — lançar à água; pôr a flutuar.
to set ajar — entreabrir.
to set before — expor; pôr diante de; preferir.
to set down a rule — estabelecer uma regra.
to set eggs — deitar ovos; pôr ovos a chocar.
to set fast — adiantar (relógios).
to set forth — iniciar; encetar; começar (especialmente viagem); expor; dar a conhecer; gabar, louvar; realçar.
to set in order — pôr em ordem, arrumar.
to set loose — soltar; causar.
to set one's hand to the plough (col.) — meter mãos à obra.
to set one's mind on — resolver, decidir-se a.
to set at loggerheads — (col.) meter ao barulho.
to set seeds — lançar sementes.
to set straight — corrigir; emendar; endireitar.
to set the cart before the horse (col.) — pôr o carro adiante dos bois.
to set the pace — dar o exemplo; regular o andamento.
to set to music — musicar.
to be set on — estar decidido a.
to be set up — ser vaidoso.
to set well — assentar; ficar bem (especialmente vestuário).

setaceous [si:'teiʃəs], *adj.* setáceo.
set-back ['set'bæk], *s.* retrocesso; contrariedade, revés; contracorrente.
set-down ['set'daun], *s.* descompostura, reprimenda, admoestação; censura, repreensão.
set-in ['set'in], *s.* início, começo.
setness ['setnis], *s.* rigidez; firmeza.
set-off ['set'ɔ:f], *s.* compensação; realce; adorno; contrapeso; parte saliente (de uma parede); diminuição progressiva.
seton [si:tn], *s.* sedenho.
set-out ['set'aut], *s.* começo, início.
set-spring ['set'spriŋ], *s.* torno de pressão (mec.).
set-square ['set'skwɛə], *s.* esquadro.
set-to ['set'tu], *s.* combate, luta com os punhos.
set-up ['set'ʌp], *s.* atitude erecta do corpo.
sett [set], *s.* bloco de pedra.
settee [se'ti:], *s.* sofá, canapé.
settee-bed — sofá-cama.
setter ['setə], *s.* perdigueiro (raça de cão); montador de máquinas; amolador; compositor (tip.); tipógrafo; espião; montador (teatro).
setter-on — instigador.
bone-setter — (col.) endireita (indivíduo que coloca no seu lugar ossos deslocados.
stage-setter — montador (teatro).
setting ['setiŋ], *s.* e *adj.* colocação; montagem; ocaso (de um astro); embutido; engaste; acção de pôr ou colocar; guarnição; cercadura; ornato; regulação; regulamentação; fixação, marcação; direcção (do vento ou da corrente); ninhada (de ovos); que se põe (astro); em formação (fruto); solidificação; cenário, montagem (teatro); música, fundo musical; composição (tip.).
setting-up — composição (tip.); instalação, montagem.
setting-stick — componedor (tip.).
the setting sun — o ocaso do sol; o poente.
setting forth — partida.
setting in — começo; início.
settle [setl], **1** — *s.* banco comprido com costas altas.

2 — *vt.* e *vi.* fixar, estabelecer; dispor, ordenar; colocar; assentar; regular; decidir; determinar; colonizar; povoar; clarificar; instalar; acalmar, serenar; arranjar, compor; instituir; pagar, saldar; ajustar, acordar; lapidar; fixar residência; estabelecer-se; instalar-se; determinar-se; decidir-se; tranquilizar-se, acalmar-se; tornar-se claro; assentar no fundo; firmar-se; fixar-se; pôr em ordem, ordenar; casar-se; acomodar-se; fixar-se como colono; deitar; ceder (terreno); baixar, afundar-se; (jur.) legar.
to settle down — estabelecer-se; fixar-se.
to settle down for life — casar-se.
to settle down to work — pôr-se a trabalhar; começar a trabalhar.
to settle a bill — pagar uma conta.
to settle a matter — resolver uma questão; arrumar um assunto.
to settle accounts — ajustar contas.
to settle upon — precipitar-se; cair sobre; (jur.) designar uma pensão.
to settle in business — estabelecer-se; entrar num negócio.
to settle with creditors — liquidar contas com os credores.
to settle disputes — resolver dificuldades; fazer as pazes.
he settled in Paris — ele fixou residência em Paris.
to settle one's affairs — pôr a vida em ordem.
we shall settle this between us — arranjaremos isto entre nós.
that's settled! — combinado!; está assente!
while we are settling in — enquanto arranjamos a casa.
to settle a case — arbitrar uma questão.
to settle on — resolver; decidir.
to settle one's nerves — acalmar os nervos.
to settle the day — marcar o dia; fixar a data.
to settle up — fazer contas; liquidar dívidas.
he settled for everybody — ele pagou por todos.
there's nothing settled — não está nada resolvido.

settled [-d], *adj.* fixo, firme; constante; estabelecido; resolvido, determinado; saldado; seguro; estável (tempo); calmo, sossegado; casado; (jur.) legado, doado.
settled weather — tempo firme, tempo estável.

settlement [-mənt], *s.* estabelecimento; instituição; colónia; feitoria; povoado; colonização; acordo, ajuste, combinação, contrato, convénio; instalação, fixação; regulação; regulamentação; (com.) liquidação, saldo; pagamento; domicílio; dote; legado, doação; solução; sedimento; abatimento (de terreno); clarificação (de líquido); assentamento; arranjo; fundação, instituição de beneficência.
marriage-settlement — contrato de casamento; dote.
settlement of interests — conta de lucros.
settlement of account — liquidação de conta.
yearly settlement of accounts — ajuste anual de contas.
settlement day — dia de pagamento.
deed of settlement — (jur.) certidão de transferência.
penal settlement — colónia penal.
to reach a settlement — chegar a acordo.
the terms of a settlement — os termos de um acordo; as cláusulas de um contrato.

settler ['setlə], *s.* colono; colonizador; fundador; instituidor; (fig.) golpe decisivo; árbitro, julgador.

settling ['setliŋ], *s.* estabelecimento, instalação; instituição; acomodação; regularização (de contas), ajustamento; liquidação, pagamento; assentamento; arranjo; fixação; determinação, resolução, decisão; clarificação (de líquido); depósito; *pl.* sedimento, depósito; borras.
settling of accounts — ajuste, saldo de contas.

settlor ['setlə], *s.* (jur.) doador.

seven [sevn], *s.* e *num.* sete; bisca, manilha, sete (carta de jogar).
the seven wonders of the world — as sete maravilhas do mundo.
at sixes and sevens — em desordem, em confusão.
the seven deadly sins — os sete pecados mortais.
seven-league boots — botas de sete léguas.
in sevens — em grupos de sete.
the seven-hilled City — a cidade das sete colinas.
the Seven Years' War — A Guerra dos Sete Anos.
that boy is seven — aquele rapaz tem sete anos.

sevenfold ['-fould], *s.* e *num.* séptuplo; sete vezes.

seventeen ['-'ti:n], *s.* e *num.* dezassete.
sweet seventeen — a flor da idade, os dezassete anos.
she is seventeen — ela tem dezassete anos.

seventeenth ['-ti:nθ], *s.*, *adj.* e *num.* décimo sétimo; a décima sétima parte.
on the seventeenth — no dia dezassete.

seventh [-θ], *s.*, *adj.* e *num.* sétimo; a sétima parte; sétima (mús.).
in the seventh heaven — (fig.) no sétimo céu; num céu-aberto; em completa felicidade.
on the seventh (of) January — no dia sete de Janeiro.

seventhly ['-θli], *adv.* em sétimo lugar.

seventieth ['sevntiiθ], *s.*, *adj.* e *num.* septuagésimo; a septuagésima parte.

seventy ['sevnti], *s.* e *num.* setenta.
he is seventy — ele tem setenta anos.
to be in the seventies — ter setenta e tal anos de idade.

sever ['sevə], *vt.* e *vi.* separar; cortar; desunir; arrancar; dividir; separar-se; partir-se; desunir-se; romper(-se); rachar(-se); conservar-se à parte.
the rope severed under the strain — a corda partiu-se com o esticão.

severable [-rəbl], *adj.* separável; que pode separar-se, arrancar-se ou desunir-se.

several ['sevrəl], *s.*, *adj.* e *pron.* vários, diversos; alguns; diferente, distinto, diverso; cada um em particular; individual, respectivo.
several times — várias vezes.
they went their several ways — seguiram caminhos diferentes; foi cada um para seu lado.
in several shops — em diferentes lojas.
the several members of the Board — os vários membros da Junta.
several men, several minds — (col.) cada cabeça sua sentença.
collective and several responsibility — responsabilidade individual e colectiva.

severally [-i], *adv.* separadamente; individualmente; distintamente; à parte; respectivamente; diferentemente; cada um de per si.
jointly and severally — solidàriamente.

severance ['sevərəns], *s.* separação; rompimento; desunião; disjunção; divisão.

severe [si'viə], *adj.* severo; rigoroso; austero; inexorável; violento; acerbo; grave, sério; inflexível; forte; bravo; cruel; duro; difícil; sóbrio; sarcástico; tempestuoso; exigente. (*Sin.* austere, rigorous, violent. *Ant.* mild.)
a severe winter — um Inverno rigoroso.
a severe teacher — um professor severo, exigente.

a severe pain — uma dor aguda.
a severe illness — uma doença grave.
a severe cold — uma forte constipação.
a severe look — um olhar severo.
severe style — estilo sóbrio.

severely [-li], *adv.* severamente; rigorosamente; austeramente; inexoravelmente; seriamente, gravemente; cruelmente; dificilmente; sarcasticamente; tempestuosamente.
severely ill — gravemente doente.

severeness [-nis], *s.* severidade; rigor; austeridade; crueldade; dureza; seriedade; sobriedade.

severity [si'veriti], *s.* severidade; rigor; crueldade; gravidade; austeridade; opressão; inflexibilidade; violência; dureza; seriedade; sobriedade.

Severus [si'viərəs], *n. p.* Severo.
Septimius Severus — Septímio Severo.

Seville ['sev(i)l], *top.* Sevilha.

Sevillian [se'vil(j)ən], *s.* e *adj.* sevilhano, de Sevilha.

Sèvres [seivr, sɛ:vr], *s.* porcelana de Sèvres.

sew [sou], *vt.* e *vi.* (*pret.* **sewed,** *pp.* **sewn** ou **sewed**) coser; costurar; pregar (com linha).
to sew on a button — pregar um botão.
to sew a book — coser um livro.
to get a button sewn on strongly — mandar pregar bem um botão.
to sew in a patch — deitar um remendo.
to sew over — cerzir.
to sew up — costurar; (fig.) cansar; estafar.
I am sewed up — estou cheio de trabalho; tenho muito que fazer.

sewage ['sju(:)idʒ], *s.* detritos, imundícies; despejos; esgotos.

sewer 1 — ['souə], *s.* cosedor (de encadernação); costureiro, costureira.
2 — ['sjuə], *s.* escoadouro; cano de esgoto; sumidouro; esgoto; fossa.
sewer-gas — emanações das fossas ou dos esgotos.
sewer rat — rato de cano de esgoto.
main sewer — colector principal; cano geral.
public sewer — esgoto público.

sewerage ['sjuəridʒ], *s.* drenagem por canos de esgoto; rede de esgotos; detritos, imundícies.

sewin ['sju:in], *s.* espécie de truta assalmoada.

sewing ['souiŋ], *s.* e *adj.* costura; acto de coser ou costurar; trabalho de costura.
sewing-machine — máquina de costura.
sewing-woman — costureira.
sewing cotton — algodão de costura.
sewing cushion — almofada de costura.
sewing-maid — costureira.

sewn [soun], *adj.* e *pp.* do verbo **to sew.**
hand-sewn — cosido à mão.

sex [seks], *s.* sexo.
sex appeal — atracção sexual; sensualidade.
the fair sex — o belo sexo.
the weaker sex — o sexo fraco.
female sex — sexo feminino.
male sex — sexo masculino.
irrespective of sex — sem distinção de sexo.
sex education — educação sexual.

sexagenarian [seksədʒi'nɛəriən], *s.* e *adj.* sexagenário.

sexagenary [sek'sædʒinəri], *adj.* sexagesimal.

Sexagesima [seksə'dʒesimə], *s.* (ecl.) Sexagésima.

sexagesimal [seksə'dʒesiməl], *s.* e *adj.* sexagesimal; fracção sexagesimal.

sexed [sekst], *adj.* sexuado.

sexennial [seks'enjəl], *adj.* sexenal.

sexless ['sekslis], *adj.* assexuado; assexual; neutro.

sext [sekst], *s.* sexta, hora canónica.

sextain ['sekstein], *s.* sextilha.

sextan ['sekstən], *adj.* (febre) que aparece de seis em seis dias.

sextant [-t], *s.* sextante; (geom.) sexta parte de um círculo.

sexte [sekst], *s.* sexta, hora canónica.

sextet [seks'tet], *s.* sexteto (mús.).

sextette [seks'tet], *s.* sexteto (mús.).

sextile ['sekstail], *adj.* sextil.

sextillion [seks'tiljən], *s.* sextilião.

sexto ['sekstou], *s.* livro de folhas dobradas em seis.

sextodecimo [-'desimou], *s.* e *adj.* folha de dezasseis páginas; livro formado por folhas de dezasseis páginas; décimo sexto.

sexton ['sekstən], *s.* sacristão; coveiro.

sextuple ['sekstjupl], 1 — *s.* e *adj.* sêxtuplo.
2 — *vt.* sextuplicar.

sexual ['seksjuəl], *adj.* sexual; sexuado.
sexual inversion — inversão sexual.
sexual activity — actividade sexual.
sexual desire — desejo sexual.
sexual frustration — frustração sexual.
sexual intercourse — relações sexuais.
sexual appetite — apetite sexual.
sexual disease — doença venérea.
sexual organs — órgãos sexuais.
sexual act — acto sexual; cópula.
sexual obsession — obsessão sexual.
sexual instruction — educação sexual.
sexual perversion — perversão sexual.
sexual education — educação sexual.

sexuality [seksju'æliti], *s.* sexualidade.

sexually ['seksjuəli], *adv.* sexualmente; em relação ao sexo.

shabbily ['ʃæbili], *adv.* andrajosamente; miseravelmente, pobremente; mesquinhamente.

shabbiness ['ʃæbinis], *s.* desalinho; pobreza de vestuário; vileza, baixeza; mesquinhez.

shabby ['ʃæbi], *adj.* usado, gasto; roto, esfarrapado; mal vestido; andrajoso; desprezível; mesquinho; coçado, poído; miserável.
to play a shabby trick on — praticar uma infâmia.
a shabby coat — um casaco coçado, poído.
a shabby room — um quarto miserável, mal arranjado, mal mobilado.

shack [ʃæk], 1 — *s.* cabana; barraca de madeira; choupana; (E. U.) vadio, vagabundo; pileca.
2 — *vt.* e *vi.* vaguear; vadiar.

shackle [-l], 1 — *s.* algema; grilheta; travão; estorvo, impedimento; manilha; braga; anete de âncora; anel, aro, elo; cadeia de enganchar (cam. fer.); dificuldade; grilhão; entrave.
2 — *vt.* algemar; agrilhoar; encadear; amarrar; estorvar, impedir, dificultar; manilhar, talingar (náut.); pôr cadeado; manietar.

shad [ʃæd], *s.* sável.

shaddock ['ʃædək], *s.* laranjeira da Índia; toranja.

shade [ʃeid], 1 — *s.* sombra; escuridão, trevas; lugar escuro; matiz, cambiante (de cor), esbatido; quebra-luz; espectro, fantasma; imagem, graduação de cor; tom, tonalidade; pequena quantidade; pequena diferença; obscuridade; solidão; sombreado (em pintura ou desenho); estore, persiana; *pl.* o mundo das sombras; as trevas.
in the shade — à sombra; na obscuridade.
the shades of night — as sombras da noite.
to throw someone into the shade — (fig.) eclipsar alguém; pôr alguém a um canto, suplantar alguém; fazer sombra a alguém; relegar alguém para plano secundário.
glass-shade — mangueira de vidro; redoma.
lamp-shade — quebra-luz.
to go down to the shades — (fig.) morrer.

the shade of trees — a sombra das árvores.
I am a shade better today — hoje estou um bocadinho melhor.
let us sit in the shade!—sentemo-nos à sombra!
people of all shades — gente de todos os partidos.
shade-deck — (náut.) tombadilho corrido.
the temperature in the shade — a temperatura à sombra.
2 — *vt.* e *vi.* fazer sombra; assombrar; ensombrar; escurecer; obscurecer; sombrear (desenho); abrigar; esconder; proteger; matizar; transformar-se gradualmente; diluir-se.
the trees shade the street — as árvores dão sombra à rua.
to shade a lamp — pôr quebra-luz numa lâmpada ou candeeiro.
to shade away — esmaecer; diluir (cor).
shaded [′-id], *adj.* sombreado; à sombra; com sombra; com quebra-luz; protegido.
shadeless [′-lis], *adj.* sem sombra.
shadily [′-ili], *adv.* com sombra; na sombra.
shadiness [′-inis], *s.* sombra; opacidade; obscuridade; (fig.) má reputação.
shading [′-iŋ], *s.* sombreado; acção de cobrir com sombra.
shadow [′ʃædou], **1** — *s.* sombra; escuridão; trevas; amparo, protecção; traço, vestígio; obscuridade; sombreado; imagem (reflectida num espelho ou na água); prenúncio; aviso; pequena quantidade; visão; espectro. (*Sin.* shade, gloom, darkness, image.)
she is worn to a shadow with care — ela está consumida de cuidados.
I have not the slightest shadow of doubt — não tenho a mínima sombra de dúvida.
a shadow crossed his face — uma expressão sombria toldou-lhe o rosto.
he was my shadow — ele era a minha "sombra negra".
she is but the shadow of her former self — ela é uma sombra do que era.
shadow-stitch — ponto de sombra.
my shadow is on the wall — a minha sombra está na parede.
to pass away like a shadow — desvanecer-se como uma sombra.
under the shadow of — à sombra de.
not a shadow of doubt — sem a menor dúvida.
the shadow-land — o reino das sombras.
shadow-boxing — *(desp.)*; treino contra um adversário imaginário.
shadow-photograph — radiografia.
shadow-show — sombras chinesas.
the shadows of night — as sombras da noite.
to have (dark) shadows around one's eyes — estar com olheiras.
to be afraid of one's own shadow — ter medo da própria sombra.
2—*vt.* e *vi.* sombrear; assombrar; ensombrar; escurecer; matizar; representar imperfeitamente; graduar as cores; escurecer-se; toldar-se; espiar; vigiar de perto.
to be shadowed by someone — ser espiado ou vigiado de perto por alguém.
shadowgraph [-grɑ:f], *s.* sombras chinesas; (med.) radiografia.
shadowiness [-inis], *s.* qualidade de sombreado.
shadowing [-iŋ], *s.* graduação de luz e de cores; arte de representar sombras.
shadowless [-lis], *adj.* sem sombra.
shadowy [-i], *adj.* sombrio; tenebroso; escuro; vago, indefinido; quimérico; simbólico; cheio de sombras, umbroso; indistinto.
shady [′ʃeidi], *adj.* sombrio, escuro; opaco; suspeito, duvidoso; que dá sombra.
a shady business — um negócio escuro.
under a shady tree — à sombra de uma árvore.
to be on the shady side of forty (fifty, etc.) — já ter mais de quarenta (cinquenta, etc.) anos; já passar dos quarenta (cinquenta, etc.).
shaft [ʃɑ:ft], *s.* frecha, dardo, seta; varal; lança; eixo, fuso (mec.); poço de mina; cano de chaminé; túnel de forno de fundição; agulha, capitel de torre; fuste de coluna; cano de pena de ave; veio, haste (de âncora); raio de luz.
air-shaft — ventilador metálico; poço de ventilação.
the shaft-horse — o cavalo do meio.
line-shaft — linha de eixo.
propeller shaft — veio de transmissão (de hélice).
side-shaft — eixo lateral.
shaft carrier — suporte do eixo.
the shaft of a hammer — o cabo de um martelo.
shaft of light — feixe de luz.
power shaft — veio de motor.
shafting [′-iŋ], *s.* jogo de eixos e correias (mec.); veios; transmissões (mec.).
shag [ʃæg], *s.* grenha, guedelha; espécie de tabaco; corvo-marinho.
shaggily [′-ili], *adv.* de modo hirsuto ou felpudo.
shagginess [′-inis], *s.* aspecto hirsuto, aspecto guedelhudo ou desgrenhado; qualidade de ser peludo ou felpudo.
shaggy [′-i], *adj.* peludo, felpudo; hirsuto; desgrenhado; escabroso, áspero; cabeludo.
shagreen [ʃæ′gri:n], *s.* chagrém (couro); lixa; chagrim.
shah [ʃa:], *s.* xá, rei da Pérsia.
shake [ʃeik], **1** — *s.* sacudidela; agitação; abanão; meneio; aperto de mão; trinado; garganteio; vibração; concussão; aduela; racha de madeira; choque, abalo; trepidação, tremor; terramoto; fenda; (col.) momento, instante; *pl.* (med.) sezões, maleitas.
the shakes — os calafrios da febre intermitente.
no great shakes — (col.) de pouca importância.
shake of wind — golpe de vento.
shake of the hand — aperto de mão.
to be all of a shake — estar todo trémulo.
with a shake in one's voice — com voz trémula.
in half a shake — num rufo.
2 — *vt.* e *vi.* (*pret.* **shook,** *pp.* **shaken**) sacudir, abanar, agitar, abalar; menear; mexer; fazer vacilar; desalentar; titubear; trinar (mús.); gargantear; arremessar, arrojar; tremer, estremecer; apertar a mão, dar um aperto de mão; estalar, rachar; abanar a cabeça; abater vasilhame; (náut.) bater o pano; agitar-se, abalar-se; menear-se; perturbar, impressionar.
to shake one's head — abanar a cabeça! menear a cabeça (em desaprovação).
to shake hands — apertar a mão; cumprimentar.
to shake a note — trinar uma nota (mús.).
to shake up — sacudir, agitar; remover.
to shake off — sacudir; desembaraçar-se de.
to shake in one's shoes — tremer (de medo), como varas verdes.
to shake out — sacudir; fazer sair.
to shake down — deitar abaixo (sacudindo); agitar; resolver.
to shake the house — abanar (fazer estremecer) a casa.
to shake a carpet — sacudir um tapete.
to shake the table — abanar a mesa.
to shake a tree — abanar uma árvore.
to shake a leg — (col.) dançar; andar depressa.

to shake with fear — tremer de medo.
to shake with cold — tremer de frio.
to shake out a reef — deitar fora dos rizes.
to shake a ship — escoar um navio.
the trees shook as the wind blew — as árvores abanavam quando o vento soprava.
he shook his fist at me — ele ameaçou-me com o punho.
to shake the dust off one's feet — sacudir o pó dos sapatos; (col.) não tornar a pôr os pés num lugar.
shake off your laziness! — sacode essa preguiça!
to shake off the yoke — sacudir o jugo.
to shake someone — (col.) ver-se livre de alguém.

shakedown [ˈ-daun], *s.* cama improvisada.

shaken [ˈ-ən], *adj.* e *pp.* do verbo **to shake,** abanado, abalado; rachado, com fendas.
he was much shaken by the news — ele ficou muito abalado com a(s) notícia(s).
the firm's credit was shaken — o crédito da firma estava abalado.

shaker [ˈ-ə], *s.* tremedor; sacudidor; batedor (para sumos e outros líquidos, bebidas, etc.); agitador; membro de uma seita religiosa que crê que o segundo advento de Cristo já se realizou.

Shakespearian [ʃeiksˈpiəriən], *adj.* shakespeariano, relativo a Shakespeare, de Shakespeare.

shakily [ˈʃeikili], *adv.* de modo vacilante; sem firmeza; com voz trémula.

shakiness [ˈʃeikinis], *s.* qualidade de ser vacilante; insegurança, falta de firmeza.

shaking [ˈʃeikiŋ], *s.* e *adj.* sacudidela; agitação, abalo; tremura; tremor, estremecimento; vibração; concussão; meneio; vacilante; trémulo; inseguro; *pl.* restos de cabos e lonas velhas (náut.); (med.) sezões, maleitas.

shaky [ˈʃeiki], *adj.* trémulo; abalado; vacilante; estalado; fendido; pouco firme, inseguro; incerto; fraco; trôpego; movediço; duvidoso; com falta de crédito; que não inspira confiança. (*Sin.* trembling, tottering, unsteady, unsound. *Ant.* firm.)
a shaky old man — um velho trôpego ou trémulo.
shaky credit — crédito abalado.
shaky house — casa fendida, rachada ou pouco firme.
shaky voice — voz trémula.
I feel shaky — (col.) sinto-me adoentado.

shale [ʃeil], *s.* piçarra; argila xistosa.

shall [ʃæl, ʃəl, ʃl], *v. defect.* (*pres. ind.* **shall**; *pret.* **should**; não tem infinito nem *pp.*) usa-se, como verbo auxiliar, para formar o futuro (*shall* + infinito), e o condicional (*should* + infinito), especialmente nas primeiras pessoas; como verbo principal ou independente significa: devo, deves, deve, etc., sou, és, é (etc.) obrigado a; tenho, tens (etc.) de; é melhor que.
shall I...? — quer que eu...?
I shall leave tomorrow — partirei amanhã.
shall we go now? — vamos agora?
shall we dance? — vamos dançar?
you shall go — hás-de ir.
they shall pay — eles hão-de pagar.

shalloon [ʃəˈlu:n], *s.* tecido de lã para forros.

shallop [ˈʃæləp], *s.* (náut.) chalupa.

shallot [ʃəˈlɔt], *s.* chalota (bot.).

shallow [ˈʃælou], **1** — *s.* baixio, banco de areia. **2** — *adj.* baixo, pouco profundo, superficial; insípido; trivial; frívolo; néscio.
shallow-brained — estouvado, "cabeça-no-ar".
a shallow mind — um espírito superficial.
shallow water — água pouco profunda.
shallow-bodied — (náut.) de pouco calado.
shallow talk — frases ocas, conversa banal.
a shallow man — um homem superficial.
a shallow dish — um prato pouco fundo.

shallowness [-nis], *s.* pouca profundidade; superficialidade; frivolidade; leviandade; futilidade.

shalt [ʃælt, ʃəlt, ʃlt], (arc.) *2.ª pess. do sing. do pres. do ind.* do verbo **shall,** usado especialmente em frases bíblicas.
thou shalt not kill — não matarás.
thou shalt not steal — não roubarás.

shaly [ˈʃeili], *adj.* piçarroso; xistoso.

sham [ʃæm], **1** — *s.* fingimento; impostura; falsa aparência; disfarce; simulação; pretexto; trapaça; imitação; falsificação; hipocrisia; fraude, logro. (*Sin.* imposture, humbug, feint. *Ant.* truth.)
a mere sham — uma simples imitação.
2 — *adj.* fingido, simulado; dissimulado; suposto; fictício; falso; pretenso. (*Sin.* pretended. *Ant.* real, genuine.)
a sham fight — um combate simulado.
sham diamonds — diamantes falsos, de imitação.
3 — *vt.* e *vi.* fingir, simular; dissimular; imitar; falsear; falsificar; pretextar; fingir-se, fazer-se; fazer crer; enganar, lograr, trapacear, defraudar. (*Sin.* to pretend, to simulate, to cheat.)
to sham illness — fingir-se (fazer-se) doente.
to sham a faint — simular um desmaio.
to sham sleep — fingir dormir.
to be shamming — estar a fingir.

shamble [ʃæmbl], **1** — *s.* passo vacilante; andar trôpego ou bamboleante; bamboleio; *pl.* matadouro, açougue; carnificina.
2 — *vi.* andar com passo vacilante; saracotear-se, bambolear-se; caminhar tropegamente.

shambling [ˈ-iŋ], *s.* e *adj.* passo pesado; andar trôpego; que se saracoteia; pesado (no andar); vacilante; trôpego.
shambling gait — passo vacilante ou trôpego.

shame [ʃeim], **1** — *s.* vergonha, pejo, pudor; desonra; opróbrio; afronta; humilhação.
what a shame! — que vergonha!; que pena!
for shame! — que vergonha!; tenha vergonha!
to put to shame — envergonhar.
to flush with shame — corar de vergonha.
to bring shame on one's family — causar a vergonha da família.
he is a shame to his parents — ele é a vergonha dos pais.
to hide one's face in shame — esconder a cara com vergonha.
to feel shame at — ter vergonha de.
he has lost all shame — ele perdeu toda a vergonha.
without shame — sem vergonha.
to be past shame — perder toda a vergonha.
to have no shame — não ter vergonha nenhuma.
shame on you! — tenha vergonha!
2 — *vt.* e *vi.* envergonhar; desacreditar; desonrar; envergonhar-se; humilhar.

shamefaced [ˈ-feist], *adj.* envergonhado; tímido, acanhado; vergonhoso; modesto.

shamefacedly [ˈ-feistli,-feisidli], *adv.* timidamente, envergonhadamente, acanhadamente; vergonhosamente; modestamente.

shamefacedness [ˈ-feistnis, ˈ-feisidnis], *s.* vergonha, pudor; acanhamento, timidez; modéstia.

shameful [ˈ-ful], *adj.* vergonhoso; escandaloso; descarado; indecoroso; ignominioso; indigno. (*Sin.* dishonourable, disgraceful, scandalous, outrageous. *Ant.* honourable.)

shamefully [ˈ-fuli], *adv.* vergonhosamente; escandalosamente; indignamente; descaradamente.

shamefulness [ˈ-fulnis], *s.* vergonha; ignomínia; indecoro; indignidade; descaro.
shameless [ˈ-lis], *adj.* sem vergonha, descarado, desavergonhado; escandaloso; indigno; impudente; indecoroso.
shamelessly [ˈ-lisli], *adv.* descaradamente, desavergonhadamente; escandalosamente; impudicamente; indecorosamente.
shamelessness [ˈ-lisnis], *s.* descaramento, desaforo; impudência; escândalo; indignidade; indecoro.
shammer [ˈʃæmə], *s.* trapaceiro, enganador, impostor, mentiroso.
shammy [ˈʃæmi], *s.* camurça.
shammy-leather [-leðə], *s.* pele de camurça.
shamoy [ʃæˈmɔi], *s.* camurça.
shampoo [ʃæmˈpu:], **1** — *s.* loção para lavagem ou limpeza da cabeça, champu; lavagem com loção; lavagem com fricção.
2 — *vt.* lavar (a cabeça) com loção, lavar com champu.
shampooing [-iŋ], *s.* lavagem (da cabeça) com loção, com champu.
shamrock [ˈʃæmrɔk], *s.* trevo branco, considerado o emblema da Irlanda.
shandygaff [ˈʃændigæf], *s.* cervejada, mistura de cerveja com gasosa.
Shanghai [ʃæŋˈhai], *top.* Xangai.
shank [ʃænk], *s.* perna; tíbia; canela; o osso da perna; haste, espiga (mec.); cabo; cana; canudo; fuste de rebite (náut.); tronco; pecíolo (bot.); perna (de meia); tarso (de ave); pedúnculo (de flor).
the shank of an anchor — a cana de uma âncora.
to ride on shank's poney — ir a pé.
to ride on shank's mare — ir a pé.
shanked [-t], *adj.* que tem perna ou haste; com pé; encabado; com caule.
shankless [ˈ-lis], *adj.* sem perna; sem haste; sem pé; sem caule.
shan't [ʃɑ:nt], forma abreviada de **shall not.**
shanty [ˈʃænti], *s.* cabana; choça; choupana; canção de bordo (durante as manobras).
shape [ʃeip], **1** — *s.* forma, feitio; molde; figura; modelo; exemplar; configuração; padrão; maneira, modo; perfil, corpo; imagem; espectro, fantasma; aspecto. (*Sin.* form; mould, model; fashion; outline, design.)
in the shape of — em forma de.
to put an idea into shape — concretizar uma ideia.
to keep in shape — manter a forma.
to take shape — tomar forma; concretizar-se.
rice shape — bolo de arroz.
out of shape — deformado.
to take the shape of — tomar a forma de.
2 — *vt.* e *vi.* formar, dar forma a; adaptar, ajustar; proporcionar; cortar, talhar; moldar; convir; figurar; dispor; dirigir; imaginar, conceber; modelar; planear; formar-se; ganhar forma, tomar forma; exprimir.
to shape a course — (náut.) traçar a rota; soltar o rumo; determinar ou traçar acontecimentos futuros.
to shape well — ser prometedor; dar esperanças.
the pupil shapes well — o aluno promete, dá esperanças.
to shape forth — planear; delinear.
to shape an answer — esboçar uma resposta.
to shape one's character — moldar o carácter.
shaped [-t], *adj.* formado; delineado; esboçado; em forma de.
shaped like a pear — em forma de pera.
well-shaped — bem delineado; bem proporcionado.
heart-shaped — em forma de coração.
shapeless [ˈ-lis], *adj.* informe, disforme; desproporcionado; em bruto; amorfo; sem forma.
shapelessly [ˈ-lisli], *adv.* disformemente; desproporcionadamente; irregularmente.
shapelessness [ˈ-lisnis], *s.* deformidade; desproporção; irregularidade; deselegância.
shapeliness [ˈ-linis], *s.* simetria; proporção; beleza; elegância; regularidade de formas.
shapely [ˈ-li], *adj.* simétrico; proporcionado; de boas formas; elegante; bem-feito.
shaper [ˈ-ə], *s.* modelador; matriz; máquina de talhar ou de estampar; que dá forma a; calibrador.
shaping [ˈ-iŋ], *s.* formação; modelação, modelagem; calibragem.
shaping-machine — limadora; máquina para gravar com buril.
share [ʃɛə], **1** — *s.* parte, porção, quinhão, quota; participação; interesse; (com.) acção; relha (de arado). (*Sin.* portion, ration, lot, division.)
to go shares — dividir igualmente.
to hold shares — possuir acções (com.).
to have a share in — ter parte em; ter interesse(s) em.
transferable share — (com.) acção ao portador.
beneficiary share — (com.) acção beneficiária.
share certificate — certificado provisório de acção (com.).
share-crop — plantação a meias.
share-pusher — corretor sem autorização.
share-warrant — título ao portador.
share-list — tabela de cotações da Bolsa.
registered share — acção registada.
preference share — acção privilegiada.
preferred share — acção privilegiada.
paid-up share — acção liberada.
share and share alike — em partes iguais; por igual.
deferred share — acção postergada.
to fall to share — tocar; cair em parte.
everyone will pay his own share — cada um pagará a sua parte.
share-broker — corretor da Bolsa.
legal share — reserva legal.
for my share — pela minha parte; quanto a mim.
the lion's share — a parte de leão.
half shares with — a meias com.
2 — *vt.* e *vi.* dividir, repartir, partilhar; tomar parte em, participar de; ter parte em; distribuir; comparticipar de.
to share alike — repartir igualmente.
to share out — dividir, repartir, distribuir.
to share in — tomar parte em; compartilhar de.
to share a room with — viver no mesmo quarto com alguém.
shareholder [ˈ-houldə], *s.* accionista.
shareholding [ˈ-houldiŋ], *s.* posse de acções ou títulos (com.).
sharer [ˈ-rə], *s.* partícipe, o que participa em; o que compartilha de; repartidor; associado, sócio.
sharing [ˈ-riŋ], *s.* divisão; repartição; distribuição; comparticipação, participação.
shark [ʃa:k], **1** — *s.* tubarão (zool.); (fig.) intrujão, burlão; gatuno; (E.U.) «urso», bom aluno.
2 — *vt.* e *vi.* enganar, defraudar, burlar, vigarizar; roubar; devorar.
shark-skin [ʃa:kˈskin], *s.* pele de tubarão.
sharp [ʃa:p], **1** — *s.* agulha comprida e delgada; (mús.) sustenido; (fig.) impostor, burlão; (E. U.) perito, "águia".
2 — *adj.* agudo; aguçado, afiado; fino; penetrante; vivo, esperto; astuto, manhoso; perspicaz, hábil, arguto; inteligente; mordaz,

sarcástico; acre, ácido; picante; violento; áspero; impetuoso, fogoso; ardente, veemente; rígido, severo; exigente; nítido, distinto; bem definido, bem delineado; acerbo; desabrido (no falar); vigilante, atento; (mús.) sustenido, marcado com sustenido; lancinante; acentuado; cortante; surda (consoante).
sharp edged — bem afiado.
sharp words — palavras mordazes; palavras ofensivas; palavras severas, ásperas.
sharp-sighted — perspicaz; vivo; de vista penetrante.
sharp practices — negócios escuros; processos desonestos; vigarices.
sharp shooter — bom atirador; vigia.
sharp fight — luta renhida.
sharp appetite — apetite devorador.
a sharp child — uma criança viva, esperta.
a sharp voice — uma voz aguda.
a sharp image — uma imagem nítida.
a sharp consonant — uma consoante surda.
a sharp contrast — um contraste marcado.
a sharp taste — um gosto picante.
a a sharp turn — curva brusca.
sharp vision — visão nítida.
to keep a sharp look-out — vigiar atentamente.
to take a sharp walk — dar uma volta; dar um passeio rápido.
as sharp as a needle — fino como um coral.
he was too sharp for me — ele era (foi) mais astuto do que eu.
a sharp knife — uma faca afiada.
a sharp man — um homem inteligente; um homem hábil.
a sharp retort — uma resposta sarcástica.
a sharp attack — um ataque violento.
sharp criticism — crítica acerba.
3 — *adv.* em ponto (de horas), pontualmente; exactamente; depressa; de repente, subitamente; nitidamente, marcadamente.
at three (four, etc.) o'clock sharp — às três (quatro, etc.) horas em ponto.
look sharp! — despacha-te!, avia-te!
sharp-witted — perspicaz.
sharp-pointed — pontiagudo, aguçado.
to sing sharp — cantar em falsete.
sharp-eyed — perspicaz; de vista penetrante.
sharp-tongued — mordaz; sarcástico; desabrido (no falar).
4 — *vt.* e *vi.* (mús.) cantar em falsete; pôr sustenido, elevar meio tom; vigarizar, enganar, burlar.

sharpen ['-ən], *vt.* e *vi.* afiar, aguçar, amolar; irritar, exacerbar, exasperar; abrir (o apetite); adelgaçar; estimular, avivar; (mús.) elevar meio tom, pôr sustenido; aguçar-se; azedar-se; irritar-se, exasperar-se.
to sharpen a pencil — afiar um lápis.

sharpener ['-nə], *s.* afiador; afiadeira; amolador; que aguça ou afia.
pencil-sharpener — afiadeira (de lápis); apara-lápis.

sharpening ['-niŋ], *s.* acto de afiar, aguçar ou amolar; avivamento; (mús.) colocação de sustenido, elevação de meio tom.
sharpening stone — pedra de amolar.
sharpening machine — máquina de afiar.

sharper ['-ə], *s.* vigarista, trapaceiro; caloteiro; intrujão; batoteiro; gatuno; mariola.
card-sharper — batoteiro.

sharping ['-iŋ], *s.* acto de vigarizar, vigarice; intrujice; batota.

sharply ['-li], *adv.* vivamente; subtilmente; rigorosamente; severamente; nitidamente; rapidamente; bruscamente; penetrantemente; agrestemente.
to turn sharply — voltar-se bruscamente.
to answer sharply — responder bruscamente.

sharpness ['-nis], *s.* agudeza; perspicácia, viveza, finura, subtileza; inteligência; aspereza; violência; rigor, inclemência (do tempo); argúcia, esperteza; acidez; sarcasmo; severidade; mordacidade.

sharpshooter ['-ʃu:tə], *s.* atirador especial; atirador rápido e hábil.

shatter ['ʃætə], *vt.* e *vi.* despedaçar, esmigalhar; estragar; fender; quebrar; desordenar; arruinar (especialmente a saúde); despedaçar-se; frustrar (esperanças); destruir; esmagar; abalar; estilhaçar.
to shatter one's nerves — desequilibrar, arrasar os nervos.
to shatter one's hopes — destruir as esperanças.

shatterable [-rəbl], *adj.* que pode quebrar-se, quebrável.
non-shatterable — inquebrável.

shatterer [-rə], *s.* destruidor; que despedaça ou esmigalha.

shave [ʃeiv], **1** — *s.* acto de barbear; acto de aparar; fraude, logro, engano; o escapar por um triz; raspador.
that was a close shave — foi por um triz, escapou por um triz.
to have a shave — fazer a barba.
hair-cut and shave — (no barbeiro) cabelo e barba.
2 — *vt.* e *vi.* barbear; barbear-se, fazer a barba; aparar; roçar, tocar de leve; raspar; aplainar; acepilhar; extorquir; cortar fino (fatia); passar rente; escapar por um triz.
to shave oneself — barbear-se.
to shave off — raspar; aparar; tirar; apagar.
to get shaved — fazer a barba.
to shave close — cortar rente; escanhoar.

shaveling [-liŋ], *s.* *(arc.)*; monge; frade.

shaven [-n], *adj.* barbeado.

shaver ['-ə], *s.* barbeiro; plaina; velhaco, burlão, vigarista.
young shaver — rapazote; garoto.

Shavian ['ʃeivjən], *s.* e *adj.* relativo a Bernard Shaw; discípulo de Bernard Shaw.

shaving ['ʃeiviŋ], **1** — *s.* acção de barbear; acção de raspar; *pl.* raspas, aparas, raspadura; rebarbas.
iron shavings — palha de aço.
2 — *adj.* de barbear; de barba; relativo ao barbear.
shaving-brush — pincel de barba.
shaving-cream — creme de barbear.
***shaving-soap* — sabão de barbear.**
shaving-box — estojo de barbear.
shaving-set — estojo para barbear.
shaving-glass — espelho de barbear.
shaving-lotion — loção de barbear.
shaving-stick — pau de sabão para a barba.

shawl [ʃɔ:l], **1** — *s.* xaile, manta.
2 — *vt.* pôr um xaile em, cobrir com um xaile.

she [ʃi:], **1** — *pron. pess. fem.* ela; aquela (que), a (que). (Usa-se não só em relação a pessoas e animais do sexo feminino, como também a barcos, países e objectos de estimação.)
2 — *s.* mulher; fêmea.
is the child a he or a she? — a criança é rapaz ou rapariga?
3 — *adj.* fêmea (usado na formação de compostos).
she-bear — ursa.
she-cat — gata; (fig.) mulher terrível.
she-wolf — loba.
she-ass — burra, jumenta.
she-goat — cabra.
she-monkey — macaca.

shea [ʃiə, 'ʃi:ə, ʃi:], *s.* nome de árvore africana de onde se extrai uma espécie de manteiga.
shea-butter — manteiga vegetal (extraída de uma árvore africana).
sheaf [ʃi:f], **1** — *s.* (*pl.* **sheaves**) feixe, molho; maço.
a sheaf of corn — um feixe de trigo.
a sheaf of papers — um maço de papéis.
2 — *vt.* enfeixar, fazer feixes, fazer molhos.
shear [ʃiə], **1** — *s.* tosquia (de lã); (mec.) esforço transverso; *pl.* tesoura grande; tesoura de podar.
shear-legs — cábrea.
shear-sheep — carneiro de um ano.
ringing-shears — podão.
2 — *vt.* e *vi.* (*pret.* **sheared** (arc. **shore**), *pp.* **shorn**) tosquiar; cortar; tosar; aparar; penetrar; despojar.
to shear sheep — tosquiar carneiros ou ovelhas.
to shear through — penetrar através de.
shearer ['-rə], *s.* tosquiador; tosador; máquina de tosquiar; tesoura mecânica.
shearing ['-riŋ], *s.* tosquia; poda; acção de tosquiar ou de podar; pêlo ou lã tosquiada.
shearing-time — tempo da tosquia.
shearing-machine — máquina de tosquiar ou cortar; tesoura mecânica.
shears ['-z], *s. pl.* tesoura grande; tesoura de podar, podadeira; cisalha.
sheath [ʃi:θ], *s.* bainha (de espada, etc.); estojo, caixa; vagem (bot.); revestimento.
sheath of the womb — vagina.
contraceptive sheath — preservativo anticoncepcional.
sheathe [ʃi:ð], *vt.* embainhar (espada, etc.); pôr bainha ou forro; fechar, encerrar; forrar o fundo (de um navio); revestir.
to sheathe the sword — embainhar a espada.
sheathing ['-iŋ], *s.* embainhamento, acto de embainhar; revestimento, forro; (náut.) forro de casco de navio.
copper-sheathing — forro de cobre (de navio).
sheathless ['-lis], *adj.* sem forro ou bainha; sem revestimento; desembainhado.
sheave [ʃi:v], **1** — *s.* roldana; gorne; polia; roda excêntrica.
2 — *vt.* e *vi.* enfeixar; juntar em molhes ou feixes; reunir, juntar; (náut.) ciar.
sheaves [-z], *s. pl.* de **sheaf.**
Sheba ['ʃi:bə], *top.* Sabá.
the Queen of Sheba — a rainha de Sabá.
shebang [ʃi'bæŋ], *s.* (E. U.) casa de jogo; bar; cabana; assunto, coisa.
shebeen ['ʃibi:n], *s.* (Irl.) taberna, bar clandestino.
shed [ʃed], **1** — *s.* alpendre, alpendrada; hangar; oficina; telheiro; cabana, barracão, barraca; casca; protecção, abrigo; vertente.
2 — *vt.* e *vi.* (*pret.* e *pp.* **shed**) derramar, verter, entornar; espalhar; deixar cair; largar, desprender; mudar (a pele, as penas, etc.); derramar-se, entornar-se.
to shed tears — derramar lágrimas.
to shed blood — verter sangue; derramar sangue.
to shed light on — derramar luz sobre; fazer luz sobre.
to shed perfume — derramar perfume; exalar perfume.
to shed feathers — mudar as penas (de aves).
shedder ['-ə], *s.* derramador; animal que muda as penas, a pele, etc.
shedding ['-iŋ], *s.* derramamento; perda; muda (de pele, de penas, etc.); o que se derrama ou desprende; queda.
shedding of tears — derramamento de lágrimas.

sheen [ʃi:n], *s.* resplendor, esplendor, brilho; clarão; lustre; luminosidade.
sheeny ['-i], *adj.* lustroso, brilhante; resplandecente; reluzente; luminoso.
sheep [ʃi:p], *s.* (*pl.* **sheep**) carneiro; ovelha; carneiros; ovelhas; rebanho; simplório, basbaque; carneira.
sheep-fold — redil.
sheep-hook — cajado de pastor.
sheep-shearing — tosquia; festa da tosquia.
sheep-pen — redil.
sheep's eyes — olhar de revés.
sheep-dog — cão de pastor; cão do gado.
stray sheep — ovelha(s) desgarrada(s).
sheep-walk — pasto para ovelhas.
sheep-shearer — tosquiador.
sheep-tick — (*zool.*) parasita de carneiro.
we may as well be hanged for a sheep as a lamb — perdido por um, perdido por mil.
wolf in sheep's clothing — hipócrita; lobo vestido (com pele) de cordeiro.
sheep-farmer — criador de gado ovino.
sheep-farm — casal para criação de gado ovino.
sheep-pox — espécie de varíola que ataca os carneiros.
lost sheep — (fig.) ovelha transviada; pessoa que anda fora do bom caminho.
the black sheep — (fig.) a ovelha ronhosa.
sheepfold ['-fould], *s.* redil.
sheepish ['-iʃ], *adj.* envergonhado, tímido.
sheepishly ['-iʃli], *adv.* envergonhadamente, timidamente, acanhadamente.
sheepishness ['-iʃnis], *s.* vergonha timidez.
sheepman ['-mən], *s.* criador de gado lanígero.
sheepskin ['-skin], *s.* pele de carneiro; carneira; pergaminho; diploma (escolar).
sheer [ʃiə], **1** — *s.* (náut.) desvio do navio; balanço do navio; curvatura do convés; cabrilha.
2 — *adj.* puro; simples; claro, límpido; sem mistura; consumado, completo, total; delgado, fino; escarpado; (náut.) tosado; íngreme; alcantilado. (*Sin.* pure, simple, mere, unadulterated; absolute; precipitous.)
a sheer rock — um rochedo íngreme; um rochedo a pique.
it is sheer waste of time — é pura perda de tempo.
that is sheer folly — isso é uma loucura completa.
3 — *adv.* a pique; perpendicularmente; de um golpe; de uma vez; logo à primeira; completamente, totalmente.
sheer-down — a pique; a direito.
4 — *vi.* (náut.) desviar-se do rumo; dar guinadas; escabecear; guinar; cair a pique.
to sheer off — abalar; separar-se; fugir; largar, fazer-se ao largo (náut.).
the yacht sheered off from the mooring — o iate largou da amarração.
sheering ['-riŋ], *s.* (náut.) desvio; balanço.
sheet [ʃi:t], **1** — *s.* lençol; folha; lâmina; camada; chapa; folha de papel; lençol de água; (náut.) escota; jornal.
sheet-anchor — âncora de salvação; (fig.) anjo da guarda.
balance-sheet — balancete.
sheet-cable — amarra mestra (náut.).
sheet-card — cartolina em folhas.
a sheet of water — um lençol de água.
in sheets—em folhas; em torrentes (chuva, água).
a sheet of copper — uma lâmina de cobre.
sheet lightning — relâmpago difuso.
sheet mill — oficina de laminação.
sheet brass — folha-de-flandres.
sheet glass — vidro laminado.
sheet iron — chapa de ferro.

sheet metal — chapa metálica.
a sheet of paper — uma folha de papel.
sheet of tin — folha de estanho.
sheet steel — chapa de aço.
loose sheet — folha solta.
sale sheet — (com.) nota de vendas.
white as a sheet — branco como a cal.
to go between the sheets — (col.) ir para "vale de lençóis", *i. e.*, deitar-se.
2 — *vt.* embrulhar em lençol, cobrir com lençol; pôr lençóis; envolver; (náut.) caçar; amortalhar; estender-se em folhas ou em lâminas; cobrir.

sheeted [ˈ-id], *adj.* amortalhado; coberto com lençol ou manto.

sheeting [ˈ-iŋ], *s.* pano para lençóis; metal ou material laminado; laminação.

sheik [ʃeik, ʃek], *s.* xeque (chefe de tribo entre os muçulmanos); (fig.) conquistador, "Don Juan".

sheikh [ʃeik, ʃek], *s.* ver **sheik.**

shekels [ˈʃeklz], *s. (col.)* dinheiro, riquezas.

shelf [ʃelf], *s.* (pl. **shelves**) prateleira; estante; baixio, banco de areia; perigo submerso.
on the shelf — (fig.) posto de parte, "arrumado", incapaz de prestar serviço activo.
she is on the shelf — ela fica para tia; não tem com quem casar.

shell [ʃel], 1 — *s.* casca (de ovo, noz, avelã, etc.); concha; casco; escama; vagem; folhelho; bainha; armação, esqueleto, arcaboiço (de casa); casco de navio; projéctil, bomba; granada; cartucho (de explosivo); cápsula; invólucro; forro exterior; revestimento; tipo de barco de regatas; revestimento de forno (fundição); invólucro de caldeira; aparência, aspecto; classe intermediária (escolar); casulo.
shell-fish — marisco(s); crustáceo.
shell-work — trabalho feito com conchas.
shell-shock — doença nervosa causada por bombardeamentos, durante a guerra.
shell-proof — à prova de bomba; à prova de granada.
shell-gold — oiro moído para dourar; oiro em folha.
shell-silver — prata em folha.
shell-sand — areia conchífera.
shell of the ear — concha da orelha.
shell-back — tartaruga aquática; (col.) lobo do mar.
shell fire — fogo com granadas.
shell struck — bombardeado.
live shell — granada carregada.
to retire into one's shell — (fig.) meter-se na concha; não ser comunicativo.
to come out of one's shell — (fig.) sair da casca; tornar-se comunicativo.
2 — *vt.* e *vi.* descascar, tirar a casca; escamar; meter em casca, cápsula ou bainha; bombardear; descascar-se, sair da casca.
to shell peas — descascar ervilhas.
to shell out — (col.) puxar pelos cordões à bolsa; gastar dinheiro; pagar.
to be as easy as shelling peas — ser muito fácil; (col.) ser "de caras".

shellac [ʃəˈlæk], 1 — *s.* goma-laca em folhas.
shellac varnish — verniz de goma-laca.
2 — *vt.* envernizar com goma-laca.

shelled [ʃeld], *adj.* descascado; coberto de conchas; com casca, com invólucro.

sheller [ˈʃelə], *s.* descascador; que descasca (pessoa ou máquina); desengaçadeira.

shelling [ˈʃeliŋ], *s.* descascamento, descasque; bombardeamento; acto de desengaçar.
shelling out — desembolso de dinheiro.

shelly [ˈʃeli], *adj.* cheio de conchas; feito de conchas; coberto de conchas.

shelter [ˈʃeltə], 1 — *s.* abrigo, refúgio; asilo; guarida; amparo, protecção; protector; defensor; segurança; resguardo. (*Sin.* cover, protection, safety refuge, shade.)
under shelter of — ao abrigo de; a coberto de.
to take shelter under — refugiar-se em.
let us seek shelter! — procuremos abrigo!
shelter-stick — (col.) guarda-chuva.
night shelter — abrigo nocturno.
air-raid shelter — abrigo antiaéreo.
to find shelter — encontrar abrigo.
to take shelter — abrigar-se, proteger-se; refugiar-se.
2 — *vt.* e *vi.* abrigar, proteger; pôr a coberto de; acolher; asilar, albergar; amparar; encobrir; abrigar-se, refugiar-se; pôr-se em lugar seguro, pôr-se a coberto de; resguardar-se.
to shelter from the rain — abrigar-se da chuva.

sheltered [-d], *adj.* abrigado; protegido; resguardado.

shelterer [-rə], *s.* protector, o que protege.

sheltering [-riŋ], *adj.* protector, que protege.

shelterless [-lis], *adj.* desabrigado; desprotegido; desamparado; sem abrigo, sem protecção.

shelve [ʃelv], *vt.* e *vi.* colocar numa estante; prover de estantes ou de prateleiras; arrumar em estante ou prateleira; arquivar; pôr de lado, pôr de parte; despedir; desprezar; adiar, protelar; pender; inclinar-se; estar em declive; (náut.) subir regularmente (o fundo).

shelves [-z], *s. pl.* de **shelf.**

shelving [ˈ-iŋ], 1 — *s.* acção de colocar em estantes ou prateleiras; estantes; prateleiras; acção de adiar, adiamento; acção de arquivar; declive.
2 — *adj.* inclinado; em declive.

shelvy [ˈ-i], *adj.* cheia de escolhos ou de baixios (costa).

shenanigan [ʃiˈnænigən], *s.* (E. U.) fraude, burla, engano, mistificação.

shepherd [ˈʃepəd], 1 — *s.* pastor; zagal; pastor de almas.
shepherd's crook — cajado de pastor.
shepherd's pie — empadão de puré de batata recheado de carne picada.
shepherd's dog — cão de pastor.
shepherd's purse — (bot.) bolsa-de-pastor.
shepherd's pouch — (bot.) bolsa-de-pastor.
shepherd's rod — (bot.) espécie de cardo.
shepherd's plaid — manta de pastor.
shepherd's check — manta de pastor.
the Shepherd's Lamp — a estrela de alva.
2 — *vt.* pastorear; guiar, conduzir, cuidar de, olhar por; dirigir.

shepherdess [-is], *s. fem.* pastora.

sheppy [ˈʃepi], *s.* redil.

sherbet [ˈʃə:bət], *s.* bebida refrigerante, espécie de limonada ou sumo de frutas; sorvete.

shereef [ʃeˈri:f], *s.* xarife; magistrado principal em Meca.

sherif [ʃeˈri:f], *s.* ver **shereef.**

sheriff [ˈʃerif], *s.* xerife; corregedor.

sheriffdom [-dəm], *s.* xerifado, cargo de xerife.

sheriffship [-ʃip], *s.* xerifado, cargo de xerife.

sherry [ˈʃeri], *s.* xerez, vinho de Xerez.
sherry-glass — cálice próprio para xerez.

she's [ʃi:z], forma abreviada de **she is** ou **she has.**

shibboleth [ˈʃibəleθ], *s.* senha; prova; pedra-de-toque; doutrina obsoleta.

shick [ʃik], *s.* e *adj.* (col.) ébrio; bebida que embriaga; embriagado.

shickered [ˈ-əd], *adj.* (col.) embriagado.

shied [ʃaid], *pret.* e *pp.* do verbo **to shy.**

shield [ʃi:ld], **1** — *s.* escudo; protecção; defesa; broquel; égide; amparo; escudo de armas; salvaguarda; carapaça.
leg-shield — caneleira.
shield-bearer — escudeiro.
the other side of the shield — o reverso da medalha.
2 — *vt.* escudar, proteger, guardar, salvaguardar; salvar; cobrir com escudo; blindar.
to shield oneself with — escudar-se com.
to shield against — proteger contra.
shielded ['-id], *adj.* escudado, protegido; blindado.
shielding ['-iŋ], *s.* defesa, protecção; blindagem.
shieldless ['-lis], *adj.* indefeso, sem defesa, desprotegido, sem protecção; sem escudo.
shieling ['ʃi:liŋ[, *s.* *(Esc.)* pastagem; abrigo para carneiros.
shier ['ʃaiə], *comp. de superioridade* de **shy.**
shiest ['ʃaiist], *superlativo* de **shy.**
shift [ʃift], **1** — *s.* mudança; desvio; meio, recurso, expediente; substituição; artimanha; artifício; fraude, burla, salto (do vento); troca; ardil; deslocação; turno, grupo, período de trabalho; (*arc.*) camisa de mulher.
it was his last shift — foi o seu último recurso.
to make shift with — remediar-se com; arranjar-se com; encontrar meio de.
shift key — tecla para as letras maiúsculas (em máquina de escrever).
shift lever — alavanca das mudanças (em automóvel).
shift of crops — rotação de culturas.
consonant shift — mutação consonântica.
night shift — turno da noite.
day shift — turno diurno.
to live on shifts — viver de expedientes.
to work in shifts — trabalhar por turnos.
2 — *vt.* e *vi.* mudar; deslocar; desviar; transferir; mover-se; mudar-se; transferir-se; substituir; recorrer a expedientes; sair de apuros; arranjar-se; escapar; iludir; menear-se; mudar de decorações (no teatro); tergiversar; variar; saltar (o vento); mudar de roupa; remover. (*Sin.* to change, to move, to vary, to alter. *Ant.* to remain.)
to shift for oneself — governar-se sozinho.
to shift off — adiar; transferir; retardar; protelar; ver-se livre de.
to shift someone off — desembaraçar-se de alguém, ver-se livre de alguém.
to shift the scene — mudar a cena (no teatro).
he shifts for himself — ele vai vivendo como pode; lá se vai arranjando.
to shift about — girar; mudar de lugar.
to shift away — fazer escapar.
to shift one's lodgings — mudar de casa.
they shifted about for three years and then settled in London — andaram de um lugar para outro durante três anos e depois fixaram residência em Londres.
to shift the anchorage — (náut.) mudar de amarração ou de fundeadouro.
to shift a sail — (náut.) mudar uma vela.
to shift the blame on someone — atirar com as culpas para cima de alguém.
shifter ['-ə], *s.* o que se move ou desloca; deslocador, desviador (mec.); trapaceiro, aldrabão, vigarista, burlão.
point-shifter — agulheiro (de caminho-de--ferro).
scene-shifter — o que muda o cenário (no teatro), maquinista de teatro.
shiftiness ['-inis], *s.* astúcia; velhacaria; falsidade; hipocrisia.
shifting ['-iŋ], **1** — *s.* mudança; deslocação, deslocamento; variação; artimanha; artifício; astúcia; velhacaria; burla; expediente; manha.
shifting of scenery — mudança de cenário.
consonant shifting — mutação consonântica.
2 — *adj.* móvel; variável; inconstante; mudável; volante; incerto; falso; hipócrita; astuto; manhoso.
shifting spanner — (mec.) chave-inglesa.
shifting wind — vento incerto, de refregas.
shifting sand — areias movediças.
shifting trick — partida, velhacaria.
shiftingly ['-iŋli], *adv.* inconstantemente, mutavelmente; incertamente; falsamente; astutamente.
shiftless ['-lis], *adj.* desamparado, sem recursos; indolente; apático; desajeitado; sem iniciativa.
shiftlessly ['-lisli], *adv.* desamparadamente; indolentemente; desajeitadamente.
shiftlessness ['-lisnis], *s.* indolência; falta de jeito; inépcia; falta de iniciativa.
shifty ['-i], *adj.* velhaco; astuto, manhoso; abundante em expedientes.
shikar [ʃi'kɑ:], **1** — *s.* caça (na Índia).
2 — *vt.* caçar (na Índia).
shikaree [ʃi'kæri, ʃi'kɑ:ri], *s.* caçador (na Índia); guia de caçadores (na Índia).
shilling ['ʃiliŋ], *s.* xelim (moeda inglesa correspondente à vigésima parte da libra).
to cut off one's heir with a shilling — deserdar.
to take the King's (or Queen's) shilling — alistar-se como soldado.
shilly-shally ['ʃiliʃæli], **1** — *s.* irresolução, indecisão, hesitação, vacilação.
2 — *adj.* iresoluto, indeciso, hesitante.
3 — *vi.* ficar indeciso, ficar irresoluto, hesitar, vacilar.
shilly-shallyer [-ə], *s.* pessoa irresoluta, pessoa hesitante, vacilante.
shilly-shallying [-iŋ], *s.* indecisão, irresolução, hesitação, vacilação.
shim [ʃim], *s.* calço; capa de calço.
shimmer ['ʃimə], **1** — *s.* luz vacilante, luz trémula; luz difusa; reflexo luminoso.
2 — *vi.* tremular (a luz), tremeluzir, brilhar vacilantemente; vacilar.
shimmering [-riŋ], *adj.* tremeluzente; vacilante (luz).
shimmy ['ʃimi], **1** — *s.* (aut.) vibração ou trepidação das rodas da frente; camisa de mulher.
2 — *vi.* oscilar, vibrar (rodas dianteiras de automóvel); trepidar.
shin [ʃin], **1** — *s.* canela da perna.
shin-bone — tíbia.
shin-guard — (desp.) caneleira.
2 — *vt.* e *vi.* trepar; dar caneladas.
to shin up to a tree — trepar a uma árvore.
shindy ['ʃindi], *s.* desordem, tumulto; zaragata; barulho; confusão; algazarra.
to kick up a shindy — armar uma zaragata, arranjar barulho, causar desordem.
shine [ʃain], **1** — *s.* brilho; claridade; resplendor; luminosidade; lustro; bom tempo; fulgor; zaragata, tumulto; barulho.
to take the shine out of a person — eclipsar uma pessoa.
to put a good shine on the shoes — dar muito lustro aos sapatos.
to give a shine to — dar lustro a.
rain or shine — quer chova quer faça sol.
to take the shine off — embaciar; tirar o brilho a.
2 — *vt.* e *vi.* (*pret.* e *pp.* **shone** [ʃɔn]) brilhar; luzir; reluzir; cintilar; resplandecer; sobressair, ressaltar; distinguir-se; polir, dar lustro (ao calçado), engraxar. (*Sin.* to gleam, to glitter, to sparkle, to radiate, to beam.)
to shine in society — brilhar, fazer figura na sociedade.

to shine forth — mostrar-se com esplendor.
to shine shoes — engraxar sapatos.
the sun is shining — está sol; o sol brilha.
shiner ['-ə], *s.* o que brilha; (col.) moeda de oiro; olho pisado; *pl.* dinheiro.
shingle [ʃiŋgl], **1** — *s.* ripa, sarrafo, fasquia; seixo, pedrinha; cascalho; cabelo curto (de senhoras).
2 — *vt.* ripar, cobrir com ripas; cortar o cabelo curto (de senhoras).
shingles [-z], *s. pl.* (med.) espécie de herpes, zona.
shingly ['-i], *adj.* abundante em seixos ou cascalho; cheio de pedras miúdas.
shining ['ʃainiŋ], *s.* e *adj.* brilho, lustro; resplendor; brilhante, resplandecente, luminoso; lustroso; notável.
a shining example — um exemplo edificante.
shiningly [-li], *adv.* brilhantemente; luminosamente; notàvelmente.
shiny ['ʃaini], *adj.* brilhante; resplandecente; cintilante; polido; lustroso.
shiny trousers — calças lustrosas, com lustro.
ship [ʃip], **1** — *s.* navio; barco; embarcação; nau; (E. U.) dirigível; aeronave.
ship-broker — corretor de navios.
ship-builder — construtor de navios.
ship-building — construção de navios; construção naval.
ship-building yard — estaleiro.
ship-boy — grumete.
ship-duty — serviço de bordo.
ship service — serviço de bordo.
ship's time — hora de bordo.
training-ship — navio-escola.
ship's log book — diário de bordo.
ship's papers — papéis de bordo.
ship's carpenter — carpinteiro de bordo.
ship's husband — corretor de navios.
ship's bell — sino de bordo.
ship's articles — rol de equipagem; matrícula.
ship-owner — proprietário de navio; armador.
to clear a ship — despachar um navio.
to take ship — embarcar.
the ship of the desert — o navio do deserto, i. e., o camelo.
to fit out a ship — armar um navio.
sister ships — navios gémeos.
hospital-ship — navio-hospital.
coast-guard ship — navio de fiscalização.
ship-agent — agente marítimo.
ship-chandler — fornecedor de navios.
ship's corporal — cabo da guarda.
ship's register — registo marítimo.
parent-ship — navio-apoio.
consort ship — navio de conserva.
ship of the line — navio de linha.
ship-way — plano inclinado para a construção e reparação de navios.
His (or Her) Majesty's Ship — navio da Marinha Real (*abrev.* H. M. S.).
ship-fever — (col.) tifo.
crazy-ship — xaveco.
coasting-ship — navio de cabotagem.
ship's protest — protesto marítimo.
ship's control station — posto de comando.
ship's list — manifesto de mercadorias embarcadas.
ship's office — secretaria de bordo; casa do detalhe (na marinha de guerra).
ship-boat — escaler; lancha (de bordo).
coast defence ship — navio guarda-costas.
ship-wake — (náut.) esteira.
ship ahoy! — ó do navio!
when my ship comes home — (col.) quando eu for rico; quando me sair a sorte grande.
to spoil the ship for a hap'orth of tar—perder tudo por um real.
ship-breaker — sucateiro de navios.
ship-canal — canal navegável.
ship-keeper — guarda de navios.
ship-railway — caminho-de-ferro para transporte de navios.
ship's clock — relógio marítimo.
ship's cook — cozinheiro de bordo.
battle-ship — navio de guerra.
war-ship — navio de guerra.
merchant-ship — navio mercante.
trading-ship — navio mercante.
sailing-ship — barco à vela.
2 — *vt.* e *vi.* embarcar; carregar; meter a bordo; remeter por navio; transportar; (com.) expedir; tripular; armar, montar (o leme, os remos, etc.); receber a bordo; engajar.
to ship a sea — receber uma vaga; apanhar um golpe de mar.
to ship a crew — contratar uma tripulação.
to ship the rudder — armar o leme.
to ship the oars — armar os remos.
to ship water — enxovalhar-se.
to ship goods — expedir mercadorias (por via marítima).
shipboard ['-bɔ:d], *s.* bordo de navio.
on shipboard — a bordo.
ship-breaker ['-breikə], *s.* sucateiro que desmancha navios.
shipbuilder ['-bildə], *s.* construtor de navios, construtor naval; engenheiro naval.
shipbuilding ['-bildiŋ], *s.* construção naval; engenharia naval.
shipbuilding yard — estaleiro.
shipload ['-loud], *s.* carga de navio; carregamento de navio.
shipmaster ['-mɑ:stə], *s.* capitão de navio (especialmente da marinha mercante); patrão (de navio).
shipmate ['-meit], *s.* companheiro de bordo, camarada de bordo.
shipment ['-mənt], *s.* embarque; carregamento; expedição; (com.) remessa.
shipper ['-ə], *s.* carregador; o que embarca mercadorias; expedidor; remetente,
shipping ['-iŋ], *s.* e *adj.* navegação; marinha mercante; embarque; expedição, remessa; transporte por via marítima; naval; marítimo; engarrafamento; navios, embarcações; tonelagem; armação (de remos, leme, mastro).
shipping-office — agência marítima.
shipping-bill — acto de navegação; manifesto de mercadorias embarcadas.
shipping-articles — contrato de marinheiro; contrato de engajamento.
shipping-master — engajador.
shipping-agent — consignatário de navios.
shipping-charges — despesas de embarque.
shipping-intelligence — notícias marítimas.
law of shipping — legislação marítima.
shipping company — companhia de navegação.
shipping affairs — assuntos marítimos.
shipping-receipt — recibo de embarque.
shipping documents — documentos de embarque.
shipping-note — inventário de navio.
shipping expenses — despesas de expedição.
shipping insurance — seguro marítimo.
shipping routes — rotas de navegação.
shipping trade — comércio marítimo.
shipshape ['-ʃeip], *adj.* em boa ordem; bem arranjado; conforme a arte marítima.
shipway ['-wei], *s.* canal navegável; carreira de construção naval (em estaleiro).
shipwreck ['-rek], **1** — *s.* naufrágio; destroços, despojos (de navio); ruína; desgraça.
2 — *vt.* causar naufrágio, fazer naufragar; destruir, arruinar; destroçar.

shipwrecked ['-rekt], *adj.* naufragado; destroçado; arruinado; destruído.
shipwright ['-rait], *s.* construtor naval; carpinteiro naval.
shipyard ['-jɑ:d], *s.* estaleiro.
shir [ʃə:], **1** — *s.* prega, folho (de vestido); tecido elástico.
2 — *vt.* franzir, fazer pregas.
shire ['ʃaiə], *s.* condado; distrito.
shire-horse — cavalo de boa raça para trabalhos pesados.
shirk [ʃə:k], **1** — *s.* mandrião; o que se esquiva às suas obrigações ou ao trabalho; indolente.
2 — *vt.* e *vi.* esquivar-se a; fugir a; furtar-se a; evitar; fugir ao cumprimento de um dever; faltar a.
shirker ['-ə], *s.* mandrião; o que se esquiva às suas obrigações ou ao trabalho; indolente.
shirr [ʃə:], *s.* e *vt.* ver **shir.**
shirred [-d], *adj.* franzido, com pregas; com folhos (vestido).
shirt [ʃə:t], *s.* camisa (de homem); espécie de blusa (de mulher), geralmente com colarinhos e punhos engomados.
shirt-sleeved — em mangas de camisa.
in one's shirt-sleeves — em mangas de camisa.
to put on a clean shirt — vestir uma camisa lavada.
to give someone a wet shirt — pôr alguém a trabalhar afincadamente.
coloured shirt — camisa de cor.
shirt-front — peitilho de camisa.
shirt-blouse — bulsa de mulher; "camisette".
stiff shirt — camisa engomada.
dress shirt — camisa engomada.
to keep one's shirt on — (col.) conservar-se calmo; manter a calma.
he got my shirt off — ele irritou-me; fez-me perder a paciência.
to lose one's shirt — (col.) ficar sem camisa; ficar sem vintém; (E. U.) perder a paciência.
shirt of mail — cota de malha.
shirting ['-iŋ], *s.* tecido para camisas.
shirtless ['-lis], *adj.* sem camisa.
shirty ['-i], *adj.* irritado; irritável; zangado; ofendido.
shit [ʃit], *s.* (cal.) merda.
shivaree [ʃivə'ri:], *s.* (col.) chinfrim, chinfrineira.
shive [ʃaiv], *s.* rolha, batoque.
shiver ['ʃivə], **1** — *s.* estremecimento; calafrio, arrepio; tremura; pedaço, fragmento; (náut.) roldana; ardósia.
to have cold shivers running down one's back — sentir calafrios (pela espinha abaixo); tremer de medo.
to break into shivers — partir em bocados.
2 — *vt.* e *vi.* tremer; estremecer; tiritar; agitar-se; despedaçar; quebrar; estilhaçar (-se); fazer em pedaços, fazer em bocados; grivar (vela); bater o pano (náut.). (*Sin.* to shudder, to tremble, to break.)
to shiver and shake — tremer de medo.
to shiver with cold — tremer de frio.
to shiver with fear — tremer de medo.
shivering [-riŋ], *s.* e *adj.* estremecimento; calafrio; tremura; arrepio; que treme, que estremece.
shivering-fit — calafrio.
shiveringly [-riŋli], *adv.* com calafrios; com tremuras; estremecendo, tremendo.
shivery [-ri], *adj.* trémulo, tremente; tiritante; quebradiço; arrepiado.
shoal [ʃoul], **1** — *s.* cardume; baixio, banco de areia; multidão, ajuntamento; pesqueiro; laço; armadilha.
shoals of people — multidões; ajuntamentos.
a shoal of fish — um cardume de peixe.
to get letters in shoals — receber cartas aos montes.
2 — *adj.* baixo, pouco fundo, pouco profundo; com pouca altura (água).
3 — *vi.* juntar-se; reunir-se em bando ou cardume; afluir em grande número; diminuir em profundidade; encher-se de bancos de areia.
shoaliness ['-inis], *s.* falta de profundidade; o estar cheio de baixios.
shoaly ['-i], *adj.* cheio de baixios; pouco profundo; sem profundidade.
shock [ʃɔk], **1** — *s.* choque; abalo; pancada; colisão; encontrão; recontro; susto; surpresa; comoção, emoção; agitação, sobressalto; ofensa; prostração nervosa; choque eléctrico; monte de molhos de trigo; cabelo ou pêlo em abundância; assalto; sismo, abalo telúrico; desgosto; traumatismo; colapso; estado de choque. (*Sin.* blow, collision, surprise.)
shock troops — tropas de choque.
shock-absorber — amortecedor.
it was a great shock — foi um grande choque; foi um grande abalo.
shock head — grenha; gaforina; cabelo hirsuto.
shock-headed — com o cabelo desgrenhado.
shock-proof — à prova de choque.
shock action — acção de choque (militar).
shock therapy — terapêutica de choque (med.).
electric shock — choque eléctrico.
to die of shock — morrer de comoção.
to get a shock — apanhar um choque (eléctrico).
to stand a shock — aguentar um choque.
to resist a shock — resistir a um choque.
shock-resisting — resistente aos choques.
2 — *vt.* e *vi.* chocar; abalar; ofender; desgostar; horrorizar; indignar; revoltar; chocar-se; ofender-se; escandalizar(-se); surpreender; fazer medas de molhos de cereal; emocionar; surpreender; comover; embater, colidir; assaltar; dar choque (eléctrico).
he was quite shocked — ele ficou muito mal impressionado; ele ficou ofendido; ele ficou muito surpreendido; ele ficou muito abalado; ele ficou completamente chocado.
to shock someone's feelings — ferir as susceptibilidades de alguém; escandalizar alguém.
don't be shocked! — **não se ofenda! não se surpreenda!**
it shocks me — indigna-me; surpreende-me.
to shock the ear — ferir o ouvido.
to be shocked at something — ficar escandalizado (indignado, surpreendido) com alguma coisa.
shocker [-ə], *s.* coisa chocante; novela sensacional.
shocking ['-iŋ], *adj.* chocante; ofensivo; horrível; revoltante; irritante; espantoso; de mau gosto; indecoroso; escandaloso.
it's shocking! — é horrível!; que horror!
shocking news — notícias horríveis.
shocking language — linguagem ofensiva; linguagem indecorosa.
what a shocking waste of time! — que perda de tempo impressionante!
how shocking! — que horrível!, que horror!
shockingly ['-iŋli], *adv.* chocantemente; horrivelmente; terrivelmente; ofensivamente; indecorosamente; escandalosamente; excessivamente.
shockingly difficult — terrivelmente (excessivamente) difícil.
shod [ʃɔd], *pret.* e *pp.* do verbo **to shoe.**
to be well shod — andar (estar) bem calçado.
shoddiness ['-inis], *s.* qualidade inferior, má qualidade; imitação; impostura, intrujice.
shoddy ['-i], **1** — *s.* pano de lã mesclada; tecido de qualidade inferior; imitação de lã;

(fam.) impostura, intrujice; artigo de má qualidade.
2 — *adj.* de lã mesclada; de má qualidade; falso; aparente; falsificado; de refugo.
shoddy work — trabalho mal feito.
shoe [ʃu:], **1** — *s.* sapato; sapata; ferradura; descanso (de carruagem); almofada (náut.); freio; ponteira (de bengala); colector (léc-trico).
to be in another person's shoes — estar na pele de alguém.
it is quite another pair of shoes — é uma coisa completamente diferente.
a pair of shoes — um par de sapatos.
to put the shoe on the right foot — talhar uma carapuça a alguém.
shoe-brush — escova do calçado.
to put on one's shoes — calçar os sapatos.
to pull off one's shoes — descalçar os sapatos.
to wear bad shoes — andar (estar) mal calçado.
to wear well-fitting shoes — andar (estar) bem calçado.
to die in one's shoes — morrer de morte violenta; morrer na forca.
to cast a shoe — desferrar (um animal).
high-heeled shoes — sapatos de salto alto.
low-heeled shoes — sapatos de salto baixo.
shoe-lace — atacador (de sapatos).
shoe-string — atacador (de sapatos).
to step into another's shoes — ocupar o lugar de outrem.
I would not stand in his shoes — eu não queria estar-lhe na pele.
shoe-box — caixa de sapatos.
shoe-buckle — fivela de sapato.
shoe-cream — pomada para calçado.
shoe-leather — coiro para calçado.
shoe-tree — forma de calçado.
canvas shoes — sapatos de lona.
to take off one's shoes — descalçar os sapatos.
2 — *vt.* (*pret.* e *pp.* **shod**) calçar; ferrar, pôr ferraduras em (animais).
shoeblack ['-blæk], *s.* engraxador.
shoehorn ['-hɔ:n], *s.* calçadeira.
shoeing ['-iŋ], *s.* acção de calçar; acção de ferrar (animais).
shoeing-smith — ferrador.
shoeless ['-lis], *adj.* sem sapatos; descalço; sem ferraduras (animal).
shoemaker ['-meikə], *s.* sapateiro; fabricante de calçado.
the shoemaker's wife is always the worst shod — (col.) em casa de ferreiro, espeto de amieiro.
shoemaking ['-meikiŋ], *s.* fabricação de calçado; ofício de sapateiro.
shoer ['-ə], *s.* calçador; ferrador.
shoeshop ['-ʃɔp], *s.* sapataria.
shone [ʃɔn], *pret.* e *pp.* do verbo **to shine.**
shoo [ʃu:], **1** — *interj.* xô! (usa-se para enxotar aves domésticas).
2 — *vt.* e *vi.* enxotar aves domésticas.
shook [ʃuk], **1** — *s.* aduela.
2 — *pret.* do verbo **to shake.**
shoot [ʃu:t], **1** — *s.* tiro; rebento, vergôntea; gomo; corrente rápida de um rio; lanço; conduta, calha; coutada, terreno para caçar; pontada, dor fina; (desp.) pontapé forte, "tiro"; grupo de caçadores; (col.) malta, rapaziada.
coaling shoot — conduta de carvão.
2 — *vt.* e *vi.* (*pret.* e *pp.* **shot**) disparar, atirar (com arma de fogo); lançar; acertar num alvo; apontar; ferir ou matar com arma de fogo; fuzilar, passar pelas armas; arremessar; descarregar; empurrar; atravessar rapidamente; voar; nascer, brotar, germinar; crescer, espigar; projectar; sobressair; lançar-se, passar como um raio, dardejar; latejar; lançar (rede); dar um pontapé (em bola), rematar à baliza (desp.), "disparar" um remate; rebentar; (cin.) filmar; (fot.) tirar uma fotografia, tirar um instantâneo; aplainar, acepilhar; trancar, aferrolhar.
to shoot at — apontar a, atirar a.
to shoot by — passar como um raio.
to shoot off — disparar, atirar; descarregar (uma arma); partir como uma flecha.
to shoot out — brotar; sair; germinar; crescer; espigar.
to shoot forth — lançar-se; abalançar-se; brotar; germinar.
to shoot through — varar, trespassar, atravessar.
to shoot a film — (cin.) rodar um filme.
to shoot the moon — mudar de casa durante a noite para fugir a um arresto ou ao pagamento da renda.
to shoot up — subir; aumentar (preços).
to shoot to death — passar pelas armas; fuzilar.
to shoot coals out of a sack — despejar um saco de carvão.
to shoot a film — (*cin.*) rodar um filme; filmar.
to shoot ahead — seguir avante; forçar uma passagem; ultrapassar rapidamente.
to shoot the flood — atravessar rapidamente a corrente.
to shoot at a target — atirar ao alvo.
to shoot rubbish — vazar lixo.
the buds are shooting — os botões estão a nascer.
the prices shot up — os preços subiram repentinamente.
the tree shoots out branches — a árvore deita ramos.
the potato just shot off my plate — a batata saltou-me do prato.
to shoot a glance at — lançar um olhar a.
to shoot a goal — (desp.) marcar um "golo".
to shoot across one's mind — acudir à ideia; vir à ideia.
to shoot away all ammunition — gastar o último cartucho.
to shoot dice — lançar dados.
to shoot in — entrar como uma bala para; precipitar-se para dentro de.
to shoot one's bolt — (col.) esgotar os últimos recursos; jogar a última cartada; queimar o último cartucho.
to shoot one's job — abandonar o emprego.
to shoot the breeze — (col.) cavaquear.
to shoot the cat — (col.) "cabritar"; vomitar.
to shoot oneself through the head — dar um tiro nos miolos; suicidar-se com um tiro na cabeça.
I'll be shot if... — (col.) macacos me mordam se...
shooter ['-ə], *s.* atirador; o que atira ou dispara (desp.) rematador, marcador de "golo"; revólver.
six-shooter — revólver de seis balas.
shooting ['-iŋ], **1** — *s.* tiro; caça com espingarda; picada; dor violenta; tiroteio, fuzilaria; direito de caça; (bot.) rebento.
shooting box — pavilhão de caça.
shooting gallery — barraca de tiro.
shooting-match — concurso de tiro.
shooting-range — carreira de tiro.
to go (a-) shooting — ir à caça.
2 — *adj.* relativo à caça, de caça; violenta, aguda (dor); que passa como uma bala; (bot.) que rebenta.
shooting star — estrela cadente.
shooting season — época da caça.
first day of the shooting season — abertura da época da caça.

shooting man — caçador.
shooting pain — dor aguda.

shop [ʃɔp], **1** — *s.* loja, estabelecimento; casa comercial; oficina; fábrica; escritório.
shop-window — montra (de loja).
shop-assistant — caixeiro (de balcão).
shop-boy — marçano.
shop-case — montra.
shop-foreman — mestre de oficina.
shop-girl — caixeira.
shop-soiled — enxovalhado por ter estado exposto.
short-list — lista de candidatos apurados para uma escolha final.
shop-steward — delegado de sindicato.
to keep a shop — ter loja aberta, ter um estabelecimento comercial.
to set up a shop — estabelecer-se; abrir um estabelecimento comercial.
to shut up shop — fechar um estabelecimento; desistir de uma empresa.
to talk shop — falar de negócios; falar de assuntos profissionais.
to come to the wrong shop — (col.) enganar-se na porta.
to go to another shop — (col.) ir bater a outra porta.
to be out of shop — (col. teat.) estar sem trabalho.
2 — *vt.* e *vi.* ir às compras; fazer compras; (col.) meter na prisão.

shopkeeper [′-ki:pə], *s.* comerciante; negociante; lojista.

shoplifter [′-liftə], *s.* ladrão que rouba nas lojas.

shoplifting [′-liftiŋ], *s.* roubo em lojas.

shopman [′-mən], *s.* lojista; caixeiro.

shopper [′-ə], *s.* freguês, comprador, cliente.

shopping [′-iŋ], *s.* acto de comprar, acto de ir às compras; compras, objectos comprados.
to go shopping — ir às compras.
to do shopping — fazer compras.
shopping bag — saco de compras.
shopping centre — bairro ou zona comercial (de uma localidade); centro comercial.
shopping is a most tiring business — fazer compras é muito fatigante.
he took his sister shopping — ele levou a irmã às compras.

shopwalker [′-wɔ:kə], *s.* inspector de estabelecimento comercial; vigia de loja, empregado que acompanha e vigia os clientes.

shopwoman [′-wumən], *s.* caixeira; tendeira; lojista.

shorage [′ʃɔ:ridʒ], *s.* direitos de praia.

shore [ʃɔ:, ʃɔə], **1** — *s.* praia, costa, margem, litoral; terra; borda; escora; pontão, espeque, pontalete; suporte, esteio.
bold shore — costa a pique.
shore anchor (náut.) — âncora de terra.
shore-battery — bateria de costa.
shore-crab — caranguejo pequeno.
shore cod — bacalhau pequeno.
to go on shore — dirigir-se para terra.
close on shore — na costa; junto da praia.
shore purser — comissário chefe.
off shore — ao largo da costa.
on shore — em terra.
2 — *vt.* e *vi.* desembarcar; escorar, pontaletar; encalhar em terra; costear, fazer cabotagem; rodear.
3 — *pret.* do verbo **to shear** (em desuso).

shoreless [′-lis], *adj.* sem margens, sem limites, ilimitado.

shoreline [′-lain], *s.* linha de costa.

shoreward [′-wəd], *adv.* em direcção à costa; em direcção à praia; para terra.

shorewards [′-wədz], *adv.* ver **shoreward.**

shoring [′-riŋ], *s.* escoramento, acção de firmar com escoras ou segurar com pontaletes.

shorn [ʃɔ:n], **1** — *pp.* do verbo **to shear.** **2** — *adj.* rapado, tosquiado; sem cabelo; sem pêlo.
god tempers the wind to the shorn lamb — Deus dá o frio conforme a roupa.

short [ʃɔ:t], **1** — *adj.* curto; breve; reduzido; baixo; pequeno; limitado; escasso; circunscrito; insuficiente; conciso; resumido; próximo; inadequado; sumário; restrito; seco, abrupto; lacónico; frágil; (com.) a curto prazo.
in a short time — em breve; em pouco tempo.
in short — em resumo; em conclusão; numa palavra; em suma.
within a short time — dentro de pouco tempo.
a very short while — um instante.
to be short of — ter falta de; não ter; ter pouco; estar longe de; não alcançar; não corresponder; carecer de, estar desprovido de; desiludir.
to be short of money — ter pouco dinheiro; ter falta de dinheiro; estar sem dinheiro.
to be short of speech — ser de poucas falas.
to come short of — ser deficiente; faltar; não alcançar; não corresponder; estar longe de; desiludir; ser insuficiente; estar abaixo.
to run short of — ter falta de; ficar sem.
to fall short of — vd. *to come short of.*
to take up short — interromper; cortar a palavra a.
short and sweet — pouco e bom.
short cause (jur.) — causa sumária.
short cut — atalho; processo mais rápido de fazer qualquer coisa.
short drink — aperitivo (bebida).
short-dated — a curto prazo.
short commons — pequena ração; quantidade insuficiente de comida.
short-armed — de braços curtos.
short-legged — de pernas curtas.
short-lived — de vida efémera; passageiro; breve.
short-handed — com falta de mão-de-obra.
short sea — vaga curta.
short iron — ferro quebradiço.
short-fall — carência; falta.
short range — pequeno raio de acção.
short-headed — braquicéfalo.
short-sighted — míope; de vistas curtas (fig.); falho de visão.
short-sightedness — miopia; falta de visão.
short-tempered — irritadiço; irritável; com pouca paciência.
short-witted — pobre de espírito.
short rib — costela falsa.
short syllable — sílaba breve.
short ton — tonelada americana (equivalente a 907 kg).
short wave(s) — onda(s) curta(s).
short of breath — com falta de ar; com falta de fôlego; que respira com dificuldade.
short weight — peso deficiente.
short-spoken — de poucas palavras; lacónico.
to grow short — encurtar, diminuir, encolher.
short allowance — ração reduzida.
to make short of — resolver uma dificuldade rapidamente.
at short sight — (com pagamento) a curto prazo.
short bill — factura a curto prazo.
a short time ago — há pouco tempo.
it is a short way off — é muito perto.

short story — (lit.) conto.
short-circuit — curto-circuito.
of short duration — de pequena duração.
to take short views — (fig.) ser de vistas curtas; ver pouco ao longe; não prever o futuro.
I am a shilling short — falta-me um xelim.
I am short of a book — falta-me um livro.
the translation falls short of the original — a tradução é inferior ao original.
with short steps — com passos miúdos (curtos).
to have a short temper — ter um temperamento irritável; ter pouca paciência; (col.) ferver em pouca água.
to be short in the leg — ser curto de pernas.
for a short time — durante pouco tempo; por pouco tempo.
to be short and to the point — ser conciso e preciso.
to have a short memory — ter falta de memória; (col.) ter memória de galinha.
2 — *s.* sílaba breve; vogal breve; resumo, sumário; défice; curto-circuito; (pl.) calções, calças curtas; farelo misturado com farinha.
the long and the short of it — em resumo, em suma; em poucas palavras; numa palavra; em conclusão.
3 — *adv.* resumidamente, concisamente; lacònicamente; bruscamente, subitamente; inesperadamente; a curta distância.
short of — excepto.
to stop short — parar de repente; parar bruscamente.
he took me up short — ele interrompeu-me bruscamente, cortou-me a palavra.
to cut short — cortar a palavra a; abreviar.
4 — *vt.* e *vi.* pôr em curto-circuito; ficar em curto-circuito.
shortage ['-idʒ], *s.* falta, carência, falha; défice; escassez; crise; insuficiência.
shortbread ['-bred], *s.* espécie de biscoito.
shortcake ['-keik], *s.* espécie de biscoito.
shortcoming [-'kʌmiŋ], *s.* deficiência, defeito; falta, omissão; escassez, insuficiência; falha.
shorten [-n], *vt.* e *vi.* encurtar, abreviar, resumir; diminuir; limitar; reduzir; encolher; reduzir-se; abreviar-se; encolher-se; encurtar-se. (*Sin.* to cut, to curtail, to abridge, to lessen. *Ant.* to amplify, to lengthen.)
shortening ['-niŋ], *s.* e *adj.* abreviação; diminuição; encurtamento; limitação; redução; resumo; que diminui; que encolhe; que encurta, que se reduz.
shorthand ['-hænd], *s.* estenografia, taquigrafia.
shorthand typist — estenodactilógrafo.
to take down in shorthand — estenografar.
shorthand reporter — estenógrafo.
shorthorn ['ʃɔ:thɔ:n], *s.* raça bovina de chifres curtos.
shortish ['-iʃ], *adj.* um tanto curto; um tanto baixo; baixote, pequenote.
shortly ['-li], *adv.* brevemente, resumidamente, em resumo; concisamente; laconicamente, em poucas palavras; bruscamente, secamente; rispidamente; brevemente, em breve.
shortly afterwards — pouco depois.
shortly before — pouco antes.
shortness ['-nis], *s.* pequenez; curteza; brevidade; concisão; deficiência; escassez, carência, falta; brusquidão; rudeza.
shot [ʃɔt], **1** — *s.* tiro (de arma de fogo), detonação, descarga; pancada; golpe; tiro (fig.), pontapé forte, remate (fut.); bala; projéctil; carga; chumbo (de arma); pontaria; distância de tiro; jogada; tacada (no bilhar); lance; alvo, objectivo; bom atirador; palpite; tentativa; quinhão, quota; (fot.) instantâneo; (desp.) peso; injecção; (cin.) plano de filmagem.
to pay one's shot — pagar a sua quota.
to go off like a shot — partir como uma bala, estalar como uma bomba.
to be a good shot — ser bom atirador.
a shot in the locker — uma última reserva (de dinheiro, de comida, etc.).
at a shot — de um só tiro.
jolly good shot! — bela jogada!
bird-shot — chumbo miúdo.
blank shot — tiro de pólvora seca.
shot-gun — espingarda caçadeira.
a shot at the goal — (fut.) um remate à baliza.
shot proof — à prova de bala.
shot gauge — bitola para calibrar projécteis.
grape-shot — metralha.
to fire a shot — dar um tiro; disparar um tiro.
a close shot — (cin.) um primeiro plano.
out of rifle-shot — fora do alcance de tiro de espingarda.
you made a bad shot — não acertaste; não adivinhaste.
bad shot — má pontaria.
several shots were heard — ouviram-se vários tiros.
random shot — tiro para o ar.
gun-shot — tiro de espingarda.
he is a first-class shot — ele é um atirador de primeira classe.
sporting shot — chumbo de caça.
small shot — chumbo miúdo.
I am no shot — sou mau atirador.
I'll have a shot at it — experimentarei fazê-lo.
he did it like a shot — ele fê-lo imediatamente.
a big shot (E. U.) — uma pessoa muito importante.
2 — *pret.* e *pp.* do verbo **to shoot.**
I will be shot if... — (col.) macacos me mordam se...
3 — *vt.* e *vi.* carregar uma arma de fogo; pôr chumbo em linha de pesca; entremear; granular.
should [ʃud, ʃəd, ʃd], *pret.* do verbo defect. **shall.** Usa-se para formar o condicional nas primeiras pessoas. Pode ter o sentido de: dever, ser melhor, ser aconselhável.
you should go to bed — devias ir para a cama, era melhor ires para a cama.
I should like to... — eu gostava de...; eu gastaria de...
shoulder ['ʃouldə], **1** — *s.* ombro, espádua; quarto dianteiro (de animal); espalda; suporte; parte saliente; rebordo; aba; apoio; (mil.) ombro armas.
shoulder-blade — omoplata.
shoulder-belt — boldrié; tiracolo; talabarte.
shoulder-joint — articulação da espádua.
shoulder of mutton — quarto de carneiro.
shoulder of mutton sail — (náut.) vela de baioneta; vela triangular.
shoulder-strap — bandoleira; alça (vestido).
to put one's shoulder to the wheel — meter mãos à obra.
shoulder of a pin — cabeça de um alfinete.
to have an old head on young shoulders — ser muito ajuizado apesar de novo.
to have a head on one's shoulders — ter a cabeça no seu lugar; ser ajuizado; ser sensato.
to have broad shoulders — ter as costas largas; aguentar bem com as responsabilidades.
shoulder-high — à altura dos ombros.
straight from the shoulder — em cheio (soco); certeiro; directo; sem rodeios.
to speak straight from the shoulder — falar sem rodeios; pôr tudo em pratos limpos.
to give the cold shoulder to someone — mostrar indiferença; tratar friamente.
round shoulders — ombros caídos.
to dislocate a shoulder — deslocar um ombro.

to stand head and shoulders above — **estar em posição superior.**
2 — *vt.* e *vi.* **pôr ou carregar aos ombros; empurrar com os ombros; tomar a seu cargo; assumir a responsabilidade; aguentar, arcar** com; **encarregar-se de.**
the boy shouldered the basket of fruit — o rapaz **carregou ao ombro** o cesto **da fruta.**
to shoulder arms — **pôr as espingardas em posição de «ombro armas».**
to shoulder someone's debts — **responsabilizar-se** pelas dívidas de alguém.
he shouldered his way through the crowd — **ele** abriu caminho, com os ombros, **por entre** a multidão.
to shoulder the responsibility — **assumir a** responsabilidade.
broad-shouldered — de ombros largos.
shout [ʃaut], **1** — *s.* grito, brado, exclamação (de alegria, de aplauso, de dor...); aclamação; berro; viva; (col.) **rodada (de bebidas).**
shouts of laughter — **gargalhadas.**
shouts of joy — **exclamações ou gritos de** alegria.
shout of alarm — **grito de alarme.**
loud shouts — **grandes aclamações; altos berros.**
it's your shout — (col.) **é a tua vez** (de pagar uma rodada de bebidas).
2 — *vt.* e *vi.* gritar; bradar; aclamar; exclamar; berrar; **dar** vivas; clamar.
to shout out — gritar muito; bradar.
to shout for joy — gritar de alegria.
to shout down — apupar.
to shout with laughter — rir às **gargalhadas.**
to shout at someone — berrar **a alguém.**
shouter ['-ə], *s.* gritador; aclamador; **pessoa** que aplaude ou grita.
shouting ['-iŋ], *s.* e *adj.* gritaria; aclamação; brados; **berros;** que grita, que berra, **que** brada.
shove [ʃʌv], **1** — *s.* empurrão, encontrão.
to give someone a shove off — (col.) **dar um empurrão a alguém para iniciar uma** tarefa.
shove-net — **rede em forma de saco (para** pesca).
2 — *vt.* e *vi.* **empurrar, impelir; afastar; dar um encontrão.**
to shove along — fazer **avançar empurrando.**
to shove out — fazer sair **empurrando.**
to shove in — fazer entrar **empurrando.**
to shove back — fazer recuar, **empurrando;** empurrar para trás.
to shove by — repelir; desviar.
to shove down — derrubar; fazer cair.
to shove away — afastar empurrando; desviar.
to shove off — deitar fora; repelir; empurrar; afastar; partir; fazer-se ao largo.
shove off! — (col.) cava daqui!, põe-te a mexer!, põe-te a andar!
to shove from — empurrar, afastar aos empurrões.
don't shove! — não empurre(m)!
to shove oneself forward — (col.) safar-se, singrar na vida.
shovel [ʃʌvl], **1** — *s.* pá (de ferro, para carvão, areia, arroz, açúcar, etc., mas não para escavar no chão).
shovel hat — chapéu de eclesiástico, de abas largas.
fire-shovel — pá para brasas.
2 — *vt.* amontoar, juntar; padejar; remover com uma pá; limpar com uma pá.
shovelful ['-ful], *s.* pá cheia, pàzada.
shoveller ['-ə], *s.* aquele que trabalha com pá; pato-colhereiro.
shovelling ['-iŋ], *s.* trabalho feito com pá.
shover ['ʃʌvə], *s.* aquele que empurra.

shoving ['ʃʌviŋ], *s.* empurrão, **encontrão;** impulso.
show [ʃou], **1** — *s.* exibição; **espectáculo; exposição;** pompa, ostentação, aparato; **aparência;** exteriorização; exterioridade; **indício; manifestação;** pretexto; oportunidade; **demonstração;** prova; alarde; negócio; empreendimento; divertimento; (med.) sinal **de** proximidade de parto.
to make a show of — fazer gala de.
to make a fine show — fazer boa figura.
in open show — publicamente.
to boss the show — **assumir a direcção; dirigir** (a empresa).
to run the show — **ser o único patrão e dirigente.**
show-case — caixa **de amostras.**
show-bill — letreiro; escrito.
cattle-show — exposição de gado.
dog show — exposição canina.
it is for mere show — (col.) é só para inglês ver.
flower-show — **exposição** de flores.
show-room — **sala** (ou salão) de **exposições.**
to give away the show — **dar com a língua nos dentes;** fazer revelações indiscretas.
show-window — vitrina; montra; escaparate.
to make a poor show — fazer fraca figura.
to give someone a fair show — dar **uma boa oportunidade** a alguém.
show-bottle — frasco-**mostrador** (de farmácia).
to vote by show of hands — **votar** levantando as mãos.
Lord Mayor's show — cortejo cerimonial de carros simbólicos do presidente **da** Câmara Municipal de Londres.
show-girl — (teat.) figurante.
show-boat — barco que **navegava no rio** Mississípi, a bordo do **qual havia espectáculos.**
show-bill — cartaz **de espectáculo.**
show-place — **monumento; local de** interesse **turístico.**
show-pupil — aluno modelo.
motor show — **exposição ou salão** automóvel.
to do a show — **fazer uma paródia;** divertir-se.
to go to a show — **ir a um espectáculo.**
to make a show of oneself — **fazer** uma **figura ridícula;** (col.) **dar barraca.**
to have a show — **ter uma** oportunidade.
to do a thing for show — fazer uma coisa só **por** aparência, só para dar nas vistas.
to get up shows — promover espectáculos.
2 — *vt.* e *vi.* (pret. **showed,** pp. **shown**) mostrar; expor; deixar ver, patentear; exibir; publicar; manifestar; explicar; ensinar; indicar; demonstrar, provar; guiar, conduzir; justificar; parecer; aparentar, ter a aparência de; dar mostras de; fazer ver; mostrar-se; exibir-se; aparecer; marcar, registar; revelar; conceder, dar; orientar, dirigir; acompanhar; explicar, esclarecer; realçar, salientar; manifestar-se.
to show off — ostentar; aparentar; realçar; fazer sobressair; fazer ver; exibir-se; pavonear-se; dar-se ares de importante; (col.) armar; exibir-se.
to show up — fazer subir; desmascarar; descobrir uma fraude; deixar-se ver; apresentar-se; comparecer; mostrar-se.
to show in(t) — mandar entrar alguém; introduzir alguém num compartimento.
to show out — acompanhar (alguém) à porta.
to show round — acompanhar (alguém) para mostrar (alguma coisa).
to show oneself — aparecer em público.
to show one's colours — (col.) mostrar a cor, dar a conhecer a sua ideologia, as suas

tendências políticas ou religiosas; revelar o seu carácter.
to show affection — testemunhar afeição.
to show someone the door — pôr alguém na rua.
to show someone to the door — acompanhar alguém à porta.
to show unkindness — mostrar desafecto.
to show someone the way — indicar o caminho a alguém.
to show a clean pair of heels — (col.) dar às de vila-diogo; pôr-se a andar.
to show a leg — levantar-se; sair da cama.
to show signs of — mostrar (dar) sinais de.
to show one's teeth — mostrar-se irritado.
to show a taste for — mostrar gosto por.
to show daylight — estar esburacado ou roto.
to show forth — proclamar.
to show mercy on — mostrar compaixão por.
to show (a film) on the screen — projectar (um filme).
to show the time — dizer (indicar) as horas.
to show improvement — mostrar progressos.
to show one's hand — revelar os seus planos.
it only shows how little you know! — isso só mostra o pouco que sabes!
time will show — quem viver verá.
show your tickets — mostrem os seus bilhetes.
that just shows — por isso se vê.
she didn't show her face — ela não apareceu.
he showed us round the house — ele mostrou--nos a casa toda.
they showed the white feather — fugiram.
it shows in his face — vê-se-lhe na cara.
she does not show her age — ela não aparenta a idade que tem.
he showad his pictures — ele expôs os seus quadros.

shower 1 — ['ʃouə], *s.* aquele que mostra; aquele que expõe, expositor; mostrador.
2 — ['ʃauə], *s.* aguaceiro; chuveiro; chuvada; saraivada; banho de chuveiro; duche; abundância; grande quantidade.
shower-bath — banho de chuveiro.
heavy shower — chuvada; forte bátega de água.
a shower of gifts — uma chuva de presentes.
letters came in showers — vieram cartas aos montes; choveram cartas.
shower-proof — à prova de água.
a shower of bullets — uma saraivada de balas.
to send someone to the shower — (col.) mandar alguém passear; rejeitar proposta de casamento feita por alguém.
3 — *vt.* e *vi.* molhar; humedecer; derramar; distribuir com liberalidade; inundar; chover copiosamente.
to shower gifts upon someone — encher alguém de presentes.

showery ['ʃauəri], *adj.* chuvoso; de aguaceiros.
to be showery — estar tempo de aguaceiros.

showily ['ʃouili], *adv.* vistosamente, pomposamente, com ostentação.

showiness ['ʃouinis], *s.* ostentação, pompa, esplendor, aparato.

showing ['ʃouiŋ], *s.* exposição, acto de expor; acto de mostrar; demonstração.
showing off — exibição; ostentação.
showing up — denúncia; revelação.

showman ['ʃoumən], *s.* empresário (de teatro, circo, etc.); director de espectáculos; comediante (de circo ou de feira).
travelling showman — comediante ambulante.

shown [ʃoun], *pp.* do verbo **to show.**

showroom ['ʃourum], *s.* sala ou salão de exposições ou demonstrações.

showy ['ʃoui], *adj.* vistoso, pomposo, aparatoso; pretensioso. (*Sin.* gaudy, gorgeous, ostentatious, flashy.)

shrank [ʃræŋk], *pret.* do verbo **to shrink.**

shrapnel ['ʃræpn(ə)l], *s.* **metralha; granada de** metralha.
shrapnel shot — granada de balas.

shred [ʃred], 1 — *s.* fragmento, pedaço; tira, retalho; farrapo, trapo; partícula.
not a shred of evidence — nem sombra de prova.
to tear to shreds — esfrangalhar; rasgar em farrapos.
2 — *vt.* retalhar; rasgar; cortar em pedaços; cortar em tiras; picar (carne); retalhar, esfrangalhar.

shredded ['-id], *adj.* retalhado, esfrangalhado, feito em tiras; em farrapos.

shreddy ['-i], *adj.* retalhado, esfrangalhado; em tiras; em farrapos.

shrew [ʃru:], *s.* víbora, megera, mulher de mau génio, fera; musaranho.

shrewd [ʃru:d], *adj.* perspicaz, sagaz, fino, astuto; subtil; agudo; cortante; sensato, judicioso; duro; esperto; violento; forte; contundente, cortante. (*Sin.* sharp, sagacious, astute; wise. *Ant.* dull.)
to give a shrewd guess — adivinhar bem.
a shrewd observer — um observador perspicaz.
a shrewd answer — uma resposta subtil.
a shrewd man — um homem astuto.
a shrewd face — um rosto vivo.
shrewd wind — vento cortante.
a shrewd blow — um golpe violento.
shrewd wit — espírito subtil.

shrewdly ['-li], *adv.* sagazmente, astutamente; subtilmente; sensatamente, judiciosamente.

shrewdness ['-nis], *s.* perspicácia, sagacidade, astúcia; subtileza; finura; esperteza; sensatez, prudência.

shrewish ['ʃru:iʃ], *adj.* rabugento, de mau génio; gritador, ralhador; petulante.

shrewishly [-li], *adv.* de mau humor, com mau génio, com arrebatamento, de modo quezilento.

shrewishness [-nis], *s.* mau génio; mau humor; arrebatamento; rabugice.

shriek [ʃri:k], 1 — *s.* guincho, grito agudo, grito penetrante; ai.
2 — *vi.* guinchar; dar ais; soltar gritos agudos.
to shriek out — soltar gritos lancinantes; dar ais.
to shriek with laughter — rir a bandeiras despregadas; rir perdidamente.
to shriek oneself hoarse — gritar até ficar rouco.

shrieking ['-iŋ], 1 — *s.* gritos agudos, gritos penetrantes; silvo (de locomotiva); guinchos.
2 — *adj.* que solta guinchos; que solta gritos agudos.

shrieval ['ʃri:vəl], *adj.* relativo a xerife, respeitante às funções de xerife.

shrievalty [-ti], *s.* cargo ou funções de xerife.

shrike [ʃraik], *s.* (zool.) picanço; açor.

shrill [ʃril], 1 — *adj.* agudo, penetrante; estridente; esganiçado; incómodo.
a shrill voice — uma voz estridente; uma voz esganiçada.
a shrill cry — um grito agudo.
2 — *vt.* e *vi.* produzir um som agudo; dar um grito agudo; guinchar; chiar; falar com voz estridente ou esganiçada.

shrillness ['-nis], *s.* aspereza de som; agudeza de som; estridência; som agudo.

shrilly ['-i], *adv.* agudamente; asperamente; de modo estridente; com voz esganiçada.

shrimp [ʃrimp], 1 — *s.* camarão; anão, pigmeu, (col.) zé-ninguém, homem muito pequeno.
2 — *vi.* pescar camarões.

shrimper ['-ə], *s.* pescador de camarões; barco para a pesca de camarões.

shrimping ['-iŋ], *s.* pesca do camarão.
shrine [ʃrain], **1** — *s.* relicário; sacrário; santuário; urna.
2 — *vt.* guardar em relicário.
shrink [ʃriŋk], **1** — *s.* contracção; encolhimento; retraimento; retirada; recuo.
2 — *vt.* e *vi.* (pret. **shrank,** pp. **shrunk**) encolher, encurtar; enrugar-se; contrair-se; diminuir; estreitar-se; recuar, retroceder; retrair-se; reduzir-se; fugir de; tremer; ter horror a; esquivar-se a; afastar-se. (*Sin.* to contract, to recoil, to shrivel, to withdraw. *Ant.* to expand.)
to shrink away — desaparecer gradualmente; fugir.
to shrink from danger — esquivar-se ao perigo.
to shrink into oneself — tornar-se reservado; ensimesmar-se.
to shrink for fear — tremer de medo.
to shrink on — segurar no seu lugar.
to shrink back — retroceder; recuar.
to shrink at — ter relutância em.
to shrink up — encolher-se; esquivar-se; tremer; estreitar.
we must not shrink from duty — não devemos esquivar-nos ao cumprimento do dever.
to shrink under — sucumbir a.
this stuff shrinks — esta fazenda encolhe.
my income has shrunk — os meus rendimentos diminuíram.
shrinkable ['-əbl], *adj.* susceptível de encolher-se ou contrair-se; que pode enrugar-se ou diminuir.
shrinkage ['-idʒ], *s.* contracção; encolhimento; redução, diminuição; enrugamento; retraimento.
shrinking ['-iŋ], **1** — *s.* contracção; encolhimento; redução, diminuição; enrugamento; retraimento; acto de encolher ou diminuir.
2 — *adj.* que se contrai; que se encolhe; que diminui; que se enruga; tímido; medroso.
shrinkingly ['-iŋli], *adv.* com contracção, com encolhimento; timidamente, contraidamente, receosamente.
shrive [ʃraiv], *vt.* e *vi.* (pret. **shrove,** *pp.* **shriven**) (arc.) ouvir em confissão; absolver; indicar penitência; confessar-se.
shrivel [ʃrivl], *vt.* e *vi.* enrugar; franzir; dobrar; encolher-se; enrugar-se; engelhar; murchar.
shrivelled [-d], *adj.* enrugado; franzido; engelhado; murcho; ressequido.
shrivelling ['-iŋ], *s.* enrugamento; aspecto enrugado, engelhado ou ressequido.
shriven [ʃrivn], *pp.* do verbo **to shrive.**
shroud [ʃraud], **1** — *s.* mortalha; sudário; capa, manto; guarida, abrigo; protecção; (náut.) ovém; pluma de chaminé; *pl.* enxárcias.
main shroud — ovém maior (náut.).
mizen-shrouds — enxárcias da mezena (náut.).
fore shrouds — enxárcias do traquete (náut.).
wrapped in a shroud of mistery — envolto num manto de mistério.
under a shroud of darkness — debaixo de manto de escuridão.
2 — *vt.* e *vi.* amortalhar; cobrir; abrigar; encobrir, ocultar; proteger; esconder; envolver; refugiar-se; ocultar-se.
shrouded ['-id], *adj.* amortalhado; envolto; encoberto; oculto; escondido; abrigado, protegido.
shrouded in mistery — envolto em mistério.
shrouding ['-iŋ], *s.* amortalhamento, acto de amortalhar; acto de envolver, encobrir, ocultar, abrigar, proteger.
shrove [ʃrouv], **1** — *s.* usado em compostos.
Shrove Tuesday — terça-feira de Entrudo.
Shrove Sunday — Domingo Gordo.
Shrove Monday — segunda-feira de Entrudo.
2 — *pret.* do verbo **to shrive.**
Shrovetide ['ʃrouvtaid], *s.* os três dias de Entrudo.
shrub [ʃrʌb], *s.* arbustos; espécie de licor ou limonada de rum.
shrubbery ['-əri], *s.* arbustos; plantação de arbustos; bosquete; matagal.
shrubby ['-i], *adj.* cheio de arbustos, coberto de arbustos; semelhante a arbusto.
shrug [ʃrʌg], **1** — *s.* encolhimento de ombros.
2 — *vt.* e *vi.* encolher (os ombros); contrair, encolher.
to shrug one's shoulders — encolher os ombros.
shrunk [ʃrʌŋk], *pp.* do verbo **to shrink.**
shrunken ['-(ə)n], *adj.* encolhido; enrugado; contraído; magro.
shuck [ʃʌk], **1** — *s.* casca; vagem; folhelho; concha; pele; ouriço (de castanha); (col.) insignificância.
2 — *vt.* descascar; tirar a pele; tirar a concha (à ostra); debulhar.
shucking ['-iŋ], *s.* descasque, debulha; acto de tirar a pele, a casca ou a concha.
shucks [-s], *interj.* (ora) bolas!
shudder ['ʃʌdə], **1** — *s.* estremecimento; arrepio; tremor.
2 — *vi.* tremer; arrepiar-se (de medo).
I shudder to think what might happen — tremo só de pensar no que podia acontecer.
to shudder with cold — tremer de frio.
I shudder at it — isso faz-me estremecer.
shuddering [-riŋ], **1** — *s.* estremecimento; arrepio; tremor.
2 — *adj.* tremente; que estremece; que se arrepia (de medo).
shudderingly [-riŋli], *adv.* a tremer.
shuffle [ʃʌfl], **1** — *s.* mistura; confusão; passo irregular; maneira de caminhar arrastando os pés; dança em que se arrastam os pés; artifício; ardil; acto de baralhar as cartas; fraude; desonestidade; rodeio; subterfúgio, evasiva. (*Sin.* trick, artifice, stratagem, pretext.)
2 — *vt.* e *vi.* misturar; confundir; baralhar as cartas; caminhar arrastando os pés; dançar arrastando os pés; iludir; enredar; esquivar-se; pôr em desordem; prevaricar; tergiversar, vacilar; usar de artifícios ou subterfúgios.
to shuffle off a responsibility — livrar-se de uma responsabilidade.
to shuffle (the) cards — baralhar (as) cartas.
to shuffle along — caminhar arrastando os pés; andar com dificuldade.
to shuffle off — fugir de uma dificuldade; desembaraçar-se de; esquivar-se a.
to shuffle off a fault to somebody else — lançar as culpas para outrem.
to shuffle into — introduzir com manha ou cautela.
to shuffle up — misturar; confundir; fazer alguma coisa de mau modo.
he shuffles with his feet — ele arrasta os pés (ao caminhar).
to shuffle on one's clothes — enfiar a roupa; vestir-se à pressa.
shuffler ['-ə], *s.* embusteiro, trapaceiro, chicaneiro, impostor.
shuffling ['-iŋ], **1** — *s.* evasiva; enredo; confusão; mistura; arrastar de pés; artifício; ardil; acto de baralhar as cartas; fraude; desonestidade; rodeio; subterfúgio; passo irregular; dança em que se arrastam os pés.

2 — *adj.* embusteiro, trapaceiro, chicaneiro, impostor; que arrasta os pés.
shufflingly ['-iŋli], *adv.* com evasivas, com subterfúgios; arrastando os pés.
shun [ʃʌn], *vt.* e *vi.* evitar, fugir a, fugir de; retrair-se; escapar-se; afastar-se de.
to shun society — evitar o convívio social.
to shun something like the plague — fugir de alguma coisa como o Diabo da Cruz.
shunning ['-iŋ], *s.* acto de evitar ou de se esquivar a; afastamento; retraimento.
shunt [ʃʌnt], **1** — *s.* desvio; (cam. fer.) agulha; (elect.) derivação; manobra.
shunt wound — enrolado em derivação.
shunt-box — caixa de derivação.
shunt connected — montado em derivação.
to put in shunt — pôr em derivação.
2 — *vt.* e *vi.* desviar; passar de uma via para outra (comboio); desviar-se; manobrar; (elect.) pôr em derivação, montar em derivação; iludir; adiar; pôr de parte.
shunter ['-ə], *s.* agulheiro (cam. fer.); *pl.* pessoal de engate (cam. fer.).
shunting ['-iŋ], *s.* mudança de via (cam. fer.); manobra (de comboio); (elect.) derivação.
shunting locomotive — locomotiva de gare.
shunting engine — máquina de gare.
shut [ʃʌt], **1** — *vt.* e *vi.* (*pret.* e *pp.* **shut**) fechar; cerrar; encerrar; tapar; interromper; vedar; obstruir; impedir; interceptar; excluir; fechar--se; apertar-se; prender, meter na prisão; limitar; cercar, rodear.
to shut close — fechar bem.
to shut out — impedir a entrada.
to shut up — fechar completamente; encerrar; acabar; terminar; calar; calar-se; aprisionar; encurralar.
shut up! — (col.) cala a boca!, cala o bico!
to shut in — encerrar; impedir a saída de; cercar.
to shut from — excluir de.
to shut down on — suprimir; fazer cessar; reprimir.
to shut a door on someone — fechar a porta na cara de alguém.
to shut one's eyes — fechar os olhos; (col.) fazer vista grossa; fingir que não vê.
to shut one's ears to — tapar os ouvidos a; fingir que não ouve.
to shut the door (the window) — fechar a porta (a janela).
he shut his finger in the door-hinge — ele entalou o dedo no gonzo da porta.
to shut a book (a drawer) — fechar um livro (uma gaveta).
to shut off — desligar (corrente); fechar; cortar (gás).
to shut off the radio — desligar o rádio.
to shut someone's mouth — calar a boca a alguém.
to shut up shop — fechar um estabelecimento; liquidar um negócio.
the lid shuts automatically — a tampa fecha-se automaticamente.
2 — *adj.* fechado; cerrado; encerrado; tapado; preso; cercado, rodeado.
3 — *s.* acto de fechar, encerrar, tapar, cercar, prender ou acabar.
the shut of evening — o cair da noite.
shutter ['-ə], **1** — *s.* o que fecha ou tapa; taipal; gelosia, estore, veneziana, persiana; porta de janela; portinhola; postigo; (fot.) obturador.
shutter-release — (fot.) disparador do obturador.
revolving shutter — obturador rotativo.
2 — *vt.* fechar, correr (persiana, estore, postigo, portinhola, etc.); correr um taipal.
shutting ['-iŋ], *s.* acto de fechar; encerramento; prisão, acto de prender.
shutting off — corte (de corrente ou gás).
shutting up — encerramento.
shuttle [ʃʌtl], *s.* lançadeira (de tear, máquina de costura, etc.); canela; comboio de pequeno curso.
shuttlecock ['-kɔk], *s.* (desp.) volante.
shy [ʃai], **1** — *s.* acto de lançar, lançamento, arremesso; salto (de cavalo espantado); sobressalto.
2 — *adj.* tímido, acanhado; envergonhado; reservado; recatado, discreto; esquivo; desconfiado; assustadiço; arisco; espantadiço (animal). (*Sin.* bashful, timid, coy, modest. *Ant.* bold, daring.)
shy-looking — de aspecto tímido.
to be shy of someone — ser acanhado com alguém.
3 — *vt.* e *vi.* espantar-se, assustar-se; afastar-se; recuar; atirar, arremessar.
to shy at — assustar-se com.
to shy stones — atirar pedras.
Shylock ['ʃailɔk], *n. p.* nome de um judeu que é uma das principais personagens da peça "The Merchant of Venice" ("O Mercador de Veneza"), de Shakespeare, e que ficou como símbolo da usura e da avareza, do agiota e do credor impiedoso.
shyly ['ʃaili], *adv.* timidamente, acanhadamente; reservadamente; discretamente, recatadamente.
shyness ['ʃainis], *s.* timidez, acanhamento; recato; reserva.
shyster ['ʃaistə], *s.* homem de negócios duvidosos, cavalheiro de indústria; advogado desonesto.
si [si:], *s.* (mús.) si.
Siam [sai'æm], *top.* Sião.
Siamese [saiə'mi:z], *s.* e *adj.* siamês, natural do Sião; relativo ao Sião; língua siamesa.
Siamese cat — gato siamês.
Siamese twins — irmãos siameses.
Siberia [sai'biəriə], *top.* Sibéria.
Siberian [-n], *s.* e *adj.* siberiano, natural da Sibéria; relativo à Sibéria.
Siberian dog — cão da Sibéria.
sibilancy [-i], *s.* sibilância.
sibilant ['sibilənt], *s.* e *adj.* sibilante; letra sibilante.
sibilantly [-li], *adv.* de modo sibilante, sibilantemente.
sibilate ['sibileit], *vt.* sibilar; silvar; assobiar.
sibilation [sibi'leiʃən], *s.* sibilação; síbilo; silvo; assobio.
sibyl ['sibil], *s.* sibila.
sibylline [-in, si'bilain], *adj.* sibilino.
Sicambri [si'kæmbrai], *s. pl.* Sicambros (nome de povo antigo).
siccative ['sikətiv], *adj.* sicativo.
sice [sais], *s.* senas, seis (no jogo dos dados).
Sicilian [si'siljən], *s.* e *adj.* siciliano; natural da Sicília; relativo à Sicília.
siciliana [sisili'ɑ:nə], *s.* siciliana (dança e música).
Sicily ['sisili], *top.* Sicília.
sick [sik], **1** — *adj.* doente; enfermo; adoentado, maldisposto; enjoado; nauseado; aborrecido; cansado.
sick-leave — licença por doença.
sick-flag — bandeira amarela (usada nos barcos para indicar a existência de doentes a bordo).
sick-voucher — atestado de doença.
sick-list — lista dos doentes (mil.).
sick-bed — leito de enfermo.

sick-bay — enfermaria de bordo.
sick-berth — posto de socorros (em navio de guerra).
sick-berth attendant — enfermeiro.
sick-room — quarto de doentes.
sick-ward — enfermaria.
sick headache — enxaqueca com náuseas.
to be sick of — estar farto de; estar cansado de; estar desgostoso com; estar aborrecido com.
to be on the sick list — estar de cama; estar com parte de doente.
sick-nurse — enfermeira.
sick-ticket — alta (de hospital).
the sick — os doentes.
to be sick at heart — ter o coração oprimido; estar enfastiado; estar aborrecido com tudo.
he reported himself sick — ele deu parte de doente.
to make sick — causar enjoo ou nojo a.
you make me sick! — (col.) aborreces-me!; metes-me nojo!
to feel sick — ter náuseas; sentir-se enjoado; sentir-se maldisposto.
to be sick and tired of — estar farto e cansado de.
to fall sick — adoecer.
sea-sick — enjoado (durante uma viagem de barco).
I am sick of waiting — estou farto de esperar.
sick-parade — (mil.) visita dos doentes.
to be sick for home — ter saudades de casa ou da pátria.
2 — *vt.* perseguir, atacar (cão).

sicken [sikn], *vt.* e *vi.* fazer adoecer; adoecer; cair doente; ter náuseas; sentir-se enjoado; sentir-se adoentado ou maldisposto; enjoar-se; cansar-se; aborrecer-se, enfadar-se; desgostar-se.
to sicken to — ansiar por.
to sicken of — aborrecer-se de.

sickening ['-iŋ], *adj.* repugnante; que causa náuseas; nojento; nauseabundo; revoltante.

sickeningly ['-iŋli], *adv.* de modo repugnante; de modo revoltante; causando náuseas.

sickish ['sikiʃ], *adj.* adoentado, indisposto; enjoado; com náuseas; que repugna.

sickle [sikl], *s.* foucinha, segadeira; foice pequena.
sickle-shaped — em forma de foice, falciforme, falcato.

Sickle [sikl], *n. p.* (astr.) Leão (signo do Zodíaco).

sicklebill ['-bil], *s.* (zool.) colibri.

sickliness ['-inis], *s.* indisposição; falta de saúde; achaque; insalubridade; estado doentio; moléstia; náusea.

sickly [-i], *adj.* adoentado, achacado, indisposto; lânguido; débil; fraco; doentio, insalubre; que causa náuseas, repulsivo, repugnante; piegas; fastidioso; pálido, com aspecto de doente. (*Sin.* unhealthy, faint, weak. *Ant.* flourishing, healthy.)
a sickly season — uma estação doentia.
he has a sickly appearance — ele tem aspecto de doente.
a sickly smell — um cheiro nauseabundo ou enjoativo.
a sickly smile — um sorriso amarelo.

sickness ['siknis], *s.* doença, enfermidade; enjoo; náusea; indisposição; vontade de vomitar.
sea-sickness — enjoo (durante viagem de barco).
air-sickness — enjoo (durante viagem de avião).
flying-sickness — enjoo (durante viagem de avião).
falling-sickness — (pat.) epilepsia.
mountain-sickness — mal das montanhas; indisposição causada pela altitude.
sleeping-sickness — doença do sono.

side [said], **1** — *s.* lado; borda; margem; beira; flanco; ilharga; costado (de navio); facção, partido; parte; amurada (de navio); bordo; ladeira, encosta; face, rosto; região; zona; aspecto; perfil; laço de parentesco; ares pretensiosos; efeito (dado à bola no jogo do bilhar); adversário (desp.).
the right side — o lado direito; o lado bom; o lado certo; o direito (de uma fazenda).
the wrong side — o lado mau; o avesso (de um tecido ou peça de vestuário).
starboard side — estibordo.
side-kick — *(E.U.) (col.)* camarada; companheiro.
side by side — lado a lado; borda a borda.
by the side of — ao lado de.
on this side — deste lado; por este lado.
on every side — de todos os lados; por todos os lados.
on all sides — de todos os lados; por todos os lados.
to put on side — assumir ares de importância.
to one side — inclinado; tombado.
to take sides with someone — tomar o partido de alguém.
weather side — lado de barlavento.
to look on all sides — olhar para todos os lados.
to study all sides of a question — estudar todos os aspectos de um problema.
to hear both sides — ouvir as duas partes; ouvir os dois contendores.
relations on the mother's (or *faher's*) *side* — parentes do lado materno (ou paterno)
to sit by a person's side — sentar-se ao lado de uma pessoa.
a side issue — um pormenor secundário.
side-street — rua lateral.
side-arms — armas portáteis; armas brancas.
lee-side — lado de sotavento.
on the other side — do outro lado; mais além; na outra parte; na outra margem, na outra banda; por outro lado.
to be born on the wrong side of the blanket — (col.) ser filho ilegítimo.
side-box — camarote lateral.
side-lights — luzes de borda.
side on — de lado; lateralmente; lateral.
side whiskers — suíças; patilhas.
side wing — ala lateral.
to choose sides — escolher parceiros (para jogo).
side lantern — farol da borda.
side ladder — escada de quebra-costas.
side aisle — nave lateral (de igreja).
side-altar — altar lateral (de igreja).
side-car — carro lateral (anexo a motociclo).
side-dish — prato extra; acepipes.
side-glance — olhar de lado; (col.) olhar de esguelha.
side-line — (com.) artigos secundários; (cam. fer.) via secundária.
side note — nota marginal.
side-show — espectáculo de feira; barraca de diversão; espectáculo de categoria secundária; ocupação marginal, trabalho extra.
side view — (arq.) alçado lateral; vista lateral.
side wind — vento de bolina.
side entrance — entrada lateral.
check side — efeito contrário (no bilhar).
off side — deslocado (no futebol).
the inner side — o interior; o lado de dentro.
the outer side — o exterior; o lado de fora.

the other side of the picture — o reverso da medalha.
she is on the right side of forty — ela tem menos de quarenta anos.
she is on the wrong side of forty — ela tem mais de quarenta anos.
to ride side-saddle — montar à amazona.
he stood by my side — ele manteve-se ao meu lado; apoiou-me.
to change sides — mudar de partido.
I heard of it by a side-wind — ouvi falar disso vagamente, indirectamente.
to look on the gloomy side of things — ver as coisas pelo lado pior.
side-slip — derrapagem; deslize lateral.
side-face — perfil; de perfil.
2 — *vt.* e *vi.* tomar o partido de alguém, pôr-se ao lado de alguém; estar ao lado de; combinar; igualar.
to side with someone — dar razão a alguém; concordar com alguém; apoiar alguém.
sideboard [ˈ-bɔ:d], *s.* aparador; espécie de guarda-louça.
sided [ˈ-id], *adj.* facetado; com faces; com lado.
many-sided — facetado; de muitas faces.
double-sided — de duas faces; de face dupla.
sideling [ˈ-liŋ], *adj.* e *adv.* oblíquo; de lado; obliquamente; de esguelha.
sidelong [ˈ-lɔŋ], *adj.* e *adv.* lateral; oblíquo; lateralmente; obliquamente; de esguelha.
a sidelong glance — um olhar de esguelha.
sideral [ˈsaidərəl], *adj.* sideral, sidério, astral.
sidereal [saiˈdiəriəl], *adj.* sideral, sidério, astral.
siderite [ˈsaidərait], *s.* siderite.
sideroscope [ˈsidərəskoup], *s.* sideroscópio.
siderosis [sidəˈrousis], *s.* siderose.
siderurgical [sidəˈrə:dʒikəl], *adj.* siderúrgico, relativo à siderurgia.
siderurgy [sidəˈrə:dʒi], *s.* siderurgia.
sideshow [ˈsaidʃou], *s.* espectáculo de feira; barraca de diversão; espectáculo de categoria secundária; ocupação marginal, trabalho extra.
sidesman [ˈsaidzmən], *s.* fabricário, fabriqueiro.
sideward [ˈsaidwəd], *adj.* e *adv.* lateral; oblíquo; de lado; obliquamente; lateralmente; de lado.
sidewards [-z], *adv.* ver **sideward.**
sideways [ˈsaidweiz], *adj.* e *adv.* lateral; oblíquo; lateralmente; obliquamente; de lado; através.
to look sideways — olhar de lado.
to walk sideways — andar de lado, caminhar de esguelha.
sidewise [ˈsaidwaiz], *adv.* ver **sideways.**
siding [ˈsaidiŋ], *s.* (cam. fer.) via lateral, via de serviço; desvio; linha de manobra; via de resguardo; adesão a um partido; espessura lateral; tapume de madeira; costaneiras.
sidle [saidl], *vi.* andar de lado, caminhar de esguelha.
Sidon [ˈsaid(ɔ)n], *top.* Sídon.
Sidonian [saiˈdounjən], *s.* e *adj.* sidónio, sidoniano.
siege [si:dʒ], **1** — *s.* cerco, assédio, sítio; persuasão.
2 — *vt.* (arc.) cercar, sitiar.
Siena [siˈenə], *top.* Sena.
Sienese [sieˈni:z], *s.* e *adj.* natural de Sena; relativo a Sena; de Sena.
sienna [siˈenə], *s.* terra-de-sena (cor).
raw sienna — castanho-amarelado.
burnt sienna — encarnado-acastanhado.
Siennese [sieˈni:z], *s.* e *adj.* natural de Sena; relativo a Sena; de Sena.
sierra [ˈsiərə, siˈerə], *s.* serra; montanha; (zool.) cavala espanhola.
Sierra Leone [-liˈoun], *top.* Serra Leoa.
Sierra-Leonean [-liˈounjən], *s.* e *adj.* natural da Serra Leoa; relativo à Serra Leoa.
siesta [siˈestə], *s.* sesta, sono da sesta.
sieve [siv], **1** — *s.* peneira, joeira; crivo; ciranda; pessoa linguareira, incapaz de guardar um segredo.
sieve-maker — peneireiro.
to have a memory like a sieve — ter fraca memória.
2 — *vt.* peneirar, joeirar; cirandar; passar por peneira ou crivo.
sift [sift], *vt.* e *vi.* peneirar, joeirar; cirandar; passar por peneira ou crivo; esquadrinhar; examinar pormenorizadamente.
to sift out — inquirir, investigar.
sifter [ˈ-ə], *s.* o que peneira; esquadrinhador; crivo; peneira, ciranda, joeira.
sifting [ˈ-iŋ], *s.* acção de peneirar ou joeirar; acção de passar por crivo; exame minucioso.
sigh [sai], **1** — *s.* suspiro, ai.
a deep sigh — um suspiro (pro)fundo.
a heavy sigh — um suspiro (pro)fundo.
to heave a sigh of relief — dar um suspiro de alívio.
the Bridge of Sighs — a Ponte dos Suspiros (em Cantabrígia) e Veneza.
2 — *vt.* e *vi.* suspirar, dar suspiros, dar ais, lamentar; lamentar-se.
to sigh for — suspirar por, ansiar por, desejar ardentemente, anelar.
to sigh forth one's soul — exalar o último suspiro, morrer.
sighing [ˈ-iŋ], *s.* e *adj.* acção de suspirar; suspiros; que suspira, suspirante.
sighingly [ˈ-iŋli], *adv.* suspirando, de modo suspirante.
sight [sait], **1** — *s.* vista; visão; faculdade ou capacidade de ver; perspectiva; quadro; cena; espectáculo; aspecto; opinião, modo de ver; parecer; alça, maça de mira (de espingarda); viseira; visor; ponto de vista; sagacidade; pontaria; *pl.* lugares e coisas interessantes, centros de interesse turístico, artístico, etc.
short sight — miopia.
to know by sight — conhecer de vista.
to come in sight — surgir; aparecer; tornar-se visível.
out of sight — longe da vista.
to lose sight of — perder de vista.
at three months after sight — a três meses de vista.
out of sight, out of mind — longe da vista, longe do coração.
to catch sight of — avistar; ver ao longe.
sight draft — letra à vista.
sight-reading — leitura à primeira vista.
a fine sight — uma vista bonita; um belo espectáculo.
at first sight — à primeira vista; desde o princípio.
a sad sight — um triste espectáculo.
in sight — à vista (no mar).
to get a sight of — conseguir ver.
(get) out of my sight! — sai-me da vista!; desaparece!
to play music at sight — tocar música à primeira vista.
you are a sight for sore eyes — ditosos olhos que vos (te) vêem!
to see the sights — apreciar as vistas (de uma cidade, etc.); visitar os centros de interesse.
to make a sight of oneself — vestir-se ridiculamente; tornar-se ridículo.
I hate the sight of him! — nem o posso ver!
I can't bear the sight of him! — nem o posso ver!

my sight is getting dim — a minha vista turva-se.
my sight has been weakening for some time — há algum tempo que a minha vista está a enfraquecer.
to keep someone in sight — não perder alguém de vista.
to lose sight of land — deixar de ver terra.
the land came in sight — apareceu terra à vista.
line of sight — linha de tiro; linha de mira.
within sight — à vista; visível.
to lose one's sight — perder a vista; cegar; ficar cego.
to translate at sight — traduzir à primeira vista.
in my sight... — na minha opinião...; no meu modo de ver...
a sight of money — um dinheirão.
he found favour in her sight — ele caiu-lhe nas graças.
a grand sight — um espectáculo magnífico; uma vista majestosa.
what a beautiful sight! — que linda vista!, que belo espectáculo!
this is, out of sight, much better — isto é, de longe (sem dúvida), muito melhor.
such points must not be lost sight of — estes aspectos não se devem perder de vista; estes aspectos (pontos) são de tomar em consideração.
2 — *vt.* e *vi.* avistar; ver; distinguir, divisar; observar; descortinar; vislumbrar; visar, mirar, fazer pontaria, apontar (arma de fogo).
to sight land — avistar terra (de um barco).
sighted ['-id], *adj.* com vista; assinalado (náut.).
long-sighted — presbita.
short-sighted — míope; de vistas curtas (fig.).
near-sighted — míope; de vistas curtas (fig.).
weak-sighted — de vista fraca.
keen-sighted — arguto; perspicaz.
sightedness ['-idnis], *s.* visão; vista.
short-sightedness — miopia.
clear-sightedness — visão clara.
sighting ['-iŋ], *s.* vista; pontaria; mira.
sighting line — linha de mira.
sighting apparatus — aparelho de mira.
sighting slit — cursor de mira.
sightless ['-lis], *adj.* com falta de vista; sem vista; cego; invisível (poét.).
sightlessness ['-lisnis], *s.* falta de vista; cegueira; falta de visão.
sightliness ['-linis], *s.* beleza; encanto; elegância; aparência vistosa.
sightly ['-li], *adj.* belo; agradável à vista; encantador; vistoso; elegante.
sightseeing ['-si:iŋ], *s.* visita a lugares ou centros de interesse (turístico, artístico, etc.); excursão.
sightseer ['-si:ə], *s.* turista; excursionista; visitante de lugares de interesse.
sigil ['sidʒil], *s.* sinete; chancela; selo.
sigla ['siglə], *s.* sigla.
sigma ['sigmə], *s.* sigma (letra grega).
sigmatism [-tizm], *s.* sigmatismo.
sigmoid ['sigmɔid], *adj.* sigmóide.
sign [sain], **1** — *s.* sinal; traço; marca; firma; rubrica; sintoma, indício, vestígio; pegada; símbolo; letreiro; dístico; tabuleta; prova; manifestação; distintivo, emblema; senha; presságio, prenúncio; signo do Zodíaco.
signs of times — sinais dos tempos; fruta da época (fig.).
to make the sign of the cross — fazer o sinal da cruz; benzer-se.
to make signs — fazer sinais.
sign and countersign — senha e contra-senha.
sign-board — letreiro; tabuleta.
sign-painter — pintor de tabuletas.
sign-post — poste de sinalização.
illuminated sign — letreiro luminoso; reclamo luminoso.
negative sign — sinal negativo.
minus sign — sinal menos; sinal negativo.
positive sign — sinal positivo.
plus sign — sinal mais; sinal positivo.
to give no sign of oneself — não dar sinal de si.
there is no sign of him — não há sinal (vestígio) dele.
the signs of the Zodiac — os signos do Zodíaco.
to talk by signs — falar por sinais.
sign-language — mímica.
2 — *vt.* e *vi.* assinar; rubricar; firmar; marcar; fazer sinais; sancionar.
to sign a letter — assinar uma carta.
to sign a receipt — assinar um recibo.
to sign in blank — assinar em branco.
to sign a contract — assinar um contrato.
to sign assent — fazer um sinal de assentimento ou concordância.
to sign away — ceder por escrito (direitos, etc.).
to sign farewell — dizer adeus (com a mão, lenço, etc.).
nothing shall induce me to sign — nada me fará assinar.
to sign the attendance sheet — assinar o ponto.
to sign the register — assinar o ponto.
to sign up — inscrever-se; obrigar-se por escrito.
to sign oneself — apor a sua assinatura.
to sign to someone — fazer um sinal a alguém; acenar a alguém.
signal ['sign(ə)l], **1** — *s.* sinal; aviso; indício; notícia; motivo.
signal of distress — sinal de perigo.
signal bell — campainha de alarme.
***signal pistol* — pistola de alarme.**
signal-box — cabina de sinais (cam. fer.).
signal-ball — balão de sinais.
signal flag — bandeira de sinais.
fog-signal — sinal de nevoeiro.
signal tower — torre de sinalização.
calling signal — sinal de chamada.
signal-book — código de sinais.
code of signals — código de sinais.
signal-station — estação semafórica; casa dos sinais de bordo.
sailing-signal — sinal de partida (de navio).
home signal — sinal de chegada.
semaphore signal — sinal de semáforo.
signal-torch — facho de sinais.
storm signal — sinal de tempestade.
to give the signal for advance — dar o sinal de avançar.
line-engaged signal — sinal de linha ocupada (telefone).
2 — *adj.* notável, insigne; assinalado; conspícuo; notório; invulgar, extraordinário; memorável.
a signal example — um exemplo memorável ou notável.
3 — *vt.* e *vi.* fazer sinais; comunicar por sinais; avisar por sinais; sinalizar; indicar.
to signal a message — transmitir uma mensagem por sinais.
signalize ['signəlaiz], *vt.* assinalar, distinguir; notabilizar; marcar, registar.
to signalize oneself by something — distinguir-se, notabilizar-se por alguma coisa.
signaller ['signələ], *s.* sinaleiro.

signalling ['sign(ə)liŋ], *s.* transmissão de sinais; sinalização; comunicação por sinais; indicação por sinais; aviso por sinais.
signalling bell — campainha de sinalização.
signalling code — código de sinalização (telegrafia).
signalling line — corda de sinalização (de mergulhador).
signally ['signəli], *adv.* assinaladamente; notavelmente; memoravelmente.
signalman ['sign(ə)lmən], *s.* sinaleiro (cam. fer.).
signatory ['signətəri], *s.* e *adj.* signatário.
signature ['signitʃə], *s.* assinatura; rubrica; firma; (tip.) letra ou número colocado ao fundo de cada folha impressa.
stamped signature — chancela.
to put one's signature to — apor a sua assinatura em.
signboard ['sainbɔ:d], *s.* tabuleta; tábua para afixar cartazes; reclamo; letreiro indicativo.
signer ['sainə], *s.* signatário.
the Signers — os signatários da Declaração da Independência dos Estados Unidos da América, em 1776.
signet ['signit], *s.* sinete; selo.
signet-ring — anel com sinete.
significance [sig'nifikəns], *s.* significação, significado; sentido; importância; ênfase; alcance.
with a look of deep significance — com um olhar muito significativo.
significant [sig'nifikənt], *adj.* significativo, expressivo; importante; enérgico; significante. (*Sin.* important, telling, weighty. *Ant.* trivial.)
significantly [-li], *adv.* significativamente, expressivamente; com ênfase.
signification [signifi'keiʃən], *s.* significação, significado; sentido; importância.
significative [sig'nifikətiv], *adj.* significativo; expressivo; indicativo; simbólico.
signify ['signifai], *vt.* e *vi.* significar, querer dizer; expressar; manifestar; representar; ser significativo, ser importante, importar; comunicar; dar a entender; denotar, indicar; fazer saber; dar a conhecer.
it signifies little — pouco importa.
it does not signify — não tem importância.
what does that signify? — que significa isso? que importância tem isso?
signing ['sainiŋ], *s.* assinatura; acto de assinar; aposição de assinatura(s).
silage ['sailidʒ], *s.* ensilagem.
silence ['sailəns], **1** — *s.* silêncio; mutismo; calma, sossego; segredo; esquecimento, omissão.
to put to silence — reduzir ao silêncio.
to break the silence — quebrar o silêncio.
death-like silence — silêncio de morte; silêncio sepulcral.
in silence — em silêncio.
blank silence — silêncio absoluto.
dead silence — silêncio absoluto.
silence is golden — o silêncio é de oiro.
silence gives consent — quem cala consente.
to keep silence — guardar silêncio.
to reduce to silence — reduzir ao silêncio.
speech is silver, but silence is gold — **falar é prata, calar é ouro.**
to pass over in silence — **silenciar; não mencionar; omitir.**
to listen in silence — **escutar em silêncio.**
2 — *vt.* **reduzir ao silêncio; silenciar; fazer calar; sonegar; acalmar; dominar.**
3 — *interj.* silêncio!
silencer [-ə], *s.* silenciador; silencioso (de automóvel); amortecedor de ruídos.

silent ['sailənt], *adj.* silencioso, calado, mudo; taciturno; calmo; quieto, sossegado, tranquilo; omisso. (*Sin.* quiet, dumb, mute, taciturn. *Ant.* talkative.)
silent partner — (com.) sócio comanditário.
silent letters — letras mudas.
be silent! — esteja(m) calado(s).
to keep silent — manter-se (ficar) calado; calar-se.
to be silent — estar calado.
to remain silent — ficar calado; permanecer calado.
silent as the tomb — mudo como o túmulo.
silent film — filme mudo.
silentiary [sai'lenʃiəri], *s.* silenciário.
silently ['sailentli], *adv.* silenciosamente.
silesia [sai'li:zjə], *s.* percalina grossa.
Silesia [sai'li:zjə], *top.* Silésia.
Silesian [-n], *s.* e *adj.* silesiano; da Silésia; relativo à Silésia.
silex ['saileks], *s.* sílex, sílice, pederneira.
silhouette [silu(:)'et], **1** — *s.* silhueta.
2 — *vt.* desenhar ou pintar em silhueta.
silhouettist [silu'etist], *s.* silhuetista, desenhador de silhuetas.
silica ['silikə], *s.* sílica.
silicate **1** — ['silikit], *s.* silicato.
2 — ['silikeit], *vt.* silicatar, silicatizar; revestir de silicatos.
silicated ['silikitid], *adj.* combinado com sílica.
siliceous [si'liʃəs], *adj.* silicioso; que contém sílica.
silicious [si'liʃəs], *adj.* silicioso; que contém sílica.
silicon ['silikən], *s.* silício.
silicone ['silikoun], *s.* silicone.
silicosis [sili'kousis], *s.* silicose.
silk [silk], *s.* seda; *pl.* roupa(s) de seda.
raw silk — seda crua.
artificial silk — seda artificial.
floss silk — seda frouxa.
sewing-silk — retrós.
shot silk — seda furta-cores.
watered-silk — seda ondeada.
silk-weaver — tecelão de seda.
silk dress — vestido de seda.
silk goods — artigos de seda.
figured silk — seda lavrada; lustrina.
silk cotton — seda vegetal.
silk culture — sericicultura.
silk fabrics — tecidos de seda.
silk fiber — fibra de seda.
silk-breeder — criador de bichos-da-seda.
silk-grower — criador de bichos-da-seda.
silk-growing — sericicultura.
silk hat — chapéu de seda; chapéu alto; cartola.
silk loom — tear para seda.
silk mercer — comerciante de sedas.
knitting silk — seda de tricotar.
silk stockings — meias de seda.
silk printer — estampador de seda.
silk spinner — fiandeiro de seda.
silken [-(ə)n], *adj.* de seda; macio, sedoso; suave; lustroso; melífluo; como seda; acetinado.
silken hair — cabelo sedoso.
silken voice — voz melíflua.
silkily ['-ili], *adv.* suavemente; com macieza; de modo melífluo.
silkiness ['-inis], *s.* suavidade; carácter brando; macieza; aspecto sedoso; brandura; moleza.
silkworm ['-wə:m], *s.* bicho-da-seda.
silky ['silki], *adj.* sedoso; macio; lustroso; suave; brando; como seda; acetinado; melífluo.
silky voice — voz melíflua.

sill [sil], *s.* soleira (de porta), limiar; peitoril (de janela).
sillabub ['siləbʌb], *s.* batido de leite com vinho e açúcar.
siller ['silə], *s.* (termo escocês) dinheiro; prata.
sillily ['silili], *adv.* tolamente; estupidamente; parvamente.
silliness ['silinis], *s.* tolice, parvoíce; estupidez; disparate; loucura; calinada; patetice.
silly ['sili], *s.* e *adj.* tolo, parvo, pateta, imbecil, cretino, idiota; estúpido, burro (fig.); disparatado. (*Sin.* foolish, imbecile, unwise, senseless. *Ant.* wise, sensible.)
don't be silly — não sejas tolo!
you shouldn't say such silly things — não devias dizer essas parvoíces.
silo ['sailou], **1** — *s.* silo.
2 — *vt.* meter em silo; ensilar.
silt [silt], **1** — *s.* lama; lodo; lameiro; lamaçal; aluvião; vasa; sedimento; limo.
2 — *vt.* e *vi.* obstruir ou obstruir-se com aluvião, lodo ou limo; assorear(-se).
to silt up — assorear.
silting (up) ['-iŋ(ʌp)], *s.* assoreamento; obstrução (com aluvião, lodo ou limos).
silty ['silti], *adj.* lodoso; sedimentoso; com limos; com aluvião.
Silurian [s(a)i'ljuəriən], *s.* e *adj.* silúrico, siluriano; relativo aos Silúrios.
silvan ['silvən], *adj.* silvestre; selvoso; frondoso; campestre, bucólico; rústico, rural.
silvan scene — cena campestre.
Silvanus [sil'veinəs], *top.* e *n. p.* Silvano.
silver ['silvə], **1** — *s.* e *adj.* prata; moedas de prata; talheres de prata; objectos de prata, pratas; prateado; de prata; argênteo; eloquente.
silver-bath — banho de nitrato de prata.
silver-wedding — bodas de prata.
silver mine — mina de prata.
silver fir — abeto.
silver-fish — (*zool.*) traça prateada dos livros.
silver leaf — folha de prata.
silver-tongued — eloquente.
silver ore — minério de prata.
silver gilt — prata dourada.
German silver — prata alemã; argentão; alpaca.
the silver streak — o canal da Mancha.
silver currency — moedas de prata.
silver dust — pó de prata.
silver-fox — raposa argêntea; raposa prateada.
silver salt — sal de prata.
silver screen — (cin.) tela prateada.
silver solder — solda para prata.
silver thaw — geada.
silver-work — trabalhos de prata (de ourivesaria).
bar silver — prata em barra.
table silver — talheres de prata.
the silver age — a Idade da Prata.
to have a silver tongue — ter uma língua de prata; ser eloquente.
every cloud has a silver lining — nem tudo é tão negro como se pinta.
he was born with a silver spoon in his mouth (col.) — ele nasceu num fole; nasceu para ter sorte.
2 — *vt.* e *vi.* pratear; estanhar; encanecer, embranquecer (cabelo).
silvered [-d], *adj.* prateado; estanhado.
silverer [-ə], *s.* prateador; estanhador.
silvering [-riŋ], *s.* e *adj.* prateação; acção de pratear ou estanhar; que serve para pratear ou estanhar.
silverize [-raiz], *vt.* pratear.
silver-plate [-'pleit], **1** — *s.* baixela de prata.
2 — *vt.* pratear.
silver-plated [-'pleitid], *adj.* prateado.
silver-plater [-'pleitə], *s.* prateador.
silver-plating [-'pleitiŋ], *s.* prateação.
silversmith [-smiθ], *s.* ourives de prata; prateiro.
silverware [-wɛə], *s.* artigos de prata, pratas; baixela de prata.
silvery [-ri], *adj.* prateado, argênteo, argentino; com som argentino.
a silvery voice — uma voz de prata.
Silvester [sil'vestə], *n. p.* Silvestre.
silviculture ['silvikʌltʃə], *s.* silvicultura.
Simeon ['simiən], *n. p.* Simeão.
simian ['simiən], *s.* e *adj.* macaco, mono, símio; de mono; simiesco.
similar ['similə], *adj.* similar, semelhante, parecido, idêntico; homogéneo. (*Sin.* alike, like, resembling, corresponding. *Ant.* different, unlike.)
similar to — semelhante a.
similarity [simi'læriti], *s.* semelhança, parecença, analogia, similaridade; conformidade.
similarly ['similəli], *adv.* semelhantemente, identicamente, analogamente.
simile ['simili], *s.* símile; comparação; alegoria, imagem; analogia.
similitude [si'militju:d], *s.* similitude, semelhança, analogia, parecença; alegoria; símile; comparação.
similor ['similɔ:], *s.* ouropel.
simmer ['simə], **1** — *s.* ponto de ebulição.
2 — *vt.* e *vi.* ferver a fogo lento; cozinhar a lume brando; manter no ponto de ebulição; chiar (ao ferver); (fig.) ferver, ficar irritado; fermentar.
to simmer down — acalmar(-se).
simmering [-riŋ], *s.* e *adj.* fervura a fogo lento; que ferve a fogo lento.
simnel-cake ['simnəlkeik], *s.* espécie de bolo feito pelo Natal, Páscoa, etc.
Simon ['saimən], *n. p.* Simão.
simony ['saiməni], *s.* simonia.
simoom [si'mu:m], *s.* simum.
simoon [si'mu:n], *s.* simum.
simp [simp], *s.* (col.) simplório, simples, pateta, papalvo.
simper ['simpə], **1** — *s.* sorriso tolo, sorriso pateta, sorriso afectado.
2 — *vt.* e *vi.* sorrir tolamente; sorrir afectadamente.
to simper one's thanks — agradecer com um sorriso afectado.
simpering [-riŋ], *s.* e *adj.* afectação, pretensiosismo; sorriso afectado; sorriso pateta; afectado; pretensioso.
simperingly [-riŋli], *adv.* com sorriso tolo; com sorriso afectado; com atitude pretensiosa.
simple [simpl], **1** — *s.* pessoa simples, pessoa humilde, simplório; simples (elemento).
2 — *adj.* simples, fácil; puro; ingénuo; cândido; sincero, franco; néscio; insignificante; inexperiente; claro; elementar; compreensível; honesto; natural, não afectado, despretensioso; modesto; verdadeiro, real; simplório, apatetado; não complexo; pouco importante.
simple-minded — ingénuo; cândido; simples; lhano; pateta.
simple-hearted — franco; sincero.
simple manners — maneiras despretensiosas.
simple-mindedness — simplicidade; ingenuidade; candura.
simple interest — juro simples.
simple contract — contrato verbal.
simple equation — equação do primeiro grau a uma incógnita.
simple fraction — fracção simples.

simple proportion — proporção simples.
simple fracture — fractura simples.
to give a simple explanation — dar uma explicação simples.
as simple as shelling peas — facílimo; "de caras"; claro como água.
the problem is very simple — o problema é muito simples.

simpleness ['-nis], *s.* simplicidade, ingenuidade, candura.
simpleton ['-tən], *s.* simplório, simples, pateta, papalvo.
simpliciter [sim'plisitə], *adv.* absolutamente, em absoluto.
simplicity [sim'plisiti], *s.* simplicidade; ingenuidade; patetice; sinceridade, franqueza.
simplification [simplifi'keiʃən], *s.* simplificação.
simplifier ['simplifaiə], *s.* simplificador.
simplify ['simplifai], *vt.* simplificar; facilitar.
simplism ['simplizm], *s.* simplismo.
simplistic [sim'plistik], *adj.* simplista.
simply ['simpli], *adv.* simplesmente; unicamente; puramente; tolamente; com simplicidade; absolutamente; somente, apenas.
pure and simply — pura e simplesmente.
I simply must — não posso deixar de o fazer.

simulacrum [simju'leikrəm], *s.* simulacro; simulação; imagem; imitação.
simulant ['simjulənt], *adj.* com a aparência (de), semelhante (a).
simulate ['simjuleit], *vt.* simular, fingir; imitar; assemelhar-se a.
simulated [-id], *adj.* simulado, fingido.
simulation [simju'leiʃən], *s.* simulação, fingimento, imitação, arremedo.
simulator ['simjuleitə], *s.* simulador.
simultaneity [siməltə'niəti], *s.* simultaneidade.
simultaneous [siməl'teinjəs], *adj.* simultâneo, concomitante. (*Sin.* concomitant, concurrent, synchronous.)
simultaneously [-li], *adv.* simultaneamente, concomitantemente.
simultaneousness [-nis], *s.* simultaneidade, concomitância.
sin [sin], **1** — *s.* pecado; culpa; erro, falta; transgressão; ofensa.
deadly sin — pecado mortal.
mortal sin — pecado mortal.
for my sins — por mal dos meus pecados.
capital sin — pecado mortal.
original sin — pecado original.
the forgiveness of sins — o perdão dos pecados.
to commit a sin — cometer um pecado.
to fall into sin — cair em pecado.
to live in sin — viver em pecado.
to rain like sin — chover a potes; chover a cântaros.
a sin against decorum — uma ofensa às boas maneiras.
the seven deadly sins — os sete pecados mortais.
2 — *vi.* pecar; errar.
to sin against — pecar contra.

Sinai ['sainiai], *top.* Sinai.
Mount Sinai — o monte Sinai.

Sinaitic [saini'itik], *adj.* sinaíta, do Sinai, relativo ao Sinai.
sinapism ['sinəpizm], *s.* sinapismo.
since [sins], **1** — *adv.* desde então; desde essa altura; desde há muito tempo; depois disso.
long since — há muito tempo.
ever since — desde então; de então para cá.
how long is it since? — há quanto tempo foi isso?
I haven't seen him since — não o tenho visto desde então.
many years since — há muitos anos.
2 — *prep.* desde, há (referido a tempo passado).
since yesterday — desde ontem.
since then — desde então.
since that time — desde então.
since when? — desde quando?
I have been with her since eleven o'clock — tenho estado (estou) com ela desde as onze horas.
I have not seen you since June — não te vejo (tenho visto) desde Junho.
since when have you known him? — desde quando o conheces?
3 — *conj.* desde que; visto que, como, já que, uma vez que, pois que, porque; depois que.
what have you done since we met? — que tens feito desde que nos encontrámos?
since that is so... — já que assim é...
it is long since I had the pleasure of... — há muito tempo que tive o prazer de...
since we parted — desde que (depois que) nos separámos.
how long is it since that happened? — há quanto tempo aconteceu isso?
since you will have it so... — já que assim o queres...
since I had no money, I didn't buy the book — como não tinha dinheiro, não comprei o livro.
since I last saw her — desde a última vez que a vi.

sincere [sin'siə], *adj.* sincero, franco; leal; genuíno; verdadeiro; real; de boa-fé; autêntico.
sincerely [-li], *adv.* sinceramente; francamente; lealmente; realmente; de boa-fé, honestamente.
sincerely yours (*yours sincerely*) — (expressão usada no final das cartas) muito atentamente; com consideração; com estima.

sincerity [sin'seriti], *s.* sinceridade, franqueza; lealdade; autenticidade; pureza, candura; verdade; realidade.
in all sincerity — com toda a sinceridade.

sinciput ['sinsipʌt], *s.* (anat.) sincipúcio.
sindon ['sindən], *s.* síndone.
sine [sain], *s.* (mat.) seno.
sinecure ['s(a)inikjuə], *s.* sinecura.
sinecurism [-rizm], *s.* sinecurismo.
sinecurist [-rist], *s.* sinecurista.
sinew ['sinju:], **1** — *s.* tendão; músculo; nervo; força, vigor, energia, fortaleza, poder.
the sinews of war — (fig.) o dinheiro.
2 — *vt.* fortalecer; manter, sustentar.

sinewy [-i], *adj.* forte, robusto, vigoroso; atlético; duro; com tendões, com nervos.
sinful ['sinful], *adj.* pecaminoso; pecador; criminoso, mau.
sinfully [-i], *adv.* pecaminosamente; em pecado; perversamente.
sinfulness [-nis], *s.* maldade; iniquidade; mau comportamento.
sing [siŋ], *vt.* e *vi.* cantar; cantarolar; murmurar (a água); gorjear (as aves); zumbir (os ouvidos); poetar, fazer poesia, cantar em verso; sibilar.
to sing a song — cantar uma canção; cantar uma música.
to sing another song — (col.) mudar de assunto; vir com outra cantiga.
to sing the same song — (col.) repetir a mesma coisa; vir com a mesma cantiga.
to sing a person's praises — elogiar uma pessoa continuamente; lisonjear uma pessoa constantemente.
to sing out of tune — desafinar (cantando); cantar fora de tom.
to sing small — (col.) falar em tom humilde, baixar a voz (depois de ter sido repreendido ou humilhado); desempenhar um papel secundário.

to sing a child to sleep — cantar para adormecer uma criança; adormecer uma criança cantando.
to sing out — cantar alto.
to sing up — cantar com força.
my ears are singing — tenho os ouvidos a zumbir.
singable [ˈ-əbl], *adj.* que pode cantar-se, cantável.
Singapore [siŋ(g)əˈpɔː], *top.* Singapura.
singe [sindʒ], *vt.* e *vi.* chamuscar, queimar levemente; manchar.
to singe the king of Spain's beard — saquear as costas de Espanha.
his reputation is singed — a reputação dele está manchada.
to singe one's feathers — (fig.) queimar as asas, ser mal sucedido.
singeing [ˈ-iŋ], *s.* chamusco; acto de chamuscar.
singer 1 — [ˈsiŋ(g)ə], *s.* cantor; cantora; (ecl.) chantre.
2 — [ˈsindʒə], *s.* chamuscador.
Singhalese [siŋgəˈliːz], *s.* e *adj.* singalês.
singing [ˈsiŋiŋ], **1** — *s.* canto; canção; acto de cantar; zumbido (nos ouvidos); gorjeio (de aves); murmúrio (de água); canto em verso, acção de cantar em verso.
singing-master — professor de canto.
singing-lesson — lição de canto.
singing-mistress — professora de canto.
to learn singing — aprender canto.
to teach singing — ensinar canto.
I have a singing in my ears — tenho um zumbido nos ouvidos.
2 — *adj.* que canta, canoro, cantor; de canto, relativo ao canto.
singing-bird — ave canora.
singing-boy — menino de coro.
singing-man — chantre; cantor profissional.
single [siŋgl], **1** — *s.* (desp.) partida simples (de golfe); partida de singulares (no ténis); ponto (no críquete).
men's singles — singulares de homens (no ténis).
women's singles — singulares de senhoras (no ténis).
2 — *adj.* só, único; singular; simples, singelo; solteiro; solteira; sozinho; individual; sincero, franco, leal; puro; incorrupto; cândido.
single-minded — ingénuo; honesto; sincero.
single-mindedness — ingenuidade; honestidade; sinceridade.
single-mindedly — ingenuamente; honestamente; sinceramente; com decisão.
single-blessedness — o estado de solteiro.
single-handed — sem ajuda, sozinho; que tem só uma das mãos; que se maneja com uma só mão.
I did this job single-handed — fiz este trabalho sozinho.
single-breasted — **com uma só fila de botões** (colete, casaco, etc.), paletó.
single flower — flor simples; flor singela.
single state — o estado de solteiro.
single entry — escrituração por partidas simples.
single room — **quarto para uma pessoa; quarto de solteiro.**
single life — celibato.
single-acting — de efeito simples.
single-action — efeito simples.
single-screw — de uma hélice.
single bed — **cama para uma pessoa; cama de** solteiro.
single belt(ing) — correia simples.
single-decker — avião monoplano.
single control — (de) comando único.
single eyeglass — monóculo.
single loader — espingarda de um só tiro.
single-phase circuit — circuito monofásico.
single-rail — monocarril.
single-seater — de um só lugar (avião).
single speed — de uma só velocidade.
single-string — monocórdico (mús.).
single tax — taxa única; imposto único.
single track — (cam. fer.) via simples.
not a single one — nem um único; nem um sequer.
I did not see a single person — não vi uma única pessoa; não vi vivalma.
single-hearted — **ingénuo; cândido; sincero;** leal; puro; franco.
single-heartedly — **ingenuamente; sinceramente; lealmente; francamente.**
sigle-heartedness — **ingenuidade; candura; sinceridade; lealdade; franqueza.**
3 — *vt.* fazer selecção, escolher, seleccionar; distinguir; apartar.
to single out someone as — escolher ou seleccionar alguém para (ou como).
singleness [ˈ-nis], *s.* unidade; singeleza; sinceridade, franqueza, lealdade; singularidade; celibato.
singlestick [ˈ-stik], *s.* pequeno bastão para esgrima.
singlet [ˈ-it], *s.* camisola interior.
singleton [ˈ-tən], *s.* carta seca, única carta de um naipe; (fig.) filho único.
singly [ˈ-i], *adv.* separadamente, um a um, um por um, individualmente; unicamente; singelamente; sozinho, sem ajuda.
I talked to them singly — eu falei com cada um deles em separado; falei com eles um por um.
singsong [ˈsiŋsɔŋ], **1** — *s.* canto monótono; tom monótono; ritmo monótono; canto orfeónico improvisado ou de amadores.
2 — *adj.* monótono; de tom monótono.
3 — *vt.* e *vi.* falar, cantar ou recitar de modo monótono.
singular [ˈsiŋgjulə], **1** — *s.* singular (gram.).
in the singular — no singular.
2 — *adj.* singular, peculiar; invulgar, estranho, extraordinário; raro; excêntrico; único; esquisito. *(Sin.* peculiar, unusual, extraordinary, eccentric. *Ant.* ordinary; plural.)
a man of singular disposition — um homem de feitio estranho ou esquisito.
singular number — número singular.
singular clothes — roupas excêntricas.
singularity [siŋgjuˈlæriti], *s.* singularidade; particularidade; peculiaridade; excentricidade.
singularly [ˈsiŋgjuləli], *adv.* singularmente; particularmente; peculiarmente; no singular (gram.); em separado.
sinister [ˈsinistə], *adj.* sinistro, funesto; aziago, agoirento; mau; ameaçador; esquerdo (her.); do lado esquerdo.
sinisterly [-li], *adv.* sinistramente, funestamente; ameaçadoramente.
sink [siŋk], **1** — *s.* lava-loiça, banca de cozinha, pia de lavar a loiça; esgoto, fossa; fundo (do porão); charco; alçapão (de teatro); chumbo (de pesca).
2 — *vt.* e *vi.* *(pret.* **sank,** *pp.* **sunk**) afundar; afundar-se, submergir; imergir; soçobrar; meter a pique; baixar, descer; sumir; deprimir; cair; humilhar, rebaixar; diminuir; abrir um poço; deixar-se cair; desmoronar(-se); sucumbir; enfraquecer; penetrar; gravar-se na memória; empregar capital em fundos públicos; ir a pique; naufragar; desaparecer; fazer desaparecer, fundear minas; enter-

rar(-se); atolar(-se); mergulhar; abater; reduzir; embeber-se; esconder; esquecer; ignorar; entranhar-se; amortizar (uma dívida); tombar; ter um colapso.
to sink to the bottom — ir ao fundo.
to sink under — sucumbir.
to sink into an arm-chair — afundar-se (enterrar-se) numa poltrona.
to sink into poverty — cair na miséria.
to sink or swim — jogar a última cartada; ganhar ou perder.
to sink into a deep sleep — cair (mergulhar) num sono profundo.
to sink money — enterrar dinheiro; empatar capital que demora a reaver ou realizar.
to sink into the grave — baixar à sepultura.
to sink down — afundar-se, ir ao fundo; abater; descer; sucumbir; cair gradualmente, decair; ir a pique.
to sink low — cair baixo.
to sink on one's knees — cair de joelhos.
the sun is sinking — o sol está a desaparecer no horizonte.
my heart sank — perdi o ânimo.
the prices sink — os preços baixam.
to sink a beer — (col.) beber uma cerveja.
to sink a ship — afundar um navio.
to sink a well — abrir um poço.
to sink in oneself — concentrar-se; ensimesmar-se.
to sink in value — perder o valor; desvalorizar-se.
to sink out of sight — desaparecer; fugir da vista.
to sink into oblivion — cair no esquecimento.
to sink shop — (col.) deixar de falar em assuntos profissionais ou de negócios.
to sink into the mud — enterrar-se na lama.
to sink in one's estimation — descer na consideração de alguém.
sing or sink — (col.) é pegar ou largar; ou tudo ou nada.
sinkable ['-əbl], *adj.* submergível; que pode afundar-se.
sinkage ['-idʒ], *s.* imersão; submersão; depressão; atolamento (de rodas); abatimento (de terreno).
sinker ['-ə], *s.* o que afunda; chumbo (da linha de pesca); perfurador de poços; (col.) xelim.
sinking ['-iŋ], **1** — *s.* acto de submergir; afundamento; imersão; submersão; desmoronamento; abatimento; pôr do Sol, ocaso; diminuição; baixa; depressão; enfraquecimento; penetração; desânimo; naufrágio; descida (de preços, etc.); quebra; empate (de capital); amortização (de dívida).
2 — *adj.* que submerge; que se afunda; que imerge; que se desmorona; que se abate; que enfraquece; que desanima; que baixa; que desce; amortizável.
sinking-fund — fundos amortizáveis.
with sinking spirit — com desânimo; com abatimento de ânimo.
with sinking heart — com angústia; com desânimo.
sinless ['sinlis], *adj.* impecável, puro, sem pecado, sem mancha.
sinlessly [-li], *adv.* impecavelmente, sem pecado, puramente, com pureza; santamente.
sinlessness [-nis], *s.* impecabilidade; santidade; inocência; pureza.
sinner ['sinə], *s.* pecador; pecadora; (col.) patife, tratante, traste.
sinning ['siniŋ], **1** — *s.* acto de pecar; pecado; falta; erro.
2 — *adj.* que peca, pecador, que vive em pecado; impuro.
sinologist [si'nɔlədʒist], *s.* sinólogo.
sinologue ['sinəlɔg], *s.* sinólogo.
sinology [si'nɔlədʒi], *s.* sinologia.
sinter ['sintə], **1** — *s.* rocha de precipitação; sedimento.
2 — *vt.* e *vi.* aglomerar(-se); concrecionar(-se).
sinuosity [sinju'ɔsiti], *s.* sinuosidade; tortuosidade; meandro.
sinuous ['sinjuəs], *adj.* sinuoso; tortuoso; com curvas ou meandros.
sinuously [-li], *adv.* sinuosamente; tortuosamente; com curvas ou meandros.
sinus ['sainəs], *s.* cavidade, abertura; seio; fístula.
Sion ['saiən], *top.* Sião.
Sioux [su:(z)], *s.* siú (tribo de índios da América do Norte ou membro dessa tribo).
sip [sip], **1** — *s.* sorvo; gole, trago.
a sip of brandy — um gole de conhaque.
to drink in sips — beber aos goles ou sorvos.
2 — *vt.* e *vi.* beber aos goles, beber aos sorvos; beber devagar; beberricar; chupar.
siphon ['saifən], **1** — *s.* sifão.
2 — *vt.* e *vi.* fazer sair por meio de sifão; sair por sifão; extrair um líquido por meio de sifão.
siphonage [-idʒ], *s.* sifonagem.
siphonal [-əl], *adj.* sifóide, em forma de sifão.
siphoniform [-ifɔ:m], *adj.* sifóide, em forma de sifão.
siphoning [-iŋ], *s.* sifonagem, extracção por meio de sifão.
sipper ['sipə], *s.* indivíduo que beberrica, que bebe aos goles ou aos tragos.
sippet ['sipit], *s.* sopa de pão e leite ou outro líquido.
sir [sə:], **1** — *s.* senhor; dom (título).
yes, sir — sim, senhor.
no, sir — não, senhor.
Dear Sir(s) — Exmo(s) Senhor(es).
2 — *vt.* tratar por *Sir.*
don't Sir me! — **não me trate por** *Sir!*
Sirdar ['sə:dɑ:], *s.* sirdar; comandante; chefe (no Egipto).
sire ['saiə], **1** — *s.* Senhor (tratamento dado ao rei), majestade; (poét. e hist.) pai, progenitor; reprodutor; cavalo de cobrição.
like sire, like son — tal pai, tal filho.
2 — *vt.* gerar, procriar (cavalos).
siren ['saiərin], *s.* e *adj.* sereia; mulher encantadora; mulher fascinante; sirena (de barco, de fábrica, etc.); fascinador, fatal; de sereia.
siriasis (si'raiəsis], *s.* siríase.
Sirius ['siriəs], *s.* (astr.) Sírio.
sirloin ['sə:lɔin], *s.* lombo de vaca.
sirocco [si'rɔkou], *s.* siroco, vento quente de sueste que sopra no Mediterrâneo.
sirrah ['sirə], *s.* (arc.) o mesmo que **sir**; patife, tratante.
sirvente [sir'vænt], *s.* sirvente, sirventês (lit.).
sisal ['saisəl], *s.* sisal.
siskin ['siskin], *s.* (zool.) verdelhão, verdilhão; pintassilgo-verde, lugre.
sis [sis], *s.* (col.) abrev. de **sister.**
sissy ['sisi], *s.* maricas, indivíduo efeminado.
sister ['sistə], *s.* irmã; irmã de caridade, freira, religiosa; amiga íntima; enfermeira-chefe.
sister-in-law — cunhada.
sister ships — navios gémeos.
sister of mercy — irmã de caridade.
sister of charity — irmã de Caridade.
sister german — irmã germana.
sister country — país irmão.
Sister Anne — pessoa que espera alguém, encarregada por outrem.
half-sister — meia-irmã.
the Dire Sisters — as Parcas.

the Fatal Sisters — as Parcas.
the Sisters three — as Parcas.
the three Sisters — as Parcas.
the nine sisters — as Musas.
sisterhood [-hud], *s.* congregação de religiosas, irmandade, confraria; qualidade ou situação de irmã.
sisterlike [-laik], *adj.* e *adv.* de irmã; próprio de irmã; como irmã, irmãmente; afectuosamente.
sisterly [-li], *adj.* de irmã; próprio de irmã; como irmã; afectuoso.
Sistine ['sistain], *adj.* sistino.
the Sistine Chapel — a Capela Sistina (no Vaticano).
sistrum ['sistrəm], *s.* sistro (antigo instrumento musical egípcio).
Sisyphean [sisi'fi(:)ən], *adj.* relativo a Sísifo; de Sísifo.
Sisyphus ['sisifəs], *n. p.* (mit.) Sísifo.
sit [sit], **1** — *s.* modo de cair ou assentar (vestuário); (col.) sessão, reunião.
2 — *vt.* e *vi.* (pret. e *pp.* **sat**) sentar-se, assentar-se; estar sentado; reunir-se em sessão; chocar, estar no choco; presidir; dar audiência; ter a sede em; convir; ficar bem, assentar bem, cair bem; ter assento no parlamento; empoleirar-se; ajustar; colocar; estar situado, ficar situado; posar, servir de modelo; montar; pousar; descansar.
to sit down — sentar-se.
sit down! — sente(m)-se! senta-te!
do sit down! — queira sentar-se!
to sit up — velar; passar a noite sem dormir.
to sit up in bed — estar sentado na cama.
please, sit down! — faça o favor de se sentar!
the court is sitting — o tribunal está em sessão.
to sit out — ficar sentado até ao fim (num espectáculo, etc.).
to sit tight — não arredar pé; manter-se firme.
to sit upon a person — tratar uma pessoa como inferior; oprimir uma pessoa.
to sit by — sentar-se ao lado de; sentar-se junto de.
to sit at table — sentar-se à mesa; estar (sentado) à mesa.
to sit down to table — sentar-se à mesa.
to sit for one's portrait — posar para um retrato (em pintura).
to sit a horse — montar um cavalo.
to sit for an examination — fazer um exame; submeter-se a um exame (escolar).
to make a person sit up — pôr alguém a trabalhar; surpreender alguém.
to sit idle — estar ocioso; não fazer nada.
to sit up with a sick person — velar um doente.
to sit at home — estar ocioso; não fazer nada; não ter que fazer; estar em casa.
to sit well — assentar bem; ficar bem; montar bem.
to sit in Parliament — ser membro do parlamento.
Parliament is sitting — o parlamento está em sessão.
her dress sits well on her — o vestido fica-lhe bem.
to sit in the shade — sentar-se à sombra.
to sit in the sun — sentar-se ao sol.
to sit up for somebody — ficar à espera de alguém até tarde.
to sit close at work — estar entregue ao trabalho.
to sit down before a town — (mil.) sitiar uma cidade.
to sit on — investigar; indagar; (col.) meter na ordem.
to sit on the fence — (col.) manter-se neutro; não tomar partido.
to sit over a book — estar sentado a ler (ou examinar) um livro.
to sit pretty — estar em boa situação.
to sit still — estar quieto; não se mexer.
to sit to a painter — posar para (servir de modelo a) um pintor.
to sit for a town — ser deputado por uma cidade.
to sit on one's heart — pesar no coração.
to sit under a teacher — ser aluno de um professor.
to sit out a dance — ficar sem dançar.
site [sait], **1** — *s.* sítio; situação; lugar; posição; local; terreno para construção. (*Sin.* location, seat, place, situation.)
building sites — terrenos para construções.
on site — no local.
2 — *vt.* situar, colocar.
sitfast ['si:tfɑ:st], *s.* calo (no dorso da montada).
sith [siθ], *conj.* (arc.) desde que, já que, visto que.
sitiology [siti'ɔlədʒi], *s.* sitiologia.
sit-me-down ['sitmidaun], *s.* nádegas.
sitter ['sitə], *s.* pessoa que está sentada; modelo; pessoa que se senta; ave no choco; (col.) sala de estar; (fut.) golo certo.
baby sitter — pessoa que se encarrega de tomar conta de crianças em casa dos pais, quando estes têm de sair.
bed-sitter — compartimento que serve de sala de estar e quarto de dormir simultaneamente.
to miss a sitter — (col. fut.) falhar um golo certo.
sitting ['sitiŋ], **1** — *s.* acção de sentar-se ou de estar sentado; assento; acção de posar ou servir de modelo; posição de quem está sentado; sessão; audiência; reunião; choco, acção de chocar; ninhada (de ovos); lugar reservado.
sitting-room — sala de estar.
at one sitting — duma assentada.
2 — *adj.* sentado; quieto; no choco; em sessão.
to be sitting — estar sentado.
sitting and standing room — lugar sentado e de pé.
situate 1 — ['sitjuit], *adj.* ver **situated.**
2 — ['sitjueit], *vt.* situar, colocar.
situated ['sitjueitid], *adj.* situado, colocado; localizado.
where is that place situated? — onde fica situado esse lugar?
awkwardly situated — colocado em posição difícil.
situated as I am — na situação em que eu estou.
situation [sitju'eiʃən], *s.* situação, posição; condição; emprego; lugar; ocupação; circunstâncias, condições; colocação.
to come out of a difficult situation — sair de uma situação difícil.
to find a situation — arranjar um emprego; conseguir uma colocação.
to find oneself in difficult situation — encontrar-se numa situação difícil; encontrar-se em apuros.
situations vacant — (em anúncios) empregos oferecidos.
situations wanted — (em anúncios) empregos pedidos.
to be out of a situation — estar sem emprego.
that house stands in a fine situation — aquela casa está muito bem situada.

I consider the situation serious — eu considero a situação grave.
sitz-bath ['sitsbɑ:θ], *s.* banho de assento.
Siva ['sivə], *n. p.* Xiva (divindade hindu).
Sivaism [-izm], *s.* xivaísmo.
Sivaite [-ait], *s.* xivaísta.
six [siks], *s., adj.* e *num.* seis; sena (em cartas de jogar ou em dados); automóvel de seis cilindros.
it is six of one and half-a-dozen of the other — é o mesmo; é igual; é a mesma coisa; bate tudo no mesmo; dá tudo no mesmo; vem tudo a dar no mesmo.
twice six is twelve — duas vezes seis são doze.
the six of spades — o seis (a sena) de espadas.
a six-footer — uma pessoa de seis pés de altura.
six-sided — de seis lados; com seis lados.
six-fingered — com seis dedos; hexadáctilo.
six-shooter — revólver de seis tiros.
six-toed — com seis dedos (nos pés).
two and six — dois xelins e seis dinheiros; meia coroa.
at sixes and sevens — em desordem.
she is six — ela tem seis anos.
she is six years old — ela tem seis anos de idade.
sixain ['-ein], *s.* sextilha, estância de seis versos.
sixfold ['-fould], *s., adj.* e *adv.* sêxtuplo; seis vezes mais.
sixpence ['-pəns], *s.* moeda de seis dinheiros, equivalente a meio xelim.
sixpenny ['-pəni], *s.* e *adj.* moeda de seis dinheiros, equivalente a meio xelim; de valor de seis dinheiros; de seis dinheiros.
sixpenny bit — moeda de seis dinheiros.
sixpenny piece — moeda de seis dinheiros.
a sixpenny stamp — um selo de seis dinheiros.
sixpenny bazaar — bazar de preço fixo.
sixpennyworth [siks'peniwə:θ], *s.* valor de seis dinheiros.
sixscore ['sikssko:], *s.* e *num.* cento e vinte.
sixte [sikst], *s.* sexta (em esgrima).
sixteen ['siks'ti:n], *s.* e *num.* dezasseis.
she is sixteen (years old) — ela tem dezasseis anos (de idade).
sixteenmo [siks'ti:nmou], *s.* e *adj.* (tip.) formato dezasseis; em formato dezasseis.
sixteenth [siks'ti:nθ], *s.* e *num.* décimo sexto; décima sexta parte; (mú) semicolcheia.
on te sixteenth (of) April — no dia dezasseis de Abril.
sixteenthly [-li], *adv.* em décimo sexto lugar.
sixth [siksθ], *s.* e *num.* sexto; a sexta parte; (mús.) sexta; sexto ano, sexta classe.
on the sixth of April — no dia seis de Abril.
sixthly ['-li], *adv.* em sexto lugar.
sixtieth ['sikstiiθ], *s.* e *num.* sexagésimo; a sexagésima parte.
sixty ['siksti], *s., adj.* e *num.* sessenta.
the sixties — os anos que medeiam entre os 50 e os 70.
sizable ['saizəbl], *adj.* bastante grande.
sizar ['saizə], *s.* estudante da universidade de Cantabrígia ou de Dublim; que tem redução de propinas.
sizarship [-ʃip], *s.* bolsa ou redução de propinas concedida a estudante.
size [saiz], **1** — *s.* tamanho, medida; grandeza; calibre; bitola; estatura; craveira; área; volume; capacidade; formato; dimensão; número; cola, massa, goma; ração de alimentos (na Universidade de Cantabrígia).
all of a size — todos do mesmo tamanho (calibre ou medida).
standard size — medida padrão; tamanho natural.
to take the size of — tirar a medida de; medir.
what size do you take in shoes (gloves)? — qual é o número dos seus sapatos (luvas)?
size four shoes — sapatos número quatro.
that's about the size of it — é mais ou menos isso.
2 — *vt.* classificar; medir; calibrar; aferir; ordenar segundo o tamanho; ajustar; untar com cola ou goma.
to size up — medir (uma pessoa); fazer um orçamento para calcular o tamanho de formar um juízo ou opinião sobre.
sizeable ['-əbl], *adj.* bastante grande.
sized [-d], *adj.* calibrado; aferido; classificado; ordenado segundo o tamanho; de determinado tamanho; que tem cola.
full-sized — de corpo inteiro (fotografia); de tamanho natural.
middle-sized — de estatura mediana.
sizer ['-ə], *s.* calibrador; classificador; aferidor.
sizing ['-iŋ], *s.* calibragem; classificação; aferição; ordenação por tamanhos; acto de untar com cola ou goma.
sizzle [sizl], **1** — *s.* chiada, som sibilante; zumbido; crepitação; chiadeira.
2 — *vi.* estralejar, crepitar; chiar; zumbir; assobiar.
sizzling ['-iŋ], *s.* som sibilante; chiadeira; zumbido; crepitação.
Skagerrak ['skægəræk], *top.* Escagerraque.
skain [skein], *s.* espécie de punhal antigo.
skald [skɔ:ld], *s.* bardo escandinavo.
skat [skæt], *s.* jogo de cartas.
skate [skeit], **1** — *s.* patim; raia; arraia (peixe).
ice-skate — patim de gelo.
roller-skate — patim de rodas.
2 — *vi.* patinar, andar de patins.
to skate over thin ice — falar, com prudência, de um assunto delicado.
skater ['-ə], *s.* patinador.
skating ['-iŋ], *s.* patinagem.
skating-rink — recinto (campo) de patinagem.
ice-skating — patinagem sobre o gelo.
roller-skating — patinagem sobre rodas.
skean ['ski:ən], *s.* espécie de punhal antigo.
skedaddle [ski'dædl], **1** — *s.* fuga precipitada, debandada.
2 — *vi.* fugir precipitadamente, debandar, (col.) dar às de vila-diogo.
skegger ['skegə], *s.* salmonete.
skein [skein], *s.* meada; novelo; (fig.) confusão, baralhada; fuga (de patos selvagens).
skeletal ['skelitəl], *adj.* esquelético; do esqueleto, relativo ao esqueleto.
skeleton ['skelitn], **1** — *s.* esqueleto; armação; esboço, esquema; carcaça; estrutura; indivíduo extremamente magro, «pele e osso»; projecto; (náut.) ossada.
a skeleton in the cupboard — (col.) questões de família; segredo de família, que envolve escândalo.
skeleton key — gazua; chave mestra; aldraba.
a skeleton at the feast — (col.) ave agoirenta; desmancha-prazeres.
skeleton map — mapa mudo.
2 — *vt.* esboçar, esquematizar, delinear, projectar.
skeletonize ['skelitənaiz], *vt.* reduzir ao esqueleto; reduzir ao mínimo; esboçar, esquematizar.
skene [ski:n], *s.* espécie de punhal antigo.
skep [skep], *s.* cesto de vime ou palha; cortiço de palha entrançada ou vime.
skeptic ['skeptik], *adj.* ver **sceptic.**
sketch [sketʃ], **1** — *s.* esboço, esquema, bosquejo; desenho; rascunho; borrão; ideia

geral; aspecto geral; entremez, pequena peça teatral engraçada; pequena composição musical; estudo. (*Sin.* outline, plan, draught, delineation, design.)
sketch-book — álbum; caderno de esboços.
sketch board — prancheta de desenho.
sketch map — mapa-esboço.
sketch paper — papel quadriculado.
2 — *vt.* e *vi.* esboçar, esquematizar; delinear; fazer um projecto, plano ou esboço (desenhando); traçar; desenhar.
sketcher ['-ə], *s.* desenhador; indivíduo que faz esboços.
sketchily ['-ili], *adv.* em esboço; em projecto; de modo vago ou impreciso.
sketchiness ['-inis], *s.* estado de esboço; imprecisão; ausência de pormenores.
sketching ['-iŋ], *s.* acto de esboçar ou delinear; planificação; bosquejo.
sketchy ['-i], *adj.* esboçado; delineado; sem pormenores; impreciso, vago; incompleto.
skew [skju:], **1** — *s.* desvio; inclinação; obliquidade; olhar estrábico.
2 — *adj.* oblíquo; enviesado; torcido; inclinado, esconso.
3 — *vt.* e *vi.* obliquar; enviesar.
4 — *adv.* obliquamente; enviesadamente; de esguelha.
skew-eyed — estrábico; vesgo.
skewer ['-ə], **1** — *s.* espeto; florete.
2 — *vt.* segurar com espeto; espetar (carne, etc.).
skew-whiff [-wif], *s.* *vd.* **askew.**
ski [ski:, ʃi:], **1** — *s.* esqui.
ski-runner — esquiador.
ski-running — corrida de esqui.
2 — *vi.* esquiar; praticar esqui; andar de esqui.
skiagram ['skaiəgræm], *s.* radiografia.
skiagraph ['skaiəgrɑ:f], *s.* radiografia.
skiascopy ['skaiəskəpi], *s.* radioscopia.
skid [skid], **1** — *s.* travão; calço; derrapagem; resvalamento; plano inclinado; *pl.* prancha para encalhar embarcações; patins de aterragem (aeroplano); defesa do costado (náut.).
skid beam — vau de embarcações.
2 — *vt.* e *vi.* calçar, pear; pegar de zorra; deslizar, resvalar; patinar, derrapar.
skidding ['-iŋ], *s.* derrapagem; resvalamento; acto de calçar, acto de pear.
skiddy ['-i], *adj.* escorregadio.
skier ['ski:ə, 'ʃi:ə], *s.* esquiador.
skiff [skif], *s.* esquife, charuto (barco leve a remos).
skiing ['ski:iŋ, 'ʃi:iŋ], *s.* esqui, prática do esqui.
to go skiing — ir esquiar, ir andar de esqui.
to go in for skiing — praticar esqui.
skilful ['skilful], *adj.* habilidoso, hábil; destro; perito. (*Sin.* expert, ingenious, adroit, dexterous. *Ant.* clumsy.)
skilfully [-i], *adv.* habilidosamente, habilmente; com destreza, com perícia.
skilfulness [-nis], *s.* habilidade; destreza; perícia; jeito.
skill [skil], *s.* habilidade; destreza; perícia; jeito; saber.
skilled [-d], *adj.* hábil, habilidoso; perito; especializado, versado em; esperto; prático, experiente.
skilled labour — mão-de-obra especializada.
skilled workman — operário especializado.
skilless ['-is], *adj.* ignorante; sem habilidade; sem prática; incapaz; desajeitado.
skillessness ['isnis], *s.* incapacidade; ignorância; falta de habilidade; falta de jeito.
skillet ['-it], *s.* caçarola de ferro ou outro metal.
skillful ['-ful], *adj.* ver **skilful.**
skillfully ['-fuli], *adv.* ver **skilfully.**
skillfulness ['-fulnis], *s.* ver **skilfulness.**
skilly ['-i], *s.* sopa muito aguada.
skim [skim], **1** — *s.* espuma, escuma, leite desnatado.
2 — *adj.* escumado; desnatado.
skim milk — leite desnatado.
3 — *vt.* e *vi.* escumar; desnatar; roçar, tocar ao de leve; deslizar; resvalar; ler superficialmente; passar os olhos por.
to skim along — resvalar; roçar; deslizar.
to skim over — roçar; tocar ao de leve; resvalar; folhear (um livro).
to skim the cream off — tirar a nata (do leite); (fig.) tirar o melhor.
to skim a book — folhear um livro.
skimmer ['-ə], *s.* escumadeira; coador; desnatadeira; raspadeira; (zool.) talha-mar.
skimming ['-iŋ], *s.* desnatagem; acto de tirar a nata ou a escuma; *pl.* escuma; escumalha, escória.
skimming-ladle — escumadeira.
skimp [skimp], *vt.* e *vi.* restringir, cercear, reduzir; racionar; ser avarento; ser mesquinho.
to skimp work — evitar trabalho; fazer trabalho imperfeito.
skimpily ['-ili], *adv.* escassamente, reduzidamente; insuficientemente.
skimpiness ['-inis], *s.* economia; mesquinhez. deficiência; carência.
skimping ['-iŋ], **1** — *adj.* sovina; mesquinho; poupado.
2 — *s.* sovinice; mesquinhez.
skimpy [-i], *adj.* deficiente, acanhado; sovina.
skin [skin], **1** — *s.* pele; cútis; casca; couro; forro; odre; crosta; película; pergaminho; túnica; revestimento; (náut.) camisa de vela.
skin-deep — superficial; enganador.
to save one's skin — salvar a pele; escapar(-se).
to escape by the skin of one's teeth — escapar por um triz.
to be wet to the skin — estar encharcado até aos ossos.
to have a fair skin — ter pele branca.
to be nothing but skin and bone — ser só pele e osso.
I would not be in his skin — eu não queria estar na pele dele.
dark skin — pele escura.
skin-eruption — erupção cutânea.
skin disease — doença de pele.
sensitive skin — pele sensível.
skin-dealer — negociante de peles.
skin-game — (E. U.) fraude.
skin grafting — enxerto de pele.
skin-test — (med.) cutirreacção.
skin-tight — que se cola à pele.
inner skin — derme.
outer skin — epiderme.
to change one's skin — modificar-se totalmente.
to come off with a whole skin — sair ileso.
I fear for his skin — não dou nada pela pele dele.
to have a thick skin — ser insensível; não ser influenciável.
to have a thin skin — ser susceptível; ofender-se facilmente; ser sensível.
to jump out of one's skin — irritar-se.
2 — *vt.* e *vi.* tirar a pele, esfolar; descascar; intrujar, enganar; roubar; cobrir com pele; cobrir-se de pele; mudar de pele.
to skin over — cobrir-se de pele nova; cicatrizar.
to keep one's eyes skinned — (col.) manter os olhos bem abertos; pôr-se alerta.
to skin an animal — esfolar um animal.

skinflint ['-flint], *s.* sovina, avarento; mesquinho; miserável.
skinful ['-ful], *s.* (col.) bebedeira.
skink [skiŋk], *s.* lagarto pequeno.
skinless ['skinlis], *adj.* sem pele, pelado; sem casca, descascado; esfolado.
skinned [skind], *adj.* sem pele, pelado; sem casca, descascado; esfolado.
fair-skinned — de pele branca (ou clara).
dark-skinned — de pele escura (ou morena).
to have someone skinned — ter alguém à mercê.
skinner ['skinə], *s.* esfolador; peleiro; negociante de peles.
skinniness ['skininis], *s.* magreza.
skinning ['skiniŋ], *s.* acto de tirar a pele ou a casca; descasque; esfolamento.
skinny ['skini], *adj.* magro, descarnado, esquelético; relativo à pele, cutâneo; avarento, mesquinho, sovina.
skip [skip], **1** — *s.* salto, pulo, omissão; cubo; alcatruz; criado de colégio universitário; vagoneta; caixa de amostras, mostruário.
hop, skip and jump — (desp.) triplo-salto.
2 — *vt.* e *vi.* saltar, pular; passar por alto; omitir; saltar a corda; saltitar.
to skip over — saltar por cima; passar por alto.
to skip with a rope — saltar a corda.
to skip words — saltar palavras.
he skips as he reads — ele salta palavras quando lê.
to skip for joy — saltar de alegria.
to skip off — fugir apressadamente.
skipjack ['-dʒæk], *s.* brinquedo de criança que dá saltos; variedade de peixe ou borboleta.
skipper ['-ə], *s.* patrão (de navio); capitão de navio mercante; arrais; bicho do queijo; saltador; (desp.) capitão de equipa.
skipper's daughters — ondas grandes e encrespadas.
skipping ['-iŋ], *s.* acto de saltar, saltitar ou pular; acto de passar por cima; omissão.
skipping-rope — corda de saltar.
skirmish ['skə:miʃ], **1** — *s.* escaramuça; luta; rixa; conflito. *(Sin.* fray, contest, fight, battle.)
2 — *vi.* escaramuçar; lutar; entrar em conflito.
skirmisher [-ə], *s.* escaramuçador; soldado que combate em escaramuças.
skirmishing ['-iŋ], *s.* escaramuças, rixas, conflitos, pequenas batalhas.
skirt [skə:t], **1** — *s.* saia; aba; fralda; borda, orla; extremidade; fronteira; *pl.* arrabaldes, arredores.
the skirts of the town — os arrabaldes da cidade.
divided skirt — saia-calção.
2 — *vt.* e *vi.* orlar, debruar; ladear; cingir; confinar; habitar nas margens ou fronteiras; costear; contornar; seguir.
skirted ['-id], *adj.* com saia.
skirting ['-iŋ], *s.* espécie de tecido para saias; orla; borda; aba; fralda.
skirting-board — rodapé.
skit [skit], **1** — *s.* panfleto; pasquim; sátira; ataque sarcástico; peça (teatral ou musical) satírica; paródia.
2 — *vt.* e *vi.* satirizar; parodiar; escarnecer.
skittish ['-iʃ], *adj.* volúvel; leviano; inconstante; caprichoso; atrevido; espantadiço (cavalo); irrequieto; nervoso.
skittishly [-li], *adv.* levianamente; caprichosamente; atrevidamente; nervosamente.
skittishness [-nis], *s.* leviandade; volubilidade; inconstância.
skittle [skitl], **1** — *s.* um dos nove paus do jogo dos "skittles" ou boliche; *pl.* jogo do boliche; (col.) disparate, tolice; divertimento; brincadeira.
life is not all beer and skittles — a vida não é só brincadeira.
2 — *vt.* jogar ao boliche.
skiv [skiv], *s.* (gír.) libra; soberano.
skive [skaiv], *vt.* cortar; aparar; raspar; polir (esp. pedra preciosa).
skiver ['-ə], *s.* couro próprio para encadernação, carneira; raspador; máquina de raspar ou aparar o couro.
skrimshank ['skrimʃænk], *vi. (cal. mil.)* **fugir ao serviço; mandriar.**
skua ['skju(:)ə], *s.* variedade de gaivota.
skulk [skʌlk], **1** — *s.* covarde, poltrão; pessoa traiçoeira.
2 — *vi.* esconder-se; esgueirar-se; emboscar-se; fugir ao cumprimento do dever; atacar pela calada. *(Sin.* to hide, to lurk, to sneak.)
skulking ['-iŋ], *s.* e *adj.* acto de se escapar, acto de se esquivar; falta ao cumprimento do dever; que foge, que se escapa, que se esquiva; furtivo.
skull [skʌl], *s.* crânio, caixa craniana; cérebro; caveira.
skull-cap — solidéu.
skull and cross-bones — caveira com ossos cruzados por baixo; bandeira de pirata; símbolo da morte.
to have a thick skull — (col.) ser burro, ser estúpido.
skulled [-d], *adj.* que tem crânio.
thick-skulled — (col.) burro, estúpido.
skunk [skʌŋk], *s.* (zool.) doninha fedorenta; (col.) pessoa vil, canalha.
sky [skai], **1** — *s.* céu, firmamento, abóbada celeste; atmosfera; clima.
sky-blue — azul-celeste.
blue sky — céu limpo.
sky-lab — laboratório espacial.
sky-line — horizonte.
sky-pilot — (col.) clérigo; capelão.
to laud to the skies — pôr nos píncaros da Lua; louvar, elogiar muito.
sky-high — muito alto; lá no céu; nas alturas.
sky-coloured — da cor do céu; celeste.
under the open sky — na rua; ao ar livre.
under a blazing sky — sob um sol abrasador.
under lighter skies than ours — em melhor clima do que o nosso.
sky-writing — publicidade aérea.
sky advertising — publicidade aérea.
sky-clad — (col.) nu; em pêlo.
sky-scraper — arranha-céus; (náut.) sobrinho.
2 — *vt.* levantar no ar; pendurar (quadros); fazer subir (bola).
skyblue ['-'blu:], *s.* e *adj.* azul-celeste.
skyed [-d], *adj.* cercado de céu; no céu, no ar.
skyey ['-i], *adj.* etéreo, semelhante ao céu; divino, celestial, celeste.
skylark [-lɑ:k], **1** — *s.* (zool.) cotovia; calhandra.
2 — *vi.* fazer travessuras; pregar partidas.
skylarker ['-lɑ:kə], *s.* pessoa que gosta de pregar partidas; indivíduo travesso, folgazão.
skylarking ['-lɑ:kiŋ], *s.* pândega, galhofa, folia; travessura, partida.
skylight ['-lait], *s.* clarabóia; escotilha envidraçada; alboio; (náut.) gaiuta.
skysail ['-seil], *s.* (náut.) sobrinho.
skyscape ['-skeip], *s.* quadro ou pintura tendo por tema o céu.
skyscraper ['-skreipə], *s.* arranha-céus; (náut.) sobrinho.

skyward(s) [-wəd(z)], *adv.* em direcção ao céu, para o céu.
skyway ['-wei], *s.* rota aérea.
slab [slæb], **1** — *s.* tábua, prancha; placa; laje; peça lisa de cantaria; lousa; chapa; lâmina; calha; (náut.) costas de vela.
slab chocolate — chocolate em pasta.
a slab of chocolate — uma «tablette» de chocolate; um pau de chocolate.
slab glass — vidro em chapa.
a slab of cake — uma fatia grossa de bolo.
2 — *vt.* cortar em placas ou pranchas, tábuas, chapas, etc.; lajear, cobrir de lajes; ladrilhar.
slabber ['-ə], *vt.* e *vi.* babar, sujar com baba; babar-se.
slack [slæk], **1** — *s.* a parte bamba de uma corda; carvão miúdo, cisco; período de inactividade; acalmia; afrouxamento; lazer; pó de carvão; *pl.* calças.
the slack of the trousers — o fundo das calças.
2 — *adj.* frouxo, bambo; brando; ronceiro, indolente, vagaroso; negligente, descuidado; mole; solto; fraco.
slack water — água(s) parada(s).
business is slack — o negócio está parado; o negócio afrouxou.
slack rope — corda bamba.
slack lime — cal apagada.
slack hours — horas mortas.
slack in stays (ship) — (navio) que vira vagarosamente de bordo.
slack season — estação morta; período de inactividade ou abrandamento.
to feel slack — sentir-se sem energias.
3 — *vt.* e *vi.* afrouxar, abrandar; aliviar; folgar; moderar; diminuir; enfraquecer(-se); descansar; preguiçar; negligenciar, descuidar (-se); saciar (a sede); apagar(-se) (a cal).
to slack about — andar de um lado para outro sem fazer nada; preguiçar.
to slack up — reduzir a velocidade.
to slack off — abrandar o ritmo de trabalho.
4 — *adv.* descuidadamente; negligentemente; de modo imperfeito; com moleza, sem energia; preguiçosamente; mal, deficientemente, incompletamente.
slacken [-n], *vt.* e *vi.* afrouxar, abrandar; moderar; diminuir; reduzir; enfraquecer; mandriar, preguiçar; soltar; desapertar; neglicenciar; descuidar-se; apagar-se (cal).
to slacken the pace — afrouxar o passo.
to slacken away — abrandar à vontade.
to slacken off — descansar; repousar; afrouxar o ritmo de.
to slacken speed — abrandar (reduzir) a velocidade.
slackening ['-niŋ], *s.* afrouxamento, abrandamento; diminuição, redução (de ritmo, velocidade, etc.); relaxamento; indolência; negligência, falta de cuidado; apagamento (de cal).
slacker ['-ə], *s.* mandrião, indivíduo indolente, preguiçoso; pessoa negligente.
slacking ['-iŋ], *s.* afrouxamento, abrandamento; diminuição, redução (de ritmo, velocidade, etc.); relaxamento; indolência; negligência, falta de cuidado; apagamento (de cal).
slackly ['-li], *adv.* frouxamente; brandamente; preguiçosamente; negligentemente.
slackness ['-nis], *s.* frouxidão; moleza; indolência; lassidão; negligência; abrandamento; diminuição, redução.
slade [sleid], *s.* pequeno vale; sulco (de arado).
slag [slæg], *s.* escória; escumalha; cinzas (de vulcão) misturadas com lava.

slag breaker — triturador de escórias.
slag wool — lã mineral.
slaggy ['-i], *adj.* parecido com escória; escoriáceo.
slagless ['-lis], *adj.* sem escórias.
slain [slein], *pp.* do verbo **to slay.**
slake [sleik], *vt.* e *vi.* apagar; extinguir; saciar, mitigar (a sede, etc.); afrouxar, abrandar.
slaked [-t], *adj.* apagado; extinto; saciado, mitigado; frouxo, brando.
slaked lime — cal apagada.
slaking ['-iŋ], *s.* acto de apagar ou extinguir; acto de saciar ou abrandar; caldeamento.
slam [slæm], **1** — *s.* acção de bater com força; pancada forte e com barulho; capote (ao jogo); estrondo, barulho forte, estampido.
2 — *vt.* e *vi.* bater ou fechar com força e estrondo (porta, janela, etc.); atirar ao chão com violência; dar capote (ao jogo); (col.) criticar asperamente, censurar.
to slam down — pousar com estrondo.
to slam a door in someone's face — fechar uma porta na cara de alguém.
slamming ['-iŋ], *s.* acção de fechar com estrondo (porta, janela, etc.); batimento com estrondo.
slander ['slɑːndə], **1** — *s.* calúnia; difamação.
slander action — (jur.) processo por difamação.
2 — *vt.* caluniar; difamar. (*Sin.* to calumniate, to defame, to vilify. *Ant.* to praise.)
slanderer [-rə], *s.* caluniador; difamador.
slandering [-riŋ], **1** — *s.* maledicência; calúnia; difamação; acção de caluniar ou difamar.
2 — *adj.* caluniador; difamador; difamante.
slanderous [-rəs], *adj.* calunioso, aleivoso, difamante, difamador.
slanderously [-rəsli], *adv.* caluniosamente, aleivosamente.
slanderousness [-rəsnis], *s.* acção de caluniar ou difamar; espírito caluniador ou difamante.
slang [slæŋ], **1** — *s.* calão, gíria.
2 — *vt.* e *vi.* ralhar; censurar; injuriar; falar calão; descompor.
slangily ['-ili], *adv.* em calão; com palavras de calão ou ofensivas.
slanginess ['-inis], *s.* linguagem grosseira ou injuriosa; linguagem de calão.
slangster ['-stə], *s.* indivíduo que fala calão.
slangy ['-i], *adj.* próprio de calão; que emprega calão; de calão.
slant [slɑːnt], **1** — *s.* declive; inclinação; obliquidade; plano inclinado; ladeira; (E. U.) maneira de ver; ponto de vista; (náut.) brisa suave.
2 — *adj.* inclinado; oblíquo; de esguelha.
3 — *vt.* e *vi.* inclinar; obliquar; pôr em declive; inclinar-se; estar inclinado.
slanting ['-iŋ], **1** — *s.* declive; inclinação; obliquidade.
2 — *adj.* inclinado; oblíquo; em declive; de través. (*Sin.* sloping, oblique. *Ant.* perpendicular, straight.)
slantingly ['-iŋli], *adv.* de viés; obliquamente; de esguelha; de través.
slantways ['-weiz], *adv.* obliquamente; de soslaio; de esguelha; de través.
slantwise ['-waiz], *adv.* obliquamente; de soslaio; de esguelha; de través.
slap [slæp], **1** — *s.* palmada; sopapo; bofetada; sapatada.
a slap in the face — uma bofetada na cara; uma injúria; um insulto.
2 — *vt.* e *vi.* dar uma palmada ou bofetada; bater com a mão aberta; dar pancadas ou sapatadas.

3 — *adv.* repentinamente, subitamente, de repente; directamente; em cheio.
slap on the head — em cheio na cabeça.
slap-bang ['-'bæŋ], *adv.* violentamente; subitamente, de repente.
slapdash ['-dæʃ], 1 — *adj.* irreflectido, descuidado; improvisado; precipitado; negligente.
2 — *adv.* irreflectidamente, descuidadamente, precipitadamente; negligentemente; ao acaso; violentamente.
3 — *vi.* fazer precipitadamente; improvisar; fazer à pressa.
slap-out ['-aut], *adv.* bruscamente, sem rodeios; directamente; em cheio.
slapping ['-iŋ], 1 — *s.* acto de dar palmada(s) ou sapatada(s); batimento de mãos.
2 — *adj.* excelente, óptimo, de primeira (categoria); rápido; enorme.
a slapping meal — uma refeição excelente.
slapping pace — passo rápido.
slap-up ['-ʌp], *adj.* e *adv.* (col.) excelente, óptimo, de primeira (categoria).
slash [slæʃ], 1 — *s.* cutilada; golpe; corte; ferida feita por golpe; abertura; clareira.
2 — *vt.* e *vi.* acutilar, dar cutiladas; golpear; retalhar; chicotear; censurar; abrir clareiras.
slashed [-t], *adj.* golpeado; com cortes; com cicatrizes; com aberturas.
slashed sleeve — manga com cortes; manga golpeada.
slasher ['-ə], *s.* (col.) pugilista com fortíssimo poder de soco; tipo fixe.
slashing ['-iŋ], 1 — *s.* acção de acutilar ou golpear; cutiladas; devastação.
2 — *adj.* mordaz, contundente; devastador; (col.) de primeira categoria, formidável, (cal.) bestial.
slashingly ['-iŋli], *adv.* contundentemente, mordazmente; devastadoramente.
slat [slæt], *s.* lasca; ripa; tabuinha; fasquia; fita de metal.
slatch [slætʃ], *s.* bafagem; parte bamba de um cabo (náut.).
slate [sleit], 1 — *s.* ardósia; lousa, pedra.
slate-pencil — lápis de pedra; pena de lousa.
slate-coloured — cor de ardósia.
slate-black — negro de ardósia.
slate-club — sociedade de beneficência.
slate-quarry — ardosieira.
slate-worker — louseiro.
to have a slate loose — (col.) ter uma aduela a menos; ser meio tolo.
to have a slate off — (col.) ter uma aduela a menos; ser meio tolo.
to start with a clean slate — começar vida nova.
2 — *vt.* cobrir com ardósia; (col.) criticar severamente; (E. U.) propor uma pessoa para um cargo.
slater ['-ə], *s.* ardosieiro; (col.) crítico severo; (zool.) bicho-de-conta.
slating ['-iŋ], *s.* acção de cobrir com ardósia; (col.) crítica severa.
slattern ['slætə(:)n], *s.* mulher desmazelada, mulher desleixada.
slatternliness [-linis], *s.* desmazelo, desalinho, desleixo.
slatternly [-li] *adj.* e *adv.* desmazelado, desleixado, negligente; desalinhado; negligentemente, desmazeladamente. (*Sin.* untidy, slovenly, dirty, sluttish.)
slaty ['sleiti], *adj.* de ardósia; parecido com ardósia, semelhante à ardósia.
slaughter ['slɔ:tə], 1 — *s.* matança, mortandade, morticínio, carnificina, chacina.
slaughter-house — açougue, matadouro.
2 — *vt.* matar cruelmente, chacinar; trucidar; abater (gado).
slaughterer [-rə], *s.* magarefe, carniceiro; matador; chacinador.
slaughterman [-mən], *s.* magarefe, carniceiro.
slaughterous [-rəs], *adj.* mortífero, destrutivo, destruidor; sanguinário.
slaughterously [-rəsli], *adv.* de modo mortífero ou destruidor; sanguinariamente.
Slav [slɑ:v], *s.* e *adj.* eslavo.
slave [sleiv], 1 — *s.* escravo; servo; pária.
a slave to drink — um escravo da bebida.
slave-born — nascido na escravidão.
slave-dealer — negociante de escravos.
slave-ship — negreiro (navio).
Slave States — (E. U.) estados partidários da escravatura.
slave-trade — comércio de escravos.
2 — *vi.* trabalhar como escravo, mourejar.
slaver 1 — ['sleivə], *s.* negreiro, traficante de escravos; navio negreiro.
2 — ['slævə], *s.* baba; (fig.) lisonja servil.
3 — *vt.* e *vi.* babar, babar-se.
slavery 1 — ['sleivəri], *s.* escravidão; escravatura; trabalho de escravo; condição servil.
anti-slavery — contra a escravatura.
to be sold into slavery — ser vendido como escravo.
to sell into slavery — vender como escravo.
2 — ['slævəri], *adj.* baboso, com baba; (fig.) adulador.
slavey ['slævi, 'sleivi], *s.* (col.) criada para todo o serviço.
Slavic ['slɑ:vik], *s.* e *adj.* eslavo.
slavish ['sleiviʃ], *adj.* servil, baixo, vil; próprio de escravo.
slavishly [-li], *adv.* servilmente; de maneira vil; como escravo.
slavishness [-nis], *s.* servilismo, baixeza; escravidão.
Slavism ['slɑ:vizm], *s.* eslavismo.
Slavist ['slɑ:vist], *s.* eslavista.
Slavonian [slə'vounjən], *s.* e *adj.* eslavónio; eslavo.
Slavonic [slə'vɔnik], *s.* e *adj.* eslavónico; eslavo.
slaw [slɔ:], *s.* salada de couve.
slay [slei], 1 — *s.* pente de tear.
2 — *vt.* (*pret.* **slew**, *pp.* **slain**) matar, assassinar; chacinar; trucidar; abater.
slayer ['-ə], *s.* assassino.
slaying ['-iŋ], *s.* carnificina, morticínio, chacina; assassínio; abate.
sleazy ['sli:zi], *adj.* fino, delgado; frágil, fraco; delicado; leve.
sled [sled], *s.*, *vt.* e *vi.* ver **sledge.**
sledge [sledʒ], 1 — *s.* trenó; martelo de forja, malho.
2 — *vt.* e *vi.* viajar de trenó; transportar em trenó; andar de trenó.
sleek [sli:k], 1 — *adj.* macio; liso; suave; lustroso, polido; lisonjeiro, adulador. (*Sin.* smooth, glossy, soft; *Ant.* rough.)
sleek as a cat — hipócrita.
sleek stone — pedra de polir.
2 — *vt.* e *vi.* amaciar; alisar; polir, lustrar.
sleekly ['-li], *adv.* brandamente, maciamente, suavemente; lisonjeiramente.
sleekness ['-nis], *s.* macieza, brandura; suavidade; lustro.
sleeky ['-i], *adj.* liso; lustroso, polido; macio; suave.
sleep [sli:p], 1 — *s.* sono; descanso, repouso; tranquilidade, calma; paz; morte.
sleep-walker — sonâmbulo.
sleep-walking — sonambulismo.
to go to sleep — ir dormir.
to put to sleep — adormecer (alguém); pôr a dormir.
the sleep of the just — o sono dos justos.

beauty sleep — o melhor sono.
broken sleep — sono interrompido.
heavy sleep — sono pesado; sono de chumbo.
light sleep — sono leve.
dead sleep — sono de morte.
sound sleep — sono solto; sono profundo.
to drop with sleep — cair de sono.
sleep talker — pessoa que sonha alto.
sleep talking — sonhar alto.
in one's sleep — durante o sono (de alguém).
winter sleep — sono hibernal; hibernação.
he walks in his sleep — ele é sonâmbulo.
2 — *vt.* e *vi.* (*pret.* e *pp.* **slept**) dormir; estar a dormir; descansar, repousar; adormecer; jazer, estar sepultado; (col.) passar a noite, pernoitar.
to sleep soundly — dormir a sono solto.
to sleep like a top — dormir como uma pedra; dormir a sono solto.
not to sleep a wink — não pregar olho.
to sleep off a headache — livrar-se de uma dor de cabeça, dormindo.
to sleep out — dormir fora de casa.
to sleep by day — dormir de dia.
to sleep badly — dormir mal.
to sleep in the open air — dormir ao relento.
to sleep a dog's sleep — fingir que se dorme.
did you sleep at all? — conseguiste dormir?
sleep well! — durma bem!
how did you sleep? — como passou a noite?
to sleep away — passar o tempo a dormir.
to sleep rough — dormir ao ar livre.
to sleep on — continuar a dormir.
to sleep (up) on a matter — dormir sobre um assunto.
to sleep in the Lord — repousar em Deus.
to sleep it off — curar uma bebedeira, dormindo.
to sleep like a log — dormir como uma pedra; dormir a sono solto.
to sleep the clock round — dormir doze horas a fio.
to sleep without a break — dormir ininterruptamente.
to sleep the night through — dormir a noite inteira.
to sleep over — consultar o travesseiro.
this hotel sleeps 100 people — este hotel tem alojamento para 100 pessoas.

sleeper ['-ə], *s.* aquele que dorme; dorminhoco; (cam. fer.) travessa, dormente, chulipa; carruagem-cama; barrote.
a heavy sleeper — pessoa que tem o sono pesado.
a light sleeper — pessoa que tem o sono leve.

sleepily ['-ili], *adv.* com sonolência; com indolência.

sleepiness ['-inis], *s.* sonolência; sono, vontade de dormir; indolência; apatia; torpor; letargo.

sleeping ['-iŋ], **1** — *s.* sono; acto de dormir; descanso, repouso.
sleeping-bag — saco de dormir (para campismo, etc.).
sleeping-car — (cam. fer.) carruagem-cama.
sleeping-carriage — (cam. fer.) carruagem--cama.
sleeping-draught — calmante; soporífero.
sleeping-room — dormitório.
sleeping-sickness — doença do sono.
sleeping-suit — pijama.
2 — *adj.* adormecido, que dorme; que serve para dormir; soporífero.
Sleeping Beauty — Bela Adormecida.
sleeping partner — sócio comanditário.
let sleeping dogs lie! — o que lá vai lá vai!

sleepless ['-lis], *adj.* sem sono; sem dormir; tresnoitado; agitado.
to have a sleepless night — passar uma noite em claro.

sleeplessly ['-lisli], *adv.* sem sono; sem dormir; agitadamente.

sleeplessness ['-lisnis], *s.* insónia; vigília; falta de sono.
to suffer from sleeplessness — sofrer de insónias.

sleepy ['-i], *adj.* sonolento; ensonado; com sono; indolente, preguiçoso; soporífico. (*Sin.* drowsy, slumberous; indolent. *Ant.* alert.)
to be sleepy — estar com sono; ter sono.
to feel sleepy — ter sono.
a sleepy town — uma cidade morta, sem movimento.
to have a sleepy look — ter um ar ou aspecto sonolento; estar com cara de sono.
to grow sleepy — estar a ficar ensonado.

sleepyhead ['sli:pihed], *s.* dorminhoco; indolente, preguiçoso, mandrião.

sleet [sli:t], **1** — *s.* geada; neve ou saraiva misturada com chuva.
2 — *vi.* cair saraiva ou neve misturada com chuva.

sleetiness ['-inis], *s.* tempo de neve ou saraiva e chuva.

sleeve [sli:v], *s.* manga; (mec.) camisa; casquilho.
sleeve-link — botão de punho.
sleeve-valve — válvula tubular.
to wear one's heart on one's sleeve — ter o coração ao pé da boca; não ser reservado.
to laugh up one's sleeve — rir-se à socapa.
to roll up one's sleeves — arregaçar as mangas; preparar-se para lutar ou trabalhar.
to turn up one's sleeves — arregaçar as mangas; preparar-se para lutar ou trabalhar.
short sleeves — mangas curtas.
to pluck someone's sleeve — puxar a manga de alguém; agarrar a manga de alguém.

sleeved ['-d], *adj.* com mangas.
short-sleeved — de manga(s) curta(s).

sleeveless ['-lis], *adj.* sem mangas.

sleigh [slei] *s.* ver **sledge 1.**

sleighing ['-iŋ], *s.* viagem ou transporte em trenó; acto de andar de trenó.

sleight [slait], *s.* destreza, habilidade; artifício; artimanha, ardil.
sleight-of-hand — prestidigitação; ligeireza de mãos.

slender ['slendə], *adj.* delgado, fino; esguio; esbelto; débil; magro; insuficiente, deficiente; inadequado; escasso; pequeno; mesquinho.
slender hopes — fracas (ténues) esperanças.
slender table — mesa pobre.
slender income — pequeno rendimento.
slender means — meios escassos.
a slender girl — uma rapariga esbelta.
slender-bodied — de corpo esbelto.
slender hands — mãos delicadas.
slender waist — cintura fina (delgada).

slenderize [-raiz], *vt.* e *vi.* adelgaçar, tornar esguio ou fino; adelgaçar-se.

slenderly [-li], *adv.* de maneira esbelta, delicada ou fina; insuficientemente; escassamente.

slenderness [-nis], *s.* esbelteza; debilidade; escassez; finura; elegância; sobriedade; exiguidade.

slept [slept], *pret.* e *pp.* do verbo **to sleep.**

sleuth (-hound) ['slu:θ (-'haund)], *s.* cão de caça; sabujo; (fig.) polícia, esbirro.

slew [slu:], **1** — *vt.* e *vi.* torcer, retorcer; desviar; voltear, girar; fazer girar, fazer andar à roda.
2 — *pret.* do verbo **to slay.**

slice [slais], **1** — *s.* fatia; talhada; posta; bocado; tira; pedaço; porção; camada;

espátula; alavanca de fogueiro; fio de instrumento cortante; atiçador.
a slice of bread and butter — uma fatia de pão com manteiga.
a slice of meat — uma posta de carne.
a slice of melon — uma talhada de melão.
cut in slices — cortado em fatias.
to cut in slices — cortar em fatias.
2 — *vt.* cortar em fatias; partir; talhar; repartir, dividir.
to slice up — cortar em fatias.

slicer ['-ə], *s.* talhador; taça larga e chata; instrumento para lapidar; máquina de cortar em fatias.

slick [slik], **1** — *s.* instrumento de polir; polidor; minério pulverizado.
2 — *adj.* destro, habilidoso; simples, mero; manhoso; adulador, lisonjeiro; escorregadio.
3 — *adv.* destramente, habilmente; manhosamente; lisonjeiramente; directamente; completamente; exactamente.
4 — *vt.* polir, lustrar; amaciar; alisar.

slicker ['-ə], *s.* espertalhão; vigarista, impostor; impermeável.

slickness [-nis], *s.* destreza, habilidade.

slid [slid], *pret.* e *pp.* do verbo **to slide.**

slide [slaid], **1** — *s.* desmoronamento; escorregadura; plano inclinado; deslize; resvaladura; resvaladouro; passagem lisa; cursor; corrediça; fivela; pista para esqui ou trenó; lâmina (para microscópio); diapositivo; (mús.) ligação.
slide-box — caixa de distribuidor.
slide-chest — caixa do distribuidor.
slide-rule — régua de cálculo.
slide-valve — válvula distribuidora.
slide-fastener — fecho de correr.
slide knot — nó corredio.
slide-way — corrediça (de porta, gaveta, etc.).
2 — *vt.* e *vi.* (*pret.* e *pp.* **slid**) resvalar, deslizar, escorregar; fazer deslizar; fazer passar imperceptivelmente; escoar-se; passar gradualmente; esgueirar-se; cair no vício; cair no erro; patinar.
let things slide! — (col.) deixa correr!; deixa andar!
to slide over a delicate subject — tocar levemente num assunto delicado.
to slide away — deslizar; escapar-se; esgueirar-se; passar, decorrer (tempo).
to slide off — ir-se embora; pôr-se a andar.
to slide out — sair; ir-se embora; pôr-se a andar.
to slide on the ice — patinar no gelo.

slider ['-ə], *s.* corrediça; cursor; o que escorrega ou resvala; lâmina (de microscópio); patinador.

sliding ['-iŋ], **1** — *s.* escorregadela; deslize; acto de escorregar ou resvalar; lapso; apostasia.
2 — *adj.* corredio; deslizante; volúvel; de corrediça; instável.
sliding-bolt — fecho de correr.
sliding-scale — escala de proporção; escala móvel.
sliding-neb — corrediça móvel.
sliding cover — tampa corrediça.
sliding joint — junta corrediça.
sliding seat — banco móvel (esp. de remador).
sliding weight — cursor de balança.
sliding window — janela de correr.

slight [slait], **1** — *s.* indiferença; negligência; desconsideração; desfeita; desrespeito.
2 — *adj.* leve; insignificante; fraco, débil; fino; superficial; pequeno; fútil; desdenhoso; delgado; franzino.
a slight cold — uma pequena (leve) constipação.
a slight illness — uma doença sem gravidade.
a slight impression — uma leve impressão.
a slight effort — um pequeno esforço.
slight repairs — pequenas reparações.
a slight business — um negócio pouco importante.
there is not the slightest excuse for it — não tem a menor desculpa.
she paid him slight attention — ela prestou-lhe pouca atenção.
to take a slight repast — comer uma refeição leve.
3 — *vt.* desprezar; desdenhar; desrespeitar; desconsiderar; descuidar, negligenciar.

slighting ['-iŋ], **1** — *s.* desdém; desprezo; desrespeito; desconsideração.
2 — *adj.* desdenhoso.

slightingly ['-iŋli], *adv.* desdenhosamente, com desprezo; sem consideração, desrespeitosamente.

slightly ['-li], *adv.* levemente, superficialmente; insignificantemente.
slightly better — levemente melhor.

slightness ['-nis], *s.* insignificância; leveza; pequenez; delgadeza; negligência; indiferença; descuido.

slily ['slaili], *adv.* ver **slyly.**

slim [slim], **1** — *adj.* delgado, ténue, magro; esbelto, elegante; leve; débil, fraco; escasso, insuficiente; (col.) manhoso, astucioso. (*Sin.* slight, slender, thin, lean. *Ant.* plump.)
a slim figure — uma figura esbelta.
slim-waisted — de cintura fina, elegante.
2 — *vt.* e *vi.* adelgaçar; emagrecer; fazer regime para emagrecer; enfraquecer.

slime [slaim], **1** — *s.* lodo; lama; limo; viscosidade; muco viscoso.
2 — *vt.* e *vi.* enlamear, cobrir de lama, lodo ou limos; cobrir-se de muco viscoso.

slimily ['-ili], *adv.* viscosamente, de modo viscoso.

sliminess ['-inis], *s.* viscosidade; limosidade; (col.) servilismo.

slimly ['slimli], *adv.* trivialmente; insignificantemente; subtilmente; esbeltamente; elegantemente.

slimness ['slimnis], *s.* esbelteza, elegância; magreza, delgadeza; tenuidade; (col.) manha, astúcia.

slimy ['slaimi], *adj.* viscoso; lodoso; pegajoso; glutinoso; (col.) servil.

sling [sliŋ], **1** — *s.* funda (para atirar pedras); charpa, suspensório para apoiar um braço doente; arremesso; golpe; lançamento; bandoleira (de espingarda); cabo para guindar; (náut.) estropo, linga; bebida feita com rum, água e açúcar, espécie de ponche.
arm in a sling — braço ao peito.
2 — *vt.* e *vi.* (*pret.* e *pp.* **slung**) arremessar, lançar; atirar (com funda); pôr a tiracolo; pôr em bandoleira (espingarda, etc.); ligar; (náut.) passar um estropo.
to sling a foot — (col.) dar à perna; dançar.
to sling ink — (col.) escrever (para jornais, revistas, etc.); ser escritor; ser jornalista.
to sling the bat — falar a língua do país.
to sling a slobber — (col.) dar um beijo.

slinger ['-ə], *s.* fundibulário.

slink [sliŋk], **1** — *s.* parto prematuro; animal nascido prematuramente.
2 — *vt.* e *vi.* (*pret.* e *pp.* **slunk**) escapar-se, esgueirar-se, retirar-se sorrateiramente; parir antes do tempo (animal).
to slink away — safar-se; escapar-se.

to slink about — andar furtivamente; andar com ar comprometido.
to slink off — safar-se; escapar-se.
to slink in — entrar sorrateiramente.
slinking ['-iŋ], *adj.* e *s.* furtivo, sorrateiro; andamento ou movimento furtivo.
slinkingly ['-iŋli], *adv.* furtivamente, sorrateiramente.
slinky [-i], *adj.* que se cola ao corpo (traje).
slip [slip], **1** — *s.* escorregadela; falta, erro; lapso; deslize; deslocação; plano inclinado; combinação (peça de vestuário), saia de baixo; trela (de cães); estaca; tira; enxerto; prova tipográfica; cobertura (de almofada); linguado; talão; recuo (de hélice); trilho (técn.); corrediça; fuga (de óleo, água, etc.); pedra de amolar; rampa de lançamento; jogador não batedor junto do «wicket» (no críquete).
slip of the pen — lapso de escrita.
to give someone the slip — fugir à sorrelfa; evitar alguém.
slip of paper — tira de papel, linguado.
slip-board — tábua que joga numa corrediça; (teat.) bastidor.
slip buoy — bóia da âncora.
slip-joint — junta corrediça.
slip-knot — nó corredio.
a slip of memory — um lapso de memória.
a slip of the tongue — um lapso da língua.
to make a slip — cometer um erro; cometer um deslize.
in slips — (tip.) em granel.
2 — *vt.* e *vi.* escorregar; resvalar; deslizar; fazer deslizar; deslocar-se; soltar, desatar; saltar; escapar; escapar-se; esgueirar-se; cair em falta; cometer um erro, cometer um deslize; omitir; fugir da memória; livrar-se de; desequilibrar-se; andar furtivamente; desatrelar (carruagem, etc.); despir; despir-se; vestir; vestir-se; enfiar, meter rapidamente; soltar (cães); abortar (animal).
to slip off — livrar-se de; escapar a; escapar-se de; tirar (peça de vestuário); escorregar; cair.
to slip out — escapar-se; sair sem ser visto.
to slip on one's clothes — enfiar a roupa; vestir-se rapidamente.
to slip out of a dress — despir um vestido rapidamente.
to slip into — introduzir-se furtivamente.
to let an opportunity slip — deixar escapar uma oportunidade.
to slip in the mud — escorregar na lama.
to slip away — escapulir-se.
to slip one's memory — esquecer.
the blanket slipped off the bed — o cobertor escorregou da cama.
he slipped a coin into the man's hand — ele meteu uma moeda na mão do homem.
how time slips away! — como o tempo passa!
to slip into bed — meter-se na cama.
to slip off one's clothes—despir-se rapidamente.
to slip out a word — deixar escapar uma palavra.
to slip up — enganar-se; cometer um deslize.
the secret slipped out — o segredo tornou-se conhecido.
slipper ['slipə], **1** — *s.* chinelo, chinela; sapata; pantufa; calço (de roda); o que escorrega ou deixa escorregar; plaina de máquina; bibe de criança.
bed-slipper — arrastadeira.
bedroom slippers — chinelos de quarto.
2 — *vt.* bater com chinelo.
slippered [-d], *adj.* de chinelos, de pantufas; que traz chinelos ou pantufas.
slipperily [-rili], *adv.* de modo escorregadio; traiçoeiramente, enganosamente.
slipperiness [-rinis], *s.* qualidade de ser escorregadio; instabilidade; incerteza; manha, astúcia.
slippery [-ri], *adj.* escorregadio; movediço; instável; incerto; manhoso, astuto; traiçoeiro, enganoso. (*Sin.* glassy, shifty, unreliable. *Ant.* firm, trustworthy.)
as slippery as an eel — falso como Judas.
a slippery road — uma estrada escorregadia.
a slippery customer — um indivíduo desonesto.
a slippery business — um negócio incerto (perigoso).
slipping ['slipiŋ], *s.* deslize, escorregadela; resvalamento.
slippy ['slipi], *adj.* escorregadio; movediço; instável; incerto; manhoso, astuto; traiçoeiro, enganoso; inconstante.
look slippy! — avia-te!, despacha-te!
be slippy! — avia-te!, despacha-te!
slipshod ['slipʃɔd], *adj.* desmazelado, descuidado, desalinhado, desleixado; de sapatos cambados.
slipshodness [-nis], *s.* desmazelo, descuido, desleixo, negligência.
slipslop ['slipslɔp], *s.* e *adj.* zurrapa, água chilra, bebida aguada; fraco; pobre; desmazelado.
slipway ['slipwei], *s.* plano inclinado; carreira.
slit [slit], **1** — *s.* fenda, racha; ranhura; abertura; (med.) incisão.
2 — *vt.* e *vi.* fender, rachar; rachar-se; cortar; fazer incisão em; rasgar.
to slit into strips — rasgar em tiras.
to slit someone's throat — cortar as goelas a alguém.
3 — *adj.* fendido; rachado; aberto; cortado.
slither ['sliðə], **1** — *s.* resvalamento; escorregadela; deslize.
2 — *vt.* e *vi.* resvalar, escorregar, deslizar.
slithery [-ri], *adj.* escorregadio.
slitting ['slitiŋ], *s.* acto de fender, abrir ou fazer ranhura; corte; incisão.
slitting-disk — serra de disco (de joalheiro).
slitting-shears — tesoura para cortar tiras de metal.
slitting-mill — oficina de cortar chapas de metal.
slitting-machine — máquina de fender ou fazer ranhuras.
sliver ['slivə, 'slaivə], **1** — *s.* lasca; tira; fatia; bocado; isca de peixe.
2 — *vt.* e *vi.* cortar em lascas, tiras ou fatias; rachar, fender; rachar-se, fender-se.
slob [slɔb], *s.* lama; lodo; limo; (col.) tolo, pateta.
slobber ['-ə], **1** — *s.* baba; (col.) pieguice, baboseira; neve meio derretida.
2 — *vt.* e *vi.* babar; babar-se; (col.) dizer baboseiras; atamancar, remendar.
slobberer ['-ərə], *s.* baboso; indivíduo piegas ou lamecha; remendão.
slobbering ['-əriŋ], *adj.* baboso; piegas, lamecha.
slobbery ['-əri], *adj.* baboso; piegas, lamecha; feito sem cuidado; atamancado.
sloe [slou], *s.* ameixa, abrunho; ameixoeira brava; abrunheiro.
slog [slɔg], **1** — *s.* pancada forte; (col.) trabalho extenuante.
2 — *vt.* e *vi.* bater com força, dar pancadas rijas; (col.) mourejar.
slogan ['slougən], *s.* grito de guerra dos antigos montanheses da Escócia; divisa, lema; estribilho; dístico.
slogging ['slɔgiŋ], *s.* sova, tareia; pancada rija; (col.) trabalho extenuante.
sloop [slu:p], *s.* (náut.) chalupa; aviso; corveta.
sloop of war — aviso (ou corveta) de guerra.

slop [slɔp], **1** — *s.* (col.) polícia; *pl.* águas sujas; despejos; alimentos líquidos (caldos, papas, leite, etc.); zurrapa; (arc.) calções largos; fardamento de marinheiro.
slop-basin — tigela de pingos.
slop-pail — balde para águas sujas.
to live on slops — estar a caldos.
slop-clothes — roupas feitas de má qualidade.
slop-shop — algibebe.
2 — *vt.* e *vi.* derramar, entornar (esp. água suja); sujar; virar; entornar-se.
to slop over — deitar por fora, extravasar; (col.) ser lamecha.

slope [sloup], **1** — *s.* ladeira, rampa; declive; obliquidade; escarpa; talude; falda, vertente, encosta, inclinação. (*Sin.* inclination, slant, declivity.)
slope of wind — vento de feição.
slope-roofed — de telhado inclinado.
slope down — inclinação descendente.
slope up — inclinação ascendente.
angle of slope — ângulo de declive.
2 — *vt.* e *vi.* inclinar; inclinar-se; obliquar; estar em declive; ir em rampa; pôr em declive; enviesar; (col.) pôr-se a mexer, cavar; (náut.) abarracar toldos.
to slope about — vaguear; vadiar.
to slope down — descer.
to slope up — subir.
slope arms! — (mil.) ombro armas!

sloped [-t], *adj.* em declive; enviesado; inclinado; (mil.) em posição de ombro armas.

slopewise [ˈ-waiz], *adv.* em declive, obliquamente; de esguelha; inclinadamente.

sloping [ˈ-iŋ], **1** — *s.* declive; inclinação; ladeira; vertente.
2 — *adj.* em declive; inclinado; oblíquo; ladeirento.
in a sloping position — numa posição inclinada.
sloping roof — telhado inclinado.

slopingly [ˈ-iŋli], *adv.* obliquamente; inclinadamente; em declive; de esguelha.

sloppiness [ˈslɔpinis], *s.* lama; humidade; imundície; desleixo; moleza; pieguice.

sloppy [ˈslɔpi], *adj.* molhado e sujo; húmido; lamacento; aguado; desleixado.
sloppy work — trabalho imperfeito.
sloppy weather — tempo húmido.

slops [slɔps], *s.* ver **slop 1.**

sloshing [ˈslɔʃiŋ], *s.* (col.) tareia, sova.

slot [slɔt], **1** — *s.* ranhura; abertura para meter moedas; fresta; fenda; escatel; sulco; rasto, pegada (de animal).
slot-machine — máquina automática para venda de selos, cigarros, etc.
slot-meter — contador automático de meter moedas (para gás, etc.).
2 — *vt.* abrir ranhuras ou fendas; seguir o rasto ou pegadas (de animal).

sloth [slouθ], *s.* preguiça, indolência, lassidão, ociosidade; (zool.) preguiça.

slothful [ˈ-ful], *adj.* preguiçoso, indolente, ocioso, mandrião. (*Sin.* lazy, idle, indolent, slack.)

slothfully [ˈ-fuli], *adv.* preguiçosamente, indolentemente, ociosamente.

slothfulness [ˈ-fulnis], *s.* preguiça, indolência, ociosidade.

slotted [ˈslɔtid], *adj.* com ranhura(s); chanfrado; escatelado.

slotter [ˈslɔtə], *s.* escatelador; máquina de abrir ranhuras ou fendas.

slotting [ˈslɔtiŋ], *s.* acção de abrir ranhuras ou fendas; escatelamento.
slotting-machine — escatelador(a) (máquina).
slotting-saw — serra de abrir fendas.
slotting-tool — ferramenta própria para abrir fendas ou ranhuras.

slouch [slautʃ], **1** — *s.* desleixo, desalinho, desmazelo, negligência; inclinação do corpo; andar desalinhado; indivíduo mandrião ou descuidado.
slouch hat — chapéu mole; chapéu desabado.
2 — *vt.* e *vi.* baixar a cabeça; virar a aba do chapéu para baixo; ter andar ou aspecto desalinhado; caminhar desalinhadamente.

sloucher [ˈ-ə], *s.* indivíduo desleixado, desalinhado ou mandrião.

slouching [ˈ-iŋ], *adj.* inclinado; com o olhar para baixo; de porte desleixado; mandrião, indolente.

slouchingly [ˈ-iŋli], *adv.* com a cabeça inclinada; de modo desleixado, desmazeladamente; indolentemente.

slough 1 — [slau], *s.* lamaçal; atoleiro; charco; pântano. (*Sin.* swamp, bog, fen, quagmire.)
2 — [slʌf], *s.* pele que a serpente muda; tecido morto; crosta de ferida; (fig.) velho hábito ou vício que se deixa.
3 — *vt.* e *vi.* mudar de pele (a serpente); separar; separar-se de, despojar-se de; cobrir-se de crosta(s) (ferida); livrar-se de.
to slough off an old habit — deixar (livrar-se de) um velho hábito.

sloughing [ˈslʌfiŋ], *s.* acto de mudar a pele (a serpente); formação de crosta (em ferida).

sloughy 1 — [ˈslaui], *adj.* lamacento; lodoso; pantanoso.
2 — [ˈslʌfi], *adj.* que tem crosta (ferida, etc.), com escara.

Slovak [ˈslouvæk], *s.* e *adj.* eslovaco; da Eslováquia.

sloven [ˈslʌvn], *s.* pessoa desalinhada e suja; remendão; indivíduo negligente.

Slovene [ˈslouviːn], *s.* e *adj.* esloveno.

Slovenian [slouˈviːnjən], *s.* e *adj.* esloveno.

slovenliness [ˈslʌvnlinis], *s.* desleixo, desalinho, desmazelo; falta de asseio.

slovenly [ˈslʌvnli], *adj.* desleixado, desalinhado, desmazelado; sujo; (col.) às três pancadas.

slow [slou], **1** — *adj.* lento, vagaroso; atrasado; indolente; tardio; estúpido, bronco; demorado; não pontual; ronceiro; brando; mole; maçador, enfadonho.
my watch is slow — o meu relógio está atrasado.
slow march — (mil.) marcha lenta, marcha grave (em funeral).
slow progress — progresso lento.
that clock is five minutes slow — aquele relógio está atrasado cinco minutos.
slow-witted — estúpido, bronco; de raciocínio lento.
slow sailer — navio ronceiro.
slow train — comboio lento; ónibus.
slow motion film — filme ao retardador.
slow combustion — combustão lenta.
slow currency — moeda fraca.
slow heart — bradicardia.
slow speed — velocidade lenta; baixa velocidade.
a slow party — uma festa sem interesse; uma reunião maçadora.
he is a slow speaker — ele é fraco orador.
to be slow over — levar muito tempo a (para).
business is slow — o negócio está parado.
2 — *vt.* e *vi.* diminuir ou reduzir a velocidade; dar menos força (a máquina ou motor); afrouxar; demorar.
to slow down — afrouxar; abrandar (a marcha ou a velocidade); (fig.) acalmar; reduzir (a actividade).
3 — *adv.* lentamente, vagarosamente, devagar;

indolentemente, de modo ronceiro; brandamente; não pontualmente, tardiamente.
slow and sure — devagar se vai ao longe.
slow-moving — a baixa velocidade; lento; lentamente.
slow-tempered — calmo; fleumático.
my watch goes slow — o meu relógio atrasa-se.
to go slower — ir mais devagar; abrandar a marcha ou a velocidade.
will you speak slower, please? — quer fazer o favor de falar mais devagar?
slow ahead! — (náut.) avante, devagar!
slow astern! — (náut.) à ré, devagar!
to go slow — atrasar-se (relógio); ir ou andar devagar; (fig.) ser cauteloso, jogar pelo seguro.

slowcoach ['-koutʃ], *s.* papa-açorda, pessoa indolente; indivíduo de raciocínio lento; molengão.

slowing down ['-iŋ daun], *s.* abrandamento ou redução de velocidade, de ritmo, de marcha ou de actividade.

slowly ['-li], *adv.* lentamente, vagarosamente; calmamente; indolentemente; brandamente.
speak slowly, please!—fale devagar, por favor!

slowness ['-nis], *s.* lentidão, vagar; atraso; indolência.

slow-worm ['-wə:m], *s.* (zool.) cecília, licranço, cobra-de-vidro.

slubber ['slʌbə], **1** — *s.* máquina de torcer o fio para fiar.
2 — *vt.* e *vi.* sujar; babar; babar-se; (col.) fazer descuidadamente.

sludge [slʌdʒ], *s.* lama; lamaçal; atoleiro; porcaria, imundície; lodo; pequenos blocos de gelo à superfície das águas.
sludge door — (náut.) porta de limpeza.
sludge hole — (náut.) orifício de limpeza.

sludgy ['-i], *s.* com lama, lamacento; com lodo, lodoso; com pequenos blocos de gelo à superfície.

slue [slu:], *vt.* e *vi.* ver **slew.**

slug [slʌg], *s.* (zool.) lesma; (fig.) mandrião, indivíduo preguiçoso; (com.) mono; defeito em tecido; (tip.) linha composta em linótipo; navio ronceiro; metal para servir de bala; (col.) gole de bebida.

sluggard ['-əd], *s.* e *adj.* preguiçoso, mandrião, lesma, madraço, indolente; vadio.

sluggish ['-iʃ], *adj.* indolente, preguiçoso, mandrião, lento, vagaroso; mole; inerte; brando; madraço.
sluggish digestion — digestão lenta (difícil).
sluggish liver — fígado preguiçoso.
sluggish-pulse — pulso lento.
sluggish engine — motor preguiçoso.

sluggishly ['-iʃli], *adv.* preguiçosamente, indolentemente; lentamente, vagarosamente.

sluggishness ['-iʃnis], *s.* lentidão; indolência; preguiça; inércia; (med.) atonia.

sluice [slu:s], **1** — *s.* dique; represa; comporta; saída, corrente de dique; canal; calha (de mina).
2 — *vt.* e *vi.* prover de comportas; abrir comporta; lavar com muita água; jorrar.

slum [slʌm], **1** — *s.* bairro miserável; viela; pardieiro, pocilga.
slum-clearance — extinção de bairros miseráveis.
2 — *vt.* visitar os bairros miseráveis de uma cidade com fins sociais ou caritativos.

slumber ['slʌmbə], **1** — *s.* sono ligeiro, sonolência; torpor; soneca.
2 — *vi.* dormir; repousar; dormitar.
to slumber away — passar o tempo a dormir; preguiçar.

slumberer [-rə], *s.* dorminhoco; preguiçoso, indolente.

slumbering [-riŋ], **1** — *s.* acção de dormir ou de dormitar; sono; indolência.
2 — *adj.* sonolento; que dorme; que dormita; adormecido.

slumberless [-lis], *adj.* sem sono.

slumberous [-ərəs], *adj.* sonolento; entorpecido; adormecido.

slumberously [-ərəsli], *adv.* de modo sonolento, indolentemente.

slumbrous ['slʌmbrəs], *adj.* ver **slumberous.**

slumbrously [-li], *adv.* ver **slumberously.**

slummer ['slʌmə], *s.* visitador(a) de bairros miseráveis.

slummy ['slʌmi], *adj.* com bairros ou casas miseráveis.

slump [slʌmp], **1** — *s.* baixa repentina nos valores ou nos preços (com.); quebra, fracasso (fam.); crise.
2 — *vi.* sofrer baixa repentina nos valores ou nos preços; entrar em crise (económica).

slumping ['-iŋ], *s.* baixa repentina de valor ou preços; crise.

slung [slʌŋ], *pret.* e *pp.* do verbo **to sling.**

slunk [slʌŋk], *pret.* e *pp.* do verbo **to slink.**

slur [slə:], **1** — *s.* reparo; censura; repreensão; crítica; admoestação; labéu; mancha; desdouro; (mús.) modulação.
2 — *vt.* e *vi.* manchar; escrever ou pronunciar indistintamente; articular mal; (mús.) modular; passar ligeiramente por um assunto.

slurring ['-riŋ], *s.* pronúncia indistinta; má articulação; (mús.) modulação.

slurry ['slʌri], *s.* massa de cimento, barro, etc.

slush [slʌʃ], **1** — *s.* lama; massa oleosa para lubrificar; neve derretida; (col.) baboseira.
2 — *vt.* e *vi.* cobrir de lama, enlamear; lubrificar.

slushy ['-i], *adj.* lamacento; oleoso; enlameado; (col.) piegas.

slut [slʌt], *s.* mulher desmazelada.

sluttish ['-iʃ], *adj.* desmazelado, desalinhado; porco.

sluttishly ['-iʃli], *adv.* desmazeladamente, desalinhadamente.

sluttishness ['-iʃnis], *s.* desmazelo, desalinho; falta de asseio; obscenidade; porcaria.

sly [slai], *adj.* astuto; esperto; arguto; dissimulado; falso; malicioso. (*Sin.* cunning, artful, crafty, wily.)
on the sly — pela calada.
sly-boots — finório.
sly-dog — marau; velhaco.
in a sly way — sorrateiramente; pela calada; com argúcia.

slyly ['-li], *adv.* astutamente; pela calada, sorrateiramente; dissimuladamente.

slyness ['-nis], *s.* astúcia, argúcia; manha; dissimulação.

smack [smæk], **1** — *s.* gosto, sabor; travo; traço, vestígio; aspecto; estalo, estalido (com a língua); beijo, beijoca; palmada; pancada; sumaca (embarcação).
fishing smack — sumaca de pesca.
smack in the eye — desilusão.
smack in the face — bofetada; estalada.
the smack of a whip — o estalido de um chicote.
2 — *vt.* e *vi.* dar palmadas; dar estalidos; dar estalos com a boca ou com a língua; beijocar; fazer estalar (chicote, etc.); bater; ter gosto ou sabor a; ter traços ou vestígios de; fazer lembrar, lembrar, sugerir; castigar com palmadas ou bofetadas.
to smack the lips — dar estalos com os lábios; mostrar satisfação.
to smack of — saber a.
3 — *adv.* directamente; de chofre; de repente;

de súbito; sem rodeios; com estalido(s).
smack in the face — em cheio na cara.
smacker ['-ə], *s.* (col.) beijoca, beijo repenicado; bofetada; nota de libra; (E. U.) dólar.
smacking ['-iŋ], **1** — *adj.* que estala; que ressoa; sonoro; vivo.
2 — *s.* estalido (de chicote, de língua, etc.); bofetada, palmada.
small [smɔ:l], **1** — *s.* a parte mais estreita de qualquer coisa; miúdos, miudezas; *pl.* exame preliminar, na Universidade de **Oxónia,** para obtenção do grau de bacharel; calções antigos.
2 — *adj.* pequeno; miúdo; débil; delgado, fino; curto; baixo; ténue; mesquinho; exíguo; obscuro, insignificante; diminuto; egoísta; miserável; fraco; modesto, humilde; trivial.
to think no small beer of oneself — ter-se em grande conta.
small fry — pessoas insignificantes; gente miúda, arraia-miúda; crianças.
small hours — as primeiras horas da madrugada.
in a small way — em pequena escala; modestamente; sem ostentação; com pequeno capital.
to live in a small way — viver modestamente.
small talk — conversa fútil; conversa banal.
small wares — artigos de retrosaria (agulhas, linhas, botões, alfinetes, etc.).
the still small voice — a voz da consciência.
to pay small heed to what is said — prestar pouca atenção ao que se diz.
to have a small voice — ter voz débil.
small letters — letras minúsculas.
the small worries of life — as pequenas contrariedades da vida.
small people love to talk of great — os pequenos gostam de falar dos grandes.
small print — letra miúda; tipo miúdo.
small coasting trade — pequena cabotagem (náut.).
small coal — carvão miúdo.
small beer — cerveja fraca.
small sum — pequena soma; pequena quantia.
small change — dinheiro miúdo; miúdos; trocos; (col.) conversa fútil; conversa banal.
small arms — armas portáteis.
small gross — dez dúzias.
small shot — chumbo miúdo.
small waist — cintura fina.
small farmer — pequeno lavrador.
small landowner — pequeno proprietário.
I am a small eater — sou de pouco comer.
I feel small — sinto-me envergonhado (ou humilhado).
to make someone look small — humilhar alguém.
I have small Latin — sei pouco latim.
it is small wonder that... — não admira que...
3 — *adv.* em pedaços, em fanicos; em tom baixo; suavemente; debilmente, tenuemente; em voz baixa, baixo.
to sing small — (col.) baixar as orelhas; perder a arrogância.
to talk small — falar baixo.
smallage ['-idʒ], *s.* (bot.) aipo silvestre.
smallish ['-iʃ], *adj.* pequenote, um tanto pequeno; um tanto baixo, baixote.
smallness ['-nis], *s.* pequenez; exiguidade; insignificância; mesquinhez.
smallpox ['-pɔks], *s.* varíola; (col.) bexigas.
smalt [smɔ(:)lt], *s.* vidro azul.
smaltine ['-ain], *s.* esmaltina.
smart [smɑ:t], **1** — *s.* dor aguda, dor pungente; aflição; angústia; mágoa.
smart-money — indemnização; (mil.) pensão de guerra.
2 — *adj.* esperto, vivo; activo; agudo; penetrante; espirituoso; fino, ladino; desenvolto; elegante, chique, bem vestido; mordaz, acerbo; picante; dinâmico, expedito; violento; severo, rigoroso; brilhante; como novo; moderno, à moda.
the smart set — a sociedade elegante; a alta-roda; a alta sociedade.
it looks quite smart — tem um aspecto muito elegante.
a smart fellow — um (indivíduo) janota.
a smart talker — um conversador espirituoso.
a smart saying — um dito chistoso.
a smart dress — um vestido elegante.
a smart girl — uma rapariga elegante (chique).
a smart house — uma casa moderna.
a smart servant — um criado esperto.
a smart punishment — um castigo severo.
a smart answer — uma resposta contundente (mordaz).
to make oneself smart — aperaltar-se.
at a smart pace — com passos rápidos; lestamente.
he is a smart one — ele é um espertalhão; ele é um finório.
3 — *vi.* sentir dor aguda; doer; arder (ferida).
to smart for — sofrer as consequências de; pagar por.
you shall smart for this! — hás-de pagá-las!
my finger smarts — sinto picadas no dedo.
4 — *adv.* com vivacidade, vivamente; diligentemente; habilmente; com elegância; à moda; brilhantemente; depressa, rapidamente.
smarten [-n], *vt.* e *vi.* aformosear; embelezar; tornar janota, tornar elegante; avivar, activar; animar; picar.
smarting ['-iŋ], **1** — *s.* dor aguda.
2 — *adj.* agudo; picante; pungente; que arde (ferida).
smartly ['-li], *adv.* elegantemente; à moda; rapidamente; vivamente, activamente; com esperteza, com inteligência.
smartness ['-nis], *s.* viveza, vivacidade; subtileza; agudeza; finura; elegância; argúcia; esperteza; violência; contundência.
smash [smæʃ], **1** — *s.* quebra; rompimento; falência; colisão, choque; barulho de choque ou de queda; acto de quebrar em pedaços; desastre, acidente; ruína; soco violento; pancada; (col.) moeda falsa; bolada muito forte, «puxanço» (no ténis).
to go to smash — ficar em pedaços; ir para a falência; ficar arruinado.
brandy-smash — refresco de conhaque.
2 — *vt.* e *vi.* quebrar; despedaçar, fazer em pedaços; falir, abrir falência; falhar, fracassar; despedaçar-se; esmagar-se; chocar, colidir; agredir; «puxar» a bola (no ténis), fazer um «puxanço».
to smash to pieces — fazer em pedaços; despedaçar.
to smash a record — bater um «record» (desp.).
to smash in — arrombar.
to smash into — esbarrar com (contra).
3 — *adv.* violentamente; em cheio.
smasher ['-ə], *s.* o que esmaga, quebra ou desfaz; arrombador; destruidor; pancada violenta; soco forte; queda desastrada; crítica acerba; (col.) passador de moeda falsa; coisa extraordinária, «espanto».
smashing ['-iŋ], **1** — *s.* acção de esmagar, quebrar ou despedaçar; falência; ruína; derrota.

2 — *adj.* que serve para esmagar; (col.) formidável, bestial.
smatter ['smætə], *vt.* e *vi.* falar ou saber superficialmente; ter umas luzes de.
smatterer [-rə], *s.* pessoa superficial; pedante; diletante.
smattering [-riŋ], *s.* leve noção, conhecimento superficial; laivos; luzes.
smear [smiə], **1** — *s.* substância untuosa; mancha; borrão; nódoa.
2 — *vt.* e *vi.* untar; sujar; engordurar; contaminar; enodoar; besuntar; difamar.
smeariness ['-rinis], *s.* untuosidade; viscosidade; sujidade.
smearing ['-riŋ], *s.* acção de enodoar, untar ou besuntar.
smeary ['-ri], *adj.* engordurado; besuntado; untado; untuoso; viscoso; gorduroso; com nódoas; com manchas.
smell [smel], **1** — *s.* cheiro; olfacto; odor; aroma; faro; mau cheiro, fedor.
to have no smell — não ter cheiro.
sweet smell — cheiro agradável.
bad smell — mau cheiro.
to have a keen sense of smell — ter o olfacto apurado.
a nasty smell — um cheiro desagradável.
2 — *vt.* e *vi.* (*pret.* e *pp.* **smelt**) cheirar; farejar; cheirar mal; ter cheiro; perceber; pressentir; descobrir.
to smell of — cheirar a.
these roses smell very sweet — estas rosas cheiram muito bem.
to smell out — farejar; descobrir pelo cheiro.
it smells very nice — tem um cheiro muito agradável.
to smell of roses — cheirar a rosas.
to smell musty — cheirar a mofo.
to smell a rat — suspeitar; desconfiar.
to smell round — investigar; procurar informações; procurar descobrir pelo cheiro.
smeller ['-ə], *s.* o que cheira; (col.) nariz; soco no nariz; pessoa que cheira mal.
smelliness ['-inis], *s.* mau cheiro; odor desagradável.
smelling ['-iŋ], *s.* e *adj.* olfacto, cheiro; acção de cheirar; que cheira; cheiroso.
smelling-bottle — frasco de perfume; frasco de sais.
smelling-salts — sais aromáticos.
sweet-smelling — aromático; odorífero; bem-cheiroso.
ill-smelling — que tem mau cheiro; malcheiroso.
smelly ['-i], *adj.* que cheira mal; malcheiroso; que tem mau cheiro.
smelt [smelt], **1** — *s.* (zool.) eperlano, espécie de salmonete.
2 — *vt.* fundir minério para separar o metal.
3 — *pret.* e *pp.* do verbo **to smell.**
smelter ['-ə], *s.* fundidor (de minério); operário siderúrgico.
smeltery ['-əri], *s.* oficina de fundição (esp. de minérios).
smelting ['-iŋ], *s.* fusão; fundição; acto de fundir minérios para separar os metais.
smelting works — oficina metalúrgica.
smelting-pot — cadinho; crisol.
smelting house — fundição.
smelting-furnace — forno de fundição (de minérios).
smew [smju:], *s.* (zool.) espécie de mergulhão.
smilax ['smailæks], *s.* (bot.) esmílace.
smile [smail], **1** — *s.* sorriso.
a smile of contempt — um sorriso de desprezo.
a smile of welcome — um sorriso de bom acolhimento.
to greet someone with a smile — saudar alguém com um sorriso.
to be all smiles — ser todo sorrisos.
to force a smile — forçar um sorriso.
a scornful smile — um sorriso desdenhoso.
a forced smile — um sorriso forçado.
a wry smile — um sorriso amarelo.
2 — *vi.* e *vt.* sorrir; sorrir-se; favorecer, ser propício; exprimir por sorriso.
to smile at — sorrir(-se) para; rir-se de; ser favorável a.
to smile sweetly — sorrir afavelmente.
to smile assent — consentir (assentir) com um sorriso.
to smile cynically — sorrir cinicamente.
fortune has smiled on him from his birth — ele tem sido bafejado pela sorte desde que nasceu.
to smile away — afastar sorrindo.
keep smiling — mantenha a calma!
to smile a welcome to — receber com um sorriso.
smileless ['-lis], *adj.* sisudamente, sem um sorriso.
smiling ['-iŋ], *adj.* sorridente; risonho; alegre, jovial; favorável, propício.
a smiling prospect — uma perspectiva risonha.
smilingly ['-iŋli], *adv.* sorridentemente, com um sorriso, sorrindo; com cara risonha.
smirch [smə:tʃ], **1** — *s.* mancha; nódoa; mácula; labéu.
2 — *vt.* manchar; enodoar; sujar; aviltar; desdourar.
smirk [smə:k], **1** — *s.* sorriso forçado; sorriso afectado; sorriso amarelo.
2 — *vi.* sorrir afectadamente.
smirker ['-ə], *s.* pessoa que sorri afectadamente.
smirking ['-iŋ], *s.* e *adj.* sorriso afectado; dengoso, afectado.
smite [smait], **1** — *s.* (col.) pancada, golpe.
2 — *vt.* e *vi.* (*pret.* **smote,** *pp.* **smitten**) bater; embater; tocar; derrotar; excitar; mover; surpreender; destruir; castigar; afectar; chocar; impressionar; atacar. (*Sin.* to hit, to punish, to blast.)
to smite off — cortar de um golpe; decepar.
to smite hip and thigh — desbaratar; derrotar completamente.
to smite down — matar; abater.
smith [smiθ], **1** — *s.* forjador de metais; ferreiro; ferrador.
smith's coal — carvão de forja.
smith's fire — forja.
smith's shop — forja.
shoeing smith — ferrador.
smith's tongs — tenaz de forja.
2 — *vt.* forjar (objecto de metal).
smithereens ['smiðə'ri:nz], *s. pl.* pequenos fragmentos, estilhaços; cacos.
smithers ['smiðəz], *s. pl.* pequenos fragmentos, estilhaços; cacos.
smithery ['smiθəri], *s.* forja; ferraria; obra de ferreiro; oficina de ferreiro.
smithing ['smiðiŋ], *s.* obra de ferreiro ou de ferrador.
smithy ['smiði, smiθi], *s.* forja; oficina de ferreiro ou ferrador.
smiting ['smaitiŋ], *s.* pancada; golpe; acto de bater; castigo; rebate.
smitten [smitn], *pp.* do verbo **to smite.**
smock [smɔk], **1** — *s.* bibe ou babeiro de criança, «macaco»; blusa; bata, guarda-pó.
2 — *vt.* franzir (tecido).
smocking ['-iŋ], *s.* franzido com folhos.
smog [smɔg], *s.* nevoeiro misturado com fumo.
smokable ['smoukəbl], *adj.* que pode fumar-se.
smokables [-z], *s. pl.* artigos de tabacaria; tabaco.

smoke [smouk], **1** — *s.* fumo; fumaça, fumarada; acção de fumar; (col.) cigarro ou charuto.
to end in smoke — desfazer-se, acabar em nada; falhar.
smoke screen — cortina de fumo.
a cloud of smoke — uma nuvem de fumo.
smoke black — negro de fumo.
there is no smoke without fire — não há fumo sem fogo.
smoke-box — caixa de fumo.
smoke-chest — caixa de fumo.
smoke-sail — (náut.) sanefa de fumo.
smoke-stack — chaminé fingida; chaminé de navio ou de fábrica.
smoke-tight — impermeável ao fumo.
that's all smoke — (col.) isso não vale nada.
smoke-dried — fumado; defumado.
smoke-proof — à prova de fumo.
smoke screen — cortina de fumo.
smoke-shell — granada de fumo.
to have a smoke — fumar um cigarro ou charuto.
2 — *vt.* e *vi.* fumar; fumegar; defumar; pôr ao fumeiro, secar ao fumo; arder; descobrir; farejar; manchar ou sujar com fumo; enegrecer com fumo; afugentar com fumo; suspeitar, desconfiar; fumigar; emitir fumo ou vapor.
to smoke out — expulsar por meio de fumo.
to smoke dry — secar ao fumeiro; defumar.
to smoke like a chimney — fumar que nem uma chaminé; fumar muito (tabaco, etc.).
to smoke a pipe — fumar cachimbo.
smoked [-t], *adj.* fumado, defumado, seco ao fumo (peixe, carne, etc.); enegrecido pelo fumo; que sabe a fumo.
the soup is smoked — a sopa sabe a fumo.
smoked salmon — salmão (de)fumado.
smoked glass — vidro fumado.
smokeless ['-lis], *adj.* sem fumo.
smokeless powder — pólvora sem fumo.
smoker ['-ə], *s.* fumador, pessoa que fuma; fumigador; (cam. fer.) carruagem para fumadores.
an inveterate smoker — um fumador inveterado.
non-smoker — não-fumador; (cam. fer.) carruagem para não-fumadores.
he is a heavy smoker — ele fuma muitíssimo.
smokily ['-ili], *adv.* com fumo; fumegando, deitando fumo.
smokiness ['-inis], *s.* fumosidade; atmosfera carregada de fumo; sabor a fumo.
smoking ['-iŋ], **1** — *s.* acção de fumar; fumigação.
smoking-car(riage) — (cam. fer.) carruagem para fumadores.
smoking-room — sala de fumo.
smoking-table — mesa de fumo.
no smoking — é proibido fumar.
is smoking allowed (permitted)? — é permitido fumar?
do you mind my smoking? — importa-se de que eu fume?
smoking-mixture — mistura de tabacos.
2 — *adj.* que deita fumo; fumegante; que emite vapor.
smoking-hot — quente, a deitar fumo.
his hands were smoking with blood — as mãos dele estavam cobertas de um sangue fumegante.
smoky ['-i], *adj.* fumegante; fumarento; fumoso; cheio de fumo; que deita fumo; que sabe a fumo; enegrecido pelo fumo.
a smoky town — uma cidade cheia de fumo.
smolt [smoult[,'*s.* (zool.) salmão de dois anos.
smooth [smu:ð], **1** — *s.* acalmia; alisamento, acção de alisar; penteadela (no cabelo).
I must give my hair a smooth — preciso de dar uma penteadela ao cabelo.
2 — *adj.* liso; macio; brando; calmo; sossegado; plano; polido; regular, uniforme; igual; suave; cortês; insinuante; lisonjeiro; adulador; manso; tranquilo; meigo; fluente; natural; sem pêlos, glabro. (*Sin.* soft, polished, plain, flat, mild. *Ant.* rough, blunt.)
smooth skin — pele macia.
smooth surface — superfície lisa.
smooth road — estrada lisa.
smooth words — palavras lisonjeiras; (col.) falinhas mansas.
smooth-tongued — lisonjeiro, melífluo.
smooth hair — cabelo liso.
smooth face — cara de hipócrita.
smooth style — estilo ameno (suave).
smooth stream — corrente de água calma.
I had a smooth passage — fiz uma travessia calma (por mar).
I am now in smooth water — agora estou livre de dificuldades.
smooth sea — mar calmo; mar chão.
smooth-sliding — que desliza suavemente.
smooth-chinned — imberbe.
smooth-shaven — bem barbeado; escanhoado.
smooth-tempered — de temperamento brando.
to make things smooth — facilitar as coisas; aplanar dificuldades.
as smooth as a millpond — calmo como um lago.
3 — *vt.* e *vi.* alisar, aplainar; polir; acalmar; tranquilizar; amaciar, suavizar, abrandar; facilitar; pacificar; igualar.
to smooth down — acalmar(-se); alisar.
to smooth over — facilitar.
to smooth off — alisar.
smoothe [smu:ð], *vt.* e *vi.* ver **smooth 3.**
smoothen ['-ən], *vt.* e *vi.* ver **smooth 3.**
smoother ['-ə], *s.* pessoa que aplana ou alisa; polidor; alisador.
smoothfaced ['-feist], *adj.* de modos suaves; melífluo; lamecha; imberbe.
smoothing ['-iŋ], *s.* acção de alisar, aplanar ou polir.
smoothing-iron — ferro de passar (de alfaiate).
smoothly ['-li], *adv.* calmamente; suavemente, brandamente; uniformemente; lisonjeiramente, de modo melífluo; igualmente; de modo insinuante; tranquilamente.
smoothness ['-nis], *s.* suavidade, brandura; lisura; igualdade; macieza; calma, tranquilidade; naturalidade; afabilidade; melifluidade.
smoothspoken ['-spouk(ə)n], *adj.* adulador, lisonjeiro, de falinhas mansas.
smote [smout], *pret.* do verbo **to smite.**
smother [smʌðə], **1** — *s.* fumo espesso, fumarada; nevoeiro cerrado.
2 — *vt.* e *vi.* sufocar, abafar; asfixiar; estar sufocado; reprimir; suprimir; esconder, ocultar; inundar.
to smother a yawn — abafar um bocejo.
to smother a cry — abafar um grito.
to smother one's anger — reprimir a cólera.
to smother up a scandal — abafar um escândalo.
to smother with kisses — sufocar com beijos.
smothered ['-d], *adj.* abafado, asfixiado, sufocado; surdo; coberto, inundado.
strawberries smothered in cream — morangos cobertos de creme.
smothered by dust — sufocado com pó; cheio de pó.
smothering ['-riŋ], **1** — *s.* acção de abafar, asfixiar ou sufocar; repressão; supressão.
2 — *adj.* sufocante, asfixiante, abafante; sufocado, abafado.
smothery ['-ri], *adj.* sufocante, asfixiante, abafante.

smoulder ['smouldə], **1** — *s.* fumo espesso, fumarada; combustão lenta.
2 — *vi.* arder lentamente, sem chama; estar latente.
smouldering [-riŋ], **1** — *s.* combustão lenta, fogo lento.
2 — *adj.* que arde lentamente, sem chama; latente.
smudge [smʌdʒ], **1** — *s.* mancha; nódoa; borrão (de tinta, etc.); farrusca; fumo sufocante.
2 — *vt.* e *vi.* manchar; enodoar; borratar; enfarruscar; macular.
smudgily ['-ili], *adv.* sujamente; com manchas; com nódoas; com borrões.
smudginess ['-inis], *s.* sujidade; negrura; borratada.
smudgy ['-i], *adj.* manchado; enodoado; esborratado; sujo; enfarruscado; fumegante; escuro.
smug [smʌg], *s.* e *adj.* presumido, pretensioso; janota; (cal. acad.) bicho-do-mato.
smuggle [smʌgl], *vt.* fazer ou passar contrabando, contrabandear.
to smuggle in — introduzir contrabando.
to smuggle away — fazer desaparecer; escamotear.
smuggler ['-ə], *s.* contrabandista.
smuggling ['-iŋ], *s.* contrabando; fraude; acto de fazer contrabando.
smugly ['smʌgli], *adv.* pretensiosamente, presumidamente; afectadamente; elegantemente.
smugness ['smʌgnis], *s.* presunção; afectação; janotice.
smut [smʌt], **1** — *s.* farrusca; mascarra; fuligem; linguagem obscena; obscenidade(s); mangra.
to talk smut — dizer obscenidades.
2 — *vt.* e *vi.* enfarruscar; tisnar; mascarrar(-se); dar a mangra; manchar(-se).
smuttily ['-ili], *adv.* com farruscas; obscenamente, com linguagem obscena.
smuttiness ['-inis], *s.* mascarra; fuligem; obscenidade; negrura.
smutty ['-i], *adj.* enfarruscado; mascarrado; mangrado; obsceno; indecente, indecoroso.
Smyrna ['smə:nə], *top.* Esmirna.
snack [snæk], pequena refeição, geralmente tomada à pressa; bocado; petisco.
snack-bar — bar onde se tomam pequenas refeições.
to go snacks with someone — ir a meias com alguém; partilhar com alguém.
to have a snack — tomar uma refeição leve; petiscar.
snaffle [snæfl], **1** — *s.* bridão.
2 — *vt.* refrear, conter; (col.) roubar, furtar, apropriar-se de.
snag [snæg], **1** — *s.* protuberância; nó (de madeira); empecilho; arnela; tronco de árvore ou rocha submergido na água que estorva a navegação; obstáculo.
2 — *vt.* bater em rocha ou madeiro submerso; desbravar (terreno).
snagged [-d], *adj.* nodoso; com troncos ou rochas submersos.
snaggy ['-i], *adj.* ver **snagged.**
snail [sneil], **1** — *s.* (zool.) caracol; pessoa vagarosa; mandrião.
to go at a snail's pace — andar vagarosamente.
snail-slow — vagaroso como um caracol.
snail-like — como um caracol; semelhante ao caracol.
snail-shell — casca de caracol.
2 — *vt.* e *vi.* limpar de caracóis; caçar caracóis; andar vagarosamente (como um caracol).
snailery ['-əri], *s.* viveiro de caracóis.

snake [sneik], **1** — *s.* (zool.) cobra, serpente; (fig.) pessoa traiçoeira, víbora.
water-snake — cobra-d'água.
hooded-snake — cobra-capelo.
rattle-snake — cobra-cascavel.
snake-bite — mordedura de cobra.
snake-like — semelhante a serpente.
snake-root — (bot.) colubrina.
snake-weed — (bot.) bistorta.
to see snakes — ter delirium-tremens.
to raise snakes — causar distúrbios; altercar violentamente.
to wake snakes — causar distúrbios; armar desordem.
a snake in the grass — inimigo na sombra; perigo oculto.
2 — *vi.* e *vt.* serpentear, serpear, colear; enrolar.
to snake along — rastejar.
snakemouth ['-mauθ], *s.* (col.) orquídea.
snaky ['-i], *adj.* serpentino; serpeante; coleante; sinuoso; semelhante a cobra ou serpente; traiçoeiro; falso; venenoso; cheio de serpentes.
snap [snæp], **1** — *s.* quebra de um objecto; estalo, estalido; ruído súbito; mola; vigor, energia; dentada; período curto de frio; fecho; gancho; ímpeto; (fot.) instantâneo; censura; (col.) coisa simples de fazer, «trigo limpo»; embutideira.
a cold snap — uma vaga de frio.
snap-fastener — fecho de mola; mola; colchete.
I don't care a snap — não quero saber; não me interessa nada.
2 — *vt.* e *vi.* quebrar; despedaçar; partir; morder; abocanhar; agarrar; bater com estrondo; dar um estalido; descompor, insultar; censurar; (fot.) tirar um instantâneo; interromper alguém; estalar; partir-se, quebrar-se; deitar a mão a; atirar-se a; falar abruptamente; fazer estalar.
to snap at — querer morder; falar exaltadamente; deitar a mão a; aproveitar (ocasião, etc.).
to snap one's fingers at — provocar; rir-se de, desdenhar.
to snap off — soltar-se; abrir-se de repente; soltar.
to snap at an offer — aceitar uma oferta sem hesitação.
to snap one's nose — falar desabridamente.
to snap someone up — interromper alguém bruscamente, cortar a palavra a alguém.
to snap a person — (fot.) tirar um instantâneo a uma pessoa.
to snap a pistol at someone — disparar uma pistola contra alguém.
to snap in two — partir em dois.
to snap on the brake — travar bruscamente.
to snap out at someone — insultar alguém.
3 — *adv.* com um estalido, com um ruído súbito.
snapdragon ['-drægən], *s.* (bot.) erva-bezerra, boca-de-lobo; passatempo infantil de Natal.
snapper ['-ə], *s.* o que morde; pessoa rabugenta; o que tira instantâneos.
snappily ['-ili], *adv.* mordazmente; impertinentemente; de mau humor; asperamente.
snapping ['-iŋ], **1** — *s.* acção de apanhar com os dentes; rebentamento; acção de tirar instantâneos (fot.).
2 — *adj.* rabugento; impertinente; mordaz; mal-humorado.

snappish [ˈ-iʃ], *adj.* mordaz; rabugento; impertinente; arisco; sarcástico; respondão. (*Sin.* peevish, waspish, sour, snarling, surly. *Ant.* affable, friendly.)
snappishly [ˈ-iʃli], *adv.* mordazmente; impertinentemente; sarcasticamente; de mau humor.
snappishness [ˈ-iʃnis], *s.* mau-humor; aspereza; impertinência; carácter azedo; rabugice.
snappy [ˈ-i], *adj.* arisco; irascível; mordaz; áspero; sarcástico (estilo); vigoroso; vivo; nervoso; rápido.
snapshot [ˈ-ʃɔt], **1** — *s.* (fot.) instantâneo.
to take a snapshot — tirar um instantâneo.
2 — *vt.* tirar um instantâneo (fot.).
snapshotter [ˈ-ʃɔtə], *s.* o que tira instantâneos (fot.).
snare [snɛə], **1** — *s.* enredo; engodo, armadilha, cilada; ardil; laço; *pl.* cordas de tambor.
to be caught in the snare — cair no engodo.
to lay a snare for — armar uma cilada a.
to set a snare — armar uma cilada.
2 — *vt.* enredar; apanhar no laço; fazer cair em armadilha.
snarer [ˈ-rə], *s.* o que arma ciladas ou laço; o que põe armadilha.
snarl [snɑːl], **1** — *s.* acção de rosnar; rosnadela, rosnadura; rixa, contenda.
2 — *vt.* e *vi.* rosnar; resmungar; dizer impropérios; falar rispidamente; criticar severamente.
snarler [ˈ-ə], *s.* resmungão, pessoa rabugenta.
snarling [ˈ-iŋ], **1** — *s.* acção de resmungar ou rosnar; mau humor.
2 — *adj.* rabugento, resmungão; mal-humorado; impertinente; que rosna, rosnador.
snarly [ˈ-i], *adj.* resmungão, rabugento; rosnador; raivoso.
snatch [snætʃ], **1** — *s.* acção de agarrar; apanhadura; arrebatamento; esforço para apanhar; fragmento; pequeno intervalo; momento; acesso passageiro; (náut.) castanha; pequena refeição.
by snatches — aos bocados; aos saltos; intermitentemente; nos momentos livres; aos arrancos.
2 — *vt.* e *vi.* agarrar ou apanhar precipitadamente; arrebatar; esforçar-se por deitar a mão a.
to snatch off — arrebatar.
to snatch away — tirar à força; roubar; arrebatar.
to snatch a kiss — roubar um beijo.
to snatch up — apanhar; pegar em.
snatcher [ˈ-ə], *s.* o que agarra ou arrebata; ladrão.
sneak [sniːk], **1** — *s.* homem vil; pessoa falsa; (col. acad.) aluno delator, denunciante; *pl.* alpergatas; sapatos silenciosos.
sneak thief — ladrão furtivo; larápio.
2 — *vt.* e *vi.* introduzir-se furtivamente; andar de rastos, rastejar; portar-se vilmente; esgueirar-se; (col.) furtar; (col. acad.) acusar um colega. (*Sin.* to slink, to lurk, to skulk, to steal.)
to sneak away — escapulir-se; sair à sorrelfa.
to sneak out of responsibility — furtar-se a responsabilidades.
to sneak into — introduzir-se furtivamente.
to sneak into a corner — esconder-se num canto.
to sneak off — sair sorrateiramente.
sneaker [ˈ-ə], *s.* homem ruim; (desp.) bola rasteira (no críquete); *pl.* sapatos silenciosos; alpergatas.
sneaking [ˈ-iŋ], *adj.* vil, baixo, ruim; oculto; furtivo; dissimulado; sorrateiro; servil; secreto.
sneakingly [ˈ-iŋli], *adv.* vilmente; ocultamente, secretamente; furtivamente, sorrateiramente.
sneaky [ˈ-i], *adj.* vil, baixo; oculto, secreto; servil, subserviente.
sneck [snek], *s.* trinco, ferrolho.
sneer [sniə], **1** — *s.* riso trocista, riso escarninho; escárnio, mofa, troça; olhar desdenhoso; sarcasmo. (*Sin.* jeer, scoff, scorn, taunt.)
2 — *vt.* e *vi.* escarnecer, mofar, troçar; rir desdenhosamente; olhar com desprezo; zombar de, escarnecer de.
to sneer at — dirigir sarcasmos a; zombar de.
sneerer [ˈ-rə], *s.* trocista, escarnecedor, zombador; o que dirige sarcasmos a.
sneering [ˈ-riŋ], **1** — *adj.* trocista, escarnecedor, zombeteiro; sarcástico.
2 — *s.* troça, zombaria; sarcasmo.
sneeringly [ˈ-riŋli], *adv.* desdenhosamente; zombeteiramente; com escárnio.
sneeze [sniːz], **1** — *s.* espirro.
2 — *vi.* espirrar; (col.) escarnecer; desdenhar.
sneezer [ˈ-ə], *s.* o que espirra.
sneezing [ˈ-iŋ], *s.* e *adj.* acção de espirrar; espirro; que espirra ou faz espirrar; esternutatório.
sneezing powder — pó esternutatório.
snick [snik], **1** — *s.* incisão, corte; entalhe; (col.) pequeno estalido.
2 — *vt.* cortar; entalhar.
snicker [ˈ-ə], **1** — *s.* riso à socapa; relincho.
2 — *vi.* rir à socapa; relinchar.
snickersnee [ˈsnikəˈsniː], *s.* facalhão.
snide [snaid], **1** — *s.* moeda falsa; jóias falsas, jóias de imitação.
2 — *adj.* (col.) falso; de imitação.
snidesman [ˈ-smən], *s.* passador de moeda falsa.
sniff [snif], **1** — *s.* fungadela, acção de fungar; aspiração pelo nariz.
2 — *vt.* e *vi.* fungar; aspirar pelo nariz; cheirar; suspeitar; farejar.
to sniff up — tomar (medicamento) aspirando.
sniffer [ˈ-ə], *s.* o que funga.
sniffing [ˈ-iŋ], **1** — *s.* acção de fungar ou aspirar pelo nariz, fungadela.
2 — *adj.* que funga.
sniffle [-l], *vi.* fungar, estar com defluxo nasal.
sniffling [ˈ-liŋ], *s.* entupimento do nariz; fungadela.
sniffy [ˈ-i], *adj.* (col.) desdenhoso.
snifting-valve [ˈsniftiŋ-vælv], *s.* válvula de escape de ar em cilindros de motores a vapor.
snigger [ˈsnigə], **1** — *s.* riso abafado; riso à socapa.
2 — *vi.* rir(-se) à socapa.
sniggerer [-rə], *s.* o que se ri à socapa.
sniggering [-riŋ], *s.* acção de rir-se à socapa.
sniggle [snigl], *vt.* e *vi.* pescar enguias à toca; engodar; apanhar.
snip [snip], **1** — *s.* retalho; bocado; tesourada; (col.) alfaiate; (col.) negócio vantajoso; certeza.
snip-snap — diálogo picante; resposta pronta.
2 — *vt.* e *vi.* dar tesouradas, cortar com tesoura.
to snip off — cortar ou tirar com uma tesourada.
to snip up — retalhar; cortar em pedaços.
snipe [snaip], **1** — *s.* (zool.) narceja; (col.) ponta de cigarro ou charuto, «beata»; (col.) garoto, fedelho.
2 — *vt.* e *vi.* caçar narcejas; atirar escondido, geralmente à noite.
sniper [ˈ-ə], *s.* caçador de narcejas; atirador emboscado; (mil.) vigia.
sniping [ˈ-iŋ], *s.* caça à narceja.
snipper [ˈsnipə], *s.* o que corta com tesoura; (col.) alfaiate; *pl.* tesoura(s).
snipper-snapper — pessoa insignificante; fedelho.

snippet ['snipit], *s.* recorte, retalho; pequena porção; fragmento.
snippety [-i], *adj.* insignificante; muito pequeno; fragmentário.
snipping ['snipiŋ], *s.* acção de cortar com tesoura; *pl.* retalhos.
snippy ['snipi], *adj.* breve; fragmentário; (col.) arrogante, presunçoso; rude.
snip-snap [snip-snæp] *s.* diálogo picante; resposta pronta.
snipy ['snaipi], *adj.* semelhante à narceja; abundante em narcejas.
snitch [snitʃ], **1** — *s.* delator, denunciante. **2** — *vi.* denunciar; roubar.
snivel [snivl], **1** — *s.* ranho, monco; sentimentos ou lágrimas hipócritas; lamúria; linguagem afectada.
2 — *vi.* fungar; ter pingo ou ranho no nariz; choramingar, lamuriar; falar afectadamente.
sniveller ['-ə], *s.* ranhoso; choramingas, chorão; hipócrita.
snivelling ['-iŋ], **1** — *s.* acção de fungar, fungadela; acção de deitar monco ou ranho; choraminguice, lamúria.
2 — *adj.* choroso; ranhoso; hipócrita; afectado.
snivelly ['-i], *adj.* choroso; ranhoso; hipócrita; afectado.
snob [snɔb], *s.* snobe, pedante, pretensioso; impostor.
snobbery ['-əri], *s.* snobismo; pretensiosismo, pedantismo.
snobbish ['-iʃ], *adj.* snobe, pretensioso, enfatuado, pedante.
snobbishly ['-iʃli], *adv.* pretensiosamente, pedantemente, enfatuadamente.
snobbishness ['-iʃnis], *s.* snobismo; pretensiosismo, pedantismo.
snobbism ['-izm], *s.* snobismo; pretensiosismo, pedantismo.
snood [snu(:)d], *s.* rede ou fita para segurar o cabelo; linha subsidiária (na pesca).
snook [snu:k], *s.* espécie de peixe semelhante à perca; enguia-do-mar; (col.) careta.
snooker ['-ə], *s.* variedade de jogo de bilhar, (bras.) «sinuca».
snooze [snu:z], **1** — *s.* soneca; sesta.
2 — *vt.* e *vi.* dormitar; dormir a sesta; passar pelas brasas.
to snooze away — passar o tempo sem trabalhar; preguiçar.
snore [snɔ:], **1** — *s.* acção de ressonar, ressono; ronco; ruído feito por quem ressona.
2 — *vi.* ressonar; roncar.
snorer ['-rə], *s.* o que ressona ou ronca.
snoring ['-riŋ], **1** — ressono; ronco.
2 — *adj.* ressonador; roncador; rugidor (o vento).
snort [snɔ:t], **1** — *s.* ronco; bufo; resfôlego, resfolgo; ruído (de máquina).
2 — *vt.* e *vi.* resfolgar; bufar; roncar; resmungar.
to snort at — desdenhar de.
to snort with rage — bufar de raiva.
snorter ['-ə], *s.* o que bufa ou resfolga; (col.) soco no nariz; rajada de vento.
snorting ['-iŋ], **1** — *s.* acção de bufar ou resfolgar.
2 — *adj.* que bufa ou resfolga; violento.
snot [snɔt], *s.* (col.) ranho, monco; fedelho; indivíduo insignificante.
snotty ['-i], *adj.* ranhoso; mal-humorado; rabugento.
snout [snaut], *s.* focinho; tromba; bico, ponta; cano de fole; (náut.) queixos de navio; (col.) nariz, penca, bicanca.
snouted ['-id], *adj.* focinhudo; narigudo.
snouty ['-i], *adj.* semelhante a focinho ou tromba; prógnato.
snow [snou], **1** — *s.* neve; nevão; nevada; (fig.) estupefaciente (cocaína ou heroína); (poét.) cãs.
snow-capped — coberto de neve.
snow-flake — floco de neve.
snow-drift — neve acumulada pelo vento.
snow-storm — tempestade de neve, nevada.
snow-slip — alude de neve.
snow-plough — espécie de limpa-calhas para remover a neve das vias-férreas.
snow-fall — nevada.
snow-blind — deslumbrado pela neve.
snow-blindness — cegueira causada pela neve.
snow-bound — bloqueado pela neve.
snow-goggles — óculos próprios para a neve.
snow man — boneco feito de neve.
snow-white — branco de neve; branco como a neve.
the snows of seventy years — as cãs dos setenta anos.
there has been a fall of snow — tem caído neve; caiu uma nevada.
2 — *vt.* e *vi.* cobrir de neve; nevar; encanecer; (fig.) chover.
it snows — neva; cai neve.
to snow in — aparecer em grande quantidade; chover.
snowball ['-bɔ:l], **1** — *s.* bola de neve; espécie de pudim de maçã.
2 — *vt.* e *vi.* atirar bolas de neve.
snowbird ['-bə:d], *s.* (zool.) tentilhão branco.
snowdrop ['-drɔp], *s.* (bot.) campainha branca.
snowed [-d], *adj.* cheio, carregado.
to be snowed up — estar repleto de.
to be snowed under — estar sobrecarregado de.
snowfall ['-fɔ:l], *s.* queda de neve, nevada, nevão.
snowflake ['-fleik], *s.* floco de neve.
snowily ['-ili], *adv.* nevosamente; imaculadamente.
snowiness ['-inis], *s.* estado nevoso; brancura, alvura (de neve).
snowing ['-iŋ], *s.* queda de neve, nevada, nevão.
snowstorm ['-stɔ:m], *s.* tempestade de neve.
snowy ['-i], *adj.* nevoso, níveo; de neve; branco de neve; imaculado.
the snowy season — a época da neve.
snub [snʌb], **1** — *s.* repreensão, reprimenda; injúria; desprezo, repulsa; mau acolhimento; desaire; falta de atenção para com alguém; (náut.) esticão (em amarra ou cabo).
2 — *adj.* chato e largo (nariz); arrebitado.
3 — *vt.* repreender; injuriar; acolher mal; desprezar intencionalmente; repelir; tratar rudemente; humilhar; (náut.) dar um esticão (em cabo ou amarra).
snuff [snʌf], **1** — *s.* fungadela, acção de fungar; aspiração pelo nariz; rapé; cheiro; coto de vela; morrão; pitada (de rapé); (col.) irritação.
up to a snuff — (col.) finório, matreiro.
snuff-box — caixa de rapé.
snuff-coloured — cor de tabaco.
a pinch of snuff — uma pitada de rapé.
2 — *vt.* e *vi.* fungar; aspirar pelo nariz; cheirar; sorver; cheirar rapé; espevitar; suspeitar de; farejar; pressentir; cortar o morrão (de vela, etc.); extinguir.
to snuff out — apagar, extinguir; sufocar, abafar.
snuffer ['-ə], *s.* pessoa que cheira rapé; *pl.* espevitador.

snuffle [-l], **1** — *s.* fungadela, acção de fungar; som fanhoso; tom de voz fanhoso; *pl.* coriza, catarro nasal.
2 — *vt.* e *vi.* falar em tom fanhoso, falar pelo nariz; ter o nariz tapado.
to snuffle at — farejar.

snuffler ['-lə], *s.* pessoa fanhosa; (col.) hipócrita; beato.

snuffy ['snʌfi], *adj.* que cheira a rapé; sujo de rapé; (col.) rabugento.

snug [snʌg], **1** — *adj.* agasalhado, protegido, resguardado; aconchegado; cómodo, confortável; apertado; compacto; ordenado, em boa ordem, arrumado; bastante bom, razoável. (*Sin.* cosy, sheltered, comfortable, enclosed.)
a snug income — um rendimento razoável.
a snug room — um quarto aconchegado (confortável).
a snug climate — um clima ameno.
to lie snug — estar sossegado; estar aconchegado.
2 — *vt.* instalar confortavelmente; agasalhar, resguardar, aconchegar; arrumar, ordenar.

snuggery ['-əri], *s.* quarto pequeno e aconchegado.

snuggle [-l], *vt.* e *vi.* aninhar-se; aconchegar-se; aconchegar; resguardar, proteger; enroscar-se; instalar-se confortavelmente.

snugly ['-i], *adv.* comodamente, confortavelmente; aconchegadamente.

snugness ['-nis], *s.* aconchego, conforto, comodidade, bem-estar.

so [sou], *adv.* e *conj.* assim, deste modo, desse modo, portanto; tão; tanto; também; da mesma forma, do mesmo modo; no caso de, contanto que; porque; para que.
so and so — fulano de tal.
so much — tanto.
so many — tantos.
so much as — tanto como; sequer; ao menos.
so that — de maneira que; de modo que; para que; a fim de que; contanto que.
so as to — de modo a; a ponto de.
so... as — tão... como.
and so on — e assim por diante; etc.
and so forth — e assim por diante; etc.
if so — sendo assim; se assim for.
quite so — tal qual; exactamente; exacto; isso mesmo.
why so? — porquê assim?
to to say — por assim dizer.
so to speak — por assim dizer.
how so? — como assim?, como é isso?
or so — mais ou menos; aproximadamente.
I hope so — assim o espero; espero que sim; oxalá que sim.
I think so — acho que sim; creio que sim; concordo.
I suppose so — suponho que sim.
so that — tanto assim que; de tal modo que.
you don't say so! — não me digas!; será possível?!
don't you think so? — não acha(s)?; não concorda(s); não lhe (te) parece?
I told him so — eu já lho disse.
a little bird told me so — adivinhei.
so-called — assim chamado; suposto.
so long! — adeus!
so far — até aqui; até agora, até ver; a um tal ponto; tão longe.
then, be it so — pois que assim seja.
so that's that — tenho dito.
so it is — assim é.
is that so? — ai sim?; isso é verdade?
just so — exactamente; perfeitamente; tal qual.
is it so or not? — é assim ou não?
so kind of you! — que amável (da sua parte)!
so help me God! — assim Deus me ajude!
so far so good — até ver, muito bem.
you can speak English and so can I — tu sabes falar inglês e eu também.
so am I (so do I, etc.) — também eu.
so, and so only — assim e só assim.
so it seems — assim parece.
would you be so kind as to... — quer ter a bondade de...

soak [souk], **1** — *s.* acção de embeber; bebedeira, orgia; patuscada; bêbedo, borracho, borrachão.
in soak — de molho.
2 — *vt.* e *vi.* embeber; empapar, ensopar; impregnar (de líquido); infiltrar; pôr de molho; beber de mais, embebedar-se; (col.) esmurrar; socar; (col.) vigarizar, defraudar; explorar. (*Sin.* to wet, to imbue, to drench.)
to soak in — infiltrar-se; penetrar.
to soak up — absorver.
to soak through — penetrar, infiltrar-se.

soakage ['-idʒ], *s.* infiltração; acção de embeber ou ensopar; absorção; imbibição.

soakaway ['-əwei], *s.* fossa, sarjeta, escoadouro.

soaked [-t], *adj.* embebido, ensopado, empapado, encharcado.
to be soaked through — estar completamente encharcado; estar molhado até aos ossos.
to be soaked to the skin — estar molhado até aos ossos.

soaking ['-iŋ], **1** — *s.* acção de embeber; imbibição; infiltração; absorção.
2 — *adj.* que encharca, que molha completamente.
soaking wet — encharcado.

so-and-so ['souənsou], *s.* Fulano, Fulano de tal; isto e aquilo.
Mr. So-and-So — o Sr. Fulano de tal.

soap [soup], **1** — *s.* sabão; sabonete.
soft soap — sabão mole; sabão negro; (col.) lisonja, adulação, (col.) «manteiga», «graxa».
a cake of soap — um sabonete.
toilette soap — sabonete.
soap-suds — água de sabão; espuma de sabão.
soap-bubble — bola de sabão.
to blow soap-bubbles — fazer bolas de sabão.
soap-dish — saboneteira.
soap-works — saboaria; fábrica de sabão.
soap-maker — fabricante de sabão.
soap-box — caixa de sabão.
soap-box orator — orador de praça pública; orador de feira.
soap-powder — pó de sabão.
soap-holder — saboneteira.
shaving-soap — sabão de barbear.
2 — *vt.* ensaboar; (col.) lisonjear, adular, "engraxar".

soapberry ['-beri], *s.* (bot.) saboeira, saponária.

soapily ['-ili], *adv.* untuosamente; lisonjeiramente.

soapiness ['-inis], *s.* untuosidade; lisonja, adulação; qualidade de saponáceo.

soaping ['-iŋ], *s.* ensaboadela, acção de ensaboar.

soapstone ['-stoun], *s.* (min.) greda; talco.

soapwort ['-wəːt], *s.* (bot.) sabonária.

soapy ['-i], *adj.* ensaboado, cheio de sabão; saponáceo; brando, mole; (col.) adulador, bajulador.

soar [sɔː, sɔə], *vi.* voar muito alto; pairar nos ares; elevar-se nos ares; alcandorar-se;

planar. (*Sin.* to mount, to rise, to ascend, to tower. *Ant.* to sink, to fall.)

soaring ['-riŋ], **1** — *s.* voo a grande altura; acção de se elevar nos ares; voo planado; subida (de preços); rasgo de imaginação.
2 — *adj.* que se eleva nos ares; altaneiro.

sob [sɔb], **1** — *s.* soluço; suspiro; choro.
sob-stuff — literatura piegas.
sob-story — história piegas, de sentimentalismo barato.
to stifle a sob — abafar um soluço.
2 — *vt.* e *vi.* soluçar; suspirar; chorar.
to sob out — dizer soluçando.

sobbing ['-iŋ], *s.* e *adj.* acção de soluçar; cheio de soluços; soluçante.

sobbingly ['-iŋli], *adv.* de maneira soluçante, soluçando.

sober ['soubə], **1** — *adj.* sóbrio, moderado; sisudo; sensato; prudente; modesto; sério; calmo; firme; sombrio, de cor apagada; em perfeito juízo, que não está embriagado.
sober-minded — sereno; desapaixonado.
sober-mindedness — serenidade; ponderação.
in sober earnest — com serenidade; formalmente; deveras.
in sober fact — na realidade.
a sober estimate — um cálculo ponderado.
to get sober — tornar-se sóbrio.
sober judgement — juízo são; juízo prudente.
as sober as a judge — moderado, sensato como um juiz.
sober life — vida sóbria.
2 — *vt.* e *vi.* sossegar; moderar; tornar-se sóbrio; curar a embriaguez; atenuar.
to sober down — sossegar; acalmar(-se); deixar de estar bêbedo; curar a bebedeira.

soberly [-li], *adv.* sobriamente; moderadamente; sensatamente.

soberness [-nis], *s.* sobriedade; moderação; temperança; serenidade; calma, sangue-frio; seriedade; sensatez; ponderação.

sobersides [soubə'saidz], *s.* pessoa grave, ponderada.

sobriety [sou'braiəti], *s.* sobriedade; moderação.

so-called ['sou'kɔ:ld], *adj.* assim chamado.

soccer ['sɔkə], *s.* (col.) futebol.

sociability [souʃə'biliti], *s.* sociabilidade.

sociable ['souʃəbl], **1** — *adj.* sociável; comunicativo; gregário; afável; dado. (*Sin.* communicative, friendly, companionable, affable. *Ant.* close, reserved, unfriendly.)
2 — *s.* carruagem de quatro rodas, com dois assentos um em frente do outro; triciclo com dois assentos ao lado um do outro; espécie de sofá em forma de S.

sociableness [-nis], *s.* sociabilidade.

sociably [-i], *adv.* sociavelmente; afavelmente; de modo comunicativo.

social ['souʃəl], **1** — *s.* reunião íntima, reunião de pessoas amigas.
2 — *adj.* social; sociável; afável; gregário; comunicativo; dado.
social evening — serão recreativo.
social intercourse — convívio social.
social duties — deveres sociais.
social position — posição social.
social advancement — subida de categoria social.
social events — factos sociais; vida mundana, acontecimentos da sociedade.
social security — segurança social.
social club — clube recreativo.

socialism [-izm], *s.* socialismo.

socialist [-ist], *s.* e *adj.* socialista.
the socialist Party — o partido socialista.

socialistic [souʃə'listik], *adj.* socialista.

sociality [souʃi'æliti], *s.* sociabilidade; gregarismo; *pl.* deveres sociais.

socialization [souʃəlai'zeiʃən], *s.* socialização.

socialize ['souʃəlaiz], *vt.* socializar.

socially ['souʃəli], *adv.* socialmente.

society [sə'saiəti], *s.* sociedade; associação; comunidade; grémio; companhia; a alta sociedade, a alta-roda; convívio.
high society — (a) alta sociedade, (a) alta-roda.
literary society — sociedade literária.
society people — (as) pessoas da alta sociedade, (a) alta-roda.
society news — notícias da sociedade; diário mundano.
to go into society — frequentar a sociedade.
society lady — senhora da (alta) sociedade.
Society for the Prevention of Cruelty to Animals — Sociedade Protectora dos Animais.
Society of Jesus — Companhia de Jesus.
Friendly Society — Associação de Socorros Mútuos.

sociological [sousjə'lɔdʒikəl], *adj.* sociológico.

sociologically [sousjə'lɔdʒikəli], *adv.* sociologicamente.

sociologist [sousi'ɔlədʒist], *s.* sociólogo.

sociology [sousi'ɔlədʒi], *s.* sociologia.

sock [sɔk], **1** — *s.* peúga; meia de homem; soco, calçado antigo usado pelos actores cómicos; escarpim; (fam.) doces, pastéis, bombons, bolos; (col.) murro, soco.
to darn socks — passajar meias.
to pull up one's socks (col.) — fazer diligência, fazer esforço.
sock and buskin — (teat.) soco e coturno.
2 — *vt.* e *vi.* (col.) bater, socar, esmurrar; agredir; atirar (pedra, bola, etc.)

socker ['sɔkə] *s.* (col.) futebol.

socket ['sɔkit], *s.* encaixe; bocal; arandela (de castiçal); pedestal; saco, sapata; suporte; casquilho; pé, base, pedestal; cavidade; (náut.) mancal.
socket of the eye — órbita do olho.
socket of a tooth — alvéolo de um dente.
lamp socket — bocal de lâmpada.

socle [sɔkl], *s.* (arq.) peanha, soco, sapata, base.

Socrates ['sɔkrəti:z], *n. p.* Sócrates.

Socratic [sou'krætik], *adj.* e *s.* socrático; relativo a Sócrates.

socratically [-əli], *adv.* socraticamente, à maneira de Sócrates.

sod [sɔd], **1** — *s.* torrão; céspede; relvado; turfa; (col.) sodomita.
under the sod — (col.) debaixo dos torrões; na sepultura.
sod-cutter — cortador de relva.
2 — *vt.* cobrir de relva, arrelvar.

soda ['soudə], *s.* soda; bicarbonato de sódio; soda cáustica; água carbonatada; bebida com soda.
soda water — soda; água de Seltz.
soda ash — carbonato de sódio.
caustic soda — soda cáustica.
baking soda — bicarbonato (de soda).
cooking soda — bicarbonato (de soda).
common soda = *washing soda* — soda do comércio; carbonato de soda.

sodality [sou'dæliti], *s.* confraria, irmandade, congregação religiosa.

sodden [sɔdn], **1** — *adj.* encharcado, ensopado, molhado, empapado; mal cozinhado; (fig.) estupidificado; alcoolizado.
2 — *vt.* e *vi.* encharcar, ensopar; encharcar-se; embrutecer pelo álcool.

soddeness ['-is], *s.* estado do que se encontra encharcado ou embebido.

sodic ['soudik], *adj.* sódico.
sodium ['soudjəm], *s.* sódio (metal).
sodium bicarbonate — bicarbonato de sódio.
Sodom ['sɔdəm], *top.* Sodoma.
sodomite [-ait], *adj.* sodomita.
sodomy [-i], *s.* sodomia.
soever [sou'evə], *adv.* e *suf.* por mais que; muito embora; seja quem for; seja o que for.
sofa ['soufə], *s.* sofá; canapé.
sofa-bed — sofá-cama.
Sofala [sou'fɑ:lə], *top.* Sofala.
soffit ['sɔfit], *s.* sofito.
Sofia ['soufjə], *top.* Sófia.
soft [sɔ(:)ft], **1** — *adj.* brando; suave; macio; tenro; mole; manso; fraco; débil; efeminado; fofo; ameno; agradável; simples, fácil; simplório; (gram.) sonoro, brando; sibilante. (*Sin.* gentle, mild, quiet, kind, pliable, yielding. *Ant.* hard, harsh, rough, loud.)
soft job — emprego pouco trabalhoso e bem remunerado.
soft-hearted — bondoso; sensível.
soft bread — pão mole.
soft skin — pele macia; pele aveludada.
soft words — palavras doces; palavras mansas.
soft goods — tecidos; artigos têxteis.
a soft winter — um Inverno ameno.
soft bed — cama fofa.
soft sounds — sons suaves; sons brandos.
soft-witted — idiota; imbecil; pateta.
soft-headed — pateta; imbecil.
soft iron — ferro maleável.
soft solder — solda de estanho.
soft soap — sabão mole.
soft hair — cabelo macio.
soft ground — terreno mole.
soft hat — chapéu mole.
soft diamond — diamante lapidado.
soft drink — bebida fraca, não alcoólica.
soft money — papel-moeda.
soft pencil — lápis mole.
soft-spoken — brando (no falar); de falinhas mansas.
the soft sex — o sexo fraco.
soft and fair goes far — devagar se vai ao longe.
2 — *s.* pateta, indivíduo simplório, imbecil.
3 — *adv.* devagar; suavemente; calmamente; brandamente.
4 — *interj.* (arc.) chiu!, caluda!
soften [sɔ(:)fn], *vt.* e *vi.* abrandar; suavizar; acalmar, tranquilizar; amolecer; enternecer; efeminar; enternecer-se, comover-se; amaciar; mitigar; depurar (água, etc.).
softening ['-iŋ], *s.* e *adj.* brandura; enternecimento; suavidade; abrandamento; amolecimento; que atenua, que suaviza, que acalma; emoliente.
softening of the brain — amolecimento cerebral.
softly ['sɔ(:)ftli], *adv.* suavemente, brandamente; ternamente; devagarinho; baixinho, em voz baixa; calmamente; mansamente; afavelmente.
to speak softly — falar baixinho.
softness ['sɔ(:)ftnis], *s.* brandura; suavidade; ternura; afabilidade; complacência; amenidade; efeminação; moleza; palermice, estupidez.
soft-sawder ['sɔft-'sɔ:də], **1** — *s.* adulação, bajulação, lisonja, (col.) "manteiga", "graxa".
2 — *vt.* adular, bajular, lisonjear, (col.) "engraxar".
softy ['sɔfti], *s.* pateta, tolo; simplório; (col.) homem efeminado.
sogginess ['sɔginis], *s.* estado do que se encontra encharcado ou ensopado.
soggy ['sɔgi], *adj.* encharcado, ensopado, empapado; húmido; mal cozido (pão).
soh [sou], *s.* (mús.) sol.
soil [sɔil], **1** — *s.* solo, terra, chão; gleba; terreno, solo arável; região; país; nódoa; mancha; sujidade; estrume; pântano; lamaçal.
soil-pipe — cano de despejos.
soil-tank — fossa.
native soil — terra natal; mãe-pátria.
sandy soil — terreno arenoso.
loose soil — terra solta.
2 — *vt.* e *vi.* sujar, emporcalhar; enodoar; manchar; sujar-se; estrumar; macular; aviltar; desonrar; dar pasto ao gado.
to soil one's hands — sujar as mãos; actuar desonestamente.
soilage ['-idʒ], *s.* pasto, forragem verde (para gado).
soiled [-d], *adj.* sujo; manchado; maculado; desonrado; relativo a terreno.
soiling ['-iŋ], **1** — *s.* acção de dar forragem verde ao gado.
2 — *adj.* que suja, que mancha, que põe nódoas.
soirée ['swɑ:rei], *s.* serão, sarau.
sojourn ['sɔdʒə:n, 'sʌdʒə:n], **1** — *s.* residência temporária; permanência temporária.
2 — *vi.* residir ou permanecer temporariamente.
sojourner [-ə], *s.* o que reside ou permanece temporariamente; hóspede de passagem, passante.
sol [sɔl], *s.* (mús.) sol; (quím.) solução coloidal.
solace ['sɔləs, 'sɔlis], **1** — *s.* consolação, lenitivo, alívio, consolo; conforto.
2 — *vt.* consolar, aliviar, confortar.
to solace oneself with — consolar-se com (em), encontrar conforto em.
solacement [-mənt], *s.* consolação, consolo, lenitivo, refrigério.
solar ['soulə], *adj.* solar.
solar system — sistema solar.
solar time — tempo solar; hora solar.
solar heat — calor solar.
solar plexus — plexo solar (anat.).
solarium [sou'lɛəriəm], *s.* solário.
solatium [sou'leiʃjəm], *s.* (jur.) compensação, consolação, indemnização.
sold [sould], *pret.* e *pp.* do verbo **to sell.**
sold out — esgotado.
solder ['sɔldə, 'sɔ:də], **1** — *s.* solda.
2 — *vt.* soldar.
solderer [-rə], *s.* soldador, o que solda.
soldering [-riŋ], *s.* soldadura, soldagem.
soldering-lamp — maçarico de soldar.
soldering-iron — ferro de soldar.
soldering ladle — colher de soldar.
soldering-spirit — ácido muriático.
soldering-wire — fio de solda.
soldering with the blow-pipe — soldagem com maçarico.
solderless [-lis], *adj.* sem solda.
soldier ['souldʒə], **1** — *s.* soldado; militar; soldado raso; (col.) arenque defumado.
the Unknown Soldier — o Soldado Desconhecido.
soldier's wind — vento de feição (náut.).
to come the old soldier over — armar em mandão.
to be every inch a soldier — ser (estar) um soldado completo.
tin soldiers — soldados de chumbo.
foot soldier — soldado de infantaria.
private soldier — soldado raso.
horse soldier — soldado de cavalaria.
to enlist for a soldier — assentar praça.

to play at soldiers — brincar aos soldados.
common soldier — soldado raso.
an old soldier — um veterano; (col.) raposa velha.
red soldier — mal rubro (dos suínos).
2 — *vi.* ser soldado, servir como soldado; (náut.) mandriar, fingir que trabalha.
soldiering [-riŋ], *s.* vida de soldado, vida militar.
soldierly [-li], *adj.* próprio de soldado; valente, corajoso.
soldiery [-ri], *s.* soldadesca, tropa; força militar; arte ou ciência militar.
sole [soul], **1** — *s.* planta do pé; sola (de sapato, etc.); base; espécie de solha (peixe) ou linguado.
sole-plate — fixe de máquina.
double sole — sola dupla.
the soles are worn through — as solas estão gastas.
2 — *adj.* só; único; exclusivo; sozinho; solitário.
my sole relief — o meu único alívio.
sole agent — agente exclusivo.
on my own sole responsibility — à minha inteira responsabilidade.
sole legatee — (jur.) herdeiro universal.
3 — *vt.* solar, deitar solas.
to sole and heel — pôr solas e tacões.
solecism ['sɔlisizm], *s.* solecismo; incorrecção; erro.
solely ['soulli], *adv.* unicamente, exclusivamente, somente.
solemn ['sɔləm], *adj.* solene; majestoso; pomposo; importante, grave; cerimonioso. (*Sin.* pompous, formal, serious, grave.)
a solemn occasion — uma ocasião solene.
a solemn promise — uma promessa solene.
to put on a solemn face — assumir ares de gravidade ou importância.
a solemn question — um problema importante ou sério.
solemness [-nis], *s.* solenidade; gravidade; ar grave, ar sério.
solemnity [sə'lemniti], *s.* solenidade, pompa, majestade; festividade; celebração; cerimónia; gravidade; rito solene; comemoração.
with all solemnity — com toda a solenidade.
solemnization [sɔləmnai'zeiʃən], *s.* solenidade; cerimónia; rito solene, celebração, comemoração.
solemnize ['sɔləmnaiz], *vt.* solenizar; celebrar, comemorar.
solemnly ['sɔləmli], *adv.* solenemente, pomposamente, majestosamente.
sol-fa [sɔl'fɑ:], **1** — *s.* (mús.) solfejo.
2 — *vt.* (mús.) solfejar.
solfeggio [sɔl'fedʒiou], *s.* (mús.) solfejo.
solicit [sə'lisit], *vt.* e *vi.* solicitar; pedir; rogar; instar; importunar; instigar, induzir; aliciar; provocar.
solicitant [-ənt], *s.* e *adj.* solicitante.
solicitation [səlisi'teiʃən], *s.* solicitação; pedido; convite; instigação; provocação.
solicitor [sə'lisitə], *s.* solicitador; procurador (jur.).
Solicitor-General — ajudante do Procurador--Geral do Estado.
solicitous [sə'lisitəs], *adj.* ansioso, desejoso; inquieto; solícito; cuidadoso. (*Sin.* anxious, concerned, worried, troubled, uneasy.)
solicitous to obtain — desejoso de obter.
to be solicitous of — ansiar por.
solicitously [-li], *adv.* solicitamente; ansiosamente.
solicitousness [-nis], *s.* solicitude; ansiedade; preocupação.
solicitude [sə'lisitju:d], *s.* solicitude; ansiedade; preocupação.
solid ['sɔlid], **1** — *s.* sólido, corpo sólido; *pl.* sólidos (alimentos).
2 — *adj.* sólido; consistente; duro; compacto; maciço; cheio; inteiriço; firme; rijo; sério, grave; denso; estável; resistente; forte; inteligente; prudente, sensato; de cor fixa; de cor única.
solid gold — ouro maciço.
solid colour — cor fixa.
a solid house — uma casa sólida, bem construída.
to have solid grounds for... — ter bases sólidas (razões fortes) para...
solid arguments — argumentos de peso.
solid food — alimentos sólidos.
solid line — traço cheio.
solid measure — medida de volume.
3 — *adv.* unanimemente; em massa.
solidarism [-ərizm], *s.* solidarismo.
solidarity [sɔli'dæriti], *s.* solidariedade.
solidary ['sɔlidəri], *adj.* solidário.
solidifiable [sə'lidifaiəbl], *adj.* solidificável.
solidification [səlidifi'keiʃən], *s.* solidificação.
solidify [sə'lidifai], *vt.* e *vi.* solidificar; congelar; solidificar-se.
solidity [sə'liditi], *s.* solidez; firmeza; consistência; prudência; sensatez; inteligência.
solidly ['sɔlidli], *adv.* solidamente; firmemente; sensatamente; em massa, unanimemente.
solidness ['sɔlidnis], *s.* solidez; firmeza; consistência; unanimidade.
solidus ['sɔlidəs], *s.* soldo (antiga moeda romana).
soliloquist [sə'liləkwist], *s.* soliloquista.
soliloquize [sə'liləkwaiz], *vi.* monologar; falar consigo mesmo.
soliloquizer [-ə], *s.* soliloquista.
soliloquy [sə'liləkwi], *s.* solilóquio; monólogo.
soliped ['sɔliped], *s.* e *adj.* (zool.) solípede.
solipede ['sɔlipi:d], *s.* e *adj.* (zool.) solípede.
solitaire [sɔli'tɛə], *s.* solitário, anel ou brinco, com uma só pedra; jogo de cartas para uma só pessoa, paciência; (zool.) solitário.
solitarily ['sɔlitərili], *adv.* solitariamente.
solitariness ['sɔlitərinis], *s.* solidão; isolamento; retiro; soledade.
solitary ['sɔlitəri], *s.* e *adj.* solitário; ermitão, anacoreta; retirado; sozinho; ermo; isolado.
solitude ['sɔlitju:d], *s.* solidão; vida solitária; ermo; isolamento. (*Sin.* loneliness, seclusion, privacy. *Ant.* company.)
solo ['soulou], *s.* solo (música e jogo de cartas).
violin solo — solo de violino.
to play solo — tocar a solo.
soloist [-ist], *s.* solista (cantor ou músico).
Soloman ['sɔləmən], *n. p.* Salomão.
Solomon Islands — ilhas Salomão.
Solomonic ['sɔləmɔnik], *adj.* salomónico.
Solon ['soulɔn], *n. p.* Sólon.
so-long ['sou'lɔŋ], *interj.* adeus.
solstice ['sɔlstis], *s.* solstício.
Summer solstice — solstício de Verão.
Winter solstice — solstício de Inverno.
solstitial [sɔl'stiʃəl], *adj.* solsticial.
solubility [sɔlju'biliti], *s.* solubilidade; solução, resolução.
soluble ['sɔljubl], *adj.* solúvel; resolúvel, solucionável.
soluble in water — solúvel na água.
solubleness [-nis], *s.* solubilidade.
solus ['souləs], *adj.* só (teat.).
solute [sɔ'lju:t], *s.* e *adj.* soluto; dissolvido; em dissolução.

solution [sə'lu:ʃən], *s.* solução; dissolução; resolução; explicação; separação; abolição.
chemical solution — solução química.
standard solution — solução normal.
solutive [sə'lju:tiv], *adj.* laxativo.
solvability [sɔlvə'biliti], *s.* solvabilidade, solvência; solubilidade; resolubilidade.
solvable ['sɔlvəbl], *adj.* solúvel; dissolúvel; explicável; solvente; pagável.
solve [sɔlv], *vt.* solver; resolver; dissolver; explicar; solucionar.
solvency ['-ənsi], *s.* solvência, solvabilidade.
solvent ['-ənt], *s.* e *adj.* solvente, que pode pagar (dívidas); dissolvente; dissolutivo.
solver ['-ə], *s.* solucionador.
solving ['-iŋ], *s.* solução; resolução; explicação; dissolução.
Solyman ['sɔlimən], *n. p.* Solimão.
Somali [sou'mɑ:li], *s.* somáli, natural da Somália.
Somaliland [-lænd], *top.* Somália.
somatic [sou'mætik], *adj.* somático.
somatical [-əl], *adj.* somático.
sombre ['sɔmbə], *adj.* sombrio; escuro; triste, melancólico.
sombrely [-li], *adv.* sombriamente; tristemente, melancolicamente.
sombreness [-nis], *s.* escuridão; tristeza, melancolia.
sombrero [sɔm'brɛərou], *s.* chapéu de abas largas.
some [sʌm, səm], **1** — *adj.* algum, alguma, alguns, algumas; qualquer; um pouco de; uma parte de; uma porção de; bastante; certo; uns, umas; (col.) formidável, extraordinário.
for some time — por algum tempo; durante algum tempo; durante um certo tempo.
eat some bread! — coma (um pouco de) pão!
will you have some tea? — quer tomar chá?
some friends — alguns amigos; uns amigos.
some wine — um pouco de vinho.
some days ago — há alguns dias; há uns dias.
some difficulty — certa dificuldade; alguma dificuldade.
some ten miles off — desviado umas dez milhas.
some people say — algumas pessoas dizem.
some people can never get what they want — certas pessoas nunca conseguem o que desejam.
some time or other — um dia ou outro.
we shall have some rain — vamos ter chuva.
some time later — algum tempo depois; passado algum tempo.
we had some lunch! — tivemos um almoço magnífico!; **almoçámos muitíssimo bem!**
some friends of mine — uns (alguns) amigos meus.
he must live in some place — ele há-de viver em algum (qualquer) lugar.
I'll be back some day — hei-de voltar um (qualquer) dia.
2 — *pron.* alguns; algumas pessoas; um pouco; algo; uns; certos (indivíduos).
some of his friends — alguns dos seus amigos.
some say so, others say no — uns dizem que sim, outros dizem que não.
some of you — alguns de vós.
I have some — tenho alguns.
3 — *adv.* um tanto; um pouco; bastante.
somebody ['-bədi, '-bɔdi], **1** — *s.* **pessoa de** importância, personagem, personalidade; alguém.
he thinks he is somebody — ele julga-se alguém, uma pessoa importante.
2 — *pron.* alguém; qualquer pessoa.
somebody else — mais alguém; outra pessoa; qualquer outra pessoa.
somebody or other has been here — alguém esteve aqui, fosse quem fosse.
somehow ['-hau], *adv.* de qualquer modo, de qualquer maneira; de alguma forma; seja como for.
somehow or other — de uma forma ou de outra.
I must get it finished somehow — tenho de o acabar seja como for.
I'll arrange somehow — hei-de arranjar de qualquer forma.
someone ['-wʌn], *pron.* ver **somebody.**
somersault ['sʌməsɔ:lt], **1** — *s.* salto mortal; cambalhota.
double somersault — duplo salto mortal.
treble somersault — triplo salto mortal.
to turn a somersault — dar um salto mortal.
2 — *vi.* dar salto mortal; dar cambalhota.
somerset ['sʌməsit], *s.* ver **somersault.**
something ['sʌmθiŋ], *s., pron.* e *adv.* alguma coisa; um tanto; algo; qualquer coisa; um pouco; aproximadamente; uma coisa.
something refreshing — algo (de) refrescante; algo (de) reconfortante.
I have something to tell you — tenho uma coisa a dizer-te.
something extraordinary — uma coisa extraordinária.
there is something the matter with you — tu tens qualquer coisa (estás aborrecido, doente, etc.).
something like — parecido com; semelhante a.
that's something like it! — excelente!, magnífico!
he is something angry — ele está um tanto (um pouco) irritado.
something else — algo mais; qualquer coisa mais; alguma coisa mais.
something or other — uma coisa ou outra.
sometime ['sʌmtaim], *adv.* e *adj.* antigamente; em alguma ocasião; noutro(s) tempo(s); um dia qualquer; antigo, ex-.
sometime or other — **qualquer dia; um dia; um dia ou outro;** mais cedo ou **mais tarde.**
sometimes [-z], *adv.* às vezes; algumas vezes; de vez em quando; por vezes.
I see him sometimes — vejo-o de vez em quando.
it is sometimes hot and sometimes cold — umas vezes está quente, outras está frio.
someway ['sʌmwei], *adv.* de algum modo, de alguma forma, de alguma maneira.
someways [-z], *adv.* de uma forma ou de outra, de uma maneira ou de outra.
somewhat ['sʌm(h)wɔt], *pron., adv.* e *s.* um tanto, um pouco; algo; alguma coisa; qualquer coisa.
it is somewhat difficult — é um tanto difícil.
somewhen ['sʌm(h)wen], *adv.* num dia ou noutro; em qualquer altura.
somewhere ['sʌm(h)wɛə], *adv.* algures, em alguma parte; em qualquer parte; em qualquer lugar.
he has gone somewhere — ele foi a qualquer parte.
somewhere about London — algures perto de Londres.
somewhere else — em qualquer outra parte.
somewhere or other — seja onde for; não sei onde.
somewhile ['sʌm(h)wail], *adv.* outrora, noutro(s) tempo(s), antigamente; durante certo tempo.
somite ['soumait], *s.* (anat.) somito; metâmetro.
somnambulant [sɔm'næmbjulənt], *s.* e *adj.* sonâmbulo.

somnambulism [sɔm'næmbjulizm], *s.* sonambulismo.
somnambulist [sɔm'næmbjulist], *s.* sonâmbulo.
somniferous [sɔm'nifərəs], *adj.* sonífero, soporífero.
somnolence ['sɔmnələns], *s.* sonolência.
somnolent ['sɔmnələnt], *adj.* sonolento.
somnolently [-li], *adv.* com sonolência.
son [sʌn], *s.* filho.
son-in-law — genro.
grand-son — neto.
step-son — enteado.
son of a bitch — (cal.) «filho da mãe».
son of a gun — (cal.) «filho da mãe».
he is his father's son — **é como o pai; tal pai tal filho.**
every mother's son — toda a gente.
sonant ['sounənt], *s.* e *adj.* consoante sonora; sonoro, sonante.
sonata [sə'nɑ:tə], *s.* (mús.) sonata.
sonatina [sɔnə'ti:nə], *s.* (mús.) sonatina.
song [sɔŋ], *s.* canção; cantiga; canto; cântico; poema lírico; (col.) bagatela, tuta-e-meia.
to sell for a mere song — vender por uma bagatela; vender por tuta-e-meia.
to buy for a song — comprar por tuta-e-meia.
to make a song about — fazer espalhafato por uma coisa de nada.
song-bird — ave canora.
love song — canção de amor.
song-book — cancioneiro.
the Song of Songs — o Cântico dos Cânticos.
stop singing the same song — pára lá com a cantilena do costume; deixa de repisar sempre os mesmos assuntos.
songful ['-ful], *adj.* melodioso, harmonioso; canoro.
songless ['-lis], *adj.* que não canta; sem canções.
songster [-stə], *s.* bardo; poeta; cantor; ave canora.
songstress ['-stris], *s. fem.* poetisa; cantora; ave canora.
sonic ['sɔnik], *adj.* sónico.
sonnet ['sɔnit], *s.* soneto.
sonneteer [sɔni'tiə], **1** — *s.* sonetista.
2 — *vi.* fazer sonetos.
sonny ['sʌni], *s.* (col.) filhinho, menino.
sonometer [sou'nɔmitə], *s.* sonómetro.
sonority [sə'nɔriti], *s.* sonoridade.
sonorous [sə'nɔ:rəs], *adj.* sonoro; sonoroso; retumbante; grandíloquo; melodioso, harmonioso. (*Sin.* resonant, resounding, audible, clear, loud.)
sonorously [-li], *adv.* sonoramente; retumbantemente; harmoniosamente.
sonorousness [-nis], *s.* sonoridade; retumbância; grandiloquência.
sonship ['sʌnʃip], *s.* filiação.
soon [su:n], *adv.* cedo; depressa, sem demora; logo; prontamente; imediatamente; já; em seguida; em pouco tempo; de boa vontade.
soon after — pouco depois.
as soon as — logo que; assim que.
as soon as possible — logo que possível; o mais cedo possível.
see you again soon! — até breve!
you spoke too soon — falaste cedo de mais.
I had as soon stay at home as go to the pictures — tanto me faz ficar em casa como ir ao cinema.
sooner ['-ə], *comp.* de **soon,** mais cedo; mais depressa; antes; melhor.
no sooner said than done — dito e feito.
the sooner the better — quanto mais cedo (mais depressa) melhor.
I'd sooner play tennis than golf — antes queria jogar o ténis do que o golfe.
sooner or later — mais cedo ou mais tarde.
we had no sooner come in than he saw us — mal entrámos, logo ele nos viu.
soonest ['-ist], *superl.* de **soon.**
at the soonest — quanto antes.
least said, soonest mended — quanto menos se disser, tanto melhor.
soot [sut], **1** — *s.* fuligem.
2 — *vt.* cobrir de fuligem; enfarruscar.
sooth [su:θ], *s.* (arc.) verdade; facto.
sooth to say — na verdade; para dizer a verdade.
in (good) sooth — na verdade; de facto; em boa verdade.
soothe [su:ð], *vt.* acalmar; aliviar; tranquilizar; mitigar; suavizar; lisonjear, adular.
to soothe a pain — acalmar uma dor.
soother ['-ə], *s.* tetina.
soothing ['-iŋ], *s.* e *adj.* calmante; que alivia; que mitiga; que suaviza; sedativo; mitigação; lisonja, adulação.
soothing draught — calmante.
soothingly ['-iŋli], *adv.* meigamente, com doçura; suavemente; ternamente.
soothsayer ['su:θseiə], *s.* adivinho; profeta; (zool.) louva-a-deus.
soothsaying ['su:θseiiŋ], *s.* acto de adivinhar ou profetizar, adivinhação, profecia; vaticínio.
sootiness ['sutinis], *s.* fuligem; fuliginosidade; negrura.
sooty ['suti], *adj.* fuliginoso, sujo de fuligem; enfarruscado.
sop [sɔp], **1** — *s.* sopa (de pão embebido); suborno, dádiva para suborno; *pl.* sopas de leite.
2 — *vt.* e *vi.* ensopar, embeber, empapar; ficar encharcado.
I am sopping with rain — estou encharcado (devido à chuva).
to sop up — absorver; chupar.
soph [sɔf], *abrev.* de **sophister e sophomore.**
Sophia [sə'faiə], *n. p.* Sofia.
sophism ['sɔfizm], *s.* sofisma.
sophist ['sɔfist], *s.* sofista.
sophister [-ə], *s.* estudante do segundo ou do terceiro ano das universidades inglesas.
sophistic [sə'fistik], *adj.* sofístico, capcioso; sofista.
sophistical [-əl], *adj.* sofístico, capcioso; sofista.
sophistically [-əli], *adv.* sofisticamente, capciosamente.
sophisticate [sə'fistikeit], *vt.* e *vi.* sofisticar, sofismar; adulterar, falsificar; alterar; tornar artificial. (*Sin.* to pervert, to spoil, to adulterate.)
sophisticated [-id], *adj.* sofisticado, sofismado; adulterado, falsificado; alterado; artificial; artificializado; pretensioso; refinado.
sophistication [səfisti'keiʃən], *s.* sofisticação; falsificação, adulteração, artificialismo; refinamento.
sophisticator [sə'fistikeitə], *s.* sofisticador; falsificador.
sophistry ['sɔfistri], *s.* sofística; sofisma; sofisticação.
Sophocles ['sɔfəkli:z], *n. p.* Sófocles.
sophomore ['sɔfəmɔ:], *s.* estudante do segundo ano das universidades americanas.
Sophy ['soufi], *n. p.* Sofia.
sopor ['soupə], *s.* sopor, sonolência.
soporiferous [sɔpə'rifərəs], *adj.* soporífero.
soporific [soupə'rifik], *adj.* e *s.* soporífico; soporífero; (col.) enfadonho, que causa sono.
sopping ['sɔpiŋ], *adj.* encharcado, ensopado, embebido.

I am sopping wet — estou encharcado até aos ossos.
soppy ['sɔpi], *adj.* encharcado, ensopado, embebido; (col.) piegas; pateta; molengo.
sopranist [sə'prɑ:nist], *s.* soprano, pessoa que têm voz de soprano.
soprano [sə'prɑ:nou], *s.* soprano.
sorbet ['sɔ:bət], *s.* sorvete.
sorcerer ['sɔ:s(ə)rə], *s.* bruxo, feiticeiro.
sorceress ['sɔ:səris], *s. fem.* bruxa, feiticeira.
sorcery ['sɔ:s(ə)ri], *s.* bruxaria, feitiçaria, mágica; encantamento.
sordid ['sɔ:did], *adj.* sórdido; mesquinho; vil; miserável; sujo, imundo; impuro; ignóbil.
sordidly [-li], *adv.* sordidamente; miseravelmente, vilmente; ignobilmente.
sordidness [-nis], *s.* sordidez; baixeza; mesquinhez; avareza.
sordine ['sɔ:di:n], *s.* (mús.) surdina.
sordino [sɔ:'di:nou], *s.* (mús.) surdina.
sore [sɔ:], **1** — *s.* ferida, chaga; dor; mal; pena; aflição; desgosto, mágoa.
2 — *adj.* doloroso; dorido; doente; ferido; inflamado; irritado; desgostoso; triste; magoado; ofendido; aborrecido; sensível.
to be like a bear with a sore head — (col.) estar pior do que uma barata; estar furibundo.
a sore heart — um coração desgostoso.
to have a sore throat — ter a garganta inflamada.
clergyman's sore throat — faringite crónica.
I have sore feet — doem-me os pés.
to be in sore need of — necessitar desesperadamente de.
to be sore at someone — estar irritado com alguém.
I am sore all over — dói-me o corpo todo.
I touched him on a sore spot — toquei-lhe num ponto sensível (num ponto fraco).
that's my sore spot — esse é o meu ponto fraco.
a sore subject — um assunto melindroso.
sore eyes — olhos doentes; olhos inflamados.
a sight for sore eyes — uma vista agradável, um espectáculo agradável.
sorel ['sɔrəl], **1** — *s.* cavalo alazão; cavalo cor de canela.
2 — *adj.* cor de canela; alazão.
sorely ['sɔ:li], *adv.* dolorosamente; intensamente; extremamente; violentamente.
soreness ['sɔ:nis], *s.* ulceração; ferimento, ferida; dor; sensibilidade à dor; desgosto, mágoa, pesar; irritabilidade.
sorghum ['sɔ:gəm], *s.* (bot.) sorgo; melaço, xarope de sorgo.
sorites [sə'raiti:z], *s.* sorites.
sorority [sə'rɔriti], *s.* irmandade; (E. U.) associação feminina de estudantes.
sorosis [sə'rousis], *s.* (bot.) sorose.
sorrel ['sɔrəl], **1** — *s.* (bot.) azeda; (zool.) cavalo alazão.
2 — *adj.* cor de canela; alazão.
Sorrento [sɔ'rentou], *top.* Sorrento.
sorrily ['sɔrili], *adv.* tristemente; lastimosamente; pobremente; mal; miseravelmente.
sorriness ['sɔrinis], *s.* tristeza, pesar; lástima; dor; miséria; baixeza.
sorrow ['sɔrou], **1** — *s.* tristeza, pesar; mágoa; dor; lástima; aflição; desgosto.
to my sorrow — com (para) meu desgosto; com pena minha.
deep sorrow — profunda tristeza.
to give oneself up to sorrow — abandonar-se (entregar-se) à tristeza.
2 — *vi.* afligir-se; sentir pena; entristecer-se.
to sorrow at = *to sorrow for* — ter pena de.
sorrowful [-ful], *adj.* pesaroso, triste; aflito; doloroso; deplorável; entristecido.
sorrowfully [-fuli], *adv.* pesarosamente; tristemente; dolorosamente; pesarosamente.
sorrowfulness [-fulnis], *s.* pesar, tristeza, mágoa; pena, penar; aflição, angústia.
sorrowing [-iŋ], *s.* e *adj.* triste, contristado, desgostoso; tristeza; aflição.
sorrowingly [-iŋli], *adv.* angustiadamente; pesarosamente.
sorry ['sɔri], *adj.* triste; pesaroso; magoado; angustiado; aflito; desconsolado; desprezível; miserável; pobre; desgraçado; lamentável. (*Sin.* sad, regretful, grieved, miserable; *Ant.* glad.)
I am sorry — lamento; perdão; desculpe.
sorry! — perdão!, desculpe!
to be sorry for — ter pena de; lamentar.
I felt sorry for him — tive pena dele.
I am not sorry that I went there — não estou arrependido de lá ter ido.
I am sorry to say — lamento (sinto) dizer.
a sorry sight — um espectáculo triste.
in a sorry plight — num triste estado.
he will be sorry for that — ele há-de arrepender-se disso.
sort [sɔ:t], **1** — *s.* espécie; tipo; classe; género; qualidade; condição; modo; (tip.) tipo.
out of sorts — descontente; indisposto.
what sort of...? — que espécie de...?
biscuits of several sorts — bolachas de várias qualidades (de vários tipos).
people of every sort and kind — gente de toda a espécie.
a nice sort of fellow — um bom rapaz.
a bad sort — um bom patife.
nothing of the sort — nada disso.
I said something of the sort — eu disse qualquer coisa parecida com isso.
in a sort — de certo modo.
in like sort — do mesmo modo.
2 — *vt.* e *vi.* ordenar, classificar; arranjar, dispor; dividir em grupos, agrupar; separar; seleccionar; apartar; associar-se; convir a.
sorted ['-id], *adj.* seleccionado, escolhido; sortido; separado; classificado.
sorter ['-ə], *s.* classificador; divisor; seleccionador.
sortie ['sɔ:ti(:)], *s.* (mil.) sortida.
sortilege ['sɔ:tilidʒ], *s.* sortilégio.
sorting ['sɔ:tiŋ], *s.* escolha; selecção; classificação; distribuição; divisão.
SOS ['esou'es], *s.* S. O. S., mensagem, geralmente telegráfica, pedindo socorro urgente.
so-so ['sousou], *adj.* e *adv.* assim-assim, nem bom nem mau; sofrível.
sostenuto [sɔtə'nu:tou], *adj.* sustenido; prolongado.
sot [sɔt], **1** — *adj.* bêbado; estúpido; embrutecido pelo álcool.
2 — *vi.* embebedar-se; alcoolizar-se.
sottish ['-iʃ], *adj.* estúpido; embrutecido pelo álcool; bêbado.
sottishly ['-iʃli], *adv.* estupidamente; como um bêbado.
sottishness ['-iʃnis], *s.* estupidez; embriaguez; embrutecimento pelo álcool.
sou [su:], *s.* soldo (antiga moeda francesa).
I haven't a sou — não tenho um centavo.
souchong [su:'(t)ʃɔŋ], *s.* qualidade especial de chá-preto.
souffle [su:fl], *s.* (med.) sopro.
sough [sau], **1** — *s.* sussurro; suspiro; murmúrio.
2 — *vi.* sussurrar; suspirar; murmurar; gemer.
sought [sɔ:t], *pret.* e *pp.* do verbo **to seek.**
sought after — procurado; cortejado.

soul [soul], *s.* alma; espírito; vida; expressão; essência vital; criatura; habitante; chefe; animador. (*Sin.* spirit, mind, life, intellect.)
with heart and soul — com grande entusiasmo; de alma e coração; com energia.
she was the life and soul of the party — ela foi a alma da festa.
there was not a soul to speak to — não havia vivalma com quem falar.
to commend one's soul to God — encomendar a alma a Deus.
upon my soul! — pela alma que Deus me deu!
All Souls' Day — Dia de Finados.
I didn't see a soul — não vi vivalma.
poor soul! — pobre criatura!
his pictures lack soul — os quadros dele não têm vida (expressão).
he is a good soul — ele é boa pessoa; ele é uma boa alma.
to keep body and soul together — sustentar a vida.
God rest his soul! — paz à sua alma!, Deus tenha a sua alma em descanso!
a cheery soul — uma pessoa sempre bem-disposta; uma alma alegre.
soulful [-ful], *adj.* emotivo, sentimental.
soulless ['-lis], *adj.* desalmado.
sound [saund], **1** — *s.* som; ruído; barulho; tom; fonema; estreito, braço de mar; fiorde; bexiga natatória (de peixe); sonda.
hard sound — som áspero.
sound-post — alma da rabeca.
I don't much like the sound of that — não me agrada muito o que estou a ouvir.
sound signal — sinal acústico; sinal sonoro.
sound-film — filme sonoro.
sound amplifier — amplificador sonoro.
sound-proof — à prova de som.
sound-record — fonograma.
sound writing — escrita fonética.
2 — *adj.* são; saudável; bom; puro; perfeito; forte; inteiro; ileso; certo; seguro; completo; cabal; profundo; incólume; correcto; ortodoxo; solvente; sólido; lógico; acertado; válido; legal; honesto, honrado; idóneo.
sound sleep — sono profundo.
sound heart — coração forte; coração saudável.
safe and sound — são e salvo.
sound reasoning — raciocínio correcto; raciocínio lógico; raciocínio acertado.
a sound stroke — um soco valente.
a sound doctrine — uma doutrina ortodoxa.
as sound as a bell — são como um pêro.
of sound and disposing mind and memory — (jur.) capaz para fazer testamento.
sound fruit — fruta sã.
sound teeth — dentes sãos.
a sound mind in a sound body — mente sã em corpo são.
he is a sound man — ele é um homem honrado (idóneo, com crédito).
3 — *vt.* e *vi.* soar, ressoar; sondar, examinar; auscultar; percutir; fazer soar; tocar; tanger; tocar para avisar ou chamar; espalhar-se, divulgar-se; publicar; anunciar; celebrar; pronunciar (um som ou um fonema); parecer.
to sound well — soar bem; fazer bom efeito; parecer bem.
that doesn't sound well — isso não soa bem; isso não parece bem.
that sounds just perfect! — óptimo!; esplêndido!
it sounds like... — parece-se com...
that sounds funny — isso é ridículo.
that sounds logical — isso parece lógico.
to sound an alarm — tocar a rebate; tocar um sinal de alarme.
to sound the retreat — tocar a retirar.
to sound someone on a subject — auscultar a opinião de alguém sobre um assunto.
4 — *adv.* profundamente.
to be sound asleep — estar a dormir profundamente (a sono solto).
soundable ['-əbl], *adj.* sondável.
sounder ['-ə], *s.* sonda; (arc.) manada de porcos bravos.
sounding ['-iŋ], **1** — *s.* sonda; sondagem; prumada; som; ressonância; toque; auscultação; *pl.* águas que permitem sondagem.
sounding-post — alma da rabeca.
sounding-rod — sonda; prumo; (náut.) sonda do porão.
sounding-line — linha da sonda.
sounding-lead — prumo.
sounding-board — abafador (de órgão ou piano); dossel de púlpito; someiro (de órgão).
to get soundings — apanhar fundo (de águas); sondar.
sounding-stick — vara de prumar.
sounding-machine — aparelho de sondar.
2 — *adj.* sonoro, pomposo; bombástico.
soundless ['saundlis], *adj.* sem som, silencioso; insondável.
soundlessly [-li], *adv.* silenciosamente; insondavelmente.
soundly ['saundli], *adv.* sadiamente, sãmente; vigorosamente; firmemente; profundamente; perfeitamente; completamente; sensatamente; logicamente; correctamente.
to sleep soundly — dormir profundamente (a sono solto).
soundness ['saundnis], *s.* sanidade; saúde; vigor; solidez; pureza; bondade; rectidão, honestidade; idoneidade; excelência; firmeza; (com.) solvência, solvabilidade.
soup [su:p], *s.* sopa; caldo.
soup-kitchen — cozinha-económica; sopa dos pobres.
soup-plate — prato sopeiro; prato fundo.
soup-tureen — terrina.
soup-ticket — bilhete para a sopa dos pobres.
soup maigre — sopa juliana.
vegetable soup — sopa de hortaliça.
pea soup — sopa de ervilhas.
mushroom soup — sopa de cogumelos.
ox-tail soup — sopa de rabo de boi.
potato soup — sopa de puré de batata.
turtle soup — sopa de tartaruga.
mock-turtle soup — sopa fingida de tartaruga.
tomato soup — sopa de tomate.
thick soup — puré.
to be in the soup — estar em maus lençóis.
soupy ['-i], *adj.* parecido com sopa.
sour ['sauə], **1** — *adj.* azedo; ácido; amargo; áspero; avinagrado; picante; verde (fruta); (fig.) irritado; maldisposto.
sour temper — mau génio.
sour look — olhar carrancudo.
sour milk — leite azedo.
to taste sour — ter um sabor ácido, azedo ou avinagrado.
sour dock — (bot.) azeda.
sour-gourd — (bot.) espécie de abóbora.
to make sour — azedar; irritar.
to turn sour — azedar-se; irritar-se.
2 — *vt.* e *vi.* azedar; azedar-se; avinagrar(-se); irritar(-se).
source [sɔ:s], *s.* fonte, manancial; origem, causa, princípio; fonte de informações. (*Sin.* spring, cause, origin, beginning. *Ant.* destiny, end.)
source of infection — foco infeccioso.
sourdine [suə'di:n], *s.* (mús.) surdina.
sourish ['sauəriʃ], *adj.* um tanto azedo; meio avinagrado.

sourly ['sauəli], *adv.* com azedume; asperamente; azedamente.
sourness ['sauənis], *s.* azedume; acidez; aspereza; acrimónia.
souse [saus], **1** — *s.* escabeche; salmoura; ataque repentino do falcão; mergulho; banho.
2 — *vt.* e *vi.* pôr em escabeche ou salmoura; mergulhar na água; atacar repentinamente; atacar com violência; atirar-se à presa (ave de rapina); molhar; encharcar.
3 — *adv.* com descida ou mergulho repentino; de cabeça para baixo; violentamente; a direito; de súbito.
south [sauθ], **1** — *s.* sul; meio-dia; vento sul.
2 — *adj.* meridional, do sul; austral.
south aspect — exposição ao sul.
3 — *adv.* para o sul, em direcção ao sul.
south of — a sul de.
to go south — ir para o sul.
4 — *vi.* (náut.) rumar para o sul; ganhar sul; (astr.) passar o meridiano de um lugar.
south-east ['-'i:st], **1** — *s.* sueste, sudeste.
2 — *adj.* do sudeste.
3 — *adv.* para sudeste, em direcção ao sudeste.
south-eastern [-'i:stən], *adj.* do sudeste; a sudeste.
south-eastward [-'i:stwəd], *adj.* e *adv.* do sudeste; a sudeste; para sudeste, em direcção ao sudeste.
southerly ['sʌðəli], *adj.* e *adv.* do sul, meridional; austral; em direcção ao sul.
southern ['sʌðən], *adj.* do sul, meridional; austral.
Southern Cross — (astr.) Cruzeiro do Sul.
southerner [-ə], *s.* habitante do sul; sulista (E. U.).
southernmost [-moust], *superl.* de **southern,** o mais meridional.
southernwood [-wud], *s.* (bot.) abrótano.
southing ['sauðiŋ], *s.* e *adj.* tendência para o sul; que se dirige para o sul; declinação austral.
south-south-east ['sauθsauθ'i:st], *s.* e *adj.* su-sudeste.
south-south-west ['sauθsauθ'west], *s.* e *adj.* su-sudoeste.
southward ['sauθwəd], *s.*, *adj.* e *adv.* situado a sul; a sul (de); do lado sul; em direcção ao sul; meridional.
southwards [-z], *adv.* para o sul, em direcção ao sul.
south-west ['sauθwest], *s.*, *adj.* e *adv.* sudoeste; do sudoeste; para sudoeste.
south-wester [-ə], *s.* vento de sudoeste; temporal de sudoeste.
south-westerly [-əli], *adv.* na direcção ou vindo do sudoeste; a sudoeste.
south-western [-ən], *adj.* de sudoeste.
south-westward [sauθ'westwəd], *s.*, *adj.* e *adv.* sudoeste; de sudoeste; a sudoeste (de); para sudoeste.
south-westwards [-z], *adv.* para sudoeste, em direcção ao sudoeste.
souvenir ['su:vəniə], *s.* lembrança.
sou' west [sau'west], *s.*, *adj.* e *adv.* ver **south-west.**
sov [sɔv], *s.* *abrev.* de **sovereign,** (col.) libra de ouro.
sovereign ['sɔvrin], **1** — *s.* soberano (rei ou rainha); soberano (libra de ouro).
half-sovereign — meia libra de ouro.
2 — *adj.* soberano; supremo; independente; muito eficaz; altivo; superior; real, régio.
a sovereign remedy — um remédio santo.
sovereignity ['sɔvrənti], *s.* soberania; estado independente, estado soberano.

Soviet ['souviet], *s.* e *adj.* soviete; soviético.
the Soviet Union — a União Soviética.
sow 1 — [sou], *vt.* e *vi.* (*pret.* **sowed,** *pp.* **sown**) semear; espalhar, disseminar; fazer a sementeira; cobrir, juncar.
to sow (the seeds of) dissension — semear a discórdia.
we must reap what we have sown — quem semeia ventos colhe tempestades.
to sow one's wild oats — pagar o tributo à mocidade.
2 — [sau], *s.* (zool.) porca; lingote de metal.
sow-iron — lingote de ferro.
sowbelly ['saubeli], *s.* toucinho ou carne de porco salgada.
sower ['souə], *s.* semeador.
sowing ['souiŋ], *s.* semeadura; acção de semear; sementeira; propagação, disseminação.
sowing-machine — máquina de semear.
sowing-seed — semente.
sowing-time — época das sementeiras.
sown [soun], *pp.* do verbo **to sow.**
soy [sɔi], *s.* soja; molho de soja.
soya ['-ə], *s.* (bot.) soja.
sozzled [sɔzld], *adj.* (*col.*) ébrio, borracho.
spa [spɑ:], *s.* estância de águas; estância termal; fonte de água mineral.
spa-water — água mineral.
space [speis], **1** — *s.* espaço; lugar; extensão; zona; volume; distância; área; período; intervalo.
in the space of an hour — no espaço de uma hora.
space of time — espaço de tempo.
to take up too much space — ocupar muito espaço.
intermediate space — espaço intermediário.
after a short space — após um curto intervalo.
within the space of — no espaço de.
dangerous space — (mil.) zona perigosa.
blank space — espaço em branco.
time and space — espaço e tempo.
2 — *vt.* espaçar; espacejar.
to space out — **espaçar; deixar maior espaço entre (linhas, letras ou palavras (tip.)).**
spaced [-t], *adj.* espaçado; espacejado.
spaced off — espaçado; com intervalos.
spaceless ['-lis], *adj.* ilimitado.
spacing ['-iŋ], *s.* distância; vão; espacejamento; intervalo.
spacious ['speiʃəs], *adj.* espaçoso, amplo, vasto, extenso. (*Sin.* capacious, ample, roomy, wide, large *Ant.* narrow, small.)
spaciously [-li], *adv.* espaçosamente, amplamente, extensamente.
spaciousness [-nis], *s.* vastidão; imensidade; extensão; amplidão; largueza.
spade [speid], **1** — *s.* pá; enxada; espada(s) (naipe de cartas de jogar).
to call a spade a spade — falar claro; falar sem rodeios; pão pão, queijo queijo; dizer a verdade nua e crua.
spade-bone — omoplata.
the queen of spades — a dama de espadas (no baralho de cartas).
spade-work — trabalho preparatório.
2 — *vt.* cavar com pá.
spadeful ['-ful], *s.* pazada, pá cheia.
spado ['speidou], *s.* (jur.) impotente sexual.
spaghetti [spə'geti, spɑ:'geti], *s.* espa(r)guete.
Spain [spein], *top.* Espanha.
spall [spɔ:l], **1** — *s.* lasca (de pedra, etc.); pedaço.
2 — *vt.* e *vi.* tirar lascas, lascar; rachar; estilhaçar; polir; picar (pedra, etc.).
span [spæn], **1** — *s.* palmo; vão de um arco; instante, momento, curto espaço de tempo,

pequeno intervalo; corda de um arco; comprimento de viga; parelha (de cavalos ou mulas); (E. U.) junta de bois; (náut.) bragueiro.
life is but a span — a vida são dois dias.
span of a bridge — vão de uma ponte; olhal de uma ponte.
span-roof — telhado de duas águas.
wing-span — envergadura (de avião).
2 — *vt.* e *vi.* atravessar; transpor; medir a palmo; (náut.) prender com cabos; atrelar (cavalos); jungir (bois).
3 — (arc.) *pret.* de **to spin.**
spandrel ['spændrəl], *s.* espaço triangular e irregular entre a curva de um arco e a parte rectangular que o enquadra.
spangle [spæŋgl], **1** — *s.* lentejoula; pequeno objecto brilhante; vidrinho.
2 — *vt.* e *vi.* ornar com lentejoulas; brilhar, rebrilhar, reluzir.
spangly [-i], *adj.* reluzente, brilhante, coruscante.
Spaniard ['spænjəd], *s.* espanhol(a).
spaniel ['spænjəl], *s.* variedade de cão, cão rafeiro; sabujo, pessoa servil.
Spanish ['spæniʃ], *s.* e *adj.* espanhol; a língua espanhola; da Espanha.
Spanish fly — cantárida.
Spanish Armada — Armada Invencível.
Spanish leather — marroquim; cordovão.
Spanish grass — esparto.
Spanish chalk — esteatite.
Spanish broom — giesta de Espanha.
Spanish Main — mar das Antilhas.
Spanish soap — sabão de Castela.
Spanish-American — hispano-americano.
spank [spæŋk], **1** — *s.* palmada.
2 — *vt.* e *vi.* dar palmadas; ir depressa; fazer andar com pancadas ou chicotadas.
spanker ['-ə], *s.* o que dá palmadas; o que anda a passos largos; pessoa forte, pessoa robusta; cavalo que anda depressa; (náut.) mezena; vela de ré; (col.) coisa de primeira categoria, coisa ou pessoa extraordinária.
spanker boom — retranca.
spanking ['-iŋ], **1** — *s.* palmada; acto de dar palmadas ou bater; tareia, sova.
2 — *adj.* apressado; que anda a passos lestos; notável; excelente; extraordinário; vigoroso, robusto; extraordinariamente grande, colossal.
spanking horse — cavalo que anda depressa.
spanking breeze — vento fresco; brisa viva.
he had a spanking time — ele passou um tempo admirável.
a spanking fine woman — uma linda mulher; (col.) uma "brasa".
spanless ['spænlis], *adj.* sem limites.
spanner ['spænə], *s.* medidor; chave de porcas; chave inglesa; chave de fendas; travessão de ponte.
screw-spanner — chave de parafusos.
shifting-spanner — chave inglesa.
spar [spɑ:], **1** — *s.* (min.) espato; vara; antena; (náut.) vergôntea; termo geral para mastros, vergas, portalós, etc.; luta de galos; pugilato; discussão; briga.
spar-deck — convés superior.
spar buoy — bóia de antena.
diamond spar — (min.) corindo.
2 — *vt.* e *vi.* (náut.) colocar mastros, vergas, etc.; jogar ao soco; jogar o boxe; questionar, discutir; brigar.
spare [spɛə], **1** — *vt.* e *vi.* poupar, economizar; guardar; pôr de reserva, reservar; evitar, dispensar, passar sem; dar, ceder, conceder; poupar-se; ser frugal; ser condescendente; ser misericordioso; respeitar; levar em consideração.
to spare trouble — evitar (poupar) trabalho.
not to spare expenses — não evitar despesas; não olhar a despesas; não se poupar a despesas.
to spare someone's life — poupar a vida a alguém.
to spare oneself — poupar-se.
to have time to spare — ter tempo (de sobra).
to spare one's strength — poupar energias.
I haven't a minute to spare — não tenho um minuto a perder.
can you spare this dictionary? — pode(s) dispensar este dicionário?
spare the rod and spoil the child — de pequenino se torce o pepino.
can you spare me a minute? — pode dar-me um minuto de atenção?
2 — *adj.* de reserva, de sobra; extra, sobresselente; disponível; poupado; sóbrio; frugal; escasso; magro; (desp.) suplente.
spare rib — entrecosto.
spare time — tempo livre.
spare room — quarto de hóspedes (em casa particular).
to have a spare figure — ser magro.
a few spare hours — algumas horas livres.
spare capital — capital disponível.
spare meal — refeição frugal.
spare cash — dinheiro de reserva.
spare wheel — roda sobresselente (de automóvel, etc.).
spare tyre — pneu sobresselente.
sparely ['-li], *adv.* economicamente; frugalmente; sobriamente; escassamente; poupadamente.
spareness ['-nis], *s.* economia; frugalidade; sobriedade; magreza; escassez.
sparer ['-rə], *s.* pessoa que gasta pouco; pessoa que economiza ou administra bem.
sparing ['-riŋ], **1** — *s.* acto de economizar; economia; *pl.* economias.
2 — *adj.* poupado; económico, frugal; sóbrio; misericordioso; condescendente; escasso.
sparing of words — pouco falador; conciso.
sparingly ['-riŋli], *adv.* economicamente; sobriamente; frugalmente; escassamente; poupadamente.
sparingness ['-iŋnis], *s.* frugalidade, sobriedade; poupança; economia; escassez.
spark [spɑ:k], **1** — *s.* faísca; faúlha; centelha; chispa; vislumbre; casquilho; descarga eléctrica; galanteador.
spark lever — alavanca de ignição.
spark-proof — à prova de faíscas.
spark plug — vela (de automóvel, etc.).
a spark of genius — uma centelha de génio.
a gay spark — um indivíduo folgazão, sempre bem-humorado.
2 — *vi.* faiscar; lançar faíscas; galantear.
sparking ['-iŋ], *s.* acto de faiscar ou produzir faíscas; produzir centelhas.
sparking-plug — vela (de automóvel, etc.).
sparkle [spɑ:kl], **1** — *s.* faísca; centelha; chispa; faúlha; brilho; fulgor; lampejo.
2 — *vi.* cintilar; faiscar, lançar faíscas; brilhar; espumar (o vinho); borbulhar.
sparkler ['-ə], *s.* (col.) diamante.
sparkless ['-is], *adj.* que não produz faíscas ou centelhas.
sparklet ['-it], *s.* pequena faísca; pequena centelha; cápsula de anidrido carbónico para sifões.
sparkling ['-iŋ], **1** — *s.* brilho; cintilação; centelha; faísca; produção de faíscas.
2 — *adj.* cintilante; rutilante; espumoso, espumante (vinho); vivo, animado.
sparkling wine — vinho espumante.
sparkling eyes — olhos brilhantes, olhos cintilantes.

sparkling heat — rubro-branco a caldear.
sparkling wit **— espírito vivo; espírito brilhante.**
sparrer ['spɑ:rə], *s.* pugilista.
sparrow ['spærou], *s.* (zool.) pardal.
sparrow-grass — espargo.
sparrow-hawk — (zool.) gavião.
hedge-sparrow — carriça.
hen-sparrow **— pardoca; pardaleja.**
sparse [spɑ:s], *adj.* esparso; disperso; espalhado; espaçado; escasso; pouco denso.
sparsely ['-li], *adv.* esparsamente; dispersamente; espaçadamente; escassamente.
sparseness ['-nis], *s.* rareza; pouca densidade; dispersão.
Sparta ['spɑ:tə], *top.* Esparta.
Spartan [-n], *s.* espartano.
a Spartan life — uma vida espartana.
spasm [spæzm], *s.* espasmo; convulsão; acesso.
spasmodic [-'ɔdik], *adj.* espasmódico; convulsivo.
spasmodically [-'ɔdikəli], *adv.* espasmodicamente; convulsivamente.
spastic ['spæstik], *adj.* espástico.
spat [spæt], **1** — *pret.* e *pp.* do verbo **to spit.**
2 — *vi.* desovar.
3 — *s.* palmada leve; pequena discussão, questiúncula.
spatchcock ['spætʃkɔk], *s.* galinha ou frango cozinhado à pressa.
spate [speit], *s.* cheia repentina de um rio.
spatial ['speiʃəl], *adj.* espacial, do espaço.
spatially [-i], *adv.* espacialmente; relativamente ao espaço.
spatter ['spætə], **1** — *s.* salpico; borrifo; chuveiro.
2 — *vt.* e *vi.* salpicar; enlamear; borrifar; manchar; difamar.
spatula ['spætjulə], *s.* espátula.
spavin ['spævin], *s.* esparavão.
spawn [spɔ:n], **1** — *s.* ovas (de peixe); mílharas; prole, descendência.
2 — *vt.* e *vi.* desovar (os peixes); produzir; gerar abundantemente.
spawning ['-iŋ], *s.* desova (de peixe).
spawning-season — época da desova.
spay [spei], *vt.* castrar um animal fêmea.
speak [spi:k], *vt.* e *vi.* (*pret.* **spoke,** *pp.* **spoken**) falar; conversar; discursar; exprimir-se; dizer; comunicar; declarar; arengar; pronunciar; proferir; expor; (náut.) chegar à fala; soar; ladrar; dar a conhecer; tratar, versar.
to speak the truth — dizer a verdade.
to speak highly of — dizer bem de; elogiar.
to speak fair — falar com doçura.
to speak slowly — falar devagar.
to speak one's mind — falar francamente; abrir-se.
to speak loud — falar alto.
to speak plainly — falar claramente; falar abertamente.
to speak ill of — falar (dizer) mal de.
to speak out — falar abertamente; falar afoitamente.
to speak about — falar de; tratar de.
to speak by the card — falar com conhecimento de causa.
to speak on — falar sobre.
nothing to speak of — nada digno de menção; nada de importância.
to speak well — falar bem.
to speak well for — depor a favor de.
to speak for — falar em favor ou em nome de; ser indício favorável de.
to speak frankly — falar francamente.
to speak up — falar à vontade; falar sem medo; desabafar.
to speak in a low voice — falar em voz baixa.
to speak on behalf of — falar a favor de.
so to speak — por assim dizer.
can you speak English? — sabe(s) falar Inglês?
to speak bluntly — falar sem rebuço.
either speak yourself or let me speak — (ou) falas tu ou falo eu.
he speaks a little English — ele fala um pouco de Inglês.
why speak of such a thing? — para que falar em tal (coisa)?
to speak a ship — (náut.) chamar um navio à fala.
to speak like a book — falar como um livro aberto.
to speak without book — falar de cor; falar de memória.
to speak to someone — falar com alguém.
to speak for oneself — falar por si (próprio).
speak-easy [-i:zi], *s.* (E.U.) bar clandestino.
speaker ['-ə], *s.* orador; relator; locutor; presidente de uma assembleia legislativa; palestrante; altifalante.
the Speaker (of the House of Commons) — o presidente da Câmara dos Comuns.
an easy speaker — um orador fluente; um indivíduo que tem facilidade em falar.
speaking ['-iŋ], **1** — *s.* discurso; oração; acção de falar ou discursar.
2 — *adj.* falante, que fala; que serve para falar; eloquente; expressivo.
speaking-trumpet — porta-voz; megafone; corneta acústica.
speaking-tube — tubo acústico.
not to be on speaking terms with someone — estar de relações cortadas com alguém.
to be on very good speaking terms with someone — dar-se muito bem com alguém; estar de muito boas relações com alguém.
spear [spiə], **1** — *s.* lança; chuço; arpão de pesca; haste (de bomba); lança; azagaia; dardo; vergôntea; planta tenra.
spear-grass — (bot.) grama.
spear-hand — dextra; mão direita.
spear-head — ponta de lança.
2 — *vt.* e *vi.* ferir ou matar com lança ou azagaia; germinar, rebentar (plantas).
spearman ['-mən], *s.* lanceiro.
spearmint ['-mint], *s.* (bot.) hortelã.
special ['speʃəl], **1** — *s.* comunicação especial; comboio especial; tiragem especial; edição especial; pessoa ou coisa destinada a um fim especial; jornal extraordinário; comunicação de um correspondente especial.
2 — *adj.* especial, particular, específico; excepcional, extraordinário, invulgar; peculiar; privativo; apropriado; propositado, intencional; excelente; diferente. (*Sin.* peculiar, specific, particular, private, uncommon, extraordinary. *Ant.* general.)
special end — fim particular.
special edition — edição especial.
special train — comboio especial; comboio extraordinário.
special friend — amigo íntimo.
special allowance — desconto especial.
special peculiarities — sinais particulares (de um indivíduo).
this is my special subject — isto é a minha especialidade.
specialism [-izm], *s.* especialidade, especialização.
specialist [-ist], *s.* especialista.
heart specialist — cardiologista.
eye specialist — oftalmologista.
speciality [speʃi'æliti], *s.* especialidade; peculiaridade.
specialization [speʃəlai'zeiʃən], *s.* especialização.

specialize ['speʃəlaiz], *vt.* e *vi.* especializar; especializar-se; restringir; limitar.
to specialize in — especializar-se em.
specially ['speʃəli], *adv.* propositadamente, intencionalmente; particularmente; especialmente.
I came specially to see you — eu vim de propósito para te ver.
specialty ['speʃəlti], *s.* escritura pública; especialidade; trabalho especial.
specie ['spi:ʃi:], *s.* numerário, moeda; dinheiro de contado; metal sonante.
specie payment — pagamento a dinheiro.
to pay in specie — pagar a dinheiro.
species [-z], *s.* espécie; classe; género; variedade; tipo; casta; imagem; noção.
the human species — a espécie humana.
specifiable ['spesifaiəbl], *adj.* especificável; determinável.
specific [spi'sifik], *adj.* e *s.* específico; estrito, rigoroso; preciso; claro; determinado; objectivo; remédio específico.
specific mass — massa específica.
specific weight — peso específico.
specific orders — ordens precisas; ordens estritas.
specific aim — fim particular; objectivo determinado.
specifically [-əli], *adv.* específicamente; estritamente; claramente.
specification [spesifi'keiʃən], *s.* especificação; minuta; caderno de encargos; memorial; descrição pormenorizada; memória descritiva.
specify ['spesifai], *vt.* especificar, precisar, particularizar; indicar pormenorizadamente.
specified below — abaixo indicado.
specimen ['spesimin], *s.* espécime, amostra; exemplar; modelo.
what a specimen! — (col. dep.) (mas) que exemplar!, (mas) que tipo!
specimen number — amostra; espécime (de publicação).
specious ['spi:ʃəs], *adj.* especioso; capcioso; enganador; ilusório.
speciously [-li], *adv.* especiosamente; capciosamente; enganadoramente.
speciousness [-nis], *s.* especiosidade; aspecto enganador.
speck [spek], **1** — *s.* mancha; nódoa; sinal; pinta; malha; ponto; pequena partícula; átomo; grão; pontinha, pequena quantidade; gordura; carne gorda.
2 — *vt.* manchar; enodoar; macular; salpicar; mosquear.
speckle [-l], **1** — *s.* sinal; mancha; malha; pinta; ponto.
2 — *vt.* manchar; salpicar; mosquear.
speckled [-ld], *adj.* manchado; malhado; mosqueado; salpicado.
speckless ['-lis], *adj.* sem manchas; limpo; imaculado.
specs [speks], *s. pl.* (col.) óculos.
spectacle ['spektəkl], *s.* espectáculo, exibição; *pl.* óculos.
a charming spectacle — um espectáculo encantador.
he wears spectacles — ele usa óculos.
a sorry spectacle — um espectáculo triste.
spectacled [-d], *adj.* que tem óculos; que usa óculos.
spectacular [spek'tækjulə], *adj.* espectacular; aparatoso.
spectacularly [-li], *adv.* espectacularmente; aparatosamente.
spectator [spek'teitə], *s.* espectador; testemunha; observador; assistente.
spectatress [spek'teitris], *s.* espectadora.

spectra ['spektrə], *s. pl.* de **spectrum.**
spectral [-l], *adj.* espectral.
spectre ['spektə], *s.* espectro; fantasma.
spectrometer [spek'trɔmitə], *s.* espectrómetro.
spectroscope ['spektrəskoup], *s.* espectroscópio.
spectroscopic [spektrəs'kɔpik], *adj.* espectroscópico.
spectroscopical [-əl], *adj.* espectroscópico.
spectroscopically [-əli], *adv.* espectroscopicamente.
spectroscopy [spek'trɔskəpi], *s.* espectroscopia.
spectrum ['spektrəm], *s.* (*pl.* **spectra**) espectro; imagem.
solar spectrum — espectro solar.
specula ['spekjulə], *s. pl.* de **speculum.**
specular ['spekjulə], *adj.* especular; polido; como um espelho; que espelha.
speculate ['spekjuleit], *vi.* especular; meditar; considerar; reflectir; envolver-se em especulações (com.).
speculation [spekju'leiʃən], *s.* especulação; meditação; reflexão; teoria; especulação comercial ou financeira.
speculative ['spekjulətiv], *adj.* especulativo; teórico; especulador (com.).
speculatively [-li], *adv.* especulativamente.
speculativeness [-nis], *s.* carácter especulativo.
speculator ['spekjuleitə], *s.* especulador; pensador; contemplador.
speculum ['spekjuləm], *s.* (*pl.* **specula**) espéculo; espelho.
sped [sped], *pret.* e *pp.* do verbo **to speed.**
speech [spi:tʃ], *s.* fala; discurso; linguagem; oração; palavra; idioma; palestra; dissertação; conferência; língua.
direct speech — (gram.) discurso directo.
indirect speech — (gram.) discurso indirecto.
speech-day — dia de distribuição de prémios numa escola.
reported speech — (gram.) discurso indirecto.
to make a speech — fazer um discurso.
to deliver a speech — proferir um discurso.
the speech from the throne — o discurso da Coroa.
a set speech — um discurso preparado.
parts of speech — partes do discurso.
musical speech — línguagem musical.
speechifier ['-ifaiə], *s.* (dep.) arengador, palestrante, discursador.
speechify ['-ifai], *vi.* (dep.) arengar, fazer discursos, fazer discursatas.
speechless ['-lis], *adj.* mudo, sem fala, calado, silencioso; atónito; embasbacado, petrificado.
she was speechless with indignation — ela ficou muda de indignação.
speechlessly ['-lisli], *adv.* sem fala; mudamente; silenciosamente; atonitamente.
speechlessness ['-lisnis], *s.* mudez, silêncio.
speed [spi:d], **1** — *s.* velocidade; rapidez; pressa; celeridade; prontidão; força (de máquina); (arc.) êxito, prosperidades. (*Sin.* velocity, rate.)
speed limit — limite de velocidade.
at full speed — a toda a velocidade.
to run with all speed — correr a toda a pressa.
to lower speed — reduzir a velocidade.
speed-boat — barco veloz.
to slacken speed — diminuir a velocidade.
speed-change gear — (mec.) alavanca das velocidades.
speed indicator — velocímetro.
speed of sound — velocidade do som.
speed of light — velocidade da luz.
speed-track — pista de velocidade.
a four-speed car — um carro de quatro velocidades.
top speed — velocidade máxima.

more haste, less speed — quanto mais depressa, mais devagar.
2 — *vt.* e *vi.* (*pret.* e *pp.* **sped**) ir depressa, andar depressa; despachar(-se), apressar(-se), aviar(-se); acelerar; (arc.) ter êxito, ser bem sucedido.
to speed up — trabalhar o mais que se pode.
to speed off — partir a toda a velocidade (pressa).
speedily ['-ili], *adv.* rapidamente, depressa; prontamente.
speediness ['-inis], *s.* rapidez; pressa; prontidão; grande velocidade.
speedometer [spi(:)'dɔmitə], *s.* velocímetro.
speedy ['spi:di], *adj.* rápido; veloz; apressado; lesto; expedito; célere.
I wish you a speedy recovery — desejo-lhe rápidas melhoras.
a speedy answer — uma resposta pronta.
spelaeology [spi:li'ɔlədʒi], *s.* espeleologia.
spell [spel], **1** — *s.* encanto, fascinação; atracção; feitiço, bruxaria; encantamento; palavra(s) mágica(s); turno; serviço alternado; intervalo; tempo de descanso; (náut.) quarto (de serviço).
to be under a spell — estar fascinado.
a spell of fine weather — um intervalo de bom tempo.
a spell of cold — um período de tempo frio.
by spells — por turnos.
spell-work — feitiçaria.
to break a spell — quebrar um encanto.
spell-bound — fascinado, encantado.
2 — *vt.* e *vi.* (*pret.* e *pp.* **spelt** ou **spelled**) soletrar; ler com dificuldade; escrever com boa ortografia; enfeitiçar, encantar; fascinar; acarretar, implicar; (fig.) interpretar mal, adulterar o sentido de; (náut.) estar de quarto, estar de serviço; render um serviço.
how do you spell your name? — como se escreve o seu nome?
to spell out — decifrar, ler; descobrir.
to spell backwards — soletrar do fim para o princípio.
these changes spell ruin — estas mudanças acarretam prejuízo.
to spell the watch — (náut.) chamar para o quarto.
to spell over = *to spell out.*
to spell badly — escrever mal (com erros ortográficos).
spellbinder ['-baində], *s.* (E. U.) orador político insinuante.
speller ['-ə], *s.* o que soletra; o que escreve; cartilha (de leitura).
bad speller — o que escreve com erros ortográficos.
spelling ['-iŋ], *s.* soletração; ortografia; grafia, escrita.
spelling-book — cartilha.
bad spelling — má ortografia.
spelling-reform — reforma ortográfica.
spelt [-t], **1** — *s.* trigo alemão.
2 — *pret.* e *pp.* do verbo **to spell.**
spelter ['speltə], *s.* zinco.
spencer ['spensə], *s.* (náut.) latina, vela de carangueja.
Spencerian [spen'siəriən], *adj.* spenceriano, relativo às doutrinas do filósofo Herbert Spencer.
Spencerianism [-izm], *s.* spencerianismo, sistema filosófico de Herbert Spencer.
spend [spend], *vt.* e *vi.* (*pret.* e *pp.* **spent**) gastar, despender; consumir; passar (o tempo); ocupar; empregar; fatigar; gastar-se; perder-se; desovar (peixes); extinguir-se; perder.
to spend one's life in amusements — passar a vida em divertimentos.
to spend money on — gastar dinheiro em.
to spend a pleasant day — passar um dia agradável.
how do you spend your time? — como passa(s) o tempo?
come and spend the evening with us! — venha passar o serão connosco!
to spend a mast — (náut.) perder um mastro.
to spend money like water — gastar (dinheiro) à larga.
spender ['-ə], *s.* perdulário, gastador, esbanjador; pródigo.
spendthrift ['-θrift], *s.* perdulário, gastador, esbanjador; pródigo. (*Sin.* squanderer, spender. *Ant.* miser.)
Spenserian [spen'siəriən], *adj.* spenseriano, relativo ao poeta inglês Edmund Spenser.
Spenserian stanza — estância spenseriana.
spent [spent], *adj.* e *pret.* e *pp.* do verbo **to spend,** gasto; exausto; perdido (tiro); extinto (vulcão); cansado, esfalfado; sem força.
sperm [spə:m], *s.* esperma; (zool.) cachalote.
sperm oil — óleo de baleia.
spermatic [spə'mætik], *adj.* espermático.
spermatocyte ['spə:mətousait], *s.* espermatócito.
spew [spju:], **1** — *s.* vómito.
2 — *vt.* e *vi.* vomitar; lançar.
spewing ['-iŋ], *s.* acção de vomitar; vómito.
spewy ['-i], *adj.* húmido (o solo).
sphenoid ['sfi:nɔid], *s.* e *adj.* esfenóide.
sphenoidal [sfi'nɔidəl], *adj.* esfenoidal.
sphere [sfiə], *s.* esfera; globo; bola; astro; esfera de acção; alçada; posição; céu, firmamento; orbe; âmbito; nível (social), classe; meio, ambiente.
the celestial sphere — a esfera celeste.
armillary sphere — esfera armilar.
he is out of his sphere — ele está fora do seu meio.
he moves quite in another sphere — ele frequenta uma sociedade totalmente diferente.
sphere of action — campo de acção.
within my sphere — dentro das minhas atribuições.
spheric ['sferik], *adj.* esférico.
spherical [-əl], *adj.* esférico; relativo a esfera; da esfera.
spherical valve — válvula esférica.
spherical geometry — geometria esférica.
spherical angle — ângulo esférico.
spherically ['-əli], *adv.* esfericamente.
sphericity [sfe'risiti], *s.* esfericidade.
spherics ['sferiks], *s.* geometria e trigonometria esféricas.
spheroid ['sfiərɔid], *adj.* e *s.* esferóide.
spheroidal [sfiə'rɔidəl], *adj.* esferoidal.
spherometer [sfiə'rɔmitə], *s.* esferómetro.
spherometry [sfiə'rɔmitri], *s.* esferometria.
spherule ['sfer(j)u:l], *s.* esférula.
sphincter ['sfiŋktə], *s.* (anat.) esfíncter.
sphinges ['sfindʒi:z], *s. pl.* de **sphinx.**
sphinx [sfiŋks], *s.* (*pl.* **sphinges**) esfinge.
sphygmograph ['sfigməgrɑ:f], *s.* esfigmógrafo.
sphygmus ['sfigməs], *s.* pulso; pulsação.
spica ['spaikə], *s.* (*pl.* **spicae**) (bot.) espiga; (cir.) ligadura em espiral.
spicae ['spaisi:], *s. pl.* de **spica.**
spice [spais], **1** — *s.* especiaria(s); tempero(s), condimento(s); paladar, sabor, gosto; sainete; pitada; pequena quantidade; grão; ar.
a spice of humour — um toque (um grão) de humor.
2 — *vt.* adubar; temperar; condimentar.

spicer ['-ə], *s.* especieiro, negociante de especiarias; merceeiro.
spicery ['-əri], *s.* especiarias.
spicily ['spaisili], *adv.* de modo picante ou aromático.
spiciness ['spaisinis], *s.* sabor (paladar) apimentado, picante ou aromático.
spick and span ['spikən(d)'spæn], *adj.* novo em folha; reluzente, brilhante; muito limpo.
spicy ['spaisi], *adj.* picante; condimentado; apimentado; aromático; pungente; (fam.) vistoso.
a spicy story — uma história picante.
spider ['spaidə], *s.* (zool.) aranha; tripé; frigideira ou caçarola de três pernas.
spider's web — teia de aranha.
spider-crab — (zool.) santola.
spiderlike [-laik], *adj.* semelhante a aranha.
spidery ['spaidəri], *adj.* cheio de aranhas.
spied [spaid], *pret.* e *pp.* do verbo **to spy.**
spier ['spaiə], *s.* espião; bisbilhoteiro.
spiffing ['spifiŋ], *adj.* (col.) excelente, magnífico, óptimo.
spiffingly [-li], *adv.* (col.) excelentemente, magnificamente.
spifflicate ['spiflikeit], *vt.* (col.) bater, esmurrar, zurzir; derrotar; aniquilar, matar, (cal.) pulverizar.
spigot ['spigət], **1** — *s.* batoque, espiche.
2 — *vi.* encaixar-se.
spike [spaik], **1** — *s.* espigão; ponta (geralmente de ferro), pua; cavilha; cravo; (bot.) espiga; (cam. fer.) escápula; (zool.) galho de veado de dois anos; (col.) hospício.
2 — *vt.* e *vi.* pregar; cravar; encravar (canhão, peça, etc.); espetar numa ponta; furar; pôr espigões ou puas em; meter cavilhas; impedir; rejeitar; recusar; (bot.) espigar.
spikenard ['-nɑ:d], *s.* espécie de óleo aromático; espicanardo.
spiky ['-i], *adj.* pontiagudo; pontudo.
spile [spail], **1** — *s.* batoque, rolha de cavilha; estaca; cavilha de madeira.
2 — *vt.* pôr batoque ou cavilha em.
spill [spil], **1** — *s.* derramamento; queda; tombo; bátega de água; pedaço de papel ou madeira para acender vela, cachimbo, etc.
2 — *vt.* e *vi.* (*pret.* e *pp.* **spilt** ou **spilled**) entornar, derramar, verter; desperdiçar-se; entornar-se; virar; espalhar; perder; revelar (segredo); cuspir; (náut.) despejar o vento; abafar (pano).
to spill blood — derramar sangue.
to spill the blood of — matar.
to spill money — (col.) perder dinheiro (esp. em apostas).
to spill ink — entornar tinta.
to be spilt from a horse — ser cuspido de um cavalo.
spillage ['-idʒ], *s.* derramamento.
spiller ['-ə], *s.* o que derrama ou entorna; espécie de rede de pescar.
spillikin ['-ikin], *s.* ficha, tento (para o jogo).
spilling ['-iŋ], *s.* derramamento.
spilling of blood — derramamento de sangue.
spilt [-t], *pret.* e *pp.* do verbo **to spill.**
spin [spin], **1** — *s.* volta; giro; rotação; passeio ou corrida rápida.
to go for a spin on a bicycle — ir dar uma volta de bicicleta.
2 — *vt.* e *vi.* (*pret.* e *pp.* **spun**) fiar; entrançar; prolongar; adiar; girar; rodar; fazer girar; andar depressa; sair em fio; tornear; torcer (fio); tecer; fazer rodopiar; (cal. acad.) reprovar, "chumbar".
to spin a top — fazer girar um pião; jogar um pião.
to spin a yarn — contar uma história.
to spin out — prolongar fastidiosamente.
to spin wool — fiar lã.
to spin round — andar à roda.
to spin out the time — passar o tempo.
to spin a coin — lançar uma moeda ao ar.
spinach ['spinidʒ], *s.* (bot.) espinafre.
spinage ['spinidʒ], *s.* (bot.) espinafre.
spinal [spainl], *adj.* espinal; vertebral; da espinha dorsal.
spinal column — coluna vertebral.
spinal cord — medula espinal.
spindle [spindl], **1** — *s.* fuso; bilro; carretel; eixo; veio; haste delgada; pessoa ou coisa delgada; pião de agulha; perno de moitão.
spindle-legged = *spindle-shanked* — de pernas magras e compridas.
spindle-shaped — fusiforme.
2 — *vi.* criar um talo comprido e delgado; alongar-se.
spindrift ['spin-drift], *s.* espuma que o vento arrebata da crista das ondas.
spine [spain], *s.* espinha; coluna vertebral; espinho; lombada (de livro); crista (de monte).
spined [-d], *adj.* que tem espinha; vertebrado; espinhoso, com espinhos ou espinhas.
spineless ['-lis], *adj.* sem espinhas; sem espinhos; sem coragem; fraco, mole; débil.
spinet [spi'net, 'spinit], *s.* (mús.) espineta.
spiniform ['spainifɔ:m], *adj.* espiniforme.
spinnaker ['spinəkə], *s.* (*náut.*) vela grande usada no mastro principal de certos iates de corrida.
spinner ['spinə], *s.* fiandeiro; fiandeira; aranha de jardim; órgão fiandeiro (de aranha, bicho-da-seda, etc.); torneiro.
spinnery [-ri], *s.* fiação (oficina).
spinney ['spini], *s.* pequeno bosque.
spinning ['spiniŋ], **1** — *s.* fiação; acto de fiar; movimento de rotação; parafuso (manobra de avião).
2 — *adj.* giratório; que fia; de fiação.
spinning-wheel — roda de fiar.
spinning-jenny — antiga máquina de fiar.
spinning-machine — máquina de fiar.
spinning-factory — fábrica de fiação.
spinning top — pião (de jogar).
spinose ['spainous], *adj.* espinhoso.
spinous ['spainəs], *adj.* espinhoso, com espinhos.
Spinoza [spi'nouzə], *n. p.* Espinosa.
Spinozism [spinou'zizm], *s.* espinosismo, sistema filosófico de Espinosa.
spinster ['spinstə], *s. fem.* solteirona.
spinule ['spainju:l], *s.* espínula.
spiny ['spaini], *adj.* espinhoso, com espinhos.
spiral ['spaiərəl], **1** — *s.* e *adj.* espiral; em espiral; helicoidal.
spiral spring — mola helicoidal.
in a spiral — em espiral.
spiral stairs — escada de caracol.
2 — *vt.* e *vi.* mover-se em espiral.
spirally [-i], *adv.* em espiral.
spirant ['spaiərənt], *s.* e *adj.* consoante contínua ou fricativa; contínuo; fricativo.
spire ['spaiə], **1** — *s.* espira; espiral; linha espiral; rosca; grimpa; agulha (de torre); pináculo; coruchéu; haste fina; cúspide; junco, caniço.
2 — *vt.* e *vi.* (bot.) rebentar, dar rebentos.
spired [-d], *adj.* em espiral; terminado em agulha ou flecha.
spiriform ['spairifɔ:m], *adj.* em forma de agulha ou flecha.
spirit ['spirit], **1** — *s.* espírito; alma; talento; inteligência; génio, temperamento; energia;

vigor; ardor; valor; ânimo; força; humor, disposição, estado de espírito; personalidade; carácter; mente; consciência; aparição, espectro; fantasma; fada; duende; coragem; tendência; álcool; *pl.* vivacidade; boa ou má disposição; bebidas alcoólicas, bebidas espirituosas.
in good spirits — de bom humor; animado; alegre.
low spirits — desânimo; melancolia; mau humor.
high spirits — alegria; bom humor.
to keep up one's spirits — não perder a coragem.
team spirit — camaradagem; espírito de equipa.
ardent spirits — licores espirituosos.
in a spirit of mischief — por espírito de maldade.
to have a high spirit — ter a alma grande; ser altivo.
to show spirit — mostrar viveza; mostrar vigor.
the Holy Spirit — o Espírito Santo.
evil spirit — espírito maligno.
animal spirits — energia; vivacidade.
spirit-rapper — médium (espiritista).
spirit-rapping — espiritismo.
spirit lamp = *spirit store* — lâmpada de álcool.
spirit thermometer — termómetro de álcool.
spirit-writing — psicograma.
poor in spirit — pobre de espírito.
the spirit of the law — o espírito da lei.
2 — *vt.* animar, encorajar, estimular.
spirited [-id], *adj.* animado; vivo; fogoso; brioso; corajoso; enérgico. (*Sin.* vigorous, sprightly, animated, courageous, lively. *Ant.* dull.)
spiritedly ['-idli], *adv.* vigorosamente, energicamente; corajosamente; com animação.
spiritedness [-idnis], *s.* coragem; brio; vigor; vivacidade; energia; fogosidade.
high spiritedness — brilhantismo; fulgor.
spiritism [-izm], *s.* espiritismo.
spiritist [-ist], *s.* espírita, espiritista.
spiritless [-lis], *adj.* sem ânimo, sem vigor, sem energia, abatido; fraco, débil; inanimado; desanimado, deprimido.
spiritlessly [-lisli], *adv.* desanimadamente, sem vigor, sem vivacidade, sem energia; com falta de espírito.
spiritlessness [-lisnis], *s.* desânimo, abatimento; fraqueza, debilidade; falta de energia; moleza.
spiritual ['spiritjuəl], **1** — *s.* espiritual (cântico dos negros do Sul dos E. U.).
negro spiritual — espiritual negro.
2 — *adj.* espiritual; sagrado; moral; imaterial; religioso; eclesiástico.
spiritual power — poder espiritual.
spiritual court — tribunal eclesiástico.
spiritualism [-izm], *s.* espiritualismo; espiritismo.
spiritualist [-ist], *s.* espiritualista; espiritista, espírita.
spiritualistic [-'istik], *adj.* espiritualista; espiritista.
spirituality [spiritju'æliti], *s.* espiritualidade.
spiritually ['spiritjuəli], *adv.* espiritualmente.
spirituous ['spiritjuəs], *adj.* espirituoso; alcoólico; volátil.
spirometer [spai'rɔmitə], *s.* espirómetro.
spirometry [spai'rɔmitri], *s.* espirometria.
spirt [spə:t], **1** — *s.* repuxo; jorro; esguicho; ímpeto; jacto.
2 — esguichar; irromper.
spiry ['spaiəri], *adj.* em agulha, em flecha; fino, delgado; sinuoso; espiralado.
spit [spit], **1** — *s.* saliva, cuspe, cuspo; espeto de ferro para assar; pazada; assador; restinga; ponta de terra.
2 — *vt.* e *vi.* (*pret.* e *pp.* **spat**) cuspir; expectorar; escarrar; chuviscar; salpicar; bufar (gato, etc.); crepitar (lume); lançar; dizer abruptamente.
it is not raining much, it is only spitting — não chove muito, está só a chuviscar.
to spit blood — expectorar sangue.
to spit in someone's face — cuspir na cara de alguém.
3 — *vt.* (*pret.* e *pp.* **spitted**) espetar; atravessar, trespassar.
spitchcock ['spitʃkɔk], **1** — *s.* enguia grelhada
2 — *vt.* grelhar enguias.
spite [spait], **1** — *s.* despeito; rancor, ódio; ressentimento; aversão. (*Sin.* rancour, hatred, grudge, malice. *Ant.* benevolence, love.)
in spite of — apesar de; a despeito de.
out of spite — por despeito.
from spite — por despeito.
he did it from pure spite — ele fê-lo apenas por despeito.
to have a spite against someone — ter rancor a alguém; estar ressentido com alguém.
2 — *vt.* despeitar; vexar; irritar; mortificar; contrariar; ofender.
to cut off one's nose to spite one's face — prejudicar-se a si mesmo para se vingar de alguém.
spiteful ['-ful], *adj.* rancoroso; vingativo; malévolo; maldoso.
spitefully ['-fuli], *adv.* rancorosamente; por despeito; malevolamente; vingativamente.
spitefulness ['-fulnis], *s.* rancor; ódio; malevolência; despeito.
spitfire ['spitfaiə], *s.* pessoa exaltada; tipo de avião de caça inglês.
spitting ['spitiŋ], *s.* acção de cuspir ou escarrar; expectoração.
spittle [spitl], *s.* saliva, cuspe, cuspo.
spittoon [spi'tu:n], *s.* escarradeira, escarrador.
splash [splæʃ], **1** — *s.* salpico (de lama, etc.); pancada na água, chape; pó-de-arroz.
to make a splash — (col.) causar sensação, atrair a atenção, dar na(s) vista(s).
splash-board — guarda-lamas.
2 — *vt.* e *vi.* salpicar; enlamear; patinhar, chapinhar; chafurdar.
to splash with mud — salpicar de lama.
to splash money about — esbanjar dinheiro.
splasher ['-ə], *s.* guarda-lamas; o que enlameia ou salpica.
splashy ['-i], *adj.* enlameado; salpicado.
splatter ['splætə], *vi.* esparrinhar; chapinhar.
splatter-dash — balbúrdia; rebuliço.
splay [splei], **1** — *s.* alargamento (arq.); abertura; largura.
2 — *adj.* largo; virado para fora; afastado; cambado; chanfrado; cambaio.
splay-feet — pés virados para fora; cambaio.
3 — *vt.* e *vi.* alargar (arq.); inclinar; chanfrar; deslocar (omoplata).
spleen [spli:n], *s.* (anat.) baço; hipocondria; depressão, melancolia; mau humor; (fig.) bílis; rancor; má disposição; irritação; aborrecimento.
to vent one's spleen — (col.) descarregar a bílis; descarregar o mau humor.
to have a fit of spleen — ter um acesso de mau humor ou de melancolia.
spleenful ['-ful], *adj.* colérico; bilioso; rabugento; irritadiço; hipocondríaco; melancólico; neurasténico; maldisposto; mal-humorado; aborrecido.
spleenfully ['-fuli], *adv.* melancolicamente, taciturnamente; com mau humor; colericamente; irritadamente.

spleenish ['-iʃ], *adj.* mal-humorado; melancólico, taciturno; um tanto maldisposto; um tanto colérico ou irritado.
spleenishly ['-iʃli], *adv.* taciturnamente, melancolicamente; com certo mau humor.
spleeny ['-i], *adj.* rabugento; neurasténico; mal-humorado; melancólico, taciturno.
splendent ['splendənt], *adj.* resplandecente, brilhante; lustroso.
splendid ['splendid], *adj.* esplêndido, magnífico; sumptuoso; resplandecente; brilhante; soberbo; excelente, óptimo.
(that's) splendid! — (isso é) óptimo!, (isso é) magnífico!
splendidly [-li], *adv.* esplendidamente; magnificamente; sumptuosamente; brilhantemente; soberbamente; excelentemente, optimamente.
splendidness [-nis], *s.* esplendor, magnificência, brilho, brilhantismo. (*Sin.* brilliance, magnificence, grandeur, pomp.)
splendorous ['splendərəs], *adj.* esplendoroso, magnificente, sumptuoso, soberbo.
splendour ['splendə], *s.* esplendor, pompa, brilho, magnificência, sumptuosidade.
splenectomy [spli:'nektəmi], *s.* esplenectomia.
splenetic [spli'netik], **1** — *s.* remédio para doentes do baço; doente do baço.
2 — *adj.* melancólico, taciturno; hipocondríaco; mal-humorado; irritadiço; colérico.
splenic ['splenik], *adj.* esplénico.
splenitis [spli'naitis], *s.* esplenite.
splenotomy [spli:'nɔtəmi], *s.* esplenotomia.
splice [splais], **1** — *s.* enlaçamento de duas pontas de cabo ou corda; costura de cabo; emenda; ensambladura.
2 — *vt.* enlaçar (duas pontas de cabo ou corda); ajustar; emendar; ensamblar; fazer uma costura de cabo; (col.) casar, juntar os trapinhos.
splicing ['-iŋ], *s.* ajuste, enlaçamento; união; ensambladura.
spline [splain], *s.* fasquia, tabuinha; estria; ranhura.
splint [splint], **1** — *s.* tala; lasca; esquírola; estilha; (anat.) perónio.
2 — *vt.* pôr em talas; pôr talas.
splinter ['-ə], **1** — *s.* lasca; estilhaço; esquírola; estilha.
to fly into splinters — fazer-se em estilhaços.
splinter-bar — barra de tracção à qual se prendem os tirantes.
splinter-bone — (anat.) perónio.
2 — *vt.* e *vi.* fazer em lascas ou estilhaços; estilhaçar(-se); despedaçar(-se).
splintered ['-əd], *adj.* estilhaçado; fendido; lascado.
splintered fragment — esquírola (de osso); lasca (de madeira).
splintering ['-əriŋ], *s.* estilhaçamento.
splinterless ['-əlis], *adj.* que se parte sem se estilhaçar.
splintery ['-əri], *adj.* que se estilhaça; de lascas ou de estilhaços.
splinting ['-iŋ], *s.* fixação ou imobilização por meio de talas.
split [split], **1** — *s.* racha, fenda; greta; rompimento; rotura; quebra; rasgão; divisão; cisão; separação, cisma.
2 — *adj.* rachado, fendido; gretado; dividido; cindido; lascado.
split infinitive — (gram.) construção em que se intercala um advérbio entre o verbo no infinito e a partícula *to*.
split personality — desdobramento de personalidade.
3 — *vt.* e *vi.* (*pret.* e *pp.* **split**) rachar, fender; gretar; cindir; separar; dividir; estalar; rebentar; partir, quebrar; (fís.) desintegrar; rachar-se; partir-se; dividir-se; fender-se; rasgar-se (vela), abrir-se, deslocar-se.
to split the difference — dividir a diferença ao meio.
to split hairs — (col.) ser miudinho; discutir sobre ninharias.
to split one's sides with laughter — rebentar de riso.
to split asunder — rachar ao meio.
to split in two — dividir em dois (em duas partes).
my head is splitting — a minha cabeça estala com dores.
to split one's head — partir (rachar, abrir) a cabeça.
the rock on which we split — a causa dos nossos infortúnios.
to split the atom — (fís.) desintegrar o átomo.
to split open — arrombar para abrir; fazer saltar (rolha) para abrir.
to split logs — rachar lenha; rachar cavacos de madeira.
splitter ['-ə], *s.* o que racha, parte, rebenta ou fende.
side-splitter — anedota engraçada; piada com graça.
splitting ['-iŋ], **1** — *s.* acção de rachar, partir, rebentar ou fender; (fís.) desintegração; divisão, separação, cisão.
splitting of light — decomposição da luz.
splitting up — fraccionamento; decomposição.
2 — *adj.* que racha, parte, rebenta ou fende; agudo, intenso; violento.
a splitting headache — uma dor de cabeça muito violenta.
side-splitting — muito engraçado, de rebentar com riso.
ear-splitting — ensurdecedor.
splodge [splɔdʒ], **1** — *s.* mancha; nódoa; borrão.
2 — *vt.* manchar; enodoar; esborratar.
splodgy ['-i], *adj.* manchado; sujo; enodoado; esborratado.
splotch [splɔtʃ], **1** — *s.* mancha; nódoa; borrão.
2 — *vt.* manchar; enodoar; esborratar.
splotchy ['-i], *adj.* manchado; sujo; enodoado; esborratado.
splurge [splə:dʒ], **1** — *s.* algazarra; espalhafato; carga de água.
2 — *vi.* fazer espalhafato ou algazarra.
splutter ['splʌtə], **1** — *s.* barafunda; azáfama; perdigoto; baba; saliva; maneira de falar precipitada ou atabalhoada; crepitação; salpicadela.
2 — *vt.* e *vi.* deitar perdigotos ao falar; falar atabalhoadamente ou precipitadamente; falar por entre os dentes; salpicar; crepitar.
spoffish ['spɔfiʃ], *adj.* (col.) azafamado, atarefado; prestável.
spoil [spɔil], **1** — *s.* saque; roubo; pilhagem; presa; ruína; dano; *pl.* benefícios; emolumentos; despojos; vantagens.
a share of the spoils — uma parte dos lucros ou do roubo.
to make a spoil of — saquear; pilhar.
2 — *vt.* e *vi.* (*pret.* e *pp.* **spoilt** ou **spoiled**) estragar; inutilizar; deteriorar; corromper; despojar; roubar, pilhar, saquear; destruir; prejudicar; amimar, estragar com mimos; estragar-se; inutilizar-se; deteriorar-se.
to spoil a child — estragar uma criança com mimos.
to spoil one's clothes — estragar a roupa.
to spoil one's appetite — tirar o apetite.
to spoil a joke — estragar uma anedota ou piada.

spoilable ['-əbl], *adj.* que pode estragar-se; deteriorável.
spoilage ['-idʒ], *s.* refugo, escória.
spoiler ['-ə], *s.* espoliador; ladrão, saqueador; o que estraga ou inutiliza.
spoiling ['-iŋ], *s.* deterioração; estrago; inutilização; roubo, pilhagem, saque.
spoil-sport ['-spɔ:t], *s.* desmancha-prazeres.
spoilt [-t], *pret.* e *pp.* do verbo **to spoil** e *adj.* estragado, inutilizado; deteriorado; amimado.
a spoilt child — criança mimalha.
spoilt voting-paper — boletim de voto nulo.
spoil-trade ['-treid], *s.* (com.) concorrente desleal.
spoke [spouk], **1** — *s.* raio (de roda); travão (de roda); degrau (de escada).
to put a spoke in someone's wheel — contrariar os planos de alguém.
2 — *vt.* pôr raios (em roda); colocar degraus (em escada); travar, pôr travão (em roda).
3 — *pret.* do verbo **to speak.**
spoken ['-ən], *pp.* do verbo **to speak.**
to be spoken — (náut.) estar à fala.
spokeshave ['-ʃeiv], *s.* rasoira (de carpinteiro).
spokesman ['-smən], *s.* interlocutor; porta-voz.
spokeswoman ['-swumən], *s. fem.* interlocutora; intérprete; porta-voz.
spoliate ['spoulieit], *vt.* espoliar; roubar, saquear, pilhar; despojar.
spoliation [spouli'eiʃən], *s.* espoliação; roubo, saque, pilhagem; inutilização (de documento).
spoliator ['spoulieitə], *s.* espoliador; esbulhador; ladrão, saqueador.
spoliatory ['spouliətəri], *adj.* espoliador.
spondaic [spɔn'deiik], *adj.* espondaico, espondeu.
spondee ['spɔndi:], *s.* espondeu.
sponge [spʌndʒ], **1** — *s.* esponja; chumaço; (cal.) parasita, «chupista», «pendura», «chulo».
sponge-bath — banho de assento.
sponge-cake — pão-de-ló.
to throw up the sponge — (no boxe) desistir da luta ou do combate.
to pass the sponge over — (col.) passar uma esponja por cima, esquecer.
sponge-cloth — pano de limpeza.
sponge-tree — (bot.) esponjeira.
2 — *vt.* e *vi.* limpar com esponja; passar a esponja sobre (para lavar ou limpar); embeber-se; apagar; (col.) esquecer; (cal.) viver à custa de outrem, «sugar», «chupar»; explorar.
to sponge out — apagar com esponja.
to sponge off — tirar (limpar) com esponja.
to sponge on someone — viver à custa de alguém.
sponger ['-ə], *s.* pescador de esponjas; (col.) papa-jantares; parasita, indivíduo que vive à custa de outrem, «chupista».
spongiae ['ii], *s. pl.* (zool.) espongiários.
spongiform ['-ifɔ:m], *adj.* espongiforme.
sponginess ['-inis], *s.* aspecto esponjoso; porosidade.
sponging-house ['spʌndʒiŋ-haus], *s.* casa de detenção provisoria para devedores insolventes.
spongy ['-i], *adj.* esponjoso; poroso; absorvente.
spongy iron — ferro poroso.
sponsion ['spɔnʃən], *s.* (jur.) fiança; caução; garantia.
sponson [spɔnsn], *s.* (náut.) patim de roda (de navio de roda); embono.
sponsor ['spɔnsə], **1** — *s.* fiador; abonador; padrinho ou madrinha de baptismo; responsável; patrocinador.
2 — *vt.* responder por, responsabilizar-se por; patrocinar; apadrinhar.
sponsorship [-ʃip], *s.* fiança; garantia; patrocínio; apadrinhamento.
spontaneity [spɔntə'ni:iti], *s.* espontaneidade, voluntariedade.
spontaneous [spɔn'teinjəs], *adj.* espontâneo; instintivo; voluntário; impulsivo; automático. (*Sin.* instinctive, voluntary, impulsive, willing. *Ant.* forced, obligatory.)
spontaneous combustion — combustão espontânea.
spontaneously [-li], *adv.* espontaneamente; voluntariamente; automaticamente; de livre vontade.
spontaneousness [-nis], *s.* espontaneidade.
spontoon [spɔn'tu:n], *s.* espontão; partazana.
spoof [spu:f], **1** — *s.* (col.) burla, vigarice; fraude; mistificação.
2 — *vt.* (col.) burlar, vigarizar, mistificar, intrujar.
spoofer ['-ə], *s.* (col.) burlão, vigarista; intrujão.
spook [spu:k], **1** — *s.* (col.) fantasma, aparição, espectro.
2 — *vt.* (col.) assombrar; aparecer a (fantasma).
spookish [-iʃ], *adj.* ver **spooky.**
spooky ['-i], *adj.* de fantasma, fantasmagórico; assombrado; que tem medo de fantasmas.
spool [spu:l], **1** — *s.* carretel; canilha; rolo; bobina.
a spool of film — um rolo de filme.
take-up spool — bobina receptora do filme.
feed spool — bobina de que sai o filme.
2 — *vt.* enovelar; enrolar; bobinar.
to spool off — desbobinar; desenrolar.
spoon [spu:n], **1** — *s.* colher; anzol giratório; (col.) indivíduo apatetado; simplório; apaixonado lamechas.
coffee-spoon — colher do café.
table-spoon — colher da sopa.
soup-spoon — colher da sopa.
tea-spoon — colher do chá.
spoon and fork — talher.
dessert-spoon — colher da sobremesa.
wooden spoon — colher de pau.
to be spoons on someone — estar doido de amores por alguém.
to be born with a silver spoon in one's mouth — nascer para ser feliz; (col.) nascer num fole.
2 — *vt.* e *vi.* apanhar com colher, tirar com colher; pescar com anzol giratório; (col.) namorar; estar apaixonado por alguém.
spoondrift ['-drift], *s.* escarcéu, cabeleira de vaga; cachão; espuma do mar levantada pelo vento.
spoon-feed ['-fi-d], *vt.* (*pret.* e *pp.* **spoon-fed**) alimentar (criança) à colher; (col.) preparar a lição a um aluno, «fazer a papinha toda».
spoonful ['-ful], *s.* colherada, colher cheia.
spoonily ['-ili], *adv.* de modo amoroso; apaixonadamente; com requebros; babosamente.
spooniness ['-inis], *s.* requebros amorosos. patetice; baboseira.
spoony ['-i], *adj.* e *s.* sentimental; apaixonado; simplório, pateta; lamechas; tolo.
to be spoony on someone — (col.) estar babado por alguém.
spoor [spuə], **1** — *s.* rasto (de animal); pista.
2 — *vt.* seguir o rasto de.
sporadic [spɔ'rædik], *adj.* esporádico, acidental, casual; raro, invulgar.
sporadically [-əli], *adv.* esporadicamente, acidentalmente, casualmente.
spore [spɔ:], *s.* esporo (bot. e zool.); germe.
spored [-d], *adj.* com esporos.
sporran ['spɔrən], *s.* bolsa de pele usada pelos Escoceses na frente do saiote.
sport [spɔ:t], **1** — *s.* desporto; divertimento, passatempo; brincadeira; zombaria; escárnio; exercício (esp. ao ar livre); bom rapaz;

companheiro, camarada; desportista; (biol.) tipo ou variedade anormal.
field-sports — exercícios ao ar livre.
to make sport of — fazer troça de; zombar de.
to say in sport — dizer por brincadeira.
athletic sports — desportos atléticos.
the sport of kings — as corridas de cavalos.
sport things — artigos desportivos.
sports-ground — campo desportivo.
sports-coat — casaco desportivo.
sports-editor — redactor desportivo.
sports-shirt — camisa desportiva.
aquatic sports — desportos aquáticos.
winter sports — desportos de Inverno.
to go in for sports — praticar desportos.
he is a sport — ele é um companheirão; (col.) é um bom tipo (um tipo fixe).
2 — *vt.* e *vi.* divertir-se, recrear-se; zombar, troçar; ostentar, alardear, exibir; (biol.) ser anormal. (*Sin.* to play, to divert, to disport, to frolic.)
to sport with someone — divertir-se com (ou à custa de) alguém; troçar de alguém.

sporter [ˈ-ə], *s.* pessoa que ostenta ou exibe (esp. um objecto de adorno).
sportful [ˈ-ful], *adj.* folgazão, alegre, divertido, brincalhão.
sportfully [ˈ-fuli], *adv.* divertidamente, alegremente, de modo folgazão.
sporting [ˈ-iŋ], **1** — *s.* desporto; caça ou pesca. 2 — *adj.* desportivo; brincalhão; folgazão; recreativo, de recreio.
sporting event — competição (prova) desportiva.
sporting newspaper — jornal desportivo.
sporting man — desportista.
sporting yacht — barco de recreio.
sporting rifle — carabina.
sporting gun — caçadeira (espingarda).
a sporting offer — uma oferta vantajosa.
sporting spirit — espírito desportivo.
sportive [ˈ-iv], *adj.* desportivo; ᶠbrincalhão, alegre, folgazão.
sportively [ˈ-ivli], *adv.* alegremente, divertidamente, de modo folgazão.
sportiveness [ˈ-ivnis], *s.* folguedo, divertimento, brincadeira.
sportsman [ˈ-smən], *s.* desportista; caçador ou pescador desportivo.
sportsmanlike [ˈ-smənlaik], *adj.* próprio de desportista; correcto, leal.
sportsmanly [ˈ-smənli], *adv.* e *adj.* desportivamente; lealmente; próprio de desportista.
sportsmanship [ˈ-smənʃip], *s.* desportivismo; lealdade, correcção; prática de desporto(s).
sportswoman [ˈ-swumən], *s. fem.* desportista; caçadora ou pescadora desportiva.
sporty [ˈ-i], *adj.* (col.) leal, correcto; simpático.
sporule [ˈspɔrju:l], *s.* espórulo.
spot [spɔt], **1** — *s.* nódoa; mancha; borrão; sítio, local; ponto; marca, sinal; pinta; nódoa negra; contusão; (col.) gole, trago, pinga; *pl.* (col.) leopardo.
on the spot — imediatamente; no acto; no sítio, *in loco.*
a blue dress with white spots — um vestido azul com pintas brancas.
without a spot on his reputation — sem uma mancha na sua reputação.
to have a soft spot for someone — ter um fraco por alguém.
spot cash — pagamento a pronto, pagamento contra entrega.
spot price — preço a pronto.
someone's weak spot — o ponto fraco de alguém.
to touch the spot — (col.) pôr o dedo na ferida.
a spot of wine — um gole de vinho.
the people on the spot — as pessoas da região.
to put on the spot — (col.) colocar em situação desagradável; assassinar.
2 — *vt.* e *vi.* manchar; enodoar; sujar; macular; salpicar; pintalgar; notar; observar; descobrir; localizar; reconhecer; (col.) prever (o vencedor de uma corrida); sujar-se; manchar-se.
I spotted him at once as an American — **eu descobri logo que ele era americano.**
this dress spots easily — este vestido mancha-se (suja-se) com facilidade.

spotless [ˈ-lis], *adj.* imaculado; limpo; puro; sem mancha; impecável.
a spotless reputation — uma reputação sem mácula.
a spotless conscience — uma consciência limpa.
spotlessly [ˈ-lisli], *adv.* imaculadamente; puramente; impecavelmente; sem mancha.
spotlessness [ˈ-lisnis], *s.* imaculabilidade; pureza; limpeza.
spotlight [ˈ-lait], **1** — *s.* projector, holofote; farol; foco luminoso.
2 — *vt.* pôr em foco; colocar sob holofote ou projector.
spotted [ˈ-id], *adj.* sarapintado, mosqueado; malhado; manchado, maculado; difamado; suspeito; marcado.
spotted fever — (pat.) meningite cerebrospinal.
spottedness [ˈ-idnis], *s.* malhas; pintas; manchas.
spotter [ˈ-ə], *s.* (*col.* E. U.) detective particular.
spottiness [ˈ-inis], *s.* estado do que está manchado ou salpicado; malhas; pintas; manchas.
spotty [ˈ-i], *adj.* malhado; mosqueado, sarapintado; sujo; enodoado; irregular, desigual.
spousals [ˈspauzəlz], *s. pl.* esponsais; núpcias.
spouse [spauz], *s.* cônjuge (esposo ou esposa).
spout [spaut], **1** — *s.* cano, tubo; goteira; calha; bica; repuxo; esguicho; dala; bico de bule; jacto.
to put up the spout — (col.) pôr no prego; empenhar.
water-spout — tromba de água.
2 — *vt.* e *vi.* esguichar; jorrar; declamar; falar continuamente; (col.) pôr no prego, empenhar.
to spout out — jorrar; esguichar.
to spout up — esguichar; elevar-se com força.
the blood spouted from the wound — o sangue jorrou da ferida.
spouter [ˈ-ə], *s.* o que esguicha ou jorra; declamador; orador pomposo.
spouting [ˈ-iŋ], *s.* esguicho, jorro; (col.) discurso pomposo; declamação; arenga.
sprag [spræg], **1** — *s.* escora; calço.
2 — *vt.* escorar; calçar, colocar calço em.
sprain [sprein], **1** — *s.* torcedura, entorse; mau jeito.
2 — *vt.* torcer (pé, pulso, etc.), sofrer entorse em.
sprang [spræŋ], *pret.* do verbo **to spring.**
sprat [spræt], *s.* espécie de carapau ou arenque pequeno; petinga; (col.) criança magra e pouco desenvolvida.
to throw a sprat to catch a whale — arriscar pouco para ganhar muito; dar bilha de leite por bilha de azeite.
sprawl [sprɔ:l], **1** — *s.* trambolhão; posição ou atitude de quem se estatelou.
2 — *vt.* e *vi.* estender-se ao comprido de pernas e braços abertos; espreguiçar-se; estatelar-se; escarrapachar-se.
spray [sprei], **1** — *s.* vergôntea, raminho; conjunto de pequenos ramos; espuma do mar; borrifo; surriada; pulverizador, vaporizador.

spray painting — pintura à pistola.
2 — *vt.* pulverizar, vaporizar; borrifar.
sprayer ['-ə], *s.* pulverizador, vaporizador; pistola de pintar.
spraying ['-iŋ], *s.* pulverização, vaporização; aspersão.
spread [spred], **1** — *s.* expansão; propagação; difusão; desenvolvimento; crescimento; extensão; festa; festim; mesa de banquete; colcha; (náut.) envergadura de vela; (E. U.) qualquer substância para barrar pão (manteiga, compota, etc.); percentagem de lucros.
bed-spread — colcha (coberta) de cama.
2 — *vt.* e *vi.* (*pret.* e *pp.* **spread**) espalhar; estender; propagar; desenvolver; difundir; divulgar; exibir; pôr à vista; distender; esticar; prolongar; alargar-se; estender-se; desenrolar-se; pôr a mesa; untar com; barrar (pão, etc.); cobrir; desfraldar.
to spread abroad — divulgar; propalar.
to spread a carpet — estender um tapete.
to spread butter on bread — **pôr manteiga** no pão.
to spread over — cobrir; barrar; untar.
the table was spread for ten people — a mesa estava posta para dez pessoas.
the view spread out before us — a paisagem desenrolava-se diante de nós.
the rumour spread from mouth to mouth — o boato corria de boca em boca.
to spread out — estender, espalhar; desdobrar; desenrolar; abrir(-se).
to spread it thick — (col.) viver à grande.
to spread it thin — (col.) viver modestamente.
to spread oneself — ser generoso, (col.) alargar-se; ser «fala-barato».
3 — *adj.* estendido; aberto; espalhado; esticado; desdobrado; desenrolado.
spreader ['-ə], *s.* divulgador; o que espalha; espalhador; espátula.
spreading ['-iŋ], *s.* acção de espalhar; divulgação; propagação; desenvolvimento; extensão.
spree [spri:], **1** — *s.* pândega; bródio; patuscada; bebedeira; pagode.
to go on the spree — ir para o pagode; ir para a pândega; andar na pândega.
2 — *vi.* andar na pândega; embriagar-se.
sprig [sprig], **1** — *s.* vergôntea; raminho; renovo; rapazote; fedelho; pimpolho; prego sem cabeça; raminho bordado.
who is that sprig? — quem é aquele fedelho?
2 — *vt.* enfeitar com raminhos; bordar raminhos.
sprightliness ['spraitlinis], *s.* vivacidade; jovialidade; alegria; desembaraço; esperteza.
sprightly ['spraitli], *adj.* vivo; alegre, jovial, animado; desembaraçado; esperto. (*Sin.* gay, brisk, lively. *Ant.* dull, lifeless).
spring [spriŋ], **1** — *s.* fonte, nascente; causa, origem; salto, pulo; mola; elasticidade; Primavera; energia, vigor; fenda; (náut.) fractura num mastro.
spring mattress — colchão de molas.
hot springs — termas, estância termal.
spring water—água de manancial, de nascente.
spring tide — maré viva.
spring-board — trampolim.
spring bed — cama com colchão de molas.
spring cushion — almofada de molas.
spring flowers — flores primaveris.
spring steel — aço para molas.
he rose with a spring — ele levantou-se de um salto (pulo).
his muscles have no spring in them — os músculos dele não têm qualquer elasticidade.
Spring is in the air — cheira a Primavera.
2 — *vt.* e *vi.* (*pret.* **sprang,** *pp.* **sprung**) saltar, pular; brotar; nascer; rebentar; dimanar; aparecer de repente; fazer saltar; abrir uma fenda; surgir; fazer surgir; provir; derivar; fechar ou abrir por meio de mola; levantar(-se) (a caça); fazer explodir; descarregar; partir-se; despontar; rachar; estalar.
to spring forward — lançar-se para a frente; atirar-se; abalançar-se.
to spring a leak — meter água (navio).
to spring forth — brotar; crescer; sair; precipitar-se.
to spring a mine — fazer saltar uma mina.
to spring at — lançar-se sobre; atirar-se a.
to spring over — saltar por cima de.
to spring back — saltar para trás.
to spring up — levantar-se de um pulo; pular; rebentar; brotar; surgir; aparecer; crescer; prosperar.
the buds are springing — os botões estão a nascer.
to spring a partridge — levantar uma perdiz.
to spring from — brotar de; nascer de; surgir de.
to spring a surprise on — fazer uma surpresa a.
to spring a lock — forçar uma fechadura.
to spring aside — saltar para o lado.
springal(d) ['-əl(d)], *s.* (arc.) rapaz; rapariga; jovem.
springbok ['-bɔk], *s.* (zool.) gazela da África do Sul; *pl.* os Sul-Africanos.
springe [sprindʒ], **1** — *s.* armadilha; laço.
2 — *vt.* apanhar em laço ou armadilha.
springer ['spriŋə], *s.* saltador; cão que levanta a caça; (arq.) imposta; (col.) professor de ginástica.
springily ['spriŋili], *adv.* elasticamente; agilmente.
springiness ['spriŋinis], *s.* elasticidade; agilidade.
springing ['spriŋiŋ], **1** — *s.* elasticidade; salto, pulo; rebento; nascença; fonte, origem; manancial; esguicho; suspensão; desvio; empeno, crescença.
2 — *adj.* que se levanta; que salta; que brota; que cresce.
springlet ['spriŋlit], *s.* pequena fonte.
springlike ['spriŋlaik], *adj.* primaveril.
springtide ['spriŋtaid], *s.* Primavera.
springtime ['spriŋtaim], *s.* Primavera.
springy ['spriŋi], *adj.* ágil; elástico; com fontes ou nascentes; com molas.
sprinkle [spriŋkl], **1** — *s.* borrifo; salpico; chuvisco; gota.
a sprinkle of — (col.) umas luzes de.
2 — *vt.* e *vi.* borrifar; salpicar; aspergir; derramar; cair em gotas, gotejar; chuviscar; polvilhar; regar; semear; matizar.
to sprinkle with salt — salpicar de sal.
sprinkler ['-ə], *s.* o que borrifa ou salpica; borrifador; pulverizador; hissope; crivo; extintor de incêndios.
sprinkler-cart — carroça de rega.
sprinkling ['-iŋ], *s.* acção de borrifar ou salpicar; aspersão; rega; pequena quantidade, laivos, luzes, rudimentos.
sprint [sprint], **1** — *s.* corrida a toda a velocidade; arranco veloz.
sprint-race — corrida de velocidade.
2 — *vt.* e *vi.* entrar em corrida de velocidade; arrancar com toda a velocidade.
sprinter ['-ə], *s.* corredor de velocidade; corredor veloz.
sprinting ['-iŋ], *s.* corrida de velocidade.
sprit [sprit], *s.* (náut.) botavara; espicha.
sprite [sprait], *s.* duende; fada; fantasma, espírito; elfo.

sprocket ['sprɔkit], *s.* dente de roda.
sprocket-wheel — roda dentada; roda de corrente.
sprocket chain — corrente articulada.
sprout [spraut], **1** — *s.* (bot.) renovo; rebento; grelo; botão.
Brussels sprout — couve de Bruxelas.
2 — *vt.* e *vi.* (bot.) rebentar; brotar; germinar; grelar; fazer germinar; crescer; deixar crescer.
to sprout a moustache — deixar crescer bigode.
sprouting ['-iŋ], *s.* germinação; crescimento; desenvolvimento.
spruce [spru:s], **1** — *s.* (bot.) abeto vermelho; espruce.
2 — *adj.* janota; elegante; guapo; enfeitado; garboso; bem-posto.
3 — *vt.* e *vi.* vestir-se com elegância; aperaltar-se; ajanotar-se; alindar-se; (col.) enganar, iludir.
to spruce oneself up — aperaltar-se; vestir-se requintadamente.
to spruce up things — alindar as coisas.
sprucely ['-li], *adv.* elegantemente; asseadamente; como um janota.
spruceness ['nis], *s.* elegância; asseio; garbo; requinte no vestir.
sprue [spru:], *s.* passagem que conduz ao molde (na fundição de metais); metal que solidifica na referida passagem; (pat.) aftas; psilose.
sprung [sprʌŋ], **1** — *adj.* estalado; fendido; com molas; (col.) bêbado, «grosso».
2 — *pp.* do verbo **to spring.**
spry [sprai], *adj.* ágil; lesto; vivo; activo; leve; vigoroso.
spryness ['-nis], *s.* agilidade; vivacidade; leveza; vigor; prontidão.
spud [spʌd], **1** — *s.* pá de jardineiro; qualquer coisa pequena; pessoa baixa e entroncada; (col.) batata.
2 — *vt.* mondar, limpar de ervas (esp. com sacho).
spuddy ['-i], *adj.* atarracado.
spue [spju:], **1** — *s.* vómito.
2 — *vt.* e *vi.* vomitar; lançar; (náut.) cuspir (estopa).
spume [spju:m], **1** — *s.* espuma; escuma.
2 — *vi.* espumar; escumar.
spumous ['-əs], *adj.* espumoso; escumoso.
spumy ['-i], *adj.* espumoso; escumoso.
spun [spʌn], **1** — *adj.* fiado; tecido.
spun silk — seda fiada.
2 — *pret.* e *pp.* do verbo **to spin.**
spunk [spʌŋk], *s.* coragem; brio; energia; (fig.) fogo; valor; cólera; isca; madeira podre; fungo; (E. U.) fósforo.
spunkily ['-ili], *adv.* corajosamente; briosamente; fogosamente; colericamente.
spunkiness ['-inis], *s.* coragem; brio; energia; vigor; (fig.) fogo.
spunky ['-i], *adj.* corajoso; brioso; enérgico; fogoso; colérico.
spur [spə:], **1** — *s.* espora; esporão; aguilhão; incentivo; estímulo; escora; travessa; contraforte; raiz ou galho principal de árvore; (arq.) arcobotante; cravagem (do centeio); (cam. fer.) ramal.
on the spur of the moment — de improviso; de repente.
to win one's spurs — ganhar as esporas de ouro; fazer nome; notabilizar-se.
spur-wheel — roda dentada (cilíndrica).
spur-maker — fabricante de esporas.
spur-pinion — carrete cilíndrico.
to set spurs to a horse — meter esporas a um cavalo.
to clap spurs to a horse — meter esporas a um cavalo.
2 — *vt.* e *vi.* esporear; aguilhoar; espicaçar; estimular; instigar; apressar; calçar esporas; incitar; acicatar; cavalgar velozmente.
to spur on — estimular; acicatar; apressar.
to spur a willing horse — acicatar desnecessariamente uma pessoa trabalhadora.
to spur someone into action — incitar alguém ao trabalho.
spurge [spə:dʒ], *s.* (bot.) eufórbio.
spurious ['spjuəriəs], *adj.* espúrio; ilegítimo, bastardo; falso; falsificado. (*Sin.* false, feigned, counterfeit, illegitimate. *Ant.* genuine.)
spurious coin — moeda falsa.
spuriously [-li], *adv.* falsamente; simuladamente.
spuriousness [-nis], *s.* falsificação; ilegitimidade, bastardia; espuriedade.
spurn [spə:n], **1** — *s.* repulsa; rejeição desdenhosa; pontapé de repulsa.
2 — *vt.* e *vi.* desdenhar; desprezar; repudiar; repelir a pontapés.
spurred ['spə:d], *adj.* com esporas; com esporões.
spurt [spə:t], **1** — *s.* esguicho; jorro; arranco; esforço supremo; acesso.
final spurt — (desp.) arranco final.
2 — *vt.* e *vi.* esguichar; jorrar; brotar; fazer esguichar; rebentar; arrancar; fazer um esforço repentino (esp. em corridas).
sputter ['spʌtə], *s.*, *vt.* e *vi.* ver **splutter.**
sputterer [-rə], *s.* pessoa que fala deitando perdigotos; o que fala depressa ou atabalhoadamente.
sputum ['spju:təm], *s.* esputo; saliva, cuspo; escarro; expectoração.
spy [spai], **1** — *s.* espião; espia; denunciante; esbirro.
spy-glasses — binóculo; telescópio.
2 — *vt.* e *vi.* espiar; vigiar; observar; ver; divisar, descortinar, descobrir; avistar.
to spy out — descobrir; explorar (o terreno).
to spy into — examinar de perto.
spying ['-iŋ], *s.* acção de espiar; espionagem.
squab [skwɔb], **1** — *s.* pombo pequeno, borracho; pessoa atarracada; coxim, almofada de cadeira; otomana.
squab-chick — pintainho implume.
squab pie — empada de borracho.
2 — *adj.* atarracado, baixo e gordo; rechonchudo; implume.
3 — *adv.* pesadamente; redondamente; em cheio.
he came down squab on the floor — ele caiu pesadamente (em cheio) no chão.
squabble [-l], **1** — *s.* disputa, altercação, rixa, querela, contenda.
2 — *vt.* e *vi.* disputar, altercar, discutir; brigar.
squabbler ['-lə], *s.* altercador, zaragateiro, desordeiro, brigão.
squabbling ['-liŋ], *s.* altercação, contenda, briga, rixa, zaragata.
squabby ['-i], *adj.* gorducho, atarracado.
squad [skwɔd], *s.* esquadra; pelotão; brigada.
squadron ['-rən], **1** — *s.* esquadrão; esquadra; esquadrilha.
flying squadron — esquadrilha de aviões.
2 — *vt.* dispor ou formar em esquadrões, esquadras ou esquadrilhas.
squalid ['skwɔlid], *adj.* esquálido, imundo, sórdido. (*Sin.* dirty, foul, sordid, nasty. *Ant.* clean, tidy.)
squalidity [-iti], *s.* ver **squalidness.**
squalidly [-li], *adv.* esqualidamente, de modo sujo, com imundície, porcamente.

squalidness [-nis], *s.* imundície, porcaria, sordidez.
squall [skwɔ:l], **1** — *s.* grito agudo; guincho; borrasca, aguaceiro; pé-de-vento, rajada.
to look out for squalls — precaver-se contra perigos.
black squall — chuvada proveniente de nuvens negras.
white squall — tempestade passageira.
squall of rain — chuvada.
2 — *vt.* e *vi.* soltar gritos agudos; guinchar.
squalling ['-iŋ], **1** — *s.* gritos agudos, gritaria, berraria.
2 — *adj.* que grita, que guincha.
squally ['-i], *adj.* tempestuoso; borrascoso.
squally weather — tempo de aguaceiros.
squaloid ['skweilɔid], *adj.* semelhante ao esqualo ou tubarão.
squalor ['skwɔlə], *s.* sordidez, imundície, porcaria, sujidade.
squama ['skweimə], *s.* escama; bráctea.
squamate ['skweimit], *adj.* escamoso.
squamose ['skweimous], *adj.* escamoso.
squamous ['skweiməs], *adj.* escamoso.
squander ['skwɔndə], *vt.* dissipar, desperdiçar, esbanjar.
to squander one's money — esbanjar o (seu) dinheiro.
squanderer [-rə], *s.* gastador, perdulário, pródigo, esbanjador.
squandering [-riŋ], *s.* e *adj.* dissipação, esbanjamento; dissipador, gastador, esbanjador.
squandermania [-'meinjə], *s.* mania de esbanjar dinheiro.
square [skwɛə], **1** — *s.* quadrado; praça; largo; esquadro; esquadria; regularidade; conformidade; nível; quarteirão (de edifícios).
on the square — honradamente.
by the square — exactamente.
out of square — fora de esquadria.
Trafalgar Square — Praça de Trafalgar (em Londres).
9 is the square of 3 — 9 é o quadrado de 3.
2 — *adj.* quadrado; quadrangular; exacto; perfeito; justo; imparcial; abundante; completo; (com.) saldado, liquidado; em esquadria; (náut.) pelo redondo; em ordem; satisfatório.
square root — raiz quadrada.
square yard — jarda quadrada.
square mile — milha quadrada.
to be square — ter as contas saldadas.
square meal — refeição completa.
square deal(ing) — boa-fé; honradez; clareza nos negócios.
a man of square frame — um homem muito robusto.
square-built — espadaúdo.
square knot — nó direito.
square sails — (náut.) velas redondas.
square dance — quadrilha (dança).
square measure — medida de superfície.
to get one's accounts square — saldar as suas contas.
to get things square — pôr as coisas em ordem.
a square refusal — uma recusa categórica.
3 — *adv.* em esquadria; a direito; perpendicularmente; pelo redondo (náut.)
to play fair and square — agir lealmente, «fazer jogo limpo».
4 — *vt.* e *vi.* quadrar; esquadrar; convir; adaptar; regular; medir; proporcionar; ficar bem; saldar (com.); esquadriar; facejar; (náut.) bracear pelo redondo.
to square up — regular as contas.
to square accounts with — liquidar ou ajustar contas com.
to square the yards — (náut.) pôr as vergas em cruz.
squared [-d], *adj.* em quadro; rectangular; ao quadrado, elevado ao quadrado (mat.); quadriculado (papel).
squarehead [-hed], *s.* (E. U.) escandinavo.
squarely [-li], *adv.* de forma quadrada; a direito; em esquadria; honradamente, honestamente; lealmente.
squareness [-nis], *s.* forma quadrada; honestidade; lealdade.
squaring ['-iŋ], *s.* quadratura; esquadria; quadriculação; lais (do navio).
squash [skwɔʃ], **1** — *s.* polpa; choque de um corpo mole com outro; coisa mole ou branda; abóbora; sumo de frutas aguado.
lemon squash — espécie de limonada.
orange squash — espécie de laranjada.
squash rackets — (desp.) jogo.
winter squash — abóbora menina.
2 — *vt.* e *vi.* esmagar, espremer, esborrachar; comprimir em massa informe; esmagar-se, esborrachar-sr; forçar; (col.) jugular, dominar, reprimir; reduzir (alguém) ao silêncio.
to squash a rebellion — esmagar uma revolta.
to squash into — abrir caminho para.
squashily ['-ili], *adv.* molemente; brandamente.
squashiness ['-inis], *s.* moleza, aspecto mole ou lodoso.
squashy ['-i], *adj.* mole e húmido; lodoso; lamacento; semelhante a abóbora.
squat [skwɔt], **1** — *s.* acocoramento, agachamento; indivíduo atarracado.
2 — *adj.* atarracado; rechonchudo; acocorado, agachado.
3 — *vt.* e *vi.* agachar-se, acocorar-se; estabelecer-se num local sem direito; alapardar-se.
squatter ['-ə], *s.* pessoa que está agachada; colono australiano; (E. U.) colono intruso.
squaw [skwɔ:], *s. fem.* mulher pele-vermelha; índia da América do Norte.
squaw-man — homem branco casado com índia.
squawfish ['-fiʃ], *s.* variedade de peixe.
squawk [-k], **1** — *s.* grito agudo, guincho.
2 — *vi.* soltar gritos agudos, guinchar.
squeak [skwi:k], **1** — *s.* grito estridente, guincho, chio.
a narrow squeak — uma escapada difícil.
2 — *vt.* e *vi.* guinchar; chiar; ranger; grunhir; suspirar; (col.) delatar, denunciar.
squeaker ['-ə], *s.* pessoa ou animal que guincha ou chia; (col.) delator, denunciante; avezinha.
squeakily ['-ili], *adv.* com guinchos, com som estridente.
squeaking ['-iŋ], **1** — *adj.* agudo, penetrante; estridente.
2 — *s.* grito agudo; som estridente; guincho, chio.
squeaky ['-i], *adj.* que guincha ou chia; de som agudo ou estridente.
squeal [skwi:l], **1** — *s.* grito agudo, penetrante ou estridente; guincho.
2 — *vt.* e *vi.* soltar gritos agudos ou estridentes; guinchar; (col.) delatar, denunciar; reclamar.
squealer ['-ə], *s.* pessoa ou animal que guincha ou grita; (col.) denunciante, delator; pessoa que protesta ou reclama.
squeamish ['skwi:miʃ], *adj.* delicado, melindroso; meticuloso; enfastiado; enjoado; susceptível; escrupuloso, «miudinho». (*Sin.* particular, fastidious, overscrupulous.)
squeamishly [-li], *adv.* melindrosamente; meticulosamente; escrupulosamente; de modo enjoado.

squeamishness [-nis], *s.* melindre; susceptibilidade; enjoo, náusea; escrúpulo.
squeegee ['skwi:'dʒi:], *s.* (o mesmo que **squilgee**) utensílio de madeira com borracha, para secar superfícies molhadas; rolo de fotógrafo para espremer a água das provas.
squeezable ['skwi:zəbl], *adj.* que se pode apertar ou espremer; (col.) «pato»; pessoa a quem se pode extorquir dinheiro facilmente.
squeeze [skwi:z], **1** — *s.* aperto; apertão; compressão; espremedura; esmagamento; (col.) suborno; extorsão; situação difícil, apuro.
a tight squeeze — um apertão.
a squeeze of the hand — um aperto de mão.
a squeeze of orange — umas gotas de laranja.
2 — *vt.* e *vi.* apertar, espremer, comprimir; estreitar (nos braços); oprimir; extorquir (dinheiro); entrar ou sair aos empurrões; conseguir com esforço.
to squeeze out — fazer sair por compressão.
to squeeze an orange — espremer uma laranja.
to squeeze money out of a person — extorquir dinheiro a uma pessoa.
to squeeze a person's hand — apertar a mão de uma pessoa (em sinal de simpatia).
I was squeezed to death in the crowd — eu estava esmagado no meio da multidão.
squeezer ['-ə], *s.* o que aperta; espremedor; compressor; prensa.
lemon-squeezer — espremedor de limões.
squelch [skweltʃ], **1** — *s.* baque; queda pesada; pancada surda; som de passos sobre lama.
2 — *vt.* e *vi.* esmagar, esborrachar; patinhar, chapinhar; terminar; reprimir; subjugar.
squib [skwib], **1** — *s.* busca-pé, bicha-de--rabear; pasquim; sátira.
2 — *vt.* e *vi.* lançar busca-pés; pasquinar; escrever sátiras.
squid [skwid], **1** — *vi.* pescar com isca artificial.
2 — *s.* (zool.) calamar; choco; isca artificial.
squiffed [skwift], *adj.* meio embriagado, (col.) com um grão na asa.
squiffer ['skwifə], *s.* (col.) concertina.
squiffy ['skwifi], *adj.* ver **squiffed.**
squiggle ['skwigl], *s.* *(col.)* contorcimento; floreio.
squilgee ['skwil'dʒi:], *s.* ver **squeegee.**
squill [skwil], *s.* (bot.) cila; espécie de narciso; (zool.) esquila.
squint [skwint], **1** — *s.* estrabismo, olhar vesgo; olhar de soslaio; (col.) olhadela, olhar furtivo; tendência.
2 — *adj.* estrábico, vesgo; oblíquo; de soslaio
squint-eyed — estrábico, vesgo; (col.) mau.
squint-eyes — (col.) zarolho.
3 — *vt.* e *vi.* entortar os olhos; ser estrábico, ser vesgo; olhar de soslaio, olhar de esguelha.
squinter ['-ə], *s.* pessoa estrábica.
squinting ['-iŋ], **1** — *s.* estrabismo.
2 — *adj.* estrábico, vesgo.
squire ['skwaiə], *s.* proprietário rústico; escudeiro; fidalgo rural; juiz de paz.
squireárchy [-rɑ:ki], *s.* conjunto de proprietários rurais; fidalguia rústica.
squirm [skwə:m], **1** — *s.* contorcimento.
2 — *vt.* torcer-se, contorcer-se; enrolar-se, enroscar-se; serpear, serpentear.
squirrel ['skwirəl], *s.* (zool.) esquilo.
squirrel-monkey — sagui(m).
squirt [skwə:t], **1** — *s.* seringa; bisnaga; seringadela, esguichadela, jacto; (col.) borra-botas.
2 — *vt.* e *vi.* seringar, esguichar, bisnagar; injectar com seringa.
squit [skwit], *s.* (col.) fedelho.
stab [stæb], **1** — *s.* punhalada; estocada; golpe; ofensa, injúria; dor.
a stab in the back — golpe traiçoeiro; punhalada nas costas.
2 — *vt.* e *vi.* apunhalar; ferir com punhal, estoque ou faca; trespassar; perfurar; ofender, ultrajar, injuriar; magoar.
to stab in the back — apunhalar pelas costas; difamar.
stability [stə'biliti], *s.* estabilidade; firmeza; permanência; constância; solidez.
stabilization [steibilai'zeiʃən], *s.* estabilização.
stabilizator ['steibilaizeitə], *s.* estabilizador.
stabilize ['steibilaiz], *vt.* estabilizar.
stabilizer [-ə], *s.* estabilizador; amortecedor.
stable [steibl], **1** — *s.* estábulo; estrebaria; cavalariça; coudelaria.
stable-dung — estrume de cavalo.
stable-boy (*stable-lad*) — moço de cavalariça.
stable-yard — pátio da cavalariça.
2 — *adj.* estável; permanente, fixo; duradoiro, durável; firme; constante; sólido; seguro.
3 — *vt.* e *vi.* encurralar; meter em estábulo ou cavalariça; viver em estábulo.
stableman ['-mən], *s.* palafreneiro, moço de cavalariça.
stableness ['-nis], *s.* estabilidade.
stably ['-i], *adv.* firmemente; com estabilidade.
stack [stæk], **1** — *s.* pilha, meda (de feno, palha, etc.); montão; sarilho de armas; conjunto de canos de chaminé; rocha isolada junto à praia; abundância; grande quantidade; monte; medida de lenha ou carvão.
I have stacks of work to get through — tenho «carradas» de trabalho para acabar.
smoke-stack — chaminé de navio ou locotiva.
2 — *vt.* empilhar, amontoar; ensarilhar (armas); fazer medas.
stacking ['-iŋ], *s.* rolheiro (de palha, cereal, etc.); acto de empilhar ou de fazer medas; acto de ensarilhar (armas).
stackyard ['-jɑ:d], *s.* pátio onde se empilha o feno, cereal, etc.
stactometer [stæk'tɔtmitə], *s.* conta-gotas.
stadia ['steidjə], **1** — *s.* estádia.
2 — *pl.* de **stadium.**
stadium [-m], *s.* *(pl.* **stadia)** estádio; antiga medida grega de comprimento (cerca de 180 metros); fase; período.
staff [stɑ:f], **1** — *s.* bordão, bastão; báculo; esteio, apoio; pessoal (de empresa, estabelecimento, etc.); cabo de um instrumento; vara de medir; haste; pau de bandeira, mastro; estado-maior (mil.); estrofe, estância; (mús.) pauta, pentagrama; estafe.
editorial staff of a newspaper — corpo de redactores de um jornal.
teaching staff — corpo docente.
bishop's staff — báculo de bispo.
medical staff — corpo clínico; corpo médico.
staff officer — oficial do estado-maior.
staff of nurses — corpo de enfermeiros.
flag staff — mastro de bandeira.
2 — *vt.* prover de pessoal.
to be under-staffed — ter falta de pessoal.
to be well-staffed — estar bem provido de pessoal.
stag [stæg], *s.* veado; toiro castrado; (col.) especulador da Bolsa.
stag-beetle — (zool.) besouro.
stag-evil — tétano dos cavalos.
stag-party — festa só para homens.
stage [steidʒ], **1** — *s.* palco; estrado; plataforma; tablado; teatro; prancha; andaime; grau; degrau; fase; período; estação; jornada; progresso; cena; cavalete; hospedaria, estalagem, pousada; mala-posta, diligência; andar (geol.).
stage-coach — mala-posta, diligência.
stage-effect — efeito cénico.
to go on the stage — seguir a carreira de actor de teatro.

on the stage — em cena.
stage-box — frisa.
stage directions — indicações cénicas.
stage-struck — ansioso por ser actor.
stage-manager — contra-regra.
stage light — luz da ribalta.
to quit the stage — abandonar a careira teatral.
to get up for the stage — pôr em cena.
stage-whisper — aparte; segredo da abelha.
at an early stage — muito cedo; de início.
landing-stage — local de desembarque.
stage-door — porta privativa do pessoal de cena.
stage-rights — direitos de produção.
to write for the stage — escrever para o teatro.
to leave the stage — abandonar a carreira teatral.
2 — *vt.* e *vi.* pôr em cena, encenar; ser representável, representar-se bem; organizar; preparar.
the play stages badly — a peça não se presta à representação.
the play stages well — a peça adapta-se bem à cena.
stager ['-ə], *s.* pessoa muito experiente; (col.) finório, matreiro.
stagger ['stægə], **1** — *s.* vacilação; cambaleio; *pl.* vertigem dos cavalos; tonturas.
2 — *vt.* e *vi.* causar vertigens; cambalear; abalar; fazer vacilar; hesitar, vacilar; começar a duvidar; confundir; atordoar. (*Sin.* to totter, to reel, to waver, to hesitate.)
I was positively staggered by the news — fiquei positivamente abalado com a(s) notícia(s).
to stagger along — caminhar de modo cambaleante.
to stagger to one's feet — levantar-se cambaleando.
staggerer [-rə], *s.* o que abala; o que faz vacilar; argumento desconcertante; objecção.
staggering [-riŋ], *adj.* e *s.* vacilante; hesitante; cambaleante; desconcertante; vacilação; hesitação; cambaleio.
staggering gait — passo vacilante.
staggering blow — soco, golpe ou pancada que faz cambalear.
stagily ['steidʒili], *adv.* de modo teatral; espectacularmente.
staginess ['steidʒinis], *s.* exibicionismo; aspecto teatral; exagero.
staging ['steidʒiŋ], *s.* andaime; tablado; montagem de peça teatral, encenação.
stagnancy ['stægnənsi], *s.* estagnação; paralisação; inércia.
stagnant ['stægnənt], *adj.* estagnante; paralisado; estagnado. (*Sin.* still, motionless, lifeless, tideless. *Ant.* flowing, running.)
stagnant water — água estagnada.
stagnantly [-li], *adv.* estagnadamente.
stagnate ['stægneit], *vi.* estagnar(-se); afrouxar; paralisar.
stagnation [stæg'neiʃən], *s.* estagnação; paralisação; inércia.
stagy ['steidʒi], *adj.* teatral.
staid [steid], *adj.* sério, grave; sóbrio; calmo; reflectido, sensato.
staidly ['-li], *adv.* sobriamente; seriamente, gravemente; calmamente; sensatamente.
staidness ['-nis], *s.* gravidade, seriedade; sobriedade; calma; sensatez.
stain [stein], **1** — *s.* mancha; nódoa; mácula; tinta; tintura; vergonha; desonra.
to take out a stain — tirar uma nódoa.
stain-remover — tira-nódoas; limpa-nódoas.
2 — *vt.* e *vi.* manchar; pôr nódoa(s); tingir; colorir; difamar, caluniar; sujar(-se).
to stain with blood — manchar de sangue.
the cloth stains easily — o tecido mancha-se com facilidade.
these cigarettes stain the fingers — estes cigarros mancham os dedos.
stainer ['-ə], *s.* o que mancha ou enodoa; tintureiro; pintor; difamador, caluniador.
staining ['-iŋ], *s.* coloração; tintura; acto de tingir; nódoa; mancha.
stainless ['-lis], *adj.* imaculado; limpo; puro; sem mancha; inoxidável.
stainless steel — aço inoxidável.
stainlessly ['-lisli], *adv.* imaculadamente; puramente; limpamente.
stainlessness ['-lisnis], *s.* imaculabilidade; pureza; limpeza.
stair [stεə], *s.* degrau; *pl.* escadas, escadaria.
a flight of stairs — um lanço de escadas.
winding stairs — escada de caracol.
stair-carpet — passadeira de escada.
stair-rods — varões para fixar a passadeira da escada.
staircase ['-keis], *s.* escada; escadaria.
moving staircase — escada rolante.
travelling staircase — escada rolante.
winding staircase — escada de caracol.
stake [steik], **1** — *s.* estaca; poste; pelourinho; fogueira; aposta; parada (ao jogo); bigorna; risco, perigo; contingência; *pl.* prémio.
at stake — em perigo; em jogo.
to suffer at the stake — morrer queimado na fogueira.
to sweep the stakes — ganhar tudo.
life itself is at stake — a própria vida está em risco.
consolation stakes — prémio de consolação.
2 — *vt.* pôr estacas; escorar; apoiar; arriscar, pôr em perigo; pôr em jogo; apostar; jogar; expor; limitar, delimitar; subsidiar.
to stake all — aventurar tudo; arriscar tudo.
to stake out — marcar com balizas ou estacas.
stakeholder ['-houldə], *s.* corretor de apostas.
staking ['-iŋ], *s.* estacaria; risco, acto de arriscar; aposta.
stalactite ['stæləktait], *s.* estalactite.
stalagmite ['stæləgmait], *s.* estalagmite.
stale [steil], **1** — *s.* urina (de animais).
2 — *adj.* velho; sediço; gasto; rançoso; deteriorado; insípido; bafiento; bolorento; viciado (o ar); vulgar, trivial; cansado, estafado; gasto. (*Sin.* old, musty, insipid. *Ant.* fresh.)
stale news — notícias velhas.
stale bread — pão duro; pão seco.
stale joke — graça sediça; piada velha.
3 — *vt.* e *vi.* tornar velho ou sediço; tornar insípido; ficar rançoso ou azedo; ficar bolorento; urinar (gado).
stalely ['-li], *adv.* com ranço.
stalemate ['-meit], **1** — *s.* xeque-surdo (xadrez); beco sem saída.
2 — *vt.* dar xeque-surdo (xadrez); paralisar.
staleness ['-nis], *s.* velhice; estado sediço, bafiento ou bolorento; insipidez; banalidade, trivialidade; falta de graça.
Stalingrad ['stɑ:lingræd], *top.* Estalinegrado.
stalk [stɔ:k], **1** — *s.* haste; pé; talo; cana; engaço (de uva); cano (de pena); chaminé (de fábrica); andar altivo; imponência; tubo de termómetro; espiga; caça de emboscada.
2 — *vt.* e *vi.* andar altivamente; pavonear-se; caminhar pé ante pé; caçar de emboscada; andar a passos largos.
stalker ['-ə], *s.* pessoa que anda afectadamente; caçador emboscado; espécie de rede.
deer-stalker — caçador de veados de emboscada.
stalking ['-iŋ], *s.* acto de caçar de emboscada.
stalking-horse — cavalo que encobre o caçador de emboscada; (fig.) pretexto.

stalkless [ˈ-lis], *adj.* sem pé, sem pedúnculo (bot.).
stalklet [ˈ-lit], *s.* pedicelo (bot.).
stalky [ˈ-i], *adj.* duro como um talo; semelhante a uma haste; com haste ou talo.
stall [stɔ:l], **1** — *s.* estábulo; estrebaria; manjedoura; barraca, tenda; lugar (no mercado); cadeira nas primeiras filas (no teatro); assento (em coro de igreja); balcão; mostrador; (fig.) pretexto.
stall-holder — tendeiro; vendedor de feira.
butcher's stall — talho; açougue.
flower-stall — barraca de flores.
2 — *vt.* e *vi.* encurralar; meter em estábulo; atolar-se; falhar (motor); (col.) responder com evasivas.
the engine stalled — o motor foi-se abaixo.
stallage [ˈ-idʒ], *s.* licença para armar tenda ou barraca numa feira; aluguer pago por tenda ou barraca.
stallion [ˈstæljən], *s.* garanhão.
stalwart [ˈstɔ:lwət], **1** — *s.* indivíduo robusto; indivíduo destemido ou resoluto.
2 — *adj.* forte; vigoroso; resoluto; destemido; valente; rijo.
stalwartly [-li], *adv.* valentemente; resolutamente; vigorosamente.
stalwartness [-nis], *s.* valentia; robustez; vigor; coragem; decisão.
Stambul [stæmˈbu:l], *top.* Istambul.
stamen [ˈsteimen], *s.* (bot.) estame.
stamina [ˈstæminə], *s.* força; vigor; robustez; poder; resistência.
stammer [ˈstæmə], **1** — *s.* gaguez.
2 — *vt.* e *vi.* gaguejar; tartamudear; balbuciar.
he stammered out an excuse — ele balbuciou uma desculpa.
stammerer [-rə], *s.* gago; tartamudo.
stammering [-riŋ], *s.* e *adj.* gaguez; gago; tartamudo; balbuciante.
stammeringly [-riŋli], *adv.* gaguejando; tartamudeando; balbuciando.
stamp [stæmp], **1** — *s.* selo, estampilha; timbre; cunho; marca, sinal; impressão; carimbo; temperamento, carácter, índole; estampa; sinete; imagem; acto de bater com o pé no chão; máquina de moer; britador.
stamp album — álbum de selos.
stamp collector — coleccionador de selos; filatelista.
stamp collection — colecção de selos.
stamp-duty — imposto de selo.
stamp-mill — máquina de moer minério.
receipt stamp — selo de recibo.
embossed stamp — selo (em) branco.
revenue stamp — selo fiscal.
postage stamp — estampilha.
signature stamp — chancela.
stamp note — guia de embarque (da Alfândega).
stamp office — agência do selo fiscal.
rubber stamp — carimbo.
stamp-dealer — negociante de selos.
stamp pad — almofada de carimbo.
stamp paper — papel selado.
stamp-machine — máquina de venda de selos automática.
to bear the stamp of — ter a marca (o cunho) de.
men of a different stamp — homens de outra têmpera.
the stamp of truth — o cunho da verdade.
to cancel a stamp — inutilizar um selo.
to stick a stamp on a letter — pôr (colar) um selo numa carta.
2 — *vt.* e *vi.* selar, franquiar, pôr selo(s) em; marcar; estampar; estampilhar; imprimir; gravar; moer; pisar, calcar; bater com os pés; patear; cunhar; caracterizar; esmagar; britar.
to stamp paper — selar papel.
to stamp a letter — franquiar (selar) uma carta.
to stamp the ground — bater com os pés no chão.
stamped on the face — estampado no rosto.
we heard the children stamping overhead — ouvimos as crianças a bater com os pés no chão por cima de nós.
stamped [-t], *adj.* timbrado; selado, franquiado; estampado; gravado; impresso.
stamped envelope — sobrescrito selado ou timbrado.
stampede [stæmˈpi:d], **1** — *s.* fuga precipitada causada por pânico.
2 — *vi.* fugir precipitadamente.
stamper [ˈstæmpə], *s.* estampador; impressor; pilão; rolete (de chapelaria).
stamping [ˈstæmpiŋ], *s.* acto de bater com os pés no chão; estampagem; estampilhagem; moedura de minério.
stance [stæns], *s.* estância, local; posição de jogador no críquete ou no golfe.
stanch [stɑ:ntʃ], **1** — *adj.* (ver também **staunch**) leal, firme, constante; fiel; zeloso; são; estanque (navio).
2 — *vt.* e *vi.* estancar, vedar; esgotar; estancar-se.
stanchion [ˈstɑ:nʃən], **1** — *s.* escora, pontalete; balaústre; mantante (náut.).
2 — *vt.* escorar; firmar com pilares.
stand [stænd], **1** — *vt.* e *vi.* (*pret.* e *pp.* **stood**) estar (de pé ou na posição vertical); aguentar, suportar, tolerar; estar situado, ficar; pôr de pé; colocar; erguer-se, levantar-se; manter-se, sustentar-se; permanecer; estar parado; continuar, durar; achar-se; consistir; ser candidato a; apresentar-se como pretendente ou candidato; defender-se; fazer valer; prender-se com, ligar importância a; ter boa reputação, ser estimado, ser considerado; representar; significar; portar-se; aguentar-se; conservar-se; fazer rumo; aproar; oferecer; pagar; sofrer; hesitar; marrar (cão de. caça).
to stand aside — ficar de lado, manter-se alheio.
to stand against — resistir, opor-se, ir contra; atacar.
to stand about — cercar; rodear.
to stand godfather to a child — servir de padrinho.
to stand to — aderir; defender; manter; suportar; persistir; dirigir-se para.
to stand upon — insistir; confiar em, ater-se a; ter esperanças em; interessar; dizer respeito.
to stand trial — ser submetido a um julgamento.
to stand up with — concordar; ajustar-se; contestar, disputar.
to stand in for — dirigir-se para; encaminhar-se para.
to stand together — ser coerente; estarem unidos, auxiliarem-se um ao outro.
to stand for nothing — não representar nada.
how does he stand the pain? — como suporta ele a dor?
to stand candidate for a place — concorrer a um emprego.
to stand security — ser fiador, afiançar.
to stand the test — resistir à prova.
stand by the anchor! — ferro pronto!
stand by! — atenção! a postos!
to stand back — retroceder; ficar atrás.
to stand by — auxiliar; favorecer; sustentar; confiar em; estar de mirão; estar perto; vigiar; estar pronto para operar; defender.

to stand by a person — tomar o partido de alguém.
to stand between — servir de mediador; impedir.
to stand fast — estar fixo, firme; não se mexer.
to stand forward — avançar, adiantar-se, caminhar.
to stand for — representar, significar; solicitar, pretender; apresentar-se como candidato; defender, proteger.
to stand in one's light — fazer sombra a alguém.
to stand in with — estar ligado a.
to stand in the way — impedir; servir de obstáculo.
to stand in good stead — ser muito útil e vantajoso.
to stand off — conservar-se a distância; afastar-se; pôr-se ao largo (náut.).
to stand upon (on) — insistir; estar em cima; timbrar; estimar, avaliar; fazer valer.
to stand on ceremony — fazer cerimónia.
to stand on tiptoe — pôr-se nas pontas dos pés.
to stand out — fazer frente; opor-se, resistir; sobressair, ressaltar; ser saliente; ser proeminente; manter-se firme.
to stand over — suspender; pôr de parte por algum tempo; retardar; adiar.
to stand out to sea — aproar-se para o mar (náut.).
to stand treat — convidar; fazer as despesas de.
to stand up — levantar, levantar-se; elevar-se; pôr-se de pé; estar de pé.
to stand up for — defender; proteger; pugnar por.
to stand up to — fazer frente a; encarar.
as matters stand — no pé em que as coisas estão.
it stands to reason — isso é lógico.
stand up! — levante-se!
stand out of the way! — deixe passar!, saia do caminho!
I can't stand the noise — não posso suportar o barulho.
to stand well with a person — estar em boas relações com alguém.
the house stands on a hill — a casa está situada num monte.
he was too weak to stand — estava muito fraco para se manter de pé.
to make one's hair stand on end — fazer pôr os cabelos em pé; causar horror.
to stand the heat — suportar o calor.
to stand one's ground — defender o terreno.
to stand or fall — viver ou morrer.
here once stood a huge oak — antigamente havia aqui um enorme carvalho.
his nerves couldn't stand the strain — os seus nervos não suportaram o esforço.
to stand by the side of — igualar; elevar-se à posição de.
to stand good — valer; ser válido.
stand off! — não se encoste!
stand there! — fique aí!
to stand all hazard — expor-se a todos os riscos.
to stand on one's dignity — prezar-se da sua dignidade.
to stand in a queue — esperar (estar) numa bicha.
to stand to one's opinion — sustentar a sua opinião.
to stand in shore — demandar terra; pôr a proa em terra.
to stand on deck — fazer um quarto de castigo (náut.).
to stand in one's own light — ir contra os seus interesses.
everyone stood as the king entered — todos se levantaram quando o rei entrou.
stand still! — não se mexa(m)!; quieto(s)!
stand back! — para trás!, afaste(m)-se!
the order stands — a ordem mantém-se; a ordem continua válida.
to stand ready for — estar pronto para.

2 — *s.* sítio, lugar, posto; parada; pausa; estrado, plataforma; pedestal, pé; descanso; assento; estação; estádio; ponto culminante, apogeu, zénite; termo; estante; mesinha; bengaleiro; prateleira; tenda, barraca; local de estacionamento; praça de táxis; bancada; tribuna; alto, paragem; posição firme, resistência; posto de venda, quiosque.
cruet-stand — galheteiro.
stand-pipe — cano vertical para manter a uniformidade da pressão de água num edifício.
stand-point — ponto de vista.
to make a stand against — fazer alto; parar; opor-se a; oferecer resistência.
to take one's stand — tomar o seu posto; tomar posição; fazer alto.
to be at a stand (standstill) ficar parado.
hall-stand — bengaleiro.
to come to a stand — parar; chegar ao ponto culminante.
a stand by — um amparo, arrimo.
music-stand — estante para músicas.
to stand down — sair do banco de testemunhas.

standard ['stændəd], *s.* e *adj.* estandarte, bandeira; pavilhão; norma, tipo, marca; padrão, modelo; regra fixa; poste, escora, espeque; suporte, coluna; pétala superior da corola papilionácea; árvore exposta ao vento; de marca, legal, normal, oficial; clássico. (*Sin.* flag, model, pattern, measure, rule.)
standard-bearer — porta-bandeira.
standard gauge — medida que serve de norma.
standard work — obra clássica; obra fundamental.
standard of living — nível de vida.
the royal standard — pavilhão real (mar).
standard gold — ouro padrão.

standardization [-ai'zeiʃən], *s.* estandardização; aferição; construção por séries; construção segundo um modelo.

standardize [-aiz], *vt.* estandardizar; submeter à estandardização; aferir; construir por séries; construir segundo um modelo.

standing ['stændiŋ], *s.* e *adj.* posição; reputação; categoria; classe; condição; crédito; antiguidade; duração; paragem, sítio; fixo, permanente; durável; de pé, direito; estagnado.
a teacher of twenty years standing — um professor com vinte anos de exercício.
of long standing — de longa data.
standing-room — lugar para estar de pé.
standing rigging — cabos fixos.
men of high standing — homens de alta posição.
standing orders — instruções permanentes.
standing corn — trigo que está em pé.
standing army — exército permanente.
a standing rule — regra estabelecida.

stand-offish ['stænd'ɔ:fiʃ], *adj.* reservado, retraído; altivo.

stand-offishness [-nis], *s.* reserva, retraimento.

standpoint ['stændpɔint], *s.* ponto de vista; opinião; prisma.

standstill ['stændstil], *s.* pausa; parada; paralisação, imobilização, paragem.
to be at a standstill — ficar parado devido a dificuldade, dúvida ou hesitação.

business is at a standstill — os negócios estão paralisados.
to bring to a standstill — fazer parar, imobilizar.
stand-to ['stændtu:], *s.* (mil.) alerta.
stand-up ['stændʌp], *adj.* direito, duro, engomado (colarinho); de pé.
stand-up collar — colarinho alto, colarinho engomado, colarinho direito.
staniel ['stænjəl], *s.* (zool.) francelho, peneireiro.
stanhope ['stænəp], *s.* carruagem; cabriolé.
Stanislaus ['stænisləs], *n. p.* Estanislau.
stank [stæŋk], **1** — *s.* charco, pântano.
2 — *pret.* do verbo **to stink.**
stannary ['stænəri], *s.* e *adj.* mina de estanho; relativo às minas de estanho.
stannic ['stænik], *adj.* de estanho; estânico.
stannous ['stænəs], *adj.* que contém estanho; relativo ao estanho.
stanza ['stænzə], *s.* estância, estrofe.
staple [steipl], **1** — *s.* mercado; empório; artigo ou produto principal de um país; matéria-prima; matéria bruta; elemento principal; fibra de algodão ou de lã; encaixe onde entra a lingueta de uma fechadura; gato de ferro; grampo; poço interior de mina.
2 — *adj.* principal; estabelecido; corrente, de consumo geral; regulado.
staple commodities — mercadorias principais.
staple food — alimento principal.
staple goods — géneros principais; géneros de consumo.
3 — *vt.* fixar com grampos ou gatos; seleccionar lã ou algodão conforme o fio.
star [sta:], **1** — *s.* estrela; astro; fado, sorte, destino; asterisco; condecoração; grande actriz ou actor de cinema ou de teatro; estrela branca na testa de um cavalo.
the Stars and Stripes — a bandeira dos Estados Unidos da América do Norte.
wandering star — estrela errante.
shooting star — estrela-cadente.
star-spangled — semeado de estrelas.
to see stars — ver as estrelas.
star-stone — espécie de safira.
star-wheel — roda da estrela (téc.).
star of Bethlehem — leite-de-galinha (bot.).
star-like — parecido com as estrelas; estrelado; brilhante; reluzente.
to be born under a lucky star — nascer com boa estrela.
to thank one's stars (lucky stars) — agradecer a sua sorte.
star-gazer — astrólogo; visionário.
to sleep under the stars — dormir ao relento.
star-shower — chuva de estrelas.
blazing star — cometa.
evening star — Vésper; estrela da tarde.
morning star — estrela de alva.
North star — Estrela do Norte, Estrela Polar.
Pole star — Estrela Polar.
2 — *vt.* e *vi.* (*pret.* e *pp.* **starred**) ornar com estrelas; marcar com asteriscos; cintilar; brilhar; desempenhar o papel principal num filme ou numa peça teatral.
starblind ['-blaind], *adj.* meio cego.
starboard ['-bəd], **1** — *s.* (náut.) estibordo.
starboard wing — ala direita (de uma esquadra).
2 — *vt.* e *vi.* guinar para estibordo, virar para estibordo.
starch [sta:tʃ], **1** — *s.* amido; fécula; goma; rigidez; formalidade; dureza.
potato starch — fécula de batata.
starch paste — cola branca.
2 — *adj.* teso, duro, rígido; formal; severo; rijo.
3 — *vt.* engomar.
starched [-t], *adj.* engomado; teso; rijo, duro; formal; severo; afectado; empertigado.
starchiness ['-inis], *s.* tesura, rigidez; afectação; formalismo.
starching ['-iŋ], *s.* acção de engomar, engomadela.
starchy ['-i], *adj.* teso; engomado; afectado; empertigado; feculento; amiláceo.
stare [stεə], **1** — *s.* olhar fixo; pasmo; espanto.
2 — *vt.* e *vi.* fitar, fixar; encarar; olhar com espanto; olhar fixamente; pasmar; saltar à vista, ser evidente.
to stare someone in the face — fitar alguém; olhar alguém de frente.
to stare someone down — fazer baixar os olhos a alguém.
to stare at — olhar fixamente para; fitar.
starer ['-rə], *s.* o que olha fixamente, o que fita; basbaque, papalvo.
starfish ['sta:fiʃ], *s.* (zool.) estrela-do-mar, astéria.
staring ['stεəriŋ], **1** — *s.* acto de fitar ou olhar fixamente; olhar fixo.
2 — *adj.* espantado; arregalado; fito; fixo; admirado; berrante, espalhafatoso, que dá nas vistas.
3 — *adv.* totalmente, completamente.
stark staring mad — completamente doido; doido varrido.
staringly [-li], *adv.* fixamente; com pasmo.
stark [sta:k], *adj.* e *adv.* rígido, teso; puro; completo, cabal, chapado; completamente.
stark-fool — tolo chapado.
stark mad — doido varrido.
stark-naked — nu, em pêlo; completamente nu.
starless ['sta:lis], *adj.* sem estrelas.
starlight ['sta:lait], *s.* e *adj.* luz das estrelas; estrelado.
starling ['sta:liŋ], *s.* estorninho; pegão de uma ponte.
starlit ['sta:lit], *adj.* iluminado pelas estrelas.
starred [sta:d], *adj.* estrelado.
starred with — salpicado de estrelas.
ill-starred — nascido com má sina.
starriness ['sta:rinis], *s.* abundância de estrelas.
starry ['sta:ri], *adj.* estrelado; rutilante.
start [sta:t], **1** — *vi.* e *vt.* partir, pôr-se em marcha; abalar; pôr-se em movimento; iniciar, encetar; começar; dar princípio; estremecer; sobressaltar-se; deslocar-se; desviar-se; trasfegar; inventar, descobrir; sair com ímpeto; surgir; suscitar; espantar, levantar (a caça).
to start back — saltar para trás, recuar.
to start at — começar.
to start off — pôr-se em marcha, partir.
to start on a journey — partir para uma viagem.
tears started from her eyes — saltaram-lhe as lágrimas dos olhos.
he started business in a small way — iniciou o negócio em pequena escala.
to start a conversation — encetar uma conversa.
to start a train — dar o sinal de partida a um comboio.
he started at the sound of my voice — sobressaltou-se ao ouvir a minha voz.
to start wine — trasfegar vinho.
to start out of one's sleep — acordar sobressaltado.
many difficulties started up — surgiram muitas dificuldades.
what time does the train start? — a que horas parte o comboio?
to start after — sair em busca de.
to start up — levantar-se precipitadamente; acordar sobressaltado; sair de repente; pôr-se em movimento; começar a funcionar.

to start from — partir, sair, dimanar de.
to start out — principiar a.
to start in life — começar a vida.
to start a hare — levantar uma lebre.
to start a question — levantar um problema.
to start a fund — abrir uma subscrição.
to start doing something — começar a fazer alguma coisa.
to start on a flight — descolar (avião); levantar voo.
to start with... — para começar; antes de mais.
to start afresh — recomeçar; começar de novo.
to start for a place — partir para um lugar.
2 — *s.* sobressalto; estremecimento; partida; começo; iniciativa; susto; ímpeto, impulso, arrancada; dianteira.
to get a good start in life — ter um bom princípio de vida.
to get the start — tomar a dianteira.
by fits and starts — aos saltos; por acessos; com interrupções.
the start is fixed for 3 p. m. — a partida está marcada para as 3 horas da tarde.
to make a good start — entrar com o pé direito (col.).
to give a start — dar um estremeção; sobressaltar.
start button — botão de arranque.
from the start — desde o início.
to make a false start — (desp.) partir em falso.

starter ['-ə], *s.* o que dá o sinal de partir; iniciador; aparelho para pôr em movimento, dispositivo de arranque; cão que levanta a caça; juiz de partida (desp.); corredor; cavalo de corridas.
starter-button — botão de arranque.
starter-lever — alavanca de arranque.
starter motor — motor de arranque.
self-starter — arranque automático.

starting ['-iŋ], **1** — *s.* sobressalto; susto; estremeção; movimento brusco; deslocação; salto; partida, saída; arranque; início, começo. **2** — *adj.* assustadiço; de partida; de arranque.
starting motor — motor de arranque.
starting point — ponto de partida.

startish ['-iʃ], *adj.* assustadiço, espantadiço.

startle [stɑ:tl], *vt.* e *vi.* assustar; espantar; alarmar; surpreender; estremecer; assustar-se. (*Sin.* to amaze, to frighten, to shock, to alarm.)

startler ['-ə], *s.* pessoa ou coisa que assusta, alarma ou surpreende.

startling ['-iŋ], *adj.* assustador; alarmante; surpreendente; sensacional, espantoso.
startling news — notícia sensacional.

starvation [stɑ:'veiʃən], *s.* fome, inanição; miséria, indigência.

starve [stɑ:v], *vt.* e *vi.* morrer de fome ou de frio; estar na miséria; matar à fome.
to starve with hunger — morrer de fome.
I am simply starving — estou morto de fome.

starveling ['-liŋ], *s.* e *adj.* pessoa ou animal esfomeado; planta estiolada; esfomeado, faminto; estiolado.

state [steit], **1** — *s.* estado; situação; condição; condições; governo; país; poder civil; classe; ordem; posição social; pompa, aparato, fausto; excitação, agitação; esplendor, gala.
the States (col.) — os Estados Unidos da América do Norte.
the United States (of America) = *the States.*
Secretary of State — secretário ou ministro de Estado.
State Department — (E. U.) Ministério dos Negócios Estrangeiros.
State affairs — negócios de Estado.
in state — com grande pompa.
state-room — sala de recepções; camarote de luxo (em paquete).
single state — celibato.
a precarious state of health — estado precário de saúde.
civil state — estado civil.
in a bad state — em mau estado.
married state — estado de casado; a vida de casado.
state craft — arte de governar; política.
state's evidence — testemunho em causa criminal para o procurador.
to keep state — manter a dignidade.
state-house — palácio do governo.
in this state of affairs — neste estado de coisas.
state ball — baile de gala.
state criminal — criminoso político.
State school — escola oficial.
in a state of nature — em estado natural; nu.
2 — *vt.* declarar; afirmar; indicar; discriminar; expor; relatar, narrar; informar; manifestar; fixar, determinar; propor; enunciar; asseverar; fazer constar; proclamar; formular; designar; especificar, concretizar. (*Sin.* to assert, to declare, to express, to narrate, to affirm. *Ant.* to deny.)
to state one's opinion — expor a sua opinião.
to state the whole case — relatar toda a questão.
as stated below — como abaixo se discrimina.

statecraft ['-krɑ:ft], *s.* arte de governar; política.

stated ['-id], *adj.* determinado, estabelecido; fixo; regular; periódico; apresentado; exposto; discriminado; indicado.
at stated intervals — em intervalos regulares.
at stated hours — a horas determinadas.

stateless [-lis], *adj.* sem pátria.

stateliness ['-linis], *s.* pompa, grandeza, magnificência, imponência, fausto; majestade; dignidade; ostentação; gala; altivez, arrogância; solenidade.

stately ['-li], *adj.* grandioso, pomposo, imponente, faustoso, majestoso; sublime; soberbo; altivo, arrogante; solene.

statement ['-mənt], *s.* declaração, afirmação; exposição, relato, narração; relatório; (com.) extracto de conta, balanço.
statement of account — extracto de conta.
to draw up a statement — fazer uma exposição.
the statement is unfounded — a declaração (afirmação) é infundada.

statesman ['-smən], *s.* estadista, homem de Estado; político; pequeno agricultor.

statesmanlike ['-smənlaik], *adj.* próprio de estadista.

statesmanly ['-smənli], *adj.* próprio de estadista.

statesmanship ['-smənʃip], *s.* habilidade política, capacidade para governar.

static ['stætik], *adj.* estático; relativo à estática; estável.

statical [-əl], *adj.* ver **static.**

statically [-əli], *adv.* estaticamente; estavelmente.

statics [-s], *s.* estática.

station ['steiʃən], **1** — *s.* sítio, lugar; posto; estação, lugar de paragem (de caminho-de-ferro, etc.); esquadra, posto de polícia; classe, condição social; porto para navios de guerra; emprego, ofício; pouso; estância; depósito (de carvão, etc.).
police-station — esquadra de polícia.
station-master — chefe de estação (de caminho-de-ferro).
station in life — posição social.

station-house — corpo da guarda.
political station — posição política.
parking-station — parque de estacionamento.
railway-station — estação de caminho-de--ferro.
stations of the cross — Via Sacra.
broadcasting station — estação emissora.
wireless station — estação emissora (de rádio).
to take one's station — tomar o seu lugar.
naval station — porto de abrigo (para navios de guerra).
2 — *vt.* colocar, postar; pôr; estacionar; nomear para um lugar, posto ou emprego.

stationarily ['steiʃnərili], *adv.* de modo estacionário.

stationariness ['steiʃnərinis], *s.* qualidade de ser estacionário.

stationary ['steiʃnəri], **1** — *s.* pessoa que estaciona; *pl.* tropas estacionárias.
2 — *adj.* estacionário.
stationary temperature — temperatura estacionária.
stationary car — carro estacionado.

stationer ['steiʃnə], *s.* dono de papelaria.
stationer's shop — papelaria.
Stationer's Hall — conservatória da propriedade literária em Londres.

stationery [-ri], *s.* artigos de papelaria; papelaria.
His Majesty Stationery Office — Imprensa Nacional.

statist ['steitist], *s.* estatística.

statistical [stə'tistikəl], *adj.* estatístico, baseado na estatística.
statistical tables — estatística.

statiscally [-i], *adv.* estatisticamente.

statistician [stætis'tiʃən], *s. vd.* **statist.**

statistics [stə'tistiks], *s.* estatística.
statistics of population — estatística da população.

statuary ['stætjuəri], **1** — *s.* estatuário; estatuária, arte de fazer estátuas; estátuas.
2 — *adj.* estatuário, referente à estatuária.

statue ['stætju:], *s.* estátua.
equestrian statue — estátua equestre.

statuesque [stætju'esk], *adj.* escultural, como uma estátua.

statuette [stætju'et], *s.* estatueta.

stature ['stætʃə], *s.* estatura; tamanho.
short stature — pequena estatura.
mean stature — estatura média.

status ['steitəs], *s.* estado; categoria, classe; posição relativa.
civil status — estado civil.
social status — posição social.

statutable ['stætjutəbl], *adj.* estatuído, estabelecido por lei ou estatuto.

statute ['stætju:t], *s.* estatuto, regulamento; lei, decreto.
statute book — código.
University statutes — estatutos universitários.
statute-law — decreto parlamentar.
statute mile — milha inglesa.
the statutes of god — a lei divina.

statutory ['stætjutəri], *adj.* estatuído; legal.
statutory holiday — feriado legal.
statutory books — livros principais.

staunch ['stɔintʃ], *adj.* firme, constante, fiel; sólido; acérrimo; são; estanque. (*Sin.* steady, reliable, loyal, constant. *Ant.* treacherous.)
a staunch friend — um amigo fiel.
a staunch supporter — um partidário leal.

staunchly [-li], *adv.* firmemente, solidamente.

staunchness [-nis], *s.* constância, firmeza, fidelidade; solidez.

stave [steiv], **1** — *s.* aduela; ripa forte; bordão; (mús.) pentagrama; estrofe, estância.
stave-rhyme — aliteração.
2 — *vt.* e *vi.* (*pret.* e *pp.* **staved** ou **stove**) arrombar; quebrar, partir aduelas; pôr aduelas em; entornar, deixar correr (um líquido).
to stave off — repelir; adiar, retardar.
to stave in — quebrar; arrombar.

staves [steivz], *s. pl.* de **staff.**

stay [stei], **1** — *s.* estada, estadia; residência; parada; demora; arrimo, apoio, esteio; obstáculo; estorvo; suspensão (de um procedimento judicial); escora, espeque; (náut.) estai; *pl.* espartilho.
stay-at-home — pessoa caseira.
I made a long stay in London — demorei-me muito tempo em Londres.
during my stay at... — durante a minha estadia em...
stay-sail — vela de estai.
stay-tube — tubo esteio.
stay-rod — esteio de caldeira.
stay-bolt (náut.) — tirante.
to be in stays — ter o vento pela proa.
stay-maker — fabricante de espartilhos.
2 — *vt.* e *vi.* ficar, estar, permanecer; deter; parar; escorar, sustentar; deter-se; retardar; demorar-se; hospedar-se; confiar, esperar; ficar no mesmo lugar; adiar, protelar.
to stay in (to stay at home) — ficar em casa.
to stay out — ficar fora.
to stay away — estar ausente.
to stay up — velar; não se deitar.
to stay in bed — ficar na cama.
to stay one's hunger — mitigar a fome.
to stay one's stomach — enganar o estômago.
to stay put — não arredar pé.
stay a little longer! — demore-se mais algum tempo!
to stay out all night — pernoitar fora de casa.
stay a week with us — fique uma semana connosco.

stayer [-ə], *s.* pessoa que está, que permanece ou demora; cavalo que aguenta grandes distâncias.

staying [-iŋ], *s.* estadia, estada; visita; demora; resistência; escoramento, apoio.

stead [sted], **1** — *s.* lugar, sítio; auxílio, ajuda.
to stand in good stead — ser útil; prestar; servir.
in his stead — no seu lugar.
it stood me in good stead — foi-me útil.
2 — *vt.* (arc.) ser útil, ser vantajoso.

steadfast [-fəst], *adj.* firme; constante; resoluto; estável. (*Sin.* constant, firm, unwavering, staunch. *Ant.* vacillating.)
steadfast in love — constante no amor.

steadfastly [-fəstli], *adv.* firmemente, com constância; inflexivelmente.

steadfastness [-fəstnis], *s.* constância; firmeza, estabilidade, solidez.

steadily [-ili], *adv.* firmemente, constantemente, seguramente; perseverantemente.
to walk steadily — caminhar com passo firme.

steadiness [-inis], *s.* firmeza, constância, perseverança; estabilidade; (náut.) pouco balanço.
steadiness of prices — estabilidade dos preços.
steadiness of hand — firmeza de mão.

steady [-i], **1** — *s.* suporte, apoio para mão ou ferramenta.
2 — *adj.* firme, seguro, fixo; constante; resoluto, decidido; estacionário; sóbrio.
to keep steady — conservar firme.
steady as a rock — firme como uma rocha.
steady in his principles — firme nos seus princípios.

he is not steady on his legs — não tem firmeza nas pernas.
steady barometer — barómetro estacionário.
steady motion — movimento uniforme.
steady pulse — pulso regular.
steady weather — tempo fixo.
to keep steady — manter-se firme.
3 — *vt.* e *vi.* firmar; manter firme; equilibrar, equilibrar-se, endireitar-se; acalmar.
to steady one's nerves — acalmar os nervos.
prices are steadying — os preços estão a estabilizar-se.
steak [steik], *s.* bife; talhada, posta (de peixe ou carne).
grilled steak — bife grelhado.
steal [sti:l], **1** — *s.* bolada longa, bem sucedida no golfe.
2 — *vt.* e *vi.* (*pret.* **stole,** *pp.* **stolen**) roubar, furtar; entrar ou sair furtivamente; surripiar; escapar sem ser visto; insinuar-se.
to steal in (into) — entrar furtivamente, introduzir-se clandestinamente.
to steal out — sair furtivamente.
to steal away — escapulir-se; induzir; seduzir.
to steal upon — aproximar-se sem ruído; surpreender.
to steal a march on somebody — ganhar uma vantagem sobre alguém.
to steal along — passar em silêncio.
to steal a kiss — roubar um beijo.
to steal a glance at — lançar um olhar furtivo a.
to steal a watch — roubar um relógio.
stealer [-ə], *s.* gatuno, ladrão.
stealing [-iŋ], *s.* roubo, furto.
stealth [stelθ], *s.* procedimento secreto.
by stealth — sub-repticiamente, às escondidas.
stealthily [-ili], *adv.* clandestinamente, furtivamente, sub-repticiamente.
stealthiness [-inis], *s.* carácter furtivo.
stealthy [-i], *adj.* clandestino, furtivo; escondido (*Sin.* furtive, clandestine, secret, sneaking. *Ant.* open.)
steam [sti:m], **1** — *s.* vapor; exalação; energia, força.
by steam — a vapor.
steam-engine — máquina a vapor.
steam-dredger — draga a vapor.
to get up steam — dar vapor à máquina; fazer pressão.
to get under steam — largar a vapor.
to let off steam — descarregar vapor.
with all steam on — a todo o vapor.
steam-boiler — caldeira de vapor.
steam-gauge — manómetro de vapor.
steam-tight — à prova de vapor.
steam-working — exploração a vapor.
steam-jacket — camisa de cilindro.
steam traffic — tráfego de vapores.
steam-power — potência ou energia de vapor.
steam hammer — martelo pilão.
steam-washing — lavagem a vapor.
steam-chest — caixa do distribuidor.
steam-dome — cofre de vapor.
steam bath — banho a vapor.
steam-heating — aquecimento a vapor.
steam-laundry — lavandaria a vapor.
at full steam — a todo o vapor.
2 — *vt.* e *vi.* gerar vapor; fumegar; mover-se a vapor; expor ao vapor; exalar vapor; evaporar-se; navegar a vapor; (col.) trabalhar com energia.
to steam away (ahead) — trabalhar energicamente; fazer grandes progressos.
steamboat [-bout], *s.* barco a vapor.
steamer [-ə], *s.* barco a vapor; bomba de vapor para incêndios; vaso em que se põe qualquer coisa à acção do vapor.
screw steamer — navio a vapor de hélice.
steaminess [-inis], *s.* qualidade de ser vaporoso.
steaming [-iŋ], **1** — *s.* acção de fumegar; acto de cozinhar por meio de vapor de água.
2 — *adj.* que emite vapor de água, que deita fumo.
steam-roller [-'roulə], *s.* cilindro de estrada (a vapor.)
steamship [-ʃip], *s.* navio a vapor.
steamship company — companhia de navegação a vapor.
coasting steamship — navio de cabotagem.
steamy [-i], *adj.* cheio de vapor; semelhante ao vapor.
stearate ['stiəreit], *s.* (quím.) estearato.
stearic [sti'ærik], *adj.* (quím.) esteárico.
stearic acid — ácido esteárico.
stearin ['stiərin], *s.* estearina.
stearin candle — vela de estearina.
steatite ['stiətait], *s.* (min.) esteatite.
steed [sti:d], *s.* (poét.) cavalo, corcel, ginete.
to shut the stable door after the steed is stolen — casa roubada, trancas à porta.
steel [sti:l], **1** — *s.* aço; dureza extrema; punhal, lança, arma branca; afiador; fuzil.
nerves of steel — nervos de aço.
a heart of steel — um coração de pedra.
tool-steel — aço superior para ferramentas.
bar-steel — aço em barra.
cold steel — baionetas, espadas.
cast steel — aço fundido.
puddled steel — aço pudelado.
stainless steel — aço cromado; aço inoxidável.
cold drawn steel — aço estirado a frio.
fine steel — aço fino.
plate steel — aço em chapa.
steel alloy — liga de aço.
steel bath — aceiramento.
steel casting — fundição de aço.
steel concrete — cimento armado.
steel-grey — cinzento de aço.
steel wool — palha de aço.
2 — *vt.* acerar; endurecer, tornar insensível; revestir de aço.
to steel one's heart — endurecer o coração.
steeled [-d], *adj.* aceirado; revestido de aço.
steeliness [-inis], *s.* dureza de aço; inflexibilidade; insensibilidade.
steeling [-iŋ], *s.* aceiramento, aceramento.
steely [-i], *adj.* acerado; feito de aço; duro.
steelyard [-jɑ:d], *s.* balança romana.
steenbok ['sti:nbɔk], *s.* (zool.) espécie de antílope da África do Sul.
steep [sti:p], **1** — *s.* precipício, despenhadeiro; líquido para infusão; acção de impregnar de líquido.
to put in steep — pôr em infusão.
2 — *adj.* escarpado, íngreme, alcantilado, escabroso; (col.) exorbitante, excessivo. (*Sin.* abrupt, precipitous, sheer. *Ant.* gentle.)
steep hills — montes íngremes.
steep story — história inverosímil.
steep price — preço exorbitante.
3 — *vt.* molhar; pôr de infusão; demolhar; curtir.
to steep flax — curtir linho.
to steep oneself in drink — encharcar-se de álcool.
steepen [-n], *vt.* e *vi.* tornar-se alcantilado, subir; aumentar.
steeper [-ə], *s.* cuba de infusão.
steeping [-iŋ], *s.* acção de demolhar; acção de curtir; infusão.
steeple ['sti:pl], *s.* torre, campanário.
steeple-jack — operário que conserta campanários, chaminés altas, etc.
steeple-house — igreja.

steeplechase [-tʃeis], *s.* corrida de obstáculos.
steeplechaser [-tʃeisə], *s.* cavaleiro que toma parte em corridas de obstáculos; cavalo de corridas de obstáculos.
steeplechasing [-tʃeisiŋ], *s.* corridas de cavalos com obstáculos.
steepness ['sti:pnis], *s.* aspecto íngreme; grau de inclinação.
steer [stiə], **1** — *s.* novilho, bezerro; boi castrado.
2 — *vt.* e *vi.* (náut.) guiar; governar; dirigir, conduzir; seguir determinado rumo.
to steer a ship — guiar um navio.
to steer clear of scrapes — evitar embaraços.
steerable [-rəbl], *adv.* que pode guiar-se, que pode dirigir-se.
steerage [-ridʒ], *s.* acção do leme sobre o navio; governo, direcção; (náut.) antecâmara; alojamento de passageiros de terceira classe em navio.
steerage passengers — passageiros de terceira classe.
to have good steerage-way — obedecer bem ao leme.
steered [-d], *adj.* marcado, determinado.
steerer [-rə], *s.* timoneiro.
steering [-riŋ], *s.* acção de guiar; governo, direcção; manobra de leme.
steering-wheel — roda do leme; roda do volante.
steering-engine — maquinismo do leme.
steering-gear — direcção.
stering-track rod — barra da direcção.
steering-arm (aut.) — alavanca da direcção.
steering-box (aut.) — caixa da direcção.
steering compass (náut.) — agulha do leme.
steering-rod (av.) — alavanca de comando.
steersman [-zmən], *s.* (*pl.* **steersmen**) timoneiro, piloto.
steeve [sti:v], **1** — *s.* pau para apertar fardos; (náut.) ângulo do gurupés com a linha de quilha.
2 — *vt.* e *vi.* apertar fardos; (náut.) elevar o gurupés.
stelae ['sti:lii:], *s. pl.* de **stele.**
stele ['sti:l], *s.* (pl. **stelae**) pedra perpendicular; coluna, padrão; marco miliário; laje ou coluna sepulcral.
Stella ['stelə], *n. p.* Estela.
stellar ['stelə], *adj.* estelar.
stellate ['stelit], *adj.* estrelado; radiado.
stem [stem], **1** — *s.* haste, pé, talo, tronco, caule, pedúnculo; roda de proa; raiz (de uma palavra); geração, raiz (de família).
from stem to stern — da popa à proa.
stem of the glass — pé do copo.
noble stem — raça ilustre.
2 — *vt.* e *vi.* (pret. e pp. **stemmed**) ir contra; navegar contra; deter, represar; resistir, fazer frente a; cortar, vencer (a corrente); tirar pés ou pedúnculos a.
to stem the tide — remar contra a maré.
stemless [-lis], *adj.* (bot.) sem caule, acaule.
stemma ['stemə], *s.* (pl. **stemmata**) estema, árvore genealógica; ocelo.
stemmata ['stemətə], *s. pl.* de **stemma.**
stemple ['stempl], *s.* escora de um estrado.
stench [stentʃ], *s.* cheiro nauseabundo, fedor.
stencil ['stensl], **1** — *s.* modelo, padrão; estampilha (chapa de metal ou de outro material para gravar), cópia tirada por esse processo.
stencil paper — papel próprio para tirar cópias depois de gravado.
2 — *vt.* (pret. e pp. **stencilled**) tirar cópias por meio de chapa fina de metal ou outra substância.
stencilling [-iŋ], *s.* impressão ou cópia por meio de chapa fina de metal ou de outro material.
stenograph ['stenɔgræf], *s.* escrito estenográfico; máquina estenográfica.
stenographer [ste'nɔgrəfə], *s.* estenógrafo.
stenographic(al) [stenou'græfik(əl)], *adj.* estenográfico.
stenographically [-əli], *adv.* estenograficamente.
stentor ['stentə], *s.* (zool.) estentor.
stentorian [sten'tɔ:riən], *adj.* estentóreo, extremamente forte.
stentorphone ['stentɔ:foun], *s.* altifalante, megafone.
step [step], **1** — *s.* passo, passada; degrau; pegada; maneira de andar; procedimento; (náut.) carlinga, cunho do costado; ritmo; posto; fase; *pl.* meios, diligências, medidas.
to take the necessary steps — fazer as diligências necessárias.
step by step — passo a passo.
to walk in someone's steps — seguir as pisadas de alguém.
to keep step — acompanhar o passo.
a false step — um passo falso; um mau passo.
step-ladder — escada de mão; escadote.
door-step — soleira da porta.
step-up — promoção.
quick step — passo ligeiro; nome de dança.
step-board — estribo.
step height — espelho de degrau.
a flight of steps — um lanço de escadas.
foot-step — passo.
in step — com passo certo.
to change step — trocar o passo.
watch your step! — cuidado!
2 — *vt.* e *vi.* (pret. e pp. **stepped**) assentar ou pôr o pé; dar um passo; andar, caminhar; passear; fixar um mastro.
to step aside — desviar-se.
to step in — entrar; intervir.
to step out — sair; apear-se; andar depressa.
to step forth — avançar.
to step down — descer.
to step up — subir.
step this way! — passe por aqui!
to step after — seguir atrás.
to step forward — avançar; ir para a frente
to step across — atravessar a rua.
to step down a ladder — descer uma escada.
to step on someone's shoes (col.) — ofender alguém.
step in, please! — faça favor de entrar!
stepbrother [-'brʌðə], *s.* meio-irmão; filho do padrasto ou da madrasta.
stepchild [-tʃaild], *s.* (pl. **stepchildren**) enteado, enteada.
stepdaughter [-dɔ:tə], *s.* enteada.
stepfather [-fɑ:ðə], *s.* padrasto.
Stephen ['sti:vn], *n. p.* Estêvão.
stepmother ['stepmʌðə], *s.* madrasta.
steppe [step], *s.* estepe.
stepped [-t], *adj.* graduado, escalonado.
stepping [-iŋ], *s.* acto de andar; maneira de andar; graduação.
stepping in — entrada.
stepping out — saída.
stepsister [-sistə], *s.* filha do padrasto ou da madrasta.
stepson [-sʌn], *s.* enteado.
stere ['stiə], *s.* estere.
stereo ['stiəriou], *s.* (col.) estereótipo.
stereograph [-gra:f], *s.* estereógrafo.
stereographic [stiəriou'græfik], *adj.* estereográfico.

stereographically [-əli], *adv.* estereograficamente.
stereography [stiəri'ɔgrəfi], *s.* estereografia.
stereometer [stiəri'ɔmitə], *s.* estereómetro.
stereometric [stiəriou'metrik], *adj.* estereométrico.
stereoscope ['stiəriəskoup], *s.* estereoscópio.
stereoscopic [stiəriəs'kɔpik], *adj.* estereoscópico.
stereoscopically [-əli], *adv.* estereoscopicamente.
stereoscopy [stiəri'ɔskəpi], *s.* estereoscopia.
stereotype ['stiəriətaip], **1** — *s.* estereótipo.
stereotype printing — estereotipia.
2 — *vt.* estereotipar.
stereotyper [-ə], *s.* estereotipista.
stereotyping [-iŋ], *s.* estereotipagem.
stereotypist [stiəriou'taipist], *s. vd.* **setereotyper.**
stereotypy ['stiəriətaipi], *s.* estereotipia.
sterile ['sterail], *adj.* estéril, infecundo; árido; asséptico; insípido, sem interesse.
sterile land — terra estéril.
sterility [ste'riliti], *s.* esterilidade, infecundidade.
sterilization [sterilai'zeiʃən], *s.* esterilização; assepsia.
sterilize ['sterilaiz], *vt.* esterilizar; desinfectar.
sterilizer [-ə], *s.* esterilizador; autoclave.
sterilizing [-iŋ], *s.* acção de esterilizar; esterilização.
sterling ['stə:liŋ], *adj.* esterlino; puro, genuíno, verdadeiro.
pound sterling — libra esterlina.
sterling worth — merecimento incontestável.
sterling character — carácter íntegro.
sterling silver — prata de lei.
stern [stə:n], **1** — *s.* (náut.) popa; (col.) rabo, traseiro; cauda de animal.
stern-chaser — canhão de popa.
stern ladder — escada da popa.
stern walk — varandim da popa.
stern timber — cambota.
stern shaft — veio propulsor.
stern-post — cadaste.
the stern of a greyhound — o rabo de um galgo.
from stem to stern — da popa à proa.
2 — *adj.* severo, carrancudo; áspero, duro.
a stern rebuke — uma repreensão severa.
the sterner sex — o sexo forte.
sternal [-əl], *adj.* (anat.) referente ao esterno.
sternly [-li], *adv.* severamente; asperamente.
sternmost [-moust], *adj.* o mais traseiro; o mais à popa.
sternness [-nis], *s.* severidade, austeridade, rigidez, rigor; ar carrancudo.
sternum ['stə:nəm], *s.* (*pl.* **sterna, sternums**) (anat.) esterno.
stertor ['stə:tɔ:], *s.* (med.) estertor.
stertorous ['stə:tərəs], *adj.* (med.) estertoroso, estertorante.
stertorously [-li], *adv.* com estertor.
stertorousness [-nis], *s.* estertor.
stethograph ['steθəgrα:f], *s.* (med.) estetógrafo, pneumógrafo.
stethoscope ['steθəskoup], *s.* estetoscópio.
stethoscopic [steθəs'kɔpik], *adj.* estetoscópico.
stethoscopically [-əli], *adv.* por meio de estetoscópio.
stethoscopy [ste'θɔskəpi], *s.* (med.) estetoscopia.
stevedore ['sti:vidɔ:], **1** — *s.* estivador.
2 — *vt.* (náut.) estivar.
stevedoring [-riŋ], *s.* estiva.
stew [stju:], **1** — *s.* guisado, estufado; agitação mental, arrelia; criação de ostras; viveiro de peixes.
Irish stew — carneiro guisado com batatas e cebolas.
to be in a stew — (col.) estar arreliado ou agitado.
stew-pan (stew-pot) — tacho ou panela para estufados ou guisados.
what a stew! (col.) — que calor!
2 — *vt.* e *vi.* guisar, estufar; estar oprimido com o calor; (cal.) trabalhar sem descanso.
to stew in one's own juice — sofrer as consequências dos seus próprios actos.
to stew fruit — fazer compota de fruta.
steward ['stjuəd], *s.* criado de bordo, criado de mesa (em navios); administrador (de terras); ecónomo (de um colégio); despenseiro; mordomo; organizador (de festas).
steward's room — paiol de mantimentos.
dining-room steward (náut.) — empregado de mesa.
cabin steward (náut.) — camareiro.
stewardess [-is], *s. fem.* criada de bordo; hospedeira de bordo (em avião).
stewardship [-ʃip], *s.* cargo de despenseiro, mordomo, administrador, ecónomo; intendência; administração.
stewed [stju:d], *adj.* estufado, guisado; em compota; (col.) ébrio.
stewed to the gills (calão) — bêbado que nem um cacho.
stewed mutton — carneiro estufado.
stick [stik], **1** — *s.* pau, vara, bengala; batuta; vergôntea, ramo de árvore; estocada; picada; pessoa estúpida; (náut.) pau, verga; taco (de bilhar); aléu (de hóquei); (tip.) componedor; *pl.* lenha miúda, varetas de leque.
control stick — alavanca de voo.
stick-in-the mud (fam.) — pessoa mole, sem iniciativa.
to cut one's stick (col.) — «raspar-se».
to get hold of the wrong end of the stick (col.) — compreender mal uma situação.
a stick of chocolate — um pau de chocolate.
as cross as two sticks (col.) — pior do que um urso.
walking-stick — bengala.
small stick — varinha.
umbrella-stick — cabo de guarda-chuva.
a stick of sealing-wax — um pau de lacre.
to be a poor stick (col.)—ser um pobre diabo.
2 — *vt.* e *vi.* (*pret.* e *pp.* **stuck**) cravar, enterrar; fincar; introduzir; picar; pegar, colar; aderir; pregar; apunhalar; contundir; unir-se; afixar (cartazes); hesitar, vacilar; atolar-se; perseverar, persistir; prender com alfinete; parar, deter-se; fixar-se; (col.) suportar, tolerar; (cal.) roubar nos preços.
to stick at nothing — proceder sem hesitação.
to stick at everything (col.) — afogar-se em pouca água.
to stick to one's point — manter-se na sua opinião; ficar na sua.
to stick by — apoiar, sustentar; aderir.
to stick in — pregar, cravar; picar.
to stick out — sobressair; estar saliente; tolerar, suportar.
stick no bills — afixação proibida.
are you going to stick indoors all day? — vais ficar em casa todo o dia?
he could not stick it any longer — não podia suportá-lo por mais tempo.
to sitick to one's colours — ser fiel à sua causa.
to stick a nail — pregar um prego.
to stick to a friend — ser fiel a um amigo.
to stick in photographs — colar fotografias (num álbum).
to stick it out (fam.) — aguentar, suportar.

it sticks in my throat (col.) — ficou-me atravessado na garganta.
to stick in the mud — atolar-se.
to stick a stamp on an envelope — colar um selo num sobrescrito.
to stick between hope and fear — oscilar entre a esperança e o receio.
to stick one's hands in one's pockets — meter as mãos nos bolsos.
to stick out one's tongue — deitar a língua de fora.
to stick to the facts — cingir-se aos factos.
I can't stick him — não o posso tolerar.
stick it! — coragem!
the door has stuck — a porta emperrou.
the key stuck in the lock — a chave ficou encravada na fechadura.

sticker [-ə], *s.* pessoa perseverante; pessoa que trabalha muito; maçador; cartaz; faca, punhal; arpão (de pesca); o que prega ou afixa.

stickily [-ili], *adv.* pegajosamente.

stickiness [-inis], *s.* viscosidade; tenacidade.

sticking [-iŋ], **1** — *s.* aderência; acção de afixar ou de pregar; (aut.) gripagem.
2 — *adj.* aderente, adesivo.
sticking-plaster — adesivo.

stick-in-the-mud [ˈstikinθəˈmud], *s.* pessoa sem iniciativa.

stickle [ˈstikl], *vt.* dificultar; levantar questões fúteis.

stickleback [-bæk], *s.* (zool.) espinhela, espinho.

stickler [-ə], *s.* disputador obstinado; partidário; pessoa cheia de formalidades.

stick-pin [ˈstikpin], *s.* alfinete de gravata.

sticky [ˈstiki], *adj.* viscoso, pegajoso; glutinoso; tenaz, inflexível, renitente; (col.) pouco amável. (*Sin.* gummy, gluey, glutinous; adhesive. *Ant.* dry.)
he was very sticky about giving me leave — estava renitente em conceder-me licença.
to have sticky fingers (col.) — ter dedo para o dinheiro.

stiff [stif], **1** — *s.* (col.) papel de crédito negociável; (cal.) cadáver.
2 — *adj.* teso, duro, rijo, rígido; direito; inflexível; severo; obstinado; altivo; cerimonioso; afectado; entorpecido, embotado; que contém muito álcool; complicado; elevado (preço); (náut.) que aguenta bem o vento.
stiff neck — torcicolo.
stiff-necked — obstinado.
a stiff style — um estilo afectado.
stiff-starched — teso.
as stiff as a poker — teso como um pau.
stiff manners — modos cerimoniosos.
stiff price — preço elevado.
a big stiff (col.) — uma pessoa incorrigível.
stiff soil — solo argiloso.
to keep a stiff upper lip (col.) — aguentar sem se queixar.

stiffen [-n], *vt.* e *vi.* enrijar; endurecer; consolidar; entesar; entorpecer; obstinar-se; aumentar (preço); deitar mais álcool (em bebida).

stiffener [-nə], *s.* chumaço; reforço; contraforte; esticador; (col.) copo de bebida alcoólica.

stiffening [-niŋ], *s.* endurecimento; consolidação; (náut.) lastro; acção de engomar.
stiffening order — licença para meter lastro.
stiffening-plate — chapa de reforço.

stiffly [-li], *adv.* inflexivelmente; obstinadamente; com rigidez; sem graça.

stiffness [-nis], *s.* rigidez; dureza de estilo; tesura; obstinação; tenacidade; inflexibilidade; formalidade afectada; consistência.

stifle [ˈstaifl], **1** — *s.* soldra; alifafe, tumor nas articulações do jarrete do cavalo.
2 — *vt.* e *vi.* sufocar, abafar; extinguir, apagar; ocultar.
to be stifled — estar sufocado.

stigma [ˈstigmə], **1** — *s.* estigma, marca, ferrete; (bot.) estigma.
2 — *s.* (*pl.* **stigmata**) estigma (relig., anat., zool. e psic.).

stigmatic [stigˈmætik], **1** — *s.* (hist., relig.) estigmatizado.
2 — *adj.* (bot.) estigmático; (opt.) estigmático.

stigmatist [ˈstigmətist], *s.* (hist., relig.) estigmatizado.

stigmatization [stigmətaiˈzeiʃən], *s.* estigmatização.

stigmatize [ˈstigmətaiz], *vt.* estigmatizar.

stile [stail], *s.* degraus de passagem numa vedação; couceira (de porta).

stiletto [stiˈletou], **1** — *s.* (pl. **stilettos, stilettoes**) estilete, punhal pequeno e fino.
2 — *vt.* apunhalar com punhal pequeno.

still [stil], **1** — *s.* silêncio, sossego; tranquilidade; alambique; destilaria.
still-house — fábrica de destilação.
still-room — copa; despensa.
2 — *adj.* quieto, sossegado, silencioso; calmo, tranquilo; sereno; imóvel; suave; (vinho) não espumoso, não gasoso.
still life — natureza morta (pintura).
a still lake — um lago sereno.
still waters run deep (col.) — as aparências iludem.
still-born — nado-morto.
still wines — vinhos não espumantes.
as still as death (as still as the grave) — silencioso como um túmulo.
to keep still — não se mexer, ficar quieto.
3 — *adv.* (arc.) habitualmente, constantemente; ainda; todavia; sempre; entretanto.
still more — ainda mais.
still less — ainda menos.
he is still in bed — ele ainda está deitado.
4 — *vt.* e *vi.* acalmar; suavizar, aliviar; deter, parar; fazer calar; destilar.

stillage[-idʒ], *s.* estrado de ripas.

stillness [-nis], *s.* sossego, tranquilidade; paz.

stilly [-i], **1** — *adj.* (poét.) sossegado, silencioso, sereno.
2 — *adv.* silenciosamente, tranquilamente, serenamente.

stilt [stilt], **1** — *s.* (zool.) fusiloa, pernilongo; estaca sobre que assenta uma construção; *pl.* andas.
on stilts — com andas.
the stilt birds — as aves pernaltas.
2 — *vt.* colocar sobre andas.

stilted [-id], *adj.* colocado sobre andas; bombástico, empolado.

stiltedness [-idnis], *s.* elevação que não é natural; afectação.

stilting [-iŋ], *s.* acto de andar sobre andas.

stimulant [ˈstimjulənt], **1** — *s.* (med.) estimulante; bebida alcoólica.
2 — *adj.* (med.) estimulante.

stimulate [ˈstimjuleit], *vt.* estimular, excitar; tomar estimulantes, (*Sin.* to spur, to rouse, to encourage. *Ant.* to deaden.)

stimulating [-iŋ], *adj.* estimulante, excitante.

stimulation [stimjuˈleiʃən], *s.* estimulação.

stimulative [ˈstimjulətiv], *adj.* estimulante.

stimuli [ˈstimjulai], *s. pl.* de **stimulus.**

stimulus [ˈstimjuləs], *s.* (*pl.* **stimuli**) estímulo; estimulante; (bot.) pêlo urticante.
to give a stimulus to — estimular.

stimy ['staimi], **1** — *s.* posição da bola no jogo do golfe (entre a bola do adversário e o buraco).
2 — *vt.* (golfe) impedir o acesso ao buraco colocando uma bola de permeio.
sting [stiŋ], **1** — *s.* picada, aguilhoada; dor aguda; ferrão; remorso; (bot.) pêlo urticante.
the sting is in the tail — o pior é o resto.
sting-nettle — urtiga.
pleasures have their stings — não há rosa sem espinhos.
2 — *vt.* e *vi.* aguilhoar, picar, dar ferroadas; doer; ter remorsos; atormentar, pungir; (col.) levar um preço exorbitante.
to sting somebody — explorar alguém.
his eyes are stinging — os olhos ardem-lhe.
bees and wasps sting — as abelhas e as vespas picam.
stinger [-ə], *s.* o que pica; pancada; animal com ferrão; mordacidade.
stingily ['stindʒili], *adv.* avaramente, mesquinhamente; miseravelmente.
stinginess ['stindʒinis], *s.* avareza, mesquinhez, sovinice.
stinging ['stiŋiŋ], *adj.* que faz arder, picante; mordaz; pungente.
stingo ['stiŋgou], *s.* (col.) cerveja forte.
stingy ['stindʒi], *adj.* avaro, sovina; escasso. (*Sin.* mean, niggardly, avaricious. *Ant.* generous.)
stink [stiŋk], **1** — *s.* mau cheiro.
stink-alive (zool.) — faneca.
stink-bomb — bomba de mau cheiro.
2 — *vt.* e *vi.* (*pret.* **stank** ou **stunk,** *pp.* **stunk**) cheirar mal; empestar.
to stink of money — ter muitíssimo dinheiro.
to stink of garlic — cheirar a alho.
stinkard [-əd], *s. vd.* **stinker.**
stinker [-ə], *s.* pessoa que cheira mal; pessoa desprezível; coisa que cheira mal.
stint [stint], **1** — *s.* limite, restrição; quantidade fixa, porção, quinhão; parte; andorinha-do--mar.
without stint — sem restrição.
2 — *vt.* e *vi.* limitar, restringir, cercear; encurtar.
to stint food — reduzir a alimentação.
to stint oneself — privar-se do necessário.
stinting [-iŋ], **1** — *s.* economia; limitação; mesquinhice.
2 — *adj.* poupado; que se priva do necessário.
stintingly [-iŋli], *adv.* mesquinhamente; economicamente.
stipe [staip], *s.* espique, caule lenhoso de certas plantas.
stipend ['staipend], *s.* estipêndio, salário, soldo.
stipendiary [stai'pendjəri], *adj.* assalariado, remunerado; que recebe estipêndio.
stipple ['stipl], **1** — *s.* gravura pontilhada.
2 — *vt.* gravar ou pintar por meio de pontos.
stippled [-d], *adj.* pontilhado.
stippler [-ə], *s.* gravador que faz pontilhados.
stippling [-iŋ], *s.* pontilhagem.
stipulate ['stipjuleit], *vt.* e *vi.* estipular; contratar; fixar condições.
to stipulate for something — estipular alguma coisa.
stipulated [-id], *adj.* estipulado; ajustado.
stipulation [stipju'leiʃən], *s.* estipulação; contrato; condição.
under the stipulation that — sob condição de.
stipulator ['stipjuleitə], *s.* estipulador.
stipule ['stipju:l], *s.* (bot.) estípula.

stir [stə:], **1** — *s.* movimento, rebuliço, tumulto; agitação; algazarra; excitação; sensação; comoção; acto de agitar ou mexer com colher, garfo, etc.
stir and bustle — animação.
to make a great stir — fazer um grande bulício.
a stir of wind — uma lufada de vento.
to cause a stir — causar sensação.
2 — *vt.* e *vi.* (pret. e pp. **stirred**) mexer, mover, agitar; despertar; sacudir; suscitar; instigar; excitar, incitar; irritar; mexer-se; estar levantado (da cama).
to stir up — mexer; misturar; despertar; estimular.
to stir about — mexer-se; andar de um lado para o outro.
to stir the fire — avivar o lume.
don't stir from there! — não se mexa daí!
he is not stirring yet — ele ainda está deitado.
to stir heaven and earth — remexer céu e terra.
to stir from home — sair de casa.
there is no news stirring — não há nada de novo.
to stir the blood — excitar; entusiasmar.
to stir up a cup of coffee — mexer uma chávena de café.
I didn't stir from my seat — não me mexi do lugar.
stirabout [-rəbaut], *s.* balbúrdia, bulício; pessoa que anda sempre de um lado para o outro; papa de aveia.
stirps ['stə:ps], *s.* (pl. **stirpes**) estirpe, linha gem, geração, família; raça.
stirred [stə:d], *adj.* agitado.
stirrer ['stə:rə], *s.* agitador; instigador; pessoa activa; batedor.
stirring ['stə:riŋ], **1** — *s.* movimento, agitação; acção de misturar.
stirring apparatus — misturador mecânico.
2 — *adj.* buliçoso, agitado; activo; excitante; comovedor; sensacional. (*Sin.* moving, exciting, thrilling, lively. *Ant.* dull, commonplace.)
to lead a stirring life — levar uma vida movimentada.
stirring music — música arrebatadora.
stirringly [-li], *adv.* excitadamente; activamente; comoventemente; de modo sensacional.
stirrup ['stirəp], *s.* estribo (de cavaleiro); colchete, grampo; (anat., náut.) estribo.
shoemaker's stirrup — tirapé.
stirrup leather — boro.
stirrup iron — estribo.
stitch [stitʃ], **1** — *s.* ponto (de costura); malha; pontada.
chain stitch — ponto de cadeia.
cross stitch — ponto de cruz.
back stitch — ponto atrás; pesponto.
to drop a stitch — deixar cair uma malha.
a stitch in time saves nine — um passo dado a tempo evita muitos outros.
to put a stitch in (to put stitches in) — coser a pontos naturais (cirurgia).
he has not a dry stitch on him — está todo encharcado.
to keep somebody in stitches (col.) — fazer alguém rir.
2 — *vt.* e *vi.* coser, dar pontos; (cir.) suturar.
to stitch up — pontear; remendar.
stitched [-t], *adj.* cosido; brochado (livro).
stitcher [-ə], *s.* aquele que cose ou ponteia; costureiro; máquina de pontear.
stitching [-iŋ], *s.* pesponto; costura; acto de brochar (livro); (cir.) sutura.
stiver ['staivə], *s.* moeda antiga holandesa.

I don't care a stiver — não me importo nada.
without a stiver — sem tostão.

stoat [stout], **1** — *s.* (zool.) arminho (quando tem o pêlo ruivo, no Verão); doninha.
2 — *vt.* cerzir.

stock [stɔk], **1** — *s.* tronco, cepo; poste; cavalo (tronco onde se enxerta o garfo); estirpe, geração; provisões; sortido; sortimento; fundos públicos, acções; lote; capital comercial; talão de recibo; goivo; gado; coronha; manilha, cubo; cepo de âncora; pessoa estúpida; qualquer coisa inerte; colónia (de abelhas, corais, etc.); gravata alta; gola larga de uniforme; *pl.* (náut.) estaleiro; cepo (de tortura).
stock in hand — mercadorias em armazém.
joint-stock company — sociedade anónima; sociedade por acções.
Stock Exchange — Bolsa.
leading stocks (com.) — fundos principais.
stock-broker — corretor de fundos públicos.
stock-jobber — agiota; corretor não encartado.
stock-holder — accionista.
dead stock — mercadoria que se não vende.
stock-book — livro de inventários.
in stock — em armazém; em existência.
to be in want of stocks — ter falta de capitais.
live stock — gado.
lock, stock and barrel — tudo absolutamente.
he comes of a good stock — ele é de boa família.
laughing-stock — objecto de riso.
rolling-stock — material circulante.
stock-farming — criação de gado.
stock-raising — criação de gado.
stock-in-trade — todas as mercadorias que o lojista tem para vender.
stock of an anchor — cepo de âncora.
to take stock — fazer um inventário.
social stock — capital social.
stock phrases — termos correntes.
stock-breeder — criador de gado.
to take stock in — tomar parte em.
stock account — conta de capital.
to lay on the stocks (náut.) — assentar a quilha.
stock and stone — coisas sem vida; pessoa sem iniciativa.
stock book — livro de armazém.
stock dove — pombo torcaz.
stock-list — inventário.
stock of plays (teat.) — repertório.
stock-room — armazém.
stock and shares — valores de Bolsa.
stock-still — imóvel.
stock-yard — cerca para gado.
meat-stock — concentrado de carne.
out of stock (com.) — esgotado.
the stock of a gun — a coronha de uma espingarda.
2 — *vt.* prover, abastecer, fornecer; sortir; acumular; (náut.) encepar; colocar coronha (em espingarda).
a well-stocked library — uma biblioteca bem fornecida.

stockade [stɔ'keid], **1** — *s.* estacada, paliçada; (E. U.) cadeia.
2 — *vt.* fortificar com paliçada ou estacada.

stocker ['stɔkə], *s.* pessoa que coloca coronhas em espingardas; (E. U.) touro gordo.

stockfish [-fiʃ], *s.* bacalhau seco.

stockholder [-houldə], *s.* accionista.

Stockholm ['stɔkhoum], *top.* Estocolmo.

stockily ['stɔkili], *adv.* atarracadamente.

stockiness ['stɔkinis], *s.* aparência atarracada.

stockinet [stɔki'net], *s.* tecido elástico para roupa interior.

stocking ['stɔkiŋ], *s.* meia (de mulher); fornecimento; povoamento (de rio, lago, etc.).
elastic stocking — meia elástica.
a pair of stockings — um par de meias.
stocking-trade — comércio de meias.
stocking-stitch — ponto de meia.
worsted stockings — meias de lã.
stocking-foot — pé de meia.
stocking suspender — ligas da cinta para segurar as meias.
to be in one's stocking-feet — estar em meias.

stockist ['stɔkist], *s.* armazenista.

stocktaking ['stɔkteikiŋ], *s.* inventariação; avaliação.

stocky ['stɔki], *adj.* atarracado.

stodge [stɔdʒ], **1** — *s.* (col.) alimento pesado; comilão, pessoa que come muito.
2 — *vi.* comer com sofreguidão, comer excessivamente, atafulhar-se de comida.

stodginess [-inis], *s.* qualidade do que é pesado ou indigesto.

stodgy [-i], *adj.* pesado, indigesto; insípido.

stoic ['stouik], *s.* (fil.) estóico; pessoa austera, pessoa que domina as suas paixões.

stoical [-əl], *adj.* estóico; austero, que domina as suas paixões.

stoically [-əli], *adv.* estoicamente.

stoicism ['stouisizm], *s.* estoicismo; austeridade, domínio das paixões.

stoke [stouk], *vt.* e *vi.* atiçar o lume; fazer fogo (em fornalha); (col.) comer apressad mente.

stokehold [-hould], *s.* (náut.) casa das caldeiras.
stokehold platform (náut.) — bailéu da casa das caldeiras.
stokehold plating (náut.) — estrado da casa das caldeiras.

stoke-hole [-houl], *s.* (náut.) casa das caldeiras; boca de fogo; porta de fornalha.

stoker [-ə], *s.* fogueiro; chegador; carregador automático; fogo vivo.

stole [stoul], **1** — *s.* estola (de sacerdote ou de senhora).
2 — *pret.* de **to steal.**

stoled [-d], *adj.* com estola.

stolen [-n], *pp.* de **to steal.**

stolid ['stɔlid], *adj.* estólido, estúpido; impassível, calmo.

stolidity [stɔ'liditi], *s.* estolidez; impassibilidade; fleugma.

stolidly ['stɔlidli], *adv.* estolidamente; impassivelmente; fleugmaticamente.

stolidness ['stɔlidnis], *s.* ver **stolidity.**

stolon ['stoulən], *s.* (bot.) estolho.

stoma ['stoumə], *s.* (*pl.* **stomata**) (bot.) estoma.

stomach ['stʌmək], **1** — *s.* estômago; apetite; inclinação, tendência.
stomach-ache — dor de estômago.
stomach-tooth — dente canino da primeira dentição.
first stomach — pança (dos ruminantes).
stomach-tube — sonda gástrica.
second stomach — barrete (dos ruminantes).
third stomach — folhoso (dos ruminantes).
fourth stomach — coalheira (dos ruminantes).
to turn one's stomach — revolver o estômago; dar voltas ao estômago.
a man of stomach — um homem de coragem.
to make one's stomach rise — causar náuseas.
pit of the stomach — boca do estômago.
2 — *vt.* digerir; suportar, tolerar, aturar; ressentir-se.

stomachal [-əl], *adj.* estomacal.

stomachic [stə'mækik], **1** — *s.* medicamento para o estômago; aperitivo.
2 — *adj.* estomacal.

stomata ['stɔmətə], *s. pl.* de **stoma.**
stomatitis [stɔmə'taitis], *s.* (pat.) estomatite.
stomatology [stɔmə'tɔlədʒi], *s.* estomatologia.
stone [stoun], **1** — *s.* pedra; caroço; pedra (cálculo); pedra preciosa; medida de peso (equivalente a 6,35 quilogramas); testículo; grão de granizo; mó; pedra de amolar.
stone-blind — completamente cego.
stone-deaf — completamente surdo.
stone-dumb — completamente mudo.
stone-crop — erva-pinheira.
stone-fruit — fruto de caroço.
mill-stone — mó.
broken stone — pedra de calçada.
stone-work — obra de alvenaria.
stone-chip — estilhaço de pedra.
stone-cutter — canteiro.
stone-pit (stone-quarry) — pedreira.
stone-mason — pedreiro.
stone-bottle — botija.
stone-coal — antracite.
stone-drill — broca para pedra.
stone-cold — muito frio.
stone-plover (zool.) — tarambola.
within a stone's throw — à distância de uma pedrada; muito perto.
to leave no stone unturned — revolver céu e terra, empregar todos os esforços para conseguir um fim.
to have a heart of stone — ter um coração de pedra; ser muito mau.
to kiss the Blarney stone (col.) — adular; lisonjear; «dar graxa a».
as hard as a stone — duro como uma pedra.
continual dropping wears away a stone — água mole em pedra dura tanto bate até que fura.
those who live in glass houses should not throw stones — quem tem telhados de vidro não deve atirar pedradas.
to mark with a white stone — marcar como acontecimento feliz.
to remove the stones from the plums — tirar os caroços às ameixas.
Bristol stone — cristal de rocha.
kidney-stone — cálculo renal.
pebble stone — calhau.
meteoric stone — aerólito.
the Stone Age — a Idade da Pedra.
philosophers' stone — pedra filosofal.
to cast the first stone — lânçar a primeira pedra.
to kill two birds with one stone — matar dois coelhos de uma cajadada.
to throw stones at — atirar pedras a.
not to leave a stone standing — não deixar pedra sobre pedra.
stones will cry out — até faz chorar as pedras.
2 — *vt.* apedrejar; matar à pedrada, lapidar; tirar o caroço a (fruta); tirar a grainha a (uvas); revestir com pedras; endurecer.
to stone somebody to death — lapidar alguém, matar alguém à pedrada.
to stone somebody to death — lapidar alguém.
stonechat [-tʃæt], *s.* (zool.) alvéola.
stonecrop [-krɔp], *s.* (bot.) erva-pinheira.
stoned [-d], *adj.* a que se tirou o caroço (fruta); pavimentado.
Stonehenge [-hendʒ], *top.* monumento megalítico em Salisbury Plain.
stoneless [-lis], *adj.* sem caroço (fruta).
stoneman [-mən], *s.* (*pl.* **stonemen**) pedreiro.
stonemen [-mən], *s. pl.* de **stoneman.**
stonewall [-wɔ:l], **1** — *s.* parede de pedra.
a stonewall countenance — um rosto imperturbável.
2 — *vi.* (críquete) bater a bola sem tentar marcar, fazer um jogo prudente; (pol.) fazer obstrução (col.).
stoneware [-wɛə], *s.* grés; louça de barro vidrado.
stonily [-ili], *adv.* friamente; de modo insensível.
stoniness [-inis], *s.* qualidade de ser pedregoso; dureza; insensibilidade.
stony [-i], *adj.* pedregoso; duro; empedernido; insensível; (cal.) sem dinheiro, «teso». (*Sin.* hard, flinty, inflexible, obdurate. *Ant.* tender, soft.)
a stony heart — um coração empedernido.
stony-broke — arruinado; cheio de dívidas; «teso».
stood [stud], *pret.* e *pp.* de **to stand.**
stook [stuk], **1** — *s.* meda (de centeio, trigo, etc.). **2** — *vt.* colocar em medas.
stool [stu:l], **1** — *s.* banco, tamborete, mocho; base, suporte; retrete; pé (de planta); peitoril de janela; poste a que se prende uma ave para servir de chamariz.
close-stool — cadeira-retrete.
music stool — banco de piano.
three-legged stool — banco de três pernas.
to go to stool — ir ao quarto de banho.
to fall between two stools — perder uma oportunidade por hesitar entre duas alternativas.
stool-pigeon — delator; espião da polícia.
2 — *vi.* deitar rebentos (planta); evacuar.
stoop [stu:p], **1** — *s.* inclinação; acção de curvar-se ou debruçar-se; abatimento; humilhação; varanda, palanque à entrada de uma casa; bilha.
stoop-shouldered — de ombros caídos.
2 — *vt.* e *vi.* abaixar, inclinar; dobrar; curvar-se; debruçar-se; sujeitar-se, humilhar-se; inclinar-se, abaixar-se.
to stoop down — abaixar-se.
to stoop forward — inclinar-se para diante.
stooping [-iŋ], **1** — *s.* acção de se inclinar para a frente; inclinação.
2 — *adj.* curvado para a frente, inclinado.
stop [stɔp], **1** — *s.* paragem, pausa, interrupção; espera; suspensão; obstrução; obstáculo, impedimento; conclusão; registo de órgão; (gram.) ponto; (mec.) linguete, ferrolho; (fot.) diafragma; maneira de falar; calço; (gram.) consoante explosiva.
full stop — ponto final.
dead stop — paragem total.
to make a stop — parar; fazer uma pausa.
to put a stop to — por termo a; impedir.
stop-cock — chave de fonte; torneira.
bus stop — paragem de autocarro.
stop-light — luz vermelha a indicar paragem.
stop-watch — cronómetro.
regular stop — paragem fixa.
I'll put a stop to this — vou acabar com isto.
2 — *vt.* e *vi.* (*pret.* e *pp.* **stopped**) parar; fazer alto; fazer parar; ficar por algum tempo; deter; impedir; suspender; demorar; tapar, obstruir; obturar (dente); estancar (sangue); pontuar; deixar de.
to stop up — tapar, obstruir.
to stop short — estacar, parar de repente.
to stop payment — suspender pagamento.
to stop one's ears — tapar os ouvidos.
to stop a gap — suprir uma deficiência temporariamente.
to stop a hole — tapar um buraco.
stop arguing! — basta de discussões!
to stop somebody from doing something — impedir alguém de fazer alguma coisa.
stop him! — agarra-o!
the train stops at... — o comboio pára em...

stop! — basta!
to stop at home — ficar em casa.
stop thief! — agarra, que é ladrão!
stoppage [-idʒ], *s.* paragem; interrupção; suspensão; impedimento; obstáculo; obstrução; retenção; estrangulamento; arresto.
intestinal stoppage — oclusão intestinal.
stoppage of leave — suspensão de licenças.
stopped [-t], *adj.* parado; interrompido; impedido; obturado (dente); explosiva (consoante).
stopped consonant — consoante explosiva.
stopper [-ə], **1** — *s.* o que faz parar; batoque; boça, bujão; rolha (de vidro).
2 — *vt.* tapar; (náut.) aboçar.
stopping [-iŋ], **1** — *s.* paragem; obturação (de dente); massa (para obturação); (gram.) pontuação.
2 — *adj.* que pára.
stopple [-l], **1** — *s.* bujão, rolha (de vidro).
2 — *vt.* tapar (com rolha de vidro ou bujão).
storable ['stɔrəbl], *adj.* que pode ser armazenado ou acumulado.
storage ['stɔ:ridʒ], *s.* armazenagem; preço de armazenagem; armazém; (elect.) acumulação.
in cold storage — guardado em frigorífico.
store [stɔ:], **1** — *s.* provisão, abundância; depósito; fornecimento; armazém; loja; *pl.* armazéns; provisões; víveres.
in store — de reserva.
to lay up in store for — reservar para.
store-room — depósito; despensa.
to set store by — estimar muito.
I have a surprise in store for you — tenho uma surpresa reservada para ti.
store-keeper — fiel de armazém.
store-house — armazém, depósito.
store-ship — navio de abastecimento.
chain stores — tipo de grandes armazéns que têm muitas sucursais.
toy-store — bazar, boja de brinquedos.
war stores — material de guerra.
drug store (E. U.) — drogaria.
to keep in store (*to hold in store*) — ter guardado.
store is no sore — a riqueza não faz mal a ninguém.
2 — *vt.* abastecer, sortir; amontoar; armazenar; acumular; entesourar; pôr de reserva.
to store up — acumular.
to store a ship — abastecer um navio.
well-stored memory — memória privilegiada.
storer [-rə], *s.* acumulador.
storer-up of energy — acumulador de energia.
storey ['stɔ:ri], *s.* andar (de casa).
a house of five storeys — uma casa de cinco pisos.
upper storey — andar superior; (fig.) miolo, juízo.
he is a little wrong in the upper storey (col.) — ele tem macaquinhos no sótão.
storeyed [-d], *adj.* com um certo número de pisos (casa).
a four-storeyed house — uma casa de quatro pisos.
storiated [-eitid], *adj.* ornado com desenhos (título de livro).
storied [-d], *adj.* historiado; ornado com quadros históricos; de tantos andares.
storiette [stɔ:ri'et], *s.* historieta.
storing ['stɔ:riŋ], *s.* armazenagem; abastecimento.
stork [stɔ:k], *s.* cegonha.
stork's-bill (bot.) — gerânio.
a visit from the stork (col.) — uma visita da cegonha, um nascimento.
storm [stɔ:m], **1** — *s.* tempestade, temporal, procela, tormenta, vendaval; tumulto; ataque, ímpeto; calamidade; assalto.
to take by storm — tomar de assalto; impressionar favoravelmente.
to raise (to stir) up a storm — promover desordens.
storm of wind — pé de vento.
storm-tossed — batido pelas tempestades; agitado por paixões adversas.
storm-troops — tropas de assalto.
a storm in a tea-cup — uma tempestade num copo de água.
storm-beaten — açoitado pela tempestade.
after a storm comes a calm — depois da tempestade vem a bonança.
storm bell — sineta de alarme.
storm-bird (zool.) — procelária.
brain-storm — loucura súbita.
storm-bound — impedido de seguir viagem devido à tempestade.
2 — *vt.* e *vi.* assaltar, tomar de assalto; agastar-se, irritar-se, enfurecer-se.
stormily ['-ili], *adv.* tempestuosamente; furiosamente.
storming ['-iŋ], *s.* (mil.) assalto.
storming-party (mil.) — coluna de assalto.
stormy ['-i], *adj.* tempestuoso, proceloso; violento; irritado; turbulento.
a stormy sea — um mar tempestuoso.
story ['stɔ:ri], *s.* história, conto; novela; argumento; enredo; mentira; piso (de uma casa).
that is a tall story! — isso é inacreditável!
cock and bull story — conto-da-carochinha.
as the story goes — segundo se diz.
story-teller — contador de histórias; (col.) mentiroso, mexeriqueiro.
a story never loses in the telling — quem conta um conto acrescenta-lhe um ponto.
to tell a story — contar uma história.
to make a long story short — para abreviar.
it is quite another story now — o caso agora é diferente.
story-book — livro de contos.
short story — conto.
stout [staut], **1** — *s.* cerveja preta muito forte.
2 — *adj.* forte; intrépido, valente; resoluto; possante; corpulento; vigoroso. (*Sin.* brave, resolute, sturdy, vigorous. *Ant.* thin, weak.)
stout-hearted — intrépido.
stout-heartedly — intrepidamente.
stout-heartedness — intrepidez.
to make a stout resistance — oferecer grande resistência.
stoutly ['-li], *adv.* vigorosamente; resolutamente; solidamente.
stoutness ['-nis], *s.* corpulência; robustez; força, vigor; intrepidez, coragem.
stove [stouv], **1** — *s.* fogão; estufa; forno; fogareiro.
stove-pipe — tubo de aquecimento.
stove-pipe hat (col. E. U.) — chapéu
2 — *vt.* aquecer; conservar em estufa, criar em estufa.
3 — *pret.* e *pp.* de **to stave.**
stow [stou], *vt.* arrumar; colocar; meter; pôr de reserva, guardar; estivar; (náut.) ferrar pano.
stowage capacity (náut.) — praça; capacidade de armazenagem.
stowage ['-idʒ], *s.* armazenagem; arrumação; estiva.
stowage capacity (náut.) — praça.
stowaway ['-əwei], **1** — *s.* passageiro clandestino em navio.
2 — *vi.* embarcar clandestinamente em navio.
stower ['-ə], *s.* (náut.) estivador.
strabism ['streibizm], *s.* estrabismo.
strabismic [strə'bizmik], *adj.* estrábico.
strabismus [strə'bizməs], *s.* ver **strabism.**

straddle [ˈstrædl], **1** — *s.* posição de quem está escarranchado; operação da Bolsa com opção de compra ou venda.
to sit straddle-legged — sentar-se escarranchado.
2 — *vt.* e *vi.* escarranchar-se; pôr-se a cavalo em; (fig.) hesitar.
straggle [ˈstrægl], *vi.* desviar-se; tresmalhar-se; estender-se; vaguear; percorrer; dispersar-se.
to straggle behind — ficar para trás.
to straggle from the road — desviar-se da estrada.
straggler [-ə], *s.* vagabundo; ronceiro, o que fica atrás dos outros; rebento que se afasta muito da planta.
straggling [-iŋ], **1** — *s.* vagabundagem; dispersão.
2 — *adj.* desviado; disperso; solitário; irregular.
stragglingly [-iŋli], *adv.* irregularmente; desordenadamente.
straggly [-i], *adj.* que se estende ou desvia.
straight [streit], **1** — *s.* atitude correcta; pista direita (para corridas); recta final (em corrida).
to be on the straight — viver honestamente.
out of the straight — torto.
2 — *adj.* direito; recto; justo, exacto; desempenado; correcto; franco; seguido; arrumado; liso (cabelo); (E. U.) sem mistura, não falsificado.
straight legs — pernas direitas.
straight tip — informação particular.
straight back! — costas direitas!
straight-edge — régua; régua de marceneiro.
straight angle — anglo raso.
straight as a dog's hind leg — desonesto.
straight girl — rapariga séria.
straight as a ram-rod — direito como um junco.
straight answer — resposta franca.
straight line — linha recta.
to put a room straight — arrumar um quarto.
straight pipette — pipeta graduada.
straight right (boxe) — directo dado com o punho direito.
straight left (boxe) — directo dado com o punho esquerdo.
to keep a straight face — conservar uma cara séria.
3 — *adv.* directamente; em linha recta; verticalmente; imediatamente; honestamente.
straight off — sem hesitação.
straight on — a direito.
I tell you straight — digo-lhe abertamente.
to go straight — seguir a direito.
straight ahead — sempre a direito.
straight away — imediatamente.
to see straight — ver bem.
to read something straight through — ler alguma coisa do princípio ao fim.
straighten [-n], *vt.* e *vi.* endireitar; pôr em ordem; desempenar; desbastar; endireitar-se.
to straighten up — pôr em ordem; pôr-se direito.
to straighten one's back — endireitar as costas.
straightening [-niŋ], *s.* acto de endireitar, pôr em ordem ou desempenar.
straightforward [-ˈfɔːwəd], *adj.* recto, direito; honesto, honrado; franco; fácil de compreender.
a straightforward answer — uma resposta franca ou clara.
straightforwardly [-ˈfɔːwədli], *adv.* em linha recta; francamente; honestamente.
straightforwardness [-ˈfɔːwədnis], *s.* rectidão; franqueza; honestidade.
straightness [ˈ-nis], *s.* rectidão; tensão; aperto; honestidade.

strain [strein], **1** — *s.* esforço violento; tensão; repelão, esticão; disposição; contorsão; torcedura, deformação; estilo, som melodioso, acorde; tom, ária; verso; família, raça, linhagem; rasgo (de imaginação); esgotamento nervoso causado por fadiga.
the strain of modern life — a tensão da vida moderna.
great strains of eloquence — belos rasgos de eloquência.
mental strain — esgotamento nervoso.
sweet strains (mús.) — acordes melodiosos.
to have a strain in one's leg — ter uma entorse na perna.
2 — *vt.* e *vi.* estender, esticar; estirar; forçar; violentar; retesar; torcer; deformar-se; desconjuntar-se; esforçar-se; esmerar-se; abraçar; coar, filtrar; cansar; luxar; extorquir (dinheiro).
to strain a rope — esticar uma corda.
to strain a liquid — coar um líquido.
to strain every nerve — fazer todos os esforços.
to strain one's eyes — forçar a vista.
to strain one's voice — forçar a voz.
the quality of mercy is not strained — a caridade deve ser espontânea.
strained [ˈ-d], *adj.* tenso, esticado; forçado; fatigado; desmedido; filtrado, coado; solto; com luxação.
strained laugh — riso forçado.
strained honey — mel coado.
strainer [ˈ-ə], *s.* coador, passador; filtro; ralo (de aspiração).
straining [ˈ-iŋ], *s.* tensão, esforço; filtragem.
strainless [ˈ-lis], *adj.* sem esforço.
strait [streit], **1** — *s.* estreito, canal; *pl.* necessidade, aperto, dificuldade.
the Straits of Dover — o canal da Mancha.
the Straits of Gilbraltar — o estreito de Gibraltar.
to be in great straits — estar em apuros.
2 — *adj.* estreito; austero, rigoroso, rígido.
strait-laced — austero, puritano.
strait-waistcoat (strait-jacket) — camisa-de-forças.
straiten [ˈ-n], *vt.* estreitar, apertar; encolher; meter em apuros; limitar.
straitened [ˈ-nd], *adj.* em apuros, precário.
straitened circumstances — circunstâncias precárias.
straitness [ˈ-nis], *s.* estreiteza; rigor, austeridade; dificuldade.
strake [streik], *s.* fiada (de chapas ou de tábuas ao longo de um navio).
stramonium [strəˈmouniəm], *s.* (bot.) estramónio, figueira-do-inferno.
strand [strænd], **1** — *s.* (poét.) margem, costa, praia; toro de corda, cordão; pernada; (fig.) elemento de um todo; fio.
a strand of hair — um fio de cabelo.
2 — *vt.* e *vi.* encalhar, dar à costa; partir um dos fios de uma corda; partir-se um cordão (de um cabo).
stranded [ˈ-id], *adj.* encalhado; com cordões (cabo); sem recursos.
stranding [ˈ-iŋ], *s.* encalhe.
strange [ˈstreindʒ], *adj.* estranho, singular, extraordinário, espantoso; esquisito; desconhecido; forasteiro; novato.
the place is strange to me — é-me estranho o lugar.
strange things are going on — passam-se coisas estranhas.
a strange person — uma pessoa estranha; um estrangeiro.
a strange thing to say — coisa estranha.
to feel strange — sentir-se deslocado.

to be very strange in one's manners — ter uns modos esquisitos; parecer louco.
strangely ['-li], *adv.* extraordinariamente; estranhamente.
strangeness ['-nis], *s.* estranheza; singularidade, extravagância; esquisitice; reserva.
stranger ['-ə], *s.* estranho, desconhecido; estrangeiro; forasteiro; novato. (*Sin.* foreigner, alien, outlander, visitor. *Ant.* friend, acquaintance.)
you are quite a stranger! — não há quem te veja!
the little stranger — o recém-nascido.
I am a stranger here — sou um estranho aqui.
he is quite a stranger to me — não o conheço.
strangle ['stræŋgl], *vt.* e *vi.* estrangular; morrer estrangulado; reprimir, sufocar.
to strangle a laugh — sufocar o riso.
stranglehold [-hould], *s.* golpe que estrangula.
strangler [-ə], *s.* estrangulador.
strangles [-z], *s. pl.* garrotilho (em animais).
strangling [-iŋ], *s.* estrangulamento, estrangulação.
strangulation [stræŋgju'leiʃən], *s.* estrangulamento, estrangulação; sufocação.
strap [stræp], **1** — *s.* correia, tira, alça; presilha; tirante; assentador de navalhas; grampo, colchete; (bot.) lígula.
standing passengers' strap — correia a que se agarram os passageiros que viajam de pé em transportes colectivos.
watch strap — pulseira de couro para relógio
the strap — castigo com correias.
strap-hanger — passageiro que viaja de pé em transportes colectivos.
2 — *vt.* apertar com correia; passar uma correia; açoitar com correia; amolar, afiar.
please strap up the trunk again — faça favor de apertar as correias da mala outra vez.
strapper ['-ə], *s.* o que trabalha com correias; (fam.) pessoa alta e corpulenta.
strapping ['-iŋ], **1** — *s.* acto de pôr correias em; castigo com correia; (med.) adesivo.
2 — *adj.* corpulento; robusto, alto e forte.
Strasburg ['stræzbə:g], *top.* Estrasburgo.
Strasburger [-ə], *s.* estrasburguês.
strass [stræs], *s.* variedade de vidro de chumbo para fabricar pedras preciosas artificiais.
strata ['strɑ:tə], *s. pl.* de **stratum.**
stratagem ['strætidʒəm], *s.* estratagema; ardil.
strategic [strə'ti:dʒik], *adj.* estratégico.
strategical [-əl], *adj.* er **strategic.**
strategically [-əli], *adv.* estrategicamente.
strategics [-s], *s.* estratégia.
strategist ['strætidʒist], *s.* estrategista.
strategus [strə'ti:gəs], *s.* estratego, comandante militar na antiga Atenas.
strategy ['strætidʒi], *s.* estratégia.
strath [stræθ], *s.* vale extenso (na Escócia).
stratification [strætifi'keiʃən], *s.* estratificação.
stratified ['strætifaid], *adj.* estratificado.
stratified rock — rocha estratificada.
stratiform ['strætifɔ:m], *adj.* estratiforme.
stratify ['strætifai], *vt.* e *vi.* estratificar, estratificar-se.
stratocracy [strə'tɔkrəsi], *s.* estratocracia.
stratocruiser ['strætoukru:zə], *s.* cruzador estratosférico.
stratosphere ['strætousfiə], *s.* estratosfera.
stratospheric [strætou'sferik], *adj.* estratosférico.
stratti ['streitai], *s. pl.* de **stratus.**
stratum ['strɑ:təm], *s.* (*pl.* **strata**) estrato, camada; classe social.
stratus ['streitəs], *s.* (*pl.* **stratti**) estrato (nuvem).
straw [strɔ:], **1** — *s.* palha; ninharia; chapéu de palha.
the last straw — o limite da paciência ou tolerância.
I don't care a straw — não me importo nada.
to catch at a straw — agarrar-se a uma tábua de salvação.
to make bricks without straw — trabalhar sem ter os meios necessários.
it would be the last straw! — era o que faltava!
it is not worth a straw — não vale um caracol.
straw-bed — cama de palha.
straw-coloured — cor de palha.
straw mat — esteira.
straw roof — telhado de palha.
straw-yard — palheiro.
straw hat — chapéu de palha.
straw mattress — enxergão.
a bundle of straw — um molho de palha.
straw-stack — meda de palha.
straw-yellow — amarelo-palha.
a man of straw — um boneco de palha; pessoa em quem não se tem confiança.
to throw straws against the wind — fazer esforços inúteis.
a straw shows which way the wind blows — um leve indício pode desvendar um mistério.
2 — *vt.* (arc.) cobrir de palha.
strawberry ['-bəri], *s.* morango; morangueiro.
strawberry plant — morangueiro.
strawberry-tree — medronheiro.
strawberry field — plantação de morangueiros.
strawy ['-i], *adj.* de palha; como palha; cor de palha.
stray [strei], **1** — *s.* pessoa ou animal extraviado; extravio; bens sem herdeiros; *pl.* ruídos parasitários (em rádio).
waifs and strays — crianças abandonadas.
magnetic stray field — campo de dispersão magnética.
2 — *adj.* extraviado, perdido, desgarrado; fortuito; (jur.) sem herdeiros.
stray customer — freguês acidental.
stray dog — cão vadio.
stray bullet — bala desgarrada; bala perdida.
3 — *vi.* extraviar-se, desviar-se, desencaminhar-se, perder-se, desgarrar-se; (elect.) dispersar-se; não se concentrar num assunto. (*Sin.* to wander, to err, to deviate, to rove.)
to stray from the right path — afastar-se do bom caminho; desencaminhar-se.
strayed ['-d], *adj.* extraviado, desencaminhado; isolado.
strayer ['-ə], *s.* pessoa ou animal extraviado.
straying ['-iŋ], **1** — *s.* extravio; acto de se extraviar.
2 — *adj.* extraviado, perdido; que saiu do caminho recto.
streak [stri:k], **1** — *s.* listra, risca; raia; raio de luz; veia, rasgo de engenho; (náut.) precinta; vestígio; veio, filão; cor da risca (de mineral).
like a streak of lightning — como um relâmpago.
a streak of light above the horizon — um raio de luz acima do horizonte.
the Silver Streak — o Canal Inglês.
streak of ore — filão de minério.
to run like a streak — correr como um raio.
2 — *vt.* e *vi.* listrar; riscar; (col.) andar muito depressa.
streaked ['-t], *adj.* listrado; fibroso (madeira).
streakiness ['-inis], *s.* qualidade de ser listrado.
streaking ['-iŋ], *s.* listras, riscas.
streaky ['-i], *adj.* raiado, listrado; entremeado (toucinho).
stream [stri:m], **1** — *s.* corrente (de água ou luz); rio; arroio; caudal; fluxo; fonte; jacto, jorro.

to go with the stream — ir com a maré; fazer
a stream of people — um mar de gente.
a stream of tears — um vale de lágrimas.
the stream of life — o curso da vida.
tributary stream — afluente.
to go down the stream — ir rio abaixo.
to go up the stream — ir rio acima.
to go with the stream — ir com a maré; fazer o mesmo que os outros.
stream-anchor — *(náut.)* ancoreta.
stream tin — estanho em grão.
stream power — energia hidráulica.
2 — *vt.* e *vi.* correr, jorrar, manar; raiar; flutuar; fundear (bóia); gotejar.
to stream out — sair em torrentes.
to stream in — entrar em torrentes.

streamer ['-ə], *s.* flâmula, galhardete; *pl.* serpentinas; aurora boreal.

streamlet ['-lit], *s.* riacho, arroio.

stream-line ['-lain], **1** — *s.* linha de curso natural de um fluido; linha aerodinâmica.
stream-line shape — forma aerodinâmica.
2 — *vt.* dar forma aerodinâmica a.

stream-lined ['-laind], *adj.* aerodinâmico.

streek [stri:k], *vt.* e *vi.* deslocar-se muito rapidamente.

street [stri:t], *s.* rua.
to go down the street — descer a rua.
to go up the street — subir a rua.
to cross the street — atravessar a rua.
street-cries — pregões.
street arab — garoto da rua.
to live in the street — andar sempre na rua.
not to be in the same street with (col.) — ser inferior a.
street-door — porta da rua.
does this street lead to...? — esta rua vai dar a...?
main street — rua principal.
street-car — eléctrico.
street accident — acidente de circulação.
street-orderly — varredor das ruas.
street-sweeper — varredor das ruas, máquina para varrer as ruas.
street organ — realejo.
the window looks on the street — a janela dá para a rua.
the Street (Ingl.) — o jornalismo — Fleet Street; (E. U.) — o mundo da finança — Wall Street.
to turn into the streets — pôr na rua.

streetwalker ['-wɔ:kə], *s.* prostituta.

streetwalking ['-wɔ:kiŋ], *s.* prostituição.

strength [streŋθ], *s.* força, vigor; energia; robustez; firmeza; poder; potência; eficácia; resistência; consistência; intensidade; veemência; confiança; fortaleza.
strength of will — força de vontade.
on the strength of — confiado em; baseado em.
with all my strength — com todas as minhas forças.
to recover one's strength — recuperar as forças.
strength of a current — (elect.) intensidade de uma corrente.
strength of materials — resistência de materiais.
fighting strength — efectivos de combate.
up to strength — com o número necessário.
strength testing — prova de resistência.
to be beyond human strength — ser superior às forças humanas.

strengthen ['-ən], *vt.* e *vi.* fortalecer, fortificar; dar ânimo a; corroborar, reforçar.

strengthener ['-ənə], *s.* reforço; (med.) fortificante.

strengthening ['-əniŋ], **1** — *s.* reforço; consolidação; resistência.
2 — *adj.* fortificante; que anima; que reforça.

strenuous ['strenjuəs], *s.* estrénuo, forte, enérgico; tenaz, persistente. (*Sin.* energetic, persistent, vigorous. *Ant.* feeble.)
strenuous efforts — esforços enérgicos.

strenuously [-li], *adv.* energicamente, vigorosamente; tenazmente, persistentemente.

strenuousness [-nis], *s.* vigor, energia, ardor, zelo, ânimo; tenacidade.

strepitous ['strepitəs], *adj.* estrepitoso, barulhento.

streptococci [streptou'kɔksai], *s. pl.* de **streptococcus.**

streptococcus [streptou'kɔkəs], *s.* (*pl.* **streptococci**) estreptococo.

stress [stres], **1** — *s.* ênfase; força; pressão; peso, importância; esforço; violência; acento tónico.
to lay great stress on — dar muita importância a; insistir muito em.
stress of circumstances — força das circunstâncias.
stress-limit — limite de fadiga.
stress of weather — inclemência do tempo.
2 — *vt.* dar ênfase, insistir em; dar importância a; sujeitar a tensão ou peso; pôr o acento em.

stressed ['-t], *adj.* com acento tónico.

stressing ['-iŋ], *s.* acentuação; insistência.

stretch [stretʃ], **1** — *s.* extensão; dilatação; alcance; estiramento; distância; trecho; tirada; assentada; esforço; intervalo; direcção; interpretação forçada; espreguiçamento; (náut.) bordo, bordada; (desp.) recta de chegada.
he works ten hours at a stretch — ele trabalha dez horas de uma assentada.
at full stretch — a todo o galope.
stretch modulus — coeficiente de elasticidade.
to give a stretch — espreguiçar-se.
2 — *vt.* e *vi.* estender, estirar; esticar; entesar; expandir, desenvolver; alargar; forçar, violentar; alongar-se; exagerar; alargar-se; estender-se; dar de si; estender-se ao comprido; fazer força de vela; espreguiçar-se; (col.) enforcar.
to stretch gloves — alargar luvas.
to stretch one's legs — estender as pernas (dando um passeio).
to stretch a point — fazer uma excepção; ir além do dever.
to stretch the truth — exagerar a verdade.
to stretch one's arms — estender os braços.
to stretch oneself at full length — estender-se ao comprido, a todo o comprimento.
to stretch oneself — espreguiçar-se.
to stretch a carpet upon the floor — estender uma carpete no chão.
to stretch one's eyes — arregalar os olhos.

stretched ['-t], *adj.* esticado; sem elasticidade; exagerado.

stretcher ['-ə], *s.* estirador, esticador; padiola; maca para feridos; pau de voga; caixilho em que se estende a tela do pintor; tábua do remador; (col.) peta; vareta de guarda-chuva.
stretcher bearer — maqueiro.
to carry on a stretcher — transportar em maca.
boot-stretchers — esticadores para calçado.

stretching ['-iŋ], *s.* estiramento; dilatação; alongamento.
stretching-frame — estirador (de desenho).
stretching-force — força de tensão.

strew [stru:], *vt.* (pret. **strewed,** pp. **strewed, strewn**) espalhar, espargir; juncar; derramar; semear, salpicar.

strewing ['-iŋ], *s.* acção de espalhar, espargir ou juncar.

strewn ['-n], *pp.* de **to strew.**

stria ['straiə], *s.* (*pl.* **striae**) (zool., anat., geol.) estria.
striae ['-i:], *s. pl.* de **stria.**
striate 1 — ['straiit], *adj.* estriado.
 2 — ['straieit], *vt.* estriar.
striated [strai'eitid], *adj.* estriado.
striation [strai'eiʃən], *s.* estriamento.
stricken ['strikən], *pp.* de **to strike** e *adj.*
 stricken in years — de idade provecta.
 a stricken field — um campo de batalha.
 stricken with paralysis — atacado pela paralisia.
strict [strikt], *adj.* estrito, exacto, rigoroso, escrupuloso; restrito, limitado; severo, rígido; certo; íntimo.
 strict laws — leis rigorosas.
 strict orders — ordens severas.
 in the strict sense — no sentido exacto.
 he told me in strict confidence — contou-me em rigorosa confidência.
 strict morals — moral rígida.
 strict teacher — professor severo.
striction ['strikʃən], *s.* estrição, constrição.
strictly ['striktli], *adv.* estritamente, exactamente, rigorosamente.
strictness ['striktnis], *s.* exactidão; pontualidade; severidade; rigor, precisão.
stricture ['striktʃə], *s.* (med.) estrangulamento, estenose; *pl.* censura.
strictured [-əd], *adj.* (med.) com estrangulamento ou estenose.
stridden ['stridn], *pp.* de **to stride.**
stride [straid], **1** — *s.* passo largo; tranco (de cavalo).
 to take long strides — dar grandes passadas.
 to take obstacles in one's stride — saltar por cima de dificuldades.
 to get into one's strides (col.) — entrar no ritmo normal.
 vigorous strides — andar cheio de energia.
 2 — *vt.* e *vi.* (pret. **strode,** *pp.* **stridden**) andar a passos largos; dar grandes passadas; transpor, galgar de um passo; sentar-se escarranchado.
 to stride along — andar a passos largos.
 to stride up and down a room — andar de um lado para o outro numa sala.
 to stride away — afastar-se a grandes passadas
strickle [strikl], *s.* rasouro, pau para tirar o cogulo nas medidas de secos.
stridency ['straidənsi], *s.* estridência.
strident ['straidnt], *adj.* estridente.
stridently [-li], *adv.* estridentemente.
strideways ['straidweiz], *adv.* (E. U.) escarranchado.
stridor ['straidɔ:], *s.* grito estridente; (med.) estridor.
stridulant ['stridjulənt], *adj.* estridulante.
stridulate ['stridjuleit], *vi.* estridular (insecto).
stridulation [stridju'leiʃən], *s.* estridulação.
stridulous ['stridjuləs], *adj.* (med.) estriduloso.
strife [straif], *s.* contenda, luta, disputa, porfia.
 to be at strife with — estar em contenda com.
striga ['straigə], *s.* (*pl.* **strigae**) estriga.
strigae ['straidʒi:], *s. pl.* de **striga.**
strigose ['straigous], *adj.* estrigoso.
strike [straik], **1** — *s.* golpe; rasoura; greve; (geog.) direcção de filão; êxito repentino.
 general strike — greve geral.
 strike-breaker — trabalhador que não adere à greve.
 hunger-strike — greve da fome.
 to go on strike — fazer greve.
 2 — *vt.* e *vi.* (pret. **struck,** *pp.* **struck** e **stricken**) bater, ferir; dar pancadas, dar bofetadas; vibrar (um golpe); chocar; ir de encontro a, topar; soar; dar horas; comover, impressionar; surpreender; assustar; assumir, tomar; descer, fazer descer; ocorrer, vir ao pensamento; amainar (velas); fazer greve; chocar-se; reflectir; atacar, assaltar; lutar; acender; concluir; confirmar; desfazer; desarmar; morder a isca; arriar (bandeira).
 to strike against — chocar com; bater contra.
 to strike at — assaltar, dirigir (um golpe).
 to strike at everything — empreender muitas coisas.
 to strike tents — levantar o acampamento.
 to strike one's brow — bater na testa.
 to strike a balance — dar balanço.
 to strike colours (to strike the flag) — arriar a bandeira.
 to strike down — derrubar, abater, fazer descer.
 to strike fire — fazer fogo (com pederneira, etc.).
 to strike home — dar no vivo, ir ao ponto desejado.
 to strike in — cravar, enterrar; intrometer-se.
 to strike off — cortar, separar; riscar; fazer cair; extrair; abandonar; afastar-se.
 to strike off a plate — imprimir uma lâmina.
 to strike a name off a list — riscar um nome de uma lista.
 to strike oil — descobrir petróleo (com perfurações); descobrir uma mina; enriquecer.
 to strike on — bater contra; descobrir.
 to strike out — fazer sair (batendo); inventar; riscar; tomar uma resolução.
 to strike root — deitar raízes.
 to strike through — fazer passar através, de; furar, trespassar.
 to strike up — começar a tocar (instrumento).
 to strike with admiration — encher de admiração.
 to strike a bargain — concluir um negócio.
 to strike a person a blow — dar bofetadas ou pancadas em alguém.
 to strike foundings — achar fundo.
 to strike a match — acender um fósforo.
 to strike blind — cegar.
 it has struck ten — deram dez horas.
 how does it strike you? — qual é a sua impressão? que pensa a este respeito?
 it strikes me as being very good — tenho a impressão de que é muito bom.
 it strikes me that you have not understood — quer-me parecer que não compreendeste.
 to strike hard — bater com força.
 to strike one's hand on the table — bater com a mão na mesa.
 to strike all of a heap — ficar banzado.
 to strike a note — ferir a nota.
 to strike asunder — fender.
 to strike the eye — saltar à vista.
 it is about to strike six — estão quase a bater as seis (horas).
 it has struck the half — deu a meia-hora.
 the clock strikes the hour — o relógio dá horas.
 the clock is striking — o relógio está a dar horas.
 to strike out for oneself — ser independente, ganhar para si.
 to be struck by a lightning — ser fulminado por um raio.
 to strike a coin — cunhar uma moeda.
 to strike a knife into somebody's heart — cravar uma faca no coração de alguém.
 to strike an attitude — tomar uma atitude teatral.
 to strike a committee — formar uma comissão.
 to strike it rich — enriquecer de repente.
 to strike battle — dar batalha.
 to strike off somebody's head — cortar a cabeça de alguém.
 to strike somebody's fancy — cair nas boas graças de alguém.

to strike for freedom — lutar pela liberdade.
to strike through — cortar com um traço.
to strike up an acquaintance with somebody — travar conhecimento com alguém sem ser apresentado.
to strike terror into somebody — aterrorizar alguém.
to strike work — fazer greve; suspender o trabalho.
strike while the iron is hot! — é preciso malhar enquanto o ferro está quente.
to strike with wonder — encher de admiração.
to get struck on somebody — apaixonar-se por alguém.
strike me pink if... (strike me dead if...) — diabos me levem se...
to strike at the root of the trouble — cortar o mal pela raiz.
the drums struck up — os tambores rufaram.

striker [ˈ-ə], *s.* grevista; percutor; pessoa ou coisa que bate; martelo (de relógio).

striking [ˈ-iŋ], **1** — *s.* acção de bater; cunhagem (de moeda); acção de dar horas; colisão, choque.
within striking-distance — ao alcance da mão.
striking camp — levantamento de acampamento.
striking off — acção de cortar; tiragem.
2 — *adj.* admirável, notável, espantoso, pasmoso; óbvio; parecido, semelhante; que bate. (*Sin.* impressive, wonderful, forcible, surprising. *Ant.* commonplace.)
striking situation — situação embaraçosa, dramática.
striking clock — relógio que dá as horas.
striking likeness — semelhança flagrante.

strikingly [ˈ-iŋli], *adv.* espantosamente, notavelmente, maravilhosamente.

strikingness [ˈ-iŋnis], *s.* qualidade do que é notável ou maravilhoso.

string [striŋ], **1** — *s.* cordel, fio, atilho; corda de instrumento; fibra; tendão, nervo; réstia; série, enfiada; fileira, fila.
to have two strings to one's bow — ter duas soluções para o problema.
to be for ever harping on the same string — repisar o mesmo assunto; estar sempre a bater a mesma tecla.
to pull the strings — puxar os cordelinhos.
a bit of string — um bocado de cordel.
to touch a string — ferir a corda sensível.
string-band — banda só com instrumentos de corda.
string-orchestra — orquestra só com instrumentos de corda.
string-bean — feijão verde.
a ball of string — um novelo de fio.
string quartette — quarteto de cordas.
a string of pearls — um colar de pérolas.
shoe-strings (E. U.) — atacadores de sapatos.
a string of lies — uma série de mentiras.
the strings — os instrumentos de corda (de uma orquestra).
first string (desp.) — o melhor atleta seleccionado.
to touch a string in somebody's heart — fazer comover alguém.
with a string attached (col.) — com uma condição.
with no strings attached (col.) — sem condições; sem reservas.
2 — *vt.* e *vi.* (pret. e *pp.* **strung**) encordoar; enfiar; afinar; tirar os fios; esticar; formar-se em fios; estender-se em linha; (cal.) intrujar.
to string pearls — enfiar pérolas.
to string French beans — tirar o fio ao feijão verde.
highly strung nerves — nervos excitados.
to string out — estender-se numa grande fila.
to be strung up — estar pronto para agir; estar excitado.
to string up (col.) — enforcar.

stringed [ˈ-d], *adj.* enfiado; (mús.) com cordas.

stringency [ˈstrindʒənsi], *s.* rigidez; carência.

stringent [ˈstrindʒənt], *adj.* rígido, severo; (fin.) com falta de dinheiro.

stringently [-li], *adv.* rigidamente, severamente.

stringer [ˈstriŋə], *s.* encordoador; viga ou barrote de reforço; *pl.* algemas.

stringiness [ˈstriŋinis], *s.* qualidade do que é fibroso ou viscoso.

stringy [ˈstriŋi], *adj.* fibroso, filamentoso; viscoso.
stringy meat — carne com nervos.

strip [strip], **1** — *s.* tira, faixa; fio.
landing strip — faixa de aterragem.
a strip of paper — uma tira de papel.
strip-fuse (elect.) — fusível de lâmina.
strip map — mapa de rota.
strip-tease — espectáculo de cabaré em que uma mulher se despe, devagar, diante do público.
metal strip — fita metálica.
2 — *vt.* e *vi.* despir; despojar, esbulhar; descascar; cortar em tiras; roubar; desaparelhar; despir-se; desguarnecer; cortar em tiras.
to strip off — despir; pelar, descascar.
to strip a mast — desaparelhar um mastro.
to strip a ship — desarmar um navio.
to strip a peg (col.) — comprar um fato feito.
to strip a wall — tirar o papel a uma parede.
to strip to the skin — despir-se completamente.

stripe [straip], **1** — *s.* tira, lista; riscado (tecido); galão (de oficial); divisa (de sargento ou cabo); açoite; espécie; (*pl.*) tigre (col.).
sergeant's stripes — divisas de sargento.
to get one's stripes — ser promovido.
to lose one's stripes — baixar de posto.
to wear the stripes (E. U.) — estar na cadeia.
2 — *vt.* listar; zebrar.

striped [-t], *adj.* com listas; raiado.

stripiness [ˈ-inis], *s.* qualidade do que é listrado.

stripling [ˈstripliŋ], *s.* rapaz, mancebo, moço.

stripper [ˈstripə], *s.* espoliador; espadelador (de linho).

stripping [ˈstripiŋ], *s.* acção de se despir.

stripy [ˈstraipi], *adj.* às riscas; variegado.

strive [straiv], *vi.* esforçar-se, empenhar-se; contender; fazer a diligência; disputar; lutar; competir, rivalizar.
I strive to persuade him — esforço-me por convencê-lo.
to strive for right — lutar pela justiça.
to strive against — lutar contra.

striver [ˈ-ə], *s.* competidor.

striving [ˈ-iŋ], *s.* esforço, empenho; disputa, porfia.

strode [stroud], *pret.* de **to stride.**

stroke [strouk], **1** — *s.* golpe, pancada; tacada (de bilhar); remada; pincelada; voga, chefe da equipa do remo; traço (na escrita); penada; lanço (jogo); ataque apopléctico; rasgo; som (de relógio); carícia feita com a mão; proeza, êxito; bambúrrio; braçada (ao nadar); pulsação.
a stroke of wit — um dito espirituoso.
a stroke of apoplexy — um ataque apopléctico.
it's on the stroke of five — vão dar cinco horas.
a stroke of luck — um bambúrrio da sorte.

not to do a stroke of work — não mexer uma palha.
a bold stroke of poetry — um rasgo admirável de poesia.
on the stroke — pontualmente.
he was killed by a stroke of lightning — morreu fulminado por uma faísca.
he cannot swim a stroke — nada como um prego.
to do the side-stroke — nadar de lado.
to do the breast-stroke — nadar de peito.
I met with a stroke of luck — caiu-me a sopa no mel.
stroke oar — remo da popa.
a paralytic stroke — um ataque de paralisia.
finishing stroke — golpe de misericórdia.
finishing strokes — retoques finais.
little strokes fell great oaks — grão a grão enche a galinha o papo.
heat-stroke — ataque de insolação.
2 — *vt.* e *vi.* acariciar, afagar, fazer festas com a mão; fazer de voga-avante; alisar.
to stroke one (up) the wrong way — irritar alguém.
to stroke somebody down — abrandar a cólera a alguém.
to stroke a cat — fazer festas a um gato.
to stroke out one's beard — cofiar a barba.

stroking ['-iŋ], *s.* carícias.

stroll [stroul], **1** — *s.* passeio vagaroso, passeata, giro, volta. (*Sin.* ramble, walk, trip.)
to go for a stroll — dar um giro.
2 — *vt.* e *vi.* passear vagarosamente; vaguear.
to stroll about — passear; dar um giro; andar de um lado para o outro.

stroller ['-ə], *s.* passeante; vagabundo; comediante ambulante.

strolling ['-iŋ], **1** — *s.* deambulação.
2 — *adj.* ambulante; errante.
strolling player — actor ambulante.

strong [strɔŋ], **1** — *adj.* forte, possante, robusto, vigoroso; musculoso; rijo; determinado, resoluto, enérgico; impetuoso, ardente, fogoso; reforçado, consistente, sólido; activo; eficaz; espirituoso (vinho); poderoso; (gram.) que muda a vogal temática, forte.
strong-box — cofre forte.
a strong memory — uma boa memória.
a strong constitution — uma constituição forte.
strong tea — chá forte.
strong voice — voz forte.
to give strong support to — apoiar energicamente.
strong gale — vento muito forte.
strong butter — manteiga rançosa.
strong drink — bebida alcoólica.
strong eyes — vista boa.
strong conviction — convicção forte.
strong in numbers — numeroso.
strong language — linguagem rude.
strong in health — saudável.
by the strong hand (by the strong arm) — à força.
strong verb (gram.) — verbo forte.
to have strong nerves — ter bons nervos.
to be as strong as a horse — ser forte como um touro.
2 — *adv.* fortemente; intensamente; firmemente.
strong-limbed — de membros fortes.
strong-bodied — encorpado; consistente.
strong-minded — decidido; de espírito forte.
strong-mindedness — fortaleza de espírito.

stronghold ['-hould], *s.* forte, fortaleza, praça forte.

strongish ['-iʃ], *adj.* um tanto forte.

strongly ['-li], *adv.* fortemente; vigorosamente; violentamente; solidamente; veementemente.

strontia ['strɔnʃiə], *s.* (quím.) estronciana.

strontian [-n], **1** — *s.* ver **strontia.**
2 — *adj.* estronciânico.

strontium ['strɔnʃiəm], *s.* (quím.) estrôncio.

strop [strɔp], **1** — *s.* assentador de navalhas; (náut.) estropo, funda.
2 — *vt.* assentar o fio às navalhas.

strophe ['stroufi], *s.* estrofe.

strophic ['strɔfik], *adj.* estrófico.

stropping ['strɔpiŋ], *s.* acção de passar no assentador de navalhas.

strove [strouv], *pret.* de **to strive.**

struck [strʌk], *pret.* e *pp.* de **to strike.**

structural ['strʌktʃərəl], *adj.* estrutural; (geol.) tectónico.
structural steel work — armação de aço.
structural timber — madeira para construções.
structural glass — vidro para estruturas.

structurally [-i], *adv.* estruturalmente; referente à estrutura.

structure ['strʌktʃə], *s.* estrutura, construção; edifício; organização; disposição; trabalho.
the structure of the human body — a constituição do corpo humano.

structured [-d], *adj.* com estrutura; (col.) construído.

structureless [-lis], *adj.* amorfo.

struggle ['strʌgl], **1** — *s.* luta; esforço. (*Sin.* strife, contest, battle, toil, effort, exertion. *Ant.* peace, ease.)
struggle for life — luta pela vida.
life and death struggle — luta desesperada.
the death struggle — a agonia da morte.
2 — *vi.* lutar; esforçar-se; debater-se, contorcer-se.
to struggle with the waves — lutar contra as ondas.
to struggle against fate — lutar contra o destino.

struggler [-ə], *s.* lutador, contendor; aquele que se esforça.

struggling [-iŋ], **1** — *s.* luta; grande esforço; acção de se debater.
2 — *adj.* que luta; que se esforça; que se debate.

strugglingly [-iŋli], *adv.* lutando; fazendo grande esforço; debatendo-se.

strum [strʌm], **1** — *s.* som desagradável de instrumento de corda mal tocado.
2 — *vt.* e *vi.* tocar mal um instrumento de corda, arranhar.

struma ['stru:mə], *s.* (*pl.* **strumae**) estruma, escrófula; (bot.) dilatação de um órgão.

strumae ['stru:mi], *s. pl.* de **struma.**

strummer ['strʌmə], *s.* pessoa que toca mal um instrumento de corda.

strumous ['stru:məs], *adj.* estrumoso, escrofuloso.

strumpet ['strʌmpit], *s.* prostituta.

strung [strʌŋ], *pret.* e *pp.* de **to string.**

strut [strʌt], **1** — *s.* tirante, esteio, escora; suporte; andar altivo e arrogante.
2 — *vt.* e *vi.* escorar; reforçar com suportes; pavonear-se; empertigar-se.

strutting ['-iŋ], *s.* colocação de escoras ou suportes; andar altivo e arrogante.

struttingly ['-iŋli], *adv.* pavoneando-se, empertigando-se.

strychnia ['striknia], *s.* estricnina.

strychnin(e) ['strikni:n], **1** — *s.* estricnina.
2 — *vt.* tratar com estricnina.

strychn(in)ism ['strikn(in)izəm], *s.* intoxicação pela estricnina.

stub [stʌb], **1** — *s.* tronco, cepo; fragmento. resto (de cigarro, lápis, etc.); raiz (de dente); talão (de livro de cheques, recibo, etc.).

stub-nail — prego com a ponta quebrada; prego grosso e curto.
2 — *vt.* arrancar tocos de árvores pela raiz.
to stub out one's cigarette — apagar o cigarro, esmagando a ponta.
to stub one's foot (to stub one's toe) — dar uma topada.
stubbed [′-d], *adj.* decepado (árvore); cheio de tocos (terreno); atarracado.
stubbiness [-inis], *s.* qualidade do que é atarracado.
stubble [′stʌbl], **1** — *s.* restolho; barba ou cabelo hirsuto.
stubble-field — restolhal.
2 — *vt.* tirar o restolho (a um campo).
stubborn [′stʌbən], *adj.* teimoso, obstinado, (col.) cabeçudo; refractário; inflexível.
facts are stubborn things — contra factos não há argumentos.
stubborn illness — doença renitente.
as stubborn as a donkey (as stubborn as a mule) — teimoso como um burro.
stubbornly [-li], *adv.* obstinadamente, teimosamente; renitentemente; inflexivelmente.
stubbornness [-nis], *s.* obstinação, teimosia; inflexibilidade, firmeza.
stubby [′stʌbi], *adj.* atarracado; curto; baixo e forte; hirsuto.
stucco [′stʌkou], **1** — *s.* estuque.
stucco-worker — estucador.
2 — *vt.* estucar.
stuccoer [-ə], *s.* estucador.
stuccoing [-iŋ], *s.* acção de estucar.
stuck [stʌk], *pret.* e *pp.* de **to stick** e *adj.*
stuck-up — presumido, toleirão.
stuck in the mud — muito admirado.
stud [stʌd], **1** — *s.* prego de cabeça larga; tachão; botão de camisa; manada de cavalos e éguas; barrote, trave; estai; perno; munhão; travessão (de elo de corrente).
collar-stud — botão de colarinho.
stud farm — coudelaria.
stud-book — registo genealógico de cavalos de raça.
stud-horse — garanhão.
stud-mare — égua reprodutora.
shirt stud — botão de peito de camisa.
stud pin — perno.
2 — *vt.* guarnecer de pregos, tachonar; ornar; entremear, salpicar, semear, espalhar.
studded [′-id], *adj.* guarnecido; entremeado, salpicado, semeado.
studded with nails — guarnecido de pregos.
studded with stars — salpicado de estrelas.
studding [′-iŋ], *s.* acção de guarnecer com tachões; pregaria.
studding-sail (náut.) — cutelo.
student [′stju:dənt], *s.* estudante, estudante do ensino superior; estudioso; investigador.
law student — estudante de direito.
medical student — estudante de medicina.
student of engineering — estudante de engenharia.
fellow-student — companheiro de estudo; condiscípulo.
studentship [-ʃip], *s.* qualidade de ser estudante; bolsa de estudo.
studio [′stju:diou], *s.* estúdio; lugar de trabalho de escultor, pintor, etc.
photographer's studio — estúdio fotográfico.
broadcasting studio — estúdios radiofónicos.
studious [′stju:djəs], *adj.* estudioso, aplicado, diligente; assíduo; atento, cuidadoso; solícito. (*Sin.* diligent, attentive, painstaking, deliberate. *Ant.* thoughtless, lazy.)
with studious care — com um grande cuidado.
with studious attention — com muita atenção.
studiously [-li], *adv.* estudiosamente, diligentemente; conscienciosamente; estudadamente.
studiousness [-nis], *s.* aplicação; atenção.
study [′stʌdi], **1** — *s.* estudo; meditação profunda; assunto estudado; quarto de estudo, escritório; esboço, estudo; (mús.) estudo.
to be in a brown study — estar muito pensativo.
study-room — quarto de estudo.
to make a study of — investigar cuidadosamente.
to be a good study — (teat.) — aprender o papel rapidamente.
to be a slow study (teat.) — aprender o papel com dificuldade.
to finish one's studies — acabar os estudos.
2 — *vt.* e *vi.* estudar; investigar; examinar; analisar.
to study hard — estudar com afinco.
to study out — considerar; examinar; descobrir.
to study for the bar — estudar direito.
to study for an examination — preparar-se para um exame.
studying [-iŋ], *s.* acção de estudar.
stuff [stʌf], **1** — *s.* matéria, material; tecido; estofo; bagatela, ninharia; desperdícios; espécie de betume (para calafetar mastros, tábuas, etc.); remédio, droga.
good stuff — coisa boa.
silly stuff — tolices.
stuff and nonsense — disparate.
green stuff — hortaliças.
food stuff — comestíveis.
woollen stuff — fazenda de lã.
cotton stuff — tecido de algodão.
what a nasty stuff! — que grande porcaria!
he has good stuff in him — ele tem boas qualidades.
my personal stuff — a minha roupa particular.
a nice little bit of stuff (col.) — uma rapariga engraçada.
to be short of stuff — ter falta de dinheiro.
he is good stuff — ele é boa pessoa.
to give stuff to a patient — anestesiar um doente.
2 — *vt.* e *vi.* encher; atestar; acolchoar; fartar; rechear, comer demasiadamente, empanturrar-se; embalsamar (animal); entulhar; enganar com mentiras.
to stuff one's ears with cotton-wool — encher os ouvidos de algodão.
to stuff up — encher, tapar.
to stuff birds — embalsamar aves.
stuffed turkey — peru recheado.
to stuff a person for an exam — preparar uma pessoa para um exame.
to stuff oneself with food — empanturrar--se.
to stuff somebody — enganar alguém com mentiras.
stuffed shirt — pessoa vaidosa, presumida.
my nose is stuffed — tenho o nariz entupido.
stuffer [′-ə], *s.* estofador, acolchoador; empalhador (de animais).
stuffiness [′-inis], *s.* cheiro a mofo, má ventilação; entupimento.
stuffing [′-iŋ], *s.* recheio; enchimento; material para estofos; empalhamento (de animais).
stuffing-box — caixa do bucim.
to knock the stuffing out of somebody — (col.) — cansar alguém; bater muito em alguém; (col.) tirar as peneiras a alguém.

stuffy ['-i], *adj.* abafado, mal ventilado, sem ar, com cheiro a mofo; (E. U.) enfadonho; irritadiço.
stultification [stʌltifi'keiʃən], *s.* estultificação; invalidação.
stultify ['stʌltifai], *vt.* estultificar; invalidar; desacreditar.
stum [stʌm], **1** — *s.* mosto; vinho novo para lotar vinhos fracos.
2 — *vt.* lotar vinhos fracos com mosto ou com vinho novo.
stumble ['stʌmbl], **1** — *s.* tropeção; topada; erro, desatino; embaraço.
2 — *vt.* e *vi.* tropeçar; dar uma topada; fazer tropeçar; errar; encontrar por acaso; cometer erros; atrapalhar-se; gaguejar.
to stumble against — esbarrar contra.
to stumble in one's speech — falar de maneira hesitante.
to stumble across — encontrar por acaso.
to stumble along — caminhar hesitantemente.
to stumble over a stone — tropeçar numa pedra.
stumbler [-ə], *s.* o que tropeça.
stumbling [-iŋ], **1** — *s.* acção de tropeçar ou de hesitar.
stumbling-block — obstáculo; impedimento; tropeço.
2 — *adj.* que tropeça; que hesita; gaguejante.
stump [stʌmp], **1** — *s.* tronco, cepo, toco, coto; talo de couve; esfuminho; cada um dos três paus do *wicket* no jogo do críquete; arnela; ponta de cigarro; ponta de lápis; escova gasta; pessoa atarracada; *pl.* (col.) pernas, gâmbias.
stump orator — orador que arenga de um estrado improvisado ou viaja para fazer discursos políticos de propaganda eleitoral.
stump oratory — oratória eleitoral de praça pública.
to stir one's stumps — despachar-se; andar depressa.
to be on a stump — estar em apuros.
2 — *vt.* e *vi.* andar pesadamente; deitar abaixo o *wicket* no jogo do críquete; fazer discursos políticos de propaganda eleitoral na praça pública; esfumar; truncar; (col.) desnortear, atrapalhar.
to stump up (col.) — pagar; saldar.
to stump along — caminhar pesadamente.
to be stumped — ficar desnorteado; ficar atrapalhado.
stumper ['-ə], *s.* jogador que, no críquete, está de guarda ao *wicket*; (col.) pergunta ou problema difícil.
stumpiness ['-inis], *s.* qualidade do que é atarracado.
stumpy ['-i], *adj.* cheio de cepos; atarracado.
stun [stʌn], *vt.* (*pret.* e *pp.* **stunned**) aturdir, atordoar, estontear; espantar; assombrar. (*Sin.* to bewilder, to amaze, to stupefy. *Ant.* to reassure.)
stung [stʌŋ], *pret.* e *pp.* de **to sting.**
stunk [stʌŋk], *pret.* e *pp.* de **to stink.**
stunner ['stʌnə], *s.* o que atordoa ou espanta.
stunning ['stʌniŋ], *adj.* (col.) surpreendente, notável, excelente, formidável; chocante.
stunningly [-li], *adv.* (col.) de modo notável, excelentemente, formidavelmente.
stunt [stʌnt], **1** — *s.* impedimento no desenvolvimento animal atrofiado; esforço muito grande; (col.) proeza, acrobacia.
that's not my stunt (col.) — isso não é da minha conta.
stunt flying — voo acrobático.
2 — *vt.* e *vi.* atrofiar, enfezar, impedir de crescer; realizar acrobacias (com avião).
stunted ['-id], *adj.* enfezado, definhado, atrofiado.
stuntedness ['-idnis], *s.* aspecto enfezado, definhado, atrofiado.
stunter ['-ə], *s.* aviador acrobata.
stupe [stju:p], **1** — *s.* compressa quente; (col.) pessoa estúpida.
2 — *vt.* aplicar compressas quentes.
stupefacient [stju:pi'feiʃjənt], *s.* e *adj.* estupefaciente.
stupefaction [stju:pi'fækʃən], *s.* estupefacção; assombro.
stupefier ['stju:pifaiə], *s.* estupefaciente.
stupefy ['stju:pifai], *vt.* estupidificar; entorpecer; aparvalhar; pasmar.
stupefied with drink — entorpecido pela bebida.
stupendous [stju:'pendəs], *adj.* estupendo, assombroso, admirável.
stupendously [-li], *adv.* estupendamente, assombrosamente, admiravelmente.
stupendousness [-nis], *s.* qualidade do que é estupendo, assombroso, admirável.
stupeous ['stju:piəs], *adj.* lanoso.
stupid ['stju:pid], *adj.* estúpido, néscio; insensível; enfadonho; entorpecido.
a stupid thing — uma estupidez.
a stupid person — uma pessoa estúpida.
as stupid as a donkey (as stupid as an owl, as stupid as a goose) — estúpido como um burro; burro como uma porta.
stupidity [stju:'piditi], *s.* estupidez, insensatez, disparate.
stupidly ['stju:pidli], *adv.* estupidamente, insensatamente, disparatadamente.
stupor ['stju:pə], *s.* estupor, entorpecimento, torpor.
stuporous [-rəs], *adj.* atacado de estupor.
sturdily ['stə:dili], *adv.* tenazmente; firmemente, vigorosamente.
sturdiness ['stə:dinis], *s.* robustez, vigor, força; ânimo; firmeza; tenacidade.
sturdy ['stə:di], **1** — *s.* cenurose (doença de carneiros e ovelhas).
2 — *adj.* robusto, forte, vigoroso; resoluto, atrevido. (*Sin.* strong, bold, hardy. *Ant.* weak.)
a sturdy child — uma criança robusta.
sturgeon ['stə:dʒən], *s.* (zool.) esturjão.
stutter ['stʌtə], **1** — *s.* gaguez; titubeação.
2 — *vt.* e *vi.* gaguejar; titubear, tartamudear.
to stutter out — dizer, gaguejando.
stutterer [-rə], *s.* gago; tartamudo.
stuttering [-riŋ], **1** — *s.* gaguez.
2 — *adj.* gago.
stutteringly [-riŋli], *adv.* gaguejando.
sty [stai], **1** — *s.* pocilga, chiqueiro; antro; pardieiro.
2 — *vt.* e *vi.* meter na pocilga; viver num pardieiro.
sty, stye [stai], *s.* (pat.) terçol, terçolho.
a sty (stye) in one's eye — um terçol.
style [stail], **1** — *s.* estilo; dicção; linguagem; expressão; execução; género; gosto; tom; moda; maneira, modo; tratamento; título; buril; estilete; cômputo; firma comercial; agulha de gramofone; ponteiro de relógio de sol.
in good style — de bom gosto.
in bad style — de mau gosto.
to live in great style — viver com luxo.
in style — à moda, com gosto, com requinte.
the newest style — a última moda.
there is no style about her — ela não tem nenhuma distinção.
written in a florid style — escrito em estilo floreado.
to do things in style — fazer tudo à grande.
style of living — maneira de viver.
style of talking — maneira de falar.

epic style — estilo épico.
dramatic style — estilo dramático.
new style — segundo o calendário gregoriano.
old style — segundo o calendário juliano.
under the style of Brown and Co. — sob a firma Brown & C.ª
2 — *vt.* chamar, denominar, intitular; desenhar (vestido).
to style oneself doctor — intitular-se doutor.
stylet [ˈ-it], *s.* estilete.
styliform [ˈ-lifɔ:m], *adj.* (bot.) estiliforme.
stylish [ˈ-iʃ], *adj.* elegante; moderno; vistoso.
this dress looks very stylish — este vestido está muito elegante.
stylishly [ˈ-iʃli], *adv.* elegantemente, à moda.
stylishly dressed — elegantemente vestido.
stylishness [ˈ-iʃnis], *s.* elegância, apuro.
stylist [ˈ-ist], *s.* estilista.
stylistic [staiˈlistik], *adj.* estilístico.
stylistically [-əli], *adv.* estilisticamente.
stylistics [-s], *s.* estilística.
stylite [ˈstailait], *s.* estilita.
stylitism [ˈstailitizəm], *s.* estilitismo.
stylize [ˈstailaiz], *vt.* estilizar.
stylized [-d], *adj.* estilizado.
stylo [ˈstailou], *s.* (col.) ver **stylograph.**
stylograph [ˈstailəgrɑ:f], *s.* estilógrafo; caneta de tinta permanente.
stylographic [stailəˈgræfik], *adj.* estilográfico.
stylus [ˈstailəs], *s.* estilete.
stymie [ˈstaimi], *s.* e *vt.* ver **stimy.**
stimy [staimi], 1 — *s.* (golfe) colocação das bolas de tal modo que um jogador não pode lançar a sua para o buraco devido a encontrar-se, de permeio, a bola de outro jogador.
2 — *vt.* (golfe) impedir o acesso ao buraco colocando uma bola de permeio.
styptic [ˈstiptik], 1 — *s.* substância hemostática.
2 — *adj.* hemostático.
styrax [ˈstaiəræks], *s.* (bot.) estírace.
Styx [stiks], *top.* (mit.) Estige.
to cross the Styx — morrer.
Suabia [ˈsweibjə], *top.* Suábia.
Suabian [-n], *s.* e *adj.* suábio.
suable [ˈsju:əbl], *adj.* (jur.) processável, que pode ser perseguido pela justiça.
suasion [ˈsweiʒən], *s.* persuasão; conselho.
suasive [ˈsweisiv], *adj.* persuasivo; suasório, suasivo.
suasively [-li], *adv.* persuasivamente; suasoriamente.
suave [swɑ:v, sweiv], *adj.* suave, agradável; harmonioso, ameno, afável.
suave manners — maneiras afáveis.
a suave person — uma pessoa afável.
suavely [ˈ-li], *adv.* suavemente; afavelmente; agradavelmente.
suaveness [ˈ-nis], *s.* suavidade; afabilidade, cortesia.
suavity [ˈswæviti, ˈsweiviti], *s.* ver **suaveness.**
sub [sʌb], 1 — *s.* subordinado, subalterno; substituto; assinatura.
2 — *vt.* e *vi.* substituir (alguém); adiantar dinheiro por conta do salário.
subacid [ˈsʌbˈæsid], *adj.* acidulado; levemente ácido.
subagency [sʌbˈeidʒənsi], *s.* subagência.
subagent [sʌbˈeidʒənt], *s.* subagente.
subalpine [ˈsʌbˈælpain], *adj.* subalpino.
subaltern [ˈsʌbltən], 1 — *s.* oficial subalterno (inferior a capitão).
2 — *adj.* subalterno, subordinado.
subaquatic [sʌbəˈkwætik], *adj.* subaquático.
subaqueous [sʌbˈeikwiəs], *adj.* ver **subaquatic.**
sub-assistant [sʌbəˈsistənt], *s.* subajudante.
subastral [sʌbˈæstrəl], *adj.* sublunar, terrestre.
subatomic [sʌbəˈtɔmik], *adj.* subatómico.
subaudition [sʌbɔ:ˈdiʃən], *s.* sentido subentendido.
subaxillary [sʌbækˈsiləri], *adj.* subaxilar.
sub-bituminous [sʌbbiˈtju:minəs], *adj.* sub-betuminoso.
sub-bituminous coal — lenhite; lignite.
subclass [ˈsʌbklɑ:s], *s.* subclasse.
subclavian [sʌbˈkleiviən], *adj.* subclavicular.
subclavicular [sʌbkləˈvikjulə], *adj.* ver **subclavian.**
sub-comission [sʌbkəˈmiʃən], *s.* subcomissão.
subcommissioner [sʌbkəˈmiʃənə], *s.* subcomissário.
subcommittee [ˈsʌbkəmiti], *s.* subcomissão.
subconscious [ˈsʌbˈkɔnʃəs], *s.* e *adj.* subconsciente.
the subconscious self — o inconsciente.
subconsciousness [-nis], *s.* subconsciência.
subcutaneous [sʌbkju:ˈteinjəs], *adj.* subcutâneo.
subcutaneous injection — injecção subcutânea.
subdeacon [sʌbˈdi:kən], *s.* subdiácono.
subdeaconate [sʌbˈdi:kənit], *s.* subdiaconado.
subdeaconry [sʌbˈdi:kənri], *s.* ver **subdeaconate.**
subdean [ˈsʌbˈdi:n], *s.* deão substituto.
subdeanery [-əri], *s.* dignidade ou cargo de deão substituto.
sub-delegate [sʌbˈdeligit], *s.* subdelegado.
subdelegation [sʌbdeliˈgeiʃən], *s.* subdelegação.
subdiaconate [sʌbˈdi:kənit], *s.* subdiaconado.
sub-director [sʌbdiˈrektə], *s.* subdirector.
subdivide [ˈsʌbdiˈvaid], *vt.* e *vi.* subdividir; subdividir-se, separar-se.
subdivision [ˈsʌbdiviʒən], *s.* subdivisão; fracção; (zool., bot.) subclasse.
subdominant [ˈsʌbˈdɔminənt], *s.* (mús.) subdominante.
subduable [səbˈdju:əbl], *adj.* que pode ser subjugado, domável.
subdue [səbˈdju:], *vt.* submeter, subjugar; conquistar, vencer; domar; sujeitar; suavizar; atenuar.
to subdue one's flesh — torturar a carne; mortificar-se.
subdued [-d], *adj.* subjugado; conquistado; vencido; domado; suavizado; atenuado.
subdued tone — voz sumida.
subdued manners — maneiras brandas
subdued colours — cores esbatidas.
subdued light — luz coada.
subduer [səbˈdju(:)ə], *s.* subjugador; vencedor; dominador.
subduple [sʌbˈdju:pl], *adj.* (mat.) subduplo.
sub-edit [ˈsʌbˈedit], *vt.* corrigir (um artigo de jornal de maneira a ficar pronto para ser publicado).
sub-editing [-iŋ], *s.* correcção (de artigo de jornal de maneira a ficar pronto para ser publicado).
sub-editor [ˈsʌbˈeditə], *s.* subeditor, redactor.
sub-equatorial [sʌbekwəˈtɔ:riəl], *adj.* subequatorial.
subfamily [ˈsʌbfæmili], *s.* subfamília.
sub-frame [ˈsʌbfreim], *s.* subestrutura.
subfusc [ˈsʌbfʌsk], *adj.* fosco, sombrio.
subgenera [ˈsʌbdʒenərə], *s. pl.* de **subgenus.**
subgenus [ˈsʌbdʒi:nəs], *s.* (*pl.* **subgenera**) subgénero.
sub-governor [ˈsʌbgʌvənə], *s.* subgovernador.
sub-group [ˈsʌbgru:p], *s.* subgrupo, subgénero.
sub-heading [ˈsʌbhediŋ], *s.* subtítulo.
sub-human [ˈsʌbˈhju:mən], *adj.* sub-humano.
sub-inspector [ˈsʌbinspektə], *s.* subinspector.
sub-inspectress [ˈsʌbinspektris], *s.* subinspectora.

subjacent [sʌb'dʒeisənt], *adj.* subjacente.
subject ['sʌbdʒikt, 'ʌbdʒekt], **1** — *s.* súbdito; assunto, matéria, tópico, tema; (gram.) sujeito; cadáver que vai ser dissecado; disciplina, matéria escolar.
change the subject! — muda de assunto!
a subject for discussion — um assunto para discussão.
on the subject of — a respeito de.
one's special subject — o assunto predilecto.
a British subject — um súbdito britânico.
the logical subject — o sujeito lógico.
to come to one's subject — entrar no assunto.
to wander from the subject — afastar-se do assunto.
2 — *adj.* sujeito; subordinado; dominado; dependente; propenso.
subject to damage — sujeito a prejuízo ou avaria.
we are all subject to the laws of nature — estamos todos sujeitos às leis da natureza.
subject [səb'dʒekt, sʌb'dʒekt], *vt.* **sujeitar,** submeter; subordinar; expor.
to subject a person to annoyances — sujeitar uma pessoa a dissabores.
to subject oneself to ridicule — expor-se ao ridículo.
subjection [səb'dʒekʃən], *s.* sujeição; submissão; jugo; dependência.
to bring into subjection — dominar; submeter.
to keep in subjection (to hold in subjection) — manter sob domínio.
subjective [sʌb'dʒektiv], *adj.* subjectivo.
the subjective case (gram.) — o nominativo.
subjectively [-li], *adv.* subjectivamente.
subjectivism [-izəm], *s.* subjectivismo.
subjectivist [-ist], *s.* subjectivista.
subjectivistic [sʌbdʒekti'vistik], *adj.* subjectivista.
subjectivity [sʌbdʒek'tiviti], *s.* subjectividade.
subjoin ['sʌb'dʒɔin], *vt.* juntar, acrescentar.
subjugable ['sʌbdʒugəbl], *adj.* subjugável, que se pode dominar.
subjugate ['sʌbdʒugeit], *vt.* subjugar, dominar, vencer, submeter.
subjugation [sʌbdʒu'geiʃən], *s.* sujeição, jugo, domínio; dependência.
subjugator ['sʌbdʒugeitə], *s.* subjugador, dominador.
subjunctive [səb'dʒʌŋktiv], *s.* e *adj.* (gram.) subjuntivo, conjuntivo.
sub-lease 1 — ['sʌb'li:s], *s.* sublocação, subarrendamento.
2 — [sʌb'li:s], *vt.* sublocar, subarrendar, subalugar.
sub-leasing [sʌb'li:siŋ], *s.* acto de subarrendar.
sub-lessee ['sʌble'si:], *s.* sublocatário, subarrendatário.
sub-lessor ['sʌble'sɔ:], *s.* sublocador.
sub-let 1 — ['sʌb'let], *s.* sublocação, subarrendamento.
2 — [sʌb'let], *vt.* (*pret.* e *pp.* **sub-let**) sublocar, subarrendar, subalugar.
sub-letter [sʌb'letə], *s.* sublocador.
sub-letting [sʌb'letiŋ], *s.* sublocação.
sub-librarian ['sʌblai'brɛəriən], *s.* segundo-bibliotecário.
sub-lieutenant ['sʌble'tenənt], *s.* guarda-marinha.
sublimate 1 — ['sʌblimit,'sʌblimeit], *s.* e *adj.* sublimado, corrosivo; sublimado.
2 — ['sʌblimeit], *vt.* sublimar, elevar, exaltar, purificar.
sublimated ['sʌblimeitid], *adj.* sublimado; idealizado.
sublimation [sʌbli'meiʃən], *s.* sublimação.
sublime [sə'blaim], **1** — *s.* sublime.
the sublime — o sublime.
2 — *adj.* sublime, elevado, majestoso, imponente; grandioso; (anat.) à flor da pele.
a sublime style — um estilo sublime.
sublime heroism — heroísmo sublime.
sublime scenery — cenário grandioso.
sublimed [-d], *adj.* sublimado.
sublimely [-li], *adv.* sublimemente.
sublimeness [-nis], *s.* sublimidade.
subliminal [sʌb'liminl], *adj.* (psic.) subliminal, subconsciente, latente.
subliming [sʌ'blaimiŋ], *s.* (quím.) sublimação.
sublimity [sə'blimiti], *s.* sublimidade.
sublingual [sʌb'liŋgwəl], *adj.* (anat.) sublingual.
sublunary [sʌb'lu:nəri], *adj.* sublunar, terrestre.
subman ['sʌbmæn], *s.* sub-homem.
sub-manager [sʌb'mænidʒə], *s.* subgerente.
sub-manageress [-ris], *s. fem.* subgerente.
submarine ['sʌbməri:n, 'sʌbmri:n], **1** — *s.* submarino.
submarine detector — detector de submarinos.
submarine chaser — caça-submarinos.
2 — *adj.* submarino.
submarine telegraph — telégrafo submarino.
submarine mine — mina submarina.
submarine cable — cabo submarino.
submaxillary [sʌbmæk'siləri], *adj.* submaxilar.
submerge [səb'mə:dʒ], *vt.* e *vi.* submergir, imergir; submergir-se.
submerged [-d], *adj.* imerso, submerso; inundado.
submerged body — corpo submerso.
submergence [-əns], *s.* submersão, imersão.
submersed [sʌb'mə:st], *adj.* (bot.) submerso.
submersible [səb'mə:səbl], **1** — *s.* barco, submersível, submarino.
2 — *adj.* submersível.
submersion [səb'mə:ʃən], *s.* submersão, imersão.
submission [səb'mi:ʃən], *s.* submissão; obediência, humildade; apresentação; (jur.) hipótese.
my submission is that... (jur.) — a hipótese que sugiro é que...
with all due submission — com o devido respeito.
the submission of a passport — a apresentação de um passaporte.
submissive [səb'misiv], *adj.* submisso, humilde, dócil.
submissively [-li], *adv.* submissamente; humildemente, docilmente.
submissiveness [-nis], *s.* submissão, humildade, docilidade.
submit [səb'mit], *vt.* e *vi.* (pret. e pp. **submitted**) submeter; apresentar (à apreciação dos outros); expor; submeter-se; render-se; sujeitar-se; sugerir, alegar.
to submit something to somebody's judgement — submeter alguma coisa à apreciação de alguém.
to submit a question to a court — apresentar uma sugestão a um tribunal.
submultiple ['sʌb'mʌltipl], *s.* e *adj.* (mat.) submúltiplo.
subnormal ['sʌb'nɔ:məl], **1** — *s.* (geom.) subnormal.
2 — *adj.* subnormal, abaixo do normal.
subnormal temperature — temperatura abaixo do normal.
sub-octave ['sʌb'ɔktiv], *s.* (mús.) uma oitava abaixo.
sub-office ['sʌbɔfis], *s.* sucursal, filial.
suborder ['sʌbɔ:də], *s.* (biol.) subordem.
subordinate 1 — [sə'bɔ:dənit], *s.* subordinado, subalterno.
2 — *adj.* subordinado, inferior, secundário, dependente.
subordinate to — dependente de.

subordinate clause (gram.) — oração subordinada.
3 — [sə'bɔ:dineit], *vt.* subordinar, sujeitar, submeter.
to subordinate to — subordinar a.
subordinately [sə'bɔ:dnitli], *adv.* subordinadamente.
subordinating [sə'bɔ:dineitiŋ], *adj.* (gram.) subordinativo.
subordinating conjunction — conjunção subordinativa.
subordination [səbɔ:di'neiʃən], *s.* subordinação; submissão.
suborn [sʌ'bɔ:n, sə'bɔ:n], *vt.* (jur.) subornar, peitar.
subornation [sʌbɔ:'neiʃən], *s.* (jur.) suborno, peita.
suborner [sʌ'bɔ:nə], *s.* (jur.) subornador.
suborning [sʌ'bɔ:niŋ], *s.* acto de subornar.
subpoena [səb'pi:nə], **1** — *s.* (jur.) intimação sujeita a pena por falta de comparência.
2 — *vt.* (jur.) citar com pena se não comparecer.
to subpoena somebody as witness — citar alguém como testemunha (com pena se não comparecer).
sub-rector ['sʌbrektə], *s.* vice-reitor.
subrent [sʌb'rent], *vt.* sublocar.
subreptitious [sʌbrep'tiʃəs], *adj.* sub-reptício.
subrogate ['sʌbrəgeit], *vt.* (jur.) sub-rogar; transferir (direitos ou funções para outra pessoa).
subrogation [sʌbrə'geiʃən], *s.* sub-rogação.
subscapular [sʌb'skæpjulə], *adj.* (anat.) subescapular.
subscribe [səb'skraib], *vt.* e *vi.* subscrever; assinar (publicação periódica); firmar; assinar (documento); aceitar; subscrever-se.
to subscribe to a charity — subscrever-se para uma obra de caridade.
to subscribe to a newspaper — ser assinante de um jornal.
to subscribe for a book — ser assinante de uma obra literária.
to subscribe thirty pounds — contribuir com trinta libras.
subscriber [-ə], *s.* subscritor; assinante; signatário.
a subscriber to a magazine — assinante de uma revista.
telephone subscriber — assinante de telefone.
subscribing [-iŋ], *s.* acção de subscrever, ser assinante, contribuir.
subscript ['sʌbskript], *adj.* subscrito; abaixo assinado.
subscription [səb'skripʃən], *s.* assinatura; subscrição.
subscription list — lista de subscritores.
subscription to a document — assinatura de um documento.
by public subscription — por subscrição pública.
to take out a subscription to a magazine — assinar uma revista.
subscription to a charity — subscrição para uma obra de caridade.
to withdraw one's subscription — cessar a assinatura.
subsection ['sʌbsekʃən], *s.* subdivisão.
subsequence ['sʌbsikəns], *s.* subsequência; sequência.
subsequent ['sʌbsikənt], *adj.* subsequente, seguinte. (*Sin.* later, following, posterior, latter. *Ant.* former, antecedent.)
subsequent to — subsequente a.
subsequently [-li], *adv.* subsequentemente, ulteriormente, posteriormente.
subserve [səb'sə:v], *vt.* servir, ser útil; promover; favorecer.
subservience [səb'sə:vjəns], *s.* subserviência; utilidade.
subserviency [-i], *s.* ver **subservience.**
subservient [səb'sə:vjənt], *adj.* subserviente; útil; subordinado. (*Sin.* servile, obsequious, useful. *Ant.* independent.)
subserviently [-li], *adv.* subservientemente; utilmente.
subside [səb'said], *vi.* baixar, descer (nível de água); assentar no fundo, depositar-se; abater-se, aluir (terreno); cessar, acalmar, cair, abater; abrandar; calar-se.
the fever subsided — a febre baixou.
the storm subsided — a tempestade amainou.
subsidence [səb'saidəns, 'sʌbsidəns], *s.* baixa, calma; derrocada, aluimento; (quím.) precipitação.
subsidiarily [səb'sidjərili], *adv.* subsidiariamente.
subsidiary [səb'sidjəri], **1** — *s.* ajudante, auxiliar; filial; *pl.* tropas auxiliares.
2 — *adj.* subsidiário, auxiliar; acessório; subordinado.
subsidiary books — livros auxiliares.
subsidiary road — estrada auxiliar.
subsidiary troops — tropas auxiliares.
subsidiary stream — afluente.
subsiding [səb'saidiŋ], *s.* abaixamento; acção de ceder, de aluir.
subsidization [sʌbsidai'zeiʃən], *s.* acção de subsidiar.
subsidize ['sʌbsidaiz], *vt.* subsidiar, subvencionar.
subsidized troops — tropas mercenárias.
subsidizing [-iŋ], *s.* acção de subsidiar.
subsidy ['sʌbsidi], *s.* subsídio, subvenção.
subsist [səb'sist], **1** — *s.* pagamento por conta do salário.
2 — *vt.* e *vi.* subsistir, existir; manter, alimentar; sustentar-se, manter-se.
to subsist on charity — viver da caridade pública.
subsistence [-əns], *s.* subsistência; existência; meios de vida.
subsistent [-ənt], *adj.* subsistente; existente.
subsisting [-iŋ], *adj.* subsistente; que subsiste.
subsoil ['sʌbsɔil], **1** — *s.* subsolo.
2 — *vt.* revolver o subsolo de.
subspecies ['sʌbspi:ʃi:z], *s.* subespécie.
substance ['sʌbstəns], *s.* substância; solidez; riqueza, bens.
a man of substance — um homem rico.
to waste one's substance — esbanjar os bens.
to agree with somebody in substance — concordar com alguém no principal.
substantial [səb'stænʃəl], *adj.* substancial, material; forte, resistente, sólido; real, verdadeiro; considerável; substancioso; nutritivo; abastado.
a substantial firm — uma firma forte, que gira com muito capital.
substantial progress — progresso considerável.
a substantial building — um edifício sólido.
a substantial meal — uma refeição substancial.
substantial grounds — razões fortes.
a person of substantial build — uma pessoa de compleição forte.
substantial landlord — grande proprietário.
substantialism [-izm], *s.* (fil.) substancialismo.
substantialist [-ist], *s.* (fil.) substancialista.
substantiality [səbstænʃi'æliti], *s.* substancialidade; realidade; materialidade; (col.) prato substancial.
substantially [səb'stænʃəli], *adv.* substancialmente; solidamente; realmente.

substantials [səb'stænʃəlz], *s. pl.* coisas essenciais; (col.) pratos de resistência.
substantiate [səb'stænʃieit], *vt.* substanciar; justificar; comprovar, verificar, provar.
to substantiate a charge — provar uma acusação.
substantiation [səbstænʃi'eiʃən], *s.* acção de substanciar; prova, evidência.
substantival [sʌbstən'taivəl], *adj.* substantivo.
substantivally [-i], *adv.* substantivamente.
substantive ['sʌbstəntiv], **1** — *s.* (gram.) substantivo.
2 — *adj.* substantivo; real; independente; permanente.
noun substantive — substantivo.
substantive verb — verbo substantivo.
substantive law — lei substantiva.
substantively [-li], *adv.* substantivamente.
substantivize [sʌb'stæntivaiz], *vt.* (gram.) substantivar.
substituent [sʌb'stitjuənt], *s.* (quím.) substituinte.
substitute ['sʌbstitju:t], **1** — *s.* substituto; delegado; falsificação, imitação.
be aware of substitutes! — cuidado com as imitações!
2 — *vt.* e *vi.* substituir, usar em vez de.
to substitute for somebody — substituir alguém.
substitution [sʌbsti'tju:ʃən], *s.* substituição.
method of successive substitutions (mat.) — método das aproximações sucessivas.
substrata ['sʌb'strɑ:tə], *s. pl.* de **substratum.**
substratum ['sʌb'strɑ:təm], *s.* (pl. **substrata)** substrato; subsolo.
substructure ['sʌbstrʌkʃə], *s.* substrução; alicerce; infra-estrutura.
subtenancy ['sʌb'tenənsi], *s.* sublocação.
subtenant ['sʌb'tenənt], *s.* sublocatário.
subtend [səb'tend], *vt.* (geom.) subtender.
subtense [sʌb'tens], *s.* (geom.) subtendente.
subterfuge ['sʌbtəfju:dʒ], *s.* subterfúgio.
to resort to subterfuge — usar de subterfúgios.
subterranean [sʌbtə'reinjən], *adj.* subterrâneo.
subterranean passage — passagem subterrânea.
subterraneous [sʌbtə'reinjəs], *adj.* ver **subterranean.**
subterraneously [-li], *adv.* subterraneamente.
subtilization [sʌbtilai'zeiʃən], *s.* subtilização; volatilização; uso de subtilezas.
subtilize ['sʌtilaiz], *vt.* e *vi.* subtilizar; usar subtilezas; (arc.) volatilizar.
sub-title ['sʌbtaitl], *s.* subtítulo, legenda.
Portuguese sub-titles — legendas em português.
subtle ['sʌtl], *adj.* subtil, fino, penetrante; perspicaz; astuto; engenhoso, hábil; imperceptível; (arc.) ténue. (*Sin.* cunning, acute, ingenious, artful. *Ant.* simple.)
subtle charm — encanto inexplicável.
subtle distinction — diferença imperceptível.
subtle mind — espírito subtil.
subtleness [-nis], *s.* subtileza, finura; astúcia; requinte.
subtlety [-ti], *s.* ver **subtleness.**
subtly [-i], *adv.* subtilmente; com argúcia; engenhosamente.
subtonic [sʌb'tɔnik], *s.* (mús.) subtónica.
subtract [səb'trækt], *vt.* (mat.) subtrair.
to subtract from — subtrair a.
subtracting [-iŋ], *s.* acção de subtrair.
subtraction [səb'trækʃən], *s.* (mat.) subtracção.
subtractive [sʌb'træktiv], *adj.* (mat.) subtractivo.
subtrahend ['sʌbtrəhend], *s.* (mat.) subtraendo.
sub-tribe ['sʌbtraib], *s.* (biol.) subordem, subfamília.
subtropical ['sʌb'trɔpikəl], *adj.* subtropical.
subtype ['sʌbtaip], *s.* (biol.) subtipo, subclasse.
subungual [sʌb'ʌŋgwəl], *adj.* (anat.) subungueal.
suburb ['sʌbə:b], *s.* subúrbio.
a house in the suburbs — uma casa nos subúrbios.
suburban [sə'bə:bən], *adj.* suburbano.
suburbanite [sʌbə:bənait], *s.* (col.) morador de um subúrbio.
Suburbia [sʌ'bə:biə], *top.* (col.) os subúrbios de Londres.
subvention [səb'venʃən], *s.* subvenção, subsídio.
subventioned [sʌb'venʃənd], *adj.* subvencionado, subsidiado.
subversion [sʌb'və:ʃən], *s.* subversão.
subversive [sʌb'və:siv], *adj.* subversivo.
subversively [-li], *adv.* subversivamente.
subvert [sʌb'və:t], *vt.* subverter, destruir.
subverter [-ə], *s.* subversor; destruidor.
subway ['sʌbwei], *s.* caminho subterrâneo; (E. U.) metropolitano.
succedanea [sʌksi'deiniə], *s. pl.* de **succedaneum.**
succedaneous [sʌksi'deiniəs], *adj.* sucedâneo.
succedaneum [sʌksi'deiniəm], *s.* (*pl.* **succedanea**) sucedâneo, substituto.
succeed [sək'si:d], *vt.* e *vi.* suceder, seguir-se a; prosperar; ser bem sucedido, ter êxito; conseguir; substituir.
day succeeds day — os dias sucedem-se.
to succeed in an undertaking — ser bem sucedido num empreendimento.
to succeed to a property — herdar uma propriedade.
to succeed a king — suceder a um rei.
to succeed in life — ter êxito na vida.
succeeding [-iŋ], **1** — *s.* êxito.
2 — *adj.* sucessivo, seguinte.
success [sək'ses], *s.* sucesso, êxito, triunfo; pessoa ou coisa bem sucedida. (*Sin.* luck, victory, achievement, prosperity. *Ant.* failure.)
to attain success in life — triunfar na vida.
my efforts were crowned with success — os meus esforços foram coroados de êxito.
nothing succeeds like success — um triunfo é uma escada para muitos triunfos.
I wish you success! — desejo-lhe felicidades.
to have great success in life — ter êxito na vida.
successful [-ful], *adj.* feliz, afortunado, próspero; bem sucedido.
a successful career — uma carreira brilhante.
successful candidates — candidatos eleitos.
successfully [-fuli], *adv.* com êxito, afortunadamente, felizmente.
succession [sək'seʃən], *s.* sucessão; seguimento; série; linhagem, descendência; direito de herdar; movimentos sucessivos.
in succession — sucessivamente.
rights of succession — direitos de sucessão.
succession duties — imposto sucessório.
three great victories in succession — três grandes vitórias sucessivas.
a succession of disasters — uma série de desastres.
successional [sʌk'seʃənəl], *adj.* sucessivo; (jur.) sucessório.
successive [sək'sesiv], *adj.* sucessivo, consecutivo.
successively [-li], *adv.* sucessivamente, consecutivamente.
successiveness [-nis], *s.* característica do que se sucede.
successor [sək'sesə] *s.* sucessor; herdeiro.
succin ['sʌksin], *s.* âmbar amarelo.
succinct [sək'siŋkt], *adj.* sucinto, conciso.
succinctly [-li], *adv.* sucintamente, concisamente; laconicamente.

succinctness [-nis], *s.* concisão, brevidade; laconismo.
succory ['sʌkəri], *s.* (bot.) chicória.
succotash ['sʌkoutæʃ], *s.* (E. U.) guisado de milho tenro, favas e carne de porco salgada.
succour ['sʌkə], **1** — *s.* socorro, ajuda, auxílio.
2 — *vt.* socorrer, ajudar, auxiliar.
succulence ['sʌkjuləns], *s.* suculência.
succulency [-i], *s.* ver **succulence.**
succulent ['sʌkjulənt], *adj.* suculento; sumarento.
succulently [-li], *adv.* suculentamente; sumarentamente.
succumb [sə'kʌm], *vi.* sucumbir; render-se; morrer.
to succumb to temptation — sucumbir à tentação.
succursal [sʌ'kə:səl], **1** — *s.* sucursal, filial.
2 — *adj.* sufragâneo.
such [sʌtʃ], **1** — *adj.* tal; semelhante; aquele, este.
such a thing — uma coisa assim; coisa semelhante.
in such a place — num certo lugar.
he is not such a fool as... — ele não é tão tolo que...
don't be in such a hurry! — não estejas com tanta pressa.
was it such a long time ago? — foi há tanto tempo?
such master such servant — tal amo, tal criado.
in such cases — em tais casos.
in such a way — de tal maneira.
at such a time as you think proper — na ocasião que mais lhe convier.
2 — *pron.* este, esse, aquele; isto, isso, aquilo, o.
to know of no such — não conhecer nada assim.
such was not my intention — não era essa a minha intenção.
suchlike ['-laik], **1** — *s.* coisa semelhante.
2 — *adj.* semelhante, idêntico.
suck [sʌk], **1** — *s.* sucção; chupadela; pequeno trago; acção de mamar; (esc., col.) decepção; *pl.* (esc., col.) guloseimas.
to have a suck at one's pipe — tirar uma cachimbada.
to give suck to — dar de mamar a.
2 — *vt.* e *vi.* chupar, sorver, sugar; absorver; aspirar; esgotar; mamar.
to suck in — chupar; absorver.
to suck out — extrair; tirar (chupando ou à bomba).
to suck up — sorver, chupar; esgotar; engolir, tragar.
to suck somebody's brains — copiar as ideias de alguém.
to suck sweets — chupar rebuçados.
he was sucked up by the waves — foi tragado pelas ondas.
to suck at a pipe — chupar um cachimbo.
to suck dry — chupar até à última gota.
to suck in somebody's words — beber as palavras de alguém.
to suck one's thumb — chupar no polegar.
go and teach your grandmother to suck eggs — vai ensinar o padre-nosso ao vigário.
to suck something in with one's mother's milk — beber alguma coisa com o leite da mãe, aprender alguma coisa de pequenino.
sucker [-ə], **1** — *s.* chupador; leitão; parasita, chupista; esponja, beberrão; êmbolo; tubo; rebento, renovo; ventosa; (E. U.) simplório, pateta.
to throw out suckers (bot.) — deitar rebentos.
to remove the suckers of (bot.) — tirar os rebentos a.
2 — *vt.* e *vi.* (bot.) tirar os rebentos a; deitar rebentos.
sucking [-iŋ], **1** — *s.* acção de mamar, de chupar; aspiração.
sucking pump — bomba aspirante.
sucking and forcing pump — bomba aspirante-premente.
2 — *adj.* de mama; muito novo; que suga; novato.
sucking-pig — leitão.
sucking child — criança de mama.
suckle ['sʌkl], *vt.* amamentar.
suckling [-iŋ], *s.* criança de peito; animal que ainda mama; aleitamento; pessoa inexperiente.
suckling time — período de aleitamento.
suck-up ['sʌk-ʌp], *s.* (esc., col.) graxista.
sucrose ['sju:krous], *s.* (quím.) sacarose.
suction ['sʌkʃən], *s.* sucção; aspiração; absorção.
suction-pump — bomba aspirante.
suction-dredger — draga de sucção.
suction-valve — válvula de retenção.
suction gas — gás pobre.
suction hose — chupadouro.
Sudan [su:'dɑ:n], *top.* Sudão.
Sudanese [su:də'ni:z], *s.* e *adj.* sudanês.
sudaria [sju:'dɛəriə], *s. pl.* de **sudarium.**
sudarium [sju:'dɛəriəm], *s.* (*pl.* **sudaria**) sudário; verónica.
sudatoria [sju:də'tɔ:riə], *s. pl.* de **sudatorium.**
sudatorium [sju:də'tɔ:riəm], *s.* (*pl.* **sudatoria**) sudatório.
sudatory ['sju:dətəri], **1** — *s.* ver **sudatorium.**
2 — *adj.* sudatório, sudorífero.
sudden ['sʌdn], **1** — *s.* repente.
all of a sudden (on the sudden, on a sudden) — subitamente, de repente.
2 — *adj.* repentino, súbito, precipitado, apressado; imprevisto, inesperado; abrupto.
sudden death — morte súbita.
a sudden departure — uma partida inesperada.
a sudden change — uma mudança repentina.
he is very sudden in his movements — ele é muito repentino nos seus movimentos.
suddenly [-li], *adv.* repentinamente, subitamente; bruscamente.
suddenness [-nis], *s.* repente; precipitação; brusquidão.
sudoriferous [sju:də'rifərəs], *adj.* sudoríparo.
sudoriferous glands — glândulas sudoríparas.
sudorific [sju:də'rifik], **1** — *s.* sudorífico, sudorífero.
2 — *adj.* sudorífico.
sudoriparous [sju:də'ripərəs], *adj.* sudoríparo.
suds [sʌdz], *s. pl.* água de sabão, espuma de sabão.
sue [sju:, su:], *vt.* e *vi.* citar, processar, demandar, intentar processo; pedir, solicitar; galantear, requestar; descobrir, baixar a água (quando o navio encalha).
to sue for damages — intentar uma acção de perdas e danos.
to sue for a woman's hand — pedir uma mulher em casamento.
to sue for mercy — pedir misericórdia.
to sue for divorce — intentar uma acção de divórcio.
to sue a beggar and catch a louse (col.) — ir buscar lã e vir tosquiado.
suède [sweid], *s.* pele de camurça.
suet [sjuit, suit], *s.* sebo.
suety ['sjui:ti], *adj.* seboso, gorduroso.
Suevi ['swi:vai], *s. pl.* Suevos.
Suevian ['swi:viən], *s.* e *adj.* suevo.
Suez ['su:iz, 'sju:iz], *top.* Suez.
the Suez Canal — o canal de Suez.
suffer ['sʌfə], *vt.* e *vi.* sofrer, padecer; aturar, tolerar, suportar; permitir, deixar, consentir;

sofrer prejuízo; ser executado (condenado à morte).
to suffer a pain — sofrer uma dor.
to suffer punishment — sofrer castigo.
to suffer from ill-health — ter pouca saúde.
how can you suffer his insolence? — como pode tolerar-lhe a insolência?
he suffered from rheumatism — ele sofria de reumatismo.
trade is suffering from the war — o comércio está a sofrer por causa da guerra.
why do you suffer such a thing to be told? — porque consentes que digam isso?
to suffer death — sofrer a morte; morrer.
sufferable ['sʌfrəbl], *adj.* tolerável, suportável.
sufferableness [-nis], *s.* tolerabilidade.
sufferably [-i], *adv.* toleravelmente, suportavelmente.
sufferance ['sʌfərəns], *s.* tolerância; consentimento tácito; permissão; paciência; avaria, dano; licença da Alfândega (para descarga).
on sufferance — por condescendência.
sufferer ['sʌfərə], *s.* sofredor; padecente, doente; pessoa que tolera.
fellow-sufferer — companheiro de infortúnio.
suffering ['sʌfəriŋ], **1** — *s.* sofrimento, padecimento; pena, dor.
2 — *adj.* sofredor; padecente.
sufferingly [-li], *adv.* sofredoramente.
suffice [sə'fais], *vt.* e *vi.* bastar, ser suficiente; satisfazer, contentar.
your word will suffice — basta a sua palavra.
that suffices to prove it — basta isso para provar.
sufficiency [sə'fiʃənsi], *s.* quantidade suficiente, suficiência.
to have a sufficiency — viver muito bem; ter meios de fortuna.
sufficient [sə'fiʃənt], **1** — *s.* quantidade suficiente.
have you had sufficient? (col.) — ainda está com apetite?
2 — *adj.* suficiente, bastante.
to be sufficient for — bastar para.
will this be sufficient? — isto bastará?
I had not sufficient courage for it — não tive coragem bastante.
sufficiently [-li], *adv.* suficientemente.
sufficing [sə'faisiŋ], *adj.* suficiente, bastante.
sufficing for — suficiente para.
sufficingly [-li], *adv.* suficientemente.
suffix ['sʌfiks], **1** — *s.* sufixo.
2 — *vt.* sufixar.
suffocate ['sʌfəkeit], *vt.* e *vi.* sufocar, asfixiar; ter falta de ar.
to suffocate with rage — sufocar de raiva.
suffocating [-iŋ], *adj.* sufocante, asfixiante.
suffocatingly [-iŋli], *adv.* de modo sufocante, asfixiante.
suffocation [sʌfə'keiʃən], *s.* sufocação, asfixia.
suffocative ['sʌfəkeitiv], *adj.* sufocativo.
suffragan ['sʌfrəgən], **1** — *s.* bispo sufragâneo.
2 — *adj.* sufragâneo.
suffrage ['sʌfridʒ], *s.* sufrágio; voto; direito de voto.
universal suffrage — sufrágio universal.
to give one's suffrage to — dar o seu voto a.
suffragette [sʌfrə'dʒet], *s. fem.* sufragista.
suffragist ['sʌfrədʒist], *s.* sufragista.
woman-suffragist — votante sufragista (que advoga o direito de voto para a mulher).
suffrutex ['sʌfruteks], *s.* (*pl.* **suffrutices**) subarbusto.
suffrutices [sʌ'fru:tisi:z], *s. pl.* de **suffrutex.**
suffuse [sə'fju:z], *vt.* cobrir, espalhar-se, encher.
a blush suffused her cheeks — o rubor cobriu-lhe as faces.
suffusion [sə'fju:ʒən], *s.* sufusão.
sugar ['ʃugə], **1** — *s.* açúcar; lisonja; palavras doces.
sugar-cane — cana-de-açúcar.
sugar-basin — açucareiro.
brown sugar — açúcar mascavado.
granulated sugar — açúcar pilé.
raw sugar — açúcar em rama.
sugar candy — açúcar cristalizado.
beet sugar — açúcar de beterraba.
lump sugar — açúcar aos quadradinhos.
a lump of sugar — um quadradinho de açúcar.
icing sugar — açúcar para cobrir bolos.
sugar refinery — refinaria de açúcar.
sugar-plum — confeito; bombom.
sugar-tongs — tenazes para tirar os quadradinhos de açúcar.
sugar of lead — acetado de chumbo.
sugar-plantation — plantação de canas-de-açúcar.
sugar-baker (sugar-refiner) — refinador de açúcar.
pounded sugar — açúcar moído.
sugar-point — ponto de rebuçado.
burnt sugar — açúcar queimado; caramelo.
sugar-loaf — pão de açúcar.
sugar of milk — lactose.
salt sugar — açúcar em pó.
2 — *vt.* e *vi.* adoçar (com açúcar); polvilhar (com açúcar); (cal.) «fazer cera», trabalhar indolentemente.
to sugar the pill (col.) — «doirar a pílula».
sugared]-d], *adj.* açucarado, adoçado; polvilhado de açúcar; (col.) melífluo.
sugarily [-rili], *adv.* melifluamente.
sugariness [-rinis], *s.* doçura; aspecto melífluo.
sugary [-ri], *adj.* açucarado; adulador, melífluo.
suggest [sə'dʒest], *vt.* sugerir, alvitrar, insinuar; inspirar; incitar. (*Sin.* to insinuate, to hint, to propose, to indicate.)
suggester [-ə], *s.* aquele que sugere ou inspira.
suggestion [sə'dʒestʃən], *s.* sugestão, alvitre, insinuação; incitamento; inspiração.
on my suggestion — por sugestão minha.
hypnotic suggestion — sugestão hipnótica.
practical suggestion — conselho prático.
to offer a suggestion — apresentar uma sugestão.
suggestive [sə'dʒestiv], *adj.* sugestivo.
suggestively [-li], *adv.* sugestivamente.
suggestiveness [-nis], *s.* qualidade de ser sugestivo.
suicidal [sjui'saidl], *adj.* suicida.
suicidal mania — suicidomania.
suicidal maniac — suicidomaníaco.
suicidally [sjui'saidəli], *adv.* de modo suicida.
suicide ['sjuisaid], **1** — *s.* suicida; suicídio.
to commit suicide — suicidar-se.
attempted suicide — tentativa de suicídio.
2 — *vi.* (col.) suicidar-se.
suing ['sjuiŋ], *s.* acto de processar; solicitação; galanteio.
suint [swint], *s.* suarda; gordura da lã.
suit [sju:t], **1** — *s.* (jur.) processo, acção, petição; fato completo (de homem); naipe; colecção; série; jogo; galanteio.
a suit of clothes — um fato completo.
to bring a suit — intentar uma acção.
to follow suit — jogar do mesmo naipe.
suit-case — mala de viagem.
suit of armour — armadura.
dress suit — trajo de cerimónia (para homem).
lounge-suit — trajo de passeio.

suit of sails — jogo de velas.
criminal suit — processo-crime.
civil suit — processo civil.
in suit with — de acordo com.
law-suit — processo judicial.
one's best suit — fato domingueiro.
2 — *vt.* e *vi.* adaptar, ajustar; acomodar; convir; assentar bem; corresponder; agradar, contentar; ajustar-se; quadrar; apropriar; acomodar-se; fornecer.
that does not suit me — isso não me convém.
the hat suits you — o chapéu fica-te bem.
to suit all tastes — agradar a todos os paladares.
if this suits you — se isto te convém.
to be suited for — estar apropriado para.
red does not suit her complexion — o vermelho não condiz com a cor da pele dela.
he is suited for an engineer — está talhado para engenheiro.
to suit oneself — agir de acordo com os seus desejos.
not to be easily suited — ser difícil de contentar.
suitability [sju:tə'biliti], *s.* conveniência; conformidade; aptidão.
suitable ['sju:təbl], *adj.* conveniente, adequado, próprio, apropriado; conforme; adaptado. (*Sin.* fit, appropriate, convenient, becoming. *Ant.* unsuitable, inconvenient.)
the most suitable time — a ocasião mais conveniente.
suitable to the occasion — de acordo com a situação.
suitableness [-nis], *s.* ver **suitability.**
suitably [-i], *adv.* convenientemente, adequadamente, apropriadamente.
suite [swi:t], *s.* série; séquito, acompanhamento; apartamento; (mús.) suíte.
a suite of rooms — um apartamento.
a suite of furniture — uma mobília completa.
suiting ['sju:tiŋ], *s.* adaptação; *pl.* tecido para fatos.
suitor ['sju:tə], *s.* (jur.) litigante, demandante, parte autora; candidato; pretendente (à mão de uma mulher).
sulcate ['sʌlkeit], *adj.* sulcado, estriado.
sulci ['sʌkai], *s. pl.* de **sulcus.**
sulcus ['sʌkəs], *s.* (*pl.* **sulci**) sulco, estria.
sulk [sʌlk] **1** — *s.* (geralm. pl.) mau humor, enfado, amuo.
a fit of sulks — mau humor; enfado; amuo.
to be in the sulks — estar de mau humor; estar amuado.
2 — *vi.* estar de mau humor, amuar.
to sulk with — embirrar com.
sulkily ['-ili], *adv.* de mau humor, com ar de enfado, amuado.
sulkiness ['-inis], *s.* mau humor, enfado, rabugice, impertinência.
sulky ['-i], **1** — *s.* carro leve de duas rodas só para uma pessoa, puxado por um só cavalo.
2 — *adj.* rabugento, mal-encarado; mal-humorado.
to be sulky with — estar amuado com.
sullage ['sʌlidʒ], *s.* despejos, porcaria, água dos canos de esgoto.
sullage-pipe — cano de esgoto.
sullen ['sʌlən], **1** — *s. pl.* depressão, mau humor.
2 — *adj.* taciturno, carrancudo; sombrio, soturno; rabugento, intratável, irado; casmurro, cabeçudo.
a sullen look — um ar carrancudo.
sullenly [-li], *adv.* de mau humor, taciturnamente.
sullenness [-nis], *s.* mau humor; silêncio obstinado; génio sombrio; melancolia; amuo.
sullied ['sʌlid], *adj.* manchado; sem lustro.
sully ['sʌli], *vt.* e *vi.* manchar, macular; desdourar; manchar-se; ficar sem lustro.
sulphamide ['sʌlfəmaid], *s.* (quím.) sulfamida.
sulphate ['sʌlfit, 'sʌlfeit], **1** — *s.* (quím.) sulfato; sulfato de soda.
sulphate of calcium — sulfato de cálcio.
sulphate of iron — sulfato de ferro; vitríolo verde.
sulphate of copper — sulfato de cobre; vitríolo azul.
sulphate of zinc — sulfato de zinco; vitríolo branco.
sulphate of magnesium — sulfato de magnésio.
sulphate of lime — sulfato de cal; gesso.
to treat vines with sulphate (to dress vines with sulphate) — sulfatar videiras.
2 — *vt.* e *vi.* sulfatar.
sulphating [-iŋ], *s.* sulfatagem; sulfatização.
sulphide ['sʌlfaid], *s.* (quím.) sulfureto.
hydrogen sulphide — ácido sulfídrico.
to treat vines with sulphide (to dress vines with sulphide) — enxofrar vinhas.
sulphite ['sʌlfait], *s.* (quím.) sulfito.
sulphur ['sʌlfə], **1** — *s.* enxofre.
to treat with sulphur (to powder with sulphur) — enxofrar.
sulphur-ore — pirite.
sulphur water — água sulfurosa.
2 — *vt.* enxofrar.
sulphurate ['sʌlfjureit], *vt.* enxofrar.
sulphureous [sʌl'fjuəriəs], *adj.* sulfuroso; relativo, da cor ou semelhante a enxofre.
sulphuret ['sʌlfjuret], *s.* sulfureto.
sulphuretted [-id], *adj.* sulfúreo; sulfuretado.
sulphuretted hydrogen — ácido sulfídrico.
sulphuric [sʌl'fjuərik], *adj.* sulfúrico.
sulphuric acid — ácido sulfúrico.
sulphurization [sʌlfjurai'zeiʃən], *s.* sulfuração.
sulphurize ['sʌlfjuraiz], *vt.* sulfurar.
sulphurous ['sʌlfjurəs], *adj.* sulfúreo.
sulphydric [sʌlf'haidrik], *adj.* sulfídrico.
sultan ['sʌltən], *s.* sultão; variedade de galinhas.
sultana [səl'tɑ:nə], *s.* sultana; variedade de galinhas; variedade de uva passa sem grainhas.
sultanate ['sʌltənit, 'sʌltəneit], *s.* sultanato.
sultaness ['sʌltənis], *s. fem.* sultana.
sultrily ['sʌltrili], *adv.* de modo opressivo.
sultriness ['sʌltrinis], *s.* calor abafadiço.
sultry ['sʌltri], *adj.* abafado, sufocante, pesado; muito quente e opressivo; abrasador. (*Sin.* hot, oppressive, stifling. *Ant.* cool, fresh.)
it is very sultry — está abafado (o tempo).
sum [sʌm], **1** — *s.* soma, total; conta, importância, quantia; resumo, sumário; substância; sumidade; pontos principais.
a good round sum — uma soma importante de dinheiro.
sum total — soma total.
he is good at sums — ele é bom em contas.
he did a rapid sum in his head — ele fez uma conta de cabeça rapidamente.
what sum would you give for it? — que importância dava por isso?
the sum of all my wishes is happiness — o meu maior desejo é a felicidade.
multiplication sum — multiplicação.
the four sums — as quatro operações.
in sum — em suma.
to set a boy a sum — mandar um rapaz fazer um problema.
2 — *vt.* e *vi.* somar; resumir.
to sum up — resumir, recapitular.
sumac ['su:mæk], *s.* (bot.) sumagre; sumagreira.
sumach ['su:mæk], *s.* ver **sumac.**
Sumatra [su(:)'mɑ:trə], *top.* Samatra.

Sumatran [-n], *s.* e *adj.* natural ou relativo a Samatra.
summarily ['sʌmərili], *adv.* sumariamente, sucintamente.
summarize ['sʌməraiz], *vt.* sumariar, resumir, sintetizar.
summary ['sʌməri], **1** — *s.* sumário; resumo, epítome; síntese.
2 — *adj.* sumário, resumido, breve.
summary procedure (jur.) — processo sumário.
summary justice — justiça sumária.
summation [sʌ'meiʃən], *s.* adição, soma; total.
summer ['sʌmə], **1** — *s.* Verão, Estio; viga mestra; *pl.* idade.
summer-house — casa de Verão.
in the middle of summer — no pino do Verão.
summer-time — Verão; época de Verão.
summer holidays — férias de Verão; férias grandes.
summer clothes — roupa de Verão.
summer course (summer school) — curso de férias.
summer resort — estância de férias.
summer-tree — viga mestra.
St. Martin's (St. Luke's, Indian) summer — Verão de S. Martinho.
in summer — no Verão.
a girl of eleven summers — uma rapariga de onze anos.
2 — *vt.* e *vi.* passar o Verão; veranear.
summersault ['sʌməsɔlt], *s.* e *vi.* ver **somersault.**
summery ['sʌməri], *adj.* estival.
summing ['sʌmiŋ], *s.* soma, adição.
summing up — resumo.
summit ['sʌmit], *s.* cume, ponta, topo, píncaro; sumidade, ápice; zénite, auge. (*Sin.* top, apex, acme, culmination. *Ant.* base.)
at the summit of power — no auge do poder.
the icy summits of the Alps — os píncaros gelados dos Alpes.
summon ['sʌmən], *vt.* convocar, citar, notificar, intimar; despertar, excitar, animar.
to summon Parliament — convocar o Parlamento.
to summon up all one's courage — armar-se de toda a coragem.
he was summoned to appear — foi intimado a comparecer.
to summon the parties (jur.) — citar as partes.
to summon the enemy to surrender — intimar o inimigo a render-se.
summoner [-ə], *s.* o que intima ou cita; oficial de justiça.
summons [-z], **1** — *s.* intimação, citação, notificação.
summons to surrender — intimação para se render.
2 — *vt.* (jur.) citar, intimar, notificar.
sump [sʌmp], *s.* recipiente de pedra para metal fundido; reservatório; poça; fossa sanitária.
sumptuary ['sʌmptjuəri], *adj.* sumptuário, referente a gastos ou despesas.
sumptuosity [sʌmptju'ɔsiti], *s.* sumptuosidade.
sumptuous ['sʌmptjuəs], *adj.* sumptuoso, magnífico, esplêndido; opíparo, lauto.
sumptuously [-li], *adv.* sumptuosamente, magnificentemente.
sumptuousness [-nis], *s.* sumptuosidade, magnificência, pompa, esplendor.
sun [sʌn], **1** — *s.* Sol; raios solares; estrela que é centro de um sistema.
the sun rises — o Sol nasce.
the sun sets — o Sol põe-se.
the sun shines — está sol.
the sun goes down — o Sol vai declinando.
the sun is up — nasceu o Sol.
sun-dial — relógio de sol.
to sit in the sun — estar sentado ao sol.
to rise with sun — levantar-se "com as galinhas"; levantar-se cedo.
the midnight sun — o sol da meia-noite.
to bask in the sun — aquecer-se ao sol.
a place in the sun — um lugar ao sol; uma situação privilegiada.
the sun was in her eyes — dava-lhe o sol nos olhos.
sun-dried — seco ao sol.
sun-awning — toldo para o sol; estore.
sun-bath — banho de sol.
sun-bather — pessoa que toma banhos de sol.
sun-glasses — óculos de sol.
sun-proof — à prova do sol.
sun-helmet — capacete colonial.
mock sun — parélio.
sun-spot — mancha solar.
with the sun — no sentido dos ponteiros de um relógio.
to coil a rope against the sun — enrolar uma corda da esquerda para a direita.
to let in the sun — deixar entrar o sol.
to see the sun (col.) — estar vivo.
to hold a candle to the sun (col.) — fazer uma coisa desnecessária.
to make hay while the sun shines (col.) — malhar o ferro enquanto está quente; aproveitar a ocasião.
there is nothing new under the sun — nada de novo sob o Sol.
2 — *vt.* e *vi.* expor ao sol; aquecer-se ao sol.
to sun oneself — aquecer-se ao sol.
sunbeam ['-bi:m], *s.* raio solar, raio de sol.
sunburn ['-bə:n], **1** — *s.* crestadura do sol, queimadura do sol.
2 — *vi. (pret.* e *pp.* **sunburnt**) queimar ao sol, expor-se ao sol para queimar.
sunburned ['-bə:nt], *adj.* crestado pelo sol, queimado do sol.
sunburnt ['-bə:nt], *adj.* ver **sunburned.**
sundae ['sʌndei], *s.* sorvete de fruta e creme.
Sunday ['sʌndi, 'sʌndei], *s.* domingo.
on Sunday — ao domingo.
one's Sunday best (one's Sunday clothes) — o fato domingueiro.
in a month of Sundays (col.) — lá para as calendas gregas; para a semana dos nove dias.
Easter Sunday — Domingo de Páscoa.
Palm Sunday — Domingo de Ramos.
White Sunday — Domingo do Espírito Santo.
Low Sunday — Domingo de Pascoela.
Sunday calm — descanso dominical.
Sunday-school — escola de instrução religiosa que funciona ao domingo.
sunder ['sʌndə], **1** — *s.*
in sunder — ver **asunder.**
2 — *vt.* e *vi.* separar, dividir; manter separado.
sundown ['sʌndaun], *s.* pôr do Sol; (E. U.) ocidente; chapéu de grandes abas.
sundry ['sʌndri], **1** — *s.* várias pessoas; *pl.* diversos, acessórios, artigos vários.
all and sundry — todos sem excepção.
2 — *adj.* vários, de várias espécies.
on sundry occasions — em várias ocasiões.
sunfish ['sʌnfiʃ], *s.* (zool.) lua-do-mar, mola.
sunflower ['sʌnflauə], *s.* girassol.
the Sunflower State (E. U.) — o estado do Kansas.
sung [sʌŋ], *pp.* de **to sing.**
sunk [sʌŋk], **1** — *pp.* de **to sink.**
2 — *adj.* afundado, submerso; absorto; embutido.

sunk in thought — absorto em pensamentos.
sunk key — chave embutida.
sunken ['sʌŋkən], *adj.* submerso; cavado, fundo.
sunken eyes — olhos fundos.
sunken cheeks — rosto cavado.
sunless ['sʌnlis], *adj.* sem sol.
sunlight ['sʌnlait], *s.* luz do Sol.
sunlike ['sʌnlaik], *adj.* parecido com o Sol.
sunnily ['sʌnili], *adv.* cheio de brilho, radiosamente; risonhamente.
sunniness ['sʌninis], *s.* soalheira, brilho do Sol; disposição alegre, estado radiante.
sunny ['sʌni], *adj.* soalheiro; cheio de luz; iluminado pelo sol; exposto ao sol; bem-disposto, alegre, risonho, radiante.
the sunny side — o lado exposto ao sol; o aspecto alegre de um caso.
it is sunny — está sol.
the sunniest spot — o sítio mais soalheiro.
the sunny coast — a costa do sol.
sunny hair — cabelo doirado.
sunrise ['sʌnraiz], *s.* nascer do Sol.
at sunrise — ao nascer do Sol.
sunset ['sʌnset], *s.* pôr do Sol.
at sunset — ao pôr do Sol.
sunshade ['sʌnʃeid], *s.* guarda-sol, sombrinha; protecção contra o sol ou luz.
sunshine ['sʌnʃain], *s.* brilho do Sol, luz do Sol; calor; alegria.
in the sunshine — ao sol.
to take a sunshine view of everything (col.) — ver tudo cor-de-rosa.
sunshine treatment — helioterapia.
sunshine friend (col.) — amigo "de Peniche"
sunshine patriot (col.) — falso patriota.
sunshiny [-i], *adj.* cheio de sol, soalheiro; radiante.
sunstroke ['sʌnstrouk], *s.* (pat.) insolação.
to get a touch of sunstroke — ter uma insolação.
sup [sʌp], **1** — *s.* gole, trago.
to take a sup of — beber um gole de.
bite and sup — bebida e comida.
2 — *vt.* e *vi.* sorver, beber aos goles; cear; dar de cear a.
super ['sju:pə, 'su:pə], **1** — *s.* (col.) actor supranumerário; (com.) tecido de muito boa qualidade.
2 — *adj.* de muito boa qualidade; de superfície quadrada; (joc.) muito patriota.
220 s. ft. — *220* pés quadrados.
superable ['sju:pərəbl], *adj.* superável.
superabound [sju:pərə'baund], *vi.* superabundar.
to superabound in (to superabound with) — superabundar em.
superabundance [sju:pərə'bʌndəns], *s.* superabundância.
superabundant [sju:pərə'bʌndənt], *adj.* superabundante, em excesso.
superabundantly [-li], *adv.* superabundantemente, em excesso.
superacute [sju:pərə'kju:t], *adj.* ultra-agudo.
superadd [sju:pər'æd], *vt.* acrescentar a.
superaddition [sju:pərə'diʃən], *s.* acrescentamento.
superaltar ['sjupərɔ:ltə], *s.* retábulo.
superannuate [sju:pə'rænjueit], *vt.* e *vi.* inabilitar, impossibilitar; conceder pensão, aposentar; caducar.
superannuated [-id], *adj.* antiquado; reformado, aposentado.
superannuation [sju:pərænju'eiʃən], *s.* inabilitação; aposentação, reforma por limite de idade.
super-audible [sju:pər'ɔ:dibl], *adj.* ultra-sonora (frequência em rádio).
superb [sju:'pəb, su:pə:b], *adj.* soberbo, magnífico, esplêndido, excelente; elegante; vistoso.
a superb view — uma vista soberba.
a superb voice — uma voz maravilhosa.
superbly [-li], *adv.* magnificamente, esplendidamente, soberbamente.
supercargo ['sju:pəkɑ:gou], *s.* (náut.) sobrecarga; comissário encarregado da venda da carga.
supercharge ['sju:pətʃɑ:dʒ], **1** — *s.* sobretaxa.
2 — *vt.* sobrecarregar; superalimentar.
supercharged [-d], *adj.* sobrecarregado; superalimentado.
superciliary [sju:pə'siliəri], *adj.* superciliar.
supercilious [sju:pə'siliəs], *adj.* arrogante, altivo, desdenhoso; imperioso.
superciliously [-li], *adv.* altivamente, arrogantemente, desdenhosamente; imperiosamente.
superciliousness [-nis], *s.* altivez, arrogância, desdém, soberba, presunção.
superdominant [sju:pə'dɔminənt], *s.* (mús.) superdominante.
superelevation [sju:pəreli'veiʃən], *s.* sobrelevação, acção de sobrelevar.
supereminence [sju:pər'eminəns], *s.* supereminência.
supereminent [sju:pər'eminənt], *adj.* sobreeminente, supereminente.
supereminently [-li], *adv.* de modo supereminente.
supererogation [sju:pərerə'geiʃən], *s.* supererrogação.
supererogatory [sju:pəre'rɔgətəri], *adj.* supererrogatório, supérfluo, não exigido.
superexcellence [sju:pər'eksələns], *s.* superexcelência.
superexcellent [sju:pər'eksələnt], *adj.* superexcelente, superior.
superfecundation [sju:pəfi:kən'deiʃən], *s.* superfecundação.
superficial [sju:pə'fiʃəl], *adj.* superficial; apressado.
superficial foot — pé quadrado (medida de superfície).
superficial measures — medidas de superfície.
a superficial book — um livro superficial.
a superficial knowledge — um conhecimento superficial.
a superficial wound — uma ferida superficial.
superficiality [sju:pəfiʃi'æliti], *s.* superficialidade.
superficially [sju:pə'fiʃəli], *adv.* superficialmente.
superficies [sju:pə'fiʃi:z], *s.* superfície.
superfine ['sju:pə'fain], *adj.* superfino; muito subtil.
superfluity [sju:pə'flu:iti], *s.* superfluidade; superabundância.
superfluous [sju:'pə:fluəs], *adj.* supérfluo; superabundante.
superfluously [-li], *adv.* superfluamente; inutilmente.
superfluousness [-nis], *s.* superfluidade; superabundância.
superheat **1** — ['sju:pəhi:t], *s.* sobreaquecimento.
2 — [sju:pə'hi:t], *vt.* sobreaquecer.
superheated [sju:pə'hi:tid], *adj.* sobreaquecido.
superheating [sju:pə'hi:tiŋ], *s.* sobreaquecimento.
superhive ['sju:pəhaiv], *s.* parte superior de colmeia.
superhuman [sju:pə'hju:mən], *adj.* sobre-humano.
superhumanly [-li], *adv.* de maneira sobre-humana.

superimposable [sju:pərim'pouzəbl], *adj.* que pode sobrepor-se.
superimpose ['sju:pərim'pouz], *vt.* sobrepor.
superimposition [sju:pərimpə'ziʃən], *s.* sobreposição.
superincumbent [sju:pərin'kʌmbənt], *adj.* superincumbente.
superinduce [sju:pərin'dju:s], *vt.* acrescentar; sobrepor.
superintend [sju:prin'tend], *vt.* superintender, inspeccionar, fiscalizar, dirigir.
superintendence [-əns], *s.* superintendência, inspecção, fiscalização; direcção.
superintendent [-ənt], *s.* superintendente, fiscal; director (técnico).
superintendentship [-əntʃip], *s.* superintendência; fiscalização; direcção.
superior [sju:'piəriə], **1** — *s.* superior; chefe; superior (em ordem religiosa).
Mother Superior, Lady Superior — Madre Superiora.
superiors in rank — superiores hierárquicos.
2 — *adj.* superior; óptimo; orgulhoso, arrogante.
superior persons — pessoas muito bem-educadas; pessoas enfatuadas.
superior officer — oficial superior.
a superior air — um ar superior.
superior in — superior em.
the superior planets — os planetas superiores.
superioress [sju:'piəriərəs], *s. fem.* superiora (de convento).
superiority [sju:piəri'ɔriti], *s.* superioridade.
comparative of superiority — comparativo de superioridade.
superlative of superiority — superlativo de superioridade.
superiority complex — complexo de superioridade.
superiorly [sju:'piəriəli], *adv.* superiormente; com ar de superioridade.
superlative [sju:'pə:lətiv], **1** — *s.* (gram.) superlativo.
absolute superlative — superlativo absoluto.
relative superlative — superlativo relativo.
2 — *adj.* supremo; superlativo.
superlatively [-li], *adv.* (col.) muitíssimo; superlativamente.
superman ['sju:pəmæn], *s.* super-homem.
supernaculum [sju:pə'nækjuləm], **1** — *s.* copázio.
2 — *adv.* até à última gota.
to drink supernaculum — beber até à última gota.
supernatural [sju:pə'nætʃrəl], **1** — *s.* sobrenatural.
the supernatural — o sobrenatural.
2 — *adj.* sobrenatural.
supernaturalism [sju:pə'nætʃrəlizm], *s.* (fil.) supernaturalismo.
supernaturality [sju:pənætʃu'ræliti], *s.* sobrenaturalidade.
supernaturally [sju:pə'nætʃrəli], *adv.* sobrenaturalmente.
supernaturalness [sju:pə'nætʃrəlnis], *s.* ver **supernaturality.**
supernumerary [sju:pə'nju:mərəri], **1** — *s.* actor supernumerário, actor extra.
2 — *adj.* supernumerário; supérfluo.
superposable [sju:pə'pouzəbl], *adj.* que pode sobrepor-se.
superpose ['sju:pə'pouz], *vt.* sobrepor; juntar.
superposed [-d], *adj.* sobreposto.
superposition ['sju:pəpə'ziʃən], *s.* sobreposição.
superscribe ['sju:pə'skraib], *vt.* sobrescrever, sobrescritar; escrever ou gravar no alto ou no exterior; inscrever.
supercription [sju:pə'skripʃən], *s.* cabeçalho (de documento); endereço; legenda; inscrição.
supersede [sju:pə'si:d], *vt.* substituir, render; invalidar; inutilizar; pôr de lado.
to supersede one thing by another — substituir uma coisa por outra.
to supersede an official — substituir um funcionário.
supersensible [sju:pə'sensibl], *adj.* (fil.) supra-sensível.
supersensitive [sju:pə'sensitiv], *adj.* hipersensitivo; ultra-sensível.
supersensory [sju:pə'sensəri], *adj.* ver **supersensitive.**
supersession [sju:pə'seʃən], *s.* substituição; afastamento (de funcionário); anulação.
supersonic ['sju:pə'sɔnik], *adj.* supersónico.
supersonic speed — velocidade supersónica.
supersonic plane — avião supersónico.
supersonic flight — voo supersónico.
super-speed [sju:pə'spi:d], *s.* grande velocidade.
super-sports car [sju:pə'spɔ:tska:], *s.* automóvel tipo "grande desporto".
superstition [sju:pə'stiʃən], *s.* superstição.
superstitious [sju:pə'stiʃəs], *adj.* supersticioso.
superstitiously [-li], *adv.* supersticiosamente.
superstitiousness [-nis], *s.* supersticiosidade.
superstructure ['sju:pəstrʌktʃə], *s.* superestrutura.
supertax ['sju:pətæks], *s.* sobretaxa.
superterrestrial [sju:pəti'restriəl], *adj.* supraterrestre; celeste.
supertonic ['sju:pə'tɔnik], *s.* (mús.) supertónica.
supervene [sju:pə'vi:n], *vi.* sobrevir; suceder.
supervening [-iŋ], **1** — *s.* superveniência; vinda.
2 — *adj.* superveniente.
supervention [sju:pə'venʃən], *s.* superveniência; acção de sobrevir.
supervise ['sju:pəvaiz], *vt.* e *vi.* superintender; inspeccionar, vigiar, fiscalizar; dirigir.
supervision [sju:pə'viʒən], *s.* inspecção, superintendência, fiscalização.
to be under police supervision — estar sob vigilância da polícia.
supervisor ['sju:pəvaizə], *s.* superintendente, inspector, fiscal.
supervisorship [-ʃip], *s.* directoria; inspectoria.
supinate ['sju:pineit], *vt.* virar a palma da mão para cima.
supination [sju:pi'neiʃən], *s.* posição da palma da mão virada para cima.
supine ['sju:pain], **1** — *s.* (gram. latina) supino.
in the supine — no supino.
2 — *adj.* deitado de costas, recostado; indolente, negligente, inactivo.
supinely [-li], *adv.* de costas; negligentemente, indolentemente.
supineness [-nis], *s.* negligência, indolência; inércia.
supper ['sʌpə], *s.* ceia.
the Lord's Supper — a comunhão.
the last Supper — a última ceia (de Cristo).
supper-time — hora da ceia.
supper-dance — baile com ceia.
supperless [-lis], *adj.* sem cear, sem ceia.
supplant [sə'pla:nt], *vt.* suplantar; desapossar, desalojar; minar.
supplantation [səpla:n'teiʃən], *s.* suplantação.
supplanter [sə'pla:ntə], *s.* suplantador.
supplanting [sə'pla:ntiŋ], *s.* acção de suplantar.
supple ['sʌpl], **1** — *adj.* flexível, brando; dócil, tratável; complacente; condescendente; adulador, servil. (*Sin.* pliant, flexible, compliant, fawning. *Ant.* firm, unbending.)

supple-minded — com agilidade de espírito.
2 — *vt.* tornar ou tornar-se flexível ou dócil.
supplely [-li], *adv.* ver **supply 3.**
supplement 1 — ['sʌplimənt], *s.* suplemento; apêndice.
literary supplement — suplemento literário.
2 — ['sʌplimənt, sʌpli'ment], *vt.* suprir; acrescentar.
supplemental [sʌpli'mentl], *adj.* suplementar.
supplementarily [sʌplimen'tərili], *adv.* suplementarmente; complementarmente.
supplementary [sʌpli'mentəri], *adj.* suplementar.
supplementary angles — ângulos suplementares.
suppleness ['sʌplnis], *s.* flexibilidade; docilidade, condescendência, complacência; subserviência.
suppliant ['sʌpliənt], **1** — *s.* suplicante, pessoa que suplica.
2 — *adj.* suplicante.
suppliantly [-li], *adv.* suplicantemente.
supplicant ['sʌplikənt], *s.* suplicante.
supplicate ['sʌplikeit], *vt.* e *vi.* suplicar, implorar.
to supplicate a person for a thing — suplicar uma coisa a uma pessoa.
supplicating [-iŋ], *adj.* suplicante, implorativo.
supplicatingly [-iŋli], *adv.* suplicantemente, implorativamente.
supplication [sʌpli'keiʃən], *s.* súplica, rogo, petição.
supplicatory ['sʌplikətəri], *adj.* suplicatório.
supplier [sə'plaiə], *s.* fornecedor.
supply 1 — [sə'plai], *s.* provisão, abastecimento, fornecimento; suprimento; subsídio; professor que substitui outro durante um certo tempo; *pl.* víveres, provisões; munições; recursos; materiais; orçamento das despesas (Parlamento).
demand and supply — oferta e procura.
to lay in a supply — fazer provisão.
his father cut off the supplies — o pai cortou-lhe a mesada.
a fresh supply — um novo fornecimento.
supply of electrical energy — distribuição de energia eléctrica.
food supplies — víveres.
to arrange for a supply — arranjar um substituto.
2 — *vt.* fornecer, abastecer, prover; suprir; completar; preencher; municiar; substituir.
to supply a city — abastecer uma cidade.
to supply proofs — fornecer provas.
to supply a defect — corrigir um defeito.
supply ['sʌpli], *adv.* flexivelmente; com elasticidade.
supplying [sə'plaiiŋ], *s.* abastecimento, fornecimento; substituição interina.
support [sə'pɔ:t], **1** — *s.* sustento; apoio, auxílio, ajuda; sustentáculo; descanso; manutenção; subsistência; amparo, defesa, patrocínio, protecção; arrimo.
point of support — ponto de apoio.
in support of — a favor de.
for my support — para o meu sustento.
to give support to — auxiliar; proteger; apoiar.
to speak in support of — falar em defesa de.
kind support (com.) — boas relações.
to be without means of support — estar sem meios de subsistência.
2 — *vt.* suportar; manter; apoiar, sustentar; suster, aguentar; escorar; ajudar, patrocinar, proteger; amparar; defender; favorecer; sofrer, tolerar; (teat.) representar (um papel).
to support a family — sustentar uma família.
he supports fatigue well — aguenta bem a fadiga.
to support a cause — patrocinar uma causa.
to support a political party — apoiar um partido político.
to support oneself — ganhar a vida.
supportable [-əbl], *adj.* suportável, tolerável, sustentável; que pode manter-se.
supportably [-əbli], *adv.* suportavelmente, toleravelmente.
supporter [-ə], *s.* protector, defensor, partidário, aderente; sustentáculo, apoio; esteio, escora; figuras que sustentam o escudo de armas (em brasão).
supporting [-iŋ], **1** — *s.* esteio; apoio.
2 — *adj.* que apoia; que corrobora.
supporting base — base de sustentação.
supposable [sə'pouzəbl], *adj.* imaginável, que pode supor-se.
supposal [sə'pouzəl], *s.* suposição.
suppose [sə'pouz, spouz], *vt.* supor, julgar, imaginar, presumir, conjecturar, crer, admitir. (*Sin.* to imagine, to conceive, to conjecture, to assume. *Ant.* to know.)
I suppose so — suponho que sim.
I suppose not — suponho que não.
that being supposed — suposto isso.
it is not to be supposed — não é de supor.
you are not supposed to... — não é permitido...
he is supposed to be rich — dizem que ele é rico.
suppose yourself in my place — ponha-se no meu lugar.
what are we supposed to do? — que é que querem que nós façamos?
supposed [-d], *adj.* suposto; pretenso.
the supposed culprit — o suposto culpado.
supposedly [-idli], *adv.* por suposição, por hipótese.
supposition [sʌpə'ziʃən], *s.* suposição, hipótese.
to make a supposition — supor.
suppositional [-l], *adj.* suposto, hipotético.
suppositionally [-li], *adv.* hipoteticamente, por suposição.
supposititious [səpɔzi'tiʃəs], *adj.* supositício, falso, espúrio, imaginário.
supposititious name — nome falso.
suppositiously [-li], *adv.* falsamente, imaginariamente, por suposição.
suppositive [sʌ'pɔzitiv], *adj.* supositivo.
suppository [sə'pɔzitəri], *s.* supositório.
suppress [sə'pres], *vt.* suprimir, omitir; dissimular; conter; reter; impedir; abafar.
to suppress a rebellion — abafar uma revolta.
to suppress a publication — proibir uma publicação.
supressed [-t], *adj.* suprimido, omitido; dissimulado; contido; abafado.
suppressed voice — voz abafada.
suppressible [-əbl, ibl], *adj.* que pode ser suprimido, que pode ser reprimido.
suppressing [-iŋ], *s.* acto de suprimir, de reprimir, de abafar.
suppression [sə'preʃən], *s.* supressão; dissimulação; abolição.
suppressive [sə'presiv], *adj.* repressivo.
suppressive measures — medidas repressivas.
supressor [sə'presə], *s.* o que suprime ou reprime.
suppurate ['sʌpjuəreit], *vi.* supurar.
suppurating [-iŋ], *adj.* que supura.
suppuration [sʌpjuə'reiʃən], *s.* supuração.
suppurative ['sʌpjurətiv], *s.* e *adj.* supurativo.
supracostal [sju:prə'kɔstəl], *adj.* (anat.) intercostal.
supraliminal [sju:prə'liminəl], *adj.* (psic.) supraliminar.

supra-maxillary [sju:prəmæk'siləri], *adj.* (anat.) supramaxilar.
supranaturalism [sju:prə'nætʃrəlizəm], *s.* supranaturalismo.
suprasensible [sju:prə'sensibl], *adj.* (fil.) supra-sensível.
supremacy [sju'preməsi], *s.* supremacia.
supreme [sju:'pri:m], **1** — *s.* supremo.
the Supreme — o Supremo (Deus).
2 — *adj.* supremo; superior.
supreme courage — coragem suprema.
the supreme hour — a hora suprema.
the Supreme Being — o Ser Supremo (Deus).
the Supreme Pontiff — o Sumo Pontífice.
the Supreme Court (E. U.) — o Supremo Tribunal.
surbase **1** — ['sə:beis], *s.* cornija de topo de pedestal.
2 — [sə'beis], *vt.* abater (arco).
surbased [sə'beist], *adj.* abatido.
surbased arch — arco abatido.
surbased vault — abóbada abatida.
surbasement [sə'beismənt], *s.* abatimento (de arco).
surcharge **1** — ['sə:tʃɑ:dʒ], *s.* sobrecarga; sobretaxa; preço excessivo.
2 — [sə:'tʃɑ:dʒ], *vt.* sobrecarregar; levar preço excessivo.
surcingle ['sə:siŋgl], *s.* sobrecilha.
surcoat ['sə:kout], *s.* *(hist.)* espécie de manto usado por cima da armadura.
surd [sə:d], **1** — *s.* (fon.) consoante surda; (mat.) número irracional.
2 — *adj.* surdo (som); (mat.) irracional.
surd number — número irracional.
surdity [-iti], *s.* surdez.
surdomutism [sə:dou'mju:tizm], *s.* surdimutismo, surdo-mudez.
sure [ʃuə, ʃɔə], **1** — *adj.* seguro, certo, firme, infalível; de confiança; convicto; sólido.
to be sure — sem dúvida; naturalmente; já se vê; ter a certeza.
to make sure of — assegurar-se, apossar-se de.
to make sure — assegurar.
I am sure of it — estou certo disso.
for sure — por certo, certamente.
a sure place — um lugar seguro.
be sure not to do that! — livra-te de fazer isso!
a sure man — um homem de confiança.
I'm not quite sure — não tenho bem a certeza.
today for sure — hoje de certeza.
to be sure of oneself — ter confiança em si próprio.
sure-footed — de andar seguro.
don't be too sure! — (col.) ninguém diga desta água não beberei!
well, I am sure! — ora, imaginem!
2 — *adv.* certamente, sem dúvida, é claro.
as sure as death (as sure as a gun, as sure as fate, as sure as mud, as sure as eggs is eggs) — sem dúvida; tão certo como a morte.
surely [-li], *adv.* certamente, seguramente, sem dúvida, com certeza; com firmeza.
slowly but surely — devagar mas com firmeza.
sureness [-nis], *s.* certeza; segurança.
surety [-ti], *s.* garantia, caução, fiança; fiador.
to stand surety for — ser fiador de.
to find sureties — prestar fiança.
surf [sə:f], *s.* ressaca, rebentação.
surf-rider — pessoa que desliza sobre a ressaca numa prancha.
surf-riding — desporto que consiste em deslizar sobre a ressaca numa prancha.
surf-board — tábua para deslizar sobre a ressaca.
surface ['sə:fis], **1** — *s.* superfície; área; plano; aparência; face.
a smooth surface — uma superfície lisa.
an uneven surface — uma superfície desigual.
on the surface — exterior; superficial; à superfície.
his politeness is only of (on) the surface — a sua delicadeza é apenas superficial.
surface condenser — condensador de superfície.
surface combustion — combustão superficial.
surface craft — navio de superfície.
surface of revolution — superfície de revolução.
surface-planing machine — plaina mecânica.
surface of cut — superfície de corte.
surface evaporation — evaporação superficial.
to come to the surface — vir à superfície; vir à tona.
a cube has six surfaces — um cubo tem seis faces.
it lies on the surface — é evidente.
2 — *vt.* e *vi.* aplainar; polir; vir à superfície (submarino).
surfacer [-ə], *s.* máquina de polir; máquina de desbastar.
surfeit ['sə:fit], **1** — *s.* indigestão, excesso de comer e beber; saciedade.
to die of a surfeit of — morrer com uma indigestão de.
2 — *vt.* e *vi.* fartar, saciar-se, empanturrar-se.
surfeiter [-ə], *s.* comilão, glutão.
surge [sə:dʒ], **1** — *s.* onda, vaga, vagalhão; (náut.) salto de cordame; (elect.) aumento súbito de tensão.
the surge of the sea — a ondulação do mar.
a surge of pity — uma onda de piedade.
2 — *vi.* encapelar-se (o mar); agitar-se; dar um salto a um cabo; aumentar subitamente.
surgeon ['sə:dʒən], *s.* cirurgião; médico militar ou de bordo.
surgeon-major — major médico.
surgeon-dentist — cirurgião dentista.
surgeon-fish — barbeiro (peixe).
surgeonship [-ʃip], *s.* funções ou cargo de cirurgião.
surgery ['sə:dʒəri], *s.* cirurgia; sala de operações cirúrgicas.
plastic surgery — cirurgia plástica.
doctor's surgery — clínica de bairro pobre.
surgical ['sə:dʒikəl], *adj.* cirúrgico.
surgical instruments — instrumentos cirúrgicos.
surgical fever — febre pós-operatória.
surgically [-i], *adv.* cirurgicamente.
surging ['sə:dʒiŋ], **1** — *s.* ver **surge.**
2 — *adj.* ondulante, com ondas.
surlily ['sə:lili], *adv.* de mau humor; grosseiramente, insolentemente, desabridamente.
surliness ['sə:linis], *s.* mau humor; grosseria, insolência.
surly ['sə:li], *adj.* áspero, rude, grosseiro, insolente; impertinente (*Sin.* sullen, cross, uncivil, churlish. *Ant.* affable, kind.)
surmise ['sə:maiz, sə:'maiz], **1** — *s.* suspeita, conjectura, suposição, desconfiança vaga.
2 — *vt.* e *vi.* conjecturar, suspeitar, desconfiar, supor, imaginar.
I surmised as much — bem me queria parecer.
surmount [sə:'maunt], *vt.* elevar-se acima de; vencer, superar; encimar, coroar, sobrepujar, exceder.
to surmount difficulties — vencer dificuldades.
peaks surmounted with snow — píncaros das montanhas cobertos de neve.
surmountable [-əbl], *adj.* superável, vencível.
surmounter [-ə], *s.* o que domina.
surmullet [sə'mʌlit], *s.* (zool.) salmonete.
surname ['sə:neim], **1** — *s.* apelido, sobrenome, nome de família.
2 — *vt.* apelidar; cognominar.

surpass [sə:'pɑ:s], *vt.* exceder, ultrapassar, sobrepujar. (*Sin.* to eclipse, to exceed, to outdo, to excel.)
to surpass somebody in intelligence — ser mais inteligente do que alguém; ultrapassar alguém em inteligência.
surpassable [-əbl], *adj.* excedível, ultrapassável.
surpassing [-iŋ], 1 — *adj.* superior, transcendente, eminente; incomparável; extraordinário.
scenery of surpassing beauty — paisagem de beleza incomparável.
2 — *adv.* incomparavelmente.
surpassingly [-iŋli], *adv.* inexcedivelmente, incomparavelmente.
surplice ['sə:pləs, 'sə:plis], *s.* sobrepeliz.
surpliced [-t], *adj.* com sobrepeliz.
surplus ['sə:pləs], *s.* excesso, excedente, sobra; saldo positivo.
sale of surplus stock — venda de saldos.
to have a surplus of — ter excesso de.
surplus population — excedente de população.
surprise [sə'praiz], 1 — *s.* surpresa, espanto, admiração.
what a surprise! — que surpresa!
I have a surprise for you — tenho uma surpresa para ti.
a surprise visit — uma visita de surpresa.
surprise packet — caixinha de surpresas.
it was a great surprise to me — foi uma grande surpresa para mim.
to my great surprise — com grande surpresa minha.
to give a surprise — fazer uma surpresa.
to take somebody by surprise — apanhar alguém de surpresa.
2 — *vt.* surpreender, espantar; assombrar; sobressaltar.
to be surprised at — estar admirado de.
to surprise in the act — apanhar em flagrante.
I am surprised at you! — estou admirado contigo!
surprised [-d], *adj.* surpreendido, admirado; de surpresa.
surprisedly [-idli], *adv.* com ar de surpresa.
surprising [-iŋ], *adj.* surpreendente; maravilhoso, admirável; inesperado.
surprising news — notícias inesperadas.
surprisingly [-iŋli], *adv.* surpreendentemente; admiravelmente; maravilhosamente.
surrealism [sə'riəlizəm], *s.* sobrerrealismo.
surrealist [sə'riəlist], *s.* e *adj.* sobrerrealista.
surrealistic [səriə'listik], *adj.* sobrerrealista.
surrealistically [-əli], *adv.* sobrerrealisticamente.
surrenal [sʌ'ri:nəl], *adj.* supra-renal.
surrender [sə'rendə], 1 — *s.* rendição, entrega; renúncia; cessão de bens; resgate (de apólice de seguros).
the surrender of a fortress — a rendição de uma fortaleza.
the surrender of property — cessão de bens.
compulsory surrender (jur.) — expropriação.
2 — *vt.* e *vi.* entregar, renunciar, ceder, abandonar; render-se, entregar-se; resgatar (apólice de seguro). (*Sin.* to capitulate, to yield, to resign, to abandon. *Ant.* to hold.)
to surrender oneself — render-se; entregar-se.
to surrender an insurance policy — resgatar uma apólice de seguro.
to surrender (oneself) to justice — entregar-se à justiça.
to surrender a fortress to the enemy — entregar uma fortaleza ao inimigo.
surreptitious [sʌrə'tiʃəs, sʌrip'tiʃəs], *adj.* sub-reptício; furtivo; ilícito.
surreptitiously [-li], *adv.* sub-repticiamente; furtivamente; ilicitamente.
surrogate ['sʌrugit, sʌrəgit], *s.* substituto; delegado de juiz eclesiástico.
surround [sə'raund], 1 — *s.* limite; parte do soalho entre as paredes e um tapete no centro de um compartimento.
2 — *vt.* circundar, cercar, rodear.
surrounding [-iŋ], *adj.* circunvizinho; que circunda.
surroundings [-iŋz], *s. pl.* meio ambiente; arredores, arrabaldes, cercanias.
surtax ['sə:tæks], 1 — *s.* sobretaxa, imposto adicional.
2 — *vt.* aplicar sobretaxa a.
surveillance [sə:'veiləns], *s.* vigilância, inspecção.
to be under surveillance — estar sob vigilância.
survey 1 — ['sə:vei, sə:'vei], *s.* perspectiva, vista; vistoria, inspecção, exame; agrimensura; levantamento topográfico; esboço.
to take a cold survey of the situation — examinar a situação com serenidade.
survey vessel — navio hidrográfico.
aerial survey — levantamento aéreo.
to effect a survey (to make a survey) — fazer um levantamento topográfico.
general survey — vista geral, exposição sumária.
2 — [sə:'vei], *vt.* ver cuidadosamente, inspeccionar, examinar, observar; vistoriar; levantar plantas; fazer hidrografia.
to survey lands — medir terras.
surveying [-iŋ], *s.* inspecção; estudo cuidadoso; agrimensura, levantamento topográfico.
surveying vessel — navio hidrográfico.
surveying wheel — odómetro.
surveying compass — bússola.
surveyor [sə:'veiə], *s.* agrimensor; inspector, perito; hidrógrafo.
(land-) surveyor — engenheiro-geógrafo.
surveyor of weights and measures — inspector dos pesos e medidas.
surveyorship [-ʃip], *s.* cargo ou funções de agrimensor ou superintendente.
survival [sə'vaivəl], *s.* acção de sobreviver; sobrevivência; relíquia.
the survival of the fittest — a sobrevivência dos mais dotados.
survivance [sə'vaivəns], *s.* (jur.) sucessão em caso de sobrevivência.
survive [sə'vaiv], *vt.* e *vi.* sobreviver; subsistir.
to survive one's children — sobreviver aos filhos.
to survive one's usefulness — continuar a viver sem ter já préstimo algum.
to survive a shipwreck — sobreviver a um naufrágio.
surviving [-iŋ], *adj.* sobrevivente.
survivor [-ə], *s.* sobrevivente.
Susan ['su:zn], *n. p.* Susana.
Susanna(h) [su:'zænə], *n. p.* (bíbl.) Susana.
susceptibility [səseptə'biliti], *s.* susceptibilidade; sensibilidade; predisposição.
to wound susceptibilities — ferir susceptibilidades.
susceptibility to a disease — predisposição para uma doença.
susceptibility to pain — sensibilidade à dor.
susceptible [sə'septəbl], *adj.* susceptível; sensível; impressionável. (*Sin.* sensitive, impressionable, impressible. *Ant.* unsusceptible.)
facts not susceptible of proof — factos que não são susceptíveis de prova.
he is very susceptible to pain — é muito sensível à dor.
susceptibly [-i], *adv.* de modo susceptível.
susceptivity [sʌsep'tiviti], *s.* susceptividade.
Susie ['su:zi, 'sju:zi], *n. p.* Susana.
suspect 1 — ['sʌspekt], *s.* e *adj.* suspeito.
2 — [səs'pekt], *vt.* suspeitar, desconfiar.
to suspect a plot — suspeitar de uma conspiração.

to suspect somebody — suspeitar de alguém.
to suspect the authenticity of — duvidar da autenticidade de.
suspectable [-əbl], *adj.* suspeito.
suspected [-id], *adj.* suspeito.
suspector [-ə], *s.* aquele que suspeita.
suspend [səs'pend], *vt.* suspender; pendurar; interromper; adiar.
he suspended the delivery of the goods — suspendeu a entrega das mercadorias.
to suspend a licence — retirar a carta de condução.
to suspend the traffic — interromper o tráfego.
to suspend something from the ceiling — pendurar alguma coisa do tecto.
to suspend payment — suspender pagamentos.
suspended [-id], *adj.* suspenso; interrompido; adiado; pendurado.
suspended animation — desmaio; síncope.
suspender [-ə], *s.* o que suspende; *pl.* suspensórios; espécie de cabide para meias, peúgas, etc.
suspending [-iŋ], *s.* suspensão; acto de suspender.
suspense [səs'pens], *s.* incerteza, dúvida, expectativa; suspensão (jur.).
to keep in suspense — manter na expectativa.
to leave in suspense — deixar em suspenso.
suspension [səs'penʃən], *s.* suspensão.
suspension-bridge — ponte suspensa; ponte pênsil.
suspension of payment — cessação de pagamento.
suspensive [səs'pensiv], *adj.* suspensivo.
suspensively [-li], *adv.* suspensivamente.
suspensor [sʌs'pensə], *s.* suspensório (med.).
suspensory [səs'pensəri], *adj.* suspensório; suspensivo; suspensor.
suspicion [səs'piʃən], **1** — *s.* suspeita, desconfiança; dúvida; traço, sinal; laivos.
to entertain a suspicion of — desconfiar de.
to clear oneself of all suspicion — afastar toda a suspeita de alguém.
above suspicion — acima de toda a suspeita.
arrested on suspicion — preso por suspeita.
to hold in suspicion — considerar suspeito.
2 — *vt.* suspeitar, desconfiar.
suspicious [səs'piʃəs], *adj.* suspeito; duvidoso; desconfiado; estranho. (*Sin.* distrustful, doubtful, strange, questionable.)
it looks suspicious — parece suspeito.
with a suspicious glance — com um olhar desconfiado.
to be suspicious of — desconfiar de.
suspiciously [-li], *adv.* suspeitosamente; desconfiadamente.
suspiciousness [-nis], *s.* desconfiança; suspeita; suspeição.
sustain [səs'tein], *vt.* sustentar; suster, aguentar; manter; apoiar; defender; suportar, sofrer (avaria ou perda); ajudar; confirmar; encorajar; amparar; experimentar; sancionar; conceder; confirmar.
to sustain a loss — sofrer uma perda.
to sustain a defeat — sofrer uma derrota.
sustainable [-əbl], *adj.* sustentável; defensável.
sustained [-d], *adj.* sustentado; mantido; sustido; prolongado; ininterrupto.
sustainer [-ə], *s.* sustentáculo; o que sustenta ou sustém.
sustaining [-iŋ], *s.* e *adj.* sustentáculo; apoio, amparo; escora; que sustenta ou sustém.
sustenance ['sʌstinəns], *s.* sustentação; subsistência; alimento, sustento; sustentáculo, apoio; manutenção.
sustentation [sʌsten'teiʃən], *s.* sustentação; sustento; manutenção; subsistência; alimentação.
susurrant [sju:'sʌrent], *adj.* sussurante, murmurante.
susurrate [sju:'sʌreit], *vt.* sussurrar, murmurar; rumorejar.
suturation [sju:tʃə'reiʃən], *s.* suturação.
sutler ['sʌtlə], *s.* (mil.) vivandeiro; tendeiro.
suture ['sju:tʃə], **1** — *s.* sutura.
2 — *vt.* suturar.
suzerain ['s(j)u:zərein], *s.* suserano.
suzeraine ['sju:zərein], *s. fem.* suserana.
suzerainty [-ti], *s.* suserania.
swab [swɔb], **1** — *s.* esfregão, lambaz.
2 — *vt.* limpar ou lavar com esfregão; esfregar; enxugar.
swabber ['-ə], *s.* o que limpa com esfregão ou lambaz; (col.) indivíduo desajeitado.
Swabia ['sweibjə], *top.* Suábia.
Swabian [-n], *s.* e *adj.* suábio, da Suábia.
swaddle [swɔdl], **1** — *s.* fralda, faixa, cueiro (para bebé).
2 — *vt.* enfaixar, pôr cueiros ou fraldas a.
swaddling ['-iŋ], *s.* acto de enfaixar ou pôr cueiros (a bebés).
swaddling-clothes — cueiros; (fig.) infância.
swag [swæg], *s.* trouxa, bagagem; (col.) tudo o que se obtém com um roubo; lucros obtidos através de corrupção.
swage [sweidʒ], **1** — *s.* molde; instrumento para fazer molduras; encalcadeira.
2 — *vt.* estampar (o ferro).
swagger ['swægə], **1** — *s.* bazófia, fanfarronada, jactância; arrogância; insolência.
2 — *vt.* e *vi.* bazofiar, blasonar, fanfarronar; pavonear-se, menear-se.
3 — *adj.* à moda, elegante.
swaggerer [-rə], *s.* fanfarrão, gabarola.
swaggering [-riŋ], *s.* e *adj.* fanfarrão, gabarola; fanfarronada; bravata; jactância; arrogância.
swaggeringly [-riŋli], *adv.* arrogantemente, com presunção, com bazófia.
swain [swein], *s.* zagal; mancebo; jovem camponês; namorado rústico; apaixonado.
swallet ['swɔlit], *s.* lençol de água subterrâneo.
swallow ['swɔlou], **1** — *s.* (zool.) andorinha; (anat.) garganta; esófago; deglutição; trago, bocado; voracidade.
swallow-fish — peixe-andorinha (peixe).
swallow-stone — celidónia.
swallow-tail — fraque; malhete; variedade de borboleta.
swallow-tailed coat — fraque.
to drink at one swallow — beber de um trago.
one swallow does not make a summer — uma andorinha não faz Verão e um dedo não faz mão.
2 — *vt.* e *vi.* engolir, tragar, devorar; absorver, consumir; esgotar; engolfar; suportar.
to swallow up — engolir, tragar; absorver.
to swallow one's own words — retractar-se; desdizer-se.
to swallow time — consumir o tempo.
swallowable [-əbl], *adv.* que pode engolir-se; crível.
swallower [-ə], *s.* aquele que engole; aquele que "engole" histórias incríveis.
swam [swæm], *pret.* de **to swim.**
swamp ['swɔmp], **1** — *s.* pântano, paul, terreno alagado.
swamp-fever — febre dos pântanos.
2 — *vt.* e *vi.* afundar num pântano; encher-se de água, alagar-se; afundar-se; meter em dificuldades.
I am swamped with work — estou assoberbado de trabalho.
swampiness [-inis], *s.* estado pantanoso.
swampy [-i], *adj.* pantanoso, alagadiço.
swan [swɔn], *s.* cisne; (poét.) poeta.
the swan of Avon — Shakespeare.

swan-song — canto de cisne.
swan's down — penugem de cisne; pano fino de flanela.
swan neck — colo de cisne; tubo de descarga semelhante ao colo de cisne.
swank [swæŋk], **1** — *s.* jactância, bazófia; fanfarrão.
2 — *vi.* bazofiar, alardear.
swanker [-ə], *s.* fanfarrão.
swanky [-i], *adj.* jactancioso, fanfarrão; activo, desembaraçado.
swanlike ['swɔnlaik], *adj.* como um cisne.
swannery ['swɔnəri], *s.* viveiro de cisnes.
swap [swɔp], **1** — *s.* troca, permuta.
to do a swap — fazer uma troca.
2 — *vt.* trocar, permutar.
swapping [-iŋ], *s.* acção de trocar.
sward [swɔ:d], **1** — *s.* relva; tapete de relva.
2 — *vt.* cobrir de relva.
swarf [swɔ:f], *s.* limalha de ferro.
swarm [swɔ:m], **1** — *s.* enxame; formigueiro; multidão.
a swarm of bees — um enxame de abelhas.
a swarm of children — um rancho de crianças.
a swarm of ants — um formigueiro.
2 — *vt.* e *vi.* criar em enxames; enxamear; pulular; afluir ou correr em massa; abundar.
to swarm up — trepar (por uma árvore, corda, etc.).
to swarm with people — apinhar-se de gente.
the people swarmed — a gente apinhou-se.
swarmer [-ə], *s.* colmeia para recolher um enxame; abelha de enxame.
swart [swɔ:t], *adj.* (arc.) escuro, de cor morena. (*Sin.* dark, brown. *Ant.* fair.)
swarthily ['swɔ:ðili], *adv.* de cor morena.
swarthiness ['swɔ:ðinis], *s.* compleição escura.
swarthy ['swɔ:ði], *adj.* escuro, moreno, trigueiro, tisnado.
swash [swɔʃ], **1** — *s.* acção de chapinhar na água.
2 — *adj.* inclinado sobre o eixo.
3 — *adv.* com um barulho semelhante ao chapinhar na água.
4 — *vt.* e *vi.* chapinhar.
swashbuckler [swɔʃbʌklə], *s.* espadachim; ferrabrás.
swashing [-iŋ], *adj.* violento; que esparrinha (líquido).
swastica ['swæstikə], *s.* cruz suástica.
swath [swɔ:θ], *s.* carreira de erva ou cereal cortado pela gadanha; fouçada; fiada; fileira, tira.
swathe [sweið], **1** — *s.* faixa; atadura.
2 — *vt.* enfaixar.
swathing [-iŋ], *s.* acção de envolver em faixas, ligaduras, roupas, etc.
sway [swei], **1** — *s.* balanço, oscilação; agitação; preponderância, poder, influência.
2 — *vt.* e *vi.* oscilar; agitar; brandir, manejar, empunhar; governar; influir; dominar.
to sway the sceptre — empunhar o ceptro.
to sway up — içar (de leva arriba).
swaying [-iŋ], **1** — *s.* acção de oscilar ou agitar.
2 — *adj.* oscilante.
swear [swɛə], **1** — *s.* jura, blasfémia.
swear-word — palavrão; praga.
2 — *vt.* e *vi.* (*pret.* swore, *pp.* sworn) jurar, prestar juramento; blasfemar; fazer jurar.
to swear a witness — fazer prestar juramento a uma testemunha.
to swear a person to secrecy — obrigar uma pessoa a jurar que guarda segredo.
I can swear to it — juro.
I swear by all that is sacred — juro por tudo o que é sagrado.
to swear by the Gospel — jurar pelos Santos Evangelhos.
to swear false — jurar falso.
to swear on the Bible — jurar sobre a Bíblia.
swearer [-rə], *s.* o que jura; blasfemador; o que pragueja.
swearing [-riŋ], *s.* juramento; acção de praguejar; blasfémia.
sweat [swet], **1** — *s.* suor; trabalho, labuta; fadiga.
by the sweat of one's brow — com o suor do rosto.
a cold sweat — suores frios.
an old sweat — (mil.) veterano.
blood, sweat and tears — sangue, suor e lágrimas.
he was dripping with sweat — escorria em suor.
to be all in a sweat — nadar em suor.
sweat-gland — glândula sudorípara.
sweat-house — estufa.
2 — *vt.* e *vi.* suar, transpirar; mourejar, afadigar-se; sofrer; obrigar a trabalhar por pouco dinheiro.
he shall sweat for it — há-de arrepender-se.
sweating-bath — banho sudorífico.
to sweat blood — suar sangue.
sweater [-ə], *s.* pessoa que transpira muito; camisola de lã com mangas; patrão que explora os empregados.
sweatiness [-inis], *s.* suor, transpiração.
sweating [-iŋ], **1** — *s.* acção de transpirar; exploração de trabalhadores.
sweating-bath — banho para provocar sudação.
2 — *adj.* a suar, que sua; mal pago.
sweaty [-i], *adj.* suado, coberto de suor; que faz suar; fatigante.
Swede [swi:d], *s.* sueco; natural da Suécia.
swede [swi:d], *s.* nabo sueco.
Sweden [-n], *top.* Suécia.
Swedish [-iʃ], **1** — *s.* sueco, a língua sueca.
2 — *adj.* sueco.
Swedish gymnastics — ginástica sueca.
sweep [swi:p], **1** — *s.* acção de varrer; varredura, vassourada; andar ou movimento majestoso; curva descrita; linha, espaço percorrido; extensão, alcance; assolação; destroço; arrasto (rede); remada; vela de moinho de vento; cegonha (para tirar água dos poços).
to make a clean sweep — fazer uma limpeza radical.
sweep-net — rede varredoura.
at one sweep — de um só golpe.
as black as a sweep — negro como carvão.
the sweep of the tide — o movimento da maré.
2 — *vt.* e *vi.* (*pret.* e *pp.* **swept**) varrer; vasculhar; dragar; passar rapidamente por cima, arrebatar; levar impetuosamente; percorrer rapidamente; remar; levar ou passar majestosamente; devastar, arrastar (rede).
to sweep in — entrar; passar rapidamente.
to sweep down — descer precipitadamente.
to sweep round — descrever uma curva.
to sweep along — andar majestosamente.
to sweep off — arrebatar.
to sweep over — percorrer rapidamente (com a vista).
the wind sweeps along — o vento varre tudo diante de si.
to sweep the seas — percorrer os mares; limpar os mares de inimigos.
death sweeps away great and small — a morte arrebata grandes e pequenos.
to sweep the room — varrer o quarto.
to sweep the board — levar a banca à glória.
sweep away! — aguenta a remada!
sweeper [-ə], *s.* varredor; máquina de varrer.

chimney-sweeper — limpa-chaminés.
mine-sweeper — draga-minas.
sweeping [-iŋ], **1** — *s.* acção de varrer; *pl.* lixo, varredura.
sweeping-machine — varredora mecânica.
2 — *adj.* vasto; arrebatador; radical; incluindo um grande número; circular.
a sweeping assertion — uma afirmação generalizada.
a sweeping change — uma mudança radical.
sweepingly [-iŋli], *adv.* radicalmente; sem excepção.
sweepstake [-steik], *s.* modalidade de aposta, principalmente em corridas de cavalos (o vencedor recebe todo ou quase todo o dinheiro apostado); o que ganha todos os tentos ao jogo.
tomorrow is the day of the sweepstake — amanhã anda a roda.
sweet [swi:t], **1** — *s.* doce, bombom, rebuçado, caramelo; doçura; amado, amada.
the sweets and bitters of life — as doçuras e as agruras da vida.
2 — *adj.* doce; ameno; meigo, gentil, suave, encantador; delicado; amável, afável; belo, lindo; fragrante, cheiroso; melodioso. (*Sin.* sugary, gentle, lovable, kind, melódious, musical. *Ant.* bitter, discordant, sour.)
sweet-pea — ervilha-de-cheiro.
sweet potato — batata-doce.
sweet temper — génio meigo.
as sweet as honey — doce como o mel.
sweet look — olhar meigo.
sweet sound — som melodioso.
sweet manners — maneiras afáveis.
sweet face — rosto meigo.
to taste sweet — saber a doce.
sweet stuff — doces.
it smells sweet — cheira bem.
sweet love — queridinho; queridinha.
sweet voice — voz melodiosa.
to keep the room clean and sweet — manter o quarto limpo e bonito.
sweet girl — rapariga adorável.
at one's own sweet will — quando nos apetece.
to have a sweet tooth — ser lambareiro.
she likes her tea sweet — ela gosta do chá doce.
that is very sweet of you — isso é muito gentil da sua parte.
sweetbread [-bred], *s.* pâncreas ou timo de vitela (usados como alimentação).
sweeten [-n], *vt.* e *vi.* adoçar; pôr-se doce; suavizar, amenizar.
sweetener [-nə], *s.* aquilo que adoça ou suaviza.
sweetening [-niŋ], *s.* acção de adoçar ou suavizar; substância que serve para adoçar.
sweetheart [-ha:t], **1** — *s.* namorado, namorada, amor.
2 — *vt.* e *vi.* namorar.
sweetie [-i], *s.* bombom; namorado, namorada.
sweeting [-iŋ], *s.* variedade de maçã doce.
sweetish [-iʃ], *adj.* adocicado.
sweetly [-li], *adv.* docemente; suavemente; melodiosamente.
sweetmeat [- it], *s.* doce; fruta cristalizada; bombom; gulodice.
sweetness [-nis], *s.* doçura; suavidade; fragrância, perfume; amabilidade, afabilidade; meiguice; delicadeza.
sweety [-i], *s.* ver **sweetie.**
swell [swel], **1** — *s.* inchação, aumento de volume; elevação (do mar), ondulação, maresia, calema; crescendo e diminuindo de som (mús.); elevação gradual de terreno; bojo, protuberância; (col.) janota, pessoa de alta posição social.
what a swell you are! — que janota que estás!
all the swells of the place — toda a sociedade elegante do lugar.
2 — *adj.* (col.) janota, elegante.
swell mob (mobsmen) — carteiristas que vestem bem.
you look very swell! — estás muito janota!
3 — *vt.* e *vi.* (*pret.* **swelled,** *pp.* **swollen**) inchar, intumescer, engrossar, avolumar-se; pavonear-se; ensoberbar-se; elevar-se; aumentar (o som); avultar; encolerizar-se; fazer crescer; distender.
to swell up — inchar; aumentar; elevar.
to swell out — tufar; fazer bojo.
the river swells — o rio cresce.
to swell with pride — encher-se de orgulho.
to swell like a turkey cock — encher-se de importância como um pavão.
swelling [-iŋ], **1** — *s.* inchação, inchaço; protuberância; tumor; elevação (das ondas).
2 — *adj.* inchado, empolado; agitado.
swelling-sea — mar de leva.
the swelling sails — as velas enfunadas.
swelter ['sweltə], **1** — *s.* calor sufocante; calor que provoca transpiração abundante.
2 — *vt.* e *vi.* abafar, sufocar; transpirar copiosamente; oprimir com calor.
sweltering [-riŋ], *adj.* sufocante, opressivo, abafado.
under a sweltering sky — numa atmosfera sufocante.
swept [swept], *pret.* e *pp.* de **to sweep.**
swerve [swə:v], **1** — *s.* desvio; mudança de direcção; guinada para o lado (automóvel).
2 — *vt.* e *vi.* desviar-se (de qualquer linha, costume ou dever); apartar-se; inclinar-se; afastar-se (do caminho); guinar para o lado (automóvel).
he never swerves an inch from his duty — ele nunca se desvia do seu dever.
swerveless [-lis], *adj.* sem mudanças de direcção, sem desvios.
swerving [-iŋ], *s.* desvio, mudança de direcção.
swift [swift], **1** — *s.* (zool.) pedreiro, gaivão; lagartixa; (mec.) dobadoira, carretel; corrente de um rio.
2 — *adj.* veloz, rápido, ligeiro, ágil, pronto; activo, vivo.
swift of wit — de espírito vivo.
swift of foot — ágil.
as swift as an arrow (as swift as thought) — rápido como o pensamento.
be swift to hear, slow to speak! — ouve muito e fala pouco!
3 — *adv.* rapidamente, velozmente.
swift-footed — de pé ligeiro.
swift-flowing river — rio que corre depressa.
swift-winged — que tem voo rápido.
swift-sailing — velejar rápido.
4 — *vt.* (náut.) tesar a enxárcia.
swiftly [-li], *adv.* ligeiramente, rapidamente, velozmente; prontamente.
swiftness [-nis], *s.* rapidez, velocidade, ligeireza; prontidão.
swig [swig], **1** — *s.* (cal.) grande gole, trago.
to take a swig at a bottle — beber uma golada de uma garrafa.
2 — *vt.* e *vi.* (cal.) beber a grandes goles; (náut.) esticar uma corda.
swill [swil], **1** — *s.* lavagem; lavadura, comida dos porcos; zurrapa.
2 — *vt.* e *vi.* enxaguar; beber a grandes tragos; embriagar-se.
swiller [-ə], *s.* (col.) borrachão; beberrão.
swim [swim], **1** — *s.* natação, acção de nadar; (col.) vertigem; segredo de negócios.
to be in the swim — estar no segredo dos negócios.
to go for a swim — ir nadar.
2 — *vt.* e *vi.* (*pret.* **swam,** *pp.* **swum**) nadar;

flutuar, boiar; passar a nado; deslizar; abundar; ter vertigens.
my head swims — tenho a cabeça a andar à roda.
to swim to the bottom (to swim like a stone) — nadar como um prego.
to swim with the tide (to swim with the stream) — ir com a corrente; ir com os outros.
to swim a race — tomar parte numa prova de natação.
to swim for it (to swim for one's life) — salvar-se a nado.
to swim like a fish — nadar como um peixe.
to swim the English Channel — atravessar o canal da Mancha a nado.
to swim over — atravessar a nado.
everything swam before my eyes — tudo andava à roda diante de mim.
swimmer [-ə], *s.* nadador; bexiga natatória.
swimming [-iŋ], **1** — *s.* acção de nadar, natação; vertigem.
swimming-bath (swimming-pool) — piscina.
swimming-bladder — bexiga natatória.
swimming-match — prova de natação.
2 — *adj.* natatório, de natação.
swimming-head — cabeça que anda à roda.
swimming eyes — olhos rasos de lágrimas.
swimming-pool — piscina.
swimmingly [-iŋli], *adv.* facilmente, sem custo; com êxito; deslizando.
to get on swimmingly — progredir rapidamente.
swindle ['swindl], **1** — *s.* logro, burla, trapaça, falcatrua; "calote".
2 — *vt.* burlar, lograr, enganar, trapacear; pregar um "calote". (*Sin.* to chat, to deceive, to defraud, to trick. *Ant.* to deal honestly.)
I am not to be swindled — não estou para me deixar burlar.
he swindled me out of twelve pounds — burlou-me em doze libras.
swindler [-ə], *s.* trapaceiro, burlão; caloteiro.
swine [swain], *s.* (arc.) porco; porcos; indivíduo de hábitos muito grosseiros.
do not cast pearls before swine — não deites pérolas a porcos.
swine-pox — variedade de bexigas loucas.
swine-plague — peste suína.
swine-herd — guardador de porcos.
swinery [-əri], *s.* pocilga, curral de porcos.
swing [swiŋ], **1** — *s.* balanço, oscilação; inclinação; vibração; rotação; movimento; alcance; tendência; liberdade de acção, livre curso; espaço percorrido; andar desembaraçado; influência, impulso; golpe (boxe); acção de andar de baloiço.
in full swing — em plena actividade.
swing-door — porta de vaivém.
swing bridge — ponte giratória.
swing-wheel — roda que faz mover o pêndulo dos relógios.
swing-music — swing (tipo de música de jazz).
2 — *vt.* e *v.* (*pret.* e *pp.* **swung** **balançar,** oscilar; agitar; fazer girar; baloiçar-se; vibrar, brandir; mover; dar volta sobre a âncora, fazer uma rotação (navio); ser enforcado.
to swing about — girar; andar à roda.
to swing the lead — fingir-se doente para se esquivar ao dever (soldados, marinheiros, etc.).
to swing one's arms — agitar os braços.
to swing round — voltear; andar à roda de.
to swing the hips — bambolear as ancas.
swingeing ['swindʒiŋ], *adj.* grande, monstruoso; violento.
swingeing damages — enormes prejuízos.
swingeing lie — mentira descarada.
swinger ['swiŋə], *s.* aquele ou aquilo que balança; pancada forte; cabo giratório de um utensílio.
swinging ['swiŋiŋ], **1** — *s.* balanço, oscilação; rotação; acção de balançar-se.
2 — *adj.* desembaraçado, livre; giratório; pendular.
swinging motion — movimento pendular.
swingingly [-li], *adv.* pendularmente; cadenciadamente.
swingle ['swiŋgl], **1** — *s.* espadela; mango.
2 — *vt.* espadelar.
swinglebar [-bɑ:], *s.* balancim (de carro).
swingletree [-tri:], *s.* ver **swinglebar.**
swingling [-iŋ], *s.* acção de espadelar.
swinish ['swainiʃ], *adj.* suíno; sujo, imundo; brutal, grosseiro.
swinishly [-li], *adv.* porcamente; grosseiramente.
swinishness [-nis], *s.* porcaria, imundície; grosseria.
swipe [swaip], **1** — *s.* pancada violenta.
2 — *vt.* dar uma pancada violenta.
swipes [-s], *s. pl.* cerveja má ou estragada.
swirl [swə:l], **1** — *s.* redemoinho (de água ou de vento); turbilhão.
2 — *vt.* e *vi.* redemoinhar; rodopiar; andar à roda; fazer andar à roda.
swirling [-iŋ], **1** — *s.* redemoinho; turbilhão.
2 — *adj.* que gira em turbilhão ou redemoinho.
swish [swiʃ], **1** — *s.* silvo, som de vara ao cortar o ar; chicotada.
2 — *vt.* e *vi.* sibilar; agitar ou cortar com som sibilante.
3 — *adj.* (col.) elegante.
swishing [-iŋ], *s.* açoite, vergastada.
Swiss [swis], **1** — *s.* suíço, natural ou habitante da Suíça.
the Swiss — os Suíços.
2 — *adj.* suíço; relativo à Suíça.
the Swiss Guards — os Guardas Suíços (do Vaticano).
switch [switʃ], **1** — *s.* chibata, vara flexível; chibatada; desvio, agulha (caminho de ferro); comutador, interruptor eléctrico; trança postiça de cabelo.
switch-board — quadro da distribuição.
main switch — interruptor principal.
switch-box — caixa de distribuição.
switch-button — botão do interruptor.
switch house — cabina de comando; cabina de distribuição.
switch-plug — tomada.
2 — *vt.* e *vi.* chibatar; desviar a agulha (no caminho-de-ferro); interromper ou comutar a corrente eléctrica; agitar; agitar-se; desviar; desviar-se.
to switch on the light — acender a luz.
to switch on the radio — acender o rádio.
to switch off the light — apagar a luz.
to switch off the radio — apagar o rádio.
to switch someone off — cortar a ligação com alguém (telefone).
I'll be switched! (col.) — macacos me mordam!
switch off! — (cal.) cala a boca!
switchback [-bæk], *s.* montanha-russa (em parque de diversões); caminho-de-ferro aos ziguezagues numa encosta escarpada.
switchback-railway — montanha-russa (em parque de diversões).
switchman [-mən], *s.* (*pl.* **switchmen**) agulheiro.
Switzerland ['switsələnd], *top.* Suíça.
swivel ['swivl], **1** — *s.* argola ou elo móvel; tornel.
swivel bridge — ponte giratória.
swivel-eyed — estrábico.
swivel-chair — cadeira giratória.

swivel-pen — tira-linhas.
2 — *vt.* e *vi.* (*pret.* e *pp.* **swivelled**) girar sobre um eixo; fazer girar em torno de um eixo.
swollen ['swoulən], *adj.* e *pp.* de **to swell.**
a swollen face — uma cara inchada.
swollen-headed — pretensioso.
swoon [swu:n], **1** — *s.* delíquio, desmaio.
to go off in a swoon — ter um delíquio; desmaiar.
2 — *vi.* desmaiar, perder os sentidos.
swooning [-iŋ], **1** — *s.* desfalecimento, delíquio, desmaio, síncope.
2 — *adj.* desfalecido, em delíquio.
swoop [swu:p], **1** — *s.* descida rápida de ave de rapina sobre a presa; descida rápida; ataque repentino.
2 — *vt.* e *vi.* colher, agarrar, apanhar no ar; arrebatar; lançar-se sobre a presa.
to swoop up — tirar; arrebatar.
to swoop down — descer rapidamente.
swop [swɔp], **1** — *s.* (col.) troca, permuta.
2 — *vt.* e *vi.* (*pret.* e *pp.* **swopped**) trocar, permutar.
I swopped my knife for bread — troquei o meu canivete por pão.
sword [sɔ:d], *s.* espada; sabre; (fig.) guerra; vingança; justiça.
sword in hand — de espada em punho.
to put to fire and sword — pôr a ferro e fogo.
to put to the sword — passar a fio de espada.
to sheathe the sword — embainhar a espada.
at the point of the sword — à ponta da espada.
sword-grass — espadana.
sword-bayonet — sabre-baioneta.
to draw the sword — desembainhar a espada.
sword-belt — talim; cinturão.
sword hilt — punho da espada.
sword-blade — lâmina da espada.
sword-cut — cutilada.
sword-flag — (bot.) gladíolo.
sword-guard — copos da espada.
sword-lily — (bot.) gladíolo.
sword-sheath — bainha da espada.
sword-stick — bengala com lâmina metálica escondida.
fencing sword — espada de esgrima.
the sword of Damocles — a espada de Dâmocles.
the sword of justice — a espada da justiça.
two-edged sword — espada de dois gumes.
to cross swords with — cruzar espadas com.
sworded [-id], *adj.* armado com uma espada.
swordfish [-fiʃ], *s.* peixe-espada.
swordsman [-zmən], *s.* (*pl.* **swordsmen**) jogador de espada, esgrimista.
swore [swɔ:], *pret.* de **to swear.**
sworn [swɔ:n], *pp.* de **to swear.**
swum [swʌm], *pp.* de **to swim.**
swung [swʌŋ], *pret.* e *pp.* de **to swing.**
sybarite ['sibərait], *s.* e *adj.* sibarita.
sybaritic [sibə'ritik], *adj.* sibarita.
sybaritically [-əli], *adv.* sibariticamente.
sybaritism ['sibəritizm], *s.* sibaritismo.
sybil ['sibil], *s.* sibila.
sycamine ['sikəmain], *s.* (bíbl.) amoreira.
sycamore ['sikəmɔ:], *s.* (bot.) sicómoro.
Egyptian sycamoro — figueira-do-egipto.
syce [sais], *s.* criado montado (na Índia).
sycophancy ['sikəfənsi], *s.* sicofantismo; adulação, lisonja.
sycophant ['sikəfənt], *s.* sicofanta.
sycophantic [sikə'fæntik], *adj.* sicofântico.
sycophantically [-əli], *adv.* sicofanticamente.
sycosis [sai'kousis], *s.* (pat.) sicose.
syenitic [saiə'nitik], *adj.* sienítico.
syllabary ['siləbəri], *s.* silabário.
syllabi ['siləbai], *s. pl.* de **syllabus.**
syenite ['saiinait], *s.* (min.) sienite, sienito.
syllabic [si'læbik], *adj.* silábico.
syllabically [-əli], *adv.* silabicamente.
syllabicate [-eit], *vt.* silabar, dividir ou pronunciar por sílabas.
syllabication [silæbi'keiʃən], *s.* silabação.
syllabification [silæbifi'keiʃən], *s.* silabação.
syllabify [si'læbifai], *vt.* ver **syllabicate.**
syllabism ['silbbizm], *s.* silabismo, divisão em sílabas.
syllabize ['siləbaiz], *vt.* **syllabicate.**
syllable ['siləbl], **1** — *s.* sílaba.
not a syllable! — nem uma palavra!
2 — *vt.* pronunciar por sílabas; (poét.) pronunciar
syllabus ['siləbəs], *s.* (*pl.* **syllabbi**) resumo, sumário; programa de estudos.
syllepses [si'ləpsi:z], *s. pl.* de **sillepsis.**
syllepsis [si'lepsis], *s.* (*pl.* **syllepses**) silepse.
sylleptic [si'leptik], *adj.* siléptico.
sylleptically [-əli], *adv.* silepticamente.
syllogism ['silədʒizm], *s.* (lóg.) silogismo.
syllogistic [silə'dʒistik], *adj.* (lóg.) silogístico.
syllogistically [-əli], *adv.* silogısticamente.
syllogize ['silədʒaiz], *vi.* silogismar, silogizar.
sylph [silf], *s.* silfo, sílfide.
sylphid ['silfid], *s.* sílfide jovem.
sylvan ['silvən], **1** — *s.* (mit.) silvano, habitante da floresta.
2 — *adj.* silvestre.
Sylvanus [sil'veinəs], *n. p.* Silvano.
Sylvester [sil'vestə], *n. p.* Silvestre.
Sylvia ['silviə], *n. p.* Sílvia.
sylvian [-n], *adj.* (anat.) silviano.
sylviculture ['silvikʌltʃə], *s.* silvicultura.
sylviculturist [silvi'kʌltʃərist], *s.* silvicultor.
symbiosis [simbi'ousis], *s.* simbiose.
symbiotic [simbi'ɔtik], *adj.* simbiótico.
symbol ['simbəl], **1** — *s.* símbolo; emblema.
chemical symbols — símbolos químicos.
mathematical symbols — símbolos matemáticos.
2—*vt.* (*pret.* e *pp.* **symbolled**) (rar.) simbolizar.
symbolic(al) [sim'bɔlik(əl)], *adj.* simbólico.
symbolically [-əli], *adv.* simbolicamente.
symbolism ['simbəlizm], *s.* simbolismo.
symbolist ['simbəlist], *s.* simbolista.
symbolistic(al) [simbə'listik(əl)], *adj.* simbolista; simbolístico.
symbolistically [-əli], *adv.* simbolicamente.
symbolization [simbəlai'zeiʃən], *s.* simbolização.
symbolize ['simbəlaiz], *vt.* simbolizar; representar por meio de símbolos.
symbolizing [-iŋ], *s.* acção de simbolizar.
symbology [sim'bɔlədʒi], *s.* simbologia.
symmetrical [si'mətrikəl], *adj.* simétrico.
simmetrically [-i], *adv.* simetricamente.
symmetrize ['simitraiz], *vt.* simetrizar, tornar simétrico.
symmetry ['simitri], *s.* simetria; harmonia.
symmetry plane (geom.) — plano de simetria.
to be in symmetry — estar em simetria.
sympathetic [simpə'θetik], **1** — *s.* nervo simpático; sistema nervoso simpático.
2 — *adj.* compreensivo, complacente; simpático; harmonioso.
sympathetic ink — tinta simpática.
sympathetic letter — carta de pêsames.
sympathetic nerve (anat.) — o grande simpático.
sympathetically [-əli], *adv.* compreensivamente; por simpatia.
sympathize ['simpəθaiz], *vi.* compadecer-se, condoer-se; compartilhar os sentimentos; simpatizar.
to sympathize with somebody — compadecer-se de alguém.
to call to sympathize — ir apresentar pêsames.

sympathizer [-ə], *s.* pessoa que compartilha dos sentimentos de alguém.
sympathizing [-iŋ], *adj.* compreensivo; que compartilha os sentimentos de alguém.
sympathy ['simpəθi], *s.* compaixão, comiseração; pêsames; simpatia. (*Sin.* commiseration, condolence, compassion, agreement. *Ant.* harshness, antipathy.)
a letter of sympathy — uma carta de pêsames.
in sympathy with — de acordo com.
accept my deep sympathy — aceite os meus sinceros pêsames.
symphonic [sim'fɔnik], *adj.* sinfónico.
symphonically [-əli], *adv.* sinfonicamente.
symphonist ['simfənist], *s.* sinfonista.
symphony ['simfəni], *s.* sinfonia.
symphony concert — concerto sinfónico.
symphony orchestra — orquestra sinfónica.
sympodia [sim'poudiə], *s. pl.* de **sympodium.**
sympodium [sim'poudiəm], *s.* (*pl.* **sympodia**) (bot.) símpode.
symposia [sim'pouziə], *s. pl.* de **symposium.**
symposium [sim'pouziəm], *s.* (*pl.* **symposia**) simpósio, festim; discussão filosófica, literária, etc.; debate amigável.
symptom ['simptəm], *s.* sintoma; sinal.
symptomatic [simptə'mætik], *adj.* sintomático.
symptomatically [-əli], *adv.* sintomaticamente.
symptomatology [simptəmə'tɔlədʒi], *s.* sintomatologia.
synaeresis [si'niərisis], *s.* (gram.) sinérese.
synaesthesia [sinis'θi:ziə], *s.* (*pl.* **synaesthesiae**) sinestesia.
synaesthesiae [sinis'θi:zii:], *s. pl.* de **synaesthesia.**
synagogue ['sinəgɔg], *s.* sinagoga.
synaloepha [sinə'li:fə], *s.* (gram.) sinalefa.
syncarp ['sinkɑ:p], *s.* (bot.) sincarpo.
syncarpous [sin'kɑ:pəs], *adj.* (bot.) sincárpico.
synchromesh ['sinkroumeʃ], **1** — *adj.* (aut.) sincronizado; **2** — *s.* (aut.) engrenagem sincronizada.
synchronic [siŋ'krɔnik], *adj.* sincrónico.
synchronism ['siŋkrənizm], *s.* sincronismo.
synchronism speed — velocidade de sincronismo.
synchronistic [siŋkrə'nistik], *adj.* sincrónico.
synchronization [siŋkrənai'zeiʃən], *s.* sincronização.
synchronize ['siŋkrənaiz], *vt.* e *vi.* sincronizar, ser simultâneo; regular um relógio.
synchronizer [-ə], *s.* sincronizador.
synchronizing [-iŋ], *s.* sincronização.
synchronizing wheel — roda de sincronização.
synchronous ['siŋkrənəs], *adj.* síncrono, sincrónico.
synchronous switch — comutador sincrónico.
synchronously [-li], *adv.* sincronamente, sincronicamente.
synchrony ['siŋkrəni], *s.* sincronia, sincronismo.
syncopate ['siŋkəpeit], *vt.* sincopar.
syncopated [-id], *adj.* sincopado.
syncopated music — música sincopada.
syncopation [siŋkə'peiʃən], *s.* (mús.) síncope.
syncope ['siŋkəpi], *s.* (med., gram., mús.) síncope.
syncretic [siŋ'kri:tik], *adj.* sincrético.
syncretism ['siŋkritizm], *s.* sincretismo.
syncretist ['siŋkritist], *s.* e *adj.* sincretista.
syncretistic [siŋkri'tistik], *adj.* sincretístico.
syndic ['sindik], *s.* síndico.
syndical [-əl], *adj.* sindical.
syndicalism ['sindikəlizm], *s.* sindicalismo.
syndicalist ['sindikəlist], *s.* sindicalista.
syndicate ['sindikit], *s.* sindicato; conselho dos síndicos.
syndication [sindi'keiʃən], *s.* sindicação.
synecdoche [si'nekdəki], *s.* sinédoque.
syneresis [si'niərəsis], *s.* sinérese.
synergia [si'nə:dʒiə], *s.* sinergia.
synergic [si'nə:dʒik], *adj.* sinérgico.
synergy ['sinədʒi], *s.* sinergia.
synod ['sinəd], *s.* sínodo.
synodal [-əl], *adj.* sinodal.
synonym ['sinənim], *s.* sinónimo.
synonymic [sinə'nimik], *adj.* sinonímico.
synonymics [-s], *s.* sinonímia.
synonymity [sinə'nimiti], *s.* sinonímia.
synonymous [si'nɔniməs], *adj.* sinónimo.
synonymous with — sinónimo de.
synopses [si'nɔpsi:z], *s. pl.* de **synopsis.**
synopsis [si'nɔpsis], *s.* (*pl.* **synopses**) sinopse; sumário, resumo.
synoptic(al) [si'nɔptik(əl)], *adj.* sinóptico.
synoptically [-əli], *adv.* sinopticamente.
syntactic(al) [sin'tæktik(əl)], *adj.* sintáctico.
syntactically [-əli], *adv.* sintacticamente.
syntax ['sintæks], *s.* (gram.) sintaxe.
syntheses ['sinθəsis], *s. pl.* de **synthesis.**
synthesis ['sinθisis], *s.* (*pl.* **syntheses**) síntese.
synthesize ['sinθisaiz], *vt.* sintetizar.
synthetic [sin'θetik], *adj.* sintético.
synthetic fiber — fibra artificial.
synthetic silk — seda artificial.
synthetically [-əli], *adv.* sinteticamente.
synthetize ['sinθitaiz], *vt.* sintetizar.
syntonization [sintənai'zeiʃən], *s.* sintonização.
syntonize ['sintənaiz], *vt.* sintonizar.
syntonizing [-iŋ], *s.* sintonização, acção de sintonizar.
syphilis ['sifilis], *s.* (med.) sífilis.
syphilitic [sifi'litik], *adj.* sifilítico.
syphilize ['sifilaiz], *vt.* sifilizar.
Syracuse ['saiərəkju:z], *top.* Siracusa.
Syria ['siriə], *top.* Síria.
Syriac ['siriæk], **1** — *s.* siríaco, língua outrora falada pelos Sírios.
2 — *adj.* siríaco, relativo à Síria, aos Sírios ou à linguagem dos Sírios.
syringa [si'riŋgə], *s.* (bot.) lilás.
syringe ['sirindʒ], **1** — *s.* seringa.
hypodermic syringe — seringa hipodérmica.
garden syringe — bomba de jardim.
2 — *vt.* lavar com seringa; injectar com seringa.
syrup ['sirəp], **1** — *s.* xarope.
2 — *vt.* reduzir a xarope; cobrir de xarope.
syrupy [-i], *adj.* xaroposo.
system ['sistəm], *s.* sistema; método; organismo; universo; aparelho.
system of philosophy — sistema filosófico.
digestive system — aparelho digestivo.
road system — rede rodoviária.
nervous system — sistema nervoso.
systematic [sistə'mætik], *adj.* sistemático; metódico.
to be systematic — ter método.
systematically [-əli], *adv.* sistematicamente, metodicamente.
systematics [-s], *s.* sistemática.
systematization ['sistimətai'zeiʃən], *s.* sistematização.
systematize ['sistimətaiz], *vt.* sistematizar.
systemic [sis'temik], *adj.* orgânico, relativo ao organismo.
systemic circulation — grande circulação.

T

T, t [ti:], (*pl.* **T's, t's** [ti:z]), *s.* T, t (a vigésima letra do alfabeto).
T-square — régua em T.
T-iron — ferro em T.
the coat fits him to a T — o casaco fica-lhe optimamente.
to cross one's t's — ser claro e explícito no que se diz ou escreve; ser muito minucioso.
ta [ta:], *interj.* (linguagem infantil) obrigado.
tab [tæb], *s.* atacador ou presilha de sapato; aba; etiqueta (em bagagem); (mil.) distintivo na gola da farda de oficial; agulheta.
ear-tabs — abas de protecção às orelhas em certos tipos de gorro.
to keep tabs on — controlar; ter sob observação, não perder de vista.
tabard ['tæbəd], *s.* tabardo, manto militar.
tabaret ['tæbəret], *s.* cetim usado para estofar móveis.
tabby ['tæbi], 1 — *s.* (*pl.* **tabbies** [-iz]) tabi, espécie de seda ondeada; gata; gato de cor clara e riscas escuras; velha faladora; variedade de cimento.
2 — *vt.* ondear como o tabi.
tabefaction [tæbi'fækʃən], *s.* consumpção.
tabernacle ['tæbə(:)nækl], 1 — *s.* tabernáculo; templo; tenda.
2 — *vt.* e *vi.* habitar temporariamente.
tabes ['teibi:z], *s.* consumpção.
table ['teibl], **1** — *s.* mesa; as pessoas que estão à mesa; comida; índice, catálogo; tabela; lâmina para gravar; tábua; quadro sinóptico; tabuleiro; retábulo, pintura; superfície.
table-cloth — toalha de mesa.
table-linen — roupa de mesa.
table-leaf — aba de mesa.
table-talk — conversa à mesa.
table-water — água de mesa.
table-cover — toalha de mesa.
table-ware — louça usada à mesa.
table-land — planalto.
table-rapping — pancadas na mesa que os espíritas dizem ouvir durante as sessões de espiritismo.
table of contents — índice.
table of logarithms — tábua de logaritmos.
table-tennis — ténis de mesa; pingue-pongue.
billiard-table — mesa de bilhar.
card-table — mesa de jogo.
dressing-table — toucador.
draw table — mesa elástica.
table-set — baixela.
writing-table — secretária (móvel).
tea-table — mesa de chá.
kitchen-table — mesa de cozinha.
round-table — mesa de pé-de-galo.
folding-table — mesa de abas.
head of the table — cabeceira da mesa.
to lay (to set) the table — pôr a mesa.
to clear the table — levantar a mesa.
to sit at table — comer à mesa.
to sit down to table — sentar-se à mesa.
to keep a good table — ter boa mesa.
to rise from table — levantar-se da mesa.
to turn the tables on someone — fazer virar o feitiço contra o feiticeiro.
to wait at table — servir à mesa.
2 — *vt.* pôr na mesa; catalogar; entalhar; apresentar ao parlamento.
to table a motion — apresentar uma moção.
tableau ['tæblou], *s.* (*pl.* **tableaux** [-z]) quadro; grupo de pessoas que formam um quadro vivo.
table d'hôte ['tɑ:bl'dout], *s.* mesa redonda.
tablespoon ['teiblspu:n], *s.* colher de sopa.
tablespoonful [-ful], *s.* colherada.
tablet ['tæblit], *s.* tabuinha; placa de mármore; lâmina gravada; pastilha, comprimido; barra de chocolate; pequena barra de sabão.
tabling ['teibliŋ], *s.* acto de entalhar; (náut.) forra de uma vela.
tabloid ['tæblɔid], *s.* pastilha, comprimido; jornal pequeno com muitas gravuras e pouco texto.
taboo [tə'bu:], **1** — *s.* tabu; proibição.
2 — *adj.* proibido, interdito.
3 — *vt.* proibir, interditar.
tabor ['teibə], *s.* tamboril, tamborzinho.
tabouret ['tæbərit], *s.* tamborzinho; bastidor de bordar; assento almofadado sem braços nem espaldar.
tabular ['tæbjulə], *adj.* tabular; disposto em tabelas.
tabulate 1 — ['tæbjulit], *adj.* laminar; que tem uma superfície plana.
2 — ['tæbjuleit], *vt.* reduzir a quadros ou sinopses; aplanar, alisar; catalogar; dar uma superfície plana a.
tabulation [tæbju'leiʃən], *s.* disposição em quadros ou sinopses; classificação.
tacet ['teiset], *s.* (mús.) silêncio.
tachometer [tæ'kɔmitə], *s.* tacómetro.
tachycardia [tæki'kɑ:djə], *s.* (med.) taquicardia.
tachygrapher [tæ'kigrəfə], *s.* taquígrafo.
tachygraphy [tæ'kigrəfi], *s.* taquigrafia, processo de escrever tão depressa como se fala, por meio de caracteres especiais.
tachymeter [tæ'kimitə], *s.* taquímetro.
tacit ['tæsit], *adj.* tácito, implícito. *(Sin.* implied, implicit, understood. *Ant.* avowed.)
tacitly [-li], *adv.* tacitamente, implicitamente.
taciturn ['tæsitən], *adj.* taciturno; reservado.
taciturnity [tæsi'tə:niti], *s.* taciturnidade.
taciturnly ['tæsitə:nli], *adv.* taciturnamente.
tack [tæk], **1** — *s.* tacha, preguinho; brocha; alinhavo; (náut.) bordada, bordo, amura; curso ou plano de acção; política; alimento.
on the larboard tack — amurado a bombordo.
on the starboard tack — amurado a estibordo.
hard tack — biscoitos de bordo.
to be on the wrong tack — seguir um caminho errado.
to come down to brass tacks — tratar do que é fundamental.
to change one's tacks — mudar de táctica.
to make a tack — dar um bordo.
to stand on the same tack — correr sobre o mesmo bordo.
to take out the tacks — tirar os alinhavos.
2 — *vt.* e *vi.* segurar, prender com tachas; unir, ligar; alinhavar; acrescentar; (náut.) mudar de rumo; mudar de orientação.
to tack about — virar de bordo.
to tack something to — ligar uma coisa a.
tackiness [-inis], *s.* viscosidade.
tackle ['tækl], **1** — *s.* cordoalha, talha; molinete; instrumento; aparelhos; (râguebi) placagem.
fishing-tackle — apetrechos de pesca.
2 — *vt.* e *vi.* agarrar, segurar; começar a

trabalhar com afinco; dedicar a atenção a; fazer parar; selar, arrear.
tackling [-iŋ], *s.* apretos.
tacky ['tæki], *adj.* pegajoso, viscoso; desalinhado, mal vestido, andrajoso.
tact [tækt], *s.* tacto, discernimento; finura; diplomacia; jeito.
a man of tact — um homem de tacto, que sabe viver.
tactful [-ful], *adj.* com tacto, com discernimento; diplomático.
tactical [-ikəl], *adj.* táctico; habilidoso.
tactically [-ikəli], *adv.* de modo táctico.
tactician [tæk'tiʃən], *s.* táctico, estratego.
tactics ['tæktiks], *s.* táctica; estratégia; *pl.* processos, métodos.
tactile ['tæktail], *adj.* táctil, palpável.
tactility [tæk'tiliti], *s.* perceptibilidade.
tactless ['tæktlis], *adj.* sem tacto; disparatado.
tactlessly [-li], *adv.* disparatadamente; sem tacto.
tactlessness [-nis], *s.* falta de tacto.
tactual ['tæktjuəl], *adj.* táctil.
tadpole ['tædpoul], *s.* sapinho; rã pequena.
tael [teil], *s.* moeda chinesa; tael, unidade peso chinesa.
taenia ['ti:niə], *s.* (*pl.* **taeniae** [-i:]) ténia.
taffeta ['tæfitə], *s.* tafetá.
taffrail ['tæfreil], *s.* (náut.) grinalda de popa; corrimão de popa.
Taffy ['tæfi], *s.* (col.) galês.
tag [tæg], **1** — *s.* agulheta; apêndice; ponta metálica; etiqueta; farrapo; madeixa de cabelos; (teat.) deixa; estribilho; jogo em que uma criança procura agarrar as outras; extremidade da cauda de um animal.
tag-question—pergunta repetida mas abreviada.
tag-rag — plebe; ralé.
tag-sore — gafeira, morrinha (nas ovelhas).
2 — *vt.* e *vi.* (*pret.* e *pp.* **tagged**) pôr pontas de metal em cordoes; rematar, terminar; unir, ligar; seguir de perto; rimar; etiquetar.
tagger ['tægə], *s.* importuno, perseguidor; *pl.* ferro que vai ser cortado em folhas.
Tagus ['teigəs], *top.* Tejo.
Tahiti [tɑ:'hi:ti], *top.* Taiti.
tail [teil], **1** — *s.* cauda, rabo; cauda (de cometa, avião, etc.); aba (de casaca ou fraque); cabo, extremidade, fim; apêndice; acompanhamento; cortejo, fila de gente; reverso (de moeda); trança de cabelo; *pl.* casaca, fraque.
tail-block — moitão de rabicho.
tail-board — traseira de carroça.
tail-light — luz na cauda de um comboio ou automóvel.
tail-coat — casaca.
tail margin — margem do fundo da página.
tail-piece — vinheta.
heads or tails? — caras ou cunhos
tail-shaft — veio propulsor.
tail-end — fim.
to be unable to make head or tail of something — ser incapaz de compreender alguma coisa.
to put one's tail between one's legs — (col.) meter o rabo entre as pernas.
to turn tail — voltar as costas; fugir; esquivar-se.
to twist a person's tail — arreliar uma pessoa.
2 — *vt.* e *vi.* prender à cauda; puxar pela cauda; seguir no fim; seguir de perto e persistentemente; acrescentar; seguir em fila.
to tail after — seguir em linha.
to tail away (off) — ficar para trás.
tailed [-d], *adj.* munido de cauda; rabudo.
tailings [-iŋz], *s. pl.* refugo, escória.
tailless [-lis], *adj.* sem rabo.
tailor ['teilə], **1** — *s.* alfaiate.
tailor-bird — (*zool.*) alfaiate (ave).
tailor-made — feito por medida.
tailor's chair — cadeira de alfaiate.
can you recommend me a good tailor? — sabe indicar-me um bom alfaiate?
to ride like a tailor — montar mal a cavalo.
the tailor makes the man — o hábito faz o monge.
2 — *vt.* e *vi.* trabalhar de alfaiate; talhar fatos; adaptar.
tailoring [-riŋ], *s.* ofício de alfaiate.
taint [teint], **1** — *s.* mancha, mácula, nódoa; infecção, corrupção; defeito; sinal. (*Sin.* stain, infection, corruption.)
there was a taint of insanity in the family — havia uma tendência para a loucura na família.
2 — *vt.* e *vi.* manchar; contaminar; infectar; impregnar; viciar, corromper-se; infectar-se; sujar; apodrecer.
tainted [-id], *adj.* infectado; podre; em mau estado; estragado.
tainted meat — carne estragada.
taintless [-lis], *adj.* puro; imaculado.
take [teik], **1** — *s.* acção de tomar ou pegar; porção tomada ou apanhada; dinheiro recebido; (tip.) quantidade de trabalho composto de cada vez.
2 — *vt.* e *vi.* (*pret.* **took** [tuk], *pp.* **taken** ['teikən]) tomar, pegar; agarrar, prender; tirar, levar, arrebatar; conduzir; tomar, comer, beber; aceitar; apossar-se de, apoderar-se de; compreender; surpreender, apanhar; admitir, supor; cativar, encantar; ganhar; aspirar; tomar, receber; subscrever, assinar; escolher, adoptar; contrair uma doença; dar; alugar, tomar de arrendamento; receber como marido ou mulher; acompanhar; sentir; ter; comprar, obter; levar (tempo); precisar, necessitar; ser bem sucedido; comportar-se; acertar em; subtrair; ocupar.
to take aback — embaraçar; surpreender.
to take after — parecer-se com; seguir o exemplo de; imitar.
to take advantage of — tirar partido de; aproveitar-se de.
to take account of — prestar atenção a; tomar nota de.
to take amiss — levar a mal; ofender-se.
to take a bath — tomar um banho.
to take a farm — arrendar uma quinta.
to take arms — pegar em armas.
to take advice — aconselhar-se; seguir os conselhos de.
to take aim — fazer pontaria.
to take along with — levar consigo.
to take away — tirar; arrebatar; roubar.
to take a girl about — sair habitualmente com uma rapariga.
to take a good picture — ser fotogénico.
to take a liking to — começar a simpatizar com.
to take a photograph — tirar uma fotografia.
to take a step — dar um passo; tomar uma atitude.
to take a nap — dormir uma soneca.
to take a stand — manifestar o seu ponto de vista.
to take an examination — apresentar-se a um exame.
to take asunder — separar; desmontar.
to take at one's word — acreditar.
to take back — aceitar uma devolução; retractar-se.
to take care — ser cauteloso; acautelar-se; tratar de.

to take care of — cuidar de; tomar conta de.
to take charge of — encarregar-se de.
to take cold — apanhar frio, constipar-se.
to take down — rebaixar, humilhar; submeter; demolir; descer; tirar para baixo; arriar; tomar nota de; lavrar (uma acta, um auto); engolir.
to take earth — meter-se no covil.
to take exception — levantar objecção.
to take fire — incendiar-se.
to take for — tomar por.
to take for granted — considerar como certo, admitir.
to take fright — atemorizar-se; intimidar-se.
to take from — tirar, privar; diminuir.
to take French leave — despedir-se à francesa.
to take heart — ter ânimo; sentir-se com coragem.
to take heed — acautelar-se; tomar interesse por.
to take hold of — agarrar; apoderar-se de; deitar a mão a.
to take in — meter; fazer entrar; dar ingresso; admitir, incluir; compreender; abranger, encerrar; receber (hóspedes); encolher; enganar, iludir; cortar, diminuir as despesas; assinar (jornal).
to take in hand — empreender; encarregar-se de; tomar ao seu cuidado.
to take information — tirar informações.
to take leave of — despedir-se de.
to take lunch — almoçar.
to take notice — reparar em; observar.
to take off — tirar, arrebatar; descolar (avião); cortar, separar; amputar; despir; tirar fora; arremedar; copiar, imitar; apartar; remover; matar; abater (preço); desencaminhar dinheiros, valores.
to take on — empreender; tomar, revestir; assumir; afligir-se; comover-se.
to take one's choice — escolher.
to take one's chance — seguir a sua sorte; correr o risco.
to take someone's part — tomar o partido de alguém.
to take out — tirar; remover; levar para fora; arrancar; extrair; desembaraçar.
to take over — tomar posse ou conta de; suceder a.
to take pains — esmerar-se; ter muito trabalho com.
to take part — tomar parte, compartilhar.
to take pity on — ter pena de.
to take possession of — apoderar-se de.
to take pet — arreliar-se por coisas sem importância.
to take orders — ordenar-se; tomar ordens sacras.
to take pride in — sentir orgulho em.
to take place — realizar-se; suceder; efectuar-se.
to take root — ganhar raízes.
to take shelter — refugiar-se; procurar abrigo.
to take stock — inventariar, dar balanço; avaliar.
to take somebody in the act — apanhar alguém em flagrante.
to take somebody up short — cortar a palavra a alguém.
to take to heart — tomar a peito.
to take the chair — tomar a presidência.
to take the veil — fazer-se freira.
to take the wrong road — enganar-se no caminho.
to take things easy — não trabalhar demasiado.
to take to a person — simpatizar com alguém; afeiçoar-se a alguém.
to take to pieces — desmontar; desmanchar; despedaçar; refutar ponto por ponto.
to take offence — ofender-se, escandalizar-se.
to take to one's heels — desatar a fugir.
to take up — levantar, erguer; fazer levantar; ocupar, empregar; começar onde outro parou; tomar, receber; encher; prender; seguir uma moda; comprar fiado; compreender; conter; parar, fazer alto; repreender.
to take up with — associar-se a.
to take too much time — tomar muito tempo.
to be taken ill — adoecer.
to take one's degree — tomar, receber o grau.
to take up a bill — pagar uma letra.
to take up any money — levantar fundos.
to take by surprise — apanhar de surpresa.
to take a fancy to — simpatizar com.
to take into custody — deter; dar voz de prisão.
he has taken up music — começou a estudar música.
it will take time — isso há-de levar tempo.
it took a lot of money — gastou-se ali muito dinheiro.
the vaccine did not take — a vacina não pegou.
it takes a lot of doing — dá muito trabalho.
as I take it... — quanto a mim.
how old do you take him to be? — quantos anos julga que ele tem?
she took him for your father — ela confundiu-o com o teu pai.
he took no notice of me — ele não me prestou qualquer atenção.
he took me at a disadvantage — ele apanhou-me desprevenido.
she takes a back seat — ela ocupa uma posição secundária.
it takes all the fun out of it — tira-lhe a graça toda.
how would you take this passage? — como interpretaria este trecho?
take care how you speak! — tenha cuidado com o que diz!
he took the first prize — ganhou o primeiro prémio.
is this place taken? — este lugar está ocupado?
take it or leave it! — é pegar ou largar!
he has been taken in — foi enganado.
you may take my word for it — pode confiar na minha palavra.
what will you take for it? — quanto quer por isso?
what do you take me for? — por quem me toma?

take-in ['teik'in], *s.* impostura; fraude, engano.
taken ['teikən], *pp.* do verbo **to take.**
take-off ['teik-ɔ:f], *s.* (av.) largada; caricatura, paródia.
taker ['teikə], *s.* tomador; comprador; arrendador; vigarista.
take-up ['teikʌp], *s.* esticador.
taking ['teikiŋ], **1** — *s.* tomada; acção de tomar posse; inclinação, simpatia; apreensão; *pl.* receita.
2 — *adj.* agradável, cativante; sedutor; contagioso.
takingly [-li], *adv.* de modo sedutor; de forma cativante.
takingness [-nis], *s.* simpatia; sedução, atractivo.
talc [tælk], **1** — *s.* talco; mica.
talc-powder — pó de talco.
2 — *vt.* cobrir com talco; tratar com talco.
tale [teil] *s.* conto, história; narrativa; fábula; mentira; mexerico; (arc., poét.) soma total.
fairy-tales — contos de fadas.
to tell tales — andar com mexericos; ser intriguista.

to tell tales out of school — revelar segredos.
I prefer to tell my own tale — prefiro dizer eu como as coisas se passaram.
it tells its own tale — fala por si, é claro.
the tale of the fallen in battle — o total dos mortos e feridos na batalha.
tale-bearer — bisbilhoteiro; intriguista.
a tale never loses in the telling — quem conta um conto acrescenta-lhe um ponto.
dead men tell no tales — morto o bicho, acaba a peçonha.
talent ['tælənt], *s.* talento, génio, capacidade; talento, antiga moeda e unidade de peso.
talented [-id], *adj.* talentoso; com talento.
talentless [-lis], *adj.* sem talento.
tales ['teili:z], *s.* lista de jurados suplentes.
talesman [-mən], *s.* (jur.) jurado suplente.
taleteller ['teiltelə], *s.* mexeriqueiro, intriguista.
talisman ['tælizmən], *s.* talismã.
talismanic [tæliz'mænik], *adj.* talismânico.
talk [tɔ:k], **1** — *s.* conversação, conversa; fala; falácia, loquacidade; assunto de conversa; boato; palestra.
small talk — conversa sobre assuntos sem importância.
bright talk — conversa animada.
the talk of the town — o assunto de todas as conversas na cidade.
to have a friendly talk — ter uma conversa amistosa.
2 — *vt.* e *vi.* conversar, falar, tagarelar; tratar de, dizer; discutir; dizer mal de.
to talk a person round — convencer uma pessoa a mudar de opinião.
to talk away — falar sempre; continuar a falar.
to talk big — falar de papo; falar de grande.
to talk business — falar de negócios.
to talk down — fazer calar falando mais alto.
to talk down to — falar ao nível da assistência.
to talk nonsense — dizer disparates.
to talk over — discutir; conferenciar.
to talk shop — falar de coisas profissionais.
to talk the matter over — discutir um assunto.
to talk about — falar acerca de.
to talk to — falar com; repreender.
to talk into — persuadir; induzir.
to talk through one's hat — dizer disparates; falar à toa.
to talk someone out of — dissuadir alguém de.
to talk to the wind — falar para as paredes.
to talk for the sake of talking — falar por vício; falar por falar.
to talk a person's head off — falar pelos cotovelos.
to talk like a Dutch uncle — dar uma repreensão mestra.
to talk up to — dar réplica a.
to be talked about — ser falado; ser discutido.
what are you talking about? — de que estás a falar?
talkative [-ətiv], *adj.* falador, palrador, conversador. (*Sin.* garrulous, chatty, loquacious. *Ant.* taciturn.)
talkatively [-ətivli], *adv.* com loquacidade.
talkativeness [-ətivnis], *s.* verbosidade, loquacidade.
talker ['tɔ:kə], *s.* conversador, tagarela; gabarola.
talkie ['tɔ:ki], *s.* (col.) filme falado.
talking ['tɔ:kiŋ], **1** — *s.* conversação; palavrório, tagarelice.
talking-to — reprimenda; repreensão.
I gave him a talking-to — dei-lhe uma repreensão.
2 — *adj.* falador, palrador; expressivo.
tall [tɔ:l], **1** — *adj.* alto, grande; elevado; exagerado, incrível. (*Sin.* high, long, lofty, towering, extravagant. *Ant.* short.)
a tall order — um pedido exagerado.
a tall story — um conto incrível.
a tall tree — uma árvore grande.
tall hat — cartola; chapéu alto.
to grow tall — crescer.
2 — *adv.* com bazófia; jactanciosamente.
to talk tall — falar cheio de bazófia.
tallage ['tælidʒ], *s.* imposto feudal.
tallboy ['tɔ:lbɔi], *s.* cómoda alta.
tallness ['tɔ:lnis], *s.* altura, estatura alta.
tallow ['tælou], **1** — *s.* sebo.
tallow-candle — vela de sebo.
tallow-chandler — fabricante ou negociante de velas de sebo.
tallow-face — rosto pálido; rosto de cera.
2 — *vt.* ensebar; engordar (gado).
tallowy [-i], *adj.* seboso, untuoso; pálido, lívido.
tally ['tæli], **1** — *s.* (*pl.* **tallies** [-iz]) talha (pau para marcar); marcação de carga; verificação; letreiro, rótulo; conta discriminada; total.
the tally-trade — o comércio de venda a prestações.
2 — *vt.* e *vi.* talhar, marcar; adaptar, ajustar; condizer; ajustar-se, adaptar-se; etiquetar; fazer a marcação de carga.
tally-ho ['tæli'hou], **1** — *s.* grito do caçador para açular os galgos ao avistar a raposa.
2 — *vt.* e *vi.* açular os cães com o grito de *tally-ho.*
3 — *interj.* (soltada pelos caçadores de raposas).
tallyman ['tælimən], *s.* (*pl.* **tallymen** [-mən]) marcador de carga; negociante que vende a prestações.
Talmud ['tælmud], *s.* Talmude, colectânea de leis e lendas judaicas.
Talmudic(al) [tæl'mudik(əl)], *adj.* talmúdico.
talon ['tælən], *s.* unha, garra.
talus ['teiləs], *s.* astrágalo; talude.
tamable ['teiməbl], *adj.* domável, domesticável.
tamarin ['tæmərin], *s.* macaquinho, sagui.
tamarind ['tæmərind], *s.* tamarindo.
tamarisk ['tæmərisk], *s.* tamargueira.
tambour ['tæmbuə], *s.* tambor, tamboril; bastidor de bordar; espécie de bordado a ouro e prata; pedra cilíndrica do fuste de uma coluna; guarda-vento.
tambourine [tæmbə'ri:n], *s.* pandeireta.
tame [teim], **1** — *adj.* manso, domesticado; dócil, submisso; inocente; descoroçoado; acostumado; insípido, (col.) cultivado (terreno).
a tame description — uma descrição insípida.
to get tame — domesticar-se.
2 — *vt.* domesticar, amansar, domar; reprimir, subjugar; civilizar; adestrar.
to tame a bird — domesticar um pássaro.
tameless [-lis], *adj.* indomável; bravio.
tamely [-li], *adv.* mansamente, docilmente, timidamente; insipidamente.
tameness [-nis], *s.* mansidão, domesticidade; submissão; insipidez.
tamer [-ə], *s.* domador, domesticador.
tam-o'-shanter [tæmə'ʃæntə], *s.* boina escocesa.
tamp [tæmp], *vt.* embuchar; carregar tiros nas rochas; pisar.
tamper [-ə], *vi.* intrometer-se, interferir; subornar; influir; fazer experiências; falsificar; intrigar.
to tamper with a lock — tentar forçar uma fechadura.
to tamper with documents — falsificar documentos.
tamping [-iŋ], *s.* acção de carregar um tiro numa rocha.
tampon ['tæmpən], **1** — *s.* tampão (para feridas).
2 — *vt.* aplicar tampão em.

tan [tæn], **1** — *s.* curtume, casca de carvalho para curtumes; cor bronzeada da pele de quem se expõe ao sol.
to get a tan — bronzear-se ao sol; tostar.
2 — *adj.* bronzeado; moreno; castanho-amarelado.
tan shoes — sapatos castanhos.
3 — *vt.* e *vi.* (*pret.* e *pp.* **tanned**) curtir (peles); crestar, queimar; crestar-se; (col.) castigar, bater, sovar.
Tancred ['tæŋkred], *n. p.* Tancredo.
tandem ['tændəm], **1** — *s.* tandem, bicicleta para dois ciclistas; carruagem puxada por dois cavalos um atrás do outro.
2 — *adv.* um atrás do outro.
tang [tæŋ], **1** — *s.* travo; mau gosto; som agudo; alga marinha; espigão de uma peça de ferramenta que entra no cabo.
2 — *vt.* dotar ferramentas com espigão; soar.
Tanganyka [tæŋgə'nji:kə], *top.* Tanganica.
tangency ['tændʒənsi], *s.* (geom.) tangência.
tangent ['tændʒənt], **1** — *s.* tangente.
to go off at a tangent — escapar pela tangente; mudar rapidamente de assunto.
2 — *adj.* tangente, tangencial.
tangential [tæn'dʒenʃəl], *adj.* tangencial; tangente.
tangentially [-i], *adv.* de modo tangencial.
tangerine [tændʒə'ri:n], *s.* tangerina.
tangibility [tændʒi'biliti], *s.* tangibilidade; realidade.
tangible ['tændʒəbl], *adj.* tangível, palpável; sensível; claro, nítido.
tangibly [-i], *adv.* de modo palpável; nitidamente.
Tangier [tæn'dʒiə], *top.* Tânger.
tangle ['tæŋgl], **1** — *s.* emaranhamento, enredo; complicação; espécie de alga marinha.
2 — *vt.* e *vi.* emaranhar, enredar, embaraçar, complicar; confundir-se, emaranhar-se.
tangled [-d], *adj.* confuso, emaranhado; complicado.
a tangled affair — um negócio complicado.
tangly [-i], *adj.* enredado, confuso, emaranhado; coberto de algas.
tango ['tæŋgou], **1** — *s.* tango.
2 — *vi.* dançar o tango.
tank [tæŋk], *s.* cisterna, tanque, depósito; reservatório; tanque, carro de assalto; piscina; (cin.) cabina de registo de som.
tank vessel — petroleiro.
petrol tank — depósito de gasolina.
tankage [-idʒ], *s.* armazenamento em tanques; o preço do armazenamento; capacidade de um tanque.
tankard ['tæŋkəd], *s.* caneca; cangirão, pichel.
tanker [-ə], *s.* navio-cisterna; petroleiro; vagão-cisterna.
tanner ['tænə], *s.* curtidor; (col.) moeda de seis pence.
tannery (*pl.* **tanneries**) [-ri,-iz], *s.* fábrica de curtumes.
tannic ['tænik], *adj.* tânico.
tannin ['tænin], *s.* (quím.) tanino.
tanning ['tæniŋ], *s.* curtimento.
tansy ['tænzi], *s.* (bot.) tanásia.
tantalization [tæntəlai'zeiʃən], *s.* sofrimento, tormento.
tantalize ['tæntəlaiz], *vt.* tantalizar, atormentar. (*Sin.* to tease, to torment, to provoke, to annoy. *Ant.* to satisfy.)
tantalizer [-ə], *s.* atormentador.
tantalizing [-iŋ], *adj.* atormentador; desesperador.
tantalizingly [-iŋli], *adv.* à maneira de suplício de Tântalo; desesperadoramente.

tantalum ['tæntələm], *s.* tantálio.
Tantalus ['tæntələs], *s.* Tântalo; licoreiro no qual as garrafas fechadas estão visíveis.
tantamount ['tæntəmaunt], *adj.* equivalente.
tantrum ['tæntrəm], *s.* acesso caprichoso de mau humor; frenesi.
to go into tantrums — ter acessos de mau humor.
tap [tæp], **1** — *s.* torneira; cânula; tarugo; pancadinha; punção; (elect.) derivação; macho de tarraxa; ceira, cabaz; bebida, cerveja; *pl.* sinal para o jantar dos soldados.
a tap-dance — sapateado.
tap-borer — broca.
tap-room — taberna; casa onde se servem bebidas a um balcão.
beer on tap — cerveja pronta a ser tirada pela torneira; (col.) disponível em grandes quantidades.
to turn the tap on — abrir a torneira.
to turn the tap off — fechar a torneira.
2 — *vt.* e *vi.* (*pret.* e *pp.* **tapped**) tirar pela torneira; abrir um tonel; fazer espichar; extrair; fazer uma punção; sangrar (uma árvore); bater de leve, dar uma pequena pancada; expedir um telegrama; abrir rosca em; abrir (estrada); (elect.) fazer uma derivação; pôr capas em tacões.
to tap at the door — bater levemente à porta.
he tapped me on the shoulder to attract my attention — tocou-me levemente no ombro para chamar a minha atenção.
to tap a pine-tree — sangrar um pinheiro.
to tap a cask — espichar uma pipa.
to tap a person for money — procurar conseguir dinheiro de alguém.
tape [teip], **1** — *s.* fita; nastro; fita de magnetofone; fita métrica; (desp.) fita, linha de chegada.
tape-line (tape-measure) — fita métrica.
tape-recorder — gravador; magnetofone.
pocket tape-line — fita métrica de bolso.
red tape — formalismo oficial; excesso de formalidades; burocracia.
to breast the tape — cortar a meta em primeiro lugar.
2 — *vt.* guarnecer de fita ou de nastro; atar, ligar com nastro.
taper [-ə], **1** — *s.* pavio; vela muito estreita; objecto afilado.
2 — *vt.* e *vi.* terminar em ponta; adelgaçar-se; afunilar, afunilar-se; ter a forma cónica.
to taper off — adelgaçar.
tapering [-riŋ], **1** — *s.* afunilamento; adelgaçamento.
2 — *adj.* que se vai adelgaçando; afunilado; cónico; que remata em ponta.
tapestry (*pl.* **tapestries**) ['tæpistri, -iz], *s.* tapeçaria, alcatifa.
tapeworm ['teipwə:m], *s.* ténia, bicha-solitária.
tapioca [tæpi'oukə], *s.* tapioca.
tapir ['teipə], *s.* tapir, anta do Brasil.
tappet ['tæpit], *s.* (mec.) ressalto, dente.
tapping ['tæpiŋ], *s.* punção; (elect.) derivação; série de pancadas leves.
tapster ['tæpstə], *s.* empregado de casa de bebidas.
tar [tɑ:], **1** — *s.* alcatrão; marinheiro.
coal tar — alcatrão mineral.
tar-brush — brocha para o alcatrão.
to have a touch of the tar-brush — ter um pouco de sangue de preto nas veias.
2 — *vt.* (*pret.* e *pp.* **tarred**) alcatroar, brear.
to tar and feather a person — castigar alguém untando-o de alcatrão e cobrindo-o depois com penas.

to be tarred with the same brush — possuir os mesmos defeitos.
tarantella [tærən'telə], *s.* tarantela, dança italiana.
tarantula [tə'ræntjulə], *s.* (zool.) tarântula.
taraxacum [tə'ræksəkəm], *s.* (bot.) taráxaco, dente-de-leão.
tardigrade ['tɑ:digreid], **1** — *s.* (zool.) tardígrado.
2 — *adj.* lento, tardígrado.
tardily ['tɑ:dili], *adv.* tardiamente; lentamente.
tardiness ['tɑ:dinis], *s.* lentidão, vagar; demora, tardança; pachorra.
tardy ['tɑ:di], *adj.* vagaroso, moroso, lento; tardio, atrasado. (*Sin.* slow, sluggish, reluctant. *Ant.* prompt.)
tardy retribution — retribuição tardia.
tardy fruits — frutas serôdias.
tare [tɛə], **1** — *s.* tara; joio, cizânia.
2 — *vt.* tarar, avaliar a tara.
targe [tɑ:dʒ], *s.* tarja; escudo pequeno.
target ['tɑ:git], *s.* alvo, mira; objectivo; objecto (de crítica, ridículo, etc.).
target-firing — tiro ao alvo.
to shoot at a target — atirar ao alvo.
tariff ['tærif], **1** — *s.* tarifa, pauta aduaneira; tabela de preços; imposto lançado sobre certos produtos.
tariff walls — barreiras alfandegárias.
2 — *vt.* aplicar tarifa.
tarlatan ['tɑ:lətən], *s.* tarlatana, tecido ralo, mas encorpado, para forros.
tarn [tɑ:n], *s.* pequeno lago no meio de montanhas; (zool.) andorinha-do-mar.
tarnish [-iʃ], **1** — *s.* deslustre, desdouro; mancha; embaciamento.
2 — *vt.* e *vi.* deslustrar; embaciar, perder o brilho; manchar, denegrir.
tarpaulin [tɑ:'pɔ:lin], *s.* encerado; pano encerado; chapéu encerado usado pelos marítimos; (col.) marinheiro.
Tarquinius [tɑ:'kwiniəs], *n. p.* Tarquínio.
tarradiddle ['tærədidl], *s.* (col.) mentira, peta.
tarragon ['tærəgən], *s.* (bot.) estragão.
Tarragona [tærə'gounə], *top.* Tarragona.
tarred [tɑ:d], *adj.* alcatroado.
tarry ['tɑ:ri], *adj.* alcatroado; de alcatrão.
tarry ['tæri], *vi.* (lit.) tardar, demorar-se; permanecer; esperar.
tarsus (*pl.* **tarsi**) ['tɑ:səs, -ai], *s.* tarso.
tart [tɑ:t], **1** — *s.* torta, pastel de fruta; (col.) rapariga ou mulher de moral duvidosa.
apple tart — torta de maçã.
2 — *adj.* azedo, ácido; picante; mordaz.
a tart reply — uma réplica mordaz.
tartan ['tɑ:tən], **1** — *s.* fazenda escocesa, pano de lã axadrezado; soldado escocês das terras altas; (náut.) tartana, barco comprido, usado no Mediterrâneo.
2 — *adj.* axadrezado.
Tartar ['tɑ:tə], **1** — *s.* tártaro, natural da Tartária; pessoa irritável.
to catch a Tartar — ir buscar lã e voltar tosquiado.
2 — *adj.* tártaro.
tartar ['tɑ:tə], *s.* sarro; pedra nos dentes.
tartar emetic — tártaro emético.
Tartarean [tɑ:'tɛəriən], *adj.* tartáreo, infernal.
tartaric [tɑ:'tærik], *adj.* (quím.) tartárico.
Tartarus ['tɑ:tərəs], *s.* Tártaro, o lugar mais profundo no Inferno mitológico.
tartlet ['tɑ:tlit], *s.* pequena torta.
tartly ['tɑ:tli], *adv.* asperamente, azedamente; mordazmente.
tartness ['tɑ:tnis], *s.* acidez; azedume, aspereza; mordacidade.
tartrate ['tɑ:trit], *s.* (quím.). tartarato.
task [tɑ:sk], **1** — *s.* tarefa, empreitada; trabalho; dever, obrigação; lição.
hard task — tarefa difícil.
task-work — trabalho de empreitada.
to accomplish one's task — acabar a sua tarefa.
to take to task — repreender, censurar, chamar a capítulo.
2 — *vt.* impor tarefas; pôr à prova; incumbir de.
taskmaster [-mɑ:stə], *s.* o que impõe tarefas.
Tasmania [tæz'meinjə], *top.* Tasmânia.
Tasmanian [-n], **1** — *s.* natural da Tasmânia.
2 — *adj.* tasmânio, relativo à Tasmânia.
tasmanian devil — *(zool.)* dasiúro.
tassel ['tæsəl], **1** — *s.* borla.
2 — *vt.* e *vi.* (*pret.* e *pp.* **tasselled**) enfeitar com borlas.
tastable ['teistəbl], *adj.* que pode ser provado; saboroso.
taste [teist], **1** — *s.* gosto, sabor, paladar; prova; pequena porção, amostra; discernimento; apreciação; inclinação, simpatia.
it is a matter of taste — é uma questão de gosto.
it is not to my taste — não está ao meu gosto.
in good taste — de bom gosto; elegante.
in bad taste — de mau gosto.
everyone to his taste — cada um com os seus gostos.
tastes differ — os gostos diferem.
it has a burnt taste — sabe a queimado.
not at all to my taste — nada a meu gosto.
very much to my taste — muito a meu gosto.
to have a taste for — gostar de; ter aptidões para.
there is no accounting for tastes — gostos não se discutem.
2 — *vt.* e *vi.* provar, saborear; experimentar; ter paladar; apreciar.
taste this cheese! — prove este queijo!
let us taste this dish — saboreemos este prato.
to taste good — saber bem.
to taste of fish — saber a peixe.
tasteful [-ful], *adj.* saboroso, gostoso; elegante, de bom gosto.
tastefully [-fuli], *adv.* saborosamente; elegantemente.
tastefulness [-fulnis], *s.* gosto, sabor; graça, elegância; discernimento.
tasteless [-lis], *adj.* insípido, sem sabor; de mau gosto.
tastelessly [-lisli], *adv.* sem gosto; insipidamente, sem graça.
tastelessness [-lisnis], *s.* insipidez, falta de gosto ou de graça, sensaboria.
taster [-ə], *s.* provador, o que prova; instrumento para prova.
tastily [-ili], *adv.* com gosto ou graça.
tastiness [-inis], *s.* gosto, sabor; graça, elegância.
tasting [-iŋ], *s.* gosto; acção de provar.
wine-tasting — prova de vinhos.
tasty [-i], *adj.* gostoso, saboroso; feito com gosto ou com graça.
tat [tæt], **1** — *s.* pónei.
2 — *vt.* e *vi.* fazer espiguilha.
tata ['tæ'tɑ:], *interj.* adeus.
tatter ['tætə], *s.* farrapo, trapo, andrajo.
all in tatters — todo esfarrapado.
tatterdemalion [tætədə'meiljən], *s.* maltrapilho.
tattered ['tætəd], *adj.* esfarrapado, andrajoso, roto.
tatting ['tætiŋ], *s.* espiguilha.
tattle ['tætl], **1** — *s.* tagarelice, conversa fútil.
2 — *vt.* e *vi.* palrar, tagarelar.
tattler [-ə], *s.* tagarela, palrador.

tattoo [tə'tu:], **1** — *s.* tatuagem; toque de recolher; festa militar com acompanhamento de música; tamborilar (de dedos).
2 — *vt.* e *vi.* tatuar; tamborilar.
tattooer [-ə], *s.* tatuador, o que tatua.
tattooing [-iŋ], *s.* tatuagem.
taught [tɔ:t], *pret.* e *pp.* do verbo **to teach.**
taunt [tɔ:nt], **1** — *s.* repreensão; insulto, escárnio; sarcasmo. (*Sin.* scoff, reproach, mockery, ridicule. *Ant.* respect.)
2 — *adj.* alto, elevado (mastro).
3 — *vt.* insultar; escarnecer.
taunter [-ə], *s.* escarnecedor.
taunting [-iŋ], **1** — *s.* sarcasmo; escárnio.
2 — *adj.* escarnecedor, insultante.
tauntingly [-iŋli], *adv.* insolentemente; sarcasticamente.
taut [tɔ:t], *adj.* entesado, esticado; (náut.) em boa condição.
tauten ['tɔ:tən], *vt.* entesar, esticar.
tautness ['tɔ:tnis], *s.* tensão.
tautological [tɔ:tə'lɔdʒikəl], *adj.* tautológico.
tautologically [-i], *adv.* tautologicamente.
tautology [tɔ:'tɔlədʒi], *s.* tautologia.
tavern ['tævən], *s.* taberna.
taw [tɔ:], **1** — *s.* jogo do berlinde; esfera para o jogo do berlinde.
2 — *vt.* curtir peles com pedra-ume.
tawdrily ['tɔ:drili], *adv.* aparentemente; espalhafatosamente; de modo vistoso, mas sem elegância.
tawdriness ['tɔ:drinis], *s.* ouropel, aparência; coisa vistosa de pouco valor.
tawdry ['tɔ:dri], **1** — *s.* adornos baratos; adornos de mau gosto.
2 — *adj.* espalhafatoso; de mau gosto. (*Sin.* gaudy, flashy, showy. *Ant.* tasteful.)
tawer ['tɔ:ə], *s.* curtidor de peles.
tawniness ['tɔ:ninis], *s.* cor fulva.
tawny ['tɔ:ni], *adj.* moreno, trigueiro; fulvo.
tax [tæks], **1** — *s.* taxa, imposto; contribuição; encargo; tributo; esforço.
tax-collector — cobrador de impostos.
tax-farmer — indivíduo que comprava o direito de cobrar impostos.
tax-payer — contribuinte.
tax-dodger — (col.) o que foge ao pagamento de impostos.
direct taxes — contribuições directas.
land tax — contribuição predial.
turnover tax — imposto sobre transacções.
that is a tax on one's health — isso põe à prova a saúde de uma pessoa.
tax-free — livre de impostos.
to lay a tax on — lançar um imposto sobre.
2 — *vt.* taxar; lançar contribuições; examinar contas; censurar; sujeitar a um certo esforço; impor tributos; carregar; acusar.
he taxed me with ingratitude — acusou-me de ingratidão.
I cannot tax my memory — não posso forçar a memória.
taxability [tæksə'biliti], *s.* qualidade de ser sujeito a taxa ou imposto.
taxable ['tæksəbl], *adj.* sujeito a imposto ou taxa.
taxation [tæk'seiʃən], *s.* taxação; tributação; lançamento de imposto.
taxer ['tæksə], *s.* o que lança contribuições.
taxi ['tæksi], **1** — *s.* táxi.
taxi-cab — táxi.
taxi-driver — condutor de táxi.
taxi-rank — praça de táxis.
2 — *vi.* andar de táxi; (av.) deslizar na pista antes ou depois do voo.
taxidermal [tæksi'də:məl], *adj.* taxidérmico.
taxidermist ['tæksidə:mist], *s.* taxidermista.
taxidermy ['tæksidə:mi], *s.* taxidermia, arte ou profissão de preparar cadáveres de animais, de modo que estes conservem, tanto quanto possível, certas características morfológicas que apresentavam em vida.
taximeter ['tæksimi:tə], *s.* taxímetro.
taxis ['tæksis], *s.* (cir.) táxis.
taxonomy [tæk'sɔnəmi], *s.* taxonomia.
tchick [tʃik], **1** — *s.* estalido com a língua.
2 — *vi.* dar estalidos com a língua.
tea [ti:], **1** — *s.* chá (planta e bebida); infusão.
tea-caddy — lata ou caixa para o chá.
tea-cup — chávena para o chá.
tea-tray — bandeja para servir o chá.
tea-garden — jardim público com restaurantes.
tea-cloth — toalha de chá.
tea-dance — chá dançante.
tea-drinker — bebedor de chá.
tea-pot — bule.
tea-strainer — coador de chá.
tea-set — serviço de chá.
tea-kettle — chaleira onde se faz o chá.
tea-time — hora do chá.
tea-cosy — abafador de bule.
tea-rose — rosa-chá.
tea-room — salão de chá.
tea-tax — imposto do chá.
tea-cakes — bolos para chá.
tea-leaves — folhas do chá.
tea-waggon — carrinho de chá.
tea-party — reunião à hora do chá.
cup of tea — chávena de chá.
strong tea — chá forte.
weak tea — chá fraco.
green tea — chá verde.
imperial tea — chá pérola.
black tea — chá preto.
high (meat) tea — chá muito bem servido.
will you come to tea with us? — quer vir tomar chá connosco?
2 — *vt.* e *vi.* tomar chá; servir chá a.
teach [ti:tʃ], *vt.* e *vi.* (*pret.* e *pp.* **taught** [tɔ:t]) ensinar; instruir; educar; leccionar; explicar; mostrar; amestrar.
I will teach him a lesson — hei-de repreendê-lo; hei-de dar-lhe uma descompostura.
to teach languages — ensinar línguas.
to teach someone how to do a thing — ensinar alguém a fazer uma coisa.
to be taught — ser ensinado; aprender.
to teach to swim — ensinar a nadar.
he was never taught Latin — nunca lhe ensinaram latim.
teachable [-əbl], *adj.* susceptível de ensino; dócil.
teachableness [-əblnis], *s.* aptidão para aprender; docilidade.
teacher [-ə], *s.* mestre; professor; instrutor.
teacher of languages — professor de línguas.
teacher-trainer — professor-metodólogo.
teaching [-iŋ], **1** — *s.* ensino; instrução; doutrina.
to take up teaching — dedicar-se ao ensino.
2 — *adj.* docente; que ensina.
the teaching staff — o corpo docente.
teak [ti:k], *s.* teca (árvore, madeira).
team [ti:m], **1** — *s.* parelha, junta; bando; grupo; equipa.
a football team — uma equipa de futebol.
team spirit — espírito de cooperação.
team-work — trabalho de equipa.
2 — *vt.* juntar; emparelhar; trabalhar com um grupo de homens.
to team up with — formar equipa com.
teamster [-stə], *s.* condutor de uma parelha ou junta.

teapoy ['ti:pɔi], *s.* mesinha para o serviço do chá.
tear [tiə], *s.* lágrima; choro, pranto; gota.
tear-drop — lágrima.
tear-gas — gás lacrimogéneo.
bitter tears — lágrimas amargas.
crocodile tears — lágrimas de crocodilo.
with tears in one's eyes — com as lágrimas nos olhos.
I found her in tears — encontrei-a a chorar.
the tears fell down her cheeks — as lágrimas corriam-lhe pela cara abaixo.
eyes filled with tears — olhos marejados de lágrimas.
she wept bitter tears of remorse — derramou lágrimas amargas de remorso.
to burst into tears — debulhar-se em lágrimas.
to shed tears — derramar lágrimas.
to be drowned in tears — estar banhado em lágrimas.
to move to tears — comover até às lágrimas.
tear [tɛə], **1** — *s.* rasgão, rasgadela; rotura; cólera, fúria.
wear and tear — estragos; uso, deterioração; (mec.) desgaste.
2 — *vt.* e *vi.* (*pret.* **tore,** [tɔ:], *pp.* **torn,** [tɔ:n]) rasgar, despedaçar, romper; arrancar; dilacerar; separar violentamente; rasgar-se; enfurecer-se; precipitar-se.
to tear to pieces — fazer em pedaços.
to tear one's hair — arrancar o cabelo.
to tear away (off) — arrancar; tirar; ir-se embora precipitadamente.
to tear oneself away — arrancar-se de um lugar; partir contra vontade.
to tear out a page — arrancar uma página.
to tear down — derrubar; deitar abaixo.
he tore up the letter — rasgou a carta em bocados.
he tore downstairs — ele precipitou-se pelas escadas abaixo.
his heart is torn by grief — o coração dele está despedaçado pela dor.
her car was tearing along at sixty miles an hour — o carro dela corria a sessenta milhas à hora.
to tear at — arrancar violentamente.
tearful ['tiəful], *adj.* choroso, lacrimoso; triste.
tearfully [-i], *adv.* chorando; com as lágrimas nos olhos.
tearfulness [-nis], *s.* estado choroso; lacrimação.
tearing ['tɛəriŋ], **1** — *s.* despedaçamento, dilaceração.
tearing of a muscle — rotura de um músculo.
2 — *adj.* dilacerante; violento, furioso.
a tearing rage — uma fúria violenta.
tearless ['tiəlis], *adj.* sem lágrimas; insensível.
tease [ti:z], **1** — *s.* arrelia, apoquentação, aborrecimento; pessoa atormentadora; trocista.
2 — *vt.* importunar, arreliar, apoquentar, atormentar; gracejar com; cardar. (*Sin.* to tantalize, to worry, to vex, to plague, to importune. *Ant.* to pacify.)
don't tease the animal — não atormentes o animal.
teasel ['ti:zl], **1** — *s.* (bot.) cardo-penteador; carda (para tecidos).
2 — *vt.* cardar; perchar.
teaseler [-ə], *s.* cardador.
teaser ['ti:zə], *s.* importuno, maçador; aquele que gosta de arreliar; (col.) problema difícil; cardador.
teasing ['ti:ziŋ], **1** — *s.* arrelia, enfado; acto de arreliar; cardação.
2 — *adj.* importuno, arreliador, atormentador; trocista.
teasingly [-li], *adv.* de modo arreliador.
teaspoon ['ti:spu:n], *s.* colher de chá.
teaspoonful ['ti:spu(:)nful], *s.* conteúdo de uma colher de chá.
teat [ti:t], *s.* mamilo, bico do peito; teta, úbere.
technic ['teknik], *s.* técnica; *pl.* tecnologia.
technical [-əl], *adj.* técnico.
technical department — serviços técnicos.
technical education — educação técnica.
technical school — escola técnica.
technical terms — termos técnicos.
technicality [tekni'kæliti], *s.* (*pl.* **technicalities** [-iz]) coisa técnica; **expressão técnica;** subtileza.
technically ['teknikəli], *adv.* tecnicamente.
technicalness ['teknikəlnis], *s.* qualidade do que é técnico.
technician [tek'niʃən], *s.* técnico.
technics ['tekniks], *s.* técnica, tecnologia.
technique [tek'ni:k], *s.* técnica, capacidade técnica; execução, mecanismo.
technocracy [tek'nɔkrəsi], *s.* tecnocracia.
technological [teknə'lɔdʒikəl], *adj.* tecnológico.
technologist [tek'nɔlədʒist], *s.* tecnólogo.
technology [tek'nɔlədʒi], *s.* tecnologia.
techy, tetchy ['tetʃi], *adj.* colérico; impertinente, rabugento; irritável.
ted [ted], *vt.* (*pret.* e *pp.* **tedded**) espalhar o feno ou erva para secar.
tedder [-ə], *s.* aquele que espalha o feno ou erva para secar.
Teddy bear ['tedibɛə], *s.* urso (brinquedo de criança).
tedious ['ti:djəs], *adj.* tedioso, fastidioso, aborrecido, enfadonho.
tediously [-li], *adv.* fastidiosamente, enfadonhamente.
tediousness [-nis], *s.* tédio, aborrecimento.
tedium ['ti:djəm], *s.* tédio, enfado, aborrecimento.
tee [ti:], **1** — *s.* (golfe) montículo donde se joga a bola; meta, alvo; tubo ou ferramenta em T.
2 — *vt.* e *vi.* (golfe) colocar a bola num montículo.
to tee off — (golfe) dar a pancada de partida.
teem [ti:m], *vi.* abundar, transbordar; afluir; pulular; esvaziar, despejar.
the river teems with fish — o rio tem muito peixe.
teeming [-iŋ], *adj.* superabundante; cheio, repleto; prolífico.
teen [ti:n], *s.* (arc.) sofrimento, dor; *pl.* idade dos 13 aos 19 anos.
she is still in her teens — ainda não chegou aos vinte anos.
teeny ['ti:ni], *adj.* muito pequeno.
teeter ['ti:tə], **1** — *s.* redoiça; baloiço; **2** — *vi.* baloiçar; vacilar.
teeth [ti:θ], *s. pl.* de **tooth.**
teethe [ti:ð], *vi.* começar a ter dentes.
teetotal [ti:'toutl], *adj.* que se abstém de bebidas alcoólicas; (col.) inteiro, completo.
teetotalism [-izəm], *s.* abstinência completa de bebidas alcoólicas.
teetotaller [-ə], *s.* o que se abstém totalmente do uso de bebidas alcoólicas; abstémio.
teetotum ['ti:tou'tʌm], *s.* jogo do rapa; piorra, pequeno pião.
tegmen ['tegmen], *s.* tégmen, invólucro.
tegument ['tegumənt], *s.* tegumento.
tegumentary [tegju'mentəri], *adj.* tegumentar.
tehee ['ti:hi:], **1** — *s.* riso.
2 — *vi.* rir à socapa.
Teheran [tiə'rɑ:n], *top.* Teerão.
telamon ['teləmən], *s.* (arq.) télamon, estátua ou figura de homem que sustém uma cornija.
telegram ['teligræm], *s.* telegrama.
telegram form — impresso para telegrama.
to send a telegram — mandar um telegrama.

telegraph ['teligrɑ:f], **1** — *s.* telégrafo; semáforo; (desp.) quadro onde se marcam os resultados.
telegraph boy — boletineiro.
telegraph-line — linha telegráfica.
telegraph-wire — fio do telégrafo.
2 — *vt.* e *vi.* telegrafar; enviar por telegrama.
telegraph me the result — telegrafa-me a dizer o resultado.
telegraphic [teli'græfik], *adj.* telegráfico; breve.
telegraphic address — endereço telegráfico.
telegraphic money order — vale telegráfico.
telegraphically [-əli], *adv.* telegraficamente.
telegraphist [ti'legrəfist], *s.* telegrafista.
telegraphy [ti'legrəfi], *s.* telegrafia.
telepathic [teli'pæθik], *adj.* telepático.
telepathically [-əli], *adv.* telepaticamente.
telepathist [ti'lepəθist], *s.* telepatista.
telepathy [ti'lepəθi], *s.* telepatia.
telephone ['telifoun], **1** — *s.* telefone.
telephone-box — cabine telefónica.
telephone call — chamada telefónica; telefonema.
telephone directory — lista telefónica.
telephone girl — telefonista.
telephone mouthpiece — bocal do aparelho telefónico.
telephone number — número do telefone.
telephone operator — telefonista.
to be on the telephone — estar ao telefone.
to speak on the telephone — falar pelo telefone; telefonar.
to make a telephone call — fazer uma chamada telefónica.
2 — *vt.* e *vi.* telefonar.
telephone me tomorrow!—telefona-me amanhã!
telephonic [teli'fɔnik], *adj.* telefónico.
telephonically [-əli], *adv.* telefonicamente.
telephonist [ti'lefənist], *s.* telefonista.
telephony [ti'lefəni], *s.* telefonia.
telephotograph ['teli'foutəgrɑ:f], *s.* telefotografia.
telephotography ['telifə'tɔgrəfi], *s.* telefotografia.
teleprinter ['teliprintə], *s.* teleimpressor.
telescope ['teliskoup], **1** — *s.* telescópio; óculo; luneta astronómica.
2 — *vt.* e *vi.* fechar como um telescópio; encaixar, encaixar-se.
telescopic [telis'kɔpik], *adj.* telescópico.
telescopically [-əli], *adv.* telescopicamente.
telescopy [ti'leskəpi], *s.* telescopia.
televiewer ['telivju:ə], *s.* telespectador.
televise ['telivaiz], *vt.* televisar.
television ['teliviʒən], *s.* televisão.
television aerial — antena de televisão.
television set — aparelho de televisão.
tell [tel], *vt.* e *vi.* (*pret.* e *pp.* **told** [tould]) dizer, contar, referir; informar; expressar; comunicar; prevenir; revelar; distinguir, reconhecer; decifrar; produzir efeito; explicar; mandar; denunciar; manifestar-se.
to tell off — destacar para certo fim; escolher; (col.) censurar.
to tell a tale — contar uma história.
to tell a lie — dizer uma mentira.
to tell a secret — revelar um segredo.
to tell over and over — dizer repetidas vezes.
to tell one's beads — rezar o terço.
to tell on one's health — reflectir-se na saúde de alguém.
to tell one's name — dizer o nome.
to tell someone properly — dizer duas verdades a alguém.
to tell the truth — dizer a verdade.
to tell the world — anunciar publicamente.
to tell tales out of school — revelar o que é confidencial; acusar.
to tell the time — dizer as horas.
you never can tell! — sabe-se lá!
the strain begins to tell on him — o esforço começa a produzir nele o seu efeito.
tell me all about it! — conte-me tudo a esse respeito!
that tells a tale — isso é significativo; indica qualquer coisa.
I am sorry I cannot tell you — sinto não poder dizer-lhe.
you can't tell the one from the other — não se pode distinguir um do outro.
I was told — disseram-me.
tell me how it was! — diga-me como foi!
I can't tell the difference — não sou capaz de distinguir.
tell me all the news! — conta-me todas as novidades!
I will tell you directly — vou já contar-lhe.
I tell you no — digo-lhe que não.
she wants to be told — é preciso que lhe digam.
tellable [-əbl], *adj.* que pode contar-se; narrável.
teller [-ə], *s.* relator, narrador, contador; pagador ou recebedor bancário, caixa; escrutinador de votos.
telling [-ŋ], **1**—*s.* narração, narrativa; contagem.
2 — *adj.* notável; eficaz; que produz efeito.
telltale ['telteil], *s.* mexeriqueiro, intriguista; indicador, mostrador, axiómetro.
tellurium [te'ljuəriəm], *s.* (quím.) telúrio.
temerity [ti'meriti], *s.* temeridade.
temper ['tempə], **1** — *s.* temperamento; índole, disposição natural; génio; calma, sangue-frio; compleição; mau génio; irritação, cólera; têmpera; mistura, combinação.
bad temper — mau génio.
in a temper — enfurecido.
fiery temper — génio impetuoso.
to get out of temper — zangar-se, perder as estribeiras.
to put out of temper — fazer zangar.
to lose one's temper — zangar-se; perder as estribeiras.
keep your temper! — não se exalte!
out of temper — zangado.
he had a fit of temper — ele teve um acesso de mau génio.
2 — *vt.* e *vi.* temperar; misturar, combinar; acomodar, apropriar; ajustar; moderar, acalmar; modificar; temperar (metal); (mús.) afinar.
God tempers the wind to the shorn lamb — Deus dá o frio conforme a roupa.
tempera [-rə], *s.* pintura a têmpera.
temperable ['tempərəbl], *adj.* capaz de ser temperado; temperável.
temperament ['tempərəmənt], *s.* temperamento, constituição; compleição; índole, maneira de ser, feitio; (mús.) leve alteração de intervalos.
the artistic temperament — o temperamento artístico.
a nervous temperament — um temperamento nervoso.
a sanguine temperament — um temperamento sanguíneo.
temperamental [tempərə'mentl], *adj.* temperamental; instável; caprichoso.
temperance ['tempərəns], *s.* temperança, sobriedade, moderação.
temperance hotel — hotel que não fornece bebidas alcoólicas.
temperance society — associação dos que se abstêm totalmente de bebidas alcoólicas.

temperate ['tempərit], *adj.* temperado; abstémio; moderado, sóbrio.
temperate heat — calor moderado.
temperate zone — zona temperada.
temperately [-li], *adv.* temperadamente, moderadamente.
temperateness [-nis], *s.* temperança, moderação, sobriedade; serenidade.
temperature ['tempritʃə], *s.* temperatura; febre.
even temperature — temperatura constante.
high temperature — temperatura elevada.
low temperature — temperatura baixa.
to have a temperature — ter temperatura.
to take one's temperature — **tirar a temperatura.**
tempered ['tempəd], *adj.* temperado, moderado; misturado; humorado; disposto, inclinado.
temperer ['tempərə], *s.* aquele que tempera.
tempering ['tempəriŋ], *s.* têmpera (de metal); moderação, suavização.
tempest ['tempist], *s.* tempestade, temporal, tormenta; tumulto, agitação.
a tempest in a teapot — uma tempestade num copo de água.
tempestuous [tem'pestjuəs], *adj.* tempestuoso, borrascoso, tormentoso; violento, turbulento.
tempestuously [-li], *adv.* tempestuosamente.
tempestuousness [-nis], *s.* tempestuosidade; agitação.
tempi ['tempi:], *s. pl.* de **tempo.**
templar ['templə], *s.* templário; estudante ou advogado que habita no *Temple*, em Londres.
temple ['templ], *s.* templo, igreja; (anat.) fonte, região temporal; colégio de Direito em Londres.
tempo ['tempou], *s.* (*pl.* **tempi,** ['tempi:]) (mús.) tempo, andamento.
temporal ['tempərəl], **1** — *s.* (anat.) temporal.
2 — *adj.* temporal; mundano; secular, civil.
temporal power — poder temporal.
temporality [tempə'ræliti], *s.* (*pl.* **temporalities** [-z]) temporalidade.
temporally ['tempərəli], *adv.* temporalmente; transitoriamente.
temporalty ['tempərəlti], *s.* (*pl.* **temporalties** [-z]) os leigos; *pl.* bens temporais.
temporarily ['tempərərili], *adv.* temporariamente.
temporariness ['tempərərinis], *s.* duração passageira.
temporary ['tempərəri], *adj.* temporário, provisório, transitório; interino.
temporize ['tempəraiz], *vi.* temporizar, contemporizar; ganhar tempo.
temporizer [-ə], *s.* temporizador, contemporizador.
temporizing [-iŋ], **1** — *s.* contemporização, temporização.
2 — *adj.* temporizador, contemporizador.
temporizingly [-iŋli], *adv.* de modo contemporizador.
tempt [tempt], *vt.* tentar; experimentar; induzir, estimular; atrair; procurar convencer.
temptation [temp'teiʃən], *s.* tentação.
to lead into temptation — induzir à tentação.
tempter ['temptə], *s.* tentador.
tempting ['temptiŋ], **1** — *s.* tentação.
2 — *adj.* tentador, atractivo, sedutor. (*Sin.* attractive, alluring, enticing. *Ant.* repulsive.)
temptingly [-li], *adv.* de modo tentador.
temptingness [-nis], *s.* sedução, atractivo.
ten [ten], *s., adj.* e *num.* dez.
in tens — às dezenas.
I bet you ten to two — aposto contigo dez contra dois.
in nine cases out of ten — em dez casos há um.
by tens — aos dez.
upper ten — a aristocracia.
tenability [tenə'biliti], *s.* qualidade do que é sustentável ou defensável.
tenable ['tenəbl], *adj.* sustentável, defensável; que se ocupa durante determinado tempo; (fig.) convincente.
tenable position — posição defensável.
tenable theory — teoria convincente.
tenableness [-nis], *s.* qualidade daquilo que pode sustentar-se ou defender-se.
tenacious [ti'neiʃəs], *adj.* tenaz, obstinado, firme, persistente. (*Sin.* pertinacious, retentive, firm. *Ant.* weak.)
tenaciously [-li], *adv.* tenazmente, obstinadamente.
tenaciousness [-nis], *s.* tenacidade.
tenacity [ti'næsiti], *s.* tenacidade; firmeza; coesão (de metal); viscosidade.
tenancy ['tenənsi], *s.* locação, arrendamento; terra arrendada; período de arrendamento.
tenant ['tenənt], **1** — *s.* inquilino, locatário; arrendatário; rendeiro; (jur.) possuidor de imóvel.
tenant for life — usufrutuário.
tenant farmer — rendeiro, caseiro.
2 — *vt.* ser arrendatário, habitar como arrendatário.
tenantable [-əbl], *adj.* habitável; que se pode arrendar.
tenantless [-lis], *adj.* desocupado, devoluto, sem inquilino.
tenantry [-ri], *s.* rendeiros, inquilinos; arrendamento.
tench [tenʃ], *s.* (zool.) tenca (peixe).
tend [tend], *vt.* e *vi.* cuidar, vigiar, velar, tratar, ter o cuidado de; guardar; servir; atender; dirigir-se a; contribuir; propender; proteger; assistir, acompanhar; impedir que as amarras dêem voltas.
to tend an invalid — cuidar de um inválido.
to tend the flocks — guardar os rebanhos.
temperature tends to rise — a temperatura tende a subir.
tendency ['tendənsi], *s.* tendência, inclinação, propensão; direcção.
tendential [ten'denʃəl], *adj. vd.* **tendentious.**
tendentious [ten'denʃəs], *adj.* tendencioso; parcial.
tendentiousness [-nis], *s.* tendenciosidade.
tender ['tendə], **1** — *s.* oferta, oferecimento; proposta; navio-depósito, navio anexo; tênder (caminho-de-ferro); guarda, vigilante.
legal tender — moeda corrente.
to make a tender for — fazer uma proposta para.
to invite tenders for — abrir concurso para.
2 — *adj.* **tenro, terno; delicado; melindroso; afectuoso; frágil; cuidadoso; indulgente.**
tender conscience — consciência delicada.
tender-hearted — compassivo, sensível.
tender meat — carne tenra.
tender point — um ponto muito delicado.
of tender age — de tenra idade.
tender subject — assunto delicado.
3 — *vt.* e *vi.* oferecer, apresentar proposta; propor; fazer uma oferta, concorrer.
tenderfoot [-fut], *s.* pessoa não habituada a fadigas; principiante, novato.
tenderly ['tendəli], *adv.* ternamente, brandamente; suavemente.
tenderness ['tendənis], *s.* ternura, meiguice, brandura; carinho, afecto; escrúpulo; delicadeza; qualidade do que é tenro.

tendon ['tendən], *s.* (anat.) tendão.
tendril ['tendril], *s.* (bot.) gavinha, rebento; trepadeira.
tenement ['tenimənt], *s.* habitação, morada; casa arrendada; aposento; série de aposentos; (jur.) prazo foreiro.
tenet ['ti:net], *s.* dogma, princípio, doutrina, credo.
tenfold ['tenfould], *adj.* décuplo, dez vezes maior.
tennis ['tenis], *s.* (desp.) ténis.
tennis-ball — bola de ténis.
tennis-court — recinto onde se joga o ténis.
tennis-player — jogador de ténis.
tennis-racket — raqueta de ténis.
lawn-tennis — recinto relvado onde se joga o ténis.
table-tennis — ténis de mesa.
he is a dab at tennis — é uma ás a jogar o ténis.
tenon ['tenən], *s.* respiga; (carpinteiro) macho; cavilha.
tenon-saw — serra de sambrar.
tenor ['tenə], *s.* tenor, voz de tenor; teor, conteúdo; curso, tendência; (jur.) traslado, cópia fiel.
tenor voice — voz de tenor.
the tenor of a letter — o teor de uma carta.
tenpence ['tenpəns], *s.* moeda de dez dinheiros.
tenpenny ['tenpəni], *adj.* no valor de dez dinheiros.
tenpins ['tenpinz], *s. pl.* (E. U.) variedade do jogo de *ninepins*, mas com dez mecos de madeira.
tense [tens], **1** — *s.* (gram.) tempo.
present tense — presente.
past tense — pretérito imperfeito.
present perfect tense — pretérito perfeito.
past perfect tense — pretérito mais-que-perfeito.
2 — *adj.* tenso, retesado, esticado; debaixo de tensão nervosa.
3 — *vt.* e *vi.* retesar, retesar-se; pôr em estado de tensão.
tensely [-li], *adv.* tensamente, rigidamente.
tenseness [-nis], *s.* tensão; rigidez; estado de tensão.
tensile ['tensail], *adj.* que se pode estirar; dúctil; de tensão, de tracção.
tensile force — força de tracção.
tensile test — prova de tracção.
tension ['tenʃən], *s.* tensão, retraimento; esforço mental; tracção; (mec.) tensão; força expansiva dos gases.
high-tension circuit — circuito de alta tensão.
low-tension circuit — circuito de baixa tensão.
tensor ['tensə], *s.* músculo tensor; (mat.) tensor.
tent [tent], **1** — *s.* tenda, barraca, pavilhão; mecha; vinho tinto de Alicante; (fot.) câmara escura portátil.
bell-tent — tenda circular, com um poste no meio.
tent-cloth — tecido próprio para tendas.
tent-peg — estaca para prender uma tenda.
to pitch a tent — armar uma tenda.
2 — *vt.* e *vi.* acampar; alojar em tendas.
tentacle ['tentəkl], *s.* tentáculo.
tentacular [ten'tækjulə], *adj.* tentacular.
tentative ['tentətiv], **1** — *s.* tentativa, ensaio.
2 — *adj.* experimental; empírico.
tentatively [-li], *adv.* por experiência ou ensaio; experimentalmente.
tenter ['tentə], *s.* estirador de pano (nas fábricas); escápula, gancho; encarregado de máquinas.
tenter-hook — escápula; gancho.
to be on tenter-hooks — estar ansioso, estar inquieto.
tenth [tenθ], *s. adj.* e *num.* décimo; a décima parte.
tenthly [-li], *adv.* em décimo lugar.
tenuity [te'nju(:)iti], *s.* tenuidade, delgadeza, finura; rarefacção; leveza; fraqueza; simplicidade (estilo).
tenuous ['tenjuəs], *adj.* ténue, delgado; fino, subtil; delicado; frágil.
tenuousness [-nis, *s.*] *vd.* **tenuity.**
tenure ['tenjuə], *s.* posse, título de posse; período que dura o exercício dum cargo.
military tenure — direito à propriedade com obrigação de prestar serviço militar.
tepefy ['tepifai], *vt.* e *vi.* amornar; tornar tépido.
tepid ['tepid], *adj.* tépido, morno; (fig.) indiferente, sem grande entusiasmo.
tepidity [te'piditi], *s.* tepidez; indiferença.
tepidly ['tepidli], *adv.* tepidamente; indiferentemente.
tercentenary [tə:sen'ti:nəri], *s.* e *adj.* tricentenário.
tercentennial [tə:sen'tenjəl], *adj.* tricentenário.
tercet ['tə:sit], *s.* terceto.
terebene ['terəbi:n], *s.* (quím.) terebeno.
terebinth ['terəbinθ], *s.* (bot.) terebinto.
Terence ['terəns], *n. p.* Terêncio.
Teresa [tə'ri:zə], *n. p.* Teresa.
tergiversate ['tə:dʒivə:seit], *vi.* tergiversar; (col.) passar-se para outro partido; renegar.
tergiversation [tə:dʒivə:'seiʃən], *s.* tergiversação; evasiva; mudança de partido.
term [tə:m], **1** — *s.* termo, vocábulo; fim; prazo, limite; período escolar; duração; data de vencimento; tempo em que estão abertos os tribunais de justiça; sessão (tribunais); (mat.) termo; *pl.* condições, cláusulas, preços; relações mútuas.
in the most flattering terms — nos termos mais lisonjeiros.
in plain terms — em termos claros.
in familiar terms — em termos familiares.
on equal terms — em pé de igualdade.
term of imprisonment — pena de prisão.
by the terms of — nos termos de.
technical terms — termos técnicos.
trade terms — condições de negócio.
to be on good terms with a person — estar em boas relações com alguém.
to buy on easy terms — comprar com facilidades de pagamento.
to come to terms — chegar a um acordo.
to set a term to — pôr termo a.
I cannot accept his terms — não posso aceitar as suas condições.
they are not on speaking terms with him — eles não lhe falam.
2 — *vt.* nomear, chamar; designar.
termagant ['tə:məgənt], **1** — *s.* víbora, mulher turbulenta.
2 — *adj.* turbulento, violento, rabugento.
terminable ['tə:minəbl], *adj.* que pode terminar; que se pode limitar, limitável; amortizável.
terminableness [-nis], *s.* propriedade de poder ser limitado ou terminado.
terminal ['tə:minl], **1** — *s.* final, extremidade, terminal; borne eléctrico; término (cam. fer.).
2 — *adj.* terminal; final; situado na extremidade; trimestral.
terminal examinations — exames de fim de período.
terminal station — estação término.
terminate ['tə:mineit], *vt.* e *vi.* terminar, concluir; pôr limite a, limitar; rescindir; encerrar-se.

termination [tə:mi'neiʃən], *s.* fim, remate; resultado, conclusão; limite; terminação; (gram.) terminação, desinência.
to bring (put) to a termination — concluir, pôr termo a.
terminative ['tə:minətiv], *adj.* terminativo; terminante; decisivo, formal.
terminatively [-li], *adv.* terminativamente; terminantemente.
terminator ['tə:mineitə], *s.* o que termina; círculo de iluminação, limite entre a parte iluminada e a escura da Lua ou de outro planeta.
terminer ['tə:minə], *s.* o acto de determinar.
terminological [tə:minə'lɔdʒikəl], *adj.* terminológico.
terminologically [-i], *adv.* terminologicamente.
terminology [tə:mi'nɔlədʒi], *s.* terminologia.
terminus ['tə:minəs], *s.* (*pl.* **terminuses, termini** [-əsiz, -ai]) término; estação ou paragem final; objectivo, fim; (arq.) remate.
termite ['tə:mait], *s.* formiga-branca.
termless ['tə:mlis], *adj.* ilimitado, sem fim.
tern [tə:n], **1** — *s.* (zool.) andorinha-do-mar; terno, série de três.
2 — *adj.* ternado.
ternary [-əri], *adj.* terno, número ternário; ternário.
terra ['terə], *s.* terra.
terrace ['terəs], **1** — *s.* terraço; terrado, eirado; fila de casas; terraplano; rua com casas de um lado e terreno em declive do outro.
2 — *vt.* terraplanar; fazer um terrado.
terracotta ['terə'kɔtə], *s.* terracota.
terrapin ['terəpin], *s.* (zool.) espécie de tartaruga.
terrestrial [ti'restriəl], *adj.* terrestre; terreno; mundano.
the terrestrial globe — o globo terrestre.
terrestrially [-i], *adv.* terrenamente; mundanamente.
terret ['terit], *s.* porta-rédeas.
terrible ['terəbl], *adj.* terrível, horrível, pavoroso, tremendo, espantoso; insuportável; extraordinário; formidável.
a terrible bore — uma maçada horrível.
a terrible cold — um frio insuportável.
terribleness [-nis], *s.* terribilidade.
terribly [-i], *adv.* terrivelmente; espantosamente; horrivelmente.
terrier ['teriə], *s.* raça de cão rasteiro; registo ou inventário de bens de raiz.
terrific [tə'rifik], *adj.* terrífico, horrível, espantoso, medonho. (*Sin.* terrible, awful, dreadful.)
terrifically [-əli], *adv.* terrificamente, horrorosamente.
terrify ['terifai], *vt.* aterrar, terrificar, aterrorizar, causar terror.
terrifying [-iŋ], *adj.* terrível, terrificante, espantoso, medonho.
territorial [teri'tɔ:riəl], **1** — *s.* soldado do exército territorial.
2 — *adj.* territorial; regional; rural.
territorial army — exército territorial.
territorial possessions — possessões territoriais.
territorial waters — águas territoriais.
territorialize [teri'tɔ:riəlaiz], *vt.* alargar pelo aumento de território; reduzir ao estado de território.
territorially [teri'tɔ:riəli], *adv.* territorialmente.
territory ['teritəri], *s.* (*pl.* **territories** [-iz]) território, domínio; distrito; território, divisão política (E. U.).
terror ['terə], *s.* terror, espanto, pavor; coisa ou pessoa que aterroriza.
terror-stricken (struck) — possuído de terror; aterrorizado.
to go in terror of someone — ter um medo terrível de alguém.
to spread terror — espalhar o terror.
terrorism ['terərizəm], *s.* terrorismo.
terrorist ['terərist], *s.* terrorista.
terrorization [terərai'zeiʃən], *s.* terror, pavor, medo.
terrorize ['terəraiz], *vt.* aterrorizar; governar pelo terror.
terrorizer [-ə], *s.* aterrorizador.
terse [tə:s], *adj.* correcto, polido; sucinto; conciso e elegante. (*Sin.* laconic, concise, pithy, condensed. *Ant.* prolix.)
a terse style — estilo elegante.
tersely [-li], *adv.* concisamente; polidamente, com elegância; sobriamente.
terseness [-nis], *s.* concisão; elegância, polidez; sobriedade.
tertian ['tə:ʃən], **1** — *s.* febre terçã.
2 — *adj.* terçã.
tertiary ['tə:ʃəri], **1** — *s.* membro da Ordem Terceira; pena terciária das aves; sistema terciário de rochas.
2 — *adj.* terciário.
Tertullian [tə:'tʌliən], *n. p.* Tertuliano.
tessellated ['tesileitid], *adj.* marchetado em mosaico; axadrezado.
tessellated floor — chão de mosaico.
tessellation [tesi'leiʃən], *s.* mosaico; obra de embutidos, embutidura.
test [test], **1** — *s.* ensaio, prova, exame; experiência; verificação; pedra-de-toque; (quím.) reagente; padrão, bitola; distinção; concha; juramento ou profissão de fé; teste; copelação; cadinho; (desp.) jogo internacional de críquete.
test chamber — câmara de ensaios.
test glass — proveta.
test cock — torneira de prova.
test paper — papel reagente.
test-tube — tubo de ensaio.
blood test — análise do sangue.
driving test — exame de condução.
oral test — prova oral.
written test — prova escrita.
to put to the test — pôr à prova.
to stand the test—suportar a prova; aguentar-se.
2 — *vt.* provar, ensaiar, experimentar; pôr à prova; examinar criticamente; atestar, certificar; (quím.) analisar; (jur.) autenticar; copelar; testar.
testable [-əbl], *adj.* que pode ser legado; que pode servir de testemunha.
testacean [tes'teiʃən], *s.* (zool.) testáceo.
testaceous [tes'teiʃəs], *adj.* (zool.) testáceo; cor de tijolo.
testament ['testəmənt], *s.* testamento.
the New Testament — o Novo Testamento.
the Old Testament — o Velho Testamento.
to make one's testament — fazer testamento.
testamentarily [testə'mentərili], *adv.* em forma de testamento.
testamentary [testə'mentəri], *adj.* testamentário.
testamur [tes'teimə], *s.* certificado de passagem em exame numa universidade inglesa.
testate ['testit], **1** — *s.* pessoa que fez testamento.
2 — *adj.* que deixou testamento válido.
testator [tes'teitə], *s.* testador.
testatrix [tes'teitriks], *s. fem.* (*pl.* **testatrixes, testatrices** [-iz,-trisi:z]) testadora.
tester ['testə], *s.* provador, ensaiador; verificador; analista; aparelho de ensaio; dossel,

baldaquino; xelim cunhado no tempo de Henrique VIII.
testicle ['testikəl], *s.* testículo.
testifier ['testifaiə], *s.* o que atesta; certificante.
testify ['testifai], *vt.* e *vi.* atestar, testificar, certificar; dar testemunho; depor; asseverar; proclamar. (*Sin.* to swear, to state, to affirm, to declare. *Ant.* to deny.)
to testify against — depor contra.
to testify on behalf of — depor a favor de.
testily ['testili], *adv.* com irritação; de mau humor.
testimonial [testi'mounjəl], *s.* certidão, atestado, certificado; oferta a alguém em sinal de homenagem.
testimonialize [testi'mounjəlaiz], *vt.* fazer presente de uma quantia de dinheiro em sinal de homenagem; passar um atestado ou certidão.
testimony ['testiməni], *s.* (*pl.* **testimonies** [-iz]) testemunho, depoimento, declaração, provas; confirmação; decálogo.
in testimony of — em testemunho de.
to bear testimony to — afirmar; atestar.
to give false testimony — testemunhar falso.
testiness ['testinis], *s.* mau humor, rabugice, impertinência.
testing ['testiŋ], *s.* prova, ensaio; verificação.
testing machine — máquina de verificação.
testudo [tes'tju:dou], *s.* (zool.) testudo; testudo, espécie de abóbada que os Romanos formavam com o seu escudo levantado.
testy ['testi], *adj.* irritável; rabugento; teimoso.
tetanic [ti'tænik], *adj.* tetânico.
tetanus ['tetənəs], *s.* tétano.
tetchy ['tetʃi], *adj.* colérico, rabugento, irritável.
tête-à-tête ['teitɑ:'teit], **1** — *s.* entrevista particular; conversa privada; sofá para dois.
2 — *adj.* secreto, confidencial.
3 — *adv.* cara a cara; em conversação particular.
tether ['teðə], **1** — *s.* peia, trave; corda, cabresto.
to be at the end of one's tether — esgotar todos os recursos.
2 — *vt.* pear, travar; conter dentro de certos limites; prender com uma corda (animais que estão no pasto).
tetrachord ['tetrəkɔ:d], *s.* (mús.) tetracordo.
tetrad ['tetræd], *s.* o número quatro; grupo de quatro.
tetrahedral [tetrə'hedrəl], *adj.* tetraédrico.
tetrahedron ['tetrə'hedrən], *s.* (geom.) tetraedro.
tetralogy [te'trælədʒi], *s.* tetralogia.
tetrameter [te'træmitə], *s.* tetrâmetro.
tetrarch ['ti:trɑ:k], *s.* tetrarca.
tetrarchy [-i], *s.* tetrarquia.
tetrasyllabic ['tetrəsi'læbik], *adj.* (gram.) tetrassilábico.
tetrasyllable ['tetrəsiləbl], *s.* (gram.) tetrassílabo.
tetter ['tetə], *s.* (med.) impigem.
Teuton ['tju:tən], *s.* teutão.
Teutonic [tju(:)'tɔnik], **1** — *s.* as línguas teutónicas.
2 — *adj.* teutónico.
teutonize ['tju:tənaiz], *vt.* teutonizar.
Texan ['teksən], **1** — *s.* texano; habitante do Texas.
2 — *adj.* texano; relativo ao Texas.
text [tekst], *s.* texto; assunto, tema; tipo de letra manuscrita.
text-book — compêndio; livro de texto.
to stick to one's text — não se desviar do assunto.
textile ['tekstail], **1** — *s.* tecido; produto têxtil.
2 — *adj.* têxtil.
textile industry — indústria têxtil.
textile weaver — tecelão.
textual ['tekstjuəl], *adj.* textual; literal.
textually [-i], *adv.* textualmente.
texture ['tekstʃə], *s.* textura; tecido; contextura; constituição.
Thaddeus [θæ'diəs], *n. p.* Tadeu.
Thailand ['tailænd], *top.* Tailândia.
thaler ['tɑ:lə], *s.* táler, moeda alemã antiga.
thallium ['θæliəm], *s.* (quím.) tálio.
Thames [temz], *top.* Tamisa.
to set the Thames on fire — fazer alguma coisa notável; meter uma lança em África.
than [ðæn], *conj.* que, do que; de; senão; que não.
more than once — mais de uma vez.
you are taller than your brother — és mais alto do que o teu irmão.
I know you better than he (does) — conheço-te melhor do que ele.
something else than that — outra coisa qualquer mas não essa.
smaller than that — mais pequeno do que esse.
it was no other than his uncle — não era outro senão o tio dele.
more than twelve — mais de doze.
thane [θein], *s.* barão saxão; antigo guerreiro.
thank [θæŋk], **1** — *s.* (geralm. no pl.) agradecimento; gratidão; obrigado.
thank-offering — oferecimento em acção de graças.
many thanks to you — muito obrigado.
thanks to his interference — graças à sua interferência.
give him my best thanks — agradeça-lhe da minha parte.
receive my best thanks — aceite os meus melhores cumprimentos.
to return thanks — testemunhar reconhecimento; agradecer.
2 — *vt.* agradecer; dizer obrigado.
thank you — obrigado.
thank God — graças a Deus.
thank you very much — agradeço-lhe muito.
I have still to thank you — resta-me agradecer-lhe.
he may thank himself for that — agradeça-o a si próprio; não tem de quem se queixar.
I thank you most sincerely — agradeço-lhe muito sinceramente.
to thank anyone for a favour — agradecer um favor a alguém.
to thank in advance — agradecer antecipadamente.
thankful [-ful], *adj.* agradecido, reconhecido, grato. (*Sin.* obliged, grateful, indebted. *Ant.* ungrateful.)
I am thankful to you — estou-lhe reconhecido.
thankfully [-fuli], *adv.* reconhecidamente, gratamente.
thankfulness [-fulnis], *s.* gratidão, reconhecimento, agradecimento.
thankless [-lis], *adj.* ingrato; desagradecido; difícil; que não compensa.
a thankless task — uma tarefa ingrata.
thanklessly [-lisli], *adv.* ingratamente; sem proveito.
thanklessness [-lisnis], *s.* ingratidão.
thanksgiving [-sgiviŋ], *s.* acção de graças.
thankworthy [-wə:ði], *adj.* digno ou merecedor de agradecimentos.
that [ðæt], **1** — *adj.* e *pron. dem.* (*pl.* **those** [ðouz]) esse, aquele; essa, aquela; isso, aquilo; o, a.
that boy — aquele rapaz.

that which — aquilo que: o que; aquele que.
that is — isto é.
that may be — talvez.
that way — por ali.
what of that? — e daí?; que importa isso?
so that's that — pronto, está dito.
for all that — apesar de tudo isso.
what's that? — que é isso?
that's not what I want — não é isso o que eu preciso.
that's all for today — por hoje basta.
I'll take that — levo aquilo.
2 — *pron. rel.* que, o qual.
the man that I spoke of — o homem de quem falei.
the people that I met — as pessoas que encontrei.
all is not gold that glitters — nem tudo o que luz é oiro.
3 — *adv.* tão; de tal modo; a tal ponto.
that far — tão longe como isso.
I am so sleepy, that I can't keep my eyes open — tenho tanto sono que não posso abrir os olhos.
4 — *conj.* que; a fim de que, para que; porque.
I fear that he may die — receio que ele morra.
they kept silent that he might sleep — eles calaram-se para que ele pudesse dormir.
now that you are grown up — agora que estás crescido.

thatch [θætʃ], **1** — *s.* cobertura de colmo; telhado coberto de colmo; (joc.) cabeleira espessa.
2 — *vt.* cobrir de colmo.

thatching ['-iŋ], *s.* cobertura de colmo.

thaumaturge ['θɔ:mətə:dʒ], *s.* taumaturgo.

thaumaturgy ['θɔ:mətə:dʒi], *s.* taumaturgia.

thaw [θɔ:], **1** — *s.* degelo; descongelação.
a thaw has set in — começou a degelar.
2 — *vt.* e *vi.* derreter, degelar; derreter-se; perder a frieza; tornar-se mais comunicativo. (*Sin.* to melt, to liquefy, to dissolve. *Ant.* to freeze.)

thawy [-i], *adj.* quente, com tendência para derreter-se.

the [ðə], **1** — *art. def.* o, a, os, as.
the boy — o rapaz.
the girls — as raparigas.
the upper classes — as classes superiores.
Charles the First — Carlos I.
2 — *adv.* quanto; tanto; quanto mais, tanto mais.
the sooner the better — quanto mais cedo, melhor.
the fewer the better — quanto menos, melhor.
all the better — tanto melhor.
so much the worse for him — tanto pior para ele.

theatre ['θiətə], *s.* teatro; drama; literatura dramática; actividade dramática.
open-air theatre — teatro ao ar livre.
operating theatre — sala de operações.
theatre of war — teatro de guerra.
theatre-goer — frequentador de teatro.
what about going to the theatre? — e se fôssemos ao teatro?

theatrical [θi'ætrikəl], *adj.* teatral; cénico; vistoso, aparatoso. (*Sin.* dramatic, showy, ostentatious. *Ant.* simple, natural.)

theatrically [-i], *adv.* teatralmente; aparatosamente.

theatricals [-z], *s. pl.* representações dramáticas de amadores.

Theban ['θi:bən], **1** — *s.* tebano, habitante de Tebas.
2 — *adj.* tebano, relativo a Tebas.

Thebes [θi:bz], *top.* Tebas.

thee [ði:], *pron. pes. compl.* (arc. e poét.) te, ti, tigo; a ti.

theft [θeft], *s.* roubo, furto.
theft-prevention device — dispositivo anti-roubo.

their [ðɛə], *adj. pos.* seu, sua (deles ou delas), seus, suas (deles ou delas).
their garden — o jardim deles (delas).
their houses — as suas casas.

theirs [ðɛəz], *pron. pos.* seu, sua, seus, suas (deles ou delas).
it is theirs — é deles (delas).
a friend of theirs — um amigo deles (delas).

theism ['θi:izəm], *s.* teísmo.

theist ['θi:ist], *s.* teísta.

theistic [θi:'istik], *adj.* teísta, do teísmo.

them [ðem], *pron. pes. compl.* os, as, eles, elas; lhes.
I know them — conheço-os (as).
go with them! — vá com eles (elas)!
every one of them — todos eles (elas).

thematic [θi'mætik], *adj.* temático.

theme [θi:m], *s.* tema; assunto, dissertação, tese; exercício escolar; motivo musical.
theme-song — melodia principal dum filme.

Themistocles [θi'mistəkli:z], *n. p.* Temístocles.

themselves [ðəm'selvz], *pron. refl.* e *enf.* eles mesmos, elas mesmas; eles próprios, elas próprias; se; a si mesmo.
by themselves — sozinhos (sozinhas).
they wash themselves — eles (elas) lavam-se.
they did the work themselves — eles próprios (elas próprias) fizeram o trabalho.

then [ðen], **1** — *s.* esse tempo, essa ocasião.
before then — antes desse tempo.
every now and then — de quando em quando.
from then onwards — a partir de então.
2 — *adj.* dessa época; de então.
the then king — o rei de então.
3 — *adv.* então; nessa altura; em seguida, depois.
he was then too much occupied — estava então muito ocupado.
do that, and then we shall see what can be done — faça isso, e depois veremos o que se pode fazer.
then and there — sem mais demora.
4 — *conj.* por conseguinte, por isso, portanto, nesse caso.

thence [ðens], *adv.* desde então, dali em diante; daí; por consequência; por este motivo.

thenceforth ['ðens'fɔ:θ], *adv.* desde então, dali em diante.

thenceforward ['ðens'fɔ:wəd], *adv.* dali em diante.

Theobald ['θiəbɔ:ld], *n. p.* Teobaldo.

theocracy [θi'ɔkrəsi], *s.* teocracia.

theocratic [θiə'krætik], *adj.* teocrático.

Theocritus [θi'ɔkritəs], *n. p.* Teócrito.

theodicy [θi'ɔdisi], *s.* teodiceia.

theodolite [θi'ɔdəlait], *s.* teodolito.

Theodora [θiə'dɔ:rə], *n. p.* Teodora.

Theodore ['θiədɔ:], *n. p.* Teodoro.

Theodoric [θi'ɔdərik], *n. p.* Teodorico.

Theodosius [θiə'dousjəs], *n. p.* Teodósio.

theogony [θi'ɔgəni], *s.* teogonia.

theologian [θiə'loudʒiən], *s.* teólogo.

theological [θiə'lɔdʒikəl], *adj.* teológico.

theologically [-i], *adv.* teologicamente.

theology [θi'ɔlədʒi], *s.* teologia.

Theophilus [θi'ɔfiləs], *n. p.* Teófilo.

theorem ['θiərəm], *s.* teorema.

theoretic [θiə'retik], *adj.* teorético, teórico.

theoretical [-əl], *adj.* teórico.
theoretical chemistry — química pura.

theoretically [-əli], *adv.* teoricamente.

theorist ['θiərist], *s.* teorista, teórico.
theorize ['θiəraiz], *vi.* teorizar.
theorizer [-ə], *s.* teorizador; o que estabelece teorias.
theory ['θiəri], *s.* teoria.
this is all very well in theory, but how will it work in practice? — isso está tudo muito bem em teoria, mas o que dará na prática?
theosophical [θiə'sɔfikəl], *adj.* teosófico.
theosophically [-i], *adv.* teosoficamente.
theosophist [θi'əsəfist], *s.* teósofo.
theosophy [θi'ɔsəfi], *s.* teosofia.
therapeutic [θerə'pju:tik], *adj.* terapêutico.
therapeutic action — acção terapêutica.
therapeutically [-əli], *adv.* terapeuticamente.
therapeutics [-s], *s.* terapêutica.
therapeutist [θerə'pju:tist], *s.* terapeuta.
there [ðεə], **1** — *s.* esse lugar.
I got there in two minutes — cheguei lá em dois minutos.
near there — perto de lá.
2 — *adv.* aí, ali, acolá, lá; além.
there and then — naquela altura.
it's fifty miles there and back — são cinquenta milhas ida e volta.
who's there? — quem está aí?
there to be — haver.
down there — lá em baixo; acolá adiante.
here and there — cá e lá.
there he comes — ali vem ele.
there exists — existe.
there will come a day — virá um dia.
there are four of us — somos quatro.
3 — *interj.* aí tens!; toma!; olha!
there you are! — aí tens!
thereabout(s) ['ðεərəbaut(s)], *adv.* por aí, por ali perto; cerca de, mais ou menos.
it is five o'clock or thereabouts — são cinco horas aproximadamente.
thereafter [ðεə'ɑftə], *adv.* depois disso; por conseguinte.
thereby ['ðεə'bai], *adv.* por esse meio; em consequência disso; por aí; com isto; por isso; deste modo.
therefore ['ðεəfɔ:], *adv.* por conseguinte; portanto; por esta razão.
therein [ðεər'in], *adv.* (arc.) por isso; por esse motivo; assim; nisto, naquilo.
Theresa [ti'ri:zə], *n. p.* Teresa.
thereupon ['ðεərə'pɔn], *adv.* em consequência disto ou daquilo; imediatamente; nisto, nisso; acerca disso; após o que.
therewithal [ðεəwi'dɔ:l], *adv.* com isto ou aquilo; a mais; além disso; ao mesmo tempo.
therm [θə:m], *s.* unidade termal.
thermal ['θə:məl], *adj.* termal; calorífico.
termal baths — termas.
thermal springs — nascentes de águas termais.
thermal output — produção calorífica.
thermally [-i], *adv.* de forma termal.
thermic ['θə:mik], *adj.* térmico, calorífico.
thermodynamic ['θə:moudai'næmik], *adj.* termodinâmico.
thermodynamics [-s], *s.* termodinâmica.
thermo-electricity [θə:mouilek'trisiti], *s.* termoelectricidade.
thermograph ['θə:məgrɑ:f], *s.* (fís.) termógrafo.
thermometer [θə'mɔmitə], *s.* termómetro.
thermometric(al) [θə:mə'metrik(əl)], *adj.* termométrico.
thermos ['θə:mɔs], *s.* garrafa-termo.
thermos flask — garrafa-termo.
thermoscope ['θə:məskoup], *s.* (fís.) termoscópio.
thermostat ['θə:moustæt], *s.* termóstato.
thesaurus [θi(:)'sɔ:rəs], *s.* tesouro; léxico.
these [ði:z], *pl.* de **this.**
thesis ['θi:sis], *s.* (*pl.* **theses** ['θi:si:z]) tese, dissertação; exercício ou trabalho escolar.
Thessalian [θe'seiljən], *s.* e *adj.* tessalonicense.
Thessalonica [θesələ'naikə], *top.* Tessalónica.
thews [θju:z], *s. pl.* músculos, tendões; (fig.) vigor mental ou moral.
they [ðəi], *pron. pes. suj.* 3.ª *pes. pl.* eles, elas; aqueles, aquelas.
they who — aqueles que.
they have arrived — eles (elas) chegaram.
they say — diz-se; dizem.
Thibet [ti'bet], *top.* Tibete.
Thibetan [ti'betən], *s.* e *adj.* tibetano.
thick [θik], **1** — *s.* a parte mais espessa; o mais denso; centro, ponto principal.
in the thick of the fight — onde a luta era mais acesa.
through thick and thin — através de todos os obstáculos; por cima de toda a folha.
he fled to the thick of the forest — fugiu para onde a floresta era mais densa.
to be in the thick of something — estar no meio de, no centro de.
2 — *adj.* espesso, grosso; denso, basto; cerrado (nevoeiro); compacto, junto, unido; turvo; pesado (aguaceiro); repetido, frequente; íntimo; excessivamente familiar; estúpido, grosseiro; apinhado; abundante; indistinto; aceso, inflamado; com voz pouco clara; rouco, de voz rouca. (*Sin.* dense, close, compact, solid, indistinct. *Ant.* thin.)
thick-skinned — insensível; rude, grosseiro.
thick-headed — estúpido.
thick of hearing — que ouve mal; duro de ouvido.
thick-set — atarracado; plantado bastamente.
how thick is it? — que espessura tem?
five inches thick — da grossura de cinco polegadas.
a thick stick — uma bengala grossa.
thick fog — nevoeiro cerrado.
as thick as thieves — amigos inseparáveis.
a thick soup — sopa grossa.
3 — *adv.* espessamente; densamente; frequentemente; bastamente; em grande quantidade.
thick-lipped — de lábios grossos; beiçudo.
to come thick and fast — chegar rapidamente e em grande quantidade.
thick-and-thin [-ənd-θin], *adj.* decidido, resoluto.
thicken [-ən], *vt.* e *vi.* engrossar; condensar; espessar, tornar espesso; reforçar; fortalecer; cerrar-se; turvar-se; apertar; escurecer; complicar-se.
thickening ['-niŋ], *s.* o que se deita num líquido para o engrossar; acto de engrossar; complicação.
thicket [-it], *s.* mata, bosque, balsa, cerrado, souto.
thickish [-iʃ], *adj.* um tanto espesso ou grosso.
thickly [-li], *adv.* espessamente, densamente; rapidamente; de tropel.
thickness ['-nis], *s.* espessura, grossura; consistência; densidade; falta de agudeza ou viveza; estupidez; falta de ouvido; abundância; rouquidão.
thief [θi:f], *s.* (*pl.* **thieves** [θi:vz]) ladrão, gatuno; morrão (de vela).
opportunity makes the thief — a ocasião faz o ladrão.
stop thief! — agarra que é ladrão!
set a thief to catch a thief — para vilão, vilão e meio.
hotel thief — rato de hotel.
thieve [θi:v], *vt.* e *vi.* roubar, furtar.
thievery [-əri], *s.* roubo, furto; ladroagem.

thievish [-iʃ], *adj.* inclinado ao roubo; furtivo; matreiro; desonesto.

thievishly [-li], *adv.* por meio de roubo.

thievishness [-iʃnis], *s.* cleptomania; propensão para o roubo; mania de roubar.

thigh [θai], *s.* coxa.

thigh-bone — fémur.

thill [θil], *s.* varal de carro; lança, timão.

thimble [ˈθimbl], *s.* dedal; casquilho; (náut.) sapatilho.

thimble-hook — gancho com sapatilho.

thimbleful [-ful], *s.* o conteúdo de um dedal; porção diminuta.

thimblerig [-rig], **1** — *s.* jogo da bolinha. **2** — *vt.* e *vi.* jogar a bolinha; enganar.

thin [θin], **1** — *s.* a parte mais fina ou delgada.

through thick and thin — através de todos os obstáculos.

2 — *adj.* delgado, fino; franzino; magro, delicado; raro, escasso; ténue, claro, transparente; leve, superficial, ligeiro; aguado, rarefeito; esbatido (cor); (col.) desagradável, incómodo; improvável. (*Sin.* slim, slender, meagre, lean, scraggy. *Ant.* fat.)

thin crop — colheita escassa.

thin girl — rapariga magra.

thin house (teat.) — casa fraca, «às moscas».

thin population — população escassa.

thin hair — cabelo raro.

thin soup — sopa aguada.

thin voice — voz fina.

thin as a lath (rake) — magro como um espeto.

thin story — história pouco interessante; explicação pouco convincente.

to get (grow) thin — emagrecer.

to have a thin time — passar um tempo aborrecido e estúpido.

you are getting thin — estás a emagrecer.

3 — *vt.* e *vi.* (*pret.* e *pp.* **thinned**) adelgaçar; desbastar; rarefazer; atenuar; emagrecer; tornar raro; diminuir; despovoar.

my hair is thinning — o meu cabelo está a tornar-se raro.

4 — *adv.* fracamente; levemente; pobremente.

thin-lipped — de lábios finos.

thin-skinned — de pele fina; (fig.) sensível.

thine [ðain], *pron. pos.* (poét. e teu, tua, teus, tuas.

thing [θiŋ], *s.* coisa, objecto; acção, acto; assunto, negócio; ideia; o que é necessário; criatura, pessoa; (col.) aversão; *pl.* pertenças de alguém, roupa, bagagem; acontecimentos, situação.

as things stand — no estado em que as coisas estão.

any old thing will do — qualquer coisa serve.

one of two things — de duas, uma.

poor thing! — coitadito!; pobre criatura!

that's quite another thing — isso é outra coisa.

it's just the thing — é isso mesmo.

that is not the thing — não é isso que convém.

is this the proper thing to do? — é isso que convém fazer?

the thing is, to... — trata-se de...

take my things to the hotel! — leve a minha bagagem para o hotel!

he takes things too seriously — toma as coisas muito a sério.

take those things off the table! — tira essas coisas de cima da mesa!

all things considered — se tomarmos tudo em consideração.

for one thing, I've been too busy to go out — em primeiro lugar, tenho estado muito ocupado para poder sair.

funny thing — coisa curiosa.

one only values the thing one has lost — só se reconhece o valor das coisas quando se perdem; só prezamos a saúde quando a perdemos.

the things that matter — o que importa.

no such thing — nada disso.

short skirts are now the thing — as saias curtas estão agora na moda.

the best thing to do is to wait — o melhor que há a fazer é esperar.

things are going better — as coisas estão a correr melhor.

to know a thing or two about — ser esperto, astuto; ter experiência.

to feel quite the thing — estar de boa saúde.

to make a good thing of — tirar bom proveito de.

thingamy [-əmi], *s.* palavra usada para designar uma pessoa ou coisa cujo nome esquecemos.

thingumbob [-əmbɔb], *s.* ver **thingamy.**

thingummy [-əmi], *s.* ver **thingamy.**

think [θiŋk], *vt.* e *vi.* (*pret.* e *pp.* **thought** [θɔ:t]) pensar; julgar, crer, imaginar; meditar; considerar; projectar; ter intenção de; ser de opinião; recordar, lembrar.

to think little of — fazer pouco caso de; ter fraca opinião de.

to think about — pensar acerca de.

to think highly of someone — ter alguém em grande consideração.

to think out — projectar; resolver.

to think over — meditar, considerar.

to think wrong — pensar mal.

to think well of a person — fazer bom conceito de uma pessoa.

to think ill of a person — fazer mau conceito de uma pessoa.

to think nothing of — não ligar a; não se importar com.

I don't think it is fair — não acho justo.

I should rather think so — eu o creio, sem dúvida.

don't you think so? — não lhe parece que sim?

I think so — julgo que sim.

I think I can do it — creio que posso fazê-lo.

I must think about it — tenho de pensar nisso.

let me think — deixe-me pensar.

don't think about it! — não pense nisso!

I can't think of it—não posso lembrar-me disso.

I don't think much of him — não tenho boa opinião a respeito dele.

I will think it over — pensarei no caso.

as you may think best — como melhor lhe parecer.

I think he will come — julgo que ele virá.

I should hardly think so — é pouco provável.

what do you think of it? — que lhe parece?

thinkable [-əbl], *adj.* imaginável; admissível.

thinker [-ə], *s.* pensador.

free thinker — livre pensador.

thinking [-iŋ], *s.* pensamento, reflexão, meditação; imaginação; opinião.

way of thinking — maneira de pensar.

thinly [ˈθinli], *adv.* delgadamente; ligeiramente; em pequeno número; de um modo disperso ou espalhado; pobremente.

thinness [ˈθinnis], *s.* magreza; escassez; tenuidade; subtileza; delgadeza; transparência.

thinnish [ˈθiniʃ], *adj.* um tanto delgado ou magro; um tanto aguado.

third [θə:d], *s.* e *num.* terceiro; a terça parte; (aut.) terceira velocidade; (mús.) terceira.

major third — terceira maior.

minor third — terceira menor.

third-rate — de terceira ordem; de qualidade inferior.

third speed (aut.) — terceira velocidade.
every third day — de três em três dias.
thirdly [-li], *adv.* em terceiro lugar.
thirst [θə:st], **1** — *s.* sede; (fig.) ânsia, anseio, desejo ardente.
a thirst for knowledge — ânsia de aprender.
to be dying of thirst — morrer de sede.
to have a thirst — (col.) apetecer uma bebida.
to quench one's thirst — matar a sede.
2 — *vi.* ter sede; ansiar, desejar.
to thirst for — ansiar.
thirstily [-ili], *adv.* sequiosamente; avidamente.
thirstiness [-inis], *s.* sede; ânsia.
thirsty [-i], *adj.* sequioso; que causa sede; ressequido, seco.
to be thirsty — ter sede.
to be thirsty for — ansiar por.
it will make you thirsty — far-lhe-á sede.
thirteen ['θə:'ti:n], *s.* e *num.* treze.
thirteenth [-θ], *s.* e *num.* décimo terceiro; a décima terceira parte.
thirteenthly [-θli], *adv.* em décimo terceiro lugar.
thirtieth ['θə:tiiθ], *s.* e *num.* trigésimo; a trigésima parte.
thirtiethly [-li], *adv.* em trigésimo lugar.
thirty ['θə:ti], *s.* e *num.* trinta.
thirty-one — trinta e um.
thirty-first — trigésimo primeiro.
he is in the thirties — ele já passou dos trinta anos.
she is thirty years old — ela tem trinta anos.
thirtyfold [-fould], **1** — *adj.* trinta vezes maior.
2 — *adv.* trinta vezes mais.
this [ðis], **1** — *adj.* e *pron.* (*pl.* **these** [ði:z]) este, esta, isto.
this year — este ano.
this way — por aqui.
this is our house — eis a nossa casa.
from this place — daqui.
this won't occur again — isto não acontecerá mais.
besides this — além disto.
as to this — quanto a isto.
I knew all this before — já sabia tudo isso.
it all comes to this — reduz-se a isto.
what of this? — e daqui?
2 — *adv.* assim, deste modo.
thistle ['θisl], *s.* (bot.) cardo.
thistle-down — a penugem das sementes do cardo.
thistly [-li], *adj.* cheio de cardos; parecido com o cardo.
thither ['ðiðə], *adv.* para lá, para ali.
hither and thither — para cá e para lá.
thitherward(s) ['ðiðəwəd(z)], *adv.* para lá.
thole [θoul], *s.* (náut.) tolete.
Thomas ['tɔməs], *n. p.* Tomás.
thong [θɔŋ], **1** — *s.* correia, tira.
2 — *vt.* prender com correia; castigar com correia.
thoracic [θɔ:'ræsik], *adj.* torácico.
thorax ['θɔ:ræks], *s.* (*pl.* **thoraxes** [-iz]) tórax, peito.
thorn [θɔ:n], *s.* (bot.) espinho, pico; abrolho; espinheiro; (fig.) maçada, inquietação, tormento.
a thorn in one's flesh (side) — um tormento permanente.
no rose without a thorn — não há rosa sem espinhos.
to be (sit) on thorns — estar sobre brasas.
thorn-apple — pilrito.
thorn-bush — espinheiro.
thornback ['-bæk], *s.* (zool.) aranha-do-mar; raia pregada.
thornily [-ili], *adv.* de um modo espinhoso.
thorniness ['-inis], *s.* o ser espinhoso; irritação, incómodo.
thornless [-lis], *adj.* sem espinhos.
thorny [-i], *adj.* espinhoso; penoso, árduo, incómodo. (*Sin.* pricking, spinous, harassing, vexatious. *Ant.* smooth.)
thorough ['θʌrə], *adj.* inteiro, completo, consumado, perfeito, cabal; minucioso, cuidadoso.
a thorough gentleman — um perfeito cavalheiro.
a thorough change — uma mudança completa.
his work is seldom thorough — o seu trabalho raras vezes é perfeito.
thorough repairs — grandes reparações.
to have thorough knowledge — ter perfeito conhecimento.
thoroughbred ['θʌrəbred], **1** — *s.* animal de pura raça; puro-sangue.
2 — *adj.* de puro sangue; de raça pura.
thoroughfare ['θʌrəfεə], *s.* via pública; passagem; trânsito.
great thoroughfare — rua de muito trânsito.
no thoroughfare — trânsito proibido.
thoroughgoing ['θʌrəgouiŋ], *adj.* que vai até ao fim; completo, eficaz, extremo.
thoroughly ['θʌrəli], *adv.* inteiramente; completamente, perfeitamente, cabalmente; a fundo.
thoroughness ['θʌrənis], *s.* perfeição, acabamento, estado completo.
thorough-paced ['θʌrəpeist], *adj.* perfeitamente ensinado; completo, perfeito, cabal.
thorp [θɔ:p], *s.* lugarejo, lugar, povoado.
those [ðouz], *pl.* de **that.**
thou [ðau], *pron. pes. suj.* (arc. e poét.) tu.
though [ðou], *conj.* ainda que, posto que, se bem que, embora; não obstante, contudo.
as though — como se.
as though nothing had happened — como se nada tivesse acontecido.
even though — ainda mesmo que; se bem que.
though it was late, we decided to set out — embora fosse tarde, decidimos partir.
thought [θɔ:t], **1** — *s.* pensamento; opinião, juízo; reflexão; pensar; intento; cuidado, solicitude; atenção, consideração; um pouco, um nada.
a happy thought — uma ideia genial.
on second thoughts — depois de pensar bem.
on first thoughts — sem reflectir.
the thought struck me — veio-me à ideia.
he had no thought of offending you — ele não teve a intenção de o ofender.
evil thoughts — maus pensamentos.
second thoughts are best — a reflexão é fonte de bom conselho.
such a thing never entered my thoughts — tal coisa nunca me passou pela ideia.
to live without a thought for the morrow — viver sem a preocupação do dia de amanhã.
to be lost in thoughts — estar abstracto.
to collect one's thoughts — concentrar-se.
a penny for your thoughts! — em que pensas, amigo?
you are much in my thought — vives no meu pensamento.
the colour is a thought too dark — a cor é um nadinha demasiado escura.
who would have thought it! — quem havia de pensar em tal coisa!
2 — *pret.* e *pp.* do verbo **to think.**
thoughtful ['-ful] *adj.* pensativo, meditativo, concentrado; atento; atencioso; previdente. (*Sin.* considerate, careful, provident, reflective. *Ant.* thoughtless.)
how thoughtful of you! — que gentileza a sua!

thoughtfully ['-fuli], *adv.* pensativamente; atenciosamente; com reflexão; previdentemente, cuidadosamente.
thoughtfulness ['-fulnis], *s.* meditação profunda, reflexão; atenção; previsão; ansiedade.
thoughtless ['-lis], *adj.* irreflectido, inconsiderado, estouvado; imprevidente; descuidado, desleixado.
thoughtlessly ['-lisli], *adv.* descuidadamente; inconsideradamente, irreflectidamente.
thoughtlessness ['-lisnis], *s.* descuido, inadvertência; insensatez; leviandade; inconsideração; desleixo, negligência.
thousand ['θauzənd], *s.* e *num.* mil; milhar.
a thousand thanks — mil agradecimentos.
a thousand times — mil vezes.
by thousands — aos milhares.
one in a thousand — um em mil.
the thousand and one small worries of life — os mil e um aborrecimentos da vida.
to make a thousand and one excuses — pedir mil desculpas.
thousandfold [-fould], **1** — *adj.* mil vezes maior.
2 — *adv.* mil vezes mais, multiplicado por mil.
thousandth [-θ], *s.* e *num.* milésimo; a milésima parte.
Thrace [θreis], *top.* Trácia.
thraldom ['θrɔ:ldəm], *s.* escravidão, servidão; sujeição.
thrall [θrɔ:l], **1** — *s.* escravo, servo; escravidão, servidão.
2 — *vt.* escravizar.
thrash [θræʃ], *vt.* e *vi.* malhar, debulhar, trilhar; sovar, zurzir, bater; agitar, agitar-se violentamente; (desp.) derrotar, alcançar a vitória.
to thrash a thing out — esmiuçar um assunto até descobrir a verdade.
thrasher [-ə], *s.* debulhador; máquina de debulhar, debulhadora; (zool.) variedade de tordo americano.
thrashing [-iŋ], *s.* malha (de cereais), debulha; sova, tareia; (desp.) derrota.
thrashing-floor — eira.
thrashing-machine — máquina de debulhar; debulhadora.
to give somebody a sound thrashing — dar uma boa sova em alguém.
thread [θred], **1** — *s.* fio; linha; fibra; filamento; filete de parafuso; rosca, fio de rosca; espira; contexto seguido, sequência.
a thread of light — um fio de luz.
needle and thread — agulha e linha.
the thread of life — o fio da vida.
silk thread — fio de seda.
thread-cutter — máquina de abrir roscas.
cotton thread — fio de algodão.
he lost the thread of his speech — perdeu o fio do discurso.
his life hangs by a thread — a sua vida está suspensa por um fio.
he has not a dry thread on him — está completamente encharcado.
thread and thrum — tudo, o bom junto com o mau.
to resume (take up) the thread of — retomar o fio de.
2 — *vt.* enfiar; passar através de; atravessar; avançar com dificuldade; serpear; abrir rosca em.
shall I thread your needle for you? — quer que lhe enfie a agulha?
threadbare [-bɛə], *adj.* muito usado, no fio, coçado, puído; velho, gasto, cediço. (*Sin.* old, worn, trite. *Ant.* new.)
threadiness ['θredinis], *s.* o ser de fio ou parecido com ele.
thready ['θredi], *adj.* de fio; filamentoso; parecido com o fio; (voz) esganiçada.
threat [θret], *s.* ameaça; presságio, prenúncio; aviso.
there is a threat of rain — ameaça chuva.
threaten ['θretn], *vt.* e *vi.* ameaçar; fazer ameaças; estar iminente; avisar; pôr em perigo.
he threatened me with death — ameaçou-me de morte.
threatener [-ə], *s.* ameaçador.
threatening [-iŋ], **1** — *s.* ameaça; acto de ameaçar.
2 — *adj.* ameaçador.
threateningly [-iŋli], *adv.* de modo ameaçador.
three [θri:], *s.* e *num.* três; o número três.
by threes — aos três.
three-legged race — corrida de três pernas.
the three R's — ler, escrever e contar.
three decker — navio de guerra de três cobertas.
three-master — navio de três mastros.
three-ply — com três espessuras.
threefold [-fould], **1** — *adj.* triplo.
2 — *adv.* três vezes mais.
threepence ['θrepəns], *s.* importância de três dinheiros.
threepenny ['θrepəni], **1** — *s.* moeda de três dinheiros.
2 — *adj.* no valor de três dinheiros.
threescore ['θri:'skɔ:], *adj.* sessenta.
thresh [θreʃ], *vt.* e *vi.* malhar, debulhar.
thresher [-ə], *s.* debulhadora; malhador.
threshing [-iŋ], *s.* malhada; debulha.
threshing-floor — eira.
threshing-machine — debulhadora.
threshold ['θreʃould], *s.* limiar, soleira; (fig.) começo, princípio.
on the threshold of life — no começo da vida.
threw [θru:], *pret.* do verbo **to throw.**
thrice [θrais], *adv.* três vezes.
thrift [θrift], *s.* economia; sobriedade, frugalidade, parcimónia. (*Sin.* economy, frugality, saving. *Ant.* extravagance.)
thriftily [-ili], *adv.* economicamente, frugalmente.
thriftiness [-inis], *s.* economia, frugalidade, parcimónia.
thriftless [-lis], *adj.* pródigo; perdulário, gastador; extravagante.
thriftlessly [-lisli], *adv.* prodigamente, extravagantemente.
thriftlessness [-lisnis], *s.* prodigalidade, esbanjamento; dissipação.
thrifty [-i], *adj.* económico, frugal; próspero, florescente.
thrill [θril], **1** — *s.* estremecimento; comoção viva; impressão forte; excitação; arrepio, calafrio.
a thrill of joy — um frémito de alegria.
2 — *vt.* e *vi.* fazer estremecer, estremecer; vibrar; entusiasmar; penetrar; tocar profundamente, emocionar.
to thrill through — penetrar.
thriller [-ə], *s.* romance ou filme emocionante; aquilo que nos faz vibrar.
thrilling [-iŋ], *adj.* comovedor; excitante, vibrante; electrizador. (*Sin.* exciting, stirring, mooing, emotional. *Ant.* dull.)
thrillingly [-iŋli], *adv.* comovedoramente; emocionantemente.
thrive [θraiv], *vi.* (*pret.* **throve** [θrouv], *pp.* **thriven** ['θrivn]) prosperar; desenvolver-se; medrar, crescer; enriquecer.
children thrive on fresh air and good food — as crianças desenvolvem-se bem com ar puro e boa alimentação.

thriving [-iŋ], *adj.* próspero, florescente; bem sucedido; bem desenvolvido.

thrivingly [-iŋli], *adv.* prosperamente; com êxito.

thro [θru:], *prep.* ver **through.**

throat [θrout], **1** — *s.* garganta; goela; gargalo; entrada estreita; chaminé de vulcão; (náut.) boca de lobo da carangueja.
a bone has stuck in his throat — espetou-se-lhe um osso na garganta.
the words stuck in my throat — as palavras atravessaram-se-me na garganta.
to lie in one's throat — mentir descaradamente.
to seize someone by the throat — apertar a garganta a alguém; (col.) apertar o gasganete a alguém.
she is cutting her own throat — ela trabalha para a sua própria ruína.
to have a sore throat — ter dor de garganta.
throat-wash — gargarejo.
2 — *vt.* abrir caneluras em.

throatily ['-ili], *adv.* guturalmente.

throatiness [-inis], *s.* aspecto gutural; pronúncia gutural.

throaty [-i], *adj.* gutural.

throb [θrɔb], **1** — *s.* palpitação, pulsação; latejo; vibração.
heart-throbs — palpitações do coração.
2 — *vi.* (*pret.* e *pp.* **throbbed**) palpitar, bater, pulsar; latejar; vibrar, estremecer.

throbbing ['-iŋ], **1** — *s.* palpitação, pulsação; guinada.
2 — *adj.* palpitante; latejante; vibrante.

throbbingly ['-iŋli], *adv.* de modo palpitante; com pulsações.

throe [θrou], *s.* dor aguda; agonia; angústia; *pl.* dores de parto.
in the throes of — a braços com.
the throes of death — a agonia da morte.

throne [θroun], **1** — *s.* trono; autoridade real.
to ascend (to come to) the throne — subir ao trono.
to seat omebody on the throne — pôr alguém no trono.
2 — *vt.* entronizar; elevar, engrandecer, exaltar.

throneless [-lis], *adj.* sem trono, destronado, deposto.

throng [θrɔŋ], **1** — *s.* multidão, tropel, ajuntamento, chusma.
a throng of onlookers — uma chusma de curiosos.
2 — *vt.* e *vi.* apinhar, amontoar; amontoar-se, apinhar-se; vir em tropel. (*Sin.* to fill, to crowd, to flock.)

throstle [θrɔsl], *s.* tordo, malvis; máquina de fiar.

throttle [θrɔtl], **1** — *s.* garganta; estrangulador; (mec.) válvula reguladora.
throttle lever (aut.) — acelerador.
throttle-valve — válvula reguladora.
to open the throttle — acelerar.
to close the throttle — reduzir a velocidade.
2 — *vt.* e *vi.* estrangular, sufocar, asfixiar, abafar; sufocar-se, asfixiar-se; diminuir a velocidade de; suprimir.

throttling [iŋ], *s.* estrangulamento; redução de velocidade.

through [θru:], **1** — *adj.* completo; contínuo; directo.
through ticket — bilhete directo.
through train — comboio directo.
through street — rua principal.
2 — *adv.* do princípio ao fim, de um lado a outro; completamente, inteiramente.
through and through — completamente; de uma extremidade à outra; de lado a lado.
to be wet through — estar encharcado; estar completamente molhado.
have you read the book through? — leu o livro até ao fim?
I read it carefully through — li-o todo cuidadosamente.
are you through with that job? — acabaste essa tarefa?
to carry something through — levar a cabo; concluir uma coisa.
to see something through — acompanhar alguma coisa até ao fim; ajudar.
to get through with — terminar, acabar.
the train runs through to Oporto — o comboio é directo para o Porto.
put me through to...(telefone) — ligue-me para...
3 — *prep.* através de; por entre, pelo meio de; de um extremo a outro, de parte a parte; por intermédio de; por causa de; mediante.
he got through his examination — ele passou no exame.
Sunday through Friday — de domingo a sexta-feira inclusive.
he won't last through the night — ele não deve passar desta noite.
through the week — durante a semana.
you can't see through a brick wall — o que é impossível não se pode fazer.
she went through many trials — ela passou por muitas dificuldades.
he went through a fortune — ele gastou uma fortuna.
to look through the window — ver através da janela.
to swim through the waves — nadar por entre as ondas.
to pass through — passar de lado a lado.
to travel through a country — percorrer um país.

throughout [θru(:)'aut], **1** — *adv.* completamente, inteiramente, em toda a parte, por toda a parte; por todos os lados; de uma extremidade a outra.
2 — *prep.* durante; por toda a parte.
throughout the year — durante todo o ano.

throve [θrouv], *pret.* do verbo **to thrive.**

throw [θrou], **1** — *s.* lançamento, lanço; arremesso; tiro; esforço violento; impulso; pancada; distância a que alguma coisa é lançada; (desp.) queda na luta; curso de êmbolo; (críquete) bola lançada irregularmente.
a lucky throw of the dice — um lanço feliz de dados.
throw-in — lançamento de linha (futebol).
it is my throw — é a minha vez de jogar (nos dados).
within a stone's throw — muito perto; a pequena distância.
2 — *vt.* e *vi.* (*pret.* **threw** [θru:], *pp.* **thrown** [θroun]) atirar, arrojar, lançar, arremessar; desperdiçar, deitar fora; lançar ao chão, derribar; torcer (fio); lançar (os dados); aplicar, empregar; ser cuspido do cavalo; dirigir; dar forma aos objectos de barro; perder de propósito; parir (animal); livrar-se de; despejar.
to throw aside — deixar; pôr de lado; abandonar.
to throw away — deitar fora; desperdiçar, esbanjar; rejeitar, repelir.
to throw a race — perder uma corrida propositadamente.
to throw about — lançar em várias direcções.
to throw back — repelir; rechaçar; devolver; deitar para trás.

to throw down — deitar abaixo; derribar; deitar ao chão, deitar por terra; deprimir; transtornar; subverter.
to throw in — deitar; pôr dentro; dar a mais; inserir; intercalar; introduzir.
to throw into gear — engrenar; embraiar.
to throw in one's hand — confessar-se vencido; renunciar.
to throw off — deitar fora; expulsar; fazer sair; despir; desfazer-se de; despojar; despedir; sacudir; rejeitar; proferir sem premeditação; descartar-se.
to throw on — vestir apressadamente; lançar sobre; atirar sobre; sustentar; manter à custa de outrem.
to throw light on — lançar luz sobre, esclarecer.
to throw oneself into — empreender uma coisa a valer.
to throw oneself down — deitar-se.
to throw oneself on (upon) — confiar em; resignar-se a.
to throw off one's clothes — despir-se apressadamente.
to throw in one's lot with — partilhar da sorte de alguém.
to throw out — deitar fora; expulsar; expelir; fazer crer; fazer ouvir; falar; proferir; insinuar; preceder; passar à frente de; distanciar; emitir, declarar; rejeitar; reprovar; interromper; perturbar.
to throw out of gear — desengrenar; desarranjar; desmanchar.
to throw out a hint — fazer uma sugestão; dar a entender.
to throw open — abrir de par em par.
to throw over — desertar, abandonar; deitar fora.
to throw overboard — deitar ao mar.
to throw the door open — abrir a porta inesperadamente.
to throw the blame on others — deitar as culpas aos outros.
to throw someone off his balance — fazer perder o equilíbrio a alguém.
to throw up one's arms — levantar os braços.
to throw up one's job — abandonar o emprego.
to throw up one's supper — vomitar a ceia.
he threw the pencils about — ele espalhou os lápis pelo chão.
he throws away all his money — ele desbarata o dinheiro todo.
the bill has been thrown out — a proposta foi rejeitada.
she threw her daughters at their heads (col.) — ela lançou-lhes as filhas à cara.
he threw his opponent — ele derrubou o seu adversário.
he throws away his life — ele sacrifica a vida em vão.
they threw the dogs off the scent — eles fizeram os cães perder o rasto, desorientaram os cães.

thrower [-ə], *s.* o que atira ou arremessa.
thrown [-n], *pp.* do verbo **to throw.**
throwster [-stə], *s.* aquele que torce seda.
thrum [θrʌm], **1** — *s.* cadilho; fio grosso; (náut.) mialhar; trama; som produzido por quem arranha um instrumento de corda.
2 — *vt.* e *vi.* (*pret.* e *pp.* **thrummed)** franjar, adornar com franjas; tocar mal um instrumento, arranhar; tamborilar; guarnecer com feltros (coxins, etc.).
thrush [θrʌʃ], *s.* (zool.) tordo; (med.) afta; arestim (veterinária).
thrust [θrʌst], **1** — *s.* arremetida; impulso; empurrão violento; ataque, assalto; estocada; pressão horizontal exercida por um arco de dentro para fora, ou por vigas contra as paredes; desmoronamento (minas).
a home thrust — um golpe mestre.
to make a thrust at — dirigir uma estocada a.
to parry a thrust — parar uma estocada.
that was a thrust at them — isso foi um ataque dirigido a eles.
2 — *vt.* e *vi.* (*pret.* e *pp.* **thrust**) empurrar, impelir; apertar, comprimir; dar estocadas; introduzir-se aos empurrões; atravessar (com lança, punhal, etc.); furar, ferir; intrometer-se.
to thrust aside — empurrar para o lado.
to thrust away — afastar, repelir.
to thrust a sword into (through) someone's body — atravessar alguém com uma espada.
to thrust back — rechaçar; repelir.
to thrust down — lançar por terra; derrubar.
to thrust forward — empurrar; estender para diante.
to thrust one's way through a crowd — andar aos empurrões, abrir o caminho à força.
***to thrust one's nose in* — intrometer-se em;** meter o nariz em.
***to thrust oneself into* — ingerir-se em; intrometer-se em.**
to thrust one's hands into one's pockets — meter as mãos nos bolsos.
to thrust oneself forward — mostrar-se importante; fazer-se valer.
to thrust together — apertar; comprimir.
to thrust in — meter; introduzir à força.
to thrust on — incitar; impelir.
to thrust upon — impor, fazer aceitar.
he thrust his letter into his pocket — meteu a carta na algibeira.
he thrust me away — ele repeliu-me.

thruster [-ə], *s.* pessoa que procura impor-se.
thud [θʌd], **1** — *s.* baque; ruído surdo.
he fell with a thud — ele caiu com um ruído surdo.
2 — *vi.* (*pret.* e *pp.* **thudded)** baquear; cair com um barulho surdo.
thug [θʌg], *s.* assassino; bandido.
thumb [θʌm], **1** — *s.* dedo polegar.
by rule of thumb — maneira prática de fazer qualquer coisa.
his fingers are all thumbs — ele é desajeitado.
thumb-nail — unha do polegar.
thumb-print — impressão digital do polegar.
***thumb-stall* — dedeira protectora do polegar.**
thumbs up! — óptimo!
to bite one's thumbs — roer as unhas de inveja.
under a person's thumb — debaixo do poder ou da influência de alguém.
thumb-screw — instrumento de tortura que esmaga os dedos polegares.
2 — *vt.* manusear com os dedos; folhear; sujar com os dedos; tocar mal.
***to thumb a lift* — pedir uma boleia.**
***a well-thumbed book* — livro com dedadas.**
thumbless [-lis], *adj.* sem polegar.
thump [θʌmp], **1** — *s.* murro, soco; pancada violenta; baque.
2 — *vt.* e *vi.* bater, dar socos, socar, espancar; **martelar. (*Sin.* to beat, to strike, to knock).**
the heart sometimes thumps — o coração às vezes bate fortemente.
to thump out a tune on the piano — martelar uma música no piano.
thumper [-ə], *s.* pessoa que bate, espancador; qualquer coisa muito grande; indivíduo de enorme estatura ou de muito talento; enorme mentira.
thumping [-iŋ], **1** — *s.* agressão a soco; baque surdo.
2 — *adj.* que bate; muito grande.
a thumping lie — uma mentira estrondosa.

thunder ['θʌndə], **1** — *s.* trovão, trovoada; estrondo; *pl.* fulminações, censuras.
thunder-cloud — nuvem carregada de electricidade.
thunder-clap — detonação do trovão; (fig.) acontecimento inesperado e terrível.
thunder-rod — pára-raios.
thunder-shower — chuva com trovoada.
thunder-storm — trovoada.
thunders of applause — ovação estrondosa.
there is thunder in the air — está um ar de trovoada.
2 — *vt.* e *vi.* trovejar; atroar; ribombar; ressoar, retumbar; fulminar; vociferar.
it thunders — troveja.
to thunder out — gritar com voz de trovão.
to thunder threats — proferir ameaças em voz alta.
thunderbolt [-boult], *s.* raio, descarga eléctrica, faísca; (fig.) qualquer coisa imprevista e terrível.
thunderer [-rə], *s.* tonante; fulminante; aquele que profere ameaças.
the Thunderer — (mit.) Júpiter.
thundering [-riŋ], **1** — *s.* trovão, trovoada.
2 — *adj.* atroador, estrondoso; tonante; fulminante; (col.) muitíssimo, excessivo, tremendo; enorme.
a thundering mistake — um erro tremendo.
a thundering nuisance — uma tremenda maçada.
a thundering fine game — um jogo formidável.
thunderingly [-riŋli], *adv.* de modo atroador; excessivamente grande.
thunderous ['θʌndərəs], *adj.* produzindo um som como o do trovão; de trovoada; fulminante, terrível; ameaçador.
thunderous applause — aplausos calorosos.
thunderously [-li], *adv.* de modo atroador.
thunderstruck ['θʌndəstrʌk], *adj.* fulminado pelo raio; (fig.) estupefacto, assombrado.
thundery ['θʌndəri], *adj.* indicativo ou acompanhado de trovão; tempestuoso.
thurible ['θjuəribl], *s.* turíbulo.
thurifer ['θjuərifə], *s.* turiferário, aquele que leva o turíbulo nas procissões e outros actos solenes.
thuriferous [θjuə'rifərəs], *adj.* (bot.) turífero, que produz incenso.
Thuringia [θjuə'rindʒiə], *top.* Turíngia.
Thursday ['θə:zdi], *s.* quinta-feira.
Thursday morning — quinta-feira de manhã.
Maundy Thursday — Quinta-Feira Santa.
on Thursdays — às quintas-feiras.
thus [ðʌs], *adv.* assim, desta maneira, deste modo; até este ponto; nestes termos; por conseguinte.
thus far — até aqui.
thus much — basta; outro tanto.
thwack [θwæk], **1** — *s.* pancada pesada; paulada.
2 — *vt.* bater com uma coisa pesada e chata; espancar.
thwart [θwɔ:t], **1** — *s.* banco de remador.
2 — *adj.* atravessado; transversal.
3 — *vt.* atravessar; opor, contrariar; frustrar, contradizer; impedir. (*Sin.* to frustrate, to cross, to hinder, to oppose. *Ant.* to aid.)
to thwart a person's plans — fazer malograr os planos de alguém.
thwarting [-iŋ], *adj.* contrário, oposto.
thwartingly [-iŋli], *adv.* contrariamente.
thy [ðai], *adj. pos.* (arc., poét.) teu, tua, teus, tuas.
thyme [taim], *s.* (bot.) tomilho.
thymol ['θaimɔl], *s.* (quím.) timol.
thyroid ['θairɔid], **1** — *s.* tireóide, tiróide, glândula tireóide.
2 — *adj.* tireóide, tiróide.
thyrse [θə:s], *s.* (bot.) tirso.

thyself [ðai'self], *pron. refl.* e *enf.* (arc. e poét.) a ti mesmo; tu mesmo.
tiara [ti'ɑ:rə], *s.* tiara.
Tiber ['taibə], *top.* Tibre (rio).
Tiberius [tai'biəriəs], *n. p.* Tibério.
Tibet [ti'bet], *top.* Tibete.
tibia ['tibiə], *s.* (*pl.* **tibiae** ou **tibias** [-i:,-əz]) (anat.) tíbia.
tic [tik], *s.* (pat.) tique; convulsão com dor; contracção nervosa.
tick [tik], **1** — *s.* tiquetaque; pancada do relógio; toque leve; (col.) instante, momento; riscado (para colchões); traço usado ao conferir; *(zool.)* carraça; *(col.)* crédito.
I shall be ready in a tick — estarei pronto num instante.
on the tick — pontualmente.
to buy on tick — comprar a crédito.
to go on tick — recorrer ao crédito.
he put a tick against a name — marcou um nome com um sinal.
2 — *vt.* e *vi.* fazer tiquetaque; bater como um relógio; tocar ao de leve; (col.) tomar ou dar a crédito; marcar com um pequeno sinal.
to tick off — marcar com um sinal.
to tick a person off (col.) — repreender uma pessoa, censurar.
to tick over — arrancar (automóvel).
ticker [-ə], *s.* (col.) relógio; indicador eléctrico de cotações e notícias.
ticket ['tikit], **1** — *s.* bilhete; passe; cédula; etiqueta, rótulo, letreiro; (E. U.) lista de candidatos de um partido político.
admission ticket — bilhete de entrada.
railway ticket — bilhete de comboio.
excursion ticket — bilhete de excursão.
lottery ticket — bilhete de lotaria.
season ticket — passe.
return ticket — bilhete de ida e volta.
single ticket — bilhete de ida ou de volta.
through ticket — bilhete directo.
cloak-room ticket — senha de vestiário.
platform ticket — bilhete de gare.
ticket-holder — portador de bilhete.
ticket-collector — (cam. fer.) revisor.
ticket-office — bilheteira.
ticket-of-leave — licença de saída da prisão antes de expirar o prazo da sentença.
ticket-of-leave man — preso posto em liberdade condicional, obrigado a apresentar-se às autoridades em certas ocasiões.
ticket-punch — alicate de revisor de bilhetes.
to clip (to punch) the ticket — revisar o bilhete.
2 — *vt.* pôr rótulos ou letreiros; tabelar; marcar.
ticking [-iŋ], *s.* riscado para colchões; marcação de números, nomes, etc. com um sinal; tiquetaque.
tickle ['tikl], **1** — *s.* cócegas; titilação; irritação.
to have a tickle in one's throat — ter pigarro na garganta.
2 — *vt.* e *vi.* fazer cócegas; sentir cócegas; causar comichão; titilar; agradar a, divertir.
he was immensely tickled at the idea — estava imensamente entusiasmado com a ideia.
the vest tickles me — a camisola pica-me.
to be tickled to death — saltar de contente.
to tickle the carburettor — *(aut.)* encharcar o carburador.
tickler [-ə], *s.* aquilo ou aquele que faz cócegas; o que agrada; coisa que embaraça ou confunde, problema sério; bóia de carburador.
tickling [-iŋ], **1** — *s.* cócegas, comichão.
2 — *adj.* titilante.

ticklish [-iʃ], *adj.* coceguento; titilante; incerto, instável; melindroso, delicado, difícil, crítico. (*Sin.* difficult, delicate, critical. *Ant.* simple.)
a ticklish question — uma questão delicada.
ticklishly [-iʃli], *adv.* de modo titilante; dificilmente; melindrosamente.
ticklishness [-iʃnis], *s.* o ser coceguento; o ser melindroso ou crítico.
tick-tack ['tik'tæk], **1** — *s.* tiquetaque (de relógio).
2 — *vt.* e *vi.* fazer tiquetaque.
tidal ['taidl], *adj.* relativo às marés; de maré, que enche e vaza periodicamente.
tidal harbour — porto de grandes marés.
tidal wave — macaréu.
tiddledywinks, tiddlywinks ['tidldiwiŋks, 'tidliwiŋks], *s.* jogo (das pulgas).
tide [taid], **1** — *s.* maré; corrente; tempo, estação; curso, marcha; ensejo, oportunidade.
high (full) tide — maré cheia.
ebb (low) tide — preia-mar, baixa-mar, vazante.
spring-tide — águas vivas.
flood-tide — fluxo.
neap-tide — águas mortas.
tide-table — tabela das marés.
tide-gauge — marégrafo; mareómetro.
tide-lock — comporta; dique; represa.
tide-gate — comporta de maré.
tide-waiter — funcionário da alfândega que vai a bordo dos navios mercantes.
tide-way — canal por onde se dirige a maré.
the tide has now turned — agora mudou-se a sorte.
the tide flows (comes in) — a maré enche.
the tide ebbs (falls) — a maré vaza.
time and tide wait for no man — o tempo e a maré não esperam por ninguém.
turn of the tide — volta da maré; revés.
to go with the tide — seguir a corrente.
to go against the tide — seguir contra a maré; remar contra a maré.
2 — *vt.* e *vi.* andar com a maré; levar com a corrente; vencer, compensar.
to tide over the difficulty — vencer a dificuldade.
to tide it down — descer com a maré.
to tide it up — subir com a maré.
tideless [-lis], *adj.* sem maré.
tidily [-ili], *adv.* asseadamente; com simplicidade e elegância.
tidiness [-inis], *s.* asseio; simplicidade elegante; elegância, primor; ordem.
tidings [-iŋz], *s. pl.* notícias, novas.
tidy [-i], **1** — *s.* cobertura para o espaldar ou braços de poltrona; cesto (de papéis, etc.).
2 — *adj.* limpo, asseado; elegante e simples; airoso; em boa ordem; arranjado, vestido com simplicidade; (col.) bastante grande, elevado; bom. (*Sin.* orderly, neat, spruce, trim. *Ant.* untidy.)
a tidy sum of money — uma bonita soma de dinheiro; uma quantia considerável.
make yourself tidy! — arranja-te!; prepara-te!
tidy children — crianças asseadas.
3 — *vt.* e *vi.* arrumar, pôr em ordem; limpar; arranjar, compor.
to tidy up a room — arrumar um quarto.
to tidy up — pôr em ordem; arrumar.
to tidy oneself — arranjar-se; compor-se; preparar-se.
tie [tai], **1** — *s.* gravata; laço; nó, ligadura; ligação, união; consolidação; vínculo, parentesco; obrigação moral ou legal; caibro; empate; (mús.) ligadura.
tie-beam — caibro.
a railway tie — travessa de linha férrea.
tie-pin — alfinete de gravata.
the ties of friendship — os laços de amizade.
to play (shoot) off a tie — realizar um jogo de desempate.
children are a tie to their mothers — as crianças são uma prisão para as mães.
this game ended in a tie — este jogo terminou empatado.
2 — *vt.* e *vi.* atar, ligar, unir; prender, amarrar; dar um nó; restringir, limitar; empatar; contratar.
to tie fast — apertar bem.
to tie up — amarrar; impedir; envolver.
to tie up a parcel — atar um embrulho.
to tie the knot — (col.) dar o nó; casar-se.
tie your tie — dá o nó à gravata.
to tie tightly — atar com força.
to tie one's shoe laces — apertar os atacadores.
to be tied hand and foot — não ter liberdade de acção.
all my money is tied up — todo o meu dinheiro está empatado.
John and Mary tied the knot yesterday — João e Maria casaram-se ontem.
he is much tied with his business — ele está muito preso com os negócios.
the teams tied — os grupos empataram.
they tied his tongue — reduziram-no ao silêncio.
tier [tiə], **1** — *s.* fileira, fila, fiada, ala; bancada; prateleira; camada.
2 — *vt.* dispor em camadas; empilhar.
tierce [tiəs], *s.* terça parte de certas medidas; barril pequeno; sequência de três cartas do mesmo naipe; tércia, terça (hora canónica); (esgrima) terceira posição.
tiercel ['tə:səl], *s.* falcão terçó.
tiff [tif], **1** — *s.* gole, trago; arrufo, zanga, pequena rixa, pequena desavença. (*Sin.* peevishness, anger, quarrel, dispute. *Ant.* harmony.)
to have a tiff with someone — ter uma zanga com alguém.
2 — *vt.* e *vi.* sorver, beberricar; arrufar-se, agastar-se; escandalizar-se.
tiffany ['tifəni], *s.* gaze de seda.
tiffin ['tifin], **1** — *s.* almoço, refeição leve.
2 — *vi.* almoçar, tomar uma refeição leve.
tige [ti:ʒ], *s.* (bot.) haste, caule; (arq.) fuste de coluna.
tiger ['taigə], *s.* tigre; lacaio de libré que acompanha o seu senhor quando este se desloca de carro; (col.) adversário de respeito.
tiger-cat — gato-montês.
tiger-lily — lírio tigrino.
American tiger — jaguar.
to work like a tiger — trabalhar com a máxima energia.
tigerish [-riʃ], *adj.* tigrino; próprio de tigre; feroz, cruel.
tight [tait], **1** — *adj.* apertado; fechado, tapado, vedado, cerrado; justo, estreito; impermeável; estanque; entesado, esticado; compacto; escasso, raro; avarento, sovina; (col.) embriagado; severo, rigoroso; bonito, elegante. (*Sin.* close, firm, impermeable, fast, stretched. *Ant.* loose, slack.)
air-tight — hermeticamente fechado.
tight shoes — sapatos apertados.
tight coat — casaco muito justo.
water-tight — estanque; impermeável.
I am in a tight place — estou numa situação difícil.
to get tight — embriagar-se.
it is a tight bargain — é um negócio que dá pouca margem.

it was a tight match (desp.) — foi um desafio bem disputado.
she is a tight lass — ela é uma rapariga engraçada.
a tight rope — uma corda esticada.
to make tight — vedar; tapar.
2 — *adv.* firmemente; hermeticamente; apertadamente.
tight-fisted — avarento.
tight-fitting — muito justo; apertado.
hold tight! — segura bem!
to sit tight — manter firmemente a sua opinião; não ceder os seus direitos.
to close tight — fechar hermeticamente.
tighten [-n], *vt.* e *vi.* apertar, esticar, estender, estreitar; comprimir, comprimir-se.
to tighten up — apertar bem, vedar.
to tighten one's belt — (col.) apertar o cinto; passar fome.
tightener [-nə], *s.* o que aperta; músculo tensor.
tightly [-li], *adv.* apertadamente; com firmeza; de um modo compacto.
tightness [-nis], *s.* impermeabilidade; aperto; retesamento; estreiteza.
tights [-s], *s. pl.* calças justas.
tigress ['taigris], *s. fem.* fêmea do tigre.
tike [taik], *s.* cão sem préstimo e feio; (col.) pessoa desprezível.
tilbury ['tilbəri], *s.* tílburi, espécie de cabriolé de dois assentos.
tilde ['tild], *s.* til (sinal gráfico).
tile [tail], **1** — *s.* telha; caleira; (col.) chapéu alto, cartola.
Dutch tiles — azulejos.
ridge-tile — telha curva.
gutter-tile — calha.
tile kiln — forno de telha.
tile-works — telheira.
to have a tile loose — (col.) ter uma aduela a menos; não regular bem da cabeça.
2 — *vt.* telhar, cobrir de telhas; cobrir com azulejos.
tiler [-ə], *s.* telhador, fabricante de telhas.
tiling [-iŋ], *s.* telhado; acção de telhar; cobertura de azulejos.
till [til], **1** — *s.* caixa ou gaveta para guardar dinheiro (numa loja).
to be caught with one's hand in the till — ser apanhado com a boca na botija.
2 — *vt.* cultivar, lavrar.
3 — *prep.* até (referido ao tempo).
till now — até agora.
till then — até então.
true till death — fiel até à morte.
till later! — até logo!; até depois!
till Monday — até segunda-feira.
till tomorrow — até amanhã.
till ten o'clock — até às dez horas.
I waited till the end — esperei até ao fim.
till when? — até quando?
4 — *conj.* até que.
don't leave till I come — não parta até que eu chegue.
tillable [-əbl], *adj.* arável, cultivável.
tillage [-idʒ], *s.* cultura, lavoura, agricultura; terra cultivada.
tiller [-ə], **1** — *s.* agricultor, trabalhador rural; renovo, rebento; (náut.) cana do leme.
2 — *vi.* rebentar, brotar.
tilt [tilt], **1** — *s.* toldo, tenda; inclinação, declive; estocada, lançada; torneio, justa; martinete; (fig.) discussão, disputa.
tilt-hammer — martelo mecânico.
tilt-boat — bote coberto.
at full tilt — a toda a velocidade; a toda a força.
the desk is on the tilt — a carteira está inclinada para o lado.
2 — *vt.* e *vi.* inclinar, tombar; empinar; cobrir com toldo; toldar; inclinar-se; forjar com o martinete; enristar (a lança); esgrimir, justar.
to tilt over — inclinar; tombar.
don't tilt the table! — não inclines a mesa!
to tilt at a windmill — lutar contra moinhos de vento; fazer de Dom Quixote.
tilter [-ə], *s.* justador, aquele que entra em torneios.
tilth [tilθ], *s.* lavoura, amanho da terra; terra cultivada.
timbal ['timbəl], *s.* timbale.
timbale [tæm'bɑ:l], *s.* empada.
timber ['timbə], *s.* madeira; madeira de construção; vigamento, madeiramento; peça de madeira; vigas mestras; materiais; o tronco de uma árvore; gambotas; (caça à raposa) vedações, cancelas; (náut.) balizas.
timber-merchant — negociante de madeiras de construção.
timber-work — madeiramento.
timber-toes — (col.) pessoa com perna de pau.
timber-head — cabeço.
timber-yard — estância de madeiras.
ship-timber — madeira para construções navais.
standing timber — árvores em pé.
head-timbers — gambotas da proa.
timber-sow — caruncho.
timber-trade — comércio de madeiras.
timber-wolf — lobo cinzento da América.
to fell timber — cortar madeira.
timbered [-d], *adj.* com madeira; arborizado, coberto de árvores.
timbering [-riŋ], *s.* madeiramento; escoramento; madeira de construção; arborização.
timbre [tɛ̃:mbr], *s.* timbre.
timbrel ['timbrel], *s.* pandeiro, adufe.
time [taim], **1** — *s.* tempo; horas; espaço de tempo; época; período; vez, oportunidade, ocasião; intervalo; prazo; vagar, tempo livre; (mús.) compasso; *pl.* vezes.
at a time — de cada vez.
at any time — a qualquer hora.
at times — às vezes; com intervalos.
at the same time — ao mesmo tempo.
from time to time — de vez em quando.
it is high time — já é tempo.
in no time — num abrir e fechar de olhos.
at all times — sempre; em todos os tempos; em todas as ocasiões.
once upon a time — uma vez.
time is up — passou a hora.
many a time — muitas vezes.
the next time — a próxima vez.
what time is it? — que horas são?
in an hour's time — numa hora; daqui a uma hora.
behind time — atrasado.
to keep time — andar certo (relógio); ir a compasso.
in old times — em tempos idos; antigamente.
the time to come — o futuro; o porvir.
time out of mind — tempos imemoriais.
to pass the time away — passar o tempo; divertir-se.
to have the time of one's life — passar um tempo divertido como nunca.
to have a good time — gozar; divertir-se.
I have got time over — sobeja-me o tempo.
a bad time — uma má ocasião.
time insurance — seguro por tempo limitado.
will there come a better time? — virão dias melhores?

to bide one's time — aguardar uma ocasião favorável.
to be on time — ser pontual.
to waste time — desperdiçar tempo.
for the time being — por ora; por enquanto.
at the present time — presentemente; hoje em dia.
in the day time — de dia.
in the night time — de noite.
at some time or other — um dia ou outro.
out of time — fora do compasso.
time hangs heavy upon me — custa-me a passar o tempo.
I will let you off this time — por esta vez perdoo-te.
time-worn — gasto pelo tempo.
several times — repetidas vezes.
to spend the time — passar o tempo.
to lose time — perder tempo.
it will take all your time — será custoso de fazer.
time is money — tempo é dinheiro.
time will show who is right — o tempo mostrará quem tem razão.
heaps of time — imenso tempo.
no time is your time — não tem um momento de seu.
things have changed since those times — as coisas têm mudado de então para cá.
the time at one's disposal — o tempo disponível.
hard times — maus tempos.
there is a time for everything — há tempo para tudo.
I have told you a dozen times — já te disse dezenas de vezes.
in the course of time — com o tempo.
it rained all the time — esteve todo o tempo a chover.
I usually work six hours at a time — trabalho geralmente seis horas seguidas.
I have no time for such frivolities — não tenho tempo para essas frivolidades.
to gain time — ganhar tempo.
time is drawing near — o tempo está a aproximar-se.
a good time — tempo muito agradável.
to have a bad time — passar um mau quarto de hora.
to have a fine time — passar um tempo agradável.
I had a good time — diverti-me bastante.
those were fine times! — esses foram bons tempos!
the time fixed was 10.30 — dez e meia era a hora marcada.
at no time — nunca.
in good time — a tempo; a horas.
I have not seen you for a long time — há muito tempo que não te vejo.
I'll try and make up for lost time — procurarei recuperar o tempo perdido.
at one time — antigamente; outrora.
all the time — todo o tempo.
at any time of the day — a qualquer hora do dia.
at that time — nessa ocasião; então.
in slow time — a passo ordinário.
in quick time — a passo acelerado.
it's about time — já é tempo; já são horas.
at the appointed time and place — à hora marcada e no local designado.
in times gone by — em tempos idos.
for a long time — durante muito tempo.
in a short time — em pouco tempo.
in time — com tempo.
a short time ago — há pouco tempo.
from that time — desde essa ocasião.
what is the time? — que horas são?
I have not much time — não tenho muito tempo.
now is the time! — eis chegado o momento!
to beat the time — marcar o compasso.
after a time — algum tempo depois.
at the proper time — na ocasião própria.
by this time — agora.
for a time — por algum tempo.
last time — a última vez.
spare time — tempo livre.
to come at the right time — vir a propósito.
it will last our time — vai durar a nossa vida.
is that the correct time? — é a hora certa?
a long time since — há muito tempo.
to improve time — aproveitar o tempo.
as time goes on — com o andar dos tempos.
by the time he gets here — quando cá chegar.
times without number — vezes sem conta; inúmeras vezes.
she is near her time — ela está a chegar ao fim do tempo (de gravidez).
time-server — oportunista; arranjista.
time-race — corrida contra-relógio.
time-table — horário.
time-book — livro de ponto.
to play for time — procurar ganhar tempo.
to work against time — trabalhar contra-relógio.
2 — *vt.* e *vi.* adaptar ao tempo; regular o tempo; acertar um relógio; fazer uma coisa a tempo; seguir o compasso; marcar o compasso; medir o tempo que uma coisa leva a fazer; cronometrar.

timekeeper [-ki:pə], *s.* relógio; cronómetro; marcador de tempo (em corridas, etc.).
timeless [-lis], *adj.* intempestivo, inoportuno; sem fim; eterno.
timeliness [-linis], *s.* oportunidade, ocasião favorável.
timely [li], *adj.* oportuno, a propósito; feito a tempo.
timepiece [-pi:s], *s.* relógio de mesa.
timer [-ə], *s.* cronometrista, marcador de tempo (em corridas).
timid ['timid], *adj.* tímido, medroso; acanhado, timorato.
timidity [ti'miditi], *s.* timidez, acanhamento.
timidly ['timidli], *adv.* timidamente, com acanhamento.
timidness ['timidnis], *s.* acanhamento, timidez.
timing ['taimiŋ], *s.* adaptação, acomodação, regulação; afinação; cronometragem.
timorous ['timərəs], *adj.* medroso, tímido, timorato; receoso. (*Sin.* timid, modest. *Ant.* bold.)
timorously [-li], *adv.* timidamente, com medo.
timorousness [-nis], *s.* timidez, acanhamento.
Timotheus [ti'mouθjəs], *n. p.* Timóteo.
timothy-grass ['timəθi-grɑ:s], *s.* (bot.) espécie de erva do prado.
tin [tin], **1** — *s.* estanho; folha-de-flandres; lata; caixa de lata; (cal.) dinheiro.
tin bath — banho de estanho.
tin-plate — lata.
tin-smith — latoeiro.
tin-works — latoaria.
tin-ware — artigos de folha.
tin-ore — minério de estanho.
tin-hat (cal.) — capacete de aço.
tin-opener — abre-latas.
tin Lizzie (col.) — «dona Elvira».
cake-tin — forma para bolos.
petrol-tin — lata de gasolina.
2 — *vt.* (*pret.* e *pp.* **tinned**) estanhar; meter em latas, enlatar.
tinctorial [tiŋk'tɔ:riəl], *adj.* que tinge, colorante.

tincture ['tiŋktʃə], **1** — *s.* tintura, cor, tinta; laivos, vestígios; sabor; conhecimento superficial; leve aparência; coloração; um dos metais ou cores heráldicas.
he has only a tincture of Greek — tem fracos conhecimentos de Grego.
2 — *vt.* tingir, colorir; dar um certo gosto ou sabor; impregnar; imbuir.
tinder ['tində], *s.* isca, mecha.
tinderbox [-bɔks], *s.* isqueiro.
tine [tain], *s.* dente (de garfo, de forcado, etc.); ponta de animal.
tinfoil ['tin'fɔil], *s.* folha de estanho.
ting [tiŋ], **1** — *s.* tinido.
2 — *vt.* e *vi.* tinir, fazer tinir.
tinge [tindʒ], **1** — *s.* tintura, tinta, cor; matiz; gosto, sabor; vestígios, laivos.
2 — *vt.* colorir, tingir; dar um certo sabor ou gosto a; impregnar.
he is tinged with envy — ele está mordido de inveja.
tingle ['tiŋgl], **1** — *s.* zunido; dor aguda; formigueiro; tinido; excitação, entusiasmo.
a tingle in the ears — zumbido nos ouvidos.
2 — *vt.* e *vi.* tinir, zunir, sentir formigueiros; latejar, sentir dor aguda; fazer tinir; arder; excitar-se; fazer vibrar.
to tingle with indignation — vibrar de indignação.
to feel one's ears tingle with the cold — sentir comichão nas orelhas do frio.
tingling [-iŋ], **1** — *s.* tinido, zunido, formigueiro; ardor.
2 — *adj.* que zune; que pica.
tininess ['taininis], *s.* pequenez, delgadeza.
tinker ['tiŋkə], **1** — *s.* latoeiro; caldeireiro; picheleiro; trabalhador desajeitado.
I don't care a tinker's damn — não me importo nada; tanto se me dá, como se me deu.
2 — *vt.* e *vi.* consertar; atamancar, consertar grosseiramente; exercer o ofício de latoeiro.
to tinker up — reparar provisoriamente.
to tinker away at (tinker with) — fazer trabalho de amador ou inexperiente em.
tinkering [-riŋ], *s.* conserto de latoeiro; pequeno conserto; reparação grosseira.
tinkle ['tiŋkl], **1** — *s.* tinido.
2 — *vt.* e *vi.* tinir, tilintar; fazer tinir.
tinkler [-ə], *s.* (col.) campainha pequena; coisa que tilinta.
tinkling [-iŋ], *s.* tinido.
the tinkling of the glasses on the table — o tilintar dos copos na mesa.
tinman ['tinmən], *s.* (*pl.* **tinmen** [-mən]) funileiro, latoeiro.
tinned [tind], *adj.* metido em latas, enlatado; estanhado; de conserva.
tinned goods — alimentos enlatados; conservas em lata.
tinned sardines — sardinhas de conserva.
tinning ['tiniŋ], *s.* estanhagem; acção de meter em latas, enlatamento.
tinny ['tini], *adj.* de estanho ou parecido com o estanho; (som) metálico.
an old tinny piano — um velho piano com som metálico.
tinsel ['tinsəl], **1** — *s.* ouropel; lentejoula; fio prateado; (fig.) brilho superficial.
2 — *adj.* vistoso; sem valor; superficial.
3 — *vt.* (*pret.* e *pp.* **tinselled**) ornar com ouropel; tornar aparatoso ou vistoso; dar brilho falso a.
tint [tint], **1** — *s.* tinta, cor; matiz; tonalidade. (*Sin.* colour, tinge, hue, dye.)
2 — *vt.* tingir, colorir; sombrear; aguarelar.
tintinnabulary ['tinti'næbjuləri], *adj.* relativo às campainhas ou ao seu som.
tintinnabulation ['tintinæbju'leiʃən], *s.* o tinir das campainhas.
tintinnabulum ['tintinæbjuləm], *s.* campainha pequena.
tiny ['taini], *adj.* muito pequeno.
tip [tip], **1** — *s.* ponta, extremidade; cume; pancada leve; aviso, informação secreta; gorjeta, gratificação; sugestão, indicação; depósito de lixo.
tip of a cigarette — ponta de um cigarro.
tip of an umbrella — ponteira de um guarda--chuva.
on the tip of one's tongue — na ponta da língua.
the tips of the fingers — as pontas dos dedos.
from tip to toe — da cabeça aos pés.
to give a tip — dar uma gorjeta; indicar um palpite.
a straight tip — uma informação de boa fonte; um palpite certo.
take my tip! — siga o meu conselho!
to walk on the tips of one's toes — andar nas pontas dos pés.
2 — *vt.* e *vi.* (*pret.* e *pp.* **tipped**) guarnecer a ponta com metal; pôr uma ponteira em; bater ou tocar ao de leve; dar gorjetas, gratificar; inclinar, tombar; informar secretamente; inclinar-se; sugerir, dar um palpite; despejar.
to tip a waiter — gratificar um criado.
to tip a stick — pôr ponteira numa bengala (ou pau).
I'll tip you handsomely — dou-lhe uma boa gorjeta.
to tip someone the wink — piscar o olho a alguém em sinal de aviso.
to tip the hat — fazer um leve cumprimento, levando a mão ao chapéu.
to tip rubbish — despejar lixo.
to tip the scale — fazer desequilibrar a balança.
to tip the winner — indicar antecipadamente o nome do vencedor.
tipper [-ə], *s.* aquele que dá gorjetas; o que coloca ponteiras (em bengalas, etc.).
tippet ['tipit], *s.* romeira de peles.
tipping ['tipiŋ], *s.* costume de dar gorjetas; informações a respeito de corridas; inclinação; acto de despejar; *pl.* entulho.
tipple ['tipl], **1** — *s.* licor, bebida alcoólica.
2 — *vt.* e *vi.* beberricar, andar sempre a beber; embriagar-se.
tippler [-ə], *s.* beberrão; ébrio.
tippling [-iŋ], *s.* embriaguez.
tipsily ['tipsili], *adv.* como bêbado, alcoolicamente.
tipsiness ['tipsinis], *s.* embriaguez, bebedeira.
tipstaff ['tipsta:f], *s.* vara de justiça; oficial de justiça.
tipster ['tipstə], *s.* informador (de corridas de cavalos, cotações da Bolsa, etc.).
tipsy ['tipsi], *adj.* embriagado, ébrio; tonto, vacilante; próprio de ébrio.
tipsy-cake — pão-de-ló molhado em vinho.
tiptoe ['tiptou], **1** — *s.* ponta dos pés.
to stand on tiptoe — estar em bicos de pés.
2 — *vi.* andar na ponta dos pés.
tiptop [tip'tɔp], **1** — *s.* cimo, cume; o mais alto grau, o cúmulo, o ápice da perfeição.
2 — *adj.* excelente, de primeira ordem.
a tiptop concert — um concerto formidável.
he is a tiptop dancer — é um dançarino de primeira ordem; dança muito bem.
3 — *adv.* excelentemente.
tirade [tai'reid], *s.* invectiva, diatribe; crítica; discurso comprido.
tire ['taiə], **1** — *s.* aro de roda; virola; pneumático, pneu.
pneumatic tire — pneumático.

2 — *vt.* e *vi.* cansar, fatigar; aborrecer; cansar-se, fatigar-se; aborrecer-se; montar pneumático. (*Sin.* to weary, to exhaust, to fatigue, to fag. *Ant.* to refresh.)
I am tired of it — estou farto disso.
I am quite tired out — estou estafado.
to tire out — estafar.
to tire to death — enfastiar, aborrecer ao máximo.
you look dreadfully tired — pareces estar horrivelmente fatigado.
tired [-d], *adj.* cansado, fatigado; farto de; aborrecido.
tired out — estafado, moído.
tired to death — muito fatigado; aborrecidíssimo.
I am tired of him — estou farto dele.
she feels tired — ela sente-se fatigada.
tiredness [-dnis], *s.* fadiga, cansaço; aborrecimento, tédio.
tireless [-lis], *adj.* infatigável, incansável; sem pneumático.
tirelessly [-lisli], *adv.* incansavelmente, infatigavelmente.
tirelessness [-lisnis], *s.* infatigabilidade.
tiresome ['taiəsəm], *adj.* enfadonho, maçador, penoso, aborrecido, fastidioso; fatigante. (*Sin.* tedious, wearisome, fatiguing, annoying. *Ant.* refreshing, interesting.)
tiresomely [-li], *adv.* de modo enfadonho, fastidiosamente.
tiresomeness [-nis], *s.* enfado, tédio, aborrecimento.
tiring ['taiəriŋ], *adj.* fatigante, enfadonho.
tiro ['taiərou], *s.* principiante, novato; noviço; recruta; inexperiente.
tissue ['tisju:], *s.* tecido; encadeamento, série conexa; papel de seda.
tissue-paper — papel de seda.
a tissue of lies — uma série de mentiras.
tit [tit], *s.* espécie de aves pequeninas como o melharuco.
to give tit for tat — pagar na mesma moeda.
titanic [tai'tænik], *adj.* titânico, gigantesco, colossal; (quím.) titânico.
titanium [tai'teinjəm], *s.* (quím.) titânio.
titbit ['tibit], *s.* acepipe, gulodice, petisco; bom bocado.
tithable ['taiðəbl], *adj.* sujeito ao dízimo.
tithe [taið], **1** — *s.* dízimo, décima; décimo; décima parte.
he won't do a tithe of what he promises — não fará a décima parte do que promete.
2 — *vt.* lançar o dízimo; pagar dízimo.
titillate ['titileit], *vt.* titilar, fazer cócegas; deleitar.
titillation [titi'leiʃən], *s.* titilação, cócegas; sensação agradável.
titivate ['titiveit], *vt.* e *vi.* enfeitar, enfeitar-se; arranjar-se, tornar-se catita, alindar-se.
titlark ['titlɑ:k], *s.* (zool.) espécie de ave semelhante à calhandra; cotovia dos prados.
title ['taitl], **1** — *s.* título, epígrafe; inscrição; direito, prerrogativa; nome de distinção; documento.
title-deed — documento comprovativo do direito à posse exclusiva.
title-page — frontispício de livro; rosto.
title-role (teat.) — papel principal.
they are persons of title — são titulares; são pessoas da nobreza.
to prove one's titles — demonstrar os seus direitos.
he has a title to a place among the great pianists — ele tem direito a ser colocado entre os grandes pianistas.
2 — *vt.* dar um título a; intitular.
titled [-d], *adj.* intitulado; titular.
titleless [-lis], *adj.* sem título, sem nome.
titling [-iŋ], *s.* (zool.) carriça.
titmouse ['titmaus], *s.* (*pl.* **titmice** [-mais]) ave semelhante ao melharuco.
titter ['titə], **1** — *s.* riso contido, riso sufocado.
2 — *vi.* rir-se à socapa.
titterer [-rə], *s.* o que se ri à socapa.
tittering [-riŋ], *s.* riso reprimido.
tittle ['titl], *s.* pequena partícula; ponto, jota.
not one jot or tittle — nada absolutamente.
to the last jot or tittle — até à última.
to a tittle — exactamente.
tittle-tattle [-tætl], **1** — *s.* tagarelice, palavrório; mexericos; má-língua.
2 — *vi.* tagarelar, palrar.
tittle-tattler [-tætlə], *s.* tagarela, palrador; mexeriqueiro.
titular ['titjulə], **1** — *s.* bispo titular.
2 — *adj.* titular, nominal, honorífico.
titularly [-li], *adv.* nominalmente; como titular.
Titus ['taitəs], *n. p.* Tito.
tmesis ['tmi:sis], *s.* (gram.) tmese.
to [tu:], **1** — *prep.* a; para; por; para com; em; de; até; segundo; quanto a; em comparação com; ao som de; a fim de; antes; em direcção a.
as to — quanto a.
so as to — de maneira a.
heir to the crown — herdeiro da coroa.
successor to his father — sucessor de seu pai.
from door to door — de porta em porta.
face to face — cara a cara.
to this day — até hoje.
as to that matter — quanto a esse assunto.
to all appearances — segundo todas as aparências.
here's to you! — à tua saúde!
to a great degree — em alto grau.
to the end — até ao fim.
to the north of — a norte de.
a year to the day — um ano dia após dia.
born to a fortune — herdeiro de uma fortuna.
three goals to one (fut.) — três bolas a uma.
what's that to you? — que te importa?
to the life — ao natural; exactamente.
to one's taste — ao gosto de cada um.
to speak to the point — falar sem rodeios.
to fall to — lançar-se sobre; meter mãos à obra; começar a comer com sofreguidão.
be kind to animals! — sede bons para os animais!
that's all one to me — é-me indiferente; tanto me faz.
six to one — seis contra um.
on his way to the station—a caminho da estação.
hand to hand — de mãos dadas.
made to measure — feito por medida.
so to say; so to speak — por assim dizer.
to fall to the ground — cair ao chão.
to sing to the piano — cantar ao piano.
to come to nothing — reduzir-se a nada; não dar resultado algum.
bookseller to His Majesty — livreiro de Sua Majestade.
to fall to pieces — cair aos bocados.
the house looks to the south — a casa está virada ao sul.
this is nothing to what it might be — isto não é nada em comparação com o que podia ser.
explain it to me! — explica-mo!
to turn to the left — virar à esquerda.
to turn to the right — virar à direita.
he took that lady to wife — ele casou com aquela senhora.
this is not to her liking — isto não é do gosto dela.

there is no end to it — isto é um nunca acabar.
would to God! — prouvera a Deus!
he was seen to fall — viram-no cair.
they marched to the tune of... — marcharam ao som de...
2 — *adv.* para diante, para a frente; até o fim que se pretende; em direcção a; na posição normal; a si.
to come to — voltar a si; recuperar os sentidos.
to and fro — de cá para lá.
toad [toud], *s.* sapo; pessoa desprezível.
toad-eater — adulador.
toad-in-a-hole — carne assada no forno, numa massa feita de farinha, ovos, leite, etc.
toady [-i], 1 — *s.* bajulador, adulador servil.
2 — *vt.* bajular, adular servilmente.
toadyism [-iizəm], *s.* bajulação, adulação servil.
toast [toust], 1 — *s.* torrada; saúde, brinde; pessoa a quem se faz um brinde.
as warm as a toast — quente como um borralho; muito quente.
buttered toast — torradas com manteiga.
toast-rack — torradeira.
to drink a toast — brindar; fazer um brinde.
to have someone on toast — ter alguém sob as suas ordens.
to propose a toast — fazer um brinde.
2 — *vt.* torrar, tostar; beber à saúde de alguém, brindar.
toaster [-ə], *s.* torradeira; o que faz um brinde.
electric-toaster — torradeira eléctrica.
tobacco [tə'bækou], *s.* (*pl.* **tobaccos** [-z]) tabaco; fumo.
a packet of tobacco — uma onça (um maço) de tabaco.
mild tobacco — tabaco fraco.
tobacco-plant — planta do tabaco.
tobacco-shop — tabacaria.
tobacco-pouch — bolsa de tabaco.
tobacconist [tə'bækənist], *s.* fabricante ou negociante de tabaco; vendedor de tabaco.
toboggan [tə'bɔgən], 1 — *s.* tobogã.
2 — *vi.* andar de tobogã.
tobogganing [-iŋ], *s.* desporto do tobogã.
toby ['toubi], *s.* (*pl.* **tobies** [-iz]) caneca em forma de velhote gordo com chapéu de três bicos.
tocsin ['tɔksin], *s.* toque de sino a rebate; sino de alarme.
today [tə'dei], 1 — *s.* hoje, o dia de hoje.
today is his birthday — ele faz anos hoje.
2 — *adv.* hoje em dia, actualmente.
English is spoken all over the world today — actualmente fala-se o inglês em toda a parte do mundo.
toddle ['tɔdl], 1 — *s.* passo vacilante, andar hesitante.
2 — *vi.* cambalear; andar com passos vacilantes (como as crianças); dar um passeio à vontade; ir-se embora.
toddler [-ə], *s.* pessoa que cambaleia; criança que começa a andar.
toddy ['tɔdi], *s.* suco fermentado de palmeira; ponche.
to-do [tə'du:], *s.* (col.) azáfama, barafunda, alarido, espalhafato, alvoroço.
toe [tou], 1 — *s.* dedo do pé; biqueira de sapato ou meia; parte anterior de casco de animal.
from top to toe — dos pés à cabeça.
great toe — dedo grande do pé.
little toe — dedo pequeno do pé.
toe-cap — biqueira (de calçado).
to turn the toes in — meter os pés para dentro.
to turn the toes out — meter os pés para fora.
to turn up one's toes — morrer.
to step on one's toes — (col.) pisar os calos a alguém.
2 — *vt.* deitar biqueiras; tocar com a ponta do pé; dar pontapés a.
to toe a shoe — deitar biqueiras num sapato.
to toe the line — estar pronto, na linha de partida, para uma corrida; cumprir ordens.
toff [tɔf], *s.* (col.) janota, dândi; pessoa respeitável.
toffee ['tɔfi], *s.* caramelo.
toft [tɔft], *s.* cerca; terreno com casas junto ao edifício principal.
tog [tɔg], 1 — *s.* vestuário, roupas.
2 — *vt.* e *vi.* (*pret.* e *pp.* **togged**) vestir; vestir-se.
to tog oneself up (out) — vestir-se com elegância.
toga ['tougə], *s.* (*pl.* **togas** [-z]) toga.
together [tə'geðə], *adv.* juntamente; a um tempo; juntos; em conjunto; simultaneamente; seguidamente, sem interrupção.
together with — juntamente com.
all together — todos juntos.
they live together — eles vivem juntos.
to call together — reunir.
to talk for hours together — falar horas seguidas.
toggle ['tɔgl], *s.* cavilha de madeira; (náut.) trambelho.
toil [tɔil], 1 — *s.* trabalho árduo, lida, faina; custo; fadiga; *pl.* armadilha, rede, laço. (*Sin.* work, labour, drudgery, exertion. *Ant.* rest.)
he is in the toils of debt — ele está cheio de dívidas.
caught in her own toils — apanhada nas suas próprias redes.
2 — *vi.* trabalhar, labutar; lidar, afadigar-se, mourejar; cansar-se; andar com custo.
the man toiled up the hill — o homem subiu o monte com custo.
toile [twɑ:l], *s.* pano.
toiler ['tɔilə], *s.* trabalhador, labutador; o que moureja.
toilet ['tɔilit], *s.* toucador; acto de se vestir e arranjar; trajo; instalações sanitárias (em hotel); quarto de banho.
toilet-paper — papel higiénico.
toilet-powder — pó para a pele.
toilet-soap — sabonete.
toilet-table — toucador.
to make one's toilet — vestir-se; preparar-se.
ladies like to show their toilets — as senhoras gostam de mostrar os seus vestidos.
toilful ['tɔilful], *adj.* trabalhoso, árduo; enfadonho.
toilsome ['tɔilsəm], *adj.* trabalhoso, penoso; enfadonho, aborrecido.
toilsomely [-li], *adv.* laboriosamente, penosamente; com dificuldade; de modo enfadonho.
toilsomeness [-nis], *s.* trabalho, canseira, labuta; enfado.
Tokay [tou'kei], *s.* vinho da Hungria; variedade de uva branca.
token ['toukən], *s.* sinal, marca, indício; recordação, lembrança; símbolo, insígnia; penhor; testemunho; lembrança de amizade.
as a token of — em sinal de.
in token of gratitude — em sinal de reconhecimento.
Tokyo ['toukjou], *top.* Tóquio.
told [tould], *pret.* e *pp.* do verbo **to tell.**
Toledo 1 — [tɔ'leidou], *top.* Toledo.
2 — [tɔ'li:dou], *s.* espada toledana.
tolerable ['tɔlərəbl], *adj.* tolerável, suportável; razoável; regular; satisfatório.
I had a tolerable passage — fiz uma viagem regular.
tolerableness [-nis], *s.* tolerância.

tolerably [-i], *adv.* toleravelmente; razoavelmente.
tolerance ['tɔlərəns], *s.* tolerância, indulgência; paciência.
tolerant ['tɔlərənt], *adj.* tolerante, indulgente, paciente.
tolerantly [-li], *adv.* com tolerância; pacientemente.
tolerate ['tɔləreit], *vt.* tolerar, suportar; consentir; permitir. (*Sin.* to allow, to admit, to endure, to bear *Ant.* to resist.)
toleration [tɔlə'reiʃən], *s.* tolerância; espírito de tolerância.
toll [toul], **1** — *s.* dobre de sino; toque a finados; portagem; peagem; maquia de moleiro.
toll-bar (gate) — barreira para pagamento de portagem.
toll-house — casa onde se encontra o funcionário encarregado de cobrar a portagem.
the toll of the roads — a mortalidade nas estradas por desastres de viação.
to take toll of (fig.) — levar grande parte de.
war takes heavy tolls of a country's youth — as guerras ocasionam a morte a muitos mancebos dum país.
2 — *vt.* e *vi.* tanger os sinos; tocar a finados; pagar ou cobrar direitos de portagem.
toller [-ə], *s.* sineiro; portageiro.
tolling [-iŋ], *s.* toque a finados; dobre de sinos; portagem.
the tolling of the bells in the church tower — o dobre dos sinos na torre da igreja.
tolu [tou'lu:], *s.* bálsamo de Tolu.
Tom [tɔm], *n. p. dim.* de **Thomas.**
Tom, Dick and Harry — toda a gente.
Tom and Jerry — rum quente com ovos, açúcar e especiarias.
tom-cat — gato (macho).
tomahawk ['tɔməhɔ:k], **1** — *s.* machado de guerra dos Peles-Vermelhas.
2 — *vt.* ferir ou matar com o machado de guerra; criticar literariamente.
tomato [tə'mɑ:tou], *s.* (*pl.* **tomatoes** [-z]) tomate; tomateiro.
tomb [tu:m], **1** — *s.* túmulo; sepulcro.
2 — *vt.* enterrar; sepultar.
tombac(k) ['tɔmbæk], *s.* tombaque, liga de zinco e cobre.
tombola ['tɔmbələ], *s.* tômbola.
tomboy ['tɔmbɔi], *s.* rapariga atrevida; maria-rapaz.
tombstone ['tu:mstoun], *s.* lápide; pedra tumular.
tome [toum], *s.* tomo, volume.
tomentose [tou'mentous], *adj.* (bot.) tomentoso.
tomentum [tə'mentəm], *s.* (*pl.* **tomenta** [-tə]) (bot.) tomento.
tomfool ['tɔm'fu:l], *s.* tolo, basbaque, idiota, pateta.
tomfoolery [tɔm'fu:ləri], *s.* (*pl.* **tomfooleries** [-iz]) tolice, parvoíce; ornamentos absurdos, bugigangas, frioleiras.
tommy ['tɔmi], *s.* pão, comida fornecida aos trabalhadores em vez de salário; (col.) soldado britânico; chave de parafusos.
soft tommy — pão fresco.
tommy-rot — (col.) disparate, parvoíce.
Tommy ['tɔmi], *n. p. dim.* de **Thomas;** soldado inglês.
Tommy Atkins — o soldado inglês.
tomorrow [tə'mɔrou], **1** — *s.* amanhã, o dia de amanhã.
tomorrow never comes — amanhã pode ser nunca.
tomorrow's newspaper — o jornal de amanhã.
2 — *adv.* amanhã.
tomorrow morning — amanhã de manhã.
tomorrow afternoon — amanhã à tarde.
tomorrow fortnight — de amanhã a quinze dias.
the day after tomorrow — depois de amanhã.
tomtit ['tɔm'tit], *s.* (zool.) ave semelhante ao melharuco.
ton [tʌn], *s.* tonelada; (col.) grande quantidade.
tons of times — milhares de vezes.
tons of people — milhares de pessoas.
he has tons of money — ele tem dinheiro a rodos.
tonal ['tounl], *adj.* (mús.) tonal.
tonality [tou'næliti], *s.* tonalidade.
tone [toun], **1** — *s.* tom, som; toada; metal de voz, timbre; intonação; acento; disposição de espírito; estado saudável do corpo; sotaque, acento; característica; tonalidade de cor; tendência geral; (med.) tonicidade; (mús.) tom.
soft (sweet) tone — tom suave.
heart tones — ruídos cardíacos.
shrill tone — tom agudo.
in an angry tone — num tom zangado.
don't speak to me in that tone! — não me fales nesse tom!
to lose tone — perder a boa disposição.
to regain tone — recuperar a boa disposição.
2 — *vt.* e *vi.* dar o tom; proferir ou falar com tom afectado; modificar o tom; ajustar-se, condizer; combinar; (mús.) afinar, entoar; atenuar.
to tone down — suavizar; modificar; (fot.) enfraquecer; esfumar.
to tone up — robustecer; fortificar; (fot.) reforçar.
the carpet tones with the furniture — o tom do tapete condiz com o da mobília.
tongs [tɔŋz], *s. pl.* tenazes, pinças, alicate.
I wouldn't touch him with a pair of tongs — ele é detestável; mete-me nojo.
to go at it with hammer and tongs — lutar ou discutir encarniçadamente.
tongue [tʌŋ], **1** — *s.* língua; idioma, língua; verbosidade; linguagem; badalo de sino; fiel de balança; língua de terra; fuzilão de fivela.
mother-tongue — língua materna.
a slip of the tongue — um deslize; uma palavra que escapa.
slanderous tongue — má língua.
furred tongue — língua suja.
to be tongue-tied — ficar mudo; não conseguir exprimir-se.
to hold one's tongue — calar-se.
to have one's tongue in one's cheek — falar ironicamente.
to have lost one's tongue — perder a fala; estar envergonhado.
to keep a civil tongue in one's head — ter conta na língua; ser educado no que se diz.
to have a ready tongue — ter a língua pronta; ter resposta pronta.
to have a long tongue — ter a língua comprida.
to have a flippant tongue — não ter papas na língua.
to give tongue — gritar; falar alto; ladrar (cão).
to find one's tongue — começar a falar, depois de um período de silêncio, devido a timidez.
to put out one's tongue at someone — deitar a língua de fora a alguém.
to have something on the tip of one's tongue — ter alguma coisa na ponta da língua.
2 — *vt.* e *vi.* palrar; repreender, censurar; modificar o tom.
tongued [-d], *adj.* que tem língua, com língua.
tongueless [-lis], *adv.* sem língua; mudo.
tonic ['tɔnik], **1** — *s.* tónico, reconstituinte; (mús.) nota tónica.

2 — *adj.* tónico; tonificante; acentuado.
tonic accent — acento tónico.
tonic syllable — sílaba tónica.
tonicity [tou'nisiti], *s.* tonicidade.
tonight [tə'nait], **1** — *s.* esta noite.
2 — *adv.* hoje à noite, esta noite.
toning ['touniŋ], *s.* tonalidade; afinação de instrumentos.
tonnage ['tʌnidʒ], *s.* (náut.) tonelagem, porte; arqueação; direito de tonelagem.
tonnage dues — direitos de tonelagem.
tonsil ['tɔnsl], *s.* tonsila, amígdala.
tonsillitis [tɔnsi'laitis], *s.* tonsilite, amigdalite.
tonsure ['tɔnʃə], *s.* tonsura, coroa.
tontine [tɔn'ti:n], *s.* tontina.
Tony ['touni], *n. p. dim.* de **Antony.**
tony ['touni], *adj.* simplório.
too [tu:], *adv.* muito, de mais, demasiadamente; excessivamente; também.
too much — muito; demasiado; de mais.
too fast — com demasiada pressa.
it is too good to be true — é tão bom que custa a acreditar.
too long intervals — intervalos demasiado longos.
too close — demasiado perto; com demasiado aperto.
too many people — muita gente; gente de mais.
too great an undertaking — um empreendimento colossal.
it is too much for me — é demasiado para as minhas forças.
he is too fond of comfort — ele gosta muito da comodidade.
too sweet — doce de mais.
he is going too far — ele está a exagerar.
he sings too — ele também canta.
took [tuk], *pret.* do verbo **to take.**
tool [tu:l], **1** — *s.* instrumento, utensílio, ferramenta; joguete, indivíduo que serve os desígnios de outro. (*Sin.* implement, instrument, machine, agent.)
cutting (edge) tool — instrumento cortante.
set of tools — ferramenta completa.
carpenter's tool — ferramenta de carpinteiro.
books are the tools of a scholar — os livros são a ferramenta dos intelectuais.
tool-box — caixa de ferramenta.
gardener's tools — utensílios de jardinagem.
machine-tool — máquina para fabricar maquinismos.
a bad workman quarrels with his tools — o mau operário desculpa-se com a ferramenta.
he is simply a tool in her hands — ele é um verdadeiro instrumento que ela maneja à sua vontade.
to make a tool of someone — utilizar-se dos serviços de alguém para satisfazer os seus interesses.
2 — *vt.* talhar; dar certa forma; trabalhar, cinzelar; (col.) guiar (carro); dourar uma encadernação.
toot [tu:t], **1** — *s.* toque; buzinadela, apito.
2 — *vt.* e *vi.* tocar (buzina, trombeta, etc.); soar.
to toot the horn (aut.) — tocar o cláxon.
tooth [tu:θ], **1** — *s.* (*pl.* **teeth** [ti:θ]) dente; paladar, gosto.
tooth-brush — escova de dentes.
tooth-powder — pó dentífrico.
tooth-paste — pasta para dentes.
tooth of a wheel — dente de uma roda.
artificial (false) teeth — dentes postiços.
rotten tooth — dente cariado.
loose tooth — dente abalado.
incisor tooth — dente incisivo.
canine tooth — dente canino.
molar tooth — dente molar.
wisdom tooth — dente do siso.
to clean one's teeth — lavar os dentes.
to cut one's teeth — ter os dentes a nascer.
to draw a tooth — tirar um dente.
to cast (throw) something in a person's teeth — lançar com alguma coisa ao rosto de alguém.
to fight tooth and nail — lutar desesperadamente.
to escape by the skin of ore's teeth — escapar por um triz.
to show one's teeth — arreganhar os dentes.
to set one's teeth on edge — ranger os dentes.
to have a sweet tooth — ser guloso.
to say between one's teeth — resmungar por entre dentes.
armed to the teeth — armado até aos dentes.
in the teeth of all oposition — contra toda a oposição.
you lie in your teeth — mentes com quantos dentes tens.
to pick one's teeth — palitar os dentes.
2 — *vt.* e *vi.* adentar; prover de dentes; enganar.
toothache [-eik], *s.* dor de dentes.
toothed [-t], *adj.* dentado; denteado.
toothing [-iŋ], *s.* dentadura; pedra saliente de uma parede.
toothless [-lis], *adj.* desdentado, sem dentes.
toothpick [-pik], *s.* palito.
toothsome [-səm], *adj.* saboroso; gostoso; delicioso.
toothsomely [-səmli], *adv.* saborosamente; deliciosamente.
toothsomeness [-səmnis], *s.* sabor agradável.
toothwort [-wə:t], *s.* dentária.
tootle ['tu:tl], *vi.* produzir na flauta uma série de sons fracos.
top [tɔp], **1** — *s.* cimo, cume, topo; cabeça; a parte mais elevada; cabeceira (de mesa); o alto (da cabeça); tejadilho (de carro); canhão (de bota); topo superior; copa (de árvore); remate; superfície; cúmulo, auge; último grau; chefe, cabeça, pessoa principal; pião, pitorra; topete; cesto da gávea; tampa.
and on top of that — e ainda por cima.
at the top of the ladder — no cimo da escada.
the top of the head — o alto da cabeça.
from top to bottom — de alto a baixo; completamente.
the top of the mountain — o cume da montanha.
the top of the table — a cabeceira da mesa.
he ran at the top of his speed — ele correu a toda a velocidade.
at the top of the page — no cimo da página.
at the top of one's voice — gritando o mais que se pode.
line 5 from the top — quinta linha a contar de cima.
to come to the top of the tree — atingir o auge de uma profissão.
to enjoy oneself to the top of one's bent — divertir-se ao máximo.
to be at the top of the class — ser o melhor aluno da aula.
to sleep like a top — dormir a sono solto, dormir como uma pedra.
to spin a top — deitar o pião.
2 — *adj.* mais alto; superior; principal, primeiro.
top hat — chapéu alto.
top boots — botas de montar.
top speed — grande velocidade.
top prices — os preços máximos.
top-coat — sobretudo.
top-heavy — em desequilíbrio.

top-dressing — adubo que se deita à superfície e não é coberto com a terra.
top-hole — excelente; esplêndido.
the dinner was top-hole — o jantar estava esplêndido.
top dog — (cal.) patrão; vencedor.
top secret — segredo muito rigoroso.
top-sergeant — primeiro-sargento.
not out of the top drawer — não ser de nascimento ilustre.
3 — *vt.* (*pret.* e *pp.* **topped**) coroar, encimar, rematar; elevar-se acima de; sobrepujar, exceder, ultrapassar; podar por cima; ser eminente; predominar; dominar; (náut.) desamantilhar.
to top a mountain — subir ao cume duma montanha.
to top a yard — (náut.) amantilhar uma verga.
to top a list — **ser o primeiro de uma lista.**
to top off (up) — rematar; dar os últimos retoques; a.
and to top it all — e para cúmulo.
topaz [ˈtoupæz], *s.* topázio.
tope [toup], **1** — *s.* monumento budista; (zool.) cação.
2 — *vi.* beber em excesso.
topee [touˈpi:], *s.* chapéu colonial.
toper [ˈtoupə], *s.* bêbado, beberrão, ébrio.
topgallant [tɔpˈgælənt], *s.* (náut.) joanete.
topgallant mast — mastaréu do joanete.
topgallant yard — verga do joanete.
topi [ˈtoupi], *s.* ver **topee.**
topiary [ˈtoupjəri], *adj.* podado, aparado em formas caprichosas.
the topiary art — arte de podar árvores e arbustos em formas caprichosas.
topic [ˈtɔpik], *s.* tópico, tema, assunto. (*Sin.* theme, subject, matter, text.)
topical [-əl], *adj.* tópico; de interesse local ou geral; alusivo a um assunto.
topically [-əli], *adv.* localmente; topicamente.
topknot [ˈtɔpnɔt], *s.* poupa, penacho (de ave); laço de fita de toucado.
topless [ˈtɔplis], **1** — *adj.* sem topo; sem cabeça.
2 — *s.(col.)* fato de banho (de senhora) sem a parte superior (sem "soutien").
topman [ˈtɔpmən], *s.* (*pl.* **topmen** [-mən]) (náut.) gajeiro.
topmast [ˈtɔpmɑ:st], *s.* (náut.) mastaréu da gávea.
topmost [ˈtɔpmoust], *adj.* o mais alto, o mais elevado.
topographer [təˈpɔgrəfə], *s.* topógrafo.
topographic, topographical [tɔpəˈgræfik,-əl], *adj.* topográfico.
topographically [-əli], *adv.* topograficamente.
topography [təˈpɔgrəfi], *s.* topografia.
topper [ˈtɔpə], *s.* camaradão, boa pessoa; excedente; qualquer coisa superior; o que constitui a parte superior; chapéu alto.
topping [ˈtɔpiŋ], **1** — *s.* ponta, extremidade; poda (de uma árvore); (náut.) repique.
2 — *adj.* sobranceiro, elevado, altaneiro; proeminente; avantajado; altivo; excelente, esplêndido.
toppingly [-li], *adv.* primorosamente; eminentemente; altivamente.
topple [ˈtɔpl], *vt.* e *vi.* fazer cair; cair para diante; tombar, ruir; vacilar; virar.
to topple over — tombar; derrubar.
to topple downstairs — cair, rebolar pelas escadas abaixo.
topsail [ˈtɔpsl], *s.* (náut.) vela da mezena; gávea.
topsawyer [ˈtɔpsɔ:jə], *s.* serrador que serra de cima.
topside [ˈtɔpsaid], *s.* (náut.) borda.
topsyturvily [ˈtɔpsiˈtə:vili], *adv.* às avessas, de pernas para o ar; desordenadamente.
topsyturvy [ˈtɔpsiˈtə:vi], **1** — *s.* confusão, desordem.
2 — *adj.* virado de pernas para o ar; baralhado.
3 — *vt.* pôr de pernas para o ar; pôr às avessas.
4 — *adv.* às avessas, de pernas para o ar; desordenadamente.
to turn topsyturvy — voltar de cima para baixo; pôr em desordem.
topsyturvydom [-dəm], *s.* confusão, barafunda.
toque [touk], *s.* toque, chapéu de aba curta.
tor [tɔ:], *s.* outeiro, colina; elevação penhascosa.
torch [tɔ:tʃ], *s.* archote, tocha; maçarico; lâmpada; (fig.) luz.
torch-bearer — o que leva o archote.
electric torch — lâmpada eléctrica de algibeira.
torching [-iŋ], *s.* pesca ao candeio.
tore [tɔ:], *pret.* do verbo **to tear.**
toreador [ˈtɔriədɔ:], *s.* toureiro.
torment 1 — [ˈtɔ:ment], *s.* tormento, angústia; tortura.
the child is a positive torment — a criança é um verdadeiro tormento.
2 — [tɔ:ˈment], *vt.* atormentar, afligir; fazer sofrer; aborrecer.
tormenting [tɔ:ˈmentiŋ], *adj.* atormentador; torturante.
tormentingly [-li], *adv.* de modo atormentador.
tormentor [tɔ:ˈmentə], *s.* atormentador; espécie de grade com rodas para desfazer os torrões.
torn [tɔ:n], *pp.* do verbo **to tear.**
tornado [tɔ:ˈneidou], *s.* (*pl.* **tornadoes** [-z]) tornado; furacão, tufão; ciclone.
torpedo [tɔ:ˈpi:dou], **1** — *s.* torpedo; (zool.) peixe eléctrico, torpedo.
torpedo-boat — torpedeiro.
torpedo-boat destroyer — contratorpedeiro.
torpedo-tube — tubo lança-torpedos.
torpedo-net — rede antitorpédica.
2 — *vt.* torpedear; (fig.) inutilizar.
torpid [ˈtɔ:pid], *adj.* tórpido; adormecido; entorpecido; apático; indolente; estúpido.
torpidity [tɔ:ˈpiditi], *s.* torpor, entorpecimento; apatia. (*Sin.* dullness, sluggishness, apathy, inactivity. *Ant.* activity, wakefulness.)
torpidly [ˈtɔ:pidli], *adv.* entorpecidamente; indolentemente.
torpidness [ˈtɔ:pidnis], *s.* entorpecimento; apatia.
torpor [ˈtɔ:pə], *s.* torpor, entorpecimento.
torque [tɔ:k], *s.* (*mec.*) esforço de torsão.
torrefaction [tɔriˈfækʃən], *s.* torrefacção.
torrefy [ˈtɔrifai], *vt.* torrar, tostar; torrefazer.
torrent [ˈtɔrənt], *s.* torrente, corrente; (fig.) grande quantidade.
torrents of rain — chuva torrencial.
torrential [tɔˈrenʃəl], *adj.* torrencial; impetuoso.
torrentially [-i], *adv.* torrencialmente; impetuosamente.
torrid [ˈtɔrid], *adj.* tórrido, ardente; abrasador.
torrid zone — zona tórrida.
torridity, torridness [tɔˈriditi, ˈtɔridnis], *s.* calor abrasador.
torsion [ˈtɔ:ʃən], *s.* torção.
torso [ˈtɔ:sou], *s.* (*pl.* **torsos** [-z]) torso, busto de pessoa ou de estátua.
tort [tɔ:t], *s.* (jur.) dano, prejuízo.
tortious [ˈtɔ:ʃəs], *adj.* (jur.) prejudicial, nocivo.
tortoise [ˈtɔ:təs], *s.* (zool.) cágado; tartaruga de água doce.
tortoise-shell — concha de tartaruga.
tortuosity [tɔ:tjuˈɔsiti], *s.* tortuosidade,

tortuous [ˈtɔːtjuəs], *adj.* tortuoso, sinuoso; difícil de compreender; desonesto.
he has a tortuous mind — ele é pouco sério.
tortuously [-li], *adv.* tortuosamente; sinuosamente.
tortuousness [-nis], *s.* tortuosidade; sinuosidade.
torture [ˈtɔːtʃə], **1** — *s.* tortura, suplício; angústia. (*Sin* torment, anguish, agony.
instruments of torture — instrumentos de tortura.
to put to the torture — torturar.
2 — *vt.* torturar, martirizar; torcer.
to be tortured with pain — estar torturado com dores.
torturer [ˈtɔːtʃərə], *s.* algoz, carrasco.
torturing [ˈtɔːtʃəriŋ], **1** — *s.* tortura, suplício.
2 — *adj.* torturante, atormentador, cruciante.
a torturing pain — uma dor cruciante.
torturingly [-li], *adv.* de modo cruciante.
tory [ˈtɔːri], *s.* conservador; membro do partido conservador.
toryism [-izəm], *s.* os princípios dos conservadores.
tosh [tɔʃ], *s.* disparates; tolices.
toss [tɔs], **1** — *s.* sacudidela; acção de atirar para o ar; arremesso; agitação, confusão; meneio; abanadela; queda de cavalo.
a contemptuous toss of the head — um movimento altivo de cabeça.
a toss-pot — ébrio; beberrão.
it is a toss-up — é um mero acaso.
to take a toss — ser cuspido do cavalo.
within the toss of a stone — ao alcance duma pedrada.
2 — *vt.* e *vi.* lançar ao ar, atirar, arremessar; sacudir; balançar; agitar; menear; ser sacudido, agitar-se; torcer-se, mover-se; rebolar-se; tirar à sorte.
to toss a ball — atirar uma bola.
to toss away — atirar para longe.
to toss for (up) — atirar uma moeda ao ar para tirar à sorte.
to toss off — beber de um gole.
to toss one's head — abanar a cabeça altivamente.
to toss oars — arvorar remos.
to be tossed by the waves — ser sacudido pelas ondas.
he tossed on his bed all the long night — deu voltas na cama toda a santa noite.
to toss in a blanket — mantear.
tossing [-iŋ], **1** — *s.* agitação; sacudidela.
2 — *adj.* agitado; que sacode.
tot [tɔt], **1** — *s.* criança pequena; qualquer coisa pequena; copo pequeno; soma de uma coluna extensa de algarismos.
2 — *vt.* e *vi.* (*pret.* e *pp.* **totted**) somar, adicionar.
to tot up — somar.
our daily expenses totted up to — a nossa despesa diária montava a.
total [ˈtoutl], **1** — *s.* total, soma, totalidade.
2 — *adj.* total; completo, inteiro; perfeito.
total sum — soma total.
total darkness — escuridão completa.
the total loss of the ship — a perda total do navio.
3 — *vt.* (*pret.* e *pp.* **totalled**) somar; montar a, subir a.
to total up to — elevar-se a; perfazer; totalizar.
totalitarian [toutæliˈtɛəriən], *adj.* totalitário.
totality [touˈtæliti], *s.* totalidade.
totalizator [ˈtoutəlaizeitə], *s.* registadora das apostas nas corridas de cavalos.
totalize [ˈtoutəlaiz], *vt.* totalizar; somar.
totalizer [-ə], *s.* o que totaliza; máquina de somar.
totally [ˈtoutəli], *adv.* totalmente; absolutamente; inteiramente.
totter [ˈtɔtə], *vi.* cambalear, andar com passo incerto, vacilar; tremer, abanar; ameaçar ruína. (*Sin.* to reel, to stagger, to falter.)
totterer [-rə], *s.* pessoa que cambaleia.
tottering [-riŋ], **1** — *s.* cambaleio, acto de cambalear.
2 — *adj.* vacilante, cambaleante; que ameaça ruína.
totteringly [-riŋli], *adv.* de modo vacilante; a cambalear; a ameaçar ruína.
tottery [-ri], *adj.* vacilante, cambaleante; pouco firme.
touch [tʌtʃ], **1** — *s.* tacto; apalpadela; toque; retoque; pincelada, última demão; contacto; tintura, sombra; ensaio; pontada, dor; pequena porção; ligeiro ataque; sensação; modo de agir; característica; fraqueza, defeito; modo de tocar (instrumento).
touch-hole — ouvido (de arma de fogo).
touch-stone — pedra-de-toque.
cold to the touch — frio quando se toca; de toque frio.
at the slightest touch — ao mais leve toque.
a touch in the brain — debilidade mental.
the sense of touch — o sentido do tacto.
touch-and-go — arriscado; perigoso.
touch-and-go business — negócio arriscado.
to put a finishing touch to — dar os últimos retoques a; rematar.
to get in touch with a person — comunicar com uma pessoa; entrar em contacto com uma pessoa.
to keep in touch with — estar (manter-se) em contacto com.
to lose touch with — perder o contacto com.
to put something to the touch — pôr uma coisa à prova.
to know by the touch — conhecer pelo tacto.
to be out of touch with — estar afastado de.
it was a near touch — foi por pouco.
2 — *vt.* e *vi.* tocar, apalpar; mexer em; chegar a; dizer respeito a, ter relação com; estar em contacto com; afectar; comover, enternecer; contagiar; tratar ligeiramente de; insinuar, dar a entender a; tocar, fazer escala por um porto; tocar-se; retocar; igualar, comparar-se; provar, beber; perturbar mentalmente; danificar; aludir a; (cal.) pedir dinheiro emprestado.
to touch up — retocar; embelezar.
to touch on — tratar ligeiramente de um assunto; aludir a; referir-se a.
to touch at a port — fazer escala por um porto.
to touch to the heart — comover vivamente.
to touch one's hat — cumprimentar levantando o chapéu.
to touch bottom — descer até ao fundo; alcançar base sólida.
to touch off — descarregar (arma de fogo); fazer rebentar.
to touch to the quick — chegar ao vivo.
to touch a friend for a pound — pedir uma libra emprestada a um amigo.
to touch the right chord—ferir a corda sensível.
he touched me on the shoulder — ele tocou-me no ombro.
not to be touched — é favor não mexer.
don't touch those books! — não mexas nesses livros!
they touched him on his tender spot — tocaram-lhe no ponto fraco.
no one can touch him at his speciality — ninguém o pode igualar em assuntos da sua especialidade.

he never touched wine — ele nunca provou vinho.
touchable [-əbl], *adj.* tangível, palpável.
touched [-t], *adj.* (col.) tocado, amalucado.
touchily [-ili], *adv.* susceptivelmente; com irritação.
touchiness [-inis] *s.* susceptibilidade, melindre; irritabilidade.
touching [-iŋ], **1** — *s.* toque; contacto.
2 — *adj.* tocante, patético, comovedor. (*Sin.* tender, moving, pathetic, affecting. *Ant.* ludicrous.)
a touching incident — um episódio comovedor.
3 — *prep.* respeitante a, tocante a.
touchingly [-iŋli], *adv.* de modo tocante; sensivelmente.
touchingness [-iŋnis], *s.* qualidade de ser comovente.
touch-me-not ['tʌtʃminɔt], *s.* (bot.) balsamina silvestre.
touchwood ['tʌtʃwud], *s.* isca; madeira podre.
touchy ['tʌtʃi], *adj.* susceptível, melindroso; irritável; desconfiado; muito inflamável.
tough [tʌf], **1** — *s.* rufia, desordeiro.
2 — *adj.* rijo, duro, teso; inflexível, forte, resistente, resoluto; difícil; tenaz, teimoso.
a tough job — uma empreitada difícil.
tough-luck — má sorte.
tough meat — carne dura.
a tough opponent — um adversário tenaz.
tough skin — pele dura.
toughen [-n], *vt.* e *vi.* enrijar; endurecer; robustecer-se, robustecer.
toughish [-iʃ], *adj.* um tanto rijo; resistente; um tanto difícil.
toughly [-li], *adv.* fortemente; tenazmente; duramente; inflexivelmente.
toughness [-nis], *s.* rijeza, dureza; robustez; tenacidade; obstinação.
toupee ['tu:pei], *s.* carrapito; peruca, chinó.
tour [tuə], **1** — *s.* viagem, volta, passeio; excursão; giro.
wedding tour — viagem de núpcias.
to take a tour — dar uma volta; viajar.
2 — *vt.* e *vi.* viajar, dar um passeio; percorrer.
he toured his country — ele viajou através do seu país.
tourbillion [tuə'biljən], *s.* turbilhão, peça de fogo-de-artifício que gira no ar.
touring ['tuəriŋ], **1** — *s.* turismo.
touring car — carro de turismo.
2 — *adj.* que anda em viagem.
tourism ['tuərizəm], *s.* turismo.
tourist ['tuərist], *s.* turista.
tourist agency — agência de turismo.
tourist ticket — bilhete turístico.
tourmalin(e) ['tuəməlin], *s.* turmalina.
tournament ['tuənəmənt], *s.* torneio, justa; competição.
tourney ['tuəni], *s.* torneio, justa.
tourniquet ['tuənikei], *s.* torniquete (cirurgia).
tournure ['tuənjuə], *s.* contorno, figura, feitio.
tousle ['tauzl], *vt.* desarranjar, desgrenhar. despentear; amarrotar.
tout [taut], **1** — *s.* angariador; corretor (de hotel); informador sobre cavalos de corrida.
2 — *vi.* procurar, angariar; prestar informações sobre cavalos de corrida.
tow [tou], **1** — *s.* estopa; reboque; cabo de reboque; embarcação rebocada.
tow-boat — barco rebocador.
tow-line (rope) — cabo de reboque, sirga.
tow-path — caminho ao longo de um canal ou rio para puxar os barcos à sirga.
to be in tow — ir a reboque.
to have (take) a person in tow — ter uma pessoa a seu cargo.
to take in tow — levar a reboque.
2 — *vt.* rebocar; sirgar.
towage [-idʒ], *s.* reboque; preço do reboque.
towage fees — custo do reboque.
toward(s) [tə'wɔ:d(z)], *prep.* para, em direcção a; para com; com tendência para; com respeito a; por; perto de; a fim de.
towards the end of the day — perto do fim do dia.
towards the south — na direcção do sul.
towards midnight — perto da meia-noite.
he feels friendly towards the poor — ele tem amizade pelos pobres.
to set out towards town — partir para a cidade.
towel ['tauəl], **1** — *s.* toalha.
towel-horse (-rail) — toalheiro.
roller towel — toalha contínua; toalha rolante.
to throw in the towel — dar-se por vencido.
2 — *vt.* e *vi.* (*pret.* e *pp.* **towelled**) limpar com toalha; limpar-se com toalha.
towelling [-iŋ], *s.* acto de se limpar com uma toalha; pano para toalhas.
tower ['touə], *s.* rebocador.
tower ['tauə], **1** — *s.* torre; torreão; campanário; fortaleza, cidadela; protecção.
tower-clock — relógio de torre.
tower of strength — pessoa poderosa; pessoa que nos protege.
the Tower (of London) — a Torre de Londres.
2 — *vi.* erguer-se altaneiro; elevar-se; dominar; tomar um voo muito alto.
he towers above his contemporaries — ele eleva-se muito acima dos seus contemporâneos.
towered [-d], *adj.* guarnecido com torres.
towering [-riŋ], *adj.* altaneiro, elevado, sobranceiro, dominante; grande, sublime; violento.
in a towering passion — fora de si.
to be in a towering rage — estar furioso.
towing ['touiŋ], *s.* reboque.
towing-hook — gato de reboque.
town [taun], *s.* cidade; vila; burgo; os habitantes de uma cidade.
in town — na cidade.
town clerk — secretário da câmara.
town hall — câmara municipal.
town councillor — vereador da câmara.
town council — conselho municipal.
town crier — pregoeiro público.
a man about town — um homem da sociedade.
town and gown — futricas e estudantes.
she is the talk of the town — toda a gente fala nela.
country town — cidade provinciana.
to go to town — ir à cidade.
townee [tau'ni:], *s.* habitante de uma cidade universitária; futrica.
towsfolk [-foulk], *s. pl.* gente da cidade, os citadinos.
township ['taunʃip], *s.* distrito de uma cidade; jurisdição de uma cidade.
townsman ['taunzmən], *s.* (*pl.* **townsmen** [-mən]) habitante de uma cidade, citadino.
townward(s) ['taunwəd(z)], *adv.* em direcção à cidade, para o lado da cidade.
toxic ['tɔksik], *s.* e *adj.* tóxico.
toxically [-əli], *adv.* venenosamente.
toxicant [-ənt], *s.* tóxico, veneno.
toxicologist [tɔksi'kɔlədʒist], *s.* toxicólogo.
toxicology [tɔksi'kɔlədʒi], *s.* toxicologia.
toxophilite [tɔk'sɔfilait], *s.* amador de tiro ao arco.
toy [tɔi], **1** — *s.* brinquedo, ninharia, bagatela; passatempo; (fig.) joguete.
toy-book — livro de estampas.
toy-shop — loja de brinquedos.
toy soldier — soldado de chumbo.

toy-railway — comboio para as crianças brincarem.
toys for children — brinquedos para crianças.
toy dog — cão muito pequeno; brinquedo em forma de cãozinho.
to make a toy of — divertir-se com.
she was a mere toy in his hands — ela não passava de um joguete nas mãos dele.
2 — *vi.* jogar, brincar, divertir-se, folgar; tratar descuidadamente.
to toy with — brincar com.

trace [treis], **1** — *s.* traço, rasto, pegada, pista; sinal, vestígio, indício; pequena quantidade; desenho, plano; tirante (de carro). (*Sin.* vestige, mark, track, trail.)
sorrow has left its traces on her face — a dor deixou-lhe vestígios no rosto.
they don't show a trace of fear — eles não mostram o menor indício de medo.
to kick over the traces — insubordinar-se; tomar o freio nos dentes.
2 — *vt.* e *vi.* traçar, delinear; debuxar; copiar, tirar um desenho; seguir a pista ou o rasto; descobrir, investigar; marcar; planear; reconstituir; ver com dificuldade; escrever com dificuldade ou com muito cuidado.
to trace back to — remontar a.
to trace off — decalcar.
to trace out — traçar; delinear.
she had been traced to Paris — seguiram a pista dela até Paris.

traceable [-əbl], *adj.* que se pode traçar, seguir ou descobrir.
traceless [-lis], *adj.* que não deixou vestígios.
tracer [-ə], *s.* traçador; copiador; desenhador; descobridor; investigador; tira-linhas; projéctil que deixa rasto no percurso.
tracery [-əri], *s.* (*pl.* **traceries** [-iz]) escultura rendilhada; rendilhado.
trachea [trə'ki(:)ə], *s.* traqueia.
tracheal [-l], *adj.* traqueal, da traqueia.
trachean [-n], *adj.* traqueano, da traqueia.
tracheotomy [træki'ɔtəmi], *s.* traqueotomia.
tracing ['treisiŋ], *s.* cópia de debuxo por transparência; decalque; acto de investigar.
tracing-paper — papel transparente para tirar desenhos.
to make (to take) a tracing of — decalcar.

track [træk], **1** — *s.* pista, rasto; pegada, vestígio; trilho; carril; via (cam. fer.); trajecto; curso; rumo, rota; caminho trilhado; vereda; esteira (do navio); (desp.) pista.
track-rope — sirga.
track-shoes — sapatos de corrida.
track-man — guarda da linha.
double track — via dupla.
single track — via única; via simples.
the beaten track — o caminho trilhado por todos; a rotina da vida.
off the tracks — descarrilado; arredado do assunto.
on the track of — na pista de.
off the beaten track — fora da rotina vulgar.
he was afraid to leave the beaten track — tinha receio de sair da rotina.
to keep track of — acompanhar o desenvolvimento de.
to lose track of — perder de vista.
to make tracks — ir-se embora apressadamente.
to make tracks for — (col.) dirigir-se directamente para.
to cover up one's tracks — procurar esconder as suas actividades.
2 — *vt.* e *vi.* seguir a pista; localizar; rebocar, sirgar; deixar pegadas ou sinais.
to track down — descobrir pelo rasto; seguir a pista de.

trackage [-idʒ], *s.* navegação à sirga, reboque; linhas de comboios.
tracker [-ə], *s.* aquele que segue a pista; rebocador.
tracking [-iŋ], *s.* reboque; acto de seguir as pegadas de alguém.
tracking-rope — sirga.
trackless [-lis], *adj.* sem rasto, que não deixa vestígios; ínvio; sem carris.
tracklessly [-lisli], *adv.* de maneira a não deixar rasto; que não é trilhado.
tracklessness [-lisnis], *s.* o não ter rasto nem vestígio; o ser ínvio.
tract [trækt], *s.* extensão; tracto, espaço de terreno; região, área; tratado resumido, discurso; folheto, opúsculo de carácter religioso; (anat.) aparelho.
respiratory tract — aparelho respiratório.
tract of land — extensão de terreno.
tractability [træktə'biliti], *s.* afabilidade, docilidade.
tractable ['træktəbl], *adj.* tratável, dócil, afável; maleável, manejável.
tractableness [-nis], *s.* afabilidade, docilidade.
tractably [-i], *adv.* afavelmente, docilmente.
tractate ['trækteit], *s.* tratado.
tractile ['træktail], *adj.* dúctil.
traction ['trækʃən], *s.* tracção.
traction motor — motor de tracção.
tractor ['træktə], *s.* tractor.

trade [treid], **1** — *s.* comércio, negócio; tráfico; indústria; emprego, ocupação; ofício, arte; navegação; comerciantes; freguesia, clientela. (*Sin.* traffic, commerce, business, occupation.
the Board of Trade — o Ministério do Comércio.
home trade — comércio interno.
free trade — comércio livre.
coasting trade — cabotagem.
trade-mark — marca da fábrica; marca registada.
foreign trade — comércio externo.
trade-union — sindicato.
trade-winds — ventos alísios.
trade bills — letras comerciais.
trade allowance — desconto comercial.
export-trade — comércio de exportação.
import-trade — comércio de importação.
retail trade — comércio de retalho.
a roaring trade — **comércio florescente.**
wholesale trade — comércio por atacado.
trade discount — desconto para revenda.
trade price — preço de custo; preço de revenda.
land trade — comércio terrestre.
trick of the trade — ardil comercial para chamar freguesia.
two of a trade seldom agree — um osso e dois cães.
Jack of all trades and master of none — aprendiz de tudo e oficial de nada.
he is a tailor by trade — ele é alfaiate de profissão.
the book trade — o comércio do livro.
to sell to the trade — vender por atacado; vender ao retalhista.
to leave off trade — retirar-se do comércio.
to carry on the trade of — fazer o comércio de.
2 — *vt.* e *vi.* negociar, comerciar; trocar.
to trade in wool — negociar em lã.
to trade on — tirar proveito de.
that boy traded his ball for a book — aquele rapaz trocou a bola por um livro.

trader [-ə], *s.* negociante, comerciante; navio mercante.

tradesman [-zmən], *s.* (*pl.* **tradesmen** [-zmən]) lojista; comerciante, negociante.
tradespeople [-zpi:pl], *s. pl.* comerciantes, industriais, negociantes; artistas, operários.
trading [-iŋ], *s.* comércio, negócio; actividade comercial.
trading company — sociedade comercial.
trading nation — nação comercial.
tradition [trə'diʃən], *s.* tradição.
handed down by tradition — transmitido pela tradição.
traditional [-l], *adj.* tradicional.
traditionalism [trə'diʃnəlizəm], *s.* tradicionalismo.
traditionally [trə'diʃnəli], *adv.* tradicionalmente.
traduce [trə'dju:s], *vt.* caluniar, difamar, vituperar, detrair.
traducement [-mənt], *s.* detracção, difamação, calúnia.
traducer [-ə], *s.* detractor, caluniador, difamador.
Trafalgar [trə'fælgə], *top.* Trafalgar.
traffic ['træfik], **1** — *s.* tráfico, comércio; trânsito; tráfego; movimento, circulação; mercadorias transportadas pelo caminho-de--ferro, estradas, etc.
traffic-lights — **sinais luminosos; reguladores do tráfego; semáforos.**
traffic-returns — estatística do movimento.
traffic manager — chefe do movimento.
the drug traffic — tráfico de estupefacientes.
open to public traffic — aberto ao tráfego público; aberto ao trânsito.
the white slave traffic — **tráfico de brancas.**
the policeman controls the traffic — o polícia regula o trânsito.
there is very little traffic on these roads — há pouco movimento nestas estradas.
2 — *vt.* e *vi.* comerciar, negociar; vender; traficar.
to traffic in — negociar em
trafficker [-ə], *s.* comerciante; traficante.
drug-trafficker — traficante de estupefacientes.
tragacanth ['trægəkænθ], *s.* (bot.) tragacanta; alcatira.
tragedian [trə'dʒi:djən], *s.* actor ou escritor de tragédias.
tragedy ['trædʒidi], *s.* tragédia; drama; desgraça.
tragedy queen — actriz dramática.
tragic(al) ['trædʒik(əl)], *adj.* trágico; dramático; terrível, funesto. (*Sin.* sad, calamitous, shocking, disastrous. *Ant.* comic.)
a tragic scene — uma cena trágica.
tragically [-əli], *adv.* tragicamente.
tragicalness [-əlnis], *s.* horror, calamidade, infortúnio.
tragicomedy ['trædʒi'kɔmidi], *s.* tragicomédia.
tragicomic(al) ['trædʒi'kɔmik(əl)], *adj.* tragicómico.
tragicomically [-əli], *adv.* de modo tragicómico.
trail [treil], **1** — *s.* pista, rasto, pegada; cauda de vestido; traço; indício; atalho, vereda; conteira, rasto do reparo (artilharia).
the trail of a serpent — o rasto de uma serpente.
the trail of a meteor — a cauda de um cometa.
the engine left a trail of smoke behind it — a máquina deixou uma cortina de fumo atrás de si.
hot on the trail — na pista verdadeira.
to blaze the trail — abrir caminho por região desconhecida.
to lose the trail — perder o rasto.
2 — *vt.* e *vi.* arrastar; pisar, calcar; caçar seguindo a pista; rastejar; deixar rasto; trepar; vaguear, errar; espalhar; arrastar-se.
to trail arms — abaixar, descansar (armas).
the vine trailed over the wall and hung down in festoons — a videira trepava pelo muro e caía em festões.
to trail a car — rebocar um carro.
to trail along — arrastar-se vagarosamente.
to trail off — diminuir de intensidade.
trailer [-ə], *s.* o que arrasta ou rasteja; planta trepadeira; (aut.) reboque.
trailing [-iŋ], **1** — *s.* acção de seguir a pista; reboque.
2 — *adj.* que se arrasta pelo chão.
trailing plant — planta trepadeira.
train [trein], **1** — *s.* cauda; comitiva, séquito; procissão, cortejo; série, encadeamento; comboio; rastilho de pólvora; conteira de carreta (artilharia); fileira; indício, vestígio; trem (de engrenagem).
train-bearer — caudatário.
train camp — campo de instrução.
train-dress — vestido com cauda.
express train — comboio expresso.
goods train — comboio de mercadorias.
passenger train — comboio de passageiros.
mixed train — comboio misto.
mail train — comboio correio.
excursion train — comboio de excursionistas.
slow train — comboio ónibus.
fast train — comboio rápido.
through train — comboio directo.
down train — comboio descendente.
up train — comboio ascendente.
by slow train — em pequena velocidade.
by fast train — em grande velocidade.
local train — comboio de pequeno curso.
underground train — metropolitano.
a train of events — uma série de acontecimentos.
a train of admirers — uma plêiade de admiradores.
I missed my train — perdi o comboio.
I have taken the wrong train — enganei-me no comboio.
the train about to start — o comboio que vai partir.
the right train — o comboio que se deve tomar.
to be in train — estar pronto.
to fire a train — acender um rastilho de pólvora.
when is the next train? — quando parte o próximo comboio?
2 — *vt.* e *vi.* treinar, fazer exercício, adestrar; instruir, educar; viajar de comboio; disciplinar; pôr em latada; fazer crescer de maneira apropriada; assentar uma peça; exercitar-se; treinar-se; podar.
to train a horse — ensinar um cavalo.
to train in — treinar em.
to train up — educar; ensinar; preparar.
the child was trained up in a good school — a criança foi educada numa boa escola.
he is training for the boat-race — ele está a treinar-se para a regata.
with trained vines over the porch — com videira em latada sobre a entrada.
trained [-d], *adj.* adestrado, treinado; ensinado; instruído; preparado; diplomado.
a trained nurse — uma enfermeira diplomada.
a trained animal — um animal ensinado.
trainer [-ə], *s.* treinador; domesticador; educador.
training [-iŋ], *s.* educação prática; treino; exercício, instrução; pontaria.
training-college (school) — escola normal.

training-ship — navio-escola.
training equipment — equipamento de treino.
military training — preparação militar.
in training — em boa condição física.
out of training — em má condição física.
to go into training — treinar-se; começar o treino.
train-oil [-ɔil], *s.* óleo de baleia.
trait [treit], *s.* traço; característica pessoal; feição; toque; acção; rasgo; particularidade.
traitor ['treitə], *s.* traidor.
traitorous [-rəs], *adj.* traidor; pérfido, falso.
traitorously [-rəsli], *adv.* perfidamente; traiçoeiramente.
traitorousness [-rəsnis], *s.* traição, perfídia, deslealdade.
traitress ['treitris], *s. fem.* traidora.
trajectory ['trædʒiktəri], *s.* trajectória.
tram [træm], **1** — *s.* carro eléctrico, eléctrico; carro de carvão nas minas, vagoneta; varal, timão (de carro).
tram-line — carril; trilho.
tram-car — eléctrico.
tram driver — guarda-freio (de eléctrico).
tram conductor — condutor.
to go by tram-car — ir de eléctrico.
2 — *vi.* (*pret.* e *pp.* **trammed**) andar de eléctrico; viajar de eléctrico.
trammel ['træməl], **1** — *s.* rede; tresmalho; peias, travas; gancho de suspensão; compasso elíptico; *pl.* impedimento, obstáculo, dificuldade.
2 — *vt.* (*pret.* e *pp.* **trammelled**) pôr peias a; travar; impedir, estorvar, interceptar; dificultar.
tramp [træmp], **1** — *s.* passada, caminhada; ruído que se faz com os pés a andar; jornada a pé; vadio, vagabundo; mendigo errante; tropel de cavalos; navio de carga sem carreira regular.
tramp-steamer — vapor de carga para qualquer parte.
to be on the tramp — vagabundear.
2 — *vt.* e *vi.* percorrer a pé, ir a pé; pisar, calcar; viajar a pé; errar, vagabundear; andar pesadamente; navegar sem rota fixa.
I missed the train and had to tramp it — perdi o comboio e tive de ir a pé.
to tramp through the south of Portugal — percorrer a pé o Sul de Portugal.
tramper [-ə], *s.* aquele que percorre grandes distâncias a pé; vagabundo, pedinte.
trample ['træmpl], **1** — *s.* acto de calcar aos pés; ruído de passos; tropel.
2 — *vt.* e *vi.* pisar, calcar aos pés; atropelar; tratar com desprezo; espezinhar; sapatear.
to trample about — andar pesadamente de um lado para o outro.
to trample on a person — tratar uma pessoa com desprezo.
to trample under foot — espezinhar; calcar aos pés.
trampler [-ə], *s.* o que pisa ou atropela.
tramway ['træmwei], *s.* linha de carros eléctricos; tranvia.
trance [trɑ:ns], *s.* transe, êxtase; arrebatamento; estado hipnótico; catalepsia. (*Sin.* rapture, ecstasy, dream, exaltation.)
tranced [-t], *adj.* em êxtase, arrebatado.
tranquil ['træŋkwil], *adj.* tranquilo, sossegado, sereno, quieto.
he preserved a tranquil mind — ele tinha o espírito tranquilo.
a tranquil life — uma vida tranquila.
the tranquil waters of a lake — as águas serenas de um lago.
tranquillity [træŋ'kwiliti], *s.* tranquilidade, calma, sossego, serenidade.
tranquillization [træŋkwilai'zeiʃən], *s.* tranquilização, sossego.
tranquillize ['træŋkwilaiz], *vt.* tranquilizar, sossegar.
tranquilly ['træŋkwili], *adv.* tranquilamente, sossegadamente, serenamente.
transact [træn'zækt], *vt.* e *vi.* transaccionar, negociar; executar, levar a cabo; dirigir; despachar.
transaction [træn'zækʃən], *s.* transacção, negociação, operação; negócio; *pl.* relatórios de sociedades.
transactor [træn'zæktə], *s.* transaccionador, negociador.
transalpine ['trænz'ælpain], *adj.* transalpino.
transatlantic ['trænzə'tlæntik], *adj.* transatlântico.
transatlantic liner — paquete.
transcend [træn'send], *vt.* e *vi.* transcender, exceder, sobrepujar, ultrapassar.
transcendence, transcendency [-əns,-si], *s.* transcendência; excelência; preeminência.
transcendent [-ənt], *adj.* transcendente; extraordinário; invulgar.
transcendental [trænsen'dentl], *adj.* transcendente; transcendental; vago, obscuro.
transcendentalism [trænsen'dentəlizəm], *s.* transcendentalismo.
transcendentalist [trænsen'dentəlist], *s.* transcendentalista.
transcendentally [trænsen'dentəli], *adv.* transcendentalmente.
transcontinental ['trænzkɔnti'nentl], *adj.* transcontinental.
transcribe [træns'kraib], *vt.* transcrever, copiar, trasladar.
transcriber [-ə], *s.* copista, amanuense.
transcript ['trænskript], *s.* transcrição, cópia, traslado.
transcription [træns'kripʃən], *s.* transcrição, cópia.
transept ['trænsept], *s.* transepto, cruzeiro (de igreja).
transfer **1** — ['trænsfə(:)], *s.* transferência; cessão de direitos, etc.; trespasse; trasfega; trasbordo; mudança de lugar; bilhete que dá direito a mudar de um autocarro para outro; figura de passar.
transfer-paper — papel de passar figuras.
2 — [træns'fə:], *vt.* e *vi.* (*pret.* e *pp.* **transferred**) transferir; transportar; ceder; fazer cessão de; trespassar; passar figuras; trasfegar, trasbordar. (*Sin.* to convey; to remove, to transmit, to exchange, to change. *Ant.* to fix.)
to transfer from one place to another — mudar de um lugar para outro.
transferability [trænsfə:rə'biliti], *s.* transferibilidade, qualidade de ser transferível.
transferable [træns'fə:rəbl], *adj.* transferível, transmissível; negociável.
not transferable — intransmissível.
transferee [trænsfə(:)'ri:], *s.* cessionário.
transference ['trænsfərəns], *s.* transferência; transmissão; mudança.
transferrer [træns'fə:rə], *s.* pessoa que transfere, cedente.
transfiguration [trænsfigju'reiʃən], *s.* transfiguração.
transfigure [træns'figə], *vt.* transfigurar.
transfix [træns'fiks], *vt.* trespassar, atravessar, varar; pregar ao chão.
transfixion [træns'fikʃən], *s.* transfixação.
transform [træns'fɔ:m], *vt.* transformar, mudar; modificar.

transformable [-əbl], *adj.* transformável, susceptível de transformação.
transformation [trænsfə'meiʃən], *s.* transformação; modificação; metamorfose.
transformer [træns'fɔ:mə], *s.* transformador.
transfuse [træns'fju:z], *vt.* transfundir (o sangue); trasfegar, transvasar; transmitir.
transfusible [-əbl], *adj.* capaz de transfusão.
transfusion [træns'fju:ʒən], *s.* transfusão (de sangue); trasfega; transmissão.
blood transfusion — transfusão de sangue
transgress [træns'gres], *vt.* e *vi.* transgredir violar, infringir; pecar; ultrapassar. (*Sin.* to break, to disobey, to infringe, to sin, to trespass, to violate. *Ant.* to observe, to obey.)
transgression [træns'greʃən], *s.* transgressão, infracção, violação; crime, pecado, ofensa.
transgressor [træns'gresə], *s.* trangressor, infractor; pecador.
tranship [træn'ʃip], *vt.* e *vi.* trasbordar; baldear
transhipment [-mənt], *s.* trasbordo; baldeação (carga).
transhumance [træns'hju:məns], *s.* transumância.
transience, transiency ['trænziəns, -i], *s.* brevidade, curta duração, transitoriedade.
transient ['trænziənt], **1** — *s.* pessoa que está de passagem.
2 — *adj.* passageiro, transitório, rápido; momentâneo; efémero.
a transient gleam of hope — um raio passageiro de esperança.
transiently [-li], *adv.* transitoriamente.
transilient [træn'siliənt], *adj.* que atravessa pulando; descontínuo.
transit ['trænsit], **1** — *s.* trânsito; passagem; viagem; rota; transporte; (astr.) passagem de planeta sobre o disco solar.
transit-duty — imposto de trânsito.
goods on transit — mercadorias em trânsito.
2 — *vt.* (astr.) passar sobre o disco do Sol.
transition [træn'siʃən], *s.* transição; passagem; mudança; (mús.) transição.
a period of transition — um período de transição.
transitional [-l], *adj.* de transição; relativo a transição.
transitionally [-li], *adv.* por transição; transitoriamente.
transitive ['trænsitiv], **1** — *s.* verbo transitivo.
2 — *adj.* transitivo.
transitively [-li], *adv.* transitivamente.
transitiveness [-nis], *s.* qualidade de transitivo.
transitorily ['trænsitərili], *adv.* transitoriamente.
transitoriness ['trænsitərinis], *s.* transitoriedade.
transitory ['trænsitəri], *adj.* transitório; passageiro; provisório; efémero.
translatable [træns'leitəbl], *adj.* traduzível; transferível.
translate [træns'leit], *vt.* traduzir; explicar; interpretar; transladar; mudar de um lugar para outro; transferir; transmitir (telégrafo); transformar, alterar.
he translated this for me into French — ele traduziu-me isto para francês.
they translated his silence as a refusal — eles interpretaram o silêncio dele como uma recusa.
translation [træns'leiʃən], *s.* tradução; transferência; translação; transmissão (telégrafo); interpretação; movimento de translação.
to do translations — fazer traduções.
translator [træns'leitə], *s.* tradutor; repetidor (telégrafo).
transliterate [trænz'litəreit], *vt.* transliterar.
transliteration [trænzlitə'reiʃən], *s.* transliteração.
translucence, translucency [trænz'lu:sns,-i], *s.* transparência; translucidez; diafaneidade.
translucent [trænz'lu:snt], *adj.* transparente; translúcido; diáfano. (*Sin.* transparent, pellucid, diaphanous, clear. *Ant.* opaque.)
translucently [-li], *adv.* transparentemente.
transmarine [trɑ:nsmə'ri:n], *adj.* ultramarino.
transmigrate ['trænzmaigreit], *vi.* transmigrar.
transmigration [trænzmai'greiʃən], *s.* transmigração; migração.
transmigrator ['trænzmaigreitə], *s.* transmigrador.
transmissibility [trænzmisə'biliti], *s.* transmissibilidade.
transmissible [trænz'misəbl], *adj.* transmissível.
transmission [trænz'miʃən], *s.* transmissão; propagação; emissão (rádio).
transmit [trænz'mit], *vt.* (*pret.* e *pp.* **transmitted**) transmitir; enviar, remeter; transferir; comunicar; emitir; legar.
he will transmit the title to his descendants — ele transmitirá o título aos seus descendentes.
transmittal [-l], *s.* transmissão.
transmitter [-ə], *s.* transmissor; estação emissora.
transmitting [-iŋ], **1** — *s.* transmissão.
2 — *adj.* transmissor; que transmite; de transmissão.
transmitting shaft — veio de transmissão.
transmitting set — aparelho de transmissão.
transmutability [trænzmju:tə'biliti], *s.* transmutabilidade.
transmutable [trænz'mju:təbl], *adj.* transmutável.
transmutably [-i], *adv.* de modo transmutável.
transmutation [trænzmju:'teiʃən], *s.* transmutação, conversão, transformação.
transmute [trænz'mju:t], *vt.* transmutar; transformar; transmudar.
transmuter [-ə], *s.* transformador.
transoceanic ['trænzouʃi'ænik], *adj.* transoceânico; situado além do mar.
transom ['trænsəm], *s.* trave, travessa, pranchão; travessão horizontal para dividir uma porta ou janela em duas partes.
transparency [træns'pɛərənsi], *s.* transparência; diafaneidade; claridade; diapositivo.
transparent [træns'pɛərənt], *adj.* transparente; diáfano; claro, evidente; simples, natural.
transparently [-li], *adv.* transparentemente; evidentemente.
transparentness [-nis], *s.* transparência.
transpirable [træns'paiərəbl], *adj.* transpirável.
transpiration [trænspi'reiʃən], *s.* transpiração.
transpire [træns'paiə], *vt.* e *vi.* transpirar; exalar; evaporar-se; divulgar-se, tornar-se público.
transplant [træns'plɑ:nt], *vt.* transplantar; mudar de um lugar para outro.
transplantable [-əbl], *adj.* transplantável.
transplantation [trænsplɑ:n'teiʃən], *s.* transplantação.
transplanter [træns'plæ:ntə], *s.* transplantador; aquele que transplanta; máquina de transplantar.
transport **1** — ['trænspɔ:t], *s.* transporte; condução; navio de transporte; entusiasmo; êxtase; acesso; desterrado, deportado.
in a transport of rage — num acesso de fúria.
in transports of joy — a transbordar de alegria.
troop-transport — transporte de tropas.
transport plane — avião de transporte.
road transport — transporte por estrada.
transport ship — navio de transporte.
2 — [træns'pɔ:t], *vt.* transportar; levar; con-

duzir; deportar, desterrar; arrebatar; enlevar.
to transport for life — condenar a degredo perpétuo.
transportability [trænspɔ:tə'biliti], *s.* capacidade de ser transportado.
transportable [træns'pɔ:təbl], *adj.* transportável.
transportation [trænspɔ:'teiʃən], *s.* transporte; custo do transporte; degredo, deportação.
transportation for life — degredo perpétuo.
transported [træns'pɔ:tid], *adj.* transportado; enlevado; entusiasmado; desterrado.
transporter [træns'pɔ:tə], *s.* transportador; guindaste de vaivém.
transporting [træns'pɔ:tiŋ], **1** — *s.* transporte; entusiasmo; êxtase; desterro, degredo.
2 — *adj.* que transporta; que arrebata.
transposable [træns'pouzəbl], *adj.* transponível; transferível.
transpose [træns'pouz], *vt.* transpor; mudar de lugar; (mús.) transportar, mudar de clave.
transposer [-ə], *s.* o que transpõe ou transporta.
transposition [trænspə'ziʃən], *s.* transposição; permuta, troca.
trans-ship [træn'ʃip], *vt.* trasbordar; baldear (carga).
trans-shipment [-mənt], *s.* trasbordo; baldeação (carga).
Trans-Siberian [trænzsai'biəriən], *adj.* transiberiano.
transubstantiate [trænsəb'stænʃieit], *vt.* transubstanciar.
transubstantiation ['trænsəbstænʃi'eiʃən], *s.* transubstanciação.
transudation [trɑ:nsju'deiʃən], *s.* ressudação.
transude [trɑ:n'sju:d], *vi.* ressudar.
Transvaal ['trænzvɑ:l], *top.* Transval.
transversal [trænz'və:səl], **1** — *s.* linha transversal.
2 — *adj.* transversal.
transverse ['trænzvə:s], **1** — *s.* músculo transverso.
2 — *adj.* transversal, transverso; oblíquo; atravessado.
transversely [trænz'və:sli], *adv.* transversalmente.
transvestite [træns'vestait], travesti.
Transylvania [trænsil'veinjə], *top.* Transilvânia.
Transylvanian [-n], **1** — *s.* transilvano; indivíduo natural da Transilvânia.
2 — *adj.* transilvano; relativo à Transilvânia.
trap [træp], **1** — *s.* laço, armadilha; cilada; ratoeira; alçapão; rocha vulcânica; sifão, válvula de sumidouro; carro de cavalos, de duas rodas; (col.) agente de polícia; *pl.* bagagem; ornamentos; objectos de uso pessoal.
trap-door — alçapão.
mouse-trap — ratoeira.
is this question a trap? — esta pergunta é uma armadilha?
the enemy was caught in a trap — o inimigo foi apanhado numa cilada.
to set a trap — armar uma cilada.
to fall into a trap — cair numa armadilha.
2 — *vt.* e *vi.* (*pret.* e *pp.* **trapped**) apanhar no laço; armar laços; enganar; colocar armadilhas; aparelhar (cavalo). (*Sin.* to catch, to ensnare, to net, to snare. *Ant.* to liberate.)
I used a bit of cheese to trap the rat — utilizei um pedaço de queijo para apanhar a ratazana.
trapeze [trə'pi:z], *s.* (gin., geom.) trapézio.
trapeze-artist — trapezista.
trapezium [trə'pi:zjəm], *s.* (geom., anat.) trapézio.

trapezoid ['træpizɔid], *s.* (geom.) trapezóide.
trapezoidal [træpi'zɔidəl], *adj.* (geom.) trapezoidal.
trapper ['træpə], *s.* aquele que apanha no laço.
trapping ['træpiŋ], *s.* caça com armadilhas; *pl.* arreios, jaezes; enfeites, adornos; adereços; aparato. (*Sin.* adornments, ornaments, accessories.)
trappy ['træpi], *adj.* cheio de armadilhas.
trash [træʃ], **1** — *s.* refugo, rebotalho, escória; porcaria; lixo, imundície; coisa de nenhum valor; conversa disparatada; folhas de cana-de-açúcar empregadas como combustível. (*Sin.* **rubbish, refuse, nonsense, trifle**).
that novel is mere trash — esse romance não vale nada.
2 — *vt.* cortar, desbastar, decotar; desfolhar; pear.
trashy [-i], *adj.* desprezível; vil; sem préstimo, inútil; sem valor.
traumatize ['trɔ:mətaiz], *vt.* traumatizar.
travail ['træveil], *s.* (*arc.*) dores de parto.
travel ['trævl], **1** — *s.* viagem, jornada; curso do êmbolo; avanço, funcionamento; *pl.* relato de uma viagem.
travel agency — agência de viagens.
travel-soiled — sujo de pó da viagem.
travel-worn — fatigado das viagens.
travel-books — livros de viagens.
air travel bookings — viagens aéreas.
he has returned from his travels — ele regressou das suas viagens.
2 — *vt.* e *vi.* (*pret.* e *pp.* **travelled**) viajar; percorrer; andar a viajar; passar por; exercer a profissão de caixeiro-viajante; propagar-se.
he spent his life in travelling — passou a vida a viajar.
he travelled France from end to end — ele percorreu toda a França.
fit to travel — apto a viajar.
to travel on business — fazer viagem de negócios.
to travel all over Europe — viajar por toda a Europa.
to travel by air — viajar pelo ar.
to travel by land — viajar por terra.
to travel by sea — viajar por mar.
light travels faster than sound — a luz propaga-se mais depressa que o som.
travelled [-d], *adj.* viajado; que tem muita experiência; frequentado por muitos viajantes.
he is a travelled man — ele é um homem viajado.
traveller [-ə], *s.* viajante; caixeiro-viajante; ponte rolante; cursor.
fellow traveller — companheiro de viagem.
commercial traveller — caixeiro-viajante.
traveller's joy — (bot.) clematite.
traveller's tale — história inacreditável.
traveller in carpets — caixeiro-viajante que vende tapetes.
traveller's cheque — cheque de viagem.
travelling [-iŋ], **1** — *s.* viagem; o viajar.
travelling-bag — maleta de viagem.
travelling-requisites — artigos de viagem.
travelling expenses — despesas de viagem.
travelling-suit — fato de viagem.
are you fond of travelling? — gosta de viajar?
2 — *adj.* que viaja; itinerante; ambulante; rolante, móvel.
travelling crane — guindaste móvel.
travelling library — biblioteca itinerante.
travelling staircase — escada rolante.
traverse ['trævə(:)s], **1** — *s.* travessa; coisa atravessada; (mil.) parapeito pequeno; linha transversal; contrariedade, contratempo; (jur.)

negação, contestação, objecção legal; rumo oblíquo.
2 — *adj.* atravessado; transversal.
traverse sailing — (náut.) seguir em ziguezague.
traverse-table — plataforma móvel para mudar as carruagens de uma linha para outra.
3 — *vt.* e *vi.* atravessar, cruzar; estorvar, frustrar; (jur.) negar, contestar; contrariar; girar, mover-se; examinar; atravessar-se; mover-se de um lado para o outro; discutir, estudar; apontar (canhão).
to traverse a subject — discutir um assunto; versar um assunto.
to traverse an argument — rebater um argumento.
to traverse a gun — conteirar (artilharia).
we must traverse a vast extent of country — temos de atravessar uma vasta extensão da região rural.
ships traverse the oceans — os navios cruzam os oceanos.
traverser [-ə], *s.* (cam. fer.) plataforma móvel; transportador mecânico; (jur.) aquele que contesta.
travesty ['trævisti], 1 — *s.* paródia, imitação grotesca, caricatura.
2 — *vt.* disfarçar, mascarar, desfigurar, parodiar.
trawl [trɔ:l], 1 — *s.* rede de arrasto; espinhel.
trawl-boat — barco de arrasto.
fish taken with a trawl — peixe de arrasto.
trawl-net — rede de arrasto.
trawl-line — espinhel.
2 — *vt.* e *vi.* arrastar; apanhar com rede de arrasto; pescar com rede de arrasto.
trawler [-ə], *s.* o que pesca com rede de arrasto; barco de arrasto; traineira.
trawling [-iŋ], *s.* pesca de arrasto.
tray [trei], *s.* bandeja, tabuleiro, salva; gamela.
tea-tray — bandeja do chá.
treacherous ['tretʃərəs], *adj.* traiçoeiro, traidor, pérfido, desleal.
treacherous memory — memória infiel.
treacherously [-li], *adv.* traiçoeiramente, perfidamente; falsamente.
treacherousness [-nis], *s.* traição, perfídia, infidelidade.
treachery ['tretʃəri], *s.* traição, perfídia, deslealdade.
treacle ['tri:kl], *s.* melaço.
treacly [-i], *adj.* amelaçado; semelhante a melaço.
tread [tred], 1 — *s.* passo, pisada, pegada; andar; modo de andar; vestígio; a parte horizontal de um degrau de escada; trilho de roda.
he approached with cautious tread — ele aproximou-se com passo cauteloso.
2 — *vt.* e *vi.* (*pret.* **trod** [trɔd], *pp.* **trodden** ['trɔdn]) pisar, calcar; atropelar; acalcanhar; trilhar; pôr o pé no chão; caminhar, andar; (aves) galar.
to tread down — destruir, calcando aos pés; esmagar.
to tread down flowers — pisar flores.
to tread grapes — pisar uvas.
to tread on a person's corns (toes) — pisar os calos de; melindrar.
to tread on the heels of someone — seguir atrás de alguém; seguir muito de perto.
to tread as on eggs — estar em situação delicada.
to tread in a person's footsteps — seguir as pisadas de alguém, imitar.
to tread on the gas — (aut.) carregar no acelerador.
to tread on air — sentir-se muitíssimo feliz.
to tread out — apagar com os pés; extinguir.
to tread lightly — entrar cautelosamente num assunto delicado.
to tread under foot — tratar com desprezo; destruir.
to tread the stage — pisar o palco; ser actor.
dont't tread on the grass! — não pise a relva!
treader [-ə], *s.* pisador.
treading [-iŋ], *s.* pisadela; passo, marcha.
treadle ['tredl], 1 — *s.* pedal.
2 — *vi.* pedalar.
treadmill ['tredmil], *s.* moinho com roda cilíndrica, usado como instrumento de castigo; rotina enfadonha.
treason ['tri:zn], *s.* traição, deslealdade, perfídia. (*Sin.* treachery, disloyalty, betrayal, rebellion. *Ant.* allegiance.)
high treason — alta traição.
treasonable [-əbl], *adj.* traidor, desleal.
treasonableness [-əblnis], *s.* traição, perfídia.
treasonably [-əbli], *adv.* traiçoeiramente, perfidamente.
treasure ['treʒə], 1 — *s.* tesouro; preciosidade; riqueza acumulada; dinheiro; pessoa a quem se quer muito.
treasure-house — tesouraria.
treasure trove — tesouro achado.
my treasure! — meu tesouro!, meu amor querido!
he had amassed great treasures — ele acumulou grandes riquezas.
the girl is a perfect treasure — a pequena é um verdadeiro tesouro.
2 — *vt.* e *vi.* entesourar; acumular riquezas; guardar, conservar; ter em grande conta.
to treasure up — guardar (como um tesouro).
I treasure your friendship — tenho a tua amizade em grande estima.
treasurer [-rə], *s.* tesoureiro; caixa.
treasurership [-rəʃip], *s.* cargo de tesoureiro.
treasury [-ri], *s.* tesouraria; erário; tesouro; fazenda.
treat [tri:t], 1 — *s.* gosto, regalo, prazer; festim, banquete; piquenique oferecido a crianças de escola; divertimento; convite. (*Sin.* feast, entertainment, banquet.)
Dutch treat — convite em que cada um paga a sua despesa; contas do Porto.
it is a treat to hear her — é um regalo ouvi-la.
this is my treat — quem paga sou eu.
to stand treat — pagar as despesas de um divertimento.
what a treat it is not to have to get up early — é um regalo não termos de nos levantar cedo.
2 — *vt.* e *vi.* tratar; negociar, ajustar; conduzir, dirigir; dissertar; dispor; convidar, obsequiar; pagar um jantar ou bebidas alcoólicas; regalar; tratar de.
he treated me as if I were a child — tratou-me como se eu fosse uma criança.
he treated us to Port and Sherry — ele obsequiou-nos com vinho do Porto e de Xerez.
to treat oneself to a glass of Port — regalar-se com um cálice de vinho do Porto.
to treat kindly — tratar afavelmente.
to treat with respect — tratar com respeito.
to treat of — versar.
whose turn is it to treat next? — quem vai pagar a seguir?
to treat someone gently — levar alguém por bem.
treating [-iŋ], *s.* convite para beber.
treatise ['tri:tiz], *s.* tratado; dissertação.
treatment ['tri:tmənt], *s.* trato; tratamento.
I will not put up with this treatment — não suportarei este tratamento.

under medical treatment — em tratamento médico.
treaty ['tri:ti], *s.* tratado; convénio; negociação, pacto.
a trade treaty — um tratado comercial.
a peace treaty — um tratado de paz.
treble ['trebl], **1** — *s.* triplo; (mús.) soprano; voz de soprano.
2 — *adj.* tríplice, triplo; triplicado; (mús.) agudo; próprio de soprano.
3 — *vt.* e *vi.* triplicar; triplicar-se.
trebly [-i], *adv.* triplicadamente.
tree [tri:], **1** — *s.* árvore; peça de madeira; mastro, poste; madeira; cruz; forca; pau.
axle-tree — eixo da roda.
boot-tree — forma de calçado.
genealogical tree — árvore genealógica.
Christmas tree — árvore de Natal.
fruit-tree — árvore de fruto.
dwarf-tree — árvore anã.
tree-culture — arboricultura.
tree-fern — feto arbóreo.
to be at the top of the tree — ter atingido o mais alto lugar numa profissão.
to be up a tree — estar atrapalhado; estar embaraçado.
to climb a tree — trepar a uma árvore.
tree-nail — cavilha de madeira.
tree-felling — corte de árvores.
2 — *vt.* e *vi.* fazer subir para uma árvore; refugiar-se numa árvore.
treeless [-lis], *adj.* sem árvores, desarborizado.
trefoil ['trefɔil], *s.* (bot.) trevo.
marsh trefoil — trevo vermelho.
trellis ['trelis], **1** — *s.* latada, caniçada; grade de ripas cruzadas; gelosia.
2 — *vt.* guarnecer de gelosia; entrançar, cruzar.
trellised [-t], *adj.* em forma de latada ou de gelosia.
tremble ['trembl], **1** — *s.* tremura; estremecimento.
he was all of a tremble — (col.) ele tremia como varas verdes.
there was a tremble in his voice — havia um tremor na voz dele.
2 — *vi.* tremer; vacilar; tiritar; tremular, estremecer.
he trembled with rage — ele tremia de cólera.
he trembles for his brother — ele receia pela sorte de seu irmão.
I tremble to think that... — eu tremo só de pensar que...
to tremble with fear — tremer de medo.
to tremble with cold — tremer de frio.
trembler [-ə], *s.* tremedor, medroso; poltrão.
trembling [-iŋ], **1** — *s.* tremor; estremecimento.
2 — *adj.* tremente, trémulo. (*Sin.* quivering, shaking, rocking. *Ant.* stable.)
tremblingly [iŋli], *adv.* tremulamente; com medo.
trembly [-i], *adj.* trémulo; a tremer.
tremendous [tri'mendəs], *adj.* tremendo, terrível, espantoso, medonho; formidável, extraordinário.
it makes a tremendous difference — faz uma diferença espantosa.
he is a tremendous talker — ele é um falador terrível.
tremendously [-li], *adv.* espantosamente, terrivelmente; extraordinariamente; tremendamente.
tremendousness [-nis], *s.* terribilidade; enormidade.
tremolo ['treməlou], *s.* (mús.) trémulo.
tremor ['tremə], *s.* tremor, estremecimento; agitação; tremura; vibração.
tremulous ['tremjuləs], *adj.* trémulo, vacilante; receoso, tímido; nervoso.
tremulous voice — voz trémula.
tremulous hand — mão trémula.
tremulously [-li], *adv.* tremulamente; receosamente.
tremulousness [-nis], *s.* tremor, tremura; timidez.
trench [trentʃ], **1** — *s.* trincheira; fosso, vala, rego.
to cut trenches — abrir valas; abrir trincheiras.
2 — *vt.* e *vi.* abrir fossos ou trincheiras; cortar, cercear; abrir passagem; entrincheirar; invadir; usurpar, violar.
to trench on (upon) — invadir, usurpar.
trenchancy [-ənsi], *s.* causticidade, mordacidade; energia.
trenchant [-ənt], *adj.* agudo, penetrante; decisivo; vigoroso; mordaz.
trenchantly [-əntli], *adv.* de modo penetrante; mordazmente; vigorosamente.
trencher [-ə], *s.* trincho; aquele que abre fossos.
trencherman [-əmən], *s.* (*pl.* **trenchermen** [-mən]).
a good trencherman — (col.) um bom garfo.
a poor trencherman — um mau comedor.
trend [trend], **1** — *s.* inclinação; direcção; tendência.
trend of a coastline — orientação da costa.
the modern trend of thought — a moderna tendência do pensamento.
2 — *vi.* tender; dirigir-se; inclinar-se.
trental ['trentəl], *s.* trintário, trinta missas.
trepan [tri'pæn], **1** — *s.* trépano.
2 — *vt.* (*pret.* e *pp.* **trepanned**) fazer a operação do trépano; armar laços; apanhar no laço, seduzir, atrair.
trepanning [-iŋ], *s.* operação do trépano.
trephine [tri'fi:n], **1** — *s.* trépano pequeno.
2 — *vt.* perfurar com o trépano pequeno.
trepidation [trepi'deiʃən], *s.* trepidação, tremura; sobressalto; terror, medo; perturbação.
trespass ['trespəs], **1** — *s.* violação, transgressão, infracção; ofensa; pecado.
forgive us our trespasses — perdoai-nos as nossas ofensas.
2 — *vi.* passar um limite; violar; infringir, transgredir; ofender; entrar ilegalmente na propriedade alheia; prejudicar, lesar; abusar de; pecar. (*Sin.* to trangress, to offend, to encroach, to intrude. *Ant.* to keep, to obey.)
to trespass against the laws — violar as leis.
to trespass against the rubs — transgredir os regulamentos.
to trespass on a person's preserves — usurpar os direitos alheios.
to trespass on another's land — entrar ilegalmente na propriedade alheia.
to trespass on a person's kindness — abusar da bondade de alguém.
to trespass upon one's patience — abusar da paciência de alguém.
trespasser [-ə], *s.* transgressor, infractor; intruso; ofensor.
trespassers will be prosecuted — é proibido passar, sob pena de multa.
tress [tres], **1** — *s.* trança; madeixa, caracol de cabelo.
2 — *vt.* entrançar.
tressed [-t], *adj.* entrançado; encaracolado.
tressy [-i], *adj.* como tranças.
trestle ['tresl], *s.* armação de mesa; cavalete de pau; tripeça; suporte de mesa.

trestle-bridge — ponte que assenta sobre cavaletes.
trews [tru:z], *s. pl.* calças de pano axadrezado usadas nalgumas regiões da Escócia.
trey [trei], *s.* terno, três (em jogos de cartas).
triable ['traiəbl], *adj.* (jur.) que se pode julgar; que se pode experimentar.
triad ['traiəd], *s.* tríade; trio; três.
trial ['traiəl], *s.* ensaio, prova, tentativa; experiência; sofrimento, provação; (jur.) julgamento; tentação. (*Sin.* test, experiment, ordeal, endeavour, suit, hardship, trouble.)
to appear at one's trial — comparecer perante o tribunal.
to make a trial — fazer uma experiência; fazer uma tentativa.
on trial — a título de experiência; para prova; que está sendo experimentado.
trial trip — viagem de experiência de um navio novo.
trial and error — processo experimental.
he made trial of his strength — ele experimentou as suas forças.
criminal trial — processo-crime.
speed trial — prova de velocidade.
to put anyone on his trial — meter alguém em processo.
triangle ['traiæŋgl], *s.* triângulo; (mús.) ferrinhos.
equilateral triangle — triângulo equilátero.
isosceles triangle — triângulo isósceles.
scalene triangle — triângulo escaleno.
the eternal triangle — caso de amor que envolve três pessoas.
triangular [trai'æŋgjulə], *adj.* triangular.
triangularity [traiæŋgju'læriti], *s.* qualidade do que é triangular.
tribal ['traibəl], *adj.* de tribo; relativo a tribo; tribal.
tribalism ['traibəlizəm], *s.* organização de tribos; espírito da tribo.
tribally ['traibəli], *adv.* por tribos, em tribos.
tribe [traib], *s.* tribo; classe; raça; família.
tribadism ['tribədizəm], *s.* tribadismo.
a tribe of savages — uma tribo de selvagens.
a tribe of politicians — cambada de políticos.
tribesman [-zmən], *s.* (*pl.* **tribesmen** [-mən]) membro de uma tribo.
tribrach ['tribræk], *s.* tríbraco, pé de verso, grego ou latino, formado de três sílabas breves.
tribulation [tribju'leiʃən], *s.* tribulação; aflição; adversidade.
tribunal [trai'bju:nl], *s.* tribunal.
before the tribunal of public opinion — perante o tribunal da opinião pública.
tribunate ['tribjunit], *s.* tribunato; cargo de tribuno.
tribune ['tribju:n], *s.* tribuno; tribuna; púlpito.
tribuneship [-ʃip], *s.* tribunato.
tributarily ['tribjutərili], *adv.* de modo tributário.
tributary ['tribjutəri], **1** — *s.* tributário; afluente de rio.
2 — *adj.* tributário; que paga tributo.
tribute ['tribju:t], *s.* tributo; contribuição; homenagem.
to lay under tribute — tributar.
to pay a tribute to — prestar homenagem a.
trice [trais], **1** — *s.* momento; instante.
in a trice — num momento.
2 — *vt.* (náut.) içar, suspender (por cabo).
to trice up a sail — içar uma vela.
tricentenary [traisen'ti:nəri], *s.* e *adj.* tricentenário.
triceps ['traiseps], *s.* tricéfalo.
trichiasis [tri'kaiəsis], *s.* triquíase.
trichina [tri'kainə], *s.* triquina.
trichord ['traikɔ:d], **1** — *s.* tricórdio, instrumento tricorde.
2 — *adj.* tricorde.
trick [trik], **1** — *s.* engano, trapaça; artifício, ardil, estratagema; truque; partida; travessura; jeito; habilidade; ligeireza de mãos; manha, mau hábito; vasa (jogo); (náut.) quarto de marinheiro ao leme. (*Sin.* deception, stratagem, dodge, swindle. *Ant.* artlessness.)
a shabby trick — uma acção vil; uma vileza.
trick for trick — na mesma moeda.
by a trick — fraudulentamente.
my dog knows no tricks — o meu cão não faz habilidades nenhumas.
I suspect some trick — desconfio de alguma partida.
to make a trick — fazer uma vasa.
to have the trick of — ter a mania de.
to take (win) a trick — ganhar uma vasa (jogo de cartas).
to play tricks — fazer partidas.
I know a trick worth two of that — sei de um processo melhor que esse.
what tricks have you been up to? — que travessuras tens feito?
to do the trick — ser bem sucedido numa tarefa difícil.
you will soon get the trick of it — depressa aprenderás a melhor maneira de o fazer.
2 — *vt.* e *vi.* enganar, iludir, lograr; defraudar; trapacear; viver de trapaças; roubar; pregar partidas; enfeitar, decorar; apanhar de surpresa.
to trick out — decorar; ornamentar; vestir.
to trick someone out of his money — apanhar o dinheiro a alguém com mentiras.
he has been tricked — ele deixou-se enganar.
tricker [-ə], *s.* trapaceiro, enganador.
trickery [-əri], *s.* engano, logro; trapaça, velhacaria; impostura; decorações, adornos.
trickily [-ili], *adv.* ardilosamente; por brincadeira; por manha.
trickiness [-inis], *s.* astúcia, manha.
trickle ['trikl], **1** — *s.* gota, pingo; fio de água; riacho que corre quase às gotas.
there was a trickle of blood from the wound — corria um fio de sangue da ferida.
2 — *vt.* e *vi.* gotejar, pingar, escorrer; deslizar, correr suavemente.
trickly [-i], *adj.* gotejante.
trickster ['trikstə], *s.* trapaceiro, impostor, velhaco, embusteiro, vigarista.
tricksy ['triksi], *adj.* brincalhão, travesso; astuto, manhoso.
tricky ['triki], *adj.* manhoso, astuto; brincalhão; travesso; que faz partidas; complicado, difícil; delicado.
a tricky problem — um problema difícil.
tricolour ['trikələ], **1** — tricolor; bandeira tricolor.
2 — *adj.* tricolor.
tricoloured ['traikʌləd], *adj.* tricolor.
tricot ['trikou], *s.* trabalho de ponto de malha.
tricycle ['traisikl], **1** — *s.* triciclo.
2 — *vi.* andar de triciclo.
trident ['traidənt], *s.* tridente.
tried [traid], **1** — *adj.* julgado no tribunal; ensaiado; experimentado.
2 — *pret.* e *pp.* do verbo **to try.**
triennial [trai'enjəl], **1** — *s.* terceiro aniversário; planta trienal.
2 — *adj.* trienal; que acontece de três em três anos; que dura três anos.
triennially [-i], *adv.* de três em três anos.
trier ['traiə], *s.* ensaiador; experimentador; examinador; juiz; prova, ensaio.

trifle ['traifl], **1** — *s.* insignificância, ninharia, bagatela, frioleira; uma pequena porção, um tanto; prato de claras de ovos batidos, com fruta, amêndoas, vinho, etc. (*Sin.* toy, triviality, bauble. *Ant.* treasure.)
to dispute about trifles — discutir sobre ninharias.
to waste time on trifles — gastar tempo com ninharias.
a trifle of — um pouco de.
2 — *vt.* e *vi.* ser frívolo; proceder ou falar levianamente; entreter-se com ninharias; desperdiçar o tempo com frioleiras; brincar, gracejar.
don't trifle with love — não se brinca com o amor.
to trifle time away — desperdiçar tempo.
to trifle with — escarnecer; fazer pouco; brincar; entreter-se com coisas fúteis.
trifler [-ə], *s.* leviano; pessoa estouvada ou frívola.
trifling [-iŋ], **1** — *s.* banalidade; futilidade; ociosidade.
2 — *adj.* insignificante, frívolo, leviano, trivial.
a trifling sum — uma quantia insignificante.
a trifling error — um erro sem importância.
triflingly [-iŋli], *adv.* frivolamente, futilmente, levianamente.
triflingness [-iŋnis], *s.* futilidade, frivolidade.
trifoliate [trai'fouliit], *adj.* (bot.) trifoliado.
trifolium [trai'fouljəm], *s.* (bot.) trifólio.
triforium [trai'fɔ:riəm], *s.* trifório, galeria por cima dos arcos de uma igreja, entre a nave central e as baterias.
trig [trig], **1** — *s.* calço de roda, travão.
2 — *adj.* asseado, bonito; bem-vestido.
3 — *vt.* (*pret.* e *pp.* **trigged**) calçar, travar (a roda); tornar elegante, aformosear; enfeitar.
trigamist ['trigəmist], *s.* trígamo, indivíduo casado simultaneamente com três mulheres.
trigamous ['trigəməs], *adj.* trígamo.
trigamy ['trigəmi], *s.* trigamia.
trigger ['trigə], *s.* gatilho.
quick on the trigger — rápido; de resposta pronta; vivo.
triglyph ['traiglif], *s.* (arq.) tríglifo.
trigonometric(al) [trigənə'metrik(-əl)], *adj.* trigonométrico.
trigonometrically [-əli], *adv.* trigonometricamente.
trigonometry [trigə'nɔmitri], *s.* trigonometria.
trigraph ['traigrɑ:f], *s.* trígrafo.
trilateral ['trai'lætərəl], *adj.* trilateral, trilátero.
trilingual [trai'liŋgwəl], *adj.* trilingue.
triliteral [trai'litərəl], *adj.* trilítero, triliteral.
trill [tril], **1** — *s.* trilo; trinado; garganteio; gorgeio.
2 — *vt.* e *vi.* trinar, gargantear; gorjear.
trilling [-iŋ], *s.* garganteio, gorjeio; uma de três crianças dadas à luz ao mesmo tempo.
trillion ['triljən], *s.* trilião.
trillionth [-θ], *adj.* trilionésimo.
trilogy ['trilədʒi], *s.* trilogia.
trim [trim], **1** — *s.* ornato, enfeite; estado, condição; asseio; aparência exterior, garbo; compostura; (náut.) condição de navegabilidade; corte (de cabelo).
in good trim — preparado; em boa ordem; em boas condições; em bom estado; numa boa linha de água.
out of trim — fora da sua linha de água.
he found everything in perfect trim — ele encontrou tudo preparado e em boa ordem.
the ship is in a very good trim — o navio está em boas condições de navegar.
in fighting trim — pronto para a luta.
2 — *adj.* garboso, asseado, elegante, bonito; enfeitado, composto; bem acondicionado; bem arrumado.
3 — *vt.* e *vi.* (*pret.* e *pp.* **trimmed**) preparar, arranjar; ajustar, adaptar; dispor, pôr em ordem; enfeitar, guarnecer; decotar, podar, mondar; espontar; aparar (cabelo ou barba); equilibrar; repartir bem o peso ou a carga de um navio; estivar, arrumar; repreender asperamente, censurar; hesitar entre dois partidos; avivar, espevitar; derrotar; ser oportunista.
to trim a dress — enfeitar um vestido.
to trim a hedge — aparar uma sebe.
to trim one's hair — aparar o cabelo.
to trim oneself up — preparar-se; arranjar-se; enfeitar-se.
to trim up — arranjar; enfeitar.
to trim the hold — arrumar a carga no porão.
to trim by the head — afocinhar à proa.
to trim one's nails — arranjar as unhas.
trimester [trai'mestə], *s.* trimestre.
trimeter ['trimitə], *s.* trímetro.
trimly ['trimli], *adv.* primorosamente, garbosamente; com elegância.
trimmer ['trimə], *s.* o que enfeita ou dispõe; estivador; viga mestra; instrumento para podar ou aparar; bandeirinha, homem que hesita entre dois partidos; rectificador.
trimming ['trimiŋ], *s.* enfeite, guarnição de vestido; repreensão, censura; arrumação de carga no porão; sova, tareia; oportunismo.
trimming machine — rebarbadora.
roast turkey and trimmings — peru assado e acompanhamentos.
the truth without any trimmings — a verdade nua e crua.
trimness ['trimmis], *s.* asseio, alinho; elegância; bom acabamento.
trine [train], **1** — *s.* (astr.) trígono.
2 — *adj.* trino, tríplice; (astr.) em trígono.
Trinitarian [trini'tɛəriən], *s.* trinitário, frade trinitário.
Trinitarianism [-izəm], *s.* doutrina dos trinitários.
trinity ['triniti], *s.* trindade.
The Holy Trinity — A Santíssima Trindade.
Trinity-House — corporação reguladora da navegação inglesa, tendo a seu cargo a construção e direcção de faróis e licenciamento de pilotos.
trinket ['triŋkit], *s.* berloque; ninharia, frioleira, bugiganga; jóias de pouco valor.
trinomial [trai'noumjəl], *s.* e *adj.* trinómio.
trio ['tri(:)ou], *s.* trio.
trip [trip], **1** — *s.* pequena excursão, viagem; giro, volta; passo pequeno e leve; tropeção, topada; passo falso, engano. (*Sin.* tour, excursion, voyage, fall, stumble, blunder.)
a cheap trip — uma excursão barata.
business trip — viagem de negócios.
pleasure trip — viagem de recreio.
week-end trip — excursão de fim-de-semana.
to take a trip — dar um passeio; fazer uma excursão.
2 — *vt.* e *vi.* (*pret.* e *pp.* **tripped**) tropeçar, dar um passo em falso; fazer cair, fazer tropeçar; dar uma topada; andar aos saltos; correr aceleradamente; prevaricar; equivocar-se, cometer um erro; enganar-se; obstruir; atrapalhar; mudar uma verga para a posição vertical.
to trip along — caminhar com passos miúdos e rápidos.
to trip up — fazer cair; passar uma rasteira a.
to catch someone tripping — apanhar alguém em falta.

tripartite ['trai'pɑ:tait], *adj.* tripartido.
tripartitely [-li], *adv.* de modo tripartido.
tripartition [traipɑ:'tiʃən], *s.* divisão em três partes.
tripe [traip], *s.* tripas, dobrada; (cal.) disparate.
tripery [-əri], *s.* venda e comércio de tripas.
triphthong ['trifθɔŋ], *s.* tritongo.
triphthongal [-əl], *adj.* de tritongo.
triple ['tripl], **1** — *adj.* triplo; tríplice; triplicado.
triple crown — tiara pontifícia.
2 — *vt.* e *vi.* triplicar; triplicar-se.
triplet [-it], *s.* terno, trio; terceto, grupo de três versos; trigémeo; (mús.) grupo de três notas com o valor de duas.
triplex ['tripleks], *adj.* tríplice.
triplicate ['triplikit], **1** — *s.* triplicado.
2 — *adj.* triplo, triplicado.
triplicate ['triplikeit], *vt.* **triplicar; redigir em** triplicado.
triplication [tripli'keiʃən], *s.* triplicação; redacção em triplicado.
tripod ['traipɔd], *s.* trípode; tripeça; tripé.
Tripolitania [tripɔli'teinjə], *top.* Tripolitânia.
tripos ['traipɔs], *s.* exame universitário em Cantabrígia.
tripper ['tripə], *s.* excursionista; o que tropeça ou faz tropeçar; o que anda ligeiramente.
day tripper — excursionista de um só dia.
tripping ['tripiŋ], **1** — *s.* passeio, excursão; tropeção; engano; **dança**; o andar ligeiro.
2 — *adj.* ligeiro, ágil; saltitante; que comete qualquer falta.
trippingly [-li], *adv.* de modo ligeiro; agilmente; velozmente; sem dificuldade.
triptyque ['triptik], *s.* *(aut.)* **tríptico (documento alfandegário para automóveis.)**
trisect [trai'sekt], *vt.* trissecar, dividir em três partes iguais.
trisection [trai'sekʃən], *s.* trissecção.
trisector [trai'sektə], *s.* trissector.
trisyllabic ['traisi'læbik], *adj.* trissilábico.
trisyllabically [-əli], *adv.* trissilabicamente.
trisyllable ['trai'siləbl], *s.* trissílabo.
trite [trait], *adj.* trivial, comum, vulgar, banal; velho, usado.
tritely [-li], *adv.* vulgarmente, trivialmente.
triteness [-nis], *s.* vulgaridade, trivialidade; coisa muito usada ou comum.
Triton ['traitn], *n. p.* (mit.) Tritão.
triton ['traitn], *s.* (zool.) tritão, **salamandra** pequena.
triturate ['tritjureit], *vt.* triturar; esmagar.
triumph ['traiəmf], **1** — *s.* triunfo, vitória; êxito; júbilo, alegria; marcha triunfal (antiga Roma).
he returned home in triumph — ele regressou a casa em triunfo.
to achieve great triumphs — alcançar grandes triunfos.
2 — *vi.* triunfar, sair vitorioso, vencer; rejubilar, exultar.
to triumph over all obstacles — vencer todos os obstáculos.
triumphal [trai'ʌmfəl], *adj.* triunfal.
triumphant [trai'ʌmfənt], *adj.* triunfante, vitorioso; contente, exultante.
triumphantly [-li], *adv.* triunfantemente, **em** triunfo; exultantemente.
triumpher ['traiəmfə], *s.* triunfador; vencedor.
triumvir [trai'ʌmvə(:)], *s.* *(pl.* **triumviri, triumvirs** [-rai,-z]) triúnviro.
triumvirate [trai'ʌmvirit], *s.* triunvirato.
triumviri [trai'ʌmvərai], *s. pl.* de **triumvir.**
triune ['traiju:n], *adj.* três num só; trino e uno.
trivet [trivit], *s.* trípode, tripeça; trempe (da cozinha).
as right as a trivet — perfeitamente bem; o melhor possível.
trivial ['trivjəl], *adj.* trivial, vulgar, comum; insignificante; superficial; popular.
the trivial round — a lid diária.
triviality [trivi'æliti], *s.* trivialidade; banalidade; superficialidade.
trivialize ['triviəlaiz], *vt.* trivializar, banalizar.
trivially ['triviəli], *adv.* trivialmente; de maneira vulgar.
tri-weekly [trai'wi:kli], **1** — *adj.* trissemanal.
2 — *adv.* trissemanalmente; de três em três semanas.
trochaic [trou'keiik], *adj.* trocaico.
trochanter [trou'kæntə], *s.* *(anat.)* trocânter.
troche [trouʃ], *s.* trocisco (medicamento).
trochee ['trouki:], *s.* troqueu, pé de verso formado de duas sílabas, a primeira das quais é longa e a segunda breve.
trod [trɔd], *pret.* do verbo **to tread.**
trodden [-n], *pp.* do verbo **to tread.**
troglodyte ['trɔglədait], *s.* troglodita; habitante das cavernas; (fig.) eremita; variedade de chimpanzé.
Trojan ['troudʒən], *s.* e *adj.* troiano.
troll [troul], **1** — *s.* canção de várias estrofes; (mit. escandinava) gigante; anão, duende.
2 — *vt.* e *vi.* cantar em coro; cantarolar descuidadamente; pescar à linha.
trolley ['trɔli], *s.* trólei de carro eléctrico; vagoneta, carreta (de minas, etc.); carro leve de vendedor ambulante; (E. U.) carro eléctrico.
trolley-bus — troleicarro.
trolley-car — (E. U.) carro eléctrico.
tea-trolley — mesinha de chá (com rodas).
trollop ['trɔləp], *s.* **mulher desleixada; prostituta.**
tromba ['trɔmbə], *s.* trompa, trombeta.
trombone [trɔm'boun], *s.* trombone.
trombonist [-ist], *s.* tocador de trombone.
troop [tru:p], **1** — *s.* rancho, bando; agrupamento; multidão; (mil.) companhia; *pl.* tropas.
a troop of children — um rancho de crianças.
a troop-horse — um cavalo do exército.
a troop of ponies — uma récua de garranos.
troop-ship — navio para o transporte de tropas.
to get one's troop — receber os galões de capitão.
to go in troops — ir em tropel.
2 — *vt.* e *vi.* reunir-se em bandos ou ranchos; marchar em ordem militar; agrupar-se.
to troop away (off) — retirar-se em tropel; debandar.
to troop the colours — saudar a bandeira em cerimónia militar.
to troop with — juntar-se a; conviver com.
trooper [-ə], *s.* soldado de cavalaria; soldado da polícia montada; cavalo do exército.
to swear like a trooper — usar uma linguagem baixa; praguejar como um carroceiro.
trope [troup], *s.* tropo (figura de retórica).
trophic ['trɔfik], *adj.* trófico.
trophy ['troufi], *s.* troféu; despojo de guerra; prémio; (desp.) medalha, taça.
tropic ['trɔpik], **1** — *s.* trópico.
the Tropic of Cancer — o trópico de Câncer.
the Tropic of Capricorn — o trópico de Capricórnio.
2 — *adj.* tropical.
tropical [-əl], *adj.* tropical, trópico; abrasador; (fig.) apaixonado, ardente.
tropical diseases — doenças tropicais.
tropical plants — plantas tropicais.
tropical heat — calor tropical.
tropically [-əli], *adv.* tropicalmente.
troposphere ['trɔpousfiə], *s.* troposfera

trot [trɔt], **1** — *s.* trote; passo rápido e certo; actividade, faina; criança que começa a dar os primeiros passos.
at full trot — a trote largo.
in a trot — a trote.
to keep a person on the trot — fazer andar alguém com desembaraço.
to be on the trot — estar ocupado; ter que fazer.
to go for a trot — ir dar uma volta rápida.
2 — *vt.* e *vi.* (*pret.* e *pp.* **trotted**) trotar, fazer trotar; andar depressa a pé, correr, andar a trote.
to trot down — descer a trote.
to trot up — subir a trote.
to trot along — andar a trote; seguir a trote.
to trot someone round — servir de cicerone a alguém; levar alguém de um lado para o outro.
to trot out — exibir; pôr em discussão.
trotter [-ə], *s.* cavalo trotador; pessoa que anda depressa; (cul.) pé de porco ou de carneiro.
sheep's trotters — mãozinhas de carneiro.
pig's trotters — chispe.
globe-trotter — pessoa que gosta de correr mundo.
trotting [-iŋ], **1** — *s.* trote.
2 — *adj.* trotador.
trottoir ['trɔtwɑ:], *s.* passeio (de ruas largas).
troubadour ['tru:bəduə], *s.* trovador.
trouble ['trʌbl], **1** — *s.* incómodo, maçada; inquietação; preocupação; sensaboria; desgosto, mortificação, atribulação; pena; dissabor; desgraça, calamidade; trabalho; perplexidade, embaraço; dificuldade; agitação; transtorno; obstáculo; fadiga; doença, perturbação.
mental trouble — perturbação mental.
money troubles — dificuldades monetárias.
it is not worth the trouble — não vale a pena.
everyone has his troubles — todos nós temos a nossa cruz.
life is full of petty troubles — a vida é cheia de inquietações.
I fear the child is a great trouble to you — receio que a criança a incomode muito.
don't trouble trouble till trouble troubles you! — não se rale antes do tempo!
I did it to spare you trouble — fi-lo para lhe poupar trabalho.
no trouble at all — não dá incómodo nenhum.
French beans are a great trouble to prepare — o feijão verde dá muito trabalho a preparar.
she will never take the trouble to write — ela nunca se dará ao incómodo de escrever.
I do not wish to give trouble — não desejo incomodar.
it was very good of you to take so much trouble — foi grande amabilidade incomodar-se tanto.
would you kindly take the trouble to...? — quererá dar-se ao incómodo de...?
troubles never come single — uma desgraça nunca vem só.
engine trouble — desarranjo no motor.
to be in trouble — estar aflito; estar inquieto ou em apuros.
to give anyone trouble — incomodar alguém.
to spare no trouble — não se poupar a trabalhos.
to take the special trouble of — dar-se ao grande incómodo de.
to get out of troubles — livrar-se de dificuldades.
to look for (ask for) trouble — andar a meter-se em trabalhos; andar a arranjar lenha para se queimar.
to get into trouble — meter-se em trabalhos.
2 — *vt.* e *vi.* incomodar, importunar; perturbar, inquietar; afligir, mortificar; dar trabalhos; causar transtorno; fatigar; causticar; incomodar-se, afligir-se; esforçar-se.
I am sorry to trouble you — sinto muito incomodá-lo.
don't trouble about it! — não se incomode com isso!
may I trouble you for the bread? — passa-me o pão, se faz favor?
I cannot trouble about it — não posso ocupar-me disso.
I am troubled with neuralgia — padeço de nevralgias.
I will not trouble myself to go there — não me darei ao incómodo de ir lá.
dont's trouble my head with it! — não me quebre a cabeça com isso!
may I trouble you to shut the door? — fecha a porta, se faz favor?
would it trouble you too much to...? — dava-lhe muita maçada...?
troubled [-d], *adj.* incomodado, perturbado; aflito; turvo.
to be troubled with — padecer de.
to cast oil on troubled waters — deitar água na fervura; apaziguar.
to fish in troubled waters — pescar em águas turvas.
troubler [-ə], *s.* maçador, perturbador; desordeiro.
troublesome [-səm], *adj.* maçador, enfadonho; importuno, incomodativo, impertinente; penoso, pesado, trabalhoso, fastidioso.
dont's be so troublesome! — não sejas tão maçador!
the flies are very troublesome today — as moscas estão hoje muito incomodativas.
so much luggage will be troublesome — tanta bagagem há-de ser incomodativa.
troublesomely [-səmli], *adv.* enfadonhamente, importunamente.
troublesomeness [-səmnis], *s.* incómodo, enfado, aborrecimento; vexame; impertinência; o ser desagradável.
trough [trɔf], *s.* selha, alguidar, gamela; masseira; (náut.) cavado; depósito.
trough of the sea — cava da vaga; o espaço entre duas ondas.
bird's trough — bebedouro.
kneading-trough — amassadeira.
trounce [trauns], *vt.* castigar severamente, espancar; censurar severamente; infligir grande derrota.
troupe [tru:p], *s.* companhia teatral ou de circo.
trousering ['trauzəriŋ], *s.* tecido próprio para calças.
trousers ['trauzəz], *s. pl.* calças.
a pair of trousers — um par de calças.
trousers-stretcher — esticador (para calças).
trousseau ['tru:sou], *s.* enxoval de noiva.
trout [traut], **1** — *s.* (*pl.* **trout**) (zool.) truta.
trout-coloured — mosqueado de alazão e baio (cavalo).
trout-hole — poço num rio onde há trutas.
salmon trout — truta assalmoada.
2 — *vi.* pescar trutas.
troutlet [-lit], *s.* truta pequena.
troutling [-liŋ], *s.* truta pequena.
trouty [-i], *adj.* que contém trutas; abundante em trutas.
trover ['trouvə], *s.* (jur.) acção judicial contra quem retém objectos achados.
trowel ['trauəl], **1** — *s.* colher de trolha.
2 — *vt.* (*pret.* e *pp.* **trowelled**) deitar cal nas paredes; encher de cal.

troy [trɔi], *s.* sistema de medidas de peso.
Troy [trɔi], *top.* Tróia.
truancy ['tru(:)ənsi], *s.* vadiagem, vagabundagem.
truant ['tru(:)ənt], *adj.* mandrião, madraço; vadio; indolente. (*Sin.* loitering, shirking, idling, vagrant.)
to play truant — fugir à escola; (col.) fazer gazeta.
truce [tru:s], *s.* tréguas; armistício; (col.) pausa.
flag of truce — bandeira branca.
bearer of a flag of truce — parlamentário.
truceless [-lis], *adj.* sem tréguas.
truck [trʌk], **1** — *s.* camião, camioneta de carga; troca, permuta; pagamento em géneros; carro, carroça, carrinho de mão; vagão; negócio; (E. U.) hortaliças para o mercado; objectos sem valor, ninharias; (col.) tolice, disparate; borla de mastro; sistema de pagamento aos trabalhadores em géneros.
truck garden — horta.
truck system — sistema de pagamento em géneros, em vez de dinheiro.
to have no truck with — não ter negócios com; nada ter a ver com.
2 — *vt.* e *vi.* permutar, trocar, vender; negociar; transportar em camiões.
truckage [-idʒ], *s.* troca, permuta de géneros; custo de transporte, frete.
trucker [-ə], *s.* permutador; bufarinheiro; hortelão.
truckle ['trʌkl], **1** — *s.* rodinha (de móvel).
truckle-bed — cama de rodas; pequena cama dobrável.
2 — *vi.* ceder; sujeitar-se; humilhar-se.
truckler [-ə], *s.* o que se sujeita ou se submete; adulador.
truculence, truculency ['trʌkjuləns,-si], *s.* truculência, crueldade, barbaridade.
truculent ['trʌkjulənt], *adj.* truculento, cruel, bárbaro; selvagem; agressivo. (*Sin.* ferocious, savage, barbarous, cruel. *Ant.* gentle.)
truculently [-li], *adv.* cruelmente, barbaramente; selvaticamente.
trudge [trʌdʒ], **1** — *s.* caminhada difícil; estirão.
2 — *vi.* andar a custo, arrastar-se; caminhar com dificuldade.
true [tru:], **1** — *adj.* verdadeiro; autêntico; seguro, certo; real, genuíno; sincero, puro, leal; exacto; constante; perfeito; consumado; fiel, dedicado; legítimo.
true copy — cópia fiel.
true-hearted — sincero; leal.
a true friend — um amigo verdadeiro.
as true as steel — constante; firme; fiel.
that is only too true — isso é muito verdade.
is it true that he refused? — é certo que ele recusou?
he is a true benefactor — ele é um verdadeiro benfeitor.
true to life — cópia fiel do natural.
true-born — legítimo; de puro sangue.
true-heartedness — franqueza; sinceridade; fidelidade.
true-bred — de boa raça.
to be true — ser verdade.
it is too good to be true — é tão bom que custa a acreditar.
it is true after all — sempre é certo que.
to come true — realizar-se; vir a ser um facto; sair certo.
he speaks true English — ele fala um inglês puro.
true-blue — firme; leal; fiel; sincero.
2 — *vt.* ajustar; desempenhar.
to true up a machine — pôr a funcionar uma máquina.
3 — *adv.* verdadeiramente; de facto; exactamente.
tell me true! — diga-me sinceramente.
truffle ['trʌfl], *s.* túbera, trufa.
trug [trʌg], *s.* cesto de tiras de madeira.
truism ['tru(:)izəm], *s.* verdade evidente; banalidade.
truly ['tru:li], *adv.* verdadeiramente, sinceramente; de boa-fé; lealmente; na verdade.
yours very truly — com a maior consideração ver (no fecho das cartas).
trump [trʌmp], **1** — *s.* trunfo; naipe de trunfo; recurso valioso; (col.) boa pessoa; o que está sempre pronto a ajudar os outros; trombeta.
a trump — (col.) uma excelente pessoa.
to lead trumps — puxar a trunfo.
to put a person to his trumps — apertar com alguém; reduzi-lo ao último expediente.
to turn up trumps — ser bafejado pela sorte, ter sorte.
2 — *vt.* e *vi.* trunfar, cortar com trunfo.
a trumped up story — uma história inventada.
to trump up — forjar; inventar.
trumpery ['-əri], **1** — *s.* falsidade; brilho falso; rebotalho; coisa sem valor; imitação de jóias; disparate.
2 — *adj.* vistoso, mas sem valor; insignificante; falso.
trumpet ['-it], **1** — *s.* trompa, tombeta, clarim; corneta.
an ear-trumpet — uma corneta acústica.
to blow one's own trumpet — elogiar-se a si próprio.
2 — *vt.* e *vi.* proclamar ao som da trombeta; tocar trombeta.
trumpeter ['-itə], *s.* trombeteiro, tocador de trombeta; divulgador, proclamador, pregoeiro; ave pernalta da América do Sul.
truncate ['trʌŋkeit], **1** — *adj.* truncado; mutilado.
2 — *vt.* truncar; mutilar; cortar.
truncation [trʌŋ'keiʃən], *s.* truncamento; mutilação.
truncheon ['trʌntʃən], *s.* cacete, clava, tranca; bastão de comando.
trundle ['trʌndl], **1** — *s.* rodinha; rodízio; qualquer coisa redonda que pode rodar; zorra.
trundle-head — carrete de moinho.
trundle-tail — cauda enroscada.
2 — *vt.* e *vi.* rodar; revolver; girar; virar ao cabrestante.
trunk [trʌŋk], **1** — *s.* tronco; baú, mala grande; tromba de elefante; linha principal (donde derivam diversos ramais); colector de ventilação; canal, tubo; tubo grande; fuste de coluna; *pl.* calções curtos usados em natação ou atletismo.
trunk-call — chamada telefónica interurbana.
trunk-line — linha principal.
trunk-road — estrada principal.
trunk ventilator — ventilador de porão.
to pack one's trunk — fazer a mala.
2 — *vt.* extrair metal do lodo.
trunked [-t], *adj.* com tronco.
trunkful ['-ful], *adj.* o que pode caber dentro de uma mala grande.
trunnion ['trʌnjən], *s.* munhão (de canhão).
trunnioned [-d], *adj.* com munhões.
truss [trʌs], **1** — *s.* armação para suporte (de tecto, ponte, etc.); feixe, molho de 36 arráteis de palha ou 60 de feno; trouxa; tufo, ramalhete; fardo; funda (para hérnias); troça (de verga).

2 — *vt.* atar, ligar; sustentar com suportes.
to truss up — atar num feixe.
trust [trʌst], **1** — *s.* confiança, guarda, segurança; cuidado; esperança; pessoa ou coisa em que se deposita confiança; (jur.) fideicomisso, depósito; (com.) crédito; monopólio; sindicato; associação de empresas industriais para fixar a produção, preço, etc. de um artigo ou para assumir a direcção de um negócio.
a breach of trust — abuso de confiança.
on trust — fiado; a crédito.
trust deed of sale — escritura de venda condicionada.
our trust is in God — a nossa confiança está em Deus.
I put no trust in him — não confio nele.
to give upon trust — vender fiado.
to hold in trust — ter em depósito.
to take on trust — aceitar como bom sem prévio exame.
to put trust in a person — depositar confiança numa pessoa.
2 — *vt.* e *vi.* confiar, ter confiança em; fiar-se em; contar com; esperar; crer; fiar, vender fiado. (*Sin.* to believe, to rely on, to confide in, to intrust, to depend on. *Ant.* to doubt.)
to trust in a person — depositar confiança em alguém.
to trust to fate — abandonar-se ao destino.
to trust anyone with a thing — confiar uma coisa a alguém.
you can trust me — pode confiar em mim.
she is not to be trusted — ela não é digna de confiança.
he trusted a lawyer with his affairs — ele encarregou um advogado dos seus assuntos.
you trust to your memory — confias na tua memória.
trustee [trʌs'ti:], *s.* depositário; guarda; síndico; curador; (jur.) fideicomisso; membro do conselho de administração de uma fundação.
board of trustees — conselho de administração.
trustee of the brankrupt's estate — administrador do activo da falência.
trusteeship [-ʃip], *s.* cargo de depositário; curadoria.
truster ['trʌstə], *s.* fiador; aquele que confia.
trustful ['trʌstful], *adj.* confiante; de boa-fé.
trustfully [-i], *adv.* confiadamente.
trustfulness [-nis], *s.* confiança absoluta.
trustily ['trʌstili], *adv.* fielmente; honradamente; lealmente.
trustiness ['trʌstinis], *s.* fidelidade, honestidade.
trusting ['trʌstiŋ], *adj.* cheio de confiança, confiante.
trustingly [-li], *adv.* com confiança.
trustworthiness ['trʌstwə:ðinis], *s.* o ser digno de confiança; fidedignidade, exactidão; honestidade, lealdade.
trustworthy ['trʌstwə:ði], *adj.* fidedigno, merecedor de confiança; exacto; honesto, leal.
trusty ['trʌsti], **1** — *s.* condenado bem comportado que goza de certos privilégios.
2 — *adj.* fiel; firme; seguro.
a trusty friend — um amigo de confiança.
truth [tru:θ], *s.* (*pl.* **truths** [tru:ðz]) verdade; realidade; probidade; fidelidade; exactidão; lealdade. (*Sin.* reality, fact, exactness. *Ant.* falsehood.)
in truth — de facto; na verdade.
I have told you the whole truth — disse-te toda a verdade.
the naked truth — a verdade nua e crua.
the truth is that I forgot to bring the book — a verdade é que me esqueci de trazer o livro.
all truths are not to be told at all times — nem todas as verdades se dizem.
home truths — verdades amargas.
the truth, the whole truth and nothing but the truth — a verdade e só a verdade.
there is no truth in it — não há uma palavra de verdade nisso.
there is truth in what he says — é verdade o que ele diz.
to find out the truth — apurar a verdade.
to tell the truth — dizer a verdade.
to get at the truth of — esclarecer uma coisa.
truthful ['-ful], *adj.* verdadeiro, verídico; exacto; fiel.
truthfully ['-fuli], *adv.* exactamente; com verdade.
truthfulness ['-fulnis], *s.* veracidade; exactidão; fidelidade.
truthless ['-lis], *adj.* falso, desleal; mentiroso.
try [trai], **1** — *s.* prova; ensaio, experiência; tentativa; (râguebi) ensaio.
to have a try at something — experimentar uma coisa.
2 — *vt.* e *vi.* experimentar, ensaiar, provar; tentar; intentar, aventurar; pôr à prova; sondar; (jur.) processar, julgar; examinar; purificar, refinar, afinar; procurar fazer o possível, esforçar-se; fatigar; atormentar.
to try on — provar (fatos).
to try someone's patience — esgotar a paciência de alguém.
to try out — empregar todos os meios; pôr à prova; experimentar.
try to do it! — tente fazê-lo!
to try a coat on — provar um casaco.
to try for — tentar obter.
to try one's best — esforçar-se ao máximo.
to try the engines — (náut.) afinar as máquinas.
we shall try it out — iremos até ao fim.
I'll try — farei a diligência.
you can but try — experimente e verá.
they tried out the new car before deciding to buy it — experimentaram o carro novo, antes de resolverem comprá-lo.
however hard I try — faça eu os esforços que fizer.
you should not try your eyes with that small print — não devia forçar a vista com esse tipo de letra tão miúdo.
he was tried for murder — ele foi julgado por assassínio.
it is worth trying — vale a pena tentar.
it is no use trying it on with me — é trabalho perdido tentares enganar-me com as tuas histórias.
trying [-iŋ], **1** — *s.* ensaio; prova.
2 — *adj.* experimental; incómodo, aflitivo, penoso; crítico, difícil.
trying moments — momentos críticos.
trying light — luz fatigante.
trypanosome ['tripənəsoum], *s.* tripanossoma.
trysail ['traiseil], *s.* (náut.) vela do mastro grande.
Trystan ['tristæn], *n. p.* Tristão.
tsar [zɑ:], *s.* ver **czar.**
tsarina [zɑ: ri:nə], *s.* ver **czarina.**
tsetse ['tsetsi], *s.* tsé-tsé (mosca).
tub [tʌb], **1** — *s.* tina, selha, cuba; barril; (col.) banho; banheira de madeira; caixote para plantas.
bath-tub — banheira.
wash-tub — tina de lavar.
tub-thumping — oratória bombástica e ruidosa.
tub-thumper — orador de praça pública.
a tale of a tub — uma história sem sentido.
every tub must stand on its own bottom — cada qual tem de tratar de si.

2 — *vt.* e *vi.* (*pret.* e *pp.* **tubbed**) meter em tina ou cuba; banhar-se; treinar-se (ao remo); plantar numa selha ou caixote.
tuba ['tju:bə], *s.* tuba, trombeta na antiga Roma.
tubby ['tʌbi], *adj.* em forma de cuba; gordo, corpulento; atarracado; sem graça.
tube [tju:b], **1** — *s.* tubo, cano, canudo; (anat.) canal, trompa; bisnaga (cola, etc.); metropolitano, caminho-de-ferro subterrâneo; (med.) sonda.
tube-station — estação do metropolitano (em Londres).
bronchial tubes — brônquios.
inner tube — câmara-de-ar (de roda de automóvel ou de bicicleta).
to go by tube — (col.) ir de metropolitano (em Londres).
2 — *vt.* pôr tubos; meter em tubos; (col.) viajar no metropolitano (em Londres).
tuber [-ə], *s.* (bot.) tubérculo; (anat.) excrescência; inchação.
tubercle ['tju:bə:kl], *s.* (bot. anat.) tubérculo.
tubercular [tju(:)'bə:kjulə], *adj.* tuberculado; (bot.) tuberculoso.
tuberculization [tju(:)bə:kjulai'zeiʃən], *s.* tuberculização, formação de tubérculos.
tuberculize [tju(:)'bə:kjulaiz], *vt.* tuberculizar.
tuberculosed [tju(:)'bə:kjuloust], *adj.* tuberculizado.
tuberculosis [tju(:)bə:kju'lousis], *s.* tuberculose.
tuberculous [tju(:)'bə:kjuləs], *adj.* tuberculoso.
tuberose ['tju:bərouz], *s.* (bot.) tuberosa.
tuberous ['tju:bərəs], *adj.* (bot.) tuberoso.
tubful ['tʌbful], *s.* tina, selha cheia.
tubiform ['tju:bifɔ:m], *adj.* tubiforme.
tubing ['tju:biŋ], *s.* colocação de tubos; tubagem; canalização.
tubular ['tju:bjulə], *adj.* tubular; tubulado.
tubular boiler — caldeira cilíndrica tubular.
tubule ['tju:bju:l], *s.* túbulo, tubo pequeno.
tuck [tʌk], **1** — *s.* dobra, prega, bainha; espécie de rede de pesca; (cal.) comida, pastelaria.
tuck-net — rede pequena (de pesca)
tuck-in — refeição substancial.
tuck-shop — pastelaria; cantina de escola onde se vendem pastéis, bolos, etc.
to make a tuck in a dress — fazer uma prega num vestido.
2 — *vt.* e *vi.* arregaçar; dobrar, meter para dentro; embrulhar, cobrir bem, aconchegar com a roupa; guardar, comprimir; preguear, franzir; engolir; devorar.
to tuck in — devorar; tragar; comer bem.
to tuck oneself up in bed — aconchegar-se na cama.
to tuck up one's sleeves — arregaçar as mangas da camisa.
to tuck under one's arm — meter debaixo do braço.
the bird tucks his head under his wing — o pássaro mete a cabeça debaixo da asa.
he tucked his arm in mine — ele meteu o braço no meu.
tucker [-ə], *s.* lenço do pescoço; (cal.) comida.
Tuesday ['tju:zdi], *s.* terça-feira.
on Tuesdays — às terças-feiras.
Shrove Tuesday — Terça-Feira de Carnaval.
tufa ['tju:fə], *s.* (geol.) tufo calcário.
tuft [tʌft], **1** — *s.* moita, tufo; molho de erva; ramalhete; poupa; penacho; laço; borla. (*Sin.* bunch, cluster, knot, collection.)
a tuft of hair — uma madeixa de cabelos.
tuft of a tree — copa de árvore.
2 — *vt.* e *vi.* enfeitar com laços, borlas, etc.; separar, dividir em tufos.
tufty [-i], *adj.* espesso, copado; cheio de tufos; que tem poupa (das aves).
tug [tʌg], **1** — *s.* rebocador; esforço para arrancar ou puxar; esticão, puxão; tirante.
tug of war — luta de tracção.
he gave a tug at the bell — ele deu um puxão à campainha.
a tug-boat — rebocador.
she had a great tug to persuade him — ela teve um trabalhão para o convencer.
2 — *vt.* e *vi.* (*pret.* e *pp.* **tugged**) puxar com muita força; rebocar; esforçar-se por, labutar, lutar.
to tug for life — lutar pela vida.
they tug for their liberty — lutam pela liberdade.
tuition [tju(:)'iʃən], *s.* ensino, instrução; educação; honorários pagos a professores.
private tuition — aulas particulares.
tulip ['tju:lip], *s.* túlipa.
tulip-tree — tulipeira.
tulle [tju:l], *s.* tule.
tum [tʌm], *s.* tantã, instrumento de percussão.
tumble ['tʌmbl], **1** — *s.* tombo, queda; salto de acrobata; desordem, confusão.
in a tumble — em desordem; em confusão.
I had a nasty tumble — dei uma queda desastrada.
2 — *vt.* e *vi.* rolar, revolver, virar, revirar; rebolar, cair aos tombos; dar um tombo, tombar; tropeçar, fazer cair; derrubar, desabar, desmoronar-se; espojar-se; enrugar, amarrotar; correr, sair; (col.) compreender. (*Sin.* to fall, to topple, to roll, to toss.)
to tumble down — dar um trambolhão; desabar.
to tumble downstairs — descer a escada de escantilhão.
to tumble over — cair por cima de; transtornar.
to tumble to an idea — (col.) compreender uma ideia.
to tumble home — (cal.) ir deitar-se; (náut.) inclinar-se para dentro.
to tumble into bed — atirar-se para a cama.
to tumble out of bed — saltar da cama para fora.
to tumble a bed — desmanchar uma cama.
to tumble off the window — dar um tombo da janela.
to tumble upstairs — subir a escada a correr.
to toss and tumble in bed — andar às voltas na cama; não sossegar na cama.
to tumble someone's clothes — desarranjar os vestidos de alguém.
the boys came tumbling out of school — os rapazes saíram da escola de roldão.
tumbledown [-daun], *adj.* em ruínas; a desfazer-se.
a tumbledown house — uma casa em ruínas.
tumbler [-ə], *s.* saltador, acrobata; copo para água; pombo mariola; gatilho de espingarda; gancheta de fechadura; teimoso (boneco).
tumblerful [-əful], *s.* copo cheio.
tumbling [-iŋ], **1** — *s.* queda; desabamento; saltos, cambalhotas.
2 — *adj.* em ruína.
tumbrel, tumbril ['tʌmbrəl,'tʌmbril], *s.* carroça, carreta; carro de munições.
tumefaction [tju:mi'fækʃən], *s.* tumefacção, inchação.
tumefy ['tju:mifai], *vt.* e *vi.* inchar, intumescer.
tumescence [tju:'mesns], *s.* intumescência.
tumescent [tju:'mesnt], *adj.* intumescente.
tumid ['tju:mid], *adj.* inchado, túmido; saliente; empolado, bombástico (estilo); cheio.

tumidity [tju:'miditi], *s.* inchação; tumidez; saliência; aspecto empolado e pomposo (estilo).
tumidly ['tju:midli], *adv.* em forma de tumor, com inchação; empoladamente.
tumidness ['tju:midnis], *s.* intumescência.
tumour ['tju:mə], *s.* tumor.
tumular ['tju:mjulə], *adj.* tumular, sepulcral.
tumuli ['tju:mjulai], *s. pl.* de **tumulus.**
tumult ['tju:mʌlt], *s.* tumulto, motim, agitação, desordem; barulho.
tumultuous [tju(:)'mʌltjuəs], *adj.* tumultuoso, turbulento; alvoroçado; desordenado.
tumultuous passions — paixões tumultuosas.
tumultuously [-li], *adv.* tumultuosamente; em desordem.
tumultuousness [-nis], *s.* tumulto, desordem, agitação.
tumulus ['tju:mjuləs], *s.* (*pl.* **tumuli** [-ai]) túmulo.
tun [tʌn], **1** — *s.* tonel, pipa, casco; tanque de fermentação.
2 — *vt.* (*pret.* e *pp.* **tunned**) envasilhar, embarrilar; fermentar (cerveja).
tune [tju:n], **1** — *s.* cantiga; melodia, música, toada; modinha, ária; afinação; (mús.) tom; acorde, som; disposição; concordância, ajustamento.
in tune — afinado.
out of tune — desafinado.
the piano is out of tune — o piano está desafinado.
to sing a tune — cantar uma modinha.
to change one's tune — mudar de linguagem; mudar de maneiras.
to sing in tune — cantar afinado.
to sing another tune — mudar de tom, passar a falar de outra maneira.
he is not in tune for that — ele não está com disposição para isso.
he was fined to the tune of five pounds — ele foi multado na exorbitante soma de cinco libras.
2 — *vt.* e *vi.* afinar; ajustar, adaptar; modular; cantar com harmonia; harmonizar-se com; sintonizar (rádio); (mec.) afinar, regular; (poét.) cantar; celebrar em música.
to tune a piano — afinar um piano.
to tune in — (rádio) sintonizar.
we are tuned in to London — estamos a ouvir Londres.
to tune up — afinar os instrumentos (em orquestra).
to tune (up) a motor — afinar um motor.
he couldn't tune himself to that climate — ele não conseguiu adaptar-se àquele clima.
tuneful ['-ful], *adj.* melodioso, harmonioso; afinado.
tunefully ['-fuli], *adv.* melodiosamente, harmoniosamente.
tunefulness [-fulnis], *s.* qualidade de melodioso; harmonia.
tuneless [-lis], *adj.* dissonante; desarmonioso; desafinado.
tuner [-ə], *s.* afinador; sintonizador (rádio).
tungsten ['tʌŋstən], *s.* (quím.) tungsténio, volfrâmio.
tunic ['tju:nik], *s.* túnica.
tunicle ['tju:nikl], *s.* túnica leve; tegumento.
tuning ['tju:niŋ], *s.* afinação; sintonização (rádio).
tuning-fork — diapasão.
tuning-hammer — chave de afinação.
tuning up — afinação.
tuning-knob — botão sintonizador.
tuning in to a station — ligação para uma estação emissora.

Tunisia [tju(:)'niziə], *top.* Tunísia.
Tunisian [-n], *s.* e *adj.* tunisino.
tunnel [tʌnl], **1** — *s.* túnel; cano de chaminé; galeria de mina; túnel de veio.
a railway tunnel — um túnel de caminho-de-ferro.
to drive a tunnel through — abrir um túnel através de.
to pass through a tunnel — atravessar um túnel.
2 — *vt.* e *vi.* (*pret.* e *pp.* **tunnelled**) construir um túnel; abrir passagem subterrânea; afunilar.
to tunnel a hill — abrir um túnel através de um monte.
tunny ['tʌni], *s.* atum.
Turanian [tjuə'reinjən], *s.* e *adj.* turaniano.
turban ['tə:bən], *s.* turbante.
turbid ['tə:bid], *adj.* turvo; lodoso, barrento; (fig.) desordenado, confuso.
turbid thoughts — pensamentos confusos.
turbidity [tə:'biditi], *s.* estado turvo; aspecto lodoso; confusão, desordem.
turbidly ['tə:bidli], *adv.* de modo turvo; confusamente; desordenadamente.
turbidness ['tə:bidnis], *s.* turvação; perturbação.
turbine ['tə:bin], *s.* turbina.
turbot ['tə:bət], *s.* (zool.) rodovalho, pregado.
turbulence ['tə:bjuləns], *s.* turbulência; agitação, alvoroço, tumulto; desordem, confusão.
turbulent ['tə:bjulənt], *adj.* turbulento, agitado, tumultuoso, ruidoso; indisciplinado.
turbulently [-li], *adv.* turbulentamente, agitadamente, tumultuosamente.
tureen [tə'ri:n], *s.* terrina.
turf [tə:f], **1** — *s.* (*pl.* **turfs, turves** [-s, -vz]) turfa; gleba, torrão; relva, relvado.
the turf — hipódromo.
turfman — pessoa interessada em corridas de cavalos.
turf drain — canal coberto de turfa.
2 — *vt.* cobrir com turfa ou com relva; arrelvar.
turfiness [-inis], *s.* abundância de turfa ou de relva; relvado.
turfing [-iŋ], *s.* arrelvamento.
turfy ['tə:fi], *adj.* relvado, coberto de relva; relvoso; turfoso; relativo às corridas de cavalos.
turgescence [tə:'dʒesns], *s.* turgescência.
turgescent [tə:'dʒesnt], *adj.* turgescente; inchado; empolado (estilo).
turgid ['tə:dʒid], *adj.* túrgido; inchado; empolado (estilo).
turgidity [tə:'dʒiditi], *s.* turgidez; empolamento (estilo).
turgidly ['tə:dʒidli], *adv.* turgidamente; empoladamente.
turgidness ['tə:dʒidnis], *s.* inchação.
Turk [tə:k], *s.* turco; otomano; pessoa irascível; (joc.) criança turbulenta.
Turk's cap — (bot.) lírio silvestre.
Turk's head — cabeça de preto (espanador).
Turquestan [tə:kis'tɑ:n], *top.* Turquestão.
turkey ['tə:ki], *s.* peru.
turkey-cock — peru.
turkey-hen — perua.
Turkey ['tə:ki], *top.* Turquia.
Turkish [-ʃ], **1** — *s.* turco, a língua turca.
2 — *adj.* turco; relativo à Turquia.
Turkish bath — banho turco.
Turkish towel — toalha de banho felpuda.
turmeric ['tə:mərik], *s.* (bot.) curcuma; açafrão da Índia.
turmoil ['tə:mɔil], **1** — *s.* perturbação, distúrbio; confusão, barafunda, balbúrdia, zara-

gata; estrondo. (*Sin.* noise, bustle, agitation, confusion, uproar. *Ant.* peace.)
2 — *vt.* (arc.) perturbar; lançar na confusão.
turn [tə:n], **1**.— *s.* volta, giro, rodeio, movimento circular; turno; vez, alternação; passeio, volta; face; mudança; contorno, forma, feitio; curva, cotovelo, ângulo (de rio, etc.); génio, inclinação; oportunidade, ocasião; rotação, revolução; viragem; acção (boa ou má); recitação; proveito, utilidade; procedimento, maneira de agir ou de exprimir-se; modo de dizer; objectivo, propósito; favor, serviço; (col.) surpresa desagradável, choque; *pl.* menstruação.
at every turn — a cada momento; a cada passo.
a good turn — um favor.
a friendly turn — um favor de amigo.
a turn of Fortune's wheel — uma reviravolta da sorte.
a road with many turns — uma estrada com muitas curvas.
a good turn deserves another — amor com amor se paga.
by turns — à vez; alternadamente; por turnos.
to a turn — perfeitamente.
it is your turn — é a sua vez.
I do not like the turn of the sentence — não gosto da construção da frase.
when it comes to my turn — quando chegar a minha vez.
everyone in his turn — cada um por sua vez.
it gave me quite a turn — (col.) causou-me uma comoção nervosa.
you must take your turn—deve esperar a sua vez.
turn and turn about — alternadamente.
turn of life — menopausa.
a turn to the right — uma volta para a direita.
done to a turn — (cul.) bem cozinhado.
on the turn of two — quase a dar as duas horas.
out of turn — fora da ocasião própria.
right about turn!— (mil.) meia volta à direita, volver!
he made a turn to the left — ele virou à esquerda.
I don't give such a turn to his words — não dou essa interpretação às palavras dele.
his fortune took a turn for the better — a sorte dele começou a melhorar.
his fortune took a turn for the worse — a sorte dele começou a piorar.
he had one of his turns yesterday — ele teve uma das suas crises ontem.
the tide is on the turn — a maré está a mudar.
to take a turn — dar uma volta; dar um passeio.
to take one's turn — tomar a sua vez.
to have a turn for — gostar de; ter inclinação para.
to serve one's turn — servir para o que queremos.
to work turn about — trabalhar alternadamente.
to do a good turn — fazer um favor; prestar um bom serviço.
to take a turn in the garden — dar uma volta no jardim.
2 — *vt.* e *vi.* voltar, virar, volver, girar, fazer girar; alterar, transformar, mudar; dar a direcção de; converter; adaptar; aproveitar; andar em volta, tornear; tornar-se, fazer-se; andar de roda; ponderar; revolver; transtornar; desviar; transferir; virar do avesso (fato); traduzir, verter; tornear, trabalhar ao torno; voltar-se, transformar-se; vir a ser; empregar, usar; ultrapassar, contornar; expulsar; converter-se em; depender; perturbar, transtornar; dar uma forma elegante a; azedar, coalhar; mudar de cor.
to turn adrift — abandonar; soltar; deixar sair.
to turn against — tornar-se hostil; revoltar-se contra.
to turn aside — desviar-se; pôr de lado.
to turn away — mandar embora; despedir; afastar-se; desviar; expulsar.
to turn about — virar, voltar-se para; volver; revolver-se; rodear.
to turn an honest penny — ganhar a vida honestamente.
to turn a person round one's finger — poder manejar uma pessoa a seu bel-prazer.
to turn a corner — dobrar uma esquina.
to turn a deaf ear to — fazer ouvidos de mercador a.
to turn a difficulty — rodear uma dificuldade.
to turn back — devolver; retroceder; voltar para trás; mudar de parecer.
to turn one's back on a person — voltar as costas a alguém; abalar, fugir.
to turn down — dobrar, curvar-se; derrubar; passar por; diminuir (a luz); voltar para baixo; rejeitar uma proposta.
to turn down the bed — abrir a cama.
to turn everything upside down — pôr tudo de pernas para o ar; pôr tudo em rebuliço.
to turn home — mandar para casa; voltar a casa.
to turn in — entrar; ir para a cama; virar para dentro; dobrar; reduplicar, redobrar.
to turn in at — entrar em.
to turn into — traduzir; converter; converter-se; transformar.
to turn off — mandar embora; fechar (a água ou gás); desligar; desviar, iludir; afastar-se; mudar de caminho; voltar; completar.
to turn off the radio — desligar o rádio.
to turn on — abrir uma torneira (de água ou gás); virar-se para atacar; cair sobre; ligar; depender; afrouxar.
to turn on the radio — ligar o rádio.
to turn one's coat — (col.) virar a casaca; mudar de opinião.
to turn one's toes in — meter os pés para dentro.
to turn out — expulsar; despedir; apagar a luz; vir a ser; resultar; suceder; acontecer; produzir; deslocar; sair; melhorar (o tempo); voltar; virar.
to turn out well — sair bem; ter bom êxito; ser feliz; correr bem; dar resultado.
to turn out badly — ser mal sucedido; correr mal; acabar mal.
to turn out of doors — pôr no meio da rua.
to turn over — derrubar, deitar abaixo; voltar a folha de um livro; virar-se; fazer transacções comerciais; transferir, trespassar; reenviar; virar de cima para baixo; revolver; lançar de pernas para o ar; virar a casaca, mudar de partido; atribuir.
to turn over a book — folhear um livro.
to turn round — tornear; mudar de opinião; voltar.
to turn someone's head — transtornar a cabeça a alguém.
to turn the bed — virar o colchão.
to turn the corner — (fig.) vencer uma dificuldade; fugir de embaraços.
to turn the scales — fazer mudar a balança.
to turn to account — tirar proveito; produzir efeito.
to turn the key in the lock — dar a volta à chave na fechadura.
to turn the tables on someone — voltar-se o feitiço contra o feiticeiro.
to turn (twist) a person round one's little finger

— manejar uma pessoa à sua vontade.
to turn in bed — voltar-se na cama.
to turn one's eyes from — desviar os olhos de.
to turn English into Portuguese — traduzir Inglês para Português.
to turn something in one's mind — dar tratos à imaginação.
to turn the stomach — dar volta ao estômago.
to turn over a new leaf — emendar-se; regenerar-se.
to turn on the waterworks — (col.) desatar a chorar.
to turn to advantage — tirar proveito.
to turn it down — reduzir o volume do som.
to turn to a list — consultar uma lista.
to turn tail — fugir.
***to turn turtle* — virar-se de pernas para o ar.**
to turn up — voltar, chegar; aparecer inesperadamente; apresentar-se; comparecer; remoer; remexer; descobrir, achar; tornar-se; voltar para o alto; mostrar, expor.
to turn upside down — voltar-se de cima para baixo; revolver; confundir.
how will it all turn out? — como acabará tudo isto?
I scarcely know where (which way) to turn — não sei para que lado me hei-de virar.
the milk has turned sour — o leite azedou.
he has not yet turned sixty — ele ainda não fez os sessenta anos.
joy has turned to bitterness — a alegria converteu-se em amargura.
everything turns on his answer — tudo depende da sua resposta.
***turn your attention to this!* — preste atenção a isto!**
well-turned sentence — frase elegante.
he turned up unexpectedly — ele apareceu inesperadamente.
a well-turned leg — uma perna bem-feita.
the conversation turned on the film — a conversa começou a incidir sobre o filme.
the wind turned his umbrella inside out — o vento virou-lhe o guarda-chuva.
my head is turning — sinto a cabeça a andar à roda; sinto vertigens.
it will turn all right — não haverá novidade; tudo correrá bem.

turnbuckle [-bʌkl], *s.* esticador; macaco tensor.
turncoat [-kout], *s.* arranjista; vira-casaca.
turncock [-kɔk], *s.* empregado da companhia das águas.
turner [-ə], *s.* torneiro; ginasta.
turnery [-əri], *s.* (*pl.* **turneries** [-iz]) arte de tornear, ofício de torneiro.
turning [-iŋ], **1** — *s.* canto, esquina; volta, rodeio; sinuosidade; cotovelo; giração, rotação; travessa (de rua); desvio; mudança.
turning-point — ponto decisivo; crise.
turning-lathe — torno.
turning-gear — virador de máquina.
turning-wheel — volante de virador.
the turning of the street — a esquina da rua.
first turning on the right — a primeira rua à direita.
take the second turning to the left — tome a segunda rua à esquerda.
2 — *adj.* que gira; rotativo; relativo a torneiro.
turnip [ˈtəːnip], *s.* nabo.
turnip-tops — rama do nabo.
turnkey [ˈtəːnkiː], *s.* carcereiro; chaveiro de prisão.
turn-out [ˈtəːnˈaut], *s.* concorrência; reunião; greve; folga de operários; carruagem de luxo; produção; (cam. fer.) ramal, desvio de linha; acto de esvaziar (bolsos, etc.).
a good turn-out — muita concorrência.
turnover [ˈtəːnouvə], *s.* trambolhão; vendas efectuadas; movimento comercial, transacções; dobra (de lençol, etc.).
turnpike [ˈtəːnpaik], *s.* barreira de portagem, estrada onde existe uma barreira para obrigar os que nela transitam ao pagamento da portagem.
turnpike-road — estrada com barreiras.
turnstile [ˈtəːnstail], *s.* torniquete, molinete.
turn-table [ˈtəːn-ˈteibl], *s.* (*cam.-fer.*) **plataforma giratória para manobras.**
turpentine [ˈtəːpəntain], *s.* terebintina; aguarrás.
turpitude [ˈtəːpitjuːd], *s.* torpeza, vileza, baixeza; depravação.
turps [təːps], *s.* essência de terebintina.
turquoise [ˈtəːkwɑːz], *s.* turquesa, pedra preciosa.
turret [ˈtʌrit], *s.* torreão (em edifício); torre blindada (de couraçado).
turret-gun — peça de artilharia montada em torre.
turreted [-id], *adj.* torreado; que tem torres ou se eleva como torre; (her.) acastelado.
turtle [ˈtəːtl], *s.* tartaruga.
turtle-dove — **rola.**
turtle-soup — sopa de tartaruga.
Tuscan [ˈtʌskən], *s.* e *adj.* toscano.
Tuscany [-i], *top.* Toscana.
tusk [tʌsk], *s.* presa; dente de elefante, javali, etc.; colmilho.
tusked [ˈ-t], *adj.* com presas ou colmilhos.
tusker [ˈ-ə], *s.* elefante ou javali com presas.
tusky [ˈ-i], *adj.* com presas ou colmilhos.
tussle [ˈtʌsl], **1** — *s.* contenda, luta, rixa.
2 — *vi.* lutar, brigar; disputar.
tussock [ˈtʌsək], *s.* tufo (de ervas, ramos, cabelo, penas, etc.); moita; madeixa.
tussocky [-i], *adj.* com tufos (de ervas, penas.
tussore [ˈtʌsɔː], *s.* seda grossa.
tut [tʌt], **1** — *s.* trabalho de pouca importância.
2 — *vi.* (*pret.* e *pp.* **tutted**) expressar impaciência ou mostrar desdém; fazer trabalhos pequenos, fazer biscatos.
3 — *interj.* tate!, basta!
tutelage [ˈtjuːtilidʒ], *s.* tutela.
to be in tutelage — estar sob tutela.
tutelar, tutelary [ˈtjuːtilə, -ri], *adj.* tutelar; protector.
tutelar saint — santo padroeiro.
tutor [ˈtjuːtə], **1** — *s.* professor universitário **que orienta certo número de estudantes; professor particular; preceptor; tutor.**
2 — *vt.* e *vi.* ensinar, instruir; orientar os estudos de; disciplinar; reprimir.
tutorially [tju(ː)ˈtɔːriəli], *adv.* como tutor.
tutoring [ˈtjuːtəriŋ], *s.* ensino, instrução.
tutorship [ˈtjuːtəʃip], *s.* tutoria; tutelagem; cargo de tutor ou de professor particular.
tu-whit [tuˈwit], *s.* pio da coruja.
tu-whoo [tuˈwuː], **1** — *s.* pio da coruja.
2 — *vi.* piar (coruja).
tuxedo [tʌkˈsiːdou], *s.* (*E.U.*) **«smoking».**
twaddle [ˈtwɔdl], **1** — *s.* palratório, bisbilhotice.
2 — *vi.* palrar, tagarelar, dar à língua.
twaddler [-ə], *s.* palrador, bisbilhoteiro; indivíduo que só diz tolices.
twang [twæŋ], **1** — *s.* som agudo; tom nasal (na pronúncia); voz fanhosa.
to speak with a twang — falar pelo nariz; falar com voz fanhosa.
2 — *vt.* e *vi.* produzir um som agudo; fazer vibrar as cordas de um instrumento; falar pelo nariz.

twangle ['twæŋgl], *vt.* e *vi.* produzir um som agudo; arranhar (instrumento de corda).
to twangle a violin — arranhar o violino.
tweak [twi:k], **1** — *s.* beliscão forte.
2 — *vt.* beliscar fortemente.
tweed [twi:d], *s.* tecido de lã axadrezado; tecido escocês de lã e algodão.
tweedle ['twi:dl], *s.* som de violino.
tweedledum and tweedledee [twi:dl'dʌməndtwi:dl'di:], *s.* coisas que só diferem no nome.
tweeny ['twi:ni], *s.* ajudante de cozinheira; charuto pequeno.
tweet [twi:t], **1** — *s.* chilreio (de pássaro).
2 — *vi.* chilrear.
tweezer ['twi:zə], **1** — *s.* pinça pequena.
2 — *vt.* arrancar com uma pinça.
twelfth [twelfθ], *s.* e *num.* décimo segundo; décima segunda parte.
Twelfth Night — véspera do dia de Reis.
Twelfth Day — dia de Reis.
Twelfth-cake — bolo-rei.
twelfthly [-li], *adv.* em décimo segundo lugar.
twelve [twelv], *s.* e *num.* doze.
the Twelve — os doze Apóstolos.
twentieth ['twentiiθ], *s.* e *num.* vigésimo.
on the twentieth of January — a vinte de Janeiro.
twentiethly [-li], *adv.* no vigésimo lugar.
twenty ['twenti], *s.* e *num.* vinte.
twenty-one — vinte e um.
twenty-second — vigésimo segundo.
I have told him twenty times — disse-lhe repetidas vezes.
he is in the early twenties — ele tem vinte e poucos anos.
twentyfold [-fould], **1** — *adj.* vinte vezes maior.
2 — *adv.* vinte vezes mais.
twibil ['twaibil], *s.* machado de dois gumes.
twice [twais], *adv.* duas vezes.
he has twice the strength — ele tem o dobro da força.
he is twice my age — ele tem o dobro da minha idade.
a twice-told tale — uma história muito conhecida.
she wrote the letter twice — ela escreveu a carta duas vezes.
to think twice about doing something — pensar duas vezes antes de fazer alguma coisa.
he is twice as old as she is — ele tem o dobro da idade dela.
twiddle ['twidl], **1** — *s.* volta, giro.
2 — *vt.* e *vi.* fazer girar; girar; torcer.
to twiddle one's moustache — torcer o bigode.
to twiddle one's thumbs — estar ocioso.
twig [twig], **1** — *s.* rebento; vara; pequeno ramo de árvore; varinha mágica; ramal; derivação eléctrica.
to hop the twig — (col.) morrer.
to work the twig — servir-se da varinha mágica.
2 — *vt.* e *vi.* (*pret.* e *pp.* **twigged**) (col.) compreender, perceber; observar.
I soon twigged his game — depressa lhe percebi o jogo.
twiggy [-i], *adj.* cheio de rebentos; ramoso.
twilight ['twailait], *s.* crepúsculo, noitinha, lusco-fusco; luz pálida; escuridão; (fig.) conhecimento imperfeito; decadência, declínio.
twill [twil], **1** — *s.* sarja; tecido com riscas diagonais.
2 — *vt.* tecer de modo a dar ao tecido a aparência de linhas diagonais.
twin [twin], **1** — *s.* e *adj.* gémeo.
twin brothers — irmãos gémeos.
twin sisters — irmãs gémeas.
twin-ships — dois navios iguais.
twin-screw steamer — vapor com duas hélices.
2 — *vt.* e *vi.* (*pret.* e *pp.* **twinned**) dar à luz gémeos; acasalar; unir, ligar-se.
twine [twain], **1** — *s.* fio, cordel, barbante; fio de vela; corda de dois fios; meandro, sinuosidade; emaranhamento; enroscadura; planta trepadeira.
2 — *vt.* e *vi.* torcer, retorcer, enroscar; enrolar, entrelaçar; enroscar-se; enlaçar-se; serpear, serpentear; cingir, abraçar.
the child twined her arms round her mother's neck — a criança envolveu com os braços o pescoço da mãe.
twiner [-ə], *s.* máquina de torcer fio.
twinge [twindʒ], **1** — *s.* dor aguda; pontada; remorso.
2 — *vt.* sentir ou causar dor aguda; atormentar, afligir.
twining ['twainiŋ], *adj.* torcido, retorcido; entrelaçado; sinuoso.
twiningly [-li], *adv.* de modo torcido ou retorcido.
twinkle ['twiŋkl], **1** — *s.* cintilação, vislumbre; volver de olhos; pestanejo, piscadela (de olhos); luz trémula e rápida; (fig.) momento, instante.
in the twinkle of an eye — num abrir e fechar de olhos, num instante.
2 — *vt.* e *vi.* brilhar, cintilar; pestanejar; piscar os olhos; emitir luz intermitentemente. (*Sin.* to shine, to sparkle, to scintillate, to blink, to wink.)
twinkling [-iŋ], **1** — *s.* cintilação; vislumbre; volver de olhos; momento, instante.
in the twinkling of an eye — num abrir e fechar de olhos.
2 — *adj.* cintilante.
the twinkling stars — as estrelas cintilantes.
twirl [twə:l], **1** — *s.* volta, viravolta; rotação, giro, movimento circular; pirueta.
2 — *vt.* e *vi.* girar; fazer girar; rodopiar, da viravoltas; enrolar.
twirling [-iŋ], *s.* giro; volta; rotação.
twist [twist], **1** — *s.* trança; cordão, fio; torcedura; contorção, trejeito; flexão; curva; desvio; regueifa, pão de forma torcida; tendência, propensão; característica, deformação; mania; tabaco de rolo; (col.) apetite; efeito dado na bola de críquete ou de bilhar.
a twist of the wrist — habilidade, destreza.
a road full of twists and turns — uma estrada cheia de curvas e de voltas.
with a twist of the mouth — com um esgar da boca.
to give the truth a twist — deformar a verdade.
he has a bit of a twist in his brain — ele tem o juízo um pouco desarranjado.
2 — *vt.* e *vi.* torcer, retorcer; tecer; enroscar; entrançar, trançar; entrelaçar; rodear, cingir; enroscar-se, torcer-se; insinuar-se; introduzir-se; deformar; (fig.) enganar, iludir; dar efeito a (bola).
to twist thread — torcer fio.
twisted with gold — entrelaçado com ouro.
to twist one's arm — torcer o braço.
twisted bread — regueifa.
his features twisted with pain — as suas feições contorciam-se com dores.
to twist a key — entortar uma chave.
to twist one's wrist — torcer o pulso.
to twist the truth — deturpar a verdade.
to twist off — quebrar torcendo.
twister [-ə], *s.* torcedor; pessoa de pouca confiança; bola que toma efeito; tarefa de

difícil execução; pessoa que come muito.
a tongue-twister — palavra ou frase difícil de pronunciar.
twisting [-iŋ], **1** — *s.* acto de torcer; entrelaçamento; deturpação.
2 — *adj.* cheio de curvas, tortuoso.
twit [twit], *vt.* (*pret.* e *pp.* **twitted**) repreender, increpar, censurar, lançar em rosto.
to twit someone with (about) something — censurar alguma coisa a alguém.
twitch [twitʃ], **1** — *s.* repelão, puxão; contracção nervosa; estremeção; (bot.) grama.
2 — *vt.* e *vi.* puxar bruscamente; contorcer-se; crispar-se; encolher-se; estremecer; arrancar subitamente.
his lips twitched with emotion — os lábios contraíam-se de emoção.
twitching [-iŋ], *s.* puxão; contracção; tique.
twitter ['twitə], **1** — *s.* gorjeio; agitação, inquietação; algaraviada; estado nervoso.
2 — *vi.* gorjear, chilrear; falar excitadamente; estar nervoso.
twittering ['twitəriŋ], *s.* gorjeio, chilreio; inquietação.
twittingly ['twitiŋli], *adv.* com ar de censura; repreensivamente.
two [tu:], *s.* e *num.* dois, duas.
two by two — dois a dois.
two to one — dois contra um.
two-faced — hipócrita; falso.
two-legged — bípede; de duas pernas.
two-edged — de dois gumes.
two-seater — automóvel de dois lugares.
two-handed — que exige duas mãos; ambidextro.
two-stroke engine — motor a dois tempos.
two-tongued — falso, hipócrita.
two-way street — rua com dois sentidos de trânsito.
one or two — alguns.
to cut in two — cortar em dois.
to put two and two together — analisar; comparar, tirar conclusões.
twofold [-fould], **1** — *adj.* duplo, duplicado.
2 — *adv.* duplamente; duas vezes mais.
twopence ['tʌpəns], *s.* importância de dois dinheiros; moeda de dois dinheiros.
twopenny ['tʌpni], *adj.* barato; no valor de dois dinheiros.
tycoon [tai'ku:n], *s.* *(E. U.)* grande magnate no mundo dos negócios.
tying ['taiiŋ], **1** — *s.* nó, laço; acto de prender.
2 — *adj.* que prende; pesado, difícil.
tyke [taik], *s.* ver **tike.**
tympana ['timpənə], *s. pl.* de **tympanum.**
tympanic [tim'pænik], *adj.* como um tímpano; do tímpano.
tympanist ['timpənist], *s.* timpanista.
tympanum ['timpənəm], *s.* (*pl.* **tympana** [-ə]) tímpano.
type [taip], **1** — *s.* tipo; símbolo; modelo, cunho, padrão; categoria; sinal, figura; emblema; (tip.) tipo; (med.) grupo sanguíneo. (*Sin.*kind, symbol, sign, letter, example, model).
type-foundry — fundição de tipos.
type-founder — fundidor de tipos de imprensa.
type-setter — compositor, tipógrafo; máquina para compor tipos.
type-bar — linha de tipos que se fundem numa só peça.
type-measure — tipómetro.
type-metal — metal de que se fundem os tipos.
to be in type — estar a ser impresso.
2 — *vt.* e *vi.* dactilografar, escrever à máquina.
typewrite ['taip-rait], *vt.* e *vi.* (*pret.* **typewrote** ['taip-rout], *pp.* **typewritten** ['taipritn]) dactilografar; passar à máquina.
typewriter [-ə], *s.* máquina de escrever.
typewriting [-iŋ], *s.* dactilografia; trabalho feito à máquina de escrever.
shorthand typewriting — estenodactilografia.
typhoid ['taifɔid], **1** — *s.* tifóide, febre tifóide.
2 — *adj.* tifóide, tífico.
typhoid fever — febre tifóide.
typhonic [tai'fɔnik], *adj.* tifónico.
typhoon [tai'fu:n], *s.* tufão, furacão.
typhous ['taifəs], *adj.* tifoso, relativo ao tifo.
typhus ['taifəs], *s.* tifo.
typical ['tipikəl], *adj.* típico, característico, representativo; simbólico.
typically [-i], *adv.* tipicamente.
typicalness [-əlnis], *s.* representação figurada ou simbólica.
typify ['tipifai], *vt.* representar, simbolizar; exemplificar.
typist ['taipist], *s.* dactilógrafo.
shorthand typist — estenodactilógrafo.
can you recommend me a good typist? — sabe indicar-me uma boa dactilógrafa?
typo ['taipou], *s.* (col.) tipógrafo.
typographer [tai'pɔgrəfə], *s.* tipógrafo.
typographic(al) [taipə'græfik(əl)], *adj.* tipográfico.
typographically [-əli], *adv.* tipograficamente.
typography [tai'pɔgrəfi], *s.* tipografia.
tyrannical [ti'rænikəl], *adj.* tirânico, despótico, cruel.
tyrannically [-i], *adv.* tiranicamente.
tyrannicalness [-nis], *s.* tirania, despotismo.
tyrannicide [ti'rænisaid], *s.* tiranicida; tiranicídio.
tyrannize ['tiranaiz], *vt.* e *vi.* tiranizar; proceder como um tirano.
tyrannous ['tirənəs], *adj.* tirânico; violento.
tyrannously [-li], *adv.* tiranicamente.
tyranny ['tirəni], *s.* tirania.
tyrant ['taiərənt], *s.* tirano, déspota.
tyre ['taiə], **1** — *s.* pneu, pneumático; aro (de roda).
2 — *vt.* montar pneu em.
tyro ['taiərou], *s.* noviço, aprendiz, principiante.
Tyrol ['tirəl], *top.* Tirol.
Tyrolese [tirə'li:z], *s.* e *adj.* tirolês.
Tyrolienne [tirouli'en], *s.* (mús. e dança) tirolesa.
tzar [zɑ:], *s.* ver **czar.**
tzarina [zɑ:'ri:nə], *s.* ver **czarina.**

U

U, u [ju:], *(pl.* **U's, u's** [ju:z]) U, u (vigésima primeira letra do alfabeto); U usa-se também como abreviatura de "you"
U-iron — ferro em U.
U-tube — tubo em U.
I O U — abreviatura de *I owe you* (devo-lhe).
U-boat — submarino alemão.
U-bolt — parafuso em forma de U.
uberous ['ju:bərəs], *adj.* rico em leite.
ubiquitarian [ju:bikwi'tɛəriən], **1** — *s.* ubiquitário, pessoa que defende a omnipresença do Corpo de Cristo.
2 — *adj.* ubiquitário, ubiquista.
ubiquitarianism [-izm], *s.* ubiquismo, doutrina dos ubiquitários.
ubiquitism ['ju:'bikwitizm], *s.* ver **ubiquitarianism.**
ubiquitous [ju:'bikwitəs], *adj.* ubíquo, que possui o dom da ubiquidade.
ubiquity ['ju:'bikwiti], *s.* ubiquidade.
udal ['ju:dəl], **1** — *s.* propriedade livre e alodial.
2 — *adj.* alodial.
udder ['ʌdə], *s.* úbere.
udometer [ju:'dɔmitə], *s.* udómetro, pluviómetro.
udometric [ju:də'metrik], *adj.* udométrico, pluviométrico.
Uganda [ju:'gændə], *top.* Uganda.
ugh [ʌx,uh,ə:h], *interj.* uf!, puf! (exprime aborrecimento ou horror).
uglify ['ʌglifai], *vt.* afear, tornar feio.
uglily ['ʌglili], *adv.* de uma maneira feia.
ugliness ['ʌglinis], *s.* fealdade.
ugly ['ʌgli], *adj.* feio, disforme; torpe; asqueroso, repugnante; mal-encarado; de mau aspecto; mau, ameaçador; perigoso; briguento. *(Sin.* plain, homely, ill-favoured, hideous. *Ant.* beautiful, pretty, nice, handsome, good-looking.)
ugly-looking — mal-parecido.
an ugly duckling — membro desprezado da família que mais tarde se evidencia.
as ugly as sin — feio como uma noite de trovões.
Ukraine [ju:'krein], *top.* Ucrânia.
Ukrainian [ju:'kreinjən], *s.* e *adj.* ucraniano.
ulcer ['ʌlsə], *s.* úlcera, chaga; (fig.) corrupção moral.
ulcerate ['ʌlsəreit], *vt.* e *vi.* ulcerar, ulcerar-se.
ulcerated [-id], *adj.* ulcerado.
ulceration [ʌlsə'reiʃən], *s.* ulceração.
ulcered ['ʌlsəd], *adj.* ulcerado, ulceroso.
ulcerous ['ʌlsərəs], *adj.* ulceroso.
ullage ['ʌlidʒ], **1** — *s.* parte que falta a um casco, garrafa, etc., para acabar de encher; deficiência; derrame.
2 — *vt.* tirar um pouco do conteúdo de um casco; atestar (casco).
ulmic ['ʌlmik], *adj.* úlmico.
ulmin ['ʌlmin], *s.* ulmina, um dos produtos da casca do olmeiro.
ulmus ['ʌlməs], *adj.* ulmáceo, relativo ou semelhante ao olmo.
ulna (*pl.* **ulnae, ulnas**) ['ʌlnə, -i:, -z], *s.* (anat.) cúbito.
ulster ['ʌlstə], *s.* gabão comprido.
ulterior [ʌl'tiəriə], *adj.* ulterior, posterior; oculto.
ulterior motive — motivo secreto.
ulteriorly [-li], *adv.* ulteriormente.
ultimata [ʌlti'meitə], *s. pl.* de **ultimatum.**
ultimate ['ʌltimit], **1** — *s.* princípio fundamental.
2 — *adj.* último, derradeiro; fundamental; definitivo.
ultimate principles — princípios fundamentais.
ultimate causes — causas últimas.
ultimate truth — verdade fundamental.
ultimately [-li], *adv.* ultimamente; finalmente; em último lugar; definitivamente.
ultimatum (*pl.* **ultimatums, ultimata**) [ʌlti'meitəm, -z, -tə], *s.* ultimato; princípio fundamental.
to present a country with an ultimatum — mandar um ultimato a um país.
ultimo ['ʌltimou], *adj.* do mês passado.
your letter of the 13th ult. — a sua carta de treze do mês passado.
ultra ['ʌltrə], **1** — *s.* extremista; radical, ultra.
2 — *adj.* extremista, radical; extravagante.
3 — *pref.* ultra.
ultra-fashionable ['ʌltrə'fæʃənəblə], *adj.* na última moda.
ultraism ['ʌltrəizm], *s.* (pol.) extremismo, radicalismo.
ultraist ['ʌltrəist], *s.* (pol.) radical, extremista, ultra.
ultramarine [ʌltrəmə'ri:n], **1** — *s.* ultramar, azul-ultramarino.
2 — *adj.* ultramarino.
ultramontane [ʌltrə'mɔntein], **1** — *s.* ultramontano, partidário do ultramontanismo.
2 — *adj.* ultramontano, transmontano; partidário do ultramontanismo.
ultramontanism [ʌltrə'mɔntənizm], *s.* ultramontanismo.
ultramontanist [ʌltrə'mɔntənist], *s.* ultramontano.
ultra-red ['ʌltrə'red], *adj.* infravermelho.
ultra-red rays — raios infravermelhos.
ultra-short [ʌltrə-'ʃɔ:t], *adj.* ultracurto.
ultra-short waves — ondas ultracurtas.
ultrasonic ['ʌltrə'sɔnik], *adj.* ultra-sónico.
ultra-sound ['ʌltrə'saund], *s.* ultra-som.
ultra-violet ['ʌltrə'vaiəlit], *adj.* ultravioleta.
ultra-violet chemical rays — raios químicos ultravioletas.
ululant ['ju:ljulənt], *adj.* ululante.
ululate ['ju:ljuleit], *vi.* ulular; uivar; (col.) lamentar-se.
ululation [ju:lju'leiʃən], *s.* uivo; lamentação.
umbel ['ʌmbəl], *s.* (bot.) umbela.
umbella [ʌm'belə], *s.* ver **umbel.**
umbellar [ʌm'belə], *adj.* (bot.) umbelado.
umbellate ['ʌmbelit], *adj.* (bot.) umbelado.
umbellated ['ʌmbeleitid], *adj.* ver **umbellate.**
umber ['ʌmbə], **1** — *s.* terra de sombra que usam os pintores, umbra.
2 — *adj.* cor de umbra; escuro, sombreado.
3 — *vt.* cobrir com umbra.
umbilical ['ʌmbi'laikəl], *adj.* umbilical.
an umbilical ancestor — um antepassado pelo lado materno.
umbilical cord — cordão umbilical.
umbilicate [ʌm'bilikit], *adj.* umbilicado.
umbilicated [ʌm'bilikeitid], *adj.* ver **umbilicate.**

umbilicus [ʌm'bilikəs], *s.* (anat.) umbigo; (geom.) umbílico; (bot.) hilo.
umbo (*pl.* **umbos, umbones**) ['ʌmbou, -z, ʌm'bouni:z], *s.* copa de broquel, protuberância, elevação.
umbones ['ʌm'bouni:z], *s. pl.* de **umbo.**
umbra ['ʌmbrə], *s.* (ast.) sombra, cone de sombra; parte central da mancha solar; (zool.) umbrina.
umbrage ['ʌmbridʒ], *s.* (poét.) sombra; aparência; suspeita; ressentimento.
to take umbrage at — ofender-se com.
umbrageous [ʌm'breidʒəs], *adj.* umbroso, sombrio; melindroso, muito sensível.
umbrageously [-li], *adv.* umbrosamente; desconfiadamente.
umbrella [ʌm'brelə], *s.* guarda-chuva; guarda-sol; umbrela (género de moluscos).
umbrella-stand — bengaleiro.
umbrella-tree — magnólia norte-americana.
umbrella-man — (col.) pára-quedista.
umlaut ['umlaut], *s.* metafonia.
umph [mh,ʌmf], *interj.* hum.
umpirage ['ʌmpairidʒ], *s.* arbitragem.
umpire ['ʌmpaiə], **1** — *s.* árbitro; juiz. (*Sin.* referee, judge, arbiter, arbitrator.) **2** — *vt.* e *vi.* arbitrar.
to umpire a game (to umpire in a game) — arbitrar um jogo.
un [ən], *pron.* (col.) um, uma pessoa.
he's a bad un — ele é mau tipo.
unabashed ['ʌn'əbæʃt], *adj.* descarado; imperturbável.
unabated ['ʌn'əbeitid], *adj.* completo, inteiro, sem diminuição.
unabating ['ʌn'əbeitiŋ], *adj.* persistente; que não diminui.
unabbreviated [ʌnə'bri:vieitid], *adj.* por extenso; não abreviado.
unabetted ['ʌnə'betid], *adj.* sozinho, sem cúmplices.
unable ['ʌn'eibl], *adj.* incapaz, impossibilitado; inábil, impotente.
to be unable — não poder, ser incapaz.
unabridged ['ʌnə'bridʒd], *adj.* completo, não resumido, sem omissões.
unabsorbent ['ʌnəb'sɔ:bənt], *adj.* hidrófugo, não absorvente.
unaccented ['ʌnæk'sentid], *adj.* não acentuado, átono.
unacceptable ['ʌnək'septəbl], *adj.* inaceitável.
unaccommodating [ʌnə'kɔmədeitiŋ], *adj.* de trato difícil; inflexível.
unaccompanied ['ʌnə'kʌmpənid], *adj.* desacompanhado, só; (mús.) sem acompanhamento.
unaccountable ['ʌnə'kauntəbl], *adj.* inexplicável; estranho, inconcebível; irresponsável.
unaccountableness [-nis], *s.* carácter inexplicável ou irresponsável.
unaccountably [-i], *adv.* estranhamente; inexplicavelmente.
unaccustomed ['ʌnə'kʌstəmd], *adj.* desacostumado, não habituado, desusado.
to be unaccustomed to — não estar habituado a.
unachieved ['ʌnə'tʃi:vd], *adj.* incompleto.
unacknowledged ['ʌnək'nɔlidʒd], *adj.* desconhecido; não reconhecido; não confessado; a que não respondeu (carta).
unacquaintance ['ʌnə'kweintəns], *s.* desconhecimento, ignorância.
unacquainted ['ʌnə'kweintid], *adj.* ignorado; desconhecido; pouco familiar.
to be unacquainted with something — ignorar alguma coisa.
to be unacquainted with somebody — não conhecer alguém.
unacquaintedness [-nis], *s.* ver **unacquaintance.**
unadmiring ['ʌnəd'maiəriŋ], *adj.* indiferente.
unadorned ['ʌnə'dɔ:nd], *adj.* sem adorno; liso, simples.
unadulterated ['ʌnə'dʌltəreitid], *adj.* sem mistura; genuíno; puro, natural.
unadventurous ['ʌnəd'ventʃərəs], *adj.* não aventuroso.
unadvisable ['ʌnəd'vaizəbl], *adj.* inconveniente, imprudente.
unadvisableness [-nis], *s.* imprudência, indiscrição.
unadvised [ʌnəd'vaizd], *adj.* imprudente, indiscreto, inconsiderado; precipitado.
unadvisedly [ʌnəd'vaizidli], *adv.* imprudentemente, inconsideradamente; precipitadamente.
unadvisedness [ʌnəd'vaizidnis], *s.* imprudência.
unaffected [ʌnə'fektid], *adj.* simples, franco, natural, sem afectação, sincero; impassível.
unaffected by acids — refractário aos ácidos.
unaffectedly [-li], *adv.* naturalmente, sem afectação, com franqueza.
unaffectedness [-nis], *s.* simplicidade, naturalidade, franqueza.
unafraid ['ʌnəfreid], *adj.* sem receio, sem medo.
unafraid of — sem medo de.
unaided ['ʌn'eidid], *adj.* sem ajuda, sozinho.
with the unaided eye — a olho nu; à vista desarmada.
unalienable ['ʌn'eiljənəbl], *adj.* inalienável.
unalienably [ʌn'eiljənəbli], *adv.* inalienavelmente.
unallowable ['ʌnə'lauəbl], *adj.* inadmissível.
unallowed ['ʌnə'laud], *adj.* não permitido.
unalloyed ['ʌnə'lɔid], *adj.* sem mistura, sem liga; puro; completo.
unalloyed gold — ouro puro, ouro sem liga.
unalterability [ʌnɔ:ltərə'biliti], *s.* inalterabilidade; imutabilidade.
unalterable [ʌn'ɔ:ltərəbl], *adj.* inalterável, invariável.
unalterableness [-nis], *s.* ver **unalterability.**
unalterably [i], *adv.* inalteravelmente, imutavelmente.
unaltered ['ʌn'ɔ:ltəd], *adj.* não alterado, sem modificação.
unambiguous ['ʌnæm'bigjuəs], *adj.* claro, evidente, não ambíguo, inequívoco.
unambiguously [-li], *adv.* claramente, evidentemente, inequivocamente.
unambitious [ʌnəm'biʃəs], *adj.* sem ambições, despretensioso.
unambitiously [-li], *adv.* despretensiosamente.
unamenable ['ʌnə'mi:nəbl], *adj.* refractário.
unamendable ['ʌnə'mendəbl], *adj.* incorrigível.
unanimity [ju:nə'nimiti], *s.* unanimidade.
with unanimity — por unanimidade.
unanimous [ju:'næniməs], *adj.* unânime.
to be unanimous in — ser unânime em.
unanimously [-li], *adv.* unanimemente.
carried unanimously — votado por unanimidade.
unannounced ['ʌnə'naunst], *adj.* sem ser anunciado.
unanswerable [ʌn'ɑ:nsərəbl], *adj.* irrespondível; irrefutável, incontestável, sem réplica.
unanswerableness [-nis], *s.* incontestabilidade.
unanswerably [-i], *adv.* irrefutavelmente.
unanswered ['ʌn'ɑ:nsəd], *adj.* sem resposta; não impugnado; não refutado; não correspondido.
unappeasable ['ʌnə'pi:zəbl], *adj.* inaplacável; insaciável.

unappeasably [-i], *adv.* insaciavelmente; inaplacavelmente.
unappeased ['ʌnə'pi:zd], *adj.* não apaziguado; insatisfeito.
unappetizing ['ʌn'æpitaiziŋ], *adj.* pouco apetitoso.
unapplied ['ʌnə'plaid], *adj.* sem aplicação.
unapplied for — sem candidatos (cargo).
unappreciated ['ʌnə'pri:ʃieitid], *adj.* não apreciado; não reconhecido.
unapprised [ʌnə'praizd], *adj.* ignorante, não informado.
unapproachable ['ʌnə'proutʃəbl], *adj.* inacessível; inabordável; incomparável.
unapproachableness [-nis], *s.* inacessibilidade; incomparabilidade.
unapproachably [-i], *adv.* inacessivelmente; incomparavelmente.
unappropriated ['ʌnə'prouprieitid], *adj.* não utilizado; livre.
unapproved ['ʌnə'pru:vd], *adj.* não aprovado.
unapproving ['ʌnə'pru:viŋ], *adj.* que desaprova.
unapt ['ʌn'æpt], *adj.* inapto, incapaz; impróprio; pouco disposto.
inapt for — inapto para.
unaptly [-li], *adv.* impropriamente; descabidamente.
unaptness [-nis], *s.* inaptidão; incapacidade.
unarm ['ʌn'ɑ:m], *vt.* desarmar.
unarmed [-d], *adj.* desarmado, indefeso.
unartificial ['ʌnɑ:ti'fiʃəl], *adj.* sem artifício, natural.
unartistic ['ʌnɑ:'tistik], *adj.* não artístico.
unascertainable ['ʌnæsə'teinəbl], *adj.* que não pode averiguar-se; indeterminável.
unascertained ['ʌnæsə'teind], *adj.* não verificado, desconhecido.
unashamed ['ʌnə'ʃeimd], *adj.* sem vergonha, desavergonhado, descarado.
to be unashamed of — não ter vergonha de.
unasked ['ʌn'ɑ:skt], *adj.* não solicitado; sem ser chamado ou convidado; espontâneo.
unaspirated ['ʌn'æspəreitid], *adj.* não aspirado (letra).
unaspiring ['ʌnə'spaiəriŋ], *adj.* modesto, sem ambição, sem aspirações.
unassailable [ʌnə'seiləbl], *adj.* inexpugnável; indiscutível; intangível.
unassignable ['ʌnə'sainəbl], *adj.* inalienável.
unassisted ['ʌnə'sistid], *adj.* sem socorro, sem ajuda; desprotegido.
unassuming ['ʌnə'sju:miŋ], *adj.* modesto, despretensioso.
unassumingly [-li], *adv.* modestamente, despretensiosamente.
unattached ['ʌnə'tætʃt], *adj.* solto, separado; independente; (mil.) em disponibilidade.
unattainable ['ʌnə'teinəbl], *adj.* inatingível; inacessível.
unattempted ['ʌnə'temptid], *adj.* não experimentado, não tentado.
unattended ['ʌnə'tendid], *adj.* só, desacompanhado; pouco frequentado.
unattested ['ʌnə'testid], *adj.* não confirmado, não verificado.
unattractive [ʌnə'træktiv], *adj.* sem atracção, pouco atraente.
unattractively [-li], *adv.* de forma pouco atractiva.
unattractiveness [-nis], *s.* falta de atracção.
unauthentic ['ʌnɔ:'θentik], *adj.* apócrifo, não autêntico.
unauthenticated [-eitid], *adj.* não autenticado.
unauthorized ['ʌn'ɔ:θəraizd], *adj.* não autorizado; ilícito, ilegal.
unavailable [ʌnə'veiləbl], *adj.* ineficaz; não disponível.
unavailing ['ʌnə'veiliŋ], *adj.* inútil; ineficaz.
unavailingly [ʌnə'veiliŋli], *adv.* inutilmente; em vão.
unavoidable [ʌnə'vɔidəbl], *adj.* inevitável; indeclinável.
unavoidableness [-nis], *s.* inevitabilidade.
unavoidably [-i], *adv.* inevitavelmente.
unaware ['ʌnə'wɛə], *adj.* desprevenido; desconhecedor.
to be unaware of — não ter conhecimento de.
unawareness [-nis], *s.* ignorância, desconhecimento.
unawares [-z], *adv.* inesperadamente; de improviso; subitamente; inadvertidamente; inopinadamente.
to be taken unawares — ser apanhado de surpresa.
unbalance ['ʌn'bæləns], **1** — *s.* desequilíbrio, falta de equilíbrio.
2 — *vt.* desequilibrar; não contrabalançar.
unbalanced [-t], *adj.* desequilibrado; por liquidar, por saldar.
unballast ['ʌn'bæləst], *vt.* (náut.) tirar o lastro.
unbaptized ['ʌnbæp'taizd], *adj.* não baptizado.
unbar ['ʌn'bɑ:], *vt.* (*pret.* e *pp.* **unbarred**) destrancar, tirar a tranca.
unbearable [ʌn'bɛərəbl], *adj.* intolerável; insuportável.
unbearableness [-nis], *s.* intolerância.
unbearably [-li], *adv.* insuportavelmente, intoleravelmente.
unbeaten ['ʌn'bi:tn], *adj.* não trilhado; não frequentado; inexplorado.
unbecoming ['ʌnbi'kʌmiŋ], *adj.* impróprio; inconveniente, indecoroso.
this behaviour is unbecoming to you — este procedimento fica-lhe mal.
unbecomingly [-li], *adv.* impropriamente; indecorosamente.
unbecomingness [-nis], *s.* inconveniência, falta de decoro.
unbefitting ['ʌnbi'fitiŋ], *adj.* inconveniente, impróprio; indecoroso.
unbeknown ['ʌnbi'noun], *adj.* desconhecido.
unbeknown to — sem o conhecimento de.
unbelief ['ʌnbi'li:f], *s.* incredulidade, descrença.
unbelievable [ʌnbi'li:vəbl], *adj.* inacreditável, incrível.
unbeliever ['ʌnbi'li:və], *s.* incrédulo; céptico.
unbelieving ['ʌnbi'li:viŋ], *adj.* incrédulo; infiel.
unbend ['ʌn'bend], *vt.* e *vi.* (*pret.* e *pp.* **unbent**) afrouxar, soltar; desafogar, dar descanso; pôr à vontade, ser afável; (náut.) destalingar, desenvergar.
to unbend one's mind — espairecer o espírito.
unbending [-iŋ], *adj.* inflexível; firme; intransigente.
unbent ['ʌn'bent], *adj.* solto, frouxo.
unbiassed ['ʌn'baiəst], *adj.* imparcial; livre de preconceitos; desapaixonado.
unbidden ['ʌn'bidn], *adj.* sem ser convidado;
unbigoted ['ʌn'bigətid], *adj.* sem fanatismo.
espontâneo, voluntário.
unbind ['ʌn'baind], *vt.* (*pret.* e *pp.* **unbound**) desatar, desligar.
unbitt ['ʌn'bit], *vt.* (náut.) desabitar.
unbleached ['ʌn'bli:tʃt], *adj.* por branquear, cru.
unbleached linen — linho cru.
unblemished [ʌn'blemiʃt], *adj.* sem mancha, puro; irrepreensível.
unblown ['ʌn'bloun], *adj.* em botão (flor).
unblushing [ʌn'blʌʃiŋ], *adj.* descarado, sem vergonha; que não cora.
unblushingly [-li], *adv.* descaradamente.
unboiled ['ʌn'bɔild], *adj.* cru, não cozido.
unbolt ['ʌn'boult], *vt.* destrancar, tirar o ferrolho, abrir; desaparafusar.

unborn ['ʌn'bɔ:n], *adj.* que está por nascer; futuro.
unbosom [ʌn'buzəm], *vt.* revelar; desabafar.
to unbosom oneself — desabafar.
to unbosom oneself to someone — abrir-se com alguém.
unbought ['ʌn'bɔ:t], *adj.* não vendido; não comprado.
unbound ['ʌn'baund], **1** — *pret.* e *pp.* de **to unbind.**
2 — *adj.* solto; não encadernado (livro).
unbounded [ʌn'baundid], *adj.* ilimitado; infinito; imenso, desmedido.
unboundedly [-li], *adv.* infinitamente, desmedidamente; sem limites.
unbreathable ['ʌn'bri:ðəbl], *adj.* irrespirável.
unbred ['ʌn'bred], *adj.* mal educado.
unbridled [ʌn'braidld], *adj.* desenfreado, descontrolado.
unbroken ['ʌn'broukən], *adj.* intacto; inteiro; inviolado; não interrompido, ininterrupto; não domado (cavalo).
unbroken ground — solo virgem.
unbuckle ['ʌn'bʌkl], *vt.* desafivelar.
unburden [ʌn'bə:dn], *vt.* descarregar; aliviar; desafogar; desabafar.
to unburden oneself to someone — desabafar com alguém.
unburied ['ʌn'berid], *adj.* insepulto, desenterrado.
unbury ['ʌn'beri], *vt.* desenterrar, exumar.
unbusinesslike [ʌn'biznislaik], *adj.* sem prática de negócios, contrário às regras comerciais.
unbutton ['ʌn'bʌtn], *vt.* e *vi.* desabotoar, desabotoar-se.
unbuttoned [-d], *adj.* desabotoado.
uncalled [ʌn'kɔ:ld], *adj.* não chamado; não pedido; não solicitado.
uncalled for — desnecessário; supérfluo; inútil.
uncandid ['ʌn'kændid], *adj.* falso, desleal.
uncandidly [-li], *adv.* falsamente, deslealmente.
uncandidness [-nis], *s.* falsidade, deslealdade.
uncannily [ʌn'kænili], *adv.* misteriosamente; severamente; de modo estranho.
uncanniness [ʌn'kæninis], *s.* falta de sagacidade ou prudência; carácter misterioso.
uncanny [ʌn'kæni], *adj.* incauto, imprudente; inábil; misterioso; sobrenatural.
uncanonical ['ʌnkə'nɔnikəl], *adj.* não canónico; laico.
uncared-for ['ʌn'kɛədfɔ:], *adj.* desamparado, desprezado.
unceasing [ʌn'si:siŋ], *adj.* incessante, contínuo; ininterrupto.
unceasingly [-li], *adv.* incessantemente, continuamente; ininterruptamente.
uncensured ['ʌnsenʃəd], *adj.* não criticado.
unceremonious ['ʌnseri'mounjəs], *adj.* sem cerimónia, familiar; descortês.
unceremoniously [-li], *adv.* sem cerimónia, familiarmente; descortesmente.
unceremoniousness [-nis], *s.* familiaridade, sem-cerimónia; descortesia.
uncertain [ʌn'sə:tn], *adj.* incerto, variável, vago, duvidoso; irresoluto; indeciso; inconstante. (*Sin.* doubtful, dubious, questionable, inconstant. *Ant.* sure.)
uncertain temper — temperamento irregular.
uncertain weather — tempo pouco firme.
uncertainty [ʌn'sə:tnti], *s.* incerteza, dúvida; irresolução; variabilidade.
uncertificated ['ʌnsə:'tifikeitid], *adj.* não certificado; não diplomado.
uncertificated bankrupt — falido que não obteve concordata.
unchain [ʌn'tʃein], *vt.* soltar, libertar.
unchallenged ['ʌn'tʃælindʒd], *adj.* não desafiado, não reptado.
unchangeable [ʌn'tʃeindʒəbl], *adj.* imutável, inalterável.
unchangeableness [-nis], *s.* imutabilidade; estabilidade; constância.
unchanged ['ʌn'tʃeindʒd], *adj.* imutável; inalterado.
unchanging [ʌn'tʃeindʒiŋ], *adj.* imutável, inalterável.
uncharitable [ʌn'tʃæritəbl], *adj.* sem caridade; desumano, cruel.
uncharitableness [-nis], *s.* falta de caridade; desumanidade.
uncharitably [-li], *adv.* sem caridade; desumanamente.
unchaste ['ʌn'tʃeist], *adj.* impudico, desonesto, não casto.
unchastely [-li], *adv.* impudicamente, desonestamente.
unchastity ['ʌn'tʃæstiti], *s.* impudicícia; impureza, desonestidade.
unchecked ['ʌn'tʃekt], *adj.* desenfreado; não reprimido, não verificado.
unchristian ['ʌn'kristjən], *adj.* não cristão; infiel, pagão.
unciform ['ʌnsifɔ:m[,*adj.* unciforme; uncinado.
uncivil ['ʌn'sivl], *adj.* incivil, grosseiro.
uncivilized ['ʌn'sivilaizd], *adj.* incivilizado; inculto; selvagem.
uncivilly ['ʌn'sivili], *adv.* incivilmente, grosseiramente, descortesmente.
unclaimed ['ʌn'kleimd], *adj.* não reclamado; não reivindicado.
unclasp ['ʌn'klɑ:sp], *vt.* e *vi.* desacolchetar; desafivelar; desprender; soltar, soltar-se.
uncle ['ʌŋkl], *s.* tio; (fam.) prestamista, prego; pessoa de idade.
Uncle Sam — os Estados Unidos da América do Norte.
to talk to a person like a Dutch uncle — repreender uma pessoa paternalmente.
unclean ['ʌn'kli:n], *adj.* sujo, porco; impuro; obsceno.
uncleanliness ['ʌn'klenlinis], *s.* falta de limpeza, porcaria.
uncleanly ['ʌn'klenli], *adj.* porco, sujo, imundo; obsceno.
uncleanness ['ʌn'kli:nnis], *s.* sujidade, porcaria, imundície; impureza; obscenidade.
unclose ['ʌn'klouz], *vt.* e *vi.* abrir; revelar, descobrir.
unclothed ['ʌn'klouðd], *adj.* despido, nu; despojado.
uncloud ['ʌn'klaud], *vt.* desanuviar.
unclouded [-id], *adj.* claro, sem nuvens; desanuviado.
uncock ['ʌnkɔk], *vt.* desengatilhar.
uncoffined ['ʌn'kɔfind], *adj.* sem caixão, sem ataúde.
uncoil ['ʌn'kɔil], *vt.* e *vi.* estender; desenrolar.
uncollected ['ʌnkə'lektid], *adj.* disperso, não recolhido; inquieto, agitado, excitado.
uncoloured ['ʌn'kʌləd], *adj.* incolor; descorado; imparcial.
uncomely [ʌn'kʌmli], *adj.* deselegante, feio; impróprio, inconveniente.
uncomfortable [ʌn'kʌmfətəbl], *adj.* sem conforto; incómodo; penoso; desagradável; aborrecido; desconsolado, triste.
an uncomfortable situation — uma situação desagradável.
to feel uncomfortable — sentir-se preocupado.
uncomfortableness [-nis], *s.* falta de conforto; mal-estar; incómodo; desconsolo; tristeza.

uncomfortably [-i], *adv.* incomodamente; desconsoladamente; desconfortavelmente; penosamente; com mal-estar.
uncommercial ['ʌnkə'mə:ʃəl], *adj.* não versado em assuntos comerciais; contrário às praxes do comércio.
uncommon [ʌn'kɔmən], **1** — *adj.* invulgar; extraordinário; desusado. (*Sin.* unusual, rare, remarkable, singular. *Ant.* ordinary.) **2** — *adv.* (col.) invulgarmente.
uncommonly [-li], *adv.* invulgarmente, raramente; extraordinariamente.
uncommonly good — excelente.
uncommonness [-nis], *s.* raridade, singularidade.
uncommunicative ['ʌnkə'mju:nikətiv], *adj.* pouco comunicativo, taciturno, reservado.
uncommunicatively [-li], *adv.* pouco comunicativamente, de modo reservado.
uncommunicativeness [-nis], *s.* falta de franqueza ou expansão; taciturnidade.
uncomplaining ['ʌnkəm'pleiniŋ], *adj.* que não se queixa, resignado.
uncomplainingly [-li], *adv.* resignadamente, sem se queixar.
uncomplainingness [-nis], *s.* resignação.
uncomplimentary ['ʌnkɔmpli'mentəri], *adj.* descortês; pouco lisonjeiro.
uncompounded ['ʌnkəm'paundid], *adj.* simples, não composto.
uncompromising [ʌn'kɔmprəmaiziŋ], *adj.* inflexível; firme; pouco disposto a transigir; incondicional; irreconciliável.
uncompromisingly [-li], *adv.* inflexivelmente; obstinadamente.
unconcern ['ʌnkən'sə:n], *s.* indiferença; frieza; desapego; desleixo, pouco interesse.
unconcerned [-d], *adj.* indiferente; frio; estranho; descuidado, negligente. (*Sin.* careless, indifferent, desinterested. *Ant.* anxious.)
unconcernedly [-idli], *adv.* sem interesse; indiferentemente.
unconcernedness [-idnis], *s.* indiferença, desinteresse; imparcialidade.
unconditional ['ʌnkən'diʃənl], *adj.* incondicional; absoluto.
unconditional reflex — reflexo não condicionado.
unconditionally ['ʌnkən'diʃnəli], *adv.* incondicionalmente.
unconfined ['ʌnkən'faind], *adj.* livre; ilimitado, sem restrições.
unconfirmed ['ʌnkən'fə:md], *adj.* não confirmado; que ainda não recebeu o sacramento da confirmação.
uncongenial ['ʌnkən'dʒi:njəl], *adj.* incompatível, contrário; antipático; hostil.
unconnected ['ʌnkə'nektid], *adj.* inconexo, desligado de; separado; sem nexo, incoerente.
unconquerable [ʌn'kɔŋkərəbl], *adj.* inconquistável; invencível; insuperável.
unconquered ['ʌn'kɔŋkəd], *adj.* não conquistado; invicto; não reprimido.
unconscionable [ʌn'kɔnʃnəbl], *adj.* injusto; sem consciência; exorbitante; excessivo; desmedido, enorme; fora da razão.
unconscionableness [-nis], *s.* falta de consciência; despropósito, loucura.
unconscionably [-i], *adv.* injustamente; pouco conscienciosamente.
unconscious [ʌn'kɔnʃəs], **1** — *s.* (psic.) o inconsciente.
2 — *adj.* inconsciente, insensível; desconhecedor, ignorante.
to become unconscious — desmaiar; perder os sentidos.
unconsciously [-li], *adv.* inconscientemente; involuntariamente.
unconsciousness [-nis], *s.* inconsciência; falta de compreensão; insensibilidade; ignorância.
unconsecrated ['ʌn'kɔnsikreitid], *adj.* por consagrar, não consagrado.
unconsidered ['ʌnkən'sidəd], *adj.* irreflectido, inconsiderado, precipitado.
unconstitutional ['ʌnkɔnsti'tju:ʃənl], *adj.* inconstitucional, anticonstitucional.
unconstitutionally ['ʌnkɔnsti'tju:ʃnəli], *adv.* inconstitucionalmente, anticonstitucionalmente.
unconstrained ['ʌnkən'streind], *adj.* voluntário, espontâneo; sem coacção; sem constrangimento.
unconstrainedly ['ʌnkən'streinidli], *adv.* voluntariamente, espontaneamente; sem constrangimento.
unconsummated ['ʌn'kɔnsəmeitid], *adj.* não consumado (casamento).
uncontestable [ʌnkən'testəbl], *adj.* incontestável.
uncontested ['ʌnkən'testid], *adj.* incontestado.
uncontradicted ['ʌnkɔntrə'diktid], *adj.* sem contradição, incontroverso.
uncontrollable [ʌnkən'trouləbl], *adj.* incontrolável; indomável; irresistível; violento.
uncontrollable temper — temperamento violento.
uncontrollableness [-nis], *s.* carácter insubmisso; indocilidade.
uncontrollably [-i], *adv.* incontrolavelmente; irresistivelmente.
uncontrolled ['ʌnkən'trould], *adj.* sem governo; sem direcção; desenfreado.
unconventional ['ʌnkən'venʃənl], *adj.* sem convencionalismos; contra o costume ou regra; sem cerimónia.
unconventionality ['ʌnkənvenʃə'næliti], *s.* ausência de convencionalismos.
unconventionally ['ʌnkən'venʃnəli], *adv.* com originalidade, liberto de convenções.
unconverted ['ʌnkən'və:tid], *adj.* não convertido; não convencido.
unconvertible ['ʌnkən'və:təbl], *adj.* inconvertível; imutável.
uncooked ['ʌn'kukt], *adj.* não cozinhado, cru; não forjado.
uncord ['ʌn'kɔ:d], *vt.* desatar, desamarrar.
uncork ['ʌn'kɔ:k], *vt.* desarrolhar, destapar.
uncorrected ['ʌnkə'rektid], *adj.* não corrigido; não emendado; impune.
uncorroborated ['ʌnkə'rɔbəreitid], *adj.* não corroborado.
uncorrupted ['ʌnkə'rʌptid], *adj.* incorrupto; íntegro, probo.
uncorruptness ['ʌnkə'rʌptnis], *s.* incorruptibilidade.
uncouple ['ʌn'kʌpl], *vt.* desatrelar; separar, desunir.
uncouth [ʌn'ku:θ], *adj.* tosco, grosseiro; rude; rústico; inculto; estranho, singular. (*Sin.* clumsy, rustic, boorish. *Ant.* polished.)
uncouthly [-li], *adv.* toscamente, grosseiramente; invulgarmente.
uncouthness [-nis], *s.* rusticidade; grosseria; singularidade; estranheza.
uncover [ʌn'kʌvə], *vt.* e *vi.* descobrir, destapar; pôr a descoberto, patentear; tirar o chapéu, cumprimentar tirando o chapéu.
to uncover oneself — descobrir-se; tirar o chapéu; destapar-se.
uncritical ['ʌn'kritikəl], *adj.* pouco severo na crítica; sem sentido crítico; fácil de contentar.

uncross [ˈʌnˈkrɔs], *vt.* descruzar (braços, pernas).
uncrossable [-əbl], *adj.* intransponível.
uncrossed [ˈʌnˈkrɔst], *adj.* não cruzado; não anulado; não riscado; não contrariado.
uncrown [ˈʌnˈkraun], *vt.* destronar, privar da coroa (rei).
uncrowned [-d], *adj.* destronado; sem coroa.
unction [ˈʌŋkʃən], *s.* unção, fervor; extrema-unção; unguento; suavidade excessiva.
Extreme unction — extrema-unção.
unctuosity [ʌŋktjuˈɔsiti], *s.* untuosidade.
unctuous [ˈʌŋktjuəs], *adj.* untuoso; oleoso; melífluo.
unctuously [-li], *adv.* untuosamente.
unctuousness [-nis], *s.* untuosidade; oleosidade.
uncultivated [ˈʌnˈkʌltiveitid], *adj.* inculto, não cultivado.
uncultured [ˈʌnˈkʌltʃəd], *adj.* inculto, sem cultura.
uncurl [ˈʌnˈkə:l], *vt.* e *vi.* desfrisar, desencaracolar; desenrolar-se, desfrisar-se.
uncut [ˈʌnˈkʌt], *adj.* inteiro, não cortado, intacto.
undamaged [ˈʌnˈdæmidʒd], *adj.* indemne, ileso; em bom estado.
undated [ˈʌnˈdeitid], *adj.* sem data.
undaunted [ʌnˈdɔ:ntid], *adj.* denodado, intrépido, audaz; impávido.
undauntedly [-li], *adv.* intrepidamente, destemidamente, audazmente.
undauntedness [-nis], *s.* intrepidez, arrojo, audácia.
undebatable [ˈʌndiˈbeitəbl], *adj.* indiscutível.
undeceive [ˈʌndiˈsi:v], *vt.* desenganar; desiludir.
undecided [ˈʌndiˈsaidid], *adj.* indeciso, irresoluto; incerto.
undecidedly [-li], *adv.* indecisamente, com hesitação.
undecipherable [ˈʌndiˈsaifərəbl], *adj.* indecifrável.
undefended [ˈʌndiˈfendid], *adj.* sem defesa; sem defensor (foro).
undefiled [ˈʌndiˈfaild], *adj.* puro, incorrupto.
undefinable [ʌndiˈfainəbl], *adj.* indefinível.
undefined [ʌndiˈfaind], *adj.* indefinido, vago, indeterminado.
undemonstrative [ˈʌndiˈmɔnstrətiv], *adj.* reservado, retraído, pouco expansivo.
undeniable [ˈʌndiˈnaiəbl], *adj.* inegável, incontestável, irrecusável.
undeniableness [-nis], *s.* incontestabilidade, indiscutibilidade.
undeniably [-li], *adv.* inegavelmente, incontestavelmente.
under [ˈʌndə], **1** — *adj.* inferior, subordinado; deficiente.
under jaw — maxila inferior.
2 — *prep.* debaixo de, por baixo de; sob; abaixo de; inferior a; sob a protecção de; sujeito a; sob pena de; ao abrigo de; conforme, segundo, em.
under fire — debaixo de fogo.
to be under age — ser de menoridade.
under way — a caminho; seguido.
to get under way — fazer-se à vela; largar.
under steam — sob vapor.
to get under steam — largar a vapor.
under the table — debaixo da mesa; secretamente.
to be under an obligation to someone — dever favores a alguém.
under hand and seal of — assinado e selado por.
under oath — sob juramento.
under these circumstances — nestas circunstâncias.
the house is under repair — a casa está em reparação; a casa está em obras.
under the rose (col.) — em segredo.
under the name of — sob o nome de.
he is under my care — está entregue aos meus cuidados.
we are under the painful necessity — vemo-nos na dolorosa necessidade.
under arms — em armas.
under chloroform — cloroformizado.
under cover — abrigado.
under lock and key — a sete chaves.
under one's nose (col.) — nas barbas de uma pessoa.
under pain of death — sob pena de morte.
under penalty of — sob pena de.
to be under a cloud (col.) — ter má reputação.
to speak under one's breath — falar em voz muito baixa.
he is under fifty — ele tem menos de cinquenta anos.
3 — *adv.* debaixo, por baixo; em sujeição; deficientemente.
to keep under — conservar em submissão.
to go under — afundar-se; falhar.
underact [ˈʌndərˈækt], *vt.* e *vi.* executar inadequadamente; representar de modo pouco satisfatório (em teatro).
underbid [ˈʌndəˈbid], *vt.* (*pret.* e *pp.* **underbid**) oferecer menos que o valor real.
underbrush [ˈʌndəbrʌʃ], *s.* arbusto que nasce debaixo das árvores.
undercharge [ˈʌndəˈtʃɑ:dʒ], **1** — *s.* preço inferior ao devido; carga insuficiente (em arma de fogo).
2 — *vt.* pedir um preço inferior ao devido; carregar de maneira insuficiente (arma de fogo).
undercharged [-d], *adj.* com carga insuficiente.
underclothes [ˈʌndəklouðz], *s.* roupa interior; trajos menores.
underclothing [ˈʌndəˈklouðiŋ], *s.* ver **underclothes.**
undercurrent [ˈʌndəkʌrənt], *s.* corrente submarina; influência oculta.
undercut [ˈʌndəˈkʌt], **1** — *vt.* (*pret.* e *pp.* **undercut**) cortar pela parte de baixo; cotar um preço inferior ao da concorrência.
2 — *adj.* cortado por baixo; escavado.
undercut [ˈʌndəkʌt], *s.* filete (de carne de vaca); golpe dado numa árvore para ela cair para esse lado; erosão.
undercutting [-iŋ], *s.* acto de escavar pela base.
underdone [ˈʌndəˈdʌn], *adj.* (cul.) mal passado.
underdraw [ˈʌndəˈdrɔ:], *vt.* representar ou descrever de modo inadequado.
underdressed [ˈʌndəˈdresd], *adj.* pobremente vestido.
underestimate [ˈʌndərˈestimeit], *vt.* subestimar; avaliar por um preço inferior.
underestimate [ˈʌndərˈestimit], *s.* subestimação; avaliação por baixo.
underexpose [ˈʌndəriksˈpouz], *vt.* dar exposição insuficiente (em fotografia).
underexposure [ˈʌndəriksˈpouʒə], *s.* exposição insuficiente (em fotografia).
underfed [ˈʌndəˈfed], *pret.* e *pp.* de **to underfeed.**
underfeed [ˈʌndəˈfi:d], *vt.* (*pret.* e *pp.* **underfed**) alimentar insuficientemente, subalimentar.
underfeeding [-iŋ], *s.* subalimentação.
underfoot [ʌndəˈfut], *adv.* calcado aos pés, debaixo dos pés.
underfreight [ˈʌndəfreit], *vt.* (náut.) subfretar.
undergarment [ˈʌndəˈgɑ:mənt], *s.* roupa interior.

undergo [ʌndə'gou], *vt.* (*pret.* **underwent,** *pp.* **undergone**) sofrer, suportar, tolerar, passar por; arrostar, expor-se a, estar sujeito a.
to undergo a great change — sofrer uma grande mudança.
to undergo an operation — sofrer uma operação.
to undergo troubles — passar trabalhos.
undergone [ʌndə'gɔn], *pp.* de **to undergo.**
undergraduate [ʌndə'grædjuit], *s.* estudante universitário.
undergraduette [ʌndə'grædjuet], *s. fem.* estudante universitária.
underground ['ʌndəgraund], **1** — *s.* subsolo; subterrâneo; caminho-de-ferro subterrâneo; organização secreta.
the Underground — o metropolitano.
2 — *adj.* subterrâneo, secreto, oculto.
underground passage — passagem subterrânea
3 — [ʌndə'graund], *adv.* ocultamente, debaixo da terra; enterrado.
to work underground — trabalhar no subsolo, trabalhar em segredo.
undergrown ['ʌndə'groun], *adj.* fraco, débil, mal desenvolvido; cheio (de matagal).
undergrowth ['ʌndəgrouθ], *s.* abrolhos, mato; subdesenvolvimento.
underhand ['ʌndəhænd], *adj.* clandestino, secreto, oculto; fingido.
underhand work — trabalho de sapa.
underhanded [ʌndə'hændid], *adj.* clandestino, secreto; com falta de mão-de-obra.
underhandedly [-li], *adv.* clandestinamente, secretamente, dissimuladamente.
underhung ['ʌndə'hʌŋ], *adj.* de maxilar inferior saliente, prógnato.
underlaid [ʌndə'leid], *pret.* e *pp.* de **to underlay.**
underlain [ʌndə'lein], *pp.* de **to underlie.**
underlay ['ʌndəlei], *s.* (tip.) alça; inclinação de filão ou camada de terreno.
underlay [ʌndə'lei], **1** — *vt.* e *vi.* (*pret.* e *pp.* **underlaid**) reforçar, apoiar, pôr calço; altear, (tip.) alcear.
2 — *pret.* de **to underlie.**
underlease ['ʌndə'li:s], *s.* sublocação, subarrendamento.
underlease [ʌndə'li:s], *vt.* sublocar, subalugar.
underlessee [ʌndəle'si:], *s.* sublocatário.
underlessor ['ʌndəlesɔ:], *s.* sublocador.
underlet ['ʌndə'let], *vt.* (*pret.* e *pp.* **underlet**) sublocar, subalugar.
underletter [-ə], *s.* sublocatário.
underletting [-iŋ], *s.* sublocação.
underlie [ʌndə'lai], *vt.* (*pret.* **underlay,** *pp.* **underlain**) estar por baixo de, estar debaixo; servir de base a; ser a base de.
underline 1 — ['ʌndəlain], *s.* traço que serve para sublinhar; legenda de gravura; anúncio antecipado de uma peça ou filme.
2 — [ʌndə'lain], *vt.* sublinhar; salientar, realçar.
underlinen ['ʌndəlinin], *s.* roupa interior.
underling ['ʌndəliŋ], *s.* agente subalterno.
underlying [ʌndə'laiiŋ], *adj.* subjacente; fundamental; profundo, oculto.
underman ['ʌndə'mæn], *vt.* equipar um navio com tripulação incompleta.
undermentioned ['ʌndə'menʃənd], *adj.* abaixo mencionado.
undermine [ʌndə'main], *vt.* minar, solapar; destruir; debilitar.
underminer [-ə], *s.* sapador.
undermost ['ʌndəmoust], *adj.* ínfimo; o mais baixo.
underneath [ʌndə'ni:θ], **1** — *s.* parte inferior.
2 — *adj.* inferior; situado em baixo.
3 — *adv.* abaixo, por baixo.

underpay ['ʌndə'pei], *vt.* pagar pouco.
underpin [ʌndə'pin], *vt.* (*pret.* e *pp.* **underpinned**) segurar, escorar; substituir os alicerces.
underplot ['ʌndəplɔt], *s.* episódio, enredo secundário; maquinação.
underproduction ['ʌndəprə'dʌkʃən], *s.* subprodução.
underprop [ʌndə'prɔp], *vt.* (*pret.* e *pp.* **underpropped**) escorar, calçar, apoiar.
underran ['ʌndə'ræn], *pret.* de **to underrun.**
underrate [ʌndə'reit], *vt.* depreciar; subestimar.
underrun ['ʌndə'rʌn], *vt.* e *vi.* (*pret.* **underran,** *pp.* **underrun**) correr por baixo de.
underscore [ʌndə'skɔ:], *vt.* sublinhar.
undersecretary ['ʌndə'sekrətəri], *s.* subsecretário.
undersecretaryship [-ʃip], *s.* subsecretariado.
undersell ['ʌndə'sel], *vt.* (*pret.* e *pp.* **undersold**) vender por baixo preço; rebaixar o preço.
underset 1 — ['ʌndəset], *s.* contracorrente submarina; ressaca.
2 — [ʌndə'set], *vt.* (*pret.* e *pp.* **underset**) escorar; segurar.
under-sheriff ['ʌndə'ʃerif], *s.* subxerife.
undershirt ['ʌndəʃə:t], *s.* camisola interior.
undershot ['ʌndə'ʃɔt], *adj.* movido por água que passa por baixo (roda hidráulica); que tem os incisivos inferiores mais salientes do que os superiores.
underside ['ʌndəsaid], *s.* alicerce.
undersign [ʌndə'sain], *vt.* assinar, subscrever.
undersigned [-d], *adj.* assinado.
the undersigned — o abaixo assinado; os abaixo assinados.
undersized ['ʌndə'saizd], *adj.* de pequena estatura; anão.
underskirt ['ʌndəskə:t], *s.* saia de baixo.
understand [ʌndə'stænd], *vt.* e *vi.* (*pret.* e *pp.* **understood**) entender, perceber, compreender; saber; ser sabedor; ter conhecimento de; subentender; ouvir dizer.
to understand someone's meaning — entender o que alguém quer dizer.
that is understood — está entendido.
to make oneself understood — fazer-se compreender.
I understand you are going to America — ouvi dizer que vais à América.
to understand business — perceber de negócios.
to understand French — compreender francês.
the verb is understood — o verbo está subentendido.
do you understand me? — compreende-me?
I did not quite understand — não percebi lá muito bem.
I cannot make myself understood — não consigo fazer-me compreender.
that is easily understood — é fácil de compreender.
understandable [-əbl], *adj.* compreensível; inteligível.
understanding [-iŋ], **1** — *s.* compreensão; inteligência; entendimento; conhecimento; harmonia, acordo; *pl.* (cal.) pés, pernas, sapatos.
to come to an understanding — chegar a acordo.
a secret understanding — um acordo secreto.
a man of understanding — um homem de inteligência.
there is a good understanding between them — vivem em boa harmonia.
on the understanding that — sob condição de.
on this understanding — nestas condições.
2 — *adj.* inteligente; compreensivo.

understandingly [-li], *adv.* inteligentemente; com compreensão; com conhecimento de causa.
understood [ʌndə'stud], *pret.* e *pp.* de **to understand.**
understrapper ['ʌndəstræpə], *s.* (col.) agente subalterno.
understudy ['ʌndəstʌdi], *s.* (teat.) substituto de actor.
understudy [ʌndə'stʌdi], *vt.* (teat.) estudar um papel numa peça de teatro para substituir um actor.
undertake [ʌndə'teik], *vt.* (*pret.* **undertook,** *pp.* **undertaken)** empreender, intentar; encarregar-se de, tomar a seu cargo; comprometer-se a; (col.) ter uma agência funerária.
to undertake a business — empreender um negócio.
undertaken [ʌndə'teikən], *pp.* de **to undertake.**
undertaker [-ə], *s.* pessoa que empreende qualquer coisa; empreiteiro; agente funerário; cangalheiro.
undertaker's establishment — agência funerária.
undertone ['ʌndətoun], *s.* meia voz; tom suave; indicação.
to talk in undertones — falar a meia voz.
undertook [ʌndə'tuk], *pret.* de **to undertake.**
undertow ['ʌndətou], *s.* ressaca; corrente submarina.
undervaluation ['ʌndəvælju'eiʃən], *s.* avaliação baixa; subestimação; depreciação.
undervalue ['ʌndə'vælju:], *vt.* depreciar; subestimar.
underwear ['ʌndəwεə], *s.* roupa interior.
underwent [ʌndə'went], *pret.* de **to undergó.**
underwood ['ʌndəwud], *s.* vegetação rasteira.
underwork ['ʌndə'wə:k], *vt.* e *vi.* trabalhar insuficientemente.
underworking [-iŋ], *s.* escavação subterrânea.
underworld ['ʌndəwə:ld], *s.* inferno; mundo do crime.
underwrite ['ʌndərait], *vt.* (*pret.* **underwrote,** *pp.* **underwritten)** subscrever; segurar contra riscos marítimos.
underwriter [-ə], *s.* subscritor; agente de seguros marítimos.
underwriting [-iŋ], *s.* acção de efectuar seguros; seguro marítimo.
underwritten ['ʌndəritn], *pp.* de **to underwrite.**
the underwritten names — os nomes abaixo assinados.
underwrote ['ʌndərout], *pret.* de **to underwrite.**
undescribable ['ʌndis'kraibəbl], *adj.* indescritível.
undescribably [-i], *adv.* indescritivelmente.
undeserved ['ʌndi'zə:vd], *adj.* imerecido, injusto.
undeservedly ['ʌndi'zə:vidli], *adv.* imerecidamente, injustamente.
undeserving ['ʌndi'zə:viŋ], *adj.* sem méritos, pouco digno.
undeservingly [-li], *adv.* pouco meritoriamente.
undesigned ['ʌndi'zaind], *adj.* involuntário, impensado; casual.
undesignedly ['ʌndi'zainidli], *adv.* involuntariamente, impensadamente; acidentalmente, casualmente.
undesirable ['ʌndi'zaiərəbl], **1** — *s.* pessoa indesejável.
2 — *adj.* indesejável; pouco apetecível; inconveniente.
undesirableness [-nis], *s.* inconveniência; desagrado.
undesirably [-i], *adv.* inconvenientemente, de forma indesejável.
undesired ['ʌndi'zaiəd], *adj.* inoportuno; não desejado.
undeterminable ['ʌndi'tə:minəbl], *adj.* indeterminável.
undeterminate ['ʌndi'tə:minit], *adj.* indeterminado.
undeterminately [-li], *adv.* indeterminadamente.
undetermined ['ʌndi'tə:mind], *adj.* indeterminado; indeciso, incerto, duvidoso.
undeterred ['ʌndi'tə:d], *adj.* resoluto, firme.
undeveloped ['ʌndi'veləpt], *adj.* não desenvolvido; rudimentar; (fot.) por revelar.
undeviating [ʌn'di:vieitiŋ], *adj.* direito, sem rodeios; firme, regular; constante; directo.
undeviatingly [-li], *adv.* regularmente; directamente.
undid ['ʌn'did], *pret.* de **to undo.**
undigested ['ʌndi'dʒestid], *adj.* não digerido; mal ordenado; indigesto.
undignified [ʌn'dignifaid], *adj.* sem dignidade; impróprio.
undiluted ['ʌndai'lju:tid], *adj.* não diluído; concentrado.
undiminished ['ʌndi'miniʃt], *adj.* inteiro; sem diminuição.
undimmed ['ʌn'dimd], *adj.* claro, sem sombras.
undiscerned ['ʌndi'sə:nd], *adj.* despercebido.
undiscerning ['ʌndi'sə:niŋ], *adj.* sem discernimento, sem inteligência.
undischarged ['ʌndis'tʃɑ:dʒd], *adj.* não descarregado; não cumprido.
undisciplined [ʌn'disiplind], *adj.* indisciplinado.
undiscoverable ['ʌndis'kʌvərəbl], *adj.* que não pode descobrir-se.
undiscovered ['ʌndis'kʌvəd], *adj.* oculto, encoberto; desconhecido.
undiscriminating ['ʌndis'krimineitiŋ], *adj.* que não discrimina.
undiscussed ['ʌndis'kʌst], *adj.* não discutido; fora de discussão.
undisguised ['ʌndis'gaizd], *adj.* franco, sincero, sem disfarce; simples.
undisguisedly ['ʌndis'gaizidli], *adv.* francamente, sinceramente, sem disfarce.
undismayed ['ʌndis'meid], *adj.* impávido, sem receio; corajoso, animoso.
undisputed ['ʌndis'pju:tid], *adj.* incontestável, incontroverso; não disputado.
undisputedly [-li], *adv.* incontestadamente, de modo incontroverso.
undissolved ['ʌndi'zɔlvd], *adj.* não diluído; válido.
undistinguishable ['ʌndis'tiŋgwiʃəbl], *adj.* indistinguível; não classificável.
undistinguished ['ʌndis'tiŋgwiʃt], *adj.* indistinto; não conspícuo.
undistracted ['ʌndis'træktid], *adj.* firme, atento, não perturbado.
undisturbed ['ʌndis'tə:bd], *adj.* sereno, impassível.
undivided ['ʌndi'vaidid], *adj.* não dividido, inteiro; não separado.
undivided opinion — opinião unânime.
undividedly [-li], *adv.* por inteiro; totalmente.
undo ['ʌn'du:], *vt.* (*pret.* **undid,** *pp.* **undone)** desfazer, desmanchar; perder, arruinar; invalidar; desabotoar. (*Sin.* to untie, to unfold, to annul, to frustrate. *Ant.* to tie.)
to undo the mischief — reparar o mal.
to undo a knot — desfazer um nó.
undoing [-iŋ], *s.* destruição, ruína; desgraça.
undone ['ʌndʌn], **1** — *pp.* de **to undo.**
2 — *adj.* desfeito; arruinado, perdido; desatado; desapertado.

to leave undone — deixar por fazer.
to remain undone — ficar por fazer.
to come undone — desatar-se.
undoubted [ʌn'dautid], *adj.* indubitável; certo.
undoubtedly [-li], *adv.* indubitavelmente, incontestavelmente.
undreamed [ʌn'dremt], *adj.* não sonhado, não imaginado.
undreamed-of — não sonhado; não imaginado.
undreamt [ʌn'dremt], *adj.* ver **undreamed.**
undress 1 — ['ʌn'dres], *s.* trajo caseiro.
2 — *vt.* e *vi.* despir; despir-se; tirar ligamentos de ferida.
3 — ['ʌndres], *adj.* caseiro, vulgar, de serviço.
undress uniform — uniforme de serviço.
undressed ['ʌn'drest], *adj.* despido; sem ornamentos; em trajo caseiro; não temperado, não condimentado.
undressed wound — ferida sem penso.
undue ['ʌn'dju:], *adj.* indevido; excessivo; injusto; irregular, ilegal; (com.) por vencer.
undulate ['ʌndjuleit], *vt.* e *vi.* ondular, ondear, flutuar; fazer ondear.
undulate ['ʌndjulit], *adj.* (zool.) ondulado.
undulation [ʌndju'leiʃən], *s.* ondulação.
undulatory ['ʌndjulətəri], *adj.* ondulatório; ondulado.
unduly ['ʌn'dju:li], *adv.* indevidamente, ilegalmente, irregularmente, ilicitamente.
unduteous ['ʌn'dju:tjəs], *adj.* que não cumpre os seus deveres.
undutiful ['ʌn'dju:tiful], *adj.* ver **unduteous.**
undutifully [-i], *adv.* sem cumprir os seus deveres.
undutifulness ['ʌn'dju:tifulnis], *s.* acção de faltar aos seus deveres.
undying [ʌn'daiiŋ], *adj.* imortal, imorredouro.
undyingly [-li], *adv.* de modo imorredouro.
unearned ['ʌn'ə:nd], *adj.* não ganho por trabalho; imerecido.
unearth ['ʌn'ə:θ], *vt.* desenterrar; trazer à luz; exumar.
unearthing [-iŋ], *s.* acto de desenterrar; exumação; descoberta.
unearthly [ʌn'ə:θli], *adv.* sobrenatural; sublime; misterioso; aterrador.
at an unearthly hour — a uma hora inconveniente.
unease [ʌn'i:z], *s.* constrangimento; perturbação, desassossego.
uneasily [-ili], *adv.* inquietamente; penosamente; agitadamente.
uneasiness [-inis], *s.* inquietação, desassossego.
uneasy [-i], *adj.* inquieto, desassossegado; agitado; impertinente; penoso, custoso; enfadonho, incómodo.
don't be uneasy! — não se inquiete!
uneatable ['ʌn'i:təbl], *adj.* que não se pode comer.
uneaten ['ʌn'i:tn], *adj.* não comido.
unedifying ['ʌn'edifaiiŋ], *adj.* pouco edificante.
uneducated ['ʌn'edjukeitid], *adj.* sem educação.
unelected ['ʌni'lektid], *adj.* não eleito.
unembarrassed ['ʌnim'bærəst], *adj.* desembaraçado; livre; sem constrangimento.
unemotional ['ʌni'mouʃənl], *adj.* sem comoção; imperturbável; calmo.
unemployable ['ʌnim'plɔiəbl], *adj.* incapaz; inapto.
unemployed ['ʌnim'plɔid], *adj.* sem emprego, desempregado; ocioso.
the unemployed — os desempregados.
unemployment ['ʌnim'plɔimənt], *s.* desemprego, falta de emprego.
unemployment pay — subsídio de desemprego.
unemployment fund — fundo de desemprego.
unenclosed ['ʌnin'klouzd], *adj.* não cercado; livre, desembaraçado.
unencumbered ['ʌnin'kʌmbəd], *adj.* desimpedido, desembaraçado, livre.
unended [ʌn'endid], *adj.* não acabado.
unending [ʌn'endiŋ], *adj.* sem fim; infinito, eterno.
unendingly [-li], *adv.* interminavelmente; sem cessar.
unendowed ['ʌnin'daud], *adj.* não dotado, sem dote.
unendurable ['ʌnin'djuərəbl], *adj.* insuportável, intolerável.
un-English ['ʌn'iŋgliʃ], *adj.* pouco inglês; pouco digno de um inglês.
unenlightened ['ʌnin'laitnd], *adj.* ignorante, sem instrução.
unenterprising ['ʌn'entəpraiziŋ], *adj.* pouco empreendedor, sem iniciativa.
unenviable ['ʌn'enviəbl], *adj.* pouco invejável.
unenvied ['ʌn'envid], *adj.* não invejado.
unenvious ['ʌn'enviəs], *adj.* sem inveja.
unenvying ['ʌn'enviiŋ], *adj.* ver **unenvious.**
unequal ['ʌn'i:kwəl], *adj.* desigual, inferior; irregular; insuficiente; parcial, injusto.
he is unequal to the task — ele não está à altura do trabalho.
unequal to his strength — inferior às suas forças.
unequal pulse — pulso irregular.
unequal-sided — de lados desiguais.
unequalled [-d], *adj.* sem igual, incomparável.
unequally ['ʌn'i:kwəli], *adv.* desigualmente; irregularmente.
unequitable ['ʌn'ekwitəbl], *adj.* injusto; iníquo.
unequitably [-i], *adv.* injustamente, iniquamente.
unequivocal ['ʌni'kwivəkəl], *adj.* inequívoco, que não oferece dúvidas, evidente.
unequivocally ['ʌni'kwivəkəli], *adv.* inequivocamente, claramente, evidentemente.
unerring ['ʌn'ə:riŋ], *adj.* que não erra; infalível.
unerringly [-li], *adv.* infalivelmente; sem falhas.
unerringness [-nis], *s.* infalibilidade; exactidão.
unescorted ['ʌnis'kɔ:tid], *adj.* sem escolta.
unessential ['ʌni'senʃəl], *adj.* não essencial; sem importância.
uneven ['ʌn'i:vən], *adj.* desigual; acidentado; áspero; torto; ímpar (número).
unevenly [-li], *adv.* desigualmente, sem uniformidade; irregularmente.
unevenness [-nis], *s.* desigualdade; desnível.
uneventful ['ʌni'ventful], *adj.* sossegado, calmo; sem acontecimentos notáveis.
uneventfully [-i], *adv.* sossegadamente, calmamente.
uneventfulness [-nis], *s.* sossego, calma; rotina.
unexampled [ʌnig'zɑ:mpld], *adj.* único, sem exemplo, sem igual.
unexceptionable [ʌnik'sepʃnəbl], *adj.* irrepreensível, perfeito; que não pode recusar-se.
unexceptionableness [-nis], *s.* irrepreensibilidade.
unexceptionably [-i], *adv.* irrepreensivelmente.
unexceptional ['ʌnik'sepʃənl], *adj.* sem excepção; usual, corrente.
unexceptionally [-i], *adv.* usualmente, correntemente.
unexcusable ['ʌniks'kju:zəbl], *adj.* indesculpável, inexcusável.
unexhausted [ʌnig'zɔ:stid], *adj.* inexausto; não esgotado.
unexpected [ʌniks'pektid], *adj.* inesperado, imprevisto; súbito, repentino.

unexpectedly [-li], *adv.* inesperadamente, de improviso; de repente, subitamente.
unexpectedness [-nis], *s.* carácter ou aspecto inesperado.
unexperienced ['ʌniks'piəriənst], *adj.* inexperiente; não experimentado.
unexpired ['ʌniks'paiəd], *adj.* não expirado (prazo).
unexplained ['ʌniks'pleind], *adj.* não explicado, não esclarecido.
unexplored ['ʌniks'plɔ:d], *adj.* inexplorado, ignoto; não descoberto.
unexposed ['ʌniks'pouzd], *adj.* não exposto; secreto, oculto.
unexpressed ['ʌniks'prest], *adj.* subentendido, implícito; tácito.
unexpressedly [-li], *adv.* de modo subentendido; tacitamente.
unexpressive ['ʌniks'presiv], *adj.* inexplicável, inexprimível; inexpressivo.
unfading [ʌn'feidiŋ], *adj.* inalterável; que não murcha; que não perde a cor.
unfailing [ʌn'feiliŋ], *adj.* infalível, certo; seguro; fiel, leal.
an unfailing friend — um amigo certo.
unfailingly [-li], *adv.* infalivelmente, de modo seguro.
unfair ['ʌn'fɛə], *adj.* falso; injusto; desleal; velhaco, de má-fé.
unfair play — jogo desleal.
it's unfair of you — é má-fé da tua parte.
unfairly [-li], *adv.* injustamente, falsamente; desonestamente.
unfairness [-nis], *s.* injustiça; deslealdade; má fé.
unfaith ['ʌn'feiθ], *s.* perfídia, má-fé.
unfaithful [-ful], *adj.* infiel, desleal; desonesto; incrédulo.
unfaithfully [-fuli], *adv.* infielmente; deslealmente.
unfaithfulness [-fulnis], *s.* infidelidade, traição, perfídia; deslealdade.
unfaltering [ʌn'fɔ:ltəriŋ], *adj.* firme, sem hesitação.
unfalteringly [-li], *adv.* sem hesitar, firmemente.
unfamiliar ['ʌnfə'miljə], *adj.* pouco familiar, pouco comum, desconhecido.
to be unfamiliar with — não estar familiarizado com.
unfamiliarity ['ʌnfəmilj'æriti], *s.* falta de familiaridade; desconhecimento, ignorância.
unfamiliarly ['ʌnfə'miljəli], *adv.* de maneira estranha.
unfashionable ['ʌn'fæʃnəbl], *adj.* desusado; fora de moda.
unfasten ['ʌn'fɑ:sn], *vt.* soltar, desatar; desligar, desprender.
unfathomable [ʌn'fæðəməbl], *adj.* insondável; impenetrável; sem fundo.
unfathomableness [-nis], *s.* insondabilidade, impenetrabilidade.
unfathomably [i], *adv.* de modo insondável; impenetravelmente.
unfavourable ['ʌn'feivərəbl], *adj.* desfavorável, adverso, contrário; desvantajoso; desanimador.
unfavourable circumstances — circunstâncias desfavoráveis.
unfavourableness [-nis], *s.* falta de benignidade; contrariedade; parcialidade.
unfavourably [-i], *adv.* desfavoravelmente, desvantajosamente.
unfed ['ʌn'fed], *adj.* falto de alimento; em jejum.
unfeeling ['ʌn'fi:liŋ], *adj.* insensível, inexorável, cruel, desumano.
unfeelingly [-li], *adv.* insensivelmente, inflexivelmente, desapiedadamente.
unfeelingness [-nis], *s.* insensibilidade, crueldade.
unfeigned ['ʌn'feind], *adj.* verdadeiro, sem fingimento, sincero, ingénuo.
unfeignedly ['ʌn'feinidli], *adv.* sem fingimento, ingenuamente; autenticamente.
unfeignedness ['ʌn'feinidnis], *s.* sinceridade; franqueza.
unfelt ['ʌn'felt], *adj.* não sentido, não percebido.
unfermented ['ʌnfə:'mentid], *adj.* não fermentado.
unfermented wine — mosto.
unfetter ['ʌn'fetə], *vt.* soltar, pôr em liberdade.
unfilial ['ʌn'filjəl], *adj.* impróprio de um filho.
unfinished ['ʌn'finiʃt], *adj.* incompleto, imperfeito, inacabado.
unfit ['ʌn'fit], *adj.* incapaz, incompetente, impróprio; intempestivo, inoportuno.
unfit for service — incapaz para o serviço.
unfit to drink — impróprio para beber.
unfit to eat — impróprio para comer.
unfit for duty (unfit for military service) — incapaz para o serviço militar.
unfitness [-nis], *s.* incapacidade, inaptidão; impropriedade, inoportunidade.
unfitting [ʌn'fitiŋ], *adj.* impróprio, incapaz, inconveniente.
unfittingly [-li], *adv.* impropriamente, inconvenientemente; inoportunamente.
unfittingness [-nis], *s.* inoportunidade.
unfix ['ʌn'fiks], *vt.* e *vi.* soltar, afrouxar, desprender; desarmar (baionetas).
unfixed [-t], *adj.* movediço; inconstante, errante, incerto, instável, indeciso.
unflagging [ʌn'flægiŋ], *adj.* que não esmorece, persistente, infatigável; indomável.
unflattering ['ʌn'flætəriŋ], *adj.* pouco lisonjeiro; sincero.
unflatteringly [-li], *adv.* de modo pouco lisonjeiro; com sinceridade.
unfledged ['ʌn'fledʒd], *adj.* implume; inexperiente; novato; ingénuo.
unflinching [ʌn'flintʃiŋ], *adj.* que não rema; firme, resoluto; impassível.
unflinchingly [-li], *adv.* firmemente, sem hesitação; impassivelmente.
unflinchingness [-nis], *s.* firmeza, resolução.
unfold ['ʌn'fould], *vt.* e *vi.* descobrir, revelar, patentear, abrir-se; desenrolar-se.
to unfold one's arms — abrir os braços (quando estão cruzados).
to unfold a newspaper — abrir um jornal.
unforeseeable ['ʌnfɔ:'si:əbl], *adj.* imprevisível.
unforeseeing ['ʌnfɔ:'si:iŋ], *adj.* imprevidente; imprevisto.
unforeseen ['ʌnfɔ'si:n], *adj* imprevisto, inesperado.
unforgettable ['ʌnfə'getəbl] *adj.* inesquecível.
unforgettably [-i], *adv.* inesquecivelmente.
unforgetting ['ʌnfə'getin], *adj.* que não esquece.
unforgivable ['ʌnfə'givəbl], *adj.* imperdoável.
unforgivably [-i], *adv.* imperdoavelmente.
unforgiving ['ʌnfə'giviŋ], *adj.* implacável, inexorável.
unforgivingly [-li], *adv.* implacavelmente, inexoravelmente.
unforgotten ['ʌnfə'gɔtn], *adj.* inesquecido; lembrado.
unformed ['ʌn'fɔ:md], *adj.* informe; imaturo.
unformulated ['ʌn'fɔ:mjuleitid], *adj.* não formulado.
unfortified ['ʌn'fɔ:tifaid], *adj.* não fortificado, sem fortificações.
unfortunate [ʌn'fɔ:tʃnit], **1** — *s.* desgraçado, infeliz, desventurado.
2 — *adj* desgraçado, infeliz, desventurado.

unfortunately [-li], *adv.* infelizmente, desgraçadamente.
unfortunateness [-nis], *s.* infelicidade, desventura.
unfounded [ˈʌnˈfaundid], *adj.* infundado; insondável.
unfounded hopes — esperanças infundadas.
unframed [ˈʌnˈfreimd], *adj.* informe; sem moldura; sem caixilho.
unfreeze [ˈʌnfriːz], *vt.* e *vi.* descongelar.
unfrequent [ʌnˈfriːkwənt], *adj.* pouco frequente.
unfrequented [ˈʌnfriˈkwentid], *adj.* não frequentado, deserto; solitário.
unfriendliness [ˈʌnˈfrendlinis], *s.* falta de amizade; frieza.
unfriendly [ˈʌnˈfrendli], *adj.* hostil, pouco amistoso, áspero, duro.
unfruitful [ˈʌnˈfruːtful], *adj.* infrutífero, estéril; sem resultado, inútil.
unfruitfully [-i], *adv.* infrutuosamente; inutilmente.
unfruitfulness [ˈʌnˈfruːtfulnis], *s.* infrutuosidade, esterilidade; ineficácia.
unfulfilled [ˈʌnfulˈfild], *adj.* não cumprido, não observado, não executado.
unfulfilment [ˈʌnfulˈfilmənt], *s.* não realização, não satisfação.
unfurl [ʌnˈfəːl], *vt.* e *vi.* desdobrar, desenrolar; desfraldar, desfraldar-se (vela, bandeira, etc.), abrir (guarda-chuva, tenda).
unfurnish [ˈʌnˈfəːniʃ], *vt.* tirar a mobília de.
unfurnished [-t], *adj.* desguarnecido; desprovido, despojado; sem mobília.
unfurnished rooms to let — alugam-se quartos sem mobília.
ungainliness [ʌnˈgeinlinis], *s.* falta de graça; insipidez.
ungainly [ʌnˈgeinli], *adv.* tosco, rude, desairoso, deselegante.
ungenerous [ˈʌnˈdʒenərəs], *adj.* mesquinho, vil, pouco generoso.
ungenerously [-li], *adv.* mesquinhamente, pouco generosamente.
ungentle [ˈʌnˈdʒentl], *adj.* duro, áspero; rude.
ungentlemanliness [ʌnˈdʒentlmənlinis], *s.* falta de distinção; pouca delicadeza; grosseria.
ungentlemanly [ʌnˈdʒentlmənli], *adj.* grosseiro, pouco delicado, incivil.
ungentleness [ˈʌnˈdʒentlnis], *s.* aspereza, severidade; descortesia, indelicadeza.
ungently [ˈʌnˈdʒentli], *adv.* severamente, asperamente.
ungird [ˈʌnˈgəːd], *vt.* tirar a cinta; desapertar o cinto; desafivelar.
unglazed [ˈʌnˈgleizd], *adj.* sem vidros, sem vidraças; (barro) não vidrado.
unglove [ˈʌnˈglʌv], *vt.* tirar a luva.
ungloved [-d], *adj.* sem luvas.
unglue [ˈʌnˈgluː], *vt.* e *vi.* descolar, descolar-se.
ungodly [ʌnˈgɔdli], *adj.* ímpio.
ungovernable [ʌnˈgʌvənəbl], *adj.* ingovernável, indomável, indócil; insubmisso; bravio.
ungovernableness [-nis], *s.* indocilidade, rebeldia, insubmissão.
ungovernably [-i], *adv.* indocilmente; desenfreadamente, indisciplinadamente.
ungoverned [ˈʌnˈgʌvənd], *adj.* desregrado, insubordinado, desenfreado.
ungraceful [ˈʌnˈgreisful], *adj.* desengraçado, desgracioso, sem graça; desagradável.
ungracefully [-i], *adv.* desgraciosamente, sem graça, sem elegância.
ungracefulness [-nis], *s.* falta de graça, falta de elegância.
ungracious [ˈʌnˈgreiʃəs], *adj.* desagradável, duro, ofensivo, pouco afável.
ungraciously [-li], *adv.* grosseiramente, asperamente; desagradavelmente; sem graça.
ungraciousness [-nis], *s.* descortesia, aspereza, indelicadeza.
ungrammatical [ˈʌngrəˈmætikəl], *adj.* incorrecto gramaticalmente, contrário às regras de gramática.
ungrateful [ʌnˈgreitful], *adj.* ingrato; desagradável, improdutivo, estéril.
ungratefully [-i], *adv.* ingratamente; desagradavelmente.
ungratefulness [-nis], *s.* ingratidão.
ungratified [ˈʌnˈgrætifaid], *adj.* não satisfeito; indeferido.
ungrounded [ˈʌnˈgraundid], *adj.* infundado; sem instrução; não ligado à terra.
ungrudging [ʌnˈgrʌdʒiŋ], *adj.* dado de bom grado; generoso.
ungrudgingly [-li], *adv.* de bom grado, com gosto; sem repugnância.
unguarded [ˈʌnˈgɑːdid], *adj.* sem guarda; desguarnecido; sem defesa; descuidado, desprevenido, imprudente.
unguardedly [ʌnˈgɑːdidli], *adv.* desprevenidamente; descuidadamente, sem precaução.
unguardedness [ʌnˈgɑːdidnis], *s.* descuido; falta de atenção.
unguent [ˈʌŋgwənt], *s.* unguento.
unguided [ʌnˈgaidid], *adj.* sem guia, sem governo, sem direcção.
ungula (*pl.* **ungulae**) [ˈʌngjulə, -i], *s.* (zool.) unha, casco (de gado), garra; (geom.) tronco de cone.
ungulate [ˈʌngjuleit], *s.* e *adj.* (zool.) ungulado.
ungum [ˈʌnˈgʌm], *vt.* (*pret.* e *pp.* **ungummed**) descolar.
unhallowed [ʌnˈhæloud], *adj.* profano; profanado.
unhampered [ˈʌnˈhæmpəd], *adj.* desembaraçado, desenredado; livre.
unhand [ʌnˈhænd], *vt.* soltar, largar.
unhandily [-ili], *adv.* desajeitadamente.
unhandiness [-inis], *s.* falta de jeito; inaptidão.
unhandy [-i], *adj.* desastrado, desajeitado.
unhang [ˈʌnˈhæŋ], *vt.* (*pret.* e *pp.* **unhung**) despendurar.
to unhang the tiller — desmontar o leme.
unhappily [ʌnˈhæpili], *adv.* infelizmente, desgraçadamente.
unhappiness [ʌnˈhæpinis], *s.* infelicidade, desventura, infortúnio.
unhappy [ʌnˈhæpi], *adj.* infeliz, desventurado, desgraçado. (*Sin.* wretched, sad, miserable, unfortunate. *Ant.* gay.)
unhardy [ˈʌnˈhɑːdi], *adj.* timorato, fraco.
unharmed [ˈʌnˈhɑːmd], *adj.* ileso, incólume, indemne.
unharness [ˈʌnˈhɑːnis], *vt.* desaparelhar, desarrear, desatrelar (cavalo).
unhat [ˈʌnˈhæt], *vi.* (*pret.* e *pp.* **unhatted**) tirar o chapéu.
unhatched [ˈʌnˈhætʃt], *adj.* não incubado (ovo).
unhealthily [ʌnˈhelθili], *adv.* insalubremente.
unhealthiness [ʌnˈhelθinis], *s.* insalubridade; falta de saúde.
unhealthy [ʌnˈhelθi], *adj.* doentio, insalubre; achacado.
unheard [ˈʌnˈhəːd], *adj.* não ouvido; desconhecido.
unheard of — inaudito; sem precedentes.
unheeded [ˈʌnˈhiːdid], *adj.* despercebido, de que se faz pouco caso.
unheeding [ˈʌnˈhiːdiŋ], *adj.* descuidado, negligente; distraído.
unhelped [ˈʌnˈhelpt], *adj.* sem auxílio, sem ajuda; (à mesa) por servir.

unhelpful ['ʌn'helpful], *adj.* pouco prestável; inútil; vão.
unhesitating [ʌn'heziteitiŋ], *adj.* sem hesitar, resoluto, firme.
unhesitatingly [-li], *adv.* sem hesitação, resolutamente.
unhinge [ʌn'hindʒ], *vt.* desengonçar; desordenar, confundir; transtornar.
unhitch ['ʌn'hitʃ], *vt.* desatar, desaparelhar, desenganchar.
unholiness [ʌn'houlinis], *s.* impiedade; carácter ou aspecto profano.
unholy [ʌn'houli], *adj.* profano; ímpio, irreligioso; medonho.
unhook ['ʌn'huk], *vt.* e *vi.* desenganchar; desengatar; desacolchetar.
unhoped for [ʌn'houptfɔ:], *adj.* inesperado, imprevisto.
unhorse ['ʌn'hɔ:s], *vt.* desmontar (cavaleiro); cuspir da sela.
unhouse ['ʌn'hauz], *vt.* desalojar; privar de casa.
unhoused [-d], *adj.* sem casa, sem alojamento.
unhuman ['ʌn'hju:mən], *adj.* desumano.
unhurt ['ʌn'hə:t], *adj.* ileso, intacto, são e salvo, incólume, indemne.
unicorn ['ju:nikɔ:n], **1** — *s.* unicorne, unicórnio.
2 — *adj.* unicorne, com um só corno.
unicornous [ju:ni'kɔ:nəs], *adj.* unicorne.
unidentified ['ʌnai'dentifaid], *adj.* não identificado.
unidiomatic ['ʌnidiə'mætik], *adj.* não idiomático.
unidiomatically [-əli], *adv.* não idiomaticamente.
unification [ju:nifi'keiʃən], *s.* unificação.
uniform ['ju:nifɔ:m], **1** — *s.* uniforme, farda.
out of uniform — à paisana.
in uniform — fardado.
full-dress uniform — uniforme de gala.
2 — *adj.* uniforme; igual; constante; homogéneo.
uniform movement = *uniform motion* — movimento uniforme.
to make uniform — uniformizar.
uniformity [ju:ni'fɔ:miti], *s.* uniformidade; homogeneidade.
unify ['ju:nifai], *vt.* unificar; uniformizar.
unilateral ['ju:ni'lætərəl], *adj.* unilateral.
unilaterally [-i], *adv.* unilateralmente.
unillustrated ['ʌn'iləstreitid], *adj.* sem ilustrações, sem gravuras; sem exemplos.
unimaginable [ʌni'mædʒinəbl], *adj.* inimaginável, incrível, inconcebível.
unimaginative ['ʌni'mædʒinətiv], *adj.* sem imaginação; prosaico.
unimaginatively [-li], *adv.* sem imaginação; prosaicamente.
unimaginativeness [-nis], *s.* falta de imaginação.
unimpaired ['ʌnim'pɛəd], *adj.* intacto; ileso; inteiro; não alterado.
unimpeachable [ʌnim'pi:tʃəbl], *adj.* inatacável; irrepreensível, indiscutível.
unimpeachableness [-nis], *s.* incontestabilidade, indiscutibilidade.
unimpeachably [-i], *adv.* incontestavelmente, indiscutivelmente.
unimportance ['ʌnim'pɔ:təns], *s.* trivialidade, insignificância.
unimportant ['ʌnim'pɔ:tənt], *adj.* insignificante, trivial, banal.
unimpressed ['ʌnim'prest], *adj.* não impressionado; não gravado.
unimpressive ['ʌnim'presiv], *adj.* que não impressiona, que não comove; incolor.
unimprovable ['ʌnim'pru:vəbl], *adj.* que não é susceptível de ser melhorado ou aperfeiçoado.
unimproved ['ʌnim'pru:vd], *adj.* não aperfeiçoado, não melhorado; desaproveitado.
uninflammable ['ʌnin'flæməbl], *adj.* incombustível.
uninfluenced ['ʌn'influənst], *adj.* não influenciado.
uninformed ['ʌnin'fɔ:md], *adj.* não informado; ignorante; inculto.
uninhabitable ['ʌnin'hæbitəbl], *adj.* inabitável.
uninhabited ['ʌnin'hæbitid], *adj.* inabitado.
uninjured ['ʌn'indʒəd], *adj.* ileso, incólume.
uninspired ['ʌnin'spaiəd], *adj.* sem inspiração; vulgar, trivial.
uninstructed ['ʌnin'strʌktid], *adj.* sem instrução, ignorante.
uninsured ['ʌnin'ʃuəd], *adj.* que não está no seguro.
unintelligent ['ʌnin'telidʒənt], *adj.* estúpido.
unintelligently [-li], *adv.* estupidamente.
unintelligibility ['ʌnintelidʒə'biliti], *s.* ininteligibilidade.
unintelligible ['ʌnin'telidʒəbl], *adj.* ininteligível, incompreensível.
unintelligibly [-i], *adv.* ininteligivelmente.
unintentional ['ʌnin'tenʃənl], *adj.* sem intenção, involuntário.
unintentionally ['ʌnin'tenʃnəli], *adv.* involuntariamente; não propositadamente.
uninterested ['ʌn'intristid], *adj.* desinteressado; indiferente.
uninteresting ['ʌn'intristiŋ], *adj.* sem interesse, insípido.
unintermitting ['ʌnintə'mitiŋ], *adj.* seguido, contínuo, incessante, sem intermitências.
unintermittingly [-li], *adv.* continuamente, ininterruptamente.
uninterred ['ʌnin'tə:d], *adj.* insepulto.
uninterrupted ['ʌnintə'rʌptid], *adj.* ininterrupto, contínuo. (*Sin.* continual, unceasing, incessant, unbroken. *Ant.* intermittent.)
uninterruptedly [-li], *adv.* ininterruptamente, sem interrupção, continuamente.
uninvested ['ʌnin'vestid], *adj.* *(fin.)* não investido.
uninvited ['ʌnin'vaitid], *adj.* não convidado.
uninviting ['ʌnin'vaitiŋ], *adj.* pouco convidativo; sem atractivos.
union ['ju:njən], *s.* união, reunião; concórdia, harmonia; casamento, enlace; asilo; associação. (*Sin.* unity, junction, alliance, concert, combination. *Ant.* disunion, separation.)
the Union — os Estados Unidos; o Reino Unido.
the Union Jack — o pavilhão britânico.
union is strength — a união faz a força.
union suit — fato-macaco.
to die in the union — morrer no hospício; morrer no hospital.
they live together in perfect union — vivem juntos em perfeita união.
unionism [-izm], *s.* (pol.) unionismo, sindicalismo.
unionist [-ist], *s.* unionista; sindicalista; partidário da união entre a Inglaterra e a Irlanda.
unique [ju:'ni:k], **1** — *s.* coisa única, sem par.
2 — *adj.* único, sem igual; singular, raro.
a unique opportunity — uma ocasião única.
uniquely [-li], *adv.* unicamente, singularmente.
uniqueness [-nis], *s.* qualidade de ser único no género.
unisexual ['ju:ni'seksjuəl], *adj.* unissexual.
unison ['ju:nizn], *s.* unissonância, uníssono; harmonia.
in unison with — em uníssono com.

unisonant ['ju:nisənənt], *adj.* uníssono, unissonante.
unisonant with — em uníssono com.
unit ['ju:nit], *s.* unidade.
unit of area — unidade de superfície.
unit of heat — unidade de calor.
unit of measure — unidade de medida.
unit of weight — unidade de peso.
gear-changing unit — caixa de mudança de velocidades.
Unitarian [ju:ni'tεəriən], **1** — *s.* unitário, protestante que não aceita o dogma da Trindade.
2 — *adj.* unitário, partidário do unitarismo.
Unitarianism [-izm], *s.* unitarismo, doutrina que não aceita o dogma da Trindade.
unitary ['ju:nitəri], *adj.* unitário.
unite [ju:'nait], *vt.* e *vi.* unir, ligar, juntar; reunir; unir-se, juntar-se.
oil will not unite with water — o óleo não se mistura com a água.
united [-id], *adj.* unido; reunido; ligado; associado; harmonioso.
The United States — Os Estados Unidos da América do Norte.
the United Kingdom — o Reino Unido.
unitedly [-idli], *adv.* de acordo; de modo unido; de harmonia.
unity ['ju:niti], *s.* unidade; união; harmonia.
the dramatic unities — (teat.) as unidades dramáticas.
unity is strength — a união faz a força.
unity action (teat.) — unidade de acção.
unity of place (teat.) — unidade de lugar.
univalve ['ju:nivælv], **1** — *s.* molusco univalve.
2 — *adj.* univalve.
universal [ju:ni'və:səl], **1** — *s.* (lóg.) proposição universal.
2 — *adj.* universal; ilimitado; total.
universal proposition (lóg.) — proposição universal.
universal suffrage — sufrágio universal.
universalism [ju:ni'vəsəlizm], *s.* universalismo.
universalist [ju:ni'və:səlist], *s.* universalista.
universality [ju:nivə:'sæliti], *s.* universalidade.
universalize [ju:ni'və:səlaiz], *vt.* universalizar, generalizar.
universally [ju:ni'və:səli], *adv.* universalmente.
universe ['ju:nivə:s], *s.* universo.
university [ju:ni'və:siti], *s.* universidade.
University Degree — diploma universitário.
university man — universitário.
university education — educação universitária.
university professor — professor universitário.
university student — estudante universitário.
to go up to the university — ir frequentar a Universidade.
to go down from the university — sair da universidade.
university town — cidade universitária.
unjust ['ʌn'dʒʌst], *adj.* injusto.
unjustifiable [ʌn'dʒʌstifaiəbl], *adj.* injustificável, indesculpável.
unjustifiably [-i], *adv.* de forma injustificável, indesculpavelmente.
unjustly ['ʌn'dʒʌstli], *adv.* injustamente.
unkempt ['ʌn'kəmpt], *adj.* desgrenhado, despenteado; desalinhado, desleixado.
unkind [ʌn'kaind], *adj.* pouco amável; grosseiro, áspero, duro; cruel.
that is very unkind of you — é pouca amabilidade da tua parte.
unkindly [-li], **1** — *adj.* pouco amável; cruel; grosseiro, áspero, duro.
2 — *adv.* asperamente; com rudeza, indelicadamente.
unkindness [-nis], *s.* falta de carinho; dureza.
unknot ['ʌn'nɔt], *vt.* (*pret.* e *pp.* **unknotted**) desatar.
unknowable ['ʌn'nouəbl], *adj.* incognoscível; irreconhecível.
unknowing ['ʌn'nouiŋ], *adj.* ignorante, desconhecedor.
unknowingly [-li], *adv.* inconscientemente, por ignorância.
unknown ['ʌn'noun], **1** — *s.* pessoa desconhecida; (mat.) incógnita.
2 — *adj.* desconhecido, ignorado, incógnito.
the Unknown Warrior — o Soldado Desconhecido.
unknown destination — destino desconhecido.
unknown to me — sem o saber.
an unknown person — um desconhecido.
unlace ['ʌn'leis], *vt.* desatar, desapertar; despir, descalçar.
unlade ['ʌn'leid], *vt.* (*pret.* **unladed,** *pp.* **unladen**) descarregar; desembarcar (carga).
unladen ['ʌn'leidn], *pp.* de **to unlade.**
unlading [iŋ], *s.* descarga.
unladylike ['ʌn'leidilaik], *adj.* impróprio de uma senhora educada; grosseiro.
unlamented ['ʌnlə'mentid], *adj.* não lamentado, não chorado.
unlash ['ʌn'læʃ], *vt.* desprender; soltar a amarra.
unlawful ['ʌn'lɔ:ful], *adj.* ilegal, ilícito, ilegítimo.
unlawfully [-i], *adv.* ilegalmente, ilegitimamente, ilicitamente.
unlawfulness ['ʌn'lɔ:fulnis], *s.* ilegalidade, ilegitimidade.
unlead ['ʌn'led], *vt.* (tip.) desentrelinhar.
unlearn ['ʌn'lə:n], *vt.* (*pret.* e *pp.* **unlearned** ou **unlearnt**) desaprender; esquecer.
unlearned ['ʌn'lə:nt], *adj.* ignorante; iletrado.
unlearnt ['ʌn'lə:nt], *pret.* e *pp.* de **to unlearn.**
unleash ['ʌnli:ʃ], *v. t.* soltar.
unleavened ['ʌn'levnd], *adj.* ázimo, sem fermento.
unleavened bread — pão ázimo.
unless [ən'les], **1** — *conj.* a não ser que, a menos que, excepto quando, senão.
unless you come quickly — a não ser que venhas depressa.
2 — *prep.* excepto, salvo.
unlettered ['ʌn'letəd], *adj.* iletrado, sem instrução, analfabeto.
unlicensed ['ʌn'laisənst], *adj.* não autorizado; sem licença; ilícito.
unlike [ʌm'laik], **1** — *adj.* diferente, dissemelhante; inverosímil.
unlike poles (elect.) — pólos opostos.
2 — *prep.* e *adv.* diferentemente de.
unlike his friend — ao contrário do amigo dele.
unlikelihood [ʌn'laiklihud], *s.* inverosimilhança; improbabilidade.
unlikeliness [ʌn'laiklinis], *s.* ver **unlikelihood.**
unlikely [ʌn'laikli], *adj.* improvável, inverosímil.
most unlikely — muito pouco provável.
unlikeness ['ʌn'laiknis], *s.* dissemelhança, diferença, desigualdade.
unlimited [ʌn'limitid], *adj.* ilimitado, sem restrição; indeterminado; de responsabilidade ilimitada (sociedade).
unlimited confidence — confiança ilimitada.
unlimited liability—responsabilidade ilimitada.
unlink ['ʌn'liŋk], *vt.* desligar, desunir, soltar.
unlisted ['ʌn'listid], *adj.* *(fin)* não cotado oficialmente.
unload ['ʌn'loud], *vt.* e *vi.* descarregar; suavizar; libertar-se de.
to unload cargo — descarregar carga.
to unload one's heart — desabafar.
unloading [-iŋ], *s.* descarga, acto de descarregar.

unlock ['ʌn'lɔk], *vt.* abrir com chave; destravar (arma de fogo); soltar, desprender; revelar.
to unlock a door — abrir uma porta (com chave).
unlooked [ʌn'lukt], *adj.*
unlooked for — inesperado, imprevisto.
unlooked at — esquecido, olvidado.
unloose ['ʌn'lu:s], *vt.* desatar; desfazer; desfazer-se.
unloosen [ʌn'lu:sn], *vt.* ver **unloose.**
unloveliness ['ʌn'lʌvlinis], *s.* falta de amabilidade, falta de encanto.
unlovely ['ʌn'lʌvli], *adj.* desagradável, pouco amável; sem graça, sem atractivos, feio.
unloving ['ʌn'lʌviŋ], *adj.* sem ternura; duro; insensível.
unluckily [ʌn'lʌkili], *adv.* desgraçadamente, infelizmente, por pouca sorte.
unluckiness [ʌn'lʌkinis], *s.* infelicidade, desgraça, infortúnio.
unlucky [ʌn'lʌki], *adj.* infeliz, desventurado, desgraçado; agoirento, aziago.
unlucky omen — mau agouro.
unmade ['ʌn'meid], **1** — *pp.* e *pp.* de **to unmake.**
2 — *adj.* não feito, por fazer.
unmake ['ʌn'meik], *vt.* (*pret.* e *pp.* **unmade**) desfazer; destruir, aniquilar; anular.
unman ['ʌn'mæn], *vt.* (*pret.* e *pp.* **unmanned**) acobardar; efeminar; deprimir; (náut.) desarmar (navio).
unmanageable [ʌn'mænidʒəbl], *adj.* indócil, indomável; ingovernável, intratável, insubmisso; difícil de manobrar.
unmanageably [-i], *adv.* de modo indomável; de modo insubmisso.
unmanliness ['ʌn'mænlinis], *s.* falta de virilidade; fraqueza; efeminação.
unmanly ['ʌn'mænli], *adj.* efeminado; indigno de um homem.
unmannerliness [ʌn'mænəlinis], *s.* grosseria, falta de educação, incivilidade.
unmannerly [ʌn'mænəli], *adj.* grosseiro, descortês, rude, indelicado.
unmarked ['ʌn'mɑ:kt], *adj.* sem marca; sem ser notado, despercebido.
unmarried ['ʌn'mærid], *adj.* solteiro, solteira.
to remain unmarried — ficar solteiro.
unmask ['ʌn'mɑ:sk], *vt.* e *vi.* desmascarar; descobrir, denunciar, desmascarar-se.
unmatched ['ʌn'mætʃt], *adj.* único, sem igual, sem par; incomparável.
unmeaning [ʌn'mi:niŋ], *adj.* sem significação, sem sentido; inexpressivo.
unmeaningly [-li], *adv.* sem significação; inexpressivamente.
unmeasurable [ʌn'meʒərəbl], *adj.* ilimitado, incomensurável.
unmelted ['ʌn'meltid], *adj.* não derretido, não fundido; não enternecido, inflexível.
unmentionable ['ʌn'menʃnəbl], *adj.* que não deve ou pode mencionar-se.
unmerciful [ʌn'mə:siful], *adj.* inclemente, implacável, cruel, desapiedado.
unmercifully [-i], *adv.* desapiedadamente, implacavelmente, desumanamente.
unmercifulness [-nis], *s.* inclemência, crueldade, desumanidade.
unmerited ['ʌn'meritid], *adj.* imerecido.
unmethodical ['ʌnmi'θɔdikəl], *adj.* sem método; desordenado.
unmethodically [-i], *adv.* desordenadamente; pouco metodicamente.
unmindful [ʌn'maindful], *adj.* descuidado, negligente; esquecido.
unmindfully [-i], *adv.* descuidadamente, negligentemente; desatentamente.
unmingled [ʌn'miŋgld], *adj.* puro, sem mistura.
unmistakable ['ʌnmis'teikəbl], *adj.* evidente, inconfundível; manifesto, óbvio.
unmistakably [-i], *adv.* evidentemente, claramente, obviamente.
unmitigated [ʌn'mitigeitid], *adj.* não mitigado; consumado; perfeito.
unmixed ['ʌn'mikst], *adj.* puro, simples, sem mistura.
unmodifiable ['ʌn'mɔdifaiəbl], *adj.* insusceptível de modificação.
unmodified ['ʌn'mɔdifaid], *adj.* não modificado.
unmolested ['ʌnmou'lestid], *adj.* não molestado; quieto, tranquilo, sossegado.
unmoor ['ʌn'muə], *vt.* (náut.) desamarrar, suspender um ferro, desaferrar.
unmount ['ʌn'maunt], *vt.* desmontar.
unmounted [-id], *adj.* desmontado; sem caixilho, sem moldura.
unmourned ['ʌn'mɔ:nd], *adj.* não chorado, não pranteado, não lamentado.
unmovable ['ʌn'mu:vəbl], *adj.* imóvel, firme, inabalável; que não se deixa comover.
unmoved ['ʌn'mu:vd], *adj.* impassível, frio, inalterável; fixo, inamovível.
unmuffle ['ʌn'mʌfl], *vt.* desembuçar; patentear; desembuçar-se.
unmusical ['ʌn'mju:zikəl], *adj.* dissonante, sem harmonia.
unmuzzle ['ʌn'mʌzl], *vt.* tirar o açaimo a, desaçaimar, desaçamar.
unnamed ['ʌn'neimd], *adj.* anónimo; não nomeado.
unnatural [ʌn'nætʃrəl], *adj.* não natural, contrário à natureza; desnaturado, monstruoso; artificial; forçado, afectado.
unnatural children — filhos desnaturados.
unnatural crimes — crimes monstruosos.
unnaturally [-i], *adv.* contra a natureza, desnaturadamente; afectadamente, forçadamente.
unnavigable ['ʌn'nævigəbl], *adj.* não navegável.
unnecessarily [ʌn'nesisərili], *adv.* desnecessariamente; inutilmente.
unnecessariness [ʌn'nesisərinis], *s.* desnecessidade, inutilidade.
unnecessary [ʌn'nesisəri], *adj.* desnecessário, escusado, supérfluo, inútil.
unneighbourly ['ʌn'neibəli], *adj.* impróprio de bom vizinho; pouco amável.
unnerve ['ʌn'nə:v], *vt.* enervar; enfraquecer; desanimar.
unnumbered ['ʌn'nʌmbəd], *adj.* inumerável; não contado.
unobjectionable ['ʌnəb'dʒekʃnəbl], *adj.* a que não se podem levantar objecções; irrepreensível.
unobservance ['ʌnəb'zə:vəns], *s.* inobservância, descuido, incúria, indiferença.
unobservant ['ʌnəb'zə:vənt], *adj.* não observante; pouco observador.
unobservantly [-li], *adv.* sem observância.
unobserved ['ʌnəb'zə:vd], *adj.* despercebido, sem ser notado.
unobservedly ['ʌnəb'zə:vidli], *adv.* despercebidamente.
unobstructed ['ʌnəb'strʌktid], *adj.* livre, desimpedido, desobstruído.
unobtrusive ['ʌnəb'tru:siv], *adj.* discreto; não importuno.
unoccupied ['ʌn'ɔkjupaid], *adj.* desocupado; vago, livre; vazio; baldio.
unoffending ['ʌnə'fendiŋ], *adj.* inofensivo; inocente, sem culpa.
unofficial ['ʌnə'fiʃəl], *adj.* não oficial; oficioso.
unofficially [-i], *adv.* oficiosamente.

unopened ['ʌn'oupənd], *adj.* fechado; por abrir.
unopposed ['ʌnə'pouzd], *adj.* sem oposição.
unorganized ['ʌn'ɔ:gənaizd], *adj.* não organizado.
unorthodox ['ʌn'ɔ:θədɔks], *adj.* heterodoxo; não ortodoxo.
unorthodoxy [-i], *s.* heterodoxia.
unostentatious ['ʌnɔsten'teiʃəs], *adj.* simples, modesto, sem ostentação.
unostentatiously [-li], *adv.* sem ostentação; com simplicidade, modestamente.
unostentatiousness [-nis], *s.* simplicidade, modéstia, ausência de ostentação.
unowned ['ʌn'ound], *adj.* sem dono; não reclamado.
unpack ['ʌn'pæk], *vt.* e *vi.* desembrulhar, desempacotar; desfazer (as malas); descarregar (animal de carga).
unpacker [-ə], *s.* aquele que desempacota, desencaixota, desemala ou desembrulha.
unpaid ['ʌn'peid], *adj.* por pagar; não remunerado, gratuito; (cor.) não franquiado.
unpaid bills — contas ou letras a pagar.
unpalatable [ʌn'pælətəbl], *adj.* desagradável ao paladar; nauseabundo.
unpardonable [ʌn'pɑ:dnəbl], *adj.* imperdoável, indiscutível; irremissível.
unpardonably [-i], *adv.* imperdoavelmente; irremissivelmente.
unparelleled [ʌn'pærəleld], *adj.* sem paralelo, sem igual, único.
unparliamentary ['ʌnpɑ:lə'mentəri], *adj.* antiparlamentar; contrário às regras parlamentares; injurioso.
unpatented ['ʌn'peitəntid], *adj.* sem patente.
unpatriotic ['ʌnpætri'ɔtik], *adj.* antipatriota; pouco patriota.
unpatriotically [-əli], *adv.* antipatrioticamente; pouco patrioticamente.
unpaved ['ʌn'peivd], *adj.* não pavimentado.
unpeeled ['ʌn'pi:ld], *adj.* por descascar, com pele.
unpeople ['ʌn'pi:pl], *vt.* despovoar.
unpeopled [-d], *adj.* despovoado; sem população.
unperceivable ['ʌnpə'si:vəbl], *adj.* imperceptível; ininteligível.
unperceived ['ʌnpə'si:vd], *adj.* despercebido; inobservado.
unperformed ['ʌnpə'fɔ:md], *adj.* não realizado; não executado; por cumprir, por acabar.
unpersuadable ['ʌnpə'sweidəbl], *adj.* não persuadível.
unperturbed ['ʌnpə'tə:bd], *adj.* não perturbado; sossegado.
unphilosophical ['ʌnfilə'sɔfikəl], *adj.* antifilosófico; não filosófico.
unphilosophically [-i], *adv.* antifilosoficamente; contra a razão.
unpicked ['ʌn'pikt], *adj.* não colhido, não apanhado; não escolhido.
unpierced ['ʌn'piəst], *adj.* não perfurado; não trespassado.
unpile ['ʌn'pail], *vt.* desensarilhar (as armas); desempilhar.
unpin ['ʌn'pin], *vt.* (*pret.* e *pp.*. **unpinned**) tirar os alfinetes ou agulhas a; desprender.
unpitied ['ʌn'pitid], *adj.* desapiedado; não lamentado.
unpitying [ʌn'pitiiŋ], *adj.* desumano, cruel, inexorável, sem dó.
unpityingly [-li], *adv.* desapiedadamente, sem compaixão.
unplait ['ʌn'plæt], *vt.* tirar as pregas; desentrançar (o cabelo).
unplastered ['ʌn'plɑ:stəd], *adj.* sem ser estucado, sem reboco.
unpleasant [ʌn'pleznt], *adj.* desagradável, aborrecido.
unpleasantly [-li], *adv.* desagradavelmente.
unpleasantness [-nis], *s.* desagrado; aborrecimento; enfado; sensaboria.
unpleasing ['ʌn'pli:ziŋ], *adj.* desagradável, pouco agradável.
unpleasingly [ʌn'pli:ziŋli], *adv.* desagradavelmente.
unpliable ['ʌn'plaiəbl], *adj.* inflexível; obstinado.
unplucked ['ʌn'plʌkt], *adj.* não colhido; sem penas, depenado.
unpoetic(al) ['ʌnpou'etik(əl)], *adj.* pouco poético; não poético.
unpoetically ['ʌnpou'etikəli], *adv.* pouco poeticamente; prosaicamente.
unpolished ['ʌn'pɔliʃd], *adj.* incivil, indelicado; rude, grosseiro; não engraxado (calçado); não envernizado; não encerado.
unpolished diamond — diamante em bruto.
unpolite ['ʌnpə'lait], *adj.* descortês, pouco polido.
unpolitely [-li], *adv.* descortesmente, de maneira pouco polida.
unpoliteness [-nis], *s.* descortesia.
unpolitic ['ʌn'pɔlitik], *adj.* impolítico, apolítico; inoportuno.
unpolitically [-i], *adv.* impoliticamente, apoliticamente; inoportunamente.
unpolluted ['ʌnpə'lu:tid], *adj.* impoluto, imaculado, sem mancha.
unpopular ['ʌn'pɔpjulə], *adj.* impopular.
unpopularity ['ʌnpɔpju'læriti], *s.* impopularidade.
unpractical ['ʌn'præktikəl], *adj.* não prático; impraticável.
unpractically [-i], *adv.* de modo pouco prático.
unpractised ['ʌn'præktist], *adj.* não experimentado; inexperiente, sem experiência.
unprecedented [ʌn'presidəntid], *adj.* sem precedente, sem exemplo; inaudito.
unprejudiced [ʌn'predʒudist], *adj.* sem preconceito; imparcial.
unpremeditated ['ʌnpri'mediteitid], *adj.* [não premeditado; impensado; espontâneo.
unprepared ['ʌnpri'pɛəd], *adj.* sem preparação; desprevenido; improvisado.
to deliver an unprepared speech — fazer um discurso improvisado.
to be unprepared for — não estar preparado para.
unpreparedness ['ʌnpri'pɛəridnis], *s.* falta de preparação; desprevenção.
unpresentable ['ʌnpri'zentəbl], *adj.* incapaz de se apresentar ou aparecer; pouco apresentável.
unpresuming ['ʌnpri'zju:miŋ], *adj.* modesto, simples, sem pretensões.
unpretending ['ʌnpri'tendiŋ], *adj.* modesto, sem pretensões.
unpretentious ['ʌnpri'tənʃəs], *adj.* ver **unpretending.**
unpretentiously [-li], *adv.* despretensiosamente; modestamente.
unpretentiousness [-nis], *s.* despretensão, modéstia.
unpreventable ['ʌnpri'ventəbl], *adj.* inevitável.
unpriced [ʌn'praist], *adj.* sem preço; inestimável.
unprincipled [ʌn'prinsəpld], *adj.* sem princípios, sem instrução.
unprinted ['ʌn'printid], *adj.* não impresso; inédito.

unprivileged ['ʌn'privilidʒd], *adj.* sem privilégios.
unproductive ['ʌnprə'dʌktiv], *adj.* improdutivo, estéril; ineficaz; inútil.
unproductively [-li], *adv.* improdutivamente, esterilmente.
unproductiveness [-nis], *s.* improdutividade, esterilidade; inutilidade.
unprofessional ['ʌnprə'feʃənl], *adj.* sem profissão; que não pertence a uma profissão; contra as regras de uma profissão.
unprofessionally ['ʌnprə'feʃnəli], *adv.* de maneira não profissional; pouco profissionalmente.
unprofitable [ʌn'prɔfitəbl], *adj.* inútil; que não dá lucro; desvantajoso.
unprofitableness [-nis], *s.* inutilidade.
unprofitably [-i], *adv.* inutilmente; sem proveito.
unprohibited ['ʌnprə'hibitid], *adj.* permitido, não proibido.
unpromising ['ʌn'prɔmisiŋ], *adj.* que promete pouco; que não dá esperanças.
unprompted ['ʌn'prɔmptid], *adj.* espontâneo, não sugerido.
unpronounceable ['ʌnprə'naunsəbl], *adj.* que não pode pronunciar-se.
unprop ['ʌn'prɔp], *vt.* (*pret.* e *pp.* **unpropped**) não apoiar; tirar o apoio a; tirar escoras a.
unpropitious ['ʌnprə'piʃəs], *adj.* desfavorável, adverso, contrário.
unpropitiously [-li], *adv.* desfavoravelmente, contrariamente.
unprotected ['ʌnprə'tektid], *adj.* desprotegido; sem defesa; sem auxílio.
unproved ['ʌn'pru:vd], *adj.* não provado, não demonstrado.
unprovided ['ʌnprə'vaidid], *adj.* desprovido; desprevenido; não fornecido.
unprovided for — sem recurso.
unprovided with — desprovido de.
unprovoked ['ʌnprə'voukt], *adj.* sem provocação, sem motivo.
unpublished ['ʌn'pʌbliʃt], *adj.* não publicado, inédito.
unpunctual ['ʌn'pʌnktjuəl], *adj.* não pontual; atrasado.
unpunctuality ['ʌnpʌŋktju'æliti], *s.* falta de pontualidade.
unpunctually ['ʌn'pʌŋktjuəli], *adv.* com falta de pontualidade.
unpunished ['ʌn'pʌniʃt], *adj.* impune, não punido.
unqualified ['ʌn'kwɔlifaid], *adj.* inábil, inepto; impróprio para; desprovido das qualidades precisas; incompetente, incapaz; não autorizado; sem restrições, absoluto, incondicional.
unquenchable [ʌn'kwentʃəbl], *adj.* inextinguível, insaciável.
unquestionable [ʌn'kwestʃənəbl], *adj.* indiscutível, indubitável, incontestável.
unquestionably [-i], *adv.* indiscutivelmente, indubitavelmente, incontestavelmente.
unquestioned [ʌn'kwestʃənd], *adj.* incontestável, que não é posto em dúvida.
unquestioning [ʌn'kwestʃəniŋ], *adj.* sem interrogar; incondicional.
unquiet ['ʌn'kwaiət], **1** — *s.* agitação, inquietação; turbulência.
2 — *adj.* agitado, inquieto, desassossegado.
unquotable ['ʌn'kwoutəbl], *adj.* que não pode citar-se.
unravel [ʌn'rævəl], *vt.* e *vi.* (*pret.* e *pp.* **unravelled**) desenredar, distorcer, desembaraçar; aclarar; decifrar, deslindar; desenredar-se.
unraveller [ʌn'rævlə], *s.* aquele que desfia ou desenreda, decifra ou explica.
unread ['ʌn'red], *adj.* não lido; iliterato, ignorante.
unreadable ['ʌn'ri:dəbl], *adj.* ilegível, que não se pode ler.
unreadableness [-nis], *s.* ilegibilidade.
unreadily ['ʌn'redili], *adv.* desprevenidamente; vagarosamente, sem prontidão.
unreadiness ['ʌn'redinis], *s.* desprevenção, falta de preparação; lentidão, falta de desembaraço.
unready ['ʌn'redi], *adj.* desprevenido; lento, vagaroso; que não está pronto.
unreal ['ʌn'riəl], *adj.* irreal, falso, imaginário; ilusório, quimérico.
unreality ['ʌnriæliti], *s.* irrealidade.
unreasonable [ʌn'ri:znəbl], *adj.* desarrazoado, imoderado; injusto, excessivo; extravagante; despropositado. (*Sin.* absurd, foolish, extravagant, silly. *Ant.* sensible, moderate.)
unreasonableness [-nis], *s.* despropósito, loucura; falta de razão; exorbitância, extravagância.
unreasonably [-i], *adv.* despropositadamente; excessivamente; sem razão.
unreckoned ['ʌn'rekənd], *adj.* não calculado, não computado.
unreclaimed ['ʌnri'kleimd], *adj.* não reclamado; não emendado; inculto, incultivável.
unreclaimed land — terra incultivável.
unrecognizable ['ʌn'rekəgnaizəbl], *adj.* irreconhecível.
unrecognized ['ʌn'rekəgnaizd], *adj.* não reconhecido; desconhecido.
unreconcilable ['ʌnrekənsailəbl], *adj.* irreconciliável.
unreconciled ['ʌn'rekənsaild], *adj.* irreconciliado.
unrecorded [ʌnri'kɔ:did], *adj.* esquecido; não arquivado, não registado; (mús.) não gravado.
unrecounted ['ʌnri'kauntid], *adj.* não referido, não relatado.
unredeemable ['ʌnri'di:məbl], *adj.* irremível; irremissível; não reembolsável.
unredeemed ['ʌnri'di:md], *adj.* não remido; não reembolsado.
unreeve ['ʌn'ri:v], *vt.* (*pret.* **unrove,** *pp.* **unreeved, unroven**) (náut.) desgornir.
unrefined ['ʌnri'faind], *adj.* não refinado; inculto, grosseiro; não requintado.
unrefined sugar — açúcar mascavado.
unreformed ['ʌnri'fɔ:md], *adj.* não reformado; não emendado.
unrefreshed ['ʌnrifreʃt], *adj.* não refrescado; sem descanso, sem repouso.
unregarded ['ʌnri'gɑ:did], *adj.* desprezado, esquecido.
unregenerate ['ʌnri'dʒenərit], *adj.* não regenerado; incorrigível.
unregistered ['ʌn'redʒistəd], *adj.* não registado; não arquivado; não matriculado.
unrelated ['ʌnri'leitid], *adj.* não relacionado; sem parentesco; desconexo.
unrelaxed ['ʌnri'lækst], *adj.* não afrouxado; sem descanso.
unrelaxing ['ʌnri'læksiŋ], *adj.* sem descanso, infatigável.
unrelenting ['ʌnri'lentiŋ], *adj.* implacável, duro, inflexível, inexorável.
unrelentingly [ʌnri'lentiŋli], *adv.* implacavelmente, inexoravelmente, inflexivelmente.
unrelentingness [ʌnri'lentiŋnis], *s.* inflexibilidade, inexorabilidade, implacabilidade.
unreliability ['ʌnrilaiə'biliti], *s.* falta de confiança, incerteza, instabilidade.
unreliable ['ʌnri'laiəbl], *adj.* que não merece confiança; incerto; inconstante; discutível.

unreliableness [-nis], *s.* ver **unreliability.**
unrelieved [ˈʌnriˈli:vd], *adj.* não aliviado; não socorrido, monótono, uniforme.
unremembered [ˈʌnriˈmembəd], *adj.* esquecido.
unremitting [ʌnriˈmitiŋ], *adj.* perseverante, incansável, incessante; ininterrupto.
unremittingly [-li], *adv.* perseverantemente, incansavelmente, incessantemente; ininterruptamente.
unremittingness [-nis], *s.* perseverança, persistência.
unremovable [ˈʌnriˈmu:vəbl], *adj.* inamovível, imóvel; invariável.
unrepaid [ˈʌnriˈpeid], *adj.* não reembolsado, não restituído; não recompensado.
unrepealed [ˈʌnriˈpi:ld], *adj.* não revogado, em vigor.
unrepentant [ˈʌnriˈpentənt], *adj.* impenitente.
unrepresented [ˈʌnrepriˈzentid], *adj.* não representado, não representante.
unrequested [ˈʌnriˈkwestid], *adj.* sem ser pedido ou solicitado; voluntário, espontâneo.
unrequited [ˈʌnriˈkwaitid], *adj.* não galardoado; não retribuído; sem recompensa.
unresented [ˈʌnriˈzentid], *adj.* sem ressentimento.
unresentful [ˈʌnriˈzentful], *adj.* sem ressentimento, sem rancor.
unreserve [ˈʌnriˈzə:v], *s.* franqueza, falta de reserva.
unreserved [-d], *adj.* sem reserva; franco, expansivo; ilimitado.
unreserved sale — liquidação.
unreservedly [ʌnriˈzə:vidli], *adv.* sem reserva, francamente; sem reticências, sem dissimulação.
unresisting [ˈʌnriˈzistiŋ], *adj.* sem resistência; submisso, passivo.
unresistingly [-li], *adv.* sem oferecer resistência.
unresolvable [ˈʌnriˈzɔlvəbl], *adj.* insolúvel.
unresolved [ˈʌnriˈzɔlvd], *adj.* irresoluto, indeciso; sem solução.
unrest [ˈʌnˈrest], *s.* desassossego, mal-estar, inquietação, agitação.
unrestful [-ful], *adj.* desassossegado, inquieto, agitado.
unresting [-iŋ], *adj.* sem sossego, turbulento, inquieto.
unrestingly [-iŋli], *adv.* desassossegadamente, agitadamente.
unrestingness [-iŋnis], *s.* perturbação, confusão.
unrestored [ˈʌnrisˈtɔ:d], *adj.* não restituído; não recuperado; não restabelecido.
unrestrained [ˈʌnrisˈtreind], *adj.* desenfreado, insubordinado; ilimitado, livre; desordenado.
unrestrainedly [ˈʌnrisˈtreinidli], *adv.* desenfreadamente; livremente.
unrestricted [ˈʌnrisˈtriktid], *adj.* ilimitado, sem limitações, sem restrições.
unrevealed [ˈʌnriˈvi:ld], *adj.* oculto, secreto, não revelado.
unrewarded [ˈʌnriˈwɔ:did], *adj.* sem recompensa.
unridable [ˈʌnˈraidəbl], *adj.* em que não se pode cavalgar (terreno); que se não pode montar (cavalo).
unriddle [ˈʌnˈridl], *vt.* resolver, decifrar.
unrig [ˈʌnˈrig], *vt.* (*pret.* e *pp.* **unrigged**) (náut.) desaparelhar, desguarnecer.
unrighteous [ʌnˈraitʃəs], *adj.* mau, perverso; injusto.
unrighteously [-li], *adv.* iniquamente, perversamente; injustamente.
unrighteousness [-nis], *s.* injustiça; iniquidade, maldade.
unripe [ˈʌnˈraip], *adj.* não maduro, verde; prematuro.
unripeness [-nis], *s.* falta de amadurecimento; estado imaturo.
unrivalled [ʌnˈraivəld], *adj.* sem rival; sem igual, incomparável.
unrivet [ˈʌnˈrivit], *vt.* descravar.
unroll [ˈʌnˈroul], *vt.* e *vi.* desenrolar; estender-se, desenrolar-se.
unromantic [ˈʌnrəˈmæntik], *adj.* não romântico; prosaico.
unromantically [-əli], *adv.* pouco romanticamente.
unroof [ˈʌnˈru:f], *vt.* destelhar.
unroofed [-t], *adj.* destelhado.
unruffled [ˈʌnˈrʌfld], *adj.* sereno, calmo, tranquilo; liso, não eriçado.
unruled [ˈʌnˈru:ld], *adj.* não governado, não dirigido; sem linhas.
unruliness [ʌnˈru:linis], *s.* desenfreamento; turbulência; insubordinação.
unruly [ʌnˈru:li], *adj.* desenfreado; insubordinado, indómito; turbulento, intratável.
unsaddle [ˈʌnˈsædl], *vt.* tirar a sela, desselar.
unsafe [ˈʌnˈseif], *adj.* arriscado, pouco seguro.
unsafely [-li], *adv.* perigosamente, com risco, sem segurança.
unsafeness [-nis], *s.* perigo, risco; insegurança.
unsaid [ˈʌnˈsed], **1** — *pret.* e *pp.* de **to unsay.** **2** — *adj.* não dito, não proferido, não mencionado.
unsaleable [ˈʌnˈseiləbl], *adj.* invendável.
unsalted [ˈʌnˈsɔ:ltid], *adj.* sem sal, ensosso, desenxabido, insípido.
unsatisfactorily [ˈʌnsætisˈfæktərili], *adv.* de modo pouco satisfatório.
unsatisfactory [ˈʌnsætisˈfæktəri], *adj.* que não satisfaz, não satisfatório; insuficiente.
unsatisfied [ˈʌnˈsætisfaid], *adj.* insatisfeito; não farto; não liquidado; descontente; não convencido.
unsatisfying [ˈʌnˈsætisfaiiŋ], *adj.* deficiente, que não satisfaz.
unsavourily [ˈʌnˈseivərili], *adv.* insipidamente; desagradavelmente.
unsavouriness [ˈʌnˈseivərinis], *s.* insipidez, falta de sabor; mau gosto.
unsavoury [ˈʌnˈseivəri], *adj.* desenxabido, insípido; desagradável.
unsay [ˈʌnˈsei], *vt.* (*pret.* e *pp.* **unsaid**) desdizer, retractar.
unscalable [ˈʌnˈskeiləbl], *adj.* que não pode escalar-se.
unscarred [ˈʌnˈskɑ:d], *adj.* sem cicatrizes.
unscathed [ˈʌnˈskeiðd], *adj.* ileso, não ferido.
unscientific [ˈʌnsaiənˈtifik], *adj.* não científico. anticientífico.
unscrew [ˈʌnˈskru:], *vt.* e *vi.* desaparafusar, desenganchar; desapertar, desatarraxar.
unscrupulous [ʌnˈskru:pjuləs], *adj.* pouco escrupuloso; imoral.
unscrupulously [-li], *adv.* pouco escrupulosamente; desavergonhadamente.
unscrupulousness [-nis], *s.* falta de escrúpulos; falta de vergonha.
unseal [ˈʌnˈsi:l], *vt.* tirar o selo, abrir (carta).
unseamanlike [ˈʌnˈsi:manlaik], *adj.* impróprio de marinheiro.
unsearchable [ʌnˈsə:tʃəbl], *adj.* inescrutável, impenetrável, misterioso.
unsearchableness [-nis], *s.* inescrutabilidade, impenetrabilidade.
unsearchably [-i], *adv.* de modo inescrutável, impenetravelmente.
unseasonable [ʌnˈsi:znəbl], *adj.* fora da estação; inoportuno, intempestivo; prematuro.
at unseasonable hours — a desoras.

unseasonableness [-nis], *s.* inoportunidade, intempestividade.
unseasonably [-i], *adv.* intempestivamente, extemporaneamente.
unseasoned ['ʌn'si:znd], *adj.* não sazonado; verde, não amadurecido; sem experiência.
unseat ['ʌn'si:t], *vt.* derrubar; cuspir da sela; destituir.
unseaworthiness ['ʌn'si:wə:ðinis], *s.* inegabilidade.
unseaworthy ['ʌn'si:wə:ði], *adj.* inavegável (navio).
unseeing ['ʌn'si:iŋ], *adj.* cego, que não vê.
unseemliness [ʌn'si:mlinis], *s.* inconveniência, indecência.
unseemly [ʌn'si:mli], *adj.* inconveniente, indecoroso, indecente.
unseen ['ʌn'si:n], **1** — *s.* tradução sem auxílio de dicionário.
the unseen — o outro mundo; o além.
2 — *adj.* invisível, oculto; desapercebido.
unseen translation — tradução sem auxílio de dicionário.
unselfish ['ʌn'selfiʃ], *adj.* desinteressado, generoso, altruísta.
unselfishly [-li], *adv.* desinteressadamente, generosamente.
unselfishness [-nis], *s.* desinteresse, abnegação.
unserviceable ['ʌn'sə:visəbl], *adj.* incapaz de serviço; inútil, sem préstimo; incapaz (para o serviço militar).
unsettle ['ʌn'setl], *vt.* alterar, perturbar; tornar incerto; desarranjar, pôr em desordem; abalar, agitar; deslocar; (com.) não liquidar.
unsettled [-d], *adj.* variável, incerto, inconstante; desarranjado; que não está estabelecido; (com.) por liquidar.
unsettled weather — tempo inconstante.
the bill is unsettled — a conta está por liquidar.
unshackle ['ʌn'ʃækl], *vt.* soltar; libertar, desalgemar.
unshaded ['ʌn'ʃeidid], *adj.* descoberto, sem sombra; sem quebra-luz.
unshadowed ['ʌn'ʃædoud], *adj.* ver **unshaded.**
unshaken ['ʌn'ʃeikən], *adj.* firme, inabalável; imóvel.
unshakenly [-li], *adv.* firmemente, de modo inabalável.
unshapely ['ʌn'ʃeipli], *adv.* desproporcionado; disforme.
unshared ['ʌn'ʃɛəd], *adj.* não compartilhado, não repartido.
unshaven ['ʌn'ʃeivn], *adj.* não barbeado, com a barba por fazer.
unsheathe ['ʌn'ʃi:ð], *vt.* desembainhar.
unsheltered ['ʌn'ʃeltəd], *adj.* exposto a; sem abrigo, sem protecção.
unship ['ʌn'ʃip], *vt.* (*pret.* e *pp.* **unshipped**) desarmar, desmontar (os apetrechos de um navio); desembarcar (mercadorias).
unshipment [-mənt], *s.* (náut.) desembarque; descarregamento de mercadorias.
unshod ['ʌn'ʃɔd], *adj.* descalço; (cavalo) desferrado.
unshorn ['ʌn'ʃɔ:n], *adj.* não tosquiado; não aparado, não cortado.
unshrinkable ['ʌn'ʃriŋkəbl], *adj.* que não encolhe (tecido).
unshrinking ['ʌn'ʃriŋkiŋ], *adj.* firme; destemido.
unsightliness [ʌn'saitlinis], *s.* fealdade; deformidade.
unsightly [ʌn'saitli], *adj.* feio, disforme.
unsinkable ['ʌn'siŋkəbl], *adj.* insubmersível.
unskilful ['ʌn'skilful], *adj.* inábil, inexperiente.
unskilfully [-i], *adv.* inabilmente, sem arte, sem perícia.

unskilfulness [-nis], *s.* imperícia, falta de jeito.
unskilled ['ʌn'skild], *adj.* inábil, imperito, sem experiência.
unskilled labour — trabalho que não exige aprendizagem especial.
unslaked ['ʌn'sleikt], *adj.* não apagado; não saciado.
unslaked lime — cal viva.
unsling ['ʌn'sliŋ], *vt.* (*pret.* e *pp.* **unslung**) (náut.) tirar um estropo.
unsociability ['ʌnsouʃə'biliti], *s.* insociabilidade.
unsociable [ʌn'souʃəbl], *adj.* insociável, misantropo; intratável.
unsociableness [-nis], *s.* ver **unsociability.**
unsociably [-i], *adv.* insociavelmente; intratavelmente.
unsold ['ʌn'sould], *adj.* não vendido.
unsolder ['ʌn'sɔldə], *vt.* dessoldar.
unsoldered [-d], *adj.* por soldar, dessoldado.
unsolicited ['ʌnsə'lisitid], *adj.* não solicitado; espontâneo.
unsolved ['ʌn'sɔlvd], *adj.* por resolver; sem solução; obscuro, sem explicação.
unsoothed ['ʌn'su:ðd], *adj.* não acalmado, não apaziguado.
unsophisticated ['ʌnsə'fistikeitid], *adj.* não sofisticado, simples, puro, não adulterado, não falsificado.
unsorted ['ʌn'sɔ:tid], *adj.* não escolhido; não classificado.
unsought ['ʌn'sɔ:t], *adj.* não procurado; achado por acaso; espontâneo.
unsound ['ʌn'saund], *adj.* doente, doentio; pouco firme; defeituoso; falto de força, falto de solidez; rachado, quebrado; estragado, deteriorado, podre; falso, erróneo; corrompido; heterodoxo.
of unsound mind — demente.
unsound doctrines — doutrinas falsas.
unsound fruit — fruta podre.
unsounded [-id], *adj.* que não foi sondado ou examinado; (fon.) mudo.
unsoundly [-li], *adv.* falsamente; fracamente; sem saúde.
unsoundness [-nis], *s.* fraqueza; mau estado; estado doentio; corrupção; falta de solidez ou de vigor; erro; heterodoxia.
unsparing [ʌn'spɛəriŋ], *adj.* liberal, pródigo, generoso, franco; implacável, inexorável.
he is unsparing in his efforts — não se poupa a esforços.
unsparingly [-li], *adv.* generosamente, com prodigalidade.
unsparingness [-nis], *s.* prodigalidade, generosidade.
unspeak ['ʌn'spi:k], *vt.* (*pret.* **unspoke,** *pp.* **unspoken**) desdizer, retractar.
unspeakable [ʌn'spi:kəbl], *adj.* inexprimível, inexplicável, indizível, inefável.
unspeakably [-i], *adv.* inexprimivelmente, inexplicavelmente; inefavelmente.
unspecified ['ʌn'spesifaid], *adj.* não especificado.
unspent ['ʌn'spent], *adj.* não gasto, não consumido.
unspoiled ['ʌn'spɔilt], *adj.* intacto; não estragado; não saqueado; livre de dano.
unspoken ['ʌn'spoukən], *adj.* não falado, não referido.
unspotted ['ʌn'spɔtid], *adj.* limpo, sem mancha, imaculado.
unstable ['ʌn'steibl], *adj.* instável, variável, inconstante; oscilante; irregular; volúvel.
unstable equilibrium — equilíbrio instável.
unstableness [-nis], *s.* instabilidade; irregularidade; inconstância.

unstably [-i], *adv.* de modo instável, de modo variável; inconstantemente; irregularmente; voluvelmente.
unstamped ['ʌn'stæmpt], *adj.* não selado, sem franquia; não timbrado.
unstarch ['ʌn'stɑ:tʃ], *vt.* desengomar; tornar menos formal.
unstarched [-t], *adj.* que não está engomado; sem formalismo.
unsteadfast ['ʌn'stedfəst], *adj.* instável; indeciso, irresoluto; volúvel, inconstante.
unsteadfastly [-li], *adv.* de modo instável; de modo indeciso, irresolutamente; voluvelmente, inconstantemente.
unsteadfastness [-nis], *s.* instabilidade; irresolução; volubilidade.
unsteadily ['ʌn'stedili], *adv.* ver **unsteadfastly.**
unsteadiness ['ʌn'stedinis], *s.* inconstância, falta de firmeza; vacilação, irresolução.
unsteady ['ʌn'stedi], *adj.* inconstante; irresoluto, vacilante, indeciso; variável.
he walked with unsteady steps — caminhava com passos vacilantes.
an unsteady hand — uma mão trémula.
unsteady winds — ventos variáveis.
unsteeped ['ʌn'sti:pt], *adj.* não saturado; não macerado.
unstinted [ʌn'stintid], *adj.* ilimitado; sem restrições.
unstitch ['ʌn'stitʃ], *vt.* descoser.
unstrained ['ʌn'streind], *adj.* não esticado; sem ser constrangido, natural; não filtrado.
unstressed ['ʌn'strest], *adj.* não acentuado.
unstudied ['ʌn'stʌdid], *adj.* não estudado; natural; espontâneo, improvisado.
unsubduable ['ʌnsəb'dju:əbl], *adj.* indomável.
unsubdued ['ʌnsəb'dju:d], *adj.* indomado; não subjugado.
unsubmissive ['ʌnsəb'misiv], *adj.* insubmisso.
unsubmissively [-li], *adv.* insubmissamente.
unsubstantial ['ʌnsəb'stænʃəl], *adj.* imaginário, incorpóreo, impalpável; imaterial; pouco sólido.
an unsubstantial building — um edifício pouco sólido.
unsuccessful ['ʌnsək'sesful], *adj.* infeliz; mal sucedido, sem êxito; reprovado.
unsuccessfully [-i], *adv.* infelizmente; sem êxito.
unsuccessfulness [-nis], *s.* infelicidade; mau êxito.
unsuitability ['ʌn'sju:tə'biliti], *s.* falta de adaptação; inconveniência, incongruência; desproporção.
unsuitable ['ʌn'sju:təbl], *adj.* inconveniente, inadequado; incongruente; desigual, desproporcionado; impróprio; inoportuno.
unsuitableness [-nis], *s.* ver **unsuitability.**
unsuitably [-i], *adv.* mal; impropriamente; inconvenientemente.
unsuited ['ʌn'sju:tid], *adj.* inconveniente, impróprio.
unsuited for (unsuited to) — impróprio para.
unsullied ['ʌn'sʌlid], *adj.* puro, sem mancha, imaculado.
unsupplied ['ʌnsʌ'plaid], *adj.* não fornecido, desprovido.
unsupportable ['ʌnsə'pɔ:təbl], *adj.* insuportável, intolerável.
unsupportably [-i], *adv.* insuportavelmente, de modo intolerável.
unsupported ['ʌnsə'pɔ:tid], *adj.* sem apoio, sem auxílio; não confirmado.
unsurmountable ['ʌnsə'mauntəbl], *adj.* insuperável, invencível.
unsurpassable ['ʌnsə:'pɑ:səbl], *adj.* inexcedível.
unsusceptibility ['ʌnsəseptə'biliti], *s.* falta de susceptibilidade.
unsusceptible ['ʌnsə'septəbl], *adj.* insusceptível; insensível.
unsuspected ['ʌnsəs'pektid], *adj.* insuspeito; insuspeitado.
unsuspecting ['ʌnsəs'pektiŋ], *adj.* que não suspeita; confiado, confiante, de boa-fé.
unsuspectingly [-li], *adv.* confiadamente, sem suspeitar.
unsuspicious ['ʌnsəs'piʃəs], *adj.* insuspeito; confiado; não suspeitoso.
unsweetened ['ʌn'swi:tnd], *adj.* sem açúcar; não açucarado.
unsymmetrical ['ʌnsi'metrikəl], *adj.* assimétrico.
unsymmetrically [-i], *adv.* assimetricamente.
unsymmetry ['ʌn'simitri], *s.* assimetria.
unsympathetic ['ʌnsimpə'θetik], *adj.* insensível; que não é compassivo.
unsympathetically [-əli], *adv.* com insensibilidade; sem compaixão.
unsystematic ['ʌnsist'mætik], *adj.* assistemático; sem método.
unsystematically [-əli] *adv.* assistematicamente; sem método.
untainted ['ʌn'teintid], *adj.* puro; não corrompido; sem mácula.
untamable ['ʌn'teiməbl], *adj.* indomável.
untangle ['ʌn'tæŋgl], *vt.* desenredar, desembaraçar, desemaranhar.
untarnished ['ʌn'tɑ:niʃt], *adj.* limpo, sem mancha, puro.
untarred ['ʌn'tɑ:d], *adj.* não alcatroado.
untasted ['ʌn'teistid], *adj.* não provado.
untaught ['ʌn'tɔ:t], **1** — *pret.* e *pp.* de **to unteach.**
2 — *adj.* ignorante; iletrado, analfabeto; natural, espontâneo.
untaxable ['ʌn'tæksəbl], *adj.* não tributável.
unteach ['ʌn'ti:tʃ], *vt.* (*pret.* e *pp.* **untaught**) fazer desaprender.
unteachable [-əbl], *adj.* incapaz de ser ensinado.
untempered ['ʌn'tempəd], *adj.* sem têmpera, não temperado.
untenable ['ʌn'tenəbl], *adj.* insustentável; sem defesa.
untenantable ['ʌn'tenəntəbl], *adj.* inabitável.
untenanted ['ʌn'tenəntid], *adj.* desabitado, vago.
unthankful ['ʌn'θæŋkful], *adj.* desagradecido, ingrato; desagradável, penoso.
unthankfully [-i], *adv.* com ingratidão.
unthankfulness [-nis], *s.* ingratidão.
unthinking ['ʌn'θiŋkiŋ], *adj.* inconsiderado, descuidado, irreflectido, imprudente.
unthinkingly [ʌn'θiŋkiŋli], *adv.* irreflectidamente, descuidadamente, imprudentemente.
unthought of [ʌn'θɔ:tɔv], *adj.* imprevisto, inesperado; desconhecido, esquecido.
unthriftily ['ʌn'θriftili], *adv.* prodigamente.
unthriftiness ['ʌn'θriftinis], *s.* prodigalidade.
unthrifty ['ʌn'θrifti], *adj.* pródigo, perdulário, esbanjador.
untidily [ʌn'taidili], *adv.* sem arranjo, sem limpeza, sem asseio, sem ordem.
untidiness [ʌn'taidinis], *s.* desalinho, falta de asseio.
untidy [ʌn'taidi], *adj.* desarranjado, desalinhado, enxovalhado, desmazelado; sujo.
untie ['ʌn'tai], *vt.* e *vi.* desatar, desprender, desfazer (um nó); esclarecer, deslindar.
until [ən'til], **1** — *prep.* até.
until next month — até ao próximo mês.
2 — *conj.* até que.

until he comes — até que ele chegue; até ele chegar.
untimeliness [ʌn'taimlinis], *s.* extemporaneidade; intempestividade; inoportunidade.
untimely [ʌn'taimli], **1** — *adj.* extemporâneo, intempestivo, inoportuno; precoce, prematuro.
at an untimely hour — a uma hora inconveniente.
not untimely — oportuno.
2 — *adv.* intempestivamente; prematuramente.
untinged ['ʌn'tindʒd], *adj.* não tingido; sem mancha.
untiring [ʌn'taiəriŋ], *adj.* incansável, infatigável; inesgotável. (*Sin.* tireless, indefatigable, unremitting, unwearing.)
untiringly [-li], *adv.* incansavelmente, infatigavelmente; inesgotavelmente.
unto ['ʌntu], *prep.* (poét. arc.) = **to** (excepto como sinal de infinito).
unto this day — até este dia.
untold ['ʌn'tould], *adj.* secreto; que não foi dito, não revelado; indizível; incalculável.
untouched ['ʌn'tʌtʃt], *adj.* intacto, ileso; insensível; sem rival, sem par.
untraceable ['ʌn'treisəbl], *adj.* impenetrável; cujo rasto não se pode seguir.
untrained ['ʌn'treind], *adj.* indisciplinado; não treinado; indócil.
untrammelled [ʌn'træməld], *adj.* sem entraves, livre; desembaraçado.
untransferable ['ʌntræns'fə:rəbl], *adj.* intransferível; (jur.) inalienável.
untranslatable ['ʌntræns'leitəbl], *adj.* intraduzível.
untried ['ʌn'traid], *adj.* não experimentado, não tentado; (jur.) não julgado.
untrimmed ['ʌn'trimd], *adj.* sem enfeites; não arranjado; não cortado, não podado.
untrod ['ʌn'trɔd], *adj.* não percorrido, não trilhado; inexplorado.
untrodden [-n], *adj.* er **untrod.**
untroubled ['ʌn'trʌbld], *adj.* sossegado, quieto, tranquilo; claro, transparente.
untrue ['ʌn'tru:], *adj.* falso, inexacto; infiel, desleal.
untruly [-li], *adv.* falsamente; de modo inexacto.
untrustworthy ['ʌn'trʌstwə:ði], *adj.* que não merece confiança; desleal, desonesto.
untruth ['ʌn'tru:θ], *s.* mentira, falsidade; infidelidade.
untruthful [-ful], *adj.* falso, desleal; infiel.
untruthfully [-fuli], *adv.* falsamente; mentirosamente.
untutored ['ʌn'tju:təd], *adj.* sem tutor; sem instrução, ignorante; ingénuo, simples.
untwist ['ʌn'twist], *vt.* e *vi.* destorcer, desentrançar, desemaranhar; deslindar; (náut.) descochar.
unused ['ʌn'ju:zd], *adj.* não usado; desusado; inusitado.
unused ['ʌn'ju:st], *adj.* desacostumado, desabituado; não habituado.
unusual [ʌn'ju:ʒuəl], *adj.* raro, extraordinário; desusado; pouco vulgar.
unusually [-i], *adv.* raramente, excepcionalmente.
unusualness [-nis], *s.* raridade; invulgaridade.
unutterable [ʌn'ʌtərəbl], *adj.* inexprimível, indizível.
unutterableness [-nis], *s.* qualidade de ser inexprimível, indizível.
unutterably [-i], *adv.* inexprimivelmente, indescritivelmente, indizivelmente.
unvarnished ['ʌn'vɑ:niʃt], *adj.* que não é envernizado; simples, natural, sem enfeite.
unvarying [ʌn'vɛəriiŋ], *adj.* invariável, constante.
unvaryingly [-li], *adv.* invariavelmente, inalteravelmente.
unveil [ʌn'veil], *vt.* e *vi.* tirar o véu; descobrir, patentear; revelar, revelar-se.
unventilated ['ʌn'ventileitid], *adj.* não ventilado; não discutido, não debatido.
unversed ['ʌn'və:st], *adj.* inexperiente; ignorante, inábil.
unwarily [ʌn' wɛərili], *adv.* incautamente, imprudentemente, inconsideradamente.
unwariness [ʌn'wɛərinis], *s.* imprevidência, inadvertência, precipitação.
unwarlike ['ʌn'wɔ:laik], *adj.* pacífico, não belicoso.
unwarmed ['ʌn'wɔ:md], *adj.* arrefecido, não aquecido.
unwarned ['ʌn'wɔ:nd], *adj.* desprevenido, desacautelado.
unwarrantable [ʌn'wɔrəntəbl], *adj.* indesculpável, injustificável; insustentável.
unwarrantably [-i], *adv.* indesculpavelmente, injustificavelmente.
unwarranted ['ʌn'wɔrəntid], *adj.* incerto, não garantido; não autorizado; injustificado; sem garantia.
unwary [ʌn'wɛəri], *adj.* incauto, imprudente, inconsiderado, inopinado.
unwashed ['ʌn'wɔʃt], *adj.* porco, sujo; por lavar.
the great unwashed — a ralé; a plebe.
unwavering [ʌn'weivəriŋ], *adj.* firme, resoluto, constante.
unwaveringly [-li], *adv.* firmemente, resolutamente, de modo constante.
unwearied [ʌn'wiərid], *adj.* infatigável, incansável.
unweariedly [-li], *adv.* infatigavelmente, incansavelmente.
unwedge ['ʌn'wedʒ], *vt.* tirar o calço a; tirar a cunha a.
unwelcome [ʌn'welkəm], *adj.* mal acolhido; incómodo, importuno; desagradável.
unwelcome news — notícias desagradáveis.
unwell ['ʌn'wel], *adj.* indisposto, adoentado.
unwept ['ʌn'wept], *adj.* não chorado, não pranteado.
unwholesome ['ʌn'houlsəm], *adj.* insalubre, mau, nocivo; doentio, prejudicial.
unwholesomely [-li], *adv.* de modo insalubre, de modo nocivo; doentiamente.
unwholesomeness [-nis], *s.* insalubridade; nocividade; perniciosidade.
unwieldily [ʌn'wi:ldili], *adv.* pesadamente; desajeitadamente.
unwieldiness [ʌn'wi:ldinis], *s.* peso; dificuldade de manejo, dificuldade em deslocar de um lugar para o outro.
unwieldy [ʌn'wi:ldi], *adj.* pesado; pouco manejável; desajeitado.
unwilling ['ʌn'wiliŋ], *adj.* maldisposto, indisposto; de má vontade; relutante.
I am unwilling to write letters today — não me apetece escrever cartas hoje.
unwillingly [ʌn'wiliŋli], *adv.* de má vontade, com repugnância.
unwillingness [ʌn'wiliŋnis], *s.* má vontade, repugnância.
unwind ['ʌn'waind], *vt.* e *vi.* (*pret.* e *pp.* **unwound**) desenrolar, desenredar, desembaraçar; desenrolar-se.
unwise ['ʌn'waiz], *adj.* imprudente; precipitado; indiscreto.
unwisely [-li], *adv.* imprudentemente; insensatamente.
unwished [ʌn'wiʃt], *adj.* não desejado; desagradável.

unwitnessed ['ʌn'witnist], *adj.* sem testemunhas, sem provas.
unwitting [ʌn'witiŋ], *adj.* inconsciente.
unwitting to — sem consciência de.
unwittingly [-li], *adv.* inconscientemente, sem o saber, involuntariamente.
unwomanly [ʌn'wumənli], *adj.* impróprio de uma mulher; pouco feminino.
unwonted [ʌn'wountid], *adj.* desacostumado, raro, invulgar.
unwontedly [-li], *adv.* raramente, invulgarmente, desusadamente.
unwontedness [-nis], *s.* raridade, invulgaridade.
unworkable ['ʌn'wə:kəbl], *adj.* irrealizável, impraticável; que não pode funcionar.
unworldly ['ʌŋ'wə:ldli], *adj.* sem apego às coisas mundanas; simples, espiritual.
unworthily [ʌn'wə:ðili], *adv.* indignamente, inconvenientemente.
unworthiness [ʌn'wə:ðinis], *s.* indignidade.
unworthy [ʌn'wə:ði], *adj.* indigno; desprezível; injustificado.
unwrap ['ʌn'ræp], *vt.* (*pret.* e *pp.* **unwrapped**) desenrolar, desembrulhar; patentear.
unwritten ['ʌn'ritn], *adj.* não escrito, em branco; verbal; tradicional, oral.
an unwritten law — uma lei consuetudinária.
unwrought ['ʌn'rɔ:t], *adj.* não trabalhado, em bruto.
unyielding ['ʌn'ji:ldiŋ], *adj.* tenaz, inflexível.
unyieldingly [-li], *adv.* inflexivelmente, tenazmente, obstinadamente.
unyieldingness [-nis], *s.* inflexibilidade, tenacidade, obstinação.
unyoke ['ʌn'jouk], *vt.* e *vi.* desjungir; separar; libertar-se de um jugo; (col.) descansar.
up [ʌp], **1** — *adv.* em cima; acima; para cima; completamente; até determinado grau; com segurança; com vantagem; de pé, levantado; acima do horizonte; a alto preço; de parte, de lado; em actividade; instruído, versado.
to be up — estar levantado da cama.
up to now — até agora.
up to this day — até este dia.
to be up in revolt — estar revoltado.
up to then — até então.
to be up to anything — ser capaz de tudo.
to burn up — queimar completamente.
half-way up — a meia altura.
to eat up — comer tudo.
to go up — subir.
to feel up to — sentir-se em condições de.
to go up to the university — ir para a universidade.
to put up the results — afixar os resultados.
to go up for an examination — apresentar-se a exame.
to stand up — levantar-se.
to save up — economizar.
hold yourself up! — põe-te direito!
to walk up and down — passear de um lado para o outro.
Parliament is up — o parlamento está em férias.
speak up! — fala!; desembucha!
the Sun is up — o Sol já nasceu.
prices are up — os preços estão altos.
the tide is up — a maré subiu.
what's up? — o que aconteceu?
time is up! — está na hora!
up to the present moment — até este momento.
up there — lá em cima.
the funds are up — os fundos estão altos.
it is all up! — acabou-se tudo!; já não há nada a fazer!
up with you! — upa!, levanta-te!
he is hard up — está em apuros.
he is well up in mathematics — é muito versado em matemática.
to follow up — prosseguir.
it's up to me — é meu dever.
to get up — levantar-se da cama.
2 — *prep.* sobre, no cimo de; para cima de; para o interior de; ao longo de.
up the river — rio acima.
up the wind — contra o vento.
up hill and down dale — por montes e vales.
to sail up a river — navegar por um rio acima.
to walk up a street — subir uma rua.
to be up a tree — estar em cima de uma árvore.
3 — *adj.* ascendente; que se dirige para o interior; que se dirige para a capital.
up train — comboio ascendente (para Londres).
4 — *s.* *ups and downs* — altos e baixos.
5 — *vt.* e *vi.* (*pret.* e *pp.* **upped**) erguer, erguer-se; levantar, levantar-se.
he ups and goes — ele levanta-se e vai.
6 — *interj.* acima!, de pé!
upas ['ju:pəs], *s.* (bot.) upas.
upbraid [ʌp'breid], *vt.* censurar, vituperar; lançar em rosto, exprobrar.
upbringing ['ʌpbriŋiŋ], *s.* educação, criação.
good upbringing — boa educação.
upcast ['ʌpkɑ:st], **1** — *s.* malhão, tiro por alto; poço de ventilação ascendente (minas).
2 — *adj.* levantado, atirado para cima.
with upcast eyes — com os olhos erguidos para o céu.
upheaval [ʌp'hi:vəl], *s.* levantamento da superfície da terra; revolução social.
volcanic upheaval — erupção vulcânica.
upheave [ʌp'hi:v], *vt.* e *vi.* erguer, levantar; levantar-se; sublevar-se.
upheld [ʌp'held], *pret.* e *pp.* de **to uphold.**
uphill [ʌp'hil], *adv.* para cima, a subir; dificilmente.
to go uphill — subir o monte.
uphold [ʌp'hould], *vt.* (*pret.* e *pp.* **upheld**) levantar, erguer; sustentar; apoiar, suster; proteger, manter; confirmar.(*Sin.* to maintain, to defend, to sustain, to vindicate. *Ant.* to abandon.)
to uphold the law — fazer cumprir a lei.
upholder [-ə], *s.* apoio, arrimo, sustentáculo; protector.
upholster [ʌp'houlstə], *vt.* estofar; acolchoar; mobilar.
upholsterer [-rə], *s.* estofador; negociante de móveis e estofos; acolchoador.
upholstery [-ri], *s.* trabalho de estofador; tapeçarias, estofos; decoração.
upland ['ʌplənd], *s.* terreno elevado, eminência; país montanhoso.
the uplands — as terras altas.
uplander [-ə], *s.* montanhês; habitante das terras altas.
uplift [ʌp'lift], *vt.* elevar, erguer, levantar.
uplift ['ʌplift], *s.* elevação; melhoria.
moral uplift — elevação moral.
upon [ə'pɔn], *prep.* sobre, em cima de; junto de, próximo a; cerca, perto; em; com; quase; a, ao, à, por.
upon the table — em cima da mesa.
upon one's guard — prevenido.
upon his departure — à sua partida.
upon my word — palavra de honra.
to take upon oneself — tomar sobre si.
upon that — feito isto.
upper ['ʌpə], **1** — *s.* gáspeas; polainitos.
to be on one's uppers — estar na pobreza.
2 — *adj.* superior, mais alto, mais elevado; de cima.
the Upper House — a Câmara Alta; a Câmara dos Lordes.

upper sails (náut.) — velas altas.
upper works (náut.) — obras mortas.
the upper lip — o lábio superior.
the get upper hand — adquirir superioridade; mandar.
upper case (tip.) — caixa alta.
the upper ten (thousand) — a aristocracia.
the upper limbs — os membros superiores.
uppercut ['ʌpəkʌt], *s.* soco de baixo para cima (boxe).
uppermost ['ʌpəmoust], **1** — *adj.* supremo, mais alto; predominante; primeiro.
to be uppermost — predominar.
2 — *adv.* para cima, no ponto mais elevado; em primeiro lugar.
to say whatever comes uppermost — dizer tudo o que vem à cabeça.
uppish ['ʌpiʃ], *adj.* altivo, arrogante; vaidoso.
uppishly [-li], *adj.* arrogantemente; orgulhosamente; vaidosamente.
uppishness [-nis], *s.* altivez, arrogância.
upraise [ʌp'reiz], *vt.* levantar, erguer; exaltar; excitar, animar.
uprear [ʌp'riə], *vt.* elevar, levantar; exaltar.
upright ['ʌp'rait], **1** — *adj.* direito; perpendicular; vertical; em pé; honesto; recto, justo.
upright piano — piano vertical.
an upright person — uma pessoa honesta.
2 — *adv.* direito, em posição vertical.
to stand upright — estar direito; endireitar-se.
to hold oneself up — manter-se direito.
upright ['ʌprait], *s.* poste; peça perpendicular de madeira; pé direito.
uprightly [-li], *adv.* perpendicularmente, verticalmente; justamente, rectamente.
uprightness [-nis], *s.* elevação perpendicular; rectidão, integridade, probidade, honradez.
uprising [ʌp'raiziŋ], *s.* acção de levantar-se; levantamento, tumulto, revolta; encosta (de um monte).
uproar ['ʌprɔ:], *s.* tumulto, alvoroço, vozearia, confusão, algazarra.
uproarious [ʌp'rɔ:riəs], *adj.* ruidoso, tumultuoso.
uproariously [-li], *adv.* ruidosamente, tumultuosamente.
uproot [ʌp'ru:t], *vt.* desenraizar; extirpar.
upset ['ʌpset], **1** — *s.* transtorno, desarranjo; tombo; desacordo, questão.
2 — *adj.* requerido; inicial (em leilões).
upset price — preço por que se põe um objecto em leilão.
upset [ʌp'set], **1** — *adj.* virado, derrubado; perturbado, incomodado; indisposto; erecto.
upset stomach — indisposição de estômago.
2 — *vt.* e *vi.* (*pret.* e *pp.* **upset**) transtornar, alterar; contrariar; derrubar, voltar, virar; desarranjar; derramar; (náut.) soçobrar; engrossar o metal (com marteladas).
the news quite upset him — a notícia transtornou-o por completo.
he is easily upset — ele impressiona-se com facilidade.
upsetting [-iŋ], **1** — *s.* perturbação; incómodo, acto de virar.
2 — *adj.* perturbador, que transtorna; que indispõe.
upshot ['ʌpʃɔt], *s.* fim, remate; conclusão.
upside-down ['ʌpsaid'daun], **1** — *adj.* invertido; transtornado; de pernas para o ar.
an upside-down arrangement — uma combinação sem pés nem cabeça.
2 — *adv.* de pernas para o ar; em confusão; ao contrário.
to turn everything upside-down — pôr tudo de pernas para o ar; pôr tudo em desordem.
upstairs 1 — ['ʌpstɛəz], *adj.* no andar superior.
an upstairs room — um quarto situado no andar superior.
2 — [ʌp'stɛəz], *adv.* em cima, no andar superior; para o andar superior.
it is upstairs — está lá em cima, no andar superior.
to go upstairs — ir para o andar superior.
upstart ['ʌpstɑ:t], *s.* adventício; novo-rico.
uptake ['ʌpteik], *s.* acto de levantar; caixa de fumo de caldeira; apreensão mental.
upthrust ['ʌp'θrʌst], *s.* impulso para cima; levantamento geológico.
up-to-date ['ʌptə'deit], *adj.* moderno; actualizado.
upturn ['ʌptə:n], *s.* perturbação; melhoria; acto de virar para cima.
upturn [ʌp'tə:n], *vt.* virar para cima; erguer (os olhos).
upward ['ʌpwəd], **1** — *adj.* ascendente; dirigido para cima.
2 — *adv.* para cima; mais além.
upward of — mais de.
to look upward — olhar para cima.
upwards [-z], *adv.* vd. **upward.**
upwards and downwards — para cima e para baixo.
upwards of a million — para cima de um milhão.
uraemia [juə'ri:miə], *s.* (pat.) uremia.
uralite ['juərəlait], *s.* (min.) uralite.
uranium [juə'reinjəm], *s.* urânio.
Uranus ['juərənəs], *n. p.* (mit. e astr.) Urano.
urate ['juəreit], *s.* (quím.) urato.
urban ['ə:bən], *adj.* urbano.
urbane [ə:'bænə], *adj.* fino, cortês, urbano, afável.
urbanely [-li], *adv.* cortesmente, delicadamente, educadamente.
urbanity [ə:'bæniti], *s.* urbanidade, cortesia.
urchin ['ə:tʃin], *s.* garoto, diabrete; (zool.) ouriço-do-mar.
urea ['juəriə], *s.* (quím.) ureia.
ureter [ju'ri:tə], *s.* (anat.) ureter.
urethra [juə'ri:θrə], *s.* (anat.) uretra.
uretic [juə'retik], *adj.* diurético.
urge [ə:dʒ], **1** — *s.* impulso, ímpeto, anseio.
2 — *vt.* apertar, incitar, induzir; urgir, apressar; solicitar, pedir com instância, instar; animar. (*Sin.* to incite, to impel, to push, to press, to spur. *Ant.* to deter.)
to urge a person to do a thing — apertar com alguém para fazer uma coisa.
to urge the fire — avivar (atiçar) o fogo.
urgency [-ənsi], *s.* urgência, pressa.
urgent [-ənt], *adj.* urgente; iminente; insistente.
I am in urgent need — tenho necessidade urgente.
an urgent demand — um pedido urgente.
an urgent request — um pedido urgente.
urgently [-əntli], *adv.* urgentemente; insistentemente.
urger [-ə], *s.* instigador, incitador; importuno.
uric ['juərik], *adj.* úrico.
uric acid — ácido úrico.
urinal ['juərinəl], *s.* urinol, mictório.
urinary ['juərinəri], **1** — *s.* (pl. **urinaries**) mictório.
2 — *adj.* urinário.
the urinary system — o sistema urinário.
urinate ['juərineit], *vi.* urinar.
urination [juəri'neiʃən], *s.* micção.
urine ['juərin], *s.* urina.
urine analysis — análise da urina.
urn [ə:n], **1** — *s.* urna; vaso.
2 — *vt.* encerrar numa urna.
uroscopy [ju'rɔskəpi], *s.* uroscopia.

Ursa ['ə:sə], *s.* (astr.) Ursa.
Ursa Major — Ursa Maior.
Ursa Minor — Ursa Menor.
ursine ['ə:sain], *adj.* ursino; peludo.
Ursula ['ə:sjulə], *n. p.* Úrsula.
Ursuline ['ə:sjulain], **1** — *s.* ursulina (freira). **2** — *adj.* ursulina.
urtica ['ə:tikə], *s.* (bot.) urtiga.
urticaria [ə:ti'kεəriə], *s.* (pat.) urticária.
Uruguay ['urugwai], *top.* Uruguai.
Uruguayan [uru'gwaiən], **1** — *s.* uruguaio; indivíduo natural ou habitante do Uruguai. **2** — *adj.* uruguaio; relativo ao Uruguai.
us [ʌs], *pron. pes. compl.* nos, a nós.
with us — connosco.
she sees us — ela vê-nos.
all of us — todos nós.
it is us — somos nós.
usable ['ju:zəbl], *adj.* utilizável; usável.
usage ['ju:zidʒ], *s.* uso, costume, hábito, prática; tratamento; procedimento.
an old usage — um antigo costume.
use **1** — [ju:s], *s.* uso, aplicação, emprego; utilidade; hábito, costume, prática; objectivo; necessidade.
to be of use — ser útil; servir.
to be of no use — não ter utilidade; não servir para nada.
to have no further use for — não ter já necessidade de.
to make use of — fazer uso de, servir-se de.
what is the use of it? — para que serve isto?
can I be of any use to you? — em que posso ser-lhe útil?
out of use — fora de uso.
in use — em uso.
for my personal use — para meu uso pessoal.
to come into use — entrar em uso.
directions for use — modo de usar.
he lost the use of his left arm — não mexe o braço esquerdo.
article of every day use — artigo de uso corrente.
for external use (farm.) — para uso externo.
to be fit for use — estar em estado de servir.
the have the full use of one's faculties — ter pleno uso das suas faculdades.
to make bad use of one's money — gastar o dinheiro mal gasto.
everything has its use — tudo tem a sua utilidade.
it is no use disputing about tastes — gostos não se discutem.
misfortune has its uses — há males que vêm por bem.
use is a second nature — o hábito é uma segunda natureza.
it is meant for use not ornament — é para usar e não para enfeite.
2 — [ju:z], *vt.* usar, fazer uso de, empregar; acostumar, habituar; tratar; proceder; estar acostumado a; gastar.
to use up — gastar, consumir; extenuar-se; proceder; formar; acostumar.
to use ill — tratar mal.
he never uses a dictionary — nunca se serve do dicionário.
he does not come as often as he used (to) — não vem tantas vezes como costumava.
we use a great deal of butter — consumimos muita manteiga.
I shall use every means — empregarei todos os meios.
how did he use you? — como te tratou ele?
***I used to take the bus* — eu costumava ir de** autocarro.
I am used to it — estou acostumado a isso.
to get used to — acostumar-se a.
what is this used for? — para que serve isto?
to use an opportunity — aproveitar uma oportunidade.
to use force — empregar a força.
to use somebody well — tratar bem alguém.
use more care! — tenha mais cuidado!
use your eyes! — abre os olhos!
used [ju:zd], **1** — *pret.* e *pp.* de **to use.** **2** — *adj.* usado; não novo, em segunda mão.
hardly used — pouco usado.
used [ju:st], **1** — *vi.* (verbo só empregado no pretérito seguido de *to*; forma neg. **usedn't;** forma inter. **used you?, used she?**, etc.; actualmente já por vezes com o auxiliar *to do*: costumar, ter o costume.
she used to go for a walk, didn't she? — ela costumava ir dar um passeio, não costumava?
2 — *adj.* acostumado, habituado.
to get used to — acostumar-se a.
useful ['ju:sful], *adj.* útil, proveitoso, vantajoso; (col.) competente, eficiente.
he gave me some useful hints — sugeriu-me algumas ideias úteis.
how can I be useful to you? — em que poderei ser-lhe prestável?
to make oneself useful — tornar-se útil.
usefully [-i], *adv.* utilmente, proveitosamente, com proveito.
usefulness [-nis], *s.* utilidade, proveito, vantagem, lucro.
useless ['ju:slis], *adj.* inútil; infrutífero; incompetente; (col.) adoentado.
it is useless — é inútil.
I am feeling useless (fam.) — sinto-me em baixo.
uselessly [-li], *adv.* inutilmente, infrutiferamente.
uselessness [-nis], *s.* inutilidade.
user ['ju:zə], *s.* o que faz uso; utente; (jur.) usufrutuário.
usher ['ʌʃə], **1** — *s.* arrumador (de teatro, cinema, etc.); porteiro (de tribunal). **2** — *vt.* introduzir, anunciar.
to usher in — anunciar; introduzir.
usherette [ʌʃə'ret], *s. fem.* arrumadora (de teatro, cinema, etc.).
using ['ju:ziŋ], *s.* emprego, utilização.
using up — gastos; consumo.
usual ['ju:ʒuəl], *adj.* usual, comum, vulgar, frequente, habitual.
as usual — como de costume.
it is usual — é costume.
he came earlier than usual — veio mais cedo do que de costume.
he asked the usual questions — fez as perguntas habituais.
in the usual way — na forma do costume.
at the usual time — às horas do costume.
usually [-i], *adv.* usualmente, vulgarmente, frequentemente.
I usually rise at six — levanto-me habitualmente às seis horas.
usualness [-nis], *s.* uso, costume, prática; frequência.
usufruct ['ju:sju:frʌkt], *s.* (jur.) usufruto.
usufructuary [ju:zju:'frʌktjuəri], *s.* e *adj.* usufrutuário.
usurer ['ju:ʒərə], *s.* usurário, agiota.
usurious [ju:'zjuəriəs], *adj.* usurário.
usuriously [-li], *adv.* usurariamente.
usurp [ju:'zə:p], *vt.* usurpar.
usurpation [ju:zə'peiʃən], *s.* usurpação.
usurpatory [ju:z'ə:pətəri], *adj.* usurpatório.
usurper [ju:'zə:pə], *s.* usurpador.
usury ['ju:ʒuri], *s.* usura.
to practise usury — praticar a usura.

utensil [ju:'tensl], *s.* utensílio, instrumento; ferramenta.
kitchen utensils — utensílios de cozinha.
chamber utensil — bacio.
uteri ['ju:tərai], *s. pl.* de **uterus.**
uterine ['ju:tərain], *adj.* uterino.
uterus (*pl.* **uteri**) ['ju:tərəs, -ai], *s.* útero.
utilitarian [ju:tili'tɛəriən], **1** — *s.* partidário do utilitarismo.
2 — *adj.* utilitário.
utilitarianism [-izm], *s.* utilitarismo, positivismo.
utility [ju:'tiliti], *s.* utilidade; vantagem, proveito, conveniência, lucro.
utility table — mesa de serviço.
utilizable ['ju:tilaizəbl], *adj.* utilizável.
utilization [ju:tilai'zeiʃən], *s.* utilização.
utilize ['ju:tilaiz], *vt.* utilizar, fazer uso de, empregar.
utmost ['ʌtmoust], **1** — *s.* extremo; mais distante; mais alto grau; máximo, possível.
to do one's utmost — fazer todo o possível.
to the utmost — o mais possível; até mais não.
2 — *adj.* extremo; mais distante; máximo; possível.
it gives me the utmost pleasure — dá-me o maior prazer.
in the utmost danger — no maior perigo.
utopia [ju:'toupjə], *s.* utopia.
utopian [-n], **1** — *s.* utopista.
2 — *adj.* utópico.
utricle ['ju:trikl], *s.* (biol., bot.) utrículo.
utter ['ʌtə], **1** — *adj.* exterior, de fora; completo, total; perfeito, acabado; de mais longe; extremo.
utter ruin — ruína total.
utter darkness — escuridão total.
utter misery — miséria completa.
utter impossibility — total impossibilidade.
2 — *vt.* proferir, pronunciar, dizer; publicar, revelar; emitir, pôr em circulação. (*Sin.* to speak, to enunciate, to express, to pronounce. *Ant.* to be silent.)
not to utter a word — não pronunciar uma palavra.
to utter false coin — fabricar e pôr em circulação moeda falsa.
utterable [-rəbl], *adj.* que pode exprimir-se, pronunciável.
utterance ['ʌtərəns], *s.* pronunciação, elocução; maneira de falar; linguagem; emissão (de moeda falsa).
to have a defective utterance — ter uma pronúncia defeituosa.
utterer ['ʌtərə], *s.* aquele que pronuncia ou diz; aquele que fabrica moeda falsa e a põe em circulação.
utterly ['ʌtəli], *adv.* totalmente, inteiramente, completamente, absolutamente.
it is utterly impossible — é totalmente impossível.
uttermost ['ʌtəmoust], *s.* e *adj.* er **utmost.**
uvula (*pl.* **uvulae**) ['ju:vjulə,-i:], *s.* (anat.) úvula.
uvular ['ju:vjulə], *adj.* (anat.) uvular.
uxorial [ʌk'sɔ:riəl], *adj.* uxoriano.
uxorious [ʌk'sɔ:riəs], *adj.* que se deixa dominar pela mulher.

V

V, v [vi:], (*pl.* **V's, v's** [vi:z]), V, v (vigésima segunda letra do alfabeto inglês).
V-shaped — em forma de V.
vacancy ['veikənsi], *s.* vácuo, vazio; lacuna; vacatura, lugar vago; descanso, repouso.
to look into vacancy — olhar no vago.
vacant ['veikənt], *adj.* vago, vazio; desocupado; distraído, irreflectido; descuidado; ocioso; fútil; sem expressão. (*Sin.* empty, unfilled, unoccupied, void, mindless. *Ant.* full, occupied.)
vacant moments — momentos livres.
vacant mind — espírito despreocupado.
a vacant look — um olhar vago.
a vacant face — um rosto inexpressivo.
vacantly [-li], *adv.* distraidamente; negligentemente; ociosamente.
vacate [və'keit], *vt.* vagar, deixar vago; sair de; abandonar; invalidar, anular, revogar.
to vacate the premises — ter ordem de despejo.
to vacate a room — desocupar um quarto.
to vacate office — pedir a demissão de um cargo.
vacation [və'keiʃən], **1** — *s.* férias; descanso; (jur.) anulação, revogação; (mil.) evacuação.
Christmas vacation — férias de Natal.
Easter vacation — férias da Páscoa.
2 — *vi.* (E. U.) fazer férias.
vaccinate ['væksineit], *vt.* vacinar.
to get vaccinated — vacinar-se.
vaccination [væksi'neiʃən], *s.* vacinação, vacina.
vaccinator ['væksineitə], *s.* vacinador, pessoa que vacina, lanceta própria para vacinar.
vaccine ['væksi:n], **1** — *s.* vacina.
2 — *adj.* vacínico, vacinal; vacum.
vacillate ['væsileit], *vi.* vacilar, hesitar; oscilar; cambalear.
vacillating [-iŋ], **1** — *s.* vacilação; acto de vacilar.
2 — *adj.* vacilante; hesitante; cambaleante; oscilante.
vacillation [væsi'leiʃən], *s.* vacilação; hesitação.
vacua ['vækjuə], *s. pl.* de **vacuum.**
vacuity [væ'kju:iti], *s.* vacuidade, espaço vazio; inanidade; estupidez.
vacuous ['vækjuəs], *adj.* vácuo, vazio, desocupado; mentecapto; estúpido.
vacuous look — olhar imbecil.
vacuously [-li], *adv.* vagamente; tolamente; inexpressivamente; ociosamente.
vacuousness [-nis], *s.* ver **vacuity.**
vacuum (*pl.* **vacuums, vacua**) ['vækjuəm, -z,-ə], *s.* vácuo; vazio.
vacuum cleaner — aspirador eléctrico.
vacuum brake — freio pneumático.
vacuum space of condenser — câmara de condensação.
vacuum fan — ventilador-aspirador.
vacuum-pump — bomba pneumática.
vacuum-flask = *vacuum-bottle* — garrafa-termo.
vacuum valve — válvula electrónica.

vagabond ['vægəbənd], **1** — *s.* vagabundo; vadio; patife, malandro.
2 — *adj.* vagabundo; errante; nómada.
a vagabond life — uma vida errante.
3 — *vi.* vagabundear.
vagabondage ['vægəbɔndidʒ], *s.* vagabundagem.
vagary ['veigəri], *s.* capricho, mania, veneta.
vagina [və'dʒainə], *s.* (anat.) vagina; (bot.) bainha (de folha).
vaginal [-əl], *adj.* vaginal.
vagrancy ['veigrənsi], *s.* vida errante, de vagabundo; vadiagem, ociosidade.
vagrant ['veigrənt], **1** — *s.* vagabundo, vadio.
2 — *adj.* vadio, errante; excêntrico, caprichoso.
vagrantly [-li], *adv.* de um modo próprio de vagabundo, de modo errante; ociosamente.
vague [veig], *adj.* vago, incerto, indefinido, indeterminado.
a vague answer — uma resposta vaga.
vaguely [-li], *adv.* vagamente.
vagueness [-nis], *s.* incerteza, indeterminação.
vain [vein], *adj.* vão, vaidoso, inútil; presunçoso, orgulhoso, frívolo.
in vain — em vão; inutilmente.
to be vain — ser vaidoso.
it is vain to resist — é inútil resistir.
as vain as a peacock — vaidoso como um pavão.
to labour in vain — trabalhar em vão.
vainglorious [vein'glɔ:riəs], *adj.* vanglorioso; vaidoso, orgulhoso.
vaingloriously [-li], *adv.* vaidosamente; vangloriosamente.
vainglory [vein'glɔ:ri], *s.* vaidade, jactância, vanglória.
vainly ['veinli], *adv.* vãmente, inutilmente, debalde; orgulhosamente.
vainness ['veinnis], *s.* vaidade, presunção; inutilidade, futilidade.
valance ['væləns], *s.* sanefa; cortinado.
vale [veil], **1** — *s.* (poét.) vale; caleira.
2 — *interj.* adeus!
valediction [væli'dikʃən], *s.* despedida, adeus.
valedictory [væli'diktəri], **1** — *s.* discurso de despedida.
2 — *adj.* de despedida.
valence ['veiləns], *s.* (quím.) valência.
valency ['veilənsi], *(quím.)* valência.
Valentine ['væləntain], *n. p.* Valentim.
St. Valentine's day — dia de S. Valentim (14 de Fevereiro).
valentine ['væləntain], *s.* namorado(a); carta amorosa que os namorados trocam entre si, no dia de S. Valentim.
valerian [və'liəriən], *s.* (bot.) valeriana.
valet ['vælit], **1** — *s.* criado, pajem.
2 — *vt.* servir como criado de quarto ou pajem.
valetudinarian ['vælitju:di'nεəriən], **1** — *s.* valetudinário; doente imaginário.
2 — *adj.* valetudinário.
valetudinarianism [-izm], *s.* valetudinarismo; hipocondria.
valetudinary [væli'tju:dinəri], *adj.* valetudinário.
valiant ['væljənt], *adj.* valente, intrépido, bravo, corajoso. (*Sin.* brave, bold, courageous, valorous. *Ant.* cowardly.)
valiantly [-li], *adv.* valentemente, corajosamente.
valid ['vælid], *adj.* válido, forte, vigoroso; irrefutável.
to make valid = *to render valid* — validar, tornar válido.
validate ['vælideit], *vt.* validar, tornar válido.
validation [væli'deiʃən], *s.* validação.
validity [və'liditi], *s.* validade, validez; solidez.
validly ['vælidli], *adv.* validamente.
valise [və'li:z], *s.* maleta; mochila de soldado.
valkyr ['vælkiə], *s.* valquíria.
valkyria [væl'kiriə], *s.* ver **valkyr.**
valley ['væli], *s.* vale, depressão.
valley of the shadow of death — período de extrema aflição.
valorization [vælərai'zeiʃən], *s.* valorização.
valorize ['væləraiz], *vt.* valorizar; estabilizar (preços, valor de uma mercadoria).
valorous ['vælərəs], *adj.* valente.
valorously [-li], *adv.* valentemente.
valour ['vælə], *s.* valor, valentia, intrepidez.
valuable ['væljuəbl], **1** — *s.* (geralm. no pl.) coisa valiosa.
2 — *adj.* valioso, estimável, precioso.
valuable assistance — valioso auxílio.
valuable information — informação valiosa.
valuable time — tempo precioso.
valuableness [-nis], *s.* preciosidade, importância, valor.
valuably [-i], *adv.* valiosamente, preciosamente.
valuation [vælju'eiʃən], *s.* avaliação; estimativa; valor, preço.
to make a valuation of — fazer a avaliação de.
value ['vælju:], **1** — *s.* valor, preço; apreço, estimação; significado, sentido.
to set great value on — dar muito apreço a.
value in cash — valor em espécie.
value received — valor recebido.
value in account — valor em conta.
sentimental value — valor estimativo.
to be of some value — valer alguma coisa.
to take the value of one's money — desforrar o dinheiro que se emprega em alguma coisa.
declared value — valor declarado.
to get better value for one's money — empregar melhor o dinheiro.
ethical values — valores morais.
fall of value — desvalorização.
of great value — de grande valor.
of little value — de pouco valor.
2 — *vt.* avaliar, calcular, estimar, taxar; apreciar, prezar, dar importância a.
to value highly — ter em grande apreço.
valued [-d], *adj.* estimado, avaliado.
valueless ['væljulis], *adj.* sem valor.
valuer ['væljuə], *s.* avaliador, perito.
valve [vælv], **1** — *s.* válvula; (rád.) lâmpada, válvula.
safety valve — válvula de segurança.
stop valve — válvula de passagem.
valve-box = *valve casing* — caixa de válvula; caixa de distribuidor.
valve-cock — torneira de válvula.
valve-grinding — *(aut.)* rodagem de válvulas.
valve-rod — haste de válvula.
suction valve — válvula de aspiração.
2 — *vt.* prover de válvula; regular por meio de válvula.
valved [-d], *adj.* com válvulas; com valvas.
valvular [-julə], *adj.* valvular.
vamp [væmp], **1** — *s.* gáspea (de sapato ou bota); remendo; acompanhamento musical improvisado; (E. U. cal.) mulher fatal, vampe.
2 — *vt.* e *vi.* remendar, gaspear; improvisar um acompanhamento musical; (mulher) seduzir (homens).
vamper [-ə], *s.* remendão; pessoa que improvisa acompanhamentos musicais.
vampire ['væmpaiə], *s.* vampiro; mulher fatal, vampe; (zool.) vampiro.
vampiric [væm'pirik], *adj.* vampírico.
vampirism ['væmpaiərizm], *s.* vampirismo.
van [væn], **1** — *s.* vanguarda; vagão; carro de mercadorias; furgão; frente de batalha.

furniture van — camião de transporte de mobílias.
luggage van — furgão.
2 — *vt.* transportar em camião.
vanadium [və'neidjəm], *s.* vanádio.
vandal ['vændəl], *s.* vândalo.
vandalism ['vændəlizm], *s.* vandalismo.
piece of vandalism — acto de vandalismo.
vane [vein], *s.* cata-vento; grimpa; pínula.
vang [væŋ], *s.* (náut.) guardim.
vanguard [vængɑ:d], *s.* vanguarda.
vanilla [və'nilə], *s.* baunilha.
vanish ['væniʃ], **1** — *s.* (fon.) som final, atenuado, de certos ditongos e vogais.
2 — *vi.* desaparecer, dissipar-se, desvanecer-se. (*Sin.* to disappear, to fade, to melt, to dissolve. *Ant.* to appear.)
to vanish away — desaparecer.
to vanish from sight — desaparecer da vista.
vanishing [-iŋ], **1** — *s.* desaparecimento, acto de desaparecer.
2 — *adj.* que desaparece.
vanishing cream — creme de dia.
vanity ['væniti], *s.* vaidade, presunção; ilusão; irrealidade; inutilidade.
vanity table — toucador.
vanity bag — bolsinha com artigos de toucador.
vanquish ['væŋkwiʃ], *vt.* vencer, subjugar; conquistar; superar; reprimir.
vanquishable [-əbl], *adj.* vencível, conquistável, subjugável.
vanquisher [-ə], *s.* vencedor.
vanquishing [-iŋ], **1** — *s.* domínio, conquista; subjugação.
2 — *adj.* vencedor.
vantage ['vɑ:ntidʒ], *s.* vantagem; posição vantajosa (no ténis).
vapid ['væpid], *adj.* evaporado; fraco; insípido, sem gosto; monótono.
vapid beer — cerveja fraca, sem sabor.
vapidity [væ'piditi], *s.* insipidez, sensaboria; monotonia.
vapidly ['væpidli], *adv.* de um modo insípido; monotonamente.
vapidness ['væpidnis], *s.* er **vapidity.**
vaporization [veipərai'zeiʃən], *s.* vaporização.
vaporize ['veipəraiz], *vt.* e *vi.* vaporizar, volatilizar; evaporar-se, volatilizar-se.
vaporizer [-ə], *s.* vaporizador; pulverizador.
vaporizing [-iŋ], *s.* vaporização.
vaporous ['veipərəs], *adj.* vaporoso, cheio de vapor; quimérico, irreal.
vaporously [-li], *adv.* vaporosamente.
vapour ['veipə], **1** — *s.* vapor, exalação; nuvem ligeira; gás, fluido; fumo; quimera, irrealidade.
vapour-bath — banho de vapor.
vapour-engine — máquina a vapor.
water vapour — vapor de água.
2 — *vi.* evaporar; exalar; evaporar-se, dissipar-se; converter-se em vapor; gabar-se, jactar-se.
vapoury [-ri], *adj.* vaporoso.
variability [vɛəriə'biliti], *s.* variabilidade, inconstância.
variable ['vɛəriəbl], **1** — *s.* (mat.) variável; (náut.) vento variável.
2 — *adj.* variável, inconstante; volúvel; regulável. (*Sin.* changeable, inconstant, fickle, wavering. *Ant.* steady, constant.)
variable at will — regulável.
variable motion — movimento variado.
variable weather — tempo variável.
variable zone — zona temperada.
variableness [-nis], *s.* ver **variability.**
variably [-i], *adv.* variavelmente; de modo inconstante.
variance ['vɛəriəns], *s.* variação, mudança; discórdia, desavença; desacordo, desinteligência; discrepância.
to be at variance with — estar em desacordo com.
to set at variance — semear a discórdia entre.
on that point we are at variance — nesse ponto estamos em desacordo.
variant ['vɛəriənt], **1** — *s.* variante; forma variante.
2 — *adj.* diferente; variável.
variation [vɛəri'eiʃən], *s.* variação, mudança, desvio, alteração; diferença; declinação magnética; (gram.) inflexão.
to set at variance — semear a discórdia. temperatura.
variation compass — bússola de declinação.
variation in speed — variação de velocidade.
magnetic variation — variação magnética.
varicella [væri'selə], *s.* (pat.) varicela.
varices ['værisi:z], *s. pl.* de **varix.**
varicose ['værikous], *adj.* varicoso; com varizes.
varicose veins — veias varicosas.
varicosity [væri'kɔsiti], *s.* varicosidade.
varied ['vɛərid], *adj.* variado, diverso; diferente; variegado.
variedness [-nis], *s.* variedade; diversidade.
variegate ['vɛərigeit], *vt.* variegar, matizar; variar, diversificar.
variegated [-id], *adj.* variegado, matizado; pintalgado.
variegation [vɛəri'geiʃən], *s.* variegação; diversidade de cores, matiz; manchas brancas nas folhas de alguns vegetais doentes.
variety [və'raiəti], *s.* variedade, diversidade, variação, diferença, mudança; teatro de variedades. (*Sin.* difference, miscellany, diversity, multiplicity. *Ant.* uniformity.)
variety theatre — teatro de variedades.
variety of goods — sortimento de mercadorias.
variety is the spice of life — a variedade é o estímulo da vida.
variety show — espectáculo de variedades.
variola [və'raiələ], *s.* (pat.) varíola.
variole ['vɛərioul], *s.* pequena cavidade semelhante à das bexigas.
various ['vɛəriəs], **1** — *pron.* várias pessoas.
2 — *adj.* vário, variado, diverso, diferente.
for various reasons — por várias razões.
of various kinds — de várias espécies.
variously [-li], *adv.* variamente, diversamente, diferentemente.
varix (*pl.* **varices**) ['vɛəriks, 'værisi:z], *s.* variz.
varlet ['va:lit], *s.* pajem medieval; patife.
varnish ['vɑ:niʃ], **1** — *s.* verniz; brilho, polimento; aspecto exterior.
nail varnish — verniz para as unhas.
varnish tree — árvore da laca.
2 — *vt.* envernizar, vidrar (louça); colorir; encobrir, dissimular.
varnished [-t], *adj.* envernizado; esmaltado; vidrado (louça).
varnished paper — papel envernizado.
varnisher [-ə], *s.* envernizador.
varnishing [-iŋ], *s.* envernizamento.
varsity ['va:siti], *s.* (col.) universidade.
vary ['vɛəri], *vt.* e *vi.* variar, mudar, diversificar; alterar-se; mudar-se; desviar-se (a agulha magnética); discordar.
to vary from — divergir de.
to vary directly as — variar na razão directa de; ser directamente proporcional a.
to vary inversely as — variar na razão inversa de; ser inversamente proporcional a.
varying [-iŋ], **1** — *s.* mudança, alteração, modificação.

2 — *adj.* variado, diverso; variável; volúvel.
vascular ['væskjulə], *adj.* vascular, vasculoso.
vascular tissue — tecido vascular.
vascularity [væskju'læriti], *s.* vascularidade.
vase [vɑ:z], *s.* vaso, jarrão.
flower-vase — jarra de flores.
vaseline ['væsili:n], *s.* vaselina.
vassal ['væsəl], *s.* vassalo, súbdito; escravo; servo.
vassalage ['væsəlidʒ], *s.* vassalagem; servidão.
vast [va:st], **1** — *s.* vastidão, imensidade.
2 — *adj.* vasto, amplo, grande, imenso, extenso.
vast country — país vasto.
a vast expanse of water — uma vasta extensão de água.
vast plains — vastas planícies.
it makes a vast difference — faz grande diferença.
vastly ['vɑ:stli], *adv.* vastamente, imensamente, grandemente.
vastness ['vɑ:stnis], *s.* vastidão, imensidade, enormidade; importância imensa.
vasty ['vɑ:sti], *adj.* (poét.) vasto, imenso, grande.
vat [væt], **1** — *s.* tina, cuba, dorna; tanque.
2 — *vt.* (*pret.* e *pp.* **vatted**) pôr em tinas ou dornas.
vatful [-ful], *s.* conteúdo de uma tina, cuba ou dorna cheia.
Vatican ['vætikən], , *top.* Vaticano.
the Vatican State — os Estados Pontifícios; o Estado do Vaticano.
vaticinal [væ'tisinəl], *adj.* vaticinador.
vaticinate [væ'tisineit], *vi.* vaticinar; profetizar.
vaticination [vætisi'neiʃən], *s.* vaticínio, profecia.
vaticinator [væ'tisineitə], *s.* vaticinador.
vaudeville ['voudəvil], *s.* «vaudeville», espectáculo de variedades.
vault [vɔ:lt], **1** — *s.* abóbada; cave abobadada; caverna; sepulcro, túmulo; salto dado com o auxílio das mãos ou de uma vara; caixa-forte de casa bancária.
wine-vault — garrafeira; cave vinícola.
a family vault — um jazigo de família.
the vault of heaven — a abóbada celeste.
2 — *vt.* e *vi.* abobadar; abobadar-se; pular; saltar com o auxílio das mãos ou de uma vara.
vaulter [-ə], *s.* aquele que salta; volatim, volantim.
vaunt [vɔ:nt], **1** — *s.* jactância, gabarolice; vaidade, ostentação.
2 — *vt.* e *vi.* exaltar, louvar; gabar-se, jactar-se, bazofiar. (*Sin.* to boast, to brag, to parade, to flourish.)
vaunter [-ə], *s.* fanfarrão; gabarola.
veal [vi:l], *s.* vitela, carne de vitela.
veal cutlet — costeleta de vitela.
vector ['vektə], *s.* (mat., med.) vector.
radious vector — raio vector.
vector quantity (mat.) — quantidade vectorial.
vedette [vi'det], *s.* (mil., náut.) vedeta.
veer [viə], **1** — *s.* mudança de direcção; desvio.
2 — *vt.* e *vi.* virar, voltar, mudar de direcção; (náut.) arriar, largar mais cabo, rondar ao direito.
to veer away = *to veer out* — arriar (espia, amarra, etc.).
to veer aft — alargar o vento.
to veer in — alar.
the wind has veered round — o vento mudou.
to veer away the cable — largar cabo.
veering [-riŋ], *s.* mudança; desvio; modificação.
vegetable ['vedʒitəbl], **1** — *s.* vegetal, planta herbácea; *pl.* hortaliça, legumes.
dried vegetables — legumes secos.
vegetable garden — horta; quintal.
vegetable dish — travessa para vegetais.
2 — *adj.* vegetal.
vegetable marrow — abóbora inglesa.
vegetable fat — gordura vegetal.
vegetable food — alimentos vegetais.
***the vegetable kingdom* — o reino vegetal.**
vegetable life — vida vegetal.
vegetal ['vedʒitl], **1** — *s.* vegetal, planta.
2 — *adj.* vegetal; vegetativo.
the vegetal functions — as funções vegetativas.
vegetal tar — alcatrão vegetal.
vegetarian [vedʒi'tɛəriən], *s.* vegetariano.
vegetarian food — alimentação vegetariana.
vegetarianism [-izm], *s.* vegetarianismo.
vegetate ['vedʒiteit], *vi.* vegetar; levar uma vida monótona.
vegetation [vedʒi'teiʃən], *s.* vegetação.
vegetative ['vedʒitətiv], *adj.* vegetativo.
vegetatively [-li], *adv.* vegetativamente.
vehemence ['vi:iməns], *s.* veemência, ardor, impetuosidade, força, violência.
vehement ['vi:imənt], *adj.* veemente, impetuoso, ardente, violento. (*Sin.* violent, impetuous, ardent, passionate. *Ant.* subdued.)
vehemently [-li], *adv.* veementemente, impetuosamente.
vehicle ['vi:ikl], **1** — *s.* veículo; carruagem; meio de transporte.
2 — *vt.* transportar de carro.
vehicular [vi'hikjulə], *adj.* veicular; relativo a veículos.
veil [veil], **1** — *s.* véu; disfarce; pretexto.
to take the veil — professar; tomar o véu.
a veil of mist — um véu de nevoeiro.
to draw a veil over — lançar um véu sobre.
to wear a veil — trazer um véu.
2 — *vt.* cobrir com véu; disfarçar, esconder, encobrir; velar.
veiled [-d], *adj.* velado, coberto com um véu; disfarçado.
veiling [-iŋ], *s.* acto de velar, de cobrir com um véu; disfarce, dissimulação.
vein [vein], **1** — *s.* veia; filão; nervura; veio; génio; talento, stro.
poetical vein — veia poética.
wood full of veins — madeira cheia de veios.
***to be in (the) vein* — estar com a veneta.**
a vein of gold — um filão de ouro.
2 — *vt.* encher de veias; marmorear, pintar imitando o mármore.
veined [-d], *adj.* com veias; com nervuras.
veinless [-lis], *adj.* sem veias; sem nervuras.
veiny [-i], *adj.* venoso, que tem veias ou nervuras.
veld(t) [velt], *s.* estepe, savana (na África do Sul).
vella ['velə], *s. pl.* de **vellum.**
vellum (*pl.* **vella**) ['vələm,-lə], *s.* pergaminho fino, velino.
velocipede [vi'lɔsipi:d], *s.* (arc.) velocípede; (E. U.) triciclo de criança.
velocipedist [-ist], *s.* velocipedista.
velocity [vi'lɔsiti], *s.* velocidade, rapidez, celeridade.
velocity stage — grau de velocidade.
uniform velocity — velocidade uniforme.
velours [və'luə], *s.* veludo, tecido aveludado; feltro aveludado para chapéus.
velum ['vi:ləm], *s.* (anat.) véu palatino.
velvet ['velvit], *s.* veludo; pele aveludada.
cotton velvet — veludo de algodão.
worsted velvet — veludo de lã.
velveted [-id], *adj.* de veludo; vestido veludo; aveludado.
velveteen ['velvi'ti:n], *s.* veludilho, belbutina.
velvety ['velviti], *adj.* aveludado.
vena (*pl.* **venae**) ['vi:nə, -i:], *s.* veia.
vena cava (anat.) — veia cava.
venal ['vi:nl], *adj.* venal; mercenário.
venality [vi:'næliti], *s.* venalidade.

venally ['vi:nəli], *adv.* venalmente, de modo venal.
vend [vend], *vt.* (jur.) vender.
vendee [ven'di:], *s.* (jur.) comprador.
vender ['vendə], *s.* vendedor.
vendetta [ven'detə], *s.* vendeta (na Córsega).
vendible ['vendəbl], *adj.* vendível, vendável.
vendor ['vendɔ:], *s.* vendedor.
veneer [vi'niə], **1** — *s.* folheado; capa exterior, aparência.
2 — *vt.* folhear (móveis); embutir; aparentar.
venerability [venərə'biliti], *s.* venerabilidade.
venerable ['venərəbl], **1** — *s.* venerável, aquele que preside a uma loja maçónica.
2 — *adj.* venerável; respeitável, venerando.
venerableness [-nis], *s.* ver **venerability.**
venerably [-i], *adv.* veneravelmente.
venerate ['venəreit], *vt.* venerar, respeitar.
veneration [venə'reiʃən], *s.* veneração, respeito.
venerator ['venəreitə], *s.* venerador.
venereal [vi'niəriəl], *adj.* venéreo.
venereal disease — doença venérea.
Venetian [vi'ni:ʃən], **1** — *s.* veneziano, natural ou habitante de Veneza.
2 — *adj.* veneziano, relativo a Veneza.
Venetian boat — gôndola.
Venetian glass — cristal de Veneza.
Venetian blind — persiana.
vengeance ['vendʒəns], *s.* vingança; desforra.
with a vengeance — furiosamente.
out of vengeance — por vingança.
vengeful ['vendʒful], *adj.* vingativo.
vengefully [-i], *adv.* de modo vingativo, vingativamente.
vengefulness [-nis], *s.* espírito vingativo.
venial ['vi:njəl], *adj.* venial; desculpável.
veniality [vi:ni'æliti], *s.* venialidade.
venially ['vi:njəli], *adv.* venialmente; desculpavelmente.
Venice ['venis], *top.* Veneza.
venison ['venzn], *s.* carne de veado.
venom ['venəm], *s.* veneno, peçonha; maldade, rancor.
venomed [-d], *adj.* envenenado.
venomous ['venəməs], *adj.* venenoso; maligno; malicioso.
venomously [-li], *adv.* venenosamente; maliciosamente; maldosamente.
venose ['vi:nous], *adj.* venoso; (bot.) com nervuras.
venose blood — sangue venoso.
vent [vent], **1** — *s.* saída, passagem, abertura, respiradouro; desafogo; largas; cano de chaminé; batoque; tubo de escape; ouvido de peça.
to give vent to — dar saída a; desabafar; dar largas a; descarregar.
to give vent to anger — descarregar a cólera.
2 — *vt.* e *vi.* exalar; dar saída a; descarregar; divulgar, publicar; ter ventilação; desabafar, dar largas a.
to vent one's anger on somebody — descarregar a cólera em alguém.
venter ['ventə], *s.* (anat.) ventre; (jur.) ventre, mãe.
ventilate ['ventileit], *vt.* arejar, ventilar; discutir; examinar.
to ventilate one's views — expor o seu ponto de vista.
ventilated [-id], *adj.* ventilado; arejado.
ventilating [-iŋ], **1** — *s.* acto de ventilar, ventilação.
ventilating-fan — ventilador.
2 — *adj.* que ventila, que areja.
ventilation [venti'leiʃən], *s.* ventilação; discussão; oxigenação (do sangue).
ventilator ['ventileitə], *s.* ventilador; bandeira móvel (de janela).
ventral ['ventrəl], **1** — *s.* barbatana ventral.
2 — *adj.* ventral; abdominal.
ventricle ['ventrikl], *s.* (anat.) ventrículo.
ventricular [ven'trikjulə], *adj.* ventricular.
ventriloquial [ventri'loukwiəl], *adj.* relativo a ventríloquo ou à ventriloquia.
ventriloquism [ven'triləkwizm], *s.* ventriloquismo.
ventriloquist [ven'triləkwist], *s.* ventríloquo.
ventriloquize [ven'triləkwaiz], *vt.* e *vi.* falar como ventríloquo.
ventriloquous [ven'triləkwəs], *adj.* de ventríloquo.
ventriloquy [ven'triləkwi], *s.* ventriloquia.
venture ['ventʃə], **1** — *s.* aventura, risco; acaso; perigo; (com.) especulação.
a lucky venture — uma especulação feliz.
ready for any venture — pronto para qualquer aventura.
at a venture — à sorte; ao acaso.
2 — *vt.* e *vi.* arriscar, aventurar; atrever-se, aventurar-se.
nothing venture, nothing win — quem não se arriscou nem perdeu nem ganhou; quem não arrisca não petisca.
may I venture to...?—posso atrever-me a...?
I only ventured to remark — só me atrevi a fazer uma observação.
venturer [-rə], *s.* (arc.) aventureiro.
venturesome [-səm], *adj.* atrevido, ousado, temerário, empreendedor, arriscado.
venturesomely [-səmli], *adv.* arrojadamente, ousadamente, arriscadamente.
venturesomeness [-səmnis], *s.* ousadia, temeridade, arrojo.
venue ['venju:], *s.* (jur.) jurisdição em que uma causa deve ser julgada; ponto de encontro.
Venus ['vi:nəs], *n. p.* (mit., astr.) Vénus, deusa do amor; Vénus (planeta); amor sexual; mulher bela.
mount of Venus (anat.) — monte-de-vénus.
veracious [ve'reiʃəs], *adj.* verdadeiro, verídico.
(*Sin.* true, trustworthy, reliable, honest. *Ant.* false.)
veraciously [-li], *adv.* veridicamente.
veracity [ve'ræsiti], *s.* veracidade.
veranda(h) [və'rændə], *s.* varanda.
verb [və:b], *s.* (gram.) verbo.
verbal ['və:bəl], *adj.* verbal; tradução (literal); de viva voz.
a verbal communication — uma comunicação verbal.
verbal noun — substantivo verbal; gerúndio.
verbalism ['və:bəlizm], *s.* verbalismo, expressão oral; (arc.) expressão, locução.
verbalist ['və:bəlist], *s.* verbalista, crítico de palavras.
verbally [-i], *adv.* verbalmente.
verbatim [və:'beitim], **1** — *adj.* textual, literal.
2 — *adv.* textualmente, literalmente.
verbena [və:'bi:nə], *s.* (bot.) verbena.
verbiage ['və:biidʒ], *s.* verbosidade, verborreia, palavreado.
verbose [və:'bous], *adj.* verboso, loquaz.
verbosely [-li], *adv.* loquazmente, com loquacidade.
verboseness [-nis], *s.* verbosidade; prolixidade, loquacidade.
verbosity [və:'bɔsiti], *s.* ver **verboseness.**
verdancy ['və:dənsi], *s.* verdura; inexperiência; ingenuidade.
verdant ['və:dənt], *adj.* verdejante, florescente; verde; inexperiente; simples, inocente.
the verdant Isle — Irlanda.

verdantly [-li], *adv.* com verdura; sem experiência; ingenuamente.
verdict ['və:dikt], *s.* (jur.) veredicto; decisão do júri; opinião autorizada; julgamento.
to bring in a verdict — pronunciar o veredicto.
to bring in a verdict of guilty — pronunciar um veredicto de culpado.
verdigris ['və:digris], *s.* verdete.
verditer ['və:ditə], *s.* verde-montanha.
verdure ['və:dʒə], *s.* verdura, vegetação; viço.
verge [və:dʒ], **1** — *s.* bastão (insígnia da autoridade); extremidade, borda, orla, beira, limite; margem; alçada, jurisdição; fuste de coluna.
on the verge of — à beira de; a dois passos de.
on the verge of a precipice — à beira de um precipício.
within the verge of — ao alcance de.
2 — *vi.* aproximar-se; dirigir-se; caminhar; prender, inclinar, tender.
he is verging towards old age — caminha para a velhice.
the path verges on the edge of a precipice — o caminho aproxima-se da beira do precipício.
verger ['və:dʒə], *s.* bedel; maceiro.
Vergil ['və:dʒil], *n. p.* Virgílio.
veridical [ve'ridikəl], *adj.* verídico.
veridically [-i], *adv.* veridicamente.
verifiable ['verifaiəbl], *adj.* verificável.
verification [verifi'keiʃən], *s.* verificação, confirmação, prova.
verifier ['verifaiə], *s.* verificador.
verify ['verifai], *vt.* provar, verificar; averiguar; comprovar; examinar; confirmar.
to verify a statement—verificar uma afirmação.
verily ['verili], *adv.* na verdade ; de facto.
verisimilitude [verisi'militju:d], *s.* verosimilhança; plausibilidade.
veritable ['veritəbl], *adj.* verdadeiro, verídico, real, genuíno.
veritableness [-nis], *s.* genuinidade, autenticidade.
veritably [-i], *adv.* verdadeiramente; autenticamente.
verity ['veriti], *s.* verdade; veracidade.
the eternal verities — as verdades eternas.
vermeil ['və:meil], *s.* prata dourada; verniz para dar lustre.
vermicelli [və:mi'seli], *s.* aletria.
vermicide ['və:misaid], *s.* vermicida, vermífugo.
vermicular [və:'mikjulə], *adj.* vermicular, vermiforme.
vermicular work — ornatos vermiculares.
vermiform ['və:mifɔ:m], *adj.* vermiforme.
vermifuge ['və:mifju:dʒ], *s.* vermífugo.
vermilion [və'miljən], **1** — *s.* vermelhão; cor escarlate.
2 — *adj.* escarlate, vermelho-vivo.
3 — *vt.* tingir com vermelhão; pintar de escarlate.
vermin ['və:min], *s.* verme; bicharia; insecto incómodo; animal destruidor; parasitas; (fig.) canalha, ralé.
vermin killer — insecticida.
verminous ['və:minəs], *adj.* verminoso, cheio de vermes; que sofre de vermes intestinais.
verminous disease — verminose; vérmina.
verm(o)uth ['və:məθ], *s.* vermute.
vernacular [və'nækjulə], **1** — *s.* vernáculo; idioma vernáculo.
2 — *adj.* vernáculo; nacional; indígena; (med.) endémico (doença).
vernacularly [-li], *adv.* vernaculamente, em vernáculo.
vernal ['və:nl], *adj.* vernal, da Primavera, primaveril.
vernal flowers — flores primaveris.
vernal point (astr.) — ponto vernal.
vernal equinox — equinócio da Primavera.
vernal fever — malária; paludismo.
vernally ['və:nəli], *adv.* vernalmente.
vernier ['və:njə], *s.* nónio.
Veronese [verə'ni:z], **1** — *s.* veronês, natural ou habitante de Verona.
2 — *adj.* veronês, relativo a Verona.
verruca [ve'ru:kə], *s.* verruga.
versant ['və:sənt], *s.* vertente; declive.
versatile ['və:sətail], *adj.* versátil, inconstante, mudável, flexível.
versatility [və:sə'tiliti], *s.* versatilidade, inconstância, flexibilidade.
verse [və:s], **1** — *s.* verso; poesia; estância, estrofe; (bíbl.) versículo.
blank verse — verso solto; verso branco.
verse-monger — poetastro.
verse-maker — versificador.
2 — *vt.* e *vi.* pôr em verso; versejar.
versed [-t], *adj.* versado, douto; experimentado. (*Sin.* experienced, proficient. *Ant.* ignorant).
versed in — versado em; conhecedor de.
versicle [-ikl], *s.* versículo, verseto.
versification [və:sifi'keiʃən], *s.* versificação; metrificação.
versify ['və:sifai], *vt.* e *vi.* versificar, versejar.
versifying [-iŋ], *s.* versificação; acto de pôr em verso.
version ['və:ʃən], *s.* versão; tradução.
film version — versão cinematográfica.
verso ['və:sou], *s.* verso (de página); reverso (de moeda).
versus ['və:səs], *prep.* (latina) (jur. e desp.) contra.
vert [və:t], **1** — *s.* árvore ou arbusto de um bosque; convertido (religião); cor verde (nos brasões).
2 — *vi.* apostatar; converter-se.
vertebra (*pl.* **vertebrae**) ['və:tibrə, -i:], *s.* (anat.) vértebra.
vertebral ['və:tibrəl], *adj.* vertebral.
vertebral column — coluna vertebral.
vertebrata [və:ti'brɑ:tə], *s. pl.* vertebrados.
vertebrate ['və:tibrit], *s.* e *adj.* vertebrado.
vertex (*pl.* **vertices**) ['və:teks, 'və:tisi:z], *s.* (geom.) vértice; cume, cimo; cúspide; zénite.
vertex of a polygon — vértice de um polígono.
vertical ['və:tikəl], **1** — *s.* vertical; (astr.) círculo vertical.
2 — *adj.* vertical; oposto à base; direito; (astr.) situado no zénite.
vertical angles — ângulos opostos pelo vértice.
vertical elevation — altitude.
verticality [və:ti'kæliti], *s.* verticalidade.
vertically ['və:tikəli], *adv.* verticalmente.
vertices ['və:tisi:z], *s. pl.* de **vertex.**
vertiginous [və:'tidʒinəs], *adj.* vertiginoso; rotatório; aturdido, tonto.
vertiginously [-li], *adv.* vertiginosamente.
vertigo ['və:tigou], *s.* vertigem; tontura.
vervain ['və:vein], *s.* (bot.) verbena.
verve [və:v], *s.* estro; energia, vigor; verve.
very ['veri], **1** — *adj.* verdadeiro, real, autêntico; mesmo, próprio.
on the very same day — precisamente no mesmo dia.
he drank the wine to the very last drop — bebeu o vinho mesmo até à última gota.
this is the very thing — é isto mesmo o que me convém.
at that very moment — naquele mesmo instante.
the very name — o próprio nome.
in very deed — de facto; sem a menor dúvida.
in very truth — na verdade; na realidade.
2 — *adv.* muito; extremamente.
very much — muitíssimo.
very good — muito bom.
very well — muito bem.

very tall — muito alto.
so very little! — tão pouco!
I am very pleased — estou muito contente.
very-light [-lait], *s.* granada luminosa.
vesica ['vesikə], *s.* (anat.) bexiga; ampola; (bot.) vesícula.
vesica natatoria—bexiga (vesícula) natatória.
vesicle ['vesikl], *s.* vesícula; saco; bolha.
vesper ['vespə], *s.* (poét.) entardecer; estrela da tarde; *pl.* vésperas (igreja).
vespertine ['vespətain], *adj.* vespertino, da tarde.
vespiary ['vəspiəri], *s.* vespeiro, ninho de vespas.
vessel ['vesl], *s.* embarcação, navio; vasilha, vaso, recipiente; artéria, veia.
blood-vessel — vaso sanguíneo.
sailing-vessel — navio à vela; veleiro.
air-vessel — reservatório de ar (de bombas, etc.).
supporting-vessel — navio-apoio.
vest [vest], **1** — *s.* camisola interior; colete; (arc.) veste, vestido.
vest-pocket — bolso do colete.
2 — *vt.* e *vi.* dar posse, investir; (poét.) vestir; caber de direito.
to vest in — investir em; pôr na posse de.
power was vested in him — foi-lhe conferido o poder.
to vest oneself — vestir-se; paramentar-se.
vestal ['vestl], **1** — *s. fem.* vestal.
2 — *adj.* vestal.
vestal virgin — vestal.
vested ['vestid], *adj.* empossado, investido; transferido.
vested interests — direitos adquiridos.
vestibular [ves'tibjulə], *adj.* (anat.) vestibular.
vestibule ['vestibju:l], *s.* antecâmara; átrio; sala de espera.
vestige ['vestidʒ], *s.* vestígio, sinal, pegada, traço. (*Sin.* sign, trace, track, mark.)
vestiture ['vestitʃə], *s.* (zool.) revestimento (de pêlos, escamas, etc.).
vestment ['vestmənt], *s.* veste, vestimenta; (ecl.) casula; toalha de altar.
vestry ['vestri], *s.* sacristia; conselho paroquial; sala de reunião do conselho paroquial.
Vesuvian [vi'su:vjən], **1** — *s.* (min.) vesuviana, vesuvianite.
2 — *adj.* vesuviano.
Vesuvius [vi'su:vjəs], *top.* Vesúvio.
vet [vet], **1** — *s.* (col.) veterinário.
2 — *vt.* (*pret.* e *pp.* **vetted**) tratar ou examinar um animal.
vetch [vetʃ], *s.* (bot.) vícia; ervilhaca.
veteran ['vetərən], **1** — *s.* veterano.
2 — *adj.* veterano; velho; antigo; com experiência.
veterinary ['vetərinəri], **1** — *s.* veterinário.
2 — *adj.* veterinário.
veterinary surgeon — médico-veterinário.
veterinary science — veterinária.
veto ['vi:tou], **1** — *s.* veto; proibição.
right of veto — direito de veto.
to put a veto on = *to set a veto on* — vetar; opor um veto a.
2 — *vt.* vetar.
vex [veks], *vt.* enfadar, irritar, incomodar, ralar, zangar.
vexation [vek'seiʃən], *s.* vexame, vexação; contrariedade, mortificação; enfado, irritação, incómodo.
the vexations of life — as contrariedades da vida.
vexatious [vek'seiʃəs], *adj.* vexatório; enfadonho, aborrecido, incómodo, penoso.
vexatiously [-li], *adv.* de modo vexatório; penosamente; irritantemente.
vexatiousness [-nis], *s.* vexame; incómodo.
vexatory ['veksətəri], *adj.* vexatório.
vexed [vekst], *adj.* vexado; incomodado; contrariado, atormentado; debatido, contestado.
a vexed question — uma questão muito debatida.
vexedly ['veksidli], *adv.* vexadamente; contrariadamente.
vexing ['veksiŋ], *adj.* vexatório; enfadonho, irritante.
vexingly [-li], *adv.* de maneira a vexar, aborrecer.
via ['vaiə], **1** — *s.* via.
Via Lactea — Via Láctea.
2 — *prep.* pela via de; por.
via London — via Londres.
viability [vaiə'biliti], *s.* viabilidade; bom estado (de estrada).
viable ['vaiəbl], *adj.* viável; capaz de viver (recém-nascido).
viaduct ['vaiədʌkt], *s.* viaduto.
vial ['vaiəl], *s.* redoma, frasco pequeno; ampulheta.
viand ['vaiənd], *s.* vianda; *pl.* provisões, comida.
viaticum [vai'ætikəm], *s.* viático; altar portátil.
vibrant ['vaibrənt], *adj.* vibrante, sonoro; ressonante; trémulo.
vibrantly [-li], *adv.* de uma maneira vibrante.
vibrate [vai'breit], *vt.* e *vi.* vibrar, agitar; oscilar, balançar; brandir, mover; fazer vibrar; tremer. (*Sin.* to oscillate, to swing, to sway, to thrill.)
vibratile ['vaibrətail], *adj.* vibrátil.
vibratility [vaibrə'tiliti], *s.* vibratilidade.
vibrating [vai'breitiŋ], *adj.* vibrante; vibratório; oscilatório.
vibrating motion — movimento vibratório.
vibration [vai'breiʃən], *s.* vibração, oscilação; balanço, trepidação, estremecimento.
vibration axis — eixo de vibração.
vibration of a pendulum — oscilação de um pêndulo.
vibration strength — intensidade de vibração.
vibrator [vai'breitə], *s.* vibrador; oscilador.
vibratory ['vaibrətəri], *adj.* vibratório, oscilatório.
viburnum [vai'bə:nəm], *s.* (bot.) viburno.
vicar ['vikə], *s.* vigário, cura, pároco; substituto.
vicarage [-ridʒ], *s.* vicariato; presbitério.
vicarial [vai'kεəriəl], *adj.* vicarial, de vigário.
vicarious [vai'kεəries], *adj.* de vigário, de delegado, de substituto.
vicariously [-li], *adv.* como vigário, como delegado, como substituto.
vicarship ['vikəʃip], *s.* funções ou cargo de vigário.
vice [vais], **1** — *s.* vício, defeito, maldade; falta; imoralidade; torno mecânico; (col.) vice-presidente, vice-capitão, etc.
vice jaw — boca de torno.
he has the vice of gluttony — tem o vício da gula.
as firm as a vice — firme como uma rocha.
machine vice — torno mecânico.
2 — *vt.* apertar no torno.
vice ['vaisi], *prep.* em vez de.
vice-admiral ['vais'ædmərəl], *s.* vice-almirante.
vice-admiralship [vais'ædmərəlʃip], *s.* vice-almirantado.
vice-chairman (*pl.* **vice-chairmen**) ['vais'tʃεəmən, -mən], *s.* vice-presidente.
vice-chairmanship [-ʃip], *s.* vice-presidência.
vice-chancellor ['vais'tʃɑ:nsələ], *s.* vice-chanceler; reitor (de universidade).

vice-chancellorship [-ʃip], *s.* cargo ou função de vice-chanceler.
vice-consul ['vais'kɔnsəl], *s.* vice-cônsul.
vice-consular ['vais'kɔnsjulə], *adj.* vice--consular.
vice-consulate ['vais'kɔnsjulit], *s.* vice-consulado.
vice-consulship ['vais'kɔnsəlʃip], *s.* ver **vice-consulate.**
vice-governor ['vais'gʌvənə], *s.* vice-governador.
vice-manager ['vais'mænidʒə], *s.* subgerente.
vice-managership [-ʃip], *s.* subgerência.
vice-presidency ['vais'prezidənsi], *s.* vice--presidência.
vice-president ['vais'prezidənt], *s.* vice-presidente.
vice-presidentship [-ʃip], *s.* ver **vice-presidency.**
vice-principal ['vais'prinsəpəl], *s.* subdirector.
vice-rector ['vais'rektə], *s.* vice-reitor.
vice-rectorship [-ʃip], *s.* vice-reitorado.
vicereine ['visren], *s.* vice-rainha.
viceroy ['vais-rɔi], *s.* vice-rei.
viceroyalty [vais'rɔiəlti], *s.* vice-realeza.
vice versa ['vaisi'və:sə], *adv.* vice-versa; reciprocamente.
vicinage ['visinidʒ], *s.* vizinhança.
vicinal ['visinəl], *adj.* vicinal.
vicinity [vi'siniti], *s.* vizinhança; proximidade.
vicious ['viʃəs], *adj.* vicioso, corrompido; defeituoso, imperfeito; perigoso, traiçoeiro.
vicious circle — círculo vicioso.
viciously [-li], *adv.* viciosamente; traiçoeiramente; rancorosamente; incorrectamente.
viciousness [-nis], *s.* vício, corrupção; depravação.
vicissitude [vi'sisitju:d], *s.* vicissitude; alternação, mudança regular.
victim ['viktim], *s.* vítima.
to fall a victim to — ser vítima de.
victimization [viktimai'zeiʃən], *s.* acção de vitimar; opressão.
victimize ['viktimaiz], *vt.* vitimar; ser vítima de; enganar, ludibriar.
victor ['viktə], *s.* vencedor, triunfador.
Victor ['viktə], *n. p.* Vítor.
Victoria [vik'tɔ:riə], *n. p.* Vitória.
Victorian [-n], **1** — *s.* vitoriano, pessoa do reinado da rainha Vitória.
2 — *adj.* vitoriano; relativo ao reinado da rainha Vitória.
victorious [vik'tɔ:riəs], *adj.* vitorioso; vencedor.
victoriously [-li], *adv.* vitoriosamente.
victoriousness [-nis], *s.* estado do que ficou vitorioso.
victory ['viktəri], *s.* vitória, triunfo. (*Sin.* triumph, success, conquest. *Ant.* defeat.)
to fight hard for victory — combater denodadamente pela vitória.
victual ['vitl], **1** — *s.* (geralm. *pl.*) víveres, provisões.
2 — *vt.* e *vi.* (*pret.* e *pp.* **victualled**) abastecer, abastecer-se; alimentar-se, comer.
victualling [-iŋ], *s.* aprovisionamento, abastecimento.
videlicet [vi'di:liset], *adv.* isto é, a saber.
viduage ['vidjuidʒ], *s.* viuvez.
Vienna [vi'enə], *top.* Viena.
Viet-nam ['vjet'næm], *top.* Vietname.
Vietnamese [vjetnə'mi:z], *s.* e *adj.* vietnamiano.
view [vju:], **1** — *s.* vista, panorama, paisagem, perspectiva; aspecto; exame; vista (golpe de vista); parecer, opinião, maneira de ver; intento, fim, mira.
point of view — ponto de vista.
to be in view — estar à vista.
on view — em exposição; aberto ao público.
with a view to — com o fim de.
with this in view — com este intento.
to have in view — ter em vista.
to take a long view — prever o futuro em face do presente.
to take a nearer view of — examinar mais de perto.
2 — *vt.* ver; observar; considerar; encarar, examinar; contemplar.
the subject may be viewed in different ways — o assunto pode ser encarado de diferentes maneiras.
viewer [-ə], *s.* observador; espectador; inspector.
viewing [-iŋ], *s.* inspecção, exame.
viewless [-lis], *adj.* (poét.) invisível; sem paisagem.
vigesimal [vai'dʒesiməl], *adj.* vicesimal; vigésil.
vigil ['vidʒil], *s.* vigília, vela; véspera de festa religiosa; *pl.* vigílias, orações nocturnas.
vigilance ['vidʒiləns], *s.* vigilância; guarda; cautela, cuidado, desvelo.
vigilant ['vidʒilənt], *adj.* vigilante, atento, cuidadoso.
vigilantly ['vidʒiləntli], *adv.* vigilantemente, atentamente, cuidadosamente.
vignette [vi'njet], **1** — *s.* vinheta; (fig.) esboço.
2 — *vt.* adornar com vinhetas; fazer um retrato em vinheta.
vigorous ['vigərəs], *adj.* vigoroso, robusto, forte. (*Sin.* strong, active, sturdy, energetic. *Ant.* weak.)
vigorously [-li], *adv.* vigorosamente, com força, com energia.
vigour ['vigə], *s.* vigor, força, robustez; energia; força legal; (mús.) brio.
Viking ['vaikiŋ], *s.* viquingue, pirata escandinavo do séc. VIII ao séc. X.
vile [vail], *adj.* vil, baixo, desprezível, perverso.
vile metals — metais vis.
vile language — linguagem indigna.
to render vile — aviltar.
vilely [-li], *adv.* vilmente, indignamente.
vileness [-nis], *s.* vileza, baixeza, mesquinhez, aviltamento.
vilification [vilifi'keiʃən], *s.* calúnia, difamação, aviltamento.
vilifier ['vilifaiə], *s.* caluniador, difamador, detractor.
vilify ['vilifai], *vt.* aviltar, caluniar, difamar.
vilipend ['vilipend], *vt.* (lit.) vilipendiar, rebaixar.
villa ['vilə], *s.* vila, casa de campo.
village ['vilidʒ], *s.* aldeia, povoação.
villager [-ə], *s.* aldeão.
villain ['vilən], *s.* vilão, malvado; servo feudal.
you little villain! (col.) — seu maroto!
villainous [-əs], *adj.* baixo, vil, malvado, infame, repugnante; (col.) abominável, detestável.
a villainous crime — um crime repugnante.
a villainous hotel — um hotel detestável.
villainously [-əsli], *adv.* vilmente, infamemente; horrorosamente.
villainy [-i], *s.* vilania, vileza; perversidade.
villein ['vilin], *s.* vilão, servo feudal.
villeinage ['vilinidʒ], *s.* condição de servo feudal.
vim [vim], *s.* (col.) força, vigor, energia.
vinaigrette [vinei'gret], *s.* frasco de sais; frasco de vinagre aromático.
Vincent ['vinsənt], *n. p.* Vicente.
vincula ['viŋkjulə], *s. pl.* de **vinculum.**
vinculum (*pl.* **vincula**) ['vinkjuləm,-lə], *s.* vínculo, laço; (tip.) chave, colchete.
vindicable ['vindikəbl], *adj.* sustentável, justificável.
vindicate ['vindikeit], *vt.* sustentar, defender,

justificar; reivindicar. (*Sin.* to sustain, to defend, to support, to justify.)
to vindicate a right — defender um direito.
to vindicate one's acts — justificar os seus actos.
vindication [vindi'keiʃən], *s.* defesa, justificação; reivindicação.
vindicative ['vindikətiv], *adj.* justificativo; vingativo.
vindicator ['vindikeitə], *s.* vindicador, defensor.
vindictive [vin'diktiv], *adj.* vingativo, vingador, rancoroso.
vindictively [-li], *adv.* vingativamente, por vingança.
vindictiveness [-nis], *s.* espírito vingativo; desejo de vingança.
vine [vain], *s.* vinha, videira; trepadeira.
vine-disease — filoxera.
vine-bower — parreira; latada; ramada.
vine-dresser — podador de vinhas.
vine-leaf — parra.
vine-stock — cepa.
vine-grub — lagarta das vinhas.
vine-clad — coberto de vides.
vine-grower — viticultor.
vine-knife — podão.
vine-branch — sarmento.
vine-culture — viticultura.
vine-harvest — vindima.
vine-mildew — míldio.
vinegar ['vinigə], *s.* vinagre.
aromatic vinegar — vinagre aromático.
vinegar-cruet — galheta do vinagre.
vinegarish [-riʃ], *adj.* avinagrado; azedo, irritadiço.
vinegary [-ri], *adj.* ver **vinegarish.**
vinery ['vainəri], *s.* estufa para o cultivo de uvas.
vineyard ['vinjəd], *s.* vinha, vinhedo.
vineyardist [-ist], *s.* vinhateiro, viticultor.
vinicultural [vini'kʌltʃərəl], *adj.* vinícola.
viniculture ['vinikʌltʃə], *s.* vinicultura.
vinosity [vai'nɔsiti], *s.* vinosidade.
vinous ['vainəs], *adj.* vinoso; avinhado.
vint [vint], **1** — *s.* jogo de cartas russo.
2 — *vt.* fazer vinho, produzir vinho.
vintage ['vintidʒ], **1** — *s.* vindima; época das vindimas.
2 — *vt.* vindimar, fazer (vinho).
vintager [-ə], *s.* vindimador.
vintaging [-iŋ], *s.* vindima.
vintner ['vintnə], *s.* negociante de vinho.
viny ['vaini], *adj.* vinícola, vinhateiro.
viol ['vaiəl], *s.* (mús.) instrumento medieval semelhante ao violino.
viola ['vaiələ], *s.* (bot.) víola.
viola [vi'oulə], *s.* (mús.) viola, violeta.
violable ['vaiələbl], *adj.* violável.
violaceous [vaiou'leiʃəs], *adj.* violáceo.
violate ['vaiəleit], *vt.* violar; ultrajar; infringir, transgredir; desflorar.
violation [vaiə'leiʃən], *s.* violação; transgressão, infracção; desfloramento.
violator ['vaiəleitə], *s.* violador; transgressor.
violence ['vaiələns], *s.* violência, força, impetuosidade.
to be compelled to use violence — ser forçado a empregar a violência.
to do violence to a woman — violentar uma mulher.
robbery with violence — assalto à mão armada.
to die by violence — morrer de morte violenta.
violent ['vaiələnt], *adj.* violento, impetuoso, arrebatado; veemente, intenso; insuportável. (*Sin.* vehement, impetuous, boisterous, furious. *Ant.* gentle
a violent pain — uma dor violenta.
a violent shock — um choque violento.
a violent death — morte violenta.
to meet a violent death — morrer de morte violenta.
to become violent — ficar furioso.
violently [-li], *adv.* violentamente; à força, com violência; extremamente.
violet ['vaiəlit], **1** — *s.* (bot.) violeta; cor violeta.
2 — *adj.* violeta, da cor da violeta; roxo.
violin [vaiə:lin], *s.* violino.
first violin, second violin — primeiro-violino, segundo-violino (numa orquestra).
violinist ['vaiəlinist], *s.* violinista.
violist [vi'oulist], *s.* violista, tocador de viola.
violoncellist [vaiələn'tʃelist], *s.* violoncelista.
violoncello [vaiələn'tʃelou], *s.* violoncelo.
viper ['vaipə], *s.* víbora; pessoa traiçoeira.
viperine ['vaipərain], *adj.* viperino.
viperish ['vaipəriʃ], *adj.* viperino; perverso.
viperish tongue — língua viperina.
viperous ['vaipərəs], *adj.* ver **viperish.**
virago [vi'rɑ:gou], *s.* virago; mulher turbulenta.
vires ['vairi:z], *s. pl.* de **vis.**
virgate ['və:git], *s.* (*ant.*) medida agrária (= 12 hectares).
Virgil ['və:dʒil], *n. p.* Virgílio.
Virgilian [və:'dʒiliən], *adj.* virgiliano.
virgin ['və:dʒin], **1** — *s.* virgem, donzela; (astr.) Virgem, Virgo.
the Virgin — a Virgem Maria.
2 — *adj.* virginal, casto, puro.
virgin soil — terra virgem.
virgin florest — floresta virgem.
virgin wax — cera virgem.
the Virgin Queen — a rainha Isabel I (da Inglaterra).
virginal [-l], **1** — *s.* (mús.) virginal, variedade de clavicímbalo ou espineta.
2 — *adj.* virginal; imaculado, puro.
virginally [-əli], *adv.* virginalmente.
virginhood [-hud], *s.* virgindade.
Virginia [və'dʒinjə], *top.* Virgínia.
virginity [və:'dʒiniti], *s.* virgindade.
Virgo [və:gou], *n. p.* (astr.) Virgo, um dos signos do Zodíaco.
viridescence [viri'desns], *s.* cor esverdeada.
viridescent [viri'desnt], *adj.* viridente; esverdeado.
viridity [vi'riditi], *s.* verdura, verdor.
virile ['virail], *adj.* viril, varonil; vigoroso.
virility [vi'riliti], *s.* virilidade; vigor, energia.
virtu [və:'tu], *s.* amor pelos objectos de arte.
articles of virtu — objectos de arte antigos.
virtual ['və:tjuəl], *adj.* virtual, eficaz.
virtuality [və:tju'æliti], *s.* virtualidade.
virtually ['və:tjuəli], *adv.* virtualmente; praticamente.
virtue ['və:tju:], *s.* virtude; mérito; excelência; valor; poder, eficácia; qualidade; castidade. (*Sin.* honesty, morality, integrity, goodness. *Ant.* vice.)
by virtue of = *in virtue of* — em virtude de; por meio de.
virtue is a jewel of great price — a virtude é uma jóia de grande valor.
the cardinal virtues — as virtudes cardeais.
the theological virtues — as virtudes teologais.
virtuosity [və:tju'ɔsiti], *s.* (mús.) virtuosidade, virtuosismo.
virtuoso [və:tju'ouzou], *s.* músico distinto, virtuoso; artista exímio; pessoa conhecedora das belas-artes.
virtuous ['və:tjuəs], *adj.* virtuoso; eficaz; casto.
virtuously [-li], *adv.* virtuosamente.
virtuousness [-nis], *s.* virtude.
virulence ['viruləns], *s.* virulência, veneno; malignidade; violência.

virulent ['virulənt], *adj.* virulento, venenoso; maligno.
virulently [-li], *adv.* com virulência; malignamente.
virus ['vaiərəs], *s.* vírus; peçonha, veneno; (fig.) malignidade.
virus disease — doença transmitida por um vírus; doença infecciosa.
vis (*pl.* **vires**) [vis,'vairi:z], *s.* força; potência.
visa ['vi:zə], **1** — *s.* visto (em passaporte).
2 — *vt.* visar (passaporte).
visage ['vizidʒ], *s.* (lit.) rosto, semblante, fisionomia; aspecto.
vis-à-vis ['vi:zɑ:vi:], **1** — *s.* pessoa que está em frente de outra; variedade de carruagem ou sofá em que as pessoas se sentam frente a frente.
2 — *adv.* em frente, cara a cara.
viscera ['visərə], *s. pl.* de **viscus**; (anat.) vísceras.
visceral [-l], *adj.* visceral.
viscid ['visid], *adj.* viscoso, pegajoso.
viscidity [vi'siditi], *s.* viscosidade.
viscosity [vis'kɔsiti], *s.* viscosidade.
viscount ['vaikaunt], *s.* visconde.
viscountcy [-si], *s.* viscondado.
viscountess [-is], *s.* viscondessa.
viscountship [-ʃip], *s.* ver **viscountcy.**
viscounty [-i], *s.* ver **viscountcy.**
viscous ['viskəs], *adj.* viscoso, pegajoso.
viscously [-li], *adv.* viscosamente, pegajosamente.
viscousness [-nis], *s.* viscosidade.
viscus (*pl.* **viscera**) ['viskəs, 'visərə], *s.* (anat.) víscera.
sé ['vi:zei], **1** — *s.* ver **visa 1.**
2 — *vt.* ver **visa 2.**
visibility [vizi'biliti], *s.* visibilidade; circunstância de ser visível.
visible ['vizəbl], *adj.* visível; evidente, claro, manifesto.
he spoke with visible impatience — falou com visível impaciência.
is she visible? — ela recebe visitas?
visible horizon — horizonte visual.
visibleness [-nis], *s.* visibilidade; circunstância de ser visível.
visibly [-i], *adv.* visivelmente; manifestamente.
Visigoth ['vizigɔθ], *s.* visigodo.
Visigothic [vizi'gɔθik], *adj.* visigótico.
vision ['viʒən], **1** — *s.* visão, vista; fantasma, aparição; perspicácia; devaneio. (*Sin.* apparition, ghost, sight, seeing. *Ant.* blindness.)
the romantic visions of youth — as visões românticas da mocidade.
the field of vision — o campo de visão.
to see visions — ter visões.
within the range of vision — dentro do campo de visão.
2 — *vt.* visionar, imaginar; ter visões.
visional ['viʒənl], *adj.* de visão; visionário.
visionally [-i], *adv.* visionariamente, quimericamente.
visionariness ['viʒənərinis], *s.* carácter ou aspecto visionário; irrealidade.
visionary ['viʒnəri], **1** — *s.* visionário; sonhador.
2 — *adj.* visionário, sonhador; imaginário, ilusório.
visit ['vizit], **1** — *s.* visita; inspecção.
to pay a visit to—fazer uma visita a; visitar.
to return a visit — pagar uma visita.
ceremonious visit — visita de cerimónia.
to pay a flying visit — fazer uma «visita de médico».
on a visit — de visita.
to pay a short visit — fazer uma pequena visita.
courtesy visit — visita de cortesia.
domiciliary visit — visita domiciliária.
2 — *vt.* e *vi.* visitar; fazer visitas; ir de visita; viajar; (bíbl.) castigar; abençoar.
to visit the poor — visitar os pobres.
God visited them with the plague — Deus castigou-os com a epidemia.
to visit New York — visitar Nova Iorque.
visitant [-ənt], **1** — *s.* visitante; visita; hóspede; visitandina, freira da Visitação.
2 — *adj.* em visita.
visitation [vizi'teiʃən], *s.* visita, visitação; inspecção; graça ou castigo do céu; aparição sobrenatural.
nuns of the Visitation — freiras da Visitação.
visiting ['vizitiŋ], **1** — *s.* acto de visitar; visitas.
visiting-card — cartão de visita.
to go visiting — ir fazer visitas.
visiting-day — dia de visita (hospital).
I hate visiting — detesto fazer visitas.
visiting-book — lista de visitas a fazer.
2 — *adj.* visitante, que visita.
visitor ['vizitə], *s.* visita, visitante; hóspede; inspector.
health visitor — visitadora sanitária.
visitors' book — livro dos visitantes; (hotel) livro de registo dos clientes.
to take in visitors — receber hóspedes.
vison ['vaizən], *s.* (zool.) marta indiana, espécie de lontra.
visor ['vaizə], *s.* viseira; pala de boné; (histrionismo) máscara.
vista ['vistə], *s.* vista (perspectiva); aberta (entre as árvores); galeria; alameda.
visual ['vizjuəl], *adj.* visual, óptico; visível; real.
visual nerve — nervo visual.
visual angle — ângulo de visão.
visual field — campo de visão.
visual rays — raios visuais.
visualization [vizjuəlai'zeiʃən], *s.* visualização.
visualize ['vizjuəlaiz], *vt.* visualizar, tornar visual; formar uma imagem clara.
visually ['vizjuəli], *adv.* visualmente.
vital ['vaitl], *adj.* vital; essencial, indispensável, importante; fatal, mortal. (*Sin.* living, animate, essential, important, indispensable. *Ant.* immaterial.)
vital energies — energias vitais.
a question of vital importance — uma questão de importância vital.
vital error — erro fatal.
vital wound — ferida mortal.
vitality [vai'tæliti], *s.* vitalidade; energia, vigor, força; animação.
vitalization [vaitəlai'zeiʃən], *s.* vitalização; vivificação.
vitalize ['vaitəlaiz], *vt.* vitalizar, dar vida; reanimar.
vitalizing [-iŋ], *adj.* vitalizante, animador.
vitals ['vaitlz], *s. pl.* partes vitais, órgãoo vitais.
vitamin ['vitəmin], *s.* vitamina.
vitamin deficiency — avitaminose.
vitellin [vi'telin], *s.* (quím.) vitelina, lecitina.
vitelline [vi'telin], *adj.* vitelino.
vitelline membrane — membrana vitelina.
vitiate ['viʃieit], *vt.* viciar, corromper; estragar; poluir; (jur.) falsificar.
to vitiate the air — viciar o ar.
vitiated [-id], *adj.* viciado, corrompido, poluído.
vitiating [-iŋ], *adj.* viciador, que vicia, que corrompe.
vitiation [viʃi'eiʃən], *s.* viciação, corrupção.
viticultural [viti'kʌltʃərəl], *adj.* vitícola.
viticulture ['vitikʌltʃə], *s.* viticultura.

viticulturist [viti'kʌltʃərist], *s.* viticultor.
vitreous ['vitriəs], *adj.* vítreo, de vidro; vidroso.
vitreous humour — humor vítreo.
vitreous body (anat.) — corpo vítreo.
vitrescence [vi'tresns], *s.* vitriosidade.
vitrescent [vi'tresnt], *adj.* vitrescível.
vitrification [vitrifi'keiʃən], *s.* vitrificação.
vitrify ['vitrifai], *vt.* e *vi.* vitrificar, vitrificar-se.
vitriol ['vitriəl], *s.* (quím.) vitríolo, ácido sulfúrico; (fig.) acrimónia.
blue vitriol = *copper vitriol* — sulfato de cobre.
white vitriol — vitríolo branco; sulfato de zinco.
vitriolic [vitri'ɔlik], *adj.* vitriólico.
vituperate [vi'tju:pəreit], *vt.* vituperar; injuriar, insultar; censurar. (*Sin.* to revite, to abuse, to reproach. *Ant.* to praise.)
vituperation [vitju:pə'reiʃən], *s.* vituperação, vitupério; insulto, injúria.
vituperative [vi'tju:pərətiv], *adj.* vituperioso; injurioso.
vituperative language — linguagem injuriosa.
vituperatively [-li], *adv.* vituperiosamente; injuriosamente.
vituperator [vi'tju:pəreitə], *s.* vituperador; injuriador.
viva ['vi:və], **1** — *s.* viva; *pl.* vivas.
2 — *interj.* viva!
viva ['vaivə], *s.* (col.) exame oral, prova oral.
to be ploughed in the viva (col.) — ser "chumbado" na prova oral.
vivacious [vi'veiʃəs], *adj.* vivo, esperto, activo, animado; (bot.) vivaz.
vivaciously [-li], *adv.* com vivacidade, animadamente.
vivaciousness [-nis], *s.* vivacidade, vida, animação; alegria.
vivacity [vi'væsiti], *s.* ver **vivaciousness.**
vivaria [vai'vɛəriə], *s. pl.* de **vivarium.**
vivarium (*pl.* **vivaria**) [vai'vɛəriəm,-iə], *s.* viveiro (de animais); aquário; jardim zoológico.
viva voce ['vaivə'vousi], **1** — *s.* prova oral, exame oral.
2 — *adj.* oral.
a viva voce examination — um exame oral.
3 — *adv.* oralmente; de viva voz.
vivid ['vivid], *adj.* vívido, vivo; intenso; brilhante (cor); expressivo.
a vivid colour — uma cor brilhante.
a vivid imagination — uma imaginação viva.
a vivid description — uma descrição viva.
vividly [-li], *adj.* vivamente; com animação.
vividness [-nis], *s.* vivacidade; ardor; brilho.
vivify ['vivifai], *vt.* vivificar; animar; estimular.
vivifying [-iŋ], *adj.* vivificante, vivificador.
vivipara [vi'vipərə], *s. pl.* (zool.) vivíparos.
viviparity [vivi'pæriti], *s.* viviparidade, viviparismo.
viviparous [vi'vipərəs], *adj.* vivíparo.
viviparously [-li], *adv.* vivıparamente.
viviparousness [-nis], *s.* viviparidade.
vivisect [vivi'sekt], *vt.* dissecar um animal vivo.
vivisection [vivi'sekʃən], *s.* vivissecção, dissecação de um animal vivo.
vivisectionist [vivi'sekʃnist], *s.* vivisseccionista.
vivisector [vivi'sektə], *s.* vivissector.
vixen [viksn], *s. fem.* raposa; (fig.) megera, mulher de mau génio.
vixenish ['viksniʃ], *adj.* (mulher) de mau génio; com aspecto de megera.
viz [vi'di:liset, viz], *abrev.* de **videlicet.**
vizi(e)r [vi'ziə], *s.* vizir.
grand vizi(e)r — grão-vizir.
vocable ['voukəbl], *s.* vocábulo.
vocabulary [və'kæbjuləri], *s.* vocabulário; glossário.

59

vocal ['voukəl], **1** — *s.* vogal.
2 — *adj.* vocal, da voz; oral, verbal; (fon.) vocálico, sonoro.
the vocal organs — os órgãos vocais.
the vocal chords — as cordas vocais.
vocal music — música destinada a ser cantada.
vocalic [vou'kælik], *adj.* vocálico.
vocalism ['voukəlizm], *s.* vocalismo.
vocalist ['voukəlist], *s.* vocalista, cantor.
vocalization [voukəlai'zeiʃən], *s.* vocalização; articulação, pronúncia.
vocalize ['voukəlaiz], *vt.* e *vi.* vocalizar; articular, pronunciar; sonorizar.
vocally ['voukəli], *adv.* oralmente; cantando.
vocation [vou'keiʃən], *s.* vocação, tendência, inclinação; emprego, profissão. (*Sin.* calling, profession, employment, occupation.)
to have vocation for literature — ter vocação para a literatura.
to mistake one's vocation — errar a vocação.
mechanical vocations — ofícios mecânicos.
vocational [vou'keiʃənl], *adj.* vocacional; profissional.
vocationally [-i], *adv.* vocacionalmente; profissionalmente.
vocative ['vɔkətiv], **1** — *s.* vocativo, caso vocativo.
2 — *adj.* vocativo.
vociferant [vou'sifərənt], *adj.* vociferante.
vociferate [vou'sifəreit], *vt.* vociferar, clamar, gritar.
vociferation [vousifə'reiʃən], *s.* vociferação, clamor, gritaria, berreiro.
vociferator [vou'sifəreitə], *s.* vociferador.
vociferous [vou'sifərəs], *adj.* vociferador; clamoroso.
vociferously [-li], *adv.* vociferadoramente; clamorosamente.
vodka ['vɔdkə], *s.* vodca.
vogue [voug], *s.* voga, moda; popularidade.
to be in vogue — estar em voga; estar na moda.
all the vogue — a última moda.
voice [vɔis], **1** — *s.* voz; som; palavra; linguagem; voto, opinião; (gram.) voz do verbo.
low voice — voz baixa.
loud voice — voz alta.
the voice of the people — a voz do povo.
with one voice — unanimemente.
a sweet voice — uma voz melodiosa.
a veiled voice — uma voz velada.
to shout at the top of one's voice — berrar.
to lift up one's voice — levantar a voz.
voice-pipe = *voice-tube* — tubo acústico; porta-voz.
active voice (gram.) — voz activa.
passive voice (gram.) — voz passiva.
to lower one's voice — baixar a voz.
to raise one's voice — levantar a voz.
I have no voice in the matter — não tenho voto na matéria.
2 — *vt.* expressar; proclamar, divulgar; gritar, clamar; (fon.) sonorizar, abrandar; (mús.) afinar (órgão).
voiced [-t], *adj.* (fon.) sonora (consoante); com voz, sonante.
voiceful [-ful], *adj.* sonoro; ressoante.
voiceless [-lis], *adj.* sem voz, mudo, silencioso; que não tem voto; (med.) áfono; (fon.) surdo, mudo.
a voiceless consonant — uma consoante surda.
voicelessly [-lisli], *adv.* silenciosamente.
voicelessness [-lisnis], *s.* estado silencioso, mudez; (fon.) qualidade de surda (consoante).
void [vɔid], **1** — *s.* vácuo, vacuidade; vazio; (jur.) edifício desocupado.
2 — *adj.* vazio; desocupado; desprovido; nulo, sem valor; (jur.) nulo, sem validade.

void of imagination — falto de imaginação.
null and void — anulado; nulo; sem efeito.
void of sense — falto de sentido.
to fall void — vagar; ficar vago.
3 — *vt.* anular, invalidar; desocupar, despejar; evacuar (fezes).
voidable [-əbl], *adj.* (jur.) anulável.
voidance [-əns], *s.* (jur.) anulação, invalidação; expulsão; evacuação (de fezes).
voidness [-nis], *s.* vácuo, vacuidade; nulidade, invalidade.
volant ['vouIənt], *adj.* voador, que voa; (poét.) ágil, ligeiro.
volatile ['vɔlətail], *adj.* volátil; fugaz; vivo; volúvel, inconstante.
volatileness [-nis], *s.* volatilidade; inconstância, volubilidade.
volatility [vɔlə'tiliti], *s.* ver **volatileness.**
volatilization [vɔlætilai'zeiʃən], *s.* volatilização.
volatilize [vɔ'lætilaiz], *vt.* e *vi.* volatilizar, volatilizar-se.
volcanic [vɔl'kænik], *adj.* vulcânico.
volcanic eruption — erupção vulcânica.
volcanic rock — rocha vulcânica.
volcanically [-əli], *adv.* vulcanicamente.
volcanism ['vɔlkənizm], *s.* vulcanismo.
volcanist ['vɔlkənist], *s.* vulcanista; partidário da teoria do vulcanismo.
volcano (*pl.* **volcanoes**) [vɔl'keinou,-z], *s.* vulcão.
active volcano — vulcão em actividade.
extinct volcano — vulcão extinto.
vole [voul], **1** — *s.* (zool.) ratazana, espécie de arganaz; ganho total (em alguns jogos de cartas), capote.
2 — *vi.* dar uma lisa; dar um capote (em alguns jogos de cartas).
volition [vou'liʃən], *s.* volição; vontade.
volitive ['vɔlitiv], *adj.* volitivo.
volley ['vɔli], **1** — *s.* descarga, salva; aclamação; torrente (de palavras).
a volley of gun-fire — uma salva de artilharia.
to fire a volley — disparar uma salva.
2 — *vt.* e *vi.* salvar, dar uma salva, dar uma descarga; devolver a bola sem tocar no chão (ténis); lançar uma torrente (de palavras).
volleyball [-bɔ:l], *s.* (desp.) voleibol.
volplane ['vɔl-plein], **1** — *s.* voo planado (aviação).
2 — *vi.* descer em voo planado (aviação).
volt [voult], **1** — *s.* (elect.) volt, vóltio; movimento rápido ou salto (esgrima).
2 — *vi.* fazer um movimento rápido para evitar um ataque (esgrima).
voltage [-idʒ], *s.* (elect.) voltagem; tensão.
voltage meter — voltímetro.
high voltage — alta tensão.
high-voltage protector — fusível para alta tensão.
voltaic [vɔl'teiik], *adj.* (elect.) voltaico.
voltaic arc — arco voltaico.
voltameter [vɔl'tæmitə], *s.* (fís.) voltâmetro.
volte-face ['vɔlt'fɑ:s], *s.* mudança; reviravolta; mudança total de opiniões, política, etc.
volubility [vɔlju'biliti], *s.* volubilidade; facilidade de se mover em volta; facilidade em falar.
voluble ['vɔljubl], *adj.* volúvel; fluente; loquaz; que gira facilmente em volta.
volubly [-i], *adv.* voluvelmente; fluentemente, loquazmente.
volume ['vɔljum], *s.* volume; tamanho; (mús.) intensidade do som; espaço; quantidade, massa.
a work in two volumes — uma obra em dois volumes.
volume of sound — intensidade de som.
volumeter [vɔ'lju:mitə], *s.* voluminímetro.
volumetric [vɔlju'metrik], *adj.* volumétrico.
volumetric geometry — geometria sólida.
volumetrical [-əl], *adj.* ver **volumetric.**
volumetrically [-əli], *adv.* volumetricamente.
voluminous [və'lju:minəs], *adj.* volumoso, voluminoso; com muitos volumes; (autor) copioso, que escreveu muitos volumes, fecundo.
a voluminous correspondence — uma correspondência volumosa.
a voluminous writer — um escritor fecundo.
voluminously [-li], *adv.* volumosamente; copiosamente.
voluminousness [-nis], *s.* volume, extensão.
voluntarily ['vɔləntərili], *adv.* voluntariamente, espontaneamente.
voluntariness ['vɔləntərinis], *s.* voluntariedade, espontaneidade.
voluntary ['vɔləntəri], **1** — *s.* solo de órgão tocado durante um ofício divino; prova à escolha do atleta em competição desportiva.
2 — *adj.* voluntário, espontâneo, livre; independente; não dependente do Estado.
voluntary army — exército de voluntários.
voluntary school — escola não mantida pelo Estado.
voluntary homicide — homicídio voluntário.
volunteer [vɔlən'tiə], **1** — *s.* voluntário; (jur.) donatário.
volunteer army — exército de voluntários.
2 — *vt.* e *vi.* servir como voluntário; entrar voluntariamente numa empresa; oferecer-se para fazer alguma coisa.
to volunteer into a regiment — alistar-se num regimento.
volunteering [-riŋ], *s.* voluntariato.
voluptuary [və'lʌptjuəri], **1** — *s.* sibarita; pessoa dada aos prazeres sensuais.
2 — *adj.* sibarítico; dado aos prazeres sensuais.
voluptuous [və'lʌptjuəs], *adj.* voluptuoso, sensual, libidinoso.
voluptuously [-li], *adv.* voluptuosamente, libidinosamente.
voluptuousness [-nis], *s.* voluptuosidade, sensualidade.
volute [və'lju:t], **1** — *s.* (arq.) voluta, ornato do capitel de coluna jónica; (zool.) voluta.
2 — *adj.* em volta; espiralado, helicoidal.
volution [və'lju:ʃən], *s.* volta em espiral; (anat.) circunvolução.
vomer ['voumə], *s.* *(anat.)* vómer.
vomit ['vɔmit], **1** — *s.* vómito; vomitório.
vomit-nut — noz-vómica.
2 — *vt.* e *vi.* vomitar; expelir com violência.
vomiting [-iŋ], *s.* acto de vomitar.
vomition [vou'miʃən], *s.* vómito, vomição.
vomitory ['vɔmitəri], **1** — *s.* vomitório.
2 — *adj.* vomitório, vomitivo.
voracious [və'reiʃəs], *adj.* voraz, devorador; ávido.
a voracious appetite — um apetite devorador.
voraciously [-li], *adv.* com voracidade, vorazmente; avidamente; insaciavelmente.
voraciousness [-nis], *s.* voracidade; avidez.
voracity [vɔ'ræsiti], *s.* ver **voraciousness.**
vortex (*pl.* **vortexes, vortices**) ['vɔ:teks,-z,isi], *s.* vórtice; remoinho; turbilhão; tufão.
vortical ['vɔ:tikəl], *adj.* vortiginoso; que faz remoinho; em turbilhão.
vortices ['vɔ:tisi], *s. pl.* de **vortex.**
votaress ['voutəris], *s. fem.* de **votary.**
votary ['voutəri], *s.* devoto; partidário; entusiasta; sacerdote.
votary of a saint — devoto de um santo.
vote [vout], **1** — *s.* voto, sufrágio.
a vote of confidence — um voto de confiança.
to put to the vote — pôr a votos; submeter à votação.
to canvass for votes — solicitar votos.
to cast the vote — deitar o voto; votar.

the candidate got three thousand votes — o candidato obteve três mil votos.
a vote of censure — um voto de censura.
secret vote — escrutínio secreto.
to have a vote — ter direito de voto.
to decide by vote — decidir por votação.
2 — *vt.* e *vi.* votar, eleger; deliberar.
to vote against — votar contra.
to vote for — votar a favor de.
to vote in — eleger.
voter [-ə], *s.* votante, aquele que vota; eleitor.
voting [-iŋ], **1** — *s.* acto de votar, votação.
voting right — direito a voto.
voting paper — boletim de voto.
2 — *adj.* que vota, votante.
votive ['voutiv], *adj.* votivo.
votive offering — promessa.
votive mass — missa votiva.
votively [-li], *adv.* votivamente.
vouch [vautʃ], *vt.* e *vi.* chamar como testemunha; afirmar; confirmar, certificar, garantir; sustentar; testemunhar; verificar (contas).
I will vouch for him — respondo por ele.
vouchee [vau'tʃi:], *s.* abonador; responsável.
voucher ['vautʃə], *s.* garantia, documento justificativo; verbete; fiador, responsável; prova, testemunho; certidão; recibo.
vouchsafe [vautʃ'seif], *vt.* conceder, permitir; dignar-se, condescender. (*Sin.* to condescend, to deign, to grant, to concede. *Ant.* to refuse.)
he vouchsafed me no answer — não se dignou dar-me uma resposta.
voussoir [vu:'swɑ:], *s.* fiada de pedras da abóbada.
vow [vau], **1** — *s.* voto, promessa solene.
to fulfil a vow — cumprir uma promessa.
a vow of chastity — um voto de castidade.
to break a vow — quebrar um voto.
to keep a vow — manter-se fiel a um voto.
to take the vows — professar.
2 — *vt.* votar, fazer voto de; prometer solenemente; dedicar, consagrar.
to vow obedience — fazer voto de obediência.
to vow and declare — prometer solenemente.
vowel ['vauəl], *s.* vogal.
vowel sound — som vocálico.

voyage [vɔidʒ], **1** — *s.* viagem por mar.
to go on a voyage to — fazer uma viagem a.
homeward voyage = *return voyage* — viagem de regresso.
a pleasant voyage! — feliz viagem!
voyage out and in — viagem de ida e volta.
2 — *vt.* e *vi.* viajar (por mar).
voyager ['vɔiədʒə], *s.* viajante (por mar).
voyaging ['vɔidʒiŋ], *s.* acto de viajar por mar.
vulcanite ['vʌlkənait], *s.* vulcanite, ebonite.
vulcanization [vʌlkənai'zeiʃən], *s.* vulcanização.
vulcanize ['vʌlkənaiz], *vt.* e *vi.* vulcanizar, vulcanizar-se (borracha).
vulcanized [-d], *adj.* vulcanizado.
vulcanized rubber — borracha vulcanizada.
vulcanizer [-ə], *s.* vulcanizador.
vulcanology [vʌlkə'nɔlədʒi], *s.* vulcanologia.
vulgar ['vʌlgə], **1** — *s.* vulgo, gentalha.
2 — *adj.* vulgar; plebeu; trivial; ordinário.
vulgar fraction (mat.) — fracção matemática.
vulgar language — linguagem grosseira.
the vulgar tongue — a língua vernácula.
to grow vulgar — vulgarizar-se.
vulgarian [vʌl'gɛəriən], *s.* pessoa vulgar; plebeu.
vulgarism ['vʌlgərizm], *s.* expressão vulgar; plebeísmo; vulgaridade.
vulgarity [vʌl'gæriti], *s.* vulgaridade.
vulgarization [vʌlgərai'zeiʃən], *s.* vulgaridade.
vulgarize ['vʌlgəraiz], *vt.* vulgarizar; popularizar; banalizar.
vulgarly ['vʌlgəli], *adv.* vulgarmente; grosseiramente.
Vulgate ['vʌlgeit], *s.* (*bibl.*) Vulgata.
vulnerability [vʌlnərə'biliti], *s.* vulnerabilidade.
vulnerable ['vʌlnərəbl], *adj.* vulnerável.
vulnerableness [-nis], *s.* ver **vulnerability.**
vulpine ['vʌlpain], *adj.* vulpino; astuto, traiçoeiro.
vulture ['vʌltʃə], *s.* abutre.
vulturine ['vʌltʃurain], *adj.* de abutre, rapace.
vulturous ['vʌltʃurəs], *adj.* vd. **vulturine.**
vulva ['vʌlvə], *s.* (anat.) vulva.
vying ['vaiiŋ], **1** — *s.* rivalidade, emulação.
2 — *adj.* rival, émulo.

W

W, w ['dʌblju:], (*pl.* **W's, w's** ['dʌblju:z]) W, w (vigésima terceira letra do alfabeto inglês).
wabble [wɔbl], **1** — *s.* ver **wobble 1.**
wabble saw — serra circular oscilante.
2 — *vi.* ver **wobble 2.**
wad [wɔd], **1** — *s.* chumaço; matéria própria para enchumaçar; estopa, bucha; (E. U. col.) capital, dinheiro.
2 — *vt.* (*pret.* e *pp.* **wadded**) fazer uma bucha ou chumaço de; acolchoar.
wadder ['wɔdə], *s.* acolchoador, estofador.
wadding ['wɔdiŋ], *s.* acto de acolchoar ou estofar; entretela; algodão em rama; bucha; estopa.
waddle ['wɔdl], **1** — *s.* bamboleio, meneio; andar gingado ou bamboleado.
2 — *vi.* bambolear-se, menear-se, saracotear-se.
waddy ['wɔdi], *s.* clava dos aborígenes da Austrália.
wade [weid], **1** — *s.* acto de passar a vau; vau.
2 — *vt.* e *vi.* patinhar, andar na água ou sobre uma substância mole; passar a vau; andar com dificuldade.
to wade through the whole matter — examinar a fundo toda a questão.
to wade into — atacar energicamente.
to wade in the mud — patinhar na lama.
to wade through a river — atravessar um rio a vau.
wading bird — ave pernalta.
wader [-ə], *s.* o que passa a vau; o que patinha; ave pernalta; *pl.* botas altas impermeáveis.
wadi ['wɔdi], *s.* barranco.
wafer ['weifə], **1** — *s.* obreia; hóstia, pastilha.
2 — *vt.* fechar com obreia.
wafery [-ri], *adj.* semelhante a uma obreia.
waffle ['wɔfl], **1** — *s.* espécie de bolo fino.
2 — *vi.* falar sem cessar.
waft [wɑ:ft], **1** — *s.* sinal de perigo; objecto flutuante; odor muito leve; pé de vento, bafejo; bandeira recolhida.

2 — *vt.* e *vi.* levar ou impelir pela água ou pelo ar; fazer flutuar; boiar, flutuar.
wag [wæg], **1** — *s.* abanadela, sacudidela; gracejador, trocista.
2 — *vt.* e *vi.* sacudir, agitar, abanar; balançar, oscilar.
to wag one's head — abanar a cabeça.
wage [weidʒ], **1** — *s.* (geralm. pl.) soldada, féria, paga, soldo.
wages-work — trabalho a jornal.
at the wages of — com o salário de.
2 — *vt.* empreender; sustentar; apostar.
to wage war against — fazer guerra contra.
wager [-ə], **1** — *s.* aposta; parada.
to take up a wager — aceitar uma aposta.
2 — *vt.* e *vi.* apostar, arriscar.
wagerer [-ərə], *s.* apostador.
waggery ['wægəri], *s.* folia maliciosa; chocarrice, jocosidade.
waggish ['wægiʃ], *adj.* jocoso, divertido; esperto; malicioso.
waggishly [-li], *adv.* maliciosamente, jocosamente, gracejadoramente.
waggishness [-nis], *s.* facécia, graça, chocarrice.
waggle ['wægl], **1** — *s.* sacudidela, abanadela.
2 — *vt.* e *vi.* er **wag 2**.
waggon ['wægən], *s.* vagão, camião, carro, carroça.
to hitch one's waggon to a star — estar preso a boa amarra; ter bons padrinhos.
waggon-load — carga de vagão.
covered goods waggon — furgão.
tea-waggon — carrinho de chá.
waggonage [-idʒ], *s.* carreto, transporte; preço do transporte.
waggoner [-ə], *s.* carroceiro, carreteiro.
waggonette [wægə'net], *s.* vagoneta.
wagtail ['wægteil], *s.* (zool.) alvéola.
waif [weif], *s.* criança ou animal abandonado ou extraviado; (náut.) achados; pessoa sem lar.
waifs and strays — crianças abandonadas.
wail [weil], **1** — *s.* lamento, gemido, lamentação, pranto, grito de dor.
2 — *vt.* e *vi.* chorar, lamentar, deplorar, gemer; lamentar-se, lastimar-se, lamuriar.
wailing [-iŋ], **1** — *s.* pranto, choro, lamento, gemido.
the wailing wall — o Muro das Lamentações (em Jerusalém).
2 — *adj.* lamentoso, choroso.
wain [wein], *s.* carro; carroça.
Arthur's wain = *Charles's wain* = *the Wain* — a Ursa Maior.
wainscot ['weinskət], **1** — *s.* lambril de madeira.
2 — *vt.* revestir de lambris.
waist [weist], **1** — *s.* cintura, cinta; corpo de vestido; espartilho; (náut.) parte da coberta entre os castelos.
waist-band — cós.
waist-belt — cinto; cinturão.
wasp-waist — cinta de vespa.
2 — *vt.* estreitar, apertar (canalização, tubo, etc.).
waistcoat ['weiskout], *s.* colete (de homem).
strait waistcoat — camisa-de-forças.
waistcoating [-iŋ], *s.* fazenda para coletes.
wait [weit], **1** — *s.* espera, acção de esperar, demora; cilada, emboscada; (*pl.*) músicos que fazem serenatas nas vésperas do Natal, cantando cantos alegres.
to lie in wait — estar de emboscada; emboscar-se.
to lay wait — fazer uma espera a alguém.
we had a long wait for the train — esperámos muito tempo pelo comboio.
2 — *vt.* e *vi.* esperar, aguardar; ficar; servir.
to keep somebody waiting — fazer esperar alguém.
don't wait dinner for me — não esperes por mim para jantar.
to wait for a good opportunity — esperar uma boa ocasião.
to wait at table — servir à mesa.
to wait on (upon) — procurar; visitar alguém; estar ao serviço de.
wait a minute! — espere um instante!
to wait for — esperar por.
I cannot wait any longer — não posso esperar mais tempo.
I am sorry I kept you waiting — peço-lhe desculpa de o ter feito esperar.
wait half a mo! — espere meio minuto!
waiter [-ə], *s.* o que espera; criado de mesa (nos hotéis, cafés e restaurantes); bandeja, salva.
waiting [-iŋ], **1** — *s.* espera; serviço; acto de servir (à mesa).
waiting-room — sala de espera.
in wait — à espera; de serviço.
officer in waiting — oficial de serviço.
2 — *adj.* que está à espera; que está de serviço.
waitress [-ris], *s. fem.* criada de mesa (em restaurantes, casas de chá, etc.).
waive [weiv], *vt.* desistir, renunciar, abandonar, rejeitar.
to waive a right — renunciar a um direito.
waiver [-ə], *s.* desistência, renúncia.
waiver clause — cláusula de abandono, de desistência.
wake [weik], **1** — *s.* vela, vigia, vigília; esteira (de navio).
to follow in somebody's wake (col.) — seguir a reboque de alguém.
2 — *vt.* e *vi.* (*pret.* **woke** ou **waked**, *pp.* **woken** ou **waked**) acordar, despertar; estar acordado; ressuscitar; perturbar (silêncio); velar (cadáver).
to wake up — despertar.
Spring wakes all nature — a Primavera desperta toda a natureza.
I woke too late — acordei tarde de mais.
to wake with a start — acordar sobressaltado.
to wake memories — reviver recordações.
wakeful [-ful], *adj.* vigilante; desperto.
a wakeful night — uma noite de insónia.
wakefully [-fuli], *adv.* vigilantemente, de vela, sem dormir.
wakefulness [-fulnis], *s.* vela, vigília, vigilância; insónia.
waken [-ən], *vt.* e *vi.* acordar, despertar; excitar; provocar.
wakening [-əniŋ], *s.* acto de despertar, de acordar.
waker [-ə], *s.* pessoa que acorda, que desperta.
wake-robin [-rɔbin], *s.* (bot.) arão, jarro.
waking [-iŋ], **1** — *s.* vigilância, vigília.
2 — *adj.* acordado; de vigia, de vela.
in my waking hours — nas minhas horas de vigília.
Waldemar ['vældəmɑ:], *n. p.* Valdemar.
wale [weil], **1** — *s.* vergão, vinco, sinal de pancada; cintado de um navio.
gun-wale — amurada do navio.
wale-knot — nó redondo.
2 — *vt.* marcar com chicote ou vergastada; avergoar.
waler [-ə], *s.* cavalo australiano.
Wales [-z], *top.* o País de Gales.
the Prince of Wales — o príncipe de Gales.
walk [wɔ:k], **1** — *s.* passeio, caminhada; andar, modo de andar; passeio, alameda, avenida; campo, esfera de acção; carreira, ocupação, modo de vida; cercado, pasto.

to go for a walk — ir dar um passeio.
I know him by his walk — conheço-o pelo andar.
a walk-over — um triunfo fácil.
walk-out — (E. U.) greve de operários.
broad walk — alameda.
walk of life — ocupação; modo de vida.
walk-on — (teat.) papel de figurante.
the highest walks of society — a alta sociedade.
to fall into a walk — (cavalo) pôr-se a passo.
to take somebody for a walk — levar alguém a dar um passeio.
2 — *vt.* e *vi.* passear, andar, percorrer, caminhar, ir a pé, dar um passeio a pé; aparecer (fantasma); levar a passear; atravessar; pisar; ir-se embora; andar a passo (cavalo).
to walk in — entrar.
to walk out — sair.
to walk up — subir.
to walk down — descer.
he walked off without saying a word — foi-se embora sem dizer nada.
the ghost walks at midnight — o fantasma aparece à meia-noite.
to walk the hospitals — estagiar nos hospitais.
to walk slowly — andar devagar.
to walk fast — andar depressa.
to walk up and down — andar para baixo e para cima.
to walk away from — distanciar-se.
to walk off one's legs — estafar-se; cansar-se.
to walk over the garden — dar uma volta pelo jardim.
to walk crabwise — andar como o caranguejo.
to walk along the road — caminhar pela estrada fora.
to walk about — deambular.
to walk home — ir a pé para casa.
to walk in love — andar apaixonado.
to walk in one's sleep — ser sonâmbulo.
to walk on all fours — andar de gatas.
to walk the streets — andar pelas ruas; prostituir-se.

walker [-ə], *s.* passeante, passeador; andarilho; ave pernalta; guarda-florestal; criador de galgos; prostituta.
shop-walker — encarregado de secção de um grande armazém.
are you a good walker? — anda bem?
sleep-walker — sonâmbulo.

Walker [-ə], *interj.* essa não pega!; qual quê! (fam.) também se diz *Hookey Walker.*

walking [-iŋ], 1 — *s.* andar; passeio a pé; (arc.) comportamento.
walking-dress — fato de passeio.
walking-stick = *walking-cane* — bengala.
to give somebody his walking-ticket — despedir uma pessoa.
walking along — deambulação.
sleep-walking — sonambulismo.
2 — *adj.* que anda a pé; ambulante.

wall [wɔ:l], 1 — *s.* parede, muro; muralha; amurada; lado.
blank wall — parede sem portas nem janelas.
to push (to thrust) to the wall — pôr entre a espada e a parede; encostar à parede.
partition wall — tabique; parede meia.
wall paper — papel de parede.
to be with one's back to the wall — lutar desesperadamente contra uma força superior.
to run one's head against the wall — tentar o impossível.
main wall — parede mestra.
rough wall — muro de alvenaria.
wall-tree — latada.
to go to the wall — ir à parede; ser obrigado a render-se; ver-se em apuros.
walls have ears — as paredes têm ouvidos.
to take the wall — ceder ou tomar o lado contíguo à parede.
to be able to see through a brick wall — (fam.) ver mosquitos na outra banda.
to go by the wall — ser posto de parte como inútil.
the weakest goes to the wall — a corda quebra pelo ponto mais fraco.
wall box — nicho de parede.
wall anchor — ferrolho.
wall clock — relógio de parede.
wall map — mapa parietal.
wall tile — ladrilho.
town walls — muralhas da cidade.
wall painting — pintura mural.
wall switch — comutador de parede.
wall-rue (bot.) — arruda dos muros; ruda.
wall-creeper (bot.) — cértia.
wall-sided — a prumo.
wall-moss (bot.) — líquen amarelo dos muros; erva-dos-telhados.
2 — *vt.* murar; emparedar; fortificar.
to wall in a town — rodear uma cidade de muralhas.
to wall up a window — entaipar uma janela.

wallaby ['wɔləbi], *s.* canguru pequeno; (col.) australiano.
on the wallaby (on the wallaby track) — desempregado.

walla(h) ['wɔlə], *s.* (Índia) agente, trabalhador.

wallet ['wɔlit], *s.* bolsa; pasta; carteira (para dinheiro em notas, papéis, etc.); bolsa de ferramenta de uma bicicleta; bolsa com apetrechos de pesca.

wall-eye ['wɔ:lai], *s.* estrabismo divergente.

wallflower ['wɔ:lflauə], *s.* goiveiro amarelo; rapariga que num baile fica sentada por não ter par.

wallop ['wɔləp], 1 — *s.* (col.) pancada violenta; soco, murro violento.
2 — *vt.* (col.) espancar, zurzir; ferver, borbulhar.

walloping [-iŋ], 1 — *s.* tareia, sova.
2 — *adj.* corpulento; grande, enorme.

wallow ['wɔlou], 1 — *s.* chafurdeira; charco; lodaçal.
2 — *vi.* chafurdar, espojar-se; atolar-se, enlamear-se.
to wallow in vice — chafurdar no vício.
to wallow in money — nadar em dinheiro.

wallower [-ə], *s.* o que chafurda.

walnut ['wɔ:lnət], *s.* noz; nogueira; cor de nogueira.
walnut-tree — nogueira.
American walnut — nogueira americana.

walrus ['wɔ:lrəs], *s.* (zool.) morsa, vaca-marinha.

waltz [wɔ:lz], 1 — *s.* valsa.
to ask a lady for a waltz — convidar uma senhora para uma valsa.
2 — *vi.* valsar.

waltzer [-ə], *s.* valsista, valsador.

waltzing [-iŋ], 1 — *s.* valsa; acto de dançar a valsa.
2 — *adj.* que valsa.

wampum ['wɔmpəm], *s.* contas feitas de conchas.

wan [wɔn], *adj.* pálido, descorado, macilento.
wan smile — sorriso triste; sorriso amarelo.

wand [wɔnd], *s.* vara, varinha; varinha de condão; bastão.
magic wand — varinha mágica.

wander ['wɔndə], *vt.* e *vi.* errar, vaguear; flanar; divagar, devanear; perder-se, extraviar-se; desviar-se; delirar.
to wander from the point — desviar-se da questão.
to let one's mind wander — devanear.
to wander about — ir à aventura.
to wander over the world (to wander the world) — errar pelo mundo.
to wander up and down — vaguear de um lado para o outro.
wanderer [-rə], *s.* pessoa errante; vagabundo.
wandering [-riŋ], **1** — *s.* vadiagem, vida errante; delírio; divagação; distracção.
2 — *adj.* desencaminhado, extraviado; incerto.
wandering kidney — rim flutuante.
wandering cell — leucócito.
the wandering Jew — o judeu errante.
wandering tribes — tribos nómadas.
wanderingly [-li], *adv.* de modo incerto; como um vagabundo; delirantemente.
wane [wein], **1** — *s.* míngua; declinação, decadência; minguante (da Lua).
on the wane — em decadência; no quarto minguante.
2 — *vi.* diminuir, minguar, decair, declinar, decrescer. *(Sin.* to decrease, to decline, to diminish, to fade. *Ant.* to wax.)
his star is waning — a sua estrela está a empalidecer.
wangle [wæŋgl], **1** — *s.* manobra; truque intriga.
2 — *vt.* enganar; falsificar.
wangler ['wæŋglə], *s.* intrujão; falsificador.
wanly ['wɔnli], *adv.* palidamente; com ar triste.
wanness ['wɔnnis], *s.* palidez; cor macilenta.
wannish ['wɔnniʃ], *adj.* um tanto pálido.
want [wɔnt], **1** — *s.* falta, necessidade, precisão; deficiência, carência; penúria; *pl.* coisas necessárias.
to be in want of — estar necessitado de.
for want of — por falta de.
I can supply your wants — posso suprir as tuas faltas.
he shows great want of thought — mostra grande falta de juízo.
want of imagination — falta de imaginação.
to come to want — cair na miséria.
to be a person of few wants — ser uma pessoa de poucas necessidades.
want of care — falta de cuidado.
to live in want — passar necessidades.
2 — *vt.* e *vi.* querer, desejar; precisar, carecer, ter precisão de; pretender; fazer falta, faltar; passar privações; procurar (alguém).
I want a few books — preciso de alguns livros.
what do you want? — que deseja?
your sister is wanted — procuram a sua irmã.
wanted! — precisa-se!
call me if I am wanted — chame-me se precisar de mim.
to want for nothing — não precisar de nada.
he wants me to work harder — ele quer que eu trabalhe mais.
you are wanted — procuram-te.
what do you want for the drive? — quanto quer pelo transporte?
whom do you want? — quem procura?
to want a situation — andar à procura de emprego.
to want for bread — não ter pão; ter falta de pão.
to want rest — precisar de descanso.
his hair wants cutting — ele precisa de cortar o cabelo.
wantage [-idʒ], *s.* (E. U.) falta, deficiência.

wanted [-id], *adj.* desejado, procurado; (em anúncios) precisa-se, procura-se.
wanted by the police — procurado pela polícia.
wanting [-iŋ], **1** — *adj.* falho de, falto de; deficiente; que necessita.
to be wanting — faltar.
to be wanting in — ter falta de; faltar a.
to be a little wanting — não ter o juízo todo.
a book is wanting — falta um livro.
2 — *prep.* sem, menos.
a month wanting three days — um mês menos três dias.
wanton ['wɔntən], **1** — *s.fem.* mulher desonesta.
2 — *adj.* brincalhão, travesso, folgazão, divertido; caprichoso; desenfreado; petulante; dissoluto; viçoso, luxuriante; injustificado.
wanton child — criança brincalhona.
wanton growth — vegetação luxuriante.
wanton mood — maneira de ser caprichosa.
wanton thoughts — pensamentos impudicos.
wanton woman — mulher desonesta.
3 — *vi.* folgar, divertir-se, galhofar.
wantonly [-li], *adv.* levianamente; sem restrições; por divertimento; por capricho; desenfreadamente; libertinamente, impudicamente.
wantonness [-nis], *s.* brincadeira, alegria, galhofa, divertimento; leviandade; desenfreamento; luxúria, génio folgazão.
wapiti ['wɔpiti], *s.* (zool.) veado grande da América do Norte.
war [wɔ:], **1** — *s.* guerra; arte militar; hostilidade; luta, oposição; inimizade.
war-cry — grito de guerra.
war-tax — imposto de guerra.
war-worn—fatigado, gasto pelo serviço militar.
to be at war — estar em guerra.
war to the knife — guerra até à morte; guerra encarniçada.
War Office — Ministério da Guerra.
Secretary of State for War (Secretary for War, War Secretary) — Ministro da Guerra.
civil war — guerra civil.
in war as in war — na guerra como na guerra; em Roma sê romano.
holy war — guerra santa.
after-war period — após-guerra.
in war as in war — na guerra como na guerra.
seat of war — teatro da guerra.
on a war footing — em pé de guerra.
on the war-path — em pé de guerra.
art of war — ciência da guerra.
declaration of war — declaração de guerra.
man-of-war (war-ship) — navio de guerra.
the Great War — a Grande Guerra.
the World War — a Guerra Mundial.
war-axe — acha de armas.
war-chant — cântico guerreiro.
war correspondent — correspondente de guerra.
war-dance — dança guerreira.
war-loving — belicoso; aguerrido.
naval war — guerra naval.
2 — *vt.* e *vi.* (*pret.* e *pp.* **warred**) (arc.) fazer guerra; lutar, combater; guerrear.
to war with — lutar contra.
warble ['wɔ:bl], **1** — *s.* gorjeio, chilro, chilreio, trinado; murmúrio suave.
warble-fly — estro bovino.
2 — *vt.* e *vi.* chilrear, trinar, gorjear; cantarolar, modular, gargantear; celebrar em verso. (*Sin.* to trill, to sing, to carol.)
warbler [-ə], *s.* ave canora; cantor, o que trina ou faz trinados.
warbling [-iŋ], **1** — *s.* gorjeio, garganteio, trinado; murmúrio suave.
the warbling of the nightingale — o trinado do rouxinol.
2 — *adj.* melodioso; canoro, chilreador.

warcraft ['wɔ:krɑ:ft], *s.* arte da guerra; navios ou aviões (de guerra).
ward [wɔ:d], **1** — *s.* guarda, protecção; pupilo, menor, tutelado; bairro; enfermaria (de hospital); *pl.* mecanismo (de fechadura).
to keep watch and ward — guardar; defender; estar de ronda.
2 — *vt.* (arc.) guardar, proteger, defender; hospitalizar (doente).
to ward off — desviar; evitar; prevenir.
to ward off a blow — parar um golpe.
warden ['wɔ:dn], *s.* tutor, curador; presidente; governador; director (de escola, colégio, etc.); variedade de pera.
church warden — mordomo de igreja.
Warden of the Cinque Ports — governador dos Cinco Portos.
the warden of the prison — o carcereiro.
warder ['wɔ:də], *s.* carcereiro; vara, bastão (como insígnia da autoridade).
wardmote ['wɔ:dmout], *s.* junta administrativa de bairro.
wardress ['wɔ:dris], *s. fem.* carcereira.
wardrobe ['wɔ:droub], *s.* guarda-roupa, guarda--vestidos, guarda-fatos; roupa, vestuário.
wardrobe dealer — negociante de roupas usadas; adeleira; adelo.
wardroom ['wɔ:d-rum], *s.* câmara dos oficiais (de um navio de guerra).
wardroom cutter — escaler dos oficiais.
wardship ['wɔ:dʃip], *s.* tutela, tutoria, curadoria.
to be under the wardship of — estar sob tutela de.
ware [wɛə], **1** — *s.* mercadoria, género, produto; *pl.* mercadorias.
China-ware — porcelana.
earthen-ware — louça de barro.
glass ware — vidraria, vidros.
iron ware — louça de ferro.
small wares — miudezas (linhas, agulhas, etc.).
hard ware — quinquilharia, ferragens.
wedgewood ware — louça de barro de qualidade superior.
Dutch ware — porcelana da Holanda.
Welsh ware — louça ordinária de barro amarelo vidrado.
2 — *vt.* (usado só no imperativo) acautelar-se, ter cuidado com.
ware wire! — cuidado com o arame farpado!
warehouse 1 — ['wɛəhaus], *s.* armazém; depósito de mercadorias.
Italian warehouse — mercearia.
bonded warehouse — armazém alfandegário.
warehouse keeper — fiel de armazém.
2 — ['wɛəhauz], *vt.* armazenar; guardar em depósito.
warehouseman [-hausmən], *s.* guarda de armazém, fiel de armazém; armazenista.
warehousing [-hauziŋ], *s.* armazenagem, armazenamento.
warfare ['wɔ:fɛə], *s.* guerra, combate; arte da guerra; serviço militar.
aerial warfare — guerra aérea.
naval warfare — guerra naval.
submarine warfare — guerra submarina.
warfaring [-riŋ], *adj.* guerreiro, belicoso.
warily ['wɛərili], *adv.* prudentemente, cautelosamente, com circunspecção.
wariness ['wɛərinis], *s.* cautela, cuidado, prudência, previdência, ponderação.
warlike ['wɔ:laik], *adj.* belicoso, guerreiro, marcial.
warlock ['wɔ:lɔk], *s.* (Esc.) bruxo, mágico, feiticeiro.
warm [wɔ:m], **1** — *s.* (col.) aquecimento; acto de aquecer ou de se aquecer.
2 — *adj.* quente, tépido, morno; ardente, arrebatado, acalorado, animado, vivo, entusiástico; afogueado; irritável; apaixonado; afectuoso; confortável; abastado; (em jogos de crianças) quente! quente!
to be warm — ter calor.
it is warm — faz calor.
to keep warm — não deixar arrefecer, conservar ao calor.
a warm welcome — uma recepção cordial.
warm colours — cores quentes.
warm-hearted — afectuoso; sincero; cordial.
warm-heartedness — afecto; bondade; sinceridade.
a warm temper — um génio fogoso.
to grow warm — aquecer.
kepp yourself warm! — abafe-se bem!
warm thanks — agradecimentos calorosos.
warm work — trabalho violento.
to get warm — aquecer; excitar-se.
3 — *vt.* e *vi.* aquecer; excitar; aquecer-se; animar-se, tomar calor; avivar; dar uma sova em.
to warm oneself at the fire — aquecer-se à lareira.
to warm a person (to warm a person's jacket) (col.) — sovar alguém.
the fire warms the room — o fogão aquece a sala.
to warm to one's work — entusiasmar-se com o trabalho.
to warm oneself in the sun — aquecer-se ao sol.
to warm up — aquecer; animar-se.
warmer [-ə], *s.* aquecedor; aquele ou aquilo que aquece.
warming [-iŋ], **1** — *s.* aquecimento; (col.) sova.
warming up — aquecimento.
warming-pan — botija de aquecimento (para a cama).
to give somebody a warming — dar uma sova a alguém.
2 — *adj.* que aquece; que conforta.
warmly [-li], *adv.* com calor, com ardor, arrebatadamente.
warmness [-nis], *s.* calor; ardor; entusiasmo; vivacidade.
warmth [-θ], *s.* calor; vivacidade, ardor, entusiasmo; leve irritação; tom quente (em pintura).
warn [wɔ:n], *vt.* avisar, prevenir; fazer saber, informar; admoestar, advertir; acautelar.
I warn you — aviso-o.
to warn the police — avisar a polícia.
warning [-iŋ], **1** — *s.* aviso, advertência, admoestação.
to give warning — prevenir.
let this be a warning to you — que isto te sirva de lição.
without any warning — sem tir-te nem guar-te.
danger warning — sinalização de perigo.
road warnings — sinalização rodoviária.
2 — *adj.* que avisa; admoestador.
warning sign — sinal de aviso.
warningly [-li], *adv.* admoestadoramente; como aviso.
warp [wɔ:p], **1** — *s.* nateiro, depósito aluvial, terra lodosa; urdidura; sirga, espia, virador.
2 — *vt.* e *vi.* torcer; desviar; dobrar; perverter; urdir; empenar, arquear; rebocar, sirgar, alar à espia; fertilizar um terreno, inundando-o por meio de diques.
the sun has warped the boards — o sol empenou as tábuas.
warpage [-idʒ], *s.* (náut.) sirgagem, manobra à espia ou a reboque.

warping [-iŋ], *s.* urdidura; arqueamento, empena; curvatura; acto de sirgar; nateiro, acto de adubar com depósitos aluviais.
warping-engine — guincho a vapor.
warping rope — cabo de sirgar.
warrant ['wɔrənt], **1** — *s.* autorização, ordem; documento, garantia, penhor; alvará; decreto; diploma, certificado; cautela; patente; mandato (de prisão).
warrant of attorney — procuração.
warrant of arrest — ordem de prisão.
distress warrant — alvará de penhora.
dock warrant — conhecimento dos armazéns gerais.
warrant for payment — ordem de pagamento.
our strength is our warrant — a nossa força é a nossa garantia.
2 — *vt.* autorizar; certificar, afirmar, atestar; justificar; responder por; garantir; defender.
warrantable [-əbl], *adj.* legítimo; autorizado; justificável, sustentável.
warrantably [-əbli], *adv.* legalmente, legitimamente, justificadamente.
warrantee [wɔrən'ti:], *s.* (jur.) afiançado.
warranter ['wɔrəntə], *s.* aquele que garante.
warrantor ['wɔrəntɔ:], *s.* (jur.) abonador, fiador.
warranty ['wɔrənti], *s.* garantia, penhor; fiança; autoridade, poder; (jur.) fiança.
warren ['wɔrin], *s.* coelheira; viveiro de coelhos.
warrener ['wɔrənə], *s.* criador de coelhos; proprietário de coelheira.
warrior ['wɔriə], *s.* guerreiro; militar, soldado.
the Unknown Warrior — o Soldado Desconhecido.
warship ['wɔ:ʃip], *s.* navio de guerra.
wart [wɔ:t], *s.* verruga, cravo; protuberância (nas árvores); excrescência esponjosa (nas ranilhas dos cavalos).
wart-grass = *wart-weed* = *wart-wort* — (bot.) maleiteira, verrucária.
wart-hog — variedade de javali africano.
warty [-i], *adj.* com verrugas; nodoso.
wary ['wεəri], *adj.* prudente, cauto, previdente, cauteloso; circunspecto; desconfiado. (*Sin.* circumspect, cautious, careful, prudent. *Ant.* rash.)
a wary old fox — uma velha raposa matreira.
was [wɔz, wəz], *pret.* de **to be.**
wash [wɔʃ], **1** — *s.* lavagem, banho; roupa lavada; terra de aluvião; aguarela; marulho; lavagem (restos de cozinha); camada de tinta delgada; loção, cosmético; parte pouco funda de um rio; braço de mar; terra alagadiça; lavandaria; sopa mal feita e aguada.
wash-house — lavandaria.
wash-tub — cuba para barrela.
wash-stand — lavatório.
a wash-out (fam.) — um fiasco.
I must have a wash — tenho de lavar-me.
to send the linen to the wash — mandar lavar a roupa.
wash-day — dia de lavar.
wash up — lavagem da louça.
wash-board — tábua de lavadeira; rodapé.
wash-basin — bacia.
wash drawing — aguarela (quadro).
wash-tint — aguarela (tinta).
colour wash — ocre, ocra.
eye-wash — colírio.
the wash of the waves — o marulhar das ondas.
hair-wash — loção capilar.
to give the car a wash-down — dar uma lavagem ao carro.
2 — *vt.* e *vi.* lavar, limpar; branquear; banhar, molhar; lavar a roupa; não perder a cor pela lavagem; resistir à prova; lavar o minério; gastar-se pela acção da água; aguarelar; lavar-se; marulhar.
to wash away (to wash out) — tirar nódoas (lavando).
to wash down — baldear; lavar com mangueira.
to wash overboard — levar pela borda fora
to wash up — lavar a louça; arrojar à praia.
to wash one's hands — lavar as mãos; declinar responsabilidades.
to wash clean — lavar bem; desencardir.
I wash my hands of it — daí lavo as minhas mãos.
will it wash well? — é lavável?
the sea washes the rocks — o mar banha os rochedos.
get this washed — manda lavar isto.
to wash ashore — lançar à praia.
to wash in cold water — lavar-se com água fria.
to wash one's dirty linen in public (col.) — lavar a roupa suja diante de toda a gente.
to wash oneself — lavar-se.
to wash with gold — dourar.
go and wash your mouth! (cal.) — cala essa boca suja!
washable [-əbl], *adj.* lavável.
washed [-t], *adj.* lavado; aguarelado.
washed drawing — desenho a aguarelas.
washed out — descolorido; abatido; pálido.
washer [-ə], *s.* aquele que lava; anilha, arruela; máquina de lavar.
washerman (*pl.* **washermen**) [-əmən,-mən], *s.* lavador (de minério).
washerwoman (*pl.* **washerwomen**) [-əwumən, -wimin], *s.* lavadeira.
washiness [-inis], *s.* estado do que é aguado; fraqueza; inutilidade; falta de valor.
washing [-iŋ], **1** — *s.* lavagem; a roupa lavada; branqueamento; detritos, aluvião; *pl.* ouro em pó, minério obtido depois da lavagem.
washing-machine — máquina de lavar roupa.
washing-day — dia de lavar a roupa.
washing-place — lavadouro.
washing-up — lavagem de louça.
washing-book — rol da roupa suja.
washing-board — tábua de lavar.
washing-soda — soda do comércio.
to do the washing — lavar a roupa.
to hang the washing out to dry — pôr a roupa a secar.
2 — *adj.* lavável; que serve para lavar.
washing silk — seda lavável.
washy [-i], *adj.* aguado, húmido, molhado; fraco, débil, frouxo; sem préstimo, sem valor.
wasp [wɔsp], *s.* vespa; pessoa abespinhada.
wasp-fly — moscardo.
wasp-waist — cintura de vespa.
wasp-waisted — com cintura de vespa.
wasps' nest — ninho de vespas; vespeiro.
waspish [-iʃ], *adj.* impertinente, rabugento, irritável, irascível; abespinhado.
waspishly [-iʃli], *adv.* com acrimónia, de mau humor, abespinhadamente.
waspishness [-iʃnis], *s.* irritabilidade, rabugice, acrimónia, mau humor, irascibilidade.
wasplike [-laik], *adj.* semelhante à vespa.
wassail ['wɔseil, 'wæseil], *s.* (*arc.*) banquete; pândega.
wast [wɔst], *pret.* de **to be** na 2.ª pes. sing. (só em poesia e estilo bíblico).
wastage ['weistidʒ], *s.* desgaste; desperdício; perda, quebra; derrame.
waste [weist], **1** — *s.* desperdício, dissipação, estrago, desgaste; assolação; ruína; perda; quebra; derrame; baldio; deserto, ermo; extensão, imensidade; solidão.
to run to waste — perder-se; inutilizar-se.

waste of time — perda de tempo.
waste basket (E. U.) — cesto dos papéis.
waste of money — desperdício de dinheiro.
cotton waste — desperdícios de algodão.
2 — *adj.* inculto; devastado, arruinado; inútil; árido, deserto; lúgubre; monótono; de refugo; deitado fora.
waste-paper basket — cesto dos papéis.
waste lands — baldios.
waste-book (com.) — borrão.
waste products — desperdícios; resíduos.
waste pipe — cano de descarga.
waste time — tempo de sobra.
waste steam — vapor perdido.
waste coal — resíduos de carvão.
waste gas — gás perdido.
waste paper — papéis velhos.
waste-steam pipe — tubo de escape.
waste water — água de purga.
to lie waste — estar inaproveitado.
to lay waste — devastar; assolar.
3 — *vt.* e *vi.* desperdiçar, dissipar; consumir, gastar; arruinar, devastar, assolar; definhar-se, gastar-se, consumir-se; (jur.) danificar (uma propriedade). (*Sin.* to squander, to destroy, to impair, to pine. *Ant.* to flourish, to save.)
to waste time — desperdiçar tempo.
to waste one's fortune — dissipar a fortuna.
he is wasting away — está a definhar.
to waste one's breath or words — perder tempo e feitio.
to waste a chance — perder uma oportunidade.
to waste away to skin and bone — ficar só com pele e osso.
to waste one's life — estragar a vida.
to have no time to waste — não ter tempo a perder.
wasteful [-ful], *adj.* devastador, destrutivo, ruinoso; gastador, pródigo.
wastefully [-fuli], *adv.* prodigamente, ruinosamente.
wastefulness [-fulnis], *s.* prodigalidade, desperdício, dissipação.
waster [-ə], *s.* gastador, pródigo, perdulário; destruidor; género estragado ou com defeito, artigo de refugo; (cal.) vadio.
wasting [-iŋ], **1** — *s.* estrago, desgaste; assolação; esgotamento; definhamento; desnutrição.
2 — *adj.* que gasta, estraga ou desperdiça; devastador; enfraquecedor.
wastrel [-rəl], *s.* criança abandonada; pessoa inútil; perdulário; refugo, desperdícios; artigo defeituoso.
watch [wɔtʃ], **1** — *s.* relógio de bolso, relógio de pulso; vigia, vela; sentinela, guarda; (náut.) quarto; vigilância, atenção; ronda; espia.
to wind up a watch — dar corda a um relógio.
to be on the watch — estar alerta; estar de atalaia.
to set the watch — render o quarto; acertar o relógio.
watch-box — guarita de sentinela.
watch-dog — cão de guarda.
watch-maker — relojoeiro.
watch-spring — mola de relógio.
watch-house — casa da guarda.
watch-boat — embarcação de serviço.
watch-glass — vidro de relógio; ampulheta.
watch-keeper (náut.) — chefe de quarto.
watch-night — a última noite do ano.
watch-tower — torre de observação.
to spell the watch (náut.) — chamar ao quarto.
morning watch (náut.) — quarto da alva.
to pass as a watch in the night (col.) — esquecer depressa.
to keep watch — vigiar.
you must watch him — é preciso vigiá-lo.
watch officer (náut.) — oficial de quarto.
watch and ward — vigilância constante.
watch-chain — corrente de relógio.
watch-case — caixa de relógio.
anchor watch — guarda de porto.
to keep a close watch on — vigiar de perto.
2 — *vt.* e *vi.* vigiar, guardar; velar; estar de guarda; espreitar; observar; ter cuidado em; aguardar.
to watch one's time — esperar pelo momento oportuno.
the nurse watched all night — a enfermeira velou toda a noite.
to watch a football match — assistir a um desafio de futebol.
to watch after somebody — seguir alguém com os olhos.
to watch in — assistir a uma sessão de televisão.
to watch one's step — corrigir-se, emendar-se.
watch out! — cuidado!
watcher [-ə], *s.* o que vela ou vigia; guarda, vigia; observador; espião.
watcher-in — indivíduo que assiste a uma sessão de televisão.
watchful [-ful], *adj.* vigilante, atento, acautelado; vivo, esperto.
watchfully [-fuli], *adv.* atentamente, vigilantemente, cuidadosamente.
watchfulness [-fulnis], *s.* vigilância; vigília; atenção; cuidado, desvelo.
watchman [-mən], *s.* vigia, guarda; guarda-nocturno.
track-watchman (cam. fer.) — guarda-linha.
watchword [-wə:d], *s.* divisa; senha.
water ['wɔ:tə], **1** — *s.* água; extensão de água; chuva; maré; corrente de água; lágrimas; suor; saliva; urina; excelência, pureza; água, limpidez (de pedras preciosas); superfície ondulada (em tecidos ou metais).
to keep one's head above water — evitar a ruína financeira.
to be in very low water — estar em apuros; estar em situação precária.
to hold water — sustentar-se; não se desmentir; estar muito bem fundado.
not to hold water — não ter bases para se defender.
to cast one's bread upon the waters — fazer bem sem olhar a quem.
water-bed — colchão de borracha cheio de água.
water-colours — cores temperadas com água; aguarelas.
water-waving — ondulação da água.
rain-water — água da chuva.
water-line (náut.) — linha de água.
water-fall — catarata, catadupa.
water-mill — moinho de água.
water-lily — açucena branca; nenúfar.
water-melon — melancia.
water-pipe — cano de água.
water-pump — bomba para água.
water spring — nascente de água, fonte.
water supply — abastecimento de água.
water-way — parte navegável de um rio ou canal.
water-wheel — turbina; roda hidráulica.
water-willow — salgueiro.
eddy water — ressaca.
hot mineral waters — águas termais.
fresh water — água doce.
brackish water — água salobra.
aerated water — água gasosa.
salt water — água salgada.

of the first water — da melhor qualidade.
chalybeate water — água férrea.
sweet-scented water — água de cheiro.
mineral water — água mineral.
water adder — cobra-d'água.
water-butt — reservatório de água.
territorial water — águas territoriais.
lime water — água de cal.
orange-blossom water — água de flor de laranjeira.
irrigation water — água de rega.
drinking water — água potável.
running water — água corrente.
holy water — água benta.
water level — nível de água.
to spend money like water — esbanjar dinheiro.
to get into hot water — meter-se numa camisa-de-onze-varas.
water course — corrente de água; canal para água.
water-power — força hidráulica.
water-spaniel — cão-d'água.
water-fowl — aves aquáticas.
water-polo — polo aquático (jogo).
water-dog — cão-d'água; marinheiro prático.
water-height (level indicator) — indicador de nível.
water-meter — contador de água.
to take in fresh water (náut.) — fazer aguada.
to back water (náut.) — ciar.
water-drop — gota de água.
water-closet — retrete (abrev. W. C.).
to throw cold water on any enterprise — desanimar uma iniciativa.
a glass of water — um copo de água.
low water — maré baixa.
high water — maré alta.
water-bath — banho-maria.
water-service — circulação sanitária.
water-mark — marca da preia-mar; marca de água (de notas de banco e do papel).
water-actuated — movido a água.
water-bailiff — guarda-rios; funcionário da alfândega num porto.
water barometer — barómetro de água.
water-biscuit — bolacha de água e sal.
water-can — regador.
water-cement — cimento hidráulico.
water-bottle — garrafa de água; cantil.
water-cure — hidroterapia.
water-gate — comporta.
water-clock — clépsidra.
water-flea — pulga de água.
water-hose — mangueira.
water-jacket — camisa de água.
water-monkey — bilha para água.
water-jet — jacto de água.
water-pail — balde.
water-nymph — nereida, náiade.
water-sport — desporto aquático.
water-skin — odre.
water vapour — vapor de água.
water-wing — bóia para aprender a nadar.
water-tub — tina, selha.
under water — debaixo de água; inundado.
to cast somebody's water — fazer a análise à urina de alguém.
strong waters — bebidas alcoólicas.
to bring the water to one's eye — fazer vir as lágrimas aos olhos.
to cast oil on troubled waters — deitar água na fervura, procurar acalmar as coisas.
to cross the waters — atravessar os mares.
to fish in troubled waters (col.) — pescar em águas turvas.
to make water — verter águas; urinar; (náut.) fazer água.
to pass water — urinar.
that brings the water to my mouth — isso faz-me vir água à boca.
2 — *vt.* e *vi.* regar, molhar, banhar; ensopar, embeber; abastecer de água; banhar-se; diluir; ondear (tecidos); dar de beber a; (animais) ir beber; lacrimejar; vir água à boca.
to water at the eyes — ter os olhos cheios de lágrimas.
to water a garden — regar um jardim.
that makes my mouth water — isso faz-me vir água à boca.

waterage [-ridʒ], *s.* barcagem, frete do transporte por água.
watercourse [-kɔ:s], *s.* curso de água; canal.
watercress [-kres], *s.* (bot.) agrião.
wateriness [-rinis], *s.* aquosidade, humidade; insipidez; (med.) serosidade.
watering [-riŋ], **1** — *s.* rega, irrigação; acção de dar de beber ao gado; abastecimento de **água; ondeamento (em tecido, na pintura, etc.).**
watering-place — estância balnear; termas; praia; bebedouro de animais.
watering-trough — bebedouro.
watering-cart — carroça de rega.
2 — *adj.* lacrimejante.
waterish [-riʃ], *adj.* aquoso; aguado; húmido; desenxabido.
waterless [-lis], *adj.* sem água.
waterlogged [-lɔgd], *adj.* alagado, inundado (navio, etc.); (terreno) encharcado, pantanoso.
waterproof [-pru:f], **1** — *s.* impermeável, casaco impermeável.
2 — *adj.* impermeável; à prova de água.
3 — *vt.* tornar impermeável.
waterproofer [-pru:fə], *s.* impermeabilizador; fabricante de impermeáveis.
waterproofing [-pru:fin], *s.* impermeabilização.
waterscape [-skeip], *s.* marinha (pintura).
watershed [-ʃəd], *s.* bacia hidrográfica.
watershoot [-ʃu:t], *s.* goteira.
waterside [-said], *s.* margem; costa; beira-mar.
watery [-ri], *adj.* aquoso, húmido, líquido, aguado; aquático; seroso; insípido; desmaiado (cor).
watery eyes — olhos húmidos, olhos lacrimosos.
waterworks ['wɔ:təwə:ks], *s.* **instalação de fornecimento de água.**
watt [wɔt], *s.* (elect.) watt, vátio.
wattle ['wɔtl], **1** — *s.* caniçada, grade de vimes; vara flexível; verga; espécie de acácia australiana; monco de peru; barbela de galinha.
2 — *vt.* entrelaçar; fechar com grade de vimes ou caniçada; ligar, prender com ramos de árvores.
wattled [-d], *adj.* fechado com grade de vimes ou caniçada; provido de corais (peru, galo, etc.).
wattmeter ['wɔtmi:tə], *s.* vatímetro.
wave [weiv], **1** — *s.* onda, vaga; aceno, agitação; ondulação; ondeado do pano.
heat-wave — onda de calor.
wave-length — comprimento de onda.
short waves — ondas curtas (rádio).
long waves — ondas longas (rádio).
medium waves — ondas médias (rádio).
a wave of enthusiasm — uma onda de entusiasmo.
the waves run high — o mar está encapelado.
Hertzian wave — onda herteziana.
sound wave — onda sonora.
wave of light — onda luminosa.
a heat wave — uma vaga de calor.
2 — *vt.* e *vi.* ondular, ondear; acenar com a mão; flutuar, tremular; agitar, brandir.

to wave one's hand — agitar com a mão.
to wave a handkerchief — acenar com o lenço.
to wave aside — pôr de lado; rejeitar.
to wave good-bye — dizer adeus com a mão.
to have one's hair permanently waved — fazer uma ondulação permanente.

waved [-d], *adj.* ondeado, ondulado; ondulante.
wavelet [-lit], *s.* onda pequena.
waver [-ə], *vi.* (mil.) vacilar, hesitar, começar a perder terreno; mostrar-se irresoluto; flutuar. (*Sin.* to fluctuate, to oscillate, to hesitate, to flicker. *Ant.* to decide.)
waverer [-ərə], *s.* pessoa indecisa, irresoluta.
wavering [-əriŋ], **1** — *s.* hesitação, indecisão. **2** — *adj.* indeciso, irresoluto.
waveringly [-əriŋli], *adv.* irresolutamente, hesitantemente, indecisamente.
wavily [-ili], *adv.* onduladamente.
waviness [-inis], *s.* ondulação; flutuação.
waving [-iŋ], **1** — *s.* ondulação; agitação; aceno.
waving-iron — ferro de frisar.
2 — *adj.* ondeado, ondulante.
wavy [-i], **1** — *s.* (zool.) ganso-das-neves.
2 — *adj.* ondeado, ondulado.
wavy hair — cabelo ondulado.
wax [wæks], **1** — *s.* cera; cerume; cerol, cera dos sapateiros; (col.) cólera.
sealing-wax — lacre.
shoemaker's wax — cerol; cera dos sapateiros.
wax-candle — vela de cera.
ear-wax — cerume.
wax-cloth — oleado.
wax-chandler — cerieiro.
wax-paper — papel encerado.
wax-bean — feijão-manteiga.
wax-modelling — ceroplástica.
wax sheet — papel "stencil".
to get into a wax — encolerizar-se.
2 — *vt.* e *vi.* encerar, polir com cera; (lua) aumentar, crescer.
the moon waxes and wanes — a lua cresce e mingua.
to wax fat — engordar.
to wax angry — encolerizar-se.
waxen [-(ə)n], *adj.* de cera; feito de cera; ceroso.
waxwork [-wə:k], *s.* figura de cera; modelagem em cera; *pl.* museu de figuras de cera.
waxy [-i], *adj.* de cera; parecido com cera; (col.) irritado, zangado.
way [wei], **1** — *s.* caminho, estrada, via; passagem; distância; marcha, andar, velocidade; derrota, rota, rumo; direcção; modo, maneira, meio, expediente; uso, costume; comportamento, linha de conduta; progresso; arredores, vizinhança; oportunidade, possibilidade; desejo, vontade; actividade, negócio.
by the way — de caminho, de passagem; a propósito.
on the way — no caminho; de passagem; em via de.
across the way (over the way) — em frente; do outro lado.
in a way — até certo ponto; num sentido.
in a small way — em pequena escala.
a good way off — a grande distância.
once in a way — raras vezes.
out of the way — desviado; fora do costume; extraordinário.
way-bill — guia de transporte de carga.
way in — entrada.
way out — saída.
this way — por aqui.
that way — por ali.
ways and means — meios; recursos.
to find one's way — chegar ao seu destino; orientar-se.
to have one's own way — fazer a sua vontade; levar a sua avante.
to be the other way about — ser exactamente o contrário.
to make one's way — progredir; prosperar; dirigir-se para.
to make way — abrir caminho; avançar.
to clear the way — abrir caminho; desviar-se para dar passagem.
to give way — ceder; dar de si.
to go out of one's way — incomodar-se.
to get under way (náut.) — largar.
in no way — de maneira nenhuma.
things are in a bad way — as coisas caminham mal.
he is in my way — ele estorva-me.
to lead the way — ir adiante.
to lose one's way — perder-se; errar o caminho.
to make one's way in the world — prosperar; progredir na vida.
on my way through — de passagem por.
out of the way! — afasta-te!
on the way home — no caminho para casa.
in no way inferior — em nada inferior.
to find out a way — achar meio de.
it's nothing out of the way — não é nada de extraordinário.
to make one's way home — dirigir-se para casa.
to be in the way of something — estar em situação favorável para conseguir alguma coisa.
you can't have it both ways — escolha uma coisa ou outra.
in the usual way — na forma do costume.
to go the same way — seguir o mesmo caminho.
to live in a small way — viver modestamente.
to be in the family way — (col.) estar no estado interessante.
to go a great way with somebody — ter grande influência junto de alguém.
to go one's own way — seguir a sua opinião; desprezando a dos outros; seguir o seu caminho.
if you can see your way clear — se vir possibilidades.
is it still a good way? — ainda é muito longe daqui?
there is always a way to — há sempre maneira de.
to put somebody in the right way — indicar o caminho certo a alguém.
in a friendly way — de uma maneira amigável.
to stop the way — tapar a passagem.
show me the way, please! — indique-me o caminho, por favor!
to mistake one's way = to be on the wrong way — enganar-se no caminho.
to look the other way — desviar o olhar.
it is often the way — isso acontece muitas vezes.
fair-way of a river — canal de um rio.
he'll have to do it the hard way — terá de fazê-lo à custa de muito trabalho.
way back — afastado; longínquo.
way down — descida.
way port (náut.) — porto de escala.
way of thinking — maneira de pensar.
way up — subida.
way through — passagem.
way train — comboio que pára em todas as estações.
on the way back — no regresso.
the way of the Cross — a Via Sacra.
to clear the way — desobstruir o caminho.
the way of all flesh — a morte.

to live in great way — viver com grande luxo.
to lose way — diminuir a velocidade.
to start on one's way — pôr-se a caminho.
he lives over the way — vive do outro lado da rua.
his name goes a long way — tem muita influência.
one way or another — de uma maneira ou de outra.
the first impression goes a long way — as primeiras impressões é que perduram.
out of harm's way — em lugar seguro.
where there's a will there's a way — querer é poder.
2 — *adv.* (E. U.) longe, muito distante.
wayfarer [-fɛərə], *s.* viajante, passageiro.
wayfaring [-fɛəriŋ], **1** — *s.* viagem a pé.
2 — *adj.* que viaja, que viaja a pé.
waylaid [wei'leid], *pret.* e *pp.* de **to waylay.**
waylay [wei'lei], *vt.* (*pret.* e *pp.* **waylaid**) armar ciladas; atacar de surpresa; espiar.
waylayer [-ə], *s.* o que arma ciladas.
wayless ['weilis], *adj.* intransitável, sem caminho.
wayside ['weisaid], *s.* beira da estrada.
wayward ['weiwəd], *adj.* travesso; mau; indócil, caprichoso; impertinente.
wayward child — criança traquina, criança teimosa.
waywardly [-li], *adv.* caprichosamente; impertinentemente; teimosamente.
waywardness [-nis], *s.* mau humor; teima; capricho.
we [wi:], *pron. pes. suj.* nós.
it's we — somos nós.
we were told — disseram-nos.
weak [wi:k], *adj.* fraco, frágil; delicado; débil; impotente; tolerante, frouxo; ineficaz; inconcludente; deficiente; pobre; impressionável; influenciável; aguado.
a weak mind — um espírito fraco.
weak constitution — constituição débil.
weak tea — chá fraco.
weak eyes — vista fraca.
to get weak = *to grow weak* — enfraquecer.
weak-spirited — de ânimo fraco.
weak-handed — impotente; incapaz.
weak imagination — imaginação pobre.
weak conjugation (gram.) — conjugação fraca.
somebody's weak side — o lado fraco de alguém.
the weaker sex — o sexo fraco.
to feel as weak as water = *to feel as weak as a cat* — estar sem forças.
weaken ['wi:kən], *vt.* e *vi.* enfraquecer, diminuir, debilitar; atenuar; enfraquecer-se.
weakening ['wi:kniŋ], **1** — *s.* enfraquecimento; amortecimento.
2 — *adj.* enfraquecedor; debilitante.
weakling ['wi:kliŋ], *s.* pessoa fraca; animal débil.
weakly ['wi:kli], **1** — *adj.* fraco, débil, doente, enfermo.
2 — *adv.* debilmente; irresolutamente.
weakness ['wi:knis], *s.* fraqueza, debilidade, fragilidade; futilidade; imbecilidade; ponto fraco.
to have a weakness for — ter um fraco por.
weakness of mind — fraqueza de espírito.
weal [wi:l], **1** — *s.* bem-estar, felicidade; prosperidade; vergão, pisadura.
weal or woe — felicidade ou desgraça.
for the public weal = *for the general weal* — para o bem público.
2 — *vt.* marcar com vergastada ou chicote.
weald [wi:ld], *s.* descampado; mata, bosque; região calcária elevada.
wealden ['wi:ldən], **1** — *s.* conjunto de formações geológicas característico da região conhecida por **weald.**
2 — *adj.* relativo a descampado, floresta ou **weald.**
wealth [welθ], *s.* riqueza, opulência, fortuna, bens; abundância; felicidade. (*Sin.* riches, money, opulence, prosperity, abundance. *Ant.* poverty.)
to be a person of wealth — ser uma pessoa rica.
to be rolling in wealth — nadar em dinheiro.
to come to wealth — enriquecer.
wealthily [-ili], *adv.* ricamente, opulentamente, luxuosamente.
wealthiness [-inis], *s.* riqueza, fortuna, opulência; abundância.
wealthy [-i], *adj.* rico, opulento; abundante; exuberante.
wean [wi:n], **1** — *s.* (esc.) criança.
2 — *vt.* desmamar (criança ou animal); privar; apartar; alienar; fazer perder um vício.
to wean a baby — desmamar uma criança.
weanling [-liŋ], *s.* criança ou animal que foi ou está a ser desmamado.
weapon ['wepən], *s.* arma; *pl.* armamento.
offensive weapons — armas ofensivas.
weaponed [-d], *adj.* armado.
weaponless [-lis], *adj.* desarmado, sem armas.
wear [wɛə], **1** — *s.* uso; moda; gasto, desgaste; roupas.
summer wear — roupas de Verão.
for best wear — para usar em grandes ocasiões.
foot-wear — calçado.
for everyday wear — para uso diário.
in wear — em uso; na moda.
signs of wear — sinais de uso.
men's wear — roupa de homem.
ladies' wear — roupa de senhora.
2 — *vt.* e *vi.* (*pret.* **wore,** *pp.* **worn**) usar, trazer, vestir; consumir, gastar; deteriorar; cansar, esgotar; exibir, mostrar; passar, correr (tempo); gastar-se, consumir-se; durar, ser durável; (náut.) virar de roda; cansar, cansar-se.
to wear out — romper com o uso; cansar; estragar-se; desvanecer-se.
to wear down — diminuir, gastar, consumir.
to wear off — usar-se; gastar-se; apagar-se; desvanecer-se, dissipar-se; desaparecer.
to wear away — gastar, consumir (pouco a pouco).
to wear a face of joy — ter cara prazenteira.
to wear out one's patience — esgotar a paciência.
to wear one's years well — não envelhecer.
to wear on — passar lentamente.
to wear well — durar; ser durável; resistir.
worn-out — gasto; cansado.
worn-out clothes — roupa muito usada.
will it wear well? — é de dura?
I feel worn out — sinto-me muito cansado.
to wear gloves — usar luvas.
all ready to wear — pronto a vestir.
the impression soon wears off — a impressão depressa desaparece.
to wear through the day — passar o dia tristemente.
to wear black — andar vestido de preto; andar de luto.
to wear glasses — trazer óculos.
to wear one's heart on one's sleeve (col.) — ter o coração ao pé da boca.
to wear oneself to death — matar-se a trabalhar.
to wear the willow — andar de luto.
to wear the breeches (col.) — mandar no marido; mandar em casa.

wearable [-rəbl], *adj.* que se pode usar ou gastar.
wearer [-rə], *s.* aquele que traz, usa ou gasta alguma coisa.
wearied ['wiərid], *adj.* cansado, fatigado; enfadado.
wearily ['wiərili], *adv.* de mau humor, com enfado; com fadiga.
weariness ['wiərinis], *s.* cansaço, fadiga; aborrecimento.
wearing ['wɛəriŋ], **1** — *s.* uso, desgaste, deterioração, estrago; roupa, fato.
wearing apparel — vestuário; trajo.
wearing quality — durabilidade.
2 — *adj.* fatigante, esgotante; desgastante.
wearisome ['wiərisəm], *adj.* fatigante, aborrecido, monótono; trabalhoso.
wearisomely [-li], *adv.* fastidiosamente, monotonamente, tediosamente.
wearisomeness [-nis], *s.* tédio, enfado; cansaço.
weary ['wiəri], **1** — *adj.* cansado, fatigado; enfastiado, aborrecido; incómodo; maçador. (*Sin.* wearisome, tiring, irksome. *Ant.* fresh.)
to get weary — aborrecer-se.
to be weary of — estar cansado de.
2 — *vt.* e *vi.* cansar, fatigar; maçar, aborrecer; cansar-se; aborrecer-se.
weasand ['wi:zənd], *s. (arc.)* traqueia; garganta.
weasel ['wi:zl], *s.* (zool.) doninha.
to catch a weasel asleep — enganar uma pessoa esperta.
weather ['weðə], **1** — *s.* tempo, estado atmosférico; (náut.) barlavento.
glorious weather — tempo esplêndido.
bad weather — mau tempo.
fine weather — bom tempo.
rotten weather — tempo péssimo.
rainy weather — tempo chuvoso.
unsettled weather — tempo inconstante.
stormy weather — tempo tempestuoso.
dull weather — tempo sombrio.
changeable weather — tempo variável.
cloudy weather — tempo nublado.
damp weather — tempo húmido.
stifling weather — tempo abafado.
weather-beaten — açoitado pela tempestade (navio); bronzeado pelo tempo (pessoa).
weather-bound — retido pelo mau tempo.
weather-worn — gasto pelas intempéries.
weather-forecast — previsão do tempo; boletim meteorológico.
weather gage — barlavento; vantagem de posição.
weather-glass — barómetro.
weather-sheets — escotas de barlavento.
stress of weather — ventos violentos e desfavoráveis; força de temporais.
April weather — tempo de aguaceiros.
King's (Queen's) weather — bom tempo em ocasiões solenes.
under the weather — abatido devido ao tempo; (fam.) na adversidade.
weather-deck — convés corrido.
weather-stained — desbotado ou manchado por estar exposto ao tempo.
weather intelligence — boletim meteorológico.
raw weather — tempo húmido e frio.
weather-proof — à prova das intempéries.
to make heavy weather (col.) — exagerar dificuldades, fazer um bicho-de-sete--cabeças.
weather-anchor — âncora de barlavento.
weather-box — higroscópio.
weather conditions — condições atmosféricas.
what is the weather like? — como está o tempo?
weather-prophet — pessoa que prediz o tempo.
weather service = *weather report* — boletim meteorológico.
2 — *adj.* do lado do vento; de barlavento.
to keep one's weather eye open — estar de vigia; estar alerta.
3 — *vt.* e *vi.* expor ao ar; arejar; aguentar um temporal; dobrar um cabo; barlaventear; passar além; transpor, vencer dificuldades; resistir (à adversidade).
to weather a storm — resistir a uma tempestade.
to weather a cape — dobrar um cabo.
to weather a crisis — dominar uma crise.
weathercock [-kɔk] *s.* cata-vento, grimpa, galo de torre; pessoa inconstante.
weathering [-riŋ] *s.* desgaste pela acção do tempo; declive, inclinação para impedir o estacionamento das águas.
weatherly [-li], *adj.* (náut.) barlaventeador, bolineiro.
weave [wi:v], **1** — *s.* tecelagem; maneira de tecer.
2 — *vt.* e *vi.* (*pret.* **wove**, *pp.* **woven**) tecer; entrançar, entrelaçar; entremear; urdir.
to weave a plot — tramar uma conspiração.
weaver [-ə], *s.* tecelão; fiandeiro.
weaver's knot — nó de tecelão.
weaver-fish (zool.) — aranha-do-mar.
weaver-bird (zool.) — tecelão (pássaro).
weazen ['wi:zən], *adj.* ver **wizened.**
web [web], *s.* tecido; teia; folha de uma serra; rolo de papel contínuo; trama, enredo; membrana que une os dedos dos palmípedes; tecido conjuntivo; braço de manivela.
spider's web — teia de aranha.
web-footed — palmípede.
web-eye — belida; névoa do olho.
a web of lies — uma série de mentiras.
web-plate — chapa reforçada.
crank-web — braço de manivela.
web and pin (col.) — cataratas (nos olhos).
web press — prensa rotativa.
web saw — serra de arco.
webbed [-d], *adj.* palmípede.
webbing [-iŋ], *s.* tecido; tira de pano grosso para cilhas, cintos, etc.; membrana dos dedos dos palmípedes.
wed [wed], *vt.* e *vi.* (*pret.* e *pp.* **wedded**) casar com; desposar, casar-se; ligar, prender.
to wed a couple — casar um casal de noivos.
wedded [-id], *adj.* casado; conjugal.
wedded to his own opinion — aferrado à sua opinião.
the wedded pair — os recém-casados.
the wedded life — a vida conjugal.
wedding [-iŋ], *s.* enlace, casamento, núpcias; boda.
wedding-breakfast — almoço de casamento.
wedding-ring — anel nupcial.
wedding-cake — bolo de noiva.
silver wedding — bodas de prata.
golden wedding — bodas de ouro.
diamond wedding — bodas de diamante.
a smart wedding — um casamento elegante.
a wedding trousseau — o enxoval de uma noiva.
wedding-card — participação de casamento.
wedding-guest — convidado de casamento.
wedding-present — prenda de casamento.
wedding-reception — copo-d'água.
wedding-day — dia de casamento; aniversário de casamento.
wedding-trip — viagem de núpcias.
church wedding — casamento religioso.
to attend a wedding — assistir a um casamento.
wedge [wedʒ], **1** — *s.* cunha, calço; maça de

metal em forma de cunha; fatia (de queijo, bolo, etc.).
the thin end of the wedge — princípio insignificante, mas de consequências importantes; pano de amostra.
wedge-shaped — cuneiforme.
2 — *vt.* apertar com cunha; entalar; meter um calço; forçar, abrir caminho à força.
to wedge oneself in — meter-se à força em.
to wedge open = *to wedge apart* — abrir com uma cunha.
wedlock ['wedlɔk], *s.* matrimónio, casamento; vida conjugal.
to be born in lawful wedlock — ser filho legítimo.
to be born out of wedlock — ser filho ilegítimo.
the bonds of wedlock — os laços matrimoniais.
Wednesday ['wenzdi, 'wenzdei], *s.* quarta-feira.
Ash Wednesday — Quarta-Feira de Cinzas.
wee [wi:], *adj.* muito pequeno, pequenino.
a wee bit — um bocadinho.
weed [wi:d], **1** — *s.* erva má; cizânia, joio; animal de pouco préstimo; pessoa inútil; (col.) tabaco, charuto; *pl.* **luto de viúva.**
ill weeds grow apace — erva ruim não a queima a geada.
widow's weeds — luto de viúva.
weed-hook — sacho.
2 — *vt.* e *vi.* mondar, sachar; extirpar, limpar.
to weed the garden — mondar, sachar o jardim.
weeder [-ə], *s.* sachador, mondador; sacho de mondar.
weediness [-inis], *s.* magreza; inutilidade; o estar cheio de ervas ruins.
weeding [-iŋ], *s.* monda; extirpação das ervas daninhas.
weeding-hook — sacho; escardilho.
weedy [-i], *adj.* cheio de ervas ruins; inútil, sem préstimo; magricela.
week [wi:k], *s.* semana.
Holy week — Semana Santa.
last week — a semana passada.
next week — a semana que vem.
this day week — de hoje a oito dias.
tomorrow week — de amanhã a oito dias.
what day of the week is it? — que dia da semana é hoje?
week in, week out — semanas e semanas.
week-end — fim-de-semana.
week-day — dia de trabalho; dia útil.
week about — semana sim, semana não.
by the week — à semana.
in a week's time — dentro de uma semana.
a week ago today — faz hoje oito dias.
a week of Sundays — longo tempo; uma eternidade.
in the week of four Fridays — para a semana dos nove dias.
twice a week — duas vezes por semana.
three weeks ago — há três semanas.
week-ender — turista de fim-de-semana.
weekly [-li], **1** — *s.* semanário, publicação semanal.
2 — *adj.* semanal.
weekly paper — jornal semanal.
3 — *adv.* semanalmente; uma vez por semana.
ween [wi:n], *vt.* (poét.) pensar, imaginar, julgar.
weep [wi:p], **1** — *s.* choro, lágrimas; acto de chorar; (zool.) galispo.
2 — *vt.* e *vi.* (*pret.* e *pp.* **wept**) chorar; lamentar-se; carpir, prantear; derramar, verter lágrimas; gotejar. (*Sin.* to cry, to mourn, to lament, to bewail. *Ant.* to rejoice.)
to weep away — passar o tempo a chorar.
to weep for joy — chorar de alegria.
to weep for the loss of — chorar a perda de.
to weep bitterly — chorar amargamente.
to weep oneself out — chorar até mais não poder.
to weep tears of blood — chorar lágrimas de sangue.
weeper [-ə], *s.* aquele que chora; carpideira; véu de viúva; fumo (de luto).
weeping [-iŋ], **1** — *s.* choro, pranto, lágrimas.
2 — *adj.* que chora, choroso; pendente; gotejante.
weeping willow — salgueiro-chorão.
weeping ground — terras pantanosas.
weeping rock — rocha que deixa ressumar água.
weeping eczema — eczema húmido.
weepingly [-iŋli], *adv.* chorosamente, lacrimosamente.
weever ['wi:və], *s.* (zool.) peixe-aranha.
weevil ['wi:vil], *s.* (zool.) gorgulho.
weft [weft], *s.* trama, tecido, textura; (náut.) sinal de perigo.
weigh [wei], **1** — *s.* pesagem, acto de pesar; (náut.) movimento (de um navio).
weigh-bridge — báscula automática.
ship under weigh — navio em marcha.
2 — *vt.* e *vi.* pesar; ter o peso de; considerar, ponderar; ter importância; oprimir; (náut.) suspender o ferro, levantar (a âncora).
to weigh down — exceder em peso; oprimir, acabrunhar.
to weigh anchor — levantar ferro.
to weigh upon — pesar sobre; oprimir.
to weigh in — averiguar o peso antes de um desafio ou corrida.
to weigh the pros and cons — pesar os prós e os contras.
to weigh with the hand — tomar o peso com a mão.
his years weigh him down — os anos pesam-lhe.
to be weighed down with cares — estar acabrunhado pelos cuidados.
to weigh one's words — medir as palavras.
to weigh heavy — pesar muito.
to weigh light — pesar pouco.
to get weighed — pesar-se.
weighable [-əbl], *adj.* pesável, que pode pesar-se.
weigher [-ə], *s.* pesador; aferidor de pesos.
weighing [-iŋ], *s.* pesagem; ponderação; (náut.) levantamento (da âncora).
weighing-cage — gaiola para pesar animais vivos.
weighing machine — balança; báscula; balança decimal.
weight [weit], **1** — *s.* peso; valor; importância; ponderação; influência, preponderância, importância; gravidade.
standard weight — peso legal.
over weight — peso excessivo.
gross weight — peso bruto.
net weight — peso líquido.
balance weight — contrapeso.
by weight — a peso.
stamped weight — peso aferido.
average weight — peso médio.
under weight — falta de peso; peso incompleto.
to make weight — completar o peso.
he is twice your weight — tem o dobro do teu peso.
dead weight — peso bruto.
what is your weight? — quanto pesas?
that is a great weight off my mind — é um peso que me sai das costas.
a man of weight — um homem de peso, de importância.
considerations of no weight — considerações sem importância.

light weight — leve.
welter weight — médio.
middle weight — meio pesado.
heavy weight — pesado.
weight-lifting — levantamento de pesos (ginástica).
weights and measures — pesos e medidas.
weight throwing (desp.) — lançamento do peso.
weights of a clock — pesos de um relógio.
atomic weight — peso atómico.
heavy weights and dumb-bells — pesos e halteres.
to be of the same weight — ter o mesmo peso.
to feel the weight of — tomar o peso a.
molecular weight — peso molecular.
to gain weight — aumentar de peso.
to lose weight — perder peso; emagrecer.
to put on weight — engordar.
2 — *vt.* tornar pesado; pôr lastro em; oprimir.

weighted [-id], *adj.* carregado (com peso); chumbado.

weightily [-ili], *adv.* pesadamente; com força; com gravidade.

weightiness [-inis], *s.* peso; gravidade; importância; influência.

weighty [-i], *adj.* pesado; de peso; ponderado; importante, grave; com influência.
for weighty reasons — por motivos poderosos.

weir [wiə], *s.* açude, represa, dique; caniçada (para apanhar peixes).

weird [wiəd], **1** — *s.* (esc.) destino, sorte, sina, fado.
2 — *adj.* sobrenatural, misterioso; singular, estranho, excêntrico; incompreensível.
the Weird Sisters — as Parcas; as bruxas.

weirdly [-li], *adv.* de modo sobrenatural; com aspecto espectral ou pavoroso; fatidicamente.

weirdness [-nis], *s.* qualidade do que é sobrenatural; mistério.

welcome ['welkəm], **1** — *s.* boas-vindas.
a hearty welcome — um acolhimento cordial.
to find a welcome — ter bom acolhimento.
a warm welcome — um acolhimento caloroso.
2 — *adj.* bem-vindo, bem recebido; agradável, grato.
you are welcome to it — está à sua disposição.
a welcome guest — um hóspede bem-vindo.
to make somebody welcome — acolher bem alguém.
3 — *vt.* dar as boas-vindas, acolher, receber com amizade.
to welcome a suggestion — aceitar com prazer uma sugestão.
4 — *interj.* bem-vindo!
welcome to Portugal — bem-vindo a Portugal!

welcomeness [-nis], *s.* bom acolhimento, boa recepção.

welcomer [-ə], *s.* pessoa que dá as boas-vindas.

welcoming [-iŋ], **1** — *s.* bom acolhimento, boa recepção.
2 — *adj.* acolhedor.

welcomingly [-iŋli], *adv.* acolhedoramente.

weld [weld], **1** — *s.* (bot.) lírio-dos-tintureiros; caldeamento; soldadura.
2 — *vt.* e *vi.* caldear; ligar; fundir; soldar.

weldable [-əbl], *adj.* caldeável.

welder [-ə], *s.* soldador; aparelho para soldar.

welding [-iŋ], *s.* soldagem; caldeamento.
welding-burner — aparelho de soldar; ferro de soldar.
welding-heat — rubro a caldear.
welding torch — maçarico de soldar.

welfare ['welfɛə], *s.* bem-estar, felicidade; prosperidade; saúde. (*Sin.* comfort, happiness, prosperity, well-being. *Ant.* misfortune.)
welfare work — assistência social.
child welfare — protecção da infância.

welkin ['welkin], *s.* (poét.) céu, firmamento.

well [wel], **1** — *s.* poço, nascente, fonte, manancial; depósito de água; vão no centro de uma escadaria; (náut.) poço, arca da bomba; cavidade; *pl.* estância de águas minerais; bem, felicidades.
well-spring — manancial.
well-head — mãe-d'água.
to sink a well — abrir um poço.
well-sinker — poceiro.
well-bucket — balde de poço.
well-staircase — escada em espiral.
artesian well — poço artesiano.
pilot's well (av.) — carlinga.
to wish somebody well — desejar bem a alguém.
2 — *adj.* bem, de boa saúde, feliz; satisfatório; confortável; útil, vantajoso, conveniente, próprio.
to be well — passar bem; estar bom de saúde.
to feel well — sentir-se bem.
well and strong — forte; saudável.
all is well that ends well — tudo está bem quando acaba bem.
3 — *adv.* bem, convenientemente; muito; favoravelmente; completamente; devidamente; felizmente; seja assim; e também.
she as well as you — ela e tu.
well begun is half done — trabalho bem começado é meio caminho andado.
to speak well of somebody — dizer bem de alguém.
to stand well with somebody — estar nas boas graças de alguém.
well, I never! — não é possível!, nunca ouvi tal coisa!
well enough — aproveitável.
well off — em boa situação financeira.
well under — ébrio.
well on in years — de idade avançada.
to do well — proceder bem.
well-worded — bem redigido.
well-dressed — bem-posto; bem vestido.
that sounds well! — muito bem!, óptimo!
well met! — bons olhos te vejam!
4 — *vi.* manar, brotar, nascer.
5 — *interj.* bem!; bom!
well, well! — ora, ora!
well then? — e então?

we'll [wi:l] = **we shall, we will.**

welladay ['welə'dei], *interj.* (arc.) ai de mim!; ai de nós!

well-advised ['weləd'vaizd], *adj.* bem-avisado; prudente, atilado.
a well-advised answer — uma resposta atilada.

well-behaved ['welbi'heivd], *adj.* bem-comportado, bem-educado.

well-being ['wel'bi:iŋ], *s.* bem-estar; felicidade.

well-beloved ['wel'bilʌvd], **1** — *s.* bem-amado, bem-amada.
2 — *adj.* bem-amado.

well-bred ['wel'bred], *adj.* bem-educado cortês; (animal) de boa raça.

well-doing ['wel'du:iŋ], **1** — *s.* virtude; respeitabilidade; prosperidade.
2 — *adj.* respeitável; virtuoso; próspero.

well-fed ['wel'fed], *adj.* bem alimentado.

wellingtons ['weliŋtənz], *s. pl.* botas altas até aos joelhos.

well-known ['wel'noun], *adj.* bem conhecido; célebre.

well-looking ['wel'lukiŋ], *adj.* bem-parecido; atraente.

well-meaning ['wel'mi:niŋ], **1** — *s.* boas intenções.
2 — *adj.* bem-intencionado.

Welsh [welʃ], **1** — *s.* galês; língua falada no País de Gales.
2 — *adj.* galês, relativo ao País de Gales.
welsh [welʃ], *vt.* e *vi.* escapulir-se, safar-se sem pagar (diz-se de um *bookmaker*, apostador de corridas).
welsher [-ə], *s. bookmaker* que foge sem pagar as apostas.
Welshman (*pl.* **Welshmen**) [-mən,-mən], *s.* galês, natural do País de Gales.
Welshwoman (*pl.* **Welshwomen**) [-wumən, -wimin], *s. fem.* senhora ou rapariga galesa.
welt [welt], **1** — *s.* vira (de calçado); vinco, vergão; debrum; orla.
2 — *vt.* deitar viras (em calçado); vergastar, zurzir.
welter [-ə], **1** — *s.* rebuliço, tumulto.
welter race — corrida de cavalos em que os jóqueis pesam mais do que o normal.
welter-weight (boxe) — meio-médio; (corrida de cavalos) peso superior ao que se costuma pôr nos cavalos nas corridas.
2 — *vi.* rebolar-se, espojar-se; chafurdar; revolver-se; ficar ensopado; encapelar-se (mar).
weltering [-əriŋ], **1**—*s.* agitação; encapeladura.
2 — *adj.* encapelado (mar.)
wen [wen], *s.* quisto, tumor, lobinho.
Wenceslas ['wensisləs], *n. p.* Venceslau.
wench [wentʃ], **1** — *s.* rapariga, moça, criada; (arc.) prostituta.
2 — *vi.* frequentar prostitutas.
wend [wend], *vt.* e *vi.* dirigir-se, encaminhar-se.
Wend [wend], *s.* vénedo, membro da raça eslávica que vive na Saxónia e na Prússia.
went [went], **1** — *s.* (arc.) caminho, carreiro.
2 — *pret.* de **to go.**
wept [wept], *pret.* e *pp.* de **to weep.**
were [wə:], *pret.* de **to be** (todas as pessoas, excepto a 1.ª e a 3.ª do sing.).
as if it were possible — como se fosse possível.
were he wise — se ele fosse sensato.
if I were you — se eu fosse tu.
as it were — por assim dizer.
we're [wiə] = **we are**
werewolf (*pl.* **werewolves**) ['wə:wulf,-uz], *s.* lobisomem.
wert [wə:t], (arc.) 2.ª *pes. sing. pret. ind. e conj.* de **to be.**
werwolf ['wə:wulf], *s.* ver **werewolf.**
west [west], **1** — *s.* oeste, poente, ocidente, ocaso; vento oeste.
on the west of — a ocidente de.
the West — o Ocidente (Europa e o continente americano).
the Far West (E. U.) — os estados das montanhas Rochosas e o litoral do Pacífico.
2 — *adj.* ocidental, oeste.
on the west coast — na costa ocidental.
the West End — a parte ocidental de Londres, a parte mais elegante de Londres.
3 — *adv.* a ocidente; em direcção a oeste.
to sail due west — navegar para ocidente.
to go west (col.) — morrer.
4 — *vi.* seguir para ocidente.
westering [-əriŋ], *adj.* que se dirige para oeste.
westerly [-əli], **1** — *s.* vento oeste.
2 — *adj.* ocidental, oeste.
westerly wind — vento do ocidente.
3 — *adv.* para oeste; em direcção a oeste.
western [-ən], **1** — *s.* ocidental; habitante do Oeste americano; filme do Oeste americano.
2 — *adj.* ocidental.
the Western Hemisphere — o hemisfério ocidental.
Western Europe — a Europa ocidental.
westerner [-ənə], *s.* ocidental; habitante do Oeste americano.
west-north-west ['westnɔ:θ'west], **1** — *s.* oés-noroeste.
2 — *adv.* a oés-noroeste; para oés-noroeste.
west-south-west ['westsauθ'west], **1** — *s.* oés-sudoeste.
2 — *adv.* a oés-sudoeste; para oés-sudoeste.
westward ['westwəd], **1** — *s.* oeste, direcção de oeste.
2 — *adj.* ocidental; que vai para oeste.
3 — *adv.* a oeste; em direcção a oeste.
westwardly [-li], *adj.* ocidental, do oeste.
westwards [-z], *adv.* ver **westward 3.**
wet [wet], **1** — *s.* humidade; tempo chuvoso.
2 — *adj.* húmido, humedecido, molhado, ensopado; chuvoso. (*Sin.* damp, soaked, moist, humid. *Ant.* dry.)
wet nurse — ama de leite.
wet dock — doca de abrigo.
wet weather — tempo chuvoso.
to get wet through — ficar encharcado.
wet to the skin — encharcado até aos ossos.
to get wet — molhar-se.
out in the wet — à chuva.
wet blanket (col.) — desmancha-prazeres.
wet paint — tinta fresca; pintado de fresco.
as wet as a drowned rat — molhado como um pinto.
the wet season — a estação das chuvas.
3 — *vt.* (*pret.* e *pp.* **wetted**) molhar, humedecer, banhar, embeber.
to wet the bed — urinar na cama.
to wet one's feet — molhar os pés.
to wet one's whistle (col.) — "molhar a palavra".
wetness [-nis], *s.* humidade.
wetting [-iŋ], **1** — *s.* acção de molhar; molhadela.
to get a wetting — apanhar uma molhadela.
2 — *adj.* que molha.
wettish [-iʃ], *adj.* um tanto molhado, um tanto húmido.
we've [wi:v] = **we have.**
wey [wei], *s.* unidade variável de peso (entre 100 e 150 quilogramas).
whack [wæk], **1** — *s.* pancada, golpe; quinhão, participação.
2 — *vt.* espancar, desancar; dividir, partilhar.
whacker [-ə], *s.* espancador; (col.) pessoa muito grande; grande mentira.
whacking [-iŋ], **1** — *s.* sova, tareia.
2 — *adj.* (col.) muito grande, colossal.
whale [weil], **1** — *s.* baleia.
whale-boat — baleeira.
whale-oil — óleo de baleia.
whale-calf — baleote.
whale-gig — baleeira.
bull whale — baleia macho.
cow whale — baleia fêmea.
whale of a time — um tempo delicioso.
2 — *vt.* e *vi.* pescar baleias; (E. U.) açoitar.
whalebone [-boun], *s.* barba de baleia.
whaler [-ə], *s.* pescador de baleias; baleeiro (navio).
whaling [-iŋ], *s.* pesca à baleia; sova, tareia.
whaling-ship — navio baleeiro.
whaling-ground — regiões onde aparecem as baleias.
whang [wæŋ], **1** — *s.* pancada sonora; som forte; fatia grossa; correia.
2 — *vt.* e *vi.* espancar, sovar; ressoar.
wharf (*pl.* **wharfs, wharves**) [wɔ:f,-s,-vz], **1** — *s.* cais, molhe, desembarcadouro.
wharf-man — descarregador (de cais).
2 — *vt.* e *vi.* atracar ao cais; descarregar mercadoria no cais.
wharfage [-idʒ], *s.* acostagem; direitos de cais; acto de depositar mercadorias no cais.

wharfing [-iŋ], *s.* conjunto de cais e pontes; material para a construção de cais.
wharfinger [-indʒə], *s.* proprietário ou guarda de cais.
what [wɔt], **1** — *pron inter.*; *pron. rel.* que; quê; o que; aquilo que.
to know what's what — ser muito esperto; «saber da poda».
what for? — para quê?; por que razão?
what next? — que se segue?
what of what — e daí?
what is this for? = *what is the good of it?* — para que serve isto?
what is that to me? — que me importa isso?
what else? — que mais?
what if I bought a new car? — que sucederia; se eu comprase um carro novo?
what is he like? — como é ele?
I'll tell you what — dir-te-ei o que é.
not a day but what it rains — não se passa um dia que não chova.
what does he say? — que diz ele?
what do you call that flower? — como se chama aquela flor?
what about it? — que há a esse respeito?
what's the matter with you? — que tens?
what-d'ye-call-him (her, it, 'em)? — (frase empregada em vez do nome de uma pessoa ou de uma coisa de que não nos lembramos) fulano, coisa.
what is to be done? — que se há-de fazer?
what is that? — o que é aquilo?
I don't know what to say — não sei que dizer.
what is your name? — como te chamas?
what do I care? — que me importa?
come what will or may — suceda o que suceder.
I know what — tenho uma ideia.
what about going for a walk? — e se fôssemos dar um passeio?
what ho! — ora viva!
what's on? — o que aconteceu?
what you say is wrong — o que tu dizes está errado.
2 — *adj. inter.*; *adv.* que; qual, quais.
what boy is that? — que espécie de rapaz é esse?
what play are you referring to? — a que peça se refere?
what books have you read? — que livros tens lido?
what good is it? — para que serve?
what a pretty child! — que linda criança!
whate'er [wɔt'ʃə], *pron.* e *adj. enf.* (poét.) vd. **whatever.**
whatever [wɔt'evə], *pron.* e *adj. indef.* e *enf.* seja o que for, qualquer coisa que; tudo o que; qualquer.
whatever I have is yours — tudo o que tenho é teu.
whatever you do, do it properly — tudo o que fizeres, faz bem.
whatever doubt you may have — qualquer dúvida que tenhas.
whatever be his reasons — sejam quais forem as suas razões.
do whatever you like — faça tudo o que quiser.
whatever may happen — aconteça o que acontecer.
whatever may be — seja qual for.
nothing whatever — absolutamente nada.
I didn't hear anything whatever — não ouvi absolutamente nada.
whatsoever [wɔtsou'evə], *adj.* e *pron indef.* e *enf.* vd. **whatever.**
wheat [wi:t], *s.* trigo.
wheat-grass — grama (erva).
wheat-worm — gorgulho.
wheat-field — trigal.
buck wheat — trigo mouro.
bearded wheat — trigo galego.
wheatear [-iə], *s.* espiga de trigo; (zool.) trigueiro.
wheaten [-n], *adj.* de trigo.
wheaten bread — pão de trigo.
wheatmeal [-mi:l], *s.* farinha grosseira de trigo.
wheedle ['wi:dl], *vt.* lisonjear, adular; engodar; seduzir. (*Sin.* to cajole, to coax, to flatter, to inveigle. *Ant.* to coerce.)
wheedler [-ə], *s.* lisonjeador, adulador; enganador.
wheedling [-iŋ], **1** — *s.* lisonja; engodo, embuste; sedução.
2 — *adj.* lisonjeiro, adulador; enganador.
wheel [wi:l], **1** — *s.* roda; rotação; roda do leme; bicicleta; volante; movimento de rotação; cambalhota.
wheel-chair — cadeira de rodas.
cog-wheel — roda dentada.
spinning-wheel — torno de fiar.
a fly on the wheel (col.) — pessoa vaidosa.
water-wheel — roda da nora.
wheel-house — casa do leme.
fore-wheel — roda dianteira.
hind-wheel — roda traseira.
wheel-arm — raio de roda.
wheel suspension — suspensão da roda.
balance-wheel — volante.
driving-wheel — volante de direcção; roda motriz.
planet-wheel — planetário.
the man at the wheel — o homem do leme; o homem do volante; timoneiro.
2 — *vt.* e *vi.* rodar; fazer rodar, fazer girar; levar num carro; andar de bicicleta; fazer evolucionar; mudar de rumo ou opinião.
to wheel about — dar muitas voltas; mudar; variar.
to wheel a barrow — empurrar um carrinho de mão.
wheelbarrow [-bærou], *s.* carro de mão.
wheeler [-ə], *s.* carpinteiro de rodas; o que roda ou faz rodar; carro de rodas.
two-wheeler — carro de duas rodas.
wheeling [-iŋ], **1** — *s.* transporte sobre rodas; passeio de bicicleta; movimento de rotação.
2 — *adj.* que anda em roda; giratório, rotativo.
wheelright [-rait], *s.* carpinteiro de carros, carpinteiro de rodas.
wheeze [wi:z], **1** — *s.* respiração difícil, respiração asmática.
a good wheeze — uma ideia feliz.
2 — *vt.* e *vi.* respirar a custo, respirar como um asmático.
wheezy [-i], *adj.* que respira com dificuldade.
whelk [welk], *s.* búzio (molusco); borbulha.
whelked [-t], *adj.* com borbulhas.
whelm [welm], *vt.* (poét.) tragar, submergir, sobrecarregar, oprimir.
whelp [welp], **1** — *s.* cachorro; cria de leoa, raposa, ursa, tigre, etc.; criança mal-educada.
2 — *vt.* e *vi.* parir, dar à luz; arquitectar (plano mau).
when [wen], **1** — *s.* tempo, ocasião, data.
to say the when and the how of something — dizer o quando e o como de alguma coisa.
2 — *adv. inter.* quando?; há quanto tempo?
till when? — até quando?
since when? — desde quando?
when did you see him? — quando o viste?
I can't know when it was — não sei quando foi.
3 — *conj.* quando; se bem que, embora.
when it rains, he stays at home — quando chove ele fica em casa.

when pigs fly (col.) — quando as galinhas tiverem dentes; para a semana dos nove dias.
whence [wens], **1** — *s.* origem; fonte.
we know neither our whence nor our wither — nem sabemos de onde viemos nem para onde vamos.
2 — *adv.* donde, de que lugar; por que razão; por este motivo.
no one knows whence she comes — ninguém sabe donde ela vem.
whence comes it that... — como é que...
whencesoe'er [wenssou'ɛə], *adv.* (poét.) = **whencesoever.**
whencesoever [wenssou'evə], *adv.* seja de onde for que; de onde quer que seja que.
whene'er [wen'ɛə], *adv.* (poét.) ver **whenever.**
whenever [wen'evə], *conj.* sempre que, todas as vezes que, em qualquer tempo que.
whensoe'er [wensou'ɛə], *adv.* vd. **whenever.**
whensoever [wensou'evə], *adv.* vd. **whenever.**
where [wɛə], **1** — *s.* lugar, local.
2 — *adv. inter.* e *rel.* onde?; em que?; a que respeito?
where did you read that? — onde leste isso?
where does this road lead to? — onde vai dar esta estrada?
where is the way out? — onde é a saída?
that's where it is (col.) — aí é que bate o ponto.
where am I wrong? — em que é que eu estou enganado?
where are you from? — de que terra é?
I don't like the place where you live — não gosto do lugar onde vives.
whereabout [-əbaut], **1** — *s.* paradeiro.
where is her present whereabout? — onde é o paradeiro dela agora?
2 — *adv.* onde, por onde; em que lugar.
whereabout did you put my book? — onde é que puseste o meu livro?
whereabouts ['wɛərə'bauts], *s.* e *adv.* vd. **whereabout.**
whereas [wɛər'æz], *conj.* visto que, atendendo a que, considerando que; ao passo que; por quanto.
whereases [-iz], *s. pl.* considerandos; preâmbulo.
whereat [wɛər'æt], *adv.* a que, ao que; à vista do que; em que; pelo que.
whereby [wɛə'bai], *adv.* por que, pelo que; por que meio; como?
wherefore ['wɛəfɔ:], *adv.* pelo que, por conseguinte; por que motivo?, por que razão?.
wherein [wɛər'in], *adv.* no que, em que.
wherein have I offended? — em que é que eu ofendi?
whereof [wɛər'ɔv], *adv.* de que, do que; de quem.
whereon [wɛər'ɔn], *adv.* em que, sobre que; após o que.
wheresoe'er [wɛəsou'ɛə], *adv.* (poét.) vd. **wherever.**
wheresoever [wɛəsou'evə], *adv.* vd. **wherever.**
whereupon [wɛərə'pɔn], *adv.* vd. **whereon.**
wherever [wɛər'evə], *adv.* onde quer que, para onde quer; seja onde for.
wherever she goes — para onde quer que ela vá.
wherewith [wɛə'wiθ], *adv.* com que, com o qual; com que?; após o que.
wherewithal [wɛəwi'ðɔ:l], *adv.* vd. **wherewith**
wherewithal ['wɛəwiðɔ:l], *s.* recursos, meios, dinheiro.
wherry ['weri], **1** — *s.* bote, barco; canoa, batel.
2—*vt.* e *vi.* transportar em bote; guiar um bote.
wherryman [-mən], *s.* barqueiro.
whet [wet], **1** — *s.* estimulante; acto de afiar.
whet to the appetite — aperitivo.
2 — *vt.* (*pret.* e *pp.* **whetted**) aguçar, afiar; estimular; exasperar, irritar.
to whet one's appetite — estimular o apetite.
to whet a knife — amolar uma faca.
whether ['weðə], **1** — *adj.* e *pron. inter.* e *rel.* (arc.) qual (de dois).
2 — *conj.* quer; *part. inter.* se.
whether you stay or go — quer fiques quer vás.
I don't know whether you go or not — não sei se vais ou não.
whetstone ['wetstoun], *s.* pedra de amolar; amolador.
whetting ['wetiŋ], *s.* acto de afiar ou amolar; acto de estimular ou excitar.
whew [ju:], *interj.* uf!, cáspite! (consternação).
whey [wei], *s.* soro de leite.
which [witʃ], **1** — *adj. inter.* e *rel.* que?, qual? (selecção de número limitado); o qual, que.
which way shall we go? — por onde havemos de ir?
he said that, which fact made me angry — ele disse isso, o que me irritou.
2 — *pron. inter. e rel.* qual?; que, o qual; o que, coisa que.
which of these girls is your cousin? — qual destas raparigas é tua prima?
he said I was ill, which was not true — ele disse que eu estava doente, o que não era verdade.
she doesn't know which is which — ela não sabe distingui-los.
which is the way to that street? — por onde se vai para aquela rua?
which is the book? — qual é o livro?
say which you would like best — diga qual prefere.
my cat, which was lost, has been found — o meu gato que se tinha perdido, apareceu.
which of you is going? — qual de vocês vai?
whichever [witʃ'evə], *adj.* e *pron.* tudo que; qualquer coisa que; seja qual for.
take whichever you like best — pegue em qualquer um de que goste mais.
whichsoever [witʃsou'evə], *adj.* e *pron.* vd. **whichever.**
whiff [wif], **1** — *s.* sopro, lufada, baforada; (col.) cigarrilha; espécie de bote de corrida.
I want a whiff of fresh air — preciso de uma lufada de ar puro.
2 — *vt.* e *vi.* lançar baforadas; fumar; sair às baforadas; pescar à linha.
whiffle [hwifl], **1** — *s.* aragem; sopro de ar.
2 — *vt.* e *vi.* soprar levemente; mover-se leve aragem; mudar de direcção (vento); tremeluzir (luz).
whiffler [-ə], *s.* pessoa inconstante; pessoa fútil.
whiffling [-iŋ], *adj.* fútil; inconstante.
whiffy [-i], *adj. (col.)* malcheiroso.
whig [wig], **1** — *s.* liberal (membro do partido político oposto aos *Tories).*
2 — *adj.* relativo aos *whigs.*
whiggery ['wigəri], *s.* princípios políticos dos "whigs"; liberalismo antiquado.
whiggish ['wigiʃ], *adj.* relativo aos *whigs.*
while [wail], **1** — *s.* tempo, espaço de tempo.
in a little while — dentro de pouco tempo.
a long while ago — há muito tempo.
once in a while — de vez em quando.
for a long while — durante muito tempo.
between whiles — por intervalos; de vez em quando, nos intervalos.
all this while — durante todo este tempo.
after a while — algum tempo depois.
to be worth while — valer a pena.
what a while you are! — que tempo levas!

2 — *conj.* enquanto; ao passo que; embora.
while there is life, there is hope — enquanto há vida há esperança.
one was at home, while the others had gone for a walk — um estava em casa, ao passo que os outros tinham ido dar um passeio.
3 — *vt.* passar, matar (o tempo).
to while away the time — passar o tempo; matar o tempo.

whilst [-st], **1** — *s.* ver **while 1.**
2 — *conj.* ver **while 2.**

whim [wim], *s.* capricho, veneta, fantasia, mania; cabrestante.
I wonder what whim has got into his head — pergunto a mim mesmo que bicho lhe mordeu.

whimper ['wimpə], **1** — *s.* choradeira, lamúria, queixume; (cão) ganido.
2 — *vt.* e *vi.* choramingar, lastimar-se; (cão) ganir.

whimpering [-riŋ], **1** — *s.* choro impertinente, lamúria, chorinquice.
2 — *adj.* choramingas, chorão.

whimsical ['wimzikəl], *adj.* caprichoso, extravagante, esquisito, excêntrico, fantástico. (*Sin.* freakish, capricious, fantastic, odd. *Ant.* staid.)
a whimsical creature — uma criatura excêntrica.

whimsicality [wimzi'kæliti], *s.* singularidade, esquisitice, capricho.

whimsically ['wimzikəli], *adv.* caprichosamente; bizarramente; fantasticamente; extravagantemente.

whimsicalness ['wimzikəlnis], *s.* ver **whimsicality.**

whimsy ['wimzi], *s.* capricho, extravagância; banalidade.

whin [win], *s.* (bot.) tojo; urze, torga; espécie de basalto.

whinchat ['wintʃæt], *s.* (zool.) chasco; tanjasno.

whine [wain], **1** — *s.* queixume, lamento, gemido; chorinquice; (cão) ganido.
2 — *vt.* e *vi.* gemer, lamentar-se, lamuriar, lastimar-se; (cão) ganir.

whiner [-ə], *s.* chorão, choramingas.

whinger ['wiŋə], *s.* adaga, punhal; faca comprida.

whining ['wainiŋ], **1** — *s.* lamento, queixume, lamentação.
2 — *adj.* choroso, lamentoso, queixoso, lamurioso.

whinny ['wini], **1** — *s.* relincho, rincho.
2 — *adj.* (terreno) coberto de urze ou tojo.
3 — *vi.* relinchar, rinchar.

whinstone ['winstoun], *s.* espécie de basalto.

whip [wip], **1** — *s.* chicote, azorrague, açoite; cocheiro; (náut.) palanquim de esta ; deputado que obriga os membros do seu partido a comparecerem no parlamento para votarem em questões importantes.
whip-lash — ponta do chicote.
stroke of a whip — chicotada.
to crack a whip — fazer estalar um chicote.
whip hand — a mão que segura o chicote; vantagem; superioridade.
whip-saw — serra braçal.
whip-staff — cabo do chicote.
whip and spur — a toda a brida; precipitadamente.
to be a good whip — guiar bem (carro de cavalos).
2 — *vt.* e *vi.* chicotear, fustigar, açoitar; bater (ovos, nata, etc.); andar com agilidade; pescar à linha; atirar o anzol repetidas vezes à água; pontear, coser ao de leve; (col.) vencer; sobrepor; içar.
to whip away = *to whip out* = *to whip up* — arrebatar; levar.
to whip eggs — bater ovos.
to whip off one's coat — tirar o casaco rapidamente.
to whip into — entrar apressadamente.
to whip out — sair apressadamente.
to whip horses on — fustigar cavalos.
to whip a top — fazer girar um pião.
to whip out a knife — sacar de uma faca.

whipper [-ə], *s.* açoitador, fustigador.

whipper-snapper ['wipəsnæpə], *s.* (col.) pedante; gaiato, rapazote.

whippet ['wipit], *s.* cão ensinado para corridas; (mil.) carro de assalto leve e rápido.

whipping ['wipiŋ], *s.* açoite, flagelação, chibatada; (fam.) derrota; (cul.) batimento (de ovos, nata, etc.); fio para enrolar cabos.
whipping — pessoa castigada em vez de outra.
whipping-post — pelourinho.
whipping-top — pião.

whippletree ['wipltri], *s.* balancim de carro.

whippoorwill ['wippuəwil], *s.* (zool.) espécie de noitibó.

whipster ['wipstə], *s.* gaiato, pessoa insignificante.

whir [wə:], **1** — *s.* zumbido, zunido.
2 — *vi.* voar ou girar zumbindo; zumbir, zunir; sussurrar; roncar (motor).

whirl [wə:l], **1** — *s.* giro, volta, rotação rápida; turbilhão; redemoinho; azáfama, lufa-lufa.
my thoughts are in a whirl — tenho a cabeça num turbilhão.
whirl of dust — redemoinho de pó.
2 — *vt.* e *vi.* rodopiar, girar rapidamente, remoinhar; sentir tonturas; arremessar com força. (*Sin.* to spin, to rotate, to twirl, to gyrate.)
to whirl along — precipitar-se, correr a toda a velocidade.
my head whirls — sinto a cabeça a andar à roda.

whirligig ['wə:ligig], *s.* carapeta, pitorra; carrossel; rotação, rodopio.

whirlpool ['wə:lpu:l], *s.* remoinho de água, turbilhão, voragem.

whirlwind ['wə:lwind], *s.* remoinho de vento; furacão.
sow wind and reap whirlwind — quem semeia ventos colhe tempestades.

whirr [wə:], *s.* *vi.* vd. **whir.**

whirring [-riŋ], **1** — *s.* vd. **whir.**
2 — *adj.* que zune; que ronca; sibilante; que gira rapidamente.

whisk [wisk], **1** — *s.* movimento rápido; espanador; enxota-moscas; batedor de ovos, nata, etc.
egg-whisk — batedor de ovos.
dusting-whisk — espanador de pó.
2 — *vt.* e *vi.* espanar, escovar rapidamente; enxotar (moscas, etc.); bater (ovos, nata, etc.); mover-se ou andar ligeiramente; menear (a cauda).
to whisk away = *to whisk off* — tirar, levar rapidamente; espanar; sacudir.
to whisk into — escapulir-se.
to whisk eggs — bater ovos.
the dog whisks his tail — o cão agita a cauda.

whisker [-ə], *s.* o que espana; o que se move rapidamente; *pl.* suíças, bigodes (de gato).

whiskered [-əd], *adj.* que usa suíças; com bigodes (gato).

whisky [-i], *s.* uísque; carruagem leve de duas rodas.
whisky and soda — uísque com soda.

whisper ['wispə], **1** — *s.* sussurro, murmúrio; insinuação, sugestão, boato.

to speak in a whisper = *to speak in whispers* — falar baixinho.
the whisper of the wind — o murmurar do vento.
there is a whisper that... — corre o boato de que...
2 — *vt.* e *vi.* segredar, cochichar, dizer ao ouvido; murmurar, sussurrar.
to whisper a thing in somebody's ear — dizer uma coisa ao ouvido de alguém.

whisperer [-rə], *s.* aquele que fala baixo ou segreda; linguareiro, maldizente.

whispering ['wispəriŋ], **1** — *s.* cochicho, segredo; maledicência, mexerico; insinuação; sussurro, murmúrio.
2 — *adj.* sussurrante, murmurante; mexeriqueiro, maledicente.

whisperingly [-li], *adv.* em voz baixa, em segredo; sussurrantemente.

whist [wist], **1** — *s.* «whist», jogo de cartas.
2 — *adj.* (arc.) silencioso.

whistle ['wisl], **1** — *s.* assobio, silvo; zunido; (col.) garganta.
to pay early for one's whistle — pagar demasiado caro um capricho.
to blow a whistle — apitar.
to wet one's whistle (col.) — molhar o bico; beber qualquer coisa.
2 — *vt.* e *vi.* assobiar, silvar; chamar assobiando; uivar (vento).
to whistle down the wind — falar inutilmente.
to whistle off — despedir assobiando.
to whistle somebody out — apupar alguém.
to whistle for a taxi — chamar um táxi, assobiando.

whistler [-ə], *s.* pessoa que assobia; vento sibilante; (zool.) arganaz ou marmota canadiana.

whistling [-iŋ], **1** — *s.* assobio; sibilo.
2 — *adj.* sibilante; que assobia.

whit [wit], *s.* partícula, porção mínima.
not a whit = *no whit* = *never a whit* — de modo nenhum.

Whit [wit], *adj.* de Pentecostes.
Whit Sunday — domingo de Pentecostes.
Whit Monday — segunda-feira de Pentecostes.
Whit Tuesday — terça-feira de Pentecostes.
Whit week — semana de Pentecostes.

white [wait], **1** — *s.* branco, cor branca; homem de raça branca; clara (de ovo); (med.) leucorreia, flores-brancas; *pl.* calças de flanela branca.
the white of the egg — a clara do ovo.
white of the eye — córnea do olho.
to be dressed in white — estar vestido de branco.
2 — *adj.* branco; alvo; pálido, descorado; puro, inocente; digno; (pol.) reaccionário.
as white as snow — branco como a neve.
white bear — urso polar, urso branco.
White House — Casa Branca (residência oficial do Presidente dos E. U.).
white lead — alvaiade de chumbo.
white ant — formiga-branca, térmite.
as white as a sheet — branco como a cal.
white meat — carnes brancas.
white herring — arenque fresco.
white metal — metal branco.
white lily — açucena.
white vitriol — sulfato de zinco.
white friar — frade carmelita.
white-livered — cobarde; invejoso.
white swelling — tumor branco.
white wine — vinho branco.
white bronze — bronze branco.
white brass — latão branco.
white coffee — café com leite.
white ceruse — alvaiade.
white-faced — pálido; de rosto branco.
white haired — de cabelos brancos.
white heat — rubro-branco.
white-limed — caiado.
white gold — ouro branco.
white plague — peste branca; tuberculose.
white night — noite em branco; noite em que não se dorme.
white sauce (cul.) — molho branco.
a white Christmas — um Natal com neve.
white potato — batata inglesa.
a white man — um homem branco; uma pessoa honesta.
a white day — um dia auspicioso.
to go white — empalidecer.
3 — *vt.* (arc.) branquear, caiar.
whited sepulchre — sepulcro caiado.

whitebait [-beit], *s.* peixe miúdo.

whitefish [-fiʃ], *s.* peixe de carne branca.

Whitehall ['wait'hɔ:l], *top.* nome de rua, em Londres, onde estão situados os principais ministérios; governo britânico.

whiten ['waitn], *vt.* e *vi.* branquear, corar; empalidecer; purificar, reabilitar.

whitener [-ə], *s.* branqueador (de peles, etc.); estanhador.

whiteness [-is], *s.* brancura, alvura; palidez; inocência, pureza.

whitening [-iŋ], *s.* branqueamento; caiação; estanhagem.

whitesmith ['waitsmiθ], *s.* latoeiro, funileiro; serralheiro.

whitethorn ['waitθɔ:n], *s.* pilriteiro, espinheiro.

whitethroat ['waitθrout], *s.* (zool.) papa-amoras; variedade de toutinegra.

whitewash ['waitwɔʃ], **1** — *s.* leite-de-cal; cal para caiar; caiação; acção de reabilitar um falido.
2 — *vt.* caiar; branquear; (col.) reabilitar um falido.

whitewasher [-ə], *s.* caiador.

whitewashing [-iŋ], *s.* acto de caiar; reabilitação de falido.

whitewood ['waitwu:d], *s.* madeira branca; árvore de madeira branca; tulipeiro.

whither ['wiðə], **1** — *s.* destino.
no whither (arc.) — para nenhum lugar.
2 — *adv.* para onde?; até que ponto?
let her go whither she will — deixá-la ir para onde quiser.

whithersoever [wiðəsou'evə], *adv.* seja para onde for.

whiting ['waitiŋ], *s.* cré; branco (tinta); (zool.) pescada marlonga, badejo.

whitish ['waitiʃ], *adj.* esbranquiçado.

whitleather ['witleðə], *s.* pele curtida com alúmen.

whitlow ['witlou], *s.* panarício, unheiro.

Whitsun ['witsn], *adj.* do Pentecostes.
Whitsun week — semana do Pentecostes.

Whits ntide ['witsntaid], *s.* Pentecostes.

whittle ['witl], **1** — *s.* (arc.) faca comprida, faca de magarefe.
2 — *vt.* e *vi.* cortar, aparar, aguçar; diminuir.

whity ['waiti], *adj.* esbranquiçado; claro.
whity-brown — castanho-claro; (col.) pouco nítido.

whizz [wiz], **1** — *s.* zunido, sussurro, assobi
2 — *vi.* silvar, sibilar.

whizzing [-iŋ], **1** — *s.* silvo, sibilo, zunido.
2 — *adj.* sibilante.

whizzingly [-iŋli], *adv.* sibilantemente.

who [hu:], **1** — *pron. rel. suj.* que, o qual; quem; aquele que.

the boy, who is in the garden, is my son — o rapaz que está no jardim é meu filho.
he who — aquele que.
those who — aqueles que.
2 — *pron. inter. suj.*, quem?, que pessoa?; que espécie de pessoa?
who's who? — quem é alguém? (anuário com informações relativas a pessoas importantes).
who has done this? — quem fez isto?
who goes there? (mil.) — quem vem lá?
whoe'er [hu:'εə], *pron.* (poét.) ver **whoever.**
whoever [hu:'evə], *pron.* quem quer que, todo aquele que, seja quem for, qualquer.
whoever comes will be welcome — quem quer que venha será bem-vindo.
whole [houl], **1** — *s.* total, totalidade; todo.
on the whole = upon the whole — em resumo; em geral.
the whole and the parts — o todo e as partes.
2 — *adj.* total, completo, inteiro; intacto; do mesmo pai e da mesma mãe; são; ileso.
the whole day — o dia inteiro.
the whole world — todo o mundo.
tell me the whole truth — diz-me toda a verdade.
the whole house — toda a casa.
whole-length — de corpo inteiro (retrato).
bread made of whole meal — pão integral.
whole gale — vento tempestuoso; vendaval.
whole coffee — café em grão.
whole-coloured — de uma só cor.
***whole-hearted* — sincero.**
whole-hoofed — solípede.
whole note (mús.) — semibreve.
whole milk — leite gordo.
whole-time work — trabalho que ocupa o dia todo.
as whole as fish — são como um pêro.
to come back whole — regressar são e salvo.
a whole number (mat.) — um número inteiro.
wholeness [-nis], *s.* totalidade; estado integral.
wholesale [-seil], **1** — *s.* venda por grosso, venda por atacado.
wholesale and retail — vendas por grosso e a retalho.
to sell by wholesale — vender por atacado.
2 — *adj.* por junto, por atacado.
wholesale trade — comércio por atacado.
wholesale dealer — comerciante por atacado.
3 — *adv.* por junto, por atacado.
to buy wholesale — comprar por junto.
to sell wholesale — vender por junto.
wholesaler [-seilə], *s.* negociante por atacado, grossista.
wholesome [-səm], *adj.* são, saudável, sadio; salutar, útil; moral; benéfico. (*Sin.* salubrious, salutary, healthy, beneficial. *Ant.* deleterious.)
wholesome advice — conselho salutar.
wholesome air — ar salubre.
wholesome food — alimento são.
wholesome exercise — exercício salutar.
wholesomely [-səmli], *adv.* saudavelmente; beneficamente, de um modo salutar.
wholesomeness [-səmnis], *s.* salubridade, qualidade do que é salutar.
wholly [-li], *adv.* totalmente, inteiramente, completamente.
whom [hu:m], **1** — *pron. rel. compl.* quem, que; qual, ao qual.
the man whom you saw is my brother — o homem que viste é meu irmão.
this is the boy about whom I was speaking — este é o rapaz acerca do qual eu estava a falar.
2 — *pron. inter. compl.* quem?
to whom must I give this? — a quem devo dar isto?
for whom did you buy this book? — para quem compraste este livro?
whom did you see in the garden? — quem viste no jardim?
whomsoe'er [hu:msou'εə], *pron.* ver **whomsoever.**
whomsoever [hu:msou'evə], *pron. rel. compl.* quem quer que; seja quem for.
whoop [hu:p], **1** — *s.* grito, algazarra; (col.) canto de galo; apupo, assuada.
whoops of joy — gritos de alegria.
2 — *vi.* apupar, fazer assuada; gritar, fazer algazarra.
3 — *interj.* eia! (incitamento, entusiasmo).
whoopee ['wupi], *s.* (col.) alegria, jovialidade, folguedo.
to make whoopee (col.) — divertir-se ruidosamente; fazer uma patuscada.
whooping ['hu:piŋ], *s.* gritaria, algazarra.
whooping-cough — tosse convulsa; coqueluche.
whop [wɔp], **1** — *s.* som (surdo, ruidoso).
2 — *vt.* e *vi.* (*pret.* e *pp.* **whopped**) bater, sovar; cair pesadamente.
whopper [-ə], *s.* o que bate; coisa muito grande, especialmente mentira; pessoa avantajada.
whopping [-iŋ], **1** — *s.* ver **whacking 1.**
2 — *adj.* ver **whacking 2.**
whore [hɔ:], **1** — *s.* (cal.) prostituta.
2 — *vi.* frequentar prostitutas; prostituir-se; (bíbl.) adorar deuses falsos, ser idólatra.
whoredom [-dəm], *s.* prostituição.
whoremaster [-ma:stə], *s.* frequentador de prostitutas; devasso.
whoremonger [-mʌŋgə], *s.* vd. **whoremaster.**
whoring [-riŋ], *s.* prostituição, devassidão.
whorl [wə:l], *s.* espira; espiral; (bot.) verticilo.
whorled [-d], *adj.* em espiral; (bot.) verticilado.
whortleberry ['wə:tlberi], *s.* (bot.) arando, uva-do-monte.
whose [hu:z], **1** — *pron. rel.* cujo; do qual; de quem.
the writer whose novels are famous died last year — o escritor, cujas novelas são célebres, morreu o ano passado.
2 — *pron.* e *adj. inter.* de quem?
whose house is that? — de quem é aquela casa?
whose is that house? — de quem é aquela casa?
whose fault is it? — de quem é a culpa?
whosesoever [hu:zsou'evə], *pron. rel.* seja de quem for, de quem quer que seja.
why [wai], **1** — *s.* (*pl.* **whys**) causa, motivo, razão.
to inquire into the whys and wherefores of something — procurar saber as causas e os fins de qualquer coisa.
2 — *adv.* porquê?, por que razão?, por que motivo?
why not? — porque não?
the reasons why he did it are obscure — as razões por que o fez são desconhecidas.
that's why — eis a razão por que.
3 — *interj.* quê!, ora! (surpresa, hesitação).
why, what a surprise! — ora, que grande surpresa!
why, yes! — pois, decerto!
why, of course! — ora essa!, com certeza!
wick [wik], *s.* torcida, pavio, mecha, morrão.
candle-wick — pavio de vela.
wicked [-t], *adj.* com torcida, pavio ou mecha.
wicked ['wikid], **1** — *adj.* mau, perverso, malvado; imoral, pecaminoso; perigoso; desagradável. (*Sin.* iniquitous, nefarious, sinful, vicious. *Ant.* virtuous.)

the wicked one — o Demónio.
2 — *adv.* intensamente; terrivelmente.
wickedly [-li], *adv.* perversamente, maldosamente, cruelmente; terrivelmente.
wickedness [-nis], *s.* maldade, perversidade, iniquidade; imoralidade; vício.
the wickedness of the world — a maldade do mundo.
wicker ['wikə], *s.* vime, verga; trabalho de verga.
a wicker-chair — uma cadeira de verga.
wickerwork [-wə:k], *s.* obras de vime.
wicket ['wikit], *s.* postigo, portinhola; cancela; (críquete) os três paus verticais que o *batsman* tem de defender e que o *bowler* procura derrubar; o sítio onde se fixam esses paus.
wicket-keeper (críquete) — jogador de guarda ao *wicket*.
wide [waid], **1** — *s.* (críquete) bola atirada pelo *bowler* que passa desviada do *wicket*.
2 — *adj.* amplo, vasto, extenso, espaçoso, largo; liberal; (críquete) afastado do *wicket*. (*Sin.* broad, extensive, large, spacious. *Ant.* narrow.)
wide of the question — desviado do assunto.
a wide river — um rio largo.
to take wide views — ter vistas largas.
wide of the truth — longe da verdade.
the wide world — o vasto mundo.
it is three feet wide — tem três pés de largura.
to stare with wide eyes — fitar de olhos arregalados.
3 — *adv.* longe; largamente; bastante, muito.
far and wide — por toda a parte.
wide-awake — bem acordado; (col.) fino, esperto; chapéu mole de aba larga.
wide open — aberto de par em par.
wide-spread — difundido, espalhado; aberto.
to fall wide of the target — cair longe do alvo.
widely [-li], *adv.* extensamente; muitíssimo; inteiramente; intervaladamente.
widely different — inteiramente diferente.
widely distributed — distribuído largamente.
widely known — conhecido em toda a parte.
widen [-n], *vt.* e *vi.* alargar, estender, dilatar; alargar-se, estender-se.
wideness [-nis], *s.* largura, amplidão, extensão, vastidão.
widgeon ['widʒən], *s.* (zool.) pato americano.
widow ['widou], **1** — *s. fem.* viúva.
widow's cruse — poço sem fundo; fonte inesgotável.
widow's mite — pequena dádiva.
widow's weeds — trajos de viúva.
grass widow — mulher casada cujo marido está ausente.
2 — *vt.* matar o marido ou a mulher de; tornar viúvo ou viúva; (poét.) privar de.
the widowed mother — a mãe viúva.
widowed of — privado de.
widower [-ə], *s.* viúvo.
grass-widower — marido cuja mulher está ausente.
widowhood [-hud], *s.* viuvez.
width [widθ], *s.* largura; extensão de lado a lado; vastidão.
width of views — largueza de vistas.
a width of three feet — uma largura de três pés.
wield [wi:ld], *vt.* empunhar, manejar, brandir; dominar, governar.
to wield the sceptre — empunhar o cetro.
to wield a kingdom — governar um reino.
wieldly [-i], *adj.* manejável.
wife (*pl.* **wives**) [waif,waivz], *s.* esposa; dona de casa.
child wife — esposa muito nova.
lawful wife = *wedded wife* — esposa legítima.
to take somebody to wife — casar com alguém.
wifehood [-hud], *s.* condição de mulher casada, situação de mulher casada.
wifeless [-lis], *adj.* sem esposa, sem mulher.
wifelike [-laik], *adj.* próprio de esposa.
wifely [-li], *adj.* próprio de esposa; conjugal.
wig [wig], **1** — *s.* cabeleira postiça, peruca, chinó.
the wig, the scalpel and the cloth — o Direito, a Medicina e a Igreja.
2 — *vt.* (*pret.* e *pp.* **wigged**) repreender, ralhar, censurar; pôr uma peruca em.
wigan ['wigən], *s.* entretela de algodão ou lona.
wigged ['wigd], *adj.* de cabeleira postiça, com peruca.
wigging ['wigiŋ], *s.* (col.) sarabanda, repreensão, descompostura.
to give a wigging to — passar uma sarabanda a.
to get a good wigging — apanhar uma boa descompostura.
wiggle ['wigl], *vt.* e *vi.* menear-se, mover-se; enrolar-se; serpear.
wigwam ['wigwæm], *s.* cabana, palhota dos índios.
wild [waild], **1** — *s.* deserto; sertão; ermo.
2 — *adj.* bravo, bravio, selvagem, inculto, silvestre, rústico, rude; impetuoso, furioso, desenfreado, desordenado; insensato, louco, estouvado; travesso, turbulento; desorientado; brincalhão; tempestuoso; extraordinário; entusiástico.
wild duck — pato bravo.
wild goose — ganso silvestre.
wild boar — javali.
a wild youth — um rapaz estouvado.
to be wild with joy — estar doido de alegria.
wild beast — fera.
a wild night — uma noite tempestuosa.
he is wild about tennis — é louco pelo ténis.
wild applause — aplausos frenéticos.
wild flowers — flores silvestres.
wild tribes — tribos selvagens.
to lead a wild life — levar vida dissoluta.
3 — *adv.* à sorte; excitadamente; descontroladamente.
to talk wild — falar irreflectidamente.
to shoot wild — disparar à toa.
wildbeest ['wildibi:st], *s.* (zool.) gnu.
wilderness ['wildənis], *s.* deserto, ermo, solidão; região inculta e desabitada; selva.
wildfire ['waildfaiə], *s.* composição de matérias inflamáveis; fogo grego; fogo-fátuo; relâmpago sem trovão; (arc.) erisipela.
to spread like wildfire — espalhar-se com a velocidade do relâmpago.
wilding ['waildiŋ], *s.* planta silvestre; macieira ou maçã brava.
wildly ['waildli], *adv.* de modo selvagem; loucamente; caprichosamente; estouvadamente.
wildness ['waildnis], *s.* selvajaria, estado rude; loucura, desvario, extravagância; ferocidade, brutalidade.
wile [wail], **1** — *s.* ardil, logro, fraude, engano.
2 — *vt.* lograr, enganar, iludir; passar (o tempo).
to wile away the time — passar o tempo.
wilful ['wilful], *adj.* teimoso, obstinado; voluntarioso; premeditado; propositado. (*Sin.* obstinate, self-willed, intentional, deliberate. *Ant.* docile.)
wilful murder — homicídio voluntário.
wilful child — criança teimosa.
wilfully [-i], *adv.* voluntariosamente, obstina-
wilful child — criança teimosa, voluntariosa.

wilfulness [-nis], *s.* obstinação, pertinácia, voluntariedade; capricho.
Wilhelmina [wilhel'mi:nə], *n. p.* Guilhermina.
wilily ['wailili], *adv.* astuciosamente, insidiosamente.
wiliness ['wailinis], *s.* astúcia, ardil; fraude.
will [wil], **1** — *s.* vontade, arbítrio; desejo; resolução, determinação; escolha; disposição, inclinação; mando; testamento.
of my own free will — de minha livre vontade.
to do a thing with a will — fazer uma coisa com alma.
at will — à vontade; à discrição.
ill will — má vontade; inimizade; malquerença.
good will — boa vontade; benevolência; (com.) clientela.
to bear somebody ill will — querer mal a alguém.
to bear somebody good will — querer bem a alguém.
to make one's will — fazer testamento.
to have one's will — levar a sua avante.
where there's a will there's a way — querer é poder.
against my will — contra minha vontade.
to have a strong will — ter vontade forte.
reading of a will — abertura de um testamento.
will of iron — vontade de ferro.
at one's will and pleasure — à vontade.
lack of will-power — falta de força de vontade.
strength of will — força de vontade.
free will — livre arbítrio.
tenant at will — inquilino que pode ser despedido sem notificação.
2 — *v. defect.* (só tem *pres. ind.* **will,** e *pret.* **would** auxiliar do futuro e condicional), desejar, querer; escolher.
come whenever you will — venha quando quiser.
I will rather die than... — antes quero morrer que...
I won't go — não irei.
when will you come back? — quando é que regressas?
would it were not so! — quem dera que não fosse assim!
he would have none of it — ele nem quer ouvir falar nisso.
3 — *vt.* e *vi.* (*pret.* e *pp.* **willed**) querer, determinar, ordenar, decretar; legar, dispor em testamento; sugestionar (alguém).
God willing — se Deus quiser.
she willed most of her money to charities — ela deixou a maior parte do dinheiro a obras de caridade.
willed [-d], *adj.* de vontade; voluntário; deixado em testamento; sugestionado.
self-willed — obstinado.
strong-willed — firme, inflexível.
weak-willed — fraco de vontade.
William ['wiljəm], *n. p.* Guilherme.
Willie ['wili], *n. p. dim.* de **William.**
willing ['wiliŋ], **1** — *s.* vontade; disposição testamentária.
2 — *adj.* inclinado, disposto, pronto, desejoso; de boa vontade; condescendente.
to be willing — consentir.
willing to please — desejoso de agradar.
willing or not — de boa ou má vontade.
to lend a willing hand — ajudar de boa vontade.
I am quite willing to do it — estou pronto a fazê-lo.
willingly [-li], *adv.* de boa vontade, de boa mente, voluntariamente, gostosamente; prontamente. (*Sin.* spontaneously, voluntarily, readily, eagerly. *Ant.* reluctantly.)
most willingly — da melhor vontade.
willingness [-nis], *s.* boa vontade; condescendência, complacência; gosto; prontidão.
will-o'-the-wisp ['wiləðwisp], *s.* fogo-fátuo.
willow ['wilou], **1** — *s.* (bot.) salgueiro; pá de críquete; máquina de limpar algodão ou cânhamo.
willow-machine — máquina de limpar algodão ou cânhamo.
plantation of willows — salgueiral.
Dutch willow — murta bastarda.
French willow — eloendro menor.
willow-warbler — variedade de rouxinol.
willow-tree — salgueiro.
weeping willow — salgueiro-chorão.
2 — *vt.* abrir com máquina (flocos de algodão ou lã).
willowing [-iŋ], *s.* limpeza de algodão ou lã.
willowy [-i], *adj.* abundante em salgueiros; flexível, esguio, gracioso.
willynilly ['wili'nili], *adv.* de bom ou mau grado, com vontade ou sem ela.
wilt [wilt], **1** — *s.* acto de murchar; definhamento.
2 — (arc.) 2.ª *pes. sing. pres. ind.* de **will.**
3 — *vt.* e *vt.* perder ou fazer perder a energia; desfalecer; murchar, secar; encolher-se.
wily ['waili], *adj.* astuto, manhoso, velhaco.
wimble ['wimbl], *s.* berbequim, broca, pua.
wimple ['wimpl], **1** — *s.* véu de freira; meandro (de rio); ondulação de água.
2 — *vt.* e *vi.* cobrir com véu, velar; ondear; encrespar-se.
wimpling [-iŋ], *adj.* serpenteante; murmurante.
win [win], **1** — *s.* ganho, vitória (em competição desportiva ou jogo); meta de chegada.
2 — *vt.* e *vi.* (*pret.* e *pp.* **won**) ganhar, adquirir, obter, conseguir; conquistar; vencer, triunfar; seduzir, atrair, cativar; ganhar na lotaria; persuadir; extrair (minério, carvão). (*Sin.* **to gain, to secure, to obtain.** *Ant.* to lose).
to win fame — adquirir fama.
to win hands down — ganhar sem dificuldades.
to win a prize — ganhar um prémio.
to win one's audience — atrair o auditório.
to win back — **tornar a ganhar; recuperar.**
you have won me — persuadiu-me.
to win a battle — ganhar uma batalha.
to win home — conseguir chegar a casa.
to win one's bread — ganhar o seu pão.
to win one's living — ganhar a sua vida.
to win the toss — **(desp.) ganhar no lançamento da moeda ao ar.**
wince [wins], **1** — *s.* retraimento; estremecimento; crispação nervosa.
without a wince — sem pestanejar.
2 — *vi.* retrair-se, encolher-se; melindrar-se; recuar (para evitar um golpe, uma dor); recalcitrar; escoicear (o cavalo).
without wincing — sem pestanejar.
wincey [-i], *s.* tecido grosso de algodão e lã.
winch [wintʃ], *s.* guincho, cabrestante; manivela.
Winchester ['wintʃistə], *top.* cidade inglesa em Hampshire.
wind [wind], **1** — *s.* vento, ar, sopro; respiração, hálito, bafo; cheiro; publicidade; bazófia; coisa insignificante; (mús.) instrumento de sopro.
fair wind — vento favorável.
high wind — vento rijo.
foul wind — vento contrário.
gust of wind — pé de vento; rajada de vento.
squall of wind — tormenta.

shifting wind — vento variável.
in the wind's eye (in the teeth of the wind) — em cheio, contra o vento.
before the wind — levado pelo vento.
gale of wind — ventania; furacão.
to see how the wind blows (to see how the wind lies) — ver em que pé estão as coisas.
to get one's wind — recuperar a respiração.
to get wind of — vir a saber.
something is in the wind — anda coisa no ar.
to get the wind up (col.) — ter medo.
to raise the wind — obter fundos; arranjar dinheiro.
to go like wind — ir de vento em popa.
the wind rose — o vento levantou-se.
the wind is falling — o vento está a amainar.
trade winds — ventos alísios.
puff of wind — sopro de vento.
between wind and water — à flor da água.
wind aft — vento em popa.
wind-bound — retido por ventos contrários.
the wind has shifted — o vento mudou.
wind-tight — impermeável ao ar.
the wind fell to a dead calm — o vento amainou.
to sail close to the wind — bolinar.
wind-egg — ovo goro.
wind-instrument — instrumento de sopro.
wind-screen — pára-brisas.
wind-screen wiper — limpa-pára-brisas.
wind-sail — ventilador de lona.
by the wind = *on the wind* (náut.) — chegado ao vento; a cavalo no vento.
wind ahead — vento pela proa.
wind-engine — aeromotor.
wind-fanner (zool.) — peneireiro.
wind-gauge — anemómetro.
wind rose — rosa-dos-ventos.
wind-flower — anémona.
wind-vane — cata-vento.
north wind — vento norte.
wind harp — harpa eólia.
between wind and weather — entre a espada e a parede.
to break wind — dar um traque.
to pump wind into a tire — encher um pneu.
to run like the wind — correr muito depressa.
to suffer from wind — sofrer de gases intestinais.
to throw one's cares to the winds — (col.) deitar as preocupações para trás das costas.
to talk to the wind — pregar no deserto.
how is the wind? — de onde sopra o vento?
2 — *vt.* arejar, expor ao vento; farejar; seguir a pista; tirar a respiração; tomar alento.

wind [waind], **1** — *s.* volta, curva; movimento coleante; deformação da madeira.
2 — *vt.* e *vi.* (*pret.* e *pp.* **wound**) enrolar, dobrar; voltar; torcer, retorcer, girar em espiral; fazer curvas; serpear; dar corda a; girar; enrolar-se, enroscar-se, torcer-se, retorcer-se; abraçar-se a; insinuar-se, ir com rodeios; (náut.) virar; içar com cabrestante.
to wind along — serpear; serpentear.
to wind off — desenrolar; desdobrar.
to wind up — dar corda a um relógio; terminar, concluir; (com.) liquidar; enrolar.
to wind into — introduzir; insinuar.
to wind a person round one's fingers — dominar uma pessoa.
to wind about — enrolar-se; enroscar-se.
to wind a top — enrolar o baraço no pião.
to wind oneself into somebody's good graces — insinuar-se nas boas graças de alguém.
to wind (up) a watch — dar corda a um relógio.
to wind (up) wool into a ball — fazer um novelo de lã.

wind [waind], *vt.* (*pret.* e *pp.* **winded,** às vezes **wound**) tocar (instrumento de sopro).

windage ['windidʒ], *s.* diferença entre o diâmetro de uma arma de fogo e a bala; influência do vento para desviar a bala.

windbag ['windbæg], *s.* reservatório de ar, saco de ar; (col.) pessoa de muito palavreado oco.

windbreak ['windbreik], *s.* vedação, muro ou árvores para cortar o vento.

winded ['windid], *adj.* sem fôlego; que tem respiração.
short-winded — de respiração curta.
long-winded — verboso, prolixo.

winder ['waində], *s.* bobinador; enrolador; dobadoura; planta trepadeira; degrau de escada de caracol; chave de relógio.

windfall ['windfɔ:l], *s.* fruta caída da árvore por causa do vento; dádiva inesperada; herança inesperada.

windhover ['windhɔvə], *s.* (zool.) peneireiro, milhafre, aguião.

windily ['windili], *adv.* com vento; tempestuosamente; com verbosidade.

windiness ['windinis], *s.* estado ventoso; verbosidade.

winding ['waindiŋ], **1** — *s.* curva, volta, meandro; circuito; sinuosidade; esquina, canto; dobagem; enrolamento (de fio eléctrico); (náut.) toque de apito do mestre; deformação da madeira.
the windings of a river — as sinuosidades de um rio.
winding-machine (elect.) — bobinador mecânico.
winding-up — fim, conclusão; (com.) liquidação; acção de dar corda a um relógio.
winding-frame — dobadoura; bobinadeira.
winding-shaft (min.) — poço de extracção.
winding-sheet — sudário; mortalha.
2 — *adj.* sinuoso, tortuoso; enrolado; em espiral; torcido, retorcido.
winding staircase — escada em caracol.
winding street — rua tortuosa.

windingly [-li], *adv.* coleantemente; sinuosamente; em espiral.

windlass ['windləs], **1** — *s.* molinete, bolinete; guindaste, cabrestante.
2 — *vt.* içar com molinete; servir-se do molinete.

windmill ['winmil], *s.* moinho de vento.
to have windmills in one's head (col.) — ter «macaquinhos no sótão».
to fight windmills (to tilt at windmills) — lutar contra moinhos de vento.

window ['windou], *s.* janela; postigo; montra; tampa, coberta.
bay window = *bow window* — janela saliente ou arqueada.
sash-window — janela corrediça; janela de guilhotina.
window-blind — gelosia; estore.
window-sill — peitoril de janela.
window-shutter — porta da janela.
glass-window — vidraça.
window-pane — vidro, vidraça.
window-case — caixilho de janela.
window-dressing — arte de arranjar montras; disfarce; impostura.
window-frame — armação da janela.
window-garden — janela florida.
door-window — porta envidraçada.
window-ledge — peitoril da janela.
stained-glass window — vitral.
to look out of the window — olhar pela janela.
to be at the window — estar à janela.

to have all one's goods in the window (col.) — ser superficial.
to come in by the window — entrar pela janela.
to fit panes in a window — pôr vidros numa janela.
that's all mere window-dressing (col.) — isso não é senão "fachada".
windowed [-d], *adj.* com janelas.
windpipe ['windpaip], *s.* (anat.) traqueia, traqueia-artéria.
windscreen ['windskri:n], *s.* abrigo contra o vento; (aut.) pára-brisas.
windscreen wipers — limpa-pára-brisas.
Windsor ['winzə], *top.* nome de cidade inglesa em Berkshire e de cidade canadiana.
Windsor soap — sabonete castanho perfumado.
windward ['windwəd], **1** — *s.* lado do vento, barlavento.
to get the windward of somebody (col.) — levar a melhor sobre alguém.
2 — *adj.* do lado do vento; de barlavento.
the windward side — o lado exposto ao vento.
the Windward and Leeward Islands — as ilhas Caraíbas.
3 — *adv.* a barlavento, para barlavento; na direcção de onde sopra o vento.
windy ['windi], *adj.* ventoso, exposto ao vento; tempestuoso; vão, fútil, oco; enfatuado; verboso, prolixo; (cal.) assustado.
it is very windy — está muito vento.
windy talk — conversa palavrosa, oca.
wine [wain], **1** — *s.* vinho; bebida fermentada de certos frutos ou plantas.
red wine — vinho tinto.
white wine — vinho branco.
***wine-bibber* — *(lit.)* beberrão.**
wine cellar — adega; garrafeira.
wine-taster — provador de vinhos.
wine acid — ácido tartárico.
wine and water — vinho com água.
wine-card — lista de vinhos (em restaurantes).
wine-coloured — cor de vinho.
wine-glass — copo para vinho.
wine country — país vinícola.
wine-skin — odre de vinho.
Adam's wine — água pura.
wine-vinegar — vinagre.
dry wine — vinho seco.
green wine — vinho novo.
port wine — vinho do Porto.
to be in wine — estar ébrio.
wine-press — prensa (para vinho).
sparkling wine — vinho espumante.
sweet wine — vinho doce.
sorry wine — zurrapa.
iced wine — vinho gelado.
wine-cask — barril de vinho.
high wine — vinho fino.
2 — *vt.* e *vi.* beber vinho; servir vinho a.
winebag [-bæg], *s.* odre; beberrão.
wine-grower [-grouə], *s.* viticultor.
wine-growing [-grouiŋ], **1** — *s.* viticultura; vinicultura.
2 — *adj.* vitícola; vinícola.
wing [wiŋ], **1** — *s.* asa; voo; ala; flanco (de esquadra); (teat.) bastidor; protecção; braço de moinho; crivo, joeira; (aut.) guarda--lamas; orelha (de poltrona); (av.) esquadrilha, divisão na Real Força Aérea; (fut.) ponta.
to take wing — levantar voo.
upon the wing — voando, em movimento.
on the wings of the wind — velozmente.
to take under one's wing — proteger.
money takes to itself wings — o dinheiro voa, tem asas.
to shoot a bird on the wing — atirar a um pássaro a voar.
wing-commander — comandante de esquadrilha de aviação.
wing-beat — bater de asas.
wing-chair — poltrona de orelhas.
wing-footed — com asas nos pés.
wing saw — serra mecânica.
2 — *vt.* e *vi.* dar asas a; transportar com asas; atravessar voando; voar, tomar voo; ferir na asa; inutilizar um braço ou ombro; aumentar a velocidade de.
to wing the air — voar (ave).
winged [-d], *adj.* alado; veloz; ferido na asa (pássaro); ferido no braço.
winged animals — animais alados.
winged chair — poltrona de orelhas.
winger [-ə], *s.* (fut.) ponta, extremo.
wingless [-lis], *adj.* sem asas, áptero.
wink [wiŋk], **1** — *s.* pestanejo, piscadela; sinal com os olhos; um momento, um abrir e fechar de olhos.
forty winks — uma soneca.
not to sleep a wink all night — não pregar olho toda a noite.
to give somebody a wink — piscar o olho a alguém.
in a wink — num abrir e fechar de olhos.
without a wink of the eyelid — sem pestanejar.
to tip somebody the wink (cal.) — piscar o olho para dar a entender alguma coisa.
2 — *vt.* e *vi.* piscar os olhos, pestanejar; piscar o olho (a alguém); cintilar; bruxulear.
to wink at somebody — piscar os olhos a alguém.
to wink at something — fazer "vista grossa" a alguma coisa.
to wink one's eyes — piscar os olhos.
winker [-ə], *s.* pessoa que pestaneja ou pisca os olhos; *pl.* anteolhos.
winking [-iŋ], **1** — *s.* acto de pestanejar ou piscar os olhos; (luz) acto de tremeluzir.
like winking — num abrir e fechar de olhos; rapidamente.
winking muscle — músculo orbicular das pálpebras.
2 — *adj.* que pestaneja; (luz) tremente, vacilante.
winkle [-l], *s.* (zool.) ver **periwinkle.**
winner ['winə], *s.* vencedor, aquele que ganha.
winning ['winiŋ], **1** — *s.* acção de ganhar; lucro, ganho; triunfo; extracção (de carvão, etc.); *pl.* ganhos, lucros (jogo, apostas, etc.).
winning-post — meta nas corridas.
winning of coal — extracção de carvão.
2 — *adj.* atraente, encantador, cativante; vitorioso. (*Sin.* attractive, charming, bewitching, fascinating. *Ant.* repulsive.)
a winning smile — um sorriso encantador.
winning manners — maneiras cativantes.
winning number — número premiado.
winningly [-li], *adv.* vitoriosamente; de modo encantador, atraentemente.
winnow ['winou], **1** — *s.* joeireiro, aquele que peneira; crivo; sopro (de vento); bater (de asas).
2 — *vt.* joeirar; examinar, investigar; seleccionar; eliminar; (poét.) bater (asas).
winnower [-ə], *s.* joeireiro; aquele que peneira; crivo.
winnowing [-iŋ], *s.* acção de joeirar; escolha.
winsome ['winsəm], *adj.* cativante, atraente, encantador; alegre.
winsomely [-li], *adv.* de modo cativante, atraentemente.
winsomeness [-nis], *s.* encanto; simpatia.
winter ['wintə], **1** — *s.* Inverno.
winter garden — jardim de inverno.
a hard winter — um inverno rigoroso.

a mild winter — um inverno benigno.
winter clothes — roupas de inverno.
winter-beaten — fustigado pelos rigores do Inverno.
winter sleep — hibernação.
winter solstice — solstício de Inverno.
winter sports — desportos de Inverno.
in winter — no Inverno.
winter barley — cevada semeada no Outono.
2 — *vt.* e *vi.* passar o Inverno, invernar; hibernar; conservar ou alimentar no Inverno.
to winter in Italy — passar o Inverno na Itália.

winterer [-rə], *s.* invernante.

wintergreen [-gri:n], *s.* (bot.) pírola; gaultéria.

winterly [-li], *adj.* ver **wintry.**

wintriness ['wintrinis], *s.* invernada.

wintry ['wintri], *adj.* invernoso, invernal, de Inverno.
wintry weather — tempo invernoso.
wintry sun — sol de Inverno.

winy ['waini], *adj.* vinoso, avinhado.

wipe [waip], **1** — *s.* limpeza (com pano); (cal.) palmada, sopapo; gracejo, troça.
2 — *vt.* e *vi.* limpar, secar, enxugar; esfregar; bater em, agredir.
to wipe off — riscar, apagar; limpar.
to wipe away — secar, limpar (esfregando).
to wipe out — riscar, apagar; destruir.
wipe your shoes! — limpe os sapatos!
to wipe one's tears away — limpar as lágrimas.
to wipe dishes — limpar pratos.
to wipe one's nose — limpar o nariz; assoar-se.
to wipe the blackboard—limpar o quadro preto.

wiper [-ə], *s.* pessoa que limpa; esfregão, pano de pó; (col.) toalha de mãos.

wiping [-iŋ], *s.* acto de esfregar, limpar, enxugar, etc.

wire ['waiə], **1** — *s.* arame; fio eléctrico; fio metálico; corda (de instrumento musical); (col.) telegrama; linha telefónica ou telegráfica; vedação de arame farpado.
barbed wire — arame farpado.
wire gauge — calibrador de arame.
wire-haired — pêlo de arame (cão).
wire gauze — tela metálica.
wire rope — cabo de arame.
wire-works — fábrica de arame.
conducting-wire — fio condutor.
wire cutters — alicate para cortar arame.
wire-brush — escova metálica.
wire-dancer — funâmbulo.
wire mattress — colchão de arame.
high tension wire — fio de alta tensão.
private wire — linha telegráfica particular.
reply by wire — resposta telegráfica.
to be on the wire — estar a telefonar.
telephone wire — fio telefónico.
to pull the wires — puxar os cordelinhos (de fantoches ou robertos); (fig.) puxar os cordelinhos, manobrar as coisas.
to send (off) a wire — mandar um telegrama.
to receive a wire from somebody — receber um telegrama de alguém.
2 — *vt.* e *vi.* segurar, fechar com rede de arame; prender com arame; instalar fios eléctricos; (col.) telegrafar; pôr instalação eléctrica em.
wire me on arrival — telegrafa-me à chegada.
to wire a house for electricity — pôr instalação eléctrica numa casa.
to wire off — isolar, rodear com cabo de arame.
to wire to somebody — telegrafar a alguém.

wiredraw [-drɔ:], *vt.* (*pret.* **wiredrew,** *pp.* **wiredrawn**) passar o metal à fieira; estirar o arame; alongar, prolongar; estrangular (vapor).

wireless [-lis], **1** — *s.* telefonia, telegrafia sem fios; aparelho de rádio; rádio; programa radiofónico.
to sing on the wireless — cantar na rádio; cantar ao microfone.
2 — *adj.* sem fio, sem fios.
wireless telegraphy — radiotelegrafia; telegrafia sem fios.
wireless message — radiograma.
wireless set — aparelho de rádio.
wireless receiving set — radiorreceptor.
portable wireless set — aparelho de rádio portátil.
3 — *vt.* e *vi.* radiotelegrafar; comunicar pela rádio.

wirily [-rili], *adv.* como arame; metalicamente.

wiriness [-rinis], *s.* aspecto rijo; tonalidade metálica (de voz); rigidez, vigor.

wiring [-riŋ], *s.* instalação de fios (para luz eléctrica, campainhas, etc.); (col.) envio de telegrama; transmissão pelo telégrafo.

wiry [-ri], *adj.* de arame; semelhante ao arame; tenso, vigoroso; nervoso.

wisdom ['wizdəm], *s.* sabedoria, saber, ciência; prudência; circunspecção; dito judicioso.
wisdom-tooth — dente do siso.
to cut one's wisdom teeth — deitar os dentes do siso; (fig.) ser sensato.

wise [waiz], **1** — *s.* maneira, forma, modo.
in some wise — de certa maneira.
in no wise — de modo nenhum.
on this wise — desta maneira.
2 — *adj.* sábio, douto, erudito, culto; sério, sensato, prudente, discreto, grave; astuto. (*Sin.* sagacious, sensible, discreet.
the three wise men — os três reis magos.
wise man — feiticeiro; mago.
wise saw — ditado; adágio.
wise woman — feiticeira; parteira.
the seven wise men of Greece — os sete sábios da Grécia.
to be wise after the event — não ter conseguido prever as coisas.
to grow wise(r) — adquirir experiência.
to put somebody wise — informar alguém.

wiseacre [-eikə], *s.* sabichão, pedante, parvo.

wisecrack [-kræk], *s.* (E. U.) boa piada; dito espirituoso.

wisely [-li], *adv.* prudentemente, ajuizadamente, sabiamente, avisadamente.

wish [wiʃ], **1** — *s.* desejo, vontade; súplica, petição; *pl.* votos.
my best wishes — os meus cumprimentos.
the wish is father to the thought — cremos naquilo que desejamos que seja verdade.
if wishes were horses, beggars might ride — se os desejos fossem realidades, todos os pobres seriam ricos.
our sincerest wishes — os nossos votos mais sinceros.
the last wishes — as últimas vontades.
to express a wish — exprimir um desejo.
to get one's wish — satisfazer o seu desejo.
to have a wish for something — desejar alguma coisa.
2 — *vt.* e *vi.* desejar, querer, apetecer, cobiçar.
what do you wish? — que deseja?
to wish somebody well — desejar felicidades a alguém.
it is to be wished that — é para desejar que.
he wishes nobody ill — ele não deseja mal a ninguém.
I wish I could — desejava poder.
I wish I were at home — quem me dera estar em casa.
I could not wish it better — não podia desejar melhor.

to wish somebody further — desejar ver alguém pelas costas.
I wish you a happy life — desejo-lhe uma vida feliz.
to wish for peace — desejar a paz.
to wish somebody good-bye — dizer adeus a alguém.
doing is better than wishing — a acção é melhor do que o desejo.
I wish I had never been born — quem me dera nunca ter nascido.

wisher [-ə], *s.* pessoa que deseja ou exprime um desejo.

wishful [-ful], *adj.* desejoso, ávido, ansioso; saudoso.
wishful to do something — desejoso de fazer alguma coisa.
wishful of something — desejoso de alguma coisa.

wishfully [-fuli], *adv.* ansiosamente, desejosamente; impacientemente.

wishfulness [-fulnis], *s.* vivo desejo, ânsia; impaciência.

wishing [-iŋ], *s.* acto de desejar.

wish-wash [-wɔʃ], *s.* (col.) bebida insípida; bebida aguada, água chilra; (cal.) conversa insípida.

wishy-washy [-iwɔʃi], *adj.* aguado, chilro; fraco, diluído; insípido.
this tea is mere wishy-washy — este chá é pura água chilra.

wisp [wisp], **1** — *s.* paveia, punhado, feixe; mancheia; madeixa (de cabelo); tufo; espanador; rodilha (para transportar coisas à cabeça); fogo-fátuo.
a wisp of hay — um molho de feno.
2 — *vt.* fazer um molho de, torcer.

wist [wist], *pret.* de **to wit.**

wistaria [wis'tɛəriə], *s.* (bot.) glicínia.

wistful ['wistful], *adj.* ansioso, desejoso, ávido; pensativo; atento; melancólico. (*Sin.* pensive, musing, thoughtful. *Ant.* carefree.)
wistful smile — sorriso melancólico.

wistfully ['wistfuli], *adv.* ansiosamente, avidamente; atentamente; pensativamente; melancolicamente.

wistfulness ['wistfulnis], *s.* anseio, desejo ardente.

wit [wit], **1** — *s.* agudeza de espírito, finura, inteligência; talento; entendimento, juízo; aptidão; graça; imaginação; engenho, habilidade. (*Sin.* humour, intelligence, understanding, sense. *Ant.* dullness.)
to be at one's wits' end — não saber o que fazer; estar atarantado.
to drive somebody out of his wits — fazer perder a cabeça a alguém.
ready wit — espírito agudo.
to be out of one's wits — estar fora de si; perder a cabeça.
to live by one's wits — viver de expedientes.
he has much natural wit — ele tem muita graça.
the five wits (arc.) — os cinco sentidos; as faculdades mentais.
to collect one's wits — não se desorientar; dominar-se.
to have slow wits — ser lento de espírito.
to have quick wits — ter um espírito vivo.
to lose one's wits — perder o juízo.
2 — *vt.* e *vi.* (arc. *pres. ind.* **I, he, we wot, thou wottest,** *pret.* **wist)** saber.
God wot — Deus sabe; (col.) na verdade, em verdade.
to wit — isto é; a saber.

witch [witʃ], **1** — *s.* bruxa, feiticeira; (col.) mulher fascinante.
witch-doctor — feiticeiro; curandeiro.
witch-broom (witches' broom) (bot.) — vassoura-de-bruxa; vassoura-de-feiticeira.
witch-hazel (bot.) — hamamele.
witch-elm (bot.) — olmo escocês.
2 — *vt.* encantar, enfeitiçar.

witchcraft [-krɑ:ft], *s.* feitiçaria, bruxaria; (col.) sedução, fascinação.

witchery [-əri], *s.* feitiçaria, magia; encanto, sedução.

witching [-iŋ], **1** — *s.* bruxaria, feitiçaria; sedução, fascinação.
2 — *adj.* relativo a bruxas; fascinante, encantador.

with [wið], *prep.* com; por; de; com respeito a; em; entre; a; para com; contra.
to cut with a knife — cortar com uma faca.
to tremble with fear — tremer de medo.
to part with — separar-se de.
the lady with brown eyes — a senhora de olhos castanhos.
to fill with — encher de.
with his hat on — com o chapéu na cabeça.
I have no pen to write with — não tenho caneta para escrever.
with a loud voice — em voz alta.
pale with terror — pálido de terror.
with a laugh — rindo.
with bare feet — descalço.
with the best of intentions — com a melhor das intenções.
with the naked eye — a olho nu.
with never a tear — sem uma lágrima.
with the stream — com a corrente; a favor da corrente.
to be with child — estar grávida.
with the object of — com o objectivo de.
to be patient with somebody — ter paciência com alguém.
to be with young — estar prenhe (animal).
to fight with somebody — lutar com alguém.
to get up with the sun — levantar-se ao amanhecer.
to pour with rain — chover torrencialmente.
away with him! — fora com ele!
to put up with — tolerar; suportar.
God be with you! — Deus o acompanhe!
I am with you there — concordo consigo nesse ponto.
I think with you — penso como tu.
it is covered with snow — está coberto de neve.
that colour does not go with your dress — essa cor não diz bem com o teu vestido.

withal [wi'ðɔ:l], **1** — *adv.* (arc.) de mais; além disso; juntamente com; além de que.
2 — *prep.* (arc.) com (colocado depois da palavra a que se refere).
I have nothing to fill my belly withal — não tenho nada com que encher a barriga.

withdraw [wið'drɔ:], *vt.* e *vi.* (*pret.* **withdrew,** *pp.* **withdrawn)** afastar, retirar, desviar; remover; apartar, separar; tirar; desdizer-se, retractar-se.
to withdraw a statement — dar o dito por não dito.
to withdraw an accusation — retirar uma acusação.
to withdraw an order (com.) — anular uma encomenda.
to withdraw money from a bank — levantar dinheiro de um banco.
to withdraw one's hand — retirar a mão.

withdrawal [-əl], *s.* retirada, afastamento; retractação; revogação (de ordem, etc.).

withdrawn [-n], *pp.* de **to withdraw.**

withdrew [wið'dru:], *pret.* de **to withdraw.**

withe [wiθ, waið], *s.* vime; junco; verga.

wither ['wiðə], *vt.* e *vi.* secar, murchar, fanar; consumir; encarquilhar; mirrar, descarnar; debilitar; secar-se, murchar-se; censurar; envergonhar.
to wither away — definhar-se.
withered [-d], *adj.* murcho, seco; mirrado, atrofiado.
withering [-riŋ], **1** — *adj.* que seca, que murcha; que faz murchar; (fig.) fulminante.
a withering glance — um olhar fulminante.
2 — *s.* definhamento; acção de murchar.
withers ['wiðəz], *s. pl.* cernelha (de cavalo ou boi).
withhold [wið'hould], *vt.* (*pret.* e *pp.* **withheld**) deter, reter, impedir, estorvar; recusar, negar; reprimir-se, conter-se.
to withhold one's consent — recusar o seu consentimento.
to withhold a document — reter um documento.
to withhold the truth — esconder a verdade.
withholder [-ə], *s.* aquele que retém, estorva ou recusa; impedimento; sossegador.
withholding [-iŋ], *s.* recusa, nega; impedimento.
within [wi'ðin], **1** — *s.* interior.
2 — *adv.* (geralm. arc.) dentro, no interior, na parte de dentro; dentro de casa, em casa; no íntimo; (teat.) nos bastidores.
to go within — entrar.
within and without — por dentro e por fora.
within-named — aqui mencionado.
3 — *prep.* dentro de, no interior de; dentro do prazo de; ao alcance de.
within doors — em casa.
within one's reach — ao alcance de.
within hearing — ao alcance do ouvido.
within sight of land — à vista de terra.
within call (within hail) — ao alcance da voz.
within three weeks — dentro de três semanas.
within a short distance — a pouca distância.
within a little while — dentro em pouco; brevemente.
within oneself — no íntimo; à vontade.
without [wi'ðaut], — **1** — *adv.* fora; fora de casa; exteriormente.
from without — de fora.
to go without — sair.
within and without — por dentro e por fora.
2 — *prep.* fora de; falto de, sem.
without friends — sem amigos.
without doubt — sem dúvida.
it goes without saying — isso nem se pergunta.
one cannot make an omelette without breaking eggs — os fins justificam os meios.
without health happiness is impossible — sem saúde não há felicidade.
without fail — sem falta.
without end — sem fim.
3 — *conj.* (arc.) a não ser que.
withstand [wið'stænd], *vt.* (*pret.* e *pp.* **withstood**) reistir a; opor-se a.
to withstand wear — resistir ao uso.
withstander [-ə], *s.* o que se opõe, adversário.
withstanding [-iŋ], *s.* resistência, oposição.
withstood [wið'stud], *pret.* e *pp.* de **to withstand.**
withy ['wiði], *s.* er **withe.**
witless ['witlis], *adj.* sem espírito, sensaborão; néscio, tolo; ignorante.
witlessly [-li], *adv.* sem espírito, sem graça; estupidamente; inconsideradamente.
witlessness [-nis], *s.* falta de inteligência, estupidez.
witness ['witnis], **1** — *s.* testemunha; prova, testemunho; indício, sinal; declarante.
to bear witness to — testemunhar; prestar testemunho a.
to call to witness — invocar o testemunho.
eye-witness — testemunha ocular.
in the witness-box — no banco das testemunhas.
witness for the prosecutiun — testemunha de acusação.
witness for the defence — testemunha de defesa.
witness chair — banco das testemunhas.
the proof witnesses — a prova testemunhal.
to be a witness to — ser testemunha de; provar; demonstrar.
2 — *vt.* e *vi.* testemunhar; presenciar, assistir a; servir de testemunha.
to witness a signature — reconhecer uma assinatura.
to witness against — depor contra.
to witness for — depor a favor .
witted ['witid], *adj.* espirituoso; inteligente.
quick-witted — perspicaz; vivo.
dull-witted — estúpido; simplório.
witticism ['witisizm], *s.* dito espirituoso, dichote.
wittily ['witili], *adv.* com graça, espirituosamente; engenhosamente.
wittiness ['witinis], *s.* espírito, graça; engenho.
witting ['witiŋ], *adj.* deliberado; intencional.
wittingly [-li], *adv.* premeditadamente, deliberadamente; intencionalmente.
witty ['witi], *adj.* chistoso, espirituoso; engenhoso. (*Sin.* humorous, funny, jocular, facetious. *Ant.* dull.)
a witty remark — um dito de espírito.
witwall ['witwɔl], *s.* (zool.) picapau, picanço.
wivern ['waivə:n], *s.* (her.) dragão alado.
wives [waivz], *s. pl.* de **wife.**
wizard ['wizəd], *s.* feiticeiro, bruxo, adivinho, prestidigitador.
the Wizard of the North — Sir Walter Scott.
wizardry [-ri], *s.* feitiçaria, magia, bruxaria.
wizen ['wizn], *adj.* encarquilhado, enrugado; descarnado, seco, mirrado.
wizened [-d], *adj.* Ver **wizen.**
wo [wou], *interj.* ou!, pára!, alto! (para cavalos).
woad [woud], **1** — *s.* (bot.) pastel-dos-tintureiros; anil extraído dessa planta.
2 — *vt.* tingir com pastel-dos-tintureiros.
wobble ['wɔbl], **1** — *s.* oscilação; vacilação.
2 — *vt.* e *vi.* vacilar, cambalear; sacudir; tremer (voz).
wobbly [-i], *adj.* desequilibrado; vacilante.
woe [wou], *s.* (poét.) dor, mágoa, pena, angústia; desgraça, miséria; *pl.* calamidade, infortúnio.
woe is me! — desgraçado de mim!
woe to the man! — desgraçado do homem!
a tale of woe — um rosário de desgraças.
woe be to... — maldito seja...
woe to the vanquished! — ai dos vencidos!
woebegone [-bigɔn], *adj.* abatido, acabrunhado.
woeful [-ful], *adj.* doloroso, calamitoso, deplorável; desgraçado.
woefully [-fuli], *adv.* tristemente, deploravelmente, desgraçadamente.
woefulness [-fulnis], *s.* tristeza; aflição; calamidade.
woke [wouk], *pret.* e *pp.* de **to wake.**
woken [-ən], *pp.* de **to wake.**
wold [would], *s.* planície; descampado, charneca.
wolf [wulf], **1** — *s.* (*pl.* **wolves** [wulvz]) lobo; pessoa cruel; pessoa insaciável, larva de cereais.
to keep the wolf from the door — fechar a porta à fome.
a wolf in sheep's clothing — um lobo com pele de cordeiro; um hipócrita.
to cry wolf too often — levantar alarmes falsos.

wolf-dog — cão-lobo; mastim.
wolf-fish — lobo-marinho.
wolf-hunt — caça ao lobo.
wolf's-claws — licopódio.
wolf cub — lobinho; cria de lobo.
wolf-spider (zool.) — tarântula.
to be as hungry as a wolf — ter uma fome canina.
2 — *vt. to wolf down* — comer vorazmente.

wolfish [-iʃ], *adj.* de lobo; feroz; carnívoro; sanguinário.

wolfram ['wulfrəm], *s.* (min.) volfrâmio.

wolframite ['wulfrəmait], *s.* (min.) volframite.

wolves [wulvz], *s. pl.* de **wolf.**

woman ['wumən], **1** — *s.* (*pl.* **women** ['wimin]) mulher; feminilidade; criada; aia.
women's rights — direitos das mulheres.
a woman of the world — uma mulher de sociedade.
woman doctor — médica.
woman friend — amiga.
woman suffrage — sufrágio feminino.
a single woman — uma mulher solteira.
the eternal woman — o eterno feminino.
2 — *vt.* obrigar a comportar-se como uma mulher; tratar por "mulher" (em vez de "senhora").

womanhood [-hud], *s.* estado ou condição de mulher; sexo feminino.

womanish [iʃ], *adj.* feminil; efeminado.

womanishly [-iʃli], *adv.* feminilmente; efeminadamente.

womanishness [-iʃnis], *s.* feminilidade.

womanize [-aiz], *vt.* e *vi.* efeminar; andar atrás de mulheres.

womankind ['wumən'kaind], *s.* o sexo feminino; as mulheres.

womanlike ['wumənlaik], **1** — *adj.* feminil; próprio de mulher.
2 — *adv.* como mulher.

womanliness ['wumənlinis], *s.* natureza ou carácter feminil; encanto feminino.

womanly ['wumənli], *adj.* feminino; próprio de mulher.

womb [wu:m], *s.* (anat.) matriz, útero; ventre, entranhas, seio.
in earth's womb — nas entranhas da Terra.

wombat ['wɔmbət], *s.* (zool.) variedade de marsupial australiano.

women ['wimin], *s. pl.* de **woman.**

won [wʌn], *pret.* e *pp.* de **to win.**

wonder ['wʌndə], **1** — *s.* maravilha, prodígio, portento; admiração, pasmo, assombro; milagre. (*Sin.* marvel, miracle, prodigy, rarity.)
no wonder — não admira, não há que estranhar.
it's a wonder — é um prodígio.
to do wonders — fazer maravilhas.
wonder-struck — pasmado; maravilhado; assombrado.
this child is a wonder — esta criança é um portento.
to work wonders — fazer milagres.
wonder-working powder (col.) — pozinhos de perlimpimpim.
a nine days' wonder — acontecimento sensacional que esquece depressa.
the seven wonders of the world — as sete maravilhas do mundo.
2 — *vt.* e *vi.* desejar saber, ter curiosidade de saber; perguntar a si próprio; estranhar, surpreender-se, espantar-se, admirar-se, maravilhar-se; pasmar.
to wonder at something — admirar-se de alguma coisa.
I wonder what he is doing — pergunto a mim próprio o que é que ele está a fazer.
I wonder if... — talvez...
can you wonder at it? — isso não é natural?
I don't wonder at all — não me admiro nada.
I wonder why — gostava de saber porquê.

wonderful [-ful], *adj.* admirável, maravilhoso, estupendo, assombroso, prodigioso.

wonderfully [-fuli], *adv.* admiravelmente, maravilhosamente, prodigiosamente.
wonderfully well — às mil maravilhas.

wondering ['wʌndəriŋ], *adj.* admirado, surpreendido, maravilhado.

wonderingly [-li], *adv.* com surpresa.

wonderland ['wʌndəlænd], *s.* país das fadas.

wonderment ['wʌndəmənt], *s.* admiração, espanto, pasmo, assombro.

wondrous ['wʌndrəs], **1** — *adj.* (poét.) extraordinário, maravilhoso, admirável, prodigioso.
2 — *adv.* extraordinariamente, maravilhosamente, admiravelmente, prodigiosamente.

wondrously [-li], *adv.* (poét.) *ver* **wondrous 2.**

wonky ['wɔŋki], *adj.* *(col.)* pouco firme; instável.

wont [wount], **1** — *s.* costume, hábito.
use and wont — usos e costumes.
2 — *adj.* acostumado, habituado.
he was wont to come often — ele costumava vir muitas vezes.
3 — *vt.* e *vi.* (arc.; *pret.* **wont** ou **wonted**) habituar, acostumar; estar acostumado.

won't [wount], *contr.* de **will not.**

wonted [-id], *adj.* costumado, habitual, usual.

woo [wu:], *vt.* e *vi.* requestar, cortejar; suplicar, solicitar, pretender.
to woo fame — pretender fama.

wood [wud], *s.* bosque, mata, floresta; selva; madeira, lenha, pau; casco de madeira; (mús.) instrumento de sopro de madeira.
wood carving — talha em madeira.
wood-louse — bicho-de-conta.
wood pile — pilha de madeira.
out of the wood (fig.) — livre de perigo; livre de dificuldades.
you can't see the wood for the trees — não se pode ver o todo pela parte.
knotty wood — madeira nodosa.
load of wood — carga de lenha.
wood-pigeon — pombo bravo.
wood-wash — espécie de giesta.
split wood — lenha rachada.
wood sorrel — azeda.
wood-chopper — machado de rachar lenha.
wood stack — montão de lenha.
wood-engraving — gravura em madeira.
wood-yard — depósito de lenha.
wood-mite — caruncho.
wood-nymph — dríade; ninfa dos bosques.
cabinet-maker's wood — madeira de marcenaria.
wood anemone — anémona dos bosques.
floated wood — madeira de jangada.
wood-alcohol — álcool metílico; metanol.
wood-borer — bicho da madeira.
wood-chisel — formão.
wood-partition — tabique.
wood-coal — carvão vegetal.
wood-saw — serra de madeira.
wood-plank — prancha de madeira.
wood-sawyer — serrador de madeira.
wood-shavings — aparas de madeira.
wood tar — alcatrão de madeira.
wood-spirit — álcool metílico.
wood-warbler — toutinegra dos bosques.
crowded wood — floresta densa.
made of wood — feito de madeira.
pine wood — pinhal.
seasoned wood — madeira seca.
to take to the woods (col.) — fugir; pôr-se a andar; "raspar-se".

wine four years in the wood — vinho com quatro anos de casco.
woodbin [-bin], *s.* depósito de lenha; caixote para lenha.
woodbind [-baind], *s.* Ver **woodbine.**
woodbine [-bain], *s.* (bot.) madressilva-das--boticas; (E. U.) videira-virgem.
woodchuck [-tʃʌk], *s.* (zool.) variedade de marmota.
woodcock [-kɔk], *s.* galinhola; (cal.) simplório.
woodcut [-kʌt], *s.* xilogravura.
woodcutter [-kʌtə], *s.* xilógrafo, gravador em madeira; lenhador.
woodcutting [-kʌtiŋ], *s.* xilografia, arte de gravar em madeira; acto de cortar madeira.
wooded [-id], *adj.* arborizado, coberto de árvores.
wooden [-n], *adj.* de madeira, de pau, estúpido; grosseiro, desajeitado.
wooden-headed — estúpido.
wooden shoes — tamancos.
wooden ware — utensílios de madeira.
wooden table — mesa de madeira.
wooden horse — cavalo de Tróia.
wooden pile — estaca de madeira.
wooden rammer — maço de calceteiro.
wooden sleepers — travessas de madeira; dormentes de madeira.
wooden straight edge — régua de madeira.
wooden walls (fig.) — navios de guerra.
woodenly [-nli], *adv.* grosseiramente, desajeitadamente; estupidamente.
woodenness [-nnis], *s.* rigidez; inexpressividade; estupidez.
woodland [-lənd], *s.* bosque, mata, floresta.
woodland nymph — dríade; ninfa dos bosques.
woodlander [-ləndə], *s.* habitante dos bosques.
woodman (*pl.* **woodmen**) [-mən,-mən], *s.* lenhador; guarda-florestal.
woodpecker [-pekə], *s.* (zool.) picapau.
green woodpecker — peto-real.
woodruff [-rʌf], *s.* (bot.) aspérula.
woodsman (*pl.* **woodsmen**) [-zmən,-mən], *s.* habitante dos bosques; silvícola.
woodwork [-wə:k], *s.* obra de carpintaria; madeira trabalhada; madeiramento.
woodworker [-wə:kə], *s.* carpinteiro, marceneiro; entalhador.
woodworking [-wə:kiŋ], *s.* obra de madeira.
woody [-i], *adj.* lenhoso; de madeira; coberto de arvoredo; silvestre.
wooer ['wu:ə], *s.* galanteador; pretendente.
woof [wu:f], *s.* (téc.) trama, urdidura.
wooing ['wu:iŋ], **1** — *s.* galanteio; acto de cortejar; pedido de casamento.
2 — *adj.* galanteador, cortejador; pretendente.
wooingly [-li], *adv.* cortejadoramente.
wool [wul], *s.* lã; pêlo; penugem; lanugem; cabelo lanoso.
wool-combing — cardadura.
wool yarn — fio de lã.
much cry and little wool (col.) — muita parra, pouca uva.
to go for wool and come home shorn (col.) — ir buscar lã e ficar tosquiado.
all wool — pura lã.
to be wool-gathering (col.) — estar distraído; estar aéreo.
raw wool — lã em rama.
to draw (to pull) the wool over somebody's eyes (col.) — enganar alguém; tapar os olhos a alguém.
coarse wool — lã grosseira.
wool-stapler — negociante de lã.
wool pack — fardo de lã.
fine carded wool — estambre.
wool-winder — dobador; dobadoira de lã.
a ball of wool — um novelo de lã.
wool cloth — tecido de lã.
wool content — percentagem de lã.
wool-fell — pele de carneiro.
against the wool — a contrapelo.
wool-oil — lanolina.
cotton-wool — algodão.
knitting wool — lã de tricotar.
to dye in the wool — tingir no fio.
to lose one's wool (col.) — zangar-se.
to keep one's wool on (col.) — não se zangar.
he is a dyed-in-the-wool Irishman — ele é um irlandês de gema.
woold [wu:ld], *vt.* (náut.) arrotear, enrocar.
woolder [-ə], *s.* (náut.) pau da trinca.
woolding [-iŋ], *s.* (náut.) roca, arreatadura.
wooled [wuld], *adj.* com lã; coberto de lã.
fine-wooled — com lã fina.
woollen ['wulin, 'wulən], **1** — *s.* tecido de lã.
woollen draper — vendedor de tecidos de lã.
woollen goods — artigos de lã.
2 — *adj.* de lã; lanoso.
woollen cloth — tecido de lã; fazenda.
woolliness ['wulinis], *s.* qualidade de ser lanoso; (col.) falta de pormenores, imprecisão (estilo, pintura, raciocínio).
woolly ['wuli], **1** — *s.* malhas de lã; pulôver.
2 — *adj.* lanoso, lanífero, lanígero; de lã, coberto de lã; crespo (cabelo); (bot.) com ferrugem; rouco (voz); indeciso, (cal.) estúpido.
a woolly voice — uma voz rouca.
woolly clouds—nuvens brancas e muito altas.
woolly hair — cabelo crespo.
the woolly flock — as ovelhas; os carneiros.
woolly style — estilo pouco incisivo.
woolsack ['wulsæk], *s.* saco de lã; almofada em que o Lorde Chanceler se senta na Câmara dos Lordes.
woorali [wu'ra:li], *s.* curare.
woorara [wu'ra:rə], *s.* er **woorali.**
word [wə:d], **1** — *s.* palavra, vocábulo, termo; expressão; linguagem; mensagem; recado; dito, sentença; santo-e-senha; promessa; *pl.* disputa, contenda; letra (de cançã).
by word of mouth — verbalmente.
fine words — palavras agradáveis.
soft words — palavrinhas doces.
high words — palavras injuriosas.
big words — exagero; jactância.
upon my word! — palavra de honra!
a man of his word — um homem de palavra.
a good word — uma recomendação.
to have words with — ter uma questão com; travar-se de razões com.
to send word to — avisar; mandar um recado a.
to leave word — deixar dito; deixar recado.
to keep one's word — cumprir a sua palavra.
to eat one's words — retractar-se; desdizer-se.
to be as good as one's word — cumprir a palavra.
to take somebody at his word — pegar na palavra de alguém.
take my word for it! — sob a minha palavra de honra!
word for word — literalmente.
to have the last word — ter a última palavra (numa discussão).
actions speak louder than words — as obras valem mais do que as palavras.
by-word — provérbio.
a word in season — uma palavra a tempo.
a word out of season — uma palavra fora de tempo.
hard words break no bones (col.) — palavras leva-as o vento.
a person of few words — uma pessoa de poucas palavras; uma pessoa taciturna.

a word to the wise is enough — a bom entendedor meia palavra basta.
in the full strength of the word — em toda a extensão da palavra.
word of honour — palavra de honra.
to break one's word — faltar à palavra.
word-book — vocabulário.
to waste words — falar em vão.
word-accent — acento tónico de uma palavra.
word-group — locução.
word-play — jogo de palavras.
in a word — numa palavra.
in other words — por outras palavras.
the last word on a subject — a última palavra sobre um assunto.
upon my word! (my word upon it!) — palavra de honra!
fair words butter no parsnips — palavras bonitas não enchem barriga.
his word is as good as his bond — pode confiar-se nele.
sharp's the word! (col.) — depressa!
you have taken the very words out of my mouth — tiraste-me as palavras da boca.
words are but wind — palavras leva-as o vento.
words fail me — não tenho palavras.
2 — *vt.* expressar, exprimir, enunciar, explicar; redigir; escrever; instar com palavras; questionar, disputar.
to word a letter — redigir uma carta.

wordily [-ili], *adv.* verbosamente, prolixamente.

wordiness [-inis], *s.* verbosidade, prolixidade.

wording [-iŋ], *s.* dicção; redacção; expressão; estilo; fraseologia; legenda (de gravura).

wordless [-lis], *adj.* sem palavras; mudo; silencioso.

wordy ['wə:di], *adj.* prolixo, loquaz, verboso.

wore [wɔ:], *pret.* de **to wear.**

work [wə:k], **1** — *s.* trabalho, faina, ocupação, ofício, emprego; labor, tarefa; obra, acção, acto; costura, bordado; produção; utensílios de trabalho; *pl.* fábrica, oficina, estabelecimento fabril; maquinismo; rodagem; movimento. (*Sin.* labour, task, toil, drudgery. *Ant.* play.)
carved work — obra de talha.
gas-works — fábrica de gás.
to be hard at work — trabalhar sem descansar.
to be at work — estar ocupado no seu trabalho.
out of work — desempregado; sem ter que fazer.
to set to work — entregar-se ao trabalho.
to lay down the work — largar o trabalho.
work-shy — preguiçoso.
he never does a stroke of work — ele nunca mexe uma palha.
it is all in the day's work — são ossos do ofício.
dry work — trabalho enfadonho.
work-room — quarto de trabalho; oficina.
maid-of-all-work — criada para todo o serviço.
a work of art — uma obra de arte.
many hands make light work — trabalho comum, trabalho de nenhum.
works of mercy — obras de caridade.
all work and no play makes Jack a dull boy — trabalhar sem descanso faz mal.
work-bag (work-basket) — cesto de costura.
works manager — director técnico.
chemical works — fábrica de produtos químicos.
work bench — banco de carpinteiro.
work-cloth — fato de trabalho.
health work — serviços de saúde.
the Office of Works — a repartição das Obras Públicas.
to look out for work — procurar trabalho.
2 — *vt.* e *vi.* (*pret.* e *pp.* **worked** ou **wrought**) trabalhar, obrar; operar, funcionar, fabricar, manufacturar, elaborar, produzir; preparar; formar, compor; promover; produzir efeito; manobrar; efectuar; causar; fermentar; manipular, manejar; talhar, lavrar (pedra); explorar; impelir, induzir, excitar; investigar, resolver (um problema); estar empregado, ocupar-se; ir (bem ou mal); surtir efeito, ser eficaz; pôr em movimento; abrir caminho; causar agitação; mover (os dedos) nervosamente.
to work in — fazer entrar à força; insinuar-se; trabalhar em.
to work into — penetrar em.
to work down — descer, fazer descer, abaixar-se.
to work at — trabalhar em.
to work off — livrar-se de, concluir; completar; fazer a tiragem de; enviar; pôr em circulação.
to work out — acabar com dificuldade; esgotar (uma mina).
to work on (upon) — influenciar; influir.
to work one's way — abrir caminho.
to work like a horse — trabalhar com grande energia.
to work up — lavrar; dar forma a qualquer coisa; agitar; esgotar; levantar; servir-se de; subir com esforço; amassar.
to work against — trabalhar contra; opor-se a.
to work round — voltar-se vagarosamente e com esforço.
to work through—penetrar em; atravessar à força de trabalho.
to work overtime — trabalhar horas extraordinárias.
time works many changes — o tempo traz muitas mudanças.
to work doggedly — trabalhar árdua e persistentemente.
to work out one's apprenticeship — fazer tirocínio.
to work with a will — trabalhar com alma.
to work like a Troyan (col.) — trabalhar como um mouro.
to work windward (náut.) — barlaventear.
to work loose — ter folga (peça de máquina).
to work hard — trabalhar intensamente.
to work to capacity — trabalhar ao máximo rendimento.
work or want — trabalha ou terás necessidades.
it is worked by electricity — é movido a electricidade.
to work a person to his ruin — levar uma pessoa à ruína.
to work oneself to a shadow — trabalhar em excesso.
to work a farm — dirigir uma quinta.
to work a sum — calcular uma soma.
to work like a beaver (to work like a slave, to work like a nigger) — trabalhar como um negro; trabalhar duramente.
to work one's will — realizar o seu desejo.
to work oneself to death — matar-se a trabalhar.
to work wonders — fazer maravilhas.
that won't work — isso não dá resultado.
the yeast is beginning to work — a levedura começa a fermentar.

workable [-əbl], *adj.* trabalhável, que pode trabalhar-se; praticável, viável; explorável (mina).

workaday [-ədei], *adj.* diário, de todos os dias; prosaico, rotineiro.
workaday clothes — roupas de todos os dias.

workday [-dei], *s.* dia de trabalho, dia útil.

worker [-ə], *s.* trabalhador; operário, artífice; obreira (abelha ou formiga).
worker-bee — abelha obreira.
worker-ant — formiga obreira.
workhouse [-haus], *s.* asilo, albergue, hospício; casa de correcção; oficina.
working [-iŋ], **1** — *s.* obra, trabalho, operação; jogo; funcionamento; movimento; manobra; (náut.) faina; fermentação; exploração (de mina); tiragem; influência.
working capital — capital de exploração.
working cast — despesas de serviço.
working clothes — roupas de trabalho.
working expenses — despesas gerais.
working out — realização; execução; cálculo.
working day — dia de trabalho.
working time — tempo de trabalho.
2 — *adj.* que trabalha, que funciona; trabalhador; agitado.
a hard-working person — uma pessoa trabalhadora.
the working classes — as classes trabalhadoras.
working model — modelo articulado.
working brain — espírito inventor.
working parts — partes móveis (de uma máquina).
working drawing — planta (de um edifício).
workman (*pl.* **workmen**) [-mən,-mən], *s.* trabalhador; operário; artífice, artesão.
workman's train — comboio de operários.
workmen's insurance — seguro para trabalhadores.
a skilled workman — um operário especializado.
workmanlike [-mənlaik], *adj.* próprio de bom trabalhador; hábil; bem acabado, feito com arte; primoroso.
workmanship [-mənʃip], *s.* manufactura, artefacto; mão-de-obra; trabalho, obra; arte, habilidade, primor.
a fine piece of workmanship — uma obra de arte; um trabalho artístico.
workshop [-ʃɔp], *s.* oficina.
workwoman (*pl.* **workwomen**) [-'wumən, wimin], *s.* operária.
world [wə:ld], *s.* mundo, universo, terra, globo terrestre; gente, sociedade; multidão; grande abundância, infinidade. (*Sin.* earth, universe, globe, creation.)
all over the world — por todo o mundo.
to carry the world before one — levar a palma a todos.
the great world — a alta sociedade.
all the world and his wife — meio mundo.
to make a noise in the world — ser muito falado.
the other world (the next world, the world to come) — o outro mundo; a vida futura.
the learned world — os sábios.
the Old World — a Europa, a Ásia e a África; o Velho Mundo.
the New World — o Novo Mundo, a América.
the prince of this world — o demónio.
the world of dreams — o país dos sonhos.
I would give the world to know — dava tudo para saber.
a world of good — um bem infinito.
to go round the world — dar a volta ao mundo.
to think all the world of a person — querer muito a alguém.
a man of the world — um homem do mundo.
to come into the world — vir ao mundo; nascer.
she is all the world to me — ela é tudo para mim.
the world goes very well with me — a vida corre-me muito bem.
world-old — tão velho como o mundo.
world championship — campeonato mundial.
world congress — congresso mundial.
world politics — política mundial.
world-famous — famoso em todo o mundo.
world war — guerra mundial; grande guerra.
world's fair — feira mundial.
for the world — de modo nenhum; por nada deste mundo.
out of this world — excepcional; extraordinário.
world-weary — cansado da vida.
the lower world — o Inferno.
the world, the flesh and the devil — o mundo, o Diabo e a carne.
to bring into the world — gerar; dar à luz.
to go to a better world — morrer; ir desta para melhor.
he is not long for this world — ele não tem muitos dias de vida.
worldliness [-linis], *s.* mundanidade, mundanalidade.
worldling [-liŋ], *s.* pessoa mundana.
worldly [-li], *adj.* mundano; secular; material.
worldly-minded — apegado às coisas deste mundo.
worldly pleasures — prazeres mundanos.
worldly life — vida mundana.
worldly wisdom — experiência do mundo.
worm [wɔ:m], **1** — *s.* bicho, verme, gusano, gorgulho, caruncho, lombriga; rosca de parafuso; (quím.) serpentina; pessoa vil.
worm-powder — vermífugo.
glow-worm — pirilampo.
silk-worm — bicho-da-seda.
worm-eaten — roído da traça; carunchoso; carcomido.
intestinal worms — lombrigas.
wine-worm (wine-grub) — pulgão das vinhas.
worm-fence — cerca em ziguezague.
worm-grass — erva-dos-bichos; espigélia.
worm-gearing — engrenagem de rosca.
still-worm — serpentina de alambique.
worm-hole — buraco na madeira, fruta, etc. feito por bicho.
worm-pipe — serpentina.
worm-wheel — roda de parafuso sem fim.
cooling worm — serpentina de refrigeração.
the worm of conscience — o remorso.
to have a worm (col.) — ter uma ideia fixa.
2 — *vt.* insinuar-se, introduzir-se ou arrastar--se como um verme, rastejar; minar, solapar; arrancar astuciosamente um segredo; tirar (buchas com saca-trapos); (náut.) engaiar.
to worm oneself into favour — insinuar-se.
to worm out information — obter informações por meios ardilosos.
to worm a cable (náut.) — embutir um cabo.
to worm secrets out of a person — "tirar nabos da púcara".
wormed [-d], *adj.* comido pelo bicho; bichento.
worming [-iŋ], *s.* (náut.) engaio.
wormseed [-si:d], *s.* (bot.) santonina, santónica (planta vermífuga).
wormwood [-wud], *s.* (bot.) absinto.
wormy [-i], *adj.* bichoso, bichento; como um verme; vil; servil.
worn [wɔ:n], **1** — *pp.* de **to wear.**
2 — *adj.* gasto, usado; cansado, fatigado.
to be worn out — estar extenuado; ser corriqueiro.
worried ['wʌrid], *adj.* inquieto, preocupado, incomodado, amofinado, ralado, apoquentado.
worrier ['wʌriə], *s.* maçador, atormentador; cão ou lobo que ataca os carneiros.
worry ['wʌri], **1** — *s.* inquietação, cuidado, preocupação; ansiedade; tormento; mordedura.
life is full of worries — a vida está cheia de preocupações.

2 — *vt.* e *vi.* afligir, apoquentar, ralar, atormentar; maçar; afligir-se, apoquentar-se; estafar; despedaçar, dilacerar; (cão) apanhar e sacudir com os dentes. (*Sin.* to tease, to harass, to fret, to importune. *Ant.* to soothe.)
to worry over — apoquentar-se.
don't worry about it! — não te aflijas com isso!
to worry a problem out — estudar um problema até lhe encontrar solução.
to worry oneself to death — matar-se com preocupações.
I should worry (E. U.) — não me ralo nada.
the dog worried the cat — o cão ferrou no gato.
worrying [-iŋ], **1** — *s.* acção de atormentar; aborrecimento; incómodo; tormento.
2 — *adj.* atormentador; importuno; (cão) que ataca o rebanho.
worse [wəːs], **1** — *s.* coisa pior; pior situação.
the worse — a derrota.
there was worse to come — o pior estava para vir.
2 — *adj.* (*comp.* de **bad, ill**) pior; em pior situação; em pior estado.
so much the worse — tanto pior.
worse than ever — pior do que nunca.
worse and worse — cada vez pior.
to grow (to get, to become) worse — piorar.
it is none the worse for it — nem por isso é pior.
3 — *adv.* (*comp.* de **badly**) pior.
to be worse off — ficar em piores circunstâncias.
to go from bad to worse — ir de mal a pior.
worship [ˈwəːʃip], **1** — *s.* culto, adoração, veneração; (em formas de tratamento) excelência, senhoria, honra.
worship of images — idolatria.
freedom of worship — liberdade de culto.
to win worship — alcançar alta reputação.
Your Worship — Vossa Excelência (título dado a magistrados e a presidentes de municípios).
2 — *vt.* e *vi.* (*pret.* e *pp.* **worshipped**) adorar, idolatrar; prestar culto; venerar.
he worships the ground she treads on — ele adora o próprio chão que ela pisa.
worshipful [-ful], *adj.* venerável, respeitável, venerando; venerador, respeitador.
worshipfully [-fuli], *adv.* veneravelmente; honradamente; respeitadoramente.
worshipfulness [-fulnis], *s.* respeitabilidade; venerabilidade.
worshipper [-ə], *s.* adorador.
worshipper of idols — idólatra.
worshipping [-iŋ], *s.* adoração, culto.
worst [ˈwəːst], **1** — *s.* (o) pior, a parte pior.
the very worst — o pior de tudo.
the worst of it — o pior de tudo.
to get the worst of it — levar a pior parte.
the worst has happened — aconteceu o pior.
to be prepared for the worst — estar preparado para o pior.
2 — *adj.* (*superl.* de **bad, ill**) pior (de todos); péssimo.
the worst thing — a coisa pior.
3 — *adv.* (*superl.* de **badly**) da pior maneira.
4 — *vt.* derrotar, bater, levar a melhor sobre.
worsted [ˈwustid, ˈwustəd], *s.* tecido ou fio de lã torcida.
worsted stockings — meias de lã.
worsted articles — artigos de lã.
wort [wəːt], *s.* planta, erva; cerveja ainda não fermentada.
worth [wəːθ], **1** — *s.* mérito, importância, consideração; excelência; valor, custo, preço.
a person of great worth — uma pessoa de grande merecimento.

2 — *adj.* digno, merecedor; que tem o valor de; equivalente a.
to be worth — valer, ter, possuir.
to be worth while — valer a pena.
it is not worth the trouble — não vale o incómodo.
he is worth ten thousand a year — ele tem o rendimento de 10 000 libras por ano.
it is worth seeing — é digno de se ver.
it is worth nothing — não vale nada.
what is the house worth? — quanto vale a casa?
a bird in the hand is worth two in the bush — mais vale um pássaro na mão que dois a voar.
to be worth a lot of money — ser muito rico.
it is not worth much — não vale grande coisa.
3 — *vt.* (arc.) suceder, acontecer.
woe worth the day! — maldito seja o dia!
worthily [ˈwəːðili], *adv.* dignamente, merecidamente, justamente.
worthiness [ˈwəːðinis], *s.* mérito, merecimento; dignidade; valor, valia; excelência.
worthless [ˈwəːθlis], *adj.* indigno, desprezível, sem mérito.
a worthless fellow — um patife; um malandro.
worthlessly [-li], *adv.* desprezivelmente, indignamente; inùtilmente.
worthlessness [-nis], *s.* falta de mérito ou de valor inutilidade; vileza, indignidade.
worthy [ˈwəːði], **1** — *s.* pessoa ilustre; sumidade
2 — *adj.* digno, merecedor; respeitável; apreciável, honrado. (*Sin.* estimable, meritorious, admirable, noble. *Ant.* vile.)
worthy of esteem — digno de estima.
he is worthy to be remembered — ele é digno de ser lembrado.
a worthy man — um homem respeitável; um homem digno.
worthy of our admiration — *merecedor da* nossa admiração.
wot [wɔt], **1** — *pres. ind.* de **to wit.**
2 — *pron.* vd. **what.**
woul [wud], *pret.* de **will.**
would [wud], *pret.* de **will.**
he would stroll in the park every afternoon — ele costumava dar um passeio no parque todas as tardes.
do what I would — fizesse o que fizesse.
would to God that! — prouvera a Deus!
would-be [-biː], *adj.* pretenso, suposto; com pretensões a.
would-be poet — pretenso poeta.
wound [waund], *pret.* e *pp.* de **to wind.**
wound [wuːnd], **1** — *s.* ferida, chaga, lesão; golpe; ofensa.
to dress a wound — fazer um curativo a uma ferida.
a mortal wound — uma ferida mortal.
incised wound — incisão, cortadura.
lacerated wound — laceração.
festering wound — ferida ulcerada.
to heal a wound—curar; cicatriza uma ferida.
2 — *vt.* ferir, fazer uma ferida; injuriar, ofender; causar dano.
to wound somebody's feelings — ofender alguém nos seus sentimentos.
woundable [-əbl], *adj.* vulnerável; que pode ser ferido.
wounded [-id], *adj.* ferido.
the wounded — os feridos.
wounding [-in], *adj.* que fere.
woundless [-lis], *adj.* ileso, intacto; que não está ferido.
wove [wouv], *pret.* de **to weave.**
woven [-ən], *pp.* de **to weave.**
wrack [ræk], *s.* alga marinha, sargaço, bodelha; ruína; nuvens levadas pelo vento
wraith [reiθ], *s.* espectro, fantasma, alma penada.

wrangle ['ræŋgl], **1** — *s.* alteração, disputa, questão.
2 — *vi.* questionar, disputar, altercar. (*Sin.* to brawl, to dispute, to squabble.)
wrangler [-ə], *s.* altercador, disputador; argumentador; estudante que obteve distinção em Matemática (Universidade de Cantabrígia).
wranglership [-əʃip], *s.* obtenção de distinção em Matemática (na Universidade de Cantabrígia).
wrangling [-iŋ], **1** — *s.* disputa, rixa, altercação.
2 — *adj.* discutidor, altercador; argumentador.
wrap [ræp], **1** — *s.* (geralm. *pl.*) agasalho, manta de viagem, abafo.
evening wrap — agasalho para a saída de teatro ou baile.
morning wrap — penteador.
2 — *vt.* e *vi.* (*pret.* e *pp.* **wrapped**) embrulhar, envolver, enrolar; cobrir, ocultar; conter.
wrapped in darkness — envolto na escuridão.
to wrap up — embrulhar; encerrar.
mind you wrap up well if you go out — toma cuidado, abafa-te bem, se vais sair.
to wrap up a parcel — fazer um embrulho.
she is wrapped up her children — ela está absorvida com os filhos.
he is wrapped up his wife — ele é doido pela mulher.
wrappage [-idʒ], *s.* empacotamento, papel de embalagem; invólucro.
wrapper [-ə], *s.* capa, cobertura; envolta de criança; linhagem para fardos; abafo para o pescoço; papel de cigarro; capa de livro.
wrapping [iŋ], *s.* acto de envolver, embrulhar ou cobrir; acto de agasalhar; invólucro.
wrapping paper — papel de embrulho.
wrasse [ræs], *s.* (zool.) labro, bodião.
wrath [rɔ:θ], *s.* (poét.) fúria, ira, cólera, raiva.
(*Sin.* anger, rage, fury, indignation. *Ant.* pleasure.)
wrathful [-ful], *adj.* irado, colérico, furioso, raivoso.
wrathfully [-fuli], *adv.* raivosamente, furiosamente, colericamente.
wrathfulness [-fulnis], *s.* fúria, ira, raiva, indignação.
Wratislaw ['rætislɔ:], *n. p.*
wreak [ri:k], *vt.* infligir; saciar, satisfazer; (arc.) vingar.
to wreak one's rage upon somebody — descarregar a ira contra alguém.
wreaking [-iŋ], *s.* acto de satisfazer ou saciar (cólera, vingança, etc.).
wreath [ri:θ], *s.* grinalda, coroa, festão; espiral, voluta.
a wreath of flowers — uma grinalda de flores.
a funeral wreath — uma coroa fúnebre.
wreathe [ri:ð], *vt.* e *vi.* enroscar, entrelaçar; tecer grinaldas, engrinaldar; cingir; torcer; entrelaçar-se; contrair-se.
a face wreathed in smiles — um rosto muito sorridente.
the snake wreathed itself round him — a serpente enroscou-se à volta dele.
a wreathed column — uma coluna torcida.
wreathing [-iŋ], *s.* acção de coroar; entrelaçamento; redemoinho.
wreck [rek], **1** — *s.* naufrágio; ruína, perda; destruição; destroço; navio naufragado; restos de naufrágio, salvados.
to be a nervous wreck — ter os nervos escangalhados.
to suffer wreck — sofrer naufrágio.
everything is going to wreck and ruin — **tudo vai por água abaixo.**
2 — *vt.* e *vi.* naufragar; dar à costa; soçobrar, afundar-se; ir a pique; arruinar, perder; arruinar-se, perder-se; (cam. fer.) descarrilar.
to be wrecked — naufragar.
I wrecked my health — arruinei a saúde.
wreckage [-idʒ], *s.* naufrágio; salvados de um naufrágio; ruínas, destruição.
wrecked [-t], *adj.* naufragado; arruinado.
wrecked goods — objectos lançados à praia pelo mar.
wrecker [-ə], *s.* o que causa naufrágio; provocador de desastres ferroviários ou de viação; **negociante em destroços de naufrágios.**
wrecking [-iŋ], **1** — *s.* salvamento de navios naufragados; provocação de naufrágios; (aut.) desempanagem; descarrilamento provocado; demolição.
2 — *adj.* relativo a demolição ou destruição; de salvamento.
wren [ren], *s.* (zool.) carriça, escondrigueira.
wrench [rentʃ], **1** — *s.* repelão, puxão, arranco; torcedura; deslocação; arrancada; chave de porcas; entorse.
monkey-wrench — chave-inglesa.
2 — *vt.* arrancar, arrebatar; torcer, retorcer, deslocar, desconjuntar; deturpar (factos).
he wrenched the book from my hands — ele arrancou-me o livro das mãos.
to wrench one's ankle — torcer o tornozelo.
he wrenched the door open — ele abriu a porta com violência.
wrenching [-iŋ], *s.* acto de arrancar ou de torcer.
wrest [rest], **1** — *s.* torção violenta; puxão; chave de afinar pianos.
wrest-pin — cravelha (de piano).
2 — *vt.* tirar à força, arrancar; forçar; desvirtuar; torcer.
to wrest the facts — desvirtuar os factos.
wrestle ['resl], **1** — *s.* luta corpo a corpo; luta livre; briga, contenda.
2 — *vt.* e *vi.* lutar corpo a corpo; travar combate de luta greco-romana; lutar, combater, brigar.
to wrestle down — derrubar (adversário).
to wrestle down a temptation (col.) — vencer uma tentação.
to wrestle together — lutar corpo a corpo.
wrestler [-ə], *s.* lutador de luta livre; lutador de luta greco-romana.
wrestling [-iŋ], *s.* luta, luta greco-romana.
all-in wrestling — luta livre.
wrestling match — sessão de luta.
wretch [retʃ], *s.* infeliz, desgraçado, miserável; patife, canalha; maroto.
a poor wretch — um pobre diabo.
wretchdness [-idnis], *s.* desgraça, desdita, infortúnio, miséria; vileza.
wretched [-id], *adj.* miserável, desgraçado, infeliz; mau, perverso, vil. (*Sin.* miserable, unhappy, worthless. *Ant.* fine, happy.)
a wretched being — um ente infeliz.
wretched weather — tempo terrível.
to feel wretched — sentir-se deprimido.
wretchedly [-idli], *adv.* desgraçadamente, miseravelmente; infelizmente; indignamente.
wrick [rik], 1 — *s.* mau jeito; entorse; distensão.
2 — *vt.* dar um jeito a, torcer.
wriggle ['rigl], **1** — *s.* movimento sinuoso; torcedura; acto de torcer o corpo, meneio.
2 — *vt.* e *vi.* torcer o corpo; menear, menear-se; mexer, revolver; insinuar-se.
to wriggle out of — escapar-se de.
to wriggle out of a difficulty — escapar-se a uma dificuldade.
to wriggle into — insinuar-se.
to wriggle one's tail — agitar a cauda.

to wriggle oneself free — conseguir libertar-se, torcendo-se.
wriggler [-ə], *s.* o que se move ou agita de um lado para o outro torcendo-se; pessoa que está sempre com subterfúgios.
wriggling [-iŋ], **1** — *s.* acto de se mexer ou torcer; meneio; ondulação, agitação.
2 — *adj.* que se mexe; que se torce; mexido.
wright [rait], *s.* artífice, operário, artista (geralm. em palavras compostas).
wring [riŋ], **1** — *s.* acto de torcer; apertadela, aperto.
wring of the hand — aperto de mão com força.
2 — *vt.* (*pret.* e *pp.* **wrung**) torcer, retorcer; apertar, espremer; puxar; forçar, arrancar, tirar à força; atormentar, torturar; despedaçar; afligir-se; torcer (o sentido).
to wring money out of somebody — extorquir dinheiro a alguém.
to wring the linen — torcer a roupa (molhada).
to wring off — arrancar, torcendo.
to wring a person's hand — apertar com força a mão de alguém.
he has wrung the words from their true meaning — desvirtuou o sentido das palavras.
to wring one's hands — torcer as mãos (de desespero, dor, etc.).
it wrings my heart to know — confrange-me o coração saber.
wringer [-ə], *s.* espremedor; máquina de espremer.
wringing [-iŋ], **1** — *s.* acto de torcer ou espremer; tormento.
wringing-machine — máquina de espremer ou enxugar.
2 — *adj.* que torce; que oprime (dor).
wrinkle ['riŋkl], **1** — *s.* ruga, vinco; prega; sugestão; informação secreta, aviso; (col.) estratagema.
the wrinkles on the face — as rugas do rosto.
2 — *vt.* e *vi.* enrugar, fazer rugas; franzir, encarquilhar; enrugar-se, encrespar-se; contrair, contrair-se. (*Sin.* to crease, to crumple, to rumple, to pucker. *Ant.* to smooth.)
to wrinkle one's brow — franzir o sobrolho.
to wrinkle one's forehead — enrugar a testa.
he is wrinkled with age — ele está encarquilhado pela idade.
to wrinkle up one's nose at — torcer o nariz a.
wrinkled [-d], *adj.* enrugado; franzido.
wrinkleless [-lis], *adj.* sem rugas; liso.
wrinkling [-iŋ], *s.* acção de enrugar, enrugamento; rugas, rugosidades.
wrinkly [-i], *adj.* enrugado; rugoso.
wrist [rist], *s.* pulso; punho.
wrist-watch — relógio de pulso.
wristband [-bænd], *s.* punho de camisa.
wristlet [-lit], *s.* bracelete, pulseira; *pl.* algemas.
wristlet watch — relógio de pulso.
writ [rit], **1** — *s.* (bíbl.) escritura; escrito; ordem, mandado; auto; sentença; intimação judicial; circular.
Holy Writ — a Sagrada Escritura.
to issue a writ — dar uma ordem.
a writ of attachment — um mandado de penhora.
a writ of sequestration — um sequestro judicial.
2 — *pret.* e *pp.* (arc.) de **to write.**
writ large — em grandes letras.
writable ['raitəbl], *adj.* que pode escrever-se.
write [rait], *vt.* e *vi.* (*pret.* **wrote,** *pp.* **written**) escrever, pôr por escrito; redigir, compor; descrever; dizer (por carta); ter correspondência epistolar; ser escritor ou autor; dactilografar.
to write down — tomar nota; anotar; redigir; inscrever; assentar.
to write out — copiar; transcrever; redigir.
to write over again — copiar de novo; passar a limpo.
to write on — continuar a escrever.
to write a good hand — ter boa letra.
to write back — responder a uma carta.
to write fair — escrever bem, com boa letra.
to write in ink — escrever a tinta.
to write in pencil — escrever a lápis.
to write a cheque — passar um cheque.
to write for the papers — escrever para os jornais.
to write oneself man — atingir a maioridade.
to write shorthand — escrever taquigrafia.
to write up — elogiar; descrever pormenorizadamente.
writer [-ə], *s.* escritor, autor; articulista; literato; amanuense.
gossip-writer — cronista mundano.
leader-writer — pessoa que escreve artigos de fundo.
writer of articles — articulista.
writer's cramp (writer's palsy) — cãibra dos escritores.
woman writer — escritora.
the present writer — o signatário.
writhe [raið], **1** — *s.* contorção, estremecimento.
2 — *vt.* e *vi.* torcer, retorcer, arrancar; torcer-se, contorcer-se; debater-se.
to writhe with pain — torcer-se de dor.
writhing [-iŋ], *s.* contorções; estremecimento.
writing ['raitiŋ], *s.* acto de escrever; escrito; manuscrito; escritura; letra, caligrafia; escrita; estilo; obra; artigo; documento.
writing-pad — bloco de papel; pasta de secretária.
to commit to writing — pôr por escrito, redigir.
in one's own writing — do seu próprio punho.
writing-cabinet — escrivaninha; secretária.
writing-paper — papel para escrever; papel de carta.
writing-desk — escrivaninha.
writing down — inscrição; redução de capital.
writing on the wall — sinal de mau agoiro.
writing materials — material necessário para se escrever.
cuneiform writing — escrita cuneiforme.
to answer in writing — responder por escrito.
written ['ritn], **1** — *pp.* de **to write.**
2 — *adj.* escrito, por escrito.
written test — prova escrita (em escolas).
written law — lei escrita.
wrong [rɔŋ], **1** — *s.* mal, prejuízo, dano; erro, engano; falsidade; extravio; injustiça, injúria, agravo.
to be in the wrong — estar enganado; não ter razão.
to repair a wrong — reparar um mal; reparar uma injustiça.
to do wrong to somebody — proceder mal para com alguém.
to know right from wrong — distinguir entre o bem e o mal.
to put somebody in the wrong — lançar as culpas a alguém.
2 — *adj.* injusto; erróneo, inexacto; desacertado; incorrecto, errado; falso; irregular; equivocado; inoportuno, inconveniente.
a wrong assertion — uma asserção falsa.
a wrong statement — uma alegação falsa.
a wrong theory — uma teoria falsa.
I went to the wrong house — enganei-me na casa.

a wrong opinion — uma opinião errada.
wrong note (mús.) — nota falsa.
on the wrong side of forty — com mais de quarenta anos.
wrong side out — do avesso.
to be wrong — não ter razão.
he has got hold of the wrong end of the stick (col.) — ele compreendeu mal a situação.
he is wrong in the head — ele não regula bem da cabeça.
what is wrong with you? — que é que te incomoda?; que tens?
3 — *adv.* mal, erradamente, injustamente; às avessas, ao revés.
to answer wrong — responder mal.
to do wrong — proceder mal.
to go wrong — enganar-se no caminho; transviar-se; dar mau resultado.
to lead somebody wrong — desencaminhar alguém; enganar alguém.
things are going wrong — as coisas estão a correr mal.
4 — *vt.* causar prejuízo, prejudicar, fazer mal; afrontar, injuriar, lesar, ofender; violar (mulher).
to be wronged — ser vítima de uma injustiça.
wrongdoer ['rɔŋ'duə], *s.* injuriador; malfeitor; pessoa que pratica o mal.
wrongdoing ['rɔŋ'du:iŋ], *s.* dano; injustiça; maldade, iniquidade.
wrongful ['rɔŋful], *adj.* injusto; iníquo; falso; nocivo, prejudicial.
wrongfully ['rɔŋfuli], *adv.* injustamente, sem razão; mal, erradamente, falsamente.
wrongfulness ['rɔŋfulnis], *s.* injustiça; maldade, iniquidade; erro, falsidade, inexactidão.
wrongheaded ['rɔŋ'hedid], *adj.* disparatado, desatinado; teimoso, obstinado.
wrongheadedly [-li], *adv.* disparatadamente, desatinadamente; obstinadamente.
wrongheadedness [-nis], *s.* desatino, estouvamento; birra, teimosia.
wrongly ['rɔŋli], *adv.* injustamente; erradamente; mal.
rightly or wrongly — com razão ou sem ela.
wrongness ['rɔŋnis], *s.* injustiça; iniquidade, maldade; inexactidão, erro, falsidade.
wrote [rout], *pret.* de **to write.**
wrought [rɔ:t], **1** — *pret.* e *pp.* de **to work.**
2 — *adj.* lavrado, forjado; manufacturado; trabalhado.
wrought iron — ferro forjado.
wrought-up state — estado de excitação.
wrung [rʌŋ], *pret.* e *pp.* de **to wring.**
wry [rai], **1** — *adj.* torto, torcido; dobrado; de lado, de esguelha, à banda; perverso.
a wry mind — um espírito perverso.
a wry smile — um sorriso forçado.
a wry look — um olhar de esguelha.
to make a wry mouth — torcer a boca.
2 — *vt.* e *vi.* torcer, torcer-se; entortar.
wryly [-li], *adv.* retorcidamente; de esguelha; desvirtuadamente.
wryneck [-nek], *s.* (*zool.*) torcicolo, papa-formigas; torcicolo, inclinação defeituosa de cabeça; pessoa com torcicolo.
wryness [-nis], *s.* contorção; deformação; ausência de simetria.
Wurtemberg ['və:təmbɛəg], *top.* Vurtemberga.
wynd [waind], *s.* (Esc.) rua estreita.

X

X, x [eks], (*pl.* **X's, x's** ['eksiz]) X, x (vigésima quarta letra do alfabeto inglês); 10 (em numeração romana); (álgebra) primeira quantidade desconhecida.
x axis — eixo das abcissas.
IX — 9.
MX — 1010.
XC — 90.
xanthate ['zænθeit], *s.* (quím.) xantato.
xanthein ['zænθiin], *s.* (quím.) xanteína.
xanthic ['zænθik], *adj.* (quím.) xântico.
xanthic acid — ácido xântico.
xanthic oxide — óxido xântico.
xanthin ['zænθin], *s.* (quím.) xantina.
xanthine ['zænθain], *s.* ver **xanthin.**
Xanthippe [zæn'θipi], *n. p.* (gr.) Xantipa.
Xanthippus [zæn'θipəs], *n. p.* (gr.) Xantipo.
xanthous ['zænθəs], *adj.* amarelo; referente ao tipo mongólico ou mongolóide.
Xavier ['zæviə], *n. p.* Xavier.
xebec ['zi:bek], *s.* (náut.) xaveco (embarcação pequena de três mastros).
xenia ['zi:niə], *s.* (bot.) xénia.
xenogamy [zi:'nɔgəmi], *s.* (bot.) xenogamia.
xenogenesis [zenou'dʒenisis], *s.* (biol.) xenogénese.
xenophobe ['zenəfoub], **1** — *s.* xenófobo.
2 — *adj.* xenofóbico.
xenophobia [zenə'foubjə], *s.* xenofobia.
Xenophon ['zenəfən], *n. p.* (gr.) Xenofonte.
xerographic(al) ['ziərou'græfik(əl)], *adj.* xerográfico.
xerography [ziə'rɔgrəfi], *s.* xerografia.
xerophagy [ziə'rɔfədʒi], *s.* xerofagia.
xerophilous [ziə'rɔfiləs], *adj.* (bot.) xerófilo.
xerophily [ziə'rɔfili], *s.* (bot.) xerofilia.
xerophyte ['zi:roufait], *s.* (bot.) planta xerófita.
xerophytic [ziərou'fitik], *adj.* (bot.) xerofítico.
Xerxes ['zə:ksi:z], *n. p.* Xerxes.
xiphias ['zifiæs], *s.* (zool.) peixe-espada.
Xmas ['krisməs], *abrev.* de **Christmas.**
Xn., *abrev.* de **Christian.**
Xnty, *abrev.* de **Christianity.**
X-ray ['eks'rei], **1** — *adj.* radiológico; radiográfico.
X-ray plate — radiografia.
X-ray examination — exame radiológico ou radiográfico.
X-ray treatment — radioterapia.
2 — *vt.* radiografar; examinar aos raios X.
X-rays [-z], *s. pl.* raios X.
xylene ['zaili:n], *s.* (quím.) xileno.
xylograph ['zailəgrɑ:f], *s.* xilografia.
xylographer [zai'lɔgrəfə], *s.* xilógrafo.
xylographic [zailə'græfik], *adj.* xilográfico.
xylography [zai'lɔgrəfi], *s.* xilografia, arte de gravar em madeira.
xylophone ['zailəfoun], *s.* (mús.) xilofone.
xylophonist [zai'lɔfənist], *s.* xilofonista, tocador de xilofone.
xystus (*pl.* **xysti**) ['zistəs,-ai], *s.* xisto, pórtico coberto entre os antigos Gregos, usado para exercícios ginásticos; terraço de jardim.

Y

Y, y [wai], (*pl.* **Y's, y's** [waiz]) Y, y (vigésima quinta letra do alfabeto inglês); (álgebra) segunda quantidade desconhecida.
Y axis (mat.) — eixo das ordenadas.
Y-ligament (anat.) — ligamento ileofemoral.
yacht [jɔt], **1** — *s.* iate.
racing yacht — iate de regata.
pleasure yacht — iate de recreio.
yacht club — clube de possuidores de iates.
sailing yacht — iate à vela.
2 — *vi.* andar de iate.
yachting [-iŋ], **1** — *s.* navegação em iate; regatas de iate.
to go yachting — ir andar de iate.
yachting cruise — cruzeiro de iate.
to go in for yachting — dedicar-se ao desporto do iate.
2 — *adj.* relativo a iates.
yachtsman (*pl.* **yachtsmen**) [-smən,-mən], *s.* dono ou timoneiro de um iate.
yachtswoman (*pl.* **yachtswomen**) [-swumən, -wimin], *s. fem.* dona ou timoneira de um iate.
yaffle [jæfl], *s.* (zool.) piçanco, peto-real.
yah [ja:], *interj.* (exprime desagrado ou escárnio).
yahoo [jə'hu], *s.* (col.) selvagem, besta-fera.
Yahveh ['ja:vei], *n. p.* (bíbl.) Jeová.
yak [jæk], *s.* (zool.) iaque.
yam [jæm], *s.* (bot.) inhame.
Yank [jæŋk], *s.* (col.) ver **Yankee.**
Yankee [-i], *s.* (col.) americano da Nova Inglaterra; americano, ianque.
Yankee Doodle — canção popular norte-americana.
Yankeeism [-iizm], *s.* americanismo.
yaourt ['ja:u:t], *s.* iogurte.
yap [jæp], **1** — *s.* latido; conversa em voz alta e aguda.
2 — *vi.* (*pret.* e *pp*, **yapped**) latir; berrar.
yard [ja:d], **1** — *s.* pátio, curral, cercado; **vara,** jarda (medida inglesa de 914 mm); (náut.) verga; estaleiro.
yard-arm (náut.) — lais ou ponta da verga.
main yard — (náut.) verga grande.
lumber yard — depósito de madeira.
main topsail yard (náut.) — verga da gávea.
to brace the yards (náut.) — bracejar as vergas.
to top the yards (náut.) — amantilhar as vergas.
yard measure — fita métrica.
by the yard — à jarda.
The Yard (Scotland Yard) — Comando da Polícia de Londres.
brick-yard — fábrica de tijolos.
farm-yard — pátio de quinta.
naval yard — arsenal da marinha.
***railway yard* — gare de triagem.**
shipbuilding yard — estaleiro naval.
***stock-yard* — cerca para gado.**
I can't see a yard in front of me — não vejo um palmo à minha frente.
2 — *vt.* meter (gado) em cerca.
yardage [-idʒ], *s.* comprimento em jardas.
Yarmouth ['ja:məθ], *top.* cidade costeira em Norfolk; porto de mar na ilha de Wight.
yarn [ja:n], **1** — *s.* fio; fio de carrete; (col.) história inverosímil.
to spin a yarn (to spin yarns) (col.) — contar uma história inverosímil.
weaver's yarn — filaça.
a sailor's yarn — uma história de marinheiro.
spun yarn — corda delgada de dois fios.
jute yarn — fio de juta.
2 — *vi.* (col.) contar histórias inverosímeis.
yarrow ['jærou], *s.* (bot.) mil-em-rama, milefólio, mil-folhas.
yashmak ['jæʃmæk], *s.* véu das muçulmanas.
yataghan ['jætəgən], *s.* iatagã, punhal longo usado pelos Turcos.
yaw [jɔ:], **1** — *s.* (náut.) guinada; (av.) desvio da rota.
2 — *vi.* (náut.) guinar; (av.) desviar-se da rota.
yawing [-iŋ], *s.* guinada ou desvio da rota.
yawl [jɔ:l], *s.* (náut.) iole; escaler, chalupa.
yawn [jɔ:n], **1** — *s.* bocejo; abismo, voragem.
to give a yawn — bocejar.
2 — *vt.* e *vi.* bocejar; escancarar, escancarar-se.
to make somebody yawn — fazer bocejar alguém.
yawner [-ə], *s.* bocejador, pessoa que boceja.
yawning [-iŋ], **1** — *s.* bocejo, acto de bocejar.
2 — *adj.* que boceja; escancarado.
yawningly [-iŋli], *adv.* bocejando; de forma bocejante.
yaws [jɔ:z], *s. pl.* framboesa.
ye [ðə, ði] = **the** (grafia antiga).
ye [ji:], *pron. pes.* 2.ª *pes. pl.* (arc., poét., joc.) vós, vos.
yea [jei], **1** — *s.* (arc.) sim; voto afirmativo.
yeas and nays — votos a favor e votos contra.
2 — *adv.* (arc.) sim; certamente; até mesmo.
yea, verily — sim, na verdade.
yean [ji:n], *vt.* e *vi.* parir, dar à luz (ovelha, cabra).
yeanling [-liŋ], *s.* cordeirinho, cabritinho.
year [jə:], *s.* ano; *pl.* idade, anos.
leap year — ano bissexto.
common year — ano comum.
year-book — anuário.
year of grace — ano da era cristã.
once a year — uma vez por ano.
every other year — de dois em dois anos.
half year — semestre.
to grow in years — envelhecer.
of late years — nestes últimos anos.
by the year — ao ano; por ano.
New Year's Day — dia de Ano Novo.
financial year — ano económico.
from year to year — de ano para ano.
within (in) a year — dentro de um ano.
this day a year — de hoje a um ano.
every year — todos os anos.
all the year round — todo o ano.
school year — ano lectivo.
in the year of Our Lord — no ano de Nosso Senhor.
last year — o ano passado.
next year — no próximo ano; para o ano (que vem).
years of discretion — idade da razão.
some years ago — há alguns anos.
year after year — ano após ano.
year in year out — ano após ano.
year-old — com um ano de idade.
academic year — ano académico.
civil year — ano civil.
solar year — ano solar.
fiscal year — ano fiscal.

this year — este ano.
I am twenty-seven years old — tenho vinte e sete anos.
yearling [ˈjəːliŋ], **1** — *s.* animal ou planta de um ano.
2 — *adj.* de um ano.
yearly [ˈjəːli], **1** — *adj.* anual; que dura um ano.
yearly output — produção anual.
2 — *adv.* anualmente.
yearn [jəːn], *vi.* anelar, ansiar, desejar; estar saudoso; compadecer-se.
to yearn after = *to yearn for* — ansiar por.
to yearn towards somebody — ter saudades de alguém.
to yearn to do something — ansiar por fazer alguma coisa.
yearning [-iŋ], **1** — *s.* ânsia, anelo; saudade.
2 — *adj.* ansioso, anelante; suspiroso; terno; saudoso.
yearningly [-iŋli], *adv.* ansiosamente, anelantemente; saudosamente.
yeast [jiːst], *s.* fermento; levedura.
yeast-powder — fermento em pó.
yeastiness [-inis], *s.* semelhança com levedura; frivolidade.
yeasty [-i], *adj.* relativo a fermento ou levedura; coberto de espuma; frívolo.
yell [jel], **1** — *s.* grito, alarido; bramido.
to give a yell — soltar um grito.
2 — *vt.* e *vi.* gritar, bramir; vociferar.
to yell with pain — gritar com dores.
to yell out an order — berrar uma ordem.
to yell with laughter — rir ruidosamente.
yelling [-iŋ], **1** — *s.* gritaria, alarido.
2 — *adj.* que berra, que grita; clamoroso.
yellow [ˈjelou], **1** — *s.* amarelo, cor amarela; gema de ovo; *pl.* icterícia.
2 — *adj.* amarelo; (col.) covarde, invejoso, ciumento; (jornal) sensacionalista.
yellow-blossomed — de flores amarelas.
yellow-fever (yellow Jack) — febre amarela.
yellow-hammer (zool.) — verdelhão.
yellow leaf (col.) — velhice.
yellow golds (bot.) — botões de ouro.
the yellow race — a raça amarela.
to get yellow — tornar-se amarelo.
yellow brass — latão.
yellow copper — cobre piritoso.
yellow copper ore — calcopirite; pirite de cobre.
yellow-livered (col.) — covarde.
yellow metal — latão.
yellow ochre — ocre amarelo.
the Yellow Sea — o Mar Amarelo.
the yellow press — a imprensa sensacionalista.
3 — *vt.* e *vi.* tornar amarelo, amarelecer; tingir de amarelo.
yellowing [-iŋ], **1** — *s.* amarelecimento; demão de amarelo.
2 — *adj.* amarelecido, amarelento.
yellowish [-iʃ], *adj.* amarelado.
yellowness [-nis], *s.* cor amarela; (col.) cobardia.
yelp [jelp], **1** — *s.* latido, ganido; regougo, uivo.
2 — *vi.* latir, ganir; uivar, regougar.
yelping [-iŋ], **1** — *s.* latido, ganido.
2 — *adj.* que solta latidos ou gane.
yeoman (*pl.* **yeomen**) [ˈjoumən, -mən], *s.* (hist.) pequeno proprietário rural; alabardeiro do rei.
Yeoman of the Guard — alabardeiro do rei; alabardeiro da Torre de Londres.
yeoman service — trabalho excelente; grande ajuda.
yeomanly [-li], *adj.* (hist.) próprio de um *yeoman*; com a categoria de *yeoman*; robusto, vigoroso.
yeomanry [-ri], *s.* (hist.) classe dos pequenos proprietários rurais; grupo dos alabardeiros do rei.
yes [jes, jeh], **1** — *s.* sim, resposta afirmativa.
yeses and noes — sins e nãos.
2 — *adv.* sim; certamente.
to answer yes or no — responder sim ou não.
have you a pen? Yes. — Tens uma caneta? Tenho.
to say yes — dizer que sim.
yes-man — pessoa que diz a tudo que sim.
yesterday [ˈjestədi, ˈjestədei], **1** — *s.* o dia de ontem; o passado.
2 — *adv.* ontem.
the day before yesterday — anteontem.
yesterday morning — ontem de manhã.
yesterday afternoon — ontem à tarde.
yesterday evening — ontem à noite.
yesterday night — a noite passada.
a week yesterday — de ontem a oito dias.
yesterday week — fez ontem oito dias.
yestermorn [jestəˈmɔːn], *s.* e *adv.* (poét.) ontem de manhã.
yestermorning [-iŋ], *s.* e *adv.* (poét.) vd. **yestermorn.**
yesternight [jestəˈnait], *s.* e *adv.* (poét.) a noite passada.
yester-year ['jestə-ˈjə:], *(poét.)* ano passado; o passado.
yet [jet], **1** — *adv.* ainda; não obstante, contudo; até agora; um dia; além disso; nesta ocasião.
as yet — até agora.
not yet — ainda não.
I haven't yet heard from him — ainda não recebi notícias dele.
has he come yet? — ele já veio?
2 — *conj.* contudo; embora; se bem que.
yew [juː], *s.* (bot.) teixo.
Yid [jid], *s.* (E. U. col.) judeu.
Yiddish [-iʃ], **1** — *s.* iídiche, língua falada pelos judeus alemães.
2 — *adj.* iídiche.
yield [jiːld], **1** — *s.* rendimento; produção; colheita; cedência (de trave).
yield-point (mec.) — limite de resistência.
in full yield — em pleno rendimento.
net yield — rendimento líquido.
2 — *vt.* e *vi.* produzir, dar; ceder, conceder, condescender; entregar, restituir, devolver; admitir; permitir; outorgar; produzir; ser útil; dar-se por vencido, render-se, submeter-se; dar de si; consentir; convir.
to yield consent — dar consentimento.
to yield to the helm — obedecer ao leme.
to yield to temptation — ceder à tentação.
to yield to a request — aceder a um pedido.
to yield a good crop — produzir uma boa colheita.
to yield to a wish — aceder a um desejo.
to yield to a superior force — render-se a uma força superior.
I yield to your arguments — curvo-me perante os teus argumentos.
to yield to somebody's entreaties — ceder a instâncias de alguém.
to yield ground — ceder terreno.
to yield the palm — ceder a palma.
to yield oneself to the enemy — entregar-se ao inimigo.
to yield up the ghost (col.) — morrer.
the investments yield 7% — os investimentos rendem 7%.
yielding [-iŋ], **1** — *s.* acção de ceder; consentimento; rendimento, produto; submissão; entrega; abandono.

2 — *adj.* que cede; condescendente, indulgente; dócil; rendoso.
yieldingly [-iŋli], *adv.* condescendentemente; submissamente; rendosamente.
yieldingness [-iŋnis], *s.* condescendência; submissão; docilidade.
yodel ['joudəl], **1** — *s.* canto à tirolesa; canto tirolês.
2 — *vi.* cantar à tirolesa.
yogi ['jougi], *s.* ioga, iógui.
yogurt ['jougə:t], *s.* iogurte.
yoho [jou'hou], *interj.* (náut.) ala!, eia!
yoick [jɔik], *vt.* e *vi.* açular os cães na caça.
yoicks [-s], *interj.* boca! (para açular os cães na caça).
yoke [jouk], **1** — *s.* jugo, canga; junta de bois; parelha; par; opressão, escravidão; (náut.) meia-lua (de leme); jeira.
yoke-fellow (yoke-mate) — companheiro de trabalho; consorte.
to bear the yoke — suportar o jugo.
to shake off the yoke — sacudir o jugo.
a yoke of oxen — uma junta de bois.
yoke-bone — osso malar.
yoke of land — jeira de terra.
2 — *vt.* e *vi.* jungir, pôr a canga em; emparelhar; subjugar, oprimir.
they yoke together — andam juntos; trabalham juntos.
yokel [-əl], *s.* camponês, rústico, campónio.
yoking [-iŋ], *s.* acto de pôr sob o jugo ou canga.
yolk [jouk], *s.* gema (de ovo); (biol.) vitelo; suarda.
yon [jɔn], **1** — *adj.* e *adv.* (arc., poét.) vd. **yonder.**
2 — *pron.* (arc., poét.) aquilo, aquela coisa, aquela pessoa.
yonder ['jɔndə], **1** — *adj.* situado acolá, aquele.
yonder trees — aquelas árvores.
2 — *adv.* ali, acolá, além.
down yonder — lá em baixo.
up yonder — lá em cima.
yore [jɔ:], *s.* velhos tempos.
of yore — dos velhos tempos; de antigamente; de outrora.
Yorkshire ['jɔ:kʃə], *top.* nome de um condado inglês.
to put Yorkshire on somebody (col.)—enganar alguém.
you [ju:, jə], *pron. pes.* 2.ª *pes. sing. e pl.* — tu, vós, te, a ti; vos, a vós, você, vocês; o senhor, os senhores, a senhora, as senhoras, a menina, as meninas, V. Excia., etc., nós, a gente.
this is for you — isto é para ti (si, você, o Senhor, etc.).
you darling! — meu querido!, minha querida!
is it you?—és tu?; sois vós?; são vocês?; etc.
you'd [ju:d], *contr.* de **you had, you would.**
you'll [ju:l], *contr.* de **you will.**
young [jʌŋ], **1** — *s.* cria (de animal).
with young — prenhe (animal).
2 — *adj.* jovem, moço, novo, juvenil; fresco, verde, tenro; novato, inexperiente.
young people — gente nova; mocidade.
to look young — ter aparência de jovem.
the young — os jovens.
to grow young again — rejuvenescer.
young in mind — de espírito jovem.
a young man — um jovem.
a young woman — uma jovem.
younger [gə], *comp.* de **young.**
our youngers — aqueles que são mais novos do que nós.
in my younger days — na minha mocidade.
youngish [-iʃ], *adj.* bastante jovem.
youngling [-liŋ], *s.* (poét.) jovem; animal novo.
youngster [-stə], *s.* jovem, rapaz.
the youngsters — a rapaziada.
younker ['jʌŋkə], *s.* *(arc. col.)* jovem.
your [jɔ:, juə], *adj. pos.* teu, tua, teus, tuas; vosso, vossa, vossos, vossas; seu, sua, seus, suas (de você, do senhor, etc.).
where is your book? — onde está o teu (vosso, seu) livro?
Your Majesty — Vossa Majestade.
yours [-z], *pron. pos.* teu, tua, teus, tuas; vosso, vossa, vossos, vossas; seu, sua, seus, suas (de você, do senhor, etc.).
a friend of yours — um amigo teu (vosso, seu).
this pen is yours — esta caneta é tua (vossa, sua).
that is no business of yours — não tens nada com isso.
what's yours? — que é que toma?; que quer beber?
yourself [jɔ:'self, jə'self], *pron. refl. e enf.* tu mesmo, a ti mesmo; o senhor mesmo.
you are not quite yourself tonight — você não está bem-disposto esta noite.
(all) by yourself — sozinho; sem ajuda.
you cut yourself — cortaste-te.
keep it for yourself — guarde-o para si.
what will you do with yourself this evening? — o que pensas fazer esta noite?
youth [ju:θ], *s.* mocidade, juventude; jovem; moço; os jovens.
a youth of fourteen — **jovem de catorze anos.**
youthful [-ful], *adj.* juvenil, jovem, moço; fresco, novo, vigoroso. (*Sin.* young, juvenile, boyish, girlish, puerile, fresh. *Ant.* aged.)
youthfully [-fuli], *adv.* juvenilmente; como jovem.
youthfulness [-fulnis], *s.* mocidade, juventude; frescura.
you've [ju:v], *contr.* de **you have.**
yttria ['itriə], *s.* (quím.) ítria, óxido de ítrio.
yttric ['itrik], *adj.* (quím.) ítrico.
yttrium ['itriəm], *s.* (quím.) ítrio.
yucca ['jʌkə], *s.* (bot.) iúca.
Yugoslav ['ju:gou'sla:v], *s.* e *adj.* vd. **Jugoslav.**
Yugoslavia ['ju:gou'sla:vjə], *top.* vd. **Jugoslavia.**
yule [ju:l], *s.* Natal; a festa de Natal.
yule-song — cântico de Natal.
yule-log — o tronco que se queima na noite de Natal.
yule-tide — época do Natal.

Z

Z, z [zed], (*pl.* **Z's, z's** [zedz]) Z, z (vigésima sexta letra do alfabeto inglês).
from A to Z — do princípio ao fim.
Z bar — ferro em Z.
Zachariah [zækə'raiə], *n. p.* (bíbl.) Zacarias.
Zacharias [zækə'raiəs], *n. p.* Zacarias.
Zachary ['zækəri], *n. p.* Zacarias.
zaffer ['zæfə], *s.* (quím.) óxido azul de cobalto.
zaffre ['zæfə], *s.* ver **zaffer.**
Zambezia [zæm'bi:zjə], *top.* Zambézia.
zany ['zeini], *s.* (hist.) bobo, truão; ajudante de palhaço; simplório.
Zarathustra [zærə'θu:strə], *n. p.* Zaratustra.
zeal [zi:l], *s.* zelo, fervor, desvelo, cuidado.
full of zeal for — cheio de zelo por.
Zealand ['zi'lənd], *top.* Zelândia.
New Zealand — Nova Zelândia.
zealot ['zelət], *s.* fanático, entusiasta.
zealotism [-izm], *s.* fanatismo, entusiasmo.
zealotry [-ri], *s.* ver **zealotism.**
zealous ['zeləs], *adj.* zeloso, cuidadoso, entusiasta (*Sin.* enthusiastic, eager, fervent, ardent. *Ant.* apathetic, careless.)
zealously [-li], *adv.* zelosamente, apaixonadamente, com ardor.
zealousness [-nis], *s.* ardor, zelo, entusiasmo.
Zebedee ['zebidi:], *n. p.* (bíbl.) Zebedeu.
zebra ['zi:brə, 'zebrə], *s.* zebra.
zebra crossing — passadeira (para passagem de peões).
zebu ['zi:bu:], *s.* (zool.) zebu.
Zeeland ['zeilənd], *top.* ver **Zealand.**
zenana [zə'nɑ:nə], *s.* (Ind.) zenana, harém.
zenith ['zeniθ], *s.* (astron.) zénite.
zenithal ['zeniθəl], *adj.* zenital.
zephir ['zefə], *s.* zéfiro, vento brando do oeste; zefir, tecido transparente e leve.
Zephyrus ['zefirəs], *n. p. (mit.)* Zéfiro.
zeppelin ['zepəlin], *s.* zepelim.
zero ['ziərou], *s.* zero.
zero load — carga nula.
below zero — abaixo de zero.
zest [zest], *s.* gosto, deleite, sabor. (*Sin.* piquancy, relish, enjoyment, taste, flavour. *Ant.* insipidity.)
the zest of life — o prazer da vida.
zestful [-ful], *adj.* gostoso, saboroso; entusiástico.
zestfully [-fuli], *adv.* gostosamente; entusiasticamente; animadamente.
zeugma ['zju:gmə], *s.* (gram.) zeugma.
Zeus [zju:s], *n. p. (mit.)* Zeus.
zibel(l)ine ['zi:bəlain], *s.* pele de zibelina.
zigzag ['zigzæg], **1** — *s.* ziguezague.
in zigzags — aos ziguezagues.
2 — *adj.* em ziguezague; (cal.) ébrio.
zigzag road — estrada aos ziguezagues.
3 — *adv.* aos ziguezagues.
the road ran zigzag — a estrada seguia aos ziguezagues.
4 — *vt.* e *vi.* (*pret.* e *pp.* **zigzagged**) fazer ziguezagues; andar em ziguezague; zinguezaguear.
zigzagging [-iŋ], *s.* ziguezague; direcção tortuosa.
zigzaggy [-i], *adj.* aos ziguezagues; tortuoso.
zinc [ziŋk], **1** — *s.* zinco.
zinc-white — branco de zinco.
flowers of zinc — zinco sublimado.
to lay with zinc — cobrir de zinco.
zinc-works — fábrica de zinco.
zinc bloom — flor de zinco.
zinc alloy — liga de zinco.
zinc blend — blenda.
zinc-coated iron — ferro galvanizado.
zinc block — zincogravura.
zinc nitrate — nitrato de zinco.
zinc plate — chapa de zinco.
zinc oxide — óxido de zinco.
zinc pole — pólo negativo.
2 — *vt.* (*pret.* e *pp.* **zincked**) galvanizar; cobrir de zinco.
zinco ['ziŋkou], *s.* (col.) zincogrąvura.
zincograph ['ziŋkougrɑ:f], **1** — *s.* zincogravura.
2 — *vt.* zincogravar, zincografar.
zincographer [ziŋ'kɔgrəfə], *s.* zincógrafo.
zincography [ziŋ'kɔgrəfi], *s.* zincografia, zincogravura.
zingara (*pl.* **zingarae**) ['ziŋgər,-i], *s. fem.* zíngara, cigana.
zingaro (*pl.* **zingari**) ['ziŋgərou,-i], *s.* zíngaro, cigano.
zinnia ['zinjə], *s.* (bot.) zínia.
Zion ['zaiən], **1** — *s.* Igreja Cristã; reino dos céus; templo não conformista.
2 — *top.* Sião (colina em Jerusalém).
Zionism [-izm], *s.* sionismo.
Zionist [-ist], **1** — *s.* sionista, partidário do sionismo.
2 — *adj.* sionista, relativo ao sionismo.
zip [zip], **1** — *s.* sibilar de bala; zunido; (col.) energia; velocidade.
zip-fastener — fecho de correr.
2 — *vi.* (*pret.* e *pp.* **zipped**) sibilar.
zipper [-ə], *s.* (col.) ver **zip-fastener.**
zipper bag — saco com fecho de correr.
zirconium [zə:'kounjəm], *s.* (quím.) zircónio.
zither(n) ['ziθə(n)], *s.* cítara.
zitherist ['ziθərist], *s.* citarista, tocador de cítara.
zizania [zi'zeiniə], *s.* (bot.) cizânia, joio.
Zodiac ['zoudiæk], *s.* (astrologia) Zodíaco.
the signs of the Zodiac — os signos do Zodíaco.
zodiacal [zou'daiəkəl], *adj.* zodiacal.
zoic ['zouik], *adj.* zóico.
zona ['zounə], *s.* (pat.) zona.
zonal ['zounl], *adj.* zonal.
zone [zoun], **1** — *s.* zona; cinta, faixa; área.
torrid zone — zona tórrida.
temperate zone — zona temperada.
frigid zone — zona frígida.
zone of intersection — zona de intersecção.
zone time — hora do fuso horário.
danger zone — zona de perigo.
2 — *vt.* dividir em zonas; distribuir por zonas.
zoned [-d], *adj.* dividido em zonas.
zoo [zu:], *s.* (col.) jardim zoológico.
zoochemical [zouou'kemikəl], *adj.* zooquímico.
zoochemistry [zouou'kemistri], *s.* zooquímica.
zoographer [zou'ɔgrəfə], *s.* zoógrafo.
zoographic [zouou'græfik], *adj.* zoográfico.
zoography [zou'ɔgrəfi], *s.* zoografia.
zoolatry [zou'ɔlətri], *s.* zoolatria, adoração dos animais.

zoolite ['zouəlait], *s.* zoólito.
zoological [zouə'lɔdʒikəl], *adj.* zoológico. *the Zoological Gardens* — o Jardim Zoológico.
zoologist [zou'ɔlədʒist], *s.* zoólogo.
zoology [zou'ɔlədʒi], *s.* zoologia.
zoom [zu:m], **1** — *s.* zunido, zumbido (de motor de avião); (av.) subida quase vertical. **2** — *vi.* (col. av.) fazer o avião subir a grande velocidade e em vertical.
zoometry [zou'ɔmitri], *s.* zoometria.
zoomorphic [zouou'mɔ:fik], *adj.* zoomórfico.
zoomorphism [zouou'mɔ:fizm], *s.* zoomorfismo.
zoomorphy [zouou'mɔ:fi], *s.* zoomorfia.
zoophyta [zouou'faitə], *s. pl.* zoófitos.
zoophytal [zouou'faitəl], *adj.* zoofítico.
zoophyte ['zouəfait], *s.* zoófito.
zoophytic(al) [zouou'fitik(əl)], *adj.* ver **zoophytal.**
zootechnic [zouou'teknik], *adj.* zootécnico.
zootechny [zouou'tekni], *s.* zootecnia.
zootomist [zou'ɔtəmist], *s.* zootomista.
zootomy [zou'ɔtəmi], *s.* zootomia.
zoril ['zɔril], *s.* (zool.) zorila, zorilha.
zorillo [zɔ'ri:jou], *s.* ver **zoril.**
Zoroaster [zɔrou'æstə], *n. p.* Zoroastres.
Zoroastrian [zɔrou'æstriən], **1** — *s.* zoroastriano, partidário das doutrinas de Zoroastres. **2** — *adj.* zoroastriano, zoroástrico.
Zoroastrianism [-izm], *s.* zoroastrianismo, zoroastrismo, sistema religioso de Zoroastres.
Zouave [zu(:)'a:v], *s.* zuavo.
zounds [zaundz], *interj.* com os diabos!, com a breca!
Zulu ['zu:lu:], *s.* e *adj.* zulu.
zygoma (*pl.* **zygomata**) [zai'goumə, -tə], *s.* (anat.) zigoma.
zygomatic [zaigou'mætik], *adj.* zigomático.
zygote ['zaigout], *s.* (biol.) zigoto.
zymase ['zaimeis], *s.* (quím.) zímase.
zymosis [zai'mousis], *s.* zimose, fermentação.
zymotic [zai'mɔtik], *adj.* zimótico, zímico.

ABBREVIATIONS

ABREVIATURAS

a., acre.
A₁, first class.
A. A., Automobile Association; Associate in Arts; anti-aircraft.
A. A. A., Amateur Athletic Association.
A. A. C., (lat.) anno ante Christum.
A. A. F., Auxiliary Air Force.
A. A. I., Associate of the Auctioneers' Institute.
A. A. I., Associate of the Auctioneers' Institute.
A. B., able-bodied (seaman); Bachelor of Arts — (lat.) Artium Baccalaureus — usa-se especialmente a abrev. **B. A.**
A. B. A., Amateur Boxing Association.
abbrev., abbreviation; abbreviated.
A. B. C., abc (alfabeto, abecedário).
A. B. C., Aerated Bread Co.; American Broadcasting Company.
A. B. C. A., Army Bureau of Current Affairs.
ab. init., (lat.) ab initio.
abp, Abp, archbishop.
abr., abridged.
abt., about.
Ac., acre.
A. C., Appeal, Court; Aero Club; Alpine Club; Appeal Cases; Athletic Club; (lat.) ante Christum — Ver **B. C.**
a/c, account.
A/C, account current.
A. C. A., Associate of the Institute of Chartered Accountants; Associated Chartered Accountant.
A. C. C. S., Associate of the Corporation of Certified Secretaries.
A. C. I., Army Council Instruction.
A. C. W., A/C/W, Aircraftwoman.
A. D., (lat.) anno Domini (in the year of our Lord).
A. D. A., Atomic Development Authority.
A. D. C., Aide-de-camp; Amateur Dramatic Club; Army Dental Corps.
ad eund., (lat.) ad eundem (gradum) — admitted to the same degree.
ad lib., (lat.) ad libitum (at pleasure).
Adm., Admiral; Admiralty; Administrator.
Adml., Admiral.
ad val., (lat.) ad valorem.
K, aged; of age; third class ship at Lloyd's.
aeron., aeronautics.
A. F. A., Amateur Football Association.
A. F. A. S., Associate of the Faculty of Architects and Surveyors.
A. F. C., Air Force Cross.
A. F. L., American Federation of Labour.
A. I. A., Associate of the Institute of Actuaries.
A. I. A. C., Associate of the Institute of Company Accountants.
A. Inst. P., Associate of the Institute of Physics.
A. L. A., Associate of the Library Association.
A. L. S., Associate of the Linnean Society.
a. m., (lat.) anno mundi (year of the world); (lat.) ante meridiem (before midday).
Anon., Anonymous.
A. P., Associated Press.
A. R. A., Associate of the Royal Academy.
A. R. A. M., Associate of the Royal Academy of Music.
A. R. C. A., Associate of Royal College of Arts.
A. R. C. M., Associate of Royal College of Music.
A. R. C. O., Associate of Royal College of Organists.
A. R. C. S., Associate of Royal College of Science.
A. R. P., Air Raid Precautions.
A. S., Anglo-Saxon; Academy of Science.
A. S. D. I. C., Anti-Submarine Detector Indicator Committee.
A. T. A., Air Transport Auxiliary.
A. T. C., Air Training Corps.
A. T. S., Auxiliary Territorial Service (superseded by W. R. A. C.).
A. V., Authorized Version.
b., born.
B. A., Bachelor of Arts.
B. A. O. R., British Army of the Rhine.
B. Arch., Bachelor of Architecture.
Bart. or **Bt.**, baronet.
B. B. C., British Broadcasting Corporation.
B. C., Before Christ.
B. Ch. (or **Ch. B.**), Bachelor of Surgery.
B. C. L., Bachelor of Civil Law.
B. Com., Bachelor of Commerce.
B. D., Bachelor of Divinity.
Bde, Brigade.
B. Eng., Bachelor of Engineering.
B. E. A., British Electricity Authority.
B. E. A. C., British European Airways Corporation.
B. E. F., British Expeditionary Force.
B. E. M., British Empire Medal.
B. I. S., Bank of International Settlements; British Information Service (in U. S.).
B. Litt., Bachelor of Letters.
B. M., Bachelor of Medicine.
B. M. A., British Medical Association.
B. Mus., Bachelor of Music.
B. O. A. C., British Overseas Airways Corporation.
B. O. T., Board of Trade.
Bp., Bishop.
B. Pharm., Bachelor of Pharmacy.
B. Phil, Bachelor of Philosophy.
B. R., British Railways.
Brit., Ass., British Association.
Bros., brothers.
B. S., Bachelor of Surgery.
B. Sc., Bachelor of Science.
B. Sc. Econ., Bachelor of Economic Science.
B. Th., Bachelor of Theology.
c., cents; centimes; circa (about).
C, Roman numeral for 100; Conservative; Centigrade.
C. A., Chartered Accountant.
C/A, current account.
Cantab., (Cantabrigensis) of Cambridge University.
Cantuar., of Canterbury.
Cap., Chapter (latin «caput»).
C. B., Companion of the Order of the Bath.
C/B, cash-book.
C. B. C., Canadian Broadcasting Corporation.
C. B. E., Comander of Order of British Empire.
C. C., County Councillor.
cc., cubic centimetres.
C. C. G., Control Comission for Germany.
C. E. M. A., Council for the Encouragement of Music and the Arts.
C. F., Chaplain to the Forces.
cf., (confer) compare.
C. H., Companion of Honour.
Ch. J., Chief Justice.
C. I., Channel Islands; Imperial Order of the Crown of India.
C. I. D., Criminal Investigation Department.
C. I. E., Companion of the Order of the Indian Empire.
c. i. f., cost, insurance and freight.
C.-in-C., Commander-in-Chief.
cir, or **cir.**, (lat.) circa (about).
C. J., Chief Justice.
C. M. G., Companion of the Order of St. Michael and St. George.
C. O., commanding officer.

Co., county; Company.
c/o, care of.
C. O. D., Cash on Delivery.
C. of E., Church of England.
C. of I., Church of Ireland.
C. of S., Church of Scotland.
C. P. R., Canadian Pacific Railway.
Cr., creditor; crown; created.
C. S. J., Companion of the Order of the Star of India.
C. U., Cambridge University.
cwt., hundredweight.
D., Duke; 500 (Roman numerals).
d., penny (lat. denarius); died; daughter.
D. B. E., Dame of Order of British Empire.
D. C., District of Columbia (U. S. A.)
D. C. L., Doctor of Civil Law.
D. C. M., Distinguished Conduct Medal.
D. D., Doctor of Divinity.
D. D. T., Dichloro-Diphenyl-Trichlorethane.
deg., Degree.
D. G., (lat.) Dei Gratia (by the Grace of God); Dragoon Guards.
D. Litt., Doctor of Literature.
Dol. or **$**, Dollar.
D. P. H., Diploma in Public Health.
Dr., Doctor; debtor.
dr., Drachm.
D. Sc., Doctor of Science.
D. S. C., Distinguished Service Cross.
D. S. O., Distinguished Service Order.
D. Theol., Doctor of Theology.
D. V., (lat.) Deo volente (God willing).
E., East.
E. and O. E., Errors and Omissions Excepted.
Eccl., Ecclesiastical.
E. C. E., Economic Council for Europe.
E. C. U., English Church Union.
E. F. T. A., European Free Trade Association.
e. g., (lat.) exempli gratia (for example).
Enc. Brit., Encyclopaedia Britannica.
E. R., Elizabeth Regina (Queen Elizabeth).
et al., (lat.) et alibi (and elsewhere).
etc., (lat.) et cetera (and so forth).
et seq., and the following.
f., fathom; franc; farthing; foot; following.
F. or **Fahr.**, Fahrenheit.
f. a. a., free of all average.
F. A., Footbal Association.
F. A. O., Food and Agricultural Organization.
F. B. A., Fellow of the British Academy.
F. B. I., Federation of British Industries; Federal Bureau of Investigation.
F. C. S., Fellow of the Chemical Society.
F. D., Fidei Defensor, Defender of the Faith.
F. F. A., Fellow of the Faculty of Actuaries.
F. F. A. S., Fellow of the Faculty of Architects and Surveyors.
F. G. S., Fellow of the Geological Society.
FIFA, International Federation of Football Association.
F. I. Inst., Fellow of the Imperial Institute.
F. I. I. A., Fellow of the Institute of Industrial Administration.
F. Inst. P., Fellow of the Institute of Physics.
F. L. A., Fellow of the Library Association.
F. M., Field Marshal.
F. O., Foreign Office.
f. o. b., free on board.
f. o. q., free on quay.
f. o. r., free on rail.
fr., franc(s).
F. R. A. M., Fellow of the Royal Academy of Music.
F. R. C. M., Fellow of the Royal College of Music.
F. R. C. O., Fellow of the Royal College of Organists.
F. R. C. P., Fellow of the Royal College of Physicians.
F. R. C. S., Fellow of the Royal College of Surgeons.
F. R. G. S., Fellow of the Royal Geographical. Society.
F. R. I. C., Fellow of the Royal Institute of Chemistry.
F. R. S., Fellow of the Royal Society.
F. R. S. A., Fellow of the Royal Society of Arts.
ft., foot, feet.
F. Z. S., Fellow of the Zoological Society.
G. A., General Agent.
gal., gallon.
G. B., Great Britain.
G. C. B., Knight Grand Cross of the Bath.
G. C. I. E., Knight Grand Cross of the Indian Empire.
G. C. L. H., Grand Cross of the Legion of Honour.
G. C. M. G., Knight Grand Cross of St. Michael and St. George.
G. C. S. L., Knight Grand Cross of the Star of India.
G. C. V. O., Knight Grand Cross of Royal Victorian Order.
Gen., general.
G. H. O., General Head-Quarters.
G. M., George Medal; Grand Master.
G. M. T., Greenwich Mean Time.
G. O. C., General Officer Commanding.
Govt., Government.
G. P. O., General Post Office.
Gt. Br., Great Britain.
guar., guaranteed.
h., hour(s).
H. A. C., Honourable Artillery Company.
H. H. H., His (or Her) Highness.
H. I. H., His (or Her) Imperial Highness.
H. I. M., His (or Her) Imperial Majesty.
H. M., His (or Her) Majesty.
H. M. I., His Majesty's Inspector (of Schools).
H. M. S., His Majesty's Ship (or Service).
Hon., Honourable.
h. p., horse-power; half-pay.
H. R. H., His (or Her) Royal Highness.
H. S. H., His (or Her) Serene Highness.
Ib or Ibid., (lat.) ibidem (in the same place).
I. C. I., Imperial Chemical Industries.
Id., (lat.) idem (the same).
i. e., (lat.) id est (that is).
Ign., (lat.) ignotus (unknown).
I. H. S., (lat.) Jesus Hominum Salvator (Jesus the Saviour of Men).
I. L. O., International Labour Office.
I. L. P., Independent Labour Party.
imp., Imperial.
incog., (lat.) incognito (in secret).
inf., (lat.) infra (below).
in loc., (lat.) in loco (in its place).
I. O. U., I owe you.
I. q., (lat.) idem quod (the same as).
I. Q., Intelligence Quotient.
Ir., Ireland.
I. S. S., International Student Service.
I. T. O., International Trade Organization.
I. U. S., International Union of Students.
J., judge.
J. P., Justice of the Peace.
Jr. or **Jun.**, junior.
K. B., Knight of the Bath.
K. B. E., Knight Commander of British Empire.
K. C., King's Counsel.
K. C. B., Knight Commander of the Bath.
K. C. I. E., knight Commander of the Indian Empire.

K. C. M. G., Knight Commander of St. Michael and St. George.
K. C. S. I., Knight Commander of the Star of India.
K. C. V. O., Knight Commander of the Royal Victorian Order.
K. G., Knight of the Garter.
Kil. or **Km.,** kilometre.
Kilo or **Kg,** kilogramme.
K. K. K., Ku Klux Klan.
K. O. S. B., King's Own Scottish Borderers.
K. O. Y. L. I., King's Own Yorkshire Light Infantry.
K. P., Knight of the Order of St. Patrick.
K. R. R. C., King's Royal Rifle Corps.
Kt., Knight.
K. T., Knight of the Order of the Thistle.
L. or **Ib.,** pound in weight.
L. or **l.** or **£,** pound sterling.
L, 50 (Roman numerals).
lat., latitude.
Lat., Latin.
l. c., (lat.) loco citato in the place cited.
L. C. C., London County Council.
L. C. J., Lord Chief Justice.
L. D. S., Licentiate in Dental Surgery.
L. F. P. S., Licentiate of the Faculty of Physicians.
Lic. Med., Licentiate in Medicine.
lit., Literature; literary.
L. J., Lord Justice.
L. L., Lord-Lieutenant.
LL. B., Bachelor of Laws.
LL. D., Doctor of Laws.
LL. M., Master of Laws.
loc. cit., (lat.) loco citato (in the place referred to).
long., longitude.
loq., (lat.) loquitur (speaks).
L. P., Lord Provost.
L. R. C. P., Licentiate of the Royal College of Physicians.
L. R. C. S., Licentiate of the Royal College of Surgeons.
L. S. E., London School of Economics.
Lt., lieutenant.
Ltd., Limited.
L. W. M., Low-water mark.
M., Member; Monsieur; 1,000 (Roman numerals).
M. A., Master of Arts.
M. Arch., Master of Architecture.
M. B., Bachelor of Medicine.
M. B. E., Member of British Empire.
M. C., Master of Ceremonies; Military Cross.
M. C. C., Marylebone Cricket Club.
M. Ch., Master of Surgery.
M. Ch. D., Master of Dental Surgery.
M. Com., Master of Commerce.
M. D., Doctor of Medicine.
M. E., Mining Engineer.
Mgr., Monsignore.
M. I., Military Inteligence.
M. I. O. B., Member of Institute of Builders.
M. J. L., Member of Institute of Journalists.
M. Litt., Master of Literature.
Mlle., (fr.) Mademoiselle (Miss).
mm., millimetres.
M. M., Military Medal.
MM., (fr.) Messieurs (Gentlemen).
Mme., (fr.) Madame (Madam).
M. P., Member of Parliament.
m. p. h., miles per hour.
M. P. S., Member of Pharmaceutical Society.
M. R. C. P., Member of the Royal College of Physicians.
M. R. C. S., Member of the Royal College of Surgeons.
M. R. C. V. S., Member of the Royal College of Veterinary Surgeons.
M. S., Master of Surgery.
Ms., Sss, manuscript, manuscripto.
M. Sc., Master of Science.
Mus. B., Bachelor of Music.
Mus. D., Doctor of Music.
M. V. O., Member of the Royal Victorian Order.
N., North.
N. A. T. O., North Atlantic Treaty Organization.
N. B., North Britain; nota bene (note well).
N. C. L., National Council of Labour.
N. C. O., Non-Commissioned Officer.
N. E., North East; New England.
Nem. Con., Nemine contradicente (no one contradicting); unanimously.
Nem. diss., (lat.) Nemine dissentiente (no person disagreeing; unanimously).
No., Nemeral (number).
Non. seq., (lat.) Non sequitur (it does not follow).
N. S. P. C. C., National Society for the Prevention of Cruelty to Children.
N. S. W., New South Wales.
N. U. R., National Union of Railwaymen.
N. U. T., National Union of Teachers.
N. W., North West.
N. Z., New Zealand.
ob., (lat.) obiit (died).
O. B. E., Officer British Empire Order.
O. C., officer commanding.
O. H. M. S., On Her Majesty's Service.
O. E. C. D., Organization for Economic Co-operation and Development.
O. H. M. S., On Her Majesty's Service.
O. K., slang term for "all correct" (orl krekt).
O. M., Order of Merit.
o/p, out of print.
O. T. C., Officers Training Corps.
O. U., Oxford University.
Oxon., Oxfordshire, of Oxford.
oz., ounce.
P. A. U., Pan-American Union.
P. C., Privy Councillor; Police Constable.
p.c., (lat.) per centum (by the hundred; postcard).
P. E. P., Political and Economic Planning (Society).
Ph. C., Pharmaceutical Chemist.
Ph. D., Doctor of Philosophy.
P./L., profit and loss.
P. L. U. T. O., Pipe Line Under the Ocean.
P. M., Pacific Mail; **Prime Minister.**
p. m., post meridiem **(after midday).**
P. M. G., Postmaster-General.
P. N. E. U., Parents' National Education Union.
P. O., Post Office.
P. O. O., Post Office Order.
P. O. S. B., Post Office Savings Bank.
pp., pages.
P. P. C., (fr.) "pour prendre congé" (to take leave).
P. P. S., Further Postscript.
P. Q., Parliamentary Question.
P. R. A., President of the Royal Academy.
Pres., President.
Prof., Professor.
pro tem., Pro tempore (for the time being).
Prov., Provost.
prox., (lat.) proximo (next).
P. R. S., President of the Royal Society.
P. S., (lat.) Postscriptum (postscript).
P. T., Physical Training.
P. T. O., Please turn over.
Q., Queen.
Q. C., Queen's Counsel.
q. e. d., (lat.) quod erat demonstrandum (which was to be proved) (applied to a theorem).
q. e. f., (lat.) quod erat faciendum (which was to be done) (applied to a problem).

Q. M. G., Quartermaster-General.
qr., quarter.
qt., quart.
Qto, (lat.) Quarto (folded in four).
quot., quotation.
q. v., (lat.) quod vide (which see); (lat.) quantum vis (as much as you will).
R., River; Road; Réaumur.
R. A., Royal Academy, Royal Academician; Royal Artillery.
R. A. C., Royal Agricultural College; Royal Armoured Corps; Royal Automobile Club.
R. A. F., Royal Air Force.
R. A. M., Royal Academy of Music.
R. A. M. C., Royal Army Medical Corps.
R. A. S., Royal Astronomical (or Asiatic) Society.
R. A. S. C., Royal Army Service Corps.
R. B. A., Royal Society of British Artists.
R. C., Roman Catholic.
R. C. N., Royal Canadian Navy.
rd., road.
R. D. C., Rural District Council.
R. E., Royal Engineers; Royal Society of Painter Etchers.
recd., received.
Rect., Rector.
ref(c)., (in) reference (to).
regd., registered.
Rev., Reverend.
R. F. A., Royal Field Artillery.
R. G. A., Royal Garrison Artillery.
R. H. A., Royal Horse Artillery.
R. H. G., Royal Horse Guards.
R. H. S., Royal Humane Society.
R. I. A., Royal Irish Academy.
R. I. P., (lat.) Requiescat in pace (may he [or she] rest in peace).
R. M., Royal Marines; Resident Magistrate.
R. M. A., Royal Marine Artillery; Royal Military Academy.
R. M. P., Royal Military Police.
R. N., Royal Navy.
R. N. R., Royal Naval Reserve.
R. N. V. R., Royal Naval Volunteer Reserve.
R. S. A., Royal Scottish Academy, Royal Scottish Academician.
R. S. I., Royal Sanitary Institute.
R. S. L., Royal Society of Literature.
R. S. P. C. A., Royal Society for the Prevention of Cruelty to Animals.
R. S. V. P., (fr.) Répondez s'il vous plait (please answer).
R. T. O., Railway Transport Officer.
R. V., Revised Version.
s., succeeded; son; shilling.
S., South; Saints.
S. A., South Australia; South Africa; South America.
sc., (lat.) scilicet (to wit).
Sc. D., Doctor of Science.
S. C. M., Student Christian Movement.
sculps., (lat.) sculpsit (he engraved).
Sculpt., Sculptor.
S. E., South East; Stock Exchange.
Sec., Secretary; Second.
S. G., Solicitor-General.
Sgt., sergeant.
sic, written.
S. M. E., School of Military Engineering.
S. O. S., "Save Our Souls" (distress signal).
s. p., (lat.) sine prole (without issue).
S. P. G., Society for the Propagation of the Gospel.
S. P. Q. R., (lat.) Senatus Populusque Romanus (The Senate and People of Rome).
sq., square.
S. W., South West.
St., Street; Saint.
T. A., Territorial Army.
T. B., Tuberculosis.
tn., ton.
Toc. H., Talbot House.
tr., translation; transpose; treasurer.
T. R. H., Their Royal Highnesses.
T. T., Tubercular Tested; Teetotal.
T. U. C., Trades Union Congress.
U.-boat, German submarine.
U. D. C., Urban District Council.
U. K., United Kingdom.
ult., (lat.) ultimo (last).
Univ., University.
U. N. A., United Nations Association.
U. N. E. S. C. O., United Nations Educational, Scientific and Cultural Organization.
UNICEF, United Nations International Children's Emergency Fund.
U. N. O., United Nations Organization.
U. P., United Press.
U. S. A., United States of America.
U. S. A. A. F., United States Army Air Force.
U. S. N., United States Navy.
U. S. S. R., Union of Soviet Socialist Republics.
v., (lat.) versus (against); (lat.) vide (see).
V., five (roman numeral); Version; Vicar; Viscount; Vice.
vid., (lat.) vide (see).
V. A. D., Voluntary Aid Detachment.
V. C., Victoria Cross.
Ven., Venerable (of an Archdeacon).
Very Rev., Very Reverend (of a Dean).
Vet., Veterinary.
V. G., Vicar-General.
V. I. P., Very Important Person.
Visc., Viscount.
Viz. (lat.) videlicet (namely).
Vo. (lat.) verso (on the left-hand page).
Vol., Volume.
W., West.
W. A. A. F., Women's Auxiliary Air Force (superseded by W. R. A. F.).
W. D., War Department.
W. E. A., Workers' Education Association.
W. F. T. U., World Federation of Trade Unions.
W. H. O., World Health Organization.
W. I., Women's Institute.
W. I., Women's Institute; West Indies.
W. L. A., Women's Land Army.
W. O., War Office.
W. R. A. C., Women's Royal Army Corps.
W. R. A. F., Women's Royal Air Force.
W. R. N. S., Women's Royal Naval Service.
W. S., Writer to the Signet.
W. V. S., Women's Voluntary Services.
X, Ten (Roman numeral)
Xmas, Christmas.
Xt., Christ.
yds., yards.
Y. M. C. A., Young Men's Christian Association.
Yorks., Yorkshire.
Y. W. C. A., Young Women's Christian Association.

Execução gráfica de: **BLOCO GRÁFICO, LDA.** – R. da Restauração, 387 – 4000 PORTO – PORTUGAL